GUIDE HACHETTE des VINS DE FRANCE

GUIDE HACHETTE DES VINS DE FRANCE

Direction : Adélaïde Barbey.

Édition et coordination : François Monmarché et Catherine Montalbetti.

Ont collaboré :

Pierre Bedot, *président de l'Union française des œnologues* ; Pierre Bidan, *professeur à l'ENSA de Montpellier* ; Jean Bisson, *directeur de la station viticole de l'INRA à Cosne-sur-Loire* ; Pierre Casamayor, *maître-assistant à la Faculté des Sciences de Toulouse* ; Robert Cordonnier, *directeur de recherche à l'INRA* ; Michel Dovaz, *écrivain* ; Michel Feuillat, *professeur à la Faculté des Sciences de Dijon* ; Michel Garat, *œnologue* ; Pierre Huglin, *directeur de recherche à l'INRA* ; Max Léglise, *ancien directeur de la station œnologique de l'INRA de Beaune* ; Jacques Puisais, *président honoraire de l'Union française des œnologues* ; Charles Quittanson, *inspecteur général honoraire de la Direction de la Qualité et de la Répression des Fraudes* ; Pascal Ribéreau-Gayon, *directeur de l'Institut d'œnologie de l'université de Bordeaux II* ; Pierre Torrès, *directeur de la station vitivinicole du Roussillon*.

Ainsi que :

Monique Achard ; Jean-François Bazin ; Jean Bellard ; Jean-Pierre Cathala ; Bertrand Daulny ; Jean-Pierre Deroudille ; André Fabry ; Antoine Lebègue ; Michel Le Seac'h ; Hubert Meyer ; Olivier Naslès ; Franck Penin ; François Roboth.

Nous remercions particulièrement André Vedel, *inspecteur général honoraire de l'INAO.*

Responsable informatique éditoriale : Catherine Julhe, avec Sylvie Allégret, Nathalie Régent, Patrick Riou.

Secrétariat d'édition : Élisabeth Moinard.

Lecture-correction : Nathalie Boyer, Évelyne Grumberg.

Couverture : Calligram.

Maquette et mise en page : François Huertas.

Cartographie : René Pineau et Alain Mirande.

Illustrations : Véronique Chappée.

Production : Gérard Piassale et Françoise Jolivot.

Composition : Iota.

Impression : Maulde et Renou Aisne.

Façonnage : Reliures Brun.

Nous exprimons nos très vifs remerciements aux 450 membres des commissions de dégustation réunies spécialement pour l'élaboration de ce guide, et qui, selon l'usage, demeurent anonymes, ainsi qu'aux organismes qui ont bien voulu apporter leur appui à l'ouvrage ou participer à sa documentation générale :

- l'Institut National des Appellations d'Origine, INAO ;
- l'Institut National de la Recherche Agronomique, INRA ;
- la Direction de la Consommation et de la Répression des Fraudes ;
- la SOPEXA ;
- l'Office National interprofessionnel des Vins ;
- la Fédération Nationale des Vins délimités de qualité supérieure ;
- les Comités, Conseils et Unions interprofessionnels ;
- l'Institut des Produits de la Vigne de Montpellier ;
- les Syndicats viticoles et associations de viticulteurs ;
- les Unions et Fédérations de Grands Crus ;
- les Syndicats des Maisons de négoce et la Fédération du Commerce d'exportation des Vins et Spiritueux de France ;
- la Confédération des Caves Particulières et ses fédérations régionales ;
- la Confédération nationale des Caves coopératives et les Fédérations des Caves coopératives ;
- les Chambres d'agriculture ;
- les laboratoires départementaux d'analyse ;
- les lycées d'Enseignement agricole ;
- les Maisons des Vins ;
- les Syndicats des Courtiers de vins ;
- l'Union française des œnologues et les Fédérations régionales d'œnologues ;
- l'Union de la Sommellerie française et les Associations régionales de Sommeliers ;
- le Théâtre municipal de Reims.

GUIDE
HACHETTE
des VINS
DE FRANCE

HACHETTE

COMMENT UTILISER CE GUIDE

Pour trouver...

Pour connaître rapidement les meilleurs rapports qualité-prix, repérez les symboles de
prix en rouge.

La reproduction d'une étiquette signale un vin choisi par la rédaction du guide comme
l'un des « coups de cœur » de cette édition.

4

SOMMAIRE

SYMBOLES

SYMBOLES UTILISÉS DANS LE GUIDE

La reproduction d'une étiquette signale un « coup de cœur »

*** vin exceptionnel
** vin remarquable
* vin intéressant

1986 millésime du vin dégusté

□ vin « tranquille » blanc
◨ vin « tranquille » rosé
■ vin « tranquille » rouge

○ vin effervescent blanc
◐ vin effervescent rosé
● vin effervescent rouge

50 000, 12 500... nombre moyen de bouteilles du vin présenté
4 ha superficie de production du vin présenté
■ élevage en cuve
▬ élevage en fût
→ thermorégulation
◪ vente à la propriété
☛ adresse
✆ conditions de visite ou de dégustation (r.-v. = sur rendez-vous)
Y nom du propriétaire, si différent de celui figurant dans l'adresse
n. c. information non communiquée

LES PRIX (prix moyen de la bouteille franco de port en France par carton de 12)

1 moins de 20 F   **2** de 20 à 30 F   **3** de 30 à 50 F
4 de 50 à 70 F   **5** de 70 à 100 F   **6** de 100 à 150 F
7 plus de 150 F

En rouge, le symbole indique un bon rapport qualité/prix

LES MILLÉSIMES

71 73 74 75 (76) 77 78 79 80 81 82 83

7173   les millésimes en rouge sont à boire

79 83   les millésimes en noir sont à garder

81   les millésimes en noir entre deux traits verticaux sont à boire pouvant attendre

7379   les meilleurs millésimes sont en gras

(76)   le millésime exceptionnel est dans un cercle

Les millésimes indiqués n'impliquent pas une disponibilité à la vente chez le producteur mais chez les cavistes ou restaurateurs.

A partir du 15 janvier 1989 le monde du vin est sur minitel :

- Découvrez la sélection des 5 700 meilleurs vins de France du « Guide Hachette 1989 des Vins »
- Jouez sur le thème du vin
- Montez votre cave
- Choisissez les meilleurs millésimes
- Commandez votre vin en direct

Tapez : 3615 H 15
3615 Elle
3615 Lui
3615 Match

AVERTISSEMENT

Une sélection des vins totalement nouvelle

Voici le 4ᵉ millésime de ce guide. Vous y trouverez décrits les 5700 meilleurs vins français **tous dégustés en 1988**. Ils ont été élus pour vous, par 450 experts au cours des commissions de dégustation à l'aveugle du **Guide Hachette des Vins de France**, parmi plus de 10 000 vins de toutes les appellations.

Un guide objectif

L'absence de toute participation publicitaire et financière des producteurs, négociants ou coopératives cités assure l'impartialité de l'ouvrage, dont l'unique ambition est d'être un guide d'achat au service des consommateurs. Les notes de dégustation, qui attribuent de zéro à trois étoiles à chacun des vins répertoriés, doivent être comparées au sein d'une même appellation : il est en effet impossible de juger des appellations différentes avec le même barème.

⎯ Les 279 vins dont l'étiquette est reproduite constituent les « coups de cœur » librement choisis et élus par les dégustateurs du guide ; petits ou ■ grands, ils sont particulièrement recommandés aux lecteurs.

Un classement simple

La première partie de ce guide rassemble les éléments nécessaires pour apprécier les vins de France à leur juste valeur : histoire, rôle culturel et social du vin ; techniques de son élaboration ; gastronomie ; adresses utiles et pratiques, etc.

⎯ Les vins sont ensuite répertoriés :
– par régions, classées alphabétiquement ;
– par appellations, présentées géographiquement à l'intérieur de chaque région ;
– par ordre alphabétique à l'intérieur de chaque appellation.

Quatre index, en fin d'ouvrage, permettent de retrouver les appellations, les vins, les producteurs et les communes.

Les 48 cartes originales permettent de visualiser l'implantation géographique de l'ensemble des vignobles français.

Les raisons de certaines absences

Des vins connus, parfois même réputés, peuvent être absents de cette édition : soit parce que leurs producteurs ne les ont pas présentés ; soit parce qu'ils ont été éliminés lors des dégustations. Pour certains vins dégustés et retenus, la mention « n.c. » remplace des informations non communiquées.

⎯ Par ailleurs, on ne s'étonnera pas de l'absence de millésime ou année pour les vins d'assemblage (champagnes non millésimés, par exemple) ou à boire jeunes ou dans l'année (beaujolais) ; ni de celle des surfaces de production pour les vins de négoce ou de coopératives, issus de différentes propriétés.

Un guide de l'acheteur

L'objet de ce guide étant d'aider le consommateur à choisir ses vins selon ses goûts et à découvrir les meilleurs rapports qualité/prix (signalés par un symbole de prix en rouge), tout a été fait pour en rendre la lecture facile et pratique.

– une lecture attentive des introductions générales, régionales et de chaque appellation est indispensable : certaines informations communes à l'ensemble des vins ne sont pas répétées pour chacun d'eux. L'édition 89 a actualisé ces textes par des « quoi de neuf ? » pour chacune des régions ;

– le signet, placé en vis-à-vis de n'importe quelle page, donne immédiatement la « clef » des symboles et rappelle, au dos, la structure de l'ouvrage ;

– les prix (prix moyen de la bouteille, franco de port, par carton de 12), présentés sous forme de « fourchettes », sont bien sûr soumis à l'évolution des cours et donnés sous toutes réserves ;

– certains vins sélectionnés pour leur qualité ont parfois une diffusion quasi-confidentielle. L'éditeur ne peut être tenu pour responsable de leur non disponibilité à la propriété, mais invite les amateurs à les rechercher chez les cavistes, négociants ou sur les cartes des vins des restaurants ;

– les termes techniques, indispensables à une description sérieuse des vins, sont expliqués dans le glossaire.

– Un conseil enfin : la dégustation chez le producteur est bien souvent gratuite. N'en abusez pas : elle représente un coût non négligeable pour le producteur qui ne pourra vous ouvrir ses vieilles bouteilles.

Un adage prétend : « A bon vin, point d'enseigne ». C'était sans doute vrai lorsque l'on ne se déplaçait guère, et que l'examen discret du nombre des clients d'un estaminet renseignait suffisamment sur la qualité de ce qui s'y buvait. L'époque ne se satisfait plus de cette façon de déceler le meilleur au milieu du médiocre, et la publicité s'est emparée de tout ce qui se vend. Bien rares sont les crus qui se contentent de la renommée, et récusent les moyens « médiatiques » de se faire valoir. Encore que, même dans cette hypothèse, il y ait des façons plus discrètes mais aussi efficaces d'attirer le chaland.

— On sait bien le danger que cela comporte : les techniques de persuasion ont fait des progrès et il y a des gens doués qui arrivent à vendre n'importe quoi avec succès. Quelques-uns, dont je suis, conscients de s'être fait « rouler » à diverses reprises, en arrivent même à une réaction de défiance systématique. Comment faire alors pour éviter les déconvenues des expériences hasardeuses ?

— Car du bon vin, comme des braves gens, il y en a partout, tout comme des moins bons et des méchants aussi, d'ailleurs. Cette affirmation péremptoire m'est autorisée, je pense. Les expériences heureuses et malheureuses qui sont les obligations de mon métier, et la chance d'avoir pu les faire un peu partout, en France et ailleurs, ont eu raison du chauvinisme qui habite généralement chacun de nous : oui, du bon vin, il y en a partout ; du moins bon aussi.

— C'est très important, je crois, d'être persuadé que les bonnes choses sont finalement très répandues. En se cantonnant aux habitudes que l'on a prises chez son épicier, on passe à côté de satisfactions qu'il est dommage de ne pas éprouver ! D'autant que l'éducation du palais, et son initiation à des sensations nouvelles, sont les voies d'accès à une culture aussi certaine que celles qui se rapportent aux autres organes des sens.

— Comme pour tout phénomène culturel, les avis et les préférences ne sont pas unanimes en matière de goût. Pour en parler sans parti-pris, on doit d'abord s'entendre sur la signification des mots, et plus spécialement sur ce que veulent dire exactement « bon » et « moins bon », ou même « mauvais ». Comme chacun peut s'en convaincre, selon l'endroit, l'époque, l'humeur ou les commensaux, ces qualificatifs sont interchangeables pour la même chose. Il faut donc être très prudent dans les appréciations, surtout si elles sont péjoratives.

— Pour subjective et circonstancielle que soit cette notion, la qualité intrinsèque, cela existe pourtant. Elle s'apprécie par rapport à des critères qui doivent être précis, définis en fonction du produit, et non pas des préférences personnelles du dégustateur, qui doit faire preuve à la fois de compétence (ce qui peut s'acquérir) et d'impartialité (ce qui ressort d'une discipline sur soi-même). Un de mes bons amis a très exactement pu dire : « s'occuper du plaisir des autres n'est pas un plaisir en soi ». Aucun dégustateur sérieux ne peut accepter de participer à une épreuve s'il n'est pas certain de dominer les répulsions ou les préférences que lui ont imposées ses habitudes ou ses caractéristiques physiologiques personnelles. Comme on dit, « si vous n'aimez pas, n'en dégoûtez pas les autres ».

D'ailleurs, chacun le sait bien, au fond de soi. Quand on me demande quel est le meilleur vin du monde, je réponds par une autre question : quelle est la plus belle femme du monde ? Les prudents et les amoureux répondent « la mienne ! ». Les autres ne savent quoi répondre. Mais tous conviennent ensuite que, Dieu merci, il y en a des millions sur terre. (Je tiens à faire observer que l'inversion du genre grammatical dans les phrases qui précédent n'ôte rien à leur signification).

Tout ceci, malgré les apparences ne s'écarte pas du sujet, qui est de présenter l'ouvrage : ces préliminaires ont pour but d'expliquer pourquoi les appréciations comme celles qui sont la raison de ce « Guide », pour être crédibles, doivent répondre à quatre conditions précises :

— La première est que les goûteurs doivent être compétents, avoir une expérience suffisante du type de vin soumis à leur appréciation, et être en mesure d'exprimer leur avis de façon claire.

— La deuxième est qu'ils soient totalement indépendants et libres de leur jugement, ainsi que l'éditeur, matériellement et psychologiquement ; ce qui implique l'anonymat des échantillons pour les goûteurs, et l'absence de contribution financière des canditats pour l'éditeur.

— La troisième est que l'accès à la présentation du vin au jury de sa catégorie soit ouvert à tous.

— La quatrième enfin, est que l'appréciation soit établie collégialement, pour réduire, sinon éliminer, les conséquences de possibles anomalies individuelles de jugement.

— Tout ceci n'est pas nouveau : cela se faisait déjà dans l'Antiquité à Rome, une fois l'an, pour le vin nouveau. Des dégustateurs officiels donnaient une appréciation descriptive des vins présentés dans un vocabulaire tout à fait conforme à celui des techniciens d'aujourd'hui. Ce qui est nouveau, par contre, c'est l'application que fait, depuis trois ans, le Guide Hachette des Vins de France de cet usage millénaire, si longtemps en sommeil.

Tous les producteurs et tous les négociants-éleveurs de tous les crus de France ont été invités à présenter leurs vins. Rassemblés dans divers centres régionaux, les bouteilles ont été revêtues d'un sur-emballage opaque numéroté, et dégustées par un jury de spécialistes des vins de la catégorie, comprenant des œnologues, des sommeliers, des courtiers en activité dans la région. Les appréciations individuelles ont été rassemblées, et éventuellement discutées si elles n'étaient pas concordantes. Ce n'est qu'après que l'anonymat a été levé, et le responsable du jury chargé d'en rédiger la synthèse. Il n'est pas possible, je crois, de faire mieux dans ce domaine. L'infaillibilité n'est pas de ce monde, mais tout a été fait pour approcher l'exactitude, sous l'empire absolu de l'impartialité.

Tout ceci pour dire de façon plus concise que ce Guide Hachette des Vins de France, qui s'était donné pour but de vous éviter des expériences onéreuses, et de vous faire faire quelques unes découvertes, a pleinement atteint son objectif : je ne doute pas que vous en soyez convaincu, si, comme il se doit de la part de l'amateur éclairé que vous êtes, vous admettez le « droit à la différence » dans le goût.

Pierre Bedot
Président de l'Union Française
des Oenologues

10

Par un hasard extraordinaire, l'un des plus anciens témoignages de l'existence des lambrusques, ces vignes sauvages dont sont issues toutes les variétés dites « européennes », est un pépin parfaitement conservé dans des tourbes datant de plus d'un million d'années, à Béanne. Mais s'agit-il bien d'un hasard ? Ne faut-il pas plutôt mettre sur le compte du dieu du Vin cette association plaisante entre la capitale du vignoble bourguignon et ce modeste vestige de la *vitis vinifera* ? Nos lointains ancêtres, descendants des chasseurs de chevaux sauvages de la région de Solutré, au cœur de la Bourgogne, faisaient sans doute, déjà, suivre leurs rôtis d'un merveilleux dessert automnal : les raisins qu'ils avaient cueillis sur les pampres grimpant aux arbres, à proximité des ruisseaux...

— Il serait toutefois artificiel de chercher à établir une continuité entre des amateurs préhistoriques de petits grains fort peu sucrés et les vignerons d'aujourd'hui, cultivateurs savants et inspirés. D'une part, la filiation ne saurait être directe entre les lambrusques indigènes et des cépages tels que le pinot bourguignon, le cabernet-franc bordelais ou encore le riesling alsacien, alors que des variations climatiques ont fait depuis reculer à plusieurs reprises certaines espèces végétales vers des zores momentanément plus favorables, la vigne devant attendre chaque fois un réchauffement pour recoloniser des régions entières de notre pays. D'autre part, bien que certains placent les premières expériences d'élaboration du vin dans des cités lacustres sur pilotis, tout porte à croire que les techniques de vinification ont été importées.

— Le vin, en effet, est presque synonyme de Méditerranée ; il est l'une des composantes de la civilisation qui naquit sur les rives de la Mer intérieure. La culture de la vigne et la connaissance des procédés de vinification remontent à la plus haute Antiquité dans le bassin oriental de la Méditerranée et dans les pays asiatiques voisins : ces pratiques n'ont pas de meilleures illustrations que les peintures égyptiennes représentant la vendange et le pressurage des raisins.

— Pour comprendre à quel point le vin domine la vie matérielle, mais aussi spirituelle des peuples méditerranéens, il suffit de citer deux noms : Dionysos – le Bacchus des Romains – et Jésus-Christ. Le premier, divinité grecque du Vin et de l'Ivresse, se déplaçait toujours en compagnie de son fils Priape et d'un cortège de satyres, de silènes et autres ménades très légèrement vêtues. Mais il ne faudrait pas voir dans les dionysies grecques puis dans les bacchanales romaines de simples beuveries dégénérant dans l'orgie la plus débridée : par ses pouvoirs stimulants et enivrants, le vin permettait de se libérer des attaches terrestres et de s'intégrer à la divinité. Les grandes dionysies du printemps, au cours desquelles on s'affrontait dans des concours de récitations poétiques en dégustant le vin nouveau, sont à l'origine de la tragédie classique.

— « Tous les prétextes sont bons pour lever le coude ! » diront les sceptiques. Pourtant, le caractère sacré du divin breuvage apparaît au premier plan dans le christianisme : le vin, la vigne et le vigneron sont si exemplaires de la condition humaine qu'ils sont cités 441 fois dans l'Ancien et le Nouveau Testaments ! De Noé, qui n'a rien de plus pressé en descendant de son arche que de planter une vigne, jusqu'à Saint-Paul, qui prescrit du vin contre les douleurs d'estomac, personne n'est oublié : Salomon, David, Judith, Esther, Pierre ont affaire avec lui. Et est-ce par hasard si le premier miracle du Christ est celui des Noces de Cana, préfiguration de l'eucharistie ?

— Après le détour par la Grèce et la Palestine, nous pouvons revenir en France ; car la digression, loin d'être gratuite, explique en partie pourquoi la vigne y occupe des centaines de milliers d'hectares : sa culture fut introduite par les disciples de Dionysos puis encouragée par ceux de Jésus de Nazareth. Au début du VIe s. avant notre ère, les fondateurs de la colonie phocéenne de Massilia – l'actuelle Marseille – plantèrent un vignoble dans une malheureuse région qui ignorait les bienfaits du vin. Mais la vigne resta le strict privilège du littoral méditerranéen jusqu'à la colonisation romaine. La question reste posée de savoir si certains Gaulois avaient mis au point par eux-mêmes les techniques d'élaboration du vin, ou bien si celles-ci leur furent enseignées par leurs maîtres italiens. Quoi qu'il en soit, le résultat n'est discuté par personne : dès qu'ils eurent trempé leurs lèvres dans le jus du raisin, nos ancêtres furent pris d'une frénésie de culture ! Le vin, production de plus en plus lucrative avec le développement du commerce, se répandit tellement au détriment du blé que l'empereur Domitien dut édicter des mesures, en 92 après Jésus-Christ, afin de limiter son expansion et d'assurer un approvisionnement suffisant en pain ! Car le blé et la vigne, si étroitement liés dans l'eucharistie, furent en revanche de redoutables concurrents dans l'histoire économique de la France : le solide contre le liquide, le produit de première nécessité contre le luxe si plaisant...

— Après les désastres causés par les invasions barbares, la vigne repoussa derrière Attila et gagna des régions aussi septentrionales que la Normandie, la Bretagne, et même, au-delà des frontières, la Belgique actuelle et le sud de l'Angleterre. L'Église, dont l'influence était à l'époque déterminante, se méfiait sans doute de l'abus de vin qui, disait-elle, transformait l'homme en bête ; mais en même temps, elle respectait ce don de Dieu. Il est certain qu'elle contribua au développement des vignobles. Les ordres religieux jouèrent notamment un grand rôle dans les progrès de la viticulture, et aujourd'hui encore quantité de crus, de dénominations et de traditions rappellent cette action qui toucha l'ensemble des régions viticoles françaises pendant plus d'un millénaire. Ne devrait-on pas à un bénédictin champenois, le célèbre dom Pérignon (1638-1715), le perfectionnement des procédés d'élaboration du vin mousseux ?

— De la fin du Moyen Age jusqu'à l'époque contemporaine, on assista à la disparition progressive des vignobles du nord de la France, à l'exception de ceux de l'Alsace et de l'Est. Pourquoi s'obstiner à faire du vin dans des régions peu adaptées, alors que des moyens de transport de plus en plus rapides, en particulier le chemin de fer, permettaient de le faire venir du sud du pays ? Et ainsi Montmartre et Suresnes sont-ils les derniers vestiges de l'un des plus grands vignobles – en quantité sinon en qualité – de l'époque médiévale.

— Là où la grêle, la sécheresse, les inondations et Attila en personne avaient échoué, un minuscule puceron originaire d'Amérique fut bien près de réussir : en une trentaine d'années, à partir de 1865, le phylloxera vastatrix détruisit la quasi-totalité du vignoble français. Catastrophe sans précédent, fléau qui toucha des dizaines de milliers de vignerons, mais n'abattit pas pour autant leur courage ! Après des tâtonnements plus ou moins heureux, on se rendit compte que le seul remède consistait à greffer des cépages français sur des porte-greffes américains résistant au puceron ; mais si le Bordelais, la Bourgogne et la Champagne se rétablirent assez vite de la maladie, d'autres vignobles disparurent ou mirent des décennies à se reconstituer. De plus, beaucoup de petits producteurs abandonnèrent leur exploitation pour émigrer en ville. Seuls survécurent ceux qui possédaient des moyens matériels et une clairvoyance suffisants pour accomplir les innovations techniques nécessaires.

— Le vin est donc l'une des grandes composantes de l'histoire de la France et, plus généralement, du Bassin méditerranéen. Mais dans certaines régions, il est encore beaucoup plus que cela : il détermine directement l'économie, les traditions, les mentalités ; bref, la civilisation de communautés entières. La vigne, tout d'abord, établit de manière dictatoriale le calendrier des hommes qui la cultivent : d'une vendange à l'autre, l'arrachage des échalas, le buttage, le remplacement des ceps morts, la taille, le sarmentage, le soufrage, le sulfatage, le rognage et bien d'autres opérations délicates ne laissent guère de

temps libre au vigneron. Malgré les progrès techniques, la viticulture fait toujours appel à des soins de tous les instants, sans rapport avec les travaux exigés par la céréaliculture mécanisée ou par l'élevage industriel.

— Personne mieux que les vignerons n'a démontré la justesse de l'adage « l'union fait la force ». L'ampleur des efforts à fournir, la nécessité de réduire au maximum la durée des vendanges et la défense de la qualité les ont conduits à adopter les structures communautaires. Jusqu'en 1789, les corporations fixaient des règles très contraignantes régissant l'ensemble des travaux agricoles; c'est ainsi que l'on décidait collectivement du ban des vendanges, autrement dit de la date à laquelle commenceraient les vendanges. Cet héritage a été en grande partie repris par les caves coopératives, nées en Languedoc au début du XXᵉ s. et répandues aujourd'hui dans toute la France, ou par les syndicats d'appellation.

— Cette organisation communautaire dépasse l'aspect strictement agricole: les confréries médiévales, alors religieuses et d'entraide, réapparues au XXᵉ s., allient désormais folklore ou traditions et commerce et promotion. Chevaliers du Sacavin ou du Tastevin, Sorciers et Birettes de Bué-en-Sancerrois ou Fins Gosiers d'Anjou, tous ces amoureux du bon vin profitent de la Saint-Vincent, de la Saint-Vernier ou de quelque autre occasion pour vanter les produits de leur vignoble. Par leurs insignes, leurs costumes et leurs titres ronflants, ils revendiquent une glorieuse tradition; et quand ils intronisent des personnalités françaises ou étrangères dans un but de relations publiques, ils ne font rien de plus que les communautés religieuses d'autrefois, lorsqu'elles cherchaient à gagner par leurs vins les faveurs des grands du royaume. Et par leur joie de boire, par leur nom même, les confréries vineuses évoquent et se rattachent à la tradition des banquets bien arrosés des Grecs et des Romains.

— Le cadre de vie, lui aussi, est façonné par la vigne. Les paysages champenois, girondins ou bourguignons s'ordonnent depuis des siècles autour des rangées régulières de ceps. L'architecture en dépend également, puisque, en pays de vignobles, la partie la plus importante d'une maison est soit la cave, enterrée en tout ou partie et voûtée, parfois même creusée dans le rocher comme dans le Val de Loire ou dans la région de Saint-Émilion, soit le chai, cellier bâti en rez-de-chaussée (Bordelais, Sud-Ouest).

— Le vin, maître incontesté des pays de production, influe également sur la vie des régions où l'on se borne à le consommer. Selon des statistiques récentes, près de 80% des Français âgés de plus de quatorze ans boivent du vin régulièrement ou occasionnellement; un cinquième seulement de la population n'est pas concerné par notre propos. Dans la France du nord, qui n'abrite que des vignobles éphémères, et dans toutes les tristes nations de buveurs de bière, il apporte un rayon de soleil qui réchauffe les cœurs depuis que les bateaux et les charrois, les trains, les camions et les avions assurent son transport. Il occupe la place d'honneur sur les tables du monde entier, de Los Angeles à Stockholm en passant par Tokyo et Sydney, et chacun sait que bien des étrangers, à commencer par les Anglais, en connaissent aussi long que nos compatriotes sur nos crus réputés...

— Ce succès est dû de toute évidence à l'excellence de nos produits, mais l'apport des plus grandes plumes françaises, véritables ambassadrices du vin, n'est sans doute pas négligeable. Les deux domaines dans lesquels la France est incomparable, le vin et la littérature, ont en effet toujours fait bon ménage; le premier a inspiré la seconde, qui à son tour en a chanté les louanges. Rabelais, dont le père possédait des vignes, n'a-t-il pas écrit son œuvre pour un public d'amateurs de la « Dive Bouteille »? Pour celui qui lançait: « Sus à ce vin, compaings! Enfants, beuvez à pleins guodetz », la boisson divine est le symbole de la vie et de la vérité cachée; in vino veritas.

— Il n'est pas possible de compiler ici une anthologie des bons auteurs, mais il faut au moins noter que l'on retrouve un vif intérêt pour le vin chez des écrivains aussi différents que Diderot, Voltaire, Baudelaire - qui éprouvait la plus grande suspicion à l'égard des buveurs d'eau -, Huysmans, Barrès ou Claudel. Certains y voyaient un moyen de faire communier les hommes, d'autres un symbole de la civilisation méditerranéenne, d'autres

encore une sorte de quintessence du caractère français. Dans une veine populiste et humoristique, René Fallet, à qui l'on doit le *Beaujolais nouveau est arrivé*, reprend les thèmes de la convivialité et du caractère national. « On ne trinque pas tout seul », écrit-il dans *la Soupe aux choux*, tandis que l'un de ses héros déclare : « Tu me fais offense ! t'es en France, mon gars, et en France on boit le coup quand on a quelqu'un à la maison, on n'est pas des sauvages ! »

Cependant, la dive bouteille a ses détracteurs, qui voient en elle un poison pour l'organisme et un fléau social ; mais il ne faut pas confondre l'usage et l'excès ! Si leurs affirmations sont en partie fondées, elles sont souvent beaucoup trop systématiques et méritent d'être nuancées. Il est absolument indiscutable que le vin peut jouer un rôle très bénéfique pour la santé. Il est riche en vitamines, et l'alcool qu'il contient, par sa valeur énergétique, peut fournir de 10 à 15 % de la ration alimentaire totale. Par son acidité, il favorise la digestion, et de nombreuses fonctions organiques bénéficient de son caractère euphorisant. Ses vertus thérapeutiques et hygiéniques, connues depuis des millénaires, s'accompagnent de propriétés antimicrobiennes qui en ont fait l'un des meilleurs moyens de désinfecter les eaux dangereuses ; grâce à ses tanins, il neutralise virus et bactéries. En outre, des travaux récents ont montré ses effets sur le système cardio-vasculaire : une enquête publiée en 1979 dans le journal médical *The Lancet* révélait la relation inverse entre la consommation de vin et le taux de mortalité par infarctus ! Ce dernier est de trois à cinq fois plus faible en France et en Italie qu'en Irlande et en Écosse, pays où le vin est rare.

« A votre santé ! » est-on donc en droit de s'exclamer lorsque l'on trinque. Mais il est possible d'aller plus loin, c'est-à-dire d'utiliser le vin comme un remède adapté aux particularités des individus. Ainsi, les vins blancs légers conviennent aux hypertendus et aux obèses, les blancs sucrés aux hypotendus, le champagne aux convalescents, les bordeaux rouges aux femmes enceintes. De toute manière, il est plus agréable d'aller chez le caviste que chez le pharmacien...

Autant dire que l'amalgame habituellement fait entre le vin et la cirrhose du foie est injustifié. Et s'il reste des sceptiques, qu'ils écoutent le père de la médecine, Hippocrate, dont l'opinion était bien arrêtée : « Le vin est une chose merveilleusement appropriée à l'homme, si, en santé comme en maladie, on l'administre avec à propos et juste mesure, suivant la constitution individuelle. »

Un mot essentiel : mesure. Le vin est en effet l'apprentissage de la mesure. Sain par lui-même, il doit être consommé dans des proportions raisonnables, car ce sont les excès qui provoquent à juste titre les foudres des médecins. A cette notion de mesure s'ajoute celle de discernement, notion capitale puisque, d'un bout à l'autre de l'histoire de la vinification en France, la recherche de la qualité a mobilisé l'ensemble des énergies. Progrès techniques, réglementations contraignantes, opérations de promotion des confréries vineuses, tous ces phénomènes sont les différentes facettes d'un souci exclusif, celui de la perfection.

De quoi dépend la qualité d'un vin ? Dès 1600, Olivier de Serres répondait : « de l'air, de la terre et du complant ». Il n'y a rien à ajouter à cette définition magistrale, car le climat, le sol et le cépage forment toujours la trilogie de base qui fixe les potentialités d'un cru. Celles-ci peuvent être exploitées au maximum par des vignerons habiles, mais il est impossible de les dépasser. En ce sens, les crus actuels n'ont pas été « fabriqués » par l'homme, dont le rôle a toujours été plus humble. La combinaison idéale du lieu et du plant est le fruit de l'empirisme ; en deux millénaires de culture de la vigne, nos ancêtres ont accumulé un trésor d'expériences grâce auquel ils ont établi ce qu'en langage moderne on appelle un écosystème ; cet ensemble, formé par la plante, le milieu et les techniques variant selon les régions, nous donne cette infinité de crus dont la France tire une fierté légitime. Nul doute que des décisions comme celle de Philippe le Hardi, qui en 1395 limita par un édit le choix des cépages et des fumures, aient été positives. Nul doute non plus que la science contemporaine soit pratiquement venue à bout des accidents et des maladies, causes de défectuosité des vins très fréquente autrefois. Mais ni les décisions au sommet ni les apports de l'œnologie ne peuvent être comparés aux chemine-

ments souvent hésitants, parfois même tortueux, qui ont fait des vignobles français ce qu'ils sont aujourd'hui. Les grands vins sont un objet de fierté, et en même temps une leçon de patience et de modestie.

— Pourtant, peut-on cerner vraiment les critères de la qualité d'un vin ? Si l'on s'en tient aux seules considérations gastronomiques, trois éléments sont à mettre en avant : le goût du consommateur, la convenance du vin pour un usage donné, enfin la classe ou situation hiérarchique. Les deux premières notions sont éminemment subjectives : le goût est fonction de préférences personnelles, d'habitudes, voire de préjugés ; quant à la convenance, les organisateurs de repas savent qu'elle dépend d'une infinité de données contradictoires, et que l'accord des mets et des vins constitue souvent un casse-tête inextricable ! La classe, elle, est plus objective, car elle correspond à ce que les dégustateurs nomment la longueur du vin, dont l'étalon de mesure est la seconde de persistance aromatique intense constatée dans la bouche après avoir recraché ou avalé le vin. Hors de France, la persistance de niveau 7 est pratiquement un plafond pour les vins secs ; en revanche, nos bordeaux, nos bourgogne et nos côtes-du-rhône sont nombreux à s'échelonner de 7 à 11.

— Aux éternels pessimistes qui prétendent que la qualité française est menacée, peut-être même condamnée à terme, je répondrai que nous avons tout de même trouvé pour la présente édition du Guide Hachette des Vins de France 5 500 vins différents à recommander à nos lecteurs ! Dans ce large éventail, ils pourront faire leur choix en confiance. Lorsqu'ils recevront un hôte, leur premier réflexe sera de descendre à la cave, de sélectionner une bouteille en fonction de ses goûts et de l'honneur qu'ils veulent lui faire, puis de remplir les verres : le vin, boisson toujours unique, reste pour moi le symbole de l'hospitalité, de l'amitié et de la joie de vivre.

André Vedel

LE VIN

Par définition, le vin est « le produit obtenu exclusivement par la fermentation alcoo- lique, totale ou partielle, de raisins frais, foulés ou non, ou de moûts de raisin ».

LES DIFFERENTS TYPES DE VINS

— Par opposition aux *vins de table* et aux *vins de pays*, les *Vins de qualité produits dans une région déterminée* (VQPRD) sont soumis à des règlements de contrôle. En France, ils correspondent aux *Vins délimités de qualité supérieure* (VDQS) et aux *Vins d'appellation d'origine contrôlée* (AOC). Il faut noter que les jeunes vignes sont exclues de l'appellation jusqu'à quatre ans (vins trop légers).

— Les *vins secs* et les *vins sucrés* (demi-secs, moelleux et doux) sont caractérisés par des taux de sucre variables. La production des vins sucrés suppose des raisins très mûrs, riches en sucre, dont une partie seulement est transformée en alcool par la fermentation. Les sauternes par exemple sont des vins particulièrement riches; ils sont obtenus à partir de raisins très concentrés par la pourriture noble. On les désigne par l'expression « Grands vins liquoreux », qui n'est pas retenue par la législation communautaire, pour ne pas créer de confusion avec les vins de liqueur.

— Les *vins mousseux* s'opposent aux *vins tranquilles*, par la présence, au débouchage de la bouteille, d'un dégagement de gaz carbonique provenant d'une deuxième fermenta- tion (prise de mousse). Dans la méthode « champenoise », celle-ci est effectuée dans la bouteille définitive. Si elle est effectuée en cuve, on parle de méthode en « cuve close ». Les *crémants* sont des vins mousseux moins riches en gaz.

— Les *vins mousseux gazéifiés* présentent aussi un dégagement de gaz carbonique; mais il provient, totalement ou partiellement, d'une addition de gaz. Les *vins pétillants* possèdent, eux, une pression de gaz carbonique comprise entre 1 et 2,5 bars. Leur degré alcoolique doit être supérieur à 7° seulement. Le *pétillant de raisin* est obtenu par fermen- tation partielle du moût de raisin; le titre alcoolique est faible; il peut être inférieur à 7°, mais doit être supérieur à 1°.

— Les *vins de liqueur* sont obtenus par addition, avant, pendant ou après la fermenta- tion, d'alcool neutre, d'eau-de-vie de vin, de moût de raisin concentré ou d'un mélange de ces produits. L'expression « *mistelle* » ne fait pas partie de la réglementation européenne, qui parle de « moût de raisin frais muté à l'alcool », résultat de l'addition d'alcool ou d'eau-de-vie de vin à du moût de raisin (la fermentation est exclue); le pineau des cha- rentes appartient à cette catégorie.

LA VIGNE ET SA CULTURE

La vigne appartient au genre *vitis* dont il existe de nombreuses espèces. Traditionnelle- ment, le vin est produit à partir de différentes variétés de *vitis vinifera*, originaire du

continent européen. Mais il existe d'autres espèces provenant du continent américain. Certaines sont infertiles, d'autres donnent des produits doués d'un caractère organoleptique très particulier, appelé «foxé», et peu appréciés. Mais ces variétés, dites américaines, possèdent des caractéristiques de résistance aux maladies supérieures à celles de *vitis vinifera*. Dans les années 1930, on a donc cherché à créer, par hybridation, de nouvelles variétés résistant aux maladies, comme les espèces américaines, mais produisant des vins de même qualité que ceux de *vitis vinifera*; ce fut un échec qualitatif.

— *Vitis vinifera* est sensible à un insecte, le phylloxéra, qui attaque les racines, et dont on sait les dévastations qu'il produisit à la fin du XIXe s. Le développement d'un greffon de *vitis vinifera* conduit désormais à un cep ayant les propriétés de l'espèce, mais dont les racines, provenant d'un porte-greffe d'espèces américaines, sont résistantes au phylloxéra.

— L'espèce *vitis vinifera* comprend de nombreuses variétés, appelées *cépages*. Chaque région viticole a sélectionné les mieux adaptés, mais les conditions économiques et l'évolution du goût des consommateurs peuvent aussi intervenir. Certains vignobles produisent des vins issus d'un seul cépage (pinot de Bourgogne, riesling d'Alsace). Dans d'autres régions (Champagne, Bordelais), les plus grands vins résultent de l'association de plusieurs cépages ayant des caractéristiques complémentaires. Les cépages sont eux-mêmes constitués d'un ensemble «d'individus» (clones) ne présentant pas de caractéristiques identiques (productivité, maturité, infection par les maladies à virus); aussi la sélection des meilleures souches a-t-elle toujours été recherchée.

On peut modifier considérablement son rendement en agissant sur la fertilisation, la densité des plants, le choix du porte-greffe, la taille. Mais on sait aussi que l'on ne peut

RÉGION	CÉPAGES	CARACTÈRES
Bourgogne rouge	pinot	vins fins de garde
Bourgogne blanc	chardonnay	vins fins de garde
Beaujolais	gamay	vins de primeur et de consommation rapide
Rhône Nord rouge	syrah	grands vins de garde
Rhône Nord blanc	marsanne, roussane	grands vins de garde
Rhône Nord blanc	viognier	grand vin de garde ou pas
Rhône Sud, Languedoc, Côtes de Provence	grenache, cinsaut, etc.	vins plantureux de moyenne garde ou petite garde
Alsace (chaque cépage est vinifié seul, il donne son nom au vin)	riesling, tokay-pinot gris, gewurztraminer, sylvaner, etc.	vins aromatiques à boire rapidement sauf les plus grands
Champagne	pinot, chardonnay	à boire dès l'achat
Loire blanc	sauvignon	aromatique à boire rapidement
Loire blanc	chenin	se bonifie longuement
Loire blanc	melon (muscadet)	à boire rapidement
Loire rouge	cabernet franc (breton)	petite et grande garde
Bordeaux rouge Bergerac et Sud-Ouest	cabernet sauvignon, cabernet franc et merlot	grands vins de garde
Bordeaux blanc, Bergerac Montravel, Monbazillac, Duras, etc.	sémillon, sauvignon, muscadelle	secs : petite et longue garde liquoreux : longue garde

pas augmenter exagérément les rendements, sans affecter la qualité. Celle-ci n'est pas compromise lorsque la quantité est obtenue par la conjonction de facteurs naturels favorables ; certains grands millésimes sont aussi des récoltes abondantes. L'augmentation des rendements, au cours des années récentes, est en fait surtout liée à l'amélioration des conditions de culture. La limite à ne pas dépasser dépend de la qualité du produit : le rendement maximum se situe aux environs de 60 hl/ha pour les grands vins rouges, un peu plus pour les vins blancs secs. Pour produire des bons vins, il faut en outre des vignes suffisamment âgées (trente ans et plus), ayant parfaitement développé leur système racinaire.

La vigne est une plante sensible à de nombreuses maladies : mildiou, oïdium, black-rot, pourriture, etc., compromettant la récolte et communiquant aux raisins les mauvais goûts susceptibles de se retrouver dans le vin. Les viticulteurs disposent de moyens de traitement efficaces, facteurs certains de l'amélioration générale de la qualité.

TERROIR VITICOLE : ADAPTATION DES CÉPAGES AU SOL ET AU CLIMAT

Prise dans son sens le plus large, la notion de « terroir viticole » regroupe de nombreuses données d'ordre biologique (choix du cépage), géographique, climatique, géologique et pédologique. Il faut ajouter aussi des facteurs humains, historiques, commerciaux : par exemple, il est sûr que l'existence du port de Bordeaux et de son trafic important avec les pays nordiques a incité, dès le XVIIIe s., les viticulteurs à améliorer la qualité de leur production.

La vigne est cultivée dans l'hémisphère Nord entre le 35e et le 50e parallèle ; elle est donc adaptée à des climats très différents. Cependant, les vignobles septentrionaux, les plus froids, permettent seulement la culture des cépages blancs, que l'on choisit précoces et dont les fruits peuvent mûrir avant les froids de l'automne ; sous des climats chauds sont cultivés les cépages tardifs, qui autorisent les productions importantes. Pour faire du bon vin, il faut un raisin mûr, mais il ne faut pas une maturation trop rapide et trop complète, qui entraîne une perte des éléments aromatiques : on choisit donc les cépages pour lesquels la maturation est atteinte de justesse. Une difficulté, pour les grands vignobles des zones climatiques marginales, est l'irrégularité, d'une année à l'autre, des conditions climatiques pendant la période de maturation.

Des excès, de sécheresse ou d'humidité, peuvent également intervenir. Le sol du vignoble joue alors un rôle essentiel pour régulariser l'alimentation en eau de la plante : il apporte de l'eau au printemps, lors de la croissance ; il élimine les excès éventuels de pluie pendant la maturation. Les sols graveleux et calcaires assurent particulièrement bien ces régulations ; mais on connaît aussi des crus réputés sur des sols sableux, et même argileux. Éventuellement, un drainage artificiel complète la régulation naturelle. Ce phénomène rend compte de l'existence de crus de haute réputation sur des sols en apparence différents, comme de la présence, côte à côte, de vignobles de qualité variable sur des sols en apparence voisins.

On sait aussi que la couleur ou les caractères aromatiques et gustatifs des vins, d'un même cépage et sous un même climat, peuvent présenter des différences selon la nature du sol et du sous-sol ; ainsi en est-il selon qu'ils proviennent de sols formés sur des calcaires, sur des molasses argilo-calcaires, sur des sédiments argileux, sableux ou gravelo-sableux. L'augmentation de la proportion d'argile dans les graves donne des vins plus acides, plus tanniques et corsés, au détriment de la finesse ; le sauvignon blanc, lui, prend des notes odorantes plus ou moins puissantes sur calcaire, sur graves ou sur marnes. En tout état de cause, la vigne est une plante particulièrement peu exigeante, qui pousse sur des sols pauvres. Cette pauvreté est d'ailleurs un élément de la qualité des vins, car elle favorise des rendements limités qui évitent la dilution des colorants, des arômes et des constituants sapides.

18

LE CYCLE DES TRAVAUX DE LA VIGNE

Destinée à régulariser la production des fruits en évitant le développement exagéré du bois, la taille annuelle s'effectue normalement entre décembre et mars. La longueur des sarments, choisie en fonction de la vigueur de la plante, commande directement l'importance de la récolte. Les labours de printemps « déchaussent » la plante, en ramenant la terre vers le milieu du rang, et créent une couche meuble qui restera aussi sèche que possible. Le décavaillonnage consiste à enlever la terre qui reste, sous le rang, entre les ceps.

En fonction des besoins, les travaux du sol sont poursuivis pendant toute la durée du cycle végétal; ils détruisent la végétation adventice, maintiennent le sol meuble, et évitent les pertes d'eau par évaporation. De plus en plus, le désherbage est effectué chimiquement; s'il est total, il est effectué à la fin de l'hiver, et les travaux aratoires sont complètement supprimés; on parle alors de non-culture, qui constitue une économie substantielle.

Pendant toute la période végétative, on procède à différentes opérations pour limiter la prolifération végétale : l'épamprage, suppression de certains rameaux; le rognage, raccourcissement de leur extrémité; l'effeuillage, qui permet une meilleure exposition des raisins au soleil, l'accolage pour maintenir les sarments dans les vignes palissées. Le viticulteur doit également protéger la vigne des maladies : le Service de la protection des végétaux diffuse des informations qui permettent de prévoir les traitements nécessaires, faits par pulvérisation de produits actifs.

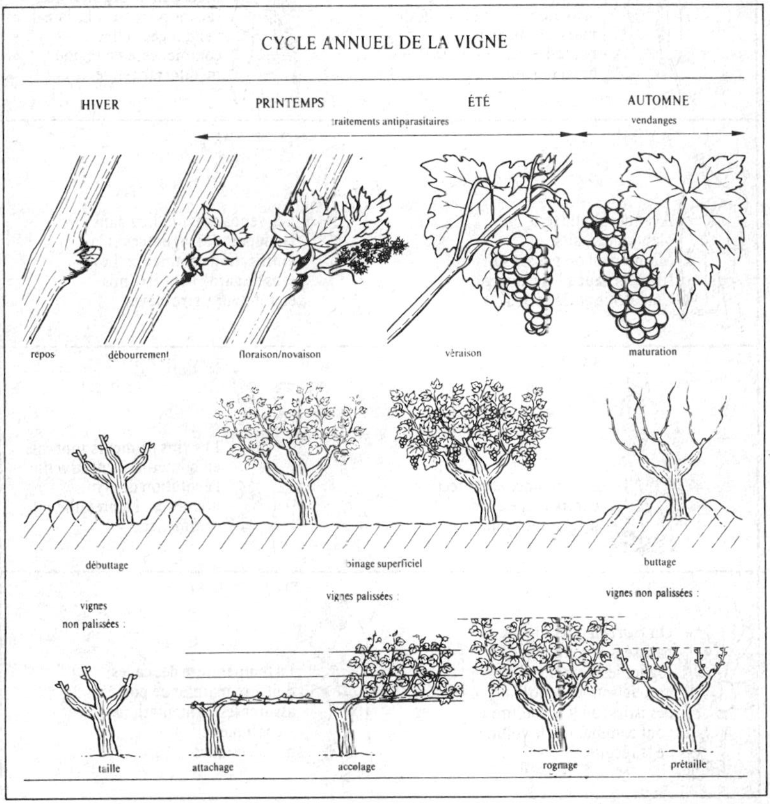

CYCLE ANNUEL DE LA VIGNE

HIVER	PRINTEMPS	ÉTÉ	AUTOMNE
repos	débourrement	floraison/nouaison	véraison	maturation
		traitements antiparasitaires		vendanges

débutage
montage superficiel
buttage

vignes palissées :
vignes non palissées :

taille
débuttage
attachage
acolage
rognage
prétaille

Travaux de la vigne

CALENDRIER DU VIGNERON

JANVIER

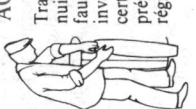

Si la taille s'effectue de décembre à mars, c'est bien « à la Saint-Vincent que l'hiver s'en va ou se reprend ».

FÉVRIER

Le vin se contracte avec l'abaissement de la température. Surveiller les tonneaux pour l'ouillage qui se fait périodiquement toute l'année. Les fermentations malolactiques doivent être terminées.

MARS

On « débute ». On finit la taille (« Taille tôt, taille tard, rien ne vaut la taille de mars »). On met en bouteilles les vins qui se boivent jeunes.

AVRIL

Avant le phylloxéra, on plantait les paisseaux. Maintenant on palisse sur fil de fer sauf à l'Hermitage, Côte Rôtie et Condrieu.

MAI

Surveillance et protection contre les gelées de printemps. Binage.

JUIN

On « accole » les vignes palissées et commence à rogner les sarments. La « nouaison » (= donner des baies) ou la « coulure » vont commander le volume de la récolte.

JUILLET

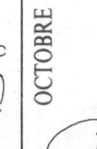

Les traitements contre les parasites continuent ainsi que la surveillance du vin sous les fortes variations de température !

AOUT

Travailler le sol serait nuisible à la vigne, mais il faut être vigilant devant les invasions possibles de certains parasites. On prépare la cuverie dans les régions précoces.

SEPTEMBRE

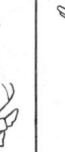

Étude de la maturation par prélèvement régulier des raisins pour fixer la date des vendanges ; elles commencent en région méditerranéenne.

OCTOBRE

Les vendanges ont lieu dans la plupart des vignobles et la vinification commence. Les vins de garde vont être mis en fût pour y être élevés.

NOVEMBRE

Les vins primeurs sont mis en bouteilles. On surveille l'évolution des vins nouveaux. La prêtaille commence.

DÉCEMBRE

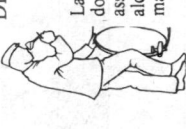

La température des caves doit être maintenue pour assurer les fermentations alcooliques et malolactiques.

— Enfin en automne, après les vendanges, un dernier labour ramène la terre vers les ceps et les protège des gelées hivernales; la formation d'une rigole au centre du rang permet d'évacuer les eaux de ruissellement. Ce labour est éventuellement utilisé pour enfouir des engrais.

LES RAISINS ET LES VENDANGES

L'état de maturité du raisin est un facteur essentiel de la qualité du vin. Mais dans une même région, les conditions climatologiques sont variables d'une année à l'autre, entraînant des différences de constitution des raisins, qui déterminent les caractéristiques propres de chaque millésime. Une bonne maturation suppose un temps chaud et sec : la date des vendanges doit être fixée avec beaucoup de discernement, en fonction de l'évolution de maturation et de l'état sanitaire du raisin.

— De plus en plus, les vendanges manuelles laissent place au ramassage mécanique. Les machines, munies de batteurs, font tomber les grains sur un tapis mobile, un ventilateur élimine la plus grande partie des feuilles. La brutalité de l'action sur le raisin n'est pas a priori favorable à la qualité, surtout pour les vins blancs : les crus de haute réputation seront les derniers à faire appel à ce procédé de ramassage, malgré des progrès considérables apparus récemment dans la conception et la conduite de ces machines. Dans le cas de maturité excessive lors des vendanges, l'acidité trop basse peut être compensée par addition d'acide tartrique. Si la maturité est insuffisante, on peut au contraire diminuer l'acidité par le carbonate de calcium; d'autant que, dans ce cas, le raisin insuffisamment sucré donne un vin d'un degré alcoolique faible. La concentration du moût peut également intervenir; enfin, dans des conditions bien précises, la législation permet d'augmenter la richesse saccharine du moût par addition de sucre : c'est la chaptalisation.

MICROBIOLOGIE DU VIN

Le phénomène microbiologique essentiel qui donne naissance au vin est la fermentation alcoolique; le développement d'une espèce de levure (*Saccharomyces cerevisiae*), à l'abri de l'air, décompose le sucre en alcool et en gaz carbonique; de nombreux produits secondaires apparaissent (glycérol, acide succinique, esters, etc.), qui participent à l'arôme et au goût du vin. La fermentation dégage des calories qui provoquent l'échauffement de la cuve ce qui nécessite une réfrigération éventuelle.

— Après la fermentation alcoolique peut intervenir, dans certains cas, la fermentation malolactique : sous l'influence de bactéries, l'acide malique est décomposé en acide lactique et en gaz carbonique. La conséquence est une baisse d'acidité et un assouplissement du vin, avec affinement de l'arôme; simultanément, le vin acquiert une meilleure stabilité pour sa conservation. Les vins rouges en sont toujours améliorés; l'avantage est moins systématique pour des vins blancs. Mais levures et bactéries lactiques existent sur le raisin; elles se développent à l'occasion des manipulations de la vendange dans le chai; au remplissage de la cuve, l'inoculation est généralement suffisante; on peut éventuellement effectuer un levurage avec des levures sèches fournies par le commerce. Il n'a jamais été démontré de façon indiscutable la possibilité de modifier la typicité des vins par l'emploi de micro-organismes sélectionnés : la qualité du vin repose toujours sur la qualité du raisin, donc sur des facteurs naturels (crus et terroirs).

— Les levures se développent toujours avant les bactéries, dont la croissance commence lorsque les levures ont cessé de fermenter. Si cet arrêt intervient avant que la totalité du sucre ait été transformée en alcool, le sucre résiduel peut être décomposé par les bactéries avec production d'acide acétique (acide volatile); il s'agit d'un accident grave, connu sous le nom de « piqûre »; un procédé récemment découvert permet d'éliminer les

substances toxiques qui se forment alors à partir des levures elles-mêmes. Au cours de la conservation, il reste toujours des populations bactériennes dans le vin, qui peuvent provoquer des accidents graves : décomposition de certains constituants du vin ; oxydation et formation d'acide acétique (processus de fabrication du vinaigre) ; les soins apportés aujourd'hui à la vinification peuvent éviter ces risques.

LES DIFFERENTES VINIFICATIONS

Vinification en rouge

Dans la majorité des cas, le raisin est d'abord égrappé ; les grains sont ensuite foulés et le mélange de pulpe, de pépins et de pellicules est envoyé dans la cuve de fermentation, après légère addition d'anhydride sulfureux pour assurer une protection contre les oxydations et les contaminations microbiennes. Dès le début de la fermentation, le gaz carbonique soulève toutes les particules solides qui forment à la partie supérieure de la cuve une masse compacte appelée « chapeau » ou « marc ».

Dans la cuve, la fermentation alcoolique se déroule en même temps que la macération des pellicules et des pépins dans le jus. La fermentation complète du sucre dure en général cinq à huit jours ; elle est favorisée par l'aération, pour augmenter la croissance de la population de levures, et par le contrôle de la température (aux environs de 30 °C) pour éviter la mort de ces levures. La macération apporte essentiellement au vin rouge sa couleur et sa structure tannique. Les vins destinés à un long vieillissement doivent être riches en tanin, et subissent donc une longue macération (deux à trois semaines) de 25 à 30 °C. Par contre, les vins rouges à consommer jeunes, type primeur, doivent être fruités et peu tanniques : leur macération est réduite à quelques jours.

L'écoulage de la cuve est la séparation du jus, appelé « vin de goutte » ou « grand vin », et du marc. Par pressurage, le marc donne le vin de presse : son assemblage éventuel avec le raisin de goutte dépend de critères gustatifs et analytiques. Vins de goutte et vins de presse sont remis en cuve séparément pour subir les fermentations d'achèvement : disparition des sucres résiduels et fermentation malolactique.

Cette technique est la méthode de base, mais il existe d'autres procédés de vinification qui présentent un intérêt particulier dans certains cas (thermovinification, vinification continue, macération carbonique).

Vinification en rosé

Les vins clairets, rosés ou gris, sont des intermédiaires, plus ou moins colorés, entre les vins blancs et les vins rouges. Ils sont obtenus par macérations d'importance variable de raisins à peine rosés ou fortement colorés. Le plus généralement, ils sont vinifiés par pressurage direct de raisins noirs ou par saignées. Dans ce dernier cas, la cuve est remplie, comme pour une vinification en rouge classique ; au bout de quelques heures, on tire une certaine proportion du jus qui fermente séparément ; et la cuve est remplie à nouveau pour faire du vin rouge.

Vinification en blanc

En matière de vin blanc, il existe une grande diversité de types : à chacun d'eux correspondent une technique de vinification et une qualité de vendange appropriées. Le plus souvent, le vin blanc résulte de la fermentation d'un pur jus de raisin ; le pressurage précède donc la fermentation. Dans certains cas, cependant, on effectue une courte macération préférentielle de peaux pour extraire leurs arômes ; il faut alors des raisins parfaitement sains et mûrs, afin d'éviter des défauts gustatifs (amertume) et olfactifs (mauvaise odeur). L'extraction du jus est faite par foulage, égouttage et pressurage ; les jus de presse sont fermentés séparément, car de moins bonne qualité. Le moût blanc, très sensible à l'oxydation, est immédiatement protégé par addition d'anhydride sulfureux. Dès l'extraction du jus, on procède à sa clarification. En outre, pendant la fermentation, la cuve est en permanence maintenue à une température inférieure à 20 °C, ce qui sauvegarde les arômes de fermentation.

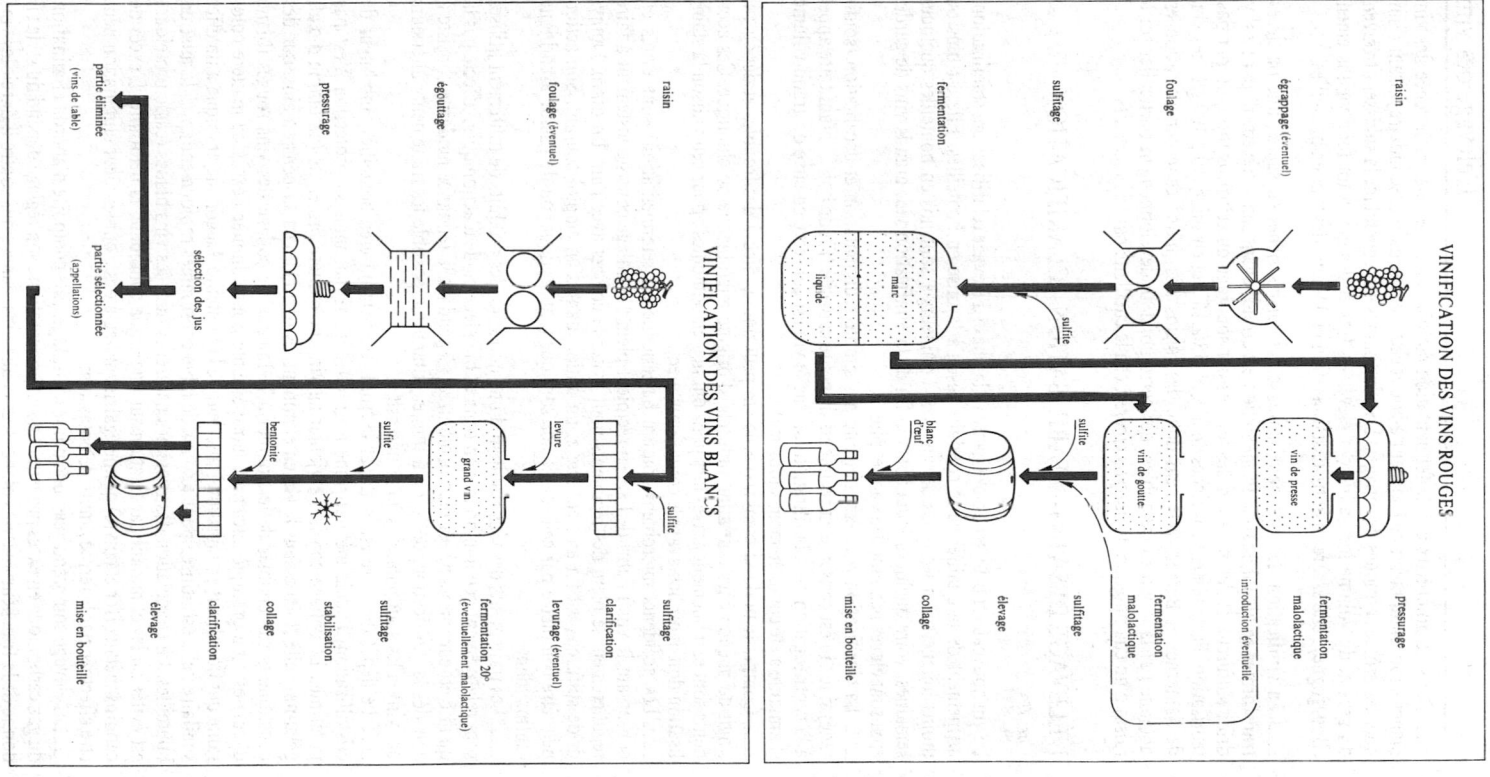

VINIFICATION DES VINS ROUGES

raisin

égrappage (éventuel)

foulage

sulfitage

fermentation

sulfite

marc

liqu de

pressurage

fermentation malolactique

vin de presse

introduction éventuelle

fermentation malolactique

vin de goute

sulfitage

blanc d'œuf

sulfitage

collage

élevage

mise en bouteille

VINIFICATION DES VINS BLANCS

raisin

foulage (éventuel)

égouttage

pressurage

sélection des jus

partie éliminée
(vins de table)

partie sélectionnée
(appellations)

levure

grand vin

sulfite

bentonite

clarification

levurage (éventuel)

fermentation 20°
(éventuellement malolactique)

sulfitage

stabilisation

collage

clarification

élevage

mise en bouteille

23

LE VIN

L'élevage des vins

Dans de nombreux cas, la fermentation malolactique n'est pas recherchée, les vins blancs supportant bien une fraîcheur acide et cette fermentation secondaire faisant diminuer les arômes typiques de cépages. Les vins blancs qui cependant la subissent trouvent du gras et du volume lorsqu'ils sont élevés en fûts et destinés à un long vieillissement (Bourgogne) ; elle assure en outre la stabilisation biologique des vins en bouteilles.

La vinification des vins doux suppose des raisins riches en sucre ; une partie est transformée en alcool, mais la fermentation est arrêtée avant son achèvement par l'anhydride sulfureux et l'élimination des levures par soutirage ou centrifugation, ou par pasteurisation. Particulièrement riches en alcool (13 à 16°) et en sucre (50 à 100 g/l), les vins de Sauternes et Barsac réclament donc des raisins très mûrs ; cette concentration est obtenue par la « pourriture noble » qui correspond au développement particulier sur le raisin d'un champignon, le *botrytis cinerea*, et à la cueillette par tris successifs.

L'ÉLEVAGE DES VINS – STABILISATION – CLARIFICATION

Le vin nouveau est brut, trouble et gazeux ; la phase d'élevage (clarification, stabilisation, affinement de la qualité) va le conduire jusqu'à la mise en bouteilles. Elle est plus ou moins longue selon les types de vin : les « primeurs » sont mis en bouteilles quelques semaines, voire quelques jours après la fin de la vinification ; les grands vins de garde, eux, sont élevés pendant deux ans et plus.

La clarification peut être obtenue par simple sédimentation et décantation (soutirage) si le vin est conservé en récipients de petite capacité (fût de bois). Il faut faire appel à la centrifugation ou à la filtration lorsque le vin est conservé en cuve de grand volume (l'amiante a été complètement supprimé).

Compte tenu de sa complexité, le vin peut donner lieu à des troubles et dépôts ; il s'agit de phénomènes tout à fait naturels, d'origine microbienne ou chimique. Ces accidents sont extrêmement graves lorsqu'ils ont lieu en bouteilles ; pour cette raison la stabilisation doit avoir lieu avant le conditionnement.

Les accidents microbiens (piqûre bactérienne ou refermentation) sont évités en conservant le vin à l'abri de l'air en récipient plein ; l'ouillage consiste justement à faire régulièrement le plein des récipients pour éviter le contact avec l'air. En outre, l'anhydride sulfureux est un antiseptique et un antioxydant d'un emploi courant. Son action peut être complétée par celle de l'acide sorbique (antiseptique) ou de l'acide ascorbique (antioxydant).

Les traitements des vins résultent d'une nécessité ; les produits de traitement utilisés sont relativement peu nombreux ; on connaît bien leur mode d'action qui n'affecte pas la qualité et leur innocuité est bien démontrée. Cependant la tendance moderne consiste à agir dès la vinification, de façon à limiter autant que possible les traitements ultérieurs des vins et les manipulations qu'ils nécessitent.

Le dépôt de tartre est évité par le froid, avant la mise en bouteilles ; inhibiteur de cristallisation, l'acide métatartrique a un effet immédiat, mais sa protection n'est pas indéfinie.. Le collage consiste à ajouter au vin une matière protéique (albumine d'œuf, gélatine) ; elle flocule dans le vin en éliminant les particules en suspension ainsi que des constituants susceptibles de le troubler à la longue. Le collage des vins rouges (blanc d'œuf) est une pratique ancienne, indispensable pour éliminer l'excès de matière colorante qui floculerait en tapissant l'intérieur de la bouteille. La gomme arabique a un effet similaire ; elle est utilisée pour les vins de table consommés rapidement après la mise en bouteilles. La coagulation des protéines naturelles dans les vins blancs (casse protéique) est évitée en les éliminant par fixation sur une argile colloïdale, la bentonite. L'excès de certains métaux (fer et cuivre) donne également lieu à des troubles ; leur élimination peut être effectuée par le ferrocyanure de potassium.

L'élevage comprend aussi une phase d'affinage. Elle comporte d'abord l'élimination du gaz carbonique en excès provenant de la fermentation ; son réglage dépend du style : il donne de la fraîcheur aux vins blancs secs et aux vins jeunes ; par contre il durcit les vins

de garde, particulièrement les grands vins rouges. L'introduction ménagée d'oxygène assure également une transformation des tanins des vins rouges jeunes; elle est indispensable à leur vieillissement ultérieur en bouteilles.

— Le fût de bois de chêne apporte aux vins des arômes vanillés qui s'harmonisent parfaitement avec ceux du fruit, surtout lorsque le bois est neuf; le chêne de l'Allier (forêt de Tronçais) convient mieux que le chêne du Limousin; le bois doit être fendu et séché à l'air pendant trois ans avant son utilisation. Ce type d'élevage fait partie de la tradition des grands vins, mais il est très onéreux (prix d'achat des fûts, travail manuel, perte par évaporation). En outre, lorsqu'ils sont un peu vieux, les fûts peuvent être des sources de contamination microbienne et apporter au vin plus de défaut que de qualités.

CONDITIONNEMENT - VIEILLISSEMENT EN BOUTEILLES

L'expression «vieillissement» est spécifiquement réservée aux transformations lentes du vin conservé en bouteille, à l'abri complet de l'oxygène de l'air. La mise en bouteilles demande beaucoup de soin et de propreté; il faut éviter que le vin, parfaitement clarifié, soit contaminé par cette opération. Des précautions doivent en outre être prises pour respecter le volume indiqué (75 cl à 20°). Le liège reste le matériau de choix pour l'obturation des bouteilles; grâce à son élasticité, il assure une bonne herméticité. Cependant ce matériau est dégradable; il est recommandé de changer les bouchons tous les vingt-cinq ans. En outre, on connaît les deux risques du bouchage liège: les «bouteilles couleuses» et les «goûts de bouchon».

— Les transformations du vin en bouteilles sont multiples et fort complexes. Il intervient d'abord une modification de la couleur, parfaitement mise en évidence dans le cas des vins rouges: rouge vif dans les vins jeunes, elle évolue vers des nuances plus jaunes responsables d'une teinte évoquant la tuile ou la brique. Dans les vins très vieux, la nuance rouge a complètement disparu; le jaune et le marron sont les couleurs dominantes. Ces transformations sont responsables des dépôts de matière colorante dans les très vieux vins. Elles agissent sur le goût des tanins en provoquant un assouplissement de la structure générale du vin.

— Au cours du vieillissement en bouteilles intervient également un développement des arômes et l'apparition du «bouquet» spécifique du vin vieux; il s'agit de transformations complexes dont les fondements chimiques restent obscurs (les phénomènes d'estérification n'interviennent pas).

CONTRÔLE DE LA QUALITÉ

Le bon vin n'est pas forcément un grand vin; par ailleurs, lorsque l'on parle d'un «vin de qualité», on évoque la hiérarchie qui va des vins de table aux grands crus, avec tous les intermédiaires. Derrière ces deux idées se retrouve la distinction entre les «facteurs naturels» et les «facteurs humains» de la qualité. Les seconds sont indispensables pour avoir un «bon vin»; mais un «grand vin» nécessite en plus des conditions de milieu (sol, climat) particulières et exigeantes...

— Si l'analyse chimique permet de déceler des anomalies et de mettre en évidence certains défauts du vin, ses limites pour définir la qualité sont bien connues; en dernier ressort, la dégustation est le critère essentiel d'appréciation de la qualité. Des progrès considérables ont été accomplis depuis une vingtaine d'années dans les techniques d'analyse sensorielle permettant de mieux en maîtriser les aspects subjectifs; ils tiennent compte du développement des connaissances en matière de physiologie de l'odorat et du goût, et des conditions pratiques de la dégustation. L'expertise gustative intervient de plus en plus dans le contrôle de la qualité, pour l'agréage des vins d'appellation d'origine contrôlée ou dans le cadre d'expertises judiciaires.

Contrôle de la qualité

— Le contrôle réglementaire de la qualité du vin s'est en effet imposé depuis long-temps. La loi du 1er août 1905 sur la loyauté des transactions commerciales constitue le premier texte officiel. Mais la réglementation a été progressivement affinée au fur et à mesure que progressaient les connaissances de la constitution du vin et de ses transforma-tions. En s'appuyant sur l'analyse chimique, la réglementation définit une sorte de qualité minimum en évitant les principaux défauts. Elle incite en outre la technique à améliorer ce niveau minimum. La Direction de la consommation et de la répression des fraudes est responsable de la vérification des normes analytiques ainsi établies.

— Cette action est complétée par celle de l'Institut national des appellations d'origine, chargé, après consultations des syndicats intéressés, de déterminer les conditions de pro-duction et d'en assurer le contrôle ; aire de production, nature des cépages, mode de plan-tation et de taille, pratiques culturales, techniques de vinification, constitution des moûts et du vin, rendement. Cet organisme assure également la défense des vins AOC en France et à l'étranger.

— Dans chaque région, enfin, les syndicats viticoles participent à la défense des inté-rêts des viticulteurs adhérents, en particulier dans le cadre des différentes appellations. Cette action est souvent coordonnée par des conseils ou comités interprofessionnels, qui rassemblent les représentants des différents syndicats, ceux du commerce, et différentes personnalités du monde professionnel et de l'administration.

Pascal Ribéreau-Gayon

26

Acheter un vin est la chose la plus facile du monde, le choisir à bon escient est la chose la plus difficile. Si l'on considère la totalité de la production des produits vinicoles, c'est à quelques centaines de milliers de vins différents qu'est confronté l'amateur.

La France, à elle seule, produit plusieurs dizaines de milliers de vins qui ont tous une spécificité et des caractères propres. Ce qui les distingue apparemment, outre leur couleur, c'est l'étiquette. D'où son importance et le souci des pouvoirs publics et des instances professionnelles de réglementer son usage et sa présentation. D'où également pour l'acheteur la nécessité d'en percer les arcanes.

L'ÉTIQUETTE

—L'étiquette remplit plusieurs fonctions. La première, d'un caractère légal : indiquer le responsable du vin en cas de contestation. Ce peut être un négociant ou un propriétaire-récoltant. Dans certains cas ces renseignements seront confirmés par les mentions portées au sommet de la capsule de surbouchage.

—La deuxième fonction de l'étiquette est d'une extrême importance, elle fixe la catégorie à laquelle appartient le vin : Vin de Table, Vins de Pays, Vin Délimité de Qualité Supérieure ou Appellation d'Origine Contrôlée, ou plus brièvement, pour les deux dernières, VDQS et AOC, celles-ci étant assimilées selon le jargon européen au Vin de Qualité Produit dans les Régions Délimitées, dit VQPRD.

Appellation d'Origine Contrôlée
C'est la classe reine, celle de tous les grands vins. L'étiquette porte obligatoirement la mention

XXXX
appellation contrôlée
ou appellation XXXX contrôlée.

Cette mention désigne expressément une région, un ensemble de communes, une commune ou même parfois un cru (ou climat) dans lequel le vignoble est implanté. Il est sous-entendu que pour avoir droit à l'appellation d'origine contrôlée un vin doit avoir été élaboré suivant « les usages locaux, loyaux et constants », c'est-à-dire à partir de cépages nobles homologués plantés dans des terrains choisis, et vinifié selon les traditions régionales. Rendement à l'hectare et degré alcoolique sont fixés par la loi. Les vins sont agréés chaque année par une commission de dégustation.

—Ces règles nationales sont complétées par l'application institutionnalisée de coutumes locales. Ainsi, en Alsace, l'appellation régionale est pratiquement toujours doublée de la mention du cépage ; en Bourgogne, seuls les premiers crus peuvent être mentionnés en caractères d'imprimerie de dimension égale à ceux employés pour l'appellation communale, les climats non classés dans la première catégorie ne pouvant figurer qu'en petits caractères dont la dimension ne peut être supérieure à la moitié de celle employée pour désigner l'appellation... En outre, sur l'étiquette des grands crus ne figure pas d'origine communale, les grands crus bénéficiant d'une appellation propre.

COMMENT LIRE UNE ÉTIQUETTE ?

L'étiquette doit permettre l'identification du vin et de son responsable légal. Le dernier intervenant dans l'élaboration du vin est celui qui le met en bouteilles : c'est obligatoirement son nom qui figure sur l'étiquette. Chaque dénomination catégorielle est astreinte à des règles d'étiquetage spécifiques. Le premier devoir de l'étiquette est d'informer le consommateur et d'indiquer l'appartenance du vin à l'une des quatre catégories suivantes : vin de table (mention d'origine, degré alcoolique, volume, nom et adresse de l'embouteilleur sont obligatoires ; le millésime, interdit) ; vin de pays ; vin délimité de qualité supérieure (VDQS) ; appellation d'origine contrôlée (AOC).

AOC Alsace

timbre fiscal (capsule) vert

indication du cépage (autorisée seulement en cas de cépage pur)

facultatif (mais exigé pour l'exportation vers certains pays)

toutes mentions obligatoires

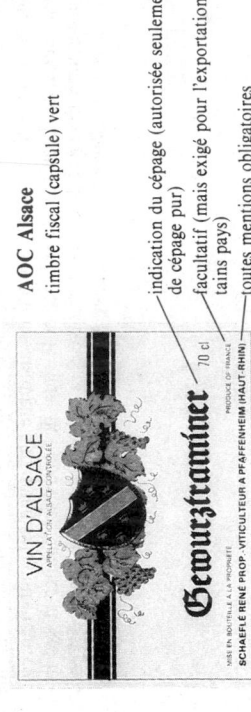

AOC Bordeaux

timbre fiscal vert

exigé pour l'exportation vers certains pays

assimilé à une marque (facultatif)

millésime (facultatif)

classement (facultatif)

dénomination catégorielle (obligatoire)

nom et adresse de l'embouteilleur (obligatoire)

le mot « propriétaire » (facultatif) fixe le statut de l'exploitation

volume (obligatoire)

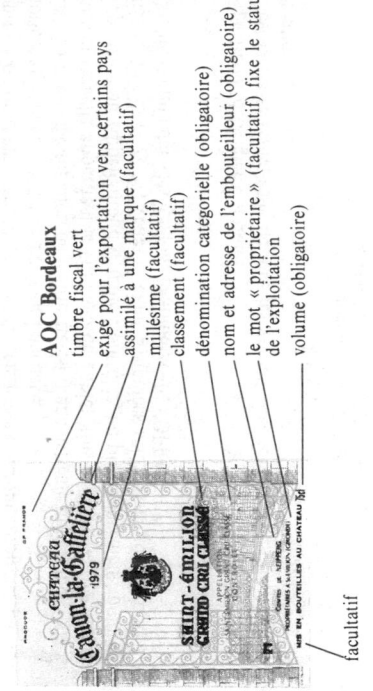

facultatif

AOC Bourgogne

timbre fiscal vert

exigé pour l'exportation vers certains pays

nom du cru (facultatif) ; la même dimension de caractères que l'appellation indique qu'il s'agit d'un 1er cru

tête de cuvée : allusion à une ancienne classification (facultatif)

« monopole » signifie appartenant à un seul propriétaire (facultatif)

dénomination catégorielle (obligatoire)

nom et adresse de l'embouteilleur (obligatoire) ; indique en outre la mise en bouteilles à la propriété, et qu'il ne s'agit pas d'un vin de négoce souvent sur une collerette, le millésime est facultatif

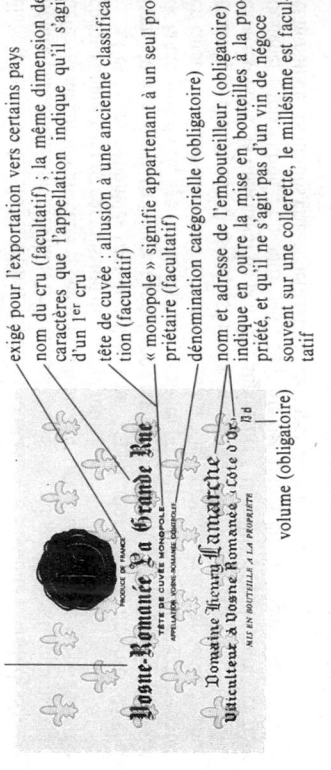

nom de l'appellation (obligatoire)

volume (obligatoire)

28

AOC Champagne
timbre fiscal vert

obligatoire

tout champagne est AOC : la mention ne figure pas ; c'est la seule exception à la règle exigeant la mention de la dénomination catégorielle

type de vin, dosage (facultatif)

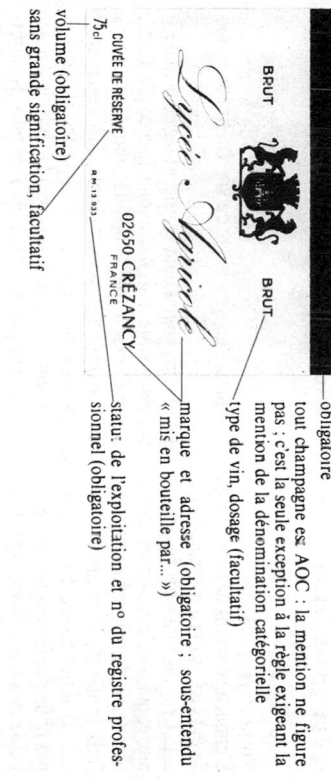

marque et adresse (obligatoire ; sous-entendu « mis en bouteille par... »)

statut de l'exploitation et n° du registre professionnel (obligatoire)

volume (obligatoire)
sans grande signification, facultatif

VDQS
timbre fiscal vert

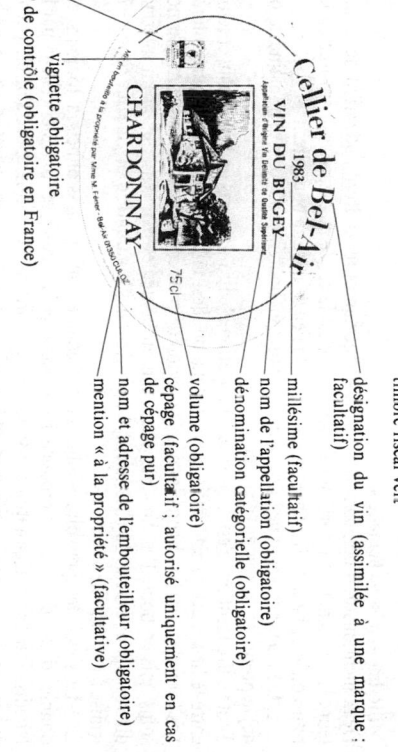

désignation du vin (assimilée à une marque ; facultatif)

millésime (facultatif)

nom de l'appellation (obligatoire)

dénomination catégorielle (obligatoire)

volume (obligatoire)

cépage (facultatif ; autorisé uniquement en cas de cépage pur)

nom et adresse de l'embouteilleur (obligatoire)

mention « à la propriété » (facultative)

vignette obligatoire

n° de contrôle (obligatoire en France)

Vins de pays
timbre fiscal bleu

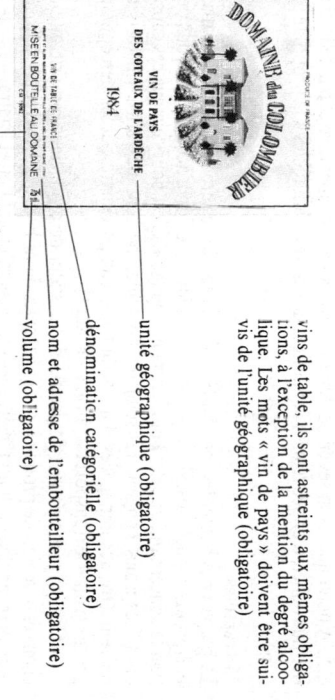

vins de table, ils sont astreints aux mêmes obligations, à l'exception de la mention du degré alcoolique. Les mots « vin de pays » doivent être suivis de l'unité géographique (obligatoire)

unité géographique (obligatoire)

dénomination catégorielle (obligatoire)

nom et adresse de l'embouteilleur (obligatoire)

volume (obligatoire)

« au domaine » : mention facultative

Vin Délimité de Qualité Supérieure

« Antichambre » de la classe précédente, cette catégorie est sensiblement astreinte aux mêmes règles. Les VDQS sont labellisés après dégustation. L'étiquette comporte obligatoirement la mention « Vin Délimité de Qualité Supérieure » et une vignette VDQS. Ce ne sont pas des vins de garde, mais quelques-uns d'entre eux gagnent à être encavés.

Vin de Pays

L'étiquette des vins de pays précise la provenance géographique du vin. On lira donc Vin de Pays de... suivi d'une mention régionale.

— Ces vins sont issus de cépages plus ou moins nobles dont la liste est légalement définie, et qui sont complantés dans une aire assez vaste mais néanmoins limitée. En outre, leur degré alcoolique, leur acidité, leur acidité volatile font l'objet de contrôles. Ces vins frais, fruités et gouleyants se boivent jeunes ; il est inutile, sinon nuisible, de les encaver.

— D'autres textes, d'autres informations peuvent compléter les étiquettes. Ils ne sont pas obligatoires comme les précédents mais sont néanmoins soumis à la réglementation. Les termes clos, château, cru classé par exemple ne peuvent être employés que s'ils correspondent à un usage ancien, à une réalité. Ce que les étiquettes perdent en fantaisie, elle le gagnent en vérité ; l'acheteur ne s'en plaindra pas puisqu'elles sont de plus en plus crédibles.

Millésime et mise en bouteilles

Deux mentions non obligatoires mais très importantes retiendront l'attention de l'amateur : le millésime, soit porté sur l'étiquette – c'est le cas le meilleur – soit sur une collerette collée au haut du flacon, et la précision du lieu de mise en bouteilles.

— L'amateur exigeant ne tolérera que les mises en bouteilles au (ou du) domaine, à (ou de) la propriété, au (ou du) château.

Toute autre mention, c'est-à-dire toute indication n'entraînant pas un lien absolu et étroit entre le lieu exact où est vinifié le vin et celui où il est mis en bouteilles, est sans intérêt. Les formules « mis en bouteilles dans la région de production, mis en bouteilles par nos soins, mis en bouteilles dans nos chais, mis en bouteilles par xx (xx étant un intermédiaire) », pour exactes qu'elles soient, n'apportent pas la garantie d'origine que procure la « mise à la propriété ».

— Le souci des pouvoirs publics et des comités interprofessionnels a toujours été double : d'abord inciter les producteurs à améliorer la qualité, et contrôler celle-ci par la labellisation après dégustation ; ensuite faire en sorte que ce vin labellisé soit bien celui qui est vendu dans la bouteille portant le label, sans mélange, sans coupage, sans possibilité de substitution. Or, en dépit de toutes sortes de précautions, y compris la possibilité de contrôle du cheminement du produit depuis la mise en bouteilles à la propriété ; car un propriétaire-récoltant n'a pas le droit d'acheter du vin pour l'entreposer dans son chai, celui-ci ne devant contenir que le vin qu'il produit lui-même.

— A noter que les mises en bouteilles effectuées à la coopérative et par celle-ci au bénéfice du coopérateur peuvent être qualifiées de « mise en bouteilles à la propriété ».

Les capsules

La plupart des bouteilles sont coiffées d'une capsule de surbouchage. Cette capsule porte parfois une vignette fiscale, c'est-à-dire la preuve que l'on a acquitté les droits de circulation la concernant, appelés familièrement « congé ». C'est pour cela que ces capsules sont dites « capsules congé ». Lorsque les bouteilles ne sont pas ainsi « fiscalisées », elle doivent être accompagnées d'un acquit (ou congé) délivré par la perception la plus proche (voir « le transport du vin », ci-dessous).

Cette vignette permet de déterminer le statut de producteur (propriétaire ou négociant) et la région de production. Les capsules de surbouchage peuvent être fiscalisées ou non, personnalisées ou non, mais elles sont généralement l'un et l'autre.

L'étampage des bouchons

Les producteurs de vins de qualité ont éprouvé le besoin de confirmer leurs étiquettes en marquant les bouchons. Une étiquette peut se décoller alors que le bouchon demeure ; c'est pour cela que l'origine du vin et le millésime y sont étampés. C'est aussi une façon de décourager les fraudeurs éventuels qui ne peuvent plus se contenter de remplacer simplement des étiquettes.

COMMENT ACHETER, À QUI ACHETER ?

Les circuits de distribution du vin sont complexes et variés, du plus court au plus tortueux, chacun présentant des avantages et des inconvénients.

D'autre part, les modes de commercialisation du vin prennent des formes différentes selon la présentation (en vrac, en bouteilles) et sa période d'achat (en primeur).

Vins à boire, vins à encaver

L'achat de vins à boire ou de vins à encaver ne procède pas de la même démarche. A but opposé, choix opposé. Les vins destinés à la consommation immédiate seront prêts à boire, c'est-à-dire de primeur, de pays, de petite ou moyenne origine, de millésime facile à évolution rapide ou il s'agira de grands vins à leur apogée, mais introuvables ou presque sur le marché.

— Dans tous les cas, plus encore évidemment pour les grands vins, un temps de repos de deux à quinze jours est nécessaire entre l'achat, donc le transport, et la consommation. Les vieilles bouteilles seront déplacées avec d'infinies précautions, verticalement et sans heurts, afin d'éviter tout brassage du dépôt.

— Les vins à encaver seront achetés jeunes, dans le dessein de les faire vieillir. Choisir toujours les plus grands possibles dans de grands millésimes. Toujours des vins qui non seulement résistent à l'usure du temps mais qui se bonifient avec les années.

L'achat en vrac

Est dit achat «en vrac», l'achat de vin non logé en bouteilles. L'expression achat de vin «en cercle» est réservée à l'achat en tonneaux, alors que le «vrac» peut être transporté en citernes de toute nature, du wagon de 220 hl en acier au cubitainer de plastique d'une contenance de 5 litres, en passant par la bonbonne de verre.

— La vente en vrac est pratiquée par les coopératives, par certains propriétaires, par quelques négociants, et même par des détaillants ; c'est ce que l'on baptise «vin vendu à la tireuse». Cette commercialisation concerne les vins ordinaires et de qualité moyenne. Il est rare de parvenir à acquérir un vin de haute qualité en vrac. Dans certaines régions, ce type de commercialisation est interdit ; c'est le cas pour les crus classés du Bordelais.

— Il faut prévenir l'amateur que même lorsqu'un vigneron prétend que le vin qu'il vend en vrac est identique à celui qu'il vend en bouteilles, cela n'est pas tout à fait exact ; il sélectionne toujours les meilleures cuves pour le vin qu'il met en bouteilles lui-même.

— L'achat du vin en vrac permet cependant une économie ce l'ordre de 25 %, puisqu'il est d'usage de payer au maximum pour un litre de vin le prix facturé pour une bouteille (de 0,75 l).

— L'acheteur réalise également une économie sur les frais de transport, mais doit acheter des bouchons et des bouteilles s'il n'en a pas. Il faut aussi compter les frais (peu élevés) de retour du fût si la transaction s'est faite «en cercle».

Voici les contenances les plus usitées :

- Barrique bordelaise — 225 litres
- Pièce bourguignonne — 228 litres
- Pièce mâconnaise — 216 litres
- Pièce de Chablis — 132 litres
- Pièce champenoise — 205 litres

Comment acheter

La mise en bouteilles, opération plaisante si on la réalise à plusieurs, ne pose pas, quoi qu'on en dise, de gros problèmes, pourvu que l'on se conforme à quelques règles élémentaires définies plus loin.

L'achat en bouteilles

L'achat en bouteilles peut se faire chez le vigneron, à la coopérative, chez le négociant et au travers des circuits de distribution habituels.

— Où l'amateur doit-il acheter pour réaliser la meilleure affaire ? Chez le propriétaire pour des vins peu ou pas diffusés, et ils sont légion ; directement dans les coopératives afin d'éviter pour les petites quantités les frais d'expédition de plus en plus élevés. Dans tous les autres cas, cela est moins simple qu'il n'y paraît. Il faut se souvenir que les producteurs et les négociants sont tenus de ne pas concurrencer déloyalement leurs diffuseurs ; autrement dit, de ne pas commercialiser des bouteilles moins chères qu'eux. Ainsi nombre de châteaux bordelais, peu portés sur la vente au détail, proposent même leurs flacons à des prix supérieurs à ceux pratiqués par les détaillants, afin de dissuader les acheteurs qui s'obstinent malgré tout, par ignorance ou pour d'inexplicables raisons... D'autant plus que les revendeurs obtiennent, à la suite de commandes massives, des prix infiniment plus intéressants que le particulier qui n'achète qu'une caisse.

— Dans ces conditions, on peut émettre un principe général : les vins de domaines ou de châteaux notoires largement diffusés ne seront pas acquis sur place, sauf s'il s'agit de millésimes rares ou de cuvées spéciales.

L'achat en primeur

Cette formule de vente de vin développée depuis quelques années par les Bordelais, connaît à juste titre un succès grandissant. Il serait d'ailleurs préférable de parler de ventes ou d'achats par souscription. Le principe est simple : acquérir un vin avant qu'il soit élevé et mis en bouteilles à un prix très inférieur à celui qu'il atteindra lorsqu'il sera livrable.

Les souscriptions sont ouvertes pour un temps limité et pour un volume contingenté, généralement au printemps et au début de l'été qui suit les vendanges. L'acheteur verse la moitié du prix convenu à la commande et s'engage à solder sa dette à la livraison des flacons, c'est-à-dire douze à quinze mois plus tard. Ainsi le producteur touche-t-il rapidement de l'argent frais et l'acheteur peut réaliser une bonne opération, d'autant plus que depuis 1974-1975 les cours des vins augmentent sans cesse. Ce type de transaction s'apparente à ce que l'on nomme, à la Bourse, le marché à terme.

— Que se passera-t-il si les cours s'effondrent (surproduction, crise, etc.) entre le moment de la souscription et celui de la livraison ? Les souscripteurs paieront leurs bouteilles plus cher que ceux qui n'ont pas souscrit. Cela s'est déjà vu, cela peut se revoir. A ce jeu spéculatif et dans le but d'assurer leur approvisionnement, de grands négociants se sont ruinés. Il est vrai que leur contrat était d'autant plus risqué qu'il portait sur plusieurs années.

— Mais lorsque tout va bien, comme depuis une dizaine d'années, la vente en primeur est sans doute la seule façon de payer un vin en dessous de son cours (20 à 40 % environ). Les ventes en primeur sont organisées directement par les propriétaires, mais elles sont également pratiquées par des sociétés de négoce et des clubs de vente de vin.

Achat chez le producteur

Outre les aspects presque techniques décrits ci-dessus, la visite rendue au producteur, indispensable si son vin n'est pas (ou peu) diffusé, apporte à l'amateur des satisfactions d'une nature tout autre que la réalisation d'un bon achat. C'est par la fréquentation des producteurs, véritables pères de leur vin, que les œnophiles peuvent comprendre ce qu'est un terroir et sa spécificité, saisir ce qu'est l'art de la vinification, à savoir l'art de tirer la quintessence d'un raisin, et enfin, établir les relations étroites qui existent entre un vigneron et son vin, c'est-à-dire entre un créateur et sa création. Le « bien boire », le « mieux boire », passe par cette démarche. La fréquentation des vignerons est irremplaçable.

Achat en cave coopérative

Depuis une vingtaine d'années, la qualité des vins livrés par les coopératives progresse constamment. Ces organismes sont équipés pour une commercialisation facile de vins en vrac et en bouteilles, à des prix généralement inférieurs à ceux pratiqués par les autres canaux de vente à qualité égale.

— On connaît le principe des coopératives vinicoles : les adhérents apportent leur raisin, et les responsables techniques – dont généralement un œnologue – se chargent du pressurage, de la vinification, dans certaines appellations, de l'élevage et de la commercialisation.

— La production de plusieurs types de vins donne aux coopératives la possibilité soit d'exploiter les meilleurs raisins (en les isolant) soit de donner sa chance à tel ou tel terroir par des vinifications séparées. Des systèmes de primes accordées aux raisins nobles et aux raisins les plus mûrs, la possibilité d'élaborer et de commercialiser des vins selon la qualité spécifique de chaque livraison de raisin, ouvrent aux meilleures coopératives le secteur des vins de qualité voire de garde. Les autres demeurent fournisseurs de vins de table et de vins de pays qui ne gagnent rien à une garde prolongée en cave.

Achat chez le négociant

Le négociant, par définition, achète des vins pour les revendre. En outre, il est souvent lui-même propriétaire de vignobles. Il peut donc agir en producteur et commercialiser sa production, il peut vendre le vin de producteurs indépendants sans autre intervention que le transfert – cas des négociants bordelais qui ont à leur catalogue des vins mis en bouteilles au château – ; il peut même signer un contrat de monopole de vente avec une unité de production. Il peut être négociant-éleveur, c'est-à-dire élever des vins dans ses chais en assemblant des vins de même appellation fournis par divers producteurs ; il devient alors créateur du produit à double titre : par le choix de ses achats et par l'assemblage qu'il exécute. Les négociants sont installés dans les grandes zones viticoles, mais bien entendu, rien n'empêche un négociant bourguignon de commercialiser du vin de Bordeaux – ou inversement. Le propre d'un négociant est de diffuser, donc d'alimenter les réseaux de vente de détail qu'il ne doit pas concurrencer en vendant chez lui ses vins à des prix très inférieurs.

Achat aux cavistes et aux détaillants

C'est l'achat le plus facile et le plus rapide, le plus sûr également lorsque le caviste est qualifié ; depuis quelques années, nombre de boutiques spécialisées dans la vente de vins de qualité ont vu le jour (voir le chapitre « Les bonnes adresses du guide »). Qu'est-ce qu'un bon caviste ? Celui qui est équipé pour entreposer les vins dans de bonnes conditions, mais aussi celui qui sait choisir des vins originaux de producteurs amoureux de leur métier. En outre, le bon détaillant, le bon caviste saura conseiller l'acheteur, lui faire découvrir des vins que celui-ci ignore et l'inciter à marier mets et vins pour valoriser les uns et les autres.

Les grandes surfaces

Il faut distinguer deux types de grandes surfaces : celles qui vendent du vin comme elles vendent des boîtes de conserve, des eaux minérales et des outils pour bricoler, et celles, assez rares, qui font gérer leurs rayons de vin par un spécialiste qui surveille, autant que faire se peut, approvisionnement, stockage et présentation des flacons. Il faut se souvenir que le vin ne supporte ni la chaleur, ni la lumière, ni le bruit; or, il subit dans les grandes surfaces ces trois calamités. Une rotation rapide des bouteilles en amoindrit les effets, mais lorsqu'on sait qu'un champagne peut attraper un « goût de lumière » en quelques heures, on devient circonspect... Il est recommandé à l'amateur d'apprécier la situation cas par cas, surtout s'il se lance dans l'achat de bouteilles destinées à être encavées.

Les clubs

Quantité de flacons, livrés en cartons ou en caisses, arrivent directement chez l'amateur grâce à l'activité de clubs qui offrent à leurs adhérents un certain nombre d'avantages, à commencer par le service de revues sérieuses et informées (voir p. 74 le chapitre « Les bonnes adresses du guide ») Les vins proposés sont sélectionnés par des œnologues et des

Les bouteilles

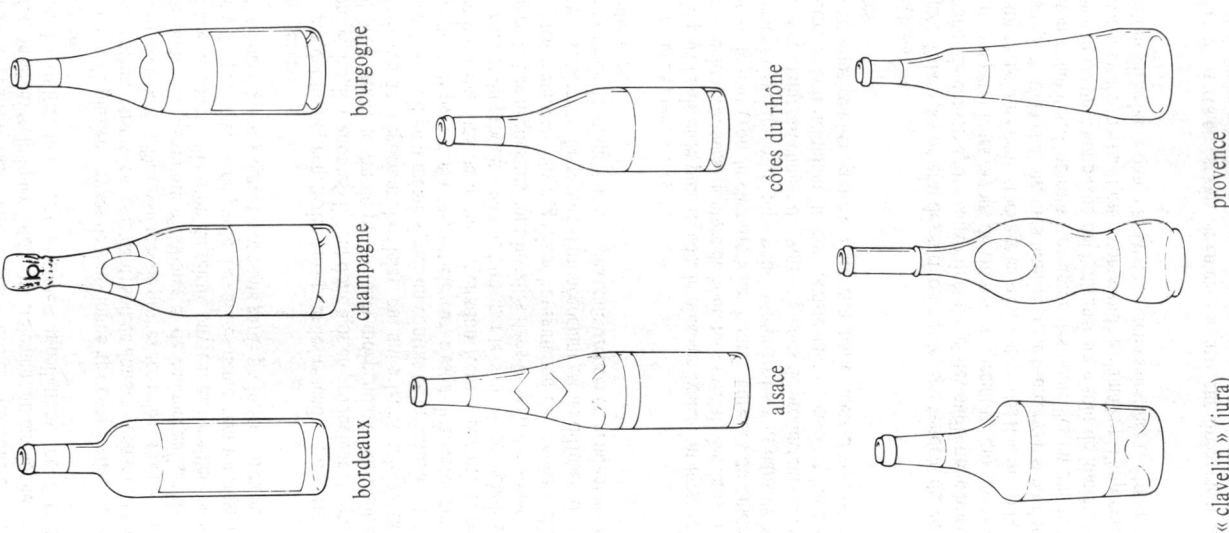

bourgogne

champagne

bordeaux

côtes du rhône

alsace

provence

« clavelin » (jura)

34

personnalités connues et compétentes. Le choix est assez vaste et comporte parfois des vins peu courants. Il faut toutefois noter que beaucoup de « clubs » sont des négociants.

Les ventes aux enchères

De plus en plus à la mode et de plus en plus fréquentées, ces ventes sont organisées par des commissaires-priseurs assistés d'un expert. Il est de la première importance de connaître l'origine des bouteilles. Si elles proviennent d'un grand restaurant ou de la riche cave d'un amateur qui s'en dessaisit (renouvellement d'une cave, succession, etc.), il est probable que leur conservation est parfaite. Si elles constituent un regroupement de petits lots divers, rien ne prouve que leur garde ait été satisfaisante.

_____ Seule la couleur du vin peu renseigner l'acheteur. L'amateur averti ne surenchérira jamais lorsque se présentent des bouteilles dont le niveau n'est pas parfait, ni lorsque la teinte des vins blancs vire au bronze plus ou moins foncé ou que la robe des vins rouges est visiblement « usée ».

_____ Il est rare de pouvoir réaliser de bonnes affaires dans les grandes appellations qui intéressent des restaurateurs pour meubler leur carte; en revanche, les appellations marginales moins recherchées par les professionnels sont parfois très abordables.

La vente des Hospices de Beaune et autres similaires

Les vins vendus lors de ces manifestations à but charitable sont logés en pièces (fûts) et doivent être élevés durant douze à quatorze mois. Ils sont conc réservés de ce fait aux professionnels.

Le transport du vin

Une fois résolu le problème du choix des vins, et sachant que l'on pourra les accueillir et les conserver dans de bonnes conditions (voir plus loin), il faut les transporter. Le transport des vins de qualité impose quelques précautions et obéit à une réglementation stricte.

_____ Qu'on le transporte soi-même en voiture ou qu'on use des services d'un transporteur, le gros de l'été et le cœur de l'hiver ne sont pas favorable au voyage du vin. Il faut préserver le vin des températures extrêmes, surtout des températures élevées qui ne l'affectent pas seulement définitivement, quelle cue soit la période de repos (même des années...) qu'on lui accorde ultérieurement, quels que soient sa couleur, son type et son origine.

_____ Arrivé à domicile, on déposera tout de suite les bouteille en cave. Si l'on a acquis du vin en vrac, on entreposera les récipients directement au lieu de la mise en bouteilles, en cave si la place le permet, afin de n'avoir plus à les déplacer. Les cubitainers seront déposés à 80 cm du sol (la hauteur d'une table), les fûts à 30 cm, pour permettre de tirer le vin jusqu'à la dernière goutte sans modifier sa position, ce qui est essentiel.

Réglementation du transport des vins en France

Le transport des boissons alcoolisées au travers du territoire français est soumis à un régime particulier et fait l'objet de taxes fiscales matérialisées par un document d'accompagnement qui peut prendre deux formes : soit la _capsule fiscalisée_, ou _capsule congé_, apposée au sommet de chaque bouteille, soit un _congé délivré_ par la recette-perception proche du point de vente ou par le vigneron s'il dispose d'un carnet à souche. Le vin en vrac doit toujours être accompagné du congé le concernant.

_____ Sur ce document figurent le nom du vendeur et du cru, le volume et le nombre de récipients, le destinataire, le mode de transport et sa durée. Si le voyage se prolonge au-delà de ce qui est prévu, il faut faire modifier la durée de validité du congé par le premier bureau de recette-perception que l'on rencontre.

_____ Transporter du vin sans congé est assimilé à une fraude fiscale et puni comme telle. Il est recommandé de conserver ces documents fiscaux, car en cas de déménagement, donc de nouveau transport du vin, ils serviront à l'établissement d'un nouveau congé.

_____ La taxation est proportionnelle au volume du vin et à son classement administratif limité à deux catégories : vin de table et vin d'appellation.

L'exportation du vin

Le vin comme tout ce qui est produit ou manufacturé en France subit un certain nombre de taxes. Lorsque ces matières ou objets sont exportés, il est possible d'en obtenir l'exemption ou le remboursement. Dans le cas du vin, cette exonération porte sur la TVA et la taxe de circulation (mais pas sur la taxe parafiscale destinée au Fonds national de développement agricole). Lorsqu'un voyageur veut bénéficier de la détaxe à l'exportation, il faut que le vin qu'il achète soit accompagné de son titre de mouvement (N° 8102 vert pour les vins d'appellation, N° 8101 bleu pour les vins de table) qui sera « déchargé » par le bureau de douane qui constate la sortie de la marchandise. Si les bouteilles sont tributaires de *capsules congé* (vignette fiscale), leur détaxation est impossible, il convient donc, au moment de l'achat, de préciser au vendeur que l'on entend exporter son acquisition et bénéficier de détaxation. Il est prudent de se renseigner sur les conditions d'importation des vins et alcools dans le pays d'accueil, chacun d'entre eux ayant sa propre réglementation qui s'étend de la taxation douanière au contingentement, voire à l'interdiction pure et simple.

CONSERVER SON VIN

Constituer une bonne cave tient du casse-tête chinois ; aux principes énoncés jusqu'ici s'ajoutent en effet des exigences subtiles... Il convient ainsi de tenter d'acquérir des vins de même usage et de même style, mais dont les évolutions ne seront pas semblables, afin qu'ils n'atteignent pas tous en même temps leur apogée. On tentera de trouver des vins dont la période d'apogée soit la plus étendue possible, afin de n'être pas tenu de les consommer tous dans un bref laps de temps. On panachera le plus possible, pour ne pas être contraint à boire toujours les mêmes vins, fussent-ils les meilleurs, et pouvoir les adapter à toutes les circonstances de la vie et à toutes les préparations culinaires. Enfin, on ne peut échapper à deux paramètres qui conditionnent l'application de tous les principes : le budget dont on dispose et la capacité de sa cave.

— Une bonne cave est un lieu clos, sombre, à l'abri des trépidations et du bruit, exempte de toutes odeurs, protégée des courants d'air mais néanmoins ventilée, ni trop sèche ni trop humide, d'un degré hygrométrique de 75 %, et surtout d'une température stable la plus proche possible de 11 °C.

— Les caves citadines réunissent rarement de telles caractéristiques. Il faut donc, avant d'encaver du vin, tenter de l'améliorer ; établir une légère aération ou au contraire obstruer un soupirail trop ouvert ; humidifier l'atmosphère en déposant une bassine d'eau contenant un peu de charbon de bois ou l'assécher par des panneaux isolants ; éventuellement, tenter de stabiliser la température par des panneaux isolants ; éventuellement, monter les casiers sur des blocs caoutchouc pour neutraliser les vibrations. Si une chaudière se trouve à proximité, si des odeurs de mazout se répandent, il n'y a pas grand-chose à espérer.

— Il se peut que l'on n'ait pas de cave ou qu'elle soit inutilisable. Deux solutions sont possibles : acheter une « cave d'appartement », c'est-à-dire une unité de stockage de vin, d'une capacité de 50 à 500 bouteilles, dont température et hygrométrie sont automatiquement maintenues ; ou encore construire de toutes pièces, en retrait dans son appartement, un lieu de stockage dont la température se modifie sans à-coups et ne dépasse pas, si possible, 16 °C degrés, tout en se souvenant que plus la température est élevée, plus le vin évolue rapidement. Il faut le garder d'une erreur commune : ce n'est pas parce qu'un vin atteint rapidement son apogée dans de mauvaises conditions de garde qu'il peut rivaliser avec le niveau de qualité qu'il aurait atteint lentement dans une bonne cave froide. L'on s'abstiendra donc de faire vieillir de très grands vins à évolution lente dans une cave ou un local trop chaud. Il appartient aux amateurs de moduler leurs achats et le plan d'encavement en fonction des conditions particulières imposées par les locaux dont ils disposent.

Une bonne cave : son aménagement

L'expérience prouve qu'une cave est toujours trop petite. Le rangement des bouteilles doit être rationnellement organisé. Le casier à bouteilles, à un ou deux rangs, offre bien des avantages : il est peu coûteux, installé immédiatement, et donne accès aisément à l'ensemble des flacons encavés. Malheureusement, il est volumineux en regard du nombre de bouteilles logées. Afin de séparer les piles pour avoir accès aux différents vins, il faut construire ou faire construire, ce n'est pas compliqué, des casiers en parpaings pouvant contenir 24, 36 ou 48 bouteilles en pile, sur deux rangs.

— Si la cave le permet, si le bois ne pourrit pas, il est possible d'élever des casiers en planches. Il faudra alors les surveiller car ils peuvent donner asile aux insectes qui attaquent les bouchons.

— Deux appareils complèteront l'aménagement de la cave : un thermomètre à maxima et minima, et un hygromètre. Des relevés réguliers permettront de corriger les défauts détectés et de jauger les facultés de bonification apportées par le vieillissement en cave.

La mise en bouteilles

Si le vin à mettre en bouteilles a été transporté en cubitainer, il doit être mis en bouteilles très rapidement ; s'il a voyagé dans un tonneau, il faut – c'est impératif – le laisser reposer une quinzaine de jours avant de le loger dans les flacons. Cette donnée théorique doit être tempérée par les conditions atmosphériques régnant le jour choisi pour la mise en bouteilles. Il convient que le temps soit clément, un jour de haute pression, un jour sans pluie ni orage. Dans la pratique, l'amateur composera entre ce principe et ses obligations personnelles. En revanche, il ne composera aucunement avec le matériel nécessaire. Tout d'abord, des bouteilles adaptées au type de vin. Sans tomber dans le purisme, il réunira des bouteilles bordelaises pour tous les vins du Sud-Est, le Sud-Ouest et peut-être du Midi, et réservera celles de type bourgogne pour le Sud-Est, le Beaujolais et la Bourgogne, sachant qu'il existe également d'autres bouteilles régionales réservées à certaines appellations.

— Si l'on range les bouteilles en pile, on prendra garde que, tant bordelaises que bourguignonnes, elles existent en version plus ou moins légères (bouteilles à fond plat ou presque plat) et en version lourde. Outre le poids, hauteur et diamètre différencient ces deux catégories de bouteilles.

— Elles sont toutes également aptes à garder le vin, mais les plus légères sont moins aptes à la mise en stockage en pile pour la conservation de longue durée. De plus, ces dernières peuvent, lorsqu'elles sont trop remplies, éclater quand on enfonce énergiquement le bouchon.

— D'une façon générale, mieux vaut user de bouteilles lourdes. Il est presque incongru d'embouteiller un grand vin dans du verre léger, de même qu'on s'abstiendra de loger un vin rouge dans des bouteilles blanches, c'est-à-dire incolores. L'usage veut qu'on réserve ces dernières à certains vins blancs, « pour voir leur robe », dit-on. Les vins blancs étant particulièrement sensibles à la lumière, cet usage est à proscrire. Cette sensibilité à la lumière est si grande que les maisons de champagne qui proposent des vins en bouteilles blanches (incolores) les protègent toujours par un papier opaque ou un carton.

— Quel que soit le type de bouteilles choisi, on vérifiera avant la mise que l'on dispose bien du nombre suffisant de bouteilles et de bouchons, puisqu'une fois l'opération engagée, elle doit être achevée rapidement. On ne peut laisser le fût ou le cubitainer « en vidange », ce qui aurait pour effet d'oxyder le vin restant, voire de lui infliger une accescence qui le rendrait impropre à toute consommation. On veillera également à la rigoureuse propreté des bouteilles, parfaitement rincées et séchées.

Les bouchons

En dépit de nombreuses recherches, le liège demeure le seul matériau apte à obturer les bouteilles. Les bouchons de liège ne sont pas tous identiques ; ils diffèrent en diamètre, en longueur et en qualité.

— Dans tous les cas, le diamètre du bouchon sera de 6 mm supérieur à celui du goulot.

Le vin en cave

Meilleur est le vin, plus long sera le bouchon ; à la fois nécessaire à une longue garde et hommage rendu au vin et à ceux qui le boivent.

La qualité du liège est plus difficile à déceler. Il faut qu'il ait une dizaine d'années pour avoir toute la souplesse désirée. Les beaux bouchons ne présentent pas ou peu de ces petites fissures que l'on obstrue parfois avec de la poudre de liège ; dans ce cas, les bouchons sont dits « améliorés ». On peut également acheter des bouchons étampés (ou les faire étamper), portant le millésime du vin à embouteiller.

Les bouchons seront préparés avant leur emploi. On peut les laisser tremper dans l'eau froide plusieurs heures avant usage ou, mieux, les plonger dix minutes dans de l'eau très chaude (pas d'ébullition) ; ou, mieux encore, les chauffer à la vapeur, dans un coussoir par exemple.

Le vin dans la bouteille
La tireuse est l'appareil idéal pour remplir la bouteille. Des tireuses à amorçage et à vanne commandée par contact avec la bouteille se vendent dans les grandes surfaces à des prix très modiques. On veillera à faire couler le vin le long de la paroi de la bouteille, maintenue légèrement oblique, afin de limiter le brassage et l'oxydation. Cette précaution est encore plus nécessaire pour les vins blancs. En aucun cas une écume ne doit apparaître à la surface du liquide. Les bouteilles seront remplies le plus possible afin que le bouchon soit en contact avec le vin (bouteille verticale). Le bouchon préparé (voir plus haut) sera introduit dans la bouteille à l'aide d'une boucheuse, qui le comprimera latéralement avant l'introduction. Il existe une vaste gamme d'appareils, à tous les prix, destinés à cet usage.

À signaler qu'avant d'introduire le bouchon dans le goulot, il est sage de le tremper dans l'eau claire froide pour le rincer et le refroidir. Les bouteilles pleines et bouchées sont déposées horizontalement afin qu'elles sèchent ainsi que les bouchons.

L'étiquette
On préparera de la colle de tapissier ou un mélange d'eau et de farine, ou, encore plus simplement, on humectera les étiquettes avec du lait pour les coller sur le bas de la bouteille, à 3 cm de son pied.

Les perfectionnistes habillent le goulot de capsules préformées posées grâce à un petit appareil manuel, ou cirent les goulots en les trempant dans de la cire de couleur fondue achetée chez le marchand de bouchons.

Le vin en cave
Le rangement des bouteilles en cave est un casse-tête, car l'œnophile ne dispose jamais de toute la place souhaitée. Dans la mesure du possible on respectera les principes suivants ; les vins rouges au-dessus ; les vins de garde dans les rangées (ou casiers) du fond, les moins accessibles ; les bouteilles à boire, en situation frontale.

Les flacons achetés ou livrés en carton ne doivent pas demeurer dans ce type d'emballage, contrairement à ceux livrés en caisse de bois. Ceux qui envisagent de revendre leur vin laisseront en caisse, les autres s'en abstiendont pour deux raisons : elles occupent beaucoup de place et sont la proie favorite des pilleurs de caves. Dans tous les cas, un système de notation (algébrique par exemple) permettra de repérer casiers et bouteilles. Ces notations seront exploitées dans l'auxiliaire le plus utile de la cave : le livre de cave.

Le livre de cave
C'est la mémoire, le guide et le « juge de paix » de l'œnophile. On doit y trouver les renseignements suivants : date d'entrée, nombre de bouteilles de chaque cru, identification précise, prix, apogée présumée, localisation dans la cave ; et, éventuellement, l'accord avec le plat idéal et un commentaire de dégustation.

Les libraires vendent de coûteux livres de cave ; à défaut, un classeur fait aussi bien l'affaire.

CAVE DE 50 BOUTEILLES (2 500 à 3 000 FRANCS)

25 bouteilles de bordeaux	17 rouges (graves, saint-émilion, médoc, pomerol, fronsac) 8 blancs : 5 secs (graves) 3 liquoreux (sauternes-barsac)
20 bout. de bourgogne	12 rouges (crus de Côte-de-Nuits, crus de la Côte-de-Beaune) 8 blancs (chablis, meursault, puligny)
10 bout. vallée du Rhône	7 rouges (côte-rôtie, hermitage, châteauneuf-du-pape 3 blancs (hermitage, condrieu)

CAVE DE 150 BOUTEILLES (ENVIRON 10 000 FRANCS)

Région	Rouge	Blanc
40 Bordeaux 30 rouges 10 blancs	Fronsac Pomerol Saint-Émilion Graves Médoc (crus classés crus bourgeois)	5 grands secs 5 { Sainte-Croix-du-Mont Sauternes-Barsac
30 Bourgogne 15 rouges 15 blancs	crus de la Côte de Nuits crus de la Côte de Beaune vins de la Côte chalonnaise	Chablis Meursault Puligny-Montrachet
25 Vallée du Rhône 19 rouges 6 blancs	Côte-rôtie Hermitage rouge Cornas Saint-Joseph Châteauneuf-du-Pape Gigondas Côtes-du-Rhône Villages	Condrieu Hermitage blanc Châteauneuf-du-Pape blanc
15 Vallée de la Loire 8 rouges 7 blancs	Bourgueil Chinon Saumur-Champigny	Pouilly Fumé Vouvray Coteaux du Layon
10 Sud-Ouest 7 rouges 3 blancs	Madiran Cahors	Jurançon (secs et doux)
8 Sud-Est 6 rouges 2 blancs	Bandol Palette rouge	Cassis Palette blanc
7 Alsace (blancs)		Gewurztraminer Riesling Tokay
5 Jura (blancs)		Vins jaunes Côtes du Jura-Arbois
10 Champagnes et mousseux (blancs)	Crémant de { Loire Bourgogne Alsace	Divers types de champagnes

10 Champagnes et mousseux
(pour en avoir à
disposition : ces vins
ne se bonifiant pas
en vieillissant).

CAVE DE 300 BOUTEILLES

La création d'une telle cave suppose un investissement d'environ 20 000 francs. On doublera les chiffres de la cave de 150 bouteilles, en se souvenant que plus le nombre de flacons augmente, plus la longévité des vins doit être grande. Ce qui se traduit malheureusement (en général) par l'obligation d'acquérir des vins de prix élevé...

Trois propositions de cave

Chacun garnit sa cave selon ses goûts. Les ensembles décrits p. précédente ne sont que des propositions à interpréter. La recherche de la diversité en est le fil conducteur. Les vins de primeur, les vins qui ne gagnent rien à être encavés ne figurent pas dans ces suggestions. Plus le nombre de bouteilles est restreint, plus leur renouvellement sera surveillé. Les valeurs indiquées entre parenthèses ne sont bien sûr que des ordres de grandeur.

L'ART DE BOIRE

Si boire est une nécessité physiologique, boire du vin est un plaisir... Ce plaisir peut être plus ou moins intense selon le vin, selon les conditions de dégustation, selon la sensibilité du dégustateur.

La dégustation

Il existe plusieurs types de dégustation, adaptés à des finalités particulières : dégustation technique, analytique, comparative, triangulaire, etc., en usage chez les professionnels. L'œnophile, lui, pratique la dégustation hédoniste, celle qui lui permet de tirer la quintessence d'un vin, mais aussi de pouvoir en parler tout en contribuant à développer l'acuité de son nez et de son palais.

— La dégustation, et plus généralement la consommation d'un vin, ne saurait se faire n'importe où et n'importe comment. Les locaux doivent être agréables, bien éclairés (lumière naturelle ou éclairage ne modifiant pas les couleurs, dit «lumière du jour»), de couleur claire de préférence, exempts de toutes odeurs parasites telles que parfum, fumée (tabac ou cheminée), odeurs de cuisine ou de bouquets de fleurs, etc. La température doit être moyenne (18 à 20 °C).

— Le choix d'un verre adéquat est extrêmement important. Il doit être incolore afin que la robe du vin soit bien visible, et si possible fin ; sa forme sera celle d'une fleur de tulipe, c'est-à-dire ne s'évasant pas comme c'est souvent le cas, mais au contraire se refermant légèrement. Le corps du verre doit être séparé du pied par une tige. Cette disposition évite de chauffer le vin lorsqu'on tient le verre à la main (par son pied) et facilite sa mise en rotation, opération destinée à activer son oxygénation (et même son oxydation) et à exhaler son bouquet.

— La forme du verre est si importante et a une telle influence sur l'appréciation olfactive et gustative du vin, que l'Association française de normalisation (AFNOR) et les instances internationales de normalisation (ISO) ont adopté, après étude, un verre qui offre toutes garanties d'efficacité au dégustateur et au consommateur ; ce type de verre, appelé communément «verre INAO» n'est pas réservé aux professionnels. Il est en vente dans quelques maisons spécialisées. A signaler en outre la série des «Impitoyables», marque déposée pour des verres aux formes originales appréciées par certains dégustateurs.

Technique de la dégustation

La dégustation fait appel à la vue, à l'odorat, au goût et au sens tactile, non par l'intermédiaire des doigts bien sûr, mais par l'entremise de la bouche, sensible aux effets «mécaniques» du vin – température, consistance, gaz dissous, etc.

L'ŒIL

Par l'œil, le consommateur prend un premier contact avec le vin. L'examen de la robe (ensemble des caractères visuels), marquée en outre par le cépage d'origine, est riche d'enseignement. C'est un premier test. Quelles que soient sa couleur et sa teinte, le vin doit être limpide, sans reflet trouble. Des traînées ou des brouillards sont signes de maladies, le vin doit être rejeté. Seuls sont admissibles de petits cristaux de bitartrates (insolubles) : la gravelle, précipitation dont sont atteints les vins victimes d'un coup de froid ; leur qualité

La dégustation

n'en est pas altérée. L'examen de la limpidité se pratique en interposant le verre entre l'œil et une source lumineuse placée si possible à même hauteur ; la transparence (vin rouge), elle, est déterminée en examinant le vin sur un fond blanc, nappe ou feuille de papier ; cet examen implique que l'on incline son verre. Le disque (la surface) devient elliptique et son observation informe sur l'âge du vin et sur son état de conservation ; on examine alors la nuance de la robe. Tous les vins jeunes doivent être transparents, ce qui n'est pas toujours le cas des vins vieux de qualité.

Vin	Nuance de la robe	Déduction
Blanc	Presque incolore	Très jeune, très protégé de l'oxydation
		Vinification moderne en cuve
	Jaune très clair à reflets verts	Jeune à très jeune. Vinifié et élevé en cuve
	Jaune paille, jaune or	La maturité. Peut être élevé dans le bois
	Or cuivre, or bronze	Déjà vieux
	Ambré à noir	Oxydé, trop vieux
Rosé	Blanc taché, œil-de-perdrix reflets rosés	Rosé de pressurage et vin gris jeune
	Rose saumon à rouge très clair franc	Rosé jeune et fruité à boire
	Rose avec nuance jaune à pelure d'oignon	Commence à être vieux pour son type
Rouge	Violacé	Très jeune. Bonne teinte des gamay de primeur et des beaujolais nouveaux (6 mois à 18 mois)
	Rouge pur (cerise)	Ni jeune ni évolué. L'apogée pour les vins qui ne sont ni primeurs ni de garde (2-3 ans)
	Rouge à franges orangées	Maturité de vin de petite garde. Début de vieillissement (3-7 ans)
	Rouge brun à brun	Seuls les grands vins atteignent leur apogée vêtus de cette robe. Pour les autres, il est trop tard

— L'examen visuel s'intéresse encore à l'éclat, ou brillance, du vin. Un vin qui a de l'éclat est gai, vif ; un vin terne est probablement triste...

Cette inspection visuelle de la robe s'achève par l'intensité de la couleur, qu'on se gardera de confondre avec la nuance (le ton) de celle-ci.

— C'est l'intensité de la robe des vins rouges, la plus facilement perceptible, celle qui « parle » le plus.

Vin	Causes	Déduction
Robe trop claire	Manque d'extraction	Vins légers de faible garde.
	Année pluvieuse	Vins de petit millésime
	Rendement excessif	
	Vignes jeunes	
	Raisins insuffisamment mûrs	
	Raisins pourris	
	Cuvaison trop courte	
	Fermentation à basse température	
Robe foncée	Bonne extraction	Bons ou grands vins
	Rendement faible	Bel avenir
	Vieilles vignes	
	Vinification réussie	

La dégustation

C'est encore l'œil qui découvre les « jambes » ou les « larmes », écoulements que le vin forme sur la paroi du verre quand on l'anime d'un mouvement rotatif pour humer le bouquet du vin (voir ci-après) ; celles-ci rendent compte du degré alcoolique : le cognac en produit toujours, les Vins de Pays rarement.

Exemple de vocabulaire se rapportant à l'examen visuel :

Nuances : pourpre, grenat, rubis, violet, cerise, pivoine.
Intensité : légère, soutenue, foncée, profonde, intense.
Éclat : mat, terne, triste, éclatant, brillant.
Limpidité :
Transparence : } opaque, louche, voilée, cristallin, parfaite.

LE NEZ

L'examen olfactif est la deuxième épreuve que le vin dégusté doit subir. Certaines odeurs dépravées sont éliminatoires, telles l'acidité volatile (acescence, vinaigre), l'odeur du liège (goût de bouchon) ; mais dans la plupart des cas, le bouquet du vin – l'ensemble des odeurs se dégageant du verre – procure des découvertes toujours renouvelées.

Les composants aromatiques du bouquet s'expriment selon leur volatilité. C'est en quelque sorte une évaporation du vin, et c'est pour cela que la température de service est si importante. Trop froid, pas de bouquet ; trop chaud, vaporisation trop rapide, combinaison, oxydation, destruction des parfums très volatils, et extraction d'éléments aromatiques lourds anormaux.

Le bouquet du vin rassemble donc un faisceau de parfums en mouvance permanente ; ils se présentent successivement selon la température et l'oxydation. C'est pour cela que le maniement du verre est important. On commencera par humer ce qui se dégage du verre immobile, puis on imprimera au vin un mouvement de rotation : l'air fait alors son effet et d'autres parfums apparaissent.

La qualité d'un vin est fonction de l'intensité et de la complexité du bouquet. Les petits vins n'offrent que peu – ou pas – de bouquet, simpliste, monocorde, qui se décrit en un mot. Au contraire, les grands vins se caractérisent par des bouquets amples, profonds, dont la complexité se renouvelle constamment.

Le vocabulaire relatif au bouquet est infini, car il ne procède que par analogie. Divers systèmes de classification des parfums ont été proposés ; pour simplifier, retenons ceux qui présentent un caractère floral, fruité, végétal (ou herbacé), épicé, balsamique, animal, boisé, empyreumatique (en référence au feu), chimique.

Exemple de vocabulaire se rapportant à l'examen olfactif :

Fleurs : violette, tilleul, jasmin, sureau, acacia, iris, pivoine.
Fruits : framboise, cassis, cerise, griotte, groseille, abricot, pomme, banane, pruneau.
Végétal : herbacé, fougère, mousse, sous-bois, terre humide, crayeux, champignons divers.
Épicé : toutes les épices, du poivre au gingembre en passant par le clou de girofle et la muscade.
Balsamique : résine, pin, térébinthe.
Animal : viande, viande faisandée, gibier, fauve, musc, fourrure.
Empyreumatique : brûlé, grillé, pain grillé, tabac, foin séché, tous les arômes de torréfaction (café, etc.).

LA BOUCHE

Après avoir triomphé des deux épreuves de l'œil et du nez, le vin subit un dernier examen « en bouche ».

Une faible quantité de vin est mise en bouche, où on le garde. Un filet d'air est aspiré afin de permettre sa diffusion dans l'ensemble de la cavité buccale. À défaut, il est simplement mâché. Dans la bouche le vin s'échauffe, il diffuse de nouveaux éléments aromatiques

recueillis par voie rétro-nasale, étant entendu que les papilles de la langue ne sont sensibles qu'aux quatre saveurs élémentaires : amer, acide, sucré et salé, ce qui explique pourquoi une personne enrhumée ne peut goûter un vin (ou un aliment), la voie rétro-nasale étant alors inopérante.

— Outre les quatre saveurs précisées ci-dessus, la bouche est sensible à la température du vin, à sa viscosité, à la présence – ou à l'absence – de gaz carbonique et à l'astringence (effet tactile ; absence de lubrification par la salive et contraction des muqueuses sous l'action des tanins).

— C'est en bouche que se révèlent l'équilibre, l'harmonie ou, au contraire, le caractère de vins mal bâtis qui ne doivent pas être achetés.
Les vins blancs, gris et rosés se caractérisent par un bon équilibre entre acidité et moelleux.

Trop d'acidité, le vin est agressif ; pas assez, il est plat.
Trop de moelleux, le vin est lourd, épais ; pas assez, il est mince, terne.

Pour les vins rouges, l'équilibre tient compte de l'acidité, du moelleux et des tanins.

Excès d'acidité :   vin trop nerveux, souvent maigre.
Excès de tanins :   vin dur astringent.
Excès de moelleux (rare) : vin lourd.
Carence en acidité :   vin mou.
Carence en tanins :   vin sans charpente, informe.
Carence en moelleux :   vin qui sèche.

Un bon vin se situe au point d'équilibre des trois composantes ci-dessus. Ces éléments supportent sa richesse aromatique ; un grand vin se distingue d'un bon vin par sa construction rigoureuse et puissante, quoique fondue, et par son ampleur dans la complexité aromatique.

Exemple de vocabulaire relatif au vin en bouche :

Critique : informe, mou, plat, mince, aqueux, limité, transparent, pauvre, lourd, massif, grossier, épais, déséquilibré.
Laudatif : structure, construit, charpenté, équilibré, corpulent, complet, élégant, fin, qui a du grain, riche.

Après cette analyse en bouche, le vin est avalé. L'œnophile se concentre alors pour mesurer sa persistance aromatique, familièrement appelée « longueur en bouche ». Cette estimation s'exprime en caudalies, unité savante valant tout simplement... une seconde. Plus un vin est long, plus il est estimable. Cette longueur en bouche, à elle seule, permet de hiérarchiser les vins, du plus petit au plus grand.

— Cette mesure en secondes est à la fois très simple et très compliquée ; elle ne porte que sur la longueur aromatique, à l'exclusion des éléments de structure du vin (acidité, amertume, sucre et alcool) qui ne doivent pas être perçus comme tels.

L'identification d'un vin

La dégustation, comme la consommation, est appréciative. Il s'agit de goûter pleinement un vin et de déterminer s'il est grand, moyen ou petit. Très souvent, il est question de savoir s'il est conforme à son type ; mais encore faut-il que son origine soit précisée.

— La dégustation d'identification, c'est-à-dire de reconnaissance, est un sport, un jeu de société ; mais c'est un jeu injouable sans un minimum d'informations. On peut reconnaître un cépage, par exemple un cabernet-sauvignon. Mais est-ce un cabernet-sauvignon d'Italie, du Languedoc, de Californie, du Chili, d'Argentine, d'Australie ou d'Afrique du Sud ? Si l'on se limite à la France, l'identification des grandes régions est possible ; mais lorsqu'on veut être plus précis, d'ardus problèmes surviennent : si l'on propose six verres de vin en précisant qu'ils représentent les six appellations du Médoc (Listrac, Moulis, Margaux, Saint-Julien, Pauillac, Saint-Estèphe), combien y aura-t-il de sans fautes ?

— Une expérience classique que chacun peut renouveler prouve la difficulté de la

La dégustation

dégustation : le dégustateur, les yeux bandés, goûte en ordre dispersé des vins rouges peu tanniques et des vins blancs non aromatiques, de préférence élevés dans le bois. Il doit simplement distinguer le blanc du rouge (et inversement) : il est très rare qu'il ne se trompe pas ! Paradoxalement, il est beaucoup plus facile de reconnaître un vin très typé dont on a encore en tête et en bouche le souvenir ; mais combien a-t-on de chances que le vin proposé soit justement celui-là ?

Déguster pour acheter

Lorsque l'on se rend dans le vignoble et que l'on a l'intention d'acheter du vin, il faut choisir, donc déguster. Il s'agit alors de pratiquer des dégustations appréciatives et comparatives. La dégustation comparative de deux ou trois vins est facile ; elle se complique dès que l'on fait interférer le prix des vins. Dans un budget fixe – ils le sont malheureusement tous – certains achats sont facilement éliminés. Cette dégustation se complique davantage si l'on tient compte de l'usage des vins, de leur mariage avec des mets. Deviner ce que l'on mangera dans dix ans, et par conséquent acheter aujourd'hui le vin nécessaire à cette occasion-là, tient du tour de magie... La dégustation comparative, simple et facile dans son principe, devient extrêmement délicate, puisque l'acheteur doit présumer de l'évolution de divers vins, et supputer leur période d'apogée. Les vignerons eux-mêmes se trompent parfois lorsqu'ils tentent d'imaginer l'avenir de leur vin. On a vu certains d'entre eux racheter leur propre vin qu'ils avaient bradé, car ils avaient estimé faussement que leur bonification était compromise...

— Quelques principes peuvent néanmoins fournir des éléments d'appréciation. Pour se bonifier, les vins doivent être solidement construits. Ils doivent avoir un degré alcoolique suffisant, et l'ont en fait toujours : la chaptalisation (ajout de sucre réglementé par la loi), y contribue si nécessaire ; il faut donc porter son attention ailleurs, sur l'acidité et les tanins. Un vin trop souple, qui peut être cependant très agréable, dont l'acidité est faible, voire trop faible, sera fragile, et sa longévité ne sera pas assurée. Un vin faible en tanins n'aura guère plus d'avenir. Dans le premier cas, le raisin aura souffert d'un excès de soleil et de chaleur, dans le second, d'un manque de maturité, d'attaques de pourriture ou encore d'une vinification inadaptée.

— Ces deux constituants du vin, acidité et tanins, se mesurent : l'acidité s'évalue en équivalence d'acide sulfurique – en grammes par litre, à moins que l'on préfère le pH –, et les tanins, selon l'indice de Folain, mais il s'agit là d'un travail de laboratoire.

— L'avenir d'un vin qui ne comporte pas au moins 3 grammes d'acidité n'est pas assuré ; quant à l'estimation du seuil de tanin en dessous duquel la longue garde est problématique, elle n'est pas rigoureuse. Cependant, la connaissance de cet indice est utile, car des tanins très mûrs, doux, enrobés, sont parfois sous-évalués à la dégustation, où ils ne se révèlent pas toujours.

— Dans tous les cas, on dégustera le vin dans de bonnes conditions, sans se laisser prendre par l'atmosphère de la cave du vigneron. On évitera de le goûter au sortir d'un repas, après l'absorption d'eau-de-vie, de café, de chocolat ou de bonbons à la menthe, ou encore après avoir fumé. Si le vigneron propose des noix, méfiance ! Car elles améliorent tous les vins. Méfiance également à l'égard du fromage, qui modifie la sensibilité du palais ; tout au plus, si l'on y tient, mangera-t-on un morceau de pain, nature.

S'exercer à la dégustation

De même que toute autre technique, celle de la dégustation s'apprend. On peut la pratiquer chez soi en suivant les quelques énoncés ci-dessus. On peut aussi, si l'on est passionné, suivre des stages, de plus en plus nombreux. On peut encore s'inscrire à des cycles d'initiation proposés par divers organismes privés dont les activités sont très diverses : étude de la dégustation, étude de l'accord des mets et des vins, exploration par la dégustation des grandes régions de productions françaises ou étrangères, analyse de l'influence des cépages, des millésimes, des sols, incidence des techniques de vinification, dégustations commentées en présence du propriétaire, etc (voir p. 68).

Le service des vins

Au restaurant, le service du vin est l'apanage du sommelier. Chez soi, c'est le maître de maison qui devient sommelier, et doit en avoir les capacités. Celles-ci sont nombreuses à mettre en œuvre, à commencer par le choix des bouteilles les mieux adaptées aux plats composant le repas, et qui ont atteint leur apogée.

Le goût de chacun intervient bien sûr dans le mariage des mets et des vins ; néanmoins, des siècles d'expérience ont permis de dégager des principes généraux, des alliances idéales et des incompatibilités majeures.

L'évolution des vins est très dissemblable. Seul leur apogée intéresse l'œnophile, qui désire le meilleur. Selon l'appellation, et donc selon le cépage, le sol, et la vinification, celui-là peut survenir dans des périodes s'échelonnant entre un et vingt ans. Selon le millésime porté par la bouteille, le vin peut évoluer deux ou trois fois plus rapidement. On peut cependant établir des moyennes, qui peuvent servir de base et que l'on modulera en fonction de sa cave et des informations figurant sur les cartes de millésimes :

Appellation ou région	apogée (en années)	
	vin blanc (dans l'année)	vin rouge (dans l'année)
Alsace	1-4	
Alsace Grand Cru	8-12	
Alsace vendanges tardives-liquoreux	4	8
Jura	6	
Jura rosé		
Vin Jaune	20	
Savoie	5	2-4
Bourgogne	1-2	7
Grand Bourgogne	8-10	10-15
Mâcon	2-3	1-2
Beaujolais		dans l'année
Crus du Beaujolais		1-4
Vallée du Rhône Nord	2-3	4-5
(Côte-Rôtie, Hermitage, etc.)	(8)	(8-15)
Vallée du Rhône Sud	2	4-8
Loire	5-10	5-12
Loire moelleux, liquoreux	10-15	
Vins du Périgord	2-3	3-4
« « liquoreux	6-8	
Bordeaux	2-3	6-8
Grands Bordeaux	8-10	10-15
Bordeaux liquoreux	10-15	
Jurançon sec	2-4	
« moelleux, liquoreux	6-10	
Madiran		8-12
Cahors		5-10
Gaillac	3	5
Languedoc	1-2	2-4
Côtes de Provence	1-2	2-4
Corse	1-2	2-4

Modalités du service

Rien ne doit être négligé dans la conduite de la bouteille, de son enlèvement en cave jusqu'au moment où le vin parvient dans le verre. Plus un vin est âgé, plus il exige de soins. La bouteille sera prise sur pile et redressée lentement pour être amenée sur les lieux de sa consommation, à moins qu'on ne la dépose directement dans un panier verseur.

Remarque :
- Ne pas confondre l'apogée avec la longévité maximum.
- Une cave chaude ou à température variable accélère l'évolution des vins.

Le service des vins

Les vins de peu d'ambition seront servis de la façon la plus simple ; pour les vins très fragiles, donc de grand âge, on les fera couler de la bouteille amoureusement déposée sur le panier dans l'exacte position qu'elle occupait sur pile ; les vins plus jeunes ou jeunes, les vins robustes, seront décantés, soit pour les aérer parce qu'ils contiennent encore quelques traces de gaz, souvenir de leur fermentation, soit pour amorcer une oxydation bénéfique pour la dégustation, soit encore pour isoler le vin clair des sédiments déposés au fond de la bouteille. Dans ce cas, le vin sera transvasé avec soin, et on le versera devant une source lumineuse, traditionnellement une bougie – une habitude qui date d'avant l'éclairage électrique et qui n'apporte aucun avantage – pour laisser dans la bouteille le vin trouble et les matières solides.

Quand déboucher, quand servir ?

Le professeur Peynaud soutient qu'il est inutile d'enlever le bouchon longtemps avant de consommer le vin, la surface en contact avec l'air (le goulot et la bouteille) étant trop petite. Cependant, le tableau ci-dessous résume des usages qui, s'ils n'améliorent pas toujours le vin dans tous les cas, ne l'abîment jamais.

Vins blancs aromatiques	Déboucher, boire sans délai.
Vins de primeur R et B	Bouteille verticale.
Vins courants	
Vins rosés	
Vins blancs de la Loire	Déboucher, attendre une heure.
Vins blancs liquoreux	Bouteille verticale.
Vins rouges jeunes	Décanter une demi-heure à deux heures avant
Vins rouges à leur apogée	consommation.
Vins rouges anciens, fragiles	Déboucher en panier verseur, et servir sans délai ; éventuellement décanter et consommer tout de suite.

Déboucher

La capsule doit être coupée en dessous de la bague ou au milieu de celle-ci. Le vin ne doit pas entrer en contact avec le métal de la capsule. Dans le cas où le goulot est ciré, donner de petits coups afin d'écailler la cire. Mieux encore, essayer d'enlever la cire avec un couteau sur la partie supérieure du col, cette méthode ayant l'avantage de ne pas ébranler la bouteille et le vin.

Pour extraire le bouchon, seul le tire-bouchon, à vis en queue de cochon donne satisfaction (avec le tire-bouchon à lames, d'un maniement délicat). Théoriquement, le bouchon ne doit pas être transpercé. Une fois extrait, il est humé : il ne doit présenter aucune odeur parasite et ne pas sentir le liège (goût de bouchon). Ensuite le vin est goûté pour une ultime vérification, avant d'être servi aux convives.

A quelle température ?

On peut tuer un vin en le servant à une température inadéquate, ou, au contraire, l'exalter en le servant à la température appropriée. Il est très rare que celle-ci soit atteinte, d'où l'utilité du thermomètre à vin, de poche si l'on va au restaurant ou à plonger dans la bouteille lorsque l'on opère chez soi. La température de service d'un vin dépend de son appellation (c'est-à-dire de son type), de son âge et, dans une faible proportion, de la température ambiante. On n'oubliera pas que le vin se réchauffe dans le verre.

Grands vins rouges de Bordeaux	16-17º
Grands vins rouges de Bourgogne	15-16º
Vins rouges de qualité ; grands vins rouges avant leur apogée	14-16º
Grands vins blancs secs	14-16º
Vins rouges légers, fruités, jeunes	11-12º
Vins rosés, vins de primeur	10-12º
Vins blancs secs, vins de pays rouges	10-12º
Petits blancs, vins de pays blancs	8-10º
Champagne, mousseux	7-8º
Liquoreux	6º

Ces températures doivent être augmentées d'un ou deux degrés lorsque le vin est vieux.

On a tendance à servir légèrement plus frais les vins qui jouent le rôle d'apéritif, et à boire les vins qui accompagnent le repas légèrement chambrés. De même, on tiendra compte de la température ambiante : sous un climat torride, un vin bu à 11 degrés paraîtra glacé, il conviendra donc de le porter à 13 voire 14 degrés.

Néanmoins, on se gardera de dépasser 20 degrés, car au-delà des phénomènes physico-chimiques indépendants de l'environnement, donc absolus, altèrent les qualités du vin et le plaisir qu'on peut en attendre.

Les verres

À chaque région son verre. Dans la pratique, à moins de tomber dans un purisme excessif, on se contentera soit d'un verre universel (de style verre à dégustation), soit de deux types les plus usités, le verre à bordeaux et le verre à bourgogne.

Quel que soit le verre choisi, il sera rempli modérément, entre le tiers et la moitié.

Au restaurant

Au restaurant, le sommelier s'occupe de la bouteille, hume le bouchon, mais fait goûter le vin à celui qui l'a commandé. Auparavant il aura suggéré des vins en fonction des mets.

La lecture de la carte des vins est instructive, non parce qu'elle dévoile les secrets de la cave, ce qui est sa fonction, mais parce qu'elle permet de situer le niveau de compétence du sommelier, du caviste ou du patron. Une carte correcte doit impérativement comporter, pour chaque vin, les informations suivantes : appellation, millésime, lieu de la mise en bouteilles, nom du négociant ou du propriétaire auteur et responsable du vin. Ce dernier point est très souvent omis, on ne sait pourquoi.

Une belle carte doit présenter un éventail large, tant sur le plan du nombre d'appellations proposées que sur celui de la diversité et de la qualité des millésimes (nombre de restaurateurs ont la fâcheuse habitude de toujours proposer les petites années...). Une carte intelligente sera particulièrement adaptée au style ou à la spécialisation de la cuisine, ou encore fera la part belle aux vins régionaux. Une sélection d'établissements réputés pour la qualité de leur cave est donnée dans le chapitre « les bonnes adresses du guide ».

Parfois, il est proposé la « cuvée du patron » ; il est en effet possible d'acheter un vin agréable qui ne bénéfie pas d'appellation d'origine, mais ce ne sera jamais un grand vin.

Bistrots à vin

De tout temps, il a existé des « bistrots à vin » ou « bars à vin », vendant au verre des vins de qualité, bien souvent des vins « de propriétaires » sélectionnés par le patron lui-même au cours de visites de vignobles. Des assiettes de cochonnaille et de fromages étaient également proposées aux clients.

Dans les années 1970, une nouvelle génération de bistrots à vin fréquemment baptisés « wine bar » s'est développée. La mise au point d'un appareil protégeant le vin dans les bouteilles ouvertes par une couche d'azote le - cruover - a permis à ces établissements de proposer aux clients de très grands vins de millésimes prestigieux. Parallèlement, une restauration moins rudimentaire a complété leur carte. Une sélection de bistrots à vin est proposée dans le chapitre « Les bonnes adresses du guide » p. 75.

LES MILLÉSIMES

Tous les vins de qualité sont millésimés. Seuls quelques vins et certains champagnes, leur élaboration particulière par mélange de plusieurs années le justifiant, font exception à cette règle.

Cela admis, que penser d'un flacon non millésimé ? Deux cas sont possibles ; soit le millésime est inavouable car sa réputation est détestable dans l'appellation ; soit il ne peut être millésimé car il contient le produit de l'assemblage de « vins de plusieurs années », selon la formule en usage chez les professionnels. La qualité du produit dépend du talent de l'assembleur ; généralement le vin assemblé est supérieur à chacun de ses composants mais il est déconseillé de faire vieillir ce type de bouteille.

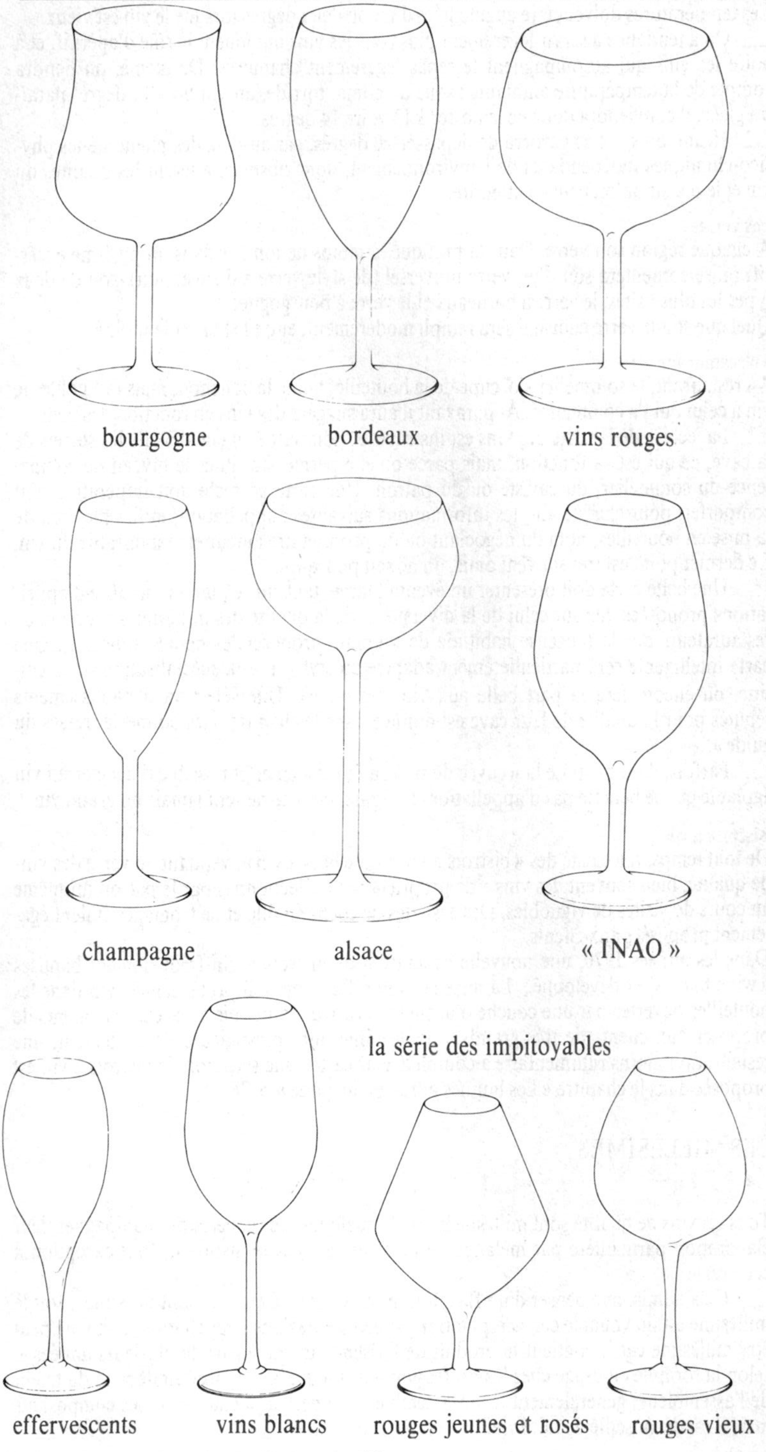

Les verres

vins rouges

bordeaux

bourgogne

« INAO »

alsace

champagne

la série des impitoyables

rouges vieux

rouges jeunes et rosés

vins blancs

effervescents

48

Les millésimes

Le vin portant un grand millésime est concentré et équilibré. Il est généralement issu, mais pas obligatoirement, de petites récoltes (en volume) et de vendanges précoces.

— Dans tous les cas, les grands millésimes ne naissent que de raisins parfaitement sains, totalement exempts de pourriture. Pour obtenir un grand millésime, peu importe le temps qu'il fait au début du cycle végétatif; on peut même soutenir que quelques mésaventures, telles que le gel ou coulure (chute de jeunes baies avant maturation), sont favorables, puisqu'ils vont diminuer le nombre de grappes par pied, ce qui est préjudiciable au volume. En revanche, la période qui s'étend du 15 août aux vendanges (fin septembre), est capitale : un maximum de chaleur et de soleil est alors nécessaire. 1961, qui demeure jusqu'à nouvel avis «l'année du siècle», est exemplaire : tout s'est passé comme il fallait. A contrario, les années 1963, 1965, 1968 furent désastreuses, parce qu'elles cumulèrent froid et pluie, d'où absence de maturité et fort rendement, les raisins se gorgeant d'eau. Pluie et chaleur ne valent guère mieux, car l'eau tiède favorise la pourriture.

C'est l'écueil sur lequel a buté un grand millésime potentiel dans le Sud-Ouest en 1976. Les progrès des traitements de protection du raisin, particulièrement destinés à s'opposer au ver de la grappe et au développement de la pourriture, permettent des récoltes de qualité qui eussent été autrefois très compromises. Ces traitements permettent également d'attendre avec une relative sérénité, même si les conditions météorologiques momentanées ne sont pas encourageantes, le plein mûrissement du raisin, d'où un important gain de qualité. Dès 1978, on note l'apparition d'excellents millésimes vendangés tardivement.

— On a l'habitude de résumer la qualité des millésimes dans des tableaux de cotation. Ces notes ne représentent que des moyennes : elles ne prennent pas en compte les microclimats, pas plus que les efforts... héroïques de tris de raisins à la vendange, ou les sélections forcenées des vins en cuve. C'est ainsi par exemple, que le vin de Graves, domaine de Chevalier 1965 – millésime par ailleurs épouvantable – démontre que l'on peut élaborer un grand vin dans une année cotée zéro !

Propositions de cotation (de 0 à 20)

	Bordeaux R	Bordeaux B liquoreux	Bordeaux B sec	Bour-gogne R	Bour-gogne B	Cham-pagne	Loire	Rhône	Alsace
1900	19	19	17	13		17			
1901	11	14							
1902									
1903	14	7	11						
1904	15	17		16					
1905	14	12							
1906	16	16		19	18				
1907	12	10			15				
1908	13	16							
1909	10	7							
1910									
1911	14	14		19	19	20	19	19	
1912	10	11							
1913	7	7							
1914	13	15				18			

Alsace Allemande

Les millésimes

Année	Bordeaux R	Bordeaux B liquoreux	Bordeaux B sec	Bourgogne R	Bourgogne B	Champagne	Loire	Rhône	Alsace
1915		16		16	15	15	12	15	
1916	15	15		13	11	12	11	10	
1917	14	16		11	11	13	12	9	
1918	16	12		13	12	12	11	14	
1919	15	10		18	18	15	18	15	15
1920	17	16		13	14	14	11	13	10
1921	16	20		16	20	20	20	13	20
1922	9	11		9	16	4	7	6	4
1923	12	13		16	18	17	18	18	14
1924	15	16		13	14	11	14	17	11
1925	6	11		6	5	3	4	8	6
1926	16	17		16	16	15	13	13	14
1927	7	14		7	5	5	3	4	
1928	19	17		18	20	20	17	17	17
1929	20	20		20	19	19	18	19	18
1930							3	4	3
1931	2	2		2	3	3	3	5	3
1932				2	3	3	3	3	7
1933	11	9		16	18	16	17	17	15
1934	17	17		17	18	17	16	17	16
1935	7	12		13	16	10	15	5	14
1936	7	11		9	10	9	12	13	9
1937	16	20		18	18	18	16	17	17
1938	8	12		14	10	10	12	8	9
1939	11	16		9	9	9	10	8	3
1940	13	12		12	8	8	11	5	10
1941	12	10		9	12	10	7	5	5
1942	12	16		14	12	16	11	14	14
1943	15	17		17	16	17	13	17	16
1944	13	11	12	10	10		6	8	4
1945	20	20	18	20	18	20	19	18	20
1946	14	9	10	10	13	10	12	17	9
1947	18	20	18	18	18	18	20	18	17
1948	16	16	16	10	14	11	12		15
1949	19	20	18	20	18	17	16	17	19
1950	13	18	16	11	19	16	14	15	14
1951	8	6	6	7	6	7	7	8	8
1952	16	16	16	16	18	16	15	16	14
1953	19	17	16	18	17	17	18	14	18

Quels millésimes boire maintenant ?

Les zones cernées d'un trait épais indiquent les vins à mettre en cave.

Les vins évoluent différemment selon qu'ils sont nés d'une année maussade ou ensoleillée, mais aussi selon leur appellation, leur hiérarchie au sein de cette appellation, leur vinification, leur élevage, leur vieillissement dépend également de la cave où ils sont entreposés.

Le tableau de la page suivante concerne des vins de bonne facture, de millésimes récents, donc disponibles, s'ils sont encavés convenablement. Il ne concerne ni les vins exceptionnels ni les millésimes anciens, légendaires, toujours excellents (1961, par exemple) que l'on trouvera sur le tableau général récapitulatif.

	Bordeaux R	Bordeaux B liquoreux	Bordeaux B sec	Bourgogne R	Bourgogne B	Champagne	Loire	Rhône	Alsace
1954	10			14	11	15	9	13	9
1955	16	19	18	15	18	19	16	15	17
1956	5						9	12	9
1957	10	15		14	15		13	16	13
1958	11	14		10	9		12	14	12
1959	19	20	18	19	17	17	19	15	20
1960	11	10	10	10	7	14	9	12	12
1961	20	15	16	18	17	16	16	18	19
1962	16	16	16	17	19	17	15	16	14
1963					10				
1964	16	9	13	16	17	18	16	14	18
1965			12				8		
1966	17	15	16	18	17	17	15	16	12
1967	14	18	15	15	16	13	13	15	14
1968									
1969	10	13	12	19	18	16	15	16	16
1970	17	17	18	15	15	17	15	15	14
1971	16	17	19	18	20	16	17	16	18
1972	10		9	11	13	9	9	14	9
1973	13	12	9	12	16	16	16	13	16
1974	11	14		12	13	8	11	12	13
1975	18	17	18		11	18	15	10	15
1976	15	19	16	18	15	15	18	16	19
1977	12	7	14	11	12	9	11	11	12
1978	17	14	17	19	17	16	17	19	15
1979	16	18	18	15	15	15	14	16	16
1980	13	17	18	12	14	15	13	15	10
1981	16	16	17	14	15	16	14	14	17
1982	18	14	16	14	16	16	14	13	15
1983	17	15	16	15	16	13	12	16	20
1984	14	13	12	13	14	5	10	11	15
1985	18	15	14	17	17	17	16	16	19
1986	17	17	12	12	15	9	13	16	10
1987	13	11	16	12	11	10	13	8	13

La cuisine au vin - Le vinaigre

	Actuellement disponible	Belle année actuellement disponible
Bordeaux rouges	1984-1986	1985-1986
Bordeaux blancs secs	1986-1987	1985-1987
Bordeaux liquoreux	1984-1986	1985-1986
Bourgognes rouges	1986-1987	1985
Bourgognes blancs	1987	1985
Beaujolais	1987	
Crus de Beaujolais	1987	1986
Vallée du Rhône septentrionale	1986-1987	1985
« « méridionale	1986-1987	1985
Provence, Corse	1987	
Languedoc	1987	
Vins du Sud-Ouest	1987	
Alsace	1987	1985
Alsace vendanges tardives		1983-1985
Loire	1986-1987	1985
Loire moelleux-liquoreux		1985
Champagne millésime	1983	1982

LA CUISINE AU VIN

La cuisine au vin ne date pas d'aujourd'hui. Apicius déjà donne la recette du porcelet à la sauce au vin (c'était du vin de paille). Pourquoi user du vin en cuisine ? Pour les saveurs qu'il apporte et pour les vertus digestives qu'il ajoute aux plats grâce à la glycérine et aux tanins. L'alcool, considéré par certains comme un maléfice, a presque totalement disparu à la cuisson.

— On pourrait retracer une histoire de la cuisine à travers le vin : les marinades ont été inventées pour conserver des pièces de viande, aujourd'hui on les perpétue pour l'apport d'éléments sapides. La cuisson, donc la réduction des marinades, est à l'origine des sauces. Parfois, on a cuit la viande avec la marinade et l'on a inventé les civets, les daubes et les courts-bouillons, y compris les œufs en meurette.

Quelques conseils

- ne jamais gaspiller de vieux millésimes pour la cuisine. C'est coûteux, inutile et même nuisible.

- ne jamais user en cuisine de vins ordinaires ou de vins trop légers, leur réduction ne concentre que leur manque de présence.

- boire avec le plat le vin de cuisson ou de la même origine.

LE VINAIGRE DE VIN

Le vin est l'ami de l'homme, le vinaigre est l'ennemi du vin. Doit-on conclure que le vinaigre est l'ennemi de l'homme ? Non, vins et vinaigres jouent chacun leur partie dans l'orchestre des saveurs dont l'homme se régale. Jeter des vins de qualité un peu éventés ou oxydés serait regrettable. Le vinaigrier est là pour les accueillir. Un vinaigrier domestique est un récipient de 3 à 5 litres en bois, ou mieux, en terre vernissée, généralement muni d'un robinet. L'acidité du vinaigre est un adjuvant, un révélateur. C'est un contrepoint, pas un solo. Pour contenir ses ardeurs, le gourmet a inventé le vinaigre aromatisé. Nombre de hauts-goûts se fondent en une harmonie de timbres : ail, échalote, petits oignons, estragon, graines de moutarde, grains de poivre, clous de girofle, fleurs de sureau, de capucine, pétales de roses, feuilles de laurier, branches de thym, de perce-pierre etc...

Conseils

- ne jamais déposer un vinaigrier dans une cave.
- chaque fois que se développe dans le vinaigrier ce que l'on appelle «la mère du vinaigre» (masse visqueuse), l'éliminer.
- placer le vinaigrier dans un lieu tempéré (20°).
- ne jamais le boucher hermétiquement car l'air contribue à la vie des bactéries acétiques, qui transforment l'alcool du vin en acide acétique.
- ne jamais placer les aromates dans le vinaigrier. Il faut extraire le vinaigre du vinaigrier et dans un autre récipient conserver le vinaigre aromatisé.
- ne jamais introduire dans le vinaigrier de vin sans origine.

52

Rien n'est plus difficile que de trouver « le » vin idéal pour accompagner un plat. D'ailleurs, peut-il y avoir un vin idéal ? Au chapitre du mariage des mets et des vins, la monogamie n'a pas de place : il faut profiter de l'extrême variété des vins français et faire des expériences : une bonne cave permet par approximations successives d'approcher de la vérité...

— Mais s'il existe plusieurs écoles aux tendances parfois contradictoires, toutes reconnaissent qu'en gastronomie il faut tenir compte des effets des plats sur le vin, les qualités de celui-ci étant magnifiées, ou au contraire diminuées par la saveur des mets. Dans vos recherches, goûtez d'abord le vin, analysez sa rondeur, ses arômes, sa persistance, puis servez-le avec des plats divers : vous constaterez alors qu'il est des mariages pleinement réussis, d'autres acceptables, d'autres exécrables...

— Cette liste ne peut pas tout vous dire mais nous avons voulu vous proposer des accords non dissonants, ceux que vous pouvez suivre en toute confiance. Ils ont été composés par un maître en la matière, André Vedel.

HORS-D'ŒUVRE, ENTRÉES

Anchoïade : côtes du roussillon rosé 1986 ; coteaux d'aix-en-provence rosé 1986 ; alsace sylvaner 1986.

Artichauts barigoule : coteaux d'aix-en-provence rosé 1986 ; rosé de loire 1986 ; bordeaux rosé 1986.

Asperges sauce mousseline : alsace muscat 1986.

Avocat : champagne 1982 ; bugey blanc 1986 ; bordeaux sec 1986.

Cuisses de grenouilles : corbières blanc 1986 ; entre-deux-mers 1986 ; touraine sauvignon 1986.

Escargots à la bourguignonne : bourgogne aligoté 1986 ; alsace riesling 1986 ; touraine sauvignon 1986.

Foie gras au naturel : barsac 1976 ; corton-charlemagne 1982 ; listrac 1983 ; banyuls rimage 1985.

Foie gras en brioche : alsace tokay sélection de grains nobles 1976 ; montrachet 1979 ; pécharmant 1985.

Foie gras grillé : jurançon 1982 ; graves rouge 1985 ; condrieu 1985.

Poivrons rouges grillés vinaigrette : clairette de bellegarde 1986 ; muscadet 1986 ; mâcon lugny blanc 1986.

Salade niçoise : alsace sylvaner 1986 ; côtes-du-rhône rouge 1986 ; coteaux d'aix-en-provence rosé 1986.

Salade de soja : alsace tokay 1986 ; clairette du languedoc 1986 ; muscadet 1986.

CHARCUTERIE

Jambon braisé : alsace tokay 1985 ; côtes-du-rhône rouge 1985 ; côtes du roussillon rosé 1986.

Jambon persillé : chassagne montrachet blanc 1982 ; coteaux du tricastin rouge 1985 ; beaujolais rouge 1986.

Jambon de Bayonne : côtes-du-rhône villages 1984 ; bordeaux clairet 1986 ; corbières rosé 1986.

Jambon de sanglier fumé : côtes-de-saint-mont rouge 1982 ; bandol rouge 1983 ; sancerre blanc 1986.

Coquillages et crustacés - Poissons

Pâté de lièvre : côtes de duras rouge 1983 ; saumur-champigny 1984 ; moulin-à-vent 1985.

Rillettes : bourgogne rouge 1983 ; alsace pinot noir 1985 ; touraine gamay 1986.

Rillons : touraine cabernet 1983 ; beaujolais-villages 1986 ; rosé de loire 1986.

Saucisson : côtes-du-rhône villages 1985 ; beaujolais 1986 ; côtes du roussillon rosé 1986.

Terrine de foies blonds : meursault-charmes 1982 ; saint-nicolas de bourgueil 1983 ; morgon 1986.

COQUILLAGES ET CRUSTACES

Bouquet mayonnaise : bourgogne blanc 1984 ; alsace riesling 1985 ; haut-poitou sauvignon 1986.

Brochettes de saint-jacques : graves blanc 1978 ; alsace sylvaner 1986 ; beaujolais-villages rouge 1986.

Calmars farcis : mâcon-villages 1985 ; premières côtes de bordeaux 1982 ; gaillac rosé 1986.

Cassolette de moules aux épinards : muscadet 1986 ; bourgogne aligoté bouzeron 1986 ; coteaux champenois blanc 1986.

Clovisses au gratin : pacherenc du vic-bilh 1982 ; rully blanc 1983 ; beaujolais blanc 1986.

Cocktail de crabe : jurançon sec 1986 ; fiefs vendéens blanc 1986 ; bordeaux sec sauvignon 1986.

Ecrevisses à la nage : sancerre blanc 1985 ; côtes-du-rhône blanc 1986 ; gaillac blanc 1986.

Homard à l'américaine : arbois jaune 1976 ; juliénas 1986.

Homard grillé : hermitage blanc 1982 ; pouilly-fuissé 1983 ; savennières 1984.

Huîtres de Marennes : muscadet 1986 ; bourgogne aligoté 1986 ; alsace sylvaner 1986 ; chablis 1986 ; beaujolais primeur rouge.

Huîtres au champagne : bourgogne hautes-côtes de nuits blanc 1985 ; coteaux champenois blanc 1986 ; roussette de savoie 1986.

Langouste mayonnaise : patrimonio blanc 1983 ; alsace riesling 1985 ; savoie apremont 1986.

Langoustines au cognac : chablis premier cru 1982 ; graves blanc 1983 ; muscadet de sèvre-et-maine 1986.

Mouclade des Charentes : saint-véran 1985 ; bergerac sec 1986 ; haut-poitou chardonnay 1986.

Moules (crues) de Bouzigues : coteaux du languedoc blanc 1986 ; muscadet de sèvre-et-maine 1986 ; coteaux d'aix-en-provence blanc 1986.

Moules marinières : bourgogne blanc 1985 ; alsace pinot 1986 ; bordeaux sec sauvignon 1986.

Palourdes farcies : graves blanc 1981 ; montagny 1982 ; anjou blanc 1985.

Plateau de fruits de mer : chablis 1985 ; muscadet 1986 ; alsace sylvaner 1986.

Salade de coquillages au concombre : graves blanc 1985 ; muscadet 1986 ; alsace klevner 1986.

POISSONS

Anguille poêlée persillade : corbières rosé 1986 ; gros plant du pays nantais 1986 ; blaye blanc 1986.

Alose à l'oseille : anjou blanc 1985 ; rosé de loire 1986 ; haut-poitou chardonnay 1986.

Bar (loup) grillé : auxey-duresses blanc 1982 ; bellet blanc 1985 ; bergerac sec 1986.

Barbue à la dieppoise : graves blanc 1978 ; puligny-montrachet 1982 ; coteaux du languedoc blanc 1986.

Barquettes girondines : bâtard-montrachet 1979 ; graves supérieures 1985 ; quincy 1986.

Baudroie en gigot de mer : mâcon-villages blanc 1985 ; châteauneuf-du-pape blanc 1985 ; bandol rosé 1986.

Bouillabaisse : côtes du roussillon blanc 1986, coteaux d'aix-en-provence blanc 1986 ; muscadet des coteaux de la loire 1986.

Bourride : coteaux d'aix-en-provence rosé 1986, rosé de loire 1986 ; bordeaux rosé 1986.

Brandade : haut-poitou rosé 1986 ; bandol rosé 1986 ; corbières rosé 1986.

Cabe farcie : montagny 1982 ; touraine azay-le-rideau blanc 1985 ; alsace pinot 1986.

Colin froid mayonnaise : pouilly-fuissé 1983 ; savoie-chignin-bergeron 1985 ; alsace klevner 1986.

Coquilles de poissons : saint-aubin blanc 1982 ; saumur sec blanc 1985 ; crozes-hermitage blanc 1986.

Dames de saumon grillées : chassagne-montrachet blanc 1982 ; cahors 1986 ; côtes-du-rhône rosé 1986.

Filets de sole bonne femme : graves blanc 1978 ; chablis grand cru 1981 ; sancerre blanc 1986.

Feuilleté de blanc de turbot : chevalier-montrachet 1979 ; crozes-hermitage blanc 1985 ; patrimonio blanc 1986.

Gravettes d'Arcachon à la bordelaise : graves blanc 1985 ; bordeaux sec 1986 ; jurançon sec 1986.

Koulibiak de saumon : pouilly-vinzelles 1983 ; graves blanc 1985 ; rosé de loire 1986.

Lamproie à la bordelaise : graves rouge 1985 ; bergerac rouge 1986 ; bordeaux rosé 1986.

Lisettes au vin blanc : alsace sylvaner 1986 ; haut-poitou sauvignon 1985 ; quincy 1986.

Matelote de l'Ill : chablis premier cru 1981 ; arbois blanc 1985 ; alsace riesling 1986.

Merlan en colère : alsace gutedel 1986 ; entre-deux-mers 1986 ; seyssel 1986.

Morue à l'aïoli : coteaux d'aix-en-provence rosé 1986 ; bordeaux rosé 1986 ; haut-poitou rosé 1986.

Morue grillée : gros plant du pays nantais 1986 ; rosé de loire 1986 ; coteaux d'aix-en-provence rosé 1986.

Œufs de saumon : haut-poitou rosé 1986 ; graves rouge 1986 ; côtes-du-rhône rouge 1986.

Petite friture : beaujolais blanc 1986 ; béarn blanc 1986, fiefs vendéens blanc 1986.

Petits rougets grillés : chassagne-montrachet blanc 1982 ; hermitage blanc 1983 ; bergerac sec 1985.

Pochouse : meursault 1982 ; l'étoile 1983 ; mâcon-villages 1986.

Quenelle de brochet lyonnaise : montrachet 1979 ; pouilly-vinzelles 1983 ; beaujolais-villages rouge 1986.

Rouille sétoise : clairette du languedoc 1986 ; côtes du roussillon rosé 1986 ; rosé de loire 1986.

Sandre au beurre blanc : auxey-duresses 1982 ; saumur blanc 1983 ; saint-joseph blanc 1985.

Sardines grillées : clairette de bellegarde 1985 ; jurançon sec 1986 ; bourgogne aligoté 1986.

Saumon fumé : puligny-montrachet premier cru 1985 ; pouilly fumé 1986 ; bordeaux sec sauvignon 1986.

Sole meunière : meursault blanc 1978 ; alsace riesling 1985 ; entre-deux-mers 1986.

Soufflé nantua : bâtard-montrachet 1979 ; crozes-hermitage blanc 1985 ; bergerac sec 1986.

Thon (rouge) aux oignons : coteaux d'aix blanc 1986 ; coteaux du languedoc blanc 1986 ; côtes de duras sauvignon 1986.

Thon (germon) basquaise : graves blanc 1985 ; pacherenc de vic-bilh 1985 ; gaillac blanc 1986.

Tourteau farci : premières côtes de bordeaux blanc 1984 ; bourgogne blanc 1985 ; muscadet 1986.

Truite aux amandes : chassagne-montrachet blanc 1982 ; alsace klevner 1985 ; côtes du roussillon blanc 1985 ; saumur blanc 1983 ; hermitage blanc 1985.

Turbot sauce hollandaise : graves blanc 1973 ; saumur blanc 1973 ; hermitage blanc 1985.

VIANDES ROUGES ET BLANCHES

Agneau

Baron d'agneau au four : haut-médoc 1978 ; savoie-mondeuse 1982 ; minervois 1985.

Carré d'agneau Marly : saint-julien 1975 ; ajaccio 1984 ; coteaux du lyonnais 1986.

Épaule d'agneau boulangère : hermitage rouge 1978 ; côtes-de-bourg rouge 1983 ; moulin-à-vent 1985.

Filet d'agneau en croûte : pomerol 1978 ; mercurey 1982 ; coteaux du tricastin 1985.

Ragoût d'agneau au thym : châteauneuf-du-pape rouge 1983 ; saint-chinian 1985 ; fleurie 1986.

Sauté d'agneau provençale : gigondas 1983 ; côtes de provence rouge 1985 ; bourgogne passetoutgrain rouge 1986.

Selle d'agneau aux herbes : vin de corse rouge 1984 ; côtes-du-rhône rouge 1985 ; coteaux du giennois rouge 1986.

Bœuf

Bœuf bourguignon : rully rouge 1982 ; saumur rouge 1985 ; côtes du marmandais rouge 1985.

Chateaubriand : margaux 1982 ; alsace pinot 1983 ; coteaux du tricastin 1985.

Daube : buzet rouge 1983 ; côtes du vivarais rouge 1985 ; arbois rouge 1985.

Entrecôte bordelaise : saint-julien 1982 ; saint-joseph rouge 1983 ; côtes du roussillon villages 1985.

Filet de bœuf duchesse : côte-rotie 1978 ; gigondas 1983 ; graves rouge 1985.

Fondue bourguignonne : bordeaux rouge 1985 ; côtes du ventoux rouge 1985 ; bourgogne rosé 1986.

Gardiane : lirac rouge 1983 ; côtes du lubéron rouge 1985 ; costières du gard rouge 1985.

Pot-au-feu : anjou rouge 1983 ; bordeaux rouge 1985 ; beaujolais rouge 1986.

Rosbif chaud : moulis 1978 ; aloxe corton 1982 ; côtes-du-rhône rouge 1985.

Rosbif froid : madiran 1981 ; beaune rouge 1982 ; cahors 1985.

Steak maître d'hôtel : bergerac rouge 1983 ; arbois rosé 1985 ; chenas 1986.

Tournedos béarnaise : listrac 1978 ; saint-aubin rouge 1982 ; touraine amboise rouge 1986.

Mouton

Curry de mouton : montagne-saint-émilion 1983 ; alsace tokay 1985 ; côtes-du-rhône 1985.

Daube de mouton : patrimonio rouge 1982 ; côtes-du-rhône villages rouge 1985 ; morgon 1985.

Gigot à la ficelle : morey-saint-denis 1978 ; saint-émilion 1983 ; côte de provence rouge 1985.

Gigot froid mayonnaise : saint-aubin blanc 1982 ; bordeaux rouge 1985 ; entre-deux-mers 1986.

Mouton en carbonade : graves de vayres rouge 1982 ; fitou 1983 ; crozes-hermitage rouge 1985.

Navarin : anjou rouge 1984 ; bordeaux côtes-de-francs rouge 1985 ; bourgogne-marsannay rouge 1985.

Poitrine de mouton farcie : côtes du jura rouge 1982 ; graves rouge 1985 ; haut-poitou gamay 1986.

Porc

Andouillette à la crème : touraine blanc 1986 ; bourgogne blanc 1985 ; saint-joseph blanc 1985.

Andouillette grillée : coteaux champenois blanc 1985 ; petit chablis 1986 ; beaujolais rouge 1986.

Baeckeoffe : alsace riesling 1986 ; alsace sylvaner 1986.

Viandes rouges et blanches - Volailles, lapins

Cassoulet : côtes-du-frontonnais rouge 1984 ; minervois rouge 1985 ; bergerac rouge 1986. 1986.

Chou farci : côtes-du-rhône rouge 1986 ; touraine gamay 1986 ; bordeaux sec sauvignon 1986.

Choucroute : alsace riesling 1986 ; alsace sylvaner 1986.

Cochon de lait en gelée : graves de vayres blanc 1985 ; costières du gard rosé 1986 ; beaujolais villages rouge 1986.

Confit : tursan rouge 1982 ; corbières rouge 1985 ; cahors 1986.

Côte de porc charcutière : bourgogne blanc 1985 ; côtes d'auvergne rouge 1986 ; bordeaux clairet 1986.

Rôti de porc froid : bourgogne blanc 1985 ; lirac rouge 1985 ; bordeaux sec 1986.

Palette au sauvignon : bergerac sec 1986 ; menetou-salon 1986 ; bordeaux rosé 1986.

Potée : côtes du lubéron 1985 ; côte de brouilly 1986 ; bourgogne aligoté 1986.

Rôti de porc à la sauge : rully blanc 1983 ; côtes-du-rhône rouge 1986 ; minervois rosé 1986.

Saucisse de Toulouse grillée : saint-joseph rouge 1983 ; bergerac rouge 1985 ; côtes du frontonnais rosé 1986.

Veau

Brochettes de rognons : cornas 1985 ; beaujolais-villages 1986 ; coteaux du languedoc rosé 1986.

Blanquette de veau à l'ancienne : arbois blanc 1982 ; alsace grand cru riesling 1983 ; côtes de provence rosé 1986.

Côte de veau grillée : côtes-du-rhône rouge 1985 ; anjou blanc 1985 ; bourgogne rosé 1986.

Escalope panée : côtes du jura blanc 1985 ; corbières blanc 1986 ; côtes du ventoux rouge 1986.

Foie de veau à l'anglaise : médoc 1979 ; coteaux d'aix-en-provence rouge 1985 ; haut-poitou rosé 1986.

Noix de veau braisée : mâcon-villages blanc 1985 ; côtes de duras rouge 1986 ; brouilly 1986.

Paupiettes de veau : anjou gammay 1986 ; minervois rosé 1986 ; costières du gard blanc 1986.

Ris de veau aux langoustines : graves blanc 1978 ; alsace tokay 1985 ; bordeaux rosé 1986.

Rognons sautés au vin jaune : arbois blanc 1973 ; gaillac vin de voile 1975 ; bourgogne aligoté 1986.

Rognons de veau à la moelle : saint-émilion 1983 ; saumur-champigny 1985 ; coteaux d'aix-en-provence rosé 1986.

Veau marengo : côtes de duras merlot 1985 ; alsace klevner 1986 ; coteaux du tricastin rosé 1986.

Veau Orloff : chassagne montrachet blanc 1982 ; chiroubles 1986 ; lirac rosé 1986.

VOLAILLES, LAPIN

Barbarie aux olives : savoie-mondeuse rouge 1982 ; canon-fronsac 1978 ; anjou cabernet rouge 1985.

Brochettes de cœurs de canard : saint-georges-saint-émilion 1979 ; chinon 1982 ; côtes-du-rhône villages 1984.

Canard à l'orange : côtes du jura jaune 1976 ; cahors 1986 ; graves rouge 1986.

Canard farci : saint-émilion grand cru 1978 ; bandol rouge 1979 ; buzet rouge 1983.

Canard aux navets : puisseguin-saint-émilion 1979 ; saumur-champigny 1984 ; coteaux d'aix-en-provence rouge 1985.

Canette aux pêches : banyuls 1982 ; chinon rouge 1985 ; graves rouge 1986.

Chapon rôti : bourgogne blanc 1983 ; touraine-mesland 1986 ; côtes-du-rhône rosé 1986.

Volailles, lapins - Gibier

Coq au vin rouge : ladoix, côte de beaune 1982 ; châteauneuf-du-pape rouge 1983 ; touraine cabernet 1985.

Curry de poulet : montagne-saint-émilion 1983 ; alsace tokay 1985, côtes-du-rhône 1985.

Dinde aux marrons : saint-joseph rouge 1983 ; sancerre rouge 1983 ; meursault blanc 1985.

Dindonneau à la broche : monthélie 1982 ; graves blanc 1985 ; châteaumeillant rosé 1986.

Escalopes de dinde au roquefort : côtes du jura blanc 1982 ; bourgogne aligoté 1986 ; coteaux d'aix-en-provence rosé 1986.

Fricassée de lapin : touraine rosé 1985 ; côtes-de-blaye blanc 1986 ; beaujolais villages rouge 1986.

Lapin rôti à la moutarde : sancerre rouge 1984 ; tavel 1985 ; côtes de provence blanc 1986.

Magret au poivre vert : saint-joseph rouge 1983 ; bourgueil rouge 1985 ; bergerac rouge 1986.

Oie farcie : anjou cabernet rouge 1983 ; côtes du marmandais rouge 1985 ; beaujolais villages 1986.

Pigeonneaux à la printanière : crozes-hermitage rouge 1982 ; bordeaux rouge 1983 ; touraine gamay 1986.

Pintadeau à l'armagnac : saint-estèphe 1975 ; chassagne-montrachet rouge 1982 ; fleurie 1986.

Poularde demi-deuil : chevalier-montrachet 1979 ; arbois blanc 1982 ; juliénas 1986.

Poularde en croûte de sel : listrac 1978 ; mâcon-villages blanc 1985 ; côtes-du-rhône rouge 1986.

Poulet au riesling : alsace grand cru riesling 1984 ; touraine sauvignon 1985 ; côtes-du-rhône rosé 1986.

Poulet basquaise : côtes de duras sauvignon 1986 ; bordeaux sec 1986 ; coteaux du languedoc rosé 1986.

Poulet sauté aux morilles : savigny-lès-beaune rouge 1978 ; arbois blanc 1979 ; sancerre blanc 1985.

Poussin de la Wantzenau : côtes de toul gris 1986 ; alsace gutedel 1986 ; beaujolais 1986.

GIBIER

Bécasse flambée : pauillac 1975 ; musigny 1978 ; hermitage 1979.

Brochette de mauviettes : permand-vergelesses rouge 1982 ; pomerol 1982 ; côtes du ventoux rouge 1985.

Civet de lièvre : canon-fronsac 1978 ; bonnes-mares 1982 ; minervois rouge 1985.

Côtelettes de chevreuil conti : lalande de pomerol 1979 ; côte de beaune rouge 1982 ; crozes-hermitage rouge 1983.

Cuissot de sanglier sauce venaison : chambertin 1978 ; montagne saint-émilion 1979 ; corbières rouge 1985.

Faisan en chartreuse : moulis 1978 ; pommard 1982 ; saint-nicolas de bourgueil 1983.

Filet de sanglier bordelaise : pomerol 1979 ; bandol 1981 ; gigondas 1983 ;

Gigue de chevreuil grand veneur : hermitage rouge 1978 ; corton rouge 1982 ; côtes du roussillon rouge 1985.

Grives au genièvre : échezeaux 1982 ; coteaux du tricastin rouge 1985 ; chenas 1986.

Halbran rôti : saint-émilion grand cru 1978 ; côte rôtie 1982 ; faugères 1985.

Jambon de sanglier braisé : fronsac 1979 ; châteauneuf-du-pape rouge 1983 ; moulin-à-vent 1985.

Lapereau rôti : auxey-duresses rouge 1978 ; puisseguin-saint-émilion 1979 ; crozes-hermitage rouge 1982.

Lièvre à la royale : saint-joseph rouge 1979 ; volnay 1982 ; pécharmant 1983.

Merles à la façon corse : ajaccio rouge 1984 ; côtes de provence rouge 1985 ; coteaux du languedoc rouge 1985.

58

Perdreau rôti : haut-médoc 1975 ; vosne-romanée 1978 ; bourgueil 1975.

Perdrix aux choux : bourgogne irancy 1981 ; arbois rosé 1984 ; cornas 1985.

Perdrix à la catalane : maury 1979, côtes du roussillon rouge 1986 ; beaujolais villages 1986.

Râble de lièvre au genièvre : chambolle musigny 1978 ; savoie-mondeuse 1982 ; saint-chinian 1985.

Salmis de colvert : côte rotie 1978 ; chinon rouge 1982 ; bordeaux supérieur 1983.

Salmis de palombe : saint-julien 1975 ; côte de nuits-villages 1978 ; patrimonio 1982.

LÉGUMES

Beignets d'aubergines : bourgogne rouge 1985 ; beaujolais rouge 1986 ; bordeaux sec 1986.

Céleri braisé : côtes du ventoux rouge 1985 ; alsace pinot noir 1986 ; touraine sauvignon 1986.

Champignons : beaune blanc 1982 ; alsace tokay 1985 ; coteaux du giennois rouge 1986.

Gratin dauphinois : bordeaux côtes de castillon 1983 ; châteauneuf-du-pape blanc 1985 ; alsace riesling 1986.

Grisets sautés persillade : beaune blanc 1982 ; alsace tokay 1985 ; coteaux du giennois rouge 1986.

Haricots verts : côte de beaune blanc 1982 ; sancerre blanc 1986 ; entre-deux-mers 1986.

Pâtes : côtes-du-rhône rouge 1986 ; coteaux d'aix rosé 1986.

Petits pois : saint-romain blanc 1985 ; côtes du jura blanc 1985 ; touraine sauvignon 1986.

Pois gourmands : graves blanc 1981 ; côtes-du-rhône rouge 1985 ; alsace riesling 1986.

Poivrons farcis : mâcon-villages 1985 ; côtes-du-rhône rosé 1986 ; alsace tokay 1986.

FROMAGES

Au lait de vache

Beaufort : arbois jaune 1976 ; meursault 1982 ; vin de savoie, chignin, bergeron 1985.

Bleu d'Auvergne : côtes de bergerac moelleux 1992 ; beaujolais 1986 ; touraine sauvignon 1986.

Bleu de Bresse : côtes du jura blanc 1982 ; mâcon rouge 1986 ; côtes de bergerac blanc 1986.

Brie : beaune rouge 1978 ; alsace pinot noir 1983 ; coteaux du languedoc rouge 1985.

Camembert : bandol rouge 1979 ; côtes du roussillon villages 1985 ; beaujolais villages 1986.

Cantal : coteaux du vivarais rouge 1985 ; côtes de provence rosé 1986 ; lirac blanc 1986.

Carré de l'est : saint-joseph rouge 1983 ; coteaux d'aix-en-provence rouge 1985 ; brouilly 1986.

Carré frais : cahors 1985 ; côtes du roussillon rosé 1986 ; côtes-du-rhône blanc 1986.

Chaource : montagne-saint-émilion 1979 ; cadillac 1980 ; chenas 1986.

Cîteaux : aloxe-corton 1982 ; coteaux champenois rouge 1983 ; fleurie 1986.

Comté : château-chalon 1976 ; graves blanc 1981 ; côtes du lubéron blanc 1986.

Edam demi-étuvé : pauillac 1975 ; fixin 1978 ; costières du gard rouge 1985.

Epoisses : savigny 1982 ; côtes du jura rouge 1982, côte de brouilly 1986.

Fourme d'Ambert : l'étoile jaune 1976 ; cérons 1982 ; banyuls rimage 1982.

Gouda demi-étuvé : saint-estèphe 1975 ; chinon 1982 ; coteaux du tricastin 1985.

Livarot : bonnezeaux 1978 ; sainte-croix-du-mont 1982 ; alsace gewurztraminer 1984.

Maroilles : jurançon 1982 ; alsace gewurztraminer vendanges tardives 1983.

Mimolette demi-étuvée : graves rouge 1979 ; santenay 1982 ; côtes-du-rhône rouge 1985.

Fromages - Desserts

Morbier : gevrey-chambertin 1978 ; madiran 1981 ; côtes du ventoux rouge 1985.

Munster : coteaux du layon villages 1978 ; loupiac 1981 ; alsace gewurztraminer 1984.

Pâte fondue (fromages à) : alsace riesling 1985 ; haut-poitou sauvignon 1986 ; côtes-du-rhône-villages 1986.

Pont-l'Evêque : côtes de saint-mont 1981 ; bourgueil 1982 ; nuits-saint-georges 1983.

Raclette : vin de savoie-apremont 1986 ; côtes de duras sauvignon 1986 ; juliénas 1986.

Reblochon : mercurey 1982 ; lirac rouge 1983 ; touraine gamay 1986.

Rigotte : bourgogne hautes-côtes de nuits rouge 1985 ; côte du forez 1986 ; saint-amour 1986.

Saint-Marcellin : faugères 1985 ; tursan rouge 1985 ; chiroubles 1986.

Saint-Nectaire : fronsac 1979 ; bourgogne rouge 1983 ; mâcon-villages blanc 1985.

Vacherin : corton 1978 ; premières côtes de bordeaux 1982 ; barsac 1976.

Au lait de chèvre

Cabecou : bourgogne blanc 1983 ; tavel 1986 ; gaillac blanc 1986.

Crottin de Chavignol : sancerre blanc 1986 ; bordeaux sec 1986 ; côte roannaise 1986.

Chèvre frais : champagne 1982 ; montlouis demi-sec 1982 ; crémant d'alsace 1986.

Corse (fromage de chèvre de) : patrimonio blanc 1982 ; cassis blanc 1986 ; costières du gard blanc 1986.

Relardon : condrieu 1985 ; roussette de savoie 1986 ; coteaux du lyonnais rouge 1986.

Sainte-Maure : rivesaltes blanc 1981 ; alsace tokay 1985 ; cheverny gamay 1986.

Selles-sur-Cher : coteaux de l'aubance 1983 ; cheverny-romorantin 1985 ; sancerre rosé 1986.

Valençay : vouvray moelleux 1978 ; haut poitou rosé 1986 ; valençay gamay 1986.

Au lait de brebis

Corse (fromage de brebis de) : bourgogne irancy 1981 ; ajaccio 1984 ; côtes du roussillon rouge 1985.

Eisbareth : lalande de pomerol 1979 ; cornas 1982 ; marcillac 1984.

Laruns : bordeaux côtes de castillon 1983 ; gaillac rouge 1985 ; côtes de provence rouge 1985.

Roquefort : côtes du jura jaune 1976 ; sauternes 1976 ; muscat de rivesaltes 1985.

DESSERTS

Brioche : rivesaltes rouge 1965 ; muscat de beaumes-de-venise 1986 ; alsace vendanges tardives 1983.

Buche de noël : champagne demi-sec ; clairette de die tradition.

Crème renversée : coteaux du layon-villages 1976 ; sauternes 1979 ; muscat de saint-jean de minervois 1986.

Far breton : pineau des charentes ; anjou coteaux de la loire 1983 ; cadillac 1984.

Fraisier : muscat de rivesaltes 1986 ; maury 1979.

Gâteau au chocolat : banyuls grand cru 1970 ; pineau des charentes rosé.

Glace à la vanille au coulis de framboise : loupiac 1981 ; coteaux du layon 1978.

Ile flottante : loupiac 1981 ; rivesaltes blanc 1981 ; muscat de rivesaltes 1986.

Kouglof : quarts de chaume 1978 ; alsace vendanges tardives 1983 ; muscat de mireval 1986.

Pithiviers : maury 1979 ; bonnezeaux 1983 ; muscat de lunel 1986.

Salade d'oranges : sainte-croix-du-mont 1982 ; rivesaltes blanc 1984 ; muscat de rivesaltes 1986.

Tarte au citron : alsace sélection de grains nobles 1981 ; cérons 1982 ; rivesaltes blanc 1984.

Tarte tatin : pineau des charentes ; arbois vins de paille ; jurançon 1975.

Connaître le vin, c'est savoir le choisir, savoir le boire, savoir en parler. Le vin suscite un art de vivre fait de traditions, de goût de la qualité, de sens de la mesure et de convivialité. Avec tout ce qui gravite autour de lui, il forme un univers vaste et complexe dans lequel le *Guide Hachette des Vins de France* vous propose de pénétrer, grâce à de multiples portes et... de multiples clés. « Autour du vin » voici des informations et des adresses : une sélection, qui reste bien sûr ouverte aux découvertes personnelles...

Découvrir le monde du vin

L'histoire, la sociologie, l'ethnologie, ont leur mot à dire sur le sujet, et rien n'évoque mieux le travail et le rôle social du vin que les musées qui lui sont consacrés. La géographie aussi est capitale : sous sa forme la plus séduisante, le tourisme, on la découvre au long des « routes du vin », le plus souvent parfaitement balisées par les Unions ou Comités interprofessionnels (liste ci-dessous) ou les Comités départementaux de tourisme. Les plus importantes figurent sur les cartes régionales de ce guide, et sont décrites dans l'édition annuelle du *Guide Hachette France*.

— Des voyages organisés à thèmes viticole ou œnologique se développent depuis quelques années dans les régions françaises : on peut se renseigner auprès des agences de voyage et des Comités régionaux ou départementaux de tourisme. Il faut signaler enfin une jeune chaîne hôtelière regroupant 37 établissements de qualité dans les vignobles de France : *Hôtelleries du vignoble français* (Auberge de Tavel, 30126 Tavel, tél. 66.50.03.41). A la rencontre de l'économie et du folklore, les foires, fêtes et marchés, tout comme les « chapitres » ou assemblées de confréries vineuses, sont, eux, des lieux et moments privilégiés pour s'initier au monde du vin.

Apprendre le vin

La dégustation n'est pas une science innée, et il est nécessaire d'éduquer ses sens pour être capable d'analyser des sensations olfactives et gustatives : on apprend à boire comme on apprend à lire, et la pratique est irremplaçable. Les cours d'initiation aux vins et de dégustation fleurissent aujourd'hui un peu partout, mais le premier niveau de l'apprentissage consiste sans doute à suivre les conseils de cavistes, clubs d'achat ou de sommeliers compétents.

— Les bistrots à vin et les restaurants de qualité possédant de belles caves sont enfin, chacun dans leur registre, des lieux privilégiés de découvertes, complétant la rencontre avec les vignerons eux-mêmes, la visite de caveaux de dégustation ou de propriétés dans les régions productrices.

LES COMITÉS INTERPROFESSIONNELS

Assurant la défense de la qualité et la promotion des vins de leur région, ils sont également d'excellentes sources d'information pour le public (de préférence, par correspondance).

L'Alsace
Comité interprofessionnel des vins d'Alsace, 12, av. de la Foire-aux-Vins, 68003 Colmar Cedex, tél. 89.42.06.21.

Les comités interprofessionnels

Le Beaujolais

Union interprofessionnelle des vins du Beaujolais, 210, bd Vermorel, 69400 Villefranche-sur-Saône, tél. 74.65.45.55.

Le Bordelais

Conseil interprofessionnel du vin de Bordeaux, 1, cours du XXX Juillet, 33000 Bordeaux, tél. 56.52.82.82.

La Bourgogne

Comité interprofessionnel de la Côte-d'Or et de l'Yonne pour les vins AOC de Bourgogne, rue Henri-Dunant, 21200 Beaune, tél. 80.22.21.35.
Comité interprofessionnel des vins de Bourgogne et Mâcon, 389, av. du Maréchal-de-Lattre-de-Tassigny, 71000 Mâcon, tél. 85.38.20.15.

La Champagne

Comité interprofessionnel du vin de Champagne, 5, rue Henri-Martin, B.P. 135, 51204 Épernay Cedex, tél. 26.54.47.20.

Le Languedoc et le Roussillon

Comité interprofessionnel des vins de Fitou, Corbières et Minervois, et des coteaux occitans, RN 113, 11200 Lézignan-Corbières, tél. 68.27.03.64.

La Provence et la Corse

Comité interprofessionnel des vins des Côtes de Provence, Maison des Vins, RN7, 83460 Les Arcs-sur-Argens, tél. 94.73.33.38.
Groupement interprofessionnel des vins de l'île de Corse, 6, rue Gabriel-Péri, 20000 Bastia, tél. 95.31.37.36.

La Savoie

Comité interprofessionnel des vins de Savoie, 3, rue du Château, 73000 Chambéry, tél. 79.33.44.16.

Le Sud-Ouest

Comité interprofessionnel des vins de Gaillac, Abbaye Saint-Michel, 81600 Gaillac, tél. 63.57.15.40.
Comité interprofessionnel des vins de la région de Bergerac, 2, pl. du Docteur-Cayla, 24100 Bergerac, tél. 53.57.12.57.

La vallée de la Loire et le Centre

Comité interprofessionnel des vins d'origine du Pays nantais, Bellevue, 44690 La Haie-Fouassière, tél. 40.36.90.10.
Comité interprofessionnel des vins de Touraine, 19, square Prosper-Mérimée, 37000 Tours, tél. 47.05.40.01.
Conseil interprofessionnel des vins d'Anjou et de Saumur, 73, rue Plantagenêt, B.P. 2287, 49022 Angers Cedex, tél. 41.87.62.57.

La vallée du Rhône

Comité interprofessionnel des vins des Côtes du Rhône, Maison du tourisme et du vin, 41, cours Jean-Jaurès, 84000 Avignon, tél. 90.86.47.09.

Les Vins doux naturels

Comité interprofessionnel des Vins doux naturels, 19, av. Grande-Bretagne, 66000 Perpignan, tél. 68.34.42.32.

Les Vins de liqueur

Comité national du pineau des Charentes, 112, av. Victor-Hugo, 16100 Cognac, tél. 45.32.09.27.

LES MUSÉES DU VIN

L'histoire du vin en France a plus de deux mille ans, et de nombreux musées font revivre à travers tout le pays une activité capitale pour notre civilisation. Installés dans d'anciennes maisons de vignerons ou dans des abbayes, dans des celliers gothiques, comme à Tours, ou dans de superbes hôtels, comme à Beaune, ils exposent toute une gamme d'instruments traditionnels et d'œuvres d'art : des amphores gallo-romaines aux tapisseries de Jean Lurçat, des pressoirs du Moyen Âge aux collections de bouteilles et de verres. Parfois, ce ne sont que quelques outils recueillis avec passion par un vigneron ; ailleurs, deux salles dans un musée provincial au charme éclectique. Voici les principaux :

L'Alsace et l'Est

Musée de Kientzheim, au château, siège de la confrérie Saint-Étienne (Kientzheim, 68240 Kaysersberg, tél. 89.78.21.36).

Musée Unterlinden : importante section consacrée au vin dans ce musée exceptionnel (le plus visité des musées de province en France), abritant par ailleurs l'illustre retable d'Issenheim (1, rue Unterlinden, 68000 Colmar, tél. 89.41.89.23).

Musée départemental d'Arts et Traditions populaires Albert-Demard, au château de Champlitte, un musée exceptionnel (70600 Champlitte, tél. 84.67.64.94).

Le Bordelais

Musée des Outils de la vigne et du vin, Château Loudenne, (Saint-Yzans-de-Médoc, 33340 Lesparre-Médoc, tél. 56.09.05.03).

Musée du Vin et de la Vigne dans l'art, château Mouton-Rothschild : superbes collections depuis le XIIIe s. avant notre ère... (33250 Pauillac, tél. 56.59.22.22).

La Bourgogne

Musée du Vin de Bourgogne, à l'hôtel des Ducs, ensemble de grand charme des XIVe au XVIe s. Un panorama complet du monde bourguignon du vin (rue d'Enfer, 21200 Beaune, tél. 80.22.08.19).

La Champagne

Musée municipal d'Épernay : histoire et travaux du champagne (13, av. de Champagne, 51200 Épernay, tél. 26.51.90.31).

Musée d'Hautvillers, à l'abbaye qui fut celle de dom Pérignon (51160 Ay, tél. 26.59.40.01). À noter que la plupart des grandes maisons de champagne accueillant les visiteurs présentent souvent quelques collections.

Le Jura et la Savoie

Musée de la Vigne et du Vin, à l'hôtel de ville d'Arbois, où l'on peut visiter également la maison de Pasteur (hôtel de ville, 39600 Arbois, tél. 84.66.07.45).

Musée de la Vigne et du Vin, au bord de la Loue et non loin de ses gorges (route d'Athose, 25930 Lods).

Le Languedoc et le Roussillon

Musée du vieux Biterrois, avec des collections sur la vigne (7, rue Massol, 34500 Béziers, tél. 67.28.44.18).

Musée de la Vigne et du Vin, riches collections d'art et traditions populaires (1, rue Necker, et caves Saury-Serres 3, rue Turgot, 11200 Lézignan-Corbières, tél. 68.27.37.02).

Musée des Corbières, à la mairie de Sigean (11130 Sigean, tél. 68.48.20.04).

Maison vigneronne, à Narbonne (rue de l'Ancienne-Porte-Neuve, 11100 Narbonne, tél. 68.32.64.82).

Musée de la Vigne et des Outils du vin, château Boissy d'Anglas (Gallician, 30600 Vauvert, tél. 66.73.30.85).

Les foires et marchés

La Provence et la Corse

Musée international des Vins. Dans le domaine de Paul Ricard, une impressionnante collection de bouteilles (île de Bendor, 83150 Bandol, tél. 94.29.44.34).

Le Sud-Ouest

Musée du Vin et de la Batellerie, surtout consacré aux outils (5, rue des Conférences, 24100 Bergerac, tél. 53.57.80.92).

La vallée de la Loire et le Centre

Musée des Vins de Touraine, remarquablement installé dans des celliers du XIIIᵉ s. (Celliers Saint-Julien, 16, rue Nationale, 37000 Tours, tél. 47.61.07.93).
Musée animé du Vin et de la Tonnellerie (12, rue Voltaire, 37500 Chinon, tél. 47.93.25.63).
Musée du Vin, en annexe au musée Lurçat (4, bd Arago, 49000 Angers, tél. 41.87.41.06).
Musée de la Vigne et du Vin, aux celliers de la Coudraye (pl. des Vignerons, 49190 Saint-Lambert-du-Lattay, tél. 41.78.30.69).
Musée Pierre-Abélard, consacré au vignoble nantais (chapelle Saint-Michel, le Pallet, 44330 Vallet, tél. 40.26.42.15. ou 40.26.40.24).
Musée de la Vigne et du Vin, (cour des Bénédictines, 03500 Saint-Pourçain-sur-Sioule, tél. 70.45.32.73).
Musée municipal d'Histoire et des Traditions locales, dans le cloître de l'ancienne abbaye de Selles (pl. Charles-de-Gaulle, 41130 Selles-sur-Cher, tél. 59.97.40.19).
Musée Émile-Chenon, dans un hôtel Renaissance (18370 Châteaumeillant).

La vallée du Rhône

Musée du Vigneron, au domaine de Beauregard, ouvert récemment par un viticulteur de Châteauneuf-du-Pape (route de Vaison, Rasteau, 84110 Vaison-la-Romaine, tél. 90.46.11.75).
Musée des Outils de vignerons, (8, av. d'Avignon, 84230 Châteauneuf-du-Pape).

Et encore...

Plusieurs musées du vin dans la région de Cognac, où l'on évoque bien sûr aussi le pineau des charentes : à Cognac même (bd Denfert-Rochereau, 16000 Cognac, tél. 45.32.07.25) et à Salles-d'Angles (le Bourg, Salles-d'Angles, 16130 Segonzac, tél. 45.83.71.13).

Dans la région parisienne

Musée du Vin, caveau des Échansons (5, sq. Charles-Dickens, 75016 Paris, tél. (1) 45.25.63.26), dans les caves d'un ancien couvent.
Musée municipal René-Sordes, (av. du Gén.-Charles-de-Gaulle, 92150 Suresnes, tél. (1) 47.72.38.04), avec des collections importantes consacrées à l'ancienne viticulture locale.

LES FOIRES ET MARCHÉS

La première foire aux vins se tint en 1214 ; le président de son comité de dégustation s'appelait Philippe Auguste. Depuis, des foires internationales, nationales, régionales ou locales se déroulent à travers tout le pays à des dates régulières. Véritables vitrines du vin français, lieux d'achats et de rencontres des amateurs, ces foires sont des occasions rêvées pour échanger avec les vignerons et les négociants. Elles peuvent aussi permettre de découvrir des produits excellents, voir exceptionnels. A beaucoup de ces manifestations sont associés des concours : les plus prestigieux sont ceux de la Foire de Mâcon et du Salon de l'agriculture de Paris. Il faut cependant savoir que bien d'excellents vins n'y sont jamais présentés, et qu'il existe des types de « vin de concours », ou, parfois même, des cuvées limitées élaborées dans le seul souci de flatter les goûts supposés des jurys... Mais ce sont là des exceptions, et les récompenses sont le plus souvent de bons repères de vins de qualité.

64

Les grandes foires aux vins

Foire nationale des vins de France de Mâcon, (Parc des Expositions, seconde quinzaine de mai, chaque année). Au concours général des vins, très réputé, ont été dégustés 7 200 échantillons en 1985 !

Salon international de l'agriculture de Paris (Parc des Expositions de la Porte-de-Versailles, chaque année au mois de mars). Le concours ne comporte que des vins présélectionnés au niveau départemental et présente un niveau de rigueur assez bon.

Foire de Paris. De nombreux viticulteurs, négociants et caves coopératives sont présents au *Salon des vins* de cette grande manifestation, qui se déroule chaque année dans la capitale fin avril-début mai.

Salon national des caves particulières (Paris, début décembre). Original et d'un grande qualité, ce salon regroupe chaque année plusieurs centaines de viticulteurs indépendants, venus de toutes les régions de France. On y fait parfois des découvertes remarquables (Confédération nationale des caves particulières, 111, av. de l'Arc, B.P. 227, 84108 Orange Cedex, tél. 90.34.36.04).

Salon des vins et produits de la coopération agricole (Paris, en octobre).

Et quelques grandes foires régionales

Alsace : *Foire du vin de Colmar* (1ʳᵉ quinzaine d'août).

Beaujolais et Lyonnais : *concours-exposition de Villefranche-sur-Saône* (1ᵉʳ dimanche de décembre).

Bordelais : *la Foire de Bordeaux* accueille quelques stands de viticulteurs, mais le salon international *Vinexpo-Vinotech*, tous les deux ans, est réservé aux professionnels.

Bourgogne : *Foire gastronomique et des vins de Dijon* (fin octobre-début novembre).

Fêtes internationales de la vigne et du vin (Dijon ; septembre ; *ventes des Hospices de Beaune* (voir ci-dessous, « les fêtes »).

Champagne : *foires-expositions de Reims et de Troyes* (juin).

Vallée du Rhône : *Foire aux vins d'Orange* (fin janvier).

Provence : *Foire de Brignoles*, avec le concours des vins du Midi.

Vallée de la Loire : *Foire aux vins de Tours* (mi-février) ; *Foire aux vins du Mans* (janvier-février).

LES FÊTES

Le monde rural a toujours connu des fêtes dont la tradition chrétienne a souvent recouvert un rituel païen ; destinées à protéger ou à favoriser les récoltes, elles ont rythmé la vie paysanne pendant des siècles et demeurent vivaces dans le monde du vin. Elles sont en outre l'expression de la joie et de la convivialité sans quoi le vin ne jouerait pas son rôle… Ainsi, le 22 janvier, beaucoup de villages viticoles célèbrent saint Vincent, patron des vignerons, par une procession et par un banquet. Le ban des vendanges, qui fixe officiellement le début des récoltes, est lui aussi un temps de réjouissances. Depuis le Moyen Age, les festivités s'accompagnent souvent de manifestations commerciales, dont la plus prestigieuse, demeure la vente des Hospices de Beaune.

L'Alsace

Nombreuses fêtes dans les villages en juillet et août, ainsi qu'en octobre, au moment des vendanges : *Journées des grands crus d'Alsace* à la mi-mai.

Le Beaujolais et le Lyonnais

Fête Raclet à Romanèche-Thorins, en novembre ; c'est la première exposition-dégustation des vins de l'année en Beaujolais et en Mâconnais.

Vente des Hospices de Beaujeu, le deuxième dimanche de décembre. Il se tient également des expositions de crus de Beaujolais tous les dimanches de novembre dans de très nombreuses communes.

Les fêtes

Le Bordelais

La plupart des confréries fêtent les vendanges, et l'on célèbre la *Saint-Vincent* dans presque tous les villages (autour du 22 janvier).

La Bourgogne

Les *Trois Glorieuses* : la première, vers la mi-novembre, est le *chapitre de la confrérie des Chevaliers du Tastevin* au château du Clos de Vougeot, grande assemblée où ont lieu les intronisations, avec force discours et libations... La deuxième, le lendemain, est la fameuse *vente des Hospices de Beaune* : l'administration des Hospices de la ville met aux enchères la production de ses domaines, selon une tradition fort ancienne ; les acheteurs viennent du monde entier et les prix atteints servent de référence pour les plus grands crus. La *Paulée*, banquet où chacun vient avec ses bouteilles et où l'on décerne un prix littéraire se déroule à Meursault, le troisième jour.

La *Saint-Vincent «tournante»*, comme son nom l'indique, se fête chaque année dans une localité différente. Volnay a été choisi pour 1986, Santenay pour 1987, Nuit-Saint-Georges pour 1988.

Signalons aussi : la *fête des Vins de Chablis*, une semaine après les Trois Glorieuses, et l'*exposition des Vins de Chablis*, fin décembre ; la *fête du Roi Chambertin*, à Gevrey-Chambertin ; le *Carrefour de Dionysos*, à Morey-Saint-Denis ; la *vente des Hospices de Nuits*, au printemps.

La Champagne

On fête saint Vincent comme partout, mais aussi saint Paul, le 25 janvier dans l'Aube. *Journées de la Choucroute* à Brienne-le-Château (Aube), les troisième samedi et dimanche de septembre.

Festival du champagne (concerts, chansons, dégustation), de façon irrégulière.

Le Jura et la Savoie

D'origine très ancienne, la *fête du Biou d'Arbois* se réfère à un épisode biblique. Elle conserve aujourd'hui encore son caractère religieux. Les plus beaux raisins sont attachés à un moule de bois rempli de paille et entouré de grillage. L'énorme grappe ainsi formée est menée en procession de la maison de Pasteur jusqu'à l'église.

Fête des Vins d'Arbois dans la deuxième quinzaine de juillet ; nombreuses fêtes locales en Savoie.

Le Languedoc et le Roussillon

Fête du Vin nouveau à Perpignan, avec messe et bénédiction dans la cathédrale, et procession à travers la ville, en octobre ; *fête des Vignerons* d'Antibes, le 19 mai. La *Procession des bouteilles*, à Boulbon (Bouches-du-Rhône), en l'honneur de saint Marcellin, le 1er juin : en procession et chantant des cantiques provençaux, on se dirige vers une chapelle romane. Là, après un sermon en provençal, on passe à la bénédiction. Chacun brandit alors une bouteille dont il boit une gorgée. Le reste est soigneusement conservé : c'est le vin des malades.

foire aux vins de Rivesaltes en juillet ; *fêtes des Vins* à Nîmes en novembre ; *fête du Vin* d'Uzès, le premier week-end d'août.

Les Paillasses de Cournonterral (Hérault) : le jour du carnaval, les combats de paillasses se déroulent dans un flot de lie de vin. Corps, visage et habits sont souillés à la grande joie de tous !

La Provence et la Corse

Fête des Vins de Bandol, premier ou deuxième dimanche de décembre ; *fête du Vin* à Cassis, premier dimanche de septembre ; *fête des Vignerons* d'Antibes, le 19 mai. La *Procession des bouteilles*, à Boulbon (Bouches-du-Rhône), en l'honneur de saint Marcellin, le 1er juin : en procession et chantant des cantiques provençaux, on se dirige vers une chapelle romane. Là, après un sermon en provençal, on passe à la bénédiction. Chacun brandit alors une bouteille dont il boit une gorgée. Le reste est soigneusement conservé : c'est le vin des malades.

Le Sud-Ouest

La *Cocagne des vins de Gaillac* est fêtée le premier week-end d'août ; la *fête des Vins* de Lisle-sur-Tarn, à la mi-juillet. Dans le Tarn encore, on célèbre la *fête du Cayla* en août, et celle du *Grand Fauconnier* à Cordes-sur-Ciel, à la mi-juillet.

LES CONFRÉRIES VINEUSES

Bien que cette tradition remonte au Moyen Âge et même au-delà, presque toutes les confréries contemporaines sont de création récente. La plus célèbre, celle des Chevaliers du Tastevin, a remporté de tels succès dans la promotion du vignoble bourguignon que son exemple a été largement suivi; certaines régions multiplient à plaisir les confréries, comme le Bordelais, l'Anjou et la Touraine. Le costume d'apparat, les insignes, le rituel solennel qui préside aux cérémonies d'intronisation, les visages joyeux et rubiconds n'apportent pas seulement une note folklorique: les membres des confréries, recrutés le plus souvent par cooptation, vignerons ou amateurs, ont souvent dû prouver leurs compétences en œnologie. Les confréries jouent un rôle certain dans la défense de la qualité du vin; dans cet esprit, beaucoup décernent un label aux meilleures bouteilles choisies dans des dégustations comparatives. (Chevaliers du Tastevin, Compagnons de Saint-Vincent et disciples de la Chanteflûte, confrérie alsacienne Saint-Étienne, Jurade de Saint-Émilion, etc.)

LES BONNES ADRESSES

La Vallée du Rhône

Très nombreuses fêtes dans les villages; *fête des Côtes du rhône-villages* à Vacqueyras le 14 juillet, et «tournante» en août; *Baptême des Côtes du rhône* en Avignon le 14 novembre au soir, et *Foire aux vins primeurs* à Vaison-la-Romaine, à la fin de l'année.

Compagnons du Beaujolais (Villefranche-sur-Saône); *confrérie du Gosiersec de Clochemerle*, en fait de Vaux-en-Beaujolais; *Grapilleurs des Pierres Dorées*.

L'Alsace

Hospitaliers d'Andlau; confrérie Saint-Étienne au château de Kientzheim.

Le Bordelais

Commanderie du Bontemps du Médoc et des Graves, à Pauillac; de Sauternes-Barsac, à Langon; de Sainte-Croix-du-Mont. *Jurade de Saint-Émilion; Compagnons de Bordeaux* (Génissac); *Connétablie de Guyenne; Hospitaliers de Pomerol; Gentilshommes du duché de Fronsac; Compagnons de Loupiac; Vignerons de Montagne-Saint-Émilion; le Collège des Échevins*.

La Bourgogne

Chevaliers du Tastevin (Nuits-Saint-Georges et ch. du Clos de Vougeot); *Cousinerie de Bourgogne; confrérie Saint-Vincent et disciples de la Chanteflûte de Mercurey; confrérie des Vignerons de Saint-Vincent* (Mâconnais); *Piliers chablisiens; Trois Ceps de Saint-Bris* (Yonne).

La Champagne

Ordre des Coteaux de Champagne; commanderie du Saute-Bouchon de champagne; échevinage de Bouzy.

Le Languedoc-Roussillon

Confrérie des Coteaux du Languedoc; Maîtres Tasteurs du Roussillon et Commande majeure du Roussillon, à Perpignan; *confrérie du Fitou; Illustre Cour des seigneurs de Corbières* (Lézignan); *«Capitol dals Tastevins e gagamelos de limos»* (Limoux) *Compagnons du Minervois*.

La Provence

Ordre des chevaliers de la Méduse (les Arcs-sur-Argens); *confrérie des Comtés de Nice et de Provence*.

Le Sud-Ouest

Commanderie des Chevaliers de Tursan.

La vallée de la Loire et le Centre

Confrérie de l'Ordre des Chevaliers Bretons (Muscadet); *commanderie des Grands Vins d'Amboise; confrérie des Compagnons de Grandgousier; confrérie des Maîtres de chais; confrérie des Tire-Douzils de la Grande-Brosse; confrérie des Chevaliers de la Chantepleure* (Vouvray); *commanderie de la Dive Bouteille des vins de Bourgueil et de Saint-Nicolas-de-Bourgueil; Entonneurs rabelaisiens* (Chinon); *commanderie du Taste-Saumur; Chevaliers du Sacavin* (Angers); *confrérie des Fins Gouziers d'Anjou; Chevaliers de la Canette; confrérie des Hume-Pinot du Loudunais; Chevaliers de Sancerre.*

La Vallée du Rhône

Confrérie de Syrah-Roussette (Valence); *échansonnerie des Papes,* à Châteauneuf; *commanderie des Costes du Rhône* (Sainte-Cécile-les Vignes); *Compagnons de la Côte du Rhône-gardoise* (Bagnols-sur-Cèze); *commanderie de Tavel; confrérie Saint-Vincent de Visan; confrérie des Vignerons de* la cave de Beaumes-de-Venise; *grand ordre de Saint-Romain; confrérie des Chevaliers de Gouste-Seguret; confrérie des Maîtres vignerons de Vacqueyras; confrérie de Crozes-Hermitage.*

Les vins doux naturels

As Templers de la Serra, à Banyuls.

Ajoutons encore les *Compagnons de la Capucine,* à Toul, et trois «organismes» parisiens : la *commanderie des Vins de France,* le *Conseil des échansons de France* (au musée du Vin), la Compagnie des *Courtiers-Jurés-Piqueurs* de vins.

LES COURS DE DÉGUSTATION

Boire un verre est une chose, déguster un vin, une autre. C'est d'abord observer, apprécier la robe, puis deviner ses promesses en humant son parfum, enfin le savourer, le reconnaître et l'aimer. On peut certes s'initier à tous ces gestes dans les livres, mais la pratique, tôt ou tard, deviendra indispensable. Et tellement plus agréable... Un nombre sans cesse croissant d'écoles, de clubs, de confréries et d'académies proposent des cycles d'études, allant de quelques heures à une année scolaire, et qui s'adaptent donc aux besoins de chacun. L'investissement financier est en général élevé, mais on ne le regrette pas lorsque les professeurs entraînent leurs étudiants dans la passionnante histoire du vin, dans la visite d'un terroir, parfois même, dans leur propre cave ! Voici une sélection d'organismes dispensant des cours :

La région parisienne

La maison de la Vigne et du Vin (21, rue François-1er, 75008 Paris, tél. (1) 47.20.20.76), bien qu'elle ne soit pas un organisme de formation, a mis au point un petit cours de deux heures se terminant par une dégustation.

L'Institut technique de la vigne et du vin, à la même adresse (tél. (1) 47.23.42.00), propose en revanche des cours très techniques de deux jours (viticulture, équipement des matériels viti-vinicoles, œnologie et méthodologie de la dégustation).

L'Académie du vin (cité Berryer, 25, rue Royale, 75008 Paris, tél. (1) 42.65.09.82) : des Anglais qui se sont implantés à Paris, avec tout le sérieux et toute la compétence qu'ils savent apporter au vin. Un classique, jumelé avec les Caves de la Madeleine.

Le Caveau des échansons (5, square Charles-Dickens, 75016 Paris, tél. (1) 45.25.63.26). Des œnologues diplômés organisent des cycles de deux fois deux heures en matinée ou soirée.

Les cours de dégustation

Le Centre d'information, de documentation et de dégustation des vins (45, rue Liancourt, 75014 Paris, tél. (1) 43.27.67.21). Très nombreux cycles : la dégustation, le service, l'œnologie, les vignobles de France ; et, chaque mois, une région vinicole différente en présence des producteurs.

Le Club amical du vin (10, rue La Cerisaie, 75004 Paris, tél. (1) 42.72.33.05). Cours théoriques et diners-applications. Deux caves importantes.

« Les Bons Mardis » de Loïc de Roqueñeuil (48, rue Sainte-Anne, 75002 Paris, tél. (1) 42.61.99.88). Deux grands cycles : « le Bordelais et ses appellations » et « les grands fleuves du vin français », avec des séances d'environ trois heures.

L'INFATH (82, rue François-Roland, 94130 Nogent-sur-Marne, tél. (1) 48.73.61.50), réalise sur demande des stages de perfectionnement en tous lieux, plus spécialement dans ses « centres de formation professionnelle au Tourisme et à l'Hôtellerie ».

CFTH Ile-de-France-Picardie (le manoir, chemin des Aigles, 60270 Gouvieux).

Vinum (3, rue de La Condamine, 75017 Paris, tél. (1) 42.93.61.61). Les cours ont lieu le soir derrière le magasin de vente où dorment de fort belles bouteilles. Six personnes maximum, l'accent étant mis sur le nez du vin.

Hobby vins (la Défense, 92400 Courbevoie, tél. (1) 47.75.03.99). Cycles sur la découverte du vin et la dégustation : rendez-vous spécialisés sur des thèmes régionaux.

L'Association des gastronomes-œnophiles (3, pl. Gambetta, Noisy-sur-Oise, 95270 Luzarches, tél. (1) 30.34.11.47). Un club d'amateurs dans la région de Chantilly ; on y boit, mais on y apprend aussi à bien connaître le vin grâce à des cours qui ont lieu à Paris.

L'Alsace

École hôtelière de Strasbourg (75, route du Rhin, 67400 Illkirch-Graffenstaden, tél. 88.66.23.00). Dispensés par un « meilleur sommelier de France » (couronné deux fois !). Les cours s'étalent sur quatorze séances, de septembre à mai.

Le Beaujolais et le Lyonnais

« Le Pavillon » (4, av. de la Gare, 42700 Firminy, tél. 77.56.00.45). Danièle Carré-Cartal, ancienne première sommelière de France, dispense dans ce restaurant douze leçons (physiologie du goût, vinification, cépages, régions de France...) accompagnées de dégustations.

Le Bordelais

CFTH Aquitaine (Résidence l'Host, B.P. 63, 33170 Gradignan, tél. 56.89.37.83). Session de perfectionnement.

Institut d'œnologie de l'université de Bordeaux (351, cours de la Libération, 33405 Talence Cedex, tél. 56.80.77.91). L'une des « grandes écoles » de la dégustation et de la découverte des vins ; s'adresse aux étudiants mais aussi à tous les amateurs, avertis ou non. Onze cycles d'une semaine à une année.

L'Hôtel des vins de Bordeaux (106, rue l'Abbé-de-l'Épée, B.P. 202, 33000 Bordeaux, tél. 56.48.01.29) : Une heure de dégustation commentée pour groupes de dix personnes à cinquante personnes.

La Bourgogne

Comité interprofessionnel des vins de Bourgogne (rue Henri-Dunand, BP 166, 21202 Beaune Cedex, tél. 80.22.21.35). Six sessions d'une semaine ; tous niveaux ; en français et en anglais.

Les cours de dégustation

L'Ambassade du vin (23, rue des Tonneliers, 21200 Beaune, tél. 80.24.79.88). Dégustation pour tous les goûts et tous les niveaux.

Fondation *Wine School* (3, av. du Parc, B.P. 117, 21200 Beaune, tél. 80.24.70.87). Trois cycles : géographie des vignobles, principes de dégustation et harmonie des mets et des vins, travail sur le terrain (vignerons, propriétaires de châteaux, grandes maisons de Champagne...).

La Cour aux vins (3, rue Jeannin, 21000 Dijon, tél. 80.67.85.14). Apprentissage des techniques de dégustation et « soirées villages » pour la découverte des vins d'un terroir.

La Maison des vins de la Côte chalonnaise (Promenade Sainte-Marie, 71100 Chalon-sur-Saône, tél. 85.41.64.00). Deux sessions chaque année et à la demande pour les groupes constitués.

Comité Interprofessionnel des Vins de Bourgogne et de Mâcon (389, av. De Lattre-de-Tassigny, 71960 Pierreclos, tél. 85.38.20.15). Assez technique.

Lycée agricole de Davayé (71960 Pierreclos, tél. 85.35.83.32). Deux sessions : avril et août.

Le Jura et la Savoie

André Jeunet (10, rue du Vieux-Château, 39600 Arbois, tél. 84.66.07.50). Restaurateur, meilleur sommelier de France en 1966, ce grand connaisseur jovial et plein d'enthousiasme donne des cours à la demande.

CFTH Rhône-Alpes, association des sommeliers de Savoie (110, rue Sainte-Rose, 73000 Chambéry, tél. 79.33.46.22). Journées d'initiation à la dégustation ; connaissance du vignoble savoyard.

Le Languedoc et le Roussillon

ANFOPAR, Domaine de la Bastide (route de Générac, 30000 Nîmes, tél. 66.38.09.56).

Comité interprofessionnel des coteaux occitans (RN 113, B.P. 111, 11200 Lézignan-Corbières, tél. 68.27.03.64). Initiation à la dégustation, non seulement des corbières, mais de tous les vins de France.

Université des vins du Roussillon (Station viti-vinicole de Tresserre, 66300 Thuir, tél. 68.38.83.79). Au cœur des vignes, le sérieux de grands professionnels.

Le Pays nantais

Le Pressoir (11, allée Turenne, 44000 Nantes, tél. 40.35.31.10). Ce restaurant organise dix cours par an sur le thème « comment associer les vins et les plats ».

La Provence

CFTH Côte d'Azur (62, bd Paul Montel l'Amarenthe, 06200 Nice). Sessions de perfectionnement.

Lycée agricole de Hyères (quartier « les Grès », 83408 Hyères Cedex, tél. 94.57.27.53). Une des très bonnes adresses en matière de découverte du vin, ouverte à tous. Un stage de longue durée est organisé avec l'INRA.

Le Club des amis du vin (les Escassades, 13710 Fuveau, tél. 42.58.52.84). Séries de cinq séances de dégustation. Cours sur les vins régionaux.

Les Sommeliers de Provence, lycée hôtelier de Nice (144, rue de France, 06048 Nice, tél. 93.86.28.35). Durant l'année scolaire, pour professionnels et amateurs.

Le Sud-Ouest

Club « Connaissance du vin » (13, rue Boulbonne, 31000 Toulouse, tél. 61.52.36.13). Une session tous les deux mois de sept. à juin.

La vallée de la Loire et le Centre

Jacques Puisais au château d'Arigny. S'inscrire au L.E.P. Albert Bayet (50, bd Preuilly, 37000 Tours, tél. 47.37.10.10). Quatre stages d'une semaine par an, dispensés par l'un des plus grands œnologues dans le cadre prestigieux de ce château-hôtel.

La vallée du Rhône

Université du vin de Suze-la-Rousse (château de Suze-la-Rousse, 26790 Suze-la-Rousse, tél. 75.04.86.09). Quarante stages de courte durée (trois à quatre jours), trois stages de longue durée, week-end «amateurs»... Le magnifique château de Suze abrite aussi un centre de documentation très complet et une base de données informatique! Édition de cassettes vidéo sur la dégustation, le champagne et les côtes-du-rhône.

Et dans le Nord...

Maison de l'œnologie (14, rue du Gard, 59800 Lille, tél. 20.51.06.77). Des cours sur le vin au pays de la bière, et en Belgique (deux semaines par mois), voilà qui mérite d'être mentionné et encouragé...

LES CAVISTES

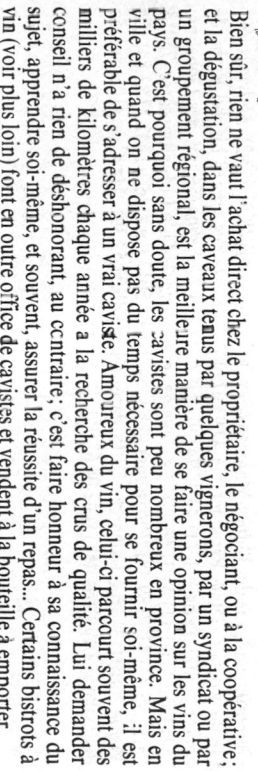

Bien sûr, rien ne vaut l'achat direct chez le propriétaire, le négociant, ou à la coopérative; et la dégustation, dans les caveaux tenus par quelques vignerons, par un syndicat ou par un groupement régional, est la meilleure manière de se faire une opinion sur les vins du pays. C'est pourquoi sans doute, les cavistes sont peu nombreux en province. Mais en ville et quand on ne dispose pas du temps nécessaire pour se fournir soi-même, il est préférable de s'adresser à un vrai caviste. Amoureux du vin, celui-ci parcourt souvent des milliers de kilomètres chaque année a la recherche des crus de qualité. Lui demander conseil n'a rien de déshonorant, au contraire; c'est faire honneur à sa connaissance du sujet, apprendre soi-même, et souvent, assurer la réussite d'un repas... Certains bistrots à vin (voir plus loin) font en outre office de cavistes et vendent à la bouteille à emporter.

Quelques bonnes adresses

Nicolas... bien sûr. A côté des vins courants qui ont fait le succès de la maison, Nicolas propose un stock exceptionnel de grands crus et de vieux millésimes. On peut le découvrir en demandant le catalogue dans l'une des quelque 300 succursales à Paris ou en Province, chez les dépositaires ou en écrivant au siège (253, av du Général-Leclerc, 94700 Maisons-Alfort, tél. (1) 43.96.81.81).

Hédiard : à noter non seulement pour ses magasins parisiens (dont 2 bis, passage de la Madeleine, 75008 Paris, tél. (1) 43.04.51.92), mais aussi pour ses magasins et dépositaires de province.

A Paris (par arrondissements)

Legrand (1, rue de la Banque, 75002 Paris, tél. (1) 42.60.07.12). L'une des premières caves de Paris. Tout, absolument tout, y est remarquable, les vins comme les alcools, mais aussi l'accueil, très chaleureux, et les conseils prodigués avec gentillesse.

Le Club amical du vin (10, rue La Cerisaie, 75004 Paris, tél. (1) 42.72.33.05. et 292, rue Saint-Jacques, 75005 Paris, tél. (1) 46.34.69.78).

Jean-Baptiste Besse (48, rue de la Montagne-Sainte-Geneviève, 75005 Paris, tél. (1) 43.25.35.80). Dans un capharnaüm invraisemblable, quelques-unes des plus belles bouteilles de la place. Et si Jean-Baptiste descend à la cave pour remonter une de ses merveilles cachées...

Les cavistes

Steven Spurrier – Les Caves de la Madeleine (24, rue Boissy d'Anglas, 75008 Paris, tél. (1) 42.65.92.40). Entre Londres, Paris et tous les vignobles de France, l'un de ces Anglais qui connaissent les vins de France mieux que bien de nos compatriotes... Choix varié et bons petits vins.

Les caves Georges Duboeuf (9, rue Marboeuf, 75008 Paris, tél. (1) 47.20.71.32). Qui dit Duboeuf pense beaujolais, et bons beaujolais... On trouve cependant ici d'excellents vins en provenance d'autres régions de France, et notamment des alsace, bourgogne et bordeaux, ainsi que de bons produits de la Loire.

Fauchon (26, pl. de la Madeleine, 75008 Paris, tél. (1) 40.73.11.90) : l'épicerie de luxe présente un choix vaste et de haut niveau, dans toutes les appellations.

Peter Thustrup – *Vins rares et de collection* (3, rue Laugier, 75017 Paris, tél. (1) 47.66.58.15). Un autre de ces étrangers qui s'imposent dans la capitale ! Suédois, Peter est arrivé en France en 1979, et on se demande comment il a pu réunir pareille collection en si peu de temps ! Exceptionnel.

Et aussi...

C.A.V.E. (10, rue de la Cerisaie, 75014 Paris).

Gambrinus (13, rue des Blancs-Manteaux, 75004 Paris, tél. (1) 48.87.81.92). *Melvieux* (69, rue du Rocher, 75008 Paris, tél. (1) 42.93.07.68). *La Carte des vins* (8 bis, bd Richard-Lenoir, 75011 Paris, tél. (1) 43.38.74.99). *La Cave des Gobelins* (56, av. des Gobelins, 75013 Paris, tél. (1) 43.31.66.79). *La Cave des grands vins* (144, bd Montparnasse, 75014 Paris, tél. (1) 43.20.89.38). *Pétrissans* (30 bis, av. Niel, 75017 Paris, tél. (1) 42.27.83.84). *La Vieille Cave* (131, rue Lamarck, 75018 Paris, tél. (1) 46.27.52.39). *Ma Cave* (105, rue de Belleville, 75019 Paris, tél. (1) 42.08.62.95).

En banlieue

Les Toques Gourmandes (29 bis, route de Versailles, 78560 **Port-Marly**, tél. (1) 49.16.11.73). Quatre restaurateurs parisiens, Alain Dutournier (*le Trou Gascon*), Bernard Fournier (*le Petit Colombier*), Jean-Pierre Morot-Gaudry et Henri Faugeron, sélectionnent d'excellents vins qu'ils vendent par correspondance. On peut y entreposer ses propres vins moyennant une redevance raisonnable.

Mannevy (50, bd Richard-Wallace, 92800 **Puteaux**, tél. (1) 45.06.07.75). Un très beau choix de vins avec une mention particulière pour les bordeaux et les bourgogne.

Aux Caves Royales (6, rue Royale, 78000 **Versailles**, tél. (1) 49.50.14.10).

Claude Constant (5, bd de la Liberté, 94170 **Le Perreux**, tél. (1) 43.24.20.61).

En Province

L'Hôtel Montpelliérain des vins (7, rue Jacques Coeur, 34000 **Montpellier**, tél. 67.60.42.41);
Catherine Lacoste (12, rue Deharbe, **Andlau**, 67140 Barr, tél. 88.08.41.16);
Millésime (28, av. de la Marseillaise, 67000 **Strasbourg**, tél. 88.36.59.65);
Les Caves du Roy (8, rue Montault, 49000 **Angers**, tél. 41.88.25.23);
Vinothèque Charles-VII (40, quai Charles-VII, 37500 **Chinon**, tél. 47.93.23.64);
La Vinothèque (16, rue Michelet, 37000 **Tours**, tél. 47.64.75.27);
Caves du serpent volant (44, rue du Grand-Marché, 37000 **Tours**, tél. 47.64.30.01);
Cellier du vigneron (96, route de Rennes, 44000 **Nantes**, tél. 40.40.01.04);
Le Fief de Vigne (13, rue Marceau, 44000 **Nantes**, tél. 40.47.58.75);

Dewyspelaere(34, rue Royale, 59800 **Lille**, tél. 20.74.54.37);
Le Cavon de Lyon(6, rue de la Charité, 69002 **Lyon**, tél. 78.42.86.87);
Maître Jacques(32, av. de Saxe, 69006 **Lyon**, tél. 78.52.04.38);
La Cour aux vins(3, rue Jeannin, 21000 **Dijon**, tél. 80.67.85.14);
Denis Perret(40, rue Carnot, 21200 **Beaune**, tél. 80.22.35.47);
Caves Jeanne-d'Arc(31, rue Jeanne-d'Arc, 76000 **Rouen**, tél. 35.71.28.92);
La Vinithèque(1, rue de la Main-qui-File, 45000 **Orléans**, tél. 38.54.13.51);
La Vinothèque(4, rue Pasumot, 21200 **Beaune**, tél. 80.22.86.35);
Bordeaux-Magnum(3, rue Gobineau, 21200 **Beaune**, tél. 80.22.86.35);
Badie(62, allées de Tourny, 33000 **Bordeaux**, tél. 56.52.23.72);
La Vinothèque(8, cours du 30-Juillet, 33000 **Bordeaux**, tél. 56.52.32.05);
La Boutique des vins(9, pl. Saint-Julien, 81000 **Albi**, tél. 63.54.55.84);
Gérard Caniot(64, rue de la Colombette, 31000 **Toulouse**, tél. 61.63.67.41);
Au Tastevin(8, rue Edmond-Rostand, 13006 **Marseille**, tél. 91.37.10.62);
Le Sommelier(69, rue de la Palud, 13006 **Marseille**, tél. 91.33.77.87).

Les achats en entrepôts

Réserve et sélection(119, rue du Dessous-des-Berges, 75013 Paris, tél. (1) 45.83.65.19); *Arnaud Denavrin-Divinord*(10, rue Morice, 92110 Clichy, tél. (1) 47.30.30.56); *la Cave des paquebots*(5, rue Anatole-France, 92300 Levallois-Perret, tél. (1) 47.57.03.50); *Centre de distribution des vins de propriété*(13, bd Ney, 75018 Paris, tél. (1) 40.37.61.50).

LES CLUBS D'ACHAT

Les clubs d'achat sont des négociants qui savent guider intelligemment le choix de leurs membres en s'assurant les services de très grands noms de l'œnologie, de la dégustation et de la restauration. Le système est parfait pour une clientèle qui apprécie de recevoir directement chez elle des vins de qualité.

Le *Savour Club*(44, av. de Chatou, 92500 Rueil-Malmaison, tél. 47.51.03.20), créé il y a une quinzaine d'années et qui compterait plus de 150 000 adhérents (dépôt magasin : 120, bd du Montparnasse, Paris, tél. 43.27.12.06); le *Club Français du vin*(château de Lancié, BP 2, 69220 Lancié, tél. 74.69.82.00); La *Compagnie bourguignonne des œnophiles*(18, rue Sainte-Anne, 21000 Dijon, tél. 80.30.73.52), qui groupe producteurs et consommateurs; *Les Grands Petits Crus*(Pagus France, façade du Parc, bât. 1, 126, zone industrielle Nord, 77200 Torcy); La *Sélection des Sommeliers* où Jean-Luc Pouteau propose une caisse par trimestre (5, rue Ernest-Chaput, 21048 Dijon, tél. 80.71.42.12).

Dans un genre nouveau, on peut également faire confiance à la «*chaîne œnophore*» *Villésime*. Il ne s'agit pas à proprement parler d'un club mais d'un moyen simple de faire plaisir à distance : il suffit de choisir le vin que l'on aimerait offrir chez l'un des cent et quelques cavistes que compte la chaîne, et de rédiger (si nécessaire !) quelques mots sur un «œnogramme» qui accompagnera le cadeau distribué à l'autre bout de la France. Si le correspondant du caviste ne possède pas toujours la bouteille voulue, il propose alors d'offrir un vin «proche». *Villésime* (18, rue Émeric-David, 13100 Aix-en-Provence, tél. 42.26.00.83).

LES EXPERTISES

Les experts peuvent fournir deux sortes d'estimation: celle qui fixe la valeur d'une cave en cas de vol, afin de l'assurer ou pour la seule curiosité de son propriétaire; et celle qui permet de déterminer le prix d'offre d'un lot de bouteilles destiné à une vente publique.

Une cave chez soi

Cette expertise repose sur un simple examen des bouteilles (bon état de l'étiquette, de la capsule, niveau du vin), sur leur authenticité et éventuellement sur la qualité du vin, après prélèvement. Enfin un expert peut être un intermédiaire entre un vendeur et d'éventuels acheteurs.

Quelques experts : *MM. André et Claude Maratier* (5, rue de Blaye, 75012 Paris, tél. 43.43.67.87.), *M. Alex de Clouet* (71, rue du 22 Septembre, 92400 Courbevoie, tél. 43.34.81.20.), *Mme Egnelle* (102, rue de Grenelle, 75007 Paris, tél. 42.22.04.15.)...

UNE CAVE CHEZ SOI

Dans les villes d'aujourd'hui, la cave traditionnelle aux voûtes séculaires est devenue un luxe souvent inaccessible. Heureusement, des solutions de rechange sont disponibles. On peut ainsi abriter ses bouteilles dans une armoire plus ou moins sophistiquée qui leur assure une température constante et une hygrométrie convenable. Les possesseurs d'un pavillon peuvent également faire creuser une cave équipée d'un système de régulation sous le garage ou dans le jardin. Enfin, avec beaucoup de chance, on trouvera un emplacement à louer pour faire vieillir ses bouteilles dans la cave... d'un autre !

Caves armoires

Eurocave (BP 54, rue François-Delaplace, 59611 Fourmies, tél. 27.60.38.55). Modèles pour 140, 200 ou 250 bouteilles en conservation ; avec compartiments de chambrage et rafraîchissement, pour 65, 120, 170 et 210 bouteilles. Et modèles pour restaurants.

Idéal'cave : société Eurodic (5, rue du Général-Clergerie, 75116 Paris, tél. (1) 47.04.61.55). Douze modèles de 50 à 260 bouteilles.

Caves Bacchus (106, av. Philippe-Auguste, 75011 Paris, tél. (1) 43.72.00.55). Spécialisée dans les armoires pour professionnels, la maison Bacchus vient de lancer une gamme pour particuliers. (50/60 bouteilles et 200/250 bouteilles).

Caves en maçonnerie

Caves Harnois (BP 18, 91540 Mennecy, tél. 64.99.77.80). Caves rondes, ovales, en escalier... Le prix varie en fonction de la profondeur, de la nature du sol, de la dimension de la cave...

LES BISTROTS A VIN

Les vieux habitués n'apprécient jamais de voir l'adresse de « leur » bistrot à vin répertoriée dans un guide : ce genre de renseignements se doit d'être offert, au moment propice, à un ami cher. Celui-ci aura ainsi à son tour, en s'accoudant au comptoir, l'impression de compter parmi les copains du patron, personnage généralement passionné, bon buveur et bon diseur, souvent originaire de la région dont il vend et vante les produits. Il se fournit lui-même sur place et revient avec autant d'anecdotes que de fûts ou de bouteilles.

A Paris, comme dans les grandes villes, la mode de ces établissements, dont les premiers apparurent dans les années 1950, est relativement récente. De véritables « chaînes » voient le jour, certains labels ambitieux gagnant banlieues et province. L'enseigne ne suffit pas à garantir la chaleureuse et confortable gaieté que les Alsaciens dans leurs « winstub » et les Lyonnais dans leurs « bouchons » connaissent depuis fort longtemps ; mais sourire et faconde règnent le plus souvent. Des vins classiques ou originaux, servis au verre, typiques et d'excellente qualité, sont accompagnés de produits du terroir, comme charcuterie et fromages, aussi bien que, parfois, de plats plus élaborés.

— A noter que la province est fort peu présente dans ce domaine : les provinciaux ont souvent l'immense avantage de pouvoir découvrir les vins... à leur source. Certains bistrots vendent leurs vins à emporter. Chaque année à Paris, la « coupe du meilleur pot » et celle du meilleur bistrot est décernée à l'un d'eux.

Quelques bistrots à Paris (par arrondissement)

La Cloche des Halles (28, rue Coquillère, 75001 Paris, tél. (1) 42.36.93.89). La bonne humeur ne quitte pas Serge Lesage, lauréat de la coupe du meilleur pot. Beaujolais, brouilly et de très bons bourgogne.

Le Rubis (10, rue du Marché-Saint-Honoré, 75001 Paris, tél. (1) 42.61.03.34). Le bistrot ne désemplit pas. Bons beaujolais. Prix doux.

La Taverne Henry-IV (13, pl. du Pont-Neuf, 75001 Paris, tél. (1) 43.54.27.90). L'annexe gourmande et vineuse du « Palais » et du quai des Orfèvres voisins. Beaujolais, touraine, muscadet, et le très rare vin de Suresnes; produits régionaux en tartines et assiettes.

Willi's Wine Bar (13, rue des Petits-Champs, 75001 Paris, tél. (1) 42.61.05.09). Il y a d'autres Willi's à Paris, dont un au 18, rue des Halles. Celui-ci offre une belle gamme de côtes-du-rhône septentrionaux et de bordeaux rouges et liquoreux. Bonne cuisine.

Au Duc de Richelieu (110, rue de Richelieu, 75002 Paris, tél. (1) 42.96.38.38). Sandwiches aux produits régionaux arrosés d'une belle sélection de bons vins. Premier lauréat de la coupe du meilleur bistrot 1987.

L'Entre-deux-Verres (48, rue Sainte-Anne, 75002 Paris, tél. (1) 42.96.42.26). Dans une cave voûtée du XVIIe s., d'excellents bordeaux pour accompagner plats régionaux et viandes grillées. Les « bons mardis » Loïc de Roquefeuil donne des cours de dégustation.

Apostrophe (16, rue Pastourelle, 75003 Paris, tél. (1) 48.09.93.74). Littéraire et vineux. Tenu par un ancien sommelier, Bata Zivkovic, découvreur de petits vins originaux (Loire, Jura, etc).

Au Franc-Pinot (1, quai de Bourbon, 75004 Paris, tél. (1) 43.29.46.98). Le restaurant est en sous-sol, mais on peut déguster au rez-de-chaussée de très beaux vins au verre en les accompagnant au besoin de petits plats savoureux. Accueil sympathique.

La Tartine (24, rue de Rivoli, 75004 Paris, tél. (1) 42.72.76.85). Des habitués pour apprécier une grande sélection de bons vins autour d'un buffet froid, fromages forts et crottins de Sancerre.

Bistrot de la Nouvelle Mairie (19, rue des Fossés-Saint-Jacques, 75005 Paris, tél. (1) 43.26.80.18). Il a changé de main mais la qualité demeure. Vin de Loire, plus particulièrement d'Anjou.

Millésimes (7, rue Loiseau, 75006 Paris, tél. (1) 46.34.22.15). Des vins français de qualité, des vins du monde entier... Ambiance et musique garanties le soir par un guitariste gitan.

Le Petit Bacchus (13, rue du Cherche-Midi, 75006 Paris, tél. (1) 45.44.01.07). Connu du Tout-Paris viti-vinicole. Joli choix de vins de toutes les régions de France. Le samedi, rencontre avec des producteurs.

Le Sancerre (22, av. Rapp, 75007 Paris, tél. (1) 45.51.75.91). Tout pour le sancerre, rien que pour le sancerre.

Le Sauvignon (80, rue des Saints-Pères, 75007 Paris, tél. (1) 45.48.49.02). Une institution sur quelques mètres carrés... Les plus fins sandwiches de Paris. Beaujolais, bordeaux, sancerre.

Le Blue Fox Bar (Cité Berryer, 25, rue Royale, 75008 Paris, tél. (1) 42.65.10.72). Joli choix de presque toutes les régions de France. Chic et cher.

Les bistrots à vin

L'Écluse : que des bordeaux, mais des meilleurs ! (64, rue François-1er, 75008 Paris, tél. (1) 47.20.77.09 ; 15, pl. de la Madeleine, 75008 Paris, tél. (1) 42.65.34.69 ; 15, quai des Grands-Augustins, 75006 Paris, tél. (1) 46.33.58.74 ; 2, rue du Général-Henrion-Berthier, 92300 Neuilly, tél. (1) 46.24.21.06 ; rue Mondétour, 75001 Paris, tél. (1) 47.03.30.73.

La Cave Drouot (8, rue Drouot, 75009 Paris, tél. (1) 47.70.83.38). De très beaux vins du Sud-Ouest, mais aussi d'excellents beaujolais et vins de Loire.

L'Œnothèque (20, rue Saint-Lazare, 75009 Paris, tél. (1) 48.78.08.76). Daniel Hallé, ex-sommelier chez Jamin, grand dégustateur, a sélectionné nombre de vins (et eaux-de-vie) originaux. Restauration intéressante. Vente à emporter.

Le Rallye (267, rue du Fg-Saint-Martin, 75010 Paris, tél. (1) 46.07.22.83). Vive l'Auvergne et ses charcuteries. Plats du jour de la patronne, crus de beaujolais. Vins sélectionnés. Vente à emporter.

Jacques Melac (42, rue Léon-Fort, 75011 Paris, tél. (1) 43.70.59.27). L'Aveyronnais à la moustache triomphante a su attirer à lui une belle clientèle. Une vigne pousse en cave.

Le Baron rouge (1, rue Théophile-Roussel, 75012 Paris, tél. (1) 43.43.14.32). Le spécialiste des vins très bon marché à boire et à emporter. Vrac et bouteilles.

Réserve et Sélection (119, rue du Dessous-des-Berges, 75013 Paris, tél. (1) 45.83.65.19). Ce n'est pas un bar à vin, mais un marchand de vin. On peut parfois déguster des bouteilles d'un peu partout.

Le Rallye (6, rue Daguerre, 75014 Paris, tél : (1) 43.22.57.05). Un bistrot, mais 40 vins servis au verre. Excellentes charcuteries.

Au Père Tranquille (30, av. du Maine, 75015 Paris, tél. (1) 42.22.88.12). Si vous arrivez à le découvrir, le spectacle est à l'intérieur. Grand Choix de vins de Loire.

Le Pain et le Vin (1, rue d'Armaillé, 75017 Paris, tél. (1) 47.63.88.29). Les quatre mousquetaires des *Toques Gourmandes* ont ouvert ce bistrot, et les habitués s'y précipitent. Tous les vins de France, à peu de choses près...

Aux Négociants (27, rue Lambert, 75018 Paris, tél. (1) 46.06.15.11). Bons vins de beaujolais, de bourgueil,; plats du jour variés à prix doux.

Bistrot-cave des Envierges (11, rue des Envierges, 75020 Paris, tél. (1) 46.36.47.84). Excellent choix de vins servis au verre et en bouteille. Toutes régions. Également vente à emporter.

Et aussi...

Chez Clovisse (33, rue Berger, 75001 Paris, tél. (1) 42.33.97.07) ;

L'Amateur (47, rue Vivienne, 75002 Paris, tél. (1) 42.36.73.58) ;

Bistrot de la Gaieté (7, rue Papin, 75003 Paris, tél. (1) 42.72.79.45) ;

Au Soleil d'Austerlitz (18, bd de l'Hôpital, 75005 Paris, tél. (1) 43.31.39.36) ;

Le Coude Fou (12, rue du Bourg-Tibourg, 75004 Paris, tél. (1) 42.77.15.16) ;

Le Chai de l'Abbaye (26, rue de Buci, 75006 Paris, tél. (1) 43.26.68.26) ;

Le Mâconnais (10, rue du Bac, 75007 Paris, tél. (1) 42.61.21.89) ;

Les Domaines (56, rue François-1er, 75008 Paris, tél. (1) 47.56.15.87) ;

Le Caveau Mövenpick 4, rue Vignon, 75009 Paris, tél. (1) 47.42.47.93) ;

Bistrot-cave de Passavant (12, rue des Goncourt, 75011 Paris, tél. (1) 48.06.31.76) ;

Petrissans (30 bis, av. Niel, 75017 Paris, tél. (1) 42.27.52.03) ;

Aux Négociants (27, rue Lambert, 75018 Paris, tél. (1) 46.06.15.11).

En banlieue

J.-P. Chastang (8, av. A.-Briand, 92160 **Antony**, tél. (1) 46.66.01.14);

Chez Serge (7, bd Jean-Jaurès, 93400 **Saint-Ouen**, tél. (1) 40.11.06.42);

La Tassée d'Argent (21, av. G.-Péri, 94100 **Saint-Maur**, tél. (1) 48.83.00.14);

En province

Le Bistrot d'Avignon (1, rue Jean-Vilar, 84000 **Avignon**, tél. 90.86.06.45);

Le Bistrot de Bordeaux (rue des-Pilliers-de-Tutelle, 33000 **Bordeaux**, tél. 56.52.92.32);

L'Hôtel Montpelliérain des vins (7, rue Jacques-Coeur, 34000 **Montpellier**, tél. 67.60.42.41);

La Vinothèque (42, rue de la Roé, 45100 **Argers**, tél. 41.86.07.71).

Sans oublier les «**winstubs**» **d'Alsace**, parmi lesquels : *Winstub du sommelier* (51, Grande-Rue, 68750 Bergheim, tél. 89.73.69.99); *Chez Yvonne* (10, rue du Sanglier, 67000 Strasbourg, tél. 88.32.84.15); *Pfifferbrieder* (9, pl. du Marché-aux-Cochons-de-Lait, 67000 Strasbourg, tél. 88.32.15.43); *Le Saint-Sépulcre* (15, rue des Orfèvres, 67000 Strasbourg, tél. 88.32.39.97); *Au Coin des Pucelles* (rue des Pucelles, 67000 Strasbourg, tél. 88.35.15.14); *Zum Strissel* (5, pl. de la Grande-Boucherie, 67000 Strasbourg, tél. 88.32.14.73).

Et quelques «**bouchons**» **lyonnais** : *Le Métonné* (26, rue Tronchet, 69006 Lyon, tél. 78.89.36.71); *Chez Silvain* (4, rue Tupin, 69002 Lyon, tél. 78.42.11.98); *Café des fédérations* (8, rue Major-Martin, 69001 Lyon, tél. 78.28.26.00); *Dussaud* (12, rue Pizay, 69001 Lyon, tél. 78.28.10.94); *Club du Vieux Lyon* (4, quai R.-Rolland, 69000 Lyon, tél. 78.42.28.52); *Saint-Antoine* (37, quai Saint-Antoine, 69000 Lyon, tél. 78.37.01.35).

LES GRANDES CAVES DE RESTAURANTS

Pour la découverte des grands vins, les meilleures tables de France sont une excellente école. Les caves y sont souvent remarquablement composées, les chefs et les sommeliers de plus en plus compétents. Les meilleurs d'entre eux recommandent souvent des bouteilles au prix parfaitement abordable, et beaucoup proposent d'intéressants menus-dégustations qui permettent de s'initier à l'alliance des mets et des vins.

— Nous présentons ici une sélection d'établissements où la qualité de la cuisine va de pair avec celle de la carte des vins. Il s'agit d'un choix, avec une inévitable part d'arbitraire, et chacun pourra y ajouter ses propres adresses, ses propres découvertes.

A Paris (par arrondissement)

Le Grand Véfour (17, rue de Beaujolais, 75001 Paris, tél. (1) 42.96.56.27). Le grand Raymond Oliver avait favorisé son Bordelais natal (très vieux millésimes); la sélection rigoureuse continue, avec également des châteauneuf-du-pape blancs et le fameux château-grillet.

Chez Pauline (5, rue Villedo, 75001 Paris, tél. (1) 42.96.20.70). Les régions du cœur sont le Beaujolais et la Bourgogne.

Gérard Besson (5, rue Coq-Héron, 75001 Paris, tél. (1) 42.33.14.74). Avec plus de 45 000 bouteilles, Gérard Besson et son sommelier Janick Durand proposent tous les grands vins, Bourgogne, Bordeaux... de 1982 à 1928.

Le Carré des Feuillants, Alain Dutournier (14, rue Castiglione, 75001 Paris, tél. (1) 42.86.82.82). Plus de 600 références dans toutes les gammes de prix dont 300 références en Bordeaux; Sud-Ouest oblige. La fierté d'Alain Dutournier et de son directeur sommelier Jean-Guy Loustau : plus de 100 vieux sauternes et bien sûr des armagnac de collection.

Les grandes caves de restaurants

Le Ritz - restaurant l'Espadon (15, pl. Vendôme, 75001 Paris, tél. (1) 42.60.38.30). Les plus grands domaines, les plus grands millésimes (1928, 29, 45, 47 en bordeaux ; 61 et 69 en bourgogne), et la collection de cognac et armagnac commencée par M. Ritz au début du siècle.

La Tour d'argent (15, quai de la Tournelle, 75005 Paris, tél. (1) 43.54.23.31). Tous les grands millésimes exposés dans un musée de la Vigne et du Vin, créé par « Monsieur » Claude Terrail, pour le bonheur des clients.

Joséphine, Chez Dumonet (117, rue du Cherche-Midi, 75006 Paris, tél. (1) 45.48.52.40). Deux grandes passions pour ce navigateur solitaire confirmé, membre de l'Académie internationale du vin. Trésors inestimables en cave (romanée-conti 1919), bordeaux rouges (1919, 21, 28, 29, 34, 35, 47, 49 à... 83), margaux 1929...

Le Relais Louis-XIII (1, pl. du Pont-de-Lodi, 75006 Paris, tél. (1) 43.26.75.96). Avec ses 67 000 bouteilles en cave, un choix de grands vins, avec une préférence pour le Bordelais.

Le Bistrot de Paris - Michel Oliver (33, rue de Lille, 75007 Paris, tél. (1) 42.61.15.84). Bon sang ne saurait mentir... La passion du bon vin et des bordeaux est une affaire de famille. Michel Oliver a sélectionné 40 000 belles bouteilles à prix moyens !

Le Jules Vernes (Tour Eiffel, 2ème étage, Champ de Mars, 75007 Paris, tél. (1) 45.55.61.44). 50 000 bouteilles de bourgogne et bordeaux de garde pour une cave au sommet.

Le Récamier (4, rue Récamier, 75007 Paris, tél. (1) 45.48.86.58). Le culte du bon vin célébré avec bonne humeur et compétence par Martin Cantegrit ; les bourgognes sont en vedette.

Tan-Dinh (60, rue de Verneuil, 75007 Paris, tél. (1) 45.44.04.84). Pour prouver qu'exotisme et grands vins peuvent faire un heureux mariage. Faites confiance aux frères Vifian.

Le Crillon (10, pl. de la Concorde, 75008 Paris, tél. (1) 42.65.24.24). La maison aime faire découvrir le vin jaune du Jura (soit en apéritif, soit en accompagnant foie gras, huîtres et morilles). Tous les grands seigneurs sont représentés, tant en bourgogne qu'en bordeaux.

Le Fouquet's (99, av. des Champs Elysées, 75008 Paris, tél. (1) 47.23.70.60). Parmi un véritable trésor de 400 000 bouteilles, tous les grands crus de bordeaux de 1918 à nos jours ; de beaux bourgogne, cognac et armagnac.

La Marée (1, rue Daru, 75008 Paris, tél. (1) 47.63.52.42). Le regretté Marcel Trompier a transmis la passion du bon vin à son fils Éric. Grands bordeaux (1957, 59, 61) et sublimes bourgogne (1959 à 82), amoureusement surveillés par Didier Bordas.

Lasserre (17, av. F.-D.-Roosevelt, 75008 Paris, tél. (1) 43.59.53.42). Plus de 180 000 bouteilles sélectionnées avec méthode et rigueur par R. Lasserre et ses sommeliers. Des 1928, 29, 34, 37.

Laurent (41, av. Gabriel, 75008 Paris, tél (1) 42.25.00.39). Des millésimes de collection (1928, 29, 45, 47, 49, 61) sur la plus belle avenue du monde, les Champs-Élysées.

Lenôtre : Pavillon Élysée (10, av. des Champs-Élysées, 75008 Paris, tél. (1) 42.65.85.10). Jean-Luc Pouteau, champion du monde des sommeliers, veille sur une cave variée ; vins de 80 à 4 500 francs. Belle sélection à 100/150 francs. Le Pré Catelan (route de Suresnes, Bois de Boulogne, 75016 Paris, tél. (1) 45.24.55.58).

Lucas Carton - Alain Senderens (9, pl. de la Madeleine, 75008 Paris, tél. (1) 42.65.22.90). Les grands vins complètent le bonheur de la table (1929, 45, 47, 53, 55). Des champagnes de 1911 à commander quinze jours à l'avance. Et une sélection de 80 à 1 500 francs.

Maxim's (3, rue Royale, 75008 Paris, tél. (1) 42.65.27.94). 200 000 bouteilles dont la doyenne est une côte de nuits de 1898 et beaucoup de grands champagne... pour faire pétiller les yeux des jolies dames.

Alain Rayé (49, rue du Colisée, 75008 Paris, tél. (1) 42.25.66.76). Sa belle cave d'Albertville respire aujourd'hui l'air de Paris. 330 références sur la carte. Champagne cuvée de prestige, vins de Savoie, côtes du rhône, Yquem, Pétrus 1975.

Régence Plaza (25, av. Montaigne, 75008 Paris, tél. (1) 47.23.78.33). Des chiffres importants avec plus de 100 000 bouteilles et 330 références sur la carte, avec un véritable hommage aux grands montrachet. Et puis les vins jaune du Jura, la coulée de Serrant, château grillet, un Yquem 1928 et tous les premiers grands crus de bordeaux (1949, 55, 61, 66) et de vieux armagnac.

Taillevent (15, rue Lamennais, 75008 Paris, tél. (1) 45.63.39.94). A l'unanimité, une des caves de France les plus prestigieuses.

Auberge Pyrénées-Cévennes - Chez Philippe (106, rue de la Folie-Méricourt, 75011 Paris, tél. (1) 43.57.33.78). De très bons beaujolais fruités, brouilly et chiroubles, mais aussi de très vieux millésimes en bordeaux et bourgogne.

Au Trou Gascon (40, rue Taine, 75012 Paris, tél. (1) 43.44.34.26). Chercheur et dénicheur infatigable, Alain Dutournier sait vous proposer, ici comme à sa nouvelle adresse de la rue de Castiglione, de très belles bouteilles et des armagnac de collection.

Les Vieux Métiers de France (13, bd A.-Blanqui, 75013 Paris, tél. (1) 45.88.90.03). Le Bordelais tient une grande place sur la carte, sans faire offense aux bourgogne, sancerre et divers blancs. Soirées dégustation.

Morot-Gaudry (8, rue de la Cavalerie, 75015 Paris, tél. (1) 45.67.06.85). Pour un heureux mariage des vins et des mets, la cave est à la hauteur, avec des prix qui eux n'"atteignent" pas des sommets. Vieux millésimes de bourgogne et bordeaux (1926, 28, 29, 34, 45).

Henri Faugeron (52, rue de Longchamp, 75016 Paris, tél. (1) 47.04.24.53). Beaucoup de compétence et un titre de champion du monde des sommeliers pour J.-C. Jambon qui succède ainsi à son ami J.-L. Pouteau (Pavillon Elysée). Excellent rapport qualité-prix, 288 références, 28 vins à moins de 200 F. Parmi les seigneurs : corton bressande, chambertin-clos de bèze, bonnes mares 1976, Château Montrose 1970, Château Magdeleine 1970, Château Canon 1976.

Jamin (32, rue de Longchamp, 75016 Paris, tél. (1) 47.27.12.27). L'habile Jamin avait su acheter quelques trésors : chambertin 1943, La Tour 1933 et 34, Lafite 1933, Pétrus 1934, Yquem 1934 et 45. Joël Robuchon poursuit cet effort assisté de M. Vinadier.

Le Vivarois (192, av. Victor-Hugo, 75016 Paris, tél. (1) 45.04.04.31). Une cave de qualité, où les vins de la vallée du Rhône sont à l'honneur.

Apicius - J.-P. Vigato (122, av. de Villiers, 75017 Paris, tél. (1) 43.80.19.66). Deux ans à peine et déjà 14 000 bouteilles en cave, 220 références sur la carte. Vins régionaux au déjeuner : alsace, saumur, côte chalonnaise... Cos d'Estournel 1961, Montrose 1966, Ducru-Beaucaillou 1959 (magnum), grand echezeaux 1964.

Le Clos Longchamp - Hôtel Méridien (81, bd Gouvion-Saint-Cyr, 75017 Paris, tél. (1) 47.38.12.30). La carte intelligente composée par Didier Bureau qui aime les vins de terroirs. Belle sélection d'Alsace et de vins de Provence. Alox corton blanc.

Guyvonne (14, rue Thann, 75017 Paris, tél. (1) 42.27.25.43). 14 000 très belles bouteilles à partir du millésime 1975. Les trois premiers grands crus de bordeaux sont en bonne place sur la carte ainsi que quelques grands bourgogne. Coup de cœur pour de très belles côtes du rhône.

Le Petit Colombier (42, rue des Acacias, 75017 Paris, tél. (1) 43.80.28.54). Le « président » Bernard Fournier montre l'exemple et fait un effort sur les prix. Vins de propriétaires, 1ers crus de Bordeaux, Bourgogne et Côtes du Rhône.

Michel Rostang (20, rue Rennequin, 75017 Paris, tél. (1) 47.63.40.77). Dans sa cave climatisée visible du restaurant, il n'oublie pas sa Savoie natale. On y trouve aussi de grands bordeaux (1934, 53, 55). Carte des vins commentée.

Les grandes caves de restaurants

Le Beauvilliers (52, rue Lamarck, 75018 Paris, tél. (1) 42.54.19.50). La carte est courte, mais les 70 000 bouteilles en cave sont prestigieuses. Château Palmer (margaux) 1929, château d'Yquem 1936 et 1937, bonnes-mares et richebourg 1930, 1936 ; nombreux saint-émilion.

En banlieue

Au Comte de Gascogne - Claudine et Gérard Vérane (89, av. Jean-Baptiste-Clément, 92100 **Boulogne-Billancourt**, tél. (1) 46.03.47.27). Avec 1 380 références, le livre de cave ressemble à la Bible, pour répertorier 100 000 bouteilles en cave. 80 millésimes de propriétaires différents et une collection d'armagnac de 1893 à 1953.

Le Coq Hardi (16, quai Rennequin-Sualem, 78380 **Bougival**, tél. 39.69.01.43). Depuis 1806, dans les caves creusées dans la colline de Louveciennes, des trésors inestimables à déguster selon vos moyens : musigny 1919, romanée conti 1899, 1940, pauillac 1806 (de 70 à 8 000 francs).

Le Duc d'Enghien (3, av. de Ceinture, 95880 **Enghien**, tél. 34.12.90.00). Une carte prestigieuse riche en bordeaux et bourgogne.

Le Pouilly-Reuilly - Jean Thibault (68, rue A. Joineau, 93310 **Le Pré-Saint-Gervais**, tél. (1) 48.45.14.59). Belle cave jeune avec de belles bouteilles à partir de 1970.

Le Tastevin - Michel Blanchet (9, av. Eglé, 78600 **Maisons-Laffitte**, tél. (1) 39.62.11.67). La maison est à la hauteur de la cave et n'usurpe pas son nom. Des bourgogne - vieux hospices de Beaune - et beaune 1947. Pommard Rugiens 1947, volnay en magnum 1972, la tâche 1967, 72.

La Vieille Fontaine (8, av. Grétry, 78600 **Maisons-Laffitte**, tél. 39.62.01.78). La jeunesse de la cave n'exclut pas les vieux millésimes (Haut-Brion 1933, margaux 1934, corton 1934, etc.). Les côtes-du-rhône et côtes-de-provence sont aussi à l'honneur.

Chez Henri - Henri Bourgin (72, rte de Noisy, 93230 **Romainville**, tél. (1) 48.45.26.65). Avec ses 70 000 bouteilles, le patron bourguignon est fier de ses 1924, 59, 61. Pour les collectionneurs ; château d'Yquem 1933. 40 champagne et un rhum introuvable de 1895.

Au Coq de la Maison Blanche (37, bd Jean-Jaurès, 93400 **Saint-Ouen**, tél. (1) 42.54.01.23). Aux portes de Paris, Alain François vous propose tous les grands crus classés de bordeaux. La Tour, la Lagune, Haut-Brion, Canon. Un exceptionnel gewurztraminer cuvée Anne Schlumberger 1976.

Les Trois Marches - Gérard Vié (3, rue Colbert, 78000 **Versailles**, tél. (1) 39.50.13.21). 20 000 bouteilles, 600 références, les grands crus sont là, en royale compagnie, c'est bien normal ; Yquem 1921, 28, La Lagune 1928, margaux 1934, Gruaud Larose 1921, 28. Merveilleux vieux banyuls 1950, 55, 67.

En province

Aux Armes de France (1, Grand-Rue, 68770 **Ammerschwir**, tél. 89.47.10.12). Tous les vignobles sont représentés chez M. et Mme Gaertner. Point d'honneur sur les vins d'Alsace, mais beaucoup de bordeaux et de bourgogne. 40 000 bouteilles en caves.

Le Quéré (9, pl. du Ralliement, 49000 **Angers**, tél. 41.87.64.94). De grands vieux moelleux de Loire ; anjou 1897, aubance 1947, coulée de serrant 1967, couvés par Martine Le Quéré.

La Bonne Auberge (N7, quartier de la Brague, 06600 **Antibes**, tél. 93.33.36.65). Ce restaurant privilégie les bourgogne blancs et les bordeaux rouges. Mais les vins de Provence sont quand même à la carte !

Hôtel de Paris (9, rue de l'Hôtel-de-Ville, 39600 **Arbois**, tél. 84.66.05.67). Chez André et Jean-Paul Jeunet, une gamme étonnante de vieux vins jaunes, d'arbois et de vieux marcs.

Chanzy (8, rue Chanzy, 62000 **Arras**, tél. 21.71.02.02). Classée plus belle cave par l'ordre mondial des Gourmets-Dégustateurs en 1979 ; 1 000 vins au choix, avec plus de 120 000 bouteilles. Une préférence pour le saint-émilion. Millésime ancien : 1875.

Hôtel de France - André Daguin (pl. de la Libération, 32000 **Auch**, tél. 62.05.00.44). André Daguin, cuisinier gascon bien sûr, mais amoureux fou des vins de sa région : madiran, colombard, pacherenc, millésimes rares : 1924, 1929, 1952.

Hôtel de la Gare (2, route du Languedoc, 48130 **Aumont-Aubrac**, tél. 66.42.80.07). Plus de 500 vins (125 en bordeaux rouges) dont 70 à moins de 100 francs. 3 000 bouteilles en primeur.

Hiély-Lucullus (5, rue de la République, 84000 **Avignon**, tél. 90.86.17.07). Tous les grands vins de la vallée du Rhône.

Auberge des Templiers - Boismorant (45290 **Les Bézards**, tél. 38.31.80.01). Une cave de 80 000 bouteilles : la doyenne : une Lafite Rothschild de 1822.

Café de Paris - Pierre Laporte (5, pl. Bellevue, 64200 **Biarritz**, tél. 59.24.19.53). La plus belle et la plus importante collection de magnums et jéroboams en Bordelais. En vedette, le médoc. Millésime ancien : 1924, 1 450 vins répertoriés sur une très jolie carte.

Le Chapon Fin (5, rue Montesquieu, 33000 **Bordeaux**, tél. 56.79.10.10). Pour Francis Garcia, le vin est aussi une histoire d'amour, avec des bordeaux aux millésimes prestigieux : 1928, 1929, 1945, 1947, 1955, 1959, 1961, 1964, 1966...

Dubern - Clément (42, allées des Tourny, 33000 **Bordeaux**, tél. 56.48.03.44, et 74, av. du Bourgailh, 33000 **Bordeaux**, tél. 56.07.13.23). Tous les trésors du vignoble bordelais sont là pour votre plaisir, sélectionnés par M. Clément.

Jean Ramet (7-8, pl. Jean-Jaurès, 33000 **Bordeaux**, tél. 56.44.12.51). La sagesse au service du bon sens et des grands bordeaux.

La Tupina (6, rue Porte de la Monnaie, 33000 **Bordeaux**, tél. 56.91.56.37). Ambassadeur de sa région, Jean-Pierre Xiradakis assure une promotion intelligente de ses produits. Grandes et petites bouteilles.

Saint-James - J.-M. Amat (pl. Camille-Hostein, **Bouliac**, 33270 Floirac, tél. 56.20.52.19). Une cave merveilleuse de bordeaux, à découvrir des grands aux petits.

Royal Gray (Hôtel Gray d'Albion, 38, rue des Serbes, 06400 **Cannes**, tél. 93.68.54.54). On aime ici proposer des vins de Provence et de la vallée du Rhône, mais la carte est riche de superbes bordeaux (latour 1943, haut-brion 1955, sauternes 1940) et bourgogne (pommard 1949, bâtard-montrachet 1945).

Lameloise (36, pl. d'Armes, 71150 **Chagny**, tél. 85.87.08.85). Le paradis des grands bourgogne.

James Baron (hôtel de l'Europe, 15 pl. de la Gare, 49300 **Cholet**, tél. 41.62.00.97). Pour le très bon ordinaire, muscadet, savennières, vins de Loire. Pour la collection, vouvray 1947, bonnezeaux 1974, 75, 78, 85 à boire dans 10 ans, chinon 1964.

Paul Bocuse (69660 **Collonges-au-Mont-d'Or**, tél. 78.22.01.40). Paul déclare avec humour : « La Saône et ses inondations m'obligent à posséder de grands crus. » Grandes et belles bouteilles (plus de 25 000), sans oublier le beaujolais du patron (frais, en pichet), propriétaire à Letra.

Schillinger (16, rue Stanislas, 68000 **Colmar**, tél. 89.41.43.17). Plus de 35 000 bouteilles (Alsace, Bourgogne, Bordelais). Pièces de collection : alsace de 1834.

Le Chabichou (**Courchevel 1850**, tél. 79.08.00.55). Maryse Rochedy propose de superbes bourgogne blancs : montrachet, corton charlemagne, meursault. Beaux bordeaux là aussi en blancs. Également vallée du rhône, vins du Jura et de Savoie.

Hôtel de la Cloche. La nouvelle adresse de Jean-Pierre Billoux (2, av. de la Grande-Armée, 21000 **Dijon**, tél. 80.30.12.32). Sa cave reste fidèle à sa Bourgogne natale : gevrey-chambertin, volnay, savigny, pommard (1923).

Michel Guérard - Les Prés et les Sources d'Eugénie (**Eugénie-les-Bains**, 40320 Géaune, tél. 58.51.19.01). Michel Guérard a depuis longtemps la passion du vin et attend la première vendange de ses côtes-de-gascogne. Priorité aux bordeaux (plus de 200 références).

Les grandes caves de restaurants

Les Millésimes (25, rue de l'Eglise, 21220 **Gevrey-Chambertin**, tél. 80.51.84.24). Très belle sélection de grands crus de bourgogne réalisée par le jeune Didier Sangoy.

Auberge de l'Ill (68150 **Illhaeusern**, tél. 89.71.83.23). La cave des frères Haeberlin est à la hauteur de la renommée de la maison. Tous les grands vins d'Alsace sont réunis, mais les bourgogne ne sont pas oubliés.

La Côte-Saint-Jacques (14, fg de Paris, 89300 **Joigny**, tél. 86.62.09.70). Jacqueline Lorrain veille sur les trésors de la cave. Bordeaux (1928, 34), romanée-conti (1940) : mais tous les bourgogne sont là, avec une très belle sélection de chablis.

Lou Mazuc (12210 **Laguiole**, tél. 65.44.32.24). De bons vins en primeur dans les bonnes années, mais pas encore de vieux millésimes chez Michel Bras.

Auberge Bretonne - Jacques Thorel (2, pl. Duguesclin, 56130 **La Roche-Bernard**, tél. 99.90.60.28). Jeunesse, compétence, talent et grands vins font ici un très heureux mariage. Tous les grands classiques ; brane-cantenac 1928, pommard 1928, Château Petit-Village 1937, Grand Puy Lacoste 1937, Yquem 1955, Rayne Vigneau 1939, 47. Et aussi hermitage 1961, château chalon 1953.

L'Oustau de Baumanière (13520 **Les Baux-de-Provence**, tél. 90.54.33.07). Raymond Thuillier et J.-A. Charial offrent une riche sélection dans la tradition : 90 000 bouteilles, dont de beaux côtes-du-rhône et de vieux bordeaux (1870, 77, 93 !).

Le Flambard (79, rue d'Angleterre, 59800 **Lille**, tél. 20.51.00.06). Une carte des quatre points du monde ! Vins allemands, vins italiens, vins californiens, mais aussi millésimes anciens de bordeaux (1928). La carte des saint-émilion est très riche en grands crus et en millésimes...

L'Huîtrière (3, rue des Chats-Bossus, 59800 **Lille**, tél. 20.55.43.41). Spécialités obligent : priorité aux vins blancs, Bourgogne et vins de Loire. En vins rouges, vedette aux bordeaux.

Restaurant de Paris - Loïc Martin (52 bis, rue Esquermoise, 59800 **Lille**, tél. 20.55.29.41). Loïc Martin adore les vins d'Anjou et les fait découvrir (coteau du layon). Mais aussi des bourgogne blancs, des bordeaux rouges.

Léon de Lyon - Jean-Paul Lacombe (1, rue Pleney, 69001 **Lyon**, tél. 78.28.11.33). Le troisième fleuve de Lyon, le beaujolais, coule ici dans la cave avec le chiroubles en vedette ; bordeaux (1928), bourgogne (1945).

Hostellerie du Cerf (30, rue du Gén.-de-Gaulle, 67250 **Marlenheim**, tél. 88.87.73.73). Carte assez jeune mais avec plus de 100 références en Alsace.

Alain Chapel (Saint-André-de-Corcy, 01390 **Mionnay**, tél. 78.91.82.02). La grand-messe du vin célébrée ici chaque jour. Des bouteilles exceptionnelles (Cos d'Estournel 1928 ; richebourg 1931, pommard 1947...) mais aussi des vins de la région.

La Beaugravière (84430 **Mondragon**, tél. 90.40.82.54). Un véritable trésor en côtes du rhône. 22 000 bouteilles, dont des hermitage rouges et blancs de 1929 avec des bouchons neufs.

Le Moulin de Mougins - Roger Vergé (06250 **Mougins**, tél. 93.75.78.24). Ici, on trouve tous les grands vins dans les bonnes années : vins américains et vins italiens, mais surtout les millésimes anciens (1918-1928) du Bordelais (ch. d'Yquem 1893). Bourgogne, vins de Loire, vins d'Alsace, beaujolais, etc. 15 000 bouteilles dans la cave, avec, bien sûr, les vins ensoleillés de la région.

Le Réverbère (4, pl. des Jacobins, 11100 **Narbonne**, tél. 68.32.29.18). S'il s'écoutait, Claude Giraud ne vendrait pas ses vieux millésimes : sauternes ; meursault 1941, 54, 63 ; clos-de-vougeot 1933 ; pommard 1947, 52. Également vins du Languedoc-Roussillon...

Le Négresco (37, prom. des Anglais, 06000 **Nice**, tél. 93.88.39.51). L'éventail peut satisfaire les clients les plus difficiles. Bourgogne blancs, bordeaux, millésimes anciens : 1914, 18, 35, 45, 47. Et le vin local rare et méconnu, le bellet.

La Taupinière - Guy Guilloux (rte de Concarneau, 29123 **Pont Aven**, tél. 98.06.03.12). 30 000 bouteilles; hermitage 1961, Grâce de Dieu 1961, corton 1955, 62, pommard 1976, clos de vougeot 1972, 76. Beaux vins de Loire, Yquem 1971, 72.

Le relais Saint-Jean (1, cité Bartissol, 66000 **Perpignan**, tél. 68.51.22.25). Avec 8 000 bouteilles toutes les régions sont représentées; Beaux vins du Roussillon et vins doux naturels sélectionnés par Marie-Louise Banyols.

Boyer-Crayères (64, bd Henry-Vasnier, 51100 **Reims**, tél. 26.82.80.80). Que la fête commence : tous les champagne ou presque sont là. Sans oublier des bourgogne blancs et de grands bordeaux. Millésimes rares : 1928, 1947.

Le Vigneron (pl. P.-Jamot, 51100 **Reims**, tél. 26.47.00.41). En cave, plus de 10 000 bouteilles, avec 200 marques de champagne (chaque qualité dans chaque marque), classées par ordre alphabétique. Et une très belle cave de vieux champagne : 1892, 1893, 1895...

Troisgros (pl. de la Gare, 42300 **Roanne**, tél. 77.71.66.97). C'est une affaire de famille. Le papa Jean-Baptiste et Jean, le frère aîné, avaient ouvert la voie royale à une cave de grands bourgogne (1929, 47, 59). Mais riche également en côtes-du-rhône, bordeaux, champagne maison et légère côte roannaise en pichet.

Le Lion d'Or (69, rue G.-Clemenceau, 41200 **Romorantin**, tél. 54.76.00.28). 10 000 belles bouteilles. Priorité aux vins de Loire.

Pierre Gagnaire (3, rue Georges-Tessier, 42000 **Saint-Étienne**, tél. 77.37.57.93). Les coups de foudre du chef, plus de 40 Meursault, Condrieu, Côte Rôtie.

Le Chabichou (av. Foch, 83900 **Saint-Tropez**, tél. 94.54.80.00). Les vins sont jeunes et régionaux.

La Côte-d'Or - Bernard Loiseau (2, rue d'Argentine, 21210 **Saulieu**, tél. 80.64.07.66). La cuisine est à l'eau mais la Bourgogne est à l'honneur chez le premier lauréat du Grand Prix Hachette des cuisiniers de France. Meursault, chambertin et volnay.

Auberge du Kochersberg (Landersheim, 67700 **Saverne**, tél. 88.69.91.58). La cave est composée de bourgogne, champagne, alsace, bordeaux, et de vins étrangers. Le plus ancien millésime : pauillac 1877.

Le Moulin du Kaegy (**Steinbrunn-le-Bas**, 68100 Mulhouse, tél. 89.81.30.34). Un Alsacien de cœur fait découvrir de vieux millésimes de riesling ou de gewurztraminer, mais la carte laisse aussi place aux bordeaux et aux bourgogne.

Buerehiesel (4, parc de l'Orangerie, 67000 **Strasbourg**, tél. 88.61.62.24). 400 vins référencés (alsace, bourgogne, bordeaux, côtes-du-rhône, vins de Loire), avec des pièces rares : alsace 1928, 1934, bordeaux 1947, bourgogne 1947, 1949.

Le Crocodile (10, rue de l'Outre, 67000 **Strasbourg**, tél. 88.32.13.02). Émile Jung s'occupe personnellement de sa belle cave, où les vins d'Alsace sont en vedette (1943, 59, 67), avec une nette préférence pour les riesling et le tokay.

Michel Chabran (Pont-de-l'Isère, 26600 **Tain-l'Hermitage**, tél. 75.84.60.09). Le prestige des côtes-du-rhône. Hermitage (1962, 66, 69), châteauneuf-du-pape (1972), côte-rôtie (1971).

Darroze (119, rue Castellane, 31000 **Toulouse**, tél. 61.62.34.70). Grande carte de bordeaux : collection d'armagnac d'exception.

Vanel (22, rue Maurice-Fonvielle, 31000 **Toulouse**, tél. 61.21.51.82). Une carte des vins avec une préface d'Antoine Blondin : « Tout ceci n'est que litres et ratures. » Et un fabuleux rapport qualité/prix.

Jean Bardet (57, rue Groison, 37100 **Tours**, tél. 47.41.41.11). La cave préférée de Gérard Depardieu et de Jean Carmet. Priorité aux vins de Loire. Sophie Bardet est fière de ses vouvray de collection de 1919 à nos jours, ainsi que de « ses millésimes assagis ».

Jacques Pic (285, av. Victor-Hugo, 26000 **Valence**, tél. 75.44.15.32). L'ambassadeur des vins de la vallée du Rhône.

Georges Blanc (01540 **Vonnas**, tél. 74.50.00.10). La cave (climatisée) devient musée pour le repos de plus de 90 000 bouteilles. Château d'Yquem 1870, 1949, 1957, mais les vins de la région sont à l'honneur. Vente à emporter et expédition.

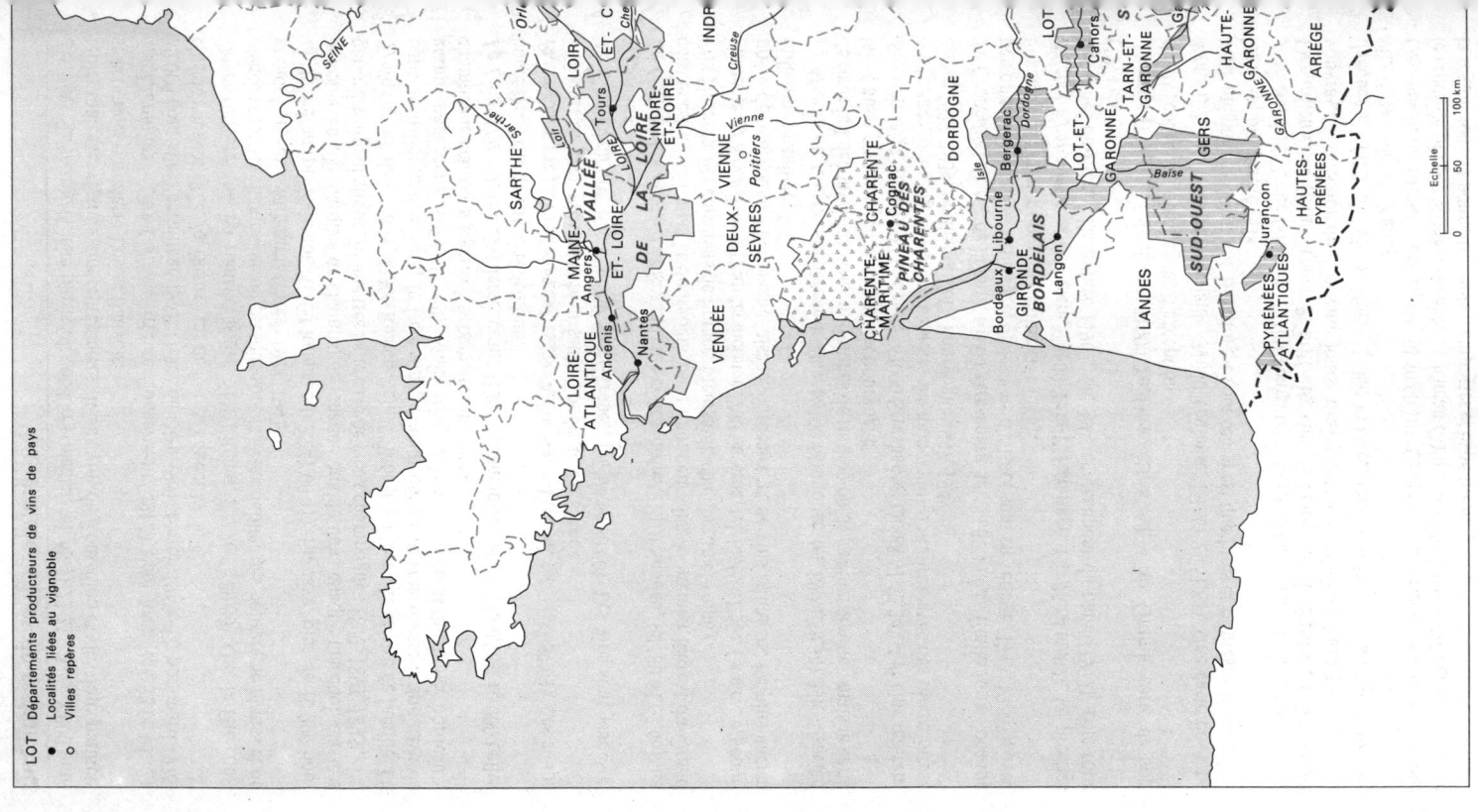

PYRÉNÉES-
ROUSSILLON
AUDE
oux
LANGUEDOC
HÉRAULT
Montpellier
ENTALES
Perpignan
Banyuls

VEYRON
EST
CENTRE
Clermont-
Ferrand
St-Pourçain-
sur-Sioule
Roanne
LOIRE
ARDÈCHE
GARD
Nîmes
RHÔNE
Orange
VAUCLUSE
Avignon
BOUCHES-
DU-RHÔNE
MARSEILLE
PROVENCE
Aix-en-
Provence
VAR
Draguignan
Toulon
Nice

VALLÉE
DE
LOIRE
Sancerre
NIÈVRE
CHER

BEAUJOLAIS
Villefranche-
s-Saône
Mâcon
LYON
Vienne
ISÈRE
DRÔME
VALLÉE
DU
RHÔNE
Valence
Die
Montélimar
Durance

BOURGOGNE
Beaune
Dijon
Saône
SAVOIE
Chambéry
Annecy
SAVOIE
HAUTE-
SAVOIE

YONNE
Auxerre
Chablis
BOURGOGNE
SEINE
Troyes
Aube
Les Riceys

JURA
Arbois
JURA
HAUTE-
SAÔNE
Besançon

CHAMPAGNE
Épernay
Reims
Marne
Aisne

MEUSE
Toul
Nancy
EST
Strasbourg
ALSACE
Colmar

Patrimonio
Bastia
Ajaccio
CORSE
HAUTE-
CORSE
CORSE-
DU-SUD

A.O.C. et V.D.Q.S.

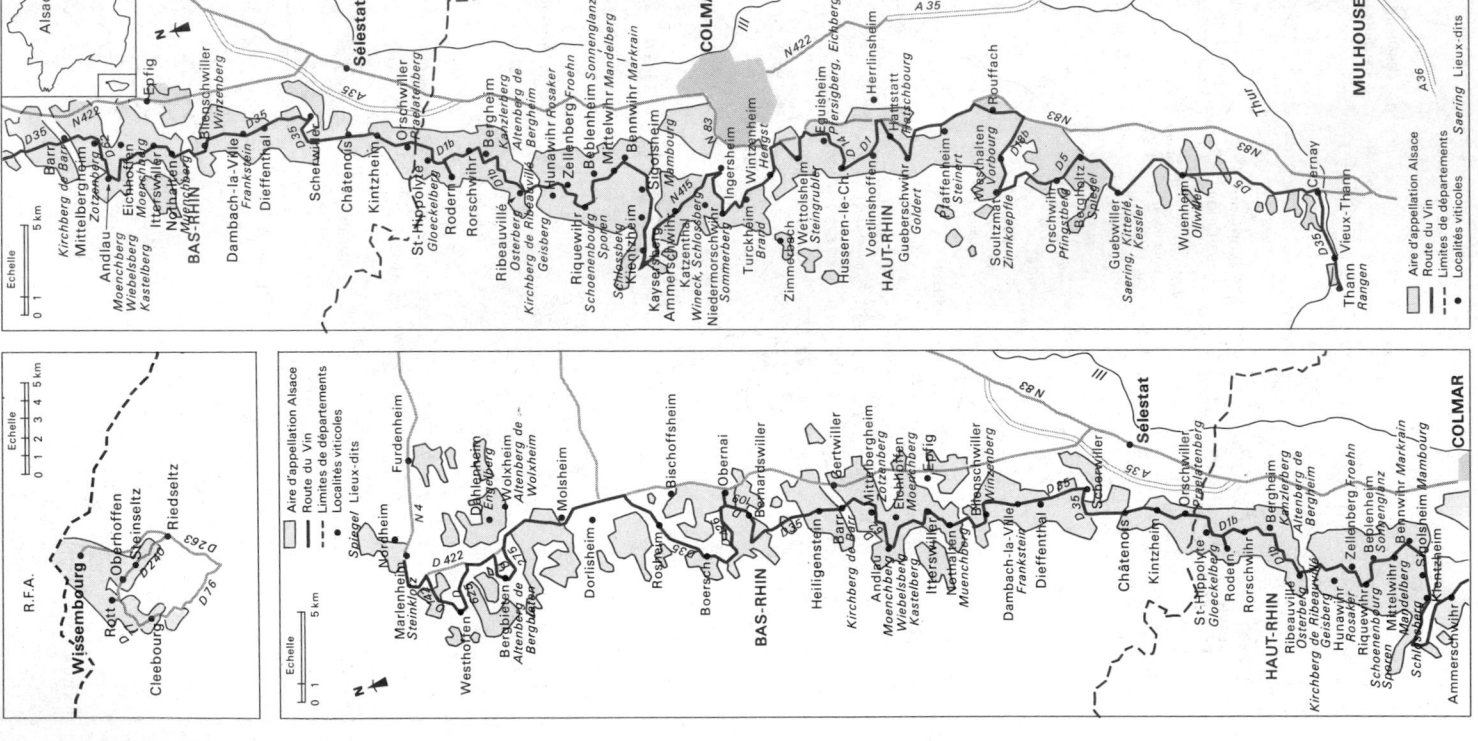

La plus grande partie du vignoble d'Alsace est implantée sur les collines qui bordent le Massif vosgien et qui prennent pied dans la plaine rhénane. Les Vosges, qui dressent un rideau montagneux entre cette province et le reste du pays, donnent à l'Alsace son climat spécifique, car elles captent la grande masse des précipitations venant de l'océan. C'est ainsi que la pluviométrie moyenne annuelle de la région de Colmar, avec moins de 500 mm, est la plus faible de toute la France ! En été, cette chaîne fait obstacle à l'influence rafraîchissante des vents atlantiques, mais ce sont surtout les différents microclimats, nés de nombreuses sinuosités des reliefs, qui jouent un rôle tout à fait prépondérant dans la répartition et la qualité des vignobles.

Une autre caractéristique du vignoble est la grande diversité des sols.

Pourquoi cela ? Dans un passé qui est considéré comme récent par les géologues même s'il remonte à quelque cinquante millions d'années, Vosges et Forêt Noire formaient un seul ensemble issu d'une succession de phénomènes tectoniques (immersions, érosions, plissements...). A partir de l'ère tertiaire, la partie médiane de ce massif a commencé à s'affaisser pour donner naissance, bien plus tard, à une plaine. Par suite de ce phénomène, presque toutes les couches de terrains qui s'étaient accumulées au cours des différentes périodes géologiques ont été remises à nu sur la zone de rupture. Or, c'est surtout là que sont localisés les vignobles. C'est ainsi que la plupart des communes viticoles sont caractérisées par au moins quatre ou cinq formations de terrains différents.

L'histoire du vignoble alsacien se perd dans la nuit des temps, et les populations préhistoriques ont sans doute déjà dû tirer parti de la vigne, dont la culture proprement dite ne semble cependant dater que de la conquête romaine. L'invasion des Germains, au Ve s., entraîna un déclin passager de la viticulture, mais des documents écrits nous révèlent que les vignobles ont assez rapidement repris de l'importance, sous l'influence prépondérante des évêchés, des abbayes et des couvents. Des documents antérieurs à l'an 900 mentionnent déjà plus de cent-soixante localités où la vigne était cultivée.

Cette expansion se poursuivit sans interruption jusqu'au XVIe s., au cours duquel elle atteignit son apogée. Les magnifiques maisons de style Renaissance que l'on rencontre encore dans maintes communes viticoles témoignent indiscutablement de la prospérité de ce temps, où de grandes quantités de vin d'Alsace étaient déjà exportées dans toute l'Europe. Mais la guerre de Trente Ans, période de dévastation par les armes, le pillage, la famine et la peste, eut des conséquences catastrophiques sur la viticulture, comme sur les autres activités économiques de la région.

La paix revenue, la culture de la vigne reprit peu à peu son essor, mais l'extension des vignobles se fit principalement à partir de cépages communs. Un édit royal de 1731 tenta bien de mettre fin à cette situation, mais sans grand succès. Cette tendance s'accentua encore après la Révolution, et la superficie de 23 000 ha enregistrée en 1808 atteignit 30 000 ha en 1828. Il s'instaura une surproduction, aggravée par la disparition totale des exportations et par une diminution de la consommation du vin au profit de la bière. Par la suite, la concurrence des vins du Midi, facilitée par l'avènement des chemins de fer, l'apparition et l'extension des maladies cryptogamiques, des vers de la grappe et du phylloxéra, ne firent qu'augmenter toutes les difficultés. Il s'ensuivit à partir de 1902 une diminution de la superficie du vignoble qui s'est poursuivie jusque vers 1948, tombant à 9 500 ha, dont 7 500 en appellation alsace.

L'essor économique de l'après-guerre et les efforts de la profession influèrent favorablement sur le développement du vignoble alsacien qui possède actuellement, sur une superficie de quelque 13 000 ha, un potentiel de production annuel moyen de l'ordre de 900 000 hl, commercialisés en France et à l'étranger; les exportations atteignent actuellement plus du quart des ventes totales. Ce développement a été l'œuvre de l'ensemble des diverses branches professionnelles qui mettent chacune sur le marché des quantités plus ou moins identiques de vin. Il s'agit des viticulteurs-producteurs, des coopératives et des négociants (souvent eux-mêmes producteurs), qui achètent des quantités importantes et des viticulteurs ne vinifiant pas eux-mêmes leur récolte.

Tout au long de l'année, de nombreuses manifestations viticoles se déroulent dans les diverses localités qui bordent la route du Vin. Celle-ci est un des attraits touristiques et culturels majeurs de la province. Le point culminant de ces manifestations est sans doute la Foire annuelle du vin d'Alsace qui a lieu en août à Colmar, précédée par celles de Guebwiller, d'Ammerschwihr, de Ribeauvillé, de Barr et de Molsheim. Mais il convient également de citer celle, particulièrement prestigieuse, de la confrérie Saint-Étienne, née au XIVᵉ s. et restaurée en 1947.

Le principal atout des vins d'Alsace réside dans le développement optimal des constituants aromatiques des raisins, qui s'exprime souvent mieux dans des régions à climat tempéré frais, où la maturation est lente et prolongée. Leur spécificité dépend naturellement de la variété, et l'une des particularités de la région est en outre la dénomination des vins d'après la variété qui les a produits, alors qu'en règle générale, les autres vins français d'appellation d'origine contrôlée portent le nom de la région ou d'un site géographique plus restreint qui leur a donné naissance.

Les raisins, récoltés courant octobre, sont transportés le plus rapidement possible au chai pour y subir un foulage, parfois un égrappage, puis le pressurage. Le moût qui s'écoule du pressoir est chargé de «bourbes» qu'il importe d'éliminer le plus vite possible par sédimentation ou par centrifugation. Le moût clarifié entre ensuite en fermentation, phase au cours de laquelle on veille tout particulièrement à éviter un excès de température. Par la suite, le vin jeune et trouble demande de la part du viticulteur toute une série de soins : soutirage, ouillage, sulfitage raisonné, clarification. La conservation en cuves ou en fûts se poursuit ensuite jusque vers le mois de mai, époque à laquelle le vin subit son conditionnement final en bouteilles. Cette façon de procéder concerne la vendange destinée à l'obtention des vins blancs secs, c'est-à-dire plus de 90 % de la production alsacienne.

Les alsace «vendanges tardives» et «sélection grains nobles», eux, sont des productions issues de vendanges surmûries et ne constituent des appellations officielles que depuis 1984. Ils sont soumis à des conditions de production extrêmement rigoureuses, les plus exigeantes de toutes en ce qui concerne le taux de sucre des raisins. Il s'agit évidemment de vins de classe exceptionnelle, qui ne peuvent être obtenus tous les ans et dont le prix de revient est très élevé. Seuls les gewurztraminer, pinot gris, riesling et plus rarement muscat peuvent bénéficier de ces mentions spécifiques.

Dans l'esprit des consommateurs, le vin d'Alsace doit se boire jeune, ce qui est en grande partie vrai pour les sylvaner, chasselas, pinot blanc et edelzwicker; mais cette jeunesse est loin d'être éphémère, et riesling, gewurztraminer, pinot gris ont souvent intérêt à n'être consommés qu'après deux ans d'âge. Il n'existe en réalité aucune règle fixe à cet égard, et certains grands vins, nés au cours des années de grande maturité des raisins, se conservent beaucoup plus longtemps, voire des dizaines d'années.

Pour simplifier la présentation dans ce guide, les millésimes ne sont indiqués que pour le riesling, le gewurztraminer et le tokay-pinot gris, dans les introductions de chacune de ces appellations où ils valent pour l'ensemble de la production. Pour les autres appellations alsaciennes, on considérera que les vins sont à boire jeunes, les exceptions étant éventuellement signalées dans les textes même des vins concernés.

Parmi les appellations alsaciennes, une place particulière est occupée par l'edelzwicker. Cette dénomination extrêmement ancienne désigne les vins issus d'un mélange de cépages. N'oublions pas qu'il y a un siècle, les parcelles du vignoble alsacien implantées avec une seule variété étaient rares. Les cépages qui entrent dans la composition de l'edelzwicker sont essentiellement les pinot blanc, auxerrois, sylvaner, chasselas. A côté d'une proportion relativement faible d'edelzwicker sans grande qualité, et qui a tendance à jeter le discrédit sur cette appellation, cette production est particulièrement appréciée par les Alsaciens, et la plupart des restaurants et des cafés mettent un point d'honneur à er servir de très agréables en carafes. Il s'agit d'une appellation qui mériterait qu'on revalorise sa réputation.

L'appellation alsace, applicable dans l'ensemble des cent-dix aires de production communales, est subordonnée à l'utilisation de onze cépages : gewurztraminer, riesling, rhénan, pinot gris, muscat blanc et rosé à petits grains, muscat ottonel, pinot blanc vrai, auxerrois blanc, pinot noir, sylvaner blanc, chasselas blanc et rosé.

Dans la pratique, le mot alsace n'est que très rarement utilisé seul, mais est suivi par un nom de cépage ou de la dénomination « edelzwicker ». Il en résulte huit appellations différentes dont les caractéristiques seront décrites séparément, mais qui comprennent des dispositions communes qu'il est utile de préciser. C'est ainsi que pour avoir droit à l'appellation d'origine contrôlée « vin d'alsace » en Alsace, raisins ou vins doivent provenir de vignes taillées au maximum à douze bourgeons par mètre carré, rester, en règle générale, dans la limite d'un rendement de 100 hl par hectare, et ne pas avoir été vendangés avant une date fixée par un comité d'experts ; provenir de moûts présentant avant tout enrichissement : un titre alcoométrique minimum naturel de 8,5° ; avoir fait l'objet d'une analyse et d'une dégustation officielle et, enfin, avoir été embouteillés en Alsace même.

Quoi de neuf en Alsace ?

Un succès grandissant : les « vendanges tardives » et « sélections de grains nobles » suscitent toujours beaucoup d'intérêt.

Si quelques rares maisons ont longtemps joué le rôle de pionnier dans ce domaine, de nombreux producteurs sont venus rejoindre le cénacle avec les millésimes 83, 85 et 86 qui apparaît actuellement sur le marché.

Les choses continuent de bouger du côté des grands crus. L'appellation alsace grand cru suscite un intérêt de plus en plus grand et largement mérité. Outre la qualité et l'élégance des grands cépages alsaciens, les amateurs recherchent l'empreinte des terroirs si diversifiés de l'Alsace. Cette appellation compte actuellement vingt-cinq lieux-dits délimités et reconnus officiellement dans le décret, auxquels il convient d'ajouter vingt-cinq lieux-dits actuellement en cours de délimitation et dont le tracé devrait être soumis à l'enquête publique au cours de l'hiver 1988/1989. Nous avons anticipé les décisions du législateur dans cette édition, présentant les vins sous les noms des lieux-dits proposés...

La récolte 1987 a été elle aussi un motif de satisfaction. Le moral était pourtant bien bas après un été médiocre responsable d'un retard important de la végétation. Fort heureusement, la longue période de temps chaud et sec qui s'installa miraculeusement à partir du 10 septembre, fit vite oublier les péripéties des mois d'été. Sans l'effet du soleil et de la chaleur, le retard était vite rattrapé, les risques d'altération par le botrytis étaient complètement écartés et les raisins pouvaient achever leur maturation dans les meilleurs conditions. Ceci nous vaut de découvrir aujourd'hui des 87 agréablement fruités, très typiques et bien équilibrés.

En volume, la récolte globale était de 1 068 000 hl c'est-à-dire légèrement supérieure à la moyenne, se décomposant en : 960 000 hl pour l'AOC alsace, 25 000 hl pour l'AOC alsace grand cru et 83 000 hl pour l'AOC crémant d'alsace.

Alsace klevener de heiligenstein

Le klevener de heiligenstein n'est autre que le vieux traminer (ou savagnin rose) connu depuis des siècles en Alsace.

Il a fait place progressivement à sa variante épicée ou «gewurztraminer» dans l'ensemble de la région, mais est resté vivace à Heiligenstein et dans cinq communes voisines. Son aire de production est actuellement en cours de délimitation.

Il constitue une originalité par sa rareté et son élégance. Ses vins sont en effet à la fois très bien charpentés et discrètement aromatiques.

COOP. VINICOLE D'ANDLAU 1986**

n.c.	7 000

De par sa situation géographique, cette coopérative s'est un peu spécialisée dans l'élaboration du klevener de heiligenstein. Parfaitement vinifié, ce 86 développe au nez des arômes de miel dénotant une bonne maturité. Avec sa bonne fraîcheur et son fruité caractéristique, il peut satisfaire les palais les plus difficiles. Grand vin de bonne évolution.

Coop. Vinicole d'Andlau, 15, av. des Vosges, 67140 Barr, tél. 88.08.90.53 r.-v.

CHARLES WANTZ 1986*

1,20 ha	8 000

Cépage bien rare en Alsace, n'étant planté que sur la commune de Heiligenstein. De teinte jaune doré, au nez expressif mais sans puissance particulière. De belle ampleur, de bonne maturité, il peut dès à présent être dégusté.

M. Charles Wantz, 36, rue Saint-Marc, 67140 Barr, tél. 88.08.90.44 t.l.j. sf dim. 8h-12h 14h-17h30.

position de l'edelzwicker, et, de ce fait, cette appellation ne se trouve que très rarement sur le marché.

CAVE DE PFAFFENHEIM
Cuvée Lafayette 1986*

15 ha	15 000

La coopérative de Pfaffenheim-Gueberschwihr est connue pour la qualité de ses vinifications ainsi que pour la grande valeur de ses terroirs qui dominent les sols argilo-calcaires. Son chasselas à la robe franche et plaisante, un peu discret au nez, est bien équilibré au palais. Son caractère gouleyant le fait recommander sur les entrées.

Cave Vinicole de Pfaffenheim, 5, rue du Chai, Pfaffenheim, 68250 Rouffach, tél. 89.49.61.08 t.l.j. 8h-12h 13h30-18h.

ROBERT SCHOFFIT 1986***

0,40 ha	3 000

Le chasselas était autrefois le vin de tous les jours des Hauts-Rhinois. Celui-ci est issu d'une exploitation traditionnelle de la Harth de Colmar. D'une belle robe jaune clair, il développe des arômes fruités. Très bien équilibré au palais, c'est un vin excellent, originaire d'un terroir ensoleillé. A boire en toutes circonstances.

M. Robert Schoffit, 27, rue des Aubépines, 68000 Colmar, tél. 89.41.69.45 t.l.j. sf dim. 9h-12h 14h-18h ; f. fin août

Alsace chasselas ou gutedel

Il y a une quarantaine d'années, ce cépage occupait encore plus de 20 % du vignoble. Aujourd'hui, ce taux est tombé à 3 %. Il donne un vin aimable, léger et souple, du fait d'une acidité modérée. Il entre essentiellement dans la com-

Alsace sylvaner

Les origines du sylvaner sont très incertaines, mais son aire de prédilection a toujours été limitée au vignoble allemand et à celui du Bas-Rhin en France. En Alsace même, les 27 % de superficie qu'il occupait encore il y a dix ans ont régressé à 20 %. Il s'agit cependant d'un cépage extrêmement intéressant grâce à son rendement et à la régularité de production.

Son vin est d'une remarquable fraîcheur, assez acide, doté d'un fruité discret. On trouve en réalité deux types de sylvaner sur le marché : le premier, de loin supérieur, provient de terroirs bien exposés et peu enclins à la surproduction. Le second est apprécié par ceux qui aiment un type de vin sans prétention, agréable et désaltérant. Le sylvaner accompagne volontiers choucroute, hors-d'oeuvres et entrées, de même que les fruits de mer - tout spécialement les huîtres.

PAUL BECK Frankstein 1986*

n.c.   0,85 ha   8 000   ⬛ ↓⬛ ⬛

Originaire des arènes granitiques qui donnent la pittoresque cité de Dambach-la-Ville, ce sylvaner présente le caractère du millésime 86. L'impide, il développe des arômes intenses au nez, et présente une grande nervosité au palais. Il possède une bonne aptitude au vieillissement.

♠ Mme Paul Beck Succ., 1, rue Clemenceau, 67650 Dambach-la-Ville, tél. 88.92.40.17 ⍰ r.-v.

EMILE BOECKEL Zotzenberg 1986*** ⬛

n.c.   20 000   ⬛ ⬛

La société Boeckel est une des plus anciennes maisons de négoce d'Alsace, puisque la famille s'intéressait déjà à la viticulture en 1536 et que la société actuelle fut fondée en 1853. Elle offre un sylvaner de grande race, paré d'une belle robe jaune vert, qui développe des arômes intenses et harmonieux au nez. En bouche, son caractère ample et corsé révèle une grande matière première.

♠ M. Emile Boeckel, 2, rue de la Montagne, Mittelbergheim, 67140 Barr, tél. 88.08.91.02 ⍰ t.l.j; sf dim. 8h-12h 14h-17h.

DOM. DES COMTES DE LUPFEN
Réserve Spéciale 1986*

0,50 ha   5 000   ⬛ ↓⬛ ⬛

La Gaec Blanck exploite 27 hectares de vignes répartis sur les différents terroirs de Kientzheim et des communes environnantes. Il s'agit d'une exploitation qui a acquis beaucoup de savoir-faire dans le domaine de l'adéquation cépage-terroir. Le sylvaner présenté est très fruité. Sa jeunesse et sa vivacité témoignent de son origine argilo-calcaire.

♠ GAEC Paul Blanck et Fils, 32, GrandRue, Kientzheim, 68240 Kaysersberg, tél. 89.78.23.56 ⍰ t.l.j; sf dim. 9h-12h 13h30-19h.

JEAN-PIERRE DIRLER
Cuvée Vieilles Vignes 1986***

0,38 ha   4 000   ⬛ ↓⬛ ⬛

Issu des meilleurs terroirs granitiques de la commune, voici un sylvaner qui associe typicité et maturité, malgré un millésime plutôt tardif. À l'œil déjà, il séduit par sa robe brillante. Agréable, il est fruité, frais et d'un grand équilibre. Très harmonieux, il est remarquable.

♠ M. Jean-Pierre Dirler, 13, rue d'Issenheim, Bergholtz, 68500 Guebwiller, tél. 89.76.91.00 ⍰ r.-v.

CAVE VINICOLE DIVINAL
D'OBERNAI 1986** ⬛

n.c.   70 000   ⬛ ↓⬛ ⬛

La Divinal est l'une des plus grandes entreprises du vignoble alsacien. Elle vinifie un volume considérable, mais s'est équipée d'une cuverie de petite dimension, thermorégulée, lui permettant de préserver l'originalité de ses produits. Original, celui-ci s'est assurément par sa puissance. Derrière une belle robe jaune et brillante, il dévoile des arômes riches et puissants et un caractère plutôt corsé.

♠ Cave Vini. Divinal d'Obernai, 30, rue du GalLeclerc, 67210 Obernai, tél. 88.95.61.18 ⍰ r.-v.

PIERRE FRICK 1986 ⬛

n.c.   0,60 ha   6 500   ⬛ ↓⬛ ⬛

Produit selon les concepts de l'agriculture bio-dynamique, voici un sylvaner nerveux comme le sont souvent les 86. D'une robe assez claire, il est encore jeune et fermé au nez. En bouche, il ne manque pas d'équilibre et de vivacité. Il est conseillé de le laisser vieillir.

♠ M. Pierre Frick, 5, rue de Baer, Pfaffenheim, 68250 Rouffach, tél. 89.49.62.99 ⍰ r.-v.

ARMAND GILG ET FILS
Zotzenberg 1986** ⬛

2,25 ha   25 000   ⬛ ↓⬛ ⬛

Mittelbergheim s'est forgé de longue date une excellente réputation pour ses sylvaner, en particulier pour ceux qui proviennent de ce terroir calcaire du jurassique supérieur, étage géologique très rare sur le vignoble alsacien. Ce sylvaner aux reflets jaune-vert développe des arômes très opulents au nez. Sa belle fraîcheur au palais en fait un vin équilibré et harmonieux.

♠ GAEC Armand Gilg et Fils, 2-4, rue Rotland, Mittelbergheim, 67140 Barr, tél. 88.08.92.76 ⍰ t.l.j; sf dim. 8h-12h 13h30-18h ; f. dim. a.-m.

ANDRE HARTMANN ET FILS 1986 ⬛

0,50 ha   5 000   ↓⬛ ⬛

Issu d'un terroir marno-calcaire assez lourd et d'une vigne de vingt-cinq ans, voici un sylvaner bien typé. D'une robe très claire, il développe des arômes francs et présente un bon équilibre malgré une certaine souplesse.

♠ MM. André Hartmann et Fils, 11, rue RogerFrémeaux, Voegtlinshoffen, 68420 Herrlisheim, tél. 89.49.38.34 ⍰ t.l.j; sf dim. 9h-12h 14h-17h.

JOS. MEYER ET FILS
« H » Vieilles Vignes 1986*

0,10 ha   920   ⬛ ↓⬛ ⬛

On ne présente plus la maison Jos. Meyer, entreprise de production et négoce de vieille lignée et de grande tradition. Ce sylvaner provient d'un terroir calcaire oligocène qui appartient à l'exploitation familiale. D'une robe très claire, il développe des arômes bien fruités. Au palais, c'est un vin frais et léger, de bonne persistance.

♠ MM. Jos. Meyer et Fils, 76, rue Clemenceau, Wintzenheim, 68000 Colmar, tél. 89.27.01.57 ⍰ r.-v.
♠ M. Jean Meyer.

JEAN-PIERRE KLEIN ET FILS 1986

1 ha   8 000   ⬛ ↓⬛ ⬛

L'exploitation a son siège dans l'ancien moulin de l'abbaye, construit en 1613. Son sylvaner, issu c'un terroir peu fréquent en Alsace, son substrat étant constitué de schiste de Villé, est très brillant à l'œil, et développe des arômes racés mais un caractère plus léger au palais.

♠ MM. Jean-Pierre Klein et Fils, 1, rue du MalJoffre, Andlau, 67140 Barr, tél. 88.38.93.03 ⍰ r.-v.

GÉRARD LANDMANN 1986* ⬛

1 ha   10 000   ⬛ ⬛

Issu d'un terroir argilo-calcaire particulière-

ment adapté au sylvaner, ce vin séduit au premier abord par sa belle robe brillante. Au nez, son fruité typique vient confirmer cette première impression. Enfin, en bouche, on est conquis par sa fraîcheur. En deux mots, fin et élégant.

↱ M. Gérard Landmann, 124, rte du Vin, Nothalten, 67680 Epfig, tél. 88.92.43.96 ⏱ r.-v.

ANDRE RIEFFEL Zotzenberg 1986

□ 0,60 ha 6 000

Originaire d'un terroir argilo-calcaire du jurassique supérieur, ce vin présente une robe jaune-vert. Il développe le fruité caractéristique du cépage au nez alors qu'il révèle en bouche la pointe d'acidité typique du millésime. Un vin à réserver pour les entrées et fruits de mer.

↱ M. André Rieffel, 11, rue Principale, Mittelbergheim, 67140 Barr, tél. 88.08.95.48 ⏱ t.l.j. sf dim. 9h-11h 14h-18h.

ROLLY-GASSMANN 1986*

□ 1,33 ha 6 000

Issu d'une vigne de vingt-six ans située sur un terroir calcaire, voici un vin de qualité obtenu certainement à bas rendement. Bien typé sylvaner au nez, il révèle par contre au palais une puissance inhabituelle pour un 86. Très évolué et d'une vinification plutôt tardive.

↱ Rolly-Gassmann, 2, rue de l'Eglise, Rorschwihr, 68590 Saint-Hippolyte, tél. 89.73.63.28 ⏱ r.-v.

ERIC ROMINGER 1986*

□ 0,50 ha 5 000

Caractéristique du 86, ce sylvaner est fruité, avec une vivacité de bon aloi qui en fera un compagnon apprécié des fruits de mer et poissons.

↱ M. Eric Rominger, 6, rue de l'Eglise, Bergholtz, 68500 Guebwiller, tél. 89.76.14.71 ⏱ t.l.j. sf dim. 8h-19h.

MARTIN SCHAETZEL 1986*

□ 0,30 ha 2 500

Vigneron et œnologue, M. Schaetzel s'est donné comme règle de vinifier chacune de ses parcelles séparément. Il a su tirer le meilleur parti de ce terroir limoneux, prédestiné au sylvaner. D'une robe jaune clair, celui-ci reste encore fermé et discret au nez. En bouche, il présente certes la légèreté du 86, mais d'excellente tenue.

↱ M. Martin Schaetzel, 3, rue de la 5ème-D.B., 68770 Ammerschwihr, tél. 89.47.11.39 ⏱ t.l.j. 8h-12h 13h-19h.

↱ M. Jean Schaetzel.

EMILE SELTZ Zotzenberg 1986**

□ 0,80 ha 7 000

Mittelbergheim, niché au pied du Zotzenberg, est assurément l'un des plus beaux villages de France, village qui a su conserver son unité héritée du XVIe s. La maison Seltz en est l'un des fleurons. Elle présente un sylvaner de grande race. D'une robe jaune pâle, il développe des arômes fins et typiques et se caractérise par sa fraîcheur et son harmonie. Un vin de garde qui fera merveille sur les produits de la mer.

↱ Maison Emile Seltz, 42, rue des Vosges, Mittelbergheim, 67140 Barr, tél. 88.08.92.08 ⏱ r.-v.

LOUIS SIFFERT ET FILS 1986**

□ 1,90 ha 18 000

Originaire d'un terroir dominé par le château du Haut-Kœnigsbourg, voici un sylvaner typique. D'une belle robe claire, il est fruité au nez, très agréable en bouche par son caractère à la fois équilibré et léger. Gouleyant, il est parfait pour étancher la soif ou pour accompagner fruits de mer ou charcuterie.

↱ MM. Louis Siffert et Fils, 16, rte du Vin, Orschwiller, 67600 Sélestat, tél. 88.92.02.77 ⏱ 9h-12h 14h-18h ; f. fév.

E. SPITZ ET FILS
Blienschwiller 1986*

Le sylvaner occupe une place importante à Blienschwiller. Il est en effet bien adapté aux sols argilo-sableux du «coin de Barr». Celui-ci est très caractéristique. D'une robe plutôt claire, il est encore assez fermé au nez, mais développe des arômes très fruités au palais. C'est le fruit d'une très bonne matière première.

↱ E. Spitz et Fils, 2, rte du Vin, Blienschwiller, 67650 Dambach-la-Ville, tél. 88.92.40.33 ⏱ t.l.j. 8h-12h 13h-20h.

↱ M. Dominique Spitz.

JEAN WACH 1986**

□ 1,50 ha 10 000

Un sylvaner qui conjugue à merveille la typicité du cépage à une excellente maturité. D'une belle robe brillante, il développe un fruité ample et typique. En bouche, il est dominé par une belle charpente qui lui donne une grande persistance sans altérer sa finesse.

↱ M. Jean Wach, 16a, rue du Mal-Foch, Andlau, 67140 Barr, tél. 88.08.09.73 ⏱ t.l.j. 9h-12h 14h-17h.

ALFRED WANTZ Zotzenberg 1986

□ 1,50 ha 14 000

Lorsque l'on pénètre dans la charmante cité de Mittelbergheim, on effectue un voyage au pays des ancêtres. Chez Wantz la cave date de 1618. Le sylvaner zotzenberg demande encore à vieillir. Sous une belle robe claire, il développe un fruité typique et présente un caractère assez gouleyant.

↱ Caves Alfred Wantz, 3, rue des Vosges, 67140 Mittelbergheim, tél. 88.08.91.43 ⏱ r.-v.

BERNARD WEBER 1986***

□ 1,09 ha 7 000

Ici, rien n'a été laissé au hasard. Originaire d'une vieille vigne de trente ans peu productive et implantée sur un terroir calcaire, ce sylvaner a été vinifié avec un grand soin. Frais, fruité, très complet au nez, il révèle une grande matière première au palais qui s'exprime au travers d'un caractère rond et chaleureux et d'une grande charpente.

ALSACE WILLM 1986★★★

n.c.	n.c.	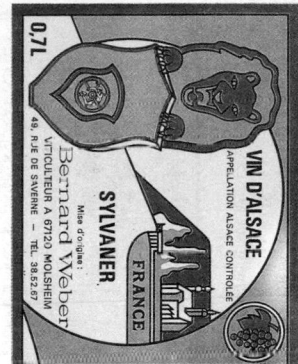 [V2]

Dans la charmante bourgade de Barr, cité aux deux églises, la maison Willm maintient depuis

---

Alsace pinot ou klevner

Sous ces deux dénominations (la seconde étant un vieux nom alsacien), le vin de cette appellation peut provenir de plusieurs cépages : le pinot blanc vrai et l'auxerrois blanc. Ce sont deux variétés assez peu exigeantes, capables de donner des résultats remarquables dans des situations moyennes, car leurs vins allient agréablement fraîcheur, corps et souplesse. En une dizaine d'années, leur superficie a presque doublé, passant de 10 à 18 % de l'ensemble du vignoble.

Dans la gamme des vins d'Alsace, le pinot blanc représente le juste milieu, et il est souvent meilleur que de petits rieslings. Du point de vue gastronomique, il est avantageusement passe-partout, à l'exception des fromages et des desserts.

CAVE VINICOLE DE WESTHALTEN Cuvée Réservée 1986★★

30 ha	50 000	

La cave coopérative de Westhalten est construite au cœur d'une vallée aux terroirs remarquables qui se caractérisent par leur nature très calcaire (coquillier principalement) et leur microclimat très sec. Ce sylvaner est un pur produit du lieu. Doré, fruité au nez, il développe beaucoup d'ampleur et d'opulence au palais.

➤ Cave Vinicole de Westhalten, 52, rue de Soultzmatt, 68250 Westhalten, tél. 89.47.01.27 ☎ t.l.j: 8h-12h 14h-18h ; f. juil.

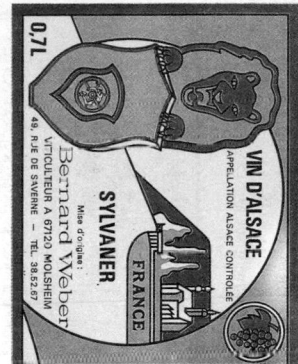

➤ M. Bernard Weber, 49, rue de Saverne, 67120 Molsheim, tél. 88.38.32.67 ☎ r.-v.

Alsace pinot ou klevner

des générations sa tradition de qualité. Elle présente un pinot très brillant à l'œil, qui développe des arômes floraux fins et intenses, d'une très bonne constitution. Un vin de haute expression à réserver pour les grandes occasions.

➤ Alsace Willm, 32, rue du Dr-Sulzer, 67140 Barr, tél. 89.41.24.31 ☎ r.-v.

COOP. VINICOLE D'ANDLAU 1986★

n.c.	30 000	

La coopérative vinicole d'Andlau est connue pour la qualité de ses vinifications toujours menées dans la main de maître. Son pinot à la robe jaune et limpide offre une bonne finesse d'arômes. Bien équilibré, il est dans la lignée du millésime.

➤ Coop. Vinicole d'Andlau,15, av. des Vosges, 67140 Barr, tél. 88.08.90.53 ☎ r.-v.

RENE BECK ET FILS 1986★★★

0,70 ha	6 000	

Issu d'un terroir argilo-sableux, ce vin est très discret à l'œil. Tout change quand on le porte au nez. Il révèle alors des arômes intenses. Au palais, il séduit par sa typicité et son caractère plein et corsé. C'est un produit très harmonieux, issu d'une grande matière première, et qui permet un large éventail d'utilisations.

➤ MM. René Beck et Fils,5, rue des Remparts, 67650 Dambach-la-Ville, tél. 88.92.42.43 ☎ t.l.j; 9h-11h30/13h-19h.

J. BECKER 1986★★

3 ha	30 000	

Zellenberg est un charmant village perché en haut d'une butte des collines sous-vosgiennes. Les Becker y sont vignerons de père en fils depuis 1610. Cette société de longue tradition présente un produit encore jeune à l'œil, très fin au nez avec ses arômes floraux, opulent au palais grâce à une grande matière très typée.

➤ J. Becker SA, 4, rue d'Ostheim, Zellenberg, 68340 Riquewihr, tél. 89.47.90.16 ☎ r.-v.

BERNHARD-REIBEL 1986

0,30 ha	n.c.	

Ce 86 présente une nuance jaune-vert, des arômes typés d'intensité moyenne, ainsi qu'une bonne fraîcheur au palais, dans la ligne du millésime.

➤ Bernhard-Reibel, 14, rue de Lorraine, 67730 Chatenois, tél. 88.82.04.21 ☎ r.-v.

ANDRE BLANCK ET FILS
Délice du Vigneron 1986

1,50 ha	17 000	

Le siège de l'exploitation est établi dans l'ancienne cour des chevaliers de Malte, dans la célèbre cité de Schwendi. Originaire d'un terroir granitique sableux, ce vin présente une nuance jaune-vert à l'œil. Il est net au nez, et se caractérise par une certaine rondeur au palais.

➤ MM. André Blanck et Fils, Anc. Cour des Chev. de Malte, Kientzheim, 58240 Kaysersberg, tél. 89.78.24.72 ☎ t.l.j; 7h-20h.

Alsace pinot ou klevner

CAVE VINICOLE DE DAMBACH-LA-VILLE 1986***

| | n.c. | | n.c. | | ▣ 2 |

D'une belle robe jaune dorée, ce pinot développe des arômes très intenses de fruits mûrs, et se révèle très ample au palais, riche, légèrement moelleux. Déjà très expressif, il se bonifiera encore au vieillissement.

➥ Cave vini. de Dambach-la-Ville,
2, rue de la Gare, 67650 Dambach-la-Ville,
tél. 88.92.40.03 ⊻ r.-v.

UNION VINICOLE DIVINAL D'OBERNAI 1986

| | n.c. | | 30 000 | ⊞↓ ▣ 2 |

D'une robe aux reflets jaune-vert et brillants, ce vin affiche déjà une certaine évolution au nez. Très plaisant au palais, il est plutôt rond, agréable et gouleyant.

➥ Cave Vini. Divinal d'Obernai, 30, rue du Gal-Leclerc, 67210 Obernai, tél. 88.95.61.18 ⊻ r.-v.

ANDRE DUSSOURT
Réserve Particulière 1986*

| | n.c. | | 5 000 | ▣ 2 |

Issu d'un terroir d'origine granitique, ce vin a été élevé dans des foudres de bois, ce qui lui permet d'atteindre déjà une certaine évolution. Il présente à l'œil des reflets jaune pâle, une bonne typicité au nez, avec des arômes qui évoluent vers le «fumé». Au palais une agréable fraîcheur annonce un caractère plutôt gouleyant.

➥ M. André Dussourt, 2, rue de Dambach, 67750 Scherwiller, tél. 88.92.10.27 ⊻ t.l.j. sf dim. 8h-12h 14h-18h.

CAVE VINICOLE D'EGUISHEIM 1986*

| | n.c. | | n.c. | | ▣ 2 |

La Cave d'Eguisheim est aujourd'hui la première entreprise du vignoble alsacien, ce qui ne l'empêche pas de maîtriser ses vinifications et de préserver chaque fois que cela est possible l'identité du terroir. Elle présente un pinot encore jeune comme en témoigne sa robe jaune-vert brillante. Fin et floral au nez, il montre une agréable acidité au palais et un bon équilibre.

➥ Cave Vinicole d'Eguisheim, 6, Grand'Rue, Eguisheim, 68420 Herrlisheim, tél. 89.41.11.06 ⊻ r.-v.

PAUL GINGLINGER 1986***

| | 2 ha | | 18 000 | ⊞↓ ▣ 2 |

Issu des sols argilo-calcaire d'Eguisheim, voici un pinot de grande classe élaboré avec compétence. En effet, il est le fruit d'un mariage subtil entre 60% d'auxerrois et 40% de pinot blanc vrai. Au nez, il développe des arômes bouchés, tandis que le fruité de l'auxerrois, tandis qu'en bouche, il présente la fraîcheur du pinot blanc. Cela permet d'apprécier un pinot équilibré et très typé.

➥ M. Paul Ginglinger, 8, pl. Charles-de-Gaulle, 68420 Eguisheim, tél. 89.41.44.25 ⊻ r.-v.

M. HAEGELIN Auxerrois 1986***

| | 1 ha | | 9 500 | ⊞ 2 |

Cet auxerrois issu d'un terroir calcaire est déjà très ouvert et révèle une parfaite harmonie entre sa typicité et sa maturité. D'une belle robe dorée, il développe des arômes fruités et puissants propres à l'auxerrois. En bouche sa rondeur tend vers le moelleux. Un vin tout en harmonie.

➥ Materne Haegelin, 45-47, Grand'Rue, 68500 Orschwihr, tél. 89.76.95.17 ⊻ r.-v.

VIN D'ALSACE
APPELLATION ALSACE CONTRÔLÉE
M. Haegelin
PINOT AUXERROIS e 0/l
M. HAEGELIN PROPRIÉTAIRE-VITICULTEUR A ORSCHWIHR (HT-RHIN) FRANCE

HEIM Strangenberg 1986*

| | 0,63 ha | | 5 000 | ⊞⊡ ↓ ▣ 3 |

Fruit d'une vieille vigne située sur le terroir très calcaire du Strangenberg, ce 86 séduit par sa belle robe intense. Au nez, il développe des arômes fruités. Au palais, il se révèle souple et léger.

➥ Heim SA, 56, rte de Soultzmatt, 68250 Westhalten, tél. 89.47.00.45 ⊻ r.-v.

HUGEL ET FILS 1985**

| | n.c. | | 146 000 | ⊞ ↓ ▣ 3 |

La société Hugel est une maison de tradition très ancienne qui ne fait jamais de publicité, ce qui ne l'empêche pas de figurer en bonne place sur les meilleures tables du monde entier. Ce vin est à la hauteur de sa réputation. C'est un 85, donc un très grand millésime. Il paraît encore très jeune par ses reflets jaune-vert, son fruité agréable, son caractère un peu fermé. Prometteur, il s'épanouira au vieillissement.

➥ MM. Hugel et Fils SA, 3, rue de la 1ère-Armée, 68340 Riquewihr, tél. 89.47.92.15 ⊻ r.-v.

CAVE VINICOLE DE HUNAWIHR 1986*

| | 40 ha | | 180 000 | ⊞ ↓ ▣ 2 |

Hunawihr, charmant village perché sur les hauteurs, connu pour sa célèbre église fortifiée, est aussi un haut lieu de la viticulture. La coopérative fondée en 1954 y occupe une place importante puisqu'elle draine la production de 200 hectares répartis sur la commune et les environs. Ce pinot possède une belle robe brillante. Il est fin et bien typé au nez, d'une belle nervosité au palais. C'est un vin de garde prometteur.

➥ Cave Vinicole de Hunawihr, B.P. 51, Hunawihr, 68150 Ribeauvillé, tél. 89.73.61.67 ⊻ r.-v.

RENE KLEIN ET FILS 1986*

| | 0,50 ha | | 6 000 | ⊞ ↓ ▣ 1 |

Ce vin, issu d'un terroir granitique, a été élaboré avec une technique faisant notamment appel à la thermorégulation et destinée à privilégier ses caractères aromatiques. Il se présente sous une robe jaune-vert brillante et développe

précisément un fruité très agréable au nez. En bouche, il est nerveux comme le sont les 86, et harmonieux. Il est le compagnon idéal des repas traditionnels.

→ GAEC René Klein et Fils, rue du Haut-Koenigsbourg, 68590 Saint-Hippolyte, tél. 89.73.00.41 ⊤ r.-v.

KUENTZ-BAS Cuvée Tradition 1986**

3 ha   30 000

Dans cette maison de longue tradition, rien n'est laissé au hasard. Ce pinot est le fruit d'un assemblage subtil à raison de 80% d'auxerrois et de 20% de pinot blanc vrai. Cela lui permet d'exprimer un bouquet très fin au caractère floral et ample. En bouche, il est rond, bien constitué et d'un très bon équilibre.

→ Kuentz-Bas SA, 14, rte du Vin, 68420 Husseren-les-Châteaux, tél. 89.49.30.24 ⊤ r.-v.

ROBERT SCHOFFIT 1986***

1 ha   7 000

Issu d'une vigne de vingt ans implantée sur un terroir caillouteux du cône de déjection de la Fecht, voici un pinot à la fois expressif et de grande maturité. C'est le produit d'une récolte baignée de chaleur et de soleil. Il présente des reflets jaune-vert brillants, révèle un excellent équilibre malgré une certaine rondeur.

→ M. Robert Schoffit, 27, rue des Aubépines, 68000 Colmar, tél. 89.41.69.45 ⊤ t.l.j; sf dim. 9h-12h 14h-18h; f. fin août

ALBERT MANN Auxerrois 1986*

0,75 ha   4 000

Ce pinot composé exclusivement d'auxerrois est issu d'une vigne peu productive, située sur un terroir argilo-calcaire. Avec ses reflets jaune-vert à l'œil, il développe des arômes amples et corsés très typiques. En bouche, on apprécie la grande matière première qui s'exprime derrière un caractère sec et chaleureux.

→ M. Albert Mann, 13, rue du Château, 68000 Colmar, tél. 98.80.62.00 ⊤ t.l.j; 8h-12h 13h-19h.

ANDRE THOMAS ET FILS 1986

0,60 ha   5 000

Ce pinot, originaire d'un sol graveleux alluvial, semble pourtant très jeune. D'une belle robe brillante jaune-vert, il est encore fermé au nez et léger au palais. C'est un vin gouleyant qui pourra trouver sa place sur les repas légers.

→ MM. André Thomas et Fils, 3, rue des Seigneurs, 68770 Ammerschwihr, tél. 89.78.25.70 ⊤ r.-v.

ALBERT MAURER 1986***

0,80 ha   6 500

Voici un produit issu d'une vigne au rendement très limité, ce qui est à mettre en rapport avec la grande maturité atteinte par la matière première et le caractère original du vin. A l'œil, il présente des reflets agréables. Il développe des arômes intenses, légèrement épicés tout à fait particuliers et révèle un excellent équilibre.

→ M. Albert Maurer, 11, rue du Vignoble, Eichhoffen, 67140 Barr, tél. 88.08.96.75 ⊤ r.-v.

CAVE VINICOLE DE TURCKHEIM Val Saint-Grégoire 1986***

n.c.   35 000

Voici un pinot de grande maturité issu des terroirs granitiques de la vallée de Munster. En outre, il a été vinifié de façon irréprochable. D'une belle robe jaune-vert brillante, il développe des arômes fins et bien typés, et présente un caractère plein et corsé au palais.

→ Cave Vinicole de Turckheim, rue des Tuileries, 68230 Turckheim, tél. 89.27.06.25 ⊤ r.-v.

CH. D'ORSCHWIHR 1986*

0,95 ha   n.c.

Ancienne propriété des Habsbourg, le château fortifié bâti au XIIIᵉ s., remanié au XVIᵉ s., fut détruit dans un incendie en 1934. Mais il reste les douves très calcaire, les tours et un pont d'accès en pierre. A l'image du château, ce pinot blanc se caractérise par sa puissance. Venu d'un terroir argilo-calcaire, il se pare d'une belle robe jaune-vert. A l'œil, il présente déjà une certaine évolution qui amplifie son caractère et sa charpente.

→ M. Hubert Hartmann, rue du Centre, Ch. d'Orschwihr Orschwihr, 68500 Guebwiller, tél. 89.74.25.00 ⊤ t.l.j; sf dim. 10h-18h.

CAVE VINICOLE DU VIEIL ARMAND 1986***

0,80 ha   6 000

La Cave du Vieil Armand est la première coopérative vinicole que l'on rencontre quand on aborde le vignoble par le sud. Elle présente un pinot très type. Derrière une robe encore pâle, on découvre une explosion d'arômes qui ne perdent pourtant rien en finesse. En bouche, on est conquis par la finesse toujours, la rondeur et le caractère corsé de ce vin.

→ Cave Vinicole du Vieil Armand, 1, rte de Cernay, 68360 Soultz-Wuenheim, tél. 89.76.73.75 ⊤ r.-v.

AIME SCHAFFAR Vieilles Vignes 1986

0,30 ha   2 000

Il est dans « e Rothenberg, c'est-à-dire sur un terroir calcaire rouge (Rothenberg veut dire « montagne rouge », du fait de la haute teneur en fer de sa pierre, très rare en Alsace). Fruit d'une vieille vigne de quarante-quatre ans, il est encore très jeune. D'une robe jaune-vert brillante, il est plutôt discret au nez, léger au palais.

→ M. Aimé Schaffar, 126, rue Clemenceau, Wintzenheim, 68000 Colmar, tél. 89.27.02.12 ⊤ r.-v.

JEAN WACH Auxerrois 1986*

0,80 ha   6 000

La robe aux reflets jaune-vert témoigne de la jeunesse de ce vin qui exhale des arômes floraux. L'équilibre est classique du millésime 86. Frais, vif fin et désaltérant.

→ M. Jean Wach, 16a, rue du Mal-Foch, Andlau, 67140 Barr, tél. 88.08.(09.73 ⊤ t.l.j; 9h-12h 14h-17h.

ment fine. Mais pour attendre cette apogée, il devra provenir d'une bonne situation.

Le riesling a essaimé dans de nombreux autres pays viticoles, où l'on précise «riesling rhénan», n'est pas totalement fiable : une dizaine d'autres cépages ont, de par le monde, été baptisés de ce nom! Du point de vue gastronomique, le riesling convient tout particulièrement aux poissons, aux fruits de mer et, bien entendu, à la choucroute garnie à l'alsacienne ou au coq au riesling. Si 1984 est une année qualitativement moyenne, 1983 était remarquable, 1982, bonne; en deçà, années moyennes. 1983 et 1984 peuvent commencer à être bues.

DOM. LUCIEN ALBRECHT
Clos Himmelreich 1986 **

1,50 ha   n.c.

Issu d'une vigne de vingt-cinq ans implantée sur calcaire, voici un riesling encore jeune, qui ne demande qu'à bien vieillir et exprime déjà des arômes fruités et harmonieux. Bien équilibré, il est à consommer avec les poissons les plus raffinés.

☞ Dom. Lucien Albrecht, 9, GrandRue, Orschwihr, 68500 Guebwiller, (tél. 89.76.95.18 ⵜ t.l.j. sf dim. 8h-11h30 14h-17h.

COOP. VINICOLE D'ANDLAU 1986 **

n.c.

Un riesling qui allie la typicité aromatique propre au millésime 86 à une maturité digne d'une bien grande année. Sous une belle robe jaune intense, il développe des arômes fins et légèrement muscatés. Très équilibré, il est persistant et pourra se conserver quelques années.

☞ Coop. Vinicole d'Andlau, 15, av. des Vosges, 67140 Barr, tél. 88.08.90.53 ⵜ r.-v.

J. BECKER Hagenschlauf 1986

1,58 ha   14 000

Ce riesling est le fruit d'un terroir argileux plutôt profond, connu pour son aptitude à donner des vins de garde. Vin de garde, il l'est assurément. D'une belle robe jaune soutenu, il développe des arômes intenses, fins et fruités, et se caractérise en bouche par une nervosité et une typicité dans la lignée du millésime.

☞ J. Becker SA, 4, rte d'Ostheim, Zellenberg, 68340 Riquewihr, tél. 89.47.90.16 ⵜ r.-v. ☞ M. Jean-Jacques Becker.

VITICULTEURS REUNIS DE BENNWIHR Rebgarten 1986 **

27 ha   20 000

Le village a été détruit intégralement en 1945 par les violents combats de la poche de Colmar. Tous les viticulteurs décidèrent alors de s'unir

ANDRE WANTZ 1986 *

1,31 ha   5 000

Originaire d'un terroir argilo-calcaire, ce pinot bien typé est le fruit d'une récolte peu abondante. C'est un vin de garde comme le laisse déjà entrevoir sa belle robe aux nuances jaune-vert, sa finesse et sa fraîcheur, et comme le confirme son excellent équilibre.

☞ M. André Wantz, 1, rue Neuve, Mittelbergheim, 67140 Barr, tél. 88.08.00.41 ⵜ r.-v.

CHARLES WANTZ 1986

n.c.   18 000

D'une belle robe jaune clair, ce pinot développe des arômes d'une bonne typicité associés à un caractère légèrement boisé. En bouche, il témoigne déjà d'une certaine évolution.

☞ M. Charles Wantz, 36, rue Saint-Marc, 67140 Barr, tél. 88.08.90.44 ⵜ t.l.j. sf dim. 8h-12h 14h-17h30.

BERNARD WEBER Auxerrois 1986 *

0,50 ha   2 000

Issu d'un terroir de calcaire coquillier, ce vin est composé exclusivement d'auxerrois. Il lance des reflets vert pâle, signe de jeunesse. Déjà ouvert au nez, pourtant, il développe des arômes francs et intenses. C'est un pinot élégant, d'une bonne fraîcheur, typique du millésime.

☞ M. Bernard Weber, 49, rue de Saverne, 67120 Molsheim, tél. 88.38.52.67 ⵜ r.-v.

CAVE VINICOLE DE WESTHALTEN Strangenberg 1986 *

5 ha   20 000

Issu d'un terroir très calcaire puisqu'il repose sur un substrat de calcaire coquillier, ce pinot est très séduisant dans sa robe intense. Au nez, il est assez fruité. En bouche, plutôt léger et bien équilibré.

☞ Cave Vinicole de Westhalten, 52, rue de Soutzmatt, 68250 Westhalten, tél. 89.47.01.27 ⵜ t.l.j. 8h-12h 14h-18h ; f. juil.

Alsace riesling

Le riesling est le cépage rhénan par excellence, et la vallée du Rhin est son berceau. Il s'agit d'une variété tardive pour la région, et sa production est régulière et bonne. Il occupe près de 20 % du vignoble.

Le riesling alsacien est un vin sec, ce qui le différencie de façon générale de son homologue allemand. Ses atouts résident dans l'harmonie entre son bouquet et son fruit délicats, son corps et son acidité assez prononcée mais extrême-

pour bâtir une grande cave coopérative qui rassemble aujourd'hui la production de 320 hectares de vignes. Ce riesling aux reflets jaunes et brillants développe des arômes fins et fruités. Très typé, équilibré et harmonieux, c'est un vin prometteur.

♠ Viticult. Réunis à Bennwihr, 3, rue du Gal-de-Gaulle, 68630 Bennwihr, tél. 89.47.90.27 T.l.j; 9h-11h30/14h-17h30.

BERNHARD-REIBEL
Dom. Weingarten 1986***

0,80 ha   3 000

Le terroir est granitique et semble faire écho aux pentes du clocher de Chatenois. Encore un peu fermé au nez mais très fin, voici un riesling de grande race. En bouche, il s'avère riche, puissant et chargé de promesses. A recommander en association avec les préparations les plus raffinées.

♠ Bernhard-Reibel, 14, rue de Lorraine, 67730 Chatenois, tél. 88.82.04.21 T.r.v.

PATRICK BEYER Pflanzer 1986*

0,89 ha   8 000

Ce vin est issu du Pflanzer, lieu-dit bien exposé au sud du village. Derrière une belle robe limpide, il développe ses arômes typiques. Il se caractérise par un équilibre très harmonieux marqué par une pointe de rondeur. Un vin prêt à la consommation.

♠ M. Patrick Beyer, 27, rue des Alliés, 67680 Epfig, tél. 88.85.50.21 T.r.v.

PAUL ET JEROME BRANDNER
Cuvée Saint-Urbain 1986*

0,60 ha   5 600

Issu d'un terroir argilo-calcaire, ce riesling est tout à fait caractéristique du millésime. Fin et fruité au nez, il est marqué par une certaine vivacité en bouche qui exacerbe ses arômes. Un vin sec, prêt à boire, qui accompagnera très bien une bonne choucroute.

♠ MM. Paul et Jérôme Brandner, 51, rue Principale, Mittelbergheim, 67140 Barr, tél. 88.08.01.89 T.r.v.

GAEC FRANCOIS BRAUN ET FILS Bollenberg 1986

1,60 ha   13 000

Le Bollenberg, qui signifie littéralement « montagne de pierre », est une colline calcaire particulièrement sèche, connue pour sa flore aux tendances méditerranéennes et alpines. Cette exploitation familiale présente un riesling encore très jeune aux arômes plutôt fermés et discrets. Bien équilibré, il devrait s'épanouir après quelques années de vieillissement.

♠ GAEC François Braun et Fils, 19-21, Grand'Rue, Orschwihr, 68500 Guebwiller, tél. 89.76.95.13 T.l.j; sf dim. 8h-12h 13h30-19h.

JEAN-LOUIS DIRRINGER 1986*

0,48 ha   3 500

Distinguée lors de la sélection des cuvées du cinquantenaire de l'INAO par son riesling 83, la maison Dirringer présente aujourd'hui son millésime 86, issu d'un terroir granitique. Il est fin, très développé au nez, bien structuré malgré une

JEAN-PAUL ECKLE ET FILS 1986

0,50 ha   5 300

Originaire d'une vieille vigne établie sur un terroir sablonneux-calcaire, ce riesling brille d'un éclat jaune pâle. Il est fin et fruité au nez, légèrement muscaté, d'une grande vivacité au palais, dans la lignée du millésime.

♠ GAEC Jean-Paul Eckle et Fils, 29, Grand'Rue, Katzenthal, 68230 Turckheim, tél. 89.27.09.41 T.l.j; 8h-12h 13h-19h.

RAYMOND ENGEL 1986

1,30 ha   18 000

Issu d'un terroir léger d'origine granitique, ce riesling développe des arômes fins et floraux. Il est très séduisant au nez. En bouche, il est marqué par une bonne charpente associée à une pointe d'acidité qui lui donne une bonne tenue.

♠ GAEC Raymond Engel et Fils, 1, rue du Vin, Orschwiller, 67600 Sélestat, tél. 88.92.01.83 T.l.j; 8h-12h 14h-18h.

FREY-SOHLER 1986

9,70 ha   55 000

Issu des pentes dominées par la masse importante du château de l'Ortenbourg, ce riesling est marqué par son origine granitique. Fin et relativement discret au nez, il se révèle plus opulent au palais. Son fruité au nez alors soutenu par une fraîcheur agréable. Un vin équilibré et harmonieux.

♠ Frey-Sohler, 72, rue de l'Ortenbourg, 67750 Scherwiller, tél. 88.92.10.13 T.l.j; 8h-12h 13h-19h.

ARMAND GILG ET FILS
Mittelbergheim 1986***

1 ha   100 000

Il n'y a qu'en Alsace que l'on peut trouver des produits de cette classe à un prix aussi imbattable. Ce riesling fait rimer finesse et intensité, aussi bien au nez qu'au palais. Très harmonieux, il et à consommer dès à présent mais aussi, avec la patine du temps, dans les grandes occasions.

♠ GAEC Armand Gilg et Fils, 2-4, rue Rotland, Mittelbergheim, 67140 Barr, tél. 88.08.92.76 T.l.j; sf dim. 8h-12h 13h30-18h; f. dim. a.-m.

PAUL GINGLINGER
Cuvée Drei Exa 1986*

1,30 ha   13 000

Paul Ginglinger est le descendant d'une lignée de viticulteurs établis à Eguisheim depuis 1610. Il présente une sélection de ses meilleurs terroirs argilo-calcaires : un riesling bien fruité au nez, déjà évolué au palais, plutôt souple, au total, d'une très belle harmonie.

♠ M. Paul Ginglinger, 8, pl. Charles-de-Gaulle, 68420 Eguisheim, tél. 89.41.44.25 T.r.v.

WILLY GISSELBRECHT ET FILS 1986**

4,20 ha   17 000

Implantés à Dambach-la-Ville, l'une des plus

certaine rondeur au palais. C'est un riesling de bonne race.

♠ M. Jean-Louis Dirringer, 5, rue Mal-Foch, 67650 Dambach-la-Ville, tél. 88.92.41.51 T.r.v.

grandes communes viticoles d'Alsace, les Gisselbrecht sont viticulteurs depuis de nombreuses générations. Ce n'est qu'en 1936 qu'ils ajoutèrent un rôle de négoce à leur activité traditionnelle. Ils présentent un riesling aux arômes riches et élégants, fruit d'une belle matière, équilibré et bien charpenté.
→ MM. Willy Gisselbrecht et Fils, 3a, rte du Vin, 67650 Dambach-la-Ville, tél. 88.92.41.02 ℤ r.-v.

JOSEPH GSELL 1986   V 2
n.c.   12 000

Voici un riesling encore jeune, comme en témoigne sa robe encore très claire. Au nez, il développe un fruité discret. En bouche, il est dominé par une nervosité typique du millésime.
→ M. Joseph Gsell, 26, Grand-Rue, 68500 Orschwihr, tél. 89.76.95.11 ℤ r.-v.

BERNARD HAEGI Brandluft 1986   V 2
0,24 ha   3 500

Bien que récolté sur un terroir argilo-calcaire, ce riesling est déjà bien ouvert et typé. D'une belle finesse au nez, il développe des arômes assez intenses. Il est équilibré et harmonieux.
→ M. Bernard Haegi, 33, rue de la Montagne, Mittelbergheim, 67140 Barr, tél. 88.08.95.80 ℤ r.-v.

J. HAULLER ET FILS   V 3
Cuvée Saint-Sébastien 1986
2,70 ha   23 000

Voici un riesling tout en finesse venu d'un terroir granitique. Il est fin et floral, vif et bien équilibré. À sa bonne harmonie lui permet d'accompagner poissons ou fruits de mer.
→ MM. J. Hauller et Fils, 18, rue de la Gare, 67650 Dambach-la-Ville, tél. 88.92.40.21 ℤ t.l.j. sf dim. 8h-12h 14h-17h30.

JEAN-VICTOR HEBINGER ET FILS 1986   V 2
0,50 ha   4 000

Agréable à l'œil, ce riesling développe un fruité caractéristique au nez. En bouche, il apparaît fruité et plutôt rond pour le millésime. C'est dans l'ensemble un vin harmonieux.
→ MM. J.-V. Hebinger et Fils, 14, Grand'Rue, 68420 Eguisheim, tél. 89.41.19.90 ℤ r.-v.

ALBERT HERTZ-MEYER 1986   V 1
0,60 ha   6 000

Agréable à l'œil, ce vin a été élaboré par l'un des pionniers de la mise en bouteille à la propriété à Eguisheim. D'une belle couleur, c'est un riesling déjà bien expressif, agréable au nez et très harmonieux au palais.
→ M. Albert Hertz-Meyer, 3, rue du Riesling, 68420 Eguisheim, tél. 89.41.30.32 ℤ r.-v.

ERNEST HORCHER ET FILS 1986*   V 4
0,70 ha   n.c.

Issu d'un sol léger de nature silicieuse, voici un riesling déjà très épanoui. Il présente des reflets dorés à l'œil et développe des arômes bien fruités. D'un bon équilibre au palais, il devrait s'accorder avec une choucroute ou une truite aux amandes.
→ MM. Ernest Horcher et Fils, 6, rue du Vignoble, Mittelwihr, 68630 Bennwihr, tél. 89.47.93.26 ℤ r.-v.

CAVE VINICOLE DE HUNAWIHR   V 3
Réserve 1986*
50 ha   100 000

Issu de sols argilo-calcaires de texture assez lourde, c'est un riesling d'évolution lente qui devrait se conserver de nombreuses années. Il laisse déjà deviner une certaine complexité aromatique type «fruits exotiques» et se montre équilibré.
→ Cave Vinicole de Hunawihr, 68150 Ribeauvillé, tél. 89.73.61.67 ℤ r.-v.

CAVE VINICOLE D'INGERSHEIM Steinweg 1986   V 3
n.c.   35 000

Créée en 1926, la coopérative d'Ingersheim est la plus proche de Colmar. Ce riesling de terroir granitique est léger, relativement évolué comme le montre sa robe d'un jaune soutenu. Fin et fruité au nez, sa bouche est marquée par une certaine rondeur.
→ Cave Vinicole d'Ingersheim, 45, rue de la République, Ingersheim, 68000 Colmar, tél. 89.27.05.96 ℤ r.-v.

JOS. MEYER ET FILS   V 4
Les Pierrets 1986*
0,70 ha   6 000

Issu de sols légers d'origine alluviale et granitique, voici un riesling très caractéristique du millésime 86. Agréable à l'œil par sa brillance et sa limpidité, il développe au nez des arômes fins et fruités. En bouche, il est marqué par une nervosité qui en fait le compagnon indispensable des poissons ou crustacés.
→ MM. Jos. Meyer et Fils, 76, rue Clemenceau, Wintzenheim, 68000 Colmar, tél. 89.27.01.57 ℤ r.-v.
→ M. Jean Meyer.

DOM. KIEFFER 1986*   V 2
0,27 ha   3 000

Itterswiller, charmante cité véritablement incrustée dans le vignoble, est devenue un centre attractif très important. Les Kieffer y sont installés dans une vieille cave datant de 1607. Leur riesling 86, bien typé, d'un beau fruité, est conforme au millésime. Un vin à consommer encore jeune.
→ Dom. Kieffer, 76, rte du Vin, Itterswiller, 67140 Barr, tél. 88.85.50.22 ℤ t.l.j. sf dim. 8h-12h 13h-19h.
→ MM. François Kieffer et Fils.

DOM. KIEFFER   V 2
Cuvée Particulière 1986**
0,35 ha   4 000

Un riesling déjà très ouvert, qui développe des arômes fruités très intenses. Bien équilibré, avec une longue persistance, il paraît consommé dès maintenant, mais peut aussi être conservé sans risque de longues années.

KUEHN Baron de Schiele 1985

0,84 ha	6 200

Une maison solide fondée en 1675 et dont les fameuses caves voûtées furent édifiées par le baron de Schiele. Son riesling à la robe séduisante d'un jaune soutenu est encore discret au nez, mais très harmonieux en bouche par sa rondeur liée à la bonne maturité du raisin.
• Vins d'Alsace Kuehn, 3 Grand'Rue, 68770 Ammerschwihr, tél. 89.78.23.16 ☎ lu. ma. me. je. ve. 8h-12h 13h-18h.

GERARD LANDMANN 1986*

1 ha	10 000

Ce riesling séduit l'œil par sa robe élégante. Issu d'un terroir sablonneux, il est bien typé, et montre une bonne harmonie. Il devrait se bonifier avec le temps.
• M. Gérard Landmann, 124, rue du Vin, Nothalten, 67680 Epfig, tél. 88.92.43.96 ☎ r.-v.

JEAN-PAUL MAULER 1986

0,50 ha	n.c.

Encore jeune comme en témoigne son fruité discret au nez, ce riesling est né sur un terroir argilo-sablonneux. En bouche, il est vif, bien typé, et devrait s'affirmer davantage avec l'âge.
• M. Jean-Paul Mauler, 3, pl. des Cigognes, Mittelwihr, 68630 Bennwihr-Mittelwihr, tél. 89.47.93.23 ☎ t.l.j. 8h-12h 14h-19h ;

FRANCOIS ET ROBERT MUHLBERGER Clos Philippe Grass 1986*

2 ha	10 000

A Wolxheim, le riesling se sent parfaitement chez lui. Napoléon 1er n'était-il pas l'un de ses plus illustres défenseurs ? Originaire d'un terroir sablonneux de nature gréseuse, voici un riesling très expressif. Il dégage beaucoup de finesse au nez, et une grande intensité d'arômes en bouche. Déjà prêt, il devrait évoluer favorablement au cours du vieillissement.
• GAEC F. et R. Muhlberger, 1, rue de Strasbourg, Wolxheim, 67120 Molsheim, tél. 88.38.10.33 ☎ r.-v.

CAVE VINICOLE D'OBERNAI 1986

n.c.	50 000

Ce riesling est le résultat d'une sélection de vendanges originaires de différents terroirs. Limpide, il développe des arômes fruités bien typés. Il est plutôt souple et goulayant au palais. Un produit facile à associer à la gastronomie.
• Cave Vini. Divinal d'Obernai, 30, rue du Gal-Leclerc, 67210 Obernai, tél. 88.95.61.18 ☎ r.-v.

OSTERTAG Vignoble d'Epfig 1986*

1 ha	4 000

La typicité du millésime et du terroir argilo-sableux : derrière une robe de belle intensité, il laisse apparaître des arômes fruités. En bouche, il possède une bonne nervosité qui fait de lui un vin à conserver et à recommander sur les produits de la mer.
• Dom. Ostertag, 87, rue Finkwiller, 67680 Epfig, tél. 88.85.51.34 ☎ r.-v.

CAVE COOP. DE RIBEAUVILLE 1986

41 ha	100 000

La cave coopérative de Ribeauvillé a été fondée en 1895. Elle peut légitimement se vanter d'être la plus ancienne de France. Ce riesling déjà très ouvert offre des arômes francs mais déjà un peu évolués. Il se révèle souple et légèrement moelleux au palais.
• Cave Coop. de Ribeauvillé, 2, rte de Colmar, 68150 Ribeauvillé, tél. 89.73.61.80 ☎ t.l.j. 10h-12h 14h-17h ; f. sam. et dim. en janv., fév. et mars

ANDRE RIEFFEL Brandluft 1986*

0,60 ha	4 000

Le Brandluft est un terroir particulièrement calcaire puisqu'il donna lieu dans le passé à l'ouverture d'une carrière de pierre. Ce riesling paraît encore relativement jeune. Bien fruité au nez, il est relativement discret au palais mais bien équilibré et chargé de promesses.
• M. André Rieffel, 11, rue Principale, Mittelbergheim, 67140 Barr, tél. 88.08.95.48 ☎ t.l.j. sf dim. 9h-11h 14h-18h.

ANDRE RIEFFEL Vendanges Tardives 1985*

0,20 ha	1 000

Le riesling se prête parfaitement à l'obtention de vendanges tardives. Cépage de maturation lente, il marie de manière remarquable les arômes de fleurs et le caractère de surmaturation. L'acidité de support lui assure ensuite une très bonne évolution. Ce millésime de couleur jaune d'or très intense a un fruité fin et très expressif. Corsé et généreux au palais, il est assoupli par un moelleux très agréable. Beau vin.
• M. André Rieffel, 11, rue Principale, Mittelbergheim, 67140 Barr, tél. 88.08.95.48 ☎ t.l.j. sf dim. 9h-11h 14h-18h.

DOM. JOSEPH RIEFLE ET FILS Gaenzbrunnen 1986**

1 ha	10 000

Le domaine Rieflé présente là un remarquable vin de garde. Dans sa jeunesse, il exhale des arômes rappelant la citronnelle, qui devraient évoluer vers des senteurs minérales. C'est un riesling nerveux au palais, de très bonne tenue.
• Dom. Joseph Rieflé et Fils, 11, pl. de la Mairie, Pfaffenheim, 68250 Rouffach, tél. 89.49.62.82 ☎ t.l.j. sf dim. 8h-12h 14h-18h.

A. RUHLMANN ET FILS 1986*

0,50 ha	5 000

Charmant petit village blotti au pied des Vosges, Reichsfeld vaut bien un détour. On y rencontre des vins originaux liés à la nature schisteuse du terroir. Ce riesling développe des arômes intenses et se révèle très complet, plutôt rond.
• GAEC A. Ruhlmann et Fils, 35, rue Principale, Reichsfeld, 67140 Barr, tél. 88.85.51.65 ☎ r.-v.

SOCIETE VINICOLE SAINTE-ODILE Clos Sainte-Odile 1986*

□ | n.c. | 10 000 | ⊞ ↓ 🗹 3

Sainte Odile, protectrice de l'Alsace, est chère au cœur des habitants d'Obernai, cité millénaire bâtie au pied du mont qui porte son nom. Ils ont choisi le meilleur coteau de la commune pour implanter et lui dédier ce Clos. Voici un riesling qui combine élégamment typicité et maturité. Très fruité au nez, il est équilibré au palais, déjà ouvert, muni d'une très bonne tenue qui en fera un bon vin de garde.

☞ Sté Vini. et Dist. Ste-Odile, 3, rue de la Gare, 67210 Obernai, tél. 88.95.50.23 ⏃ r.-v.

MICHEL SCHOEPFER 1986

□ | 0,30 ha | 3 000 | ⊞ ↓ 2

Le siège de l'exploitation est situé dans l'ancienne cour dîmière de la charmante cité médiévale d'Eguisheim, connue pour son architecture défensive très pittoresque. Elle présente un riesling fin et fruité au nez, jeune et marqué par une nervosité typique du millésime au palais. Un produit harmonieux, recommandé sur les crustacés.

☞ M. Michel Schoepfer, 43, Grand'Rue, Eguisheim, 68420 Herrlisheim-près-Colmar, tél. 89.41.09.06 ⏃ t.l.j. 8h-12h 14h-18h.

PAUL SCHWACH Sélection 1985**

□ | 1,75 ha | 15 000 | ⊞ 🗹 2

Originaire d'un terroir composé d'un mélange de calcaire et de silice, voici un riesling fin, très floral, qui en porte manifestement l'empreinte. Nerveux, il est encore jeune pour un 85. On est donc en droit d'attendre une excellente tenue au vieillissement.

☞ M. Paul Schwach, 30 et 32, rte de Bergheim, 68150 Ribeauvillé, tél. 89.73.62.73 ⏃ t.l.j. 8h-12h 14h-19h.

COOP. VINICOLE DE SIGOLSHEIM 1986

□ | 5 ha | 50 000 | ⊞ ↓ 🗹 3

La sélection de riesling originaires des terrains argilo-calcaires de la commune est brillante à l'œil, fruitée au nez et d'un bon équilibre en bouche. Ce produit est bien typé.

☞ SCV de Sigolsheim, 12, rue Saint-Jacques, Sigolsheim, 68240 Kaysersberg, tél. 89.47.12.55 ⏃ t.l.j. 9h-11h 14h-17h.

SIPP-MACK Réserve 1986***

□ | 2,10 ha | 14 000 | ⊞ ↓ 🗹 2

On peut apprécier ici l'influence d'une vendange de faible rendement et de haut degré, puisqu'à la récolte, les raisins titraient plus de 11° d'alcool probable. Cette excellente maturité se retrouve dans l'expression très développée de ce riesling. Fin et floral au nez, il montre beaucoup de race et d'harmonie au palais. Un grand vin de garde.

☞ Sipp-Mack, 1, rue des Vosges, Hunawihr, 68150 Ribeauvillé, tél. 89.73.61.88 ⏃ t.l.j. 9h-12h 14h-18h ; f. janv.

ANDRE THOMAS ET FILS Kaefferkopf 1986

□ | 0,15 ha | 1 200 | ⊞ ↓ 🗹 3

Issu d'une vieille vigne établie sur un terroir granitique, voici un riesling très original. Le faible rendement n'y est certainement pas étranger. Il développe en effet des arômes particuliers qui rappellent les fruits exotiques au nez. En bouche, il est plutôt souple mais présente une constitution en rapport avec la matière première.

☞ MM. André Thomas et Fils, 3, rue des Seigneurs, 68770 Ammerschwihr, tél. 89.78.25.70 ⏃ r.-v.

CAVE VINICOLE DE TURCKHEIM La Décapole 1986**

□ | n.c. | 25 000 | ⊞ ↓ 🗹 3

La cave de Turckheim, dont le renom n'est plus à faire, présente ici une sélection de ses meilleurs riesling issue du terroir alluvial du cône de déjection de la Fecht. Dans une belle robe très soutenue, ce vin développe des arômes à la fois intenses et élégants. Il est équilibré et harmonieux au palais.

☞ Cave Vinicole de Turckheim, rue des Tuileries, 68230 Turckheim, tél. 89.27.06.25 ⏃ r.-v.

CAVE VINICOLE DU VIEIL ARMAND 1986***

□ | n.c. | n.c. | 🗹 2

Il porte assurément l'empreinte du terroir et développe un fruité très caractéristique. Racé, d'une grande harmonie, ce millésime pourra s'accorder à merveille avec les préparations culinaires les plus élaborées.

☞ Cave Vinicole du Vieil Armand, 1, rue de Cernay, 68360 Soultz-Wuenheim, tél. 89.76.73.75 ⏃ r.-v.

VIN D'ALSACE
APPELLATION ALSACE CONTROLEE

e 70cl

RIESLING
CAVE DU VIEIL ARMAND

CAVE VINICOLE DU VIEIL-ARMAND A SOULTZ-WUENHEIM (HT-RHIN)FRANCE
PRODUCT OF FRANCE

JEAN WACH 1986*

□ | 1,50 ha | 12 000 | ⊞ ↓ 🗹 2

Voici un riesling racé. Fin et très expressif, il se caractérise par un excellent équilibre. C'est un produit prêt à boire mais d'une telle maturité qu'il pourra satisfaire les amateurs de riesling plus âgé.

☞ M. Jean Wach, 16a, rue du Mal-Foch, Andlau, 67140 Barr, tél. 88.08.09.73 ⏃ t.l.j. 9h-12h 14h-17h.

Alsace muscat

Deux variétés de muscat servent à élaborer ce vin sec et aromatique qui donne l'impression que l'on croque du raisin frais. Le premier, dénommé de tout temps muscat d'Alsace, n'est rien d'autre que celui que l'on connaît mieux sous le nom de muscat de Frontignan. Comme il est tardif, on le réserve aux meilleures expositions. Le second, plus précoce et de ce fait plus répandu, est le muscat ottonel. Ces deux cépages occupent moins de 3 % du vignoble. Le muscat d'Alsace doit être considéré comme une spécialité aimable et étonnante, à boire en apéritif et lors de réceptions avec, par exemple, du kugelhof ou des bretzels alsaciens.

GERARD WAGNER 1986***
0,60 ha   50 000

Un riesling qui séduit déjà quand on le verse dans le verre. Il se présente en effet sous une robe d'une belle couleur. Au nez, il développe des arômes francs et intenses, et se caractérise en bouche par son équilibre et sa puissance. Un grand vin de garde.
☛ M. Gérard Wagner, 6, rue de la Chaîne, Andlau, 67140 Barr, tél. 88.08.02.89 ⊤ r.-v.

ALFRED WANTZ Mittelbergheim 1986**
1,50 ha   10 000

Ce riesling, issu d'un terroir sablonneux, a déjà atteint une bonne expression. Agréable à l'œil, il développe des arômes pleins et est marqué par une excellente harmonie et un caractère plutôt corsé. Un vin de garde destiné aux poissons et fruits de mer.
☛ Caves Alfred Wantz, 3, rue des Vosges, 67140 Mittelbergheim, tél. 88.08.91.43 ⊤ r.-v.
☛ MM. L. et J.-M. Wantz.

ALFRED WANTZ Vendanges Tardives 1985**
n.c.   1 200

Si le riesling évolue bien en vendanges tardives, il faut cependant remarquer que ce type de produit est assez rare. Celui-ci se caractérise par une excellente matière première.
☛ Caves Alfred Wantz, 3, rue des Vosges, 67140 Mittelbergheim, tél. 88.08.91.43 ⊤ r.-v.

ANDRE WANTZ 1986***
1,26 ha   10 000

On peut, bien sûr, se rendre chez André Wantz pour les vacances puisqu'il offre gîte rural et chambre d'hôtes. Mais on pourra s'y rendre surtout pour déguster ce riesling très typé : il développe déjà des arômes fruités et prometteurs. Remarquable par son intensité et sa persistance, il s'accordera parfaitement avec les produits de la mer.
☛ M. André Wantz, 1, rue Neuve, Mittelbergheim, 67140 Barr, tél. 88.08.00.41

ANDRE WITTMANN ET FILS 1986***
1,03 ha   10 000

Originaire d'un terroir argilo-calcaire, ce riesling a été vinifié dans une cave voûtée qui date de 1758, tout à fait rare en Alsace. Bien typé, très fruité au nez, il présente une bonne intensité en bouche et une longue persistance.
☛ M. André Wittmann, 7-9, rue Principale, Mittelbergheim, 67140 Barr, tél. 88.08.95.79 ⊤ r.-v.

JEAN-JACQUES ZIEGLER-MAULER 1986
0,65 ha   5 000

Ce riesling est déjà très expressif, ceci étant lié à l'excellente maturité de la matière première. Derrière une belle robe jaune brillante, il développe des arômes élégants. En bouche, il se révèle souple et gouleyant.
☛ M. Jean-Jacque Ziegler-Mauler, 2, rue des Merles, Mittelwihr, 68630 Bennwihr, tél. 89.47.90.37 ⊤ t.l.j, 8h-19h.

DOM. LUCIEN ALBRECHT 1986*
n.c.   n.c.

Un muscat encore jeune et pourtant très expressif, né sur sol argilo-calcaire. D'une belle robe aux nuances jaune doré, il est fin et fruité au nez. Mais c'est en bouche qu'il révèle toute son intensité. A noter, une très grande persistance. Un vin déjà agréable et qui se bonifiera encore.
☛ Dom. Lucien Albrecht, 9, Grand'Rue, Orschwihr, 68500 Guebwiller, tél. 89.76.95.18 ⊤ t.l.j. sf dim. 8h-11h30/14h-17h.

COOP. VINICOLE D'ANDLAU 1986*
n.c.   n.c.

Ce muscat est le fruit d'une sélection provenant de terroirs argilo-marneux. Le bouquet est fin, très développé, et donne l'impression de retrouver le goût du raisin frais. Au palais, on est séduit par la sensation d'harmonie à mettre en rapport avec la qualité de la matière première.
☛ Coop. Vinicole d'Andlau, 15, av. des Vosges, 67140 Barr, tél. 88.08.90.53 ⊤ r.-v.

CLAUDE BLEGER 1986*
0,18 ha   1 900

Obtenu sur les pentes dominées par le château du Haut-Kœnigsbourg, voici le produit d'un sol argileux assez profond. Derrière une belle robe jaune pâle, il développe des arômes floraux très délicats. En bouche, il se caractérise par une bonne vivacité, qui en fait un muscat paré pour le vieillissement.

↝ M. Claude Bléger, 23, Grand'Rue, Orschwiller, 67600 Sélestat, tél. 88.92.32.56 ⌶ t.l.j. 8h-20h.

CAVE VINICOLE DE DAMBACH-LA-VILLE 1986 [V 2]

n.c.   n.c.

Un muscat au bouquet déjà ouvert et développé, produit d'une vinification assez rapide. En bouche, il est marqué par une pointe de sucre résiduel qui le fera plutôt recommander comme un vin de dessert!

↝ Cave vini. de Dambach-la-Ville, 2, rue de la Gare, 67650 Dambach-la-Ville, tél. 88.92.40.03 ⌶ r.-v.

DOPFF ET IRION Les Amandiers 1986* [▮ V 3]

1,05 ha   13 000

La maison Dopff et Irion a élu domicile dans la charmante cité médiévale de Riquewihr, perle du vignoble, qui a su garder intact ses vieux remparts. Cela ne l'empêche pas de réserver le meilleur accueil aux visiteurs du XXᵉ s., notamment quand ils viennent déguster ce muscat au bouquet très floral, fin et équilibré.

↝ Dopff et Irion SA, Au Ch. de Riquewihr, 68340 Riquewihr, tél. 89.47.92.51 ⌶ t.l.j. 9h-19h; f. janv., fév.

JEAN-PAUL ECKLÉ ET FILS 1986*** [▮ ↓ 3]

n.c.   3 550

Voici un muscat éclatant comme a su nous en donner ce millésime 86. D'une belle robe jaune discrète, il développe des arômes typés très soutenus et tout en finesse. En bouche, on est séduit par la concentration de la matière première et une belle harmonie. A recommander en apéritif, pour épater les amis.

↝ GAEC Jean-Paul Ecklé et Fils, 29, Grand'Rue, Katzenthal, 68230 Turckheim, tél. 89.27.09.41 ⌶ t.l.j. 8h-12h 13h-19h.

CAVE VINICOLE D'EGUISHEIM 1986** [V 2]

n.c.   n.c.

Fondée au début de ce siècle, la cave vinicole d'Eguisheim a réalisé récemment de gros investissements pour renforcer la maîtrise de ses vinifications. D'une robe couleur paille, ce muscat développe des arômes de rose et de jasmin très intenses. C'est un vin bien structuré et de longue persistance, en un mot très prometteur.

↝ Cave Vinicole d'Eguisheim, 6, Grand'Rue, Eguisheim, 68420 Herrlisheim, tél. 89.41.11.06 ⌶ r.-v.
↝ M. Wolfberger.

RAYMOND ENGEL 1986* [⬤ ↓ 2]

0,45 ha   6 000

Ce vin est le fruit d'un assemblage de 50% de muscat ottonel, et de 50% de muscat d'Alsace, connu pour sa charpente. Le résultat est conforme à nos espérances. Fin et floral au nez, il est marqué en bouche par un bel équilibre et une longue persistance.

↝ GAEC Raymond Engel et Fils, 1, rte du Vin, Orschwiller, 67600 Sélestat, tél. 88.92.01.83 ⌶ t.l.j. 8h-12h 14h-18h.

ARMAND FAHRER 1986* [▸ V 3]

0,67 ha   4 000

Voici un muscat marqué par son origine granitique. En effet, il est très ouvert et ses arômes sont dominés par une note florale. Assez corsé, équilibré et harmonieux, il est à recommander sur les asperges.

↝ M. Armand Fahrer, 24, rte du Vin, 6890 Saint-Hippolyte, tél. 89.73.00.40 ⌶ t.l.j. 9h-11h30 13h-18h; f. dim. de nov. à fin mars sur r.-v.

PIERRE-HENRI GINGLINGER 1986* [⬤ V 2]

0,67 ha   5 000

Bien qu'issu d'un terroir argilo-calcaire, ce muscat est déjà très ouvert. Son passage en fût de chêne n'y est certainement pas étranger. Derrière une robe jaune doré très soutenue, il développe des arômes fins et intenses, complexes en bouche, avec une pointe de rondeur et une bonne persistance. Un vin d'apéritif ou de dessert.

↝ M. Pierre-Henri Ginglinger, 4 et 33, Grand-rue, Eguisheim, 68420 Herrlisheim, tél. 89.41.32.55 ⌶ r.-v.

ALBERT HERTZ-MEYER 1986 [⬤ V 2]

0,30 ha   3 000

Jaune clair, ce muscat développe des arômes floraux fins et discrets, et se caractérise par une pointe de rondeur et une longue persistance. Il reste dans une phase de jeunesse mais devrait évoluer favorablement.

↝ M. Albert Hertz-Meyer, 3, rue du Riesling, 68420 Eguisheim, tél. 89.41.30.32 ⌶ r.-v.

BRUNO HUNOLD 1986 [⬤ ↓ V 2]

0,64 ha   7 000

Encore très jeune, plutôt fermé au nez, il est marqué par son terroir calcaire. En bouche, par contre, il se révèle plus expressif et se caractérise en outre par une pointe de douceur et une bonne persistance qui en fera l'allié des desserts.

↝ M. Bruno Hunold, 29, rue aux Quatre-Vents, 68250 Rouffach, tél. 89.49.60.57 ⌶ t.l.j. sf dim. 8h-12h 13h-18h.

CAVE VINICOLE D'INGERSHEIM Réserve Jean Geiler 1986* [▮ V 3]

n.c.   12 000

Ce muscat est le fruit d'une sélection de parcelles argilo-calcaires. D'une jolie couleur dorée, il séduit également par ses arômes expres-

sifs. Bien structuré et de grande persistance, il possède encore l'éclat de la jeunesse.
↳ Cave Vinicole d'Ingersheim, 45, rue de la République, Ingersheim, tél. 89.27.05.96 Y r.-v.

JOS. MEYER ET FILS
Les Fleurons 1986 **

| 1 ha | 8 000 |

Le terroir est alluvial, de nature argilo-calcaire. Encore très jeune dans une robe jaune vert limpide, un muscat assez discret dominé par des arômes de rose. En bouche, il donne la sensation de croquer le raisin. Sur, intensité, sa structure, sa persistance, en font un vin fin et très expressif.
↳ MM. Jos. Meyer et Fils, 76, rue Clemenceau, Winzenheim, 68000 Colmar, tél. 89.27.01.57
Y r.-v.
Y M. Jean Meyer.

RENE KLEIN ET FILS 1986 **

| 0.40 ha | 4 290 |

Ce muscat, originaire d'un terroir argilo-calcaire, est en réalité un assemblage de muscat ottonel qui apporte l'élégance et ce muscat d'Alsace qui apporte la puissance. Très fin au nez, puissant et encore jeune au palais, il devrait évoluer favorablement au vieillissement. A recommander en apéritif, pour apporter une note de fraîcheur en été.
↳ GAEC René Klein et Fils, rte du Haut-Koenigsbourg, 68590 Saint-Hippolyte, tél. 89.73.00.41 Y r.-v.

KUENTZ-BAS Réserve Personnelle 1986 *

| 0.50 ha | 4 000 |

Ce vin est le fruit d'un assemblage très harmonieux comprenant 70% de muscat ottonel et 30% de muscat d'Alsace. Il développe au nez ces arômes intenses qui rappellent le jasmin. En bouche, il apparaît bien typé, légèrement moelleux et très persistant. Un muscat idéal pour l'apéritif.
↳ Kuentz-Bas SA, 14, rte du Vin, 68420 Husseren-les-Châteaux, tél. 89.49.30.24
Y r.-v.

JEAN-PAUL MAULER 1986

| 0.10 ha | 1 000 |

Un muscat originaire d'un terroir argilo-calcaire qui a séjourné en fût de chêne durant sa vinification. Léger et frais, sans excès d'arômes, il est soutenu par une acidité de bon aloi. Un vin gouleyant, agréable à consommer par temps chaud.
↳ M. Jean-Paul Mauler, 3, pl. des Cigognes, Mittelwihr, 68630 Bennwihr-Mittelwihr, tél. 89.47.93.23 Y t.l.j: 8h-12h 14h-19h ; f. 2ème quinz. de sept.

CAVE VINICOLE D'OBERNAI 1986 *

| n.c. | 20 000 |

Sélection provenant de terroirs argilo-marneux, ce muscat offre un bouquet fruité rappelant le raisin. Un très bel équilibre permet de le recommander en apéritif ou avec des asperges.
↳ Cave Vini. Divinal d'Obernai, 30, rue du Gal-Leclerc, 67210 Obernai, tél. 88.95.61.18 Y r.-v.

DOM. JOSEPH RIEFLE ET FILS Cuvée Réservée 1986 *

| n.c. |

Derrière une belle robe aux reflets dorés, ce muscat développe des arômes floraux très intenses. Il se révèle plutôt corsé au palais, grâce à son opulence et à sa persistance. Un muscat typé et harmonieux qui séduira servi sur les asperges.
↳ Dom. Joseph Riefle et Fils, 11, pl. de la Mairie, Pfaffenheim, 68250 Rouffach, tél. 89.49.62.82 Y t.l.j, sf dim. 8h-12h 14h-18h.

ROLLY-GASSMANN Moenchreben 1986 *

| 0.85 ha | 5 000 |

Ce vin a été produit par une vieille vigne de muscat d'Alsace. Bien qu'il s'agisse d'un cépage plus tardif que le muscat ottonel dans ce cas précis, le faible rendement a permis d'attendre une excellente maturité, puisque derrière un bouquet très fruité, il se révèle légèrement moelleux au palais. Très harmonieux, il est à recommander en apéritif ou en dessert.
↳ Rolly-Gassmann, 2, rue de l'Eglise, Rorschwihr, 68590 Saint-Hippolyte, tél. 89.73.63.28 Y r.-v.

ERIC ROMINGER 1986 *

| 0.25 ha | 2 500 |

Le millésime 86 fut légèrement tardif et s'est bien prêté à l'expression aromatique du muscat. Celui-ci est expressif, marqué par des arômes de fleur et de rose intenses et délicats. Son bon équilibre le fera apprécier en apéritif.
↳ M. Eric Rominger, 6, rue de l'Eglise, Bergholtz, 68500 Guebwiller, tél. 89.76.14.71 Y t.l.j, sf dim. 8h-19h.

CHARLES SCHLERET 1986

| 0.55 ha | 3 000 |

Ce muscat est originaire d'un terroir alluvial argileux, et caillouteux. Il se révèle encore bien jeune. Il est en effet encore fermé au nez mais si il est fin, bien structuré, gouleyant et persistant au palais. A suivre au vieillissement.
↳ M. Charles Schleret, 1-3, rte d'Ingersheim, 68230 Turckheim, tél. 89.27.06.09 Y r.-v.

MICHEL SCHOEPFER 1986

| 0.70 ha | 5 000 |

Voici un muscat de grande maturité produit à petit rendement sur terroir calcaire. Il lance des reflets jaune pâle et développe des arômes intenses. Une belle charpente et une bonne persistance lui permettront de s'épanouir au vieillissement.
↳ M. Michel Schoepfer, 43, Grand'Rue, Eguisheim, 68420 Herrlisheim-près-Colmar, té. 89.41.09.06 Y t.l.j; 8h-12h 14h-18h.

Pour bien utiliser ce guide, consultez les premières pages et le sommaire, ainsi que les index des appellations, des vins, des producteurs et des communes, en fin d'ouvrage.

Alsace gewurztraminer

Le cépage qui est à l'origine de ce vin est une forme particulièrement aromatique de la famille des traminer. Un traité publié en 1551 le désigne déjà comme une variété typiquement alsacienne. Cette authenticité, qui s'est de plus en plus affirmée à travers les siècles, est sans doute due au fait que ce vin atteint chez ce vignoble un optimum de qualité qui lui confère une réputation unique dans la viticulture mondiale.

Son vin est corsé, bien charpenté, en général sec mais parfois moelleux, et caractérisé par un bouquet merveilleux, plus ou moins puissant selon les situations et les millésimes. Le gewurztraminer, qui a une production relativement faible et irrégulière, est un cépage précoce aux raisins très sucrés. Il occupe environ 2 500 ha c'est-à-dire près de 20 % de la superficie du vignoble alsacien. Souvent servi en apéritif, lors de réceptions ou sur des desserts, il accompagne aussi, surtout lorsqu'il est puissant, les fromages à goût relevé comme le roquefort et le munster. Les dernières années exceptionnelles : 78, 71, 83. Les 76 étaient remarquables; 78, 79, 81, de très bonnes années, et 82 et 84, des années moyennes.

apparaît à la fin. A consommer maintenant, en particulier associé aux fromages forts.
↬ Coop. Vinicole d'Andlau, 15, av. des Vosges, 67140 Barr, tél. 88.08.90.53 ⟙ r.-v.

BAUMANN-ZIRGEL 1986*

▢	1.60 ha	12 000	⦀ ☑ ⦣3

Issu d'une vigne de trente-cinq ans établie sur un terroir argilo-calcaire, ce vin est dans sa phase de jeunesse. Très limpide, il est encore discret au nez et bien équilibré au palais. Gouleyant, plutôt léger, il devrait s'épanouir après quelques années de bouteille.
↬ Baumann-Zirgel, 5, rue du Vignoble, Mittelwihr, 68630 Benwihr-Mittelwihr, tél. 89.47.90.40 ⟙ t.l.j, 8h-12h 13h30-19h.

MAISON LEON BAUR

Vendanges Tardives 1983

▢	0.50 ha	3 000	⦀ ↓ ⦣6

Le millésime 83 se prêtait tout particulièrement à l'obtention de vin de «vendanges tardives». Celui-ci se présente très agréablement à la vue : robe jaune d'or. Au nez, il est assez discret et demande encore à s'épanouir. Au palais, ses qualités aromatiques laissent envisager une bonne évolution.
↬ Maison Léon Baur, 7, rue du Rempart-Nord, Eguisheim, 68420 Herrlisheim, tél. 89.41.79.13 ⟙ r.-v.

JEAN-PIERRE BECHTOLD

Vendanges Tardives 1985

▢	3 ha	3 000	⦀ ↓ ⦣5

Vin de très bonne maturité avec un nez de miel prononcé. Epicé juste à point, il présente des arômes de fruit qui demandent encore à se développer. Très belle ampleur dans l'ensemble.
↬ M. J.-P. Bechtold et Fils, 49, rue Principale, Dahlenheim, 67310 Wasselonne, tél. 88.50.66.57 ⟙ r.-v.

LEON BEYER Vendanges Tardives 1983*

▢	n.c.	n.c.	☑ ⦣6

La réputation de la maison Léon Beyer n'est plus à faire. Les vins se rencontrent sur les plus grandes tables gastronomiques du monde entier. La tradition de rigueur dans la qualité est transmise de génération en génération. Ce vin, à robe très élégante, à fruité expressif avec des arômes de fruits secs mélangés aux épices, à palais ample, charpenté, de bonne persistance, est de grande classe. Une évolution lui sera encore favorable. Vin de garde.
↬ Léon Beyer SA, 2, rue de la 1ère-Armée, Eguisheim, 68420 Herrlisheim, tél. 89.41.41.05 ⟙ r.-v.

ANDRE BLANCK ET FILS

Vendanges Tardives 1985**

▢	0.50 ha	n.c.	⦀ ⦣5

Lorsque les conditions de terroir, de culture de la vigne et d'élaboration des vins sont toutes réunies, il ne peut résulter qu'un vin de grande expression. C'est le cas ici : robe jaune d'or, fruité complexe et expressif au nez, palais reflétant des arômes subtils et harmonieusement agréables. L'harmonie générale se précise et tend à devenir parfaite. Vin demandant encore un certain épa-

PIERRE ADAM Kaefferkopf 1986*

▢	0.40 ha	n.c.	⦀ ↓ ⦣3

Issu du terroir argilo-calcaire du Kaefferkopf, ce gewurztraminer au bouquet fruité est prometteur. En bouche, il se révèle plus léger. Un vin à consommer à toute heure en apéritif.
↬ M. Pierre Adam, 2, rue du Lt-Louis-Mourier, 68770 Ammerschwihr, tél. 89.78.23.07 ⟙ r.-v.

ALSACE WILLM 1986*

▢	n.c.	n.c.	☑ ⦣3

Il conjugue à merveille maturité et typicité. Très agréable au nez par son fruité typique légèrement épicé, il se caractérise en bouche par un bel équilibre et une grande persistance. C'est un vin de garde harmonieux et élégant.
↬ Alsace Willm, 32, rue du Dr-Sultzer, 67140 Barr, tél. 89.41.24.31 ⟙ r.-v.

COOP. VINICOLE D'ANDLAU 1986

▢	n.c.	30 000	⦀ ↓ ☑ ⦣3

D'une robe aux reflets jaune clair, ce gewurztraminer développe des arômes fruités et agréables au nez. En bouche, il montre un bon équilibre marqué par une petite note végétale qui

104

...nouissement mais des maintenant, c'est la grande classe.

♣ MM. André Blanck et Fils, Anc. Cour des Chev. de Malte, Kientzheim, 68240 Kaysersberg, tél. 89.78.24.72 ℡ t.l.j, 7h-2(0)h.

CLAUDE BLEGER
Réserve Particulière 1986*

0,19 ha	1 300

Depuis la guerre de Trente Ans, les Bleger habitent le village, au pied du Haut-Koenigsbourg. Leur gewurztraminer est marqué par son terroir argileux et profond. Pâle et brillant, avec de discrètes nuances odorantes, il possède un bon équilibre acide qui en fait un élégant vin d'apéritif.

♣ M. Claude Bléger, 23, Grand'Rue, Orschwiller, 67600 Sélestat, tél. 88.92.32.56 ℡ t.l.j, 8h-20h.

LEON BOESCH ET FILS
Vendanges Tardives 1986*

0,35 ha	2 500

De couleur jaune paille, il montre déjà à l'œil une certaine concentration. Les « jambes » sont intenses. Le nez fermé, un peu épicé, s'exprimera mieux encore d'ici quelque temps. Au palais, les arômes, plus lourds, se font attendre : on devine cependant que l'évolution sera bonne. Vin de garde.

♣ MM. Léon Boesch et Fils, 4, rue du Bois, 68570 Soultzmatt, tél. 89.47.01.83 ℡ t.l.j, 9h-12h 13h-20h ; f. dim. de janv. à juin sur r.-v.

LUCIEN ET CHARLES BRAND
Kefferberg 1986

2 ha	15 000

Ce produit est originaire des sols marneux et profonds du Kefferberg, ce qui explique qu'il n'ait pas encore atteint son apogée. Il est en effet encore discret au nez, mieux typé au palais, et devrait évoluer favorablement au cours du vieillissement.

♣ MM. Lucien et Charles Brand, 71, rue de Wolxheim, Egersheim, 67120 Molsheim, tél. 88.38.17.71 ℡ r.-v.

CAMILLE BRAUN ET FILS
Cuvée Saint-Nicolas 1986**

1,80 ha	11 000

Il porte l'empreinte du terroir caillouteux et calcaire de la colline du Bollenberg. Le petit rendement obtenu sur ce terroir permet d'atteindre une maturité exceptionnelle, qui se manifeste par une grande persistance olfactive et par une puissance et une concentration à nulle autre pareille. Le caractère moelleux de ce vin en fera un produit apprécié sur foie gras ou dessert.

♣ GAEC Camille Braun et fils, 16, Grand'Rue, Orschwihr, 68500 Guebwiller, tél. 89.76.95.20 ℡ t.l.j ; 8h-12h 13h30-19h30.

PAUL BUECHER ET FILS
Réserve Personnelle 1986***

2 ha	15 000

La devise de la famille? « Qualité n'est pas hasard ». En voici l'éclatante démonstration : fruit d'un grand terroir calcaire que l'on reconnaît à la dégustation à l'aveugle, ce 86, d'une belle robe jaune doré, développe des arômes à la fois fins et intenses, et révèle puissance et complexité. Une grande matière qui réjouira les connaisseurs, une œuvre d'art.

♣ MM. Paul Buecher et Fils, 15, rue Sainte-Gertrude, Wettolsheim, 68000 Colmar, tél. 89.80.64.73 ℡ r.-v.

DOM. DES COMTES DE LUPFEN
Altenbourg 1986*

n.c.	5 000

Les Blanck font partie de cette génération de pionniers qui ont su ajouter à la typicité traditionnelle des vins d'Alsace liée au cépage la personnalité du terroir. L'Altenbourg est un terroir limoneux profond bien adapté au cépage. Encore un peu fermé au nez, ce millésime est bien typé et gouleyant. A déguster en apéritif.

♣ GAEC Paul Blanck et Fils, 32, Grand'Rue, Kientzheim, 68240 Kaysersberg, tél. 89.78.23.56 ℡ t.l.j, sf dim. 9h-12h 13h30-15h.

DOPFF « AU MOULIN »
Vendanges Tardives 1986**

5 ha	9 300

Voici une maison qui a grandement contribué au renom mondial des vins de Riquewihr. Ce 86 de parfaite présentation est bien expressif au nez avec des arômes de fruits secs et de miel. Le palais bien moelleux présente déjà une ampleur remarquable. Très belle réussite.

♣ SA Dopff « Au Moulin », 2, av. J.-Preiss, 68340 Riquewihr, tél. 89.47.92.23 ℡ t.l.j, 9h-12h 14h-18h.

RAYMOND ENGEL 1986**

1,32 ha	14 000

Ce coteau caillouteux et lourd appartint dès le IXe s. aux prélats de l'abbaye d'Ebersmunster. Une partie, le Praelatenberg, est aujourd'hui classée grand cru. Ce 86, clair et limpide, développe des arômes intenses et est typiques de rose. Très équilibré, persistant, il réjouira à tout moment.

♣ GAEC Raymond Engel et Fils, 1, rte du Vin, Orschwiller, 67600 Sélestat, tél. 88.92.01.83 ℡ t.l.j, 8h-12h 14h-18h.

RAYMOND ENGEL
Vendanges Tardives 1985

0,25 ha	2 000

Avec toutes les caractéristiques des vins de « vendanges tardives », il demande encore à évoluer, comme le montre sa bonne constitution générale : robe jaune doré, nez épicé et agréable,...

palais encore fermé. Une évolution dans le temps lui sera bénéfique.

➤ GAEC Raymond Engel et Fils, 1, rte du Vin, Orschwiller, 67600 Sélestat, tél. 88.92.01.83 t.l.j. 8h-12h 14h-18h.

PIERRE FRICK
Vendanges Tardives 1986**

7 ha	1 500	

Les gewurztraminer «vendanges tardives» n'ont pas de type bien précis. Celui-ci est agréablement de nuances différentes. Autant de vins, autant de nuances différentes. Celui-ci est agréablement épicé au nez, un peu fruits secs. Il a un fruité très expressif, un palais ample, corsé, généreux et une grande persistance. Très harmonieux, c'est un vin de bonne garde.

➤ M. Pierre Frick, 5, rue de Baer, Pfaffenheim, 68250 Rouffach, tél. 89.49.62.99 r.-v.

JEROME GESCHICKT ET FILS
Kaefferkopf 1986*

2 ha	10 000	

Ce vin est issu d'un lieu-dit réputé de longue date puisqu'il est délimité depuis 1932. Il est encore dans sa phase de jeunesse comme en témoigne la présence d'une petite pointe de gaz carbonique. Très floral et développé au nez, il se caractérise par sa puissance et sa longue persistance.

➤ MM. Jérôme Geschickt et Fils, 1, pl. de la Sinne, 68770 Ammerschwihr, tél. 89.47.12.54 t.l.j. 8h-18h.

ROGER ET ROLAND GEYER 1986

n.c.	n.c.	

Un vin déjà bien évolué pour être issu d'un terroir calcaire : une robe jaune doré très intense, des arômes fins et fruités qui rappellent certains fruits exotiques. Il montre une bonne persistance au palais.

➤ MM. Roger et Roland Geyer, 146-148, rte du Vin, Nothalten, 67680 Epfig, tél. 88.92.46.82 r.-v.

WILLY GISSELBRECHT ET FILS 1986**

2,10 ha	12 000	

La maison Gisselbrecht présente là un vin issu d'une sélection de ses terroirs calcaires. D'une belle couleur jaune doré, il développe des arômes tout à fait particuliers puisqu'ils sont dominés par des senteurs de réglisse. Un gewurztraminer à la fois élégant et très persistant, d'une bonne tenue au vieillissement.

➤ MM. Willy Gisselbrecht et Fils, 3a, rte du Vin, 67650 Dambach-la-Ville, tél. 88.92.41.02 r.-v.

J. HAULLER ET FILS
Cuvée Saint-Sébastien 1986*

1,60 ha	14 000	

Issu d'une vigne de trente ans située sur les coteaux granitiques dominant la charmante cité de Dambach-la-Ville, ce gewurztraminer est déjà bien évolué comme le montre sa belle robe jaune doré et son bouquet intense aux senteurs de réglisse. Un produit à consommer dès maintenant à l'apéritif, ou pourquoi pas, sur des fromages forts.

➤ MM. J. Hauller et Fils, 18, rue de la Gare, 67650 Dambach-la-Ville, tél. 88.92.40.21 t.l.j. sf dim. 8h-12h 14h-17h30.

HUGEL ET FILS
Réserve Personnelle 1983*

n.c.	n.c.	

La maison Hugel, fidèle à sa tradition, ne met ses vins sur le marché que lorqu'ils ont atteint leur meilleur niveau d'expression. Celui-ci est un 83, il appartient donc à l'un des plus grands millésimes du siècle. D'une robe aux reflets dorés, il développe des arômes évolués très intenses, et se caractérise en bouche par sa charpente et sa persistance.

➤ MM. Hugel et Fils SA, 3, rue de la 1ère Armée, 68340 Riquewihr, tél. 89.47.92.15 r.-v.

CAVE VINICOLE DE HUNAWIHR 1986

n.c.	n.c.	

La coopérative de Hunawihr a mis en valeur une surface importante de sols argilo-magnésiques à texture argileuse, particulièrement adaptés à la production de gewurztraminer. Celui-ci, jaune assez vif, développe des arômes fins et floraux et montre une pointe de nervosité en rapport avec le millésime.

➤ Cave Vinicole de Hunawihr, B.P. 51, Hunawihr, 68150 Ribeauvillé, tél. 89.73.61.67 r.-v.

CAVE VINICOLE D'INGERSHEIM Dorfburg 1986**

n.c.	12 000	

Le Dorfburg est un lieu-dit situé au pied d'une butte très calcaire des collines sous-vosgiennes, connue également pour sa flore méditerranéenne. La coopérative d'Ingersheim présente un grand gewurztraminer marqué par ce terroir. D'une robe jaune doré, il développe des arômes intenses et complexes. Très élégant et harmonieux, il est recommandé aussi bien sur un foie gras qu'un dessert.

➤ Cave Vinicole d'Ingersheim, 45, rue de la République, Ingersheim, 68000 Colmar, tél. 89.27.05.96 r.-v.

JOSEPH KLEIN
Vendanges Tardives 1983*

0,53 ha	3 000	

Les vendanges tardives en général, et celles de gewurztraminer en particulier, évoluent parfaitement dans le temps. En voici un exemple. De couleur jaune d'or, il a un nez aux arômes de miel nuancés par des arômes de vieillissement. Les arômes primaires sont à peine perceptibles. Au palais, il est tout en souplesse avec une harmonie parfaite. Vin très mûr dont on peut se régaler dès maintenant.

➤ M. Joseph Klein, Ch. Wagenbourg, 68870 Soultzmatt, tél. 89.47.01.41 r.-v.

KOEBERLE-KREYER 1986*

n.c.	n.c.	

Encore jeune, comme en témoignent à la fois la présence de gaz carbonique résiduel et son bouquet fin mais discret, ce vin montre par son

ampleur et son équilibre qu'il est chargé de promesses.

↪ Koeberle-Kreyer, 28, rue du Pinot-Noir, Rodern, 68590 Saint-Hippolyte, tél. 89.73.00.55 ☎ r.-v.

HUBERT KRICK 1986*

3 ha	20 000

C'est un gewurztraminer issu des terrains alluvionaires du cône de déjection de la Fecht, réputés pour leur influence positive sur la précocité et la maturité de la vendange. D'une robe élégante aux reflets jaune d'or, ce vin développe des arômes floraux d'une grande finesse. Assez sec en bouche, il se révèle puissant et harmonieux, parfait pour l'apéritif ou l'accompagnement des fromages.

↪ M. Hubert Krick, 93-95, rue Clemenceau, Winzenheim, 68000 Colmar, tél. 89.27.00.01 ☎ r.-v.

VINS D'ALSACE KUEHN
Cuvée Saint-Hubert 1986**

1,20 ha	8 500

Originaire d'un terroir argilo-calcaire, ce gewurztraminer est encore dans sa prime jeunesse. Derrière une robe jaune pâle brillante, il développe déjà des arômes très intenses au nez, et montre une grande puissance au palais. C'est un produit destiné à conserver quelques années avant de l'apprécier sur la cuisine exotique par exemple.

↪ Vins d'Alsace Kuehn, 3, Grand'Rue, 68770 Ammerschwihr, tél. 89.78.23.16 ☎ lu. ma. me. je. ve. 8h-12h 13h-18h.

KUENTZ-BAS Réserve Personnelle 1986*

1,20 ha	9 000

La région d'Husseren-les-Châteaux dispose de terroirs argilo-calcaires particulièrement adaptés à l'expression du gewurztraminer. Encore jeune par ses reflets jaune-vert, celui-ci exhale des arômes de fleurs. Il est marqué par une dominante de sucre résiduel et une longue persistance au palais. Une belle matière qui s'épanouira encore au vieillissement et qui équilibrera fort bien un munster ou un plat épicé.

↪ Kuentz-Bas SA, 14, rte du Vin, 68420 Husseren-les-Châteaux, tél. 89.49.30.24

DOM. JOSEPH LOBERGER 1986***

1,10 ha	8 000

Un gewurztraminer qui conjugue à merveille maturité et typicité. C'est le résultat d'une grande matière obtenue par les méthodes de cultures les plus traditionnelles. D'une belle robe jaune doré, il développe des arômes exotiques tout en finesse. Au palais, il marie puissance, équilibre et grande persistance.

↪ Dom. Joseph Loberger, 10, rue de Bergholtz-Zell, Bergholtz, 68500 Guebwiller, tél. 89.76.88.03 ☎ r.-v.

DOM. JOSEPH LOBERGER
Vendanges Tardives 1985*

0,40 ha	n.c.

Le gewurztraminer est le cépage qui, avec le tokay-pinot gris, se prête le mieux à l'obtention de « vendanges tardives ». Le potentiel de matura-

tion du raisin peut atteindre des sommets très élevés et des 15° d'alcool en puissance ne sont pas rares. Ce vin en est un exemple typique. Arômes fins et élégants, il est très agréable au palais. Souplesse et harmonie en sont les principales qualités. Il est d'une étonnante jeunesse. Vin à conserver encore.

↪ Dom. Joseph Loberger, 10, rue de Bergholtz-Zell, Bergholtz, 68500 Guebwiller, tél. 89.76.88.03 ☎ r.-v.

VIGNOBLES PIERRE REINHART
Lippelsberg 1986*

0,50 ha	3 700

Originaire du terroir argilo-calcaire du Lippelsberg, voici un gewurztraminer qui porte bien son nom. En traduction littérale « gewurz » signifie en effet « épicé ». Celui-ci l'est assurément : arômes floraux intenses marqués par une petite touche poivrée. En bouche, on apprécie le résultat d'une grande matière, fin et puissant.

↪ Vignobles P. Reinhart, 7, rue du Printemps, Orschwihr, 68500 Guebwiller, tél. 89.76.95.12 ☎ r.-v.

ROLLY-GASSMANN Kappelweg 1986**

0,58 ha	2 000

Un gewurztraminer très particulier. D'une belle robe jaune clair, il se caractérise par des arômes fruités légèrement muscatés. En bouche, il révèle une excellente constitution et une bonne persistance. Tout à fait original, c'est un grand vin de garde.

↪ Rolly-Gassmann, 2, rue de l'Eglise, Rorschwihr, 68590 Saint-Hippolyte, tél. 89.73.63.28 ☎ r.-v.

ROLLY-GASSMANN
Vendanges Tardives - Cuvée Anne 1985*

2,35 ha	6 000

La renommée de la maison dépasse largement nos frontières. La Cuvée Anne, jaune clair, au nez fin mais encore discret, au palais déjà ample mais demandant encore à s'épanouir, est un vin jeune promis à un grand avenir.

↪ Rolly-Gassmann, 2, rue de l'Eglise, Rorschwihr, 68590 Saint-Hippolyte, tél. 89.73.63.28 ☎ r.-v.

ERIC ROMINGER
Vendanges Tardives 1985*

0,45 ha	3 000

Le terroir qui a donné naissance à ce vin lui a fourni un potentiel qualitatif conséquent et l'a paré en outre d'une étonnante jeunesse. Parfaitement vinifié, il exhale des arômes d'épices très fins. Mais le nez n'est pas encore entièrement épanoui. Agréable au palais, il est généreusement corsé. Vin de garde.

↪ M. Eric Rominger, 6, rue de l'Eglise, Bergholtz, 68500 Guebwiller, tél. 89.76.14.71 ☎ t.l.j; sf dim. 8h-19h.

SALZMANN THOMANN
Vendanges Tardives 1985*

0,25 ha	1 000

Les terroirs ayant donné naissance à ce vin sont particulièrement bien exposés. Le support - sol d'arènes granitiques - est favorable à l'obten-

ROBERT SCHOFFIT
Cuvée Prestige 1986*

☐	2 ha 12 000	⊞ ↓ ☘ 2

Ici le terroir limoneux est très caillouteux ; ce vin fait rimer maturité avec typicité. D'une robe jaune d'or très soutenue, il développe des arômes fruités typiques au nez. En bouche, il est chaleureux, équilibré et harmonieux. A recommander en particulier avec le munster et plus généralement avec tous les fromages forts.

➥ M. Robert Schoffit, 27, rue des Aubépines, 68000 Colmar, tél. 89.41.69.45 ☏ t.l.j. sf dim. 9h-12h 14h-18h ; f. fin août

MARTIN SCHAETZEL
Cuvée Isabelle 1986***

☐	0,35 ha 25 000	⊞⊞ ↓ ☘ 3

Eclatant. Rien d'étonnant : il a été obtenu avec la rigueur des tris successifs de raisins des vignes de trente-cinq ans plantées sur sol limono-argileux. La vinification est parfaite : légèrement moelleux comme en témoignent les nombreuses jambes sur les parois du verre, c'est un gewurztraminer aux arômes particulièrement intenses. Une grande harmonie.

➥ M. Martin Schaetzel, 3, rue de la 5ème-D.B, 68770 Ammerschwihr, tél. 89.47.11.39 ☏ t.l.j. 8h-12h 13h-19h.
➥ M. Jean Schaetzel.

VIN D'ALSACE
APPELLATION ALSACE CONTROLEE
Cuvée Isabelle
Gewurztraminer
1986
Ammerschwihr
Domaine Martin Schaetzel
Mis en bouteille par J. SCHAETZEL 68770 AMMERSCHWIHR
750ml
Produit de France

ANDRE SCHERER
Vendanges Tardives 1985

☐	0,70 ha 4 000	⊞ ☘ 5

Les vins de « vendanges tardives » proviennent d'un raisin ayant atteint un degré de maturité tel que son degré alcoolique potentiel affiche au moins 14,3° d'alcool en puissance. C'est ce qui explique, lorsque la vinification est parfaitement conduite, que ces vins sont généralement de grande classe. Celui-ci, encore très jeune, a un caractère fermé. La belle robe, le fruité et les arômes discrets mais prometteurs font qu'il se présentera de manière parfaite d'ici quelque temps.

➥ Vignoble André Scherer, 12, rue du Vin, Husseren-les-Châteaux, 68420 Herrlisheim-près-Colmar, tél. 89.49.30.33 ☏ t.l.j. 9h-11h 14h-19h.

CHARLES SCHLERET
Vendanges Tardives 1985**

☐	0,65 ha 3 000	⊞ ☘ 5

Un vin à robe très brillante, aux arômes de fleurs séchées et de fruits concentrés, au palais très aromatique, ample et généreux. Vin de grande classe.

➥ M. Charles Schleret, 1-3, rte d'Ingersheim, 68230 Turckheim, tél. 89.27.06.09 ☏ r.-v.

GERARD SCHUELLER
Vendanges Tardives 1985**

☐	0,26 ha 1 100	

Les « vendanges tardives » nécessitent que l'on soit très scrupuleux lors de la cueillette des raisins : un tri a souvent lieu pour obtenir des vins de la classe de celui-ci. Il se présente de manière presque parfaite : robe jaune d'or, nez fin et élégant, palais généreux et corsé, de très grande persistance.

➥ M. Gérard Schueller, 1, rue des Trois-Châteaux, Husseren-les-Châteaux, 68420 Herrlisheim, tél. 89.49.31.54 ☏ r.-v.

PAUL SCHWACH
Vendanges Tardives 1983**

☐	0,40 ha n.c.	⊞ ☘ 5

L'évolution du millésime 83 est excellente : cela confirme son classement remarquable cette année encore. Déjà bien expressif actuellement, il supportera une plus longue garde, avec sa robe jaune doré, son fruité prononcé au palais. Le développement aromatique est conforme à l'évolution normale de ce vin d'un très beau type.

➥ M. Paul Schwach, 30 et 32, rte de Bergheim, 68150 Ribeauvillé, tél. 89.73.62.73 ☏ t.l.j. 8h-12h 14h-19h.

EMILE SCHWARTZ ET FILS 1985*

☐	0,60 ha 3 000	⊞ ↓ ☘ 4

Vin d'excellente présentation et de bonne évolution mais cependant de garde : robe jaune pâle, nez à fruité expressif, à arômes subtils, bouche agréable, élégante et ample. Très bonne matière.

➥ GAEC Emile Schwartz et Fils, 3, rue Principale, Husseren-les-Châteaux, 68420 Herrlisheim, tél. 89.49.30.61 ☏ t.l.j. sf dim. 8h-12h 14h-18h.

SICK-DREYER
Kaefferkopf - Cuvée Joseph Dreyer 1986*

☐	0,53 ha 4 500	⊞ ☘ 4

Le Kaefferkopf est un fameux terroir argilo-calcaire. Lorsque les vignes qui y sont plantées ont plus de quarante ans et que le raisin est récolté en début de surmaturation, le vin développe des arômes très intenses. Celui-ci montre un caractère moelleux lié à une dominante de sucre résiduel. Il devrait s'harmoniser avec l'âge.

➥ SCA Sick-Dreyer, 9, rte de Kientzheim, 68770 Ammerschwihr, tél. 89.47.11.31 ☏ r.-v.

tion de vins typés et caractéristiques. Cependant, il faut ne pas les consommer trop jeunes car leur épanouissement se parfait avec le temps. L'exemple donné ici est significatif : belle robe jaune d'or, fruité discret mais déjà subtil, palais ample laissant deviner une grande maturité. Beau type.

➥ Salzmann-Thomann, Dom. de l'Oberhof, 68240 Kaysersberg, tél. 89.47.10.26 ☏ r.-v.

LOUIS SIFFERT ET FILS 1986*

0,50 ha — 5 500

Originaire d'un sol argilo-calcaire, ce vin lance des reflets dorés déjà très intenses. Il est fin et élégant au nez, mais plutôt léger au palais. C'est un gewurztraminer équilibré, dans la lignée du millésime 86.

➥ MM. Louis Siffert et Fils, 16, rte du Vin, Orschwiller, 67600 Sélestat, tél. 88.92.02.77 t.l.j. 9h-12h 14h-18h.; f. fév.

SCV DE SIGOLSHEIM
Vogelgarten 1986*

3,45 ha — 27 000

Issu d'un terroir argilo-calcaire baigné de soleil (exposition sud), voici un gewurztraminer encore très jeune. D'une belle robe jaune vif, il développe des arômes typiques d'intensité moyenne. Au palais il apparaît très fin, légèrement nerveux, d'un équilibre conforme au millésime. Vin de garde, il devrait s'épanouir au vieillissement.

➥ SCV de Sigolsheim, 12, rue Saint-Jacques, Sigolsheim, 68240 Kaysersberg, tél. 89.47.12.55 t.l.j. 9h-11h 14h-17h.

DOM. JEAN SIPP
Cuvée Particulière 1986**

3 ha — 20 000

Un rendement modéré est l'un des secrets des vins de qualité. La nature du terroir, ici argilo-calcaire, permet au cépage de donner toute sa dimension, toute son élégance. Ce 85 est typé, très floral, et révèle une belle structure, même si celle-ci est partiellement masquée par la présence de sucre résiduel. Un excellent vin de dessert.

➥ Dom. Jean Sipp, 60, rue de la Fraternité, 68150 Ribeauvillé, tél. 89.73.60.02 t.l.j. 9h-12h 14h-18h.

AIME STENTZ ET FILS Réserve 1986

1,40 ha — 10 000

Un vignoble très diversifié puisqu'il s'étend sur sept communes différentes. Ce gewurztraminer de terroir calcaire est encore très jeune, comme le montre sa robe jaune-vert ainsi que la pointe de gaz carbonique qu'il a conservé. Typé et agréable au palais.

➥ M. Aimé Stentz et Fils, 37, rue Herzog, Wetolsheim, 68000 Colmar, tél. 89.80.63.77 t.l.j. sf dim. 8h-12h 14h-18h.

PIERRE SPARR ET FILS
Prestige 1986*

2 ha — 20 000

La maison Sparr, créée en 1680, exploite en propriété 30 hectares de vignes auxquels il convient d'ajouter la production de 120 hectares livrés en raisins. Elle offre un vin déjà très ouvert. D'une belle robe brillante, légèrement dorée, il développe des arômes fruités intenses et bien typés. En bouche, il apparaît très rond mais d'une grande persistance.

➥ Maison Pierre Sparr et Fils, 2, rue de la Première-Armée, Sigolsheim, 68240 Kaysersberg, tél. 89.78.24.22 r.-v.

AIME STENTZ ET FILS
Vendanges Tardives 1986*

1,20 ha — 5 800

Ce vin se montre sous sa forme juvénile: Robe jaune d'or, fruité discret laissant cependant apparaître un bon potentiel aromatique. Le palais présente des arômes naissants de fruits secs très concentrés. Une belle ampleur, un beau type.

➥ M. Aimé Stentz et Fils, 37, rue Herzog, Wetolsheim, 68000 Colmar, tél. 89.80.63.77 t.l.j. sf dim. 8h-12h 14h-18h.

AIME STENTZ ET FILS
Sélection de Grains Nobles 1986***

0,70 ha — 800

Très grand vin particulièrement intéressant par son rapport qualité/prix. Sa robe jaune d'or complète les arômes complexes de fruits exotiques qui s'expriment au nez. Palais d'ampleur remarquable, profond, opulent, il a une charpente exceptionnelle. Vin de garde de grande classe.

➥ M. Aimé S'entz et Fils, 37, rue Herzog, Wetolsheim, 68000 Colmar, tél. 89.80.63.77 t.l.j. sf dim. 8h-12h 14h-18h.

APPELLATION VIN D'ALSACE CONTRÔLÉE

Gewurztraminer STENTZ

Mis en bouteille à la propriété Mlle AIME STENTZ ET FILS — PROPR.-VITIC. A WETTOLSHEIM (HT-RHIN) FRANCE

Product of France 70 cl

FERNAND STENTZ Cuvée Charles 1986

0,50 ha — 4 200

Issu d'un terroir argilo-calcaire, c'est un vin qui demande à s'épanouir. Jaune-vert, il développe au nez des arômes floraux et révèle en bouche une bonne matière première. Il s'accordera bien avec les fromages du type «bleu».

➥ M. Fernand Stentz, 40, rte du Vin, Husseren-les-Châteaux, 68420 Herrlisheim, tél. 89.49.30.04 r.-v.

ANDRE THOMAS ET FILS
Kaefferkopf 1986**

0,15 ha — 1 300

Le calcaire du Kaefferkopf est particulièrement favorable à l'expression du gewurztraminer. Celui-ci est encore dans sa phase de jeunesse, mais il est le fruit d'une excellente maturité, révélée par les nombreuses jambes visibles sur la paroi du verre. Équilibré, persistant, bien typé, il a l'élégance de sa naissance et devrait gagner à vieillir encore.

➥ MM. André Thomas et Fils, 3, rue des Seigneurs, 68770 Ammerschwihr, tél. 89.78.25.70 r.-v.

La dénomination locale tokay d'Alsace donnée au pinot gris depuis quatre siècles est un fait étonnant, puisque cette variété n'a jamais été utilisée en Hongrie orientale... La légende rapporte cependant que le tokay aurait été ramené de ce pays par le général L. de Schwendi, grand propriétaire de vignobles en Alsace. Son aire d'origine semble être, comme celle de tous les pinots, le territoire de l'ancien duché de Bourgogne.

Le pinot gris n'occupe que 5 % du vignoble alsacien, mais il peut produire un vin capiteux, très corsé, plein de noblesse, susceptible de remplacer un vin rouge pour les plats de viande. Lorsqu'il est somptueux comme en 1983, c'est l'une année exceptionnelle, c'est l'un des meilleurs accompagnements du foie gras. Parmi les dernières années (dans l'ensemble moyennes) outre 1983, il faut retenir 1981, très bonne, et 1979, bonne.

CAVE VINICOLE DU VIEIL ARMAND 1986**

| □ | n.c. | n.c. | ⊞ 3 |

Issu d'une sélection de terroirs marno-calcaires du sud du vignoble alsacien, il est riche et typé : très jeune à l'œil par ses reflets jaune-vert, fin et floral, il se révèle harmonieux et puissant.
➤ Cave Vinicole du Vieil Armand,
1, rte de Cernay, 68360 Soultz-Wuenheim,
tél. 89.76.73.75 ⊤ r.-v.

ANDRE WACKENTHALER ET FILS Kaefferkopf 1986***

| □ | 0,50 ha | 4 300 | ⊞ ⊠ 3 |

Toute l'Alsace est dans ce verre qui révèle l'éclat du gewurztraminer. Une superbe couleur dorée, des arômes intenses, un caractère corsé en parfaite harmonie avec le sucre qui se fond dans la matière : un grand vin de garde destiné au foie gras... et aux rares heureux qui sauront l'acquérir.
➤ GAEC André Wackenthaler-Fils,
8, rue du Kaefferkopf, 68770 Ammerschwihr,
tél. 89.78.23.76 ⊤ t.l.j. 10h-19h ; f. dim. sur r.-v.

CHARLES WANTZ
Vendanges Tardives 1983*

| □ | n.c. | 2 500 | ⊞ ⊠ 6 |

Voilà un millésime 83 qui n'est pas encore au sommet de son expression. Dans une robe jaune d'or, il est fleuri au nez, harmonieux, fin et généreux au palais. Demande encore à vieillir.
➤ Charles Wantz, 36, rue Saint-Marc,
67140 Barr, tél. 88.08.90.44 ⊤ t.l.j. sf dim. 8h-12h 14h-17h30.

WUNSCH ET MANN
Cuvée Saint-Rémy 1986**

| □ | 2 ha | n.c. | ⊞ ⊠ 2 |

Issu d'un terroir argilo-calcaire, voici un gewurztraminer déjà très ouvert. C'est un vin très séduisant par ses reflets jaune d'or, ses arômes marqués par des caractères de fruits exotiques, sa finesse et sa persistance. Un produit très harmonieux à recommander en apéritif ou avec le dessert.
➤ MM. Wunsch et Mann, 2, rue des Clefs,
Wettolsheim, 68000 Colmar, tél. 89.80.79.63 ⊤ r.-v.
➤ Famille Mann.

ZIMMERMANN
Cuvée Blanckenberg 1986*

| □ | 0,30 ha | 3 000 | ⊞ ⊠ 3 |

Un gewurztraminer qui a poussé sur les pentes granitiques sablonneuses dominées par le château du Haut-Kœnigsbourg. D'une belle robe jaune clair brillante, il présente des arômes un peu lourds au nez, mais se caractérise par une bonne persistance au palais et un équilibre dans la lignée du millésime 86.
➤ GAEC A. Zimmermann et Fils, 3, Grand'Rue, Orschwiller, 67600 Sélestat, tél. 88.92.08.49 ⊤ r.-v.
➤ M. Jean-Pierre Zimmermann.

ALFRED ADAM Vendanges Tardives 1985*

| □ | 0,47 ha | 1 300 | ⊞ ↓ ⊠ 6 |

Un vin jeune demandant encore à évoluer : son nez discret est prometteur. Le palais, assez sec, présente une certaine ampleur mais on attend une fusion des éléments constitutifs. Bon type.
➤ Caves Jean-Baptiste Adam, 5, rue de l'Aigle, 68770 Ammerschwihr, tél. 89.78.23.21 ⊤ r.-v.

CAVES JEAN-BAPTISTE ADAM
Cuvée Jean-Baptiste 1986**

| □ | 1,20 ha | 9 000 | ⊞ ↓ ⊠ 3 |

Ce vin de terroir argilo-sableux est encore jeune, mais montre déjà une grande complexité : jaune-vert, des arômes floraux assez intenses et l'ampleur d'une grande matière. Une bonne acidité lui garantit l'aptitude au vieillissement. Très prometteur.
➤ Caves Jean-Baptiste Adam, 5, rue de l'Aigle, 68770 Ammerschwihr, tél. 89.78.23.21 ⊤ r.-v.

DOM. LUCIEN ALBRECHT
Réserve du Domaine 1986*

| □ | n.c. | n.c. | ⊞ ↑ ⊠ 3 |

C'est un pinot gris conforme à la fois à son terroir d'origine argilo-calcaire et à son millésime. D'une belle robe soutenue, il développe des arômes fins présentant un «fumé» caractéristique. Au palais, une bonne fraîcheur renforce son aptitude à la garde.
➤ Dom. Lucien Albrecht, 9, Grand'Rue, Orschwiller, 68500 Guebwiller, tél. 89.76.95.18 ⊤ t.l.j. sf dim. 8h-11h30 14h-17h.

110

Alsace tokay-pinot gris

ALSACE WILLM 1986**

n.c.　　　n.c.

Voici un grand tokay qui conjugue à merveille maturité et typicité. Jaune d'or très soutenu, il développe un bouquet d'arômes bien typés parmi lesquels on discerne des senteurs boisées, du miel et des fruits mûrs. Au palais, il devrait s'épanouir harmonieux et persistant, déjà très ouvert. Il devrait aussi se bonifier avec l'âge.

↳ Alsace Willm, 32, rue du Dr-Sultzer, 67140 Barr, tél. 89.41.24.31 ℡ r.-v.

ROGER AMBERG 1986*

0,55 ha　　4 000

Un sol argileux assez lourd, mais bien exposé au sud du village. Doré, il se montre encore discret. Bien équilibre, il devrait s'épanouir.

↳ M. Roger Amberg, 19, rue Fronholtz, 67680 Epfig, tél. 88.85.51.28 ℡ t.l.j.; 8h-12h 13h30-18h.

FRANCOIS BAUR Herrenweg 1986**

0,49 ha　　4 000

Issu d'un terroir graveleux, c'est un tokay qui a atteint un haut niveau de maturité. Il paraît encore très jeune par sa nuance jaune-vert. Pourtant, il développe déjà des arômes intenses, marqués par des senteurs de miel. Elégant, bien équilibré et complet, il présente tous les atouts d'un vin de garde de grande classe.

↳ M. François Baur Petit-Fils, 3, Grand'Rue, 68230 Turckheim, tél. 89.27.06.62 ℡ r.-v.

MAISON LEON BAUR 1986*

0,40 ha　　3 000

Edifiée sur les remparts de la pittoresque cité d'Eguisheim, ville natale du pape Léon IX, la maison Baur fête cette année son deux cent cinquantième anniversaire. 86 développe des arômes floraux qui commencent à prendre le fumet du cépage. Il est frais, harmonieux, assez léger. A recommander sur les poissons en sauce.

↳ Maison Léon Baur, 71, rue du Rempart-Nord, Eguisheim, 68420 Herrlisheim, tél. 89.41.79.13 ℡ r.-v.

ANDRE BLANCK ET FILS

Vendanges Tardives 1985*

Le terrain d'alluvions a typé le vin par des arômes déjà très expressifs : nez fin et puissant, palais ample et généreux, maturité assez avancée. A déguster dès maintenant.

↳ MM. André Blanck et Fils, Anc. Cour des Chev. de Malte, Kientzheim, 68240 Kaysersberg, tél. 89.78.24.72 ℡ t.l.j.; 7h-20h.

CLAUDE BLEGER 1986

0,60 ha　　4 800

D'une origine assez rare en Alsace, puisqu'il s'agit d'un terroir schisteux, ce tokay se présente dans sa phase de jeunesse. D'une robe aux reflets jaune-vert, il est encore discret au nez, mais révèle une bonne matière au palais. Un vin goûleyant.

↳ M. Claude Bléger, 23, Grand'Rue, Orschwiller, 67600 Sélestat, tél. 88.92.32.56 ℡ t.l.j.; 8h-20h.

LUCIEN BRAND 1986**

0,50 ha　　3 000

Issu des marnes calcaires d'Egersheim, ce tokay au charme tout proche de Strasbourg, un tokay très opulent : d'une robe dorée très soutenue, il présente un nez déjà complexe, marqué par des arômes de fruits mûrs. En bouche, il est à la fois gras et nerveux, promis à un bel avenir.

↳ MM. Lucien et Charles Brand, 71, rue de Wolxheim, Ergersheim, 67120 Molsheim, tél. 88.38.17.71 ℡ r.-v.

CAVE VINICOLE DE DAMBACH-LA-VILLE 1986**

n.c.　　　n.c.

D'une robe dorée soutenue, c'est un tokay au fumet caractéristique marqué par des arômes de miel et de fruits mûrs qui révèlent une excellente matière première. Puissant, équilibré et persistant, un millésime déjà ouvert mais qui reste chargé de promesses. A réserver aux meilleures occasions.

↳ Cave vini. de Dambach-la-Ville, 2, rue de la Gare, 67650 Dambach-la-Ville, tél. 88.92.40.03 ℡ r.-v.

RAYMOND ENGEL 1986

0,40 ha　　5 000

Le charme d'une belle robe légèrement dorée, une bonne charpente, un équilibre bien dans la lignée du millésime.

↳ GAEC Raymond Engel et Fils, 1, rue du Vin, Orschwiller, 67600 Sélestat, tél. 88.92.01.83 ℡ t.l.j.; 8h-12h 14h-18h.

PIERRE-HENRI GINGLINGER

Vendanges Tardives 1985***

0,40 ha　　2 800

Les tokay-pinot gris, autant que les gewurztraminer, se prêtent à l'élaboration des « vendanges tardives ». Ils donnent alors des vins de grande classe. Celui-ci en est un exemple significatif. De robe jaune clair, il a un nez épicé avec une note vanillée et quelques nuances de miel. D'une grande finesse, puissant, montrant un parfait équilibre et une superbe élégance, c'est un grand vin.

↳ M. Pierre-Henri Ginglinger, 4 et 33, Grand'Rue, Eguisheim, 68420 Herrlisheim, tél. 89.41.32.55 ℡ r.-v.

PHILPPE GOCKER 1986*

0,60 ha　　6 000

Originaire d'une vigne de trente ans établie sur calcaire, ce tokay développe des arômes fins et typés. Plutôt rond, il révèle une maturité au-dessus de la moyenne et se présente en tout point conforme à la typicité du cépage et du millésime. A tester en particulier sur les viandes blanches.

111　　　　　　　　　　　　　　　　L'ALSACE ET L'EST

développe des arômes expressifs et persistants. Malgré sa douceur, ce vin présente un bon niveau d'acidité qui lui confère une grande aptitude à la conservation. Équilibré et harmonieux, il est à recommander avec le foie gras ou les plats riches.

☞ Cave Vinicole d'Ingersheim, 45, rue de la République, Ingersheim, 68000 Colmar, tél. 89.27.05.96 ☐ r.-v.

PIERRE KIRSCHNER 1986*

0,30 ha — 2 500

Encore très jeune à l'œil, comme en témoignent sa robe pâle et le léger dégagement de gaz carbonique. Au nez, par contre, il développe des arômes «fumés», très typés. Un bon équilibre sucre-alcool renforcé par une pointe d'acidité en fait un vin de garde.

☞ M. Pierre Kirschner, 26, rue Théophile-Bader, 67650 Dambach-la-Ville, tél. 88.92.40.55 ☐ r.-v.

KLUR-STOECKLE Cuvée Réservée 1986

1,20 ha — 10 000

Sa jeunesse doit être reliée à son origine argilo-calcaire. D'une robe aux reflets jaune-vert, il est plutôt discret, assez léger et gouleyant.

☞ SCEA Klur-Stoeckle, 9, Grand'Rue, Ratzenthal, 68230 Turckheim, tél. 89.27.24.61 ☐ t.l.j. sf dim. 8h-12h 14h-19h.

KUENTZ-BAS Réserve Personnelle 1986**

1,20 ha — 12 000

Un tokay qui a déjà atteint un bon niveau d'expression, avec ce fameux caractère fumé si typique du cépage au nez. Puissant, capiteux et très persistant, il réjouira les connaisseurs encore de longues années. À servir en particulier sur le foie gras et viandes blanches.

☞ Kuentz-Bas SA, 14, rte du Vin, 68420 Husseren-les-Châteaux, tél. 89.49.30.24 ☐ r.-v.

CLEMENT LEIBER Cuvée Nagyar 1986***

0,80 ha — n.c.

Issu d'une vigne de vingt-cinq ans située sur un terroir calcaire de prédilection, ce tokay est encore fermé au nez mais fin. Élégant et harmonieux, il évoluera favorablement.

☞ M. Clément Leiber, 2, rue des Prés, Obermorschwihr, 68420 Herrlisheim, tél. 89.49.31.49 ☐ r.-v.

DOM. LOBERGER Saering 1986***

0,80 ha — n.c.

Le grès avec marnes stratifiées de ce terroir semble particulièrement adapté à la production de grands tokay-pinot gris. Celui-ci est déjà remarquablement épanoui. De couleur jaune or, il a un nez intense d'arômes floraux. Son palais est gras, d'un équilibre parfait. Belle harmonie générale. Grand vin avec une complexité de type «vendanges tardives».

☞ M. Philippe Gocker, 24, rue de Riquewihr, Mittelwihr, 68630 Bennwihr Mittelwihr, tél. 89.47.88.02 ☐ t.l.j. 8h-12h 13h30-19h ; f. fin sept.

JOSEPH GSELL 1986**

n.c. — 7 000

C'est un tokay qui se présente dans sa prime jeunesse. Il est fruité au nez mais paraît plutôt fermé au palais. Toutefois, c'est un produit chargé de promesses comme en témoignent sa puissance et sa bonne persistance. Un grand vin de garde qui s'épanouira au cours des prochaines années.

☞ M. Joseph Gsell, 26, Grand-Rue, 68500 Orschwihr, tél. 89.76.95.11 ☐ r.-v.

M. HAEGELIN 1986*

0,85 ha — 9 000

Située au bord de la route du vin, une tour bâtie en 1616. Le pinot gris de terroir calcaire, très agréable à l'œil, développe des arômes jeunes et fruités. Plutôt léger et gouleyant, il est dans la lignée du millésime 86.

☞ Materne Haegelin, 45-47, Grand'Rue, 68500 Orschwihr, tél. 89.76.95.17 ☐ r.-v.

ANDRE HARTMANN ET FILS 1986***

0,60 ha — 3 000

A Voegtlinshoffen, nous sommes au cœur de l'aire des grands tokay. Tout contribue à leur expression optimale, aussi bien les sols que le climat. Ce vin à la robe dorée très soutenue développe des arômes typés et très prononcés au nez. Il demandera encore quelques années pour s'épanouir complètement.

☞ MM. André Hartmann et Fils, 11, rue Roger-Frémeaux, Voegtlinshoffen, 68420 Herrlisheim, tél. 89.49.38.34 ☐ t.l.j. sf dim. 9h-12h 14h-17h.

VIN D'ALSACE — Appellation Alsace contrôlée — TOKAY PINOT GRIS — André Hartmann - Vigneron à Vœgtlinshoffen - 68420 — Mise en bouteille à la propriété — Produce of France

HEIM Réserve 1986

6,50 ha — 6 000

Issu d'un terroir de calcaire coquillier, donc très caillouteux, voici un tokay qui reste dans sa phase de jeunesse. Derrière une belle robe, il développe des arômes encore discrets mais fins.

☞ Heim SA, 56, rte de Soultzmatt, 68250 Westhalten, tél. 89.47.00.45 ☐ r.-v.

CAVE VINICOLE D'INGERSHEIM Réserve Jean Geiler 1986**

20 000

D'une très belle robe jaune-vert, brillante, il

• Dom. Joseph Loberger, 10, rue de Bergholtz-Zell, Bergholtz, 68500 Guebwiller, tél. 89.76.88.03
▼ r.-v.

CH. D'ORSCHWIHR 1986**

□ 0.35 ha — n.c. — ⊞ ↓V2

Voilà qui conjugue fort bien typicité et maturité. Issu d'un terroir argilo-calcaire particulièrement bien adapté à ce cépage, il est déjà très séduisant à l'œil. Au nez, il est encore marqué par des arômes de jeunesse dominés par le miel. Très puissant et harmonieux, il est à conseiller sur un foie gras.

• Ch. d'Orschwihr, Orschwihr, 68500 Guebwiller, tél. 89.74.24.00 ▼ t.l.j, sf dim. 10h-18h.

P. REINHART Cuvée Charlotte 1986***

□ 0.50 ha — 4 500 — ⊞ ↓V2

De sol argilo-calcaire, voici un grand tokay, séduisant à l'œil. Il développe des arômes puissants, déjà marqués par le caractère fumé si agréable de ce cépage. Au palais, il se révèle capiteux, long et harmonieux. Un vin fait pour le foie gras ou encore la langouste préparée à l'américaine.

• Vignobles P. Reinhart, 7, rue du Printemps, Orschwihr, 68500 Guebwiller, tél. 89.76.95.12
▼ r.-v.

MARTIN SCHAETZEL 1986*

□ 0.35 ha — 3 000 — ⊞ ↓V2

Originaire d'un terroir limoneux, c'est le produit d'une lente maturation. D'une robe jaune-vert assez discrète, il présente un bouquet fruité déjà expressif. Léger et gouleyant, il est à consommer de préférence sur les poissons ou les viandes blanches.

• M. Martin Schaetzel, 3, rue de la 5ème-D.B., 68770 Ammerschwihr, tél. 89.47.11.39 ▼ t.l.j. 8h-12h 13h-19h.

ANDRE SCHERER 1986*

□ 0.35 ha — 2 200 — ⊞ ↓V3

Dans une propriété qui date de 1750 et qui a appartenu au baron Rudler, André Scherer perpétue une longue tradition. Il présente un tokay de terroir calcaire qui est encore dans sa prime jeunesse. Il est en effet encore dominé par des arômes de fermentation. Au palais, il se révèle équilibré et persistant. C'est un vin de garde.

• Vignoble André Scherer, 12, rue du Vin, Husseren-les-Châteaux, 68420 Herrlisheim-près-Colmar, tél. 89.49.30.33 ▼ t.l.j, 9h-11h 14h-19h.

CHARLES SCHLERET Cuvée exceptionnelle 1986**

□ 0.24 ha — 2 200 — ⊞ ↓V5

Turckheim est assurément l'une des cités les plus pittoresques d'Alsace, avec ses remparts, ses tours de vieilles pierres mais aussi ses cigognes et surtout les vignobles qui la cernent de toute part. Ce pinot gris, originaire de la partie alluviale, est un très bon produit, récolté en phase de surmaturation. Les arômes typiques du botrytis se confondent avec ceux du cépage. Au palais, c'est une très belle matière, complexe, qui demande à s'épanouir après quelques années de vieillissement.

• M. Charles Schleret, 1-3, rte d'Ingersheim, 68230 Turckheim, tél. 89.27.06.09 ▼ r.-v.

GUSTAVE LORENTZ Vendanges Tardives 1986

□ 1 ha — 3 500 — ⊞ ↓V6

Très jeune, ne montrant pas encore son réel potentiel qualitatif, mais parfaitement vinifié. Quelques années supplémentaires vont lui permettre de s'harmoniser totalement. C'est un vin à attendre.

• M. Gustave Lorentz, 35, Grand'Rue, 68750 Bergheim, tél. 89.73.63.08 ▼ lu ma me je ve. 8h-12h 14h-17h.

JEAN-LUC MADER Cuvée Théophile 1986*

□ 0.40 ha — 2 000 — ⊞ ↓V3

Conforme à son terroir calcaire d'origine, ce tokay est encore dans sa phase de jeunesse. Typé et intense, il révèle une bonne matière, mais gagnera encore à vieillir comme en témoigne son caractère gouleyant et légèrement moelleux.

• M. Jean-Luc Mader, 13, Grand'Rue, Hunawihr, 68150 Ribeauvillé, tél. 89.73.80.32 ▼ t.l.j. 10h-19h.

GERARD NEUMEYER 1986*

□ 0.31 ha — 2 600 — ⊞ ↓V2

C'est un tokay originaire d'un terrain de calcaire coquillier, encore très jeune contrairement à ce que semble montrer sa belle robe dorée. Au nez, il développe des arômes bien typés, élégants, qui rappellent le fruité du coing. En bouche, on note la puissance donnée par l'alcool et le sucre restant, ainsi que l'équilibre lié à un bon niveau d'acidité.

• M. Gérard Neumeyer, 29, rue Ettore-Bugatti, 67120 Molsheim, tél. 88.38.12.45 ▼ r.-v.

CAVE VINICOLE D'OBERNAI 1986*

□ n.c. — n.c. — ⊞ ↓V2

Fin et fruité, un tokay aux reflets dorés et brillants. Franc et bien typé, c'est un vin léger et harmonieux, dans la lignée du millésime.

• Cave Vinicole d'Obernai, 30, rue du Gl-Leclerc, 67210 Obernai, tél. 88.95.61.18 ▼ r.-v.

ROBERT SCHOFFIT
Vendanges Tardives 1985***

			6
1 ha	600		

Ce vin est marqué par la personnalité de l'élaborateur. On sent cette touche très profonde inculquée par le vigneron. De très grande classe, il a une robe jaune clair, un nez très expressif de fleurs champêtres, légèrement violette, et un palais ample et généreux, élégant à souhait. Un grand vin de garde.

M. Robert Schoffit, 27, rue des Aubépines, 68000 Colmar, tél. 89.41.69.45 ☎ t.l.j. sf dim. 9h-12h 14h-18h : f. fin août

GERARD SCHUELLER 1986*

			3
0,45 ha	2 600		

Déjà bien ouvert, comme en témoignent à la fois sa robe dorée et ses arômes intenses et bien typés, voilà un 86 assez souple et harmonieux.

M. Gérard Schueller, 1, rue des Trois-Châteaux, Husseren-les-Châteaux 68420 Herrlisheim, tél. 89.49.31.54 ☎ r.-v.

PIERRE SPARR ET FILS
Prestige - Tête de Cuvée 1986***

		4
1,50 ha	10 300	

Issu d'une sélection des meilleurs coteaux calcaires, il développe, dans une robe dorée très soutenue, des arômes déjà très évolués marqués par des senteurs de miel. Au palais, il se révèle corsé, charpenté, très persistant, équilibré malgré une pointe de sucre restant. Un vin de grande classe déjà bien typé et qui devrait se tenir encore lontemps.

Maison Pierre Sparr et Fils, 2, rue de la Première-Armée, Sigolsheim, 68240 Kaysersberg, tél. 89.78.24.22 ☎ r.-v.

AIME STENTZ ET FILS
Sélection de Grains Nobles 1986***

			6
0,34 ha	1 500		

Le tokay-pinot gris autant que le gewurztraminer exprime merveilleusement la surmaturation. Quand en plus un tri sévère a été réalisé, ce cépage se présente de manière remarquable. Fruité au nez avec des arômes très caractéristiques du cépage, ce vin a une ampleur inégalable au palais. Équilibré, racé, typé : telles sont ses autres qualités. Très grand vin de garde ayant encore quelques décennies devant lui.

M. Aimé Stentz et Fils, 37, rue Herzog, Wetolsheim, 68000 Colmar, tél. 89.80.63.77 ☎ t.l.j. sf dim. 8h-12h 14h-18h.

WOERLY-SCHAEFFER 1986*

		3
n.c.	n.c.	

Le tokay-pinot gris s'adapte à tous les bons terroirs d'Alsace. Le vigneron fait le reste et le conduit tout au long de son élevage. Ce 86 a un arôme déjà caractéristique, un peu fermé, un peu noisette. Au palais, il est généreux et de bonne harmonie. Beau type.

Woerly-Schaeffer, 3, pl. du Marché, 67650 Dambach-la-Ville, tél. 88.92.40.81 ☎ r.-v.

G. ZEYSSOLFF 1986

		3
0,35 ha	2 500	

Issu d'une vigne encore jeune et situé sur terrain argilo-calcaire, ce tokay est encore très fermé mais parfaitement équilibré et déjà persistant. Il convient d'attendre qu'il s'épanouisse encore.

M. G. Zeyssolff, 156, rte de Strasbourg, Gertwiller, 67140 Barr, tél. 88.08.90.08 ☎ r.-v.

Alsace pinot noir

L'Alsace est surtout réputée pour ses vins blancs ; mais sait-on qu'au Moyen Age les rouges y occupaient une place tout à fait considérable ? Après avoir presque disparu, le pinot noir (le meilleur cépage rouge des régions septentrionales) fait depuis une vingtaine d'années l'objet d'une véritable résurrection ; il occupe d'ores et déjà 6 % du vignoble.

Pour le moment, on connaît surtout le type rosé, vin agréable, sec et fruité, susceptible comme d'autres rosés d'accompagner une foule de mets. On remarque cependant une tendance qui se développe à élaborer un véritable vin rouge de pinot noir : tendance très prometteuse.

114

DOM. LUCIEN ALBRECHT 1986 ***

■   1 ha   n.c.   ♣ V 3

Le terroir et la vigne ont communiqué au vin ses qualités intrinsèques, le chêne du bois lui a apporté sa note originale, et le vinificateur a fait le reste : c'est-à-dire un petit chef-d'œuvre. D'un rouge rubis très franc, intensément floral au nez, l'harmonie parfaite alliée à un corps long et ample : un vin de très grande classe à conserver encore.

➥ Dom. Lucien Albrecht, 9, Grand'Rue, Orschwihr, 68500 Guebwiller, tél. 89.76.95.18 ♈ t.l.j, sf dim. 8h-11h30/14h-17h.

COOP. VINICOLE D'ANDLAU 1986 *

■   n.c.   20 000   ♣ V 3

L'intensité colorante, quoique plus pâle, ne désavantage en rien la qualité intrinsèque de ce vin. Le vinificateur a essayé de lui conférer une certaine personnalité : il y a réussi. Très agréablement floral au nez, bien souple, il peut dès maintenant accompagner tout un repas.

➥ Coop. Vinicole d'Andlau, 15, av. des Vosges, 67140 Barr, tél. 88.08.90.53 ♈ r.-v.

DOM. BARMES-BUECHER 1986 *

■   0,45 ha   2 000   ⦀ ♣ V 3

La vinification en pièces de bois de chêne fait de plus en plus d'adeptes en Alsace. Ce vin en est un exemple typique. Issu de terrain lourd, il s'exprimera pleinement dans quelques années, comme l'indiquent dans quelques années, les tanins agréables mais non encore fondus, la bonne structure générale et une bonne mâche. A attendre.

➥ Dom. Barmès-Buecher, 30-23, rue Sainte-Gertrude, Wettolsheim, 68000 Colmar, tél. 89.80.62.92 ♈ r.-v.

JOSEPH CATTIN ET FILS 1986

■   1,80 ha   10 000   ⦀ ♣ V 3

Peu expressif aujourd'hui, ce 86 présente cependant tous les signes d'une bonne évolution. De robe soutenue, d'une agréable brillance, ses tanins mûrs sont les signes précurseurs d'une bonne longévité.

➥ MM. Cattin Joseph et Fils, 18, rue Roger-Frémeaux, Voegtlinshoffen, 68420 Herrlisheim, tél. 89.49.30.21 ♈ r.-v.

DIRLER 1986 ***

■   0,55 ha   5 500   ⦀ ♣ V 3

Le pinot noir devient une spécialité de ce vigneron. Le travail de sélection et de tri de la vendange porte ses fruits. Élaboré avec toute la méticulosité dont fait preuve cet éleveur, le 86 a atteint les sommets de la qualité. La robe franche est d'un rubis très soutenu. Le nez accuse des arômes vanillés en rapport avec son élaboration en fût de chêne. Il est parfaitement équilibré et charpenté au palais ; ses tanins mûrs et sa belle robe en font un vin de garde de très grande qualité.

DIVINAL 1986 **

■   n.c.   20 000   ⦀ ♣ V 2

Ce vin est à classer parmi les grands pinots noirs. Intensément rosé, il est tout en nuances complexes de fruits et de fleurs ; il sent le printemps. Souple et harmonieux, de bonne « longueur », il charmera plus d'un palais difficile. Peut être dégusté dès à présent, mais peut également faire honneur pendant quelques années encore aux caves les plus sérieuses.

➥ Cave Vini. Divinal d'Obernai, 30, rue du Gal-Leclerc, 67210 Obernai, tél. 88.95.61.18 ♈ r.-v.

DOPFF ET IRION Rouge d'Alsace 1986 *

■   5 ha   70 000   ⦀ ♣ V 3

Riquewihr est un des haut lieux d'Alsace. La maison Dopff et Irion est l'une de ses maisons de renom. De robe rouge rubis très franc, ce vin cherche encore à s'ouvrir. Il est corsé, mais un léger excédent tannique plaide pour un vieillissement d'une à deux années.

➥ Dopff et Irion SA, Au Ch. de Riquewihr, 68340 Riquewihr, tél. 89.47.92.51 ♈ t.l.j; 9h-19h ; f. janv., fév.

RAYMOND ENGEL 1986 **

■   1,50 ha   20 000   ⦀ ♣ V 3

Le pinot noir peut être vinifié en rouge ou en rosé. Lorsqu'il est vin rosé, il est généralement plus léger mais très plaisant. C'est le cas de celui-ci qui a une robe rosée agréable, un nez plutôt floral et un palais puissant, mais fin et harmonieux. L'équilibre est parfait et révèle un très grand vin.

➥ GAEC Raymond Engel et Fils, 1, rue du Vin, Orschwiller, 67600 Sélestat, tél. 88.92.01.83 ♈ t.l.j; 8h-12h 14h-18h.

ARMAND FAHRER 1986 ***

■   1,76 ha   9 000   ⦀ ♣ V 3

Le long de la route des Vins, Saint-Hippolyte s'étend au pied du Haut-Kœnigsbourg, château historique et haut lieu touristique. Mais Saint-Hippolyte est également renommé pour la production de ses vins rouges de pinot noir. De grande intensité colorante et aromatique, ce 86 est puissant, harmonieux, charpenté. Il ne pourra que se bonifier encore avec l'âge.

➥ M. Jean-Pierre Dirler, 13, rue d'Issenheim, Bergholtz, 68500 Guebwiller, tél. 89.76.91.00 ♈ r.-v.

⚑ M. Armand Fahrer, 24, rte du Vin, 68590 Saint-Hippolyte, tél. 89.73.00.40 ⚑ t.l.j. 9h-11h30 13h-18h ; f. dim. de nov. à fin mars sur r.-v.

ROGER ET ROLAND GEYER 1986***

0,70 ha   n.c.

Le pinot noir donne naissance à des vins rosés qui peuvent figurer parmi les plus grands. Le rosé très soutenu de ce vin frappe déjà de manière très agréable l'œil du consommateur. Il est complété par un nez déjà assez expressif, mais devant encore s'ouvrir avec le temps, et par une bouche pleine et très harmonieuse. On atteint vraiment le sommet que l'on peut espérer du pinot noir. Vin de grande classe et de garde.

⚑ MM. Roger et Roland Geyer, 146-148, rte du Vin, Nothalten, 67680 Epfig, tél. 88.92.46.82 ⚑ r.-v.

LOUIS HAULLER 1986*

0,59 ha   5 000

Dambach-la-Ville est l'une des cités médiévales les mieux conservées d'Alsace, entièrement ceinte d'un rempart. La cave de ce vigneron se situe à quelques mètres de l'entrée nord-ouest. Il a élaboré ce vin rouge rubis avec la méticulosité qu'on lui connaît. Le résultat est tout à son honneur. Le fruité expressif au nez se retrouve au palais et est complété par un corps harmonieux et agréable.

⚑ M. Louis Hauller, 92, rue du Mal-Foch, 67650 Dambach-la-Ville, tél. 88.92.41.19 ⚑ ma. me. je. ve. sa. di. 9h-11h30 13h30-18h ; f. janv.

HEIM Réserve 1986*

0,50 ha   5 000

La robe de ce vin marquera agréablement l'œil. Son nez boisé mais fruité pinot noir discret est le signe de sa jeunesse. Puissant au palais, de bonne typicité et de persistance moyenne, il doit encore harmoniser ses caractéristiques organoleptiques.

⚑ Heim SA, 56, rte de Soultzmatt, 68250 Westhalten, tél. 89.47.00.45 ⚑ r.-v.

AUGUSTE HURST ET FILS 1986**

0,74 ha   5 000

Turckheim, une des cités historiques d'Alsace, produit également des vins réputés. Venu du Brand, ce pinot, de robe franche très soutenue, au nez plaisant accusant un agréable fruité, est riche, corsé, bien charpenté. Il est destiné à une belle évolution dans le temps.

⚑ MM. Auguste Hurst et Fils, 5, rue Sainte-Anne, B.P. 46, 68230 Turckheim, tél. 89.27.06.42 ⚑ r.-v.

RENE KLEIN ET FILS 1986*
Le Rouge de Saint-Hippolyte 1986*

0,95 ha   n.c.

Le «Rouge de Saint-Hippolyte» est connu depuis le XVIᵉ s. Élaboré à partir du pinot noir, il accède aux marches qualitatives les plus élevées que peut atteindre ce cépage en Alsace. Avec sa robe rouge soutenue, le 86 offre un bouquet de petits fruits rouges, un palais équilibré et puissant. Le léger tanin qu'il exprime aujourd'hui lui permettra d'assurer son avenir.

⚑ GAEC René Klein et Fils, rte du Vin, Kœnigsbourg, 68590 Saint-Hippolyte, tél. 89.73.00.41 ⚑ r.-v.

LANGEHALD 1986*

0,77 ha   6 500

Ce vin est issu d'un terroir exposé plein sud, de structure légère. C'est ce qui explique son caractère déjà très expressif. Robe franche soutenue, son nez laissant de bonnes perspectives. Le palais confirme ces premiers signes : vin puissant, très fruité, de bonne garde moyenne (3 à 5 ans).

⚑ M. François Baur Petit-Fils, 3, Grand'Rue, 68230 Turckheim, tél. 89.27.06.62 ⚑ r.-v.

HUBERT METZ 1986

1 ha   8 000

Les terrains légers (sable ou granit) confèrent aux vins des caractéristiques de fruit ou de fleur plus prononcées. La légèreté se retrouve généralement au palais et se traduit par une gouleyance remarquable. Ce vin ne fait pas défaut à cette description. Bien équilibré, il est agréable à boire.

⚑ M. Hubert Metz, 57, rte du Vin, 67650 Blienschwiller, tél. 88.92.43.06 ⚑ r.-v.

MULLER-KOEBERLE Geissberg - Rouge de Saint-Hippolyte 1986***

6 ha   23 000

Ce vigneron peut être considéré comme l'un des spécialistes du «Rouge de Saint-Hippolyte» tant il est parfaitement réussi : son vin atteint les sommets de la qualité. D'un rouge intense aux reflets rubis, avec un nez équilibré entre le fruit et la fleur, tannique juste à point au palais, il laisse une impression harmonieuse et particulièrement ample. C'est dire qu'il a toutes les qualités requises pour faire un très grand vin.

⚑ GAEC Muller-Koeberlé, 22, rte du Vin, 68590 Saint-Hippolyte, tél. 89.73.00.37 ⚑ t.l.j. 8h-12h 14h-18h ; f. sur r.-v. le dim.

GERARD NEUMEYER 1986*

0,79 ha   6 000

Molsheim est une de ces petites villes que l'on dit «valoir le détour». Riche de par son histoire mais aussi de par ses vins, elle se situe au débouché de l'une des vallées pénétrantes des Vosges. Ses vins sont remarquables : celui-ci, d'un rosé intense, dévoile un nez intéressant quoique encore fermé. De bonne longueur en bouche, il mérite de vieillir.

⚑ M. Gérard Neumeyer, 29, rue Ettore-Bugatti, 67120 Molsheim, tél. 88.38.12.45 ⚑ r.-v.

ROUGE D'OTTROTT 1986***

7 ha   20 000

Ce vin laisse une grosse impression finale. De robe rouge pas trop soutenue, il est particulièrement agréable au nez. Les arômes complexes se retrouvent d'ailleurs au palais et lui confèrent des nuances très subtiles. Harmonieux dès maintenant, c'est un vin qui mérite d'être encore attendu.

⚑ M. Charles Wantz, 36, rue Saint-Marc, 67140 Ottrott, tél. 88.08.90.44 ⚑ t.l.j. sf dim. 8h-12h 14h-17h30.

ROLLY-GASSMANN
Réserve Millésime 1986***

1,3C ha	6 000

La maison Rolly-Gassmann est actuellement présente sur les plus grandes tables. Sa renommée n'est donc plus à faire et ce pinot 86 est tout à fait à son honneur. De robe rouge rubis très soutenue, il dégage puissance et harmonie.

→ Rolly-Gassmann, 2, rue de l'Eglise, Rorschwihr, 68590 Saint-Hippolyte, tél. 89.73.63.28 ℡ r.-v.

ANDRE SCHERER 1986***

0,66 ha	6 500

Husseren-les-Châteaux est niché au pied de trois châteaux. C'est également l'un des villages les plus hauts du vignoble. De ce fait, il surplombe les vignes, d'exposition sud ou sud-est. Ses vins sont particulièrement expressifs et celui-ci en est un exemple caractéristique. Très rouge, le nez encore fermé, il est ample au palais, équilibré et de bonne longueur. Son avenir est assuré et il doit réjouir les palais les plus difficiles.

→ Vignoble André Scherer, 12, rte du Vin, Husseren-les-Châteaux, 68420 Herrlisheim-près-Colmar, tél. 89.49.30.33 ℡ t.l.j; 9h-11h 14h-19h.

CHARLES SCHLERET 1986*

0,44 ha	4 000

Peu intense, ce vin présente une belle brillance avec un bouquet caractéristique du cépage, déjà bien mûr, de bonne persistance et bien équilibré. Il est à consommer dès à présent.

→ M. Charles Schleret, 1-3, rte d'Ingersheim, 68230 Turckheim, tél. 89.27.06.09 ℡ r.-v.

CLOS DE SONNENBACH 1986*

1 ha	7 000

Ce vin est remarquable par ses arômes de fruits et de fleurs en mélange. Certains pensent que l'arôme «framboise» prédomine : ce serait d'ailleurs une des caractéristiques du terroir schisteux qui l'a produit. Une autre caractéristique de celui-ci est la légèreté qu'il communique au vin : il devient alors très agréable avec une charpente harmonieuse.

→ MM. René Beck et Fils, 5, rue des Remparts, 67650 Dambach-la-Ville, tél. 88.92.42.43 ℡ t.l.j; 9h-11h30/13h-19h.

PAUL SPANNAGEL ET FILS 1986*

0,60 ha	5 000

Issu d'un des nombreux vallons transversaux, ce vin est caractéristique de son terroir. Les arènes granitiques lui confèrent finesse et légèreté. De robe assez soutenue avec un fruité expressif, il est bien charpenté et persistant au palais. C'est un vin plaisant pouvant être dégusté dès maintenant, mais qui a encore quelques belles années devant lui.

→ MM. Paul Spannagel et fils, 1, Grand-Rue, Katzenthal, 68230 Turckheim, tél. 89.27.01.70 ℡ t.l.j; 8h-12h 13h30-19h.

JEAN-JACQUES ZIEGLER-MAULER 1986*

0,20 ha	1 300

Ce vin se distingue par la fraîcheur que lui a conféré le terroir calcaire. Vinifié en rosé, il a une bonne acidité. Bien équilibré, soutenu par une bonne présentation, il peut accompagner les plats régionaux mais il peut également se suffir à lui-même, lorsqu'il s'agit d'étancher une «petite soif».

→ M. Jean-Jacque Ziegler-Mauler, 2, rue des Merles, Mittelwihr, 68630 Bennwihr, tél. 89.47.90.37 ℡ t.l.j; 8h-19h.

WOLFBERGER 1986

n.c.	n.c.

Ce vin, sans atteindre des sommets qualitatifs extraordinaires, est cependant une bonne expression du pinot noir. Facile à apprécier avec une robe rubis de belle brillance, un nez plaisant à fruité léger, un bel équilibre au palais, très souple et goûleyant, il peut être consommé dès à présent.

→ Cave Vinicole d'Eguisheim, 6, Grand'Rue, Eguisheim, 68420 Herrlisheim, tél. 89.41.11.06 ℡ r.-v.

CAVE VINICOLE DE WESTHALTEN 1986*

3 ha	15 000

Ce vin provient de l'un des vignobles les mieux exposés d'Alsace. Le terroir constitué de calcaire coquillier lui a permis de s'exprimer pleinement. Sa robe franche, son nez très mûr, son palais de très bonne longueur, confèrent les qualités nécessaires à une bonne évolution. Mérite de vieillir encore.

→ Cave Vinicole de Westhalten, 52, rue de Soultzmatt, 68250 Westhalten, tél. 89.47.01.27 ℡ t.l.j; 8h-12h 14h-18h; f. juil.

ALFRED WANTZ 1986**

2 ha	10 000

Situé à flanc de coteau du Zotzenberg, le village de Mittelbergheim vaut qu'on lui rende visite. En exposition sud, sur un terroir argilo-calcaire, il produit des vins remarquables par leur évolution dans le temps. Celui-ci, de type rosé, laisse une impression olfactive de très belle intensité. Son équilibre en bouche est presque acquis mais un vieillissement prolongé lui sera bénéfique.

→ Caves Alfred Wantz, 3, rue des Vosges, 67140 Mittelbergheim, tél. 88.08.91.43 ℡ r.-v.

PIERRE SPARR ET FILS
Cuvée Particulière SPS 1986**

3 ha	28 000

La maison Pierre Sparr est l'une des plus anciennes établies dans le vignoble alsacien. Sa renommée n'est donc plus à faire. Ce pinot noir se trouve dans la parfaite lignée des vins Sparr avec une robe d'un rouge brillant, un nez très «petits fruits», un bel équilibre et une grande souplesse. Il peut être dégusté dès à présent.

→ Maison Pierre Sparr et Fils, 2, rue de la Première-Armée, Sigolsheim, 68240 Kaysersberg, tél. 89.78.24.22 ℡ r.-v.

A. ZIMMERMANN ET FILS
Cuvée Spéciale 1986**

■ 0,50 ha 4 000 ⏸▼2

Les coteaux qui s'étendent au pied du Haut-Koenigsbourg sont particulièrement propices à la production de vins de qualité. Celui-ci ne fait pas exception à la règle. Sa robe sans défaut, son nez type au fruité très soutenu, son palais puissant et persistant en font un vin digne de figurer dans les caves les plus honorables. Vin de garde.
➤ GAEC A. Zimmermann et Fils, 3, Grand'Rue, Orschwiller, 67600 Sélestat, tél. 88.92.08.49 ⏰ r.-v.

Sachez ranger votre cave : les blancs près du sol, les rouges au-dessus ; les vins de garde dans les rangées du fond, les bouteilles à boire en situation frontale. Et n'oubliez pas le livre de cave...

Au restaurant, il est conseillé de choisir un « petit » vin sur un menu préétabli, et de composer son menu à partir d'un grand vin ; mais en accordant les niveaux respectifs de qualité des mets et des vins.

Alsace grand cru altenberg de bergbieten

FREDERIC MOCHEL
Gewurztraminer 1986

□ 0,86 ha 6 000 ⏸▼5

Les terroirs Altenberg semblent avoir une prédilection pour la vigne et la production de grands vins. Celui-ci n'échappe pas à la règle. Sa situation particulière plein sud, son sol marneux parsemé de cailloutis sont autant d'atouts favorables. Vin frais et fruité, avec des nuances d'épices, il a un palais plein de vivacité. Son ampleur suivant, nous avons ici un vin qui s'exprimera bientôt pleinement.
➤ M. Frédéric Mochel, 56, rue Principale, Traenheim, 67310 Wasselonne, tél. 88.50.38.67 ⏰ r.-v.

ROLAND SCHMITT Riesling 1986*

□ 7 ha 7 000 ⏸▼2

L'Altenberg de Bergbieten jouit d'un ensoleillement exceptionnel. Son sol marneux comporte en surface un cailloutis intense qui permet ce réchauffement. Le riesling s'y adapte particulièrement bien. Ce 86, très floral, d'une bonne typicité, présente un palais frais, de bonne nervosité. La bonne acidité de soutien lui assure la conservation.
➤ M. Roland Schmitt, 50, rue des Vosges, Bergbieten, 67310 Wasselonne, tél. 88.38.20.72 ⏰ t.l.j. sf dim. 9h-12h15 13h-19h.

Alsace grand cru

La différenciation des vins d'Alsace par les cépages, et la recherche de vins présentant un maximum de typicité variétale, ont relégué au second plan la notion de cru, liée à un terroir, telle qu'elle se présente dans la plupart des vignobles d'appellation contrôlée. Mais cette règle générale a cependant connu depuis fort longtemps un certain nombre d'exceptions, telles le rangen de Thann, le brand de Turckheim, le sporen de Riquewihr, le kirchberg de Barr, et bien d'autres.

Dans le but de promouvoir les meilleures situations du vignoble, un décret de 1975 a institué l'appellation « alsace grand cru », liée à un certain nombre de contraintes plus rigoureuses en matière de rendement et de teneur en sucre, et limitée aux gewurztraminer, pinot gris, riesling et muscat. Actuellement, la phase de mise en place et de délimitation des terroirs « grand cru » n'est pas encore terminée. Ces terroirs produisent de plus en plus, parallèlement aux vins sygillés de la confrérie Saint-Étienne et à certaines cuvées de renom, le nec plus ultra des vins d'Alsace.

Alsace grand cru altenberg de bergheim

DOM. MARCEL DEISS
Gewurztraminer - Vendanges Tardives 1986**

□ 2 ha 6 500 ⏸▼6

L'Altenberg de Bergheim, d'exposition sud avec son sol argilo-calcaire très caillouteux, apporte une note de noblesse aux vins. Ils s'expriment à l'image de celui-ci par une robe dorée très attrayante, un fruité complexe et subtil, des arômes puissants et élégants à la fois. Palais ample et généreux accompagné d'un moelleux délicat. Vin de grande classe à laisser mûrir encore pendant un certain temps.
➤ Dom. Marcel Deiss, 15, rte du Vin, 68750 Bergheim, tél. 89.73.63.37 ⏰ t.l.j. sf dim. 8h-12h 14h-19h.

Alsace grand cru altenberg de wolxheim

FRANCOIS ET ROBERT MUHLBERGER
Gewurztraminer 1986

1 ha   7 000   ▣ Ⅴ3

Des abbayes y avaient leur vignoble et l'évêché de Strasbourg y avait des possessions. C'est dire combien les vins de ce terroir étaient recherchés. La tradition est maintenue aujourd'hui par la production de vins racés. Celui-ci, plein de finesse, possède un parfait équilibre entre acidité et corps. Cette acidité est d'ailleurs la garantie d'une future bonne évolution.

➜ GAEC F. et R. Muhlberger,
1, rue de Strasbourg,
Wolxheim, 67120 Molsheim, tél. 88.38.10.33
Ⅰ r.-v.

Alsace grand cru brand

FRANCOIS BAUR PETIT-FILS
Gewurztraminer 1986

0.65 ha   6 000   ▣ Ⅴ3

Le Brand surplombe la cité pittoresque de Turckheim, réputée pour ses richesses historiques, qui présente la particularité d'avoir encore son veilleur de nuit. Une tournée en sa compagnie vaut le détour. La visite peut ensuite se compléter par la dégustation d'un gewurztraminer du Brand, par exemple celui-ci. On découvre alors un vin déjà ouvert avec des arômes floraux, un palais de bonne ampleur reflétant la parfaite maturité du raisin.

➜ M. François Baur Petit-Fils, 3, Grand'Rue, 68230 Turckheim, tél. 89.27.06.62 Ⅰ r.-v.

ALBERT BOXLER ET FILS
Gewurztraminer 1986*

0.40 ha   3 000   ▣ Ⅴ3

Le Brand est un terroir particulièrement favorable, et son microclimat est clément. Il fait bon s'y promener à la sortie de l'hiver, abrité des vents du Nord, tout en contemplant l'extraordinaire paysage qui s'étend à ses pieds. Il n'est pas étonnant que les vins y expriment un potentiel qualitatif important. Celui-ci, toujours harmonieusement fleuri au nez, présente la qualité du gewurztraminer telle qu'on la souhaite. Un joli vin.

➜ MM. Albert Boxler et Fils, 78, rue des Trois-Epis, Niedermorschwihr, 68230 Turckheim, tél. 89.27.11.32 Ⅰ r.-v.

AUGUSTE HURST Riesling 1986

1,20 ha   10 000   ▣ Ⅴ3

Important propriétaire dans le Brand, ce vigneron peut montrer les mille facettes et caractères des vins qu'y sont produits, et dire surtout combien ils évoluent parfaitement avec le temps. Encore un peu fermé, ce 86 n'a pas encore atteint sa plénitude. Mais tous les présages sont là pour

qu'il ne fasse pas exception à la règle. Il dévoile en effet un nez finement floral, et une harmonie tout à fait acceptable. Vin à attendre.

➜ MM. Auguste Hurst et Fils, 5, rue Sainte-Anne, B.P. 46, 68230 Turckheim, tél. 89.27.06.42
Ⅰ r.-v.

DOM. LANGEHALD Riesling 1986**

2,07 ha   21 000   ▣ Ⅴ3

Le Brand de Turckheim est un autre terroir qui jouit d'une grande réputation. Son sol granitique et son exposition plein sud sont les garants d'un excellent avenir des vins qui y sont produits. Celui-ci, avec sa robe or pâle, sa bonne attaque, sa fin nerveuse, possède toutes les qualités d'un grand riesling. Vin d'avenir.

➜ M. François Baur Petit-Fils, 3, Grand'Rue, 68230 Turckheim, tél. 89.27.06.62 Ⅰ r.-v.

CAVE VINICOLE DE TURCKHEIM Gewurztraminer 1986***

n.c.   12 500   ▣ Ⅴ4

L'histoire nous rappelle que le Brand est une « terre de feu » qui brilla de tout temps au firmament des grand crus d'Alsace. C'est tout à fait exact et ce vin le prouve une fois de plus. Déjà ouvert avec des arômes complexes, c'est un véritable bouquet de fleurs. Le palais de grande ampleur, parfaitement équilibré et capiteux, lui assure l'avenir. C'est un très grand vin.

➜ Cave Vinicole de Turckheim, 68230 Turckheim, rue des Tuileries, 68230 Turckheim, tél. 89.27.06.25 Ⅰ r.-v.

13,5% ALC./VOL.

Alsace Grand Cru
APPELLATION ALSACE GRAND CRU CONTROLEE
Gewurztraminer
Grand Cru Brand
1986
MIS EN BOUTEILLE À LA PROPRIÉTÉ
LES PROPRIÉTAIRES-RÉCOLTANTS A TURCKHEIM HAUT-RHIN FRANCE
PRODUCE OF FRANCE
750 ml

CAVE VINICOLE DE TURCKHEIM Riesling 1986**

n.c.   14 000   ▣ Ⅴ4

Le Brand de Turckheim est ce coteau exposé sud que l'on aperçoit sur la droite quand on va de Colmar à Munster. Magnifiquement situé, il peut donner des merveilles. Bien sûr, l'oenologue y apporte sa touche. Ce 86 est un exemple typique : déjà intensément doré à l'oeil, son nez très riche avec des nuances de miel laisse présager une grande matière. Le palais ne déçoit pas, il est grand, encore un peu vif mais va se fondre avec le temps. Grand vin.

➜ Cave Vinicole de Turckheim, rue des Tuileries, 68230 Turckheim, tél. 89.27.06.25 Ⅰ r.-v.

CAVE VINICOLE DE TURCKHEIM Tokay-pinot gris 1986*

| | n.c. | 6 000 |

Le Brand convient parfaitement au tokay-pinot gris. Les vins qui en sont issus sont remarquablement typés. De robe jaune, ce 86 a un nez exprimant à la fois le cépage et le terroir. Equilibré, corpulent, opulent aussi. Bonne réussite.

Cave Vinicole de Turckheim, rue des Tuileries, 68230 Turckheim, tél. 89.27.06.25 ♈ r.-v.

BERNARD WEBER Riesling 1986*

| | 0,75 ha | 6 000 |

Issu de Bruderthal, lieu-dit établi sur un substrat de calcaire coquillier, ce riesling est déjà bien ouvert. Fin au nez, il développe des arômes d'une belle intensité. Harmonieux, il est tout prêt à accompagner charcuterie ou fruits de mer.

M. Bernard Weber, 49, rue de Saverne, 67120 Molsheim, tél. 88.38.52.67 ♈ r.-v.

DOM. ZIND-HUMBRECHT Riesling 1986***

| | 30 ha | 180 000 |

Le domaine Zind-Humbrecht est à considérer parmi les plus grands noms du vignoble alsacien. Ardent défenseur, voire instigateur des crus, ce domaine peut s'enorgueillir de posséder quatre grands crus. Parmi ceux-là, le brand est l'un des plus prestigieux. Ce terroir exceptionnel produit, tel ce riesling, un vin d'une finesse et d'une ampleur rarement égalées. Le nez plein, qui s'épanouit en véritable bouquet fleuri avec des nuances de miel, se poursuit par un palais de grande maturité et richesse.

Dom. Zind-Humbrecht, 34, rue du Mal-Joffre, Wintzenheim, 68000 Colmar, tél. 89.27.02.05 ♈ r.-v.

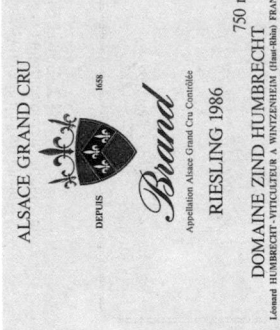

Alsace grand cru eichberg

PIERRE-HENRI GINGLINGER Gewurztraminer 1986***

| | 0,24 ha | 2 000 |

Eguisheim est l'une des étapes à ne pas manquer lorsque l'on visite l'Alsace. Cité très pittoresque, elle vaut également par la renommée de ses vins. Celui-ci tout à fait à son honneur. Couleur jaune doré, opulent et fin au nez, d'un bel équilibre, capiteux, bien charpenté et de longue persistance au palais, il est de grande envergure.

M. Pierre-Henri Ginglinger, 4 et 33, Grand'Rue, Eguisheim, 68420 Herrlisheim, tél. 89.41.32.55 ♈ r.-v.

Alsace grand cru bruderthal

GERARD NEUMEYER Riesling 1986*

| | 0,40 ha | 3 100 |

Les moines cisterciens qui étaient propriétaires de vignes à Molsheim au Moyen Age ont laissé leur nom à ce lieu-dit. Son substrat de calcaire coquillier en fait un lieu privilégié pour la production de vins de garde. Ce riesling est pourtant déjà bien ouvert au nez fin et typé, il est plutôt ample en bouche, d'une rondeur en rapport avec sa maturité. Très harmonieux.

M. Gérard Neumeyer, 29, rue Ettore-Bugatti, 67120 Molsheim, tél. 88.38.12.45 ♈ r.-v.

JEAN-VICTOR HEBINGER ET FILS Gewurztraminer 1986

| | 0,40 ha | 3 000 |

Autre type de la production de ce terroir, avec un lien commun d'arômes fins et élégants. De couleur jaune clair, ce vin à déjà un nez très intense et agréable. Bien charpenté au palais, il présente une ampleur soutenue. Peut être dégusté à toute heure et dès maintenant.

MM. J.-V. Hebinger et Fils, 14, Grand'Rue, 68420 Eguisheim, tél. 89.41.19.90 ♈ r.-v.

ALBERT HERTZ-MEYER Gewurztraminer 1985*

| | 0,25 ha | 2 400 |

Le terroir de l'Eichberg retarde le moment de l'épanouissement des vins. L'expression parfaite n'intervient généralement qu'après quelques années. Celui-ci a toutes ces caractéristiques :

intensité colorante jaune-vert, nez encore discret mais prometteur, palais agréable mais manquant encore d'ampleur. À garder.
➦ M. Albert Hertz-Meyer, 3, rue du Riesling, 68420 Eguisheim, tél. 89.41.30.32 ☎ r.-v.

ALBERT HERTZ-MEYER Riesling 1986*

| 0,23 ha | 2 000 | | |

Le terroir argilo-calcaire communique à ce vin ses arômes complexes d'épices et de fleurs. Très long au palais, il est ample et vineux. Son expression est déjà bonne mais le temps ne peut lui être que bénéfique. Vin de garde.
➦ M. Albert Hertz-Meyer, 3, rue du Riesling, 68420 Eguisheim, tél. 89.41.30.32 ☎ r.-v.

KUENTZ-BAS
Cuvée Caroline - Gewurztraminer 1985***

| 0,60 ha | 4 000 | | |

Il s'avère décidément que les 85 ont encore une jeunesse remarquable qui retarde l'épanouissement de toutes les qualités organoleptiques. C'est le cas de ce vin qui, quoique de bonne intensité olfactive, n'a pas encore atteint son stade de complexité définitive. D'excellente impression gustative, il n'est pas encore assez ouvert. Sa grande harmonie laisse cependant présager une très bonne évolution. Vin de garde.
➦ Kuentz-Bas SA, 14, rte du Vin, 68420 Husseren-les-Châteaux, tél. 89.49.30.24

ANDRE SCHERER Gewurztraminer 1985*

| 0,45 ha | 3 000 | | |

Au pied des trois châteaux, ce terroir profite de l'écran naturel de la colline qui le domine et lui confère un microclimat particulièrement favorable. Terroir calco-marneux, il retarde l'épanouissement des vins. Celui-ci, par exemple, est encore discret au nez mais on devine son ouverture. Au palais, cette impression est confirmée et sa persistance est longue. Vin de garde.
➦ Vignoble André Scherer, 12, rte du Vin, Husseren-les-Châteaux, 68420 Herrlisheim-près-Colmar, tél. 89.49.30.33 ☎ t.l.j; 9h-11h 14h-19h.

Alsace grand cru frankstein

BECK-HARTWEG Riesling 1986*

| 0,30 ha | 5 000 | | |

Dambach-la-Ville, cité médiévale, est encore aujourd'hui la plus grande commune viticole d'Alsace. Ses terroirs sont remarquables et le Frankstein, avec son sol constitué d'arènes granitiques, est propice à la production de vins racés de grande typicité. Ces qualités s'expriment dans celui-ci au nez fin, élégamment floral, très prometteur au palais, qui extériorise une bonne ampleur. À attendre.
➦ Michel et Yvette Beck-Hartweg, 5, rue Clemenceau, 67650 Dambach-la-Ville, tél. 83.92.40.20 ☎ r.-v.

Alsace grand cru furstentum

WILLY GISSELBRECHT ET FILS Tokay-pinot gris 1986

| 1,60 ha | 13 000 | | |

Exposé sud-sud-est, le sol se réchauffe bien et laisse filer l'eau. La vigne s'y plaît et le tokay-pinot gris donne, à l'instar de ce vin, des arômes frais mais fins, un corps ample, bien équilibré. Vin de bonne garde.
➦ MM. Willy Gisselbrecht et Fils, 3a, rte du Vin, 67650 Dambach-la-Ville, tél. 88.92.41.02 ☎ r.-v.

WOERLY-SCHAEFFER Riesling 1986*

| n.c. | n.c. | | |

Les arômes s'expriment de manière remarquable. Le fumé est particulier, un peu «pierre à fusil». Le palais frais est équilibré par une ampleur conséquente. Bon vin de garde.
➦ Woerly-Schaeffer, 3, pl. du Marché, 67650 Dambach-la-Ville, tél. 88.92.40.81 ☎ r.-v.

Alsace grand cru froehn

J. BECKER Gewurztraminer 1986

| 1,35 ha | 9 000 | | |

Qui ne connaît pas ce village perché, par où sillonne la route du Vin au sud de Ribeauvillé? Le flanc sud de la colline fait naître des vins exquis à tout point de vue mais il faut savoir les attendre. Rien ne sert en effet d'être trop pressé. C'est le cas de celui-ci qui a un fruité un peu discret, un palais exprimant bien les caractères du millésime, avec équilibre et ampleur. Vin de garde.
➦ J. Becker SA, 4, rte d'Ostheim, Zellenberg, 68340 Riquewihr, tél. 89.47.90.16 ☎ r.-v.

J. BECKER Muscat 1986

| 0,25 ha | 1 500 | | |

Située sur un mamelon de grès calcaire, Zellenberg, petite cité viticole, domine un terroir d'exposition sud-sud-est. Le calcaire participe à la bonne expression du vin. Ce muscat de bonne typicité a un fruité léger et agréable. Son palais est ample et bien équilibré.
➦ J. Becker SA, 4, rte d'Ostheim, Zellenberg, 68340 Riquewihr, tél. 89.47.90.16 ☎ r.-v.

Alsace grand cru furstentum

DOM. DES COMTES DE LUPFEN
Tokay-pinot gris 1986***

| 0,30 ha | n.c. | | |

Un tokay originaire de ce fameux lieu-dit calcaire très caillouteux. Sa robe jaune doré très soutenue témoigne déjà d'une certaine évolution.

Alsace grand cru hatschbourg

pourtant les arômes sont encore discrets au nez. En fait, c'est au palais qu'il dévoile tout son éclat. Il est dominé par des caractères de surmaturation, une puissance et un moelleux plutôt exceptionnels pour le millésime 86. Un très beau vin de garde.

➤ GAEC Paul Blanck et Fils, 32, Grand'Rue, Kientzheim, 68240 Kaysersberg, tél. 89.78.23.56
Y t.l.j. sf dim. 9h-12h 13h30-19h.

DOM. DES COMTES DE LUPFEN
Riesling 1986*

□	1,50 ha	n.c.	⊕ ↓ ⓥ

Derrière une belle robe jaune pâle, brillante, se développent des arômes fins et fruités. Au palais, il est dominé par une nervosité typique à la fois du cépage et du millésime. C'est un vin de garde très harmonieux.

➤ GAEC Paul Blanck et Fils, 32, Grand'Rue, Kientzheim, 68240 Kaysersberg, tél. 89.78.23.56
Y t.l.j. sf dim. 9h-12h 13h30-19h.

DOM. DES COMTES DE LUPFEN
Gewurztraminer 1986**

□	2,50 ha	15 000	⊕ ↓ ⓥ

Issu d'un terroir inondé de soleil, voici un gewurztraminer déjà très expressif dans sa robe jaune pâle très brillante. Il développe des arômes de fleurs très typés. S'il est un peu léger au palais, il montre une grande élégance dont il faut profiter dès maintenant.

➤ GAEC Paul Blanck et Fils, 32, Grand'Rue, Kientzheim, 68240 Kaysersberg, tél. 89.78.23.56
Y t.l.j. sf dim. 9h-12h 13h30-19h.

Alsace grand cru goldert

CAVE DE PFAFFENHEIM
Gewurztraminer 1986*

□	3,30 ha	25 000	ⓥ

Guebershwihr et le Goldert sont étroitement liés. A l'image de la richesse architecturale de cette petite cité viticole, le terroir Goldert produit des vins de grande ampleur et de grande richesse. Ce 86, de couleur jaune paille, fin et distingue au nez avec des nuances de fruits exotiques, est particulièrement ample au palais. Une très grande classe.

➤ Cave Vinicole de Pfaffenheim, 5, rue du Chai, Pfaffenheim, 68250 Rouffach, tél. 89.49.61.08
Y t.l.j. 8h-12h 13h30-18h.

CLOS SAINT-IMER Muscat 1986*

□	1 ha	7 000	⊕ ↓ ⓥ

Guebershwihr est l'une des cités viticoles les plus pittoresques d'Alsace. Une visite approfondie est conseillée pour découvrir les richesses des maisons cossues (comme celle de ce producteur). Les vins sont d'excellente qualité : ce muscat est frais, fleuri, fin et délicat. Il est croquant au palais et a une bonne persistance.

➤ Maison Ernest Burn, 14, rue Basse, Guebershwihr. 68420 Herrlisheim, tél. 89.49.31.41 Y r.-v.

JOSEPH CATTIN Gewurztraminer 1986**

□	2 ha	10 000	⊕ ↓ ⓥ

Grand nom du vignoble alsacien, cette maison a toujours misé sur la qualité des vins élaborés par d'excellents vinificateurs. Celui-ci en est un exemple significatif : jaune paille, nez intense, fin, très complexe, il a un palais de bonne charpente et de grande harmonie. Une grande classe.

➤ MM. Cattin Joseph et Fils, 18, rue Roger-Frémeaux, Voegtlinshoffen, 68420 Herrlisheim, tél. 89.49.30.21 Y r.-v.

JOSEPH CATTIN Muscat 1986

□	0,50 ha	3 000	⊕ ⓥ

Ce terroir d'exposition sud-sud-est est caractérisé par un sol marno-calcaire assez lourd qui est à l'origine d'un vin très bien constitué à évolution relativement lente. Ce 86, corsé, franc et sec, offre une bonne typicité de muscat. C'est un vin viril ayant une belle persistance.

➤ MM. Cattin Joseph et Fils, 18, rue Roger-Frémeaux, Voegtlinshoffen, 68420 Herrlisheim, tél. 89.49.30.21 Y r.-v.

ANDRE HARTMANN ET FILS
Gewurztraminer 1986*

□	0,86 ha	5 500	⊕ ↓ ⓥ

Ce terroir argilo-calcaire, un peu plus lourd, d'exposition sud-sud-est, est réputé pour la production de vins typés et de garde. Les gewurztraminer y réussissent très bien, comme celui-ci, puissamment aromatique, d'un bel équilibre au palais, légèrement anisé et très agréable.

➤ MM. André Hartmann et Fils, 11, rue Roger-Frémeaux, Voegtlinshoffen, 68420 Herrlisheim, tél. 89.49.38.34 Y t.l.j. sf dim. 9h-12h 14h-17h.

GERARD HARTMANN ET FILS
Gewurztraminer 1986

□	0,30 ha	n.c.	⊕ ↓ ⓥ

Les vins produits dans un terroir donné ont tous une note commune. Ce sont le sol et le microclimat qui les typent. Les différences sont dues à la marque de l'élaborateur qui exprime à travers eux sa propre personnalité. Ce vin d'intensité colorante peu marquée, arôme léger mais fin, palais élégant et discret est un beau type de gewurztraminer.

➤ MM. Gérard et Serge Hartmann, 13, rue Roger-Frémeaux, Voegtlinshoffen, 68420 Herrlisheim, tél. 89.49.30.27 Y r.-v.

GERARD HARTMANN ET FILS
Tokay-pinot gris - Vendanges Tardives 1986

□	0,40 ha	n.c.	⊕ ↓ ⓥ

Ce 86 se prêtait à l'obtention de «vendanges tardives», la pourriture noble, relativement développée, apportant la note de miel caractéristique de ce type de vin. De belle robe jaune d'or, au palais assez évolué, il a une bonne ampleur au

palais. Il demande cependant à parfaire encore son harmonie générale. Beau type.

→ MM. Gérard et Serge Hartmann, 13, rue Roger-Frémeaux, Voegtlinshoffen, 68420 Herrlisheim, tél. 89.49.30.27 ▼ r.-v.

Alsace grand cru hengst

□

DOM. BARMES-BUECHER
Gewurztraminer 1986

| 0,50 ha | 3 500 | |

Le Hengst s'étend en exposition sud-sud-est abrité à l'ouest par les premiers contreforts des Vosges. Le microclimat y est particulièrement favorable à l'obtention de vins de grande expression. Encore retard dans son épanouissement, ce 86 laisse cependant déjà deviner un certain nombre de qualités : nez originalement fleuri, palais bien charpenté et de bonne ampleur. Vin à attendre.

→ Dom. Barmes-Buecher, 30-23, rue Sainte-Gertrude, Wettolsheim, 68000 Colmar, tél. 89.80.62.92 ▼ r.-v.

□

PAUL BUECHER ET FILS
Gewurztraminer - Vendanges Tardives 1985**

| 0,80 ha | 6 000 | |

Ce 85 est à classer parmi les très grands. Les raisins particulièrement serrés à la récolte laissent entrevoir une évolution favorable pour l'obtention de «vendanges tardives». De robe jaune d'or brillant, il a déjà une bonne expression au nez. Très élégant, on sent qu'il est en train de s'épanouir. Au palais, les arômes sont riches; la bouche est ample et généreuse. Vin de garde de grande classe.

→ MM. Paul Buecher et Fils, 15, rue Sainte-Gertrude, Wettolsheim, 68000 Colmar, tél. 89.80.64.73 ▼ r.-v.

□

JEAN FREYBURGER
Gewurztraminer 1986

| 0,27 ha | 2 000 | |

Le terroir marno-calcaire à l'origine du retard de l'épanouissement de ce vin. De couleur jaune vert, avec un nez légèrement de miel reflétant la grande maturité du raisin, il a un palais de bonne intensité laissant une bonne note finale. C'est un vin encore fermé demandant une certaine évolution dans le temps.

→ M. Jean Freyburger, 7, pl. de Gaulle, Wettolsheim, 68000 Colmar, tél. 89.80.69.15
▼ t.l.j. sf dim. 8h-12h 14h-18h.

□

JOS. MEYER ET FILS
Gewurztraminer 1986**

| 0,56 ha | 3 060 | |

La maison Jos. Meyer n'est plus à présenter : les générations se suivent et se ressemblent. Leur devise pourrait être «qualité et rigueur»; Jean y apporte en plus une note un peu artistique. Ce 86 est tout en nuances au nez, pas encore très défini mais plein de promesses. Au palais, on retrouve la «patte» de l'élaborateur, cette note un tantinet espiègle qui en fait un grand vin.

→ MM. Jos. Meyer et Fils, 76, rue Clemenceau, Wintzenheim, 68000 Colmar, tél. 89.27.01.57 ▼ r.-v.

□

JOS. MEYER ET FILS
Riesling - Vendanges Tardives 1986**

| 1,40 ha | 2 600 | |

Le Hengst, terroir s'étendant en exposition sud-sud-est à l'ouest de Colmar, est a priori surtout adapté au gewurztraminer et au tokay-pinot gris. Le riesling, quand on arrive à le dompter comme c'est le cas pour ce 86, donne un produit parfaitement racé mélangeant au nez fruits et fleurs et au palais un corps ample. Une certaine vivacité et un parfait équilibre entre les différents éléments en font un vin d'avenir à attendre encore un certain temps.

→ MM. Jos. Meyer et Fils, 76, rue Clemenceau, Wintzenheim, 68000 Colmar, tél. 89.27.01.57 ▼ r.-v.

□

HUBERT KRICK Riesling 1986*

| 0,35 ha | 3 000 | |

Quand on prend la sortie ouest de Colmar, en direction de Munster, le terroir du Hengst fait face. Très bien exposé sud-sud-est, il est particulièrement apte à produire de grands vins. Le 86, avec sa teinte or aux reflets verts, déjà très expressif au nez, est caractérisé par une puissance et un corsé au palais. Très bien équilibré, il mérite cependant d'être encore gardé en cave.

→ M. Hubert Krick, 93-95, rue Clemenceau, Wintzenheim, 68000 Colmar, tél. 89.27.00.01 ▼ r.-v.

□

DOM. ZIND-HUMBRECHT
Gewurztraminer 1986*

| n.c. | n.c. | |

Nul mieux que Léonard Humbrecht ne parle de ces prestigieux terroirs d'Alsace qui donnent naissance aux grands crus. Il vous dira par exemple que le Hengst produit des vins de caractère un peu sauvage quand ils sont jeunes. La maturation en bouteille assouplit, affine et complète en 86. Le nez relativement jeune, pas encore entièrement épanoui mais déjà très épicé, se complète par un palais très fin et élégant. Un grand vin de garde qui fera encore parler de lui dans 10 ou 20 ans.

→ Dom. Zind-Humbrecht, 34, rue du Mal-Joffre, Wintzenheim, 68000 Colmar, tél. 89.27.02.05 ▼ r.-v.

Alsace grand cru kastelberg

□

DOM. KLIPFEL Riesling 1986

| 1,20 ha | 11 500 | |

Le domaine Klipfel a contribué dans une large mesure au renouveau des vins d'Alsace. Aujourd'hui encore, il produit des vins d'une grande qualité. Celui-ci est expressif et floral, à un palais

ample, une bonne harmonie et une belle rondeur. A consommer dès à présent.
➤ Dom. Klipfel, 6, av. de la Gare, 67140 Barr, tél. 88.08.94.85 ✆ t.l.j. 10h-12h 14h-18h.

Alsace grand cru kessler

DOM. SCHLUMBERGER
Gewurztraminer 1985**

□	5,50 ha	n.c.

Guebwiller et le nom de Schlumberger sont étroitement liés. On ne peut faire allusion à l'un sans penser à l'autre. Les domaines Schlumberger ont maintenu la tradition viticole dans cette vallée, dans des conditions quelquefois difficiles, résultant essentiellement de la situation topographique du vignoble. Mais les efforts sont toujours récompensés : ce 85 aux reflets jaune doré, au nez floral avec des nuances prédominantes de violette, au palais ample, tout en finesse, est d'une grande harmonie.
➤ Dom. Schlumberger, 100, rue Théodore-Deck, 68500 Guebwiller, tél. 89.74.27.00 ✆

Alsace grand cru kessler

au nez, il a un palais équilibré, de bonne maturité et de bonne gouleyance.
➤ Dom. Jean Sipp, 60, rue de la Fraternité, 68150 Ribeauvillé, tél. 89.73.60.02 ✆ t.l.j. 9h-12h 14h-18h.

Alsace gd cru kitterlé

DOM. SCHLUMBERGER
Pinot gris 1985*

□	1,37 ha	8 000

Le Kitterlé est un des terroirs essentiels du domaine Schlumberger. Ce coteau situé au nord de Guebwiller, sillonné par les terrasses amoureusement entretenues, donne naissance à des vins de grande élégance. Celui-ci, de robe jaune pâle, a un nez très floral mais très fermé encore (malgré son millésime). Au palais, c'est un vin de bonne typicité et de belle fraîcheur. Demande à évoluer encore.
➤ Dom. Schlumberger, 100, rue Théodore-Deck, 68500 Guebwiller, tél. 89.74.27.00 ✆

Alsace grand cru mandelberg

FREDERIC MALLO ET FILS
Gewurztraminer 1986*

□	0,25 ha	2 500

Le Mandelberg, ou colline des amandiers, fait fleurir cet arbre ; c'est dire combien le réchauffement y est important. Le sol calcaire contribue à la longévité et à l'assouplissement des vins. Ce gewurztraminer, au joli bouquet bien en fleurs déjà, est complété par une bouche opulente et capiteuse. Grande promesse.
➤ MM. Frédéric Mallo et Fils, 2, rue Saint-Jacques, Ribeauvillé, 68150 Hunawihr, tél. 89.73.61.41 ✆ r.-v.

EDOUARD SCHALLER ET FILS
Riesling 1986***

□	1 ha	6 000

Les vins qui sont issus du terroir chaud et précoce de Mandelberg, sont en tous points merveilleux et celui-ci en est un exemple parfait. Doré à l'œil, très expressif au nez avec des arômes complexes de fleur et de minéral, il est frais et plaisant du terroir chaud et précoce de Mandelberg, long et harmonieux en bouche. Très grand vin.
➤ GAEC Edgard Schaller et Fils, 1, rue du Château, Mittelwihr, 68630 Bennwihr, tél. 89.47.90.28 ✆ t.l.j. 8h-19h.

JEAN-PAUL ET DENIS SPECHT
Riesling 1986**

□	0,39 ha	5 100

Situé sur la route des Vins, le village est

Alsace grand cru kirchberg de Barr

DOM. KLIPFEL Riesling 1986*

□	2,50 ha	23 000

Le terroir du Kirchberg d'exposition sud-est domine au nord la petite ville de Barr. Une foire aux vins s'y tient autour du 14 juillet. Son sol argilo-calcaire riche en cailloutis se réchauffe bien et favorise ainsi l'expression des vins. Très floral au nez, ce riesling a une bonne typicité et présente une bonne maturité. Bien souple et gouleyant, il peut, dès maintenant, être consommé.
➤ Dom. Klipfel, 6, av. de la Gare, 67140 Barr, tél. 88.08.94.85 ✆ t.l.j. 10h-12h 14h-18h.
➤ M. André Lorentz.

Alsace gd cru kirchberg de Ribeauvillé

DOM. JEAN SIPP Riesling 1986

□	1,60 ha	12 000

Ribeauvillé, cité historique, est dominée à l'ouest par ce terroir particulièrement réputé. D'exposition sud-est, il produit des vins remarquables. L'argilo-calcaire du sol garantit à l'exemple de ce vin sa longévité. Très fin et ample

typiquement viticole. Les vins qui y naissent sont particulièrement intéressants. Intensément doré à l'œil, encore discret au nez, ce 86 a déjà cependant une fleur très fine. De bonne attaque et ample au palais, c'est un vin plein d'avenir.

→ MM. Jean-Paul et Denis Specht, 2, rue des Eglises, Mittelwihr, 68630 Bennwihr, tél. 89.47.90.85 ⊥ r.-v.

JEAN-PAUL ET DENIS SPECHT
Gewurztraminer 1986

	n.c.	2 300	⊞ V 3

Sur la route des Vins, Mittelwihr est une des étapes-relais dont la renommée n'est plus à faire. Si ce vin n'est pas encore totalement ouvert, il présente cependant déjà tous les signes d'une bonne évolution. Son nez fin, peut-être un peu discret, son palais agréable, de bonne ampleur, semblent conseiller de le laisser vieillir.

→ MM. Jean-Paul et Denis Specht, 2, rue des Eglises, Mittelwihr, 68630 Bennwihr, tél. 89.47.90.85 ⊥ r.-v.

JEAN-JACQUES ZIEGLER-MAULER Gewurztraminer 1986

	0,20 ha	2 000	⊞ V 3

Le coteau d'exposition sud, abritant à la fois ses vignes et le village qui le côtoie de l'influence des vents du nord, est un des terroirs de prédilection de l'appellation. Les arômes de fleurs sont très caractéristiques, le palais bien équilibré, de belle ampleur d'ici quelque temps, ce vin réjouira les plus difficiles.

→ M. Jean-Jacques Ziegler-Mauler, 2, rue des Merles, Mittelwihr, 68630 Bennwihr, tél. 89.47.90.37 ⊥ t.l.j; 8h-19h.

Alsace grand cru osterberg

DOM. VITICOLE EXPERIMENTAL INRA
Gewurztraminer 1986*

	n.c.	n.c.	3

D'exposition sud-sud-est, le coteau, situé à l'entrée de Ribeauvillé, mûrit parfaitement les raisins et favorise très souvent la surmaturation. Les vins y sont particulièrement types. Celui-ci, à la robe jaune d'or, a un nez plein et profond, d'arômes complexes de fruits secs, et offre un palais ample parfaitement constitué. Bon vin de garde.

→ Dom. Viti. Expérimental INRA, 8, rue Kléber, 68021 Colmar Cedex, tél. 89.41.16.50

DOM. VITICOLE EXPERIMENTAL INRA Riesling 1986*

	n.c.	n.c.	3

Le terroir à sol argilo-calcaire avec caillouts en surface convient parfaitement au riesling. Ce vin est élégamment fleuri avec des arômes très riches. Le palais est frais, croquant (on sent le goût du raisin) et équilibré. La bonne acidité de support garantit l'avenir de ce beau cru.

→ Dom. Viti. Expérimental INRA, 8, rue Kléber, 68021 Colmar Cedex, tél. 89.41.16.50

Alsace grand cru pfersigberg

CHARLES BAUR Gewurztraminer 1986**

	0,46 ha	3 500	⊞ V 3

Autre réussite du Pfersigberg, mais demandant encore à s'épanouir totalement. De couleur jaune paille, avec un nez intense aux arômes complexes à la fois de fruits et de fleurs, ce vin est gras, corsé, opulent, de grand avenir. Vin de grande envergure.

→ M. Charles Baur, 29, Grand'Rue, Eguisheim, 68420 Herrlisheim-près-Colmar, tél. 89.41.32.49 ⊥ r.-v.

MAISON LEON BAUR Gewurztraminer 1986*

	0,25 ha	1 800	⊞ V 4

Si la typicité est bonne, elle ne s'exprime cependant pas encore entièrement. Cette discrétion se retrouve au palais mais elle est renforcée par un équilibre et une charpente qui laissent deviner l'avenir de ce vin: il s'exprimera d'ici quelque temps. En attendant, conservez-le patiemment dans votre cave.

→ Maison Léon Baur, 71, rue du Rempart-Nord, Eguisheim, 68420 Herrlisheim, tél. 89.41.79.13 ⊥ r.-v.

Alsace grand cru moenchberg

ARMAND GILG ET FILS
Riesling 1986*

	0,60 ha	6 000	⊞ V 3

Situé à l'entrée du Val d'Andlau, ce lieu-dit a un sol caractérisé par une texture fine argilo-limoneuse, quelquefois sableuse à tendance calcaire vers la crête. Le riesling y trouve un très bon terrain. Il s'y exprime à l'image de celui-ci par un nez minéral allié à la fleur typique du riesling. Son palais, quoique vif, exprime une bonne matière. Encore jeune, il doit bien évoluer.

→ GAEC Armand Gilg et Fils, 2-4, rue Rotland, Mittelbergheim, 67140 Barr, tél. 88.08.92.76 ⊥ t.l.j; sf dim. 8h-12h 13h30-18h; f. dim. a.-m.

Alsace grand cru pfingstberg

PAUL GINGLINGER
Gewurztraminer 1986**

□   30 ha   3 000   ⊞ ↓ 🅥 🅱

Le terroir fait mûrir le raisin, le vigneron apporte sa note personnelle dans l'élaboration des vins : on sent dans ce 86 marqué par son terroir tout l'art que le vinificateur a su déployer au bon moment. Le résultat ne déçoit pas : bonne intensité au nez, bel équilibre et bonne charpente au palais. Vin de classe.
➥ M. Paul Ginglinger, 8, pl. Charles-de-Gaulle, 68420 Eguisheim, tél. 89.41.44.25 ⅄ r.-v.

PAUL GINGLINGER Riesling 1986

□   0,46 ha   4 000   ⊞ ↓ 🅥 🅱

L'argilo-calcaire du terroir a retardé l'évolution du vin et cela lui a été bénéfique : il est parfaitement structuré. Son nez encore masqué, mais que l'on devine plein de promesses, sa richesse au palais qui se traduit par une très grande longueur, sont garants d'un bon avenir.
➥ M. Paul Ginglinger, 8, pl. Charles-de-Gaulle, 68420 Eguisheim, tél. 89.41.44.25 ⅄ r.-v.

ANDRE SCHERER Riesling 1986*

□   0,53 ha   5 000   ⊞ 🅥 🅱

Mûri sur un terroir très ensoleillé, ce vin a déjà acquis une grande expression. Fin et discrètement floral au nez, il a un palais vineux et ample qui lui confère une qualité remarquable. De très bonne harmonie, il peut être dégusté dès à présent ou être attendu.
➥ Vignoble André Scherer, 12, rue du Vin, Husseren-les-Châteaux, 68420 Herrlisheim-près-Colmar, tél. 89.49.30.33 ⅄ t.l.j. 9h-11h 14h-19h.

BRUNO SORG Gewurztraminer 1986*

□   0,11 ha   1 000   ⊞ 🅥 🅱

D'exposition sud, ce terroir à tendance calcaire est fait pour la production de vins de grande qualité. Le gewurztraminer y réussit parfaitement bien. Celui-ci, intensément floral, aux arômes complexes, a un très bel équilibre au palais. Puissance et longue persistance sont ses atouts.
➥ M. Bruno Sorg, 8, rue Mgr Stumpf, 68420 Eguisheim, tél. 89.41.80.85 ⅄ r.-v.

FERNAND STENTZ Riesling 1986*

□   0,40 ha   3 600   ⊞ 🅥 🅱

La couverture d'arènes granitiques sur le terrain plus lourd marno-calcaire a permis de hâter l'expression typiquement riesling de ce vin. Son nez floral avec quelques nuances minérales lui confère une classe déjà certaine. Au palais, il est harmonieux et très fondu et a une expression déjà remarquable.
➥ M. Fernand Stentz, 40, rte du Vin, Husseren-les-Châteaux, 68420 Herrlisheim, tél. 89.49.30.04 ⅄ r.-v.

DOM. LUCIEN ALBRECHT
Tokay-pinot gris - Vendanges Tardives 1985*

□   n.c.   n.c.   ⊞ ↑ ↓ 🅥 🆂

Ce vin issu d'un terroir très bien exposé mais à sol assez lourd requiert encore une certaine évolution. Il se présente actuellement dans un état de jeunesse assez remarquable : robe vert-jaune pâle, nez d'une grande finesse mais pas encore épanoui, palais de grande vinosité demandant à développer son expression. Beau vin de garde.
➥ Dom. Lucien Albrecht, 9, Grand'Rue, Orschwihr, 68500 Guebwiller, tél. 89.76.95.18 ⅄ t.l.j. sf dim. 8h-11h30 14h-17h.

DOM. LUCIEN ALBRECHT
Riesling - Vendanges Tardives 1985*

□   1 ha   n.c.   ⊞ ↑ ↓ 🅥 🆂

Le riesling, quand il est en surmaturation, produit des vins délicieux. Leur évolution est généralement ralentie par une richesse de corps qui demande à s'harmoniser. Ceci est encore accentué lorsque le terrain contribue à retarder l'évolution. De couleur jaune paille, au nez finement fruité mais pas tout à fait ouvert, ce vin frais et jeune, bien équilibré, s'exprimera entièrement d'ici quelques années.
➥ Dom. Lucien Albrecht, 9, Grand'Rue, Orschwihr, 68500 Guebwiller, tél. 89.76.95.18 ⅄ t.l.j. sf dim. 8h-11h30 14h-17h.

DOM. LUCIEN ALBRECHT
Gewurztraminer - Sélection Grains Nobles 1985**

□   n.c.   n.c.   ⊞ ↑ ↓ 🅥 🆉

Les vins de «Sélection de grains nobles» sont à considérer comme le summum des vins d'Alsace. Résultant de tris très sévères, ils ne peuvent porter cette dénomination que s'ils atteignent au moins 16,7° d'alcool en puissance. Provenant le plus souvent de grains botrytisés ou rôtis, ils donnent, à l'image de ce 86, des produits magnifiquement équilibrés avec un palais ample et complexe. Grand vin.
➥ Dom. Lucien Albrecht, 9, Grand'Rue, Orschwihr, 68500 Guebwiller, tél. 89.76.95.18 ⅄ t.l.j. sf dim. 8h-11h30 14h-17h.

CAMILLE BRAUN Riesling 1986**

□   1,10 ha   3 000   ⊞ 🅥 🅱

Le terroir sablonneux calcaire a marqué ce vin et lui communique une «touche» plutôt minérale. Parfaite présentation à l'œil avec une teinte or pâle, il est cependant encore un peu fermé au nez. Il a une bonne attaque très typique et très équilibrée. Il se révélera avec le temps.
➥ GAEC Camille Braun et fils, 16, Grand'Rue, Orschwihr, 68500 Guebwiller, tél. 89.76.95.20 ⅄ t.l.j. 8h-12h 13h30-19h30.

CH. D'ORSCHWIHR Riesling 1986*

□   0,65 ha   n.c.   🅥 🅱

Le terroir argilo-gréseux d'exposition sud-sud-est, produit des vins à caractéristiques olfactives

plutôt minérales particulièrement marquée. Riche au palais, avec une belle vinosité, celui-ci peut prétendre à une bonne évolution.

- Ch. d'Orschwihr, Orschwihr, 68500 Guebwiller, tél. 89.74.25.00 ☎ t.l.j. 10h-18h.
- M. Hubert Hartmann.

Alsace grand cru praelatenberg

RAYMOND ENGEL Gewurztraminer 198?

1.13 ha 9 000

Situé au pied du château du Haut-Koenigsgourg, ce coteau d'exposition suc-sud-est est à la fois abrité des vents du nord et des vents d'ouest. C'est dire combien son microclimat plaît à la vigne. Les vins y naissent dans des conditions parfaites mais s'épanouissent lentement dans le temps. Celui-ci n'échappe pas à la règle. Son fruité déjà agréable ne trouve pas encore son équivalent au palais : mais les prédispositions d'ampleur et d'équilibre sont là. Attendons encore avant de le déguster.

- GAEC Raymond Engel et Fils, 1, rte du Vin, Orschwiller, 67600 Sélestat, tél. 88.92.01.83 ☎ t.l.j. 8h-12h 14h-18h.

RAYMOND ENGEL Tokay-pinot gris 198?

0.97 ha 8 000

Le tokay-pinot gris et le gewurztraminer apprécient les mêmes terroirs. Ils ne s'y concurrencent guère, ils sont complémentaires et expriment parallèlement les mêmes qualités. Ce vin de robe jaune assez pâle, au nez encore discret mais prometteur, a un palais bien équilibré et de bonne persistance. Parfaitement vinifié, il demande encore à s'ouvrir.

- GAEC Raymond Engel et Fils, 1, rte du Vin, Orschwiller, 67600 Sélestat, tél. 88.92.01.83 ☎ t.l.j. 8h-12h 14h-18h.

RAYMOND ENGEL Muscat 1986**

0.47 ha 4 000

Vin de grande typicité et de bonne persistance. Il est très agréablement fleuri et plein au nez : ample, souple, il continue son fruité au palais. C'est un muscat de grande harmonie, tel qu'on les aime.

- GAEC Raymond Engel et Fils, 1, rte du Vin, Orschwiller, 67600 Sélestat, tél. 88.92.01.83 ☎ t.l.j. 8h-12h 14h-18h.

RAYMOND ENGEL Riesling 1986**

1.42 ha 13 000

Le terroir est réchauffé par les cailloux intégrés dans l'argilo-calcaire. De teinte jaune-vert, le nez minéral présente déjà une belle maturité. Très beau fruit au palais, avec un caractère légèrement miellé prouvant de la bonne maturité du raisin, la structure des acides s'harmonise de manière remarquable avec l'ampleur générale. Très bon vin de garde.

- 27 -

- GAEC Raymond Engel et Fils, 1, rte du Vin, Orschwiller, 67600 Sélestat, tél. 88.92.01.83 ☎ t.l.j. 8h-12h 14h-18h.

LOUIS SIFFERT ET FILS
Gewurztraminer - Vendanges Tardives 1985*

0.55 ha 3 600

Situé au pied du Haut-Koenigsbourg, ce terroir est tout particulièrement adapté au gewurztraminer. Il y réussit de manière exceptionnelle lorsque la surmaturation intervient. On obtient ainsi un vin parfaitement équilibré, avec des arômes de fruits secs et de fleurs, harmonieux pour un vin de «vendanges tardives».

- MM. Louis Siffert et Fils, 16, rte du Vin, Orschwiller, 67600 Sélestat, tél. 88.92.02.77 ☎ t.l.j. 9h-12h 14h-18h; f. fév.

Alsace grand cru rangen

CLOS SAINT-THEOBALD
Gewurztraminer 1986*

0.30 ha 1 500

Se trouvant à l'extrémité sud du vignoble, ce terroir a une vocation viticole remarquable. Etabli sur des roches volcaniques, la vigne se trouve dans des dispositions de développement assez exceptionnelles. Les vins sont particulièrement typés et à l'image de celui-ci, ils ont une fleur très délicate, plaisante avec une pointe de miel que provoque la grande maturité du raisin. Au palais, ils sont amples, très harmonieux et demandent un certain temps pour arriver à l'optimum de leur expression.

- M. Bernard Schoffit, 66, Nonnenholz-Weg, 68000 Colmar, tél. 89.24.41.14 ☎ r.-v.

CLOS SAINT-THEOBALD
Riesling 1986**

0.25 ha 800

Depuis fort longtemps, le Rangen de Thann a été considéré parmi les meilleurs terroirs producteurs de vins d'Alsace. Il est situé à l'extrême sud du vignoble, à la sortie d'une de ces vallées transversales des Vosges. Ce 86, de grande qualité, or pâle, est très floral avec des nuances de chèvrefeuille. Il est parfaitement équilibré, puissant, et est agrémenté d'un «petit» sucre résiduel. Vin de garde.

- M. Bernard Schoffit, 66, Nonnenholz-Weg, 68000 Colmar, tél. 89.24.41.14 ☎ r.-v.

DOM. ZIND-HUMBRECHT
Tokay-pinot gris 1986**

2.20 ha 8 000

Léonard Humbrecht a donné une deuxième jeunesse à un terroir unique. Il l'a remis en état et «bichonné» pour en sortir le meilleur qu'il puisse donner. Il est récompensé aujourd'hui par la production de vins assez exceptionnels, tel ce tokay-pinot gris. Un nez de surmaturation, de fruits secs (coing et abricot), une mâche ample et harmonieuse. Le corps, avec une persistance très longue, est déjà presque parfait. Un peu de

Alsace grand cru rosacker

patience, ce vin « n'explosera » que dans quelques années.

➥ Dom. Zind-Humbrecht, 34, rue du Mal-Joffre, Wintzenheim, 68000 Colmar, tél. 89.27.02.05
Ⓨ r.-v.

Alsace grand cru rosacker

JEAN-LUC MADER Riesling 1986

☐ 0,50 ha 3 000

Hunawihr est un lieu touristique très réputé, mais c'est également un village viticole par excellence. Le producteur, après avoir tiré le meilleur de ses vignes, a bichonné son vin : son produit est parfaitement charpenté, de bonne typicité et bien fruité. Le sol du terroir retarde l'évolution de ce vin de garde.

➥ M. Jean-Luc Mader, 13, Grand'Rue, Hunawihr, 68150 Ribeauvillé, tél. 89.73.80.32
Ⓨ t.l.j. 10h-19h.

Alsace grand cru searing

ROMINGER Riesling 1986***

☐ 0,90 ha 1 800

Le terroir très complexe ayant un support argileux, sablonneux et calcaire laisse supposer que les vins seront tout en nuances. Celui-ci, de teinte or pâle verdâtre, quoique encore fermé au nez, est déjà délicatement fleuri. De très bonne attaque, il est puissant au palais et particulièrement long. C'est un grand vin destiné à un bel avenir.

➥ M. Éric Rominger, 6, rue de l'Eglise, Bergholtz, 68500 Guebwiller, tél. 89.76.14.71
Ⓨ t.l.j. sf dim. 8h-19h.

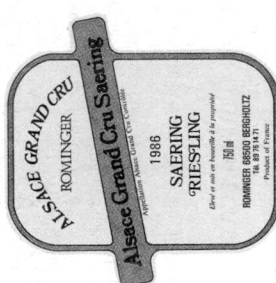

DOM. SCHLUMBERGER Riesling 1985****

☐ 6,71 ha 45 000

Les domaines Schlumberger sont les plus grands possesseurs de vignobles d'Alsace. Leur réputation n'est plus à faire car ils sont connus dans le monde entier pour la grande typicité et la parfaite expression de leurs vins. Ce riesling

Alsace grand cru rosacker

Searing, implanté sur un sol sablonneux, présente un nez plutôt minéral mais très complexe. Cette complexité se répète au palais, complétée par une longueur en bouche assez exceptionnelle. Très grand vin de garde.

➥ Dom. Schlumberger, 100, rue Théodore-Deck, Bergholtz, 68500 Guebwiller, tél. 89.74.27.00

Sachez ranger votre cave : les blancs près du sol, les rouges au-dessus ; les vins de garde dans les rangées du fond, les bouteilles à boire en situation frontale. Et n'oubliez pas le livre de cave...

Pour bien utiliser ce guide, consultez les premières pages et le sommaire, ainsi que les index des appellations, des vins, des producteurs et des communes, en fin d'ouvrage.

Alsace grand cru schlossberg

ANDRE BLANCK ET FILS Riesling 1985**

☐ 1,50 ha 7 000

Le Schlossberg a la particularité d'être le premier terroir grand cru classé en Alsace. D'exposition sud à sud-est, son sol constitué d'arènes granitiques a la faculté de se réchauffer particulièrement bien. Le raisin n'en demande pas plus. Ce vin remarquable, au nez agréablement floral nuancé de minéral, est très harmonieux et ample au palais.

➥ MM. André Blanck et Fils, Anc. Cour des Chev. de Malte, Kientzheim, 68240 Kaysersberg, tél. 89.78.24.72 Ⓨ t.l.j. 7h-20h.

DOM. DES COMTES DE LUPFEN Riesling 1986**

☐ 1,70 ha 10 000

Kientzheim est riche d'histoire. Le baron de Schwendi, qui est présenté généralement comme le « père » du tokay-pinot gris en Alsace, y a fait ériger un château aujourd'hui parfaitement conservé. Mais les vins y sont également renommés et la classe de celui-ci ne peut que lui faire honneur. Très frais et expressif au nez, à l'attaque vivace, c'est un vin de garde par excellence.

➥ GAEC Paul Blanck et Fils, 32, Grand'Rue, Kientzheim, 68240 Kaysersberg, tél. 89.78.23.56
Ⓨ t.l.j. sf dim. 9h-12h 13h30-19h.

Alsace grand cru sonnenglanz

J. BECKER Tokay-pinot gris 1986

0,25 ha	2 000	🍷 V3

Parmi les cépages privilégiés de ce terroir, on trouve le pinot-gris. D'exposition sud-est, il mûrit les raisins à point pour en faire de grands vins. Le sol calcaire assez lourd assure leur longévité. Ce 86 de robe jaune possède un nez fruité et un palais charmeur. Encore fermé, il demande à être conservé.

↳ J. Becker SA, 4, rue d'Ostheim, Zellenberg, 68340 Riquewihr, tél. 89.47.90.16
⏲ r.-v.
↳ M. Jean-Jacques Becker.

Alsace gd cru spiegel

JEAN-PIERRE DIRLER Gewurztraminer 1986*

0,25 ha	2 000	🍷 V4

Il est typiquement fruité gewurztraminer, avec des nuances florales complexes. Son palais moelleux relève l'harmonie générale déjà presque parfaite. C'est un vin de bonne évolution pouvant être dégusté dès à présent mais méritant qu'on l'attende un peu.

↳ M. Jean-Pierre Dirler, 13, rue d'Issenheim, Bergholtz, 68500 Guebwiller, tél. 89.76.91.00
⏲ r.-v.

JEAN-PIERRE DIRLER Riesling 1986*

0,20 ha	2 000	🍷 V4

Le Spiegel, l'un des quatre grands crus de Guebwiller, est situé à la porte de la Vallée de Guebwiller, en exposition sud, sur un sol sablonneux très gréseux. Ce terrain très original marque le vin de certaines nuances particulières. Doré avec des reflets verdâtres, le 86 a des arômes d'herbes fraîchement coupées. Nerveux en bouche, très bien équilibré, il a toutes les qualités d'un grand riesling. C'est un vin de garde.

↳ M. Jean-Pierre Dirler, 13, rue d'Issenheim, Bergholtz, 68500 Guebwiller, tél. 89.76.91.00
⏲ r.-v.

Alsace grand cru schoenenbourg

BAUMANN ET FILS Riesling 1986

0,70 ha	n.c.	V3

Le Schoenenbourg surplombe Riquewihr, dont il est un des hauts lieux viticoles. Son exposition sud en fait un terroir parfaitement adapté à la production de grands vins. Le sol argilo-calcaire ralentit l'évolution et généralement des vins de longue garde y naissent. Celui-ci, très discret au nez, présente une certaine vivacité au palais mais il est déjà très riesling, bien gouleyant : sa bonne évolution est assurée.

↳ MM. J.-J. Baumann et Fils, 43, rue du Gal-de-Gaulle, 68340 Riquewihr, tél. 89.47.92.47
⏲ t.l.j, 9h-12h 14h-16h.

DOM. MARCEL DEISS Riesling 1986**

1 ha	3 500	🍷 V3

Beau type issu de ce Schoenenbourg, terroir particulièrement adapté à la production de vins de garde. De teinte jaune-vert, son caractère légèrement masqué lui confère une originalité agréable issue d'un raisin bien mûr. C'est un riesling très gras. Sa bonne fin de bouche, son acidité soutenue mais non agressive garantissent une garde prolongée.

↳ Dom. Marcel Deiss, 15, rte du Vin, 68750 Bergheim, tél. 89.73.63.37 ⏲ t.l.j, si dim. 8h-12h 14h-19h.
↳ M. André Deiss.

Alsace grand cru sommerberg

ALBERT BOXLER ET FILS Riesling 1986**

1,40 ha	12 000	🍷 V3

Quand on monte au col du Brand, au-cessus de Turckheim, on se trouve en face d'un terroir escarpé qui, avec une exposition sud, ne peut que produire des vins remarquables. C'est bien le cas de ce 86 or pâle, aux reflets verts; son nez de miel traduit un raisin récolté en surmaturation; son palais opulent et gras est accompagné d'une bonne fraîcheur.

↳ MM. Albert Boxler et Fils, 78, rue des Trois-Épis, Niedermorschwihr, 68230 Turckheim, tél. 89.27.11.32 ⏲ r.-v.

DOM. JOSEPH LOBERGER Gewurztraminer 1986**

0,20 ha	1 600	🍷 V3

La région de Guebwiller jouit d'un microclimat remarquablement adapté à la production des grands vins. Profitant d'un ensoleillement maximum et d'un terroir se réchauffant rapidement, ils sont généralement tout en nuances. Jaune doré, celui-ci, d'une bonne intensité olfactive, aux arômes complexes, a un palais équilibré, velouté, avec un parfait accord entre acide et corps. C'est un cru élégant.

➤ Dom. Joseph Loberger, 10, rue de Bergholtz-Zell, Bergholtz, 68500 Guebwiller, tél. 89.76.88.03
Y r.-v.

DOM. JOSEPH LOBERGER
Riesling 1985*

[]	0,50 ha	3 000	▮▮▯ ↓ ▼ 3

Les vins d'un terroir « grand cru » donné ont tous une typicité analogue : cependant, selon l'élaboration, des nuances différentes peuvent apparaître. Ce vin, or jade verdâtre, est plutôt minéral au nez et n'est pas encore entièrement ouvert. De très bonne attaque au palais, il aurait cependant gagné en présentant un peu plus de nervosité. Son harmonie est très bonne. Vin de garde.
➤ Dom. Joseph Loberger, 10, rue de Bergholtz-Zell, Bergholtz, 68500 Guebwiller, tél. 89.76.88.03
Y r.-v.

BAUMANN ET FILS
Gewurztraminer - Vendanges Tardives 1985*

[]	1 ha	6 000	▼ 5

Riquewihr est à la fois renommée pour ses richesses historiques et les grands vins qui y sont produits sur des terroirs particulièrement réputés. Les vins, à l'exemple de celui-ci, méritent d'être attendus. Il est d'une excellente présentation visuelle : robe jaune d'or parfaite. Le fruité est discret mais plein de promesses par ses arômes juvéniles. Le palais exprime déjà certains de ceux-ci, qui ne demandent qu'à se développer. Vin de garde.
➤ MM. J.-J. Baumann et Fils, 43, rue du Gal-de-Gaulle, 68340 Riquewihr, tél. 89.47.92.47
Y t.l.j. 9h-12h 14h-16h.

Alsace grand cru steinert

FRANCOIS FLESCH Riesling 1986*

[]	0,15 ha	1 600	▮▮▯ ▼ 3

Le Steinert a une assise argilo-calcaire, donc un sol peu plus lourd qui a comme principal effet sur le vin de le retarder dans son évolution. C'est le cas de celui-ci qui est cependant déjà très expressif au nez avec des arômes à la fois floraux et épicés. De bouche très fraîche, il a atteint une belle harmonie, mais c'est un vin de garde.
➤ M. François Flesch, rue du Stade, Pfaffenheim, 68250 Rouffach, tél. 89.49.66.36
Y r.-v.

PIERRE FRICK Gewurztraminer 1986

[]	0,60 ha	4 000	▮▮▯ ↓ ▼ 4

Steinert veut dire : sol recouvert de cailloutis. Le sol plus profond est très calcaire : chaleur et réserve d'humidité sont donc garanties à ce terroir, ce qui explique la parfaite constitution des vins qui en sont issus. Avec des arômes floraux très plaisants, ce 86 est souple, léger, mais plaisant.
➤ M. Pierre Frick, 5, rue de Baer, Pfaffenheim, 68250 Rouffach, tél. 89.49.62.99
Y r.-v.

CAVE DE PFAFFENHEIM
Tokay-pinot gris 1986**

[]	0,72 ha	6 000	▮ M 3

Un vin très riche avec des arômes de miel, un palais équilibré, une bouche longue et déjà bien ouverte. À déguster dès maintenant.
➤ Cave Vinicole de Pfaffenheim, 5, rue du Chai, Pfaffenheim, 68250 Rouffach, tél. 89.49.61.08
Y t.l.j. 8h-12h 13h30-18h.

SCHAEFFLE Tokay-pinot gris 1986***

[]	0,80 ha	6 000	▮ 4

Ce 86 possède le petit plus qui en fait un très grand vin. De robe jaune d'or soutenue, avec un nez riche, complexe, de fleurs et de miel, tout en finesse, il a un palais parfaitement équilibré avec un support d'acidité qui garantit la longévité. Vin de très grande classe tout en élégance.
➤ Vins Schaefflé, 1, rue de La Tuilerie, Pfaffenheim, 68250 Rouffach, tél. 89.49.51.43
Y r.-v.

Alsace grand cru steingrubler

DOM. BARMES-BUECHER
Gewurztraminer 1986**

[]	0,35 ha	1 800	▮▮ ↓ ▼ 6

D'une robe jaune d'or très brillante, d'un nez expressif aux arômes riches de fruits, d'une excellente charpente au palais avec des arômes de fruits qui se répètent, voilà un beau spécimen de ces grands vins qui doivent égayer les dégustations les plus sévères. Vin de classe issu de vignes de plus de cinquante ans sur sol argilo-calcaire.
➤ Dom. Barmès-Buecher, 30-23, rue Sainte-Gertrude, Wettolsheim, 68000 Colmar, tél. 89.80.62.92 Y r.-v.

WUNSCH ET MANN
Tokay-pinot gris 1986*

[]	0,70 ha	n.c.	▮ M 3

Les cailloutis infiltrés de marnes et de calcaire ont donné son nom à ce terroir. Il convient parfaitement à l'élaboration des tokay-pinot gris comme celui-ci, qui en reflète les caractéristiques : robe jaune or, nez encore discret mais fin, palais équilibré et d'une bonne ampleur ; c'est un beau type.
➤ MM. Wunsch et Mann, 2, rue des Clefs, Wettolsheim, 68000 Colmar, tél. 89.80.79.63
Y r.-v.

Alsace grand cru vorbourg

BRUNO HUNOLD Gewurztraminer 1986*

0,90 ha   4 000

Microclimat privilégié par des températures particulièrement favorables à l'épanouissement de la vigne. Le terroir est constitué de calcaire à oolithes parsemé de cailloutis en surface. Ce sol particulièrement réchauffant produit des vins d'excellente constitution. Celui-ci a un fruité puissant, légèrement épicé, équilibré, charpenté, très agréable. Vin de garde.
→ M. Bruno Hunold, 29, rue aux Quatre-Vents, 68250 Rouffach, tél. 89.49.60.57 ℡ t.l.j. 8h-12h 13h-18h.

CLOS SAINT-LANDELIN
Riesling 1986*

5 ha   37 000

Ce terroir situé sur un sol calcaire caillouteux du jurassique, d'exposition sud-sud-est, mûrit de manière admirable le raisin. Les vins qui en sont issus ne peuvent donc être que remarquables, bien que leur évolution soit généralement très lente. Celui-ci ne fait pas exception à la règle : il se présente parfaitement bien, mais il est encore très fermé au nez ; il est harmonieux au palais, de bon équilibre ; ses caractéristiques gustatives sont encore masquées. A attendre.
→ Muré, Clos St-Landelin, RN 83, 68250 Rouffach, tél. 89.49.62.19 ℡ t.l.j. 8h-18h30.

CLOS SAINT-LANDELIN
Gewurztraminer 1986**

4 ha   28 000

Le Clos Saint-Landelin, partie sud du Vorbourg, fait la fierté des vignobles Muré. Mis en valeur par cette famille, il produit des vins dont la particularité semble être la puissance de l'arôme mélangé à des effluves d'épices. Ce 86 en est un exemple significatif : bel équilibre au palais, corps bien charpenté, très puissant, de grande envergure. Très grand avenir.
→ Muré, Clos St-Landelin, RN 83, 68250 Rouffach, tél. 89.49.62.19 ℡ t.l.j. 8h-18h30.

CLOS SAINT-LANDELIN
Tokay-pinot gris 1986*

2 ha   15 000

Le tokay pinot gris s'adapte bien au terroir du Vorbourg. Ce vin de robe jaune paille exprime déjà un nez agréablement fleuri. Gras, ample, de bonne harmonie, il est ouvert et peut donc dès maintenant être dégusté. Vin de bonne constitution.
→ Muré, Clos Si-Landelin, RN 83, 68250 Rouffach, tél. 89.49.62.19 ℡ t.l.j. 8h-18h30.

Le tanin est une substance qui se trouve dans le raisin et qui apporte au vin certaines de ses propriétés gustatives ; il lui assure une longue conservation.

Alsace grand cru wiebelsberg

MARCEL SCHLOSSER Riesling 1986*

0,50 ha   3 000

Andlau peut s'enorgueillir de ses trois terroirs à grand cru. Le Wiebelsberg en est un exemple intéressant avec son sol gréseux original : il favorise particulièrement un arôme floral fin, qui s'épanoura entièrement au vieillissement. Déjà bien équilibré au palais, ce vin accuse une maturité soutenue par une acidité juste comme il faut. Beau vin de garde.
→ M. Marcel Schlosser, 7, rue des Forgerons, Andlau, 67140 Barr, tél. 88.08.03.26 ℡ r.-v.

CHARLES WANTZ Riesling 1985*

0,50 ha   4 000

Le Wiebelsberg à dominante calcaire a communiqué à ce vin une note minérale. Agréable, déjà bien évolué au nez, il est très fondu au palais. Sa belle ampleur en fait un vin à déguster dès maintenant.
→ M. Charles Wantz, 36, rue Saint-Marc, 67140 Barr, tél. 88.08.90.44 ℡ t.l.j. sf dim. 8h-12h 14h-17h30.

Alsace grand cru zinnkoepfle

Alsace grand cru winzenberg

FRANCOIS MEYER Riesling 1986*

0,35 ha   2 000

Cette petite commune blottie au pied des collines sous-vosgiennes le long de la route du vin est essentiellement viticole. Elle produit des vins particulièrement typés et racés et son renommée pour ses rieslings. Celui-ci en présente toutes les caractéristiques : le nez très floral et fin, le palais d'une belle vivacité et de bonne persistance lui donnent toute sa prestance. A laisser vieillir.
→ M. François Meyer, 12 et 55, rte du Vin, Blienschwiller, 67650 Dambach-la-Ville, tél. 88.92.45.67 ℡ r.-v.

Alsace grand cru zinnkoepfle

LEON BOESCH ET FILS Gewurztraminer 1986*

1 ha   6 000

Terroir parfaitement abrité des courants d'air froid du nord ainsi que des vents d'ouest par les plus hauts sommets vosgiens qui font écran, voilà encore un des hauts lieux du vignoble alsacien. Jouissant ainsi d'un microclimat tout à fait

remarquable, quelquefois aux allures un peu méditerranéennes, il produit des vins parfaitement typés, très fleuris, avec des nuances de violette. Celui-ci se complète par un palais assez vif, d'une certaine virilité. Vin agréable demandant encore à s'épanouir.

➤ MM. Léon Boesch et Fils, 4, rue du Bois, 68570 Soultzmatt, tél. 89.47.01.83 ♈ t.l.j. 9h-12h 13h-20h ; f. dim. de janv. à juin sur r.-v.

VIN D'ALSACE
Appellation Alsace Contrôlée
GRAND CRU
ZINNKOEPFLE
GEWURZTRAMINER 1986
Vendanges Tardives
14,5% vol
750 ml

DIRINGER Riesling 1986**

| | 0,45 ha | 4 000 | | V3 |

Ce terroir est magnifiquement situé et il profite d'un microclimat exceptionnel, protégé des vents d'ouest par les plus hauts sommets des Vosges. L'exposition sud et le calcaire-coquillier de son sol confèrent aux vins des caractéristiques gustatives tout à fait particulières. De couleur or verdâtre, au nez, ce 86 est déjà très richement floral. Son harmonie est tout à fait exceptionnelle. C'est un riesling promis à un grand avenir.

➤ GAEC Diringer, 18, rue de Rouffach, Westhalten, 68250 Rouffach, tél. 89.47.01.06 ♈ r.-v.

DIRINGER Gewurztraminer 1986*

| | 1 ha | 6 000 | | V3 |

Il est épicé et élégant au nez, moelleux, frais, de belle ampleur en bouche. Pas encore totalement épanoui, il demande à vieillir ; une harmonie parfaite sera au bout de l'attente.

➤ GAEC Diringer, 18, rue de Rouffach, Westhalten, 68250 Rouffach, tél. 89.47.01.06 ♈ r.-v.

LANDMANN-OSTHOLT
Gewurztraminer 1986

| | 0,40 ha | 3 500 | | V4 |

Terroir remarquable par sa situation, il domine la «vallée noble». Constitué essentiellement de calcaire-coquillier ; il est surtout apte à produire des vins délicats et complexes et tout particulièremnt favorable à la production de gewurztraminer. Celui-ci est intensément fleuri, vif au palais. Sa constitution est prometteuse pour en faire un vin de garde.

➤ Landmann-Ostholt, 20, rue de la Vallée, 68570 Soultzmatt, tél. 89.47.09.33 ♈ r.-v.

LANDMANN-OSTHOLT
Gewurztraminer - Vendanges Tardives 1986***

| | 0,26 ha | 1 500 | | V6 |

On sait bien que les hommes savent faire le vin. Mais quand les dames s'y mettent, elles apportent un petit quelque chose de plus, peut-être une note un peu sensuelle qui fait qu'il devient exceptionnel. C'est le cas ici : on peut dire que l'artiste a bien travaillé car le tableau est parfait. Une teinte jaune d'or, agréablement brillant, un nez plein et intense, un palais souple, généreux et élégant. C'est un vin de très grande classe et de très longue garde.

CLOS SAINT-LANDELIN
Gewurztraminer 1986*

| | 3 ha | 21 000 | | V3 |

La maison Muré a contribué à la renommée des vins de la région de Westhalten, par l'élaboration de vins de grande expression, parfaitement vinifiés. Ce 86 de couleur jaune soutenue est intense et puissant, développant des arômes de fruits exotiques en parfait accord avec le microclimat particulier de la région. D'une grande souplesse au palais, il reflète l'excellente matière première. Il peut dès maintenant être dégusté avec satisfaction.

➤ Muré, Clos St-Landelin, RN 83, 68250 Rouffach, tél. 89.49.62.19 ♈ t.l.j. 8h-18h30.

BERNARD HAEGI Riesling 1985*

| | 0,45 ha | 3 000 | | V3 |

Ce terroir fait l'orgueil de la commune viticole de Mittelbergheim. Exposé sud-sud-est, il se compose de marnes jurassiques et conglomérats calcaires gréseux. Tout à fait caractéristique, ce 85 au nez floral, légèrement minéral, a un palais de très bonne maturité. Il s'exprime déjà agréablement et peut être consommé dès maintenant.

➤ M. Bernard Haegi, 33, rue de la Montagne, Mittelbergheim, 67140 Barr, tél. 88.08.95.80 ♈ r.-v.

EMILE SELTZ
Riesling - Vendanges Tardives 1985

| | 0,75 ha | 3 000 | | V4 |

Le Zotzenberg de Mittelbergheim est un terroir très anciennement connu dont le sol relativement lourd type les vins et retarde leur matura-

Crémant d'alsace

La création de cette appellation, en 1976, a donné un nouvel essor à la production de vins effervescents élaborés selon la méthode champenoise, qui existait depuis longtemps à une échelle réduite. Les cépages qui peuvent entrer dans la composition de ce produit de plus en plus apprécié sont le pinot blanc, l'auxerrois, le pinot gris, le pinot noir et le chardonnay.

DOM. BARMES-BUECHER 1986 ★★

1,50 ha	15 000

Mousse fine et persistante, couleur dorée intense, nez développé et fin : un crémant harmonieux et ample.
● Dom. Barmès-Buecher, 30-23, rue Sainte-Gertrude, Wettolsheim, 68000 Colmar, tél. 89.80.62.92 ▼ r.-v.

☐ **ALFRED WANTZ Gewurztraminer 1986**

0,40 ha	1 600

tion. Celui-ci, de teinte très agréable, est encore peu expressif, mais montre au palais une bonne maturité, une ampleur en parfaite harmonie avec le corps. Bon type mais à attendre.
● Maison Émile Seltz, 42, rue des Vosges, Mittelbergheim, 67140 Barr, tél. 88.08.92.08 ▼ r.-v.

Si le sylvaner était et est toujours réputé dans le Zotzenberg, le gewurztraminer, à l'instar de celui-ci, donne un vin de grande typicité et de belle harmonie. Vin de garde.
● Caves Alfred Wantz, 3, rue des Vosges, 67140 Mittelbergheim, tél. 88.08.91.43 ▼ r.-v.

> L'alcool assure corps et rondeur au vin ; l'acidité lui donne l'attaque et la nervosité ; les tanins lui procurent structure et charpente.

> Dans ce guide, la reproduction d'une étiquette signale un vin particulièrement recommandé, un « coup de cœur » de la Rédaction.

Crémant d'alsace

CHARLES BAUR 1986

1 ha	12 000

Bien typé et agréablement fruité, ce vin a une très bonne tenue de mousse. Son palais est agréable quoique manquant un peu de longueur. Crémant gouleyant.
● M. Charles Baur, 29, Grand'Rue, Eguisheim, 68420 Herrlisheim-près-Colmar, tél. 89.41.32.49 ▼ r.-v.

VITICULTEURS RÉUNIS DE BENNWIHR Cuvée Hansi 1983 ★

20 ha	n.c.

D'aspect visuel parfait avec une couleur jaune pâle très brillante, ce vin est issu de 100% pinot blanc offre une très bonne tenue de mousse. Fin et intense, très expressif, élégant, il est prêt à la dégustation. Pour marquer les grands moments.
● Viticult. Réunis à Bennwihr, 3, rue du Gal-de-Gaulle, 68630 Bennwihr, tél. 89.47.90.27 ▼ t.l.j. 9h-11h30 14h-17h30.

LUCIEN ET CHARLES BRAND
Brut du Rimlerpfad 1985 ★★★

n.c.	n.c.

La teinte est jaune d'or, les bulles fines, le nez de grande typicité en fait un vin parfait : très flatteur au palais, il est ample et d'une grande persistance aromatique.
● MM. Lucien et Charles Brand, 21, rue de Wolxheim, Ergersheim, 67120 Molsheim, tél. 88.38.17.71 ▼ r.-v.

LUC BEYER ★

n.c.	n.c.

Ce vin est encore dominé au nez par des arômes de fermentation, signe de jeunesse. Cependant, sa finesse se révèle déjà. Équilibré et persistant au palais, il est très prometteur.
● M. Luc Beyer, 7, pl. du Château, Eguisheim, 68420 Herrlisheim, tél. 89.41.40.45 ▼ t.l.j. 8h-12h 14h-19h.

PAUL BUECHER ET FILS
Cuvée Prestige 1985

0,30 ha	3 000

Une bonne tenue de mousse quoique un peu discrète. Le nez est agréable mais très typé dans le cépage (pinot noir). La robe est rouge pâle et très brillante. Au palais, ce crémant présente des nuances très complexes. Vin de bonne distraction.
● MM. Paul Buecher et Fils, 15, rue Sainte-Gertrude, Wettolsheim, 68000 Colmar, tél. 89.80.64.73 ▼ r.-v.

DOM. DES COMTES DE LUPFEN 1984

n.c.	n.c.

À la sortie de la vallée de Kaysersberg, cette cité pittoresque est un des hauts lieux du vignoble alsacien. Siège de la confrérie Saint-Étienne dans le château érigé par le baron de Schwendi; elle possède également un musée du Vin qui mérite le détour. Les vins, quant à eux, sont tout aussi réputés. La mousse fine et persistante de ce

Crémant d'alsace

crémant, son aspect visuel très agréable le rendent parfaitement adapté aux grands moments.

⌖ GAEC Paul Blanck et Fils, 32, Grand'Rue, Kientzheim, 68240 Kaysersberg, tél. 89.78.23.56 ☿ t.l.j, sf dim. 9h-12h 13h30-19h.

JEAN-LOUIS DIRRINGER 1985*

○   0,35 ha   4 000   🍴 🛏 ☿ 3

Ce crémant est particulièrement agrémenté par son aspect visuel. Les fines bulles montent le long d'une robe jaune d'or. Son nez très agréable à nuance légèrement boisée lui communique une certaine originalité. D'une grande maturité, il peut être consommé immédiatement.

⌖ M. Jean-Louis Dirringer, 5, rue Mal-Foch, 67650 Dambach-la-Ville, tél. 88.92.41.51 ☿ r.-v.

DIVINAL 1986*

○   n.c.   80 000   🍴 🛏 ☿ 3

Une mousse fine de persistance moyenne caractérise ce vin. Une brillance parfaite flatte l'œil. Le nez est plaisant et le palais révèle une belle rondeur. Une fraîcheur particulièrement agréable lui communique une très bonne «gouleyance».

⌖ Cave Vini. Divinal d'Obernai, 30, rue du Gal-Leclerc, 67210 Obernai, tél. 88.95.61.18 ☿ r.-v.

FREY-SOHLER Riesling 1986

○   1,50 ha   10 000   🍴 ☿ 3

De teinte jaune d'or, sa mousse est peut-être un peu discrète. Son nez puissant, sa bouche harmonieuse et complexe lui communiquent une certaine classe. Issu de riesling, c'est un vin de bonne compagnie.

⌖ Frey-Sohler, 72, rue de l'Ortenbourg, 67750 Scherwiller, tél. 88.92.10.13 ☿ t.l.j. 8h-12h 13h-19h.

ARMAND GILG 1986***

○   1,55 ha   20 000   🛏 ☿ 3

Très grand crémant se caractérisant par une bonne tenue de mousse, mais surtout par une teinte jaune d'or toute cristalline. Avec un nez discrètement subtil, il séduit par ses arômes floraux et son palais ample et très souple. Vin de grande harmonie.

⌖ GAEC Armand Gilg et Fils, 2-4, rue Rotland, Mittelbergheim, 67140 Barr, tél. 88.08.92.76 ☿ t.l.j. sf dim. 8h-12h 13h30-18h ; f. dim. a.-m.

WILLY GISSELBRECHT ET FILS

○   n.c.   30 000   ☿ 3

De teinte jaune d'or à belle brillance, son effervescence est fine et continue. D'intensité olfactive convenable, équilibré et persistant, c'est un vin bien flatteur.

⌖ MM. Willy Gisselbrecht et Fils, 3a, rte du Vin, 67650 Dambach-la-Ville, tél. 88.92.41.02 ☿ r.-v.

ANDRE HARTMANN 1985**

○   0,33 ha   3 000   🍴 🛏 ☿ 3

De couleur jaune doré, sa mousse est fine et

assez persistante. Son fruit est intense, dominé par les arômes du cépage (riesling). Il est équilibré et persistant au palais. Un crémant franc, distingué, de très bonne qualité.

⌖ MM. André Hartmann et Fils, 11, rue Roger-Frémeaux, Vœglinshoffen, 68420 Herrlisheim, tél. 89.49.38.34 ☿ t.l.j. sf dim. 9h-12h 14h-17h.

HEIM Impérial**

○   1 ha   10 000   🍴 🛏 ☿ 2

Cette maison a été parmi les premiers élaborateurs de crémant. On peut dire que le métier a payé car on a ici un produit de grande classe. De couleur jaune d'or, sa tenue de mousse laisse entrevoir la qualité du vin. Amplement fruité, fin, équilibré et persistant au palais, il peut agrémenter les plus grands moments.

⌖ Heim SA, 56, rte de Soultzmatt, 68250 Westhalten, tél. 89.47.00.45 ☿ r.-v.

HEITZMANN***

○   1 ha   8 000   🍴 🛏 ☿ 3

80% de pinot blanc, 20% de riesling et une vinification hors pair : voilà un très grand crémant caractérisé par une mousse très fine et persistante, des reflets dorés très agréables, un nez élégant et racé. Il laisse une impression finale d'équilibre, de persistance et de grande ampleur.

⌖ GAEC Heitzmann et Fils, 2, Grand'Rue, 68770 Ammerschwihr, tél. 89.47.10.64 ☿ t.l.j. 8h-12h 13h-19h.

BRUT
Crémant d'Alsace
Appellation Crémant d'Alsace Contrôlée
Méthode Champenoise
HEITZMANN
H&J HEITZMANN & FILS
VIGNERONS-RÉCOLTANTS A GRANDVILLÉ - 68770 AMMERSCHWIHR
MIS EN BOUTEILLE A LA PROPRIÉTÉ
PRODUCE OF FRANCE
750 ml

CAVE VINICOLE DE HUNAWIHR
Cuvée Calixte II 1986***

○   10 ha   n.c.   🍴 🛏 ☿ 3

Ce vin a encore toutes les qualités de la jeunesse. Sa mousse consistante et persistante, son nez frais et très élégant, charment tout particulièrement le dégustateur. Équilibré, il est à recommander dès maintenant. De très belle harmonie, il peut égayer les tables les plus difficiles.

⌖ Cave Vinicole de Hunawihr, B.P. 51, Hunawihr, 68150 Ribeauvillé, tél. 89.73.61.67 ☿ r.-v.

JEAN HUTTARD 1986***

○   n.c.   7 700   🍴 🛏 ☿ 4

Très grand vin, très agréable à déguster, parfaitement équilibré et très jeune. Il est relevé par un nez racé, fin, au fruité très expressif.

L'excellente tenue de mousse ainsi que son aspect jaune pâle charmant l'œil. Particulièrement adapté aux moments de fête.

☛ M. Jean Huttard, 10, rte du vin, Zellenberg, 68340 Riquewihr, tél. 89.47.90.49

▼ r.-v.

☛ M. Jean-Claude Huttard.

DOM. KIEFFER 1985

○ 0.42 ha — 3 400 — ▼VB

Racé, il allie équilibre et virilité. Discrètement subtil au nez, il a cependant toutes les potentialités pour donner un crémant tel qu'on les aime.

☛ Dom. Kieffer, 76, rte du Vin, Itterswiller, 67140 Barr, tél. 88.85.50.22 ▼ t.l.j. sf dim. 8h-12h 13h-19h.

LANDMANN-OSTHOLT 1985*

○ 0.88 ha — 8 000 — ▼VB

De couleur jaune clair, sa bonne tenue de mousse laisse présager un crémant de belle classe. Bien évolué, de grande finesse, il est bien équilibré et très persistant.

☛ Landmann-Ostholt, 20, rue de la Vallée, 68570 Soultzmatt, tél. 89.47.09.33 ▼ r.-v.

DOM. LOBERGER 1985*

○ 0.60 ha — 5 000

Le crémant d'Alsace a pris un bel essor. L'art de réussir dans son élaboration ne fait que progresser et donne actuellement, à l'image de celui-ci, des produits de grande finesse. La bulle fine et persistante, son fruité typique et très agréable, en font un vin équilibré, très harmonieux, agréable à boire.

☛ Dom. Joseph Loberger, 10, rue de Bergholtz-Zell, Bergholtz, 68500 Guebwiller, tél. 89.76.88.03 ▼ r.-v.

ALBERT MAURER 1985**

○ 1 ha — 9 000

De couleur jaune d'or, la mousse de ce crémant est fine et persistante. Son nez est remarquablement harmonieux avec des nuances florales. C'est un vin de très bel équilibre, chaleureux et très «courtisan».

☛ M. Albert Maurer, 11, rue du Vignoble, Eichhoffen, 67140 Barr, tél. 88.08.96.75 ▼ r.-v.

FRANCOIS-ROBERT MULBERGER
Blanc de Blancs*

○ 1 ha — 10 000

La mousse persistante agrémente parfaitement la présentation de ce vin. Sa teinte vert-jaune montre sa jeunesse. Équilibré au palais, rond et persistant, il est de belle race.

☛ M. François-Robert Mulberger, 1, rue de Strasbourg, Wolxheim, 67120 Molsheim, tél. 88.38.10.33 ▼ t.l.j. 9h-19h.

CAVE DE PFAFFENHEIM
Pinot Blanc 1986

○ 9 ha — 60 000

Crémant un peu différent, il ne manque cependant pas de qualité. Plaisant au nez, il présente un bel équilibre. Pour un apéritif.

☛ Cave Vinicole de Pfaffenheim, 5, rue du Chai, Pfaffenheim, 68250 Rouffach, tél. 89.49.61.08

▼ t.l.j. 8h-12h 13h30-18h.

CAVE COOP. DE RIBEAUVILLE
Carte d'Or- Giersberger 1986

○ n.c. — 12 000

Ribeauvillé est réputée pour son histoire et son vignoble. La cave vinicole contribue largement à cette notoriété. Elle est productrice d'un crémant à l'aspect particulièrement agréable, très mûr au nez et remarquablement souple au palais.

☛ Cave Coop. de Ribeauvillé, 2, rte de Colmar, 68150 Ribeauvillé, tél. 89.73.61.80 ▼ t.l.j. 10h-12h 14h-17h ; f. sam. et dim. en janv., fév. et mars

ERIC ROMINGER 1986*

○ 0.34 ha — n.c.

De couleur jaune pâle, ce vin a déjà acquis une très bonne harmonie des arômes. Il est nerveux au palais et bien équilibré. Son assez bonne persistance en fait un produit à prendre en considération.

☛ M. Eric Rominger, 6, rue de l'Eglise, Bergholtz, 68500 Guebwiller, tél. 89.76.14.71 ▼ t.l.j. sf dim. 8h-19h.

A. RUHLMANN ET FILS 1985***

○ 1.20 ha — 10 000 — ▼VB

Le jury est unanime, voilà une très belle vinification : mousse très fine et teinte jaune d'or sont particulièrement agréables à l'œil. Ce crémant se complète par un arôme bien développé et un palais très équilibré et de très belle persistance. Une belle réussite.

☛ GAEC A. Ruhlmann et Fils, 35, rue Principale, Reichsfeld, 67140 Barr, tél. 88.85.51.65 ▼ r.-v.

SAINTE-ODILE 1986***

○ n.c. — 80 000 — ▼VB

Très grand crémant. Mousse très fine et très persistante, à teinte jaune pâle, mais très brillante : il a toutes les qualités pour charmer l'œil du connaisseur. Un nez floral et harmonieux complète ce tableau. Enfin, une bouche élégante et très gracieuse séduit les plus difficiles.

☛ Sté Vini. et Dist. Ste-Odile, 3, rue de la Gare, 67210 Obernai, tél. 88.95.50.23 ▼ r.-v.

EMILE SCHWARTZ ET FILS 1985***

○ 1 ha — 10 000

Un assemblage parfaitement réussi de 50% d'auxerrois, 30% de tokay et 20% de pinot blanc. Les bulles sont fines et persistantes. D'un fruité et élégant au nez, le type plaisant et harmonieux se révèle au palais. Une très belle harmonie d'ensemble.

☛ GAEC Schwartz Emile et Fils, 3, rue Principale, Husseren-les-Châteaux, 68420 Herrlisheim, tél. 89.49.30.61 ▼ t.l.j. sf dim. 8h-12h 14h-18h.

LOUIS SIFFERT ET FILS 1985**

○ 0.60 ha — 6 000 — ▼VB

Sa bulle fine, son aspect pâle et brillant, son

nez vif, vineux mais peut-être encore un peu fermé, en font un crémant particulièrement racé. Son harmonie générale excellente le rend très gouleyant. Vin des grands moments.
➤ MM. Louis Siffert et Fils, 16, rte du Vin, Orschwiller, 67600 Sélestat, tél. 88.92.02.77 ☎ t.l.j. 9h-12h 14h-18h; f. fév.

SIPP-MACK 1984

○ 1 ha 8 000 ☷ Ⅴ ⒊

Hunawihr, cité réputée pour son église fortifiée, a donné naissance à un crémant très type du cépage dominant (riesling 80%), avec une mousse de bonne constitution et une belle vinosité communiquant une persistance certaine.

➤ Sipp-Mack, 1, rue des Vosges, Hunawihr, 68150 Ribeauvillé, tél. 89.73.61.88 ☎ t.l.j. 9h-12h 14h-18h; f. janv.

WOLFBERGER 1986**

○ n.c. n.c. Ⅴ ⒊

Principal producteur de crémant d'Alsace, il a fait ses premières «armes» en 1971. Il a acquis une telle expérience que ses vins sont toujours remarquablement élaborés. Il a une bonne tenue de mousse, un beau nez floral, une bouche excellente avec des caractères très élégants. Tout à fait remarquable.

➤ Cave Vinicole d'Eguisheim, 6, Grand'Rue, Eguisheim, 68420 Herrlisheim, tél. 89.41.11.06 ☎ r.-v.

Les vins de l'Est

Les vignobles des Côtes de Toul et de la Moselle restent les deux seuls témoins d'une viticulture lorraine autrefois florissante. Florissant, le vignoble lorrain l'était par son étendue - supérieure à 30 000 ha en 1890. Il l'était aussi par sa notoriété. Certaines années, des vins rouges de la région de Metz étaient exportés par la Moselle, et une partie de la production du vignoble toulois était champagnisée en dehors de la région.

Les deux vignobles connurent leur apogée à la fin du XIXe s. Dès cette époque, malheureusement, plusieurs facteurs se conjuguèrent pour entraîner leur déclin : la crise phylloxérique, introduisant l'usage de cépages hybrides de moindre qualité; la crise économique viticole de 1907; la proximité des champs de bataille de la Première Guerre mondiale; l'industrialisation de la région provoquant un formidable exode rural. Ce n'est qu'en 1951 que les pouvoirs publics reconnurent l'originalité de ces vignobles et définirent les VDQS côtes-de-toul et vins de moselle, les rangeant ainsi définitivement parmi les grands vins de France.

Côtes de toul VDQS

Situé à l'ouest de Toul, le vignoble concerne huit communes qui s'échelonnent sur une côte résultant de l'érosion des couches sédimentaires du Bassin parisien. On y rencontre des sols d'âge jurassique, argilo-calcaire, très bien drainés et merveilleusement exposés. Le climat y est favorable du fait de sa nature semi-continentale qui renforce les températures estivales. Toutefois, les risques de gelées de printemps sont bien sûr fréquents. Ceci explique la prédominance du

gamay, cépage plus rustique et résistant, qui produit des vins gris caractéristiques, d'une belle vivacité en bouche et très fruités. On rencontre aussi le pinot noir, réservé à la production des vins rouges qui peuvent être très corsés, ainsi que l'auxerrois, destiné à la production de vins blancs fruités et délicats.

La vigne couvre actuellement 65 ha, qui assurent une production moyenne de vins de qualité supérieure de 3 000 hl. Les possibilités d'expansion restent immenses: on s'en convaincra en parcourant la route du Vin et de la Mirabelle, à la sortie ouest de Toul.

LELIEVRE FRERES Vin gris 1987

8,50 ha — 75 000 — M 2

Dans une gamme très diversifiée de la GAEC des coteaux Toulois-Lelièvre, le vin gris occupe une place prépondérante. Celui-ci a subi une courte macération à froid comme en témoigne sa robe gris-rose assez marquée. Il est encore jeune au nez, vif et bien équilibré au palais sur une note végétale. Il s'épanouira au cours du vieillissement.

➤ MM. Lelièvre Frères, 46, Grand'Rue, Lucey, 54200 Toul, tél. 83.43.81.36 Y r.-v.

FERNAND POIRSON
Vin gris - Bruley 1987

3,67 ha — 20 000 — M 1

Chez Fernand Poirson, on entre dans le domaine exclusif du vin gris, si caractéristique de la région. L'année 87 était plutôt tardive, et ce vin est conforme à ce que l'on peut attendre du millésime. D'une robe élégante et discrète, il est fin et léger au nez, fruité, et d'une belle vivacité au palais.

➤ M. Fernand Poirson, 70, rue de la République, Bruley, 54200 Toul, tél. 83.43.11.17 Y r.-v.

SOCIETE VINICOLE DU TOULOIS Auxerrois 1987

0,50 ha — 4 000

L'auxerrois est avec l'aubin le seul cépage blanc de ce VDQS. Il représente d'ailleurs encore actuellement une proportion très limitée de l'encépagement alors qu'il est particulièrement bien adapté au climat local. Ce vin est le fruit d'un millésime tardif. Encore jeune et discret au nez, il présente un bon équilibre au palais, et se montre très goûleyant.

➤ Sté vinicole du Toulois, 21, rue de la République, Bruley, 54200 Toul, tél. 83.43.11.04 Y t.l.j; 8h-19h.

SOCIETE VINICOLE DU TOULOIS Vin gris 1987

20 ha — 50 000 — 2

C'est la seule entreprise de la région à exercer parallèlement les fonctions de producteur et négociant. Son vin gris, obtenu par pressurage

immédiat du gamay, reste bien sûr le produit dominant. Le 87 présente une robe gris-rose très soutenue. Fruité au nez, il a subi une fermentation malolactique qui l'a bien assoupli. Il est donc assez rond et long au palais.

➤ Sté vinicole du Toulois, 21, rue de la République, Bruley, 54200 Toul, tél. 83.43.11.04 Y t.l.j; 8h-19h.

SOCIETE VINICOLE DU TOULOIS Pinot noir 1987*

4 ha — 20 000 — 2

Ce pinot noir est issu d'une longue macération, comme en témoigne sa belle robe rubis très soutenue. Encore jeune et discret au nez, il se révèle très prometteur au palais. Son caractère tannique et sa longue persistance en font un vin de garde paré pour de longues années de bouteille.

➤ Sté vinicole du Toulois, 21, rue de la République, Bruley, 54200 Toul, tél. 83.43.11.04 Y t.l.j; 8h-19h.

CLAUDE VOSGIEN Vin Gris 1987

n.c. — n.c. — 4

Le vin gris est obtenu par la vinification en blanc du gamay. Celui-ci a fait l'objet d'un pressurage immédiat comme en témoigne sa robe grise très discrète. Il développe au nez des arômes bien fruités, et se révèle franc et nerveux au palais. Un produit conforme au millésime 87.

➤ M. Claude Vosgien, Saint-Vincent-de-Bulligny, 54170 Colombey-les-Belles, tél. 83.43.50.55 Y r.-v.

Vins de moselle VDQS

Le vignoble est établi sur les coteaux qui bordent la vallée de la Moselle; ils ont pour origine les couches sédimentaires formant la bordure orientale du Bassin parisien. L'aire délimitée du vins de qualité supérieure se concentre autour de deux pôles principaux: le premier au sud et à l'ouest de Metz, le second dans la région de Sierck-les-Bains. La viticulture est influencée par celle du Luxembourg tout proche, avec ses vignes hautes et larges et sa dominante de vins blancs secs et fruités. En volume, ce VDQS reste très modeste. Son expansion est contrariée par l'extrême morcellement de la région. Il a pourtant tout l'avenir devant lui...

Vins de moselle VDQS

Quoi de neuf en Moselle ?

Un arrêté de juin 1986 fixe les règles applicatives aux VDQS «vins de Moselle». La délimitation parcellaire a ainsi été réalisée sur les dix-neuf communes de l'appellation tandis qu'est introduit officiellement un nouveau cépage, le müller thurgau, qui occupe une place importante dans les villages proches de la frontière luxembourgeoise. Le quantum est désormais de 60 hl/ha.

ROBERT MAGRAS
Muller - Thurgau 1986*

☐   0,50 ha   n.c.   🔟 Ⓜ 🔢

Cépage important dans un secteur proche de la frontière luxembourgeoise, le muller-thurgau est particulièrement bien adapté aux conditions locales du fait notamment de sa précocité. Celui-ci révèle un fruité intense aux notes à la fois aromatiques et végétales. Il est bien équilibré au palais, expressif et persistant.

☛ M. Robert Magras, 2, rue Saint-Vincent, Contz-les-Bains, 57480 Sierck-les-Bains, tél. 82.83.73.65

ROBERT MAGRAS Pinot Blanc 1986*

☐   n.c.   🔢

Issu des coteaux qui surplombent la Moselle, ce pinot blanc du millésime 86 a subi un léger vieillissement qui lui a été profitable. D'une belle robe jaune paille, il développe au nez des arômes frais et fruités, et se caractérise au palais par un bon équilibre et une longue persistance.

☛ M. Robert Magras, 2, rue Saint-Vincent, Contz-les-Bains, 57480 Sierck-les-Bains, tél. 82.83.73.65

MANSION-WELFERINGER
Pinot Noir 1986*

✅   n.c.   3 000   🔢 🔢

Voici un pinot noir original. A l'œil, il se présente sous une robe typique d'un vin rosé, aux nuances déjà légèrement tuilées. Au nez par contre, il développe les arômes très intenses du cépage. Au palais enfin, il présente une certaine souplesse liée aux conditions de vinification, en même temps qu'une belle persistance. Un vin harmonieux.

☛ M. Mansion-Welferinger, 1, rue du Pressoir, Contz-les-Bains, 57480 Sierck-les-Bains, tél. 82.83.84.91 🍷 r.-v.

MANSION-WELFERINGER
Müller-Thurgau 1987★★

☐   n.c.   🔟 Ⓜ 🔢

Voici un müller-thurgau qui conjugue parfaitement maturité et typicité aromatique. D'une belle robe jaune paille, il développe un fruité intense marqué par un caractère légèrement muscaté. Il séduit au palais, tout à la fois par sa vivacité, sa charpente et sa grande persistance.

☛ M. Mansion-Welferinger, 1, rue du Pressoir, Contz-les-Bains, 57480 Sierck-les-Bains, tél. 82.83.84.91 🍷 r.-v.

Officiellement - et légalement - rattachée à la Bourgogne viticole, la région du Beaujolais n'en a pas moins une spécificité largement consacrée par l'usage. Celle-ci est d'ailleurs renforcée par la promotion dynamique de ses vins, menée avec ardeur par tous ceux qui ont rendu le beaujolais illustre dans le monde entier. Ainsi, qui pourrait ignorer, chaque troisième jeudi de novembre, la joyeuse arrivée du beaujolais nouveau ? Déjà, sur le terrain, les paysages diffèrent des vignobles de l'illustre voisine ; ici, point de côte linéaire et presque régulière, mais le jeu varié de collines et de vallons, qui multiplient à plaisir les coteaux ensoleillés ; et les maisons elles-mêmes, où les tuiles romaines remplacent les tuiles plates, prennent déjà un air du Midi.

Extrême midi de la Bourgogne, et déjà porte du Sud, le Beaujolais s'étend sur 22 000 ha et quatre-vingt-seize communes des départements de Saône-et-Loire et du Rhône, formant une région de 50 km du nord au sud, sur une largeur moyenne d'environ 15 km. Il est plus étroit dans sa partie septentrionale, et plus large dans sa partie méridionale. Au nord, pas de limite nette avec le Mâconnais. À l'est, en revanche, la plaine de la Saône, où scintillent les méandres de la majestueuse rivière dont Jules César disait « qu'elle coule avec tant de lenteur que l'œil a peine peut juger de quel côté elle va », est une frontière évidente. À l'ouest, les monts du Beaujolais sont les premiers contreforts du Massif central, dont le point culminant, le mont Saint-Rigaux (1012 m) apparaît comme une borne entre le pays de Saône et de Loire. Au sud enfin, le vignoble lyonnais prend le relais pour conduire jusqu'à la métropole, irriguée, comme chacun sait, par trois « fleuves » : le Rhône, la Saône et le... beaujolais !

Il est sûr que les vins du Beaujolais doivent beaucoup à Lyon, dont ils alimentent toujours les célèbres « bouchons » et où ils trouvèrent évidemment un marché privilégié, après que le vignoble eut pris son essor au XVIIIe s. Deux siècles plus tôt, Villefranche-sur-Saône avait succédé à Beaujeu comme capitale du pays, qui en avait pris le nom. Habiles et sages, les sires de Beaujeu avaient assuré l'expansion et la prospérité de leurs domaines, stimulés en cela par la puissance de leurs illustres voisins, les comtes de Mâcon et du Forez, abbés de Cluny, archevêques de Lyon. L'entrée du Beaujolais dans l'étendue des cinq grosses fermes royales dispensées de certains droits pour les transports vers Paris (qui se firent longtemps par le canal de Briare), entraîna donc le développement rapide du vignoble.

Aujourd'hui, le Beaujolais produit en moyenne 1 150 000 hl de vins rouges typés (la production de blancs est extrêmement limitée), mais - et c'est là une différence essentielle avec la Bourgogne - à partir d'un cépage presque exclusif, le gamay. Cette production se répartit entre les deux appellations beaujolais et beaujolais-villages, et celles des neuf « crus » : brouilly, côte de brouilly, chiroubles, fleurie, morgon, juliénas, moulin à vent, saint-amour. Les trois premières appellations peuvent être revendiquées pour des vins rouges, rosés ou blancs, les neuf autres concernant uniquement des vins rouges, qui ont également la possibilité d'être déclarés AOC bourgogne. Géologiquement, le Beaujolais a subi successivement les effets des plissements hercynien à l'ère primaire et alpin à l'ère tertiaire. Ce dernier a façonné le relief actuel, disloquant les couches sédimentaires du secondaire et faisant surgir les roches primaires. Plus près de nous, au quaternaire, les glaciers et les rivières s'écoulant d'ouest en est ont creusé de nombreuses vallées et modelé les terroirs, faisant apparaître des

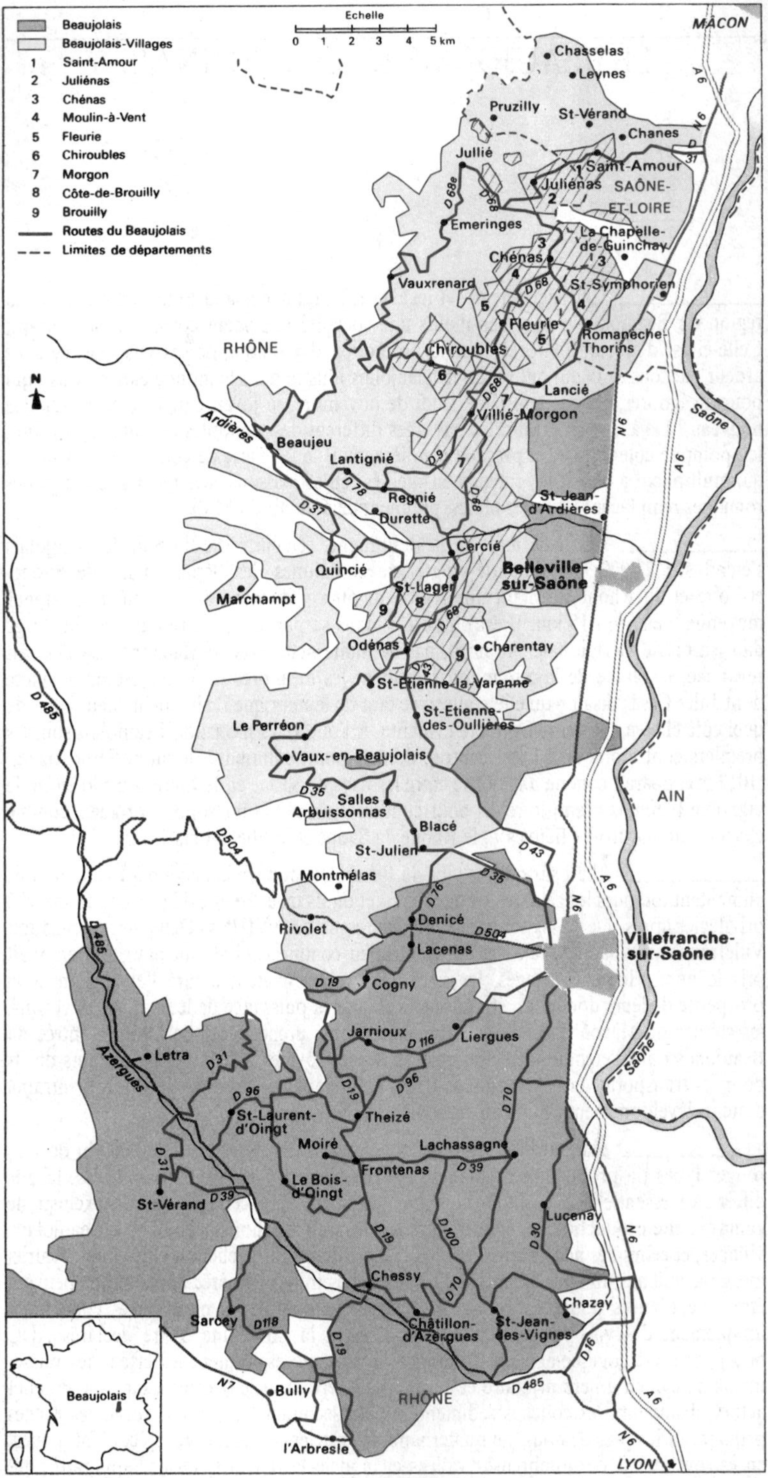

Légende :

Beaujolais
Beaujolais-Villages
1 Saint-Amour
2 Juliénas
3 Chénas
4 Moulin-à-Vent
5 Fleurie
6 Chiroubles
7 Morgon
8 Côte-de-Brouilly
9 Brouilly
Routes du Beaujolais
Limites de départements

Echelle
0 1 2 3 4 5 km

MACON

SAÔNE-ET-LOIRE

AIN

RHÔNE

Villefranche-sur-Saône

Belleville-sur-Saône

LYON

Châtelas
Leynes
Chânes
St-Vérand
Pruzilly
Juliénas
Saint-Amour
La Chapelle-de-Guinchay
St-Symphorien
Romanèche-Thorins
Émeringes
Juliè
Chénas
Fleurie
Lancié
Vauxrenard
Chiroubles
Villié-Morgon
St-Jean-d'Ardières
Charentay
Beaujeu
Lantignié
Régnié
Durette
St-Lager
Odénas
St-Étienne-la-Varenne
St-Étienne-des-Oullières
Quincié
Blacé
Ardières
Marchampt
Salles
Arbuissonnas
St-Julien
Le Perréon
Vaux-en-Beaujolais
Montmélas
Rivolet
Denicé
Lacenas
Cogny
Jarnioux
Liergues
Lucenay
Lachassagne
Theizé
Frontenas
Moiré
Le Bois-d'Oingt
St-Laurent-d'Oingt
St-Vérand
Letra
Azergues
Sarcey
Bully
l'Arbresle
Chessy
Chazay
St-Jean-des-Vignes
Châtillon-d'Azergues

RHÔNE

Beaujolais

îlots de roches dures, résistantes à l'érosion, compartimentant le coteau viticole, qui, tel un gigantesque escalier, regarde le levant et vient mourir au niveau des terrasses de la Saône.

De part et d'autre d'une ligne virtuelle passant par Villefranche-sur-Saône, on distingue traditionnellement le Beaujolais Nord du Beaujolais Sud. Le premier présente un relief plutôt doux, aux formes arrondies, aux fonds de vallons en partie comblés par des sables. C'est la région des roches anciennes de type granite, porphyre, schiste, diorite. La lente décomposition du granite donne des sables siliceux, ou «gore», dont l'épaisseur peut varier dans certains endroits d'une dizaine de centimètres à plusieurs mètres, sous forme d'arènes granitiques. Ce sont des sols acides, filtrants et pauvres. Ils retiennent mal les éléments fertilisants en l'absence de matière organique, sont sensibles à la sécheresse mais faciles à travailler. Avec les schistes, ce sont les terrains privilégiés des appellations locales et des beaujolais-villages. Le deuxième secteur, caractérisé par une plus grande proportion de terrains sédimentaires et argilo-calcaires, est marqué par un relief un peu plus accusé. Les sols sont plus riches en calcaire et en grès. C'est la zone des «pierres dorées», dont la couleur, qui vient des oxydes de fer, donne aux constructions un aspect chaleureux. Les sols sont plus riches et gardent mieux l'humidité. C'est la zone de l'AOC beaujolais. Ces deux entités, où la vigne prospère entre 190 et 550 m d'altitude, ont comme toile de fond le haut Beaujolais, constitué de roches métamorphiques plus dures, couvert à plus de 600 m par des forêts de résineux alternant avec des châtaigniers et des fougères. Les meilleurs terroirs sont situés entre 190 et 350 m, orientés sud-sud-est.

La région beaujolaise jouit d'un climat tempéré, résultat de trois régimes climatiques différents : une tendance continentale, une tendance océanique, une tendance méditerranéenne. Chaque tendance peut dominer, le temps d'une saison, avec des transitions brutales faisant s'affoler baromètre et thermomètre. L'hiver peut être froid ou humide ; le printemps, humide ou sec ; les mois de juillet et août, brûlants quand souffle le vent desséchant du midi, ou humides avec des pluies orageuses accompagnées de fréquentes chutes de grêle ; l'automne, humide ou chaud. La pluviométrie moyenne est de 750 mm, la température peut varier de -20° à +38° C. Mais des microclimats modifient sensiblement ces données, favorisant l'extension de la vigne dans des situations *a priori* moins favorables. Dans l'ensemble, le vignoble profite d'un bon ensoleillement et de bonnes conditions pour la maturation.

L'encépagement, en Beaujolais, est réduit à sa plus simple expression, puisque 99 % des surfaces sont plantées en gamay noir à jus blanc. Il est parfois désigné dans le langage courant sous le terme de «gamay beaujolais». Banni de la Côte-d'Or par un édit de Philippe le Hardi qui, en 1395, le traitait de «très desloyault plant» (très certainement en comparaison du pinot), il s'adapte pourtant à de nombreux sols et prospère sous des climats très divers ; il couvre en France près de 33 000 ha. Remarquablement bien adapté aux sols du Beaujolais, ce cépage à port retombant doit, durant les dix premières années de sa culture, être soutenu pour se former ; d'où les parcelles avec échalas que l'on peut observer dans le nord de la région. Il est assez sensible aux gelées de printemps, qui peuvent maladies et parasites de la vigne. Le débourrement peut se manifester tôt (fin mars), mais le plus souvent on l'observe au cours de la deuxième semaine d'avril. Ne dit-on pas ici : «Quand la vigne brille à la Saint-Georges, elle n'est pas en retard ?» La floraison passe dans la première quinzaine de juin, et les vendanges commencent à la mi-septembre.

Les autres cépages ouvrant le droit à l'appellation sont le pinot noir et le pinot gris pour les vins rouges et rosés, et, pour les vins blancs, le chardonnay et l'aligoté. La possibilité d'incorporer dans les vignes produisant des vins rouges un maximum de 15 % de chardonnay, d'aligoté ou le gamay blanc, subsiste du point de vue législatif, mais n'est pratiquement plus usitée. Deux modes de taille sont pratiqués : une taille courte en gobelet pour toutes les appellations, et une taille avec baguette (ou taille guyot simple) pour l'appellation beaujolais. Les rendements de base sont pour l'AOC

beaujolais de 55 hl/ha, de 50 hl/ha pour les beaujolais-villages, de 48 hl/ha pour les crus. Ces chiffres peuvent être modifiés chaque année par l'INAO après contrôle des conditions de production.

Tous les vins rouges du Beaujolais sont élaborés selon le même principe : respect de l'intégralité de la grappe associé à une macération courte (de trois à sept jours en fonction du type de vin). Cette technique combine la fermentation alcoolique classique dans 10 à 20 % du volume de moût libéré à l'encuvage, et la fermentation intracellulaire qui assure une dégradation non négligeable de l'acide malique du raisin avec l'apparition d'arômes spécifiques. Elle confère aux vins du Beaujolais une constitution ainsi qu'une trame aromatique caractéristiques, exaltées ou complétées en fonction du terroir. Elle explique aussi les difficultés qu'ont les vignerons à maîtriser d'une façon parfaite leurs interventions œnologiques, du fait de l'évolution aléatoire du volume initial du moût par rapport à l'ensemble. Schématiquement, les vins du Beaujolais sont secs, peu tanniques, souples, frais, très aromatiques ; ils présentent un degré alcoolique compris entre 12° et 13,5°, et une acidité totale de 3,5 g/l exprimée en équivalence de H_2SO_4.

L'une des caractéristiques du vignoble beaujolais, héritée du passé mais tenace et vivante, est le métayage : la récolte et certains frais sont partagés par moitié entre l'exploitant et le propriétaire, ce dernier fournissant les terres, le logement, le cuvage avec le gros matériel de vinification, les produits de traitement, les plants. Le vigneron ou métayer, qui possède l'outillage pour la culture, assure la main-d'œuvre, les dépenses dues aux récoltes, le parfait état des vignes. Les contrats de métayage, qui prennent effet à la Saint-Martin, intéressent de nombreux exploitants ; 46 % des surfaces sont exploitées de cette façon et viennent en concurrence avec l'exploitation directe (45 %). Le fermage, quant à lui, concerne 9 % des surfaces. Il n'est pas rare de trouver des exploitants à la fois propriétaires de quelques parcelles et métayers. Les exploitations types du Beaujolais s'étendent sur 5 à 8 ha, dont 5 à 6 cultivés en vigne. Elles sont plus petites dans la zone des crus, où le métayage domine, et plus grandes dans le sud, où la polyculture est omniprésente. Dix-huit caves coopératives vinifient 30 % de la production. Éleveurs et expéditeurs locaux assurent 85 % des ventes, exprimées à la pièce, par fûts de 216 l, et qui sont réalisées tout au long de l'année ; mais ce sont les premiers mois de la campagne, avec la libération des vins de primeur, qui marquent l'économie régionale. Près de 50 % de la production est exportée, essentiellement vers la Suisse, la RFA, la Belgique, le Luxembourg, la Grande-Bretagne, les USA, les Pays-Bas, le Danemark, le Canada.

Seules les appellations beaujolais, beaujolais supérieur, beaujolais-villages ouvrent pour les vins rouges la possibilité de dénomination « vin de primeur ». Ces vins, à l'origine récoltés sur les sables granitiques de certaines zones de beaujolais-villages, sont vinifiés après une macération courte de l'ordre de quatre jours, favorisant le caractère tendre et gouleyant du vin, une coloration pas trop soutenue, et des arômes de fruits rappelant la banane mûre. Des textes réglementaires précisent les normes analytiques et de mise en marché. Dès la mi-novembre, ces vins de primeur sont prêts à être dégustés dans le monde entier. Les volumes présentés dans ce type sont passés de 13 000 hl en 1956 à 100 000 hl en 1970, 200 000 hl en 1976, 400 000 hl en 1982, 500 000 hl en 1985... À partir du 15 décembre, ce sont les « crus » qui, après analyse et dégustation, commencent à être commercialisés. Les vins du beaujolais ne sont pas faits pour une longue conservation ; mais si, dans la majorité des cas, ils sont appréciés au cours des deux années qui suivent leur récolte, il y a de très belles bouteilles qui peuvent être savourées au bout d'une décennie. L'intérêt de ces vins réside dans la fraîcheur et la finesse des parfums qui rappellent certaines fleurs : pivoine, rose, violette, iris et aussi certains fruits : abricot, cerise, pêche, petits fruits rouges.

Quoi de neuf en Beaujolais ?

Quoi de neuf ? Le dixième cru, bien sûr : Régnier, une histoire commencée il y a bien longtemps. En 1980, le syndicat local relançait sa demande de classement... enfin obtenue huit ans plus tard. Quelque 600 ha, une production de 30 à 35 000 hl et un vin (il s'appelait jusque-là beaujolais-régnié) dont les qualités sont réelles et appréciées. Régnié-Durette est situé entre Beaujeu et Odenas et s'étend vers le sud la zone des crus.

L'année 1988 a vu également la naissance d'une dix-neuvième coopérative, celle de Saint-Julien au nord-ouest de Villefranche. Des regroupements d'entreprise dans le négoce : Pasquier-Desvignes à Saint-Lager est entré dans le groupe Lichine, tandis que Thorin (La Chapelle-Pontarevaux) était acquis par un groupe allemand. Piat Père et Fils (International Distillers and Vinners) absorbait pour sa part la Maison Geisweiler et à Nuits-Saint-Georges, déjà britannique depuis une dizaine d'années.

Si les vins du Beaujolais ont jugé très excessives les critiques d'une revue les accusant de sur-chaptalisation, ils se consolent en dégustant le millésime 87, jugé « profond » au nord du vignoble et « expressif » au sud. Des vins que Georges Duboeuf estime « superbes ». Bonne maturité et charme intense. La production a légèrement dépassé les 1 100 000 hl, dont 450 000 mis sur le marché en primeurs. Un succès fou et désormais mondial, qui incite cependant les professionnels à mettre l'accent sur les vertus plus durables des vins de Beaujolais : « Toujours de saison », c'est leur nouveau slogan.

Beaujolais

technologie et l'économie de cette région, dont sont issus près de 75 % des vins de primeur.

L'appellation beaujolais supérieur est une appellation sans territoire délimité spécifique. Elle peut être revendiquée pour des vins dont les moûts présentent, à la récolte, une richesse en équivalent alcool de 0,5° supérieure à ceux de l'appellation beaujolais. Chaque année, 10 000 hl sont ainsi déclarés, principalement sur le territoire de l'AOC beaujolais.

L'habitat est dispersé, et l'on admirera l'architecture traditionnelle des maisons vigneronnes : l'escalier extérieur donne accès à un balcon à auvent et à l'habitation, au-dessus de la cave située au niveau du sol. A la fin du XVIIIe s., on construisit de grands cuvages, extérieurs à la maison de maître. Celui de Lacenas, à 6 km de Villefranche, dépendance du château de Montauzan, abrite la confrérie des Compagnons du Beaujolais, créée en 1947 pour servir les vins du Beaujolais et qui a aujourd'hui une audience internationale. Une autre confrérie, les Grapilleurs des Pierres Dorées, anime depuis 1968 les nom-

L'appellation beaujolais est celle de près de la moitié de la production. 9 650 ha, localisés en majorité au sud de Villefranche, fournissent en moyenne 550 000 hl dont 7 000 hl de vins blancs, élaborés à partir du chardonnay et récoltés pour les deux tiers dans le canton de La Chapelle-de-Guinchay, zone de transition entre les terrains siliceux des crus et les terrains calcaires du Mâconnais. Dans la zone des « pierres dorées », à l'est du Bois-d'Oingt, et au sud de Villefranche, on trouve des vins rouges aux arômes plus fruités que floraux, parfois avec des pointes olfactives végétales ; ces vins colorés, charpentés, un peu rustiques se conservent assez bien. Dans la partie haute de la vallée de l'Azergues, à l'ouest de la région, on retrouve des roches cristallines qui communiquent aux vins une mâche plus minérale, ce qui les fait apprécier un peu plus tardivement. Enfin les zones plus en altitude offrent des vins vifs plus légers en couleur, mais aussi plus frais les années chaudes. Les neuf caves coopératives implantées dans ce secteur ont fait considérablement évoluer la

breuses manifestations beaujolaises. Quant à déguster un «pot» de beaujolais, ce flacon de 46 cl à fond épais qui garnit les tables des bistrots, on le fera avec gratons, tripes, boudin, cervelas, saucisson et toute cochonaille, ou sur un gratin de quenelles lyonnaises. Les primeurs iront sur les cardons à la moelle ou les pommes de terre gratinées avec des oignons.

GABRIEL ALIGNE 1987*

■ n.c.   9 000   🍶↓▼▮

Cette sélection apparaît sous une robe rouge intense violacée, brillante et agréable. Les parfums puissants, élégants, annoncent une bouche fruitée, vive, longue et légère. C'est une bouteille très plaisante.

➥ Les Vins Gabriel Aligne, La Chevalière, 69430 Beaujeu, tél. 74.04.84.36 ☎ lu. ma. me. je. ve. 8h-12h 14h-18h.

GEORGES BARJOT 1987*

■ n.c.   3 000   🍶↓▼▮

Une robe rouge intense presque sombre habille un vin aux parfums fruités, puissants et complexes s'épanouissant après aération. Une bouche solide révélant des tanins non fondus, pleine et longue, met en valeur la force de cette bouteille qui doit gagner à vieillir.

➥ M. Georges Barjot, Grille Midi, Saint-Jean-d'Ardières, 69220 Belleville-sur-Saône, tél. 74.66.47.34 ☎ r.-v.

PAUL BEAUDET 1987

■ n.c.   n.c.   🍶↓▼▮

La maison Beaudet a remporté des succès à New York avec son beaujolais nouveau classé N° 1 par la presse new-yorkaise. Ici, point de primeur. Le 87 lui ressemble par sa simplicité : rouge intense, brillant, laissant des jambes sur le verre, ce vin au nez léger floral a une belle attaque. Equilibré, mais menu, avec des parfums discrets.

➥ M. Paul Beaudet, pl. de la Gare, Pontanevaux, 71570 La Chapelle-de-Guinchay, tél. 85.36.72.76 ☎ r.-v.

CAVE BEAUJOLAISE DU BEAU VALLON Au Pays des Pierres Dorées 1987*

■ 390 ha   300 000   🍶↓▼▮

Depuis le caveau de dégustation de la cave, on découvre un riche panorama caractéristique du pays des Pierres Dorées. La robe rouge cerise, profonde, violacée, limpide et brillante, associée à un nez de banane et de fruits rouges assez concentrés, témoigne de la puissance de ce vin. Assez long, il compose une solide bouteille.

➥ Cave Beauj. du Beau Vallon, Theizé, 69620 Le Bois-d'Oingt, tél. 74.71.75.97 ☎ r.-v.

CH. DE BEL AIR 1987

■ 6,23 ha   40 000   🍶↓▼▮

Commercialisant ses vins au sein du club des douze écoles productrices des vins et alcools de France, le Lycée Viticole de Bel-Air a produit cette cuvée rouge cerise intense, brillante avec des reflets violacés, qui libère des parfums frais de poire william et de violette. Aux premières impressions souples, succèdent des sensations chaudes et tanniques. Une bouteille typée.

➥ Lycée Viticole de Bel-Air, rte de Beaujeu, Saint-Jean-d'Ardières, 69220 Belleville, tél. 74.66.45.97 ☎ lu. ma. me. je. 8h-12h 13h30-17h30 ; f. w.-e. sur r.-v.

CH. DE BIONNAY Supérieur 1987

■ 6,50 ha   30 000   🍶🍷↓▼▮

Elevée et mise en bouteille par la maison Aujoux, cette cuvée à la robe légère, élégante, avec des reflets violacés, libère des parfums vanillés un peu boisés. Marquée par le chêne, la bouche ronde, équilibrée, est assez longue. Bouteille agréable qui peut encore évoluer.

➥ Aujoux, bd Emile-Guyot, 69830 Saint-Georges-de-Reneins, tél. 74.67.68.67 ☎ r.-v.

DOM. DE CERCY Supérieur 1987

■ 1 ha   8 000   🍶▼▮

Dans des installations modernes, Michel Picard a élaboré une cuvée rubis intense, violacée et brillante, aux parfums de banane et de groseille. Les tanins bien présents sont renforcés par l'acidité. Bouteille à boire maintenant.

➥ M. Michel Picard, Dom. de Cercy, Cercy, 69640 Denicé, tél. 74.67.34.44 ☎ r.-v.

➥ M. Joseph Picard.

CH. DE CHAINTRÉ 1987***

□ 0,87 ha   9 000   🍶↓▼▮

Légèrement muscaté, doucement vanillé, délicatement citronné, joliment fleurs blanches, voici le vrai beaujolais blanc dans toute sa splendeur. Une merveilleuse aquarelle, qui enrobe son acidité dans une belle longueur, lui donne une belle attaque... au nez une légère touche d'acidité, qui enrobe son acidité dans une belle longueur... Un coup de cœur sans appel ni remords, prononcé par les trois membres de notre jury, éblouis par tant d'ampleur et d'harmonie. Bravo, tout simplement !

➥ Dom. Mathias, Le Bourg, Chaintré, 71570 La Chapelle-de-Guinchay, tél. 85.35.60.67 ☎ r.-v.

GAEC CHASSELAY PERE ET FILS 1987*

2 ha — 12 000

Chaque année, lors de la mise en vente des vins de primeur, l'exploitation accueille les visiteurs pour une exposition artisanale. Rubis foncé, brillant et limpide, ce vin au nez fin d'iris et de griotte s'épanouit en bouche. Souple, équilibré, aromatique, cette cuvée élégante et typée est facile à déguster, particulièrement à une température fraîche.

GAEC Chasselay Père et Fils, La Roche, Châtillon-d'Azergues, 69380 Lozanne, tél. 78.47.93.73 r.-v.

CLOS DU CHATEAU DE LACHASSAGNE 1987*

2 ha — 10 000

Ce clos de 60 hectares dominant la vallée de la Saône et la Bresse, exposé au soleil levant, propose cette année un vin limpide or-vert. Le nez, aux arômes pointus de pommes vertes, surprend. A l'attaque agréable mais vive, succède une bouche riche. Vin racé qui a de l'avenir.

M. Michel Gaidon, Ch. de Lachassagne, Lachassagne, 69480 Anse, tél. 74.67.00.53 r.-v.

CH. DU CHATELARD 1987

1,40 ha — 12 000

Une robe jaune paille agrémentée de reflets verts, limpide, accompagne un nez fin aux arômes de fleurs blanches. Léger en même temps que nerveux, ce vin, satisfaisant, est à boire rapidement.

M. Robert Grosset, Ch. du Chatelard, Lancié, 69220 Belleville-sur-Saône, tél. 74.04.12.99 r.-v.

DOM. DE CRUIX 1987*

n.c. — n.c.

Né au cœur de la région des Pierres Dorées, sur des terrains à dominante argileuse, ce vin à la belle robe brille d'un éclat vif. Le nez franc, pas très intense, est bon. Charnu, fruité et frais, long en bouche, c'est un vin qui se boit avec plaisir.

M. Victor Bérard, rte de Lyon, 71004 Varennes-les-Macon, tél. 85.34.70.50 r.-v.

B. DALICIEUX 1986

2 ha — 8 000

L'attaque assez fine, beurre frais, charme au premier contact. Les nuances florales s'expriment bien, de même qu'une touche de miel. Aucun défaut ; on attend cependant quelque chose qui ne vient pas. Quoi ? La pierre d'angle.

M. Bernard Dalicieux, Lavernette, Leynes, 71570 La Chapelle-de-Guinchay, tél. 85.35.60.79 r.-v.

GAEC GABRIEL DEVAY ET FILS Cuvée fruitée 1987*

0,50 ha — 5 500

Cette cuvée à la couleur cerise et aux reflets violets, limpide, révèle des parfums sauvages assez intenses, mais fugaces. Souple, gouleyant, c'est un vin agréable à boire.

GAEC Gabriel Devay et Fils, Le Petit-Laval, Bully, 69210 L'Arbresle, tél. 74.01.01.48 t.l.j. 9h-12h 14h-18h.

HENRY FESSY 1987

2 ha — 15 000

Une robe rouge violacé habille ce vin fruité aux parfums assez discrets. Equilibré, il est frais et vif.

M. Henry Fessy, Bel-Air, Saint-Jean-d'Ardières, 69220 Belleville-sur-Saône, tél. 74.66.00.16 r.-v.

CH. DES JACQUES Grand Clos de Loyse 1987

9 ha — 70 000

La robe jaune clair est soulignée de reflets verts. Le nez d'amande douce et de citronnelle fait place à une bouche plutôt chaude déjà évoluée. Cette bouteille est à consommer maintenant.

SCERT, Ch. des Jacques, Romanèche-Thorins, 71570 La Chapelle-de-Guinchay, tél. 85.35.51.64 r.-v.

Famille Thorin.

PIERRE JOMARD 1987

5 ha — 30 000

La propriété familiale a plus de trois siècles. Le 87, rouge clair, offre un nez fruité, d'une bonne intensité, agréable. Si l'attaque est franche, la suite est souple. Plaisant, il est à boire maintenant.

M. Pierre Jomard, Le Morillon, Fleurieux-sur-l'Arbresle, 69210 L'Arbresle, tél. 74.01.02.27 sa. 8h-19h30 ; f. pendant les vendanges

DOM. DE LA GRENOUILLERE Chardonnay 1987

0,50 ha — 4 000

La robe jaune assez soutenu se marie fort bien aux arômes de fruits mûrs et légèrement boisés. Souple en même temps que lourd, voilà un vin tout simple à boire dès maintenant.

M. Charles Bréchard, La Grenouillère, Chamelet, 69620 Le Bois-d'Oingt, tél. 74.71.34.13 r.-v.

DOM. DE L'ECLAIR Cuvée Chêne Curé 1987**

1,25 ha — 12 000

Antoine Clément, qui exploite l'ancienne propriété de Victor Vermorel, sait également s'imposer dans l'élaboration du vin blanc. Il nous présente cette année un vin brillant à la très belle robe jaune et verte. Un nez floral fin et élégant d'aubépine, légèrement citronné, avec un fond de pain grillé, classe cette cuvée au sommet de la hiérarchie. Franche et fraîche, cette bouteille aux arômes persistants a beaucoup de finesse. Très belle, élégante, elle ne laisse pas indifférent.

M. Antoine Clément,
Dom. de l'Eclair, Cidex 417, Liergues,
69400 Villefranche-sur-Saône, tél. 74.68.28.83
Y r.-v.

DOMAINE DE L'ECLAIR
750 ml
cuvée Chêne Curé
MIS EN BOUTEILLE AU DOMAINE
Appellation Beaujolais Contrôlée
Beaujolais Blanc
VIN DE FRANCE
E.A.R.L. Antoine CLÉMENT - 69400 LIERGUES - Tél. 74 68 28 83

CAVE DES VIGNERONS DE LIERGUES 1987***

☐   2 ha   n.c.   🔲🔟↓M3

Provenant de vignes d'un âge avancé, ce vin, d'une belle couleur jaune aux reflets intenses, forme de nombreuses jambes sur le verre. Un nez aux arômes intenses et séduisants de miel, d'églantine et de citron, précède une bouche souple, tendre, tout en chair. Équilibrée, fine, cette bouteille paraît promise à un bel avenir.
Cave des Vignerons de Liergues, Liergues, 69400 Villefranche-sur-Saône, tél. 74.68.07.94
Y r.-v.

CAVE DES VIGNERONS DE LIERGUES 1987**

☐   n.c.   20 000   🔲↓M2

La belle robe rubis aux reflets violacés est limpide, le nez fruité et vanillé. Ample, charnu et charpenté, ce 87 très équilibré et long s'avère apte à la conservation. Un joli succès pour la cave.
Cave des Vignerons de Liergues, Liergues, 69400 Villefranche-sur-Saône, tél. 74.68.07.94
Y r.-v.

CAVE DES VIGNERONS DE LIERGUES 1987**

🔲   10 ha   5 000   🔲↓M2

Diversifiant ses productions, la Cave des Vignerons a vinifié, dans des installations modernes, ce rosé à la robe pâle, brillante, libérant des parfums de groseille et de framboise assez intenses. Fruité, frais et souple, il donne une très agréable bouteille.
Cave des Vignerons de Liergues, Liergues, 69400 Villefranche-sur-Saône, tél. 74.68.07.94
Y r.-v.

L. MÉTAIRIE 1987

☐   n.c.   n.c.   M3

Malgré une impression herbacée, ce vin jaune aux reflets verts montre des arômes fruités éphémères. Créée il y a 23 ans, la maison Métairie est spécialisée dans le service des vins à domicile.
SA L. Métairie, Pizay, Saint-Jean-d'Ardières, 69220 Belleville-sur-Saône, tél. 74.66.31.31 Y lu. ma. me. je. ve. 8h-12h 14h-18h ; f. août

DOM. DE MILHOMME 1987

🔲   11 ha   n.c.   🔲🔟↓M2

Le domaine de Milhomme, situé sur les coteaux escarpés au-dessus du vieux bourg touristique de Ternand, propose un rosé foncé, brillant, aux arômes vifs de pomme et de groseille. Après une attaque pointue, il s'avère en bouche bien vineux.
GAEC du Dom. de Milhomme, Le Milhomme, Ternand, 69620 Le Bois-d'Oingt, tél. 74.71.33.13 Y r.-v.

DOM. DE MILHOMME 1987*

🔲   n.c.   30 000   🔲🔟↓M2

La famille Perrin exploite depuis le XVIe s. le domaine situé au-dessus du vieux bourg de Ternand. Produite sur des coteaux granitiques, cette cuvée rouge soutenu développe des parfums fruités et vineux puissants et complexes. La bonne attaque est suivie par des impressions aromatiques de framboise. Un peu chaud, le vin est assez long. Typé, il constitue une bonne bouteille.
GAEC du Dom. de Milhomme, Le Milhomme, Ternand, 69620 Le Bois-d'Oingt, tél. 74.71.33.13 Y r.-v.
MM. J.-L. Perrin et Fils.

PHILIBERT MOREAU 1987*

🔲   n.c.   60 000   🔲M3

Nez agréable et nuancé sous une une robe cerise finement taillée dans le velours. Légère touche boisée et une pointe d'amertume. Sa puissance le destine à une entrée de charcuteries.
M. Philibert Moreau, 4, rue Georges-Lecomte, 71003 Mâcon, tél. 85.38.42.87 Y r.-v.

DOM. DU MOULIN BLANC 1987*

🔲   1,60 ha   14 000   🔲🔟M2

S'affirmant parmi les premiers jeunes vinificateurs, Alain Germain propose une cuvée rouge violacée étincelante. Les parfums intenses de banane lui donnent encore plus d'ampleur. Une belle attaque suivie d'impressions de rondeur et de fruité, ainsi qu'une bonne longueur, confèrent encore à ce vin harmonieux, gouleyant, de belles perspectives d'avenir.
M. Alain Germain, Dom. du Moulin Blanc, Crière, Charnay, 69380 Lozanne, tél. 78.43.98.60 Y lu. me. ve. sa. di. 8h-20h.

MAISON FRANÇOIS PAQUET

Mâchon 1987

🔲   n.c.   n.c.   🔲M2

Le Mâchon est une collation constituée essentiellement de cochonailles lyonnaises, qui se prend à toute heure accompagné d'un beaujolais. La couleur vive ainsi que le nez fruité et léger paraissent approprié. Une bouche agréable, légère, rafraîchissante, friande et assez courte, correspond bien à l'image donnée à cette bouteille vouée à une consommation rapide et simple.
Maison François Paquet, Le Trève, B.P. 1, Le Perréon, 69460 Saint-Etienne-les-Oullières, tél. 74.65.31.99 Y r.-v.

CH. DE PIZAY 1987*

□   2,50 ha   12 000   ■ i M V

Cette ancestrale ceneure, aujourd'hui aménagée en un confortable gîte au milieu des vignes, propose un beau vin jaune paille brillant, au nez floral assez vif, aux parfums de noisette et de fleur d'oranger intenses mais agréables. Fruité, souple et gouleyant, ce joli vin bien typé confirme le renom du domaine.
◆SCI du Ch. de Pizay, Saint-Jean-d'Ardières, 69220 Belleville-sur-Saône, tél. 74.66.26.10 ⏚ r.-v.

CAVE DES VIGNERONS REUNIS SAIN-BEL 1987

■   63 ha   20 000   ■ i M V

La plus méridionale des caves beaujolaises a élaboré, dans de modernes installations assurant les meilleures conditions de vinification, un vin rouge vif cerise. Le nez fruité est encore un peu fermé. Une attaque légère, de la rondeur ainsi qu'un bon équilibre, rendent ce vin harmonieux et plaisant.
◆CV Réunis de Sain-Bel, Les Ragots, Sain-Bel, 69210 L'Arbresle, tél. 74.01.11.33 ⏚ r.-v.

LOUIS TETE Blanc 1987

n.c.   n.c. |3|

La sélection de cette maison présente une robe brillante jaune or bien soutenu. Le nez complexe évoque des impressions musquées et de violette. Une bouche souple, pleine, mais sans ampleur, confère à cette bouteille une honnête dégustation.
◆Les Vins Louis Tête, Saint-Didier-sur-Beaujeu, 69430 Beaujeu, tél. 74.04.82.27 ⏚ lu, ma, me, je, ve, 8h-12h 14h-18h.

Beaujolais-villages

Le mot «villages» a été adopté pour remplacer des noms de communes qui pouvaient être ajoutés à l'appellation beaujolais pour distinguer des productions considérées comme supérieures. La quasi-totalité des producteurs a opté pour la formule beaujolais-villages ; il y a toutefois une exception importante : il s'agit de Régnié-Durette dont la demande de passage en «cru» (comme morgon, juliénas, brouilly, etc) est à l'étude et qui, déjà, peut déclarer et étiqueter «beaujolais-régnié», mention la plus apparente sur l'étiquette.

Trente-sept communes, dont huit dans le canton de La Chapelle-de-Guinchay, ont droit à l'appellation beaujolais suivie du nom de la commune, ou simplement beaujolais-villages. Cette dernière terminologie est la plus employée depuis 1950, car elle facilite la commercialisation. Les 6 220 ha, dont 90 % sont compris entre la zone des beaujolais et la zone des crus, assurent une production moyenne de 350 000 hl.

Les vins de l'appellation se rapprochent des crus, et on dit les contraintes culturales (taille en gobelet, degré initial des moûts supérieur de 0,5° à ceux des beaujolais). Originaires des sables granitiques, ils sont fruités, gouleyants, parés d'une robe d'un beau rouge vif ; ce sont les inimitables têtes de cuvée des vins de primeurs. Sur les terrains granitiques, plus en altitude, ils apportent la vivacité requise pour l'élaboration de bouteilles consommables toute l'année. Entre ces extrêmes, toutes les nuances sont représentées, alliant finesse, arôme et corps, s'accommodant aux mets les plus variés, pour la plus grande joie des convives : le brochet à la crème, les terrines, le pavé de charolais iront bien avec un beaujolais-villages plein de finesse.

CH. BALMONDIERE 1986

■   7 ha   n.c.   n.c. |2|

Rouge intense, légèrement violacé, un vin honnête qui paraît destiné à une simple grillade. Ses arômes sont assez secrets, mais sa constitution est tout à fait normale. Le fruit ne lui manque pas.
◆Caves Seguin-Manuel, rue Paul-Maldant, 21420 Savigny-les-Beaune, tél. 80.21.50.42 ⏚ t.l.j.

JEAN BARONNAT 1987*

■   n.c.   n.c. |2|

Rouge assez soutenu, ce vin aux parfums fruités et discrets libère progressivement sa puissance en bouche. Nerveux et charpenté sans excès, il est prêt à accompagner de nombreux plats.
◆M. Jean Baronnat, Les Bruyères, rte de Lacenas, Gleizé, 69400 Villefranche-sur-Saône, tél. 74.68.59.20 ⏚ r.-v.

DOM. DE BEL-AIR 1987

■   n.c.   n.c.   ■ i M V |2|

D'une couleur rouge cerise assez léger, ce vin au nez discret mais surprenant évoque des impressions florales hétéroclites comme la rose fanée et le thym. Bien équilibré, il compose une bouteille agréable.
◆M. Jean-Marc Lafont, Dom. de Bel-Air, Lantignié, 69430 Beaujeu, tél. 74.04.82.08 ⏚ r.-v.
◆M. Raymond Valette.

RENE BERROD Les Roches du Vivier 1987
■ V 2
3 ha — 10 000

D'une belle couleur rouge grenat intense, ce vin à l'aspect puissant forme de nombreuses jambes sur le verre. Aux parfums de bonbon anglais succèdent ceux d'ananas et de banane bien mûre sans excès cependant. Assez tannique, c'est une bouteille bien beaujolaise qui saura attendre.
➤ M. René Berrod, Les Roches du Vivier, 69820 Fleurie, tél. 74.04.13.63 Y r.-v.

CH. DU BOIS DE LA SALLE 1987
■ ↓ V 2
120,63 ha — 50 000

D'une belle couleur rubis peu intense, ce vin aux parfums à dominante végétale s'avère, par sa structure tannique, prêt à vieillir.
➤ Cave des Producteurs SICA, Ch. du Bois de la Salle, 69840 Juliénas, tél. 74.04.42.61 Y t.l.j. 8h30-12h 14h-18h ; f. pendant les vendanges

DOM. DE BUIS-ROND 1987
■ 🍾🍾 ↓ V 2
8,18 ha — 12 000

Une belle robe rubis habille ce vin qui développe peu à peu des arômes fruités agréables. Encore fermé, il doit attendre un peu et gagne à ne pas être servi trop frais.
➤ M. Mme Thierry et Sophie Harel, Buyon, 69460 Saint-Etienne-des-Oullières, tél. 74.03.46.51 Y r.-v.

HUBERT CEILLIER 1987
■ ↓ V 2
4,50 ha — 10 000

La robe légère, rouge groseille, révèle un vin jeune aux parfums amyliques très intenses. Fruitée, équilibrée, mais assez légère en bouche, cette «tendre» bouteille est plutôt typée primeur.
➤ M. Hubert Ceillier, Chêne, Charentay, 69220 Belleville-sur-Saône, tél. 74.03.50.28 Y r.-v.
➤ Mme Ceillier.

DOM. DES CHAPPES 1987*
■ 🍷 2
8 ha — 50 000

Paré d'une belle robe rouge vif, exprimant des arômes fruités peu intenses et discrets, ce vin bien équilibré, net, fin et riche à la fois, sans défaut, sait plaire à tous.
➤ M. Thomas La Chevalière, La Chevalière, 69430 Beaujeu, tél. 74.04.84.97 Y r.-v.
➤ Héritiers Tezenas-Dumontcel.

CH. DU CHATELARD 1987
■ V 2
5,80 ha — 45 000

La couleur brillante et légère pour ce type de vin cache d'intéressants arômes de fruits peu intenses mais solides.
➤ M. Robert Grossot, Ch. du Chatelard, Lancié, 69220 Belleville-sur-Saône, tél. 74.04.12.99 Y r.-v.

COLLIN ET BOURISSET 1987
■ 2
n.c.

Une robe rouge foncé aux reflets violacés pare ce vin à dominante florale. La structure tannique fait penser à une macération assez poussée. Charpenté, il pourra encore évoluer et composera une bouteille à redécouvrir en fin d'année.
➤ Vins Fins Collin et Bourisset, av. de la Gare, 71680 Crèches-sur-Saône, tél. 85.37.11.15 Y r.-v.

ANDRE COLONGE 1987*
■ ↓ V 2
8,30 ha — 35 000

Paré d'une robe légère, rubis, avec des reflets violacés, ce vin limpide et brillant développe de petits arômes de banane, suivis de parfums de petits fruits rouges, à dominante framboise. Vif, équilibré, c'est un agréable «villages».
➤ M. André Colonge, Les Terres-Dessus, Lancié, 69220 Belleville-sur-Saône, tél. 74.04.11.73 Y r.-v.

JACQUES DEPAGNEUX 1987
■ 2
n.c. — n.c.

La robe rubis vif net est brillante. Le nez discret laisse rapidement la place à une bouche fraîche, réveillée, un peu sauvage. Assez long, il termine sur des impressions légèrement vanillées. Bouteille élégante.
➤ M. Jacques Dépagneux, 21, rue J. Cottinet, B.P. 174, 69656 Villefranche-sur-Saône Cedex, tél. 74.65.42.60 Y r.-v.

PIERRE DESMULES Régnié 1987
■ V 2
1 ha — 6 000

Rubis léger, ce vin aux chauds parfums se révèle agréable en bouche. Ayant du bouquet, gouleyant, il manque cependant de charpente pour constituer une bouteille à garder, mais est très plaisant à déguster actuellement.
➤ M. Pierre Desmules, La Place, Régnié-Durette, 69430 Beaujeu, tél. 74.04.34.87 Y r.-v.

GEORGES DUBOEUF 1987**
V 2
n.c. — n.c.

La couleur rouge soutenue et le nez aux parfums intenses de bonbon anglais caractéristiques du millésime et de la recherche aromatique de cette maison, complètent une bouche équilibrée, ample, sans aspérité. Les tanins fins, fondus, donnent à cette bouteille des promesses de bon vieillissement.
➤ Les vins Georges Duboeuf, B.P. 12, Romanèche-Thorins, 71570 La Chapelle-de-Guinchay, tél. 85.35.51.13

DOM. DES DUC 1987*
■ ↓ V 2
3 ha — 15 000

Avec cette bouteille, les frères Duc affirment leur savoir-faire de vignerons. La belle robe rouge vif aux reflets violacés annonce la richesse des parfums fruités et floraux développés sans excès. Il est équilibré, facile à boire, d'une bonne longueur. On retrouve en bouche la finesse du nez. Ce beau vin agréable à déguster dès maintenant est aussi promis à un bel avenir.
➤ Dom. des Duc, La Plat, Saint-Amour-Bellevue, 71570 La Chapelle-de-Guinchay, tél. 85.37.10.08 Y r.-v.

PIERRE DUPOND 1987***
■ 2
n.c. — n.c.

La belle couleur rouge rubis du meilleur aloi distingue ce vin au nez fruité, sans le moindre défaut, d'une intensité assez forte. La bouche équilibrée, très fine, longue, forme une symphonie des saveurs, au charme discret cependant. Une grande bouteille.

M. Pierre Dupond, 339, rue de Thizy, 69653 Villefranche-sur-Saône Cedex, tél. 74.65.24.32 ℡ r.-v.

CH. DU GRAND VERNAY 1987**
7 ha — 50 000

La couleur agréable, pas trop profonde, rappelant le gore (sable granitique issu de la roche mère), ainsi que des parfums fruités élégants, confèrent à ce vin à la bouche harmonieuse, fine comme de la dentelle, une incontestable élégance. Bouteille à conseiller aux amateurs de beaujolais.

Mme Bernadette Geoffray, Le Grand Vernay, Charentay, 69220 Belleville-sur-Saône, tél. 74.03.46.20 ℡ r.-v.

BERNARD JACQUET 1987***
8 ha — 5 000

Une très belle couleur rouge sombre, nette, brillante, parée de ce vin aux parfums légèrement amyliques où dominent les fruits rouges de cassis et de mûres. Rond, fruité, comme moelleux en bouche, son équilibre, sa longueur et sa grande harmonie en font un remarquable représentant de l'appellation. Vin exceptionnel, à boire dès maintenant.

M. Bernard Jacquet, Le Bourg, Montmelas, 69640 Denicé, tél. 74.67.37.60 ℡ r.-v.

MARCEL DURAND 1987*
4,80 ha — 20 000

La bouche au grain net, tendre, parfumée, flatteuse, donne à cette bouteille agréable des qualités pour être consommée dès maintenant.

M. Marcel Durand, Les Trions, Lancié, 69220 Belleville-sur-Saône, tél. 74.69.81.32 ℡ t.l.j. 8h-12h 14h-18h.

PIERRE FERRAUD Sélection 1987*
n.c. — n.c.

Couleur légère, nez franc et discret, bouche nette, réveillée, fruitée mais un peu courte, font une bouteille de bon goût, à consommer dans l'année.

M. Pierre Ferraud et Fils, 31, rue du Mal-Foch, 69823 Belleville-sur-Saône Cedex, tél. 74.66.08.05 ℡ r.-v.

COOP. DE FLEURIE 1987
66 ha — 10 000

La coopérative propose un vin rouge violacé, brillant. Le nez fermé gagne à être aéré. En bouche, il s'avère léger et glissant. Equilibré, bien qu'ayant une structure fine, c'est une bouteille agréable.

Cave Coop. Gds Vins de Fleurie, 69820 Fleurie, tél. 74.04.11.70 ℡ r.-v.

DOM. GOUILLON 1987**
6 ha — n.c.

Ce vin à la belle robe rubis, au nez amylique, caractéristique, assez fin, d'une bonne attaque, charpenté, sans lourdeur, très fruité, compose une bouteille bien typée.

M. et Mme A. et D. Gouillon, Les Grands'Granges, Quincié-en-Beaujolais, 69430 Beaujeu, tél. 74.04.30.41 ℡ r.-v.

DOM. DES GRANDES BRUYERES 1987
12 ha — 40 000

Une belle couleur rouge cerise pour ce vin au nez floral discret. Une charpente tannique lui donne du relief et de la longueur.

MM. Teisèdre et Fils, Dom. des Grandes Bruyères, 69460 Saint-Etienne-des-Ouillères, tél. 74.03.43.79 ℡ r.-v.

ANNIE ET RENE JAMBON 1987*
5 ha — 10 000

Rouge rubis avec quelques reflets orangés, il libère des parfums intenses de petits fruits de type myrtille. Après une attaque franche, sa structure tannique est cependant perceptible. Un vin bien fruité.

M. René Jambon, Thulon, Lantignié, 69430 Beaujeu, tél. 74.04.80.29 ℡ r.-v.

DOM. DES JUMEAUX 1987
2 ha — 10 000

Ce vin d'un beau rouge brillant, éclatant, révèle un nez très fin, presque discret. Il livrera avec un peu d'attention, des parfums fleuris comme la rose. La charpente un peu trop apparente atténue son élégance.

M. Paul Janin, Dom. des Vignes du Tremblay, Romanèche-Thorins, 71570 La Chapelle-de-Guinchay, tél. 85.35.52.80 ℡ lu. ma. me. je. ve. 8h-12h 14h-18h.

DOM. DE LA BRASSE 1987***
8 ha — 50 000

La couleur rouge violacé profond engage à une riche dégustation. Le nez d'une grande netteté est intense avec ses parfums complexes, élégants, presque envoûtants. La bouche, longue, équilibrée, fruitée, au grain flatteur, est d'une grande

finesse. Cette très belle bouteille racée est pleine d'avenir.

→ M. Brac de la Perrière, Ch. des Péthières, 69460 Saint-Étienne-des-Oullières, tél. 74.67.58.88 Y r.-v.

CH. DE LACARELLE 1987

n.c. n.c.

Né au cœur du terroir des beaujolais-villages, ce millésime porte une robe légère caractéristique des vins de primeur de la région. Au nez discret succède une bouche gouleyante, aux arômes de raisins bien mûrs.

→ M. Jacques Dépagneux, 21, rue J. Cottinet, B.P. 17 69656 Villefranche-sur-Saône Cedex, tél. 74.65.42.60 Y r.-v.
→ Comte Durieu de Lacarelle.

DOM. DE LA COMBE 1987*

n.c. n.c.

Une robe légère de couleur framboise, limpide, s'ouvre, après aération, sur des parfums de bonbon anglais bien équilibré, une apparence juvénile. Sa force et sa fraîcheur en font un vin nouveau qui s'épanouira sur de la charcuterie.

→ Maison François Paquet, Le Trève, B.P. 1, Le Perréon, 69460 Saint-Étienne-des-Oullières, tél. 74.65.31.99 Y r.-v.

DOM. DE LA COTE DE CHEVENAL 1987

2 ha 4 000

Cet échantillon à la robe légèrement grenat, limpide, s'ouvre, après aération, sur des parfums de fruits rouges associés à une légère impression vanillée. Un vin chaleureux qui finit sur une note épicée.

→ M. Jean-François Bergeron, Les Rougelons, Emeringes, 69840 Juliénas, tél. 74.04.41.19 Y t.l.j. 7h30-12h 13h-20h.

JEAN-MARC LAFOREST Régnié 1987*

3 ha 20 000

Une belle couleur rouge vif habille ce vin aux parfums agréables mais un peu effacés. Ceux-ci se retrouvent dans une bouche légère sans défaut, nette.

→ M. Jean-Marc Laforest, Les Niveaudières, Quincié-en-Beaujolais, 69430 Beaujeu, tél. 74.04.35.03 Y lu. ma. me. je. ve. 9h-12h 14h-18h.

DOM. DE LA GERARDE Régnié 1987

5,45 ha 25 000

L'exceptionnelle couleur rouge profond de ce vin rappelle le jus de cassis. La robe brillante et limpide complète cette impression de puissance qui ne transparaît pas au nez encore fermé. La structure tannique doit s'affiner pour que cette bouteille s'exprime totalement.

→ M. Roland Magnin, Dom. de La Gérarde, Régnié-Durette, 69430 Beaujeu, tél. 74.04.30.37 Y r.-v.

ANDRE LAISSUS Régnié 1987*

2,20 ha 8 000

Rouge léger, ce vin aux parfums persistants de banane avec quelques touches de pivoine, s'avère frais en bouche. Les arômes fruités et les tanins fins en font une bouteille gouleyante, tendre et agréable.

→ M. André Laissus, La Grange Charton, Régnié-Durette, 69460 Beaujeu, tél. 74.04.38.06 Y r.-v.
→ M. René Descombes.

DOM. DE LA MADONE 1987*

20 ha 160 000

Rouge et vif, limpide et brillant, ce vin offre des parfums fruités, frais et persistants comme ceux des agrumes. Net, sans défaut, bien équilibré avec des arômes non exacerbés, il constitue une bouteille très plaisante.

→ M. Jean Bérérd, Dom. de La Madone, Le Perréon, 69460 Saint-Étienne-des-Oullières, tél. 74.03.21.85 Y r.-v.

DOM. DE LA RONZE 1987**

6 ha 11 000

La robe vive de couleur cerise habille un vin aux parfums très intenses de fruits rouges. Bien équilibrée, fruitée et ferme en bouche, cette bouteille de grande classe, très bel exemple de l'appellation, sera à sa plénitude dans quelques mois.

→ MM. H. F. P. Sornin, Dom. de La Ronze, Régnié-Durette, 69430 Beaujeu, tél. 74.04.87.46 Y r.-v.

DOM. DE LA SORBIERE 1987

n.c.

Vigneron depuis 24 ans et heureux de l'être, dit Jean-Charles Pivot. Le millésime 87 de La Sorbière apportera un même bien être dans l'année ; équilibré, sans défaut, il se présente en robe légère avec des arômes fruités sans excès.

→ M. Jean-Charles Pivot, Montmay, Quincié-en-Beaujolais, 69430 Beaujeu, tél. 74.04.30.32 Y lu. ma. me. je. ve. 8h-12h 14h-18h ; f. août

LES QUATRE CLOCHERS 1987

16 ha 60 000

Cette cuvée élaborée à partir de vins originaires de quatre communes différentes se présente sous une robe à la couleur soutenue. Le nez discret fait place à une bouche équilibrée, nette, fruitée, gouleyante.

→ Ets Gobet, Blaceret, 69460 Saint-Étienne-des-Oullières, tél. 74.67.54.57 Y r.-v.

DOM. LES RAMPAUX Régnié 1987*

2,17 ha 16 000

La belle robe violacée de ce vin jeune est annonciatrice d'une structure aromatique complexe. Il s'ouvre encore difficilement sur des notes de raisins mûrs et de fruits rouges qui s'imposent peu à peu. L'attaque agréable se poursuit par un équilibre plaisant et riche. Cette bouteille assez élégante est de bonne facture.

→ MM. René et Bernard Passot, Dom. Les Rampaux, Régnié-Durette, 69430 Beaujeu, tél. 74.04.35.68 Y r.-v.

CH. DES LOGES 1987*

9 ha 72 000

Construite dans le parc du château XVIIIe s. des Loges, la coopérative regroupe 378 hectares. Son «villages» 87 est d'une parfaite netteté : une

couleur rouge cerise brillant, un nez fruité assez puissant, une bouche équilibrée, ronde, élégante ; une jolie bouteille.

Cave Beaujolaise du Perréon, Ch. des Loges, Le Perréon, 69460 Saint-Etienne-des-Ouillères, tél. 74.03.22.83 r.-v.

LORON ET FILS Régnié 1987

n.c.   10 000

A une robe pourpre presque violacée et à un nez très aromatique, succède une bouche fruitée mais manquant d'ampleur. Intéressant par ses arômes, ce vin est à consommer jeune.

MM. Loron et Fils, Pontanevaux, 71570 La Chapelle-de-Guinchay, tél. 85.36.70.52 r.-v.

JEAN-PIERRE MARGERAND 1987**

5,40 ha   n.c.

Imprégnée des substances les plus pures des granits bleus et verts du Nord-Beaujolais, cette cuvée porte une robe très intense, violacée. Un nez fin aux riches arômes vineux accompagne une bouche charpentée et équilibrée, très longue. Excellent.

M. Jean-Pierre Margerand, Les Crots, 69840 Juliénas, tél. 74.04.40.86 t.l.j ; 8h-20h ; f. 15 août au 1er sept.

Jean-Pierre Margerand, Propriétaire-Viticulteur 69840 Juliénas. Tél. 74.04.40.86

Mis en Bouteille par le Récoltant

Beaujolais-Villages

Appellation Contrôlée

75cl

Produit de France

NICOLAS 1987

n.c.   130 000

Une robe 87 claire mais de teinte agréable. Nez fruité, comme tout beaujolais, mais sans excès. Bouche sérieuse, très sérieuse...

Ets Nicolas, 253, av. du Gal-Leclerc, 94700 Maisons-Alfort, tél. 1.43.96.81.81

DOM. DES NUGES 1987**

9,70 ha   45 000

Ce jeune viticulteur nous a habitués à des cuvées attrayantes et de qualité. Apparaissant dans une robe à la très belle couleur rouge profond aux reflets fascinants, ce vin aux parfums expressifs de violette s'épanouit en parfums complexes et délicats rappelant la fleur de vigne et l'ananas. Fruitée, équilibrée et goulevante, cette bouteille agréable est une bonne expression du millésime et de l'appellation.

Bien équilibré, très long avec élégance, il constitue une excellente bouteille très représentative de son appellation.

M. Gérard Gelin, Les Pasquiers, Lancié, 69220 Belleville-sur-Saône, tél. 74.04.14.00 r.-v.

HUBERT PERRAUD 1987*

2 ha   10 000

La robe un peu légère est compensée par un nez aux parfums assez intenses de banane, caractéristiques des vins jeunes de l'année. Dans celui-ci, bien équilibré, on retrouve en bouche les arômes fruités. Bouteille de bonne facture.

M. Hubert Perraud, Les Labourons, 69820 Fleurie, tél. 74.04.14.82 r.-v.

GERARD PERRIER 1987*

6,37 ha   13 000

La robe rouge intense aux reflets violacés, limpide et brillante, annonce un vin aux parfums puissants de bonbon anglais, fruité et bien frais.

M. Gérard Perrier, Le Saule, Lantignié, 69430 Beaujeu, tél. 74.04.88.93 r.-v.

DOM. DU PERRIN 1987

3 ha   15 000

Rouge vif, discrètement fruité, le millésime offre une harmonie générale un peu sauvage mais tout à fait honnête.

M. Roger Lacoudemine, Dom. du Perrin, Le Perréon, 69460 Saint-Etienne-des-Ouillères, tél. 74.03.24.69 r.-v.

DOM. DU PY DE BULLIAT Régnié 1987

3 ha   23 000

La couleur rouge profond aux reflets violacés est précurseur d'un vin plutôt solide. Au nez, des impressions chaudes de fruits mûrs laissent entrevoir une bouche corsée et charpentée.

GAEC Raymond Martin et Fils, Py de Bulliat, 69430 Régnié-Durette, tél. 74.04.20.17 t.l.j ; 8h-12h 14h-19h.

DANIEL RAMPON 1987*

2,90 ha   n.c.

« Qui y vient souvent revient » est la devise de la maison. Il est vrai que Daniel Rampon nous présente régulièrement des vins plaisants. Ce 87, dans une agréable robe rouge cerise, a des parfums complexes et délicats rappelant la fleur de vigne et l'ananas. Fruitée, équilibrée et goulevante, cette bouteille agréable est une bonne expression du millésime et de l'appellation.

M. Daniel Rampon, Les Marcellins, 59910 Villié-Morgon, tél. 74.69.11.02 r.-v.

RAMPON FRERES Régnié 1987*

12 ha   18 000

La robe rouge soutenu aux reflets violacés confère à ce vin des caractéristiques de jeunesse qui ne sont pas démenties au nez. Les arômes fruités, directs et réveillés sont élégants. La bouche franche, fruitée, nerveuse, tout en relief, est flatteuse.

MM. Rampon Frères, GAEC de la Tour-Fourdon, Régnié-Durette, 69430 Beaujeu, tél. 74.04.32.15 r.-v.

JOEL ROCHETTE Régnié 1987*

2 ha   10 000

Une couleur assez vive tirant sur le grenat habille ce vin au nez fin à dominante de banane. L'attaque en bouche est bonne, l'équilibre également. Doté d'une nervosité de bon aloi, fin, agréable et long, il compose une agréable bouteille.

M. Joël Rochette, Le Chalet, Régnié-Durette, 69430 Beaujeu, tél. 74.04.35.78 r.-v.

Brouilly et côte de brouilly

Le 8 septembre, le vignoble retentit de chants et de musique; les vendanges ne sont pas commencées et pourtant une nuée de marcheurs, panier de victuailles au bras, escaladent les 484 m de la colline de Brouilly, en direction du sommet où s'élève une chapelle. De là, les pèlerins découvrent le Beaujolais, le Mâconnais, la Dombes, le Mont-d'Or. Deux appellations sœurs se sont disputé la délimitation des terroirs environnants : brouilly et côte-de-brouilly.

Brouilly et côte de brouilly

CLAUDE ET BERNARD ROUX
Régnié 1987

◨ ▮Ⅴ▮2

■ 7,50 ha 15 000

Rouge soutenu, ce vin élevé dans le bois n'en présente cependant pas les caractéristiques exacerbées. Arômes fruités, peu intenses, bouche charpentée sans sécheresse.

➥ MM. Claude et Bernard Roux, La Haute Ronze, Régnié-Durette, 69430 Beaujeu, tél. 74.69.22.58 ⵝ r.-v.

➥ Héritiers Vernay.

GILLES ROUX Régnié - La Plaigne 1987*

◧ ▮Ⅴ▮2

■ 5,20 ha 20 000

La robe rouge cerise, limpide et brillante, ainsi que son parfum floral évoquant la pivoine, soutenu par une touche acidulée, donnent à ce vin sans défaut, gouleyant et fruité, une typicité intéressante.

➥ M. Gilles Roux, La Plaigne, Régnié-Durette, 69430 Beaujeu, tél. 74.04.80.86 ⵝ r.-v.

DOM. DE SERMEZY 1987

◨ ▮Ⅴ▮2

■ 4 ha 10 000

Une belle robe rouge vif assez soutenu habille ce vin jeune, au nez un peu discret mais fruité. Léger, souple, aromatique, il manque cependant d'ampleur. Bon type primeur.

➥ M. Patrice Chevrier, Sermezy, Charentay, 69220 Belleville-sur-Saône, tél. 74.66.13.06 ⵝ r.-v.

➥ M. Jean Chevrier.

DOM. DES TERRES DESSUS 1987*

▮Ⅴ▮1

■ 11 ha 15 000

La robe très pâle aux reflets jaunes prédispose à une dégustation plutôt aromatique. Un nez de griotte, légèrement acidulé, constitue l'essentiel de ce vin fruité à l'attaque nette.

➥ M. Jean Floch, Dom. des Terres-Dessus, Lancié, 69220 Belleville-sur-Saône, tél. 74.04.13.85 ⵝ r.-v.

LOUIS TÊTE 1987*

▮2

■ 3 ha 23 000

Une robe cerise assez soutenue, limpide, habille un vin aux parfums légèrement boisés et de figue. Souple, rond, gouleyant, avec des arômes vanillés agréables et des tanins fondus, il constitue une bouteille équilibrée et typée.

➥ Les Vins Louis Tête, Saint-Didier-sur-Beaujeu, 69430 Beaujeu, tél. 74.04.82.27 ⵝ lu. ma. me. je. ve. 8h-12h 14h-18h.

DOM. DU TRACOT 1987*

◨ ▮Ⅴ▮2

■ 10 ha 50 000

Quelques reflets orangés égayent une robe rouge brillant moyennement intense. Des parfums très fruités évoquant des odeurs de banane, auxquelles se mêlent ceux de la poire, se combinent aux parfums de bonbon anglais, caractérisant ce vin et le millésime.

➥ GAEC Henri et Jean-Paul Dubost, Dom. Le Tracot, Lantignié, 69430 Beaujeu, tél. 74.04.87.51 ⵝ lu. ma. me. je. ve. 8h-12h 14h-18h.

GÉRARD ET JACQUELINE TRICHARD 1987

◧ ▮Ⅴ▮2

■ 4,50 ha 10 000

Ici, le gamay pousse sur sol silico-argileux. Le millésime 87, assez tannique dans sa structure, se montre dans une robe vive, parfumée de griotte.

➥ M.-Mme G. et J. Trichard, Bel Avenir, 71570 La Chapelle-de-Guinchay, tél. 85.36.77.54 ⵝ r.-v.

DOM. DES TROIS COTEAUX 1987**

◨ ▮Ⅴ▮2

■ 7 ha 20 000

D'une belle couleur rouge cerise, ce vin brillant aux arômes de groseille s'avère très net en bouche. Bien équilibré, ayant du corps et de la vivacité, fougueux même, il donnera dans quelques mois une belle bouteille.

➥ M. Jean-Philippe Perron, Petit Montmay, Quincié-en-Beaujolais, 69430 Beaujeu, tél. 74.04.31.99 ⵝ r.-v.

DOM. DES VERGERS Régnié 1987

◨ ▮Ⅴ▮2

■ 5 ha 35 000

Une belle robe rubis habille ce vin au nez sans défaut mais aux parfums peu intenses. La mollesse de la bouche, par ailleurs nette et légèrement fruitée, fait ressortir la charpente.

➥ M. Henry Fessy, Bel-Air, Saint-Jean-d'Ardières, 69220 Belleville-sur-Saône, tél. 74.66.00.16 ⵝ r.-v.

➥ M. Michel Gerin.

PATRICK VERMOREL 1987

◨ ▮Ⅴ▮2

■ 3,50 ha 7 000

Originaire d'un terroir de vin de primeur, cet échantillon en a toutes les caractéristiques : robe légère, nez fruité net, peu intense, bouche fruitée, courte et fine.

➥ M. Patrick Vermorel, Chambon, Blacé, 69460 Saint-Étienne-des-Oullières, tél. 74.67.56.37 ⵝ r.-v.

➥ SCI Petit Nety et G. Vermorel.

152

Le vignoble de l'AOC côte-de-brouilly, installé sur les pentes du mont, repose sur des granites et des schistes très durs vert-bleu, dénommés «cornes-vertes» ou diorites. Cette montagne serait un reliquat de l'activité volcanique du primaire, à défaut d'être, selon la légende, le résultat du déchargement de la hotte d'un géant ayant creusé la Saône... La production (16 000 hl pour 300 ha), est répartie sur quatre communes : Odenas, Saint-Lager, Cercié, Quincié. L'appellation brouilly, elle, ceinture la montagne en position de piémont sur 1 200 ha, pour une production de 65 000 hl. Outre les communes déjà citées, elle déborde sur Saint-Étienne-la-Varenne et Charentay ; sur la commune de Cercié se trouve le terroir bien connu de la «Pisse Vieille».

VICTOR BÉRARD 1986**

n.c.

La très belle couleur profonde de ce vin d'une excellente limpidité, brillante, associée à des parfums intenses et complexes évoquant le pinot, témoigne d'une bonne évolution du millésime. La bouche très riche, comme moelleuse, riche en tanins mais bien équilibrée, donne à cette bouteille solide et puissante, encore de l'avenir.

♠ M. Victor Bérard, rte de Lyon, 71004 Varennes-lès-Mâcon, tél. 85.34.70.50 ⊤ r.-v.

♠ M. Paul Beaudet, pl. de la Gare, Pontanevaux, 71570 La Chapelle-de-Guinchay, tél. 85.36.72.76 ⊤ r.-v.

BOUCHARD AINÉ ET FILS 1986**

n.c.   4 600

(85) 86

Une excellente bouteille : une robe rouge vif, cerise, avec une très bonne limpidité, des arômes odorants de fruits rouges complexes rappelant la framboise et d'une bonne intensité. Une bouche ronde, puissante sans excès, fraîche et fruitée donne à ce vin élégance et équilibre.

♠ M. Bouchard Ainé et Fils, 36, rue Sainte-Marguerite, 21203 Beaune Cedex, tél. 80.22.07.67 ⊤ r.-v.

Brouilly

DOM. FRANCOIS CHEVALIER 1987**

(85)(86)(87)   5 ha   37 000

La limpidité étonnante de ce vin à la couleur rouge foncé donne à la bouteille une grande distinction. Le nez aux parfums intenses de fruits rouges, fin, est sans défaut. La bouche fruitée, équilibrée, mais puissante, est moins élégante. Excellente bouteille qui a beaucoup de fond.

♠ Aujoux, bd Emile-Guyot, 69830 Saint-Georges-de-Reneins, tél. 74.67.68.67 ⊤ r.-v.
♠ M. Chevalier.

PAUL CINQUIN 1986

6 ha   15 000

Une couleur rouge rubis accompagne un nez à dominante de cassis et de groseille, mais un peu évolué. Une bouche fruitée, mais assez légère, en fait une bouteille honnête.

♠ M. Paul Cinquin, Fouilloux-les-Mazins, Saint-Lager, 69220 Belleville-sur-Saône, tél. 74.66.00.05 ⊤ r.-v.

DOM. CRET DES GARANCHES 1987**

84 85 86 87   7 ha   35 000

Une fois de plus, Bernard Dufaitre nous régale avec une cuvée 87 à la robe rubis intense, qui libère de riches arômes de fruits rouges et bien mûrs. La bouche harmonieuse, ronde, tout en chair, presque féminine, fait de cette bouteille un excellent représentant de l'appellation.

♠ M. et Mme B. et Y. Dufaitre, Dom. Crêt des Garanches, Odenas, 69460 Saint-Étienne-des-Oullières, tél. 74.03.41.46 ⊤ r.-v.

GABRIEL ALIGNE 1987**

n.c.   18 000

Sous une couleur rouge profond sans défaut visuel, émanent beaucoup de parfums ; mais ce sont surtout des impressions vineuses et de bon anglais assez légères qui dominent. L'excellente bouche très bien équilibrée, longue avec une pointe de vivacité, en fait une bouteille complète, à boire avec plaisir.

♠ Les Vins Gabriel Aligne, La Chevalière, 69430 Beaujeu, tél. 74.04.84.36 ⊤ lu, ma me, je. ve. 8h-12h 14h-18h.

GEORGES BARJOT 1987*

n.c.   3 000

La caractéristique de cette bouteille à la robe rubis est son parfum fruité de banane persistant, d'une intensité correcte. Il domine encore une bouche manquant de corps, mais tendre.

♠ M. Georges Barjot, Grille Midi, Saint-Jean-d'Ardières, 69220 Belleville-sur-Saône, tél. 74.66.47.34 ⊤ r.-v.

PAUL BEAUDET 1987

n.c.   20 000

82 |83| 84 (85) 86 87

Originaire d'un secteur sablonneux prédisposant à l'élaboration de vins tendres et fruités, la sélection de cette maison se présente avec une robe limpide rouge vif. Les arômes de fruits mûrs précèdent une bouche plutôt tendre et assez courte, caractérisée par des arômes fruités déjà évolués.

CUVIER DES AMIS 1986*

■   n.c.   10 000   ■ V 3

Cette sélection du Cuvier des Amis situé près de la Roche de Solutré, haut lieu préhistorique, apparaît avec une robe limpide, brillante, marquée de quelques reflets jaunes. Les parfums vineux assez violents s'imposent rapidement. La bouche équilibrée et harmonieuse confère une bonne note d'ensemble.

↳ Le Cuvier des Amis, Les Plantés, Davayé, 71960 Pierreclos, tél. 85.35.83.65 ♈ lu. ma. me. je. ve. 10h-12h 14h-18h.

ANTOINE DEPAGNEUX 1987***

■   ■ V 3
(85) 86 87   n.c.   100 000

Une riche robe rubis intense, aux reflets violets, annonce un vin d'une grande richesse olfactive à base de parfums rappelant la cerise et la banane. Une bouche puissante, pleine, équilibrée et longue, concourt à l'harmonie de cette bouteille bien typée dans son millésime, qui a fait l'unanimité des dégustateurs.

↳ M. Antoine Dépagneux, Les Nivaudières, B.P. 8, Quincié-en-Beaujolais, 69430 Beaujeu, tél. 74.04.37.38

GEORGES DUBOEUF 1987

■   n.c.   n.c.   ■ 3

Les puissants parfums de banane et de bonbon anglais, caractéristiques du millésime, se retrouvent dans ce vin à la belle couleur rouge un peu légère, limpide et brillante. On les retrouve largement dominants en bouche, lui conférant une note de jeunesse, presque de primeur qui le font apprécier actuellement.

↳ Les Vins Georges Duboeuf, B.P. 12, Romanèche-Thorins, 71570 La Chapelle-de-Guinchay, tél. 85.35.51.13 ♈ t.l.j. sf dim. 8h-12h30 13h30-17h ; f. sam. a.-m. et août

PIERRE DUPOND 1987

■   n.c.   n.c.

Elevé dans la splendide cave du château de Graves-sur-Anse datant du XVIIIe s., ce vin à la belle robe brillante rouge foncé et limpide libère des arômes fruités, évolués et soutenus par une charpente bien perceptible.

↳ M. Pierre Dupond, 339, rue de Thizy, 69653 Villefranche-sur-Saône Cedex, tél. 74.65.24.32 ♈ r.-v.

GEORGES FESSY 1987*

■   5.30 ha   40 000   ■ V 3

La couleur vive assez légère de ce vin brillant et limpide contraste avec la puissance du nez à dominante de parfum de banane. Une bouche ample, ronde, tannique et une bonne persistance, annoncent une aptitude au vieillissement.

↳ MM. Georges Fessy et Fils, Bel-Air, Saint-Jean-d'Ardières, 69220 Belleville-sur-Saône, tél. 74.66.00.16 ♈ r.-v.

JEAN-FRANCOIS GAGET 1986*

■   5.70 ha   6 000   ■ V 2
86 [87]

Rubis très intense avec des nuances violacées caractéristiques du gamay, ce vin aux arômes de petits fruits rouges révèle en bouche un caractère boisé, encore un peu rêche, mais de bon augure pour son évolution. Persistant, il donnera une bonne bouteille pour accompagner quelques pièces de gibier, lorsqu'il se sera affirmé.

↳ M. Jean-François Gaget, La Roche, Odenas, 69460 Saint-Etienne-des-Ouillères, tél. 74.03.46.23 ♈ r.-v.

LOUIS GAGET 1987

■   6 ha   8 000   ■ V 2

Plutôt jeune, avec sa robe cerise, ses arômes légèrement épicés et fugaces. La bouche fruitée, équilibrée, mais peu puissante, donne à ce vin souple un caractère friand. A consommer maintenant, toutefois.

↳ M. Louis Gaget, Les Fossés, Odenas, 69460 Saint-Etienne-des-Ouillères, tél. 74.03.43.43 ♈ r.-v.

GRAND CLOS DE BRIANTE 1987**

■   ⬆1 2
[83] (85) 86 87   n.c.   35 000

Limpide avec quelques reflets violacés, la robe rouge foncé est séduisante. Les parfums intenses de cerise sont frais et élégants. La bouche fruitée avec une nuance de banane est encore un peu fermée. Long en bouche, bien structuré et équilibré, ce vin, par ses tanins fondus, donne une excellente bouteille à l'avenir prometteur.

↳ MM. Loron et Fils, Pontanevaux, 71570 La Chapelle-de-Guinchay, tél. 85.36.70.52 ♈ r.-v.

GRANDE CAVE DE VOUGEON 1986

■   ⬇ V 2
11.50 ha   15 000

Ce vin rouge cerise, limpide, développe des parfums vineux, nets, mais assez discrets, que l'on retrouve dans une bouche équilibrée, un peu dépouillée.

↳ EARL Roger Gerin, Vougeon, Cercié, 69220 Belleville-sur-Saône, tél. 74.66.03.06 ♈ r.-v.

DOM. DES GRANDES VIGNES 1987*

■   2.68 ha   n.c.   ■ V 2

Récolté sur les pentes du Mont Brouilly, ce vin à la couleur rouge léger libère de riches arômes qui évoquent le cassis. S'il termine un peu court, il est bien équilibré.

↳ MM. A.-J.-C. et J. Nesme, Chavanne, Quincié-en-Beaujolais, 69430 Beaujeu, tél. 74.04.31.02 ♈ t.l.j. 8h-20h ; f. 1er janv. et 25 déc.

D. JULHIET Dom. du Soulier 1986***

■   3.50 ha   10 000   ■ V 3
86 [87]

L'une des plus belles caves de la Côte de Brouilly abrite sous ses voûtes les foudres de chêne dans lesquels a mûri cette cuvée rouge foncé, brillante, aux parfums intenses de fruits mûrs. Boisée sans excès, équilibrée, tout en rondeur, cette excellente bouteille, aux tanins fondus, est à déguster dans quelque temps.

↝ Mme Diane Julhiet, Dom. du Soulier, Brouilly, Odenas, 69460 Saint-Etienne-des-Ouillères, tél. 74.03.51.29 ☎ r.-v.

D. JULHIET, Propriétaire Viticulteur à ODENAS

Domaine du Soulier

BROUILLY
VIN DU BEAUJOLAIS
APPELLATION BROUILLY CONTROLEE

MIS EN BOUTEILLE AU DOMAINE   PRODUIT DE FRANCE

75 cl

CH. DE LA CHAIZE 1986

76 | 1861

47,20 ha | 300 000

L'un des plus importants domaines du Beaujolais et des plus anciens, puisque tricentenaire, propose une cuvée grenat profond. Ses parfums intenses de chêne fondus avec ceux de vieillissement lui donnent de l'envergure. Après une attaque vive, la structure tannique apparaît. Les arômes boisés qui dominent sont longs. Bouteille typée qui supportait davantage de chair.

↝ Marquise de Roussy de Sales.

Ch. de La Chaize, Odenas, 69460 Saint-Etienne-des-Ouillères, tél. 74.03.41.05 ☎ r.-v.

DOM. DE LA FOLIE 1987**

86 | 1871

5 ha | 25 000

Ce domaine est repérable au flanc d'un coteau exposé à l'est, par sa toiture bleutée en forme de carène renversée ; le vin, lui, montre une belle robe rouge soutenu et brillante. Des parfums de petits fruits rouges bien accompagnent la bouche ample, équilibrée, longue, que l'on peut qualifier de généreuse.

↝ Ets Gobet, Blaceret, 69460 Saint-Etienne-des-Ouillères, tél. 74.67.54.57 ☎ r.-v.

MANION-MALHERBE

Dom. du Soulier - cru du Beaujolais 1986*

81 | 86

9 ha | 10 000

Le domaine, dont la tradition viticole remonte au siècle dernier, a élevé une cuvée à la couleur foncée, brillante, libérant des parfums fruités intenses. En bouche, les arômes de jeunesse de ce vin qui a conservé sa fraîcheur, ne masquent pas totalement les tanins. D'une bonne harmonie générale, la bouteille est à boire dès maintenant.

↝ Manion-Malherbe, Dom. du Soulier, Brouilly, Odenas, 69460 Saint-Etienne-des-Ouillères, tél. 74.03.50.12 ☎ r.-v.

PASQUIER-DESVIGNES 1987*

n.c. | 79 500

Installée au cœur de la zone Brouilly, la maison Pasquier-Desvignes propose un vin d'une belle couleur rouge cerise limpide, qui libère des parfums de fruits rouges, mûrs, assez puissants. La bouche harmonieuse, fine, fraîche, aux arômes de bonbon anglais, en fait une bouteille racée et élégante.

↝ M. Pasquier-Desvignes, Le Marquisat, B.P. 199, Saint-Lager, 69822 Belleville-sur-Saône Cedex, tél. 74.66.14.20 ☎ r.-v.

DOM. ROLLAND

Sélection Pierre Ferraud 1987*

28 ha | 100 000

Les vins du domaine Rolland, propriété de la famille Ferraud, sont appréciés quelques mois après leur naissance. Cet échantillon porte les marques d'un vin robuste. Une robe rouge sombre, un nez fruité, assez peu intense cependant, et une bouche puissante, charpentée, vineuse, en font une bonne bouteille qui doit encore s'affiner.

↝ MM. Pierre Ferraud et Fils, 31, rue du Maréchal-Foch, 69823 Belleville-sur-Saône Cedex, tél. 74.66.08.05 ☎ r.-v.

↝ Dom. Rolland.

DOM. RUET 1987

85 86 87

8 ha | 50 000

Légère, la robe rubis ; fin et fruité, le nez avec sa note nuancée ; souple et agréable, la fine bouche qui le fera apprécier dès maintenant !

↝ M. Jean-Paul Ruet, Voujon, Cercié, 69220 Belleville-sur-Saône, tél. 74.66.35.45 ☎ r.-v.

CH. DE SAINT-LAGER 1987***

84 86 871

n.c. | n.c.

Le château de Saint-Lager, qui se dresse au centre du bourg, a élaboré un très beau vin typé, comme le recherche la maison Dépagneux. Une robe rouge limpide et brillante dévoile quelques reflets jaunes. Au nez, des parfums fins, complexes et intenses, s'épanouissent harmonieusement. La très longue bouche ample, vineuse, équilibrée, n'en finit plus de nous rassasier. Très belle bouteille qui peut être conservée.

↝ M. Jacques Dépagneux, 21, rue J. Cottinet, B.P. 174, 69656 Villefranche-sur-Saône Cedex, tél. 74.65.42.60 ☎ r.-v.

ALBERT SOTHIER 1986**

7 ha | 16 000

La superbe robe grenat intense, brillante, rappelle que ce vin 1986 est issu de coteaux particulièrement propices à la vigne. Aux arômes puissants de fruits rouges, succèdent des impressions vineuses riches et agréables. La bouche solide, charpentée sans excès, fruitée et longue, est prometteuse. Excellente bouteille à boire, mais peut être conservée.

↝ M. Albert Sothier, Le Monnet, Saint-Etienne-la-Varenne, 69460 Saint-Etienne-des-Ouillères, tél. 74.03.42.95 ☎ r.-v.

↝ M. Besson.

PATRICK VERMOREL

Grand vin du Beaujolais 1986*

n.c. | 8 000

Rouge cerise avec des reflets violets, ce millésime exhale un bouquet élégant, fin, de petits

fruits rouges. Avec une pointe tannique, la bouche, peut-être un peu courte, reste agréable.
➤ M. Patrick Vermorel, Chambon, Blacé, 69460 Saint-Etienne-des-Oullières, tél. 74.67.56.37 ☎ r.-v.

DOM. DE VURIL 1987

6.50 ha   12 000

Les vignes, situées au pied du Mont Brouilly, entourent le manoir du XIII s. Ce millésime possède un caractère aérien. La charpente plus marquée en bouche lui confère cependant une note robuste, mais de bon aloi.
➤ M. Geoges Dutraive, Dom. de Vuril, Charentay, 69220 Belleville-sur-Saône, tél. 74.66.13.95 ☎ t.l.j. sf dim. 8h-12h 14h-18h ; f. 2ème quinz. d'août

Côte de brouilly

PAUL BEAUDET 1987

n.c.   20 000

84 85 87

Sélectionnant et élevant les vins du Beaujolais depuis quatre générations, cette entreprise propose une cuvée rouge rubis soutenu, à la robe violacée jeune. Des parfums assez fins et nets, à dominante de banane, s'en dégagent. L'attaque est bonne, la bouche un peu nerveuse : c'est une bouteille à déguster dès maintenant.
➤ M. Paul Beaudet, pl. de la Gare, Pontanevaux, 71570 La Chapelle-de-Guinchay, tél. 85.36.72.76 ☎ r.-v.

DOM. BOSGIRAUD 1987

n.c.   5 000

85 86 87

Un nez puissant de fruits rouges, légèrement chaud, caractérise ce vin à la robe rubis limpide, aux reflets violacés. La bouche est assez souple, fruitée.
➤ Vins Fins Collin et Bourisset, av. de la Gare, 71680 Crèches-sur-Saône, tél. 85.37.11.15 ☎ r.-v.

CH. DE BRIANTE 1987*

4 ha   12 000

Une robe grenat presque violacée habille cette cuvée au nez léger. Solide, elle a du mal à sortir de sa gangue tannique ; de bonne longueur, elle paraît apte au vieillissement.
➤ Mommessin, B.P. 504, Charnay-les-Mâcon, 71009 Mâcon, tél. 85.34.47.74 ☎ r.-v.

CUVIER DES AMIS 1986**

n.c.   10 000

84 (85) 86

Situé près de la célèbre Roche de Solutré, lieu d'excursion et d'escalade, ce caveau possède une belle cave. Le 86 se présente sous une couleur rouge grenat limpide. Le nez bien développé aux parfums de fruits rouges et fins, la bouche ample, charnue, équilibrée et longue, en font une bouteille typée et remarquable.

➤ Le Cuvier des Amis, Les Plantés, Davayé, 71960 Pierreclos, tél. 85.35.83.65 ☎ lu. ma. me. je. ve. 10h-12h 14h-18h.

ANTOINE DEPAGNEUX 1986*

n.c.   40 000

85 1861

Un rubis net à peine tuilé, autour d'arômes agréables de fruits rouges fins et jeunes. Une belle attaque, un bon équilibre et une honnête longueur complètent harmonieusement cette dégustation.
➤ M. Antoine Depagneux, Les Nivaudières, B.P. 8, Quincié-en-Beaujolais, 69430 Beaujeu, tél. 74.04.37.38

ROGER DUVERNAY 1986

n.c.   15 000

Légèrement tuilée, une robe rouge profond limpide pare ce vin aux parfums encore jeunes et intenses, évoquant les fruits rouges. Équilibré, agréable, souple avec des arômes plaisants et une longueur moyenne, il compose un vin honnête à consommer dès maintenant.
➤ M. Roger Duvernay, Le Gilet, Saint-Lager, 69220 Belleville-sur-Saône, tél. 74.04.38.05 ☎ r.-v.

DOM. DES FOURNELLES 1987*

7 ha   20 000

84 (85) 86 87

Saint-Lager vient d'obtenir la distinction de « ville internationale de la vigne et du vin », à l'occasion du cinquantenaire de la propriété qu'y possède l'Institut Pasteur. Une partie du vignoble d'Alain Bernillon en dépend. Il a vinifié un vin rouge rubis violacé et limpide. Les parfums distingués mais discrets de fruits rouges accompagnent une bouche équilibrée, longue, assez puissante, qui annonce un plus d'ampleur. Bouteille harmonieuse et bien typée.
➤ M. Alain Bernillon, Dom. des Fournelles, Saint-Lager, 69220 Belleville-sur-Saône, tél. 74.66.12.00 ☎ r.-v.

DOM. DES GRANDES VIGNES 1987

6,13 ha   30 000

Produit sur les pentes sablonneuses du Mont Brouilly, dominant la route de Beaujeu, ce vin, à la robe légère et limpide, présente un nez de fruits rouges légèrement cuits. Malgré une bouche encore pincée, il est fin, discret.
➤ MM. A., J.-C. et J. Nesme, Chavanne, Quincié-en-Beaujolais, 69430 Beaujeu, tél. 74.04.31.02 ☎ t.l.j. 8h-20h ; f. 1er janv. et 25 déc.

CH. DU GRAND VERNAY 1986

3 ha   18 000

83 (85) 86

Les caves de cet ancien relais du XIXe s. conservent un vin à la robe légère, nette, limpide, aux parfums peu intenses de fruits rouges. Bien vineux, on le souhaiterait plus ample.
➤ Mme Bernadette Geoffray, Le Grand Vernay, Charentay, 69220 Belleville-sur-Saône, tél. 74.03.46.20 ☎ r.-v.

CH. DE LA CHAIZE 1986

Domaine du Soulier
VIN DU BEAUJOLAIS
APPELLATION BROUILLY CONTROLÉE

D. JULHIET, Propriétaire-Viticulteur à ODENAS

MIS EN BOUTEILLE AU DOMAINE   PRODUCE OF FRANCE

75 cl

⊕ 86)

| | 47,20 ha | 300 000 | | |

L'un des plus importants domaines du Beaujolais et des plus anciens, puisque tricentenaire, propose une cuvée grenat profond. Ses parfums intenses de chêne fondu avec ceux des vieillissement lui donnent de l'envergure. Après une attaque vive, la structure tannique apparaît. Les arômes boisés qui dominent sont longs. Bouteille typée qui supportera davantage de chair.
→ Marquise de Roussy de Sales,
Ch. de La Chaize, Odenas, 69460 Saint-Etienne-des-Ouillières, tél. 74.03.41.05 ☎ r.-v.

DOM. DE LA FOLIE 1987 **

96)

| | 5 ha | 25 000 | | |

Ce domaine est repérable au flanc d'un coteau exposé à l'est, par sa toiture bleutée en forme de carène renversée ; le vin, lui, montre une belle robe rouge soutenu et brillante. Des parfums de petits fruits rouges bien mûrs accompagnent une bouche ample, équilibrée, longue, que l'on peut qualifier de généreuse.
→ Ets Gobet, Blacerel, 69460 Saint-Etienne-des-Ouillières, tél. 74.67.54.57 ☎ r.-v.

MANION-MALHERBE

Dom. du Soulier - cru du Beaujolais 1986 *

81) 86

| | 9 ha | 10 000 | | |

Le domaine, dont la tradition viticole remonte au siècle dernier, a élevé une cuvée à la couleur foncée, brillante, libérant des parfums fruités intenses. En bouche, les arômes de jeunesse de ce vin qui a conservé sa fraîcheur, ne masquent pas totalement les tanins. D'une bonne harmonie générale, la bouteille est à boire dès maintenant.
→ Manion-Malherbe, Dom. du Soulier, Brouilly, Odenas, 69460 Saint-Etienne-des-Ouillières, tél. 74.03.50.12 ☎ r.-v.

PASQUIER-DESVIGNES 1987 *

81)

| | n.c. | 79 500 | | |

Installée au cœur de la zone Brouilly, la maison Pasquier-Desvignes propose un vin d'une belle couleur rouge cerise limpide, qui libère des parfums de fruits rouges, mûrs, frais, assez puissants. La bouche harmonieuse, fine, fraîche, aux

155   LE BEAUJOLAIS

---

arômes de bonbon anglais, en fait une bouteille racée et élégante.
→ M. Pasquier-Desvignes,
Le Marquisat, B.P. 199, Saint-Lager, 69822 Belleville-sur-Saône Cedex, tél. 74.66.14.20 ☎ r.-v.

DOM. ROLLAND

Sélection Pierre Ferraud 1987 *

| | 28 ha | 100 000 | | |

Les vins du domaine Rolland, propriété de la famille Ferraud, sont appréciés quelques mois après leur naissance. Cet échantillon porte les marques d'un vin robuste. Une robe rouge sombre, un nez fruité, assez peu intense cependant, et une bouche puissante, charpentée, vineuse, en font une bonne bouteille qui doit encore s'affiner.
→ M. Pasquier-Desvignes.
→ Dom. Rolland.

DCM. RUET 1987

85) 86) 87

| | 8 ha | 50 000 | | |

Légère, la robe rubis ; fin et fruité, le nez avec sa note vanillée ; souple et agréable, la fine bouche qui le fera apprécier dès maintenant !
→ M. Jean-Paul Ruet, Voujon, Cercié, 69220 Belleville-sur-Saône, tél. 74.66.35.45 ☎ r.-v.

CH. DE SAINT-LAGER 1987 ***

84) 86) 87)

| | n.c. | n.c. | | |

Le château de Saint-Lager, qui se dresse au centre du bourg, a élaboré un très beau vin typé, comme le recherche la maison Dépagneux. Une robe rouge limpide et brillante dévoile quelques reflets jaunes. Au nez, des parfums fins, complexes et intenses, s'épanouissent harmonieusement. La très longue bouche ample, vineuse, équilibrée, n'en finit plus de nous rassasier. Très belle bouteille qui peut être conservée.
→ M. Jacques Dépagneux,
21, rue J. Cottinet, B.P. 174, 69656 Villefranche-sur-Saône Cedex, tél. 74.65.42.60 ☎ r.-v.

ALBERT SOTHIER 1986 **

| | 7 ha | 16 000 | | |

La superbe robe grenat intense, brillante, rappelle que ce vin 1986 est issu de coteaux particulièrement propices à la vigne. Aux arômes puissants de fruits rouges, succèdent des impressions vineuses riches et agréables. La bouche solide, charpentée sans excès, fruitée et longue, est prometteuse. Excellente bouteille à boire, mais peut être conservée.
→ M. Albert Sothier, Le Monnet, Saint-Etienne-la-Varenne, 69460 Saint-Etienne-des-Ouillières, tél. 74.03.42.95 ☎ r.-v.

PATRICK VERMOREL

Grand vin du Beaujolais 1986 *

| | n.c. | 8 000 | | |

Rouge cerise avec des reflets violets, ce millésime exhale un bouquet élégant, fin, de petits

→ Mme Diane Julhiet,
Dom. du Soulier, Brouilly, Odenas, 69460 Saint-Etienne-des-Ouillières, tél. 74.03.51.29 ☎ r.-v.

fruits rouges. Avec une pointe tannique, la bouche, peut-être un peu courte, reste agréable.
☞ M. Patrick Vermorel, Chambon. Blacé, 69460 Saint-Étienne-des-Oullières, tél. 74.67.56.37 ☖ r.-v.

DOM. DE VURIL 1987

85 | 6,50 ha | 12 000

Les vignes, situées au pied du Mont Brouilly, entourent le manoir du XIIIe s. Ce millésime possède un caractère aérien. La charpente plus marquée en bouche lui confère cependant une note robuste, mais de bon aloi.
☞ M. Geoges Dutraive, Dom. de Vuril, Charentay, 69220 Belleville-sur-Saône, tél. 74.66.13.95 ☖ t.l.j. sf dim. 8h-12h 14h-18h ; f. 2ème quinz. d'août

Côte de brouilly

PAUL BEAUDET 1987

84 85 87 | n.c. | 20 000

Sélectionnant et élevant les vins du Beaujolais depuis quatre générations, cette entreprise propose une cuvée rouge rubis soutenu, à la robe violacée jeune. Des parfums assez fins et nets, à dominante de banane, s'en dégagent. L'attaque est bonne, la bouche un peu nerveuse : c'est une bouteille à déguster dès maintenant.
☞ M. Paul Beaudet, pl. de la Gare, Pontanevaux, 71570 La Chapelle-de-Guinchay, tél. 85.36.72.76 ☖ r.-v.

DOM. BOSGIRAUD 1987

85 86 87 | n.c. | 5 000

Un nez puissant de fruits rouges, légèrement chaud, caractérise ce vin à la robe rubis limpide, aux reflets violacés. La bouche est assez souple, fruitée.
☞ Vins Fins Collin et Bourisset, av. de la Gare, 71680 Crèches-sur-Saône, tél. 85.37.11.15 ☖ r.-v.

CH. DE BRIANTE 1987*

4 ha | 12 000

Une robe grenat presque violacée habille cette cuvée au nez léger. Solide, elle a du mal à sortir de sa gangue tannique ; de bonne longueur, elle paraît apte au vieillissement.
☞ Mommessin, B.P. 504, Charnay-lès-Mâcon, 71009 Mâcon, tél. 85.34.47.74 ☖ r.-v.

CUVIER DES AMIS 1986**

84 85 86 | n.c. | 10 000

Situé près de la célèbre Roche de Solutré, lieu d'excursion et d'escalade, ce caveau possède une belle cave. Le 86 se présente sous une couleur rouge grenat limpide. Le nez bien développé aux parfums de fruits rouges et fins, la bouche ample, charnue, équilibrée et longue, en font une bouteille vineuse, typée et remarquable.
☞ Le Cuvier des Amis, Les Plantés, Davayé, 71960 Pierreclos, tél. 85.35.83.65 ☖ lu. ma. me. je. ve. 10h-12h 14h-18h.

ANTOINE DEPAGNEUX 1986*

85 | 1861 | 40 000

Un rubis net à peine tuilé, autour d'arômes agréables de fruits rouges fins et jeunes. Une belle attaque, un bon équilibre et une honnête longueur complètent harmonieusement cette dégustation.
☞ M. Antoine Depagneux, Les Nivaudières, B.P. 8, Quincié-en-Beaujolais, 69430 Beaujeu, tél. 74.04.37.38

ROGER DUVERNAY 1986

n.c. | 15 000

Légèrement tuilée, une robe rouge profond limpide pare ce vin aux parfums encore jeunes et intenses, évoquant les fruits rouges. Équilibré, agréable, souple avec des arômes plaisants et une longueur moyenne, il compose un vin honnête à consommer dès maintenant.
☞ M. Roger Duvernay, Le Gilet, Saint-Lager, 69220 Belleville-sur-Saône, tél. 74.04.38.05 ☖ r.-v.

DOM. DES FOURNELLES 1987*

84 (85) 86 87 | 7 ha | 20 000

Saint-Lager vient d'obtenir la distinction de «ville internationale de la vigne et du vin», à l'occasion du cinquantenaire de la propriété qu'y possède l'Institut Pasteur. Une partie de l'exploitation d'Alain Bernillon en dépend. La vinifie un vin rouge rubis violacé et limpide. Les parfums distingués mais discrets de fruits rouges accompagnent une bouche équilibrée, longue, assez puissante, qui supporterait plus d'ampleur. Bouteille harmonieuse et bien typée.
☞ M. Alain Bernillon, Dom. des Fournelles, Saint-Lager, 69220 Belleville-sur-Saône, tél. 74.66.12.00 ☖ r.-v.

DOM. DES GRANDES VIGNES 1987

6,13 ha | 30 000

Produit sur les pentes sablonneuses du Mont Brouilly, dominant la route de Beaujeu, ce vin, à la robe légère et limpide, présente un nez de fruits rouges légèrement cuits. Malgré une bouche encore pincée, il est fin, discret.
☞ MM. A., J.-C. et J. Nesme, Chavanne, Quincié-en-Beaujolais, 69430 Beaujeu, tél. 74.04.31.02 ☖ t.l.j. 8h-20h ; f. 1er janv. et 25 déc.

CH. DU GRAND VERNAY 1986

83 (85) 86 | 3 ha | 18 000

Les caves de cet ancien relais du XIXe s. conservent un vin à la robe légère, nette, limpide, aux parfums peu intenses de fruits rouges. Bien vineux, on le souhaiterait plus ample.
☞ Mme Bernadette Geoffray, Le Grand Vernay, Charentay, 69220 Belleville-sur-Saône, tél. 74.03.46.20 ☖ r.-v.

D. JUHLIET Dom. du Soulier 1986*

5 ha — 10 000

La couleur grenat et quelques reflets violacés témoignent de l'apparente jeunesse de ce vin. La présence de tanins et les arômes de fruits rouges encore frais confirment la première impression.

➤ Mme Diane Juhliet, Dom. du Soulier, Brouilly, Odenas, 69460 Saint-Etienne-des-Ouillères, tél.

DOM. DE LA CHAPELLE 1987*

1 ha — 8 000

Rubis d'une bonne intensité, ce vin, aux parfums dominants de cassis et de cerise associés à des impressions amyliques, apparaît élégant et fin. Souple et fruité en bouche, il n'a pas l'ampleur de son type, mais reste harmonieux et d'une agréable dégustation.

➤ Les Vins Louis Tête, Saint-Didier-sur-Beaujeu, 69430 Beaujeu, tél. 74.04.82.27 ▼ lu. ma. me. je. ve. 8h-12h 14h-18h.

LA CHAPELLE DU MONT 1986

85 86

5 ha — 30 000

Chaque année, un pèlerinage gravit la Côte de Brouilly pour une sympathique cérémonie au pied de la chapelle érigée en 1857, en souvenir du temps où les vignerons venaient implorer du Vierge de protéger leur vignoble. Rouge avec des reflets jaunes, cette cuvée révèle son âge. Le nez discret sans défaut, la bouche fine, nette, d'une longueur moyenne, en font une bouteille à consommer dès à présent.

➤ Ets Jean Bedin, Blaceret, 69460 Saint-Etienne-des-Ouillères, tél. 74.67.54.67

ANDRE LARGE 1987**

84 86 87

3,18 ha — 20 000

Une couleur très intense, violacée, des parfums puissants de banane, de cerise et cassis, auxquels on pourrait reprocher un léger manque de finesse. Mais la bouche ample, solide, tannique, longue, est encore fermée. Apte au vieillissement, c'est une belle bouteille qui doit se révéler un peu plus tard.

➤ M. André Large, Odenas, 69460 Saint-Etienne-des-Ouillères, tél. 74.66.03.89 ▼ r.-v.

DOM. DE LA VOUTE DES CROZES 1986

3,60 ha — 20 000

Une couleur rubis bien conservée pour un 86. Des parfums jeunes, fruités et une bouche charpentée, équilibrée où l'on commence à percevoir des arômes plus chauds, plus évolués, confirment le bon vieillissement de cette bouteille.

➤ Mme Nicole Chanrion, M. Raymond Chanrion, Dom. de la Voute des Crozes, Cercié, 69220 Belleville-sur-saône, tél. 74.66.02.71 ▼ r.-v.

L'ECLUSE 1987**

7 ha — 12 000

Les vignes sont exposées au sud, sur les pentes du Mont Brouilly. Rouge soutenu, grenat, avec des arômes intenses de banane, de pêche, mais

aussi de fruits exotiques, se prolongeant en bouche. Cette cuvée splendide, puissante et équilibrée, bien en chair, d'une grande longueur, constitue une très belle bouteille bien typée.

➤ MM. Lucien et Robert Verger, Saint-Lager, 69220 Belleville-sur-Saône, tél. 74.66.14.04 ▼ r.-v.

LORON ET FILS 1987*

n.c. — 10 000

Il apparaît limpide sous une couleur rouge rubis aux reflets violacés. Un nez bien marqué de fruits rouges mûrs et de banane, précède une attaque agréable. Aromatique, charpenté, long, il remplit une bouteille équilibrée, solide, apte au vieillissement.

➤ MM. Loron et Fils, Pontanevaux, 71570 La Chapelle-de-Guinchay, tél. 85.36.70.52 ▼ r.-v.

MANION-MALHERBE Dom. du Soulier 1986*

86

5 ha — 10 000

La robe rubis ne porte pas de trace de vieillissement. Le nez, léger, développe des parfums de fruits mûrs. S'il manque un peu de chair, il est bien équilibré.

➤ Manion-Malherbe, Dom. du Soulier, Brouilly, Odenas, 69460 Saint-Etienne-des-Ouillères, tél. 74.03.50.12 ▼ r.-v.

CELLIER DES SAMSONS 1986

84 85 86

n.c. — 40 000

Une robe limpide, rubis assez intense, légèrement tuilée, habille ce vin aux arômes complexes de réglisse, de musc et de café. Fruité et charpenté sans excès, d'une longueur moyenne, il compose une bouteille nette et agréable.

➤ Cellier des Samsons, Le Pont des Samsons, B.P. 3, Quincié-en-Beaujolais, 69430 Beaujeu, tél. 74.66.24.19

CH. THIVIN 1987

(85) 87

6 ha — 45 000

C'est dans l'ancienne propriété des Sires de Beaujeu, située sur le flanc de la colline de Brouilly, que Colette décrivit quelques scènes de vendanges. Caractérisé par sa robe rubis aux reflets violacés et de parfums discrets de bonbon anglais et de fruits rouges, ce vin laisse percevoir sa structure tannique par manque de chair, mais il est fin.

M. Claude-Vincent Geoffray, Ch. Thivin, Odenas, 69460 Saint-Étienne-des-Oullières, tél. 74.03.47.53 ☎ r.-v.

Chénas

La légende explique que ce lieu était autrefois couvert d'une immense forêt de chênes, et qu'un bûcheron, constatant le développement de la vigne plantée naturellement par quelque oiseau, à n'en pas douter divin, se mit en devoir de défricher pour introduire la noble plante; celle-là même qui aujourd'hui s'appelle gamay noir à jus blanc...

L'une des plus petites appellations du Beaujolais, couvrant 250 ha aux confins du Rhône et de la Saône-et-Loire, elle donne 13 000 hl récoltés sur les communes de Chénas et de La Chapelle-de-Guinchay. Les chénas produits sur les terrains pentus et granitiques à l'ouest sont colorés, puissants, mais sans agressivité excessive, exprimant des arômes floraux à base de rose et de violette; ils rappellent ceux du moulin à vent qui occupe la plus grande partie des terroirs de la commune. Ceux issus de vignes du secteur plus limoneux et moins accidenté de l'est présentent une charpente plus ténue. Cette appellation qui, sans pour autant démériter, fait figure de parent pauvre par rapport aux autres crus du Beaujolais, souffre de la petitesse de son potentiel de production. La cave coopérative du château vinifie 45 % de l'appellation et offre une belle perspective de fûts de chêne sous ses voûtes datant du XVIIe s.

COLLIN ET BOURISSET
Les Paquelets 1986

■ 84 85 86   n.c.   30 000

Rouge moyen avec quelques reflets tuilés, cette sélection manque un peu d'expression. Les impressions olfactives chaudes masquent le fruit : il entre dans une phase difficile du vieillissement.
Vins Fins Collin et Bourisset, av. de la Gare, 71680 Crèches-sur-Saône, tél. 85.37.11.15 ☎ r.-v.

AMEDEE DEGRANGE 1986

■   0,11 ha   900

La petite production de ce viticulteur présente une couleur rouge soutenu avec quelques reflets orangés. Le nez aux arômes de fruits mûrs, de girofle et de tabac, manque de fraîcheur mais la bouche est ample et charnue.
M. Amédée Degrange, Les Vérillats, Chénas, 69840 Juliénas, tél. 74.04.11.62 ☎ r.-v.

GERARD LAPIERRE Grumage 1986

■ 84 85 86   2,50 ha   15 000

Sélectionné par les grumeurs de l'ordre des Compagnons du Beaujolais en 86, ce vin rouge assez foncé, brillant et limpide, a un nez discret encore fermé. Après une attaque ferme, il s'avère structuré avec des tanins enrobés. Vineux et solide, il peut vieillir.
M. Gérard Lapierre, Les Deschamps, Chénas, 69840 Juliénas, tél. 85.36.70.74 ☎ r.-v.

HUBERT LAPIERRE 1986*

■ 84 85 86   1,20 ha   7 000

Grenat, légèrement violacé et brillant, ce vin libère des parfums intenses et complexes d'où émergent la cerise et la vanille. Un peu ferme par un tanin très présent mais bien structuré, avec des arômes épicés et de pinot, marqués par le fût neuf, il compose une bonne bouteille à garder.
M. Hubert Lapierre, Les Gandelins, 71570 La Chapelle-de-Guinchay, tél. 85.36.74.89 ☎ t.l.j. 8h-19h.

MAISON MACONNAISE DES VINS 1986

■   2 ha   12 000

Depuis trente ans, cet établissement propose des produits régionaux qui ont fait son succès. La cuvée 86 rouge grenat, brillante et limpide, reste encore fermée, mais elle apparaît souple, tendre, avec une bonne fraîcheur.
Maison Mâconnaise des Vins, 484, av. de Lattre-de-Tassigny, 71000 Mâcon, tél. 85.38.36.70 ☎ t.l.j. 8h-21h; f. 25 déc. et 1er mai

GEORGES TRICHARD 1987**

■ 85 86 87   2,78 ha   20 000

Excellente bouteille de Chénas, un pays où Gargantua aurait vidé sa hotte. Un vin racé, long en bouche, épicé et chaud, à l'arôme très caractéristique de pivoine. On comprend pourquoi Louis XIII en décorait sa table.
M. Georges Trichard, rte de Juliénas, 71570 La Chapelle-de-Guinchay, tél. 85.36.70.70 ☎ r.-v.

DOM. DES VIEILLES CAVES 1987

■   2,50 ha   18 000

A la limite des terroirs de Moulin à Vent et de Chénas, la cuvée de Fernand Charvet s'avère rouge foncé, brillante. Des parfums peu intenses évoquent les fruits mûrs. Une attaque nerveuse, boisée, révèle des tanins non fondus qui déséquilibrent encore ce vin par ailleurs charnu et long. A attendre.
M. Fernand Charvet, Dom. des Vieilles Caves, Chénas, 69840 Juliénas, tél. 74.04.11.06 ☎ r.-v.

Chiroubles

Le plus « haut » des crus du Beaujolais. Récolté sur les 350 ha d'une commune perchée à près de ... d'altitude, dans un site en forme de ... ...situé de sable granitique léger, il produit 18 000 hl à partir du ... ... à jus blanc. Le chiroubles, ...harmeur, évoque la violette. Rapi... ...t consommable, il a parfois un pe... caractère du fleurie ou du morgon, crus ... le jouxtent de part et d'autre. Il accompagne à toute heure quelques plats de charcuterie. Pour être convaincu, il suffit de prendre la route au-delà du bourg, en direction du Fût d'Avenas, dont le sommet, à 700 m, domine le village et porte un « chalet de dégustation ».

Chiroubles célèbre chaque année, en avril, l'un de ses enfants, le grand savant ampélographe Victor Pulliat, né en 1827, dont les travaux corsa-crés à l'échelle de précocité et au greffage des espèces de vigne sont mondialement connus; pour parfaire ses observations, il avait rassemblé dans son domaine de Temperé plus de 2 000 variétés ! Chiroubles possède une cave coopérative qui vinifie 3 000 hl du cru.

DOM. DU CLOS VERDY 1987**

(86)(87)
| 11 ha | n.c. | | |

Au cœur du village, Georges Boulon élève cette cuvée rouge grenat intense. Le nez puissant de bonbon anglais et la bouche charpentée et très aromatique, sont flatteurs.

➜ M. Georges Boulon, Le Bourg, 69115 Chiroubles, tél. 74.04.20.12 r.-v.

ANTOINE DEPAGNEUX 1987**

(85) 86 (87)
| n.c. | 60 000 | | |

Une belle robe rubis sombre, brillante, pare cette cuvée. La bouche ronde, souple et nerveuse, aux arômes fruités, compense largement un nez encore fermé. Bien équilibrée, c'est une bouteille qui fait plaisir.

➜ M. Antoine Dépagneux, Les Nivaudières, B.P. 8, 69430 Beaujeu, tél. 74.04.37.38.

JACQUES DEPAGNEUX 1987**

| n.c. | n.c. | | |

La sélection de cette maison traditionnelle

apparaît rouge cerise soutenu, brillante. Des nuances fruitées très fines évoquent les fruits rouges et s'associent avec élégance à une bouche souple, charnue, ayant du fond. La très belle finale, reprenant les arômes de framboise et de cassis, fait de ce vin harmonieux, long, équilibré et distingué, un excellent représentant de l'appellation. Une remarquable bouteille.

➜ M. Jacques Dépagneux, 21, rue J. Cottinet, B.P. 174, 69656 Villefranche-sur-Saône Cedex, tél. 74.65.42.60 r.-v.

Jacques Dépagneux CHIROUBLES
APPELLATION CHIROUBLES CONTRÔLÉE
Mis en bouteille par Jacques Dépagneux à Villefranche (Rhône) 750 ml
PRODUIT DE FRANCE

DESPLACE FRERES
Le Cep de Chiroubles 1987*

86 87
| 1,20 ha | 4 800 | | |

La petite production de cette exploitation apparaît avec une robe rubis léger. Les parfums acidulés de bonbon anglais préparent la belle attaque en bouche. Les impressions de jeunesse se retrouvent au palais. Réveillé, fruité, ce vin est à déguster maintenant.

➜ GFA Desplace Frères, Aux Bruyères, Régnié-Durette, 69430 Beaujeu, tél. 74.04.30.21 r.-v.

JOSEPH DROUHIN 1987

| n.c. | n.c. | | |

Cette sélection révèle des parfums vineux assez lourds où se mêlent des impressions boisées. Remplissant bien la bouche, elle s'avère réveillée en fin de dégustation.

➜ M. Joseph Drouhin, 7, rue d'Enfer, 21200 Beaune, tél. 80.24.68.88 r.-v.

GEORGES DUBOEUF 1987

85 86 87
| n.c. | 30 000 | | |

Vin rouge foncé aux parfums fruités, puissants et complexes. Bien que les premières impressions de rondeur ne persistent pas, c'est une très honnête bouteille.

➜ Les Vins Georges Duboeuf, B.P. 12, Romanèche-Thorins, 71570 La Chapelle-de-Guinchay, tél. 85.35.51.13 t.l.j; sf dim. 8h-12h30 13h30-17h ; f. sam. a.-m. et août

DOM. DE LA COMBE AU LOUP 1987**

(83) (86) (87)
| 1,78 ha | 14 000 | | |

Cette cuvée couleur rubis soutenu, aux parfums de fruits mûrs assez évolués, est très agréable. Bien en chair, ample, structure et aromatique, ce vin complet a beaucoup d'avenir.

159 LE BEAUJOLAIS

→ MM. Gérard et Roger Méziat, Dom. de La Combe au Loup, 69115 Chiroubles, tél. 74.04.24.02 ☎ r.-v.

La bouche puissante, tannique... che, ne révèle pas encore son caractère.
→ M. René Savoye, Le Bourg, 6911... roubles, tél. 74.04.23.47 ☎ r.-v.

L. MÉTAIRIE 1987   ☑ 3
■   n.c.   n.c.   ☎ r.-v.

Une robe légère habille ce vin au nez encore fermé. La bouche marquée par une structure tannique manque d'ampleur. Bouteille à boire maintenant.
→ SA L. Métairie, Pizay, Saint-Jean-d'Ardières, 69220 Belleville-sur-Saône, tél. 74.66.31.31 ☎ lu. ma. me. je. ve. 8h-12h 14h-18h ; f. août

ALAIN PASSOT 1987*   ☑ 2
■ 86 87   6 ha   25 000

Le village domine les vignes de ce domaine. 87 a donné une cuvée rubis soutenu. Le nez discret est peu expressif. La bouche ronde, souple, bien en chair, harmonieuse, développe des arômes de framboise et de cassis. Bouteille agréable qui s'épanouira avec le temps.
→ M. Alain Passot, La Grosse Pierre, 69115 Chiroubles, tél. 74.69.12.17 ☎ t.l.j, 9h-12h 14h-18h.

GEORGES PASSOT 1987*   ☑ 3
■ 83 84 (85) 86 |87| 3.50 ha   20 000

Récoltée sur les premiers coteaux de Chiroubles, cette cuvée à la couleur légère, brillante, se distingue par ses parfums très fins de framboise. En bouche, elle s'avère souple, tendre, presque féminine et lorsque la légère amertume finale se sera effacée, elle s'épanouira encore.
→ M. Georges Passot, Le Bourg, 69910 Villié-Morgon, tél. 74.04.23.10 ☎ r.-v.

CH. DE RAOUSSET 1987*   ☑ 3
■ 84 |85| 86 |87| 4.80 ha   18 500

Point de repère au pied des coteaux, le château du XIXe s. a un toit de tuiles vernies. La cuvée 87 rubis intense exhale des parfums fins et fruités. La bouche ronde, équilibrée, charnue et longue, aux arômes de fruits rouges, est pleine de promesses. Belle bouteille à boire maintenant, mais pouvant être conservée.
→ Héritiers de Raousset, Ch. de Raousset, 69115 Chiroubles, tél. 74.04.24.71 ☎ r.-v.

DOM. DE ROCHEFORT 1987*   ☑ 3
■ (85) |86| 87   4.50 ha   20 000

Vin à la couleur rubis, au nez fruité et vif. La bouche pleine de vie, ample, nerveuse, structurée et aromatique, de longueur moyenne, termine sur une impression de vivacité.
→ Aujoux, bd Emile-Guyot, 69830 Saint-Georges-de-Reneins, tél. 74.67.68.67 ☎ r.-v.

RENE SAVOYE 1987   ☑ 3
■ 86 87   7.50 ha   20 000

Depuis la propriété, on découvre une belle vue sur le vignoble et la région. La couleur assez soutenue et un peu terne correspond à un nez assez fermé.

Fleurie

Une chapelle posée au sommet d'un mamelon totalement encépagé avec du gamay noir à jus blanc semble veiller sur le vignoble : c'est la madone de Fleurie, qui marque l'emplacement du troisième cru du Beaujolais par ordre d'importance, après le brouilly et le morgon. Les 800 ha de l'appellation ne s'échappent pas des limites communales, où l'on produit un vin récolté sur un ensemble géologique assez homogène constitué de granites à grands cristaux qui communiquent au vin une impression de finesse et charnue. La production atteint 45 000 hl. Certains l'aiment frais, d'autres tempéré, mais tous, à la suite de la famille Chabert qui créa le célèbre plat, apprécient l'andouillette beaujolaise préparée avec du fleurie. C'est un vin qui apparaît, tel un paysage printanier, plein de promesses, de lumière, d'arômes aux tonalités d'iris et de violette.

Au cœur du village, deux caveaux (l'un près de la mairie, l'autre à la cave coopérative qui est l'une des plus importantes puisqu'elle vinifie 30 % du cru) offrent toute la gamme des vins aux noms de terroirs évocateurs : la Roichette, la Chapelle des Bois, les Roches, Grille-Midi, la Joie du Palais...

LOUIS TETE 1987
■   n.c.   18 000   ☎ r.-v.

Le nez fermé de ce vin n'est pas à la [...] de sa robe de couleur grenat avec des re[...]lacés, limpide et brillante. Après une [...] franche, sa vinosité apparaît. Des arôm[...] fruits rouges égayent la fin de bouche.
→ Les Vins Louis Tête, Saint-Didier-sur-Beau[...] 69430 Beaujeu, tél. 74.04.82.27 ☎ lu. ma. me. j[...] ve. 8h-12h 14h-18h.

PAUL BEAUDET 1987   ☑ 3
■ (85) |86| |87| n.c.   25 000

Fruité, discret mais charnu, léger mais bien

↪ M. Paul Beaudet, pl. de la Gare, Pontanevaux, 71570 La Chapelle-de-Guinchay, tél. 85.36.72.76 ♈ r.-v.

CHARLES BRECHARD 1986 ◆

84 85 861 ■ n.c. 3 000

Une cuvée pourpre aux reflets violacés, limpide avec des parfums frais et fins, rappelant la rose. Charpentée avec des tanins fondus, équilibrée, elle reste sur une note de réglisse qui lui confère élégance et originalité.

↪ M. Charles Bréchard La Grenouillère, Chamelet, 69620 Le Bo-d'Oingt, tél. 74.71.34.13 ♈ r.-v.

MICHEL CHIGNARD Les Moriers 1986

84 85 861 ■ 8 ha 30 000

Redégusté cette année, ce 86 a gagné une étoile : une belle robe limpide, brillante, presque violette ; des parfums floraux mélangés à ceux de cerise élégants et fins ; une bouche charnue, équilibrée et harmonieuse, légèrement boisée. Belle bouteille à boire, mais pouvant être conservée.

↪ M. Michel Chignard, Le Point-du-Jour, 69820 Fleurie, tél. 74.04.11.87 ♈ t.l.j, sf dim. 8h-20h.

ANDRE COLONGE 1987 ◆

1861 1871 ■ 3.50 ha 27 000

Une belle robe rubis aux reflets violets, limpide, habille cette cuvée aux parfums jeunes et frais de fruits rouges complexes et intenses. Une bouche fine, équilibrée avec des tanins fondus et une note de réglisse, donne à ce vin long et vif beaucoup d'élégance.

↪ M. André Colonge, Les Terres-Dessus, Lancié, 69220 Belleville-sur-Saône, tél. 74.04.11.73 ♈ r.-v.

DOM. DES COTES DE FONTABON 1987 ◆◆

■ 5 ha n.c.

Belle cuvée rubis avec des reflets violets, des parfums prononcés d'iris et de rose assez persistants que l'on retrouve en bouche. Celle-ci, fraîche, équilibrée, fine et longue, complète harmonieusement un vin séduisant.

↪ M. Georges Boulon, Le Bourg, 69115 Chiroubles, tél. 74.04.20.12 ♈ r.-v.

GEORGES DUBOEUF 1987 ◆◆

85 86 87 ■ n.c. 50 000

Rubis intense, cette cuvée est remarquable par ses parfums de framboise, de banane et de fleurs. La bouche est ronde, puissante, charpentée, mais harmonieuse. Les arômes de fruits rouges se trouvent en finale. Long, équilibré, flatteur, un excellent fleurie, riche, fruité et élégant.

↪ Les Vins Georges Duboeuf, B.P. 12, Romanèche-Thorins, 71570 La Chapelle-de-Guinchay, tél. 85.35.51.13 ♈ t.l.j, sf dim. 8h-12h30 13h30-17h ; f. sam. a-m. et août

HENRY FESSY La Roilette 1987

■ 10 ha 60 000

La Roilette est un climat du Beaujolais. Ce négociant a choisi un 87 qui est encore très fermé. Mais la bouche riche, souple, est très équilibrée. Il faut attendre qu'il s'exprime mieux.

↪ M. Henry Fessy, Bel-Air, Saint-Jean-d'Ardières, 69220 Belleville-sur-Saône, tél 74.66.00.16 ♈ r.-v.
↪ M. André Métral.

GEORGES DUBOEUF
FLEURIE
APPELLATION FLEURIE CONTROLÉE
75 cl
MIS EN BOUTEILLE PAR
LES VINS GEORGES DUBOEUF
71570 ROMANÈCHE-THORINS
PRODUCE OF FRANCE — RED BEAUJOLAIS WINE — SHIPPED AND BOTTLED IN FRANCE

COOP. DE FLEURIE
Cuvée Présidente Marguerite 1986

84 85 86 ■ 20 ha 40 000

Vinifiée dans des installations modernes, cette cuvée, au nom de la célèbre ancienne présidente de la cave, est d'un rouge rubis, limpide ; elle est encore fermée au nez. Une bouche fine, équilibrée, assez longue, rend ce vin agréable et prêt à boire.

↪ Cave Coop. Gds Vins de Fleurie, 69820 Fleurie, tél. 74.04.11.70 ♈ r.-v.

CH. DE GRAND PRE
Sélection Pierre Ferraud 1987 ◆

■ 8 ha 50 000

Le château est une propriété familiale de ce négociant. Le millésime révèle un nez fruité assez intense. La bouche souple et nerveuse, au bon goût de raisin frais et de violette, est élégante et bien typée.

↪ MM. Pierre Ferraud et Fils, 31, rue du Mal-Foch, 69823 Belleville-sur-Saône Cedex, tél. 74.06.08.05 ♈ r.-v.
↪ Ch. de Grand Pré.

CH. DES LABOURONS 1986 ◆◆

83 84 86 ■ 25 ha 120 000

Ce 86 était déjà à boire à l'automne 87, mais ceux qui l'auront attendu auront eu raison ! Elevée dans des fûts en chêne de Hongrie, la cuvée, limpide libère maintenant de purs parfums de rose associés à ceux de pain grillé. Une bouche fine, très bien charpentée, aux arômes fruités et légèrement vanillés, est d'excellente qualité.

Juliénas

Cru impérial d'après l'étymologie, Juliénas tiendrait en effet son nom de Jules César de même que Jullié, l'une des quatre communes qui composent l'aire géographique de l'appellation (avec Émeringes et Pruzilly, cette dernière se trouvant en Saône-et-Loire). Se partageant des terrains granitiques à l'ouest et des terrains sédimentaires avec des alluvions anciennes à l'est, les 580 ha de gamay noir à jus blanc permettent la production de 32 000 hl de vins bien charpentés, riches en couleur, appréciés au printemps après quelques mois de conservation. Gaillards et espiègles, ils sont à l'image des fresques qui ornent le caveau de la vieille église, au centre du bourg. Dans cette chapelle désaffectée, chaque année à la mi-novembre est remis le prix Victor Peyret à l'artiste, peintre, écrivain ou journaliste, qui a le mieux «tasté» les vins du cru ; il reçoit 104 bouteilles : 2 par week-end... La cave coopérative, installée dans l'enceinte de l'ancien prieuré du château du Bois de la Salle, vinifie 30 % de l'appellation.

- M. Bernard de Lescure, Ch. des Labourons, 69820 Fleurie, tél. 74.04.13.04 Y r.-v.
- GFA Ch. des Labourons.

CLOS DE LA ROILETTE 1987 **

(85) 86 (87)   ■   4 ha   12 000   ▼3

Le Clos de la Roilette, situé en bordure de l'appellation moulin à vent, domine, sur des coteaux de sable granitique exposés au sud et à l'est, la vallée de la Saône. Il propose une cuvée rubis assez soutenu. Un nez vanillé un peu fermé précède une bouche charnue, puissante, charpentée avec des arômes de framboise mêlés à une note boisée, pas totalement fondue. Très beau vin promis à un bel avenir. A réserver pour le coq au vin, bien sûr.

- Mommessin, B.P. 504, Charnay-lès-Mâcon, 71009 Mâcon, tél. 85.34.47.74 Y r.-v.

ANDRE METRAT La Roilette 1987

84 85 87   ■   4 ha   10 000   ▼3

Une couleur vive, des parfums de fruits mûrs assez fins, une bouche ample, charnue et charpentée avec une note de vanille : cette bouteille a des atouts de vieillissement.

- M. André Métrat, La Roilette, 69820 Fleurie, tél. 74.04.12.35

DOM. MONROZIER Les Moriers 1986

(82) (83) (84) 85   ■   8,50 ha   3 000   ▼3

Le domaine, propriété familiale depuis 150 ans, est mitoyen du moulin à vent. 86 est brillant, accompagné de parfums floraux évoquant le kirsch et la mirabelle. Robuste, charpenté, légèrement vanillé, il est de bonne longueur.

- M. Régis Jocteur Monrozier, Les Moriers, 69820 Fleurie, tél. 74.04.10.17 Y t.l.j. 10h-12h 14h-18h.

PASQUIER-DESVIGNES 1987

■   n.c.   30 500   ▼4

La robe rouge vif, brillante, d'une bonne intensité, est agréable. Le nez encore fermé est moins intéressant, la bouche nette, fruitée est équilibrée. Mieux vaut sans doute ne pas l'attendre longtemps.

- M. Pasquier-Desvignes, Le Marquisat, B.P. 199, Saint-Lager, 69922 Belleville-sur-Saône Cedex, tél. 74.66.14.20 Y r.-v.

CH. PORTIER Les Moriers 1987 **

82 83 84 (85) 86 87   ■   8 ha   25 000   ▼3

Exposées à l'est et au nord sur des sables granitiques, les vignes du château proches du Moulin à Vent ont donné cette cuvée rouge cerise soutenu. Des parfums de cassis, de mûres et de framboises agrémentent assez intensément le verre. Ce vin, puissant en même temps que souple et fin, est riche d'arômes bien développés. Une bouteille typée, agréable et bien représentative de l'appellation.

- GFA du Beaujolais, Ch. Portier, Romanèche-Thorins, 71570 La Chapelle-de-Guinchay, tél. 85.35.51.57 Y r.-v.

DOM. DES RAJATS 1987 *

(86) 87   ■   4 ha   n.c.   ▼3

Le vignoble est situé sur la côte des Labourons qui domine Fleurie. Très floral et pur, ce 87 rappelle la rose. Très bien équilibrée, la bouche parfumée est agréable et élégante.

- M. Hubert Perraud, Les Labourons, 69820 Fleurie, tél. 74.04.14.82 Y r.-v.
- Mme Michel Andrée Fleurie.

DOM. D'AGUETANT 1987 *

86 87   ■   2 ha   1 000   ▼2

Pierre d'Aguetant, poète du Beaujolais, a donné son nom au domaine de Roland Lattaud. Rubis foncé, limpide, ce vin d'abord fermé s'ouvre sur des parfums de banane assez discrets qui explosent en bouche. Charnue, ronde, gouleyante, une bouteille pleine de jeunesse à boire maintenant.

GABRIEL ALIGNE 1986*

n.c. 6 000 [V3]

La sélection rouge intense proposée par la maison Aligne développe des arômes de vieillissement avec quelques nuances fruitées. Ronds, équilibrés, les parfums déjà évolués incitent à boire cette bouteille maintenant.

↩ Les Vins Gabriel Aligne, La Chevalière, 69430 Beaujeu, tél. 74.04.84.36 ▼ lu. ma. me. je. ve. 8h-12h 14h-18h.

JEAN BARONNAT 1986**

n.c. [i3]

Depuis trois générations, la maison Baronnat élève dans ses chais de Gleizé des vins du Beaujolais. La couleur rouge cerise assez intense et le nez encore un peu fermé mais laissant percevoir des arômes fruités sont prometteurs. L'attaque est cependant assez vive. Bien charpenté mais équilibré, aromatique et persistant, ce vin est apte à bien vieillir.

↩ M. Jean Baronnat, Les Bruyères, rte de Lacenas, Gleizé, 69400 Villefranche-sur-Saône, tél. 74.68.59.20 ▼ r.-v.

VICTOR BERARD 1986

n.c. [i3]

Un 86 à ne pas attendre : quelques reflets jaunes dans la robe révèlent son âge, tout comme le bouquet. Mais l'attaque est bonne et la vivacité bien présente met en relief les tanins. Une bonne constitution.

↩ M. Victor Bérard, rte de Lyon, 71004 Varennes-lès-Macon, tél. 85.34.70.50 ▼ r.-v.

85 87

CH. DU BOIS DE LA SALLE 1987**

n.c. 60 000 [i][V][2]

Cette union des producteurs regroupe 165 hectares de vignes et la cave de vinification, très moderne, occupe l'ancien prieuré du château du Bois de la Salle, d'un rouge cerise assez foncé, limpide, possède un nez riche et fin. La bouche est pleine, charpentée, aromatique et longue. Très bien équilibré, ce vin remarquable est à point actuellement.

↩ SICA Cave des Prod., Ch. du Bois de la Salle, 69840 Juliénas, tél. 74.04.42.61 ▼ l.l.j. 8h30-12h 14h-18h.

DOM. DES BUCHERATS 1986*

4 ha 5 000 [i3]

Situées à l'entrée du village de Juliénas, les vignes de cette propriété ont donné une cuvée à la robe intense restée encore jeune. Le nez, lui, est déjà évolué, évoquant le pinot après aération. La bouche ferme est très aromatique, du type cassis. Vin qui doit s'affirmer dans l'avenir.

↩ M. Brac de la Perrière, Ch. des Péthières, 69460 Saint-Etienne-des-Oullières, tél. 74.67.58.88

CH. DES CAPITANS 1986

84 (85) (86) 8 ha 55 000 [i][↓][V][3]

Ancienne propriété de Victor Peyret qui créa le prix littéraire remis chaque troisième dimanche de novembre à un écrivain gastronomique. Une robe claire, limpide, un nez franc, agréable, discret, annoncent une bouche assez ronde terminant cependant avec une pointe tannique. Bouteille qui s'ouvrira avec le temps.

↩ M. Robert Sarrau, B.P. 185, 69220 Belleville-sur-Saône, tél. 74.04.13.37 ▼ ma. me. je. ve. sa. di. 10h-12h 15h-18h.

CUVIER DES AMIS 1986***

n.c. 10 000 [i][↓][V][3]

Un très beau 86 proposé par le Cuvier des Amis, qui a aménagé une ancienne grange près de Soluté. La robe intense et limpide, ainsi que les parfums délicats, fruités et légèrement épicés qui demandent encore à s'épanouir, forment avec une bouche ronde, charpentée, équilibrée et aromatique, une bouteille racée, prête à boire sur une entrecôte marchand-de-vin, mais pouvant attendre.

↩ Le Cuvier des Amis, Les Plantes, Davayé, 1960 Pierreclos, tél. 85.35.83.65 ▼ lu. ma. me. je. ve. 10h-12h 14h-18h.

JULIENAS — APPELLATION JULIENAS CONTROLEE — LE CUVIER DES AMIS "LES PLANTES" 71960 DAVAYE — PRODUIT DE FRANCE — 1986 — CUVIER DES AMIS — 1986

FESSY Cuvée Veuve Broyer 1987*

2.50 ha 15 000 [V3]

Rouge intense mais manquant de brillant, cette cuvée aux parfums discrets rappelant la pêche a une bonne attaque. Assez légers, les tanins se révèlent en fin de bouche. Vin qui s'affirmera en vieillissant.

↩ M. Henry Fessy, Bel-Air, Saint-Jean-d'Ardières, 69220 Belleville-sur-Saône, tél. 74.66.00.16 ▼ r.-v.

↩ Mme Andrée Broyer.

85 86

CH. DE JULIENAS 1986

20 ha 20 000 [i][↓][V][3]

Une partie des caves du château date de 1595, mais la famille Condemine les a acquises en 1967. 86 n'a pas les charmes de 85, mais assez légère et fruitée, la bouteille est à boire dès à présent.

↩ M. François Condemine, Ch. de Juliénas, 69840 Juliénas, tél. 74.04.41.43 ▼ r.-v.

DOM. DE LA BOTTIERE 1986** ⬛ ▽ 🔳

| 7 ha | 20 000 |

Propriété familiale depuis 1877, ce domaine propose une cuvée rouge cerise intense. Le nez épicé révèle des parfums boisés que l'on retrouve en bouche. Une bonne attaque, une structure équilibrée et des arômes de vanille persistants en font un vin agréable qui peut encore vieillir.
➽M. Jacques Perrachon,
Dom. de La Bottière, B.P. 6, 69840 Juliénas,
tél. 85.36.75.42 ☏ t.l.j; 8h-12h 14h-18h.

DOM. DE LA CAVE LAMARTINE
Côte de Bessay 1987 ⬛ ▬↓▽🔳

| 3,50 ha | 10 000 |

La propriété a appartenu à la famille de Lamartine, mais cette cuvée n'a pas les accents du grand poète : les arômes sont légers dans un beau rouge grenat. Un vin un peu pointu à boire bien frais.
➽M. Paul Spay, Dom. de la Cave Lamartine,
Saint-Amour-Bellevue, 71131 La Chapelle-
de-Guinchay Cedex, tél. 85.37.12.88 ☏ t.l.j.
8h-12h 14h-18h ; f. 15 au 30 août

CH. DE LA PRAT 1987** ⬛ ▬↓▽🔳

| ⑧⑤ |⑧⑥| ⑧⑦| 5 ha | 36 000 |

Jacques Dalbanne est propriétaire de ce manoir XVIIIᵉ s. mais c'est le négociant Aujoux qui met en bouteille cette remarquable cuvée rubis intense, limpide, aux parfums très fins. Après les premières impressions de rondeur, sa structure puissante et équilibrée s'impose peu à peu. Complet, élégant, un 87 qui fait plaisir.
➽Aujoux, bd Émile-Guyot, 69830 Saint-
Georges-de-Reneins, tél. 74.67.68.67 ☏ r.-v.
➽M. Jacques Dalbanne.

MAISON MACONNAISE DES VINS 1986* ⬛ ▬↓▽🔳

| 2 ha | 12 000 |

Face à la Saône, dans un cadre agréable, la Maison Mâconnaise des Vins propose une cuvée rouge cerise soutenu, limpide. Le nez assez intense et agréable évoque la violette. Une bonne attaque suivie d'une rondeur ferme, ample, longue et franche, fait de ce vin une belle bouteille 86. A boire maintenant, mais peut encore vieillir.
➽Maison Mâconnaise des Vins,
484, av. de Lattre-de-Tassigny, 71000 Mâcon,
tél. 85.38.36.70 ☏ t.l.j; 8h-21h ; f. 25 déc. et 1ᵉʳ mai

JEAN-PIERRE MARGERAND 1987* ⬛⬛ ▽🔳

| ⑧② |⑧⑤| ⑧⑥ ⑧⑦| 0,60 ha | n.c. |

La robe très colorée, limpide et brillante de cette cuvée est du plus bel effet. Les parfums frais, bien marqués de petits fruits rouges, sont très fins et agréables. Très rond, faiblement charpenté mais restant équilibré, très aromatique, ce vin compose une bouteille bien agréable à déguster actuellement. Rappelons que son 86 fut le coup de cœur des juliénas l'an dernier.
➽M. Jean-Pierre Margerand, Les Crots,
69840 Juliénas, tél. 74.04.40.86 ☏ t.l.j; 8h-20h ;
f. 15 août au 1ᵉʳ sept.

L. METAIRIE 1987* ▽🔳

| n.c. | n.c. |

Rouge clair très limpide , il est marqué de nuances violacées. Des parfums agréables de fruits mûrs, de cerise, précèdent une bouche ample, aromatique, équilibrée, ronde et longue. Encore jeune, cette bouteille typée représente bien le millésime.
➽SA L. Métairie, Pizay, Saint-Jean-d'Ardières,
69220 Belleville-sur-Saône, tél. 74.66.31.31 ☏ lu.
ma. me. ve. 8h-12h 14h-18h ; f. août

NAIGEON-CHAUVEAU 1985*** ⬛⬛↓▽🔳

| ⑦⑥|⑧③| 85 | n.c. | n.c. |

La maison Naigeon-Chauveau à Gevrey-Chambertin, qui bénéficie d'une grande réputation de sérieux et de qualité, présente ici un juliénas 85 très frais. Il ressemble à une pêche sanguine mise en bouteille et aurait comblé de bonheur Victor Peyret, père de l'appellation. Un vin parfaitement équilibré dans sa plénitude.
➽MM. Naigeon-Chauveau et Fils, rue La-Croix-des-Champs, B.P. 7, 21220 Gevrey-Chambertin,
tél. 80.34.30.30 ☏ r.-v.

FRANCOIS PAQUET 1986* ⬛↓🔳

| 85 86 | n.c. | n.c. |

Une robe rouge cerise avec des reflets violacés accompagne un nez franc, fruité, d'une bonne intensité. Réveillé, presque guilleret, net, équilibré, c'est un vin assez long, agréable.
➽Maison François Paquet, Le Trève, B.P. 1,
Le Perréon, 69460 Saint-Étienne-les-Oullières,
tél. 74.65.31.99 ☏ r.-v.

PASQUIER-DESVIGNES 1987 ⬛↓🔳

| 30 000 |

Une très belle robe couleur cerise, brillante et limpide, compose, avec un nez enthousiasmant de parfums intenses agréables et soutenus, à dominante de framboise, une très belle première impression. L'attaque est bonne, mais la bouche ronde et charnue manque de longueur.
➽M. Pasquier-Desvignes,
Le Marquisat, B.P. 199, Saint-Lager,
69822 Belleville-sur-Saône Cedex, tél. 74.66.14.20
☏ r.-v.

DOM. ANDRE PELLETIER 1987 ⬛⬛ ▽🔳

| 3,28 ha | 20 500 |

Ce sympathique vigneron exploite, sur des pentes caillouteuses et granitiques exposées au sud-ouest, les vignes de l'exploitation familiale dont l'origine remonte à 1840. Une très belle couleur rouge cerise, très soutenue, habille cette cuvée aux parfums de fruits mûrs assez développés. Rond et équilibré, un vin à consommer dès à présent.
➽M. André Pelletier, 69840 Juliénas,
tél. 74.66.03.89 ☏ r.-v.

CLAUDE POPE 1987 ▽🔳

| 5,50 ha | 6 000 |

Cette cuvée a la robe grenat d'une très belle limpidité n'est pas suivie des parfums espérés. Vin peu nerveux mais harmonieux, dont la

grande longueur en bouche donne l'impression qu'il a été élaboré avec des raisins très mûrs.

↟ M. Claude Pope, La Bottière, 69840 Juliénas, tél. 85.36.74.31 ⟘ r.-v.

GEORGES ROLLET 1987**

| 6,20 F a | 5 000 |

« Qui y vient, souvent revient » lit-on sur l'étiquette. Pour ce coup de cœur, cela est bien vrai : une très belle robe grenat aux nuances violettes, associée à des parfums de fruits rouges tels que groseille et framboise, sont des plus agréables. Aromatique, rond, charnu, ayant du corps et de la souplesse, long et bien équilibré, ce vin élégant et harmonieux constitue une excellente bouteille.

↟ M. Georges Rollet, Jullié, 69840 Juliénas, tél. 74.04.44.81 ⟘ r.-v.

Morgon

La commune de Villié-Morgon s'enorgueillit à juste titre d'avoir été à la première à se préoccuper de l'accueil des amateurs de vin de Beaujolais : son caveau, construit dans les caves du château de Fontcrenne, peut recevoir plusieurs centaines de personnes. Ce lieu privilégié, aux équipements modernes, fait le bonheur des visiteurs et des associations à la recherche d'une « ambiance vigneronne »...

CH. DE BARONNAT 1986

| n.c. | n.c. |

Paré d'une belle couleur rubis intense, la robe brillante et le nez encore fermé mais où perce une note de chêne, confèrent à ce vin, légèrement boisé et bien équilibré, une note originale. Malgré une sensation astringente, la bouteille devrait bien évoluer.

↟ M. Jean Baronnat, Les Bruyères, rte de Lacenas, Gleizé, 69400 Villefranche-sur-Saône, tél. 74.68.59.20 ⟘ r.-v.

DOM. DES BEAUX REVES 1986*

| n.c. | n.c. |
| (85) | 86 |

Contenu dans une bouteille, copie d'un modèle du XVIIIe s., ce vin à la couleur rouge intense et limpide manque de puissance et de support aromatique. La bouche équilibrée est assez fine et longue.

↟ Cave de La Reine Pédauque, B.P. 10, Aloxe-Corton, 21420 Savigny-les-Beaune, tél. 80.26.40.00 ⟘ r.-v.
↟ M. Gabriel Liogier d'Ardhuy.

BOUCHARD AINE ET FILS 1986***

| n.c. | 27 000 |
| (85) | 86 |

La très belle robe rouge écarlate aux quelques nuances violacées, limpide, s'harmonise parfaitement avec des parfums intenses et plaisants à dominantes de cerise et de kirsch. La bouche ample, avec une structure puissante et nerveuse, bien équilibrée. Long et fruité, c'est un excellent représentant de l'appellation.

↟ M. Bouchard Aîné et Fils, 36, rue Sainte-Marguerite, 21203 Beaune Cedex, tél. 80.22.07.67 ⟘ r.-v.

MAURICE BOULAND 1987**

| 3,80 ha | 20 000 |
| 79 | 1851 1861 87 |

Une belle robe rouge avec des franges violettes manque cependant encore de brillant et de limpidité. Le nez initialement fermé gagne à être aéré. Il libère alors des arômes de cassis que l'on retrouve en bouche. Puissante, vineuse, fruitée et marquée par ses tanins, la bouteille, promise à une bonne évolution, devrait être parfaite au printemps 89.

↟ M. Maurice Bouland, rte de Fleurie, 69913 Villié-Morgon, tél. 74.04.24.03

Morgon

Le deuxième cru en importance après le Brouilly est localisé sur une seule commune. Ses 1 030 ha classés AOC fournissent en moyenne 55 000 hl d'un vin robuste, généreux, fruité, évoquant la cerise, le kirsch et l'abricot. Ces caractéristiques sont dues aux sols issus de la désagrégation des schistes à prédominance basique, imprégnés d'oxyde de fer et de manganèse, que les vignerons désignent par les termes de « terre pourrie » et qui confèrent aux vins des qualités particulières ; celles qui font dire que les vins de Morgon... « morgonnent ». Cette situation est propice à l'élaboration, à partir du gamay noir à jus blanc, d'un vin de garde qui peut prendre des allures de bourgogne, et accompagne parfaitement un coq au vin. Non loin de l'ancienne voie romaine reliant Lyon à Autun, le terroir de la colline de Py, situé à 300 m d'altitude sur cette croupe aux formes parfaites, en est l'archétype.

Morgon

ARMAND CHATELET 1987 ♦

■ 2 ha 16 000 ■ V 3

La couleur très soutenue accompagne un nez aux parfums riches de fruits rouges. Une bouche ample, chaleureuse et vigoureuse grâce à des tanins fondus et à ses arômes de cassis, donne beaucoup de personnalité à cette bouteille que l'on peut conserver.

➥ M. Armand Chatelet, Les Marcellins, 69910 Villié-Morgon, tél. 74.04.21.08 Y r.-v.

ANTOINE DEPAGNEUX 1987

85 86 87

■ n.c. 50 000 ■ ↓ V 3

La robe, d'une couleur peu intense pour son type, est mise en valeur par sa limpidité et son brillant. Le nez discret paraît un peu court. En contrepartie, la bouche tendre et équilibrée, longue et fruitée, rappelle le noyau de cerise.

➥ M. Antoine Depagneux, Les Nivaudières, B.P. 8, Quincié-en-Beaujolais, 69430 Beaujeu, tél. 74.04.37.38

LOUIS-CLAUDE DESVIGNES Côte du Py 1986

83 85 86

■ 2 ha 12 000 ■ ↓ V 3

Une couleur rouge intense aux nuances violettes compose la robe limpide d'un vin au nez discret, net et typé. Manquant de couleur, une bouteille solide qui doit encore s'affiner.

➥ M. Louis-Claude Desvignes, La Voûte, Le Bourg, 69910 Villié-Morgon, tél. 74.04.23.35 Y r.-v.

GEORGES DUBOEUF 1987 ♦

85 87

■ n.c. n.c. ■ ↓ 2

Une belle couleur rouge foncé légèrement violacé, agrémentée d'arômes peu intenses de banane, confirme sa jeunesse. La bouche légère à être bien équilibrée mériterait plus de personnalité. Très bonne bouteille à boire jeune.

➥ Les Vins Georges Duboeuf, B.P. 12, Romanèche-Thorins, 71570 La Chapelle-de-Guinchay, tél. 85.35.51.13 Y t.l.j. sf dim. 8h-12h30 13h30-17h; f. sam. a.-m. et août

CH. GAILLARD 1986 ♦

85 86

■ n.c. 15 000 ■ V 3

Doté d'une robe brillante rouge vif soutenu, ce vin dégage des arômes typés et fins, évoquant le sous-bois et le terroir caractéristique du cru. Équilibré, avec une pointe d'astringence, long, il a la typicité et les atouts de l'appellation qui le rendent apte au vieillissement. Jolie bouteille.

➥ Vins Mathelin, B.P. 3, Châtillon-d'Azergues, 69380 Lozanne, tél. 78.43.92.41 Y t.l.j. sf dim. 8h-12h 14h-19h.

JEAN-CLAUDE GAUTHIER 1986 ♦♦

85 86

■ 0.70 ha 2 000 ■ V 2

Une couleur allant du rouge au violet donne une impression de jeunesse et de puissance à ce vin aux arômes intenses et élégants, qui rappellent la fraise et la framboise. La très bonne attaque n'est pas remise en cause par une bouche bien en chair, fruitée et charpentée. Harmonieuse, ample, agréable maintenant, cette bouteille pourra vieillir.

➥ M. Jean-Claude Gauthier, lotissement La Chapelière, Régnié-Durette, 69430 Beaujeu, tél. 74.04.37.52 Y r.-v.
➥ M. Jean-Victor Matray.

DOM. DE LA CHANAISE 1987 ♦

81 84 85 86 87

■ 11 ha 80 000 ■ ↓ V 3

Une belle robe rouge brillant aux reflets violets assez puissants habille une bouteille aux arômes intenses marqués par le fruit bien mûr. Après une bonne attaque, la bouche ample, bien en chair, fruitée, révèle des tanins fondus avec une pointe de nervosité, qui lui assurera un bon vieillissement. Vin harmonieux et fruité promis à un bel avenir.

➥ M. Dominique Piron, Dom. de La Chanaise, Morgon, 69910 Villié-Morgon, tél. 74.69.10.20 Y r.-v.
➥ M. Pierre Piron.

HONORE LAVIGNE 1986 ♦

n.c. n.c.

■ V 3

Cet Honoré Lavigne, quoique très catholique, est plus connu au registre du commerce qu'au Gotha vigneron. Il s'agit de l'un des «fils» du groupe Jean-Claude Boisset à Nuits-Saint-Georges. Généreux, son morgon a du corps et de la puissance. Charnu, exprimant des arômes de cerise et de coing, il «morgonne» convenablement, comme on dit ici.

➥ M. Honoré Lavigne, passage Montgolfier, 21700 Nuits-Saint-Georges, tél. 80.61.00.06 Y r.-v.

DOM. LES RAMPAUX 1987 ♦

79 81 85 86 87

■ 2.25 ha 18 000 ■ ↓ V 3

Une couleur très soutenue rubis foncé habille ce vin . La bouche solide, tannique et chaude, supporterait une acidité plus importante. Bouteille qui présente un grand potentiel de vieillissement.

➥ MM. René et Bernard Passot, Dom. Les Rampaux, Régnié-Durette, 69430 Beaujeu, tél. 74.04.35.68 Y r.-v.

CAVEAU DE MORGON 1986 ♦

82 83 84 85 86

■ n.c. 70 000 ■ V 3

Créé en 1953 sous un château datant du XVIIe s., le caveau de Morgon est l'un des plus connus en Beaujolais. Paré d'une belle couleur rouge brillant et net, ce vin libère des arômes assez intenses à dominante épicée. Une bonne

MAURICE GAGET Côte du Py 1986 ♦

84 86

■ 3.50 ha 15 000 ■ V 3

La robe légère, brillante, manque d'intensité pour l'appellation. Le nez fruité demande à être aéré pour s'épanouir. Assez souple, ce vin rond doit être dégusté maintenant.

➥ M. Maurice Gaget, Le Py, 69910 Villié-Morgon, tél. 74.04.20.75 Y r.-v.

Moulin à vent

Le « seigneur » des crus du Beaujolais campe ses 650 ha sur les communes de Chénas, dans le Rhône, et de Romanèche-Thorins, en Saône-et-Loire. L'appellation est symbolisée par le vénérable moulin à vent qui, muet, se dresse à une altitude de 240 m au sommet d'un mamelon aux formes douces de pur sable granitique, au lieu-dit les Thorins. Elle produit 35 000 hl élaborés à partir de gamay noir à jus blanc. Les sols peu profonds, riches en éléments minéraux tel le manganèse, apportent aux vins une couleur d'un rouge profond, un arôme rappelant l'iris, du bouquet et du corps, qui, quelquefois, les font comparer à leurs cousins bourguignons de la Côte-d'Or. Selon un rite traditionnel, chaque millésime est porté aux fonts baptismaux, d'abord à Romanèche-Thorins (fin octobre), puis dans tous les villages, et, début décembre, dans la « capitale ».

S'il peut être apprécié dans les premiers mois de sa naissance, le moulin à vent supporte sans problème un vieillissement de quelques années. Ce « prince » fut l'un des premiers crus « reconnus » appellation d'origine contrôlée, en 1936. Deux caveaux permettent de le déguster, l'un au pied du moulin, l'autre au bord de la route nationale. Ici ou ailleurs, on appréciera pleinement le moulin à vent sur tous les plats généralement accompagnés de vin rouge.

CH. DE PIZAY 1986

15 ha 70 000 🍶▮ ⋔ 🗴 ▮2▮

Rouge léger, ce vin libère des arômes discrets à dominante de framboise. La bouche est équilibrée, fine, brève. Bouteille simple à boire maintenant.

↪ SCI du Ch. de Pizay, Saint-Jean-d'Ardières, 69220 Belleville-sur-Saône, tél. 74.66.26.10 ⋔ r.-v.

DANIEL RAMPON 1986◆

⑱⑲ 1851 86 1,32 ha n.c. ▮ ⋔ 🗴 ▮2▮

La robe rubis aux reflets violets accompagne un nez de framboise associé à un bouquet de vieillissement naissant. L'attaque est franche, la bouche longue avec des arômes évoquant le cassis. Des tanins fins assurent à la bouteille, qui ne semble pas à son apogée, un bel avenir.

↪ M. Daniel Rampon, Les Marcellins, 69910 Villié-Morgon, tél. 74.69.11.02 ⋔ r.-v.

DOM. DE RUYÈRE 1986

⑱⑵ ⑱3⑵ ⑵4 1851 86 3,50 ha 20 000 ⋔ 🗴 ▮3▮

La propriété familiale remonte à 1828 : elle est située à mi-coteau sur l'ancienne voie romaine qui reliait Lyon à Autun. La cuvée, élevée en fût, d'éclat et d'intensité, révélant beaucoup d'un très belle robe soutenue avec beaucoup d'éclat et d'intensité, révélant beaucoup d'arômes fruités. Les arômes fruités restent cependant assez légers.

↪ M. Paul Collonge, Dom. de Ruyère-Les Pillets, 69910 Villié-Morgon, tél. 74.04.24.42 ⋔ r.-v.

CELLIER DES SAMSONS 1987◆

85 86 87 n.c. 50 000 ▮⋮⋮▮ 🗴 ▮3▮

Limpide et d'une couleur moyenne, ce vin aux nuances odorantes plutôt discrètes et assez élégantes s'avère équilibré. Fruité sans excès, il est d'une bonne longueur.

↪ Cellier des Samsons,
Le Pont des Samsons, B.P. 3, Quincié-en-Beaujolais, 69430 Beaujeu, tél. 74.66.24.19

DOM. SARRAU 1986

■ 2 ha 15 000 🍶▮ ⋔ ⋮3

Élevé en fût de chêne, ce vin rouge tuilé dégage des parfums suaves de vanille. Les tanins dominent encore et masquent la chair. Une bouteille originale.

↪ M. Sarrau, Saint-Jean-d'Ardières, 69220 Belleville-sur-Saône, tél. 74.66.19.43 ⋔ r.-v.

MAURICE SORNAY 1986

⑦⑹ 84 1851 861 7,89 ha 20 000 ▮ 🍶▮ ⋔🗴 ▮3▮

La robe rubis assez légère habille un vin

PAUL BEAUDET 1987

⑱⑸ 1861 87 n.c. 28 000 ▮⋮⋮▮ 🗴 ▮3▮

Depuis 1869, la Maison assure la sélection et l'élevage des vins du Beaujolais et du Mâconnais. D'une couleur rouge sombre, cette cuvée, au nez de fruits mûrs et de kirsch, est chaleureuse. Flatteuse au nez mais manquant de persistance en bouche, c'est une bouteille qui n'attendra pas.

↪ M. Paul Beaudet, pl. de la Gare, Pontanevaux, 7 570 La Chapelle-de-Guinchay, tél. 85.36.72.76 ⋔ r.-v.

chaleureux aux parfums de framboise mûre. Une bouteille chaleureuse qui mériterait mieux.

↪ M. Maurice Sornay, Fondlong, 69910 Villié-Morgon, tél. 74.04.22.97 ⋔ r.-v.

attaque franche, équilibrée, donne de l'ampleur. Des arômes de fruits rouges comme la groseille conservent un caractère jeune et à la bouteille. Une fin de bouche fruitée avec des tanins enrobés est très agréable.

↪ Caveau de Morgon, Le Bourg, 69910 Villié-Morgon, tél. 74.04.20.99 ⋔ r.-v.
↪ Syndicat Viticole.

Moulin à vent

RENE BERROD Les Roches du Vivier 1987 ▪️▼Ⅲ

▪️ | 4 ha | 15 000

85 | 86 | 87

Une belle robe rouge foncé avec des reflets bleutés pour ce vin limpide, au nez puissant, franc mais peu aromatique. Corsé et tannique, il est vif et honnête.

🕯️ M. René Berrod, Les Roches du Vivier, 69820 Fleurie, tél. 74.04.13.63 ▼ r.-v.

ALFRED-GINO BERTOLLA 1986** ▮▼Ⅲ

▪️ | 5 ha | 8 000 | 86

82 (83) 84 85 86

Ce viticulteur aux cuvées souvent remarquées présente un vin grenat très soutenu. Les parfums légèrement vanillés nettement perceptibles s'associent bien à une bouche boisée et plaisante. Encore tannique, il demande à vieillir, bien qu'il constitue déjà une bouteille expressive et typée de l'appellation.

🕯️ M. Alfred-Gino Bertolla, La Rochelle, Chénas, 69840 Juliénas, tél. 74.04.11.76 ▼ r.-v.

CH. BONNET 1986*

▪️ | 2 ha | 12 000 | ▮▮▮▼Ⅲ

76 83 85 86

Pierre Perrachon a su conserver le cachet de cette demeure historique et l'aménager en vue de la vinification et de l'élevage des diverses appellations de l'exploitation. Rouge rubis brillant, sa cuvée offre des parfums agréables. Elle est restée harmonieuse et jeune.

🕯️ M. Pierre Perrachon, Ch. Bonnet, Les Paquelets, 71570 La Chapelle-de-Guinchay, tél. 85.36.70.41 ▼ r.-v.

CHARLES BRECHARD 1986

▪️ | n.c. | 3 000 | ▮▮▮▼Ⅲ

Cette sélection de couleur grenat développe des parfums fruités équilibrés. Une bonne attaque, un bon grain, un peu d'astringence. Une bouteille honnête.

🕯️ M. Charles Bréchard, La Grenouillère, Chamelet, 69620 Le Bois-d'Oingt, tél. 74.71.34.13 ▼ r.-v.

DOM. DES BRIGANDS 1986*

▪️ | 6,50 ha | 40 000 | ▮▮Ⅲ

Si les brigands sont considérés comme des gaillards aimant le bon vin, il n'y a aucun doute, ils seront satisfaits de cette cuvée rubis assez soutenu. De légers arômes de vieillissement viennent effleurer le nez fin et bouqueté. D'une bonne attaque, le corps et la vivacité se sont alliés en un équilibre harmonieux. Un seul reproche : on attendait mieux de sa longueur. Mais c'est un vin rond et fruité.

🕯️ M. Brac de la Perrière, Ch. des Péthières, 69940 Saint-Etienne-des-Oullières, tél. 74.67.58.88 ▼ r.-v.

JEAN BRUGNE Le Vivier 1987** ▮▼Ⅲ

▪️ | 1,90 ha | 14 000

86 87

L'exploitation, située près du vieux moulin sur l'arène granitique rose formant de nombreux dômes, propose un vin rubis brillant. Le nez d'une très grande finesse, aux parfums de gro-

---

seille élégants, précède une bouche pleine et bien en chair. Bien équilibrée, cette bouteille a de l'avenir.

🕯️ M. Jean Brugne, 69820 Fleurie, tél. 74.66.03.89 ▼ r.-v.

PIERRE COLLONGE 1986 ▮▼Ⅲ

▪️ | 4 ha | 12 000

Une jolie robe rubis habille ce vin au nez léger. Assez rapidement, des impression chaudes et vineuses prennent le dessus en bouche, donnant une certaine rondeur. Une honnête bouteille.

🕯️ M. Pierre Collonge, Le Vivier, 69820 Fleurie, tél. 74.04.10.24 ▼ r.-v.

CUVIER DES AMIS 1986

▪️ | | 10 000 | ▮▮▼Ⅲ

84 (85) 86

Des scènes pastorales ornent les étiquettes des vins du Cuvier des Amis. Cette sélection rubis qui manque cependant de brillant, s'avère discrète au nez. Solide, honnête, une bouteille à consommer maintenant.

🕯️ Le Cuvier des Amis, Les Plantés, Davayé, 71960 Pierreclos, tél. 85.35.83.65 ▼ lu. ma. me. je. ve. 10h-12h 14h-18h.

AMEDEE DEGRANGE 1986

▪️ | 6,50 ha | 8 000 | ▮▮▮▼Ⅲ

85 86

Une robe rouge rubis limpide et un nez aux parfums vineux et fruités peu intenses. La bouche ronde et charnue surprend mais ne persiste pas. On aurait aimé plus de puissance pour son type.

🕯️ M. Amédée Degrange, Les Vérillats, Chénas, 69840 Juliénas, tél. 74.04.11.62 ▼ r.-v.

DOM. DIOCHON 1986*

▪️ | 6 ha | 30 000 | ▮▮▮▼Ⅲ

83 84 (85) 86

Situées au pied du célèbre moulin tricentenaire, les vignes de l'exploitation ont permis l'élaboration d'un vin rouge violacé, brillant. Le nez encore fermé déçoit. Charnus et solides à la fois, les tanins encore perceptibles confèrent une note masculine. Assez long : les impressions gustatives l'emportent.

🕯️ M. Bernard Diochon, Le Moulin à Vent, Romanèche-Thorins, 71570 La Chapelle-de-Guinchay, tél. 85.35.52.42 ▼ t.l.j. sf dim. 8h-12h 14h-18h.

JOSEPH DROUHIN 1987** ▮▼

▪️ | n.c. | n.c. | 4

Fondée en 1880 par le grand-père, l'entreprise familiale propriétaire de nombreux vignobles en Bourgogne a sélectionné un vin rouge cerise intense, limpide. De nombreux parfums de fruits rouges, d'épices, avec une finale cannelle, composent un nez complexe et riche. L'attaque très franche et fraîche se poursuit par des sensations de rondeur et aromatiques longues. Une très belle bouteille agréable pendant toute la dégustation, qui devrait encore évoluer favorablement.

168

CH. DES JACQUES 1986

82 | 83 | 84 | (85) | 86 — 35 ha — 250 000

Le joli domaine se distingue également par ses méthodes d'élaboration et d'élevage plus bourguignonnes que beaujolaises. Rouge rubis, la robe et le nez fin, agréable, légèrement boisé, confèrent à ce vin beaucoup d'élégance. Marqué par le chêne, il remplit bien la bouche. Assez puissante mais restant harmonieuse, cette bouteille a de l'avenir.

♠ SCERT, Ch. des Jacques, Romanèche-Thorins, 71570 La Chapelle-de-Guinchay, tél. 85.35.51.64 r.-v.

♠ Famille Thorin.

DOM. DE LA BRUYERE 1987

8 ha — 47 000

Une allure simple, concrétise par des parfums peu développés qui paraissent évoluer vite, grande vivacité, très souple, la bouche aux fins arômes de jeunesse relève l'intérêt de cette bouteille.

♠ M. Pierre André, Ch. de Corton-André, Aloxe-Corton, 21420 Savigny-lès-Beaune, tél. 80.26.44.25 r.-v.

♠ Caves du Ch. de Chénas.

GÉRARD LAPIERRE 1986

81 | (83) | 84 | (85) | 86 — 4 ha — 18 000

Une jolie robe rubis, brillante et limpide, succède un nez qui, s'il manque un peu d'ampleur, est très fin. Bien rond malgré sa petite note tannique, il est d'une bonne longueur. Les légers arômes de vieillissement apportent une note agréable.

♠ M. Gérard Lapierre, Les Deschamps, Chénas, 69840 Juliénas, tél. 85.36.70.74 r.-v.

DOM. LEMONON 1987

83 | (84) | 85 | 86 | 87 — n.c. — 32 000

Rouge profond, brillant et limpide, un vin encore fermé au nez. Emplissant totalement la bouche, il séduit par son équilibre harmonieux. Charpenté, nerveux, avec des arômes épicés, il termine long. Belle bouteille représentative de l'appellation.

♠ MM. Loron et Fils, Pontanevaux, 71570 La Chapelle-de-Guinchay, tél 85.36.70.52 r.-v.

♠ M. Joseph Drouhin, 7, rue d'Enfer, 21200 Beaune, tél. 80.24.68.88 r.-v.

Joseph Drouhin

MOULIN-A-VENT
APPELLATION CONTROLEE
MIS EN BOUTEILLE PAR
JOSEPH DROUHIN
NÉGOCIANT A BEAUNE, COTE-D'OR
FRANCE
75 cl

VINS MATHELIN 1986

(83) | 85 | 86 — n.c. — 15 000

La robe rouge rubis très brillante de cette sélection accompagne un nez fin aux parfums de fruits mûrs typés. Long, souple, nerveux, avec des rondeurs, un vin équilibré et fin, déjà très agréable, qui peut encore évoluer.

♠ Vins Mathelin, B.P. 3, Châtillon-d'Azergues, 69380 Lozanne, tél. 78.43.92.41 t.l.j, sf dim. 8h-12h 14h-19h.

NAIGEON-CHAUVEAU 1985

75 | 76 | 79 | (85) — n.c. — n.c.

Rouge cerise, robe parfaite, équilibre admirable, la robuste constitution de ce 85 en fait un vin de garde très sûr, tandis que ses arômes d'iris ont presque un accent musical. La douceur et la profondeur du velours!

♠ MM. Naigeon-Chauveau et Fils, rue La-Croix-des-Champs, B.P. 21220 Gevrey-Chambertin, tél. 80.34.30.30 r.-v.

NICOLAS 1985

n.c. — 50 000

Un des meilleurs crus du beaujolais dans l'une des meilleures années. A son apogée ou presque. La teinte de la robe commence à évoluer mais elle est dense comme son nez cerise et sa bouche pleine jusqu'à l'opacité. Idéal pour la viande de bœuf.

♠ Éts Nicolas, 253, av du Gal-Leclerc, 94700 Maisons-Alfort, tél. 1.43.96.81.81

CH. PORTIER 1987

83 | 84 | 85 | (86) | 87 — 8.50 ha — 45 000

Orientée est et sud, les vignes entourent le château à proximité du moulin à vent. Les parfums puissants, avec une légère note boisée, donnent de l'ampleur. Charpenté avec un léger goût de chêne, ce vin solide et racé peut encore vieillir.

♠ MM. Michel Gaidon, Ch. Portier, Romanèche-Thorins, 71570 La Chapelle-de-Guinchay, tél. 85.35.51.57 r.-v.

DOM. DES VIEILLES CAVES 1986

4.50 ha — 12 000

Depuis de nombreuses années, Fernand Charvet s'est taillé une solide réputation de savoir-faire comme vigneron. La jolie robe rubis foncé renforce les parfums intenses, fruités et fins de ce vin, qui, s'il ne concrétise pas les premières impressions flatteuses, est bien équilibré et souple.

♠ M. Fernand Charvet, Dom. des Vieilles Caves, Chénas, 69840 Juliénas, tél. 74.04.11.06 r.-v.

DOM. DES VIGNES DU TREMBLAY 1987

75 | 79 | 81 | 83 | 87 — 5.90 ha — 40 000

L'exploitation ne compte plus les distinctions. Cette cuvée rouge intense, violacée et limpide, présente des parfums agréables de noyaux et de pêches. Sa rondeur et ses tanins fondus lui confè-

rent une belle structure équilibrée. Vin typé, possédant un bon potentiel gustatif qui le rend apte au vieillissement.
☞ M. Paul Janin, Dom. des Vignes du Tremblay, Romanèche-Thorins. 71570 La Chapelle-de-Guinchay, tél. 85.35.52.80 Y lu. ma. me. je. ve. 8h-12h 14h-18h.

Saint-amour

Les 275 ha de l'appellation, totalement inclus dans le département de Saône-et-Loire, produisent 15 000 hl sur des sols argilo-siliceux décalcifiés, de grès et de cailloutis granitiques, faisant la transition entre les terrains primaires au sud et les terrains calcaires voisins, au nord, qui portent les appellations saint-véran et mâcon. Deux «tendances œnologiques» émergent pour épanouir les qualités du gamay noir à jus blanc: l'une favorise une cuvaison longue dans le respect des traditions beaujolaises, donnant aux vins nés sur les roches granitiques le corps et la couleur nécessaires pour faire des bouteilles de garde; l'autre préconise un traitement de type primeur, donnant des vins consommables plus tôt pour assouvir la curiosité des amateurs. Il convient de déguster le saint-amour sur escargots, friture, grenouilles, champignons et poularde à la crème.

L'appellation a conquis de nombreux consommateurs étrangers et une très grande part des volumes produits alimente le marché extérieur. Le visiteur pourra découvrir le saint-amour dans le caveau créé en 1965, au lieu-dit «le Plâtre-Durand», avant de continuer sa route vers l'église et la mairie, qui, au sommet d'un mamelon de 309 m d'altitude, dominent la région. A l'angle de l'église, une statuette rappelle la conversion du soldat romain qui donna son nom à la commune et au plus jeune des crus du Beaujolais; elle fait oublier les peintures, aujourd'hui disparues, d'une maison du hameau des Thévenins, qui auraient témoigné de la joyeuse vie menée pendant la Révolution dans cet «hôtel des Vierges» et expliqueraient elles aussi le nom de ce village...

CH. DU BOIS DE LA SALLE 1987 [IV 3]

43.01 ha 20 000

La cuvée, à la robe légère, aux reflets tuilés associés à un nez fermé qui gagne à être aéré, révèle ses qualités en bouche. Capiteux, puissant, exprimant des arômes de cassis, un vin complet et solide, à boire maintenant.
☞ Cave des Producteurs Juliénas, Ch. du Bois de la Salle, 69840 Juliénas, tél. 74.04.42.61 Y t.l.j. 8h30-12h 14h-18h.

DOM. DES DUC 1987* [IV 3]

8 ha 30 000

Une très belle robe limpide aux reflets grenat; une couleur intense; nez discret, agréable, de fruits rouges. Gouleyant, souple, frais et fruité, il révèle des arômes de cerise et de banane. Équilibré, il termine sur une note chaude. Prêt à boire, mais peut encore attendre.
☞ Dom. des Duc, La Piat, Saint-Amour-Bellevue, 71570 La Chapelle-de-Guinchay, tél. 85.37.10.08 Y r.-v.

PIERRE DUPOND 1987** [3]

5 ha 30 000

Un très beau vin élevé par la maison Dupond. Rouge rubis soutenu, brillante et limpide, cette cuvée fleure bon la framboise; à une attaque un peu rêche encore, succède une bouche ronde. Puissante certes, mais équilibrée et agréable en fin de dégustation, une bouteille prometteuse.
☞ M. Pierre Dupond, 339, rue de Thizy, 69653 Villefranche-sur-Saône Cedex, Y r.-v.

DOM. LAMARTINE 1987** [84 (85) 87]

1.50 ha 9 000

La propriété a appartenu au poète. Le vin grenat, brillant, et le nez très fin, épicé, sont séduisants. Une très belle attaque en bouche, des arômes de réglise associés à une charpente solide et ronde, des impressions de chaleur mais aussi de jeunesse, le tout fondu en un bel équilibre, confèrent à cette cuvée puissante, typée, une incontestable distinction.
☞ Aujoux, bd Emile-Guyot, 69830 Saint-Georges-de-Reneins, tél. 74.67.68.67 Y r.-v.

DOMAINE LAMARTINE
PRODUCE OF FRANCE
CLOS DU CHAPITRE
SAINT-AMOUR
APPELLATION SAINT AMOUR CONTRÔLÉE
750 ml
Mis en bouteille par AUJOUX St-Georges-de-Reneins, 69

MAISON MACONNAISE DES VINS 1986* [3]

2 ha 14 000

Vingt-deux appellations différentes du Beaujolais, du Mâconnais et du Chalonnais sont proposées aux visiteurs. La très belle robe rouge

velours virant au violet est très prometteuse. Le nez est discret, légèrement vanillé et poivré. La bouche, certes fraîche, est puissante, tannique. ▼ r.-v.

➤ Maison Mâconnaise des Vins, 484, av. de Lattre-de-Tassigny, 71000 Mâcon, tél. 85.38.36.70 ▼ t.l.j; 8h-21h ; f. 25 déc. et 1er mai

MOMMESSIN 1987*

| 85 86 87 | n.c. | n.c. | ▬ ♦ 🍷 |

La couleur grenat de la robe brillante, associée à un nez très fin de framboise qui s'ouvre après aération, affirme un vin séduisant, rond, souple, fruité et jeune. Bouteille à consommer actuellement.

➤ Mommessin, B.P. 504, Charnay-lès-Mâcon, 71009 Mâcon, tél. 85.34.47.74 ▼ r.-v.

GUY PATISSIER Les Poulets 1987**

| 86 87 | 3,50 ha | 16 000 | ▬ ♦ ▼ 🍷 |

➤ M. Guy Patissier, Saint-Amour-Bellevue, 71570 La Chapelle-de-Guinchay, tél. 74.66.03.89 ▼ r.-v.

JEAN-GUY REVILLON 1987**

| | 2 ha | n.c. | ▬ ♦ ▼ 🍷 |

Quand on s'appelle saint-amour, on a déjà beaucoup d'atouts en poche. Franc et net, celui-ci est bien typé 87, avec une puissance chargée d'épices qui fait penser à des noces antillaises. Il vous monte un peu à la tête. Mais avec un nom pareil...

➤ M. Jean-Guy Revillon, 71570 La Chapelle-Amour-Bellevue, Aux Poulets, Saint-de-Guinchay, tél. 85.37.14.76 ▼ r.-v.

GEORGES TRICHARD Les Pierres 1987*

| 85 86 87 | 4 ha | 16 000 | ▬ ♦ ▼ 🍷 |

Une vigne presque historique, puisque ses propriétaires l'ont achetée en 1979 à Edouard Balladur qui la possédait en indivision. Elle donne un vin très « rue de Rivoli » : un peu ferme au nez, bien charpenté, plus solide que fin, à attendre en bouteille. Il ne se dévaluera pas et sera, tout compte fait, plus sûr qu'un bon trésor...

➤ M. Georges Trichard, rte de Juliénas, 71570 La Chapelle-de-Guinchay, tél. 85.36.70.70 ▼ r.-v.

Le vignoble lyonnais

L'aire de production des vins de l'appellation coteaux du lyonnais, située sur la bordure orientale du Massif central, est limitée à l'est par le Rhône et la Saône, à l'ouest par les monts du Lyonnais, au nord et au sud par les vignobles du Beaujolais et des Côtes du Rhône. Vignoble historique de Lyon depuis l'époque romaine, il connut une période faste à la fin du XVIe s., religieux et riches bourgeois favorisant et protégeant la culture de la vigne. En 1836, le cadastre mentionnait 13 500 ha. La crise phylloxérique et l'expansion de l'agglomération lyonnaise ont réduit la zone de production à 350 ha, répartis sur quarante-neuf communes ceinturant la grande ville par l'ouest, depuis le Mont-d'Or, au nord, jusqu'à la vallée du Gier, au sud.

Cette zone de 40 km de long sur 30 km de large est structurée par un relief sud-ouest-nord-est qui détermine une succession de vallées à 250 m d'altitude, et de collines atteignant 500 m. La nature des terrains est variée; on y rencontre des granites, des roches métamorphiques, des roches sédimentaires, des limons, des alluvions, du loess. La structure perméable et légère, la faible épaisseur de certains de ces sols sont le facteur commun qui caractérise la zone viticole où prédominent les roches anciennes.

Coteaux du lyonnais

Les trois principales tendances climatiques du Beaujolais sont présentes ici, avec toutefois une influence méditerranéenne plus prononcée. Cependant, le relief, plus ouvert aux aléas climatiques de type océanique et continental, limite l'implantation de la vigne à moins de 500 m d'altitude et l'exclut des expositions nord. Les meilleures situations se situent au niveau du plateau. L'encépagement de cette zone est essentiellement à base de gamay noir à jus blanc, cépage qui, vinifié selon la méthode beaujolaise, donne les produits les plus intéressants et les plus recherchés de la clientèle lyonnaise. Les autres cépages admis dans l'appellation sont, en blanc, le chardonnay et l'aligoté. La densité requise est au minimum de 6 000 pieds/ha, les tailles autorisées étant le gobelet ou le cordon et la taille guyot. Le rendement de base est de 60 hl/ha, les degrés d'alcool minimum et maximum étant de 10° et 13° pour les vins rouges, 9,5° et 12,5° pour les vins blancs. La production moyenne est de 12 000 hl en rouge, et 400 hl en blanc. Vinifiant les trois quarts de la récolte, la cave coopérative de Saint-Bel est un élément moteur dans cette région de polyculture, où l'arboriculture fruitière est fortement implantée.

Consacrés AOC en 1984, les vins des coteaux du lyonnais sont fruités, gouleyants, riches en parfums, et accompagnent agréablement et simplement toutes les cochonnailles lyonnaises, saucisson, cervelas, queue de cochon, petit salé, pieds de porc, jambonneau, ainsi que les fromages de chèvre.

BOULIEU 1987**

11 ha   65 000

On est ici dans une zone précoce : Millery, petite «capitale» de l'appellation. Une légère aération stimule les parfums de bonbon anglais typés et fins auxquels s'ajoute une note boisée. La bouche charnue, structurée, très aromatique, s'épanouit longuement. Équilibrée, apte au vieillissement, une très jolie bouteille.

☛ M. Boulieu, 1, rue Ninon-Vallin, Millery, 69390 Vernaison, tél. 78.46.19.32 ☎ r.-v.

ANTOINE DEPAGNEUX 1987

n.c.   150 000

Il est limpide mais bien fermé. Il semble plus solide que fin. Il demande à s'épanouir.

☛ M. Antoine Dépagneux, Les Nivaudières, B.P. 8, Quincié-en-Beaujolais, 69430 Beaujeu, tél. 74.04.37.38

ETIENNE DESCOTES ET FILS 1987*

4 ha   25 000

La couleur plutôt légère de la robe, ainsi que les parfums fruités et intenses, évoquent la jeunesse. Tendre, aromatique, d'une longueur moyenne, c'est un vin à boire maintenant.

☛ MM. Etienne Descotes et Fils, Les Grés, Millery, 69390 Vernaison, tél. 78.46.18.38 ☎ r.-v.

ETIENNE DESCOTES ET FILS 1987**

1 ha   6 000

La robe brillante couleur or est séduisante. Les parfums assez intenses de chardonnay, fins et frais, sont nets et complets. Le grain est très agréable. Franc, long, sans lourdeur, ce 87 compose une très belle bouteille.

☛ MM. Etienne Descotes et Fils, Les Grés, Millery, 69390 Vernaison, tél. 78.46.18.38 ☎ r.-v.

FRANCOIS DESCOTES ET FILS 1987*

2,50 ha   20 000

La couleur légère et les parfums peu intenses mais fruités sont séduisants. La bouche ronde, très aromatique, manque cependant de corps. D'une bonne longueur, ce vin de type primeur, est très agréable.

☛ MM. François Descotes et Fils, 17, rue Centrale, Millery, 69390 Vernaison, tél. 78.46.18.77 ☎ r.-v.

MICHEL DESCOTES 1987

1,50 ha   5 000

Une robe légère. Des parfums discrets : un vin simple. Une bouche primeur, fruitée avec une bonne structure très fine incite à le boire rapidement.

172

♥ M. Michel Descotes, 19, rue de la Tourtière, Millery, 69390 Vernaison, tél. 78.46.31.03 ♈ r.-v.

GILBERT MAZILLE 1987***

3 ha   n.c.   ♈▮1

Une belle robe rouge rubis illumine ce vin. Des parfums puissants, fruités, s'épanouissent après quelques instants d'aération. La bouche ronde, charnue, structurée, est très longue. Excellent vin typé, harmonieux, pour un tout petit prix.

♥ M. Gilbert Mazille, 10, rue du 8-Mai, Millery, 69390 Vernaison, tél. 78.46.20.61 ♈ r.-v.

CAVE DES VIGNERONS REUNIS SAIN-BEL 1987**

120 ha   120 000   ♈▮♈1

Créée en 1956, la cave fait le lien entre les appellations coteaux du lyonnais et beaujolais. La robe de cette cuvée est rubis soutenu, aux reflets violacés. Les parfums fruités et floraux sont complexes et intenses. Les premières impressions révèlent de la rondeur. Elles sont suivies par la perception de tanins soulignant la structure, mais qui masquent les arômes. Vin solide qui demande à vieillir pour s'épanouir complètement.

♥ CV Réunis de Sain-Bel, Les Ragots, Sain-Bel, 69210 L'Arbresle, tél. 74.01.11.33 ♈ r.-v.

CELLIER DES SAMSONS 1987

n.c.   150 000   ♈▮♈2

La couleur rouge profond avec de légers reflets violets est typique du cépage gamay. Un nez discret laisse percevoir quelques arômes de fruits rouges. La bouche fraîche, gouleyante, légèrement fruitée est assez agréable. Vin à boire maintenant.

♥ Cellier des Samsons, Le Pont des Samsons, B.P. 3, Quincié-en-Beaujolais, 69430 Beaujeu, tél. 74.66.24.19

ROBERT THOLLET 1987**

5 ha   15 000   ♈▮♈2

Sur des coteaux Sud et Est dominant la vallée du Rhône, les vignes de l'exploitation ont donné une cuvée rouge rubis qui développe des parfums très francs et puissants de bonbon anglais. Assez ferme, mais très aromatique, ce vin termine cependant un peu court. D'une très bonne constitution, bien typé gamay, il est prêt à être consommé dès à présent.

♥ M. Robert Thollet, La Petite Gallée, Millery, 69390 Vernaison, tél. 78.46.24.30 ♈ r.-v.

LE BORDELAIS

Partout dans le monde, Bordeaux représente l'image même du vin. Pourtant, le visiteur éprouve aujourd'hui quelques difficultés à déceler l'empreinte vinicole dans une ville délaissée par les beaux alignements de barriques sur le port et par les grands chais du négoce, partis vers les zones industrielles de la périphérie. Et les petits bars-caves où l'on venait le matin boire un verre de liquoreux ont presque tous disparu. Autres temps, autres mœurs.

Il est vrai que la longue histoire vinicole de Bordeaux n'en est pas à son premier paradoxe. Songeons qu'ici le vin fut connu avant... la vigne, quand, dans la première moitié du 1er s. av. J.-C. (avant même l'arrivée des légions romaines en Aquitaine), des négociants campaniens commençaient à vendre du vin aux Bordelais. Si bien que, d'une certaine façon, c'est par le vin que les Aquitains ont fait l'apprentissage de la romanité... Par la suite, au 1er s. de notre ère, la vigne est apparue. Mais il semble que ce soit surtout à partir du XIIe s. qu'elle ait connu une certaine extension : le mariage d'Aliénor d'Aquitaine avec Henri Plantagenêt, futur roi d'Angleterre, favorisa l'exportation des «clarets» sur le marché britannique. Les expéditions de vin de l'année se faisaient par mer, avant Noël. On ne savait pas conserver les vins ; après une année, ils étaient moins prisés parce qu'ils étaient partiellement altérés.

A la fin du XVIIe s., les «clarets» ont été concurrencés par l'introduction de nouvelles boissons (thé, café, chocolat) et par les vins plus riches de la péninsule ibérique. D'autre part, les guerres de Louis XIV entraînèrent des mesures de rétorsion économique contre les vins français. Cependant, la haute société anglaise restait attachée au goût des «clarets». Aussi quelques négociants londoniens cherchèrent-ils, au début du XVIIIe s., à créer un nouveau style de vins plus raffinés, les «new french clarets» qu'ils achetaient jeunes pour les élever. Afin d'accroître leurs bénéfices, ils imaginèrent de les vendre en bouteilles. Bouchées et scellées, celles-ci garantissaient l'origine du vin. Insensiblement, la relation terroir-château-grand vin s'effectua, marquant l'avènement de la qualité. A partir de ce moment, les vins commencèrent à être jugés, appréciés et payés en fonction de leur qualité. Cette situation encouragea les viticulteurs à faire des efforts pour la sélection des terroirs, la limitation des rendements et l'élevage en fûts ; parallèlement, ils introduisirent la protection des vins par l'anhydride sulfureux qui permit le vieillissement, ainsi que la clarification par collage et soutirage. A la fin du XVIIIe s., la hiérarchie des crus bordelais était établie. Malgré la Révolution et les guerres de l'Empire, qui fermèrent provisoirement les marchés anglais, le prestige des grands vins de Bordeaux ne cessa de croître au XIXe s., pour aboutir, en 1855, à la célèbre classification des crus du Médoc, qui est toujours en vigueur malgré les critiques que l'on peut émettre à son égard.

Après cette période faste, le vignoble fut profondément affecté par les maladies de la vigne, phylloxéra et mildiou ; et par les crises économiques et les guerres mondiales. Mais depuis 1960, le vin de Bordeaux connaît un regain de prospérité, lié à une remarquable amélioration de la qualité et à l'intérêt que l'on porte, dans le monde entier, aux grands vins. La notion de hiérarchie des terroirs et des crus retrouve sa valeur originelle ; mais les vins rouges ont mieux bénéficié de cette évolution que les vins blancs.

Le vignoble bordelais est organisé autour de trois axes fluviaux, la Garonne, la Dordogne et leur estuaire commun, la Gironde. Ils créent des conditions de

milieux (coteaux bien exposés et régulation de la température) favorables à la culture de la vigne. En outre, ils ont joué un rôle économique important en permettant le transport du vin vers les lieux de consommation. Le climat de la région bordelaise est relativement tempéré (moyennes annuelles 7,5 °C minimum, 17 °C maximum), et le vignoble protégé de l'Océan par la forêt de pins. Les gelées d'hiver sont exceptionnelles (1956, 1958, 1985), mais une température inférieure à -2 °C sur les jeunes bourgeons (avril-mai) peut entraîner leur destruction. Un temps froid et humide au moment de la floraison (juin) provoque un risque de coulure, qui correspond à un avortement des grains. Ces deux accidents entraînent des pertes de récolte et expliquent la variation de leur importance. En revanche, la qualité de la récolte suppose un temps chaud et sec de juillet à octobre, tout particulièrement pendant les quatre dernières semaines précédant les vendanges (globalement, 2 008 heures de soleil par an). Le climat bordelais est assez humide (900 mm de précipitations annuelles) ; particulièrement au printemps, où le temps n'est pas toujours très bon. Mais les automnes sont réputés, et de nombreux millésimes ont été sauvés *in extremis* par une arrière-saison exceptionnelle ; les grands vins de Bordeaux n'auraient jamais pu exister sans cette circonstance heureuse.

La vigne est cultivée en Gironde sur des sols de nature très diverse et le niveau de qualité n'est pas lié à un type de sol particulier. La plupart des grands crus de vin rouge sont établis sur des alluvions gravelo-sableuses siliceuses ; mais on trouve aussi des vignobles réputés sur les calcaires à astéries, sur les molasses et même sur des sédiments argileux. Les vins blancs secs sont produits indifféremment sur des nappes alluviales gravelo-sableuses, sur calcaire à astéries et sur limons ou molasses. Les deux premiers types se retrouvent dans les régions productrices de vins liquoreux, avec les argiles. Dans tous les cas, les mécanismes naturels ou artificiels (drainage) de régulation de l'alimentation en eau constituent une caractéristique essentielle de la production de vins de qualité. Il s'avère donc qu'il peut exister des crus ayant la même réputation de haut niveau sur des roches-mères différentes. Cependant, les caractères aromatiques et gustatifs des vins sont influencés par la nature des sols ; les vignobles du Médoc et de Saint-Émilion en fournissent de bons exemples. Par ailleurs, sur un même type de sol, on produit indifféremment des vins rouges, des vins blancs secs et des vins blancs liquoreux.

Le vignoble de Bordeaux représente aujourd'hui environ 100 000 ha ; à la fin du XIXe s., il s'est étendu sur plus de 150 000 ha, mais la culture de la vigne a été supprimée sur les sols les moins favorables. Simultanément, les conditions de culture ont été améliorées ; finalement, la production globale est restée assez constante (entre 3 et 6 millions d'hectolitres), les appellations d'origine contrôlée couvrant 78 000 ha et occupant 22 200 producteurs. La superficie moyenne des exploitations est de 5 ha ; mais un exploitant sur deux possède moins de 2 ha ; 5 % des exploitations seulement représentent plus de 20 ha, mais assurent le tiers de la production totale. A côté des viticulteurs indépendants, soixante caves coopératives vinifient un peu plus du quart de la récolte totale, y compris dans les appellations les plus prestigieuses. En 1983, la production d'AOC a représenté 4 107 323 hl (dont 3 190 000 en rouges), sur une production totale de 5 100 000 hl.

Les vins de Bordeaux ont toujours été produits à partir de plusieurs cépages qui ont des caractéristiques complémentaires. En rouge, les cabernets et le merlot sont les principales variétés (88 % des surfaces). Les premiers donnent aux vins leur structure tannique, mais il faut plusieurs années pour qu'ils atteignent leur qualité optimum ; en outre, le cabernet-sauvignon est un cépage tardif, qui résiste bien à la pourriture, mais avec parfois des difficultés de maturation. Le merlot donne un vin plus souple, d'évolution plus rapide ; il est plus précoce et mûrit bien, mais il est sensible à la coulure, à la gelée et à la pourriture. Sur une longue période, l'association des deux cépages, dont les proportions varient en fonction des sols et des types de vin, donne les meilleurs résultats. Pour les vins blancs, le cépage essentiel est le sémillon (52 %), complété dans certaines zones par le colombard (11 %) et surtout par le sauvignon et la

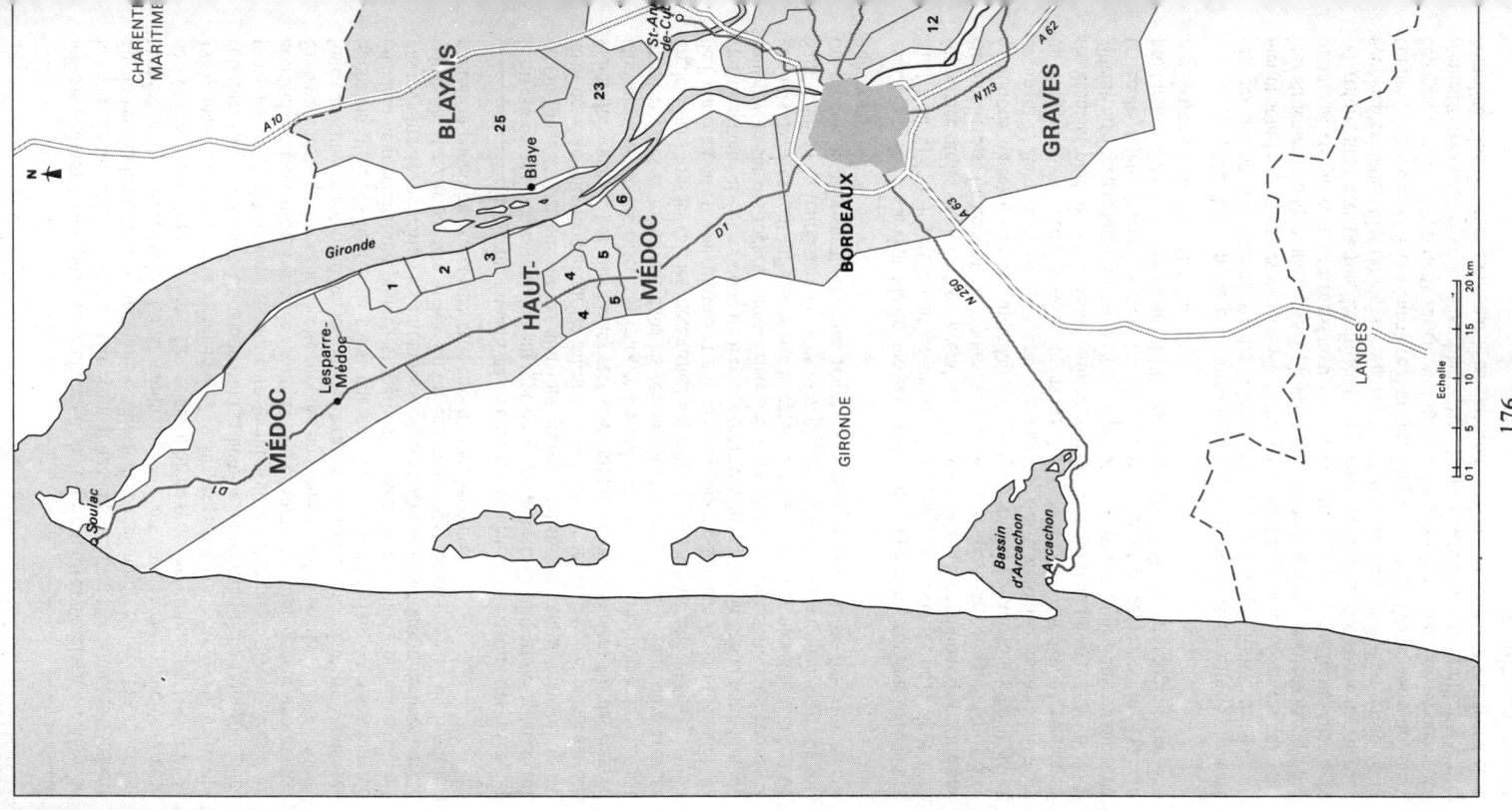

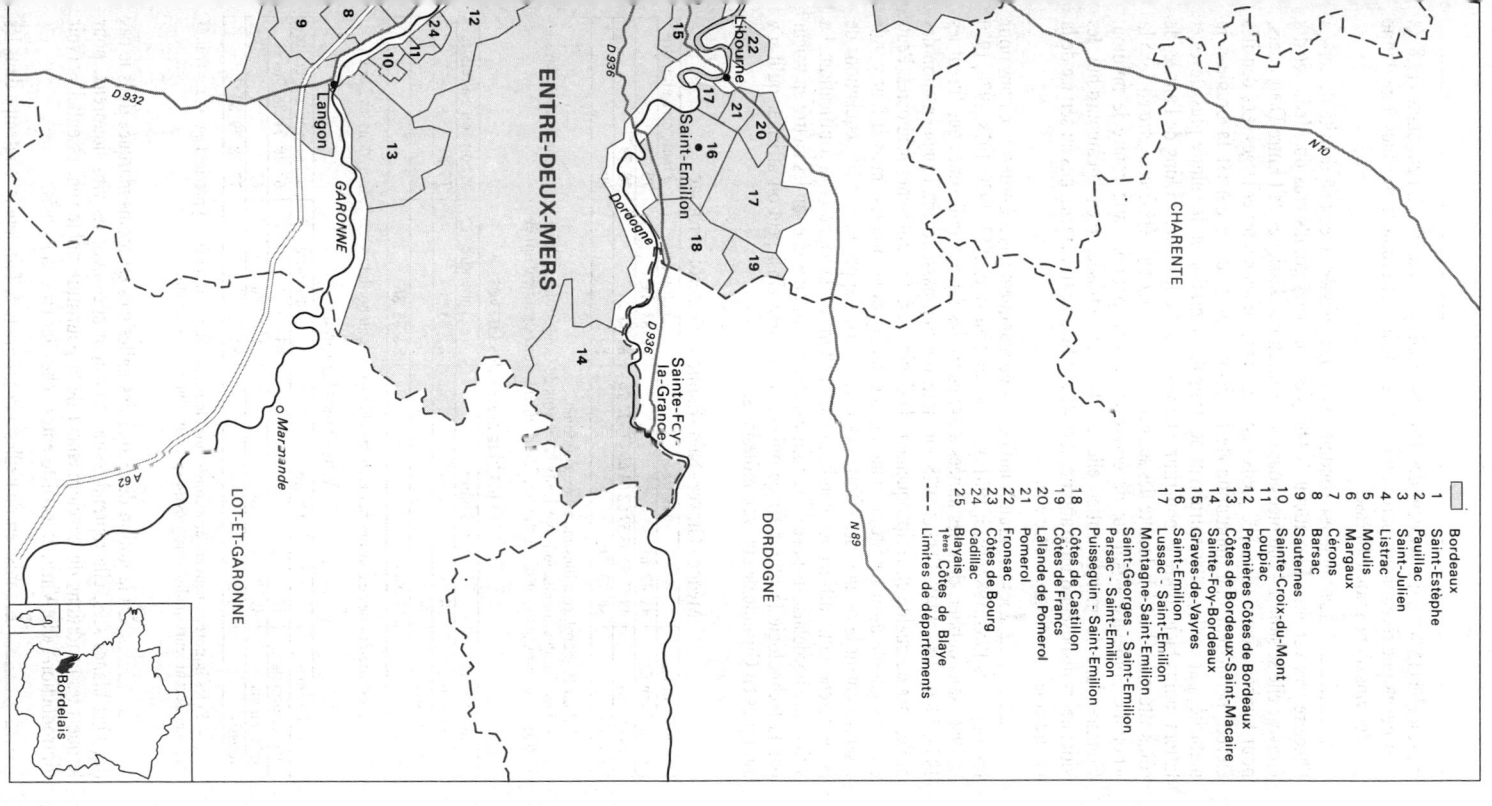

ENTRE-DEUX-MERS

GARONNE

Dordogne

Sainte-Foy-la-Grande

Langon

Libourne

Saint-Emilion

D 932

D 936

D 936

N 10

N 89

CHARENTE

DORDOGNE

LOT-ET-GARONNE

o Marmande

A 62

Bordelais

1 Bordeaux
2 Saint-Estèphe
3 Pauillac
4 Saint-Julien
5 Listrac
6 Moulis
7 Margaux
8 Cérons
9 Barsac
10 Sauternes
11 Sainte-Croix-du-Mont
12 Loupiac
13 Premières Côtes de Bordeaux
14 Côtes de Bordeaux-Saint-Macaire
15 Sainte-Foy-Bordeaux
16 Graves-de-Vayres
17 Saint-Emilion
18 Lussac - Saint-Emilion
19 Montagne-Saint-Emilion
20 Saint-Georges - Saint-Emilion
21 Parsac - Saint-Emilion
22 Puisseguin - Saint-Emilion
18 Côtes de Castillon
19 Côtes de Francs
20 Lalande de Pomerol
21 Pomerol
22 Fronsac
23 Côtes de Bourg
24 Cadillac
25 Blayais
1ères Côtes de Blaye
Limites de départements

LE BORDELAIS

muscadelle (15 %), qui possèdent des arômes spécifiques très fins. L'ugni blanc (19,8 %) s'est développé récemment, parce qu'il assure une bonne productivité, mais il ne donne pas des vins d'une grande finesse.

La vigne est conduite en rangs palissés, avec une densité de ceps à l'hectare très variable. Elle atteint 10 000 pieds dans les grands crus du Médoc et des Graves; elle se situe à 4 000 pieds dans les plantations classiques de l'Entre-Deux-Mers, pour tomber à moins de 2 500 pieds dans les vignes dites hautes et larges. Les densités élevées permettent une diminution de la récolte par pied, ce qui est favorable à la maturité; par contre, elles entraînent des frais de plantation et de culture plus élevés et luttent moins bien contre la pourriture. La vigne est l'objet, tout au long de l'année, de soins attentifs. C'est à la faculté des sciences de Bordeaux qu'a été découverte en 1885 la « bouillie bordelaise » (sulfate de cuivre et chaux), pour la lutte contre le mildiou. Connue dans le monde entier elle est toujours utilisée, bien qu'aujourd'hui les viticulteurs disposent d'un grand nombre de produits de traitement, mis au service de la nature et jamais dirigés contre elle.

Les très grands millésimes ne manquent pas à Bordeaux. Citons pour les rouges les 1983, 1982, 1975, 1961 ou 1959, mais aussi les 1981, 1979, 1978, 1976, 1970 et 1966, sans oublier, dans les années antérieures, les fameux millésimes que furent les 1955, 1949, 1947, 1945, 1929 et 1928. On note, dans un passé récent, l'augmentation des millésimes de qualité et, réciproquement, la diminution des millésimes médiocres. Peut-être le vignoble a-t-il profité de conditions climatiques favorables; mais il faut y voir essentiellement le résultat des efforts des viticulteurs, s'appuyant sur les acquisitions de la recherche pour affiner les conditions de culture de la vigne et la vinification. La viticulture bordelaise dispose de terroirs exceptionnels, mais elle sait les mettre en valeur par la technologie la plus raffinée qui puisse exister; ainsi peut-on affirmer qu'il n'y aura plus en Gironde de mauvais millésimes.

Médoc - Graves - Saint-Émilion - Pomerol - Fronsac

millésimes	à boire	à attendre	à boire ou à attendre
exceptionnels	45 47 61	82 83 85	70 75
très réussis	49 52 53 55 59 62 64 66 67 71* 76	81 86	78 79
réussis	50 73 74	84	80

* Pour Pomerol, ce millésime est exceptionnel.
– Les vins des appellations bordeaux et les vins de Côtes, rouges, doivent être consommés dans les 5 à 6 ans. Certains peuvent supporter un vieillissement d'une dizaine d'années.

Vins blancs secs des Graves

millésimes	à boire	à attendre	à boire ou à attendre
exceptionnels	78	82 83	75 81
très réussis	76		
réussis	79 80	84 85 86	

– Il est préférable de consommer les autres blancs secs du bordelais très jeunes, dans les 2 ans.

Vins blancs liquoreux

millésimes	à boire	à attendre	à boire ou à attendre
exceptionnels	47	83	67 70 71 75 76
très réussis	49 59	81 82 86	62
réussis	50 55	84 85	77 78 79 80

– Si les liquoreux peuvent être consommés jeunes (à l'apéritif où l'on appréciera alors leur fruité), ils n'acquièrent leurs qualités propres qu'après un long vieillissement.

Si la notion de qualité des millésimes est moins marquée dans le cas des vins blancs secs, elle reprend toute son importance avec les vins liquoreux, pour lesquels les conditions du développement de la pourriture noble sont essentielles (voir l'introduction : « Le Vin », et les différentes fiches des vins concernés).

La mise en bouteilles à la propriété se fait depuis longtemps dans les

grands crus; cependant, pour beaucoup d'entre eux, elle n'est complète que depuis dix ou quinze ans à peine. Pour les autres vins (appellations «génériques» ou plus exactement régionales) le viticulteur assurait traditionnellement la culture de la vigne et la transformation du raisin en vin, puis le négoce prenait en charge non seulement la distribution des vins, mais aussi leur élevage, c'est-à-dire leurs assemblages pour régulariser la qualité jusqu'à la mise en bouteilles. La situation se modifie graduellement depuis vingt-cinq ans, et l'on peut affirmer qu'actuellement la grande majorité des AOC est élevée, vieillie et stockée par la production. Les progrès de l'œnologie permettent aujourd'hui de vinifier régulièrement des vins consommables en l'état; tout naturelle-ment, les viticulteurs cherchent donc à les valoriser en les mettant eux-mêmes en bouteilles; les caves coopératives ont joué un rôle dans cette évolution, en créant des unions qui assurent le conditionnement et la commercialisation des vins. Le négoce conserve toujours un rôle important au niveau de la distribution, en particulier à l'exportation, grâce à ses réseaux bien implantés depuis longtemps. Il n'est pas impossible cependant que, dans l'avenir, les vins de marque des négociants trouvent un regain d'intérêt auprès de la grande distribution de détail.

La commercialisation de l'importante production de vin de Bordeaux est bien sûr soumise aux aléas de la conjoncture économique, au volume et à la qualité de la récolte. Dans un passé récent, le Conseil interprofessionnel des vins de Bordeaux a pu jouer un grand rôle en matière de commercialisation, par la mise en place d'un stock régulateur, d'une mise en réserve qualitative et de mesures financières d'organisation du marché. Très récemment, il déposait un modèle de bouteille gravée, destinée à contrecarrer l'usage abusif de la célèbre bouteille bordelaise, et strictement réservée aux AOC du Bordelais.

Les syndicats viticoles, eux, assurent la protection des différentes appellations d'origine contrôlée, en définissant les critères de la qualité. Ils effectuent sous le contrôle de l'INAO des dégustations d'agréage de tous les vins produits chaque année; elles peuvent donner lieu à la perte du droit à l'appellation si la qualité est jugée insuffisante.

Les onze confréries vineuses (Jurade de Saint-Émilion, Commande-rie du Bontemps du Médoc et des Graves, Connétable de Guyenne, etc.) organisent régulièrement des manifestations à caractère folklorique dont le but est l'information en faveur des vins de Bordeaux; leur action est coordonnée au sein du Grand Conseil du vin de Bordeaux.

Toutes ces actions de promotion, de commercialisation et de produc-tion le démontrent : le vin de Bordeaux est aujourd'hui un produit économique géré avec rigueur. La production s'évalue en milliard de francs, dont trois à l'exportation. Son importance dans la vie régionale aussi, puisque l'on estime qu'un Girondin sur six dépend directement ou indirectement des activités viti-vinicoles. Mais qu'il soit rouge, blanc sec ou liquoreux, dans ce pays gascon qu'est le Bordelais, le vin est aussi un fait de culture. Car derrière chaque étiquette se cachent tantôt des châteaux à l'architecture de rêve, tantôt de simples maisons paysannes, mais toujours des vignes et des chais où travaillent des hommes, apportant, avec leur savoir-faire, leurs traditions et leurs souvenirs.

Quoi de neuf à Bordeaux ?

L'année 1987 ne laissera pas un bon souvenir aux viticulteurs bordelais. Non seulement elle leur aura coûté beaucoup d'efforts et de sacrifices, mais encore elle aura été marquée par une baisse de 20 à 30 %, suivant les crus, sauf pour les vins liquoreux. Pour les consommateurs, c'est donc peut-être l'aubaine à saisir pour acquérir certains crus fort réussis mais dévalorisés par la mauvaise réputation de l'année. Elle avait pourtant bien débuté après un hiver très rigoureux. La floraison intervenue au 15 juin était exactement dans la moyenne trentenaire. La chaleur de l'été, malgré des

Les appellations régionales

précipitations plutôt abondantes, hâta la venaison au 16 août (moyenne : 20 août) et le mois de septembre fut marqué par une canicule d'une rare intensité. On pouvait donc commencer les vendanges durant la dernière semaine de septembre.

Celle-ci permit de cueillir d'excellents raisins blancs qui donnèrent des vins de grande qualité. Les merlots, cépages plus précoces, étaient également de grande qualité. C'est début octobre que les choses commencèrent à se gâter par des pluies incessantes. Les raisins étaient heureusement arrivés à maturité dans leur ensemble, mais il y eut néanmoins un effet de dilution.

Les vins les mieux réussis sont donc les blancs secs en premier lieu, puis ceux où dominent le merlot, et ceux enfin issus de terroirs plus précoces (croupes graveleuses, cotes, etc.).

Pour les liquoreux, ce fut l'occasion ou jamais d'expérimenter la « cryoextraction », qui permet une sélection grain à grain bien plus fine et plus précise que le tri manuel.

La Gironde a produit en 1987 4 712 634 hl de vins AOC, dont 3 655 535 de rouge, 923 436 de blanc sec et 133 663 de blanc doux.

La Gironde qui est déjà riche d'une manifestation biennale, Vinexpo, le plus grand salon mondial des vins spiritueux, devrait bientôt voir s'accroître son rôle de centre international dans ce domaine. C'est tout d'abord le projet de Cité mondiale du Vin qui verra le jour d'ici 1991 dans le quartier des Chartrons, haut lieu de l'histoire vinicole bordelaise. En plus de son aspect professionnel, la Cité sera également un lieu d'animation.

Enfin, la ville de Blaye pourrait devenir le centre permanent de la Conférence européenne des régions viticoles. La première session plénière a eu lieu les 20 et 21 juin 1988 à Bourg-sur-Gironde et a connu un succès inattendu. 350 délégués en provenance de toutes les régions viticoles s'y sont rencontrés pour parler de leurs problèmes et de leur passion : le Vin. On a abordé les sujets qui fâchent, comme celui de la chaptalisation entre ceux qui la pratiquent et ceux qui la proscrivent, mais aussi les sujets qui unissent, comme la communauté de civilisation du vin entre Européens.

On est convenu de se rencontrer à nouveau en 1989 en Sicile, en 1990 en Allemagne, en 1991 en Catalogne, en 1992 en Andalousie et 1993 sera l'année du Languedoc-Roussillon. Le secrétariat permanent et les services de la Conférence auront leur siège à Blaye.

Les appellations régionales bordeaux

Si le public situe assez facilement les appellations communales, il lui est souvent plus difficile de se faire une idée exacte de ce que représente l'appellation bordeaux. Pourtant, la définir est apparemment simple : ont droit à cette appellation tous les vins de qualité produits dans la zone délimitée du département de la Gironde, à l'exclusion de ceux qui viendraient de la zone sablonneuse située à l'ouest et au sud (la Lande, consacrée depuis le XIXe s. à la forêt de pins).

Autrement dit, ce sont tous les terroirs à vocation viticole de la Gironde qui ont droit à cette appellation. Et tous les vins qui y sont produits peuvent l'utiliser, à condition qu'ils soient conformes aux règles assez strictes fixées pour son attribution (sélection des cépages, rendements à ne pas dépasser, etc.). Mais derrière cette simplicité se cache une grande variété.

Variété, tout d'abord, des types de vins. En effet, plus que d'une appellation bordeaux, il convient de parler des appellations bordeaux, celles-ci comportant des vins rouges, mais aussi des rosés et des clairets, des vins blancs (secs et liquoreux) et des mousseux (blancs ou rosés). Variété des origines ensuite, les bordeaux pouvant être de plusieurs types : pour les uns, il s'agit de vins produits dans des secteurs de la Gironde n'ayant droit qu'à la seule

180

appellation bordeaux, comme les régions de Palus (certains sols alluviaux) proches des fleuves, ou quelques zones du Libournais (communes de Saint-André-de-Cubzac, Guîtres, Coutras...). Pour les autres, il s'agit de vins provenant de régions ayant droit à une appellation spécifique (Médoc, Saint-Émilion, Pomerol, etc.). Dans certains cas, l'utilisation de l'appellation régionale s'explique alors par le fait que l'appellation locale est commercialement peu connue (comme pour les bordeaux côtes-de-francs, les bordeaux côtes-de-castillon, les bordeaux haut-benauge, les bordeaux sainte-foy ou les bordeaux saint-macaire); l'appellation spécifique n'est, en définitive, qu'un complément de l'appellation régionale, et, en outre, n'apporte rien de plus à la valorisation du produit. Aussi les viticulteurs préfèrent-ils se contenter de l'image de marque bordeaux. Mais il arrive également que l'on trouve des bordeaux provenant d'une propriété située dans l'aire de production d'une appellation spécifique prestigieuse, ce qui ne manque pas d'intriguer certains amateurs curieux. Mais là aussi l'explication est aisée à trouver : traditionnellement, beaucoup de propriétés en Gironde produisent plusieurs types de vins (notamment des rouges et des blancs ; or dans de nombreux cas (médoc, saint-émilion, entre-deux-mers ou sauternes), l'appellation spécifique ne s'applique qu'à un seul type. Les autres productions sont donc commercialisées comme bordeaux ou bordeaux supérieurs.

S'ils sont moins célèbres que les grands crus, tous ces bordeaux n'en constituent pas moins quantitativement la première appellation de la Gironde, avec (en 1982) 222 millions de bouteilles pour les rouges et 86,3 pour les blancs (à quoi viennent s'ajouter 2,5 millions de bouteilles de mousseux et 2,1 de rosés et clairets).

L'importance de cette production et l'impressionnante surface du vignoble (36 650 ha) pourraient laisser penser qu'il n'existe guère de similitudes entre deux bordeaux. Pourtant, si l'on trouve une certaine diversité de caractères, il existe aussi des points communs, donnant leur unité aux différentes appellations régionales. Ainsi les bordeaux

rouges sont-ils des vins équilibrés, harmonieux, délicats; généralement, ils doivent être fruités, mais pas trop corsés, pour pouvoir être consommés jeunes. Les bordeaux supérieurs rouges se veulent des vins plus complets. Ils utilisent les meilleurs raisins, sont vinifiés de façon à leur assurer une certaine longévité. Ils constituent en somme une sélection parmi les bordeaux.

Les bordeaux clairets et rosés, eux, sont obtenus par faible macération de raisins de cépages rouges; les clairets ont une couleur un peu plus soutenue. Ils sont frais et fruités, mais leur production reste très limitée.

Les bordeaux blancs sont des vins secs, nerveux et fruités. Leur qualité a été récemment améliorée par les progrès réalisés dans les techniques de conduite de la vinification, mais cette appellation ne jouit pas encore de la notoriété à laquelle elle devrait pouvoir prétendre. Ce qui explique que certains vins soient «repliés» en vins de table, puisque, à différence de cotation étant parfois assez faible, il est plus avantageux commercialement de vendre du vin de table que du bordeaux blanc. Constituant une sélection, les bordeaux supérieurs blancs sont moelleux et onctueux; leur production est limitée.

Il existe enfin des appellations bordeaux mousseux blanc et bordeaux mousseux rosé. Les vins de base devant être produits dans l'aire d'appellation bordeaux. La deuxième fermentation (prise de mousse) doit être effectuée en bouteilles (méthode champenoise), dans la région de Bordeaux.

ALAIN MIOT 1985

Bordeaux

n.c.	55 000	▮ ☑ 2

Négociant à Bordeaux, Alain Miot propose cette bouteille honnête. Constitution moyenne et un peu sèche. Rien de désagréable cependant, tant s'en faut.

CH. DU BARRAIL 1986***

21 ha   20 000

82 |83| 85 |86|

Un vignoble de 21 hectares comportant les cépages classiques et quelques pieds de malbec. Il vaut à Charles et Jean-Paul Yung tous les éloges de notre jury, y compris le coup de cœur. Tout est en effet réussi à la perfection, depuis les arômes sauvages qui envahissent le nez jusqu'aux sensations fruitées que recueille le palais. La SCEA des frères Yung exploite également le château de Palette à Beguey, près de Cadillac.

SCEA Charles et Jean-Paul Yung, Beguey, 33410 Cadillac, tél. 56.62.95.25 ☂ r.-v.

Château du Barrail
BORDEAUX
APPELLATION BORDEAUX CONTRÔLÉE
MIS EN BOUTEILLES AU CHÂTEAU
SCEA DES FRÈRES YUNG
12% vol.   750 ml

CH. DE BEAULIEU 1985***

12 ha   100 000

Situé sur un plateau à la limite du partage des eaux de la Garonne et de la Dordogne, Beaulieu bénéficie d'un heureux microclimat. Ce vignoble (merlot noir à 65%) tire profit d'un sol léger et ferrugineux. Le millésime 85 est déjà un très beau vin, dense et profond, riche et puissant. A boire avec un magret de canard ou à attendre encore, car il fera un vrai vin de garde.

Les Vignerons de Guyenne, Blasimon, 33540 Sauveterre-de-Guyenne, tél. 56.71.55.28 ☂ r.-v.

M. Robert Bonneau.

BEAU-MAYNE 1986

n.c.

1851 86

Beau Mayne : il s'appelle ainsi, dans sa robe limpide et sans éclat particulier. Il a long nez, émoustillé de fruits rouges et de raisins mûrs. Puis un accroche-cœur plein de chaleur. La carte du Tendre n'est pas faite pour lui : c'est un passionné qui brûle les étapes.

MM. Dourthe Frères, 35, rue de Bordeaux, B.P. 70, Parempuyre, 33290 Blanquefort, tél. 56.35.84.64 ☂ r.-v.

CH. DE BEAUREGARD 1986

40 ha   300 000

Limpide et rubis, ce château de Beauregard 86 réussit à maintenir une unité sensorielle entre le nez et le palais. Ce n'est probablement pas un vin de longue garde, mais un bordeaux simple et léger, assez agréable.

GAEC Le Hourg et Redon, Ladaux, 33760 Targon, tél. 56.23.93.53 ☂ r.-v.

M. Alain Miot. 228. bd Godard. 33000 Bordeaux, tél. 56.39.83.95 ☂ r.-v.

CH. ANNICHE 1985**

50 ha   110 000

80 81 82 |83| 85

En 85 de style cerise qui accompagne fort bien les lamproies, ou encore une entrecôte à la bordelaise. Rond et franc, il a des manières directes. Cette aménité devrait lui faire beaucoup d'amis.

M. Michel Pion, Le Grand Chemin, Haux, 33550 Langoiran, tél. 56.23.05.15 ☂ t.l.j. 9h-12h 14h-19h.

CH. D'AUGAN 1985*

5,22 ha   55 000

Il existe des vins austères et gravés qui rappellent la vieille noblesse de robe. Celui-ci par exemple. Le château d'Augan est entouré d'un vignoble de 13 hectares (merlot rouge et cabernets en trois tiers) planté sur une villa gallo-romaine. Très tannique, un 85 qui garde encore ses secrets. Quand il voudra bien les révéler, quel bonheur en perspective !

Les Vignerons de Guyenne, Blasimon, 33540 Sauveterre-de-Guyenne, tél. 56.71.55.28 ☂ r.-v.

M. Guy Mercadier.

CH. BALLUE-MONDON 1986**

6 ha   45 000

|82| 83 84 |85| |86|

Guy Ballue descend d'une longue lignée de vignerons et il maintient la tradition. Adepte de la méthode agrobiologie Lemaire-Boucher, il obtient de bons résultats. Comme ce 86 aux senteurs de cannelle, corsé et charnu, velouté sous la langue. Bon potentiel de garde.

M. Guy Ballue, Le Vivey, 33890 Gensac, tél. 57.40.42.25 ☂ t.l.j. sf dim. 8h-12h30 14h-20h ; f. dim. sur r.-v.

CH. BARBAZAN 1985***

17 ha   50 000

Un vin chaleureux, ensoleillé et aux parfums capiteux de raisins très mûrs. Ses tanins sont souples, un peu cuits. La vinification témoigne de soins attentifs : vraiment un très bon bordeaux, à un prix attractif. Cette coopérative marque un excellent point. Retenez le millésime : 85.

U.P. Juillac et Flaujagues, Flaujagues, 33350 Castillon-la-Bataille, tél. 57.40.08.06 ☂ ma. me. je. ve. 9h-12h 14h-18h.

Mme Huguette Bayle.

BARON D'ESPIET 1986**

n.c.   30 000

79 81 |82| |85| |86|

Merlot et cabernet, moitié-moitié. La coopérative d'Espiet a fort bien vinifié ce 86 tout en finesse, de type cerise. Il laisse le nez ébloui et la bouche légère.

Cave Coop. d'Espiet, Espiet, 33420 Branne, tél. 57.24.24.08 ☂ lu. sa. 8h30-12h30 14h-18h.

BEAU RIVAGE 1986*

■ n.c. n.c. ♣ V 2
1851 86

Présentation satisfaisante et agréable, complexité des arômes (cerise et amande). Sous une légère agressivité se cachent de bons sentiments. L'âge lui fera du bien.

➤ Borie-Manoux SA, cours Balguerie-Stuttenberg, 33082 Bordeaux Cedex, tél. 56.48.57.57 Y r.-v.

CH. BELLE-GARDE 1986*

■ 81 (82) 83 1851 861 15 ha 60 000 ♣ V 1
Le château Belle-Garde reste discret. Sa bonne constitution et ses tanins très souples en font déjà un vin agréable. Et il vieillira bien ! Eric Duffau a considérablement rénové les équipements du domaine. Ils dataient de son grand-père.

➤ M. Eric Duffau, Monplaisir, Génissac, 33420 Branne, tél. 57.24.49.12 Y t.l.j. sf dim. 8h-12h 14h-19h ; f. 1er quinz. de sept.

BERGER BARON 1986**

■ 78 79 8 l (82) 83 1851 86 n.c. 450 000
Moins connu que son aîné le Mouton Cadet, ce vin est cependant fort bien typé. Ample et tannique, il développe des arômes très nets et marque sa présence au palais par une très agréable note de gras.

➤ Baron Philippe de Rothschild, La Baronnie, B.P. 117, 33250 Pauillac, tél. 56.59.20.20

CH. BERNOT 1985*

■ 1831 84 85 9 ha n.c. ♣ V 2
Une bonne coopérative qui, le plus souvent, réussit très bien ses vins. Poivré, celui-ci a du coffre. Un coffre rustique : solide, agréable à l'œil et joliment fait. Nul doute qu'il se conservera encore quelques années sans prendre la moindre ride.

➤ Les Vignerons de Guyenne, Blasimon, 33540 Sauveterre de Guyenne, tél. 56.71.55.28
Y r.-v.
➤ M. Marcel Bernard.

DOM. DES BERRYS 1985**

■ 1831 84 85 8 ha 12 000 ◑ V 1
Une bouteille remarquable : sa pourpre est somptueuse, ses arômes d'une élégance raffinée. Un rien d'alcool en trop, ce qui nuit un peu à l'harmonie générale. Mais ce n'est nous plaignons pas, d'autant que le prix est très modique.

➤ M. Georges Pédeboscq, Les Berrys, Saint-Exupéry, 33190 La Réole, tél. 56.61.02.17

CH. DE BERTIN 1986*

■ 1851 86 10 ha 50 000 ◑ V 2
Le château de Bertin s'étend sur 10 hectares, dans l'Entre-Deux-Mers, au cœur du Haut-Benauge. Son 86 encore séduira par son tempérament chaleureux. Beaucoup de vinosité, des tanins bien présents : il a de bons atouts ;

VIN DE BORDEAUX

1985

CHATEAU BONNET

BORDEAUX

APPELLATION BORDEAUX CONTRÔLÉE

ANDRÉ LURTON
PROPRIÉTAIRE A GRÉZILLAC GIRONDE

MIS EN BOUTEILLE AU CHÂTEAU FRANCE

CH. BRIOT 1986*

■ 85 86 35 ha 350 000 ♣ 2
Signé Ginestet, un bordeaux produit par Philippe Ducourt à Cessac. Souple et vineux, il accompagne son point d'orgue d'une touche

---

...manque un peu de longueur, mais un si bel équilibre.

➤ M. Guy Ferran, Cantois, 33760 Targon, tél. 56.23.93.61 Y r.-v.

CH. BERTINERIE 1986*

■ 81 1831 841 85 1861 5,38 ha 53 000 ◑ ♣ V 2
Le château Bertinerie se situe à 2 km de la N 10 au sud de Cavignac. Merlot, cabernet-sauvignon et bouschet : les vignes ont dix-huit ans. Elevé en barriques de chêne, ce 86 garde une empreinte boisée, avec une petite pointe végétale sur les tanins.

➤ M. Daniel Bantegnies, Ch. Bertinerie, Cubnezais, 33620 Cavignac, tél. 57.68.70.74 Y r.-v.

BLASON-TIMBERLAY 1985***

■ n.c. n.c. ◑ ♣ 3
Travail, foi, persévérance et qualité : tel est le programme de Robert Giraud qui propose, sous le nom de Blason-Timberlay, sa cuvée du 619ème anniversaire. Rouge cerise, un bordeaux 85 aux arômes tenaces de fruits rouges et de vanille. Le boisé domine quelque peu des tanins élégants. Beaucoup de jeunesse encore.

➤ Robert Giraud SA, Dom. de Loiseau, B.P. 31, 33240 Saint-André-de-Cubzac, tél. 57.43.01.44

CH. BONNET 1985***

3C 81 1821 1831 84 85 100 ha 300 000 ◑ ♣ 2
Ce bordeaux n'est pas très expansif. Il préfère s'exprimer en finesse, sans se départir d'une discrétion de bon aloi. Quelques notes boisées sur fond de cacao. Tout cela est bien fait, équilibré et souple. On a tiré le meilleur parti possible du cabernet-sauvignon (80%) et du merlot (20%) produits par des vignes de vingt ans.

➤ SCEA Vignobles André Lurton, Ch. Bonnet, Grézillac, 33420 Branne, tél. 57.84.52.07 Y r.-v.

d'amertume. Comme une coquetterie! L'ensemble est séduisant.
- SA Ginestet. Les Fontenilles, Carignan. 33360 Latresne, tél. 56.20.54.61
- M. Ducourt.

CH. DU BRU 1986**

81 |82| |83| 85 |86| 1 ha   8 000

Josette Duchant invite volontiers des artistes à exposer ses chais. Elle s'attache à la qualité des étiquettes du domaine. Aussi belles que ce 86 (8 000 bouteilles seulement) aux arômes fleuris, riche et bouqueté. Manque de fondu : les tanins frappent à la porte. L'âge en fera sans doute une bouteille remarquable.
- SCEA Ch. du Bru, Saint-Avit-Saint-Nazaire, 33220 Sainte-Foy-la-Grande, tél. 57.46.12.71 r.-v.
- M. Guy Duchant.

CH. DU BRU Cuvée réservée 1986***

80 |81| |82| |83| 85 |86| 1 ha   8 000

Acquis par succession familiale en 1972, le château du Bru a été amoureusement restructuré par Josette et Guy Duchant. Des hôtes charmants, qui proposent la visite des chais agrémentée d'une promenade en barque sur la Dordogne. Leur 86 est étincelant, finement boisé sur fond de pruneau, si complexe qu'on y perd avec délice son latin. A laisser dormir en cave.
- SCEA Ch. du Bru, Saint-Avit-Saint-Nazaire, 33220 Sainte-Foy-la-Grande, tél. 57.46.12.71 r.-v.
- M. Guy Duchant.

DOM. DES CAILLOUX 1986

81 |82| 83 |85| 86   19 ha   40 000

Nicole Legrand-Dupuy exploite le domaine des Cailloux, propriété familiale depuis plusieurs générations. N'allez pas croire qu'elle produit des vins lourds et durs : c'est tout le contraire : celui-ci se caractérise par sa légèreté et le charme de ses arômes très personnels (réglisse et touche complexe de feuille de cassis écrasée).
- Mme Nicole Legrand-Dupuy, Dom. des Cailloux, Romagne, 33760 Targon, tél. 56.23.09.47 r.-v.

CH. CANET 1985*

82 85   20 ha   80 000

Château Canet : une propriété familiale depuis cinq générations. Rien de très intense en cette bouteille qui se manifeste surtout en bouche. Elle affirme alors sa puissance, sans trahir un tempérament proche de la terre. Sans envolée lyrique, mais sans défaut.
- M. Bernard Large, Ch. Canet, Guillac, 33420 Branne, tél. 57.84.57.87 r.-v.

CH. DE CAPPES 1985***

75 |81| |82| 85   5 ha   34 000

Très vif, franc de couleur, un bordeaux à la saveur encore persistante. Ses tanins paraissent encore un peu crus, mais ils lui offrent de bonnes chances de vieillissement. Un 85 en pleine forme.

- M. Boulin. Ch. de Cappes, Saint-André-du-Bois, 33490 Saint-Macaire, tél. 56.63.70.88

CARAYON-LA-ROSE 1986

|82||83| 86   n.c.   400 000

Sans grande personnalité, dépourvu de défaut, un vin honnête et pas cher qui donne une idée correcte de l'appellation et du millésime.
- SA Dulong Frères et Fils, 29, rue Jules-Guesde, 33270 Floirac, tél. 56.86.51.15

CHAIS DES BORDES 1985*

   5 ha   25 000

Belle robe rubis se nuançant délicatement de flammèches orangées. Les arômes sont fins, persistants et floraux. L'attaque est assez souple et l'ampleur satisfaisante. C'est une bouteille que l'on peut déboucher dès à présent.
- M. Christian Quancard, Ch. Verthamon, 33360 Latresne, tél. 56.20.71.03

CH. CHAMPBRIN 1986*

|82| 10 ha   40 000

Louis XIV se rendant au Pays basque honora de sa visite, dit-on, ce beau domaine qui s'étend aujourd'hui sur 40 hectares. Château Champbrin n'est pas Versailles, mais il brille de tous ses feux et possède souplesse et rondeur, arômes de bonne longueur.
- M. Marc Cazaufranc, 33920 Saint-Vivien-de-Blaye, tél. 57.42.48.99 r.-v.

CH. DES COMBES 1986*

85 |86| 12 ha   85 000

Les avis convergent pour reconnaître l'intéressante complexité de ce 86 (cuir et fourrure sous une parure de fruits rouges) ainsi que sa forte présence en bouche.
- SA Ginestet, Les Fontenilles, Carignan, 33360 Latresne, tél. 56.20.54.61
- M. Ducourt.

CH. DE CHELIVETTE 1985

75 |81| |82| 85   7,50 ha   40 000

La seigneurie de Chelivette plonge ses racines jusqu'au XIIIe s. Le chai s'élève aujourd'hui à l'emplacement de l'ancien château fort. Quant au château actuel, fin XVIe s, il fut utilisé par les

jésuites de Bordeaux pour l'enseignement de la théologie. Ce 85 porte la robe de cardinal, mais avec une légèreté qui évoque plutôt l'abbé de cour...
↝ M. Jean-Louis Boulière, Ch. de Chelivette, Sainte-Eulalie, 33560 Carbon-Blanc, tél. 56.06.11.79 ▼ t.l.j. sf dim. 9h-12h 14h30-18h.

direct, il accompagnera une viande rôtie. La coopérative compte 120 adhérents et vinifie les vins produits sur 670 hectares.
↝ Coop. de Grangeneuve, Romagne, 33760 Targon, tél. 56.23.94.62 ▼ r.-v.

EXCELLENCE 1986*

	40 ha	300 000	🍴▼V2

81 82 |83| 86

Fermement appuyé sur une bonne structure tannique, un bordeaux rouge très pourpre. Parfum de fruits dans l'alcool et bel équilibre en bouche. Pas énormément de finesse, mais un caractère honnête et franc.
↝ M. Prodifu, Le Bourg, Landerrouat, 33790 Pellegrue, tél. 56.61.33.73 ▼ t.l.j. sf dim. 8h30-12h30 14h-18h.

CH. DE GUERIN 1986*

	4 ha	35 000	🍴▼V2

81 82 |83| 86

La vigne est cultivée ici depuis l'époque gallo-romaine. Autant dire quelle s'appuie sur de solides traditions. Ce 86 au nez discret et fruité bénéficie d'une belle présentation. Encore un peu durs, les tanins vont évoluer et acquérir de la finesse avec l'âge.
↝ M. Léon Jaumain, Ch. de Guérin, Castelvieil, 33540 Sauveterre-de-Guyenne, tél. 56.61.97.58 ▼ r.-v.

CH. FAUGAS 1986*

	13 ha	60 000	🍴▼V1

Coucher de soleil: rouge avec des reflets orangés. Nez cerise. Il a de la puissance, de la charpente. L'alcool ne se dissimule pas derrière la bouteille.
↝ M. Thial de Bordeneve, Ch. Faugas, Gabarnac, 33410 Cadillac, tél. 56.62.97.62 ▼ r.-v.

CH. HAUT-BAYLE 1985*

	7,94 ha	86 000	🍴▼V2

Haut-Bayle se trouve au sommet des coteaux qui dominent le cloître et l'abbaye de Blasimon, près d'une forêt qui le protège du froid. Une terre nourricière met au monde un vin corsé et généreux, aux arômes de fruits rouges macérés dans l'alcool. On y trouve une gravité un peu jalouse de ses secrets, qui fait partie du style du pays. Bonne aptitude au vieillissement pour qui saura l'attendre.
↝ Les Vignerons de Guyenne, Blasimon, 33540 Sauveterre-de-Guyenne, tél. 56.71.55.28 ▼ r.-v.
↝ M. Claude Renié.

FRONTEAU SAINT-ANGE

	n.c.	100 000	🍴▼V1

Nez parfumé comme on dit dans le Bordelais, qu'il faut laisser s'ouvrir. Astringence marquée, structures fortes. Un bordeaux destiné aux repas rustiques.
↝ Ets Nicolas, 253, av. du Gal-Leclerc, 94700 Maisons-Alfort, tél. 1.43.96.81.81.

CH. HAUT-CASTENET 1986

	17 ha	80 000	🍴▼V2

75|76|78|82| 85 86

Le domaine se situe à Auriolles. François Greffier a pris en fermage la propriété familiale, en 1986. Son vin se présente bien. Légèrement astringent, il manque d'un peu de gras. En revanche, il est agréable et fidèle à son terroir.
↝ M. François Greffier, 33580 Monségur, tél. 56.61.81.80 ▼ r.-v.

GAMAGE 1986**

	n.c.	120 000	🍴▼🍶

85|86

Ce vin a la couleur d'un rideau de scène. Rien d'étonnant: le grand théâtre de Bordeaux figure sur l'étiquette. Souplesse et harmonie, construction classique, cette bouteille peut à bon droit figurer au répertoire.
↝ Union Saint-Vincent, B.P. 4, 33420 Rauzan, tél. 57.84.13.66 ▼ r.-v.

CH. HAUT DU PEYRAT 1985*

	9 ha	n.c.	🍴🍶🍴V2

82 |83| 85

Un domaine qui en est à la quatrième génération dans la même famille. Restructuré en 1985, il assure la renaissance d'une ancienne exploitation qui avait été démembrée. Parfum de vanille dû au bois et nez bien développé: si la robe est un peu tuilée, son bouquet manque encore de fondu. Excellente aptitude au vieillissement: attendre son plein épanouissement physique.
↝ M. Patrick Revaire, Ch. Gardut, Cars, 33390 Blaye, tél. 57.42.20.35 ▼ t.l.j. sf dim. 8h-9h.

CH. GRAND-CLAUSET 1986*

	6 ha	35 000	🍴▼V2

|82| 33 |84| 85 86

Ce vin n'est commercialisé « à la bouteille » que depuis 1982. Merlot (90%) et cabernet-franc, il n'y va pas par quatre chemins: l'expression claire des arômes avec un parfum de noyau et une pointe anisée, séduction simple et directe. Rustique? Sans doute, mais c'est aussi cela, le goût de terroir.
↝ SCEA P. Carteyron, Ch. Penin, Génissac, 33420 Branne, tél. 57.24.46.98 ▼ r.-v.
↝ Mme Lucette Carteyron.

CH. HAUT-GARRIGA 1986

	44 ha	60 000	🍴▼V1

82 |83| 84 |85| 86

La famille Barreau exploite le château Garriga depuis quatre générations. Vue magnifique sur Saint-Émilion du haut de ses coteaux. Un bon vir, facile à boire maintenant. Si vous cherchez...

GRANGENEUVE 1986

	260 ha	250 000	🍴▼🍶

80 81 |82| 83 85

Nez assez intense, robe moyennement soutenue, un vin de venaison. A l'aise dans les fourrés, terant bien sur ses jambes et d'un abord très...

bien, vous découvrirez, parmi ses arômes légers, quelques fraises qui s'y cachent.
➥ M. Claude Barreau, Garriga, Grézillac, 33420 Branne, tél. 57.74.90.06 **Ⅰ** r.-v.

CH. HAUT-GUERIN 1986*

■   30 ha   100 000   ▯↓▯

79 81 85 86

Créée à partir de 1968 par des acquisitions successives, la propriété (70% merlot) offre sur 30 hectares un vin qui interpelle à haute voix. Agressif? Mais non, c'est le tempérament du terroir, un peu café brûlé au nez. Au palais, équilibré, plaisant.
➥ M. Marc Caminade, Ch. Haut-Guérin, Genissac, 33420 Branne, tél. 57.24.48.37 **Ⅰ** r.-v.

CH. DE JAYLE 1986

■   25 ha   130 000   ▯↓V2

82 83 85 86

Proche du canal latéral à la Garonne, une région riche de monuments et de sites qui justifient amplement le détour. D'autant qu'on pourra découvrir ici un vin simple et cordial, né du cabernet-sauvignon, du cabernet-franc et du merlot.
➥ M. Michel Pellé, Ch. de Jayle, Saint-Martin-de-Sescas, 33490 Saint-Macaire, tél. 56.62.80.07 **Ⅰ** r.-v.

CH. JOSSEME 1986***

■   n.c.   55 000   ▯V2

83 85 86

Voisin du château de Bertin, le château Josseme est un grand seigneur. Rouge-noir, on l'imagine volontiers dans un tournoi de chevalerie. L'attaque est ample et généreuse, l'armure sans défaut et l'ardeur invincible. Et vous verrez, il sera plus éblouissant encore dans quelques années!
➥ M. Guy Ferran, Cantois, 33760 Targon, tél. 56.23.93.61 **Ⅰ** r.-v.

DOM. DE LA BACONNE 1986**

■   22 ha   130 000   ▯↓V2

83 84 85 86

Produit sur 22 hectares, merlot noir à 75% voici un vin qui se présente bien : rouge franc et bouquet assez vivace. Il ne manque pas de caractère, mais d'un excès d'ampleur et avec une légère pointe d'acidité. À boire dès à présent.
➥ M. Jean-Pierre Freylon et Fils, Ch. Lassègue, Saint-Hippolyte, 33330 Saint-Émilion, tél. 57.24.72.83 **Ⅰ** r.-v.

CH. LACOMBE 1985**

■   4 ha   30 000   ▯↓V3

81 82 83 85

Château Lacombe, produit près de Sauveterre-de-Guyenne, est un vin riche en fût de chêne et vendu à la bouteille par son propriétaire les bonnes années seulement. C'est le cas de ce 85 riche et fortement charpenté, bien mûr et non dépourvu de souplesse.
➥ M. Jean-Hubert Laville, Les Tuquets, Saint-Sulpice-de-Pommiers, 33540 Sauveterre-de-Guyenne, tél. 56.71.53.56 **Ⅰ** r.-v.

DOM. DE LA CROIX 1986*

■   6 ha   15 000   ▯V1

Une petite propriété dans les premières Côtes de Bordeaux, que Jean-Yves Arnaud s'attache à rénover. Il y réussit fort honnêtement, sur des vignes de dix ans (50% merlot). On peut sûrement lui faire confiance. Modeste, il présente son vin comme «un bon petit bordeaux». Assurément équilibré, aromatique et agréable.
➥ M. Jean-Yves Arnaud, La Croix, Gabarnac, 33410 Cadillac, tél. 56.20.23.52 **Ⅰ** r.-v.

CH. LA CROIX DE LAMOTHE 1986*

■   3,80 ha   20 000   ▯V2

79 81 82 83 85 86

Des notes florales restées fraîches sur fond de fruits rouges, de la rondeur et du plaisir : un bon bordeaux qui ne craint pas de s'exprimer longuement en bouche.
➥ SCE Les Vignobles de Lamothe, Ch. Lamothe Gaillard, Saint-Ciers-d'Abzac, 33230 Coutras, tél. 57.49.46.46 **Ⅰ** r.-v.

DOM. DE LA CROIX-DE-MIAILLE 1986*

■   8 ha   35 000   ▯↓V2

80 81 82 83 85 86

Les vignobles de Jacques Cailleux se situent autour d'Escoussans, dans l'Entre-deux-Mers. La Croix-de-Miaille est un domaine de 6 hectares. Bien qu'assez frais, les arômes 86 n'ont pas encore livré tous leurs secrets. Une certaine dureté tannique. Tout est satisfaisant, mais à laisser vieillir.
➥ M. Jacques Cailleux, La Pereyre, Escoussans, 33760 Targon, tél. 56.23.63.23 **Ⅰ** r.-v.

CH. LA CROIX SIMON 1986**

■   15 ha   25 000   ▯↓V1

Merlot et cabernet-franc à 50% donnent cette bouteille exprimant à merveille le juste milieu : la fermeté de la charpente ne masque pas le charme du bouquet. Un bordeaux 86 qui devrait parfaitement vieillir.
➥ M. Jean-Gabriel Yon, La Croix Simon, Saint-Magne-de-Castillon, 33350 Castillon-la-Bataille, tél. 57.40.21.92 **Ⅰ** r.-v.

CH. LA GABORIE 1986*

■   5 ha   45 000   ▯↓V2

81 82 83 85 86

Un vignoble de 5 hectares donne ce vin à la robe foncée, presque grenat. Cannelle et vanille évoquent le passé caraïbe du Bordelais... Ses

186

tanins un peu secs s'assoupliront avec le temps. Comme les arômes sont denses et la finale majestueuse, on peut prédire à cette bouteille un bel avenir.

♦ M. Jean-Hubert Laville, Les Tuquets, Saint-Sulpice-de-Pommiers, 33540 Sauveterre-de-Guyenne, tél. 56.71.53.56 ¶ r.-v.

CH. LAGRAVE PARAN 1986*

82 83 84 85 86

n.c. | 90 000

La générosité faite vin. Un bordeaux vif et vineux qui ne demande qu'à s'épanouir. Et il a tant de chaleur bienveillante qu'on lui pardonne sa pointe d'alcool.

♦ GAEC Laton Père et Fils, Saint-André-du-Bois, 33490 Saint-Macaire, tél. 56.63.70.45

♦ M. Robert Lafon.

CH. LA MIRANDELLE 1985*

82 83 86

5,61 ha | 30 000

Des arômes complexes où dominent les fruits rouges, une légère touche végétale sur une finale tannique assez longue. Parfaitement vinifié, il conseille sur une entrecôte.

♦ Les Vignerons de Guyenne, Blasimon, 33540 Sauveterre-de-Guyenne, tél. 56.71.55.28

♦ M. Rivoire.

CH. HAUT LA PEREYRE 1986*

82 83 86

8 ha | 45 000

Merlot (60%) et cabernet-sauvignon (40%) : bon sang ne saurait mentir. Voici un vin qui exprime bien ses cépages. Parfaitement vinifié, il est agréable mais pas très long en bouche.

♦ M. Jacques Cailleux, La Pereyre, 33760 Targon, tél. 56.23.63.23 ¶ r.-v.

♦ Escoussans, 33760 Targon, tél. 56.23.63.23

CH. LAPEYRERE 1986*

79 82 83 85 86

16 ha | 20 000

Catherine Yung exploite également le château La Ronde sur la commune du Tourne. Son château Lapeyrère 86 (à Beguey) se place très bien parmi les bordeaux génériques. Un nez puissant de fruits rouges, une bonne structure, une bouteille agréable et d'un prix raisonnable.

♦ Mme Catherine Yung, rue du Moulin Neuf, Beguey, 33410 Cadillac, tél. 56.62.95.25 ¶ r.-v.

♦ MM. Charles et J.-P. Yung.

CH. LARROQUE 1985*

n.c. | 150 000

L'ensemble est correct, équilibré et de bonne tenue. Certes, les arômes sont moyens, mais les tanins sont en revanche très présents, légèrement végétaux.

♦ GAEC Le Hourc et Redon, Ladaux, 33760 Targon, tél. 56.23.93.53 ¶ r.-v.

♦ Mme M.-C. Boyer de la Giroday.

CH. DE LA TOUR 1986

81 82 83 85 86

28 ha | 230 000

Il existe un château de la Tour au Clos de

187

Vougeot. Il en existe un autre à Sallebœuf en Gironde. Celui-ci doit son nom à une forteresse du XIIIe s. ; le domaine eut alors pour propriétaire un archevêque de Bordeaux devenu pape (Clément V). Le millésime 86 est rouge sombre, assez puissant - nuance pruneau cuit. Il enveloppe bien la bouche et doit être bu assez vite.

♦ MM. Holt Frères et Fils, Ch. de La Tour, Sallebœuf, 33370 Tresses, tél. 56.81.58.90 ¶ r.-v.

CH. DE L'AUBRADE 1986

8 ha | 60 000

Très fruité, rond et harmonieux, un vin au mieux de sa forme et à boire dès à présent. Cabernet franc à 100%, il est bien né mais du type léger.

♦ M. Jean-Pierre Lobre, Ch. de L'Aubrade, Rimons, 33580 Monségur, tél. 56.71.55.10 ¶ r.-v.

CH. LE BRANDEY 1986**

10,47 ha | 20 000

Presque entièrement reconstitué après son acquisition en 1978, la propriété offre ici un excellent 86. Les tanins ne font pas défaut, mais avec ce qu'il faut de souplesse. Fruits rouges, évidemment, bien mûrs, légèrement confits, longueur, largeur et hauteur, tout y est.

♦ M. et Mme Paitel, Le Brandey, 33350 Sainte-Radegonde, tél. 57.40.55.52 ¶ r.-v.

CH. LE CONSEILLER 1986*

20 81 82 83 84 85 86

10,32 ha | 40 000

Un fromage aux arômes puissants ne repoussera pas toute idée de mariage avec cette bouteille rouge sombre, riche d'arômes épicés, dont la force compense le léger manque de gras.

♦ M. Erick Liotard, Le Conseiller, Lugon, 33240 Saint-André-de-Cubzac, tél. 57.84.44.56

CH. LES ARROMANS 1986**

70 75 76 79 81 82 83 84 85 86

21 ha | 200 000

Jean Duffau a réussi un excellent 86 à la robe magnifique, pénétrant et subtil. Il manque encore de fondu et réserve ses arômes pour plus tard. Une bouteille très estimable qu'il faut absolument laisser vieillir quelques années.

♦ M. Jean Duffau, Ch. Les Arromans, Moulon, 33420 Branne, tél. 57.84.50.87 ¶ r.-v.

CH. LESTRILLE 1986*

78 79 80 81 82 83 84 85 86

15 ha | 100 000

Le merlot domine, tirant le meilleur profit de sols composés de limons et de sables. Tonalité d'ensemble très veloutée. Les tanins sont si souples qu'ils frisent la fluidité.

♦ M. Jean-Louis Roumage, Lestrille, 33750 Saint-Germain-du-Puch, tél. 57.24.51.02 ¶ r.-v.

CH. LESTRILLE CAPMARTIN 1986**

82 83 85 86

5 ha | 40 000

Vinifié et élevé de façon traditionnelle à partir de merlot et de cabernet, le château Lestrille

Capmartin est corsé, destiné à des viandes rouges et promis à une assez longue garde. Celui-ci constitue un heureux mariage de force et de finesse. Il a tout pour lui. Un rien d'élégance en plus et il décrochait sa troisième étoile.

↝ M. Jean-Louis Roumage, Lestrille, 33750 Saint-Germain-du-Puch, tél. 57.24.51.02 ♈ r.-v.

CH. LE TREBUCHET 1986

■   14 ha   60 000   ▪▮ ⓥ 2

84 |85| 86

Le château Le Trébuchet doit son nom à la machine de guerre qui servait à jeter des pierres sur la tête de l'ennemi, pour attaquer La Réole durant la guerre de Cent Ans. Pacifique aujourd'hui, ce vignoble de 14 hectares argilo-calcaires et âgé de 30 ans offre un bordeaux 86 aux arômes d'iris, corsé et vigoureux.

↝ M. Bernard Berger, Ch. Le Trébuchet, Les Esseintes, 33190 La Réole, tél. 56.71.42.28 ♈ r.-v.

MAITRE D'ESTOURNEL 1986**

■   n.c.   ▪▮ ↓ⓥ 2

Sélection personnelle de Bruno Prats au sein de l'appellation bordeaux, Maître d'Estournel mérite son nom. Pourpre et très coloré, il est corsé et chaud, plus affectif que cérébral.

↝ Dom. Prats SA, Cos d'Estournel, Saint-Estèphe, 33250 Pauillac, tél. 56.44.11.37

CH. MORILLON 1986*

■   11 ha   90 000   ▪▪▮ ↓ⓥ 2

83 84 |85| 86

On trouve ici 65% de cabernet-franc et de cabernet-sauvignon, 25% de merlot et 10% de malbec. Olga Bagot propose un vin très estimable, marqué davantage par l'élégance que par la puissance. Sauf le nez qui est fort volubile : fruits cuits, notes grillées et cacao. En fin de compte, c'est la finesse que l'on retient.

↝ Mme Olga Bagot, Morillon, Neuffons, 33580 Monségur, tél. 56.71.42.26 ♈ r.-v.

CH. MOULIN DE GASSIOT 1985*

■   6,81 ha   54 000   ▪▮ ↓ⓥ 2

Moulin de Gassiot : un château des Vignerons de Guyenne, près de 7 hectares et des vignes qui approchent les 15 ans. Vif et épicé, un vin rubis, légèrement orangé, qui a beaucoup de caractère. Sa présentation n'appelle aucune critique. Pour une viande rouge ou une volaille ne manquant pas de tempérament.

↝ Les Vignerons de Guyenne, Blasimon, 33540 Sauveterre-de-Guyenne, tél. 56.71.55.28 ♈ r.-v.

↝ M. Guy Minvielle.

CH. MOULIN DE RAYMOND 1986**

■   9 ha   80 000   ▪▮ ↓ⓥ 2

|83| 86

Situé entre le Vieux Chêne et la Maison d'Olive, le Moulin de Raymond s'étend sur 9 hectares de cailloux et de sables. Un vin agréable et souple, à reflets grenat, parfumé de groseille et

d'une bonne vinosité. Encore vert et fermé, il sera merveilleux quand il s'ouvrira.

↝ M. Claude Faye, Saint-Sulpice-et-Cameyrac, 33450 Saint-Loubes, tél. 56.30.84.19 ♈ r.-v.

CH. DU MOULIN MEYNEY 1986

■   7,64 ha   60 000   ▪▮ ↓ⓥ 2

79 (8) |82| |83| |85| 86

Vieille propriété familiale sur le circuit du Fronsadais (merlot à 60%, bouschet à 30%, malbec pour le reste) qui offre un vin destiné à une consommation assez rapide : belle couleur, arômes soutenus, de l'élégance, mais le bois de charpente ne tiendra pas 100 ans.

↝ M. Jean-Pierre Gazeau, Ch. du Moulin Meyney, 33141 Villegouge, tél. 57.84.45.11 ♈ r.-v.

MOUTON CADET 1985**

■   n.c.   n.c.   ▪▮ |83|

77 78 79 80 81 (82) |83|

On peut être discret et élégant, l'étiquette du Mouton Cadet le prouve. Le vin lui aussi est distingué mais il affiche assez ouvertement ses qualités : tout au long de la dégustation dominent de puissants arômes giboyeux qui se marient parfaitement avec les tanins très fondus que découvre le palais.

↝ Baron Philippe de Rothschild, La Baronnie, B.P. 117, 33250 Pauillac, tél. 56.59.20.20

CH. NARDIQUE LA GRAVIERE 1986*

■   4 ha   15 000   ▪▮▮ ↓ⓥ 2

Plaisant, élégant, il joue aimablement sa partition sans prétendre constituer à lui seul tout l'orchestre.

↝ GAEC Gérard Thérèse et Fils, Nardique la Gravière, Saint-Genès-de-Lombaud, 33670 Créon, tél. 56.23.01.37 ♈ t.l.j. 9h-12h 14h-19h.

CH. DES NAUVES 1986

■   5 ha   25 000   ▪▪▮ ↓ⓥ 2

81 (82) 83 84 86

Ce très vieux vignoble est dans la même famille depuis le XVᵉ s., au moins. Il produit un bon bordeaux rouge, plaisant et convenablement vinifié. Une pointe d'évolution. A consommer maintenant.

↝ M. Alain Routurier, La Croix de Merlet, Marsas, 33620 Cavignac, tél. 57.68.71.35 ♈ t.l.j. 9h-13h 14h-19h.

NICOLAS Réserve de la maison 1985***

■   n.c.   120 000   ▪▮ 2

La robe a quitté le grenat jeune pour s'installer dans une teinte plus évoluée. Nez au joli fruité de framboise mâtiné de mûre et de groseille suivi d'une bouche pleine à l'astringence fine. Etiquette originale, bouteille numérotée qui n'a pas encore atteint son apogée.

◆ Ets Nicolas, 253, av. du Gal-Leclerc, 94700 Maisons-Alfort, tél. 1.43.96.81.81.
◆ M. J. Théron.

tannins sont bien à leur place et la structure solide. Vieillissement heureux.
→ S.A. Ginestet, Les Fontenilles, Carignan, 33360 Latresne, tél. 56.20.54.61
→ M. J. Théron.

CH. POUCHAUD-LARQUEY 1986*
7 ha — 30 000

77 78 80 (82) 83 84 **85** |86|

Cabernet-sauvignon pour moitié, un vin bien équilibré et caractéristique du terroir. Les joues empourprées, très fruité (groseille) avec une touche de caramel qui n'est pas désagréable, il présente un bon rapport qualité/prix.
→ MM. René Piva et Fils, Ch. Pouchaud-Larquey, Morizes, 33190 La Réole, tél. 56.71.44.97 ▼ r.-v.

CH. QUILLET 1986*
5 ha — 15 000

Ce château Quillet est en tout point excellent. Robe parfaite, haute couture. Nez de fruits rouges, avec des arômes de venaison. De la jeunesse et du panache. On peut le boire les yeux fermés.
→ M. Gilbert Croizet, Morizes, 33190 La Réole, tél. 56.71.46.27 ▼ r.-v.

CH. ROC DE CAYLA 1986
7 ha — 50 000

8) |81| (82) 83 84 |85| 86

Roc de Gayla se trouve à Soulignac, dans l'ancien comté de Benauge. Jolie couleur et de la rondeur. Les arômes paraissent empruntés à un bocal de fruits rouges à l'eau-de-vie. Séducteur, très pressé : il faut se jeter tout de suite dans ses bras.
→ M. Jean-Marie Lanoué, Ch. Roc de Cayla, Soulignac, 33760 Targon, tél. 56.23.91.13 ▼ r.-v.

CH. ROQUEFORT 1985
20,50 ha — 150 000

Forte présence du merlot (87%) : elle procure à ce vin une douceur qui se marie agréablement à des arômes de cassis et de violette. Un 85 très souple, féminin et tendre. Il a plus de cœur que de corps. La maison forte de Roquefort fut bâtie au XIIIe s, par permission d'Edouard Ier d'Angleterre.
→ SCE du Ch. Roquefort, Ch. Roquefort, Lugasson, 33119 Frontenac, tél. 56.23.97.48 ▼ r.-v.

CH. THIEULEY 1986*
12 ha — 80 000

78 |81| 83 85 86

Le domaine est situé tout près de l'abbaye de La Sauve qui accueillait jadis les pèlerins de Saint-Jacques-de-Compostelle et leur offrait déjà ce vin pour les remettre en jambes. Il pourrait aujourd'hui encore remplir cet office : de la force et du nerf, mais pas trop. Un fruité très élégant.
→ M. Francis Courselle, Ch. Thieuley, La Sauve, 33670 Créon, tél. 56.23.00.01 ▼ r.-v.

CH TOUR DE MIRAMBEAU 1986**
30 ha — 200 000

Vin produit sur 30 hectares de cabernet (40%)

DOM. DE PAREYNEAU 1986*
85 86
2,50 ha — 10 000

Pourquoi ne pas déboucher cette bouteille sur un confit ? Merlot à 70%, elle ne manque pas d'originalité. Ainsi cette légère tonalité de groseille. A ranger parmi les vins qui ont l'ambition de plaire dans l'instant.
→ M. Philippe Lesnier, Dom. de Campsec, Saint-Vincent-de-Paul, 33440 Ambares, tél. 56.06.31.69 ▼ r.-v.

CLOS DE PELIGON 1986*
8 ha — n.c.

Bien représentatif de son appellation, vin bordeaux à la robe vive et au nez de groseille et fraise. Il a la souplesse apportée par 60% de merlot. Et un prix intéressant.
→ M. Pierre Reynaud, Aux Graves, 33450 Saint-Loubes, tél. 56.20.47.52 ▼ r.-v.

CH. PEY DE FAURE 1986*
84 |85| 86
9,40 ha — 90 000

Prés de 10 hectares plantés pour moitié en cabernet-sauvignon. Un vin aromatique assez souple et bien équilibre, prêt à boire. Plaisant.
→ M. Marthe Lataste, 18, rue de Branne, 33410 Cadillac, tél. 56.62.66.82 ▼ r.-v.

CH. PILET 1985
80 |81| 82 |83| 84 |85|
20 ha — 165 000

Les vignobles Jean Queyrens portent plusieurs noms de châteaux, dont celui-ci : château Pilet. Jolie couleur, forte vinosité et réelle puissance aromatique. La suite est un peu sèche, faute de gras. Mais l'impression générale penche du bon côté de la balance.
→ M. Jean Queyrens, Au Grand Village, Donzac, 33410 Cadillac, tél. 56.62.97.42 ▼ t.l.j. 8h-12h 14h-18h.

CH. PORT-DU-ROY 1986*
18 ha — 110 000

Sain de corps et d'esprit, ce château Port-du-Roy développe de beaux arômes floraux. Les

et merlot (60%). Il a du corps et de l'esprit, un nez de framboise, une étonnante profondeur et un charme fou.

→ M. Jean-Louis Despagne, Ch. Tour-de-Mirambeau, Naujan-et-Postiac, 33420 Branne, tél. 57.84.55.08 Y r.-v.

CH. TOUTIGEAC 1986*

33 ha   250 000

79 81 82 83 85 86

On cultive ici la vigne depuis le Moyen Âge. Au sommet d'une colline, le château Toutigeac est un domaine familial. Son 86 rouge, vif et brillant, exprime une harmonie ensoleillée entre des tanins encore un peu sévères et la souplesse du vin.

→ M. Philippe Mazeau, Ch. Toutigeac, 33760 Targon, tél. 56.23.90.10 Y r.-v.

CH. DES TUQUETS 1986*

25 ha   170 000

79 81 82 83 85 86

Heureuse harmonie du merlot et des cabernets. Un vin réglisse, épicé, qui affirme sans complexe son tempérament. À ne pas boire trop tôt, car il n'est pas encore tout à fait au point.

→ M. Jean-Hubert Laville, Les Tuquets, Saint-Sulpice-de-Pommiers, 33540 Sauveterre-de-Guyenne, tél. 56.71.53.56 Y r.-v.

CH. TURCAUD 1986

12 ha   95 000

76 78 79 81 82 83 84 85 86

Les arômes prennent ici le dessus. Jeunes encore et délicatement fruités, ils compensent une attaque assez courte.

→ M. Maurice Robert, Ch. Turcaud, La Sauve-Majeure, 33670 Créon, tél. 56.23.04.41 Y r.-v.

CH. DE VAURE 1985*

23 ha   80 000

82 85

Rubis assez sombre, reflets violets, un 85 aux arômes généreux, très mûrs : tanins et fruits rouges. La vinosité se détache bien sur fond de gras souple. Si l'on constate un début d'évolution annonçant que cette bouteille est prête à s'offrir au tire-bouchon, le vin bien fait, avec une jolie harmonie.

→ CCV Chais de Vaure, Ruch, 33350 Castillon-la-Bataille, tél. 57.40.54.09 Y t.l.j. sf dim. 9h-12h 14h-18h.

→ GFA du Dr Delom Sorbe.

CH. DES VERGNES 1986**

25 ha   130 000

Château des Vergnes : un bordeaux 86 produit sur 25 hectares. Belle robe rubis profond et arômes de fruits rouges. La structure tannique est intéressante, d'où la promesse d'une évolution satisfaisante. Un vin bien fait, avec une jolie harmonie finale.

→ Univis, Les Lèves et Thoumeyragues, 33220 Sainte-Foy-la-Grande, tél. 57.41.22.08 Y ma. me. je. ve. sa. 8h30-12h30/14h-18h.

CH. VERTHANOU 1985

5 ha   25 000

Un 85 qui affiche bien son âge par une robe soutenue, le bouquet est fin, floral. L'équilibre et la souplesse permettent de l'apprécier dès maintenant.

→ M. Christian Quancard, Ch. Verthamon, 33360 Latresne, tél. 56.20.71.03

DOM. DU VIEIL ORME 1986*

9 ha   30 000

83 85 86

Ce Vieil Orme se situe à Saint-Pierre-de-Bat en Gironde. On lui souhaite de résister longtemps à la graphiose qui tue les malheureux arbres. Quant au vin, il ne manque ni de rondeur ni d'ampleur. Cassis à plein nez ! l'épaule est un peu fluette, mais le corps a du charme.

→ M. Peyrondet, 33760 Saint-Pierre-de-Bat, tél. 56.23.93.96 Y r.-v.

VIEUX CELLIER D'YVECOURT 1986*

n.c.   180 000

C'est en 1902 qu'Aristide Mau fonda cette maison toute familiale devenue leader, avec une chaîne de mise en bouteilles des plus modernes. Ce bordeaux limpide est plaisant par ses parfums fins de fruits rouges mûrs et sa souplesse.

→ M. Yvon Mau, rue de la Gare, Gironde-sur-Cropt, 33190 La Réole, tél. 56.71.11.11 Y r.-v.

CH. VIEUX GRENET 1987

1,60 ha   n.c.

Mi-merlot mi-cabernet-franc, un rouge à boire frais, produit sur la commune des Artigues-de-Lussac. Si sa robe n'a pas une extrême profondeur, les arômes chantent la cerise et la groseille. Tout cela est franc, bien équilibré, tannique. Un peu jeune évidemment, c'est un 87.

→ M. J.-M. Rousseau, Petit Sorillon, Abzac, 33230 Coutras, tél. 57.49.06.10 Y t.l.j. 8h-13h 15h-19h ; f. août

CH. VIRECOURT-CONTE 1986**

4,30 ha   32 000

78 80 82 85 86

Château Virecourt-Conté appartient à Antoine Maurice et fait partie de la cave de Grangeneuve créée en 1936 (près de 700 hectares au cœur de l'Entre-Deux-Mers). Une vendange bien mûre ensoleille ce vin qui «sent le raisin». Il conviendra à un plat de gibier ou à un fromage fermenté à pâte cuite.

→ Coop. de Grangeneuve, Romagne, 33760 Targon, tél. 56.23.94.62 Y r.-v.

Bordeaux clairet

CH. DU BRU 1987

3 ha   10 000

Issu d'une propriété qui fait des efforts pour l'accueil des visiteurs, profitant du voisinage de la Dordogne pour leur proposer des promenades en barque, ce vin ne se contente pas d'une belle présentation ; il marque agréablement sa présence en bouche par sa rondeur et ses arômes floraux.

SCEA Ch. du Bru, Saint-Avit-Saint-Nazaire, 33220 Sainte-Foy-la-Grande, tél. 57.46.12.71 ▼ r.-v.

CAVE COOP. VINICOLE DE GÉNISSAC 1987

3.14 ha   20 000   2

Avec à peine plus de 33 hectares, la Cave de Génissac est déjà un «gros» producteur de claret. La production de ce vin d'une belle couleur et d'une bonne tenue en bouche n'est donc pas trop confidentielle.

Cave Coop. Vini. de Génissac, Génissac, 33420 Branne, tél. 57.24.48.01 ▼ r.-v.

CH. LAVILLE 1987**

1 ha   6 000   2

Obtenu par «saignée» au bout de 36 heures environ de fermentation, ce vin se distingue par la richesse de son bouquet qui mêle le biscuit aux fruits rouges. Très savoureux et parfaitement équilibré, il débouche sur une très jolie finale.

M. Claude Faye, Ch. Laville, Saint-Sulpice-et-Cameyrac, 33450 Saint-Loubès, tél. 56.30.84.19 ▼ r.-v.

CH. MELIN 1987

1.50 ha   10 000   2

Conservant une couleur de clairet, ce vin ne sacrifie pas à la mode actuelle. Rond et floral, il fera un agréable compagnon pour les repas d'été.

M. Claude Modet, Constantin, Baurech, 33880 Cambes, tél. 56.21.34.71 ▼ r.-v.

Bordeaux sec

CH. ANNICHE 1986*

50 ha   40 000   2

Cette propriété s'est agrandie de génération en génération : 50 hectares de vignes sur des plateaux siliceux, vendus à la clientèle particulière depuis 1972. Un 86 aux notes florales assez agréables, toujours vert et légèrement agressif. De style rustique : c'est aussi un charme.

M. Michel Pion, Le Grand Chemin, Haux, 3550 Langoiran, tél. 56.23.05.15 ▼ t.l.j; 9h-12h 14h-19h.

CH. BALLUE-MONDON 1986

2.40 ha   27 000   2

Ni engrais chimiques ni produits de synthèse, c'est la méthode Lemaire-Boucher qui a ses particularités. Sous une robe limpide et assez vive, un 86 aux arômes discrets, plaisant, nullement désagréable, léger. Il lui manque un peu d'élan. On peut toujours l'essayer avec une fondue savoyarde.

M. Guy Ballue, Le Vivey, 33890 Gensac, tél. 57.40.42.25 ▼ t.l.j; sf dim. 8h-12h30 14h-20h; f. dim. sur r.-v.

CH. DE BARRE 1987

15.30 ha   n.c.   1

A la limite des communes de Vayres et Arveyres, près de Libourne, le domaine de Barre s'étend autour d'une belle maison. Ce 87 assez vert est un peu ours ; il a l'attaque vive, de la complexité mais les pattes un peu lourdes.

M. Cazenave-Mahé, Ch. de Barre, Arveyres, 33500 Libourne, tél. 57.24.80.26 ▼ r.-v.

CH. BEAUDUC 1987*

2 ha   13 000   2

Acheté par la famille Thomas en 1981, ce domaine vinifie ici depuis cette date. Son 87 est agréable à l'œil, plaisant au nez et net en bouche. Entièrement sauvignon, un vin qui ne vous en raconte pas : sa simplicité ne diminue en rien son élégance.

M. Thomas, Ch. Bauduc, 33670 Créon, tél. 56.23.23.58 ▼ t.l.j; sf dim. 8h-12h 14h-18h.

BEAU MAYNE 1987

n.c.   n.c.   1

La discrétion des arômes n'empêche pas de saisir au vol un gentil parfum d'églantine puis une touche de miel. De la souplesse et de l'équilibre, un vin bien assemblé mais qui n'exprime pas une extraordinaire finesse.

MM. Dourthe Frères, 35, rue de Bordeaux, B.P. 70, Parempuyre, 33290 Blanquefort, tél. 56.35.84.64 ▼ r.-v.

CH. BEAU RIVAGE 1986*

n.c.   n.c.   1

Jaune pâle à reflets vifs et nets, bien limpide, ce château Beau-Rivage est très floral. Un 86 qui reste frais et offre une harmonie heureuse.

Borie-Manoux SA, cours Balguerie-Stuttenberg, 33082 Bordeaux Cedex, tél. 56.48.57.57 ▼ r.-v.

CH. BERTINERIE 1987

1.80 ha   14 000   2

40% sémillon et autant de sauvignon, 20% de colombard. Un vin marqué par le raisin mûr, si vif que l'on a envie de tempérer son ardeur.

M. Daniel Bantegnies, Ch. Bertinerie, Cubnezais, 33620 Cavignac, tél. 57.68.70.74 ▼ r.-v.

BLASON DE MAUCAILLOU 1987*

n.c.   n.c.   2

Le blason de Maucaillou orne la bouteille de la maison Dourthe : jolis reflets dorés, nez de miel et de cire, notes de fruits confits. Bien fait et assez gras, ce vin se présente avec franchise et son évolution est ensuite marquée légèrement acidulée sous la caresse du miel.

MM. Dourthe Frères, 55, rue de Bordeaux, B.P. 70, Parempuyre, 33290 Blanquefort, tél. 56.35.84.64 ▼ r.-v.

BLASON TIMBERLAY 1987*

n.c.   n.c.   2

Un assez joli vin jaune paille, cépage sauvignon, dont les arômes discrets chantent la campagne : aubépine et lilas. Notes d'agrumes, fraîches et vives : citron et pamplemousse. De la sève et du caractère. Sans doute pourrait-on le préférer un peu moins nerveux, mais c'est un petit défaut de jeunesse.

CH. DU CROS 1987*

☐ 31 ha 177 000

Nichée depuis 1250 sur un rocher à pic, la place forte du Cros domine cette région et commande un vignoble de près de 100 hectares. Michel Boyer gère le domaine de même que les châteaux Haut-Mayne et de Lucques. Château du Cros 87 : un blanc qui, malgré une pointe d'acidité en fin de bouche, affirme d'authentiques et belles qualités.

↝ M. Michel Boyer, Ch. du Cros, Loupiac, 33410 Cadillac, tél. 56.62.99.31 Ⲩ r.-v.

DESTIAC 1987

☐ n.c. n.c.

Une bouteille à déboucher sans trop attendre. Si l'impression en bouche est faite de franchise et d'équilibre, les arômes pas intenses ne se développeront sans doute pas avec le temps. Le fruit n'est pas absent.

CH. GARRIGA 1987

☐ 13 ha n.c.

Siège d'une importante exploitation viticole appartenant à la famille Barreau depuis quatre générations, le Château Garriga (le nom du lieu-dit) propose ce 87 bien limpide mais qui a presque trop de mordant. On le conseille aux amateurs de vins très vifs.

↝ M. Claude Barreau, Garriga, Grézillac, 33420 Branne, tél. 57.74.90.06 Ⲩ r.-v.

«G» CHATEAU GUIRAUD 1987*

☐ n.c. n.c.

Une belle vinification moderne. Nez classique pomme-poire et bouche ronde, pleine. Un blanc pour la table.

↝ SCA du Ch. Guiraud, Sauternes, 33210 Langon, tél. 56.63.61.01 Ⲩ r.-v.

CH. DE GIROLATTE 1987**

☐ 5 ha 14 000

Le rancio que signale notre jury ne signifie pas début de madérisation, mais simplement une tonalité boisée. Elle est due à une vinification en barriques neuves, et ce vin aux reflets dorés lui doit son originalité.

↝ M. Jean-Louis Despagne, Ch. Tour-de-Mirambeau, Naujan-et-Postiac, 33420 Branne, tél. 57.84.55.08 Ⲩ r.-v.

GRANGENEUVE 1987*

☐ n.c. 12 000

Fondée en 1936, la coopérative de Grangeneuve a très honnêtement réussi ce vin limpide et brillant qui distille avec parcimonie de subtils arômes bien mûrs. La finale est un peu courte, mais demeure fraîche. Pur sauvignon.

↝ Coop. de Grangeneuve, Romagne, 33760 Targon, tél. 56.23.94.62 Ⲩ r.-v.

CH. HAUT-BARRY 1987*

☐ 1,60 ha n.c.

Un sauvignon tout rond, jaune pâle à reflets verts. Il fleure bon la rose sauvage et ne manque

↝ Robert Giraud SA, Dom. de Loiseau, B.P. 31, 33340 Saint-André-de-Cubzac, tél. 57.43.01.44

CH. BOIS-MALOT 1987***

☐ 1 ha 4 000

« Notre vie vaut ce qu'elle nous a coûté d'efforts », disait Mauriac. Ainsi de ce vin, merveilleusement sculpté à la manière d'un objet d'art. Ses arômes gardent une discrétion aristocratique. Tout est ici bonheur et esprit. Château Bois-Malot, un nom à retenir.

↝ M. Fernand Meynard, Les Valentons, 33450 Saint-Loubès, tél. 56.38.94.18 Ⲩ t.l.j. sf dim. 8h-12h 14h-19h ; f. sam. a.-m. sur r.-v.

CH. BON-JOUAN 1987**

☐ 3 ha 2 700

Sauvignon et muscadelle avec une petite pointe de sémillon, un vin qui évoque le lys et l'aubépine. Il a tout pour plaire : la franchise, la rondeur, l'équilibre, la fraîcheur. Et Nadine Saint-Jean le vend à moins de 20 F la bouteille.

↝ Mme Nadine Saint-Jean, Bon-Jouan, 33790 Pellegrue, tél. 56.61.34.73 Ⲩ lu. ma. me. je. ve. 8h-12h 14h-18h.

CH. DU BRU 1987****

☐ 2,50 ha 10 000

Plantée il y a une quinzaine d'années, cette vigne est à peu près contemporaine de l'époque où Josette et Guy Duchant ont repris le domaine et créé le château du Bru. Comme ils ont eu raison ! Ce sauvignon mérite amplement notre coup de cœur : arômes de pêche blanche et de fruits de la passion, fraîcheur et longueur, du gras et de la finesse. Il va tout droit au paradis.

↝ SCEA Ch. du Bru, Saint-Avit-Saint-Nazaire, 33220 Sainte-Foy-la-Grande, tél. 57.46.12.71 Ⲩ r.-v.

↝ M. Guy Duchant.

PRODUCE OF FRANCE

SAUVIGNON

Château du Bru

BORDEAUX BLANC SEC

Appellation Bordeaux Blanc Sec Contrôlée

Alc. 11,5% by vol.

Guy DUCHANT propriétaire à St-Avit-St-Nazaire (Gironde) France

MISE EN BOUTEILLE AU CHATEAU

CARAYON-LA-ROSE 1987**

☐ n.c. 100 000

Sous une robe très pâle, un sauvignon d'excellente tenue. Son nez est légèrement sauvage, mais plein de finesse, caractéristique du cépage et très floral (fleur de tilleul et chèvrefeuille). Il inspire un sentiment de loyauté et de plénitude, jusqu'à tonalités de fruits exotiques qui ponctuent l'impression finale.

↝ SA Dulong Frères et Fils, 29, rue Jules-Guesde, 33270 Floirac, tél. 56.86.51.15

KRESSMANN MONOPOLE DRY 1987*
▢ n.c. · n.c.

Otez le bouchon et de cette bouteille sort tout un essaim d'abeilles. Beau nez de miel, en vérité ! L'attaque est ronde, gaie et fringante. Voici un

◆ M. Christian Médeville, Ch. Gilette, Preignac, 33210 Langon, tél. 56.63.27.59 ℡ r.-v.

CH. DU JUGE 1987*
▢ 8 ha · 64 000

Pierre et Chantal Dupleich-David produisent ce château du Juge qui ne fera pas appel : nous l'avons trouvé discret mais honnête et franc, d'un commerce agréable, riche de personnalité. Odeur de rose, ce qui ajoute à la poésie au plaisir.

◆ Pierre et Chantal Dupleich, Ch. du Juge, 33410 Cadillac, tél. 56.62.17.77 ℡ r.-v.

DOM. DES JUSTICES 1987
▢ 2.50 ha · 18 000

Ce vignoble date du XVIII° s. Il fut acheté au seigneur de la Motte, conseiller au parlement de Bordeaux et il appartient depuis lors à la famille Médeville. Légèrement ambré, ce domaine des Justices 1987 s'exprime comme Thémis : sans vivacité, en prenant son temps. Arômes de poire et d'agrumes.

◆ Mme Evelyne Menier, Ch. Haut-Guillebot, Lugaignac, 33420 Branne, tél. 57.84.51.71 ℡ t.l.j. sf dim. 9h-12h30 14h-19h30.

CH. DE HAUX 1987**
▢ 3.30 ha · 20 000

Le château de Haux change de nationalité : depuis 1986, il est sous pavillon danois avec M. Peter Jorgensen. Ce premier millésime, élaboré toutefois par les Bordelais Dominique Hébrard et Denis Rourregous, se présente dans une superbe robe pâle à reflets verts. Fin et floral, marqué d'aubépine, franc, il a une jolie classe.

◆ SCEA Ch. de Haux, Ch. de Haux, Haux, 33550 Langoiran, tél. 56.23.35.07 ℡ r.-v.

CH. HAUT-GUILLEBOT 1987**
▢ 30 ha · n.c. · [2]

Bien typé sauvignon, un nez aussi fleuri que fruité ! Nuance aubépine et sans la moindre épine d'agressivité, un bordeaux figurant parmi les meilleurs. Ses arômes très ronds enveloppent harmonieusement une structure solide.

CH. HAUT-CHAMPION 1987
▢ n.c. · 50 000

Ce château Haut-Champion est l'œuvre de l'Union Saint-Vincent, coopérative de Rauzan. Au teint très pâle, il ne manque ni de plénitude ni d'équilibre. Mais on l'aimerait plus expressif. Il baisse les yeux comme une jeune fille d'autrefois.

◆ Union Saint-Vincent, B.P. 4, 33420 Rauzan, tél. 57.84.13.66 ℡ t.l.j.

CH. DE LA CLOSIERE 1987*
▢ 2 ha · n.c.

le château de La Closière 87 est un vin bien doré, bien limpide. Robuste et charpenté, il est avant tout puissant. Mi-sémillon, mi-sauvignon : les arômes traduisent la sincérité de ces cépages. Un rien de finesse en plus, et il mériterait deux étoiles. Rappelons qu'il fut coup de cœur pour son 86.

◆ ED Kressmann et Cie, 35, rue de Bordeaux, B.P. 24, Parempuyre, 33290 Blanquefort, tél. 56.35.84.64 ℡ r.-v.
◆ M. David.

CH. LA CLYDE 1987**
▢ 2.16 ha · 12 000

Au cœur des premières côtes-de-bordeaux, près de Tabanac, château La Clyde signe en 87 un blanc sec dont le plumage vaut le ramage : nez floral et robe aux reflets subtils. Tout est finesse dans ce vin charmant qui bénéficie d'un heureux mariage de cépages (sémillon, sauvignon et muscadelle) ainsi que de vieilles vignes (trente-cinq ans).

◆ GAEC Cathala, Ch. La Clyde, Tabanac, 33550 Langoiran, tél. 56.37.41.78 ℡ r.-v.

CH. LA COMMANDERIE DU QUEYRET 1987**
▢ 6 ha · 30 000

Sauvignon jaune pâle mais vif et brillant, ce vin est bien typé. Il a le petit côté exotique qu'on apprécie dans ce cépage et cette appellation. Finesse, élégance, ses atouts sont nombreux. Et le rapport qualité/prix n'inspire que des éloges !

◆ M. Claude Comin, Saint-Antoine-du-Queyret, 33790 Pellegrue, tél. 56.61.31.98 ℡ r.-v.

DOM. DE LA CROIX 1987
▢ 1 ha · 8 000

Un peu de pomme et beaucoup d'églantine, voilà pour le nez. Discrets reflets verts sous un teint doré, voilà pour le regard. Une ampleur modérée, mais de la franchise et de la spontanéité.

◆ M. Jean-Yves Arnaud, La Croix, Gabarnac, 33410 Cadillac, tél. 56.20.23.52 ℡ r.-v.

CH. LA CROIX DE LAMOTHE 1987
▢ 4.30 ha · 25 000

Un vin qui se cherche encore. Sous une robe de gala, la chair est un peu mince. Légère note de noyau au second coup de nez. Mais après tout, en 87 à le temps de se faire.

◆ SCE les Vignobles de Lamothe, Ch. Lamothe-Gaillard, Saint-Ciers-d'Abzac, 33230 Coutras, tél. 57.49.46.46 ℡ r.-v.

CH. LA GABORIE 1987
▢ 11 ha · 75 000

Jean-Hubert Laville présente ce château La Gaborie 87, fruit d'un assemblage délicat. La mangue et l'ananas charment le nez. Mais Dieu [...] pas de générosité. Le fruit persiste bien en bouche, et complète à merveille la souplesse du vin qui ne manque ni de tenue ni d'agrément. Un petit peu d'ampleur, et il serait parfait.

premier contact. Beau vin, très agréable.

◆ M. J.-M. Rousseau, Petit Sorillon, Abzac, 33230 Coutras, tél. 57.49.06.10 ℡ t.l.j, 8h-13h 15h-19h ; f. août

qu'il est vif ! La douceur aussi a du bon, même pour un vin sec...
M. Jean-Hubert Laville, Les Tuquets, Saint-Sulpice-de-Pommiers, 33540 Sauveterre-de-Guyenne, tél. 56.71.53.56 r.-v.

CH. DE LA GRANDE CHAPELLE 1987

☐ 3 ha 8 000 ■ ↓ V 2

Raymond Poincaré appréciait les vins de ce domaine né de la division d'une propriété religieuse cultivée par les moines de l'île de Ré. Le vin s'en allait à Bordeaux, puis sur l'île, puis en Angleterre. Celui-ci présente une attaque fraîche et agréablement perlante, des arômes de fruits bien mûrs, une âme puissante.
M. Gérald Liotard, La Grande Chapelle, Lugon, 33240 Saint-André-de-Cubzac, tél. 57.84.41.52 r.-v.

CH. LAGRAVE-PARAN 1987*

☐ n.c. 50 000 ■ ↓ V 2

Le Château Lagrave-Paran parvient à séduire le cœur tout en contentant l'esprit. L'attaque est franche, rieuse, mais l'on découvre derrière cette impression première un trésor d'équilibre et de constitution. Les arômes de cépages et de fleurs cohabitent sans problème.
GAEC Lafon Père et Fils, Saint-André-du-Bois, 33490 Saint-Macaire, tél. 56.63.70.45 r.-v.

CH. LA MONGIE 1987*

☐ 7 ha 40 000 ■ ↓ V 2

Bien limpide, un vin aux légers accents exotiques, franc mais discret. Il se tient sur sa réserve. Un caractère un peu plus affirmé ne le desservirait pas. Comme son superbe aîné, le 86 trois étoiles !
GFA de La Mongie, Ch. La Mongie, Vérac, 33240 Saint-André-de-Cubzac, tél. 57.84.37.08 r.-v.

DOM. DE LAUBERTRIE 1987***

☐ 7 ha 10 000 ■ ↓ V 1

Muscadelle, sémillon et sauvignon entrent à parts égales dans ce domaine de Laubertrie admirablement structuré. Notre jury lui a trouvé un parfum de... glycine, sans doute pour expliquer son charme fleuri ; mais aussi de citron, pamplemousse et pain grillé. Vivacité et rondeur s'harmonisent bien, pour aboutir aux grandes orgues de la fin de bouche.
M. Bernard Pontallier, Dom. de Laubertrie, Salignac, 33240 Saint-André-de-Cubzac, tél. 57.43.24.73 r.-v.

CH. DE L'AUBRADE 1987**

☐ 4 ha 20 000 ■ ⊕ ↓ V 2

Sa robe est sans défaut, mais il ne faut pas se contenter de le regarder. Ses parfums composent en effet une symphonie créole très colorée : litchies, ananas, écorce d'orange confite... Elle se prolonge en bouche, avec un entrain fou. Le gras ne nuit pas à la souplesse. Un vin né pour danser !
M. Jean-Pierre Lobre, Ch. de L'Aubrade, Rimons, 33580 Monségur, tél. 56.71.55.10 r.-v.

LE CHAMP DES ROIS 1987

☐ 0,60 ha 3 000 ■ V 2

Vert en bouche mais expressif, un blanc très « fruits de mer ». Arômes végétaux et tempérament sauvignon. Martine et Marc Héroult sont viticulteurs à Petit-Palais, où l'on peut voir une belle église romane du XIIe s. Elle figure sur l'étiquette de ce Champ des Rois.
M. Marc Héroult, Ch. Puymontant, Petit-Palais, 33570 Lussac, tél. 57.69.62.07 t.l.j. sf dim. 8h-13h 14h-23h ; f. 25 août au 10 sept.
M. Héroult-Collas.

CH. LINAS 1987

☐ 3 ha 20 000 ■ ↓ V 2

Sous la houlette de leur directeur Jean-Pierre Navarre, les élèves du lycée agricole et viticole de Blanquefort présentent à l'examen ce château Linas 87. S'il ne décroche pas le prix d'excellence, il obtient cependant la moyenne.
Lycée Agricole de Blanquefort, Ch. Dillon, 33290 Blanquefort, tél. 56.35.02.27 lu. ma. me. je. ve. 8h-12h 14h-17h30 ; f. sam. a.-m.

CH. L'ORTOLAN 1987**

☐ n.c. n.c. ■ V 1

Manger un ortolan, soit. Mais boire l'Ortolan ? C'est possible, grâce à la coopérative d'Espiet qui a mitonné à notre intention ce vin divinement floral. Il se jette à votre cou, vous enivrant de parfums exotiques. Harmonie parfaite, et une élégance folle.
Cave Coop. d'Espiet, Espiet, 33420 Branne, tél. 57.24.24.08 lu. sa. 8h30-12h30 14h-18h.

CH. DE LOUDENNE 1987***

☐ 13 ha 110 000 ■ ↓ V 2

Cédé en 1875 par la vicomtesse de Marcellus à Walter et Alfred Gilbey, château Loudenne est une superbe propriété, une charmante gentilhommière du Médoc. Le vignoble s'étend sur 72 hectares dont 13 pour ce blanc remarquable, légèrement plus sauvignon que sémillon. Bouquet d'églantine, de la fraîcheur et du gras. Un « must ». Gilbey de Loudenne est lié au groupe britannique IDV.
Gilbey de Loudenne, Saint-Yzans-de-Médoc, 33340 Lesparre, tél. 56.09.05.03 r.-v.
W. et A. Gilbey.

MAITRE D'ESTOURNEL 1987*

n.c.   n.c.   [icons | V 2]

Sélection de Brunc Prats au sein de l'appellation, ce Maître d'Estournel blanc s'il n'est pas très corpulent exprime une belle richesse aromatique, fine et sincère.

♠ Dom. Prats SA, Cos d'Estournel, Saint-Estèphe, 33250 Pauillac, tél. 56.44.11.37

CH. MARAC 1987

2.50 ha   15 000   [icons | V]

Une bouteille qui ne déborde pas de personnalité, tout en exprimant bien ses cépages (sauvignon à 90%, sémillon pour le reste). Excellent en bouche, il n'est guère bavard au nez. Peut-être est-il encore fermé ?

♠ MM. Alain Bonville et Fils, Marac, Pujols-sur-Dordogne, 33350 Castillon-la-Bataille, tél. 57.40.53.21 T r.-v.

CH. DE MARSAN 1987

9 ha   20 000   [icons | V]

D'importants travaux de rénovation ont été accomplis récemment dans cette demeure du XVIIe s. et ses chais. Le bordeaux 87, issu de 90% de sémillon, est du genre calme et posé, avec de jolis arômes. Un peu plus de nerf, et il serait très bien.

♠ M. Paul Gonfrier, Ch. de Marsan, Lestiac, 33550 Langoiran, tél. 56.72.32.56 T r.-v.

CH. MELIN 1987*

5 ha   20 000   [icons | V 2]

A la crête des coteaux longeant la rive droite de la Garonne, le château Melin fait partie d'un domaine de quelque 30 hectares. Aubépine et pomme, un 87 à boire très frais : s'il n'est pas très expansif au nez, il occupe bien la bouche et s'y plaît visiblement.

♠ M. Claude Modet, Constantin, Baurech, 33880 Cambes, tél. 56.21.34.71 T r.-v.

CH. MORILLON 1987

5 ha   40 000   [icons | V]

Robe blanche et yeux baissés, voici une bouteille nuptiale. Son nez fin et élégant a des accents d'amande grillée avec un rien de boisé. Avec une note un peu lourde, l'impression est un peu moins heureuse en bouche, mais néanmoins intéressante. L'ensemble est plaisant.

♠ Mme Olga Bagot, Morillon, Neufons, 33580 Monségur, tél. 56.71.42.26 T r.-v.

CH. MOUGNEAUX 1986

5 ha   24 000   [icons | V]

Une délicate touche de miel personnalise ce vin à la robe dorée et brillante. Il n'exprime pas une vivacité très marquée, mais conviendra aux amateurs de bouteilles assez jeunes.

♠ Gaec Jean Bocquet, Ch. Mougneaux, 33580 Saint-Ferme, tél. 56.61.62.02 T t.l.j. 8h-19h.

MOUTON-CADET 1985**

n.c.   6 000   [icons | 3]

Traversée de multiples reflets, la robe d'un bel or pâle se laisse volontiers contempler. Florale et fruitée, la suite est très riche. Elle manifeste même une certaine personnalité par son mélange de vivacité et d'onctuosité assez original.

♠ Baron Philippe de Rothschild, La Baronnie, B.P. 117, 33250 Pauillac, tél. 56.59.20.20

CH. DES NAUVES 1987

1.30 ha   6 000   [icons | V]

Il s'agit d'un très ancien domaine. Les premiers actes de propriété remontent à la fin du XVIe s. Ce sauvignon a un nez de pomme golden. Il ne fera sans doute pas un vin de garde, mais offrira un plaisir réel à ceux qui le boiront dès à présent.

♠ M. Alain Routurier, La Croix de Merlet, Marsais, 33620 Cavignac, tél. 57.68/71.35 T.l.j. 9 h-13h 14h-19h.

PAVILLON BLANC 1985***

12 ha   45 000   [icons | 2]

Depuis toujours, la présence d'un banc calcaire a incité château Margaux à produire un vin blanc. Connaissant aujourd'hui un rare développement, cette production a atteint un certain degré de perfection. Très original par ses arômes, ce vin, fait pour vieillir, sait être tout à la fois riche, onctueux, gras, ample et très long.

♠ SCA du Ch. Margaux, 33460 Margaux, tél. 56.88/70.28 T r.-v.

CH. DE PLASSAN 1987*

9.50 ha   45 000   [icons | V 2]

la maquette du château de Plassan, construit à la fin du XVIIIe s., pour une famille des Antilles, illustre l'architecture palladienne viticole bordelaise. Aussi figure-t-elle en bonne place au musée d'Aquitaine. Ce vin a également une belle architecture classique et des parfums exotiques. Il fait honneur à ce domaine.

♠ SCEA Ch. de Plassan, Plassan, Tabanac, 33550 Langoiran, tél. 56.67.26.28 T r.-v.

CH PONCET 1987

30 ha   160 000   [icons | V 2]

Orienté plein sud et surplombant la Garonne, un vignoble de quelque 40 hectares, dont 30 en blancs, plantés il y a une quarantaine d'années. Château-Poncet est exploité par Jean-Louis David dans les premières-côtes-de-bordeaux, comme château Piot-David en barsacernes. Un vin au nez tapageur, convenable.

♠ M. Jean-Luc David, Ch. Poncet, Omet 33410 Cadillac, tél. 56.62.97.30 T r.-v.

«R» DE RIEUSSEC 1986**

n.c.   [icon 3]

Un parrainage illustre pour ce beau bordeaux sec produit par un prestigieux domaine de Sauternes : Rieussec. Souple, rond et très subtil par ses nez et aromatiques de tilleul et de citron vert, il impressionnera par son volume et sa belle finale épicée.

♠ SA du Ch. Rieussec, Fargues, 33210 Langon, tél. 56.63.31.02 T r.-v.

CH. RENON 1987*

6 ha   20 000   [icons | V 2]

Des reflets dorés dans la robe, un nez floral, puissan: (genêt et ortie blanche), mêlé d'aubé-

pine. Il est rond et franc. Un bon vin réservé aux amateurs de parfums intenses.

➤ M. Jacques Boucherie, Ch. Renon, Tabanac, 33550 Langoiran, tél. 56.67.13.59 Y r.-v.

CH. REYNON 1987*

□ 6 ha 40 000

Professeur à l'institut d'œnologie de Bordeaux, Denis Dubourdieu gère ce domaine avec son épouse Florence depuis 1977. Issu de vieilles vignes, 87 ressemble à cette belle demeure du milieu du XIXe s. : classique et distinguée, un peu imposante sans doute. Mais l'équilibre, l'ampleur et la puissance donnent envie de l'essayer sur un saumon.

➤ Denis et Florence Dubourdieu, Ch. Reynon, Beguey, 33410 Cadillac, tél. 56.62.96.51 Y r.-v.

CH. ROQUEFORT 1987*

□ 15 ha n.c.

Deux tiers de sauvignon, un tiers de sémillon : élevé en barriques neuves, un vin nettement boisé qui peut s'enorgueillir d'une robe parfaite. Il suggère des arômes de fleurs et laisse voir des épaules délicates et joliment dessinées : un vin féminin, dont la grâce ne dissimule pas le caractère.

➤ SCE du Ch. Roquefort, Ch. Roquefort, Lugasson, 33119 Frontenac, tél. 56.23.97.48 Y r.-v.

CH. SARANSOT-DUPRE 1987**

□ 2,30 ha n.c.

Et s'il n'en reste qu'un, semble dire Yves Raymond, je serai celui-là. Son château Saransot-Dupré maintient, en effet, la tradition du vin blanc à Listrac-Médoc, il est une véritable curiosité et une réussite : l'attaque est franche sur des arômes de buis et de genêt, la longueur estimable et l'équilibre bien musclé.

➤ M. Yves Raymond, Ch. Saransot-Dupré, Listrac-Médoc, 33480 Castelnau-de-Médoc, tél. 56.58.03.02 Y t.l.j. sf dim. 9h-20h.

CH. SUAU 1987

□ 11 ha 54 000

Ici, tout est neuf, sauf les vignes. Derrière un nez assez fin, floral avec une légère pointe d'oxydation, le millésime 87 développe une bouche un peu lourde mais structurée. Un blanc qui a du corps.

➤ Mme Monique Aldebert, Ch. Suau, Capian, 33550 Langoiran, tél. 56.72.19.06 Y r.-v.

CH. THIEULEY 1987*

□ 7 ha 60 000

Si la persistance aromatique de ce 87 est tout à fait satisfaisante, sa nature manque un peu de personnalité. La robe en revanche vient d'un grand couturier et la structure ne masque pas la jeunesse. Développement assez ample.

➤ M. Francis Courselle, Ch. Thieuley, La Sauve, 33670 Créon, tél. 56.23.00.01 Y r.-v.

CH. TOUR DE MIRAMBEAU 1987**

□ 40 ha 200 000

Cette Tour de Mirambeau 87 a fière allure : ronde évidemment, solide et bien enfoncée en terre. Des notes florales s'en échappent. N'hésitez pas à en faire le siège. Elle se rendra à vos assauts, avec honneur bien sûr.

➤ M. Jean-Louis Despagne, Ch. Tour-de-Mirambeau, Naujan-et-Postiac, 33420 Branne, tél. 57.84.55.08 Y r.-v.

CH. TURCAUD 1987

□ 2 ha 15 000

Comme les trois mousquetaires, ils sont quatre : sémillon (60%), sauvignon, muscadelle et colombard. Fromage de chèvre ou andouillette : pourquoi toujours penser au poisson ou au crustacés avec un bordeaux sec ? Parfum très intense, celui du lys. D'où un vin massif et qui emplit les sens, comme l'encens dans une église.

➤ M. Maurice Robert, Ch. Turcaud, La Sauve-Majeure, 33670 Créon, tél. 56.23.04.41 Y r.-v.

CH. DES VERGNES 1987**

□ 15 ha 90 000

Un sauvignon presque parfait, à la robe brillante et limpide. Son nez très typé mêle des parfums fruités (mangue, banane) à des arômes floraux (genêt). Remarquablement vinifié, il a la bouche souple et une finale légèrement citronnée.

➤ Univits, Les Lèves et Thoumeyragues, 33220 Sainte-Foy-la-Grande, tél. 57.41.22.08 Y ma. me. je. ve. sa. 8h30-12h30 14h-18h.

CH. VIEIL-ORME 1987

□ 3 ha 28 000

Sauvignon à 100%, un vin au souffle profond qui donne l'illusion de respirer un rameau de chèvrefeuille. Quelques nuances acidulées et bonbon anglais. Créée en 1966, l'exploitation se situe dans les côtes de Saint-Macaire, au-dessus de la vallée de la Garonne. Pour poissons et fruits de mer.

➤ GAEC Gardera, Dom. de Malineau, Saint-Martial, 33490 Saint-Macaire, tél. 56.63.70.58 Y r.-v.

CH. VILATTE 1987**

□ 3,40 ha 4 000

Aidée de ses enfants, Marie-Louise Massart a repris l'exploitation à la mort de son mari en 1983. Celui-ci était venu de Belgique, dix ans plus tôt, pour s'installer à Château Vilatte. Ce 87 est un beau vin, très bouquet de muguet quand on y met le nez. Le fruit s'exprime bien. Rond avec du caractère.

➤ Mme Marie-Louise Massart, Vilatte, Puynormand, 33660 Saint-Seurin-sur-l'Isle, tél. 57.49.63.64 Y r.-v.

Bordeaux rosé

AGNEAU-ROSE*

n.c. n.c.

Si l'œil se plaît à s'attarder sur la robe rose saumoné de ce vin, le palais se réjouit de sa fraîcheur et de son harmonie. Intermédiaire entre le rosé et le clairet, l'ensemble est bien réussi.

◆ Baron Philippe de Rothschild. La Baronnie, B.P. 117, 33250 Pauillac, tél. 56.59.20.20

CH. LES ARROMANS 1987**

1 ha | 8 000

Un rosé aux reflets de feu, magnifiques! Si son nez paraît tout d'abord creux, c'est pour vous inviter à l'explorer davantage. On découvre alors de beaux arômes fruités de cabernet. La finale est assez longue, vive et joyeuse. Un vin bien intéressant.

◆ M. Jean Duffau, Ch. Les Arromans, Moulon, 33420 Branne, tél. 57.84.50.37 r.-v.

CH. BERTINERIE 1987

0.56 ha | 3 000

À 35 km au nord de Bordeaux, le château Bertinerie produit plus de 100 000 bouteilles par an. Issu de cabernet-sauvignon et de cabernet-franc (vignes de dix-huit ans), ce vin de Cavignac à la robe très rose n'est pas destiné à une longue garde. On en fera cependant un bon ordinaire, en raison de sa gentillesse simple et cordiale.

◆ SCEA Vignobles André Lurton, Ch. Bertinerie, Cubnezais, 33620 Cavignac, tél. 57.68.70.74 r.-v.

CH. BONNET 1987**

5 ha | 35 000

Une bonne impression générale se dégage de ce rosé 87, 100% cabernet-franc, friand et long en bouche. Il a la tête sur les épaules et son côté bien carrées. Avec ce rien de douceur printanière qui donne envie de partir en promenade...

◆ SCEA Vignobles André Lurton, Ch. Bonnet, Grézillac, 33420 Branne, tél. 57.84.52.07 r.-v.

CH. GARDUT 1987

3 ha | 3 000

Voici un vrai vin de pique-nique, à boire dans les 2 à 3 ans qui suivent la récolte. Légère pointe d'alcool sous des abords francs et aromatiques, nettement affirmés. Bien frais et équilibré.

◆ M. Patrick Revaire, Ch. Gardut, Cars, 33390 Blaye, tél. 57.42.20.35 t.l.j.; sf dim. 8h-19h.

CH. HAUT SORILLON 1987

1 ha | 8 000

Un joli bordeaux rosé aux nuances orangées. Cabernet-sauvignon à 100%, il exprime des arômes floraux, soutenus, très marqués par le cépage. Son charme est un peu moins vif en bouche, mais il reste frais et piquant.

◆ M. J.-M. Rousseau, Petit Sorillon, Abzac, 33230 Coutras, tél. 57.49.06.10 t.l.j. 8h-13h 15h-19h; f. août

CH. LA ROSE-CASTENET 1987*

17 ha | 20 000

Merlot noir pour moitié, cabernet-franc et cabernet-sauvignon, un rosé fin et fruité, très frais. Il n'a pas beaucoup de muscles, mais ce n'est pas la force qu'on attend de lui. Pointe de verdeur en fin de bouche.

◆ M. François Greffier, 33580 Monségur, tél. 56.61.81.80 r.-v.

CH. LESTRILLE 1987

1 ha | 8 000

Le château Lestrille, c'est une exploitation d'une vingtaine d'hectares, Jean-Louis Roumage est ingénieur agricole. Issu d'une famille de vignerons, il connaît bien son métier. Merlot noir et cabernets, son rosé 87 porte une robe élégante et offre au nez beaucoup de finesse. Bonne structure et jolie finale.

◆ M. Jean-Louis Roumage, Lestrille, 33750 Saint-Germain-du-Puch, tél. 57.24.51.02 r.-v.

CH. DES AGNERAS 1986

80 81 82 83 84 86

40 ha | 25 000

Une bonne présentation pour ce vin dont on sent poindre le bouquet encore très discret. Assez tannique, avec parfois une pointe de rusticité, la structure d'ensemble est bonne et équilibrée.

◆ M. Joseph Latorre, Les Agneras, 33540 Sauveterre-de-Guyenne, tél. 56.71.50.51 r.-v.

Bordeaux supérieur

CH. ANGELIQUE 1986

2 85 86

12 ha | 90 000

Un bien joli nom pour un vin aimable qui est assez harmonieux tout au long de la dégustation. De réserve une finale particulièrement intéressante. Une bouteille à boire jeune.

◆ M. Denis Ardon, Ch. Plain-Point, Saint-Aignan, 33126 Fronsac, tél. 57.24.96.55 r.-v.

CH. ARDILAS 1985***

3.41 ha | 5 000

Limiter sa production quand on a un petit vignoble est méritoire; c'est la récompense peut-être exceptionnelle quand on arrive à un vin aussi remarquable que celui-ci, riche, gras et étoffé à souhait. La robe est belle par les sombres reflets grenat, le bouquet puissant, les tanins de qualité.

◆ M. Jean Greteau Le Tasta, Saint-Sulpice-et-Cameyrac, 33450 Saint-Loubès, tél. 56.30.82.82

CH. ARNAUD PETIT 1986

78 79 86

9 ha | 50 000

Assez plaisant à l'œil, ce vin s'exprime principalement par son bouquet qui évoque les œillets. Souple et équilibré, il se laisse boire.

◆ Mlle Hélène Garzaro, Arnaud Petit Gauté, Eyron, 33750 Saint-Germain-du-Puch, tél. 56.30.13.13 r.-v.

CH. DES ARRAS 1986

82 83 85 86

27 ha | 150 000

Clos d'un mur, fait rare en Gironde, ce vignoble produit un vin dont le caractère souple

d'allure. Les notes de venaison traversant le bouquet, la souplesse et la rondeur en bouche lui donnent en effet un caractère agréable.

→ M. Jean Rozier, Ch. des Arras, Saint-Gervais, 33240 Saint-André-de-Cubzac, tél. 57.43.00.35 ♈ r.-v.

CH. DE BARRE 1985**

20 ha   80 000

78 79 81 82 |83|

Une belle réussite pour ce cru avec un 85 dont les arômes, floraux, fruités et même épicés, ne manquent certainement pas de personnalité. Équilibré, souple et élégant, l'ensemble est tout à fait plaisant.

→ M. Cazenave-Mahé, Ch. de Barre, Arveyres, 33500 Libourne, tél. 57.24.80.26 ♈ r.-v.
→ GFA Cazenave-Mahé.

CH. BAUDUC 1986

9 ha   60 000

81 |82| |83| 84 |85| 86

Un joli château Belle Epoque pour ce cru dont le vin, souple et rond, laisse le dégustateur sur une bonne impression d'ensemble.

→ M. Thomas, Ch. Bauduc, 33670 Créon, tél. 56.23.23.58 ♈ t.l.j. sf dim. 8h-12h 14h-18h.

CH. BOIS-MALOT 1986**

7 ha   45 000

75 81 |82| 83 85 86

S'inscrivant dans la bonne tradition de ce cru, ce millésime porte la marque du cépage dominant, le cabernet : riche en tanins, il s'épanouira au vieillissement en développant de riches arômes de fruits rouges que l'on commence déjà à découvrir.

→ M. Fernand Meynard, Les Valentons, 33450 Saint-Loubès, tél. 56.38.94.18 ♈ t.l.j. sf dim. 8h-12h 14h-19h ; f. sam. a.-m. sur r.-v.

CH. BON-JOUAN 1985*

7 ha   20 000

|81| |83| |84| 86

Une étiquette un peu vieillote, mais un vin plein de santé. Puissamment bouqueté, avec des notes de mûre et de banane, il est souple, riche et bien équilibré.

→ M. et Mme Raymond et Anny Savy, Le Bourdieu, Lugon, 33240 Saint-André-de-Cubzac, tél. 57.84.41.61 ♈ r.-v.

CH. BOURDIEU DE L'HERMITAGE 1986*

7 ha   30 000

|81| |83| |84| 86

D'une très belle robe rubis intense et profonde, ce vin est aussi séduisant par sa puissance que par la complexité des arômes qui marient harmonieusement les notes fruitées et grillées. Souple, rond, gras et équilibré, l'ensemble traduit un travail bien fait.

→ Mme Nadine Saint-Jean, Bon-Jouan, 33790 Pellegrue, tél. 56.61.34.73 ♈ lu. ma. me. je. ve. 8h-12h 14h-18h.

CH. BOUTILLON 1985*

7 ha   5 000

80 |82| |83| 85

Un beau château et un vin qui ne manque pas

CH. DE BRAGUE 1986

28,48 ha   168 800

Né dans un pays accidenté qui ne sait choisir entre l'Isle et la Dordogne, un vin aux arômes de fruits rouges qui tire sa personnalité de sa souplesse.

→ SCE Ch. de Brague, Brague, Vérac, 33240 Saint-André-de-Cubzac, tél. 57.84.41.01 ♈ r.-v.
→ Mme Hélène Galland.

CH. BRASSAC 1986*

n.c.   n.c. |2|

Sélectionné par l'importante maison Kressmann, ce vin sait mettre en confiance par sa belle robe d'un rouge rubis assez intense, avant de révéler ses beaux arômes de fruits rouges mûrs. Il est prêt à boire.

→ ED Kressmann et Cie, 35, rue de Bordeaux, B.P. 24, Parempuyre, 33290 Blanquefort, tél. 56.35.84.64 ♈ r.-v.

CH. DE BRONDEAU 1986

10 ha   48 000

|75| |76| |79| 82 |83| |85| 86

Sans atteindre au niveau du millésime 85, qui était en parfaite symbiose avec l'élégante demeure XVIIIe s., le 86 possède une certaine richesse aromatique due à une vendange bien mûre. Aimable et chaleureuse, cette bouteille sera à boire rapidement. Les vins de la propriété sont distribués par la maison Audy de Libourne.

→ GFA Ch. de Brondeau, Arveyres, 33500 Libourne, tél. 57.51.62.17

DOM. DU CALVAIRE 1986*

20 ha   n.c.

79 81 |82| |83| 85 86

Maintenant une vieille tradition familiale remontant au XVIe s., Serge Coudroy produit dans ce domaine du Libournais un vin plaisant et bien constitué dont on appréciera la puissance aromatique.

→ M. Serge Coudroy, Chouteau, 33570 Lussac, tél. 57.74.67.73 ♈ r.-v.

CH. CASTENET-GREFFIER 1986

17,10 ha   30 000

79 81 |82| |83| 85 86

Actuellement en cours de rénovation, le cru produit un vin plaisant. Certes, il gagnerait à être un peu plus corsé, mais l'équilibre général est bon et les arômes encore un peu fermés sont fins et agréables, avec de belles notes de fruits rouges (fraise et groseille, entre autres).

→ M. François Greffier, 33580 Monségur, tél. 56.61.81.80 ♈ r.-v.

CH. DE CATHALOGNE 1985

10 ha   5 000

78 80 81 82 83 84 |85|

Une orthographe originale pour un vin à la

robe aimable et au bouquet discret mais présent. Souple, avec toutefois une légère note tannique, l'ensemble est fort honnête.

Mme Marie-Josée Joubert, Ch. de Cathalogne, Saint-Laurent-du-Bois 33540 Sauveterre-de-Guyenne, tél. 56.63.71.92 r.-v.

CH. CHABIRAN 1985*

81 (82) [83][85]

13 ha — 80 000

Issu d'un vignoble où dominent nettement les merlots, ce 85, agréable au nez comme à l'œil, possède une bonne structure dans laquelle la rondeur et les tanins s'équilibrent. A noter, l'étiquette sobre et élégante.

GFA Ch. Chabiran, Marze, 33133 Galgon, tél. 57.51.08.36 r.-v.

CH. CHAMPBRIN 1986

15 ha — 30 000

Assez classique par son terroir et son encépagement, la propriété offre un vin léger, mais assez aromatique et bien équilibré.

M. Marc Cazaufranc, 33920 Saint-Vivien-de-Blaye, tél. 57.42.48.99 r.-v.

CH. CHANTECAILLE 1985*

79 81 (82) 85 86

4.18 ha — 14 000

Le nom est joli, l'étiquette l'est moins. Heureusement, le vin ressemble plus au premier qu'à la seconde. Souple, rond et tannique, ce 85 est bien équilibré, aimable.

Mme Pierrette Pilotte, Ch. Chantecaille, 33500 Libourne, tél. 57.51.32.35 r.-v.

CH. CHARLES DE MONTESQUIEU 1985***

83 (85)

n.c. — 150 000

Maintenant les traditions viticoles et littéraires de leur aïeul, les descendants de Montesquieu élaborent, au cœur de la Gironde, un vin fait dans les meilleures règles de l'art. Très agréable à l'œil, ce 85, plein, rond et ample, est on ne peut plus attractif par sa charpente comme par son harmonie générale.

M. Charles de Montesquieu, Baron, 33750 Saint-Germain-du-Puch, tél. 57.24.13.64

CH. CHEMIN ROUGE 1985*

4 ha — 19 000

D'une belle couleur rubis, la robe de ce vin se distingue par sa remarquable fraîcheur. Avec des arômes de fruits rouges et quelques notes de kirsch et d'amandes, la suite se montre intéressante par sa concentration.

M. Pierre Fouquet, Chem. Rouge, Beychac et Caillau, 33750 Saint-Germain-du-Puch, tél. 56.72.82.16

DOM. DU CORDONNIER 1986*

2 ha — 8 000

90% de merlot sur sol argilo-siliceux. Le vin est d'un rouge léger à reflets violine mais le nez est peu intense. L'attaque est bonne, chaleureuse

et les tanins soyeux annoncent sa bonne structure.

GAEC Favereaud Père et Fils, Tayat, Cézac, 33620 Cavignac, tél. 57.68.62.10 r.-v.

CH. DE CORNEMPS 1986**

[78] 79 [80] 81 82 [83] 84 85 [86]

17,50 ha — 100 000

Plus qu'un nom, c'est sous la protection d'une chapelle du XIe s., ce sympathique vignoble familial produit un vin très plaisant. Très prometteur par sa belle couleur et par son bouquet de fruits rouges qui commence à s'affirmer, il fait preuve d'harmonie et d'équilibre.

M. Henri-Louis Fagard, Ch. Cornemps, Petit-Palais, 33570 Lussac, tél. 57.69.73.19 r.-v.

CH. DES COTES DE MONPLAISIR 1985*

10 ha — 10 000

Placé sous la protection d'une chapelle du XIe s., ce sympathique vignoble familial produit un vin très plaisant. Son corps, tannique et souple et chaleureux, est la traduction d'un travail bien fait.

M. René-Guy Bidou, Le Freychinet, Génissac, 33420 Branne, tél. 57.24.47.17

CH. DU COURROS 1985**

12 ha — 60 000

Massif et authentique, ce manoir médiéval ne manque pas d'allure. Et le vin, solidement bâti avec de beaux tanins mûrs, possède la aussi une forte personnalité qui s'exprime par de la rondeur, une belle étoffe et de l'élégance.

GAEC Ch. du Courros, Le Courros, 33420 Saint-Vincent-de-Pertignas, tél. 57.84.11.89 r.-v.

GFA du Ch. du Courros.

CH. COURSOU 1986

18 ha — 80 000

Obtenu sans pesticide ni herbicide, ce vin, en dépit d'une note un peu terne en finale, possède ces attraits non négligeables : un bouquet assez puissant, avec des nuances de pain grillé et un caractère cuits ; une bonne structure et un certain équilibre.

SCEA du Ch. du Coursou, Le Coursou, 33890 Gensac, tél. 57.40.40.27 r.-v.

GFA Hélène Dupas.

CH. CROIX DE BARILLE 1986

[79] [80] 81 [82] 83 (85) 86

12 ha — 60 000

D'une bonne présentation, ce vin, malgré une petite faiblesse en finale, possède de la rondeur, une structure honnête et quelques petites notes cacao qui relèvent les arômes.

M. Daniel Mouty, Ch. Croix de Barille, Sainte-Terre, 33350 Castillon-la-Bataille, tél. 57.84.55.88 r.-v.

CH. DALLAU 1985

30 ha — 150 000

Agréable à l'œil et plaisant par son bouquet aux senteurs de réglisse et truffe, ce vin, souple et équilibré, fournira une sympathique bouteille, à condition de la consommer jeune.

→ MM. Robert Bertin et Fils, 33910 Saint-Denis-de-Pile, tél. 57.84.21.17 ♈ r.-v.

CH. DIRSON 1985*

■ n.c. n.c. **2**

Produite par le négoce, voici une bouteille d'une aimable légèreté, avec de la souplesse et un très bon équilibre.

→ Borie-Manoux SA, cours Balguerie-Stuttenberg, 33082 Bordeaux Cedex, tél. 56.48.57.57 ♈ r.-v.
→ M. Dirson.

CH. FAYAU 1986**

■ 15 ha 20 000 ▣ ♈ ▽ 3

78 79 **82** |83| 84 |85|

La robe est d'un brillant rouge grenat, signe d'une élégance qu'on retrouvera tout au long de la dégustation. Ce sont les fruits rouges qui règnent, tant par le nez intense de framboise que par la bouche parfumée, équilibrée et harmonieuse.

→ MM. Jean Médeville et Fils, Ch. Fayau, 33410 Cadillac, tél. 56.62.65.80 ♈ lu. ma. me. je. ve. 8h-12h 14h-16h.

CH. FONCHEREAU 1986***

■ 28.65 ha 145 000 ▣ ▩ ▽ 2

76 |78| |79| |81| |82| |83| 85

A l'ancienneté de la maison répond la valeur du vin. Celle-ci se lit dans la beauté de la robe, intense avec des reflets violine, comme dans la richesse du bouquet qui marie la framboise, la fraise et la cerise. L'ensemble, à la fois charnu et solidement charpenté, est appelé à évoluer on ne peut plus favorablement.

→ Mme Suzanne Vinot-Postry, Ch. Fonchereau, Montussan, 33450 Saint-Loubès, tél. 56.72.96.12 ♈ r.-v.

DOM. DE FONTENILLE 1986*

■ 13 ha 95 000 ▣ ♈ ▽ 2

|85| 86

Si ce domaine affiche volontiers sa rusticité, son vin en est fort urbain, avec une belle présentation en un caractère aimable que traduit son délicat bouquet de petits fruits rouges. Evoluant heureusement au palais, il possède un réel équilibre dans lequel s'inscrit une bonne structure tannique.

→ SCA du Dom. de Fontenille, La Sauve-Majeure, 33670 Créon, tél. 56.23.03.26 ♈ r.-v.

CH. FOUCHE 1986*

■ 12 ha 60 000 ▣ ▽ 2

78 79 81 **82** 83 (85) 86

Fidèle à sa tradition familiale, qui remonte à la nuit des temps (ou presque) sur ce domaine, Jean Bonnet produit un vin fort plaisant par son élégance, sa souplesse et sa rondeur.

→ M. Jean Bonnet, Ch. Fouché, Cubnézais, 33620 Cavignac, tél. 57.68.07.71 ♈ r.-v.

CH. GAURY-BALETTE 1986*

■ 25 ha 50 000 ▣ ♈ ▽ 2

|82| |83| 85 |86|

Né dans une propriété au charme rustique, ce vin, souple et franc, est presque champêtre, voire printanier, par ses arômes floraux. Assez élégant et bien équilibré, il laisse le dégustateur sur une aimable impression.

→ M. Bernard Yon, Ch. Gaury-Balette, Mauriac, 33540 Sauveterre-de-Guyenne, tél. 57.40.52.82 ♈ r.-v.

CH. GAYON 1986*

■ 14 ha 90 000 ▣ ▩ ♈ ▽ 2

78 79 80 |82| |83| |84| |85|

Une aimable gentilhommière que la Révolution n'épargna pas, puisque son propriétaire (Laveau-Gayon) fut le premier guillotiné bordelais. Le vin, cerise par sa robe, framboise et mûres par ses arômes, est franc, bien équilibré, souple, et montre de bons tanins en finale.

→ M. Jean Crampes, Ch. Gayon, Caudrot, 33490 Saint-Macaire, tél. 56.62.81.19 ♈ r.-v.

CH. GRAND LAVERGNE 1985***

■ 16 ha 80 000 ▣ ▩ ▽ 2

75 76 |81| 83 |84| **85**

Original par son sous-sol d'alios et son encépagement à dominante de cabernets, généralement assez rares en Libournais, ce cru offre avec ce millésime un vin superbe. Puissante par sa robe très soutenue, par ses senteurs de fruits secs et de venaison et par sa charpente tannique, cette bouteille a un bel avenir devant elle.

→ Vignobles Jean Boireau, Les Jays, Les Artigues-de-Lussac, 33570 Lussac, tél. 57.24.32.08 ♈ r.-v.

1985 Grand Lavergne BORDEAUX SUPÉRIEUR Appellation Bordeaux Supérieur Contrôlée JEAN BOIREAU 12% VOL. 75 cl PROPRIÉTAIRE À LES ARTIGUES-DE-LUSSAC (GIRONDE) FRANCE MIS EN BOUTEILLE À LA PROPRIÉTÉ

CH. GRAND MONTEIL 1986*

■ 70 ha 500 000 ▣ ▩ ♈ ▽ 2

82 |83| 84 (85) |86|

Né dans un chai construit par Eiffel, ce vin pourrait se contenter de ce seul titre de gloire. Mais il n'en est rien. C'est par sa solide constitution et ses francs arômes de fruits rouges qu'il affirme sa personnalité.

→ SV du Ch. Grand Monteil, Le Monteil, Sallebœuf, 33370 Tresses, tél. 56.21.29.70 ♈ r.-v.
→ M. Techenet.

CH. GUIRAUD Le Dauphin 1986*

12 ha — 100 000

78 79 80 81 82 83 |85| 86

Il y a belle lurette que l'on cultive la vigne rouge à Guiraud, dans le Sauternais. Le Dauphin 86, dans ses atours grenat, développe en bouche de structure que d'arômes. Au nez il séduit finement.
↳ SCA du Ch. Guiraud, Sauternes, 33210 Langon, tél. 56.63.61.01 ⊤ r.-v.

CH. HAUTEFAILLE 1983*

6 ha — 15 000

Se présentant dans une robe d'une couleur toujours soutenue mais commençant déjà à évoluer, avec quelques reflets orangés, ce vin, riche et bien constitué, libère d'agréables parfums qui le rendent fort plaisant actuellement.
↳ M. François Barraud, Moulin d'Andraut, Montussan, 33450 Saint-Loubes, tél. 56.72.92.21 ⊤ r.-v.

CH. HAUT GUILLEBOT 1985

25 ha — n.c.

Il est dommage que ce vin ne soit pas plus gras, car la puissance et la complexité des arômes (évocateurs de venaison et de sous-bois) en feraient une belle réussite.
↳ Mme Eveline Régnier, Ch. Haut Guillebot, Lugaignac, 33420 Branne, tél. 57.84.53.92 ⊤ r.-v.

CH. HAUT-SORILLON 1986

16,37 ha — 80 000

|89| |82| |83| 84 |85| 86

Le millésime 86 n'atteint pas l'harmonie élégante du 85 au riche bouquet, alors qu'il semble déjà très évolué tant par ses reflets que par ses arômes. Il donne une légère impression de surmaturation qui pourrait le faire passer pour plus méridional qu'il n'est.
↳ M. J.-M. Rousseau, Petit Sorillon, À Izac, 33230 Coutras, tél. 57.49.06.10 ⊤ t.l.j.
≣ l-13h 15h-19h; f. août

CH. JALOUSIE-BEAULIEU 1986*

45 ha — 100 000

|E2| 83 |85| 86

Un fort joli nom pour ce vin bien fait, comme le montrent son avenante couleur rubis soutenu, ses arômes de fruits rouges (fraises, groseilles, mûres) et sa solide charpente.
↳ M. Pierre Duporge, La Jalousie, 33133 Galgon, tél. 57.74.30.13 ⊤ r.-v.

CH. LABATUT 1985***

25 ha — 180 000

En parfaite harmonie avec la vieille ferme de style périgourdin qui commande la propriété, ce vin possède un caractère très élégant. Sa distinction apparaît dans la robe d'un rubis soutenu, dans le bouquet très concentré comme dans la présence au palais où les tanins se fondent dans la chair.
↳ GFA Leclerc, Ch. Lagnet, Doulezon, 33350 Castillon-la-Bataille, tél 57.40.51.84 ⊤ r.-v.

CH. GRAND VILLAGE 1986***

5 ha — 25 000

78 79 80 81 |82| 83 84 |85| 86

Originale par son aspect de village, d'où son nom, cette propriété se distingue également par son vin d'une belle facture. Puissant par sa richesse, tant tannique qu'aromatique, ce 86 est aussi d'une grande élégance. Une très belle bouteille, appelée à un avenir certain.
↳ Mme et M. S. et J. Guinaudeau, Ch. Grand-Village, Mouillac, 33240 Saint-André-de-Cubzac, tél. 57.84.44.03 ⊤ r.-v.

CH. GRAND VILLAGE 1987*

1 ha — 6 000

Moins connu que ses autres productions, le rosé de ce cru n'en est pas moins très agréable par sa richesse aromatique mêlant les fleurs aux fruits.
↳ Mme et M. S. et J. Guinaudeau, Ch. Grand-Village, Mouillac, 33240 Saint-André-de-Cubzac, tél. 57.84.44.03 ⊤ r.-v.

CH. GUICHOT 1986*

10 ha — 30 000

Se présentant sous un jour agréable par sa belle robe rubis, ce vin ne déçoit pas par la suite. À la fois fruité et tannique, l'ensemble fait preuve d'une plaisante souplesse.
↳ M. Gaston Foune, Dom. de Guichot Saint-Antoine-du-Queyre, 33790 Bellegrue, tél. 56.61.39.99 ⊤ r.-v.

CELLIER DES GUINOTS 1985***

14 ha — 70 000

75 76 78 79 81 |82| |83| |85|

Est-ce pour se venger des injures que reçut autrefois leur commune, située sur la voie de passage de toutes les invasions, que les vignerons juillacais travaillent si bien leur vin? Quoi qu'il en soit ce très beau 85 témoigne de leur savoir-faire. Souple, charnu, très aromatique, gras, équilibré et complexe, il est aussi élégant que prometteur pour l'avenir.
↳ U.P. Juillac et Flaujagues, Flaujagues, 33350 Castillon-la-Bataille, tél. 57.40.08.06 ⊤ ma. me. je. ve. 9h-12h 14h-18h.

CH. LA CAPELLE 1985*

■ ▮V2

23 ha 150 000

80 81 |82| |83| 84 |85|

Classique par sa grande maison bourgeoise comme par son encépagement, la propriété l'est aussi par son vin, bouqueté, fruité, élégant et équilibré.

☞ GAEC J.-R. Feyzeau et Fils, La Capelle, Arveyres, 33500 Libourne, tél. 57.51.09.35 ℥ lu. ma. me. je. ve. 9h-19h.

CH. LA COMMANDERIE DU QUEYRET 1985**

4 ha n.c. ■ ▮V2

Petit vignoble rouge au pays du blanc sec (l'Entre-deux-Mers), ce cru propose avec le 85 un vin puissant, tant par son bouquet de rôti que par sa charpente.

☞ M. Claude Comin, Saint-Antoine-du-Queyret, 33790 Pellegrue, tél. 56.61.31.98 ℥ r.-v.

CH. LA COURTIADE PEYVERGES 1986

17 ha n.c. ↓▮V2

80 81 |82| 83 85 86

Jadis planté d'hybrides, le vignoble a été entièrement reconstitué depuis peu. Le résultat est encourageant, si l'on en juge d'après ce 86 assez plaisant par son caractère fruité et équilibré.

☞ M. Jean-Pierre Peyvergès, La Courtiade, Casseuil, 33190 La Réole, tél. 56.61.16.06 ℥ r.-v.

CH. LACROIX 1985*

12 ha 49 000 ■ ↓▮2

Ce vin est-il le partenaire idéal des escargots à la bordelaise comme le prétend son producteur? Nous ne saurions le dire. Mais il est sûr que la bouteille a bien du charme. D'une belle couleur, très aromatique, tannique et équilibré, il ne lui manque qu'un petit rien pour accéder au génie. L'ensemble est déjà plus que réussi.

☞ M. Jean-Christian Donet, Ch. La Joye, 33240 Saint-André-de-Cubzac, tél. 57.43.18.93 ℥ r.-v.

CH. LA CROIX DU DUC 1985

3,86 ha 20 000 ■ ▮V2

84 85

Avec un rien de rustique qui n'est pas antipathique, cette bouteille souple, ronde et charnue est plus qu'honnête.

☞ M. Pierre Dumon, Malydure, 33570 Lussac, tél. 57.74.63.95

CH. LAGARENNE 1986

6 ha 35 000 ■ ▮V2

En dépit d'une note déjà évoluée, la robe est d'une couleur assez belle. Elle indique que l'on devra boire cette bouteille assez rapidement si l'on veut profiter pleinement des riches senteurs de sous-bois qui lui donnent sa personnalité.

☞ M. Jean-Pierre Chaudet, Beaulieu, 33141 Villegouge, tél. 57.84.32.61 ℥ r.-v.

CH. LAGNET 1986***

■↓▮V2

20 ha 100 000

Un vin de femme? Elle est ingénieur agricole et met tout son talent dans ce millésime charnu: la robe couleur de mûre écrasée à reflets sombres, annonce un nez élégant, marqué de notes d'iris et de myrtilles. Souple par son attaque, bien structuré, il est d'une grande harmonie et devrait bien vieillir.

☞ GFA Leclerc, Ch. Lagnet, Doulezon, 33350 Castillon-la-Bataille, tél. 57.40.51.84 ℥ r.-v.

CH. DE LA GRANDE-CHAPELLE 1986***

14 ha 80 000 86

|811 82| |831 84 85

Le domaine, d'origine religieuse, s'est taillé une solide réputation par son vin. Ce n'est sans doute pas cet élégant millésime qui viendra la ternir. Il se présente noblement dans une robe d'un profond rubis et devient séducteur par son bouquet riche et complexe. Mais c'est surtout au palais qu'il laisse éclater sa personnalité, charnue et charpentée, mais aussi tellement équilibrée.

☞ M. Gérald Liotard, La Grande Chapelle, Lugon, 33240 Saint-André-de-Cubzac, tél. 57.84.41.52 ℥ r.-v.

CH. LAGRANGE LES TOURS 1985*

▮▮↓▮V1

6,79 ha 12 000

Une maison bourgeoise et un élevage en fût. La robe est soutenue, la charpente tannique encore très apparente. Mais le nez est fin, cerise, groseille, avec une petite pointe cuite de pruneaux que l'on retrouve au palais.

☞ Mme Paulette Laval, Ch. Lagrange les Tours, Cubzac-les-Ponts, 33240 Saint-André-de-Cubzac, tél. 57.43.04.96 ℥ r.-v.

CH. LAGRAVE-PARAN 1986***

▮▮↓▮V3

n.c. 40 000

|82| |83| |84| 85 86

Issu d'un terroir riche en graves, ce vin profite pleinement de la parfaite adaptation du cépage (70% de cabernets) au sol. Les arômes, particulièrement complexes, en témoignent, de même que le remarquable équilibre qui s'établit entre la puissance et la rondeur. Il serait dommage de ne pas faire preuve de patience pour le déguster à son heure.

1986

CHÂTEAU
Lagrave-Paran

BORDEAUX SUPÉRIEUR
APPELLATION BORDEAUX SUPÉRIEUR CONTRÔLÉE

MIS EN BOUTEILLES AU CHÂTEAU

GAEC LAFON PÈRE ET FILS 33490 SAINT-ANDRÉ-DU-BOIS (GIRONDE)

12% vol.   e 75cl

GAEC Lafon Père et Fils, Saint-André-du-Bois, 33490 Saint-Macaire, tél. 56.63.70.45 ▼ r.-v.

CH. LA HAILLE 1986
n.c.   60 000

Produit par l'Union Saint-Vincent, la cave coopérative de Rauzan, ce vin, bien constitué dans l'ensemble, se distingue par son bouquet, assez développé et complexe.
Union Saint-Vincent, B.P. 4, 33420 Rauzan, tél. 57.84.13.66 ▼ r.-v.

CH. LA JOYE 1986*
11 ha   70 000
(79) 81 82 (83) 84 85 86

Portant bien son ncm, ce vin fait preuve d'un caractère aimable et chaleureux qui n'exclut pas une certaine puissance tannique.
M. Jean-Christian Donet, Ch. La Joye, 33240 Saint-André-de-Cubzac, tél. 57.43.18.93 ▼ r.-v.

CH. LA LANDE DE TALEYRAN 1986**
12 ha   80 000
(84) 85 86

70% de merlot et à parts égales les cabernet franc et sauvignon engendrent ce brillant vin rubis sombre, au joli bouquet de framboise écrasée. Rond et puissant, bien charpenté il devrait perdre ses tanins un peu crus et très bien vieillir.
GAEC La Lande de Taleyran, Beychac-et-Caillau, 33750 Saint-Germain-du-Puch, tél. 56.72.98.93 ▼ r.-v.

CH. LA MENARDIE 1985*
7 ha   28 000
80 81 82 83 (85)

S'il sait se présenter dans une robe intense et limpide, ce vin sait aussi satisfaire le dégustateur par des arômes aux notes de cassis et une bonne structure, à la fois souple et corsée.
M. Jean Momelat, Gours, 33660 Saint-Seurin-sur-l'Isle, tél. 57.49.64.27 ▼ r.-v.

CH. LA MONGIE 1986**
10 ha   80 000
78 79 81 (82) 83 84 (85) 86

Propriété à la structure typique, avec des prés, vignes et bois. Ce domaine offre un vin très représentatif de l'appellation. Une belle couleur, des parfums puissants, mêlant les fruits au gibier,

---

un bon équilibre entre les tanins et la souplesse, tout est là pour assurer la qualité de ce millésime.
M. Pierre Blouin, La Mongie, Vérac, 33240 Saint-André-de-Cubzac, tél. 57.84.37.08 ▼ r.-v.

CH. LAMOTHE-GAILLARD 1986*
17 ha   110 000
79 80 81 82 83 84 85 86

Fidèle aux habitudes de ce cru, ce vin se présente de façon fort agréable, sa robe ne manquant pas d'intensité. Mais l'apparence n'est pas trompeuse ; la dégustation révèle un vin plaisant avec quelques notes assez recherchées, telle une petite touche cacaotée.
SCE les Vignobles de Lamothe, Ch. Lamothe-Gaillard, Saint-Ciers-d'Abzac, 33230 Coutras, tél. 57.49.46.46 ▼ r.-v.

CH. DE LA NAUZE 1985
10 ha   65 000
(82) (83) 85

Encore un peu rude, ce vin devrait assez bien évoluer dans l'avenir, la structure tannique et ses arômes assez puissants étant appelés à perdre leur agressivité actuelle.
Mme Micheline Elliès, Lavagnac, Sainte-Terre, 33350 Castillon-la-Bataille, tél. 57.47.17.49 ▼ r.-v.

CH. LANDEREAU 1986
43 ha   200 000
70 71 76 77 78 79 80 81 82 (83) 84 85

Encore très tannique, ce 86 se révèle un peu rustique. Mais il a du corps. Attendons-le un peu.
M. Michel Baylet, Ch. Landereau, Sadirac, 33670 Créon, tél. 56.30.64.28 ▼ r.-v.

CELLIERS DE LA RAFINETTE 1986
40 ha   60 000
72 75 (82) (83) (85) 86

Une robe limpide et assez profonde, un nez développé, très fruité et une légère présence tannique font de ce 86 un vin très honnête qui sera un vin plaisant si l'on prend la précaution de le boire assez jeune.
Cave Coop. Vini. de Génissac, Génissac, 33420 Branne, tél. 57.24.48.01 ▼ r.-v.

CH. LA SABLIERE-FONGRAVE 1985*
42 ha   200 000

Même si l'on ne connaît pas l'explication réelle du nom de cette propriété (nature du terrain ou source de l'Engrave), il est sûr qu'elle bénéficie de bons sols. Cela explique la qualité du bouquet, aux fines senteurs de fruits et d'épices, comme la présence au palais, souple et assez tannique.
M. Pierre Perromat, Dom de Fongrave, Gornac, 33540 Sauveterre-de-Guyenne, tél. 56.61.97.64 ▼ r.-v.

CH. LA SALARGUE 1985
8.35 ha   50 000
78 79 (80) (81) (82) 83 84 85

Jadis expédié par bateau depuis les chais bâtis en bordure de la Dordogne, ce vin possède encore

un bon équilibre d'ensemble, mais il ne faudra plus trop l'attendre.

➥ GAEC La Salargue, Moulon, 33420 Branne, tél. 57.24.48.44 t.l.j. 9h-12h 14h-18h.
➥ M. Bruno Le Roy.

CH. LA SERRE 1985**

17 ha 20 000

On se plaît à regarder la belle robe de ce vin, sa vigueur n'ayant d'égale que sa profondeur. Puissant mais son équilibre, sa chair et sa rondeur.

➥ M. Pierre Robin, La Serre, Moulon, 33420 Branne, tél. 57.24.27.15 r.-v.

CH. LA TUILERIE-DU-PUY 1985*

|83||84||85| 25 ha 60 000

Venu de la vallée du Dropt, centre traditionnel de la fabrication des tuiles et carreaux de Gironde, ce vin, maintenant bien ouvert, typé par son bouquet, présente un caractère assez aimable par sa souplesse et son velouté.

➥ Jean-Pierre et Monika Regaud, Ch. La Tuilerie-du-Puy, Le Puy, 33580 Monségur, tél. 56.61.61.92 r.-v.

CH. DE L'AUBRADE 1985

3 ha 16 000

Parfois un peu surprenant, ce millésime est assez richement bouqueté, avec de petites notes épicées. L'ensemble laisse sur une impression plaisante.

➥ M. Jean-Pierre Lobre, Ch. de L'Aubrade, Rimons, 33580 Monségur, tél. 56.71.55.10 r.-v.

CLOS LAURIOLE 1986

|75| |76| |77| |78| |79| |81| |82| |83| |85| |86| 9 ha 40 000

Issu d'une propriété pratiquant la culture biologique, ce vin possède un caractère assez facile que rehaussent d'agréables arômes de fruits rouges.

➥ M. Jean-François Mauros, Clos Lauriole, Isle-Saint-Georges, 33640 Portets, tél. 56.67.15.45

CH. LA VERRIERE 1985

|82| |83| |85| 16 ha 20 000

Par moment un peu déconcertant, ce vin n'en possède pas moins une réelle richesse aromatique. Avec des notes de truffe et de réglisse, ses parfums sont fort attractifs.

➥ MM. A. et J.-P. Bessette, GAEC de la Verrière, Landerrouat, 33790 Pellegrue, tél. 56.61.33.21

CH. LA VIEILLE FRANCE 1986

10,50 ha 60 000

Discret par sa couleur, ce vin, tout en ayant un caractère souple et léger, sait montrer une certaine personnalité qu'expriment une note épicée dans les parfums et une réelle présence tannique.

➥ M. Michel Dugoua, Ch. La Vieille France, 33640 Portets, tél. 56.67.19.11 r.-v.

CH. DE LA VIEILLE TOUR 1986*

22 ha 160 000

|80| |81| |82| |83| 84 |85|

Sombre tout autant que brillant, il montre un nez puissant de fruits rouges où se mêle une note de cacao. Après une attaque vive, il évolue dans un très bon équilibre en bouche, charnu, gras et laisse de bons tanins s'exprimer en finale. Il s'accommoderait volontiers d'une bécasse sur canapés.

➥ MM. Boissonneau Père et Fils, Ch. de La Vieille Tour, Saint-Michel-Lapujade, 33190 La Réole, tél. 56.61.72.14 r.-v.

CH. LA VIGNERAIE 1986**

n.c.   n.c. |2|

Mis en bouteille par un grand négociant-éleveur, La Vigneraie 86 se présente dans une robe brique à reflets orangés. Même si on peut lui reprocher un petit manque de finesse, c'est au profit de sa corpulence : le bouquet de raisins surmûris est intense et la charpente puissante. Un ensemble qui évoluera harmonieusement.

➥ MM. Dourthe Frères, 35, rue de Bordeaux, B.P. 70, Parempuyre, 33290 Blanquefort, tél. 56.35.84.64 r.-v.
➥ M. Lionel Guérin.

CH. LAVILLE 1986**

|75| |78| |79| |81| |82| |83| |84| 85   10 ha 80 000

Des racines XVIIe s., mais surtout un 86 plein d'avenir : profond tant par sa couleur que par ses arômes boisés, vanillés, manque des tanins qui ont encore besoin de se fondre. Un vin soyeux à la longue finale.

➥ M. Claude Faye, Ch. Laville, Saint-Sulpice-et-Cameyrac, 33450 Saint-Loubès, tél. 56.30.84.19 r.-v.

CH. LE CONSEILLER 1986***

12 ha 40 000

|79| |81| 82 |83| 84 |85| |86|

Typiquement bordelais par son beau château du siècle dernier, ce cru est aussi bien typé par son vin. Très élégant par sa robe intense, celui-ci développe de beaux arômes fruités qui se marient harmonieusement avec ses tanins. Leur union procure déjà au dégustateur une impression plus qu'agréable que devrait confirmer l'évolution future de cette bouteille.

➥ M. Erick Liotard, Le Conseiller, Lugon, 33240 Saint-André-de-Cubzac, tél. 57.84.44.56 r.-v.

CH. LE GRAND VERDUS 1986

69 ha 400 000

|81| |82| 83 |84| |85|

Rouge à liseré violine et limpide, ce 86, malgré une pointe d'oxydation, présente un joli bouquet de petits fruits rouges mêlés à des odeurs de sous-bois. Il est né à l'ombre d'une très belle gentil-hommière fortifiée du XVIe s.

➥ M. Ph. Le Grix de La Salle, Ch. Le Grand Verdus, Sadirac, 33670 Créon, tél. 56.30.64.22 r.-v.

CH. LES ALBERTS 1985

80 81 |82| 83 84 |85|

6,50 ha — 20 000

S'il n'affiche pas de prétentions excessives, ce vin, chaleureux et assez tannique, possède dans l'ensemble une honnête structure et une bonne matière.

→ M. Bernard Paillé, Ch. les Alberts, Mazion, 33390 Blaye, tél. 57.42.18.13 ↑ l.j, sf dim. 8h30-12h30 14h-19h ; f. les jours de fêtes

CH. LES CHARMETTES 1986*

5 ha — 30 000

Séduisant par l'aspect velouté de sa robe rubis, ce vin est aussi très plaisant par ses arômes de fruits rouges et sa finale tannique.

→ GAEC Trocard Père et Fils, Les Artigues-de-Lussac, 33570 Lussac, tél. 57.24.31.16 ↑ lu, ma, me, je, ve. 8h30-12h 14h-18h.

CH. L'EPERON 1986*

81 |82| 84 |85| 86

11 ha — 16 000

Un petit parc planté de 19 variétés d'arbres, par un amateur d'arboriculture au début du siècle, ne ressemble pas trop au vin de 85. La robe est carminée, le nez de petits fruits rouges surmûris avec une finale cerise. La bouche est légèrement épicée, les tanins peu présents. C'est un vin plaisant à boire maintenant.

→ Sté Civile du Ch. L'Eperon, Ch. L'Eperon, Vérac, 33240 Saint-André-de-Cubzac, tél. 56.52.32.40 ↑ r.-v.

CH. LES GRANDS JAYS 1985***

70 71 75 76 |78| |79| 81 82 |83| |84| 85

17 ha — 100 000

Confirmant la très heureuse évolution de la propriété, le millésime est une très belle réussite. Son bouquet est puissant, avec des notes multiples de fruits secs, de grillé et de gibier. Son attaque est vive. Et l'ensemble, rond, souple et tannique, est plus que prometteur.

→ Vignobles Jean Boireau, Les Jays, Les Artigues-de-Lussac, 33570 Lussac, tél. 57.24.32.08 ↑ r.-v.

CH. LES GRAVETTES 1985

25 ha — 130 000

Avec une robe d'un rubis assez intense et des parfums bien présents, ce vin s'annonce heureusement. Quoiqu'un peu rapide, l'évolution est agréable par sa rondeur et sa souplesse.

→ SA Ginestet, Les Fonteniles, Carignan, 33360 Latresne, tél. 56.20.54.61
→ SVF A. Haux.

CH. LESPARRE 1986*

50 ha — 200 000

Oeuvre d'un Champenois qui devient Bordelais. Séduisant dans sa robe grenat foncé, ses arômes résineux et de thé accompagnent une bouche simple, équilibrée et ronde. Bonne finale.

→ M. Michel Gonet, Ch. Lesparre, Beychac et Caillau, 33750 Saint-Germain-du-Puch, tél. 57.24.51.23 ↑ r.-v.

CH. DE LISENNES 1985

2 ha — 15 000

Agréable à l'oeil et au nez, avec un bouquet que rehaussent quelques notes mentholées et épicées, ce vin, souple et léger, sera la bouteille d'un sympathique dîner estival entre amis.

→ M. Pierre Soubie, Ch. de Lisennes, 33370 Tresses, tél. 56.30.53.03 ↑ r.-v.

CH. LOISEAU 1986*

'79 80 81 82 |83| 84 85 86

24 ha — 110 000

Un beau château du Libournais et un vin qui ne manque pas de personnalité. Son principal atout est assurément son puissant bouquet tirant sur le gibier et la venaison. Mais la force des arômes ne s'exerce pas au détriment de l'équilibre de l'ensemble que l'on perçoit tout au long de la dégustation.

→ GFA Pierre Goujon, Ch. Loiseau, Lalande-de-Fronsac, 33240 Saint-André-de-Cubzac, tél. 57.58.14.02 ↑ r.-v.

CH. DE LOS 1985*

15 ha — 100 000

S'inscrivant solidement dans son terroir, le millésime, charpenté et tannique, est conforme à l'image que donne de lui sa belle robe, d'un rubis sombre et soutenu.

→ M. Max Mengin, Ch. de Los, Saint-Genes-de-Lombaud, 33670 Créon, tél. 56.21.34.09 ↑ r.-v.

CH. LE MAINEDONT 1985*

81 82 |83| |85|

8 ha — 30 000

Né dans des bâtiments portant la marque du temps, ce millésime est toujours bien équilibré et assez aromatique, er dépit d'une petite note astringente en finale. Il offre quelques heureuses notes rappelant le gibier.

→ M. Jean-Marie Chaudet, Meyney, Saint-Germain-la-Rivière, 33240 Saint-André-de-Cubzac, tél. 57.84.45.40 ↑ r.-v.

CH. LE MAINE MARTIN 1986

8 |82| |83| 84 85 |86|

25 ha — 100 000

Très morcelé, le domaine offre une grande diversité de sols. C'est peut-être l'une des raisons de la diversité aromatique de ce vin léger, souple et assez flatteur.

→ SC Frégent, Y, et A Cailley, rue de la Ruade, Saint-Sulpice et Cameyrac, 33450 Saint-Loubès, tél. 56.30.84.39 ↑ me, je, ve. 9h-18h.
→ GFA Frégent Maine-Martin.

Au restaurant, il est conseillé de choisir un « petit » vin sur un menu préétabli, et de composer son menu à partir d'un grand vin ; mais en accordant les niveaux respectifs de qualité des mets et des vins.

CH. DE LUGAGNAC 1986*

■ 31 ha 80 000 ■ ↓ Ⅴ 2

78 79 80 81 82 83 84 85 86

Ici pas de « château du vin » à la mode du XIXᵉ s., mais une demeure au cachet authentique. Le vin lui aussi sait se montrer sous un jour très plaisant : plein, souple et élégant, il ne manque ni d'équilibre ni de tanins.

↪ Mme M. Mylène et Maurice Bon, Ch. de Lugagnac, 33790 Pellegrue, tél. 56.61.30.60 ⟙ r.-v.

CH. MARAC 1985

■ 6 ha 40 000 ■ ⊕ ↓ Ⅴ 2

1811 83 84 85

Sans atteindre le niveau qualitatif de certains millésimes particulièrement réussis de ce cru, le 85, souple et léger, présente un bon équilibre d'ensemble et une certaine richesse aromatique, avec entre autres d'heureuses notes de gibier et d'épices.

↪ MM. Alain Bonville et Fils, Marac, Pujols-sur-Dordogne, 33350 Castillon-la-Bataille, tél. 57.40.53.21 ⟙ r.-v.

↪ GFA du Dom. de Marac.

MARQUIS DE BOIRAC 1986

■ 20 ha 10 000 ⊕ ↓ Ⅴ 3

Voici un vin pour amateur de bois neuf tant il est marqué par le chêne. Les arômes sont masqués par le bois mais la couleur est belle, rubis léger à reflets orangés.

↪ Cave de Saint-Pey-de-Castets, Saint-Pey-de-Castets, 33350 Castillon-la-Bataille, tél. 57.40.52.07 ⟙ r.-v.

CH. DU MASSON 1985*

■ 15,60 ha 40 000 Ⅴ 1

Une jolie robe grenat à reflets pourprés : il n'en faut pas plus pour qu'un vin se présente bien. Ce qui suit ne déçoit pas, celui-ci est corsé et tannique et laisse entrevoir une bonne évolution dans le futur.

↪ M. Michel Gassies, Le Masson, Moulon, 33420 Branne, tél. 57.84.52.44 ⟙ r.-v.

CH. MEILLAC 1986**

■ 6 ha 30 000 ■ ⊕ ↓ Ⅴ 2

81 82 83 85 86

Être situé sur un beau coteau dominant la Dordogne offre des avantages pour le panorama, mais aussi pour la qualité du vin. Ce 86 en est l'illustration ; sa robe, d'un rubis profond, annonce sa personnalité qui s'exprime par des parfums de fruits à l'eau-de-vie, par son caractère marqué, par son aimable rondeur et par sa riche finale, aussi élégante que tannique.

↪ M. Claude Bertrand, Ch. Meillac, Saint-Romain-la-Virvée, 33240 Saint-André-de-Cubzac, tél. 57.58.20.58 ⟙ r.-v.

CH. MEILLAC 1985**

■ 2,60 ha 18 000

Confirmant les promesses constatées l'an dernier, ce vin montre maintenant un caractère racé par sa grande richesse aromatique et sa solide charpente qui lui garantit un bon avenir.

↪ M. Jean-Paul Greland, Meillac, Gours, 33660 Saint-Seurin-sur-l'Isle, tél. 57.49.75.08 ⟙ r.-v.

CH. MILARY 1986***

■ 3,48 ha 18 000 ⊕ ↓ Ⅴ 2

Très beau représentant de l'appellation dont la belle couleur rouge grenat est attirante. Le bouquet est vineux mais fin et la dégustation fort plaisante : de solides tanins soutiennent agréablement des arômes de fruits rouges très jeunes et très vifs.

↪ Ets Jean-Pierre Moueix, 54, quai du Priourat, B.P. 29, 33500 Libourne.

CH. MORILLON 1985*

■ 1 ha 8 000 ■ ⊕ ↓ Ⅴ 2

80 81 82 83 84 85

Né dans un chai qui peut s'enorgueillir de posséder un pan de mur remontant à la nuit des temps ou presque, ce vin, encore fermé au nez mais à l'attaque franche, montre déjà des tanins souples et ne devra plus être trop attendu.

↪ Mme Olga Bagot, Morillon, Neuffons, 33580 Monségur, tél. 56.71.42.26 ⟙ r.-v.

CH. DE MOUCHAC 1985***

■ 40 ha 200 000 ■ ↓ Ⅴ 1

80 81 82 83 85

Sur ce beau domaine, les descendants des Ségur, l'un des grands noms de l'épopée viticole bordelaise, produisent un joli vin qui peut, certaines années, atteindre à un niveau qualitatif assez rare. Témoin ce très beau 85 dont on appréciera la grande harmonie, le caractère ample et souple, ainsi que la solide charpente tannique et la très belle finale.

↪ Du Serech de Saint-Avit, Ch. de Mouchac, Grésillac, 33420 Branne, tél. 57.84.52.14 ⟙ r.-v.

CH. MOUGNEAUX 1986***

■ 27 ha 165 000 ■ ⊕ ↓ Ⅴ 2

1781 80 82 83 84 85 86

Un très bon vin de garde. La robe est limpide, pourpre à reflets sombres et frange violine. Puissant en même temps que complexe, il exprime de délicats arômes de lilas et de griotte. Charpenté, corsé, gras à souhait, il finit sur une remarquable longueur. Une très grande harmonie.

↪ Gaec Jean Bocquet, Ch. Mougneaux, 33580 Saint-Ferme, tél. 56.61.62.02 ⟙ t.l.j. 8h-19h.

DOM. DU MOULIN DE LA BELLUE 1986**

■ 8 ha 14 000 ■ Ⅴ 2

83 84 85 86

Richesse et complexité. La couleur est intense, les arômes de fruits des bois avec des notes de pain grillé. Parfaitement équilibré, bien charpenté dans une rondeur fruitée, ce 86 présente des tanins mûrs et bien fondus dans une longue finale aromatique.

Le tanin est une substance qui se trouve dans le raisin et qui apporte au vin certaines de ses propriétés gustatives : il lui assure une longue conservation.

CH. PEYRILLAC 1985

↪ M. Henri Gariey, Asques, 33240 Saint-André-de-Cubzac, tél. 57.58.11.83 ⊤ r.-v.

83 [85] — 5 ha — 15 000

D'une réussite de bon aloi, le millésime, parfois un peu marqué par une pointe d'acidité, possède un caractère qui s'exprime par sa couleur, d'un rubis intense, et par des tanins très présents.

↪ Roussille, Terrefort, 33240 Saint-André-de-Cubzac, tél. 57.43.27.00

DOM. DE PERYROULEY 1986

12 ha — n.c.

Se présentant sympathiquement sous un nom à l'accent méridional et dans une robe légère mais d'une belle couleur, ce vin, fin et agréable tel quel, se montre d'un caractère aimable.

↪ M. Didier Caminade, Treytin, Génissac, 33420 Branne, tél. 57.24.45.41 ⊤ t.l.j. sf dim.

CH. PICON 1986 **

80 81 82 83 84 [85] 86 — 25 ha — 80 000

Le château Picon, coup de cœur pour le 85 avec un exceptionnel six sur cinq, propose cette année un vin bien plaisant, joli nez très boisé avec des tanins sous-jacents. Bien structuré, il montre une bonne aptitude au vieillissement.

↪ M. Jean-Claude Audry, Ch. Picon, Eynesse, 33220 Sainte-Foy-la-Grande, tél. 57.46.41.91 ⊤ r.-v.

CH. PIGEOUNNEY 1986 *

6,50 ha — 25 000

Simple mais franc de bonne facture, ce vin allie l'agrément d'une jolie robe, d'un rubis soutenu à un bouquet fin et agréable, avec de belles notes de petits fruits rouges (fraises et groseilles). L'ensemble est tout à fait plaisant.

↪ M. Philippe Parinaud, Pré Barral, 33790 Pellegrue, tél. 56.61.37.59

CH. POLIN 1986 **

84 [85] — 9 ha — 10 000

Dès le premier contact, ce vin affirme sa forte personnalité par sa robe puissante d'un très beau rouge sang. Le bouquet, très intense, comme la structure d'ensemble fortement charpentée, suivent heureusement, avant de monter en puissance pour déboucher sur une finale particulièrement longue.

↪ GAEC La Lande de Taleyran, Beychac-et-Caillau, 33750 Saint-Germain-du-Puch, tél. 56.72.98.93 ⊤ r.-v.

PRIEUR DE LOUPCHAC 1985 *

[82] 83 84 85 — n.c.

230 ha de vignes sont rattachés à la coopérative. En harmonie avec la robe d'une belle couleur, rubis, la structure générale du vin est agréable. On sent que cette bouteille, aux sens...

CH. NARDIQUE LA GRAVIERE 1986 *

↪ M. Jacques Micheau, Dom. du Moulin de la Bellue, Cubnezais, 33620 Cavignac, tél. 57.68.07.57 ⊤ t.l.j. 9h-12h 14h-18h.

[75] 80 81 82 83 [85] — 8 ha — 50 000

Ce cru réputé propose avec ce 86 un vin bien équilibré dont les tanins, qui font sentir leur présence en finale, semblent se porter garants de l'avenir.

↪ GAEC Gérard Thérèse et Fils, Nardique la Gravière, Saint-Genès-de-Lombaud, 33670 Créon, tél. 56.23.01.37 ⊤ t.l.j. 9h-12h 14h-19h.

CH. DE PARENCHERE 1986 *

71 [75] 76 78 79 82 8- — n.c. — 300 000

Jadis confrérie religieuse où le service de Dieu faisait bon ménage avec celui du vin, ce domaine reste fidèle à son passé. Puissant et complexe par ses arômes de fruits rouges, ce vin sait se montrer souple et consistant.

↪ M. Jean Gazaniol, Ch. de Parenchère, Ligueux, 33220 Ste-Foy-La-Grange, tél. 57.46.04.17 ⊤ r.-v.

CH. PENIN 1986 *

70 76 80 81 [82] [83] [84] [85] 86 — 10 ha — 65 000

« Être œnologue, c'est encore mieux ». Telle fut la pensée de Patrick Carteyron en 1982, quand il devint viticulteur. Un métier qu'il exerce avec autant d'amour que de science. Rien d'étonnant que son vin soit très attachant par sa riche complexité. Celle-ci se traduit notamment par un feu d'artifice aux fruits rouges, mêlant les notes de café et de vanille aux fruits rouges et au bois. Chaleureux, il est aussi tannique et saura vieillir avec classe.

↪ SCEA P. Carteyron, Ch. Penin, Génissac, 33420 Branne, tél. 57.24.46.98 ⊤ r.-v.
↪ Mme Lucette Carteyron.

CLOS PETIT MALANDE 1985

2 ha — 15 000

Par moment un peu sévère, ce vin allie une belle présentation et une bonne matière au sein de laquelle s'affirment de tanins très présents

teurs fruitées et aux solides tanins, a du goût et du caractère.

➤ Prieur de Loupchac, 24610 Villefranche-de-Lonchat, tél. 53.80.77.37 ☎ ma. me. je. ve. sa. 8h-12h 14h-18h.

CH. PUYFROMAGE 1986**

■ ⬛ ↓ V2   40 ha   260 000

71 75 76 78 (79) 80 (81) 82 (83) 84 (85) 86

Des troupes anglaises ayant établi ici un poste d'observation qui communiquait avec le reste de l'armée en envoyant des signaux de fumée « from edge », ce domaine en a tiré son nom. Mais s'il exporte beaucoup vers le Royaume-Uni, comme vers d'autres pays, c'est en raison de la qualité de son vin qu'affirme ce 86 : élégant à l'image de sa jolie demeure, il est à la fois puissant et chaleureux et saura bien vieillir.

➤ SCE Ch. Puyfromage, Saint-Cibard, 33570 Lussac, tél. 57.40.61.08 ☎ lu. ma. me. je. ve. 9h-12h 14h-17h.

CH. PUYMONTANT 1985

■   28 ha   140 000   ⬛ V2

S'il n'affiche pas de prétentions excessives, ce vin sait se rendre intéressant par un bouquet puissant et une structure d'ensemble assez aimable.

➤ M. Marc Héroult, Ch. Puymontant, Petit-Palais, 33570 Lussac, tél. 57.69.62.07 ☎ t.l.j. sf dim. 8h-13h 14h-23h ; f. 25 août au 10 sept.
➤ Héroult-Collas.

CH. QUEYRET-POUILLAC 1986**

■ (82) (83) 84 85 86   7 ha   80 000   ⬛ ↓ V2

Mariage heureux de bâtiments anciens (du XVIIIe s.) et de méthodes modernes, ce domaine sait retenir l'attention par sa production : élégant tant par sa robe que par ses arômes (fruits mûrs et gibier), ce 86 est aimable par sa présence en bouche souple et ronde. Mais la puissance tannique, gage de bonne évolution future, n'est pas oubliée.

➤ M. et Mme. Patrice Chaland, Ch. Queyret-Pouillac, 33790 Saint-Antoine-du-Queyret, tél. 57.40.50.36 ☎ r.-v.

CH. RAMBAUD 1986

■   10 ha   60 000   ⬛ ↓ V2

D'une belle robe rubis, ce vin très chaleureux exprime son identité à travers la puissance de ses parfums de fruits à l'alcool.

➤ M. Daniel Mouty, Ch. Croix de Barille, Sainte-Terre, 33350 Castillon-la-Bataille, tél. 57.84.55.88 ☎ r.-v.

CH. RAYMOND 1985***

■   n.c.   150 000   ⬛ ↓ V2

Moins sévère que La Brède, Raymond, Ramonet à l'époque, était un séjour très apprécié de Montesquieu. Il y écrivit une partie de son oeuvre et y produisait la majeure partie de ses vins. Nul doute qu'il serait très fier de voir la qualité de la production de son descendant. Riche et complexe par ses arômes, ce 85 rond et concentré masque la puissance sur une très belle impression qui porte la marque de beaux tanins bien fondus. Une très belle réussite.

➤ M. Charles de Montesquieu, Baron, 33750 Saint-Germain-du-Puch, tél. 57.24.13.64 ☎ r.-v.

CH. ROQUES MAURIAC 1985***

■   20 ha   80 000   ↓ V2

Ici, l'étiquette, le château et le vin ont du charme. Mais chacun à sa manière. La première par sa fraîcheur, le deuxième par son cachet XVIIIe s., le troisième par sa puissance. Celle-ci s'exprime par la couleur soutenue de la robe, par les intenses parfums de fruits rouges et de venaison, mais aussi et surtout par la très riche matière, tannique, grasse et longue. Une très belle réussite.

➤ GFA Leclerc, Ch. Lagnet, Doulezon, 33350 Castillon-la-Bataille, tél. 57.40.51.84 ☎ r.-v.

CH. ROUQUETTE 1985

■   30 ha   50 000   V2

(82) (83) 84 85

Produit sur une propriété qu'orne un beau château dominant la vallée de la Durèze, ce vin tire son originalité d'arômes où se mêlent les notes de cuir, de cacao et de venaison. Souple et agréable, l'ensemble est à boire jeune.

➤ Antoine et Françoise Collas, Ch. Rouquette, 33790 Pellegrue, tél. 56.61.35.59 ☎ r.-v.

CH. DES SABLONS 1985*

■   n.c.   85 000   V2

(79) (81) (85)

Vive et jeune, la robe annonce le caractère sympathique de ce vin intéressant par ses arômes de fruits mûrs et d'épices.

➤ M. Paul Frédéfon, Au Suisse, 33450 Saint-Loubès, tél. 56.20.40.94

CH. SAINT-GENES 1986*

■ ⬛ ↓ V2   20 ha   n.c.

78 79 80 (81) 82 (83) (84) 85 86

Des 800 ha qu'il comptait au temps des ducs de Lansdorf, ce domaine s'est trouvé réduit à 50 aujourd'hui. Mais la nostalgie n'y est aucunement de mise. Après beaucoup d'autres, ce millésime, issu d'une longue mûrie, le prouve par ses nombreuses qualités : richesse du bouquet, souplesse en bouche, arômes de sous-bois.

CH. SAINT-IGNAN 1986*

- M. Jacques Fourès, Ch. Saint-Genès, Saint-Genès-de-Lombaud, 33670 Créon, tél. 56.23.31.29 Y r.-v.

79 80 **81** 82 83 84 **85** 86 — 15 ha 100 000

Adossée au célèbre château du Bouilh, cette propriété produit un joli vin, souple et bien équilibré, avec une présence tannique non négligeable, notamment en finale.

- GAEC Feillon Frères, Saint-Seurin-de-Bourg, 33710 Bourg-sur-Gironde, tél. 57.68.42.82 Y r.-v.

CH. SARAIL-LA-GUILLAUMIERE 1986*

75 79 **81** (82) **83** 85 86 — 13 ha 60 000

Résistant toujours victorieusement à la poussée de l'urbanisation, Sarail-La-Guillaumiere offre à nouveau, avec ce 86, un joli vin pourpre, riche, puissant avec ses notes de gibier, et fin, qui devrait évoluer très favorablement.

- M. Michel Deguilhaume, Ch. Sarail-la-Guillaumière, 33450 Saint-Loubès, tél. 56.20.40.14 Y r.-v.

CH. DE TERREFORT-QUANCARD 1986***

1801 (80) 1821 1831 85 86 — 61,95 ha 330 000

Issu d'une exploitation industrielle, ce vin n'en est pas moins fait avec une passion quasi artisanale. Son caractère puissant est annoncé par l'intensité de sa robe rubis. Richement et finement bouqueté avec des notes bien marquées, allant de la vanille aux épices, il possède une structure solide et harmonieuse qui lui permettra d'accroître son élégance avec le temps.

- SCI Ch. de Terrefort-Quancard, B.P. 50, Cubzac-les-Ponts, 33240 Saint-André-de-Cubzac, tél. 57.43.00.53 Y r.-v.

CH. TERRES D'AGNES 1986*

26 ha 120 000

Malgré une petite pointe d'oxydation, voilà un joli vin au bouquet intense de petits fruits à l'eau de vie. Derrière une bonne attaque apparaît une belle charpente. Un millésime bien structuré.

CH. DU TERTRE 1986

- M. Edgard Marchan, Les Doumens, Moulon, 33420 Branne, tél. 57.84.50.74 Y r.-v.

851 861 — 60 ha 180 000

Une production de qualité pour un vin qui ne fait peut-être pas preuve d'une grande originalité mais qui réserve quelques bonnes surprises, son bouquet fruité (fraise et groseille) ou encore son caractère souple et agréable.

- Borie-Manoux SA, cours Balguerie-Stuttenberg, 33082 Bordeaux Cedex, tél. 56.48.57.57 Y r.-v.
- Sté Sarlandie.

CH. TOUR DE GILET 1986***

78 79 (82) (85) (86) — n.c. 5 000

Guy Bachelot est un viticulteur heureux. Les millésimes se suivent... et sont au plus haut niveau de qualité. 86 ne déroge pas à la règle. Rouge bigarreau par sa robe, son nez est finement marqué de fruits à noyaux, élégant par ses notes vanillées. Il montre son caractère dans une attaque franche, et un corps bien préparé. Quelle bonne présence tannique! On peut lui prévoir une bonne garde.

- M. Guy Bachelot, Cadiot, Ludon-Médoc, 33290 Blanquefort, tél. 56.30.32.95

CH. TRINITE VALROSE 1985*

15,29 ha n.c.

D'une belle couleur rubis à reflets pourpres, la robe ne laisse pas l'œil indifférent. Puissant et complexe, avec un mélange de fruits rouges mûrs et d'arômes, le bouquet suit heureusement, même que les impressions de souplesse et de gras que découvre le palais.

- M. Jean-Pierre Ehret, île de Patiras, B.P. 18, 33250 Pauillac, tél. 57.42.13.00

CH. TROCARD 1986*

(75) 77 **78** 79 80 **81** 83 85 86 — 40 ha 150 000

D'une bonne régularité, ce cru propose avec ce 86 un vin plaisant et bien fait dont on appréciera l'équilibre général.

→ GAEC Trocard Père et Fils, Les Artigues-de-Lussac, 33570 Lussac. tél. 57.24.31.16 ⊤ lu. ma. me. ve. 8h30-12h 14h-18h.

CH. TURON-LA-CROIX 1986***

■ 16 ha 100 000

82 85 [86]

Un coup de maître de Jean Saric, pour ce 86. Le vin est puissant, équilibré ; le nez développe des arômes fruités (mûres et cassis) et la bouche, corsée, montre beaucoup de matière. La finale, longue, repose sur de bons tanins.

→ M. Jean Saric, Lugasson, 33119 Frontenac, tél. 56.24.05.55 ⊤ r.-v.

DOM. DES VALENTONS-CANTELOUP 1986***

■ 7 ha 35 000

79 81 (82) 85 86

Si les passionnés d'archéologie et de vieilles pierres peuvent ignorer sans problème ce domaine, il n'en va pas de même des amateurs de vin qui trouveront dans celui-ci tout ce qu'ils peuvent désirer : une belle couleur, de riches arômes, une bonne structure, de solides tanins bien mûrs, une longue finale. Bien constituée, cette bouteille est déjà fort plaisante mais méritera d'être attendue.

→ M. Fernand Meynard, Les Valentons, 33450 Saint-Loubès, tél. 56.38.94.18 ⊤ t.l.j. sf dim. 8h-12h 14h-19h ; f. sam. a.-m. sur r.-v.

CH. VIEIL ORME 1986

■ 4 ha 28 000

75 76 79 81 82 85 86

S'il n'a pas profité des améliorations entreprises en 1987 sur la propriété, ce millésime, assez léger, n'en possède pas moins de réelles qualités, notamment la richesse aromatique (fruits rouges surmûris à l'eau-de-vie).

→ GAEC Gardera, Dom. de Malineau, Saint-Martial, 33490 Saint-Macaire, tél. 56.63.70.58 ⊤ r.-v.

CH. VIEUX BOMALE 1986**

■ 5 ha 30 000

Elevé dans du chêne neuf, ce vin en porte la marque. Mais sa richesse aromatique n'en souffre pas, les parfums de fruits rouges se développant harmonieusement au nez comme en bouche avec des notes boisées du meilleur aloi. Une très jolie bouteille.

→ M. Jean-Pierre Chaudet, Beaulieu, 33141 Villegouge, tél. 57.84.32.61 ⊤ r.-v.

VIEUX CHATEAU DU COLOMBIER 1986

■ 40 ha 250 000

71 74 75 76 80 81 (82) (83) 84 (85) 86

Un colombier du XIIe s. particulièrement bien conservé a donné son nom à ce vin, encore très tannique, marqué par les fruits et le poivron qui n'a pas atteint sa maturité.

→ SCE Ch. Puyfromage, Saint-Cibard, 33570 Lussac, tél. 57.40.61.08 ⊤ lu. ma. me. je. ve. 9h-12h 14h-17h.

CH. VIEUX LA VERGNE 1985

■ 5 ha 25 000

Il est discret mais franc, un rien rustique. On aime ses parfums de fraise et groseille et sa robe bien soutenue.

→ M. Pierre Szymakowski, Ch. Vieux La Vergne, Lugon, 33240 Saint-André-de-Cubzac, tél. 57.84.43.60 ⊤ r.-v.

CH. VIEUX LESTAGE 1986***

■ n.c. 15 000

84 85 (86)

Conditionné dans des bouteilles de toutes formes et de toutes contenances, ce vin se distingue principalement par ses qualités intrinsèques. Affichant une certaine coquetterie par sa robe brillante et sa richesse aromatique faite de fruits rouges très mûrs, il manifeste sa féminité par son élégance et sa finesse.

→ Mme Nicole Legrand-Dupuy, Dom. des Cailloux, Romagne, 33760 Targon, tél. 56.23.09.47 ⊤ r.-v.

VIEUX VAURE 1985**

■ n.c. 100 000

79 80 82 [85]

Produit par la cave de Ruch, ce beau 85 montre le savoir-faire de cette coopérative. Une belle robe (rubis à reflets grenat), de fins et puissants parfums de fruits rouges et de sous-bois, une structure souple et ronde, de même qu'une très prometteuse charpente se chargent de plaider pour les viticulteurs ruchois.

→ CCV Chais de Vaure, Ruch, 33350 Castillon-la-Bataille, tél. 57.40.54.09 ⊤ t.l.j. sf dim. 9h-12h 14h-18h.

CH. VILATTE 1985***

■ 7 ha 20 000 (85)

80 (81) 82 (83) (84) 85 86

L'harmonie est totale entre la robe, d'un rouge rubis très soutenu, et le bouquet où la fraise, la groseille et la framboise se taillent la part du lion. Frais, velouté, soyeux, le corps de ce vin, rond, plein et charpenté, saura séduire les plus exigeants par son très bon équilibre et sa très belle finale. L'ensemble donne une superbe bouteille.

Mieux vaut ne pas transporter des vins de qualité au cœur de l'été ou de l'hiver : il faut les préserver des températures extrêmes.

Bordeaux côtes de francs

« Y » D'YQUEM 1986 *

n.c. | n.c.

C'est en 1959 que le marquis Bertrand de Lur-Saluces, propriétaire du château d'Yquem, décida de produire, à côté du célèbre sauternes, un bordeaux supérieur. Ce fut l'Y dont la très forte personnalité n'a rien à envier à celle de son aîné. Tout est original dans ce vin. Qu'il s'agisse du mariage des teintes claires et vieil or du bouquet, marqué d'une note de liqueur de poire, ou de la structure d'ensemble, chaleureuse, puissante et d'une rare élégance.

↬ Comte de Lur-Saluces, Ch. d'Yquem, Sauternes, 33210 Langon, tél. 56.63.21.05 ℡ r.-v.

DOM. CROIX DE LA PRAIRIE 1985 **

7,40 ha | 30 000

Séduisante robe rouge cerise brillante et jeune. Arômes très marqués par les fruits rouges. La dégustation est encore celle d'un vin jeune, franc, tannique et vineux dont l'ensemble des constituants a besoin de se fondre. On ne sera pas déçu par cette bouteille au rapport qualité/prix étonnant.

↬ M. Dominique Cyren-Decoly, Au Vieux Mouchet, Montagne, 33570 Lussac, tél. 57.74.69.59 ℡ r.-v.

CH. DE FRANCS 1986 **

3 ha | 13 000

Dominant la colline de Francs, ce château ne manque pas d'allure. Son vin lui ressemble. Très agréable à l'œil, il séduit le nez par ses belles senteurs de fruits rouges, avec des notes de vanille et de bois. Quand au palais, il n'oubliera pas sa belle présence. Demande à être attendu.

↬ SCEA Ch. de Francs, 33570 Lussac, tél. 57.25.17.18 ℡ r.-v.
↬ MM. D. Hébrard et H. du Boüard.

CH. LACLAVERIE 1986 ***

n.c. | 50 000

Une petite propriété dans une commune discrète, mais un très beau vin. Avec sa robe d'un rouge rubis sombre, il montre qu'il sait se présenter. Et la robe n'est pas trompeuse : la suite est remarquable par la complexité des arômes qui vont des notes épicées aux senteurs de gibier. Tannique, équilibré et riche, la bouteille n'a pas à craindre pour son avenir.

↬ M. Nicolas Thienpont, Lauriol, Saint-Cibard, 33570 Lussac, tél. 57.40.61.04 ℡ r.-v.

CH. MARSAU 1985

8,50 ha | 36 000

Issu d'un vignoble encore assez jeune, ce vin est plaisant par sa rondeur et sa chaleur, avec une note tannique qui lui permettra de vieillir un peu. Toutefois, il est préférable de le boire jeune.

↬ GAEC Gouteyron Frères, Ch. Haut-Mazerat, 3330 Saint-Émilion, tél. 57.24.71.15 ℡ r.-v.

CH. DU MOULIN La Pitié 1986

10,50 ha | 35 000

À cheval sur le plateau et le coteau le bordant, la propriété produit un vin qui marie des arômes puissants et chauds dans la tradition de l'appellation avec une structure d'ensemble souple et ronde.

↬ SDF Clerjaud, Négrie, Saint-Cibard, 33570 Lussac, tél. 57.40.62.38 ℡ r.-v.

CH. PUYGUERAUD 1986 ***

n.c. | 70 000

Une très belle étiquette et un millésime qui se montre à la hauteur de sa présentation. Il se distingue par la beauté de sa robe, rouge rubis à reflets violine. Surtout, la puissance de son bouquet vient de la succession de multiples notes...

Bordeaux côtes de castillon

CH. DE CHAINCHON 1985

14 ha | 65 000

Sous cette robe rubis aux reflets orangés, un nez de pain brûlé avec une pointe végétale. L'attaque est franche et l'équilibre heureux, mais on aimerait davantage de rondeur et de gras. Le château construit sous le Roi-Soleil appartient à la famille Eresué depuis 1846.

↬ Ch. de Chainchon, 33350 Castillon-la-Bataille tél. 57.40.14.78 ℡ r.-v.

CH. LA PIERRIERE 1986 **

n.c. | n.c.

Édouard Kressmann a publié en 1975 à Bruxelles un excellent Guide des Vins et des Vignobles de France. La maison qui porte son nom propose un bordeaux supérieur 86 franchement pourpre, à peine épicé, aux arômes de bons fruits. Ses tanins bien mûrs marquent la présence en bouche, avec du gras et de la souplesse. Un vin très réussi.

↬ ED Kressmann et Cie, 35, rue de Bordeaux, B.P. 24, Parempuyre, 33290 Blanquefort, tél. 56.35.84.64 ℡ r.-v.

1851 1861

n.c. | n.c.

↬ Mme Marie-Louise Massart, Vilate, Puynormand, 33660 Saint-Seurin-sur-l'Isle, tél. 57.49.63.64 ℡ r.-v.

Pour bien utiliser ce guide, consultez les premières pages et le sommaire, ainsi que les index des appellations, des vins, des producteurs et des communes, en fin d'ouvrage.

Sachez ranger votre cave : les blancs près du sol, les rouges au-dessus ; les vins de garde dans les rangées du fond, les bouteilles à boire en situation frontale. Et n'oubliez pas le livre de cave..

Blayais

allant de la cannelle au bois, avec une dominante de fruits rouges bien mûrs. Charpenté, élégant, l'ensemble est de très grande classe et ne demande qu'à vieillir.

☛ M. F. Thienpont, Ch. Puygueraud, Saint-Cibard, 33570 Lussac, tél. 57.40.61.04 ℉ r.-v.
☛ M. Nicolas Thienpont.

Le Blayais et le Bourgeais

Blayais, Bourgeais, deux petits pays aux confins charentais de la Gironde que l'on découvre toujours avec plaisir. Peut-être en raison de leurs sites historiques, de la grotte de Pair-Non-Pair (avec ses fresques préhistoriques, presque dignes de Lascaux), de la citadelle de Blaye ou de celle de Bourg, ou des petits châteaux et autres anciens pavillons de chasse. Mais plus encore parce que de cette région très vallonnée se dégage une atmosphère intimiste, apportée par de nombreuses vallées et qui contraste avec l'horizon presque marin des bords de l'estuaire. Pays de l'esturgeon et du caviar, c'est aussi celui d'un vignoble qui depuis les temps gallo-romains contribue à son charme particulier. Pendant longtemps, la production de vins blancs a été importante; jusqu'au début du XXe s., ils étaient utilisés pour la distillation du cognac; cette ancienne coutume a été ravivée par la création récente de la fine de bordeaux, eau-de-vie de vin distillée dans l'alambic charentais. Mais aujourd'hui, les vins blancs sont en très nette régression, car les rouges jouissent d'une prospérité économique beaucoup plus grande.

Blaye, premières côtes-de-blaye, côtes-de-blaye, bourg, bourgeais, côtes-de-bourg, rouges et blancs : il est parfois un peu difficile de se retrouver dans les appellations de cette région. Toutefois, l'on peut distinguer deux grands groupes : celui de Blaye, avec des sols assez diversifiés, et celui de Bourg, géologiquement plus homogène.

Château Puygueraud 1985
BORDEAUX CÔTES DE FRANCS
APPELLATION BORDEAUX CÔTES DE FRANCS CONTRÔLÉE
F. THIENPONT, VITICULTEUR À S-CIBARD - FRANCE
MIS EN BOUTEILLE AU CHÂTEAU

Côtes de blaye et premières côtes de blaye

Sous la protection, désormais toute morale, de la citadelle de Blaye due à Vauban, le vignoble blayais s'étend sur environ 2 700 ha plantés de vignes rouges et blanches. Les appellations blaye et blayais sont désormais de moins en moins utilisées, la plupart des viticulteurs préférant produire des vins à partir de cépages plus nobles qui ont droit aux appellations côtes-de-blaye et premières côtes-de-blaye. Les premières côtes-de-blaye rouges (16,5 millions de bouteilles) sont des vins assez colorés qui présentent une rusticité de bon aloi, avec de la puissance et du fruité. Les côtes-de-blaye et premières côtes blancs (3,9 millions de bouteilles) sont en général des vins secs, d'une couleur légère, que l'on sert en début de repas, alors que les premières côtes rouges vont plutôt sur des viandes ou des fromages.

Côtes de blaye

CH. BERTINERIE 1987***

□ 2,09 ha n.c. ☷▮◢▮

Planté à 100% en sauvignon, ce vignoble de 2 hectares produit un vin qui porte la marque de son unique cépage par ses arômes. Équilibré avec une finale grasse et moelleuse, il sera très plaisant à déguster sur un plateau de fruits de mer.

☛ M. Daniel Bantegnies, Ch. Bertinerie, Cubnezais, 33620 Cavignac, tél. 57.68.70.74
℉ r.-v.

CH. HAUT-GRELOT 1987***

3 ha   24 000

Juché sur la pente douce d'un coteau très ensoleillé dominant l'Estaire, le vignoble produit un vin franc et aromatique type «sauvignon». Ne trahissant pas la douceur du paysage sur lequel il est né, il est tout en harmonie, rondeur et bon équilibre général.

M. Joël Bonneau, av. de la République, 33820 Saint-Ciers-sur-Gironde, tél. 57.32.93.80
l.l.j; 8h-12h 14h-18h.

DOM. DE LA NOUZILLETTE 1987***

8 ha   40 000

Tirant le meilleur profit de la diversité de son encépagement où le colombard domine (60%) le sémillon (30%) et le sauvignon (10%), ce vin présente une robe pâle aux reflets verdâtres. Fin et plaisant, il offre beaucoup de fraîcheur.

GAEC du Moulin Borgne, Marcennais, 33620 Cavignac, tél. 57.68.70.25 l.l.j; sf dim. 8h-19h.

CH. LARDIÈRE 1987

6 ha   30 000

Le château produit un vin d'une belle couleur jaune pâle brillante, d'une intensité odorante, typé par ses 60% de sauvignon. À boire jeune sur des huîtres et sur tous les fruits de mer.

M. René Bernard, Ch. Lardière, Marcillac, 33860 Reignac, tél. 57.32.41.38 r.-v.

CH. MAINE-MARZELLE 1987*

3 ha   n.c.

Jolie robe d'un jaune pâle avec des reflets verdâtres, ce vin, tout colombard, présente également un bon équilibre, une souplesse qui lui donne une bonne harmonie générale.

M. Jean-Louis Raymond, Ch. Maine-Marzelle, 33920 Saint-Savin, tél. 57.68.65.67 r.-v.

CH. MARINIER Sauvignon 1987

2 ha   12 000

Ce vin, issu exclusivement du cépage sauvignon, se caractérise par un bon équilibre et une acidité marquée très agréable en finale.

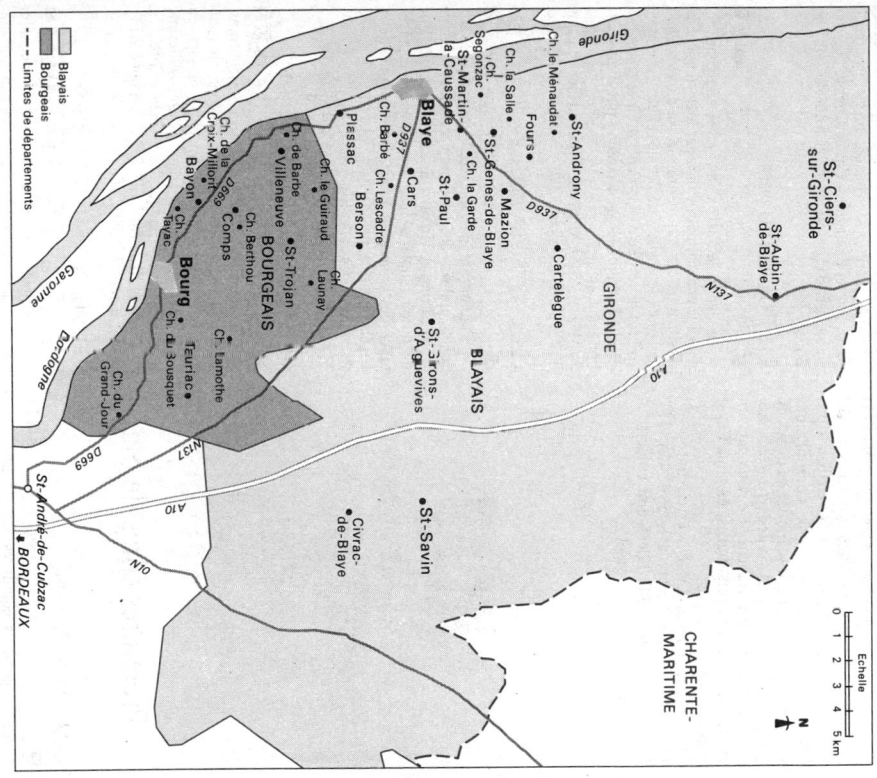

Le Blayais et le Bourgeais

Blayais

Premières côtes de blaye

CH. DES MATARDS 1987*

☐ 1.50 ha n.c. 🌡️ ↕ ▾ M 1

Petit par sa superficie en vigne, le château des Matards produit un vin élégant, souple, rond. Autant de qualité pour lui donner sans hésitation une très bonne place parmi ses confrères.

📞 M. Thierry Cotet, Ch. Marinier, Cézac, 33620 Cavignac, tél. 57.68.63.13 ⅄ t.l.j. 8h-20h.

CH. PENAUD 1987*

☐ 7 ha 70 000 🌡️ ↕ ▾ M 1

C'est par des méthodes «à l'ancienne» que traite et vinifie ce château. Robe jaune pâle et nuances aromatiques moyennes, l'attaque est franche avec une acidité qui lui vaut une finale très agréable.

📞 M. Serge Penaud, La Lande, Saint-Aubin-de-Blaye, 33820 Saint-Ciers-sur-Gironde, tél. 57.64.71.70 ⅄ r.-v.

CH. PEYREYRE 1987***

☐ 1.50 ha 8 000 🌡️ ↕ ▾ M 2

La maison et ses dépendances datent de 1762. Restaurés et agrandis en 1851, les chais sont pris leur allure définitive en 1973. Le millésime, jaune pâle, a parfaitement séduit les membres du jury, tant par ses arômes fruités type «banane» que par son attaque franche. Ce vin, par son étoffe, ses saveurs persistantes en finale, est remarquable.

📞 M. Michel Trinque, Ch. Peyreyre, Saint-Martin-Lacaussade, 33390 Blaye, tél. 57.42.18.57 ⅄ t.l.j. sf dim. 9h-12h 14h-19h ; f. dim. et jours fériés

---

Premières côtes de blaye

caire classique : le vin offre un fruit légèrement épicé ; sa nature tannique est discrète mais réelle.

📞 M. Dominique Arnaud, Saint-Christoly-de-Blaye, 33920 Saint-Savin, tél. 57.42.48.24 ⅄ r.-v.

CH. BARBE 1986*

☐ 23 ha 150 000 🌡️ ↕ ▾ M 2

78|79 80 81 ⑧2 83 84 86

Ravissante demeure Directoire, ce château s'appuyant sur les expériences des anciennes générations a pour souci de toujours améliorer la qualité de sa production. Cela donne pour 86 un vin très limpide, fin, élégant, marqué d'une pointe d'acidité pas désagréable, avec des arômes discrets.

📞 Bayle-Carreau, Ch. Barbé, Cars, 33390 Blaye, tél. 57.64.32.43 ⅄ t.l.j. sf dim. 8h-12h 14h-18h.

CH. BERTINERIE 1986**

☐ 9 ha 55 000 🌡️ ↕ ▾ M 1

81 |83 ⑧5 86

Bien que récemment rebâti, ce château dont les chais remontent au XIXe s. garde traditionnellement sa vinification avec vieillissement en fûts de chêne. Montrant une robe épaisse et légèrement tuilée, puissant, fin et élégant, ce vin semble décidé à respecter ses chances au vieillissement.

📞 M. Daniel Bantegnies, Ch. Bertinerie, Cubnezais, 33620 Cavignac, tél. 57.68.70.74 ⅄ r.-v.

CH. BOURDIEU 1986*

☐ 20 ha n.c. 🌡️ ↕ ▾ M 3

Si, depuis le XIIIe s., les riches bourgeois ont choisi le château pour y installer leur vignoble, ce n'est pas par un pur hasard. Ce vin d'une couleur de bonne intensité auréolée de reflets légèrement ambrés se dévoile par de riches arômes épicés. En pleine évolution, il n'en possède pas moins une bonne harmonie.

📞 M. Jean-Yvon Michaud, Ch. Bourdieu, Berson, 33390 Blaye, tél. 57.64.37.96

CH. CASTEL LA ROSE 1986**

☐ 7 ha 25 000 ▾ 2

S'annonçant par une couleur profonde aux reflets ambrés, des odeurs épicées, marquées de fruits rouges, ce vin offre une attaque souple, une évolution ample et bien structurée avec persistance des arômes en finale. Millésime agréable avec une attaque souple mais courte.

📞 M. Rémy Castel et fils, Villeneuve, 33710 Bourg-sur-Gironde, tél. 57.64.86.61 ⅄ r.-v.

CRU CAZEAUX LA BOTTE 1986

☐ 4 ha 12 000 🌡️ ↕ ▾ M 2

Sise au lieu-dit La Botte, cette propriété transmise de père en fils depuis la Révolution française a gardé traditionnellement le passage en barrique de ses vins pendant un an. Millésime agréable avec une attaque souple mais courte.

📞 M. René Blanchard, B.P. 3, 33920 Saint-Savin-de-Blaye, tél. 57.58.90.03 ⅄ r.-v.

CH. CHANTE-ALOUETTE 1986*

☐ 15 ha 50 000 🌡️ ↕ ▾ M 3

Ce vin pourrait-il chanter ? En robe avenante, exhalant des odeurs très intenses de cuit, presque

---

Premières côtes de blaye

DOM. ARNAUD 1986

☐ 8 ha n.c. ▾ M 2

Encépagements équilibrés sur sol argilo-cal-

de confiture, il semble déjà bien évolué et se laisserait boire dès maintenant.
◆ M. Georges Lorteaud, Ch. Chante-Alouette, Plassac. 33390 Blaye, tél. 57.42.16.38 r.-v.

CH. CONE-TAILLASSON-SABOURIN 1986*

3 ha · 15 000

Couleur assez intense, nez animal et épicé, l'attaque est chaude. Ce vin possède, sans nul doute, un caractère volontaire.
◆ SA Sabourin Frères, Le Bourg, Cars, 33390 Blaye, tél. 57.42.15.27 lu. ma. me. je. ve. 9h-12h 14h-18h.

CH. CORPS DE LOUP 1986

5 ha · 35 000

Henri de Navarre vint sonner l'hallali d'un loup en forêt médocaine. Blessé et se jouant des chiens et des équipages, le loup traversa le fleuve pour venir mourir sur le coteau d'un château. En souvenir du passage de la chasse royale, le lieu-dit fut baptisé Corps de Loup. Ce vin offre des arômes concentrés de cuit et présente par ses tanins structure et charpente.
◆ M. Jean-Pierre Vidal, Ch. Corps de Loup, Anglade, 33390 Blaye, tél. 57.64.42.19 r.-v.

DOM. DE COURGEAU
Cuvée Spéciale 1986**

3 ha · 20 000

Seule femme ayant gouverné Blaye, Marie de Montaut, en 1406, aurait réussi les négociations pour libérer la place du village en servant au duc d'Orléans le vin issu de ce domaine. Le millésime 86 offre une robe rubis profond, des odeurs de caramel, une belle finesse et une finale savoureuse. Vin aristocratique, il pourra accompagner agréablement une poularde truffée farcie.
◆ M. Pascal Montaut, Courgeau, Saint-Paul-de-Blaye 33390 Blaye, tél. 57.42.34.88 r.-v.

CH. CRUSQUET-DE-LAGARCIE 1986**

78 79 80 81 (82) 83 84 85 86
15 ha · 100 000

Cette exploitation date de la fin du XIXe s. et l'établissement de son chai de 1905. Impressionnante construction faite sur deux étages de plainpied : un chai souterrain contient sept cents barriques. Limpide, de couleur franche, avec un nez vraiment bien évolué, très fin et long en bouche, ce vin ne se contente pas de plaire mais reste d'une authenticité remarquable.
◆ GFA Philippe de Lagarcie, Le Crusquet, Cars, 33390 Blaye, tél. 57.42.15.21 r.-v.

CH. CRUSQUET-SABOURIN 1986

7 ha · 40 000

Une robe bien soutenue à dominante rubis, des tanins fondus, ce vin se montre assez rond, équilibré et d'une bonne harmonie générale.
◆ SA Sabourin Frères, Le Bourg, Cars, 33390 Blaye, tél. 57.42.15.27 lu. ma. me. je. ve. 9h-12h 14h-18h.

CH. GARDUT HAUT-CLUZEAU 1986**

78 79 (82) 83 85 (86)
10 ha · 60 000

Classique par sa structure, ce vignoble possède une matière première de qualité et semble savoir très bien l'exploiter. Dans une robe de couleur profonde au nez une puissance marquée par le fruit mûr et finement boisée. Très ample, bien structuré avec des tanins se mariant adroitement au fruit, ce vin a une grande personnalité.
◆ Vignobles Denis Lafon, Ch. du Cavalier, Cars, 33390 Blaye, tél. 57.42.33.04 t.l.j. sf dim. 9h-12h 14h-18h.

CH. GOBLANGEY 1986

10 ha · 21 000

Une robe d'une intensité assez profonde, des notes un peu végétales, ce vin a une attaque souple, une bonne ampleur avec des tanins assez riches.
◆ M. Michel Planteur, Goblangey, 33390 Saint-Paul-de-Blaye, tél. 57.42.88.54 t.l.j. sf dim. 9h-12h 14h-18h ; f. sept.

CH. DU GRAND BARRAIL 1986*

10 ha · 80 000

Jolie robe rubis, des nuances fruitées très agréables, une attaque déployant de plus en plus son intensité, avec une finale douce et savoureuse. Excellent équilibre.
◆ Vignobles Denis Lafon, Ch. du Cavalier, Cars, 33390 Blaye, tél. 57.42.33.04 t.l.j. sf dim.

CH. HAUT-DU-PEYRAT 1986*

n.c. · n.c.

Dominant de 50 mètres la majestueuse Gironde, ce château produit, grâce à un terroir varié, un vin aux arômes vanillés et aux tanins de bois ; un peu court mais équilibré, il sera agréable à consommer dès maintenant.
◆ M. Patrick Revaire, Ch. Gardut, Cars, 33390 Blaye, tél. 57.42.20.35 t.l.j. sf dim. 8h-19h.

CH. LA BERGERE 1986*

81 82 (83) 84 85 86
10 ha · 50 000

Ce domaine déroulant, sous un soleil marin,

ses rangs de vignes sur les coteaux et vallons qui font le charme de ce terroir à l'esprit frondeur, donne un vin évolué avec une finale agréable.

➤ M. Denis Plaize, 17150 Mirambeau, tél. 46.49.61.71 ☖ r.-v.

CH. LA BRAULTERIE DE PAYRAULT 1986*

◼ | 8 ha | 50 000 | 🍷 🗓2

85 86

Couleur assez profonde. Nez légèrement épicé avec de puissantes odeurs torréfiées. L'attaque est souple, l'évolution ample. Ce vin est rond, assez gras, mais manque un peu de tanins pour relever l'ensemble. En somme, une belle structure avec une longueur moyenne en bouche.

➤ SCA La Braulterie Morisset, Berson, 33390 Blaye, tél. 54.64.39.51 ☖ r.-v.

CH. LA CARELLE 1986

◼ | 30 ha | 180 000 | 🍷 ↓ 🗓2

Le bon équilibre de l'encépagement fait de ce vin tuilé un produit fin et agréable.

➤ Bayle-Carreau, Ch. La Carelle, Saint-Paul-de-Blaye, 33390 Blaye, tél. 57.64.32.43 ☖ r.-v.
➤ GFA Mme. Jourdan et M. Carreau.

CH. LA CROIX-SAINT-JACQUES 1986*

◼ | 15 ha | 20 000 | 🍷 ↓ 🗓3

83 85 |86|

Établi sur le coteau de Segonzac, en aval de la Gironde, ce vignoble jouissant d'un très bon ensoleillement produit un vin d'une belle couleur, d'une grande finesse à peine boisée. Rond et équilibré, il semble très prometteur.

➤ M. Jacques Collard, Segonzac, Saint-Genès-de-Blaye 33390 Blaye, tél. 57.42.16.83 ☖ r.-v.

CH. LARDIERE 1986**

◼ | 8 ha | 40 000 | 🍷 🗓2

83 85 86

A la couleur soutenue de sa robe, s'ajoutent des odeurs très aromatiques de fruits bien mûrs. Rond, charnu, bien charpenté, ce vin est complet et apte au vieillissement.

➤ M. René Bernard, Ch. Lardière, Marcillac, 33860 Reignac, tél. 57.32.41.38 ☖ r.-v.

CH. LE CONE TAILLASSON DE LAGARCIE 1986

◼ | 8 ha | 45 000 | 🍷 ↓ 🗓3

78 |79| 80 81 ⑧ 83 84 |85| |86|

Joseph Taillasson, peintre du début du siècle, aura laissé son empreinte dans ce joli vignoble du Blayais. D'une couleur intense, fin et élégant, bien charpenté, ce vin est bien sûr tout en harmonie.

➤ GFA Philippe de Lagarcie, Le Crusquet, Cars, 33390 Blaye, tél. 57.42.15.21 ☖ r.-v.

CH. LES BILLAUDS 1987

◻ | 2 ha | 6 000 | 🍷 ↓ 🗓1

Ce vin mérite le détour. D'une robe pâle aux reflets verts, très fin avec des nuances de sauvignon, il est remarquable par son évolution souple et grasse comme par ses saveurs persistantes.

➤ M. Jean-Claude Plisson, Les Billauds, Marcillac-de-Blaye, 33860 Reignac, tél. 57.32.77.57 ☖ r.-v.

CH. LES GRAVES 1986*

◼ | 7 ha | n.c. | 🍷 🗓2

La formation de graves sur ce terroir et des cépages adaptés à la typicité du sol donnent à ce vin une belle charpente et des dispositions au vieillissement.

➤ M. René Pauvif, 33920 Saint-Vivien-de-Blaye, tél. 57.58.90.88 ☖ r.-v.

CH. LES JONQUEYRES 1986***

◼ | 3 ha | 14 000 | 🍷 🗓3

78 81 82 ⑧ 85 86

Ce vignoble possède la plus forte densité de ceps à l'hectare planté à forte proportion en merlot, ce qui donne à ce vin une couleur très soutenue et des arômes de vanille alliée aux fruits rouges. Il est rond, bien charpenté, long en bouche. Très riche et très harmonieux, il aura de bonnes aptitudes au vieillissement.

➤ M. Pascal Montaut, Courgeau, Saint-Paul-de-Blaye 33390 Blaye, tél. 57.42.34.88 ☖ r.-v.

GRAND VIN DE BORDEAUX
1986
CHATEAU
LES JONQUEYRES
PREMIÈRES CÔTES DE BLAYE
Appellation Premières Côtes de Blaye Contrôlée

CH. LES MOINES 1986**

◼ | n.c. | 🍷 ↓ 🗓2

Cette propriété acquise en 1920, située à la limite de Blaye et de Saint-Martin-Lacaussade, produit un vin d'une belle couleur, d'un nez très aromatique où l'on reconnaît distinctement le cabernet, bien rond, long en bouche. Au total, un vin très beau et bien fait.

➤ MM. J. et A. Carreau, 33390 Blaye, tél. 57.42.12.91 ☖ r.-v.

CH. LOUMEDE 1986**

◼ | 20 ha | 120 000 | 🍷 🗓2

Couleur profonde, robe rubis violacée, odeurs de fruits rouges, de vanille. Légèrement fumé, d'une ampleur soutenue par des tanins bien mûrs et fondus. Ce 86, discrètement boisé et issu de vendanges menées à bonne maturité, a été également bien travaillé.

➤ Mme Arlette Raymond et Fils, 33390 Blaye, tél. 57.42.16.39 ☖ t.l.j. 8h-12h 14h-18h.

CH. MAINE-GAZIN 1986*

	7 ha	35 000

⊞ ▮ ∨ 2

Couleur profonde, bonne intensité odorante avec des notes de fruits mûrs et de cuir : l'attaque est souple, les tanins un peu absents. Malgré cette belle matière assez riche, il est à boire.

➤ M. et Mme Cazeneuve, Ch. Maine-Gazin, Plassac 33390 Blaye, tél. 57.42.80.10 ▼ t.l.j. 8h-12h 14h-18h.

CH. MAINE-MARZELLE 1986

85 86	12 ha	n.c.

⊞ ▮ ∨ 2

« Vin gentil, bien fait », note le jury : il est vrai que derrière une robe légèrement évoluée, on découvre un boisé fin, affirmé par des notes de vanille et de violette Les tanins sont profonds et bien qu'il évolue, il serait à consommer dès maintenant.

➤ M. Jean-Louis Raymond, Ch. Maine-Marzelle, 33920 Saint-Savin, tél. 57.68.65.67 ▼ r.-v.

CH. MARINIER 1986*

79 81 82 84 86	15 ha	n.c.

⊞ ▮ ∨ 3

La nature lui ayant distribué une jolie diversité de sols, ce vignoble, en dépit d'une couleur légère, produit un vin développant d'intense arômes de fruits mûrs. Harmonieux, agréable bien qu'évolué, il est à boire.

➤ M. Thierry Couet, Ch. Marinier, Cézac, 33620 Cavignac, tél. 57.68.63.13 ▼ t.l.j. 8h-20h.

CH. MARINIER Cuvée Prestige 1986**

79 81 82 84 86	1 ha	5 500

⊞ ▮ ∨ 2

Ce 86 est le premier millésime mis en vente depuis la création du château ; il offrira aux amateurs un vin d'une grande finesse avec des arômes de cerise et vanille très marqués. Rond et harmonieux, c'est du grand art.

➤ M. Thierry Couet, Ch. Marinier, Cézac, 33620 Cavignac, tél. 57.68.63.13 ▼ t.l.j. 8h-20h.

CH. MONTFOLLET 1986*

79 (82) (83) 85 86	30 ha	500 000

⊞ ▮ ∨ 2

Ce vin possède une belle couleur avec des arômes à dominante bois. Il est bon à boire maintenant.

➤ Cave Coop. du Blayais, Le Piquet, Cars, 33390 Blaye, tél. 57.42.13.15 ▼ r.-v.
➤ M. Guy Raimond.

CH. PEYREYRE 1986

78 79 80 81 (82) 83 84 85 (86)	17,50 ha	60 000

⊞ ▮ ∨ 2

La maison et ses dépendances appartiennent à la même famille depuis cinq générations. Ces viticulteurs successifs ont respecté traditionnellement le passage en barrique, ce qui donne à ce vin un équilibre, une longueur en bouche et d'agréables notes épicées et boisées.

➤ M. Michel Trinque, Ch. Peyreyre, Saint-Martin-Lacaussade, 33390 Blaye, tél. 57.42.18.57 ▼ t.l.j. sf dim. 9h-12h 14h-19h ; f. dim. et jours fériés

---

CH. REBOUQUET-LA-ROQUETTE 1986*

81 82 (83) 84 (85) (86)	10 ha	30 000

⊞ ▮ ∨ 2

Située à côté de l'église de Berson, cette propriété familiale produit un vin limpide, légèrement fruité, fin et élégant, corsé et tannique. Une belle force de caractère.

➤ M. Jean-Francis Braud, Ch. Rebouquet-la-Roquette, Berson, 33390 Blaye, tél. 57.42.82.49 ▼ t.l.j. sf dim. 9h-12h 14h-18h.

CH. ROLAND-LA-GARDE 1986*

	22 ha	40 000

⊞ ▮ ∨ 2

Deux événements confèrent à ce domaine un intérêt historique : Roland, neveu de Charlemagne, séjournant avec sa garde sur les terres du château, lança son javelot dans la Gironde du haut des coteaux ; plus tard, on y fit des découvertes archéologiques d'objets remontant à des milliers d'années avant J.-C. Plus récemment, ce 86 à la robe profonde, aux reflets rubis, fruité côté fruits rouges, souple, rond, avec des tanins présents mais fondus, est agréable et laisse une impression durable d'équilibre.

➤ M. Olivier Martin, La Garde, 33390 Saint-Seurin-de-Cursac, tél. 57.42.18.04 ▼ t.l.j. 9h-12h 14h-18h.

CH. SOCIONDO 1986**

79 (81) (82) 83 84 85 (86)	9,77 ha	40 000

⊞ ▮ ∨ 2

Belle couleur, nez franc, rond. L'ensemble forme un tout agréable, fondu, bien équilibré. L'ensemble forme un tout agréable, fondu, rond. L'ensemble forme un bien équilibré, souple, d'une bonne harmonie générale.

➤ M. Michel Elie, 14, rue du Marché, B.P. 121, 33390 Blaye, tél. 57.64.33.61 ▼ r.-v.

CH. TAYAT 1987*

	3 ha	10 000

⊞ ▮ ∨ 2

Robe jaune pâle, arômes très fins ; ce vin a une attaque franche et fraîche, une évolution ronde et grasse. En finale les arômes sont persistants. Excellente harmonie générale.

➤ GAEC Favereaud Père et Fils, Tayat, Cézac, 33620 Cavignac, tél. 57.68.62.10 ▼ r.-v.

CH. VALADE 1986**

	6 ha	20 000

⊞ ▮ ∨ 2

Le jeune viticulteur exploitant ce vignoble de famille a mis toute sa passion pour produire ce millésime 86. D'une couleur soutenue, satinée avec des reflets orangés, frais, franc, droit, fruité, ce vin est agréable par ses odeurs de pruneaux confits. Rond, long en bouche, c'est du bel ouvrage.

➤ M. Laurent Bacqué, La Valade, Saint-Genes-de-Blaye, 33390 Blaye, tél. 57.42.15.89 ▼ t.l.j. sf dim. 9h-12h 14h-18h.

Au restaurant, il est conseillé de choisir un « petit » vin sur un menu préétabli, et de composer son menu à partir d'un grand vin ; mais en accordant les niveaux respectifs de qualité des mets et des vins.

Côtes de bourg

Avec comme cépage dominant le merlot, les rouges se distinguent souvent par une belle couleur et des arômes assez typés de fruits rouges. Assez tanniques, ils permettent dans des cas d'envisager favorablement un certain vieillissement. Peu nombreux, les blancs sont en général secs, avec un bouquet assez typé.

CH. BEGOT 1986*

■ 11 ha   25 000   ⬛ ⬛2

82 83 85 86

Belle maison bourgeoise en pierre de taille de Bourg, ce château produit un vin développant un intense arôme de cépage (cabernet). L'attaque en bouche est complexe, ronde, avec une finale tannique et chaude, mais revient néanmoins à un bon équilibre.

↘ M. Alain Gracia, Ch. Begot, Lansac, 33710 Bourg-sur-Gironde, tél. 57.68.42.14 ⛾ r.-v.

DOM. DE BOUCHE 1986*

■ 6 ha   40 000   ⬛2

Belle robe rouge rubis foncé très brillante, nez assez intense. Malgré une attaque assez fermée sur des tanins marqués, l'ensemble est assez vineux avec en finale une bonne persistance.

↘ M. Jean-Michel Robert, Dom. de Bouche, Samonac, 33710 Bourg-sur-Gironde, tél. 57.68.41.97 ⛾ t.l.j. 8h-12h 14h-18h.

CH. BRULESECAILLE 1986**

■ 16 ha   100 000   ⬛3

78 79 80 81 82 83 84 85 86

Le vignoble situé sur une croupe dominant la Dordogne a une excellente exposition qui lui permet de passer au travers de saisons très rigoureuses. Ce qui explique l'âge canonique des ceps sur certaines parcelles (plus de soixante ans!). Rubis, avec des arômes persistants de fruits rouges et de boisé, ce vin sait attaquer puis annoncer une belle structure et ensuite se manifester par ses tanins. Il réserve un harmonieux mariage entre les fruits mûrs et le bois. Belle finale.

↘ M. Jacques Rodet, Ch. Brulesecaille, Tauriac, 33710 Bourg-sur-Gironde, tél. 57.68.40.31 ⛾ t.l.j. sf dim. 9h-12h 14h-20h.

CH. CARUEL 1986

■ 21,80 ha   150 000   ⬛2

85 86

Couleur assez légère, nez intense, ce vin exprime de la fermeté dans ses tanins. Il est à boire très jeune.

↘ M. Francis Auduteau, Ch. Caruel, Bourg-sur-Gironde, 33710 Bourg, tél. 57.68.43.07 ⛾ r.-v.

CH. CASTEL LA ROSE 1986*

■ 7 ha   25 000   ⬛ ⬛3

Couleur brillante rouge foncé; odeurs florales agréables; ce vin a à l'évolution progressive est gouleyant et peu tannique. Il sait être fort plaisant tout en ayant une structure légère.

↘ M. Rémy Castel et fils, Villeneuve, 33710 Bourg-sur-Gironde, tél. 57.64.86.61 ⛾ r.-v.

CH. DE CHRISTOLY 1986*

■ 16,31 ha   120 000   ⬛3

Il apparaît dans une robe rouge entourée d'anneaux violacés. Puissant et souple, avec une pointe de terroir de bon aloi, ce vin est prometteur et sera remarquable dans l'avenir.

↘ SCEA Ch. de Christoly, Prignac et Marcamps, 33710 Bourg-sur-Gironde, tél. 57.68.44.08 ⛾ r.-v.

CH. COLBERT 1986

■ 16 ha   50 000   ⬛2

79 80 81 83 84 85 86

Château du XIXᵉ s. ayant été bâti avec la prime de sauvetage d'un bateau coulé en Gironde... On aurait aimé une finale plus longue à ce vin d'une couleur claire, d'une intensité odorante de bonne qualité, souple.

↘ M. et Mme P. Charavel, Ch. Colbert, Comps, 33710 Bourg-sur-Gironde, tél. 57.64.88.41 ⛾ r.-v.

CH. CONILH HAUTE LIBARDE 1986**

■ 4,58 ha   30 000   ⬛2

75 78 79 81 82 85 86

Très jolie demeure du XVIIIᵉ s. à l'égal du vin produit sur ce vignoble. Belle couleur rouge profond avec des reflets violacés, des arômes de bonne qualité. Une attaque franche, une évolution charpentée en bouche et une finale tout en longueur.

↘ Dom. Bernier, Lansac, 33710 Bourg-sur-Gironde, tél. 57.68.46.46 ⛾ r.-v.

CH. FOUGAS 1986

■ 10 ha   65 000   ⬛2

D'une brillante couleur rubis, sans aspect particulier en nuances odorantes, ce vin se présente bien mais pourrait gagner en harmonie générale.

↘ M. Jean-Yves Bechet, Ch. Fougas, Lansac, 33710 Bourg-sur-Gironde, tél. 57.68.42.15 ⛾ t.l.j. sf dim. 9h-19h.

↘ GFA Ch. Fougas.

CH. GALAU 1986**

■ 11 ha   60 000   ⬛2

Tout à fait remarquable par sa couleur rubis et la complexité des arômes boisés mêlés aux fruits rouges, ce vin possède une bonne attaque et des tanins très agréables. Son équilibre est séduisant.

↘ MM. Magdeleine Frères, Nodoz, 33710 Tauriac, tél. 57.68.41.03 ⛾ r.-v.

CH. GROS MOULIN 1986

■ 26 ha   40 000   ⬛2

C'est bien sûr à Bourg-sur-Gironde que l'on visite Gros Moulin, distribué par Dourthe. Couleur légère, nez discret, ce vin possède une bonne attaque; souple et gouleyant, il sera agréable à consommer dès maintenant.

↪ MM. Dourthe Frères, 35, rue de Bordeaux, B.P. 70, Parempuyre, 33290 Blanquefort, tél. 56.35.84.64 ℡ r.-v.
↪ M. et Mme J. et G. Eymas.

CH. HAUT CASTENET 1986

■   3 ha   12 000   ⏚ ♦ V2

79|82|83|85 86

Couleur correcte, nez discret, un peu végétal, voici un vin facile.
↪ M. Pierre Audouin, Ch. Haut Castenet, Samonac 33710 Bourg-sur-Gironde, tél. 57.64.36.15 ℡ r.-v.

CH. HAUT-GUIRAUD 1986*

■   29 ha   150 000   ⏚ ♦ V2

Ce vignoble très étendu en surface cultivée, produit un vin fruité, fin, très agréable, avec une personnalité sympathique que l'on retrouve ensuite dans son équilibre et son ampleur.
↪ M. Jean Bonnet, Ch. Haut-Guiraud, Saint-Ciers-de-Canesse, 33710 Bourg-sur-Gironde, tél. 57.64.91.39 ℡ lu. ma. me. je. ve. 9h-11h 14h-18h.

CH. HAUT-MACO 1986**

■   30 ha   175 000   ♦ V2

78 79|80 81|82|83|85|86

Ce lieu-dit Haut-Macó est curieusement situé en Médoc. Autrefois, les échanges commerciaux étaient nombreux entre ces deux petites localités. Mais reste à savoir lequel de ces toponymes a l'antériorité. D'une belle couleur, avec des arômes de très bonne qualité, souple et gras, ce vin aux beaux tanins, riche, ne manque pas de distinction.
↪ G.A.E.C. Mallet Frères, Ch. Haut-Macó, Tauriac, 33710 Bourg-sur-Gironde, tél. 57.68.81.26 ℡ r.-v.

HAUT-MEVRET 1986

■   50 ha   220 000   ⏚ 2

Couleur rubis sombre, nez discret ; le vin, par moment un peu agressif par sa rusticité, offre néanmoins une bonne structure.
↪ Vignerons Coteaux de Pugnac, Bourg, 33710 Pugnac, tél. 57.68.81.01 ℡ r.-v.

CH. HAUT-MOUSSEAU 1986*

■   17,50 ha   80 000   ⏚ ♦ V3

Situé sur ce coteau très élevé dominant toute la commune, ce vignoble offre un vin rubis, puissants, enrichi d'agréables arômes fruités, aux tanins puissants. Il est prometteur et possède assez d'arômes harmonieusement fondus pour exprimer toute sa personnalité.
↪ M. Dominique Briolais, Ch. Haut-Mousseau, Teuillac, 33710 Bourg-sur-Gironde, tél. 57.64.34.38 ℡ r.-v.

CH. LA CLOTTE BLANCHE 1986*

■   10 ha   30 000   ⏚ ♦ V2

D'un rouge brillant, limpide, avec des arômes évoquant des odeurs torréfiées, ce vin fort bien équilibré offre une finale très agréable.
↪ M. Jean-Bernard Bergeon.
Ch. La Clotte Blanche, 33710 Bourg-sur-Gironde, tél. 57.68.47.67 ℡ t.l.j. 8h-14h 14h-18h.

CH. LAMOTHE 1986*

■   18 ha   n.c.   ♦ V2

79|82|83|85|86

Edifié au début du XVIIIᵉ s, par une famille noble, racheté à la Révolution, propriété, au milieu du XIXᵉ, d'un négociant bordelais et, depuis 1900, d'une famille de médecins, ce cru se porte bien : Le millésime 86, d'une belle couleur orangée avec des reflets violacés, des nuances odorantes de bonne qualité, une belle charpente, ne manque pas de distinction.
↪ M. Pierre Pessonnier, Ch. Lamothe, Lansac, 33710 Bourg-sur-Gironde, tél. 57.68.41.07 ℡ r.-v.
↪ M. Pessonnier et A. Pousse.

CH. LE CLOS DU NOTAIRE 1986*

■   12,50 ha   65 000   ⏚ ♦ V2

79 80 81|83 84 85 86

86 a fait intervenir 10% de malbec dans l'assemblage des merlot (50%) et cabernet-sauvignon (10%). Cela donne un vin à la belle couleur rouge foncé, puissant, souple et gras, légèrement boisé. Tannique, il ne demande qu'à vieillir.
↪ M. Roland Charbonnier, Le Clos du Notaire, 33710 Bourg-sur-Gironde, tél. 57.68.44.36 ℡ r.-v.

CH. LES GRAVES DE REPINPLET 1986*

■   6 ha   20 000   ⏚ ♦ V3

83|85|86

Propriété exclusivement familiale depuis 1730. Cet amour du métier transmis par génération donne en 86 un vin aux reflets violacés, avec des nuances aromatiques de qualité, plein et d'un bon équilibre général. Rappelons le coup de cœur obtenu l'an dernier avec le très harmonieux 85.
↪ M. Francis Godran, Terrefort, Mombrier, 33710 Bourg-sur-Gironde, tél. 57.64.31.66 ℡ r.-v.

CH. DE LIDONNE 1986*

■   16,50 ha   n.c.   ♦ V2

78|79|80 81 82 85 86

Robe rubis, assez puissant, animal, ce vin est mordant, fermé, tannique. Bien qu'encore très jeune, il ne manque pas de caractère.
↪ M. Roger Audoire, Ch. de Lidonne, 33710 Bourg-sur-Gironde, tél. 57.68.47.52 ℡ t.l.j. 9h-12h 14h-19h.

CH. MARGUERITE DE FONT NEUVE 1986

■   4 ha   10 000   ♦ V2

85 86

Ce vin présente une belle couleur déjà évoluée, des arômes de bonne qualité. Un peu léger en bouche, mais une bonne tenue le rend agréable.
↪ M. Philippe Chety, Ch. Mercier, Saint-Trojan, 33710 Bourg-sur-Gironde, tél. 57.64.92.34 ℡ r.-v.

CH. DU MARQUISAT 1986

■   11 ha   60 000   ♦ V2

75 78 79|81 82|83 84 85 86

Ce vin encore très ferme, mais d'une structure agréable, ne cherche pas à produire des effets. Il gagnera à attendre encore un peu avant d'être bu. Rappelons l'existence du remarquable 85.

CH. DE MENDOCE 1986*

14,66 ha   18 800

84 |85| 86

Avec ses tours d'angles percées de bouches à feu et ses coiffées de poivrières ardoisées, ses murs en moellons appareillés et son originale double charpente asymétrique couverte de tuiles rousses, ce château est l'un des rares témoins de l'architecture rurale des XVe et XVIe s. en Gironde. Ce millésime 86, limpide, riche en arômes, présente une bonne attaque chaude et ronde : deux pinacles, l'un architectural, l'autre gustatif, qui méritent le détour.

M. Philippe Darricarrère, Ch. de Mendoce, Villeneuve, 33710 Bourg-sur-Gironde, tél. 57.42.25.95 ⵏ lu. ma. me. je. ve. 9h-10h 14h-17h ; f. août

M. Philippe Gracia, Ch. du Marquisat, Mombrier, 33710 Bourg-sur-Gironde, tél. 57.64.35.46 ⵏ r.-v.

CH. MERCIER 1986

11 ha   50 000

76 79 81 |82| 83 84 |85| 86

Évolué, souple et rond, ce vin manquerait de charpente. Il laisse sur une bonne impression finale. Bien fait, plaisant, il est à boire sans plus attendre.

CH. MERCIER 1987**

1,50 ha   6 000

71 76 |77| 79 |81| |82| 83 84 85 |87|

Une robe d'une belle couleur brillante, un nez d'une bonne expression aromatique, marqué des senteurs «sauvignon», «semillon», avec une petite note d'acidité : agréable en bouche, ce vin manifeste un excellent équilibre général. Un millésime très bien réussi.

M. Philippe Chety, Ch. Mercier, Saint-Trojan, 33710 Bourg-sur-Gironde, tél. 57.64.92.34 ⵏ r.-v.

CH. MERCIER Cuvée Prestige 1986*

3 ha   20 000

70 71 76 |81| |82| 83 |84| 85 86

Il faut l'attendre. Ce vin, d'une bonne couleur, au nez très intense boisé, est trop dominé par le bois neuf. Avec le temps, ce défaut de jeunesse s'estompera au profit d'un bon équilibre.

M. Philippe Chety, Ch. Mercier, Saint-Trojan, 33710 Bourg-sur-Gironde, tél. 57.64.92.34 ⵏ r.-v.

CH. MOULIN DES GRAVES 1986

7 ha   25 000

83 |85| |86|

D'une conception ancienne et familière, ce vin répond bien aux traditions caractéristiques du Bourgeais par sa couleur rubis profond ; parfumé et fruité, il a un bon équilibre.

M. Jean Bost, Le Poteau, RN 137, Teuillac, 33710 Bourg-sur-Gironde, tél. 57.64.30.58 ⵏ r.-v.

CH. MOULIN DES GRAVES 1987

2,50 ha   15 000

86 87

S'étageant sur une succession de coteaux parallèles au confluent de la Garonne et de la Dordogne, le domaine produit un vin clair, limpide, brillant, avec des arômes marqués de sauvignon. D'un bon équilibre général, il demande à être consommé jeune.

M. Jean Bost, Le Poteau, RN 137, Teuillac, 33710 Bourg-sur-Gironde, tél. 57.64.30.58 ⵏ r.-v.

CH. DU MOULIN VIEUX 1986*

11,30 ha   80 000

70 71 72 74 76 77 78 79 80 81 82 83 85 |86|

Depuis une vingtaine d'années, ce vignoble qui était presque entièrement voué au franc est mis aujourd'hui «à la couleur du bon goût», le rouge. Ce millésime 86 annonce un vin plein de charme, d'une très belle couleur, puissant au nez, mais encore discret. L'attaque est ample, tannique, mais sans agressivité. Long en bouche, il a une personnalité attachante.

M. Jean-Pierre Gorphe, Moulin-Vieux, 33710 Tauriac, tél. 57.68.26.21 ⵏ r.-v.

CH. NOBLE-VIAUD 1986

n.c.   120 000

On attendait mieux des arômes, mais il se montre souple et agréable.

Les Vignerons de Pugnac, Bellevue, 33710 Pugnac, tél. 57.68.81.34 ⵏ t.l.j. sf dim. 8h30-12h 14h-18h30.

CH. NODOZ 1986

14 ha   70 000

Robe limpide, rubis. Au nez, dominante boisée. Ce vin, court en bouche, n'en possède pas moins une bonne harmonie générale.

MM. Magdeleine Frères, Nodoz, 33710 Tauriac, tél. 57.68.41.03 ⵏ r.-v.

CH. ROUSSET 1986

22,70 ha   120 000

|78| |79| 80 |82| |83| 84 85 86

Ancienne maison noble construite fin XVIe et début XVIIe s., elle est connue sous ce nom de château dès le XVIIIe s. Ce vin, s'il n'égale pas le remarquable 85, se distingue par une couleur rouge brillant, une attaque agréable, un caractère plaisant.

M. et Mme Jean Tesseire, Ch. Rousset, Samonac, 33710 Bourg-sur-Gironde, tél. 57.68.46.34 ⵏ r.-v.

CH. DE TASTE 1986

15 ha   80 000

Belle couleur rouge intense, nez discret, voici un vin léger, assez rustique et facile.

M. Jean-Paul Martin, Ch. de Taste, Lansac, 33710 Bourg-sur-Gironde, tél. 57.68.40.34 ⵏ r.-v.

CH. DE THAU 1986

27 ha   170 000

|81| |83| 84 86

Forteresse datant du XIIe s., ce château dominait la Gironde de ses hautes murailles. Les règlements de compte à la fin de la guerre de Cent Ans lui firent porter le deuil de sa mauvaise fortune. Aujourd'hui, ce château produit un vin de qualité et harmonieux.

SCEA Vign. Schweitzer et Fils, Ch. de Thau. Gauriac, 33710 Bourg-sur-Gironde, tél. 57.64.80.79 ▼ t.l.j. 8h-12h 14h-18h.
M. Schweitzer.

VIEUX DOMAINE DE TASTE 1986 ** ☐2

84	85	86	6,80 ha	40 000

Le domaine couvre un magnifique coteau de 9 hectares à l'encépagement traditionnel et produit un vin éclatant. Belle couleur rouge aux reflets violacés, nez fin avec des senteurs vanillées et boisées. Souple et charpenté avec des tanins de qualité, bien équilibré, ce vin est tout en subtilité et noblesse.

Dom. Bernier, Lansac, 33710 Bourg-sur-Gironde, tél. 57.68.46.46 ▼ r.-v.

Le Libournais

Même s'il n'existe aucune appellation « Libourne », le Libournais est bien une réalité. Avec la ville-filleule de Bordeaux comme centre et la Dordogne comme axe, il s'individualise fortement par rapport au reste de la Gironde en dépendant moins directement de la métropole régionale. Il n'est pas rare, d'ailleurs, que l'on oppose le Libournais au Bordelais proprement dit, en invoquant par exemple l'architecture, moins ostentatoire, des « châteaux du vin », ou la place des « Corréziens » dans le négoce de Libourne. Mais ce qui individualise le plus le Libournais, c'est sans doute la concentration du vignoble, qui apparaît dès la sortie de la ville et recouvre presque intégralement plusieurs communes aux appellations renommées comme Fronsac, Pomerol ou Saint-Émilion, avec un morcellement en une multitude de petites ou moyennes propriétés. Les grands domaines, du type médocain, ou les grands espaces caractéristiques de l'Aquitaine étant presque d'un autre monde.

Le vignoble s'individualise également par son encépagement dans lequel domine le merlot, qui donne finesse et fruité aux vins et leur permet de bien vieillir, même s'ils sont de moins longue garde que ceux d'appellations à dominante de cabernet-sauvignon. En revanche, ils peuvent être bus un peu plus tôt, et s'accommodent avec beaucoup de mets (viandes rouges ou blanches, fromages, mais aussi certains poissons, comme la lamproie).

Quoi de neuf en Libournais ?

Pour vivre heureux, vivons cachés! C'est un peu la devise des viticulteurs et négociants libournais. La chronique ne retiendra donc pas grand-chose de leur année, sinon que pour la première fois, saint-émilion et ses satellites (puisseguin, lussac, saint-georges et montagne) se sont réunis dans le « collège du Saint-Émilion », pour

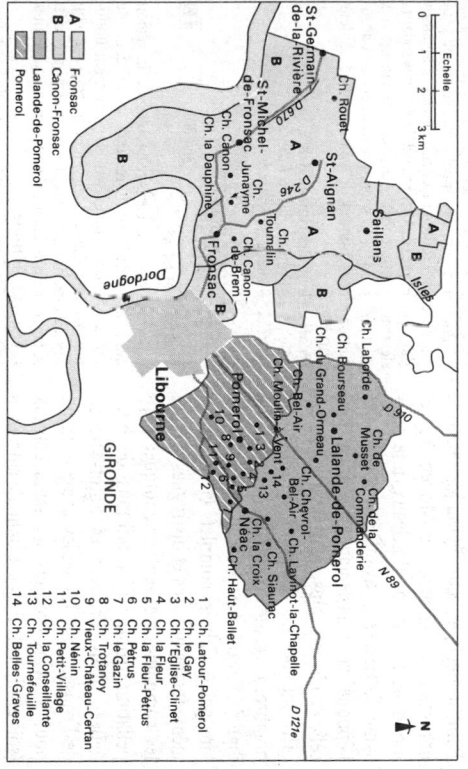

Echelle
0 1 2 3 km

A / B Fronsac
A / B Canon-Fronsac
Lalande-de-Pomerol
Pomerol

St-Germain-de-la-Rivière
Rouet
St-Aignan
Saillans
St-Michel-de-Fronsac
Ch. Junayme
Ch. Canon
Ch. la Dauphine
Ch. Toumalin
Ch. Canon-de-Brem
Fronsac
Isle
Dordogne
Libourne
GIRONDE

Ch. Labarde
Ch. Bourseau
Ch. du Grand-Ormeau
Lalande-de-Pomerol
Ch. de Musset
Commanderie
Pomerol
Ch. Moulin-à-Vent
Ch. Bel-Air
Ch. Chevrol-Bel-Air
Ch. Lavflot-la-Chapelle
Ch. la Croix
Ch. Siaurac
Néac
Ch. Haut-Ballet

1 Ch. Latour-Pomerol
2 Ch. le Gay
3 Ch. l'Église-Clinet
4 Ch. la Fleur
5 Ch. la Fleur-Pétrus
6 Ch. Pétrus
7 Ch. le Gazin
8 Ch. Trotanoy
9 Vieux-Château-Certan
10 Ch. Nénin
11 Ch. Petit-Village
12 Ch. la Conseillante
13 Ch. Tournefeuille
14 Ch. Belles-Graves

mener leur promotion de concert, sous le signe de l'émotion. 1987, année difficile, a plutôt bien servi les viticulteurs de Saint-Émilion, Pomerol, comme de l'ensemble du Libournais, où domine le merlot. Les vendanges plus précoces ont évité les grandes pluies de la mi-octobre et le vin est plutôt de bon aloi.

On a récolté 468 575 hl en Libournais, dont 201 490 à Saint-Émilion, 26 916 à Pomerol, 38 393 à Fronsac et 14 500 à Canon-Fronsac. 200 000 de moins qu'en 1986, 120 000 de moins qu'en 1985, le Libournais, où l'on ne peut guère planter de nouvelles vignes, est la seule appellation de vin rouge en Gironde dont les cours se sont maintenus en 1987.

Fronsac et canon-fronsac

Bordé par la Dordogne et l'Isle, le Fronsadais offre de beaux paysages, très tourmentés, avec deux sommets, ou « tertres », atteignant 60 et 75 mètres, d'où la vue est magnifique. Point stratégique, cette région joua un rôle important, notamment au Moyen Age et lors de la Fronde de Bordeaux, une puissante forteresse y ayant été édifiée dès l'époque de Charlemagne. Aujourd'hui, celle-ci n'existe plus, mais le Fronsadais offre au touriste de belles églises et de nombreux châteaux. Très ancien, le vignoble produit sur six communes des vins personnalisés, complets et corsés, en même temps que fins et distingués. Toutes les communes peuvent revendiquer l'appellation fronsac (5,4 millions de bouteilles), mais Fronsac et Saint-Michel-de-Fronsac sont les seules à avoir droit, pour les vins produits sur leurs coteaux (sols argilo-calcaires sur banc de calcaire à astéries), à l'appellation canon-fronsac (2 millions de bouteilles).

Canon-fronsac

CH. BARRABAQUE 1985*

■   9,16 ha   40 000   ■⊞ ↓ ▼ ③

Un bouquet fin de fruits concentrés et de pruneau. Déjà bien évolué en bouche, ce vin souple présente de beaux arômes de vieillissement. Prêt à boire, il peut néanmoins encore attendre.

☛ M. Achille Noël-Vincourt, Ch. Barrabaque, 33126 Fronsac, tél. 57.51.31.79 ▼ r.-v.

CH. BELLOY 1985*

■   6,85 ha   43 000   ■⊞ ↓ ▼ ③

|70| 71 |75| 76 78 79 81 **82** |83| |84| |85|

Admirablement exposé sur un terroir à dominante calcaire, le château Belloy produit un vin à 95% de merlot. Toutes les qualités du cépage se retrouvent dans ce vin aimable, souple mais bien structuré. Les arômes sont encore assez discrets, mais l'ensemble est prometteur.

☛ GAF Bardibel-Travers, Ch. Belloy, B.P. 1, 33126 Fronsac, tél. 57.24.98.05 ▼ lu. ma. me. je. ve. 9h15-11h15/14h30-17h30.

CH. CAILLOU 1985*

■   2,79 ha   9 000   ■ ▼ ③

|82| 83 85

On décèle une certaine évolution dans les nuances orangées de ce vin. Il est de constitution légère mais bien équilibrée. Vineux, agréable, à boire rapidement.

☛ M. Fernand Ledermann, Ch. Caillou, 33126 Fronsac, tél. 57.51.28.72

CH. CANON 1986***

■   10 ha   60 000   ■⊞ ↓ ■ ③

75 76 |78| |79| **81** |83| |86|

Portant le nom de l'appellation, ce vin ne peut pas décevoir : toute la richesse de ce cru apparaît dans la complexité d'arômes déjà évolués (odeurs de fruits mûrs, cuits). Au palais, le vin est très flatteur : rondeur et souplesse donnent à la dégustation une sensation de velouté et de chaleur durable.

☛ Mlle Henriette Horeau, Ch. Canon, Saint-Michel-de-Fronsac, 33126 Fronsac, tél. 57.24.98.02 ▼ lu. je. ve. 9h-18h.

CH. CANON BOYER 1985

■   8,10 ha   36 000   ■ ③

79 **81 82** 83 84 85

Un des plus anciens vignobles de la région dont les vins étaient réservés à la cour de Louis XV. Les arômes sont agréablement dominés par une légère odeur de sous-bois que l'on retrouve en bouche, avec des tanins très présents. A laisser de côté quelques années pour lui donner le temps de s'affirmer.

☛ SC du Ch. Vray Canon Boyer, rte de Saint-André, Saint-Michel-de-Fronsac, 33145 Fronsac, tél. 57.51.06.07 ▼ r.-v.

222

CH. CANON DE BREM 1986***

75 76 78 81 ⑧ ⑧ 83 85 86   9 ha   40 000

Il y a des vins à boire et d'autres à attendre. Celui-ci, à n'en pas douter, fait partie de la seconde catégorie. Des arômes de raisin mûr dominent le bouquet et le vin révèle ensuite une forte «carrure». Les tanins ont beaucoup de nerf et de vivacité. L'harmonie d'ensemble est très bonne mais sa constitution contraint le dégustateur à être patient.
→ Eis Jean-Pierre Moueix, 54, quai du Priourat, B.P. 29, 33500 Libourne, tél. 00.00.00.00

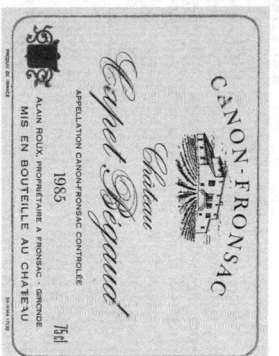

CH. CAPET-BÉGAUD 1985***

78 79 81 ⑧ 85   4 ha   30 000

De superbes arômes préparent agréablement à la dégustation : saveurs de fruits mûrs, de venaison, café grillé, à la fois complexes et raffinés. Ces caractères se retrouvent en bouche où l'on sent une matière très riche, témoin de la qualité des raisins récoltés. Souple et ample, ce vin a de beaux tanins et beaucoup de charme. Quel bel avenir ! Mais éotras et déjà, il mérite un coup de cœur.
→ M. Alain Roux, Ch. Coustolle, 33126 Fronsac, tél. 57.51.31.25 ...

CH. CASSAGNE HAUT-CANON 1985***

67 [70] 71 72 73 74 [75] [76] 77 [78] 79 [80] 81 82 83 84 85   11 ha   60 000

La propriété possède aujourd'hui outre ses vignes, une truffière créée par l'actuel propriétaire. C'est néanmoins la qualité du vin produit qui fait la réputation du domaine : d'un rouge grenat profond, il possède des arômes finement boisés et vanillés. Le bois, encore un peu présent à la dégustation, est de bonne qualité et se marie harmonieusement avec la structure. Encore un peu de temps est nécessaire pour parvenir à un bel équilibre.
→ M. Jean-Jacques Dubois, Ch. Cassagne, 33126 Saint-Michel-de-Fronsac, té. 57.51.63.98 ...

CH. COUSTOLLE 1985***

75 76 78 79 [81] 82 [83] [85]   20 ha   100 000

Confirmant la promesse constatée l'an dernier, ce vin fait une fois encore forte impression.

CH. LA FLEUR CANON 1985*

70 71 79 80 81 82 83 85   6,86 ha   50 000

C'est un vin actuellement donné par son caractère boisé. Sa structure ronde et charnue doit lui permettre de bien évoluer. Le nez discret est encore un peu décevant. À attendre !
→ M. Alain de Coninck, Au Bourg, 33141 Villegouge, tél. 57.84.81.86 ...

CH. LA FLEUR-CAILLEAU 1985

81 82 [84] 85   2,92 ha   15 000

Sur ce petit domaine de création récente, le vin ne démérite point et a très vite acquis ses lettres de noblesse. Il est très souple et sans façon, agréable dès maintenant.
→ M. Paul Barre, Ch. La Grave, 33126 Fronsac, tél. 57.51.31.11 ...

CH. JUNAYME 1985*

80 81 [82] 84 85   n.c.   85 000

«Adieu ma jeune aimée», cria à son épouse le chevalier partant pour les croisades. Le preux guerrier ne revint pas et le nom de Junayme fut donné au domaine en souvenir de lui. Aujourd'hui, on y produit un vin très souple, facile, agréablement fruité et réglissé. Il est bon à boire dès maintenant et vieillira sans doute assez vite.
→ M. René de Coninck, 33126 Fronsac, tél. 57.51.06.07 ...

CH. MAUSSE 1985

75 76 78 [79] 80 [81] 82 83 84   16 ha   54 000

Tirant profit de sa situation de coteau, ce vin

D'un beau rouge cerise foncé, il s'exprime tout d'abord par des arômes fins de fruits frais, encore discrets. C'est en bouche cependant qu'il se révèle le mieux : beaucoup de gras, de rondeur et de générosité, mais aussi une belle structure, faite de tanins bien mûrs, de qualité. À attendre encore.
→ M. Alain Roux, Ch. Coustolle, 33126 Fronsac, tél. 57.51.31.25 ...

CH. GRAND-RENOUIL 1985

[70] 71 73 74 [75] 76 78 79 80 81 82 83 [84] 85   5 ha   22 000

Au cœur de la Côte de Canon, c'est un vin de côte par excellence : puissant et concentré, il a beaucoup de mâche et doit impérativement être attendu pour avoir le temps de s'arrondir, de s'assagir même !
→ M. Michel Ponty, Ch. Grand-Renouil, 33126 Fronsac, tél. 57.74.08.47 ...

CH. HAUT-MAZERIS 1985

75 [76] [78] 79 82 85   0,03 ha   26 000

Vin rouge framboise, très vif et très jeune, les arômes sont peu intenses, mais fins. La structure légère ne le prédestine pas à une longue garde.
→ Fermage M.-C. Ubald-Bocquet, Ch. Haut-Mazeris, Saint-Michel-de-Fronsac, 33126 Fronsac, tél. 57.24.98.14
→ Suc. Bleynie.

est agréable par une belle robe rubis, teintée de reflets jaunes. Souple et onctueux, il est discret mais suffisamment fin pour être apprécié dans toute sa jeunesse.

↳ M. Guy Janoueix, Ch. Mausse, Saint-Michel-de-Fronsac, 33126 Fronsac, tél. 57.51.25.37 ⬩ r.-v.

CH. MAZERIS 1985**

14 ha — n.c.
78 79 81 |82| 83 |84| **85**

Nous avions dit de ce vin l'année dernière : « a de très fortes chances de bien évoluer ». Le temps nous a donné raison : on le retrouve d'une belle couleur framboise intense, au bouquet élégant. D'une structure très tannique marquée par le bois, il possède une finale assez longue qui laisse au dégustateur un bon souvenir.

↳ M. Christian de Cournuaud, Ch. Mazeris, Saint-Michel-de-Fronsac 33126 Fronsac, tél. 57.51.37.03 ⬩ r.-v.

CH. MAZERIS-BELLEVUE 1985***

10,80 ha — 55 000
|75| 76 78 |79| 80 |81| |82| 83 84 |85|

Le terrain est tout en coteau, et très difficile à travailler. Le propriétaire n'en a que plus de mérite à produire ce beau vin dont on sent la noble origine : dans ses arômes, tout d'abord, très mûrs et concentrés, mais surtout à la dégustation, très harmonieuse, subtile et délicate, où se mêlent intimement des senteurs de fruits rouges mûrs et de vanille. La finale est très belle.

↳ M. Jacques Bussier, Ch. Mazeris-Bellevue, Saint-Michel-de-Fronsac, 33126 Fronsac, tél. 57.24.98.19 ⬩ t.l.j. sf dim. 8h30-12h30/14h-19h.

MOULIN PEY-LABRIE 1985*

6,66 ha — 35 000

« Pey » signifie le haut du coteau, c'est dire si ce vignoble est bien situé! Labours et vinification traditionnels pour ce vin, entièrement vieilli en barriques de chêne merrain. Derrière une belle robe rouge carmin intense, on apprécie les arômes bien présents de fruits mûrs, presque confits (pruneau). En bouche, il se développe agréablement et présente une bonne longueur. A noter que le château est aujourd'hui le siège d'une dynamique société musicale.

↳ M. Michel Ponty, Ch. Grand-Renouil, 33126 Fronsac, tél. 57.74.08.47 ⬩ r.-v.

CH. ROULLET 1985**

3 ha — 12 000

Beau vin rouge vif aux parfums floraux. Dès le début de la dégustation, il est souple, légèrement vanillé et flatteur. La structure veloutée et ronde est encore marquée par les tanins du bois. La fin de bouche est légèrement épicée, longue et élégante. Vin de garde, délicat et bien fait.

↳ M. Michel Dormeau, Ch. La Croix, 33126 Fronsac, tél. 57.51.31.28 ⬩ r.-v.

CH. DU PAVILLON 1985*

3,90 ha — 20 000
70 |71| 73 74 75 |76| 78 79 80 |81| 82 83 |84| 85

C'est un vin très typé canon-fronsac : tannique et puissant avec cependant une certaine souplesse. Le nez délicat est marqué par des arômes de chêne merrain. La dégustation révèle un vin très vineux, un peu dur encore, dominé par des tanins qui ont besoin d'évoluer quelques années.

↳ M. Paul Barre, Ch. La Grave, 33126 Fronsac, tél. 57.51.31.11 ⬩ r.-v.
↳ GFA Seurt.

Fronsac

CH. ARNAUTON 1985**

25 ha — 170 000
80 81 |83| **85**

Issu d'un vignoble admirablement exposé au midi, ce vin possède une très belle robe pourpre qui traduit sa jeunesse actuelle (les arômes sont encore discrets au nez). On décèle à la dégustation une belle charpente souple mais solide, garante d'une bonne évolution.

↳ GFA Ch. Arnauton, 33126 Fronsac, tél. 57.51.31.32 ⬩ r.-v.

CH. BOURDIEU LA VALADE 1985*

12 ha — 60 000
75 76 79 80 |81| |82| |83| |84| 85|

Ancien pavillon de chasse du duc de Richelieu, gouverneur de Guyenne, ce cru offre un beau millésime 85 à la belle robe grenat. Arômes puissants et complexes (notes boisées) qui laisseraient encore espérer une charpente plus solide pour ce vin souple et agréable.

↳ M. Alain Roux, Ch. Coustolle, 33126 Fronsac, tél. 57.51.31.25 ⬩ r.-v.

CH. CARDENEAU 1985***

5 ha — 30 000
79 80 |82| |83| 84 **85**

Beaucoup de distinction et d'élégance : dans les arômes de fruits secs tout d'abord, mais aussi dans la structure de ce vin plein, riche et onctueux. Les tanins sont parfaitement équilibrés et le vieillissement en barriques remarquablement contrôlé. C'est un très beau vin, dont toutes les qualités ne s'expriment pas encore pleinement : patience!

↳ M. Jean-Noël Hervé, Ch. Cardeneau, Saillans, 33141 Villegouge, tél. 57.84.32.07 ⬩ r.-v.

CH. DE CARLES 1985***

20 ha — 120 000
75 76 |78| |79| 80 81 |82| 83 |84| **85**

Fronsac, citadelle des Francs, vit Charles, futur Charlemagne, achever en 769 la conquête de l'Aquitaine. Dans ce château historique vinrent de nombreux visiteurs célèbres tels Montaigne et La Boétie. Depuis notre dégustation dans le Guide 88, ce vin a évolué et nous avons eu un coup de cœur pour sa « fronsac ». C'est un grand vin de garde, très « fronsac », au nez fin, agréablement boisé et au corps parfaitement équilibré. Tanins soyeux et arômes de fruits mûrs sont harmonieusement mêlés.

CH. DE FRONSAC 1985*

Joli vin rubis aux nuances violacées et aux arômes finement épicés. Rond et élégant, bien équilibré, il est déjà à point et peut être apprécié dès maintenant dans toute sa jeunesse.

Mme. Danièle Rolland, 15, cours des Girondins, 33500 Libourne, tél. 57.51.10.94 T r.-v.

75 76 78 79 81 82 83 85   8 ha   30 000

CH. FONTENIL 1985*

Nous disions l'année dernière dans ce même Guide que ce vin évoluerait bien au vieillissement : voilà qui est confirmé, puisque la commission lui a attribué un coup de cœur. La couleur est toujours d'un rouge profond très intense et le nez agréablement boisé. Le début de dégustation est tout en souplesse et la puissance se révèle ensuite progressivement pour laisser en fin de bouche une impression veloutée. C'est excellent et cela doit encore s'améliorer au vieillissement.

M. Michel Rullier, Ch. Dalem, Saillans, 33141 Villegouge, tél. 57.84.84.18 T r.-v.

7 ha   42 000

CH. DALEM 1985***

64 70 74 75 76 77 78 79 81 82 83 84 85   10 ha   60 000

SC du Ch. de Carles, Saillans, 33141 Villegouge, tél. 57.84.32.03 T r.-v.

bouche, il est prometteur et développe d'agréables saveurs fruitées. Un bel équilibre pour un bel avenir.

M. Paul Seurin, Ch. de Fronsac, 33126 Fronsac, tél. 57.51.27.46 T r.-v.

CH. HAUCHET 1985*

Tout le charme d'un vin rond, assez peu tannique, qui devrait évoluer assez vite. Les arômes encore discrets sont très fins et l'ensemble ne manque pas d'élégance.

M. Jean-Bernard Saby, Saint-Laurent-des-Combes, 3330 Saint-Émilion, tél. 57.24.73.03 T r.-v.

6.53 ha   50 000

CH. HAUT-MAZERIS 1985*

C'est un vin encore très jeune, tant par sa couleur que par ses arômes francs de fruits rouges. Vif et fruité à la dégustation, il est bien soutenu par des tanins mûrs et jeunes qui lui confèrent une belle harmonie.

MM. Bleynie et Ubald-Boquet, Ch. Haut-Mazeris, Saint-Michel-de-Fronsac, 33126 Fronsac, tél. 57.24.98.14

75 76 78 79 82 85   4.94 ha   40 000

CH. JEANDEMAN 1985

Belle robe brillante et vive, et nez encore peu intense mais fin et floral. La forte charpente domine la dégustation et le vin manque encore un peu de la souplesse que lui apportera le vieillissement.

M. Roy-Trocard, 33126 Fronsac, tél. 57.74.30.52 T r.-v.

23 ha   180 000

CH. LABORY 1985

Un vin encore jeune (intensité remarquable) au nez discret, qui a besoin de quelques années d'épanouissement pour prendre toute sa dimension.

M. Henri Trocard, Ch. Labory, Saillans, 33141 Villegouge, tél. 57.84.37.35 T l.-j. sf dim. 9h-12h 14h-18h.

79 85   10 ha   n.c.

CH. LA BRANDE 1985**

Des arômes généreux et amples de vendanges mûres, une rondeur de fruits mûrs fortement appuyée sur des tanins très jeunes, intenses, sains et longs. Tout cela constitue des promesses sûres pour un vin au bel avenir.

GAEC de La Brande, Saillans, 33141 Villegouge, tél. 57.84.32.88 T r.-v.

83 84 85   1 ha   7 000

CH. LA CROIX LAROQUE 1985

La belle robe a déjà des reflets tuilés témoins de l'évolution du vin. La rondeur du corps est contrebalancée par une certaine nervosité. Les tanins sont mûrs, l'ensemble est vivant, jeune, mais n'a peut-être pas un très grand avenir.

70 75 76 77 78 79 80 81 82 83 85   10 ha   60 000

Portant le nom de l'appellation, ce vin n'a pas le droit de décevoir : on apprécie tout d'abord la robe d'un pourpre profond, velouté, ainsi que les arômes amples de fruits mûrs et de vin jeune. En

CH. LA DAUPHINE 1986*

9 ha — 40 000

79 81 **82 83** 85 86

Un splendide château du XVIIIᵉ s. préside à la naissance de ce vin d'une couleur brillante mais légère. Bien que jeune, il a déjà évolué, et on apprécie dès maintenant sa rondeur et son plaisant équilibre.

↳ Ets Jean-Pierre Moueix, 54, quai du Priourat, B.P. 29, 33500 Libourne.

CH. LA GRAVE 1985**

4.21 ha — 25 000

75 76 77 79 80 81 **82 83** 84 **85**

Ce domaine revit depuis 1974 et offre ici un beau millésime. Les arômes de raisins très mûrs, très ensoleillés, sont amples et fins. Aux notes de fruits mûrs s'ajoutent les qualités du bois utilisé pour le vieillissement. L'ensemble est équilibré, gras et long. D'une très bonne harmonie générale, c'est assurément un vin de garde.

↳ M. Paul Barre, Ch. La Grave, 33126 Fronsac, tél. 57.51.31.11 ☎ r.-v.

Château La Grave
FRONSAC
APPELLATION FRONSAC CONTRÔLÉE
1986
PAUL BARRE, VITICULTEUR À FRONSAC - GIRONDE-FRANCE
MIS EN BOUTEILLES AU CHÂTEAU
PRODUCE OF FRANCE

CH. DE LA HUSTE 1985**

5 ha — 30 000

75 76 78 79 81 **82** 83 84 **85**

Sans aucun doute c'est un vin qui s'affirme au vieillissement et qui doit s'épanouir. Le nez est discret, fermé, mais les impressions en bouche sont agréables. Le corps est rond et fondu, avec une belle finale persistante.

↳ M. Michel Rullier, Ch. Dalem, Saillans, 33141 Villegouge, tél. 57.84.34.18 ☎ r.-v.

CH. DE LA RIVIERE 1985*

n.c. — n.c.

75 76 78 80 81 **82 83** 85

Véritable château de la Loire dominant la Dordogne, La Rivière produit un vin au nez légèrement boisé et au corps rond et charnu agréablement épicé. Plaisant et très charmeur, il peut être apprécié dès maintenant.

↳ Sté du Ch. de la Rivière, La Rivière, 33126 Fronsac, tél. 57.24.98.01 ☎ lu. ma. me. je. ve. 8h-11h 14h-17h.

CH. LA VALADE 1985

15 ha — 50 000

82 83 85

Ancien pavillon de chasse du duc de Richelieu, ce château est situé au cœur de l'appellation fronsac. Vin d'une belle robe pourpre aux reflets violets et aux arômes fins, avec une note de venaison. Les tanins sont un peu agressifs et demandent encore quelque temps pour s'arrondir.

↳ M. Bernard Roux, Ch. La Valade, 33126 Fronsac, tél. 57.24.96.71 ☎ r.-v.

CH. LA VIEILLE CURE 1985*

15 ha — 84 000

79 80 **81 82 83** 85

La propriété a été récemment rachetée par deux Américains, mais ce vin reste le fruit de l'ancien propriétaire. Ses arômes sont fins et floraux. Sa rondeur, la souplesse et même une certaine légèreté peuvent surprendre pour un fronsac dont on attend un peu plus de charpente. C'est néanmoins un vin très agréable et homogène.

↳ SNC Ch. La Vieille Cure, Saillans, 33141 Villegouge, tél. 57.84.32.05 ☎ r.-v.

CH. LES ABORIES DE MEYNEY 1985*

5 ha — 20 000

78 79 81 **82** 83 **85**

La propriété occupe un site très ancien. Ce vin a vieilli seize mois en barriques et, grâce à sa charpente solide, a bien supporté ce passage en bois, qui lui a apporté de beaux tanins et des arômes vanillés très fins. L'ensemble a besoin d'être attendu pour atteindre une parfaite homogénéité.

↳ M. Jean-Marie Chaudet, Meyney, Saint-Germain-la-Rivière, 3240 Saint-André-de-Cubzac, tél. 57.84.46.40 ☎ r.-v.

CH. LES ROCHES DE FERRAND 1985

11.50 ha — 60 000

78 **81 82 83** 84 85

Depuis la dégustation du Guide précédent, ce vin a rapidement évolué. Aux arômes de fruits caractéristiques de 1985 succède une dégustation souple et plaisante.

↳ MM. Jean Rousselot et Fils, Saint-Aignan, 33126 Fronsac, tél. 57.24.95.16 ☎ r.-v.

CH. LES TROIS-CROIX 1985*

13.64 ha — 30 000

(75) 76 78 (79) 80 81 82 83 85

Une évolution très réussie : les arômes de ce millésime se sont bien développés, avec une légère note animale, et le vin, à charpente légère, s'est agréablement arrondi et assoupli. La fin de dégustation est un peu courte, mais il peut être intéressant de le laisser encore mûrir.

↳ M. Bernard Guillou-Kérédan, Ch. Les Trois-Croix, 33126 Fronsac, tél. 57.84.32.09 ☎ r.-v.

CH. MAGONDEAU 1985*

10 ha — 75 000

83 84 (85)

Très fin et parfaitement équilibré, ce 85 est

CH. MAGONDEAU BEAU SITE 1985**

81 83 85 — 6 ha — 40 000

encore un peu fermé au nez. On découvre en bouche une structure souple, très harmonieuse, qui permet de bien envisager son vieillissement.

M. André Goujon, Le Port, Saillans, 33141 Villegouge, tél. 57.84.32.02 ℤ r.-v.

CH. MAYNE-VIEIL 1985

75 79 81 82 83 85 — 8 ha — 30 000

Très beau vin dont les arômes amples et profonds de raisin et de fruits mûrs (griotte, groseille) préparent agréablement à la dégustation. La charpente est ronde, pulpeuse et les tannins sont finement boisés, grâce à l'apport du vieillissement en barriques neuves... Vin jeune et très élégant.

M. Roger Sèze, Ch. Mayne-Vieil, 33133 Galgon, tél. 57.74.30.06 ℤ r.-v.

CH. MOULIN HAUT-LAROQUE 1985*

75 76 78 79 80 82 83 84 85 — 13 ha — 60 000

Ce domaine très ancien, qui comptait 29 hectares en 1809, conserve de son riche passé une belle chartreuse et un chai XVIII⁺ s. D'une belle couleur groseille aux reflets tuilés, son vin riche est généreux et très prometteur aujourd'hui et à suivre dans son évolution.

M. Jean-Noël Hervé, Ch. Cardeneau, Saillans, 33141 Villegouge, tél. 57.84.32.07 ℤ r.-v.

CH. MOULIN HAUT-VILLARS 1985

77 78 79 80 81 82 83 85 — n.c. — 60 000

Plus de dix millésimes sont disponibles à la propriété dont ce 85 auquel on peut prédire un bel avenir. Le bouquet est fin, mais encore peu développé, le corps a bien évolué vers une charpente souple et enveloppante. Encore de beaux tannins qui ont besoin de se fondre.

Mme Brigitte Gaudrie, Ch. Moulin Haut-Villars, Saillans, 33141 Villegouge, tél. 57.84.32.17 ℤ t.l.j. sf dim. 8h-12h 14h-19h.

CH. DU MOULIN-MEYNEY 1986

75 78 79 80 81 82 83 85 86 — 0,86 ha — 6 000

Brigitte et Jean-Claude Gaudrie ont toujours travaillé très étroitement sur leurs propriétés. Ce cru est élaboré avec les vignes les plus jeunes du château Villars.

Ch. du Moulin Meyney, 33,41 Villegouge, tél. 57.84.45.11 ℤ r.-v.

CH. MOULIN DE REYNAUD 1985

0,60 ha — 4 000

Sur le circuit des vins du Fronsadais, une propriété qui offre avec régularité un vin, cette année élaboré avec merlot et cabernet-sauvignon à parts égales, souple et agréable.

M. Jean-Pierre Gazeau

Cette propriété familiale depuis 1750 produit

CH. MOULIN DES TONNELLES 1985*

78 82 83 85 — 3 ha — 12 000

un vin très boisé, conservé en barriques assez longuement et dont les tannins ne sont pas encore parfaitement fondus. Quelques années de vieillissement lui apporteront la souplesse et la rondeur nécessaires.

GAEC de la Brande, Saillans, 33141 Villegouge, tél. 57.84.32.88 ℤ r.-v.

CH. PLAIN-POINT 1986*

79 81 82 83 84 86 — 14,18 ha — 85 000

Vineux et très riches, les arômes de ce millésime sont puissants. A la dégustation, cette puissance n'est pas encore «domestiquée», et le vin, un peu dur, a besoin de s'épanouir. Il n'en possède pas moins beaucoup de qualités.

M. Jean-Pierre Artigueveille, Le bourg, Saint-Aignan, 33126 Fronsac, tél. 57.24.95.10 ℤ t.l.j. sf dim. 9h-12h 14h-18h.

CH. PUY GUILHEM 1985*

79 81 82 83 85 — n.c. — 25 000

Mettre le nez dessus donne l'impression de déboucher un bocal de fruits rouges dans l'eau-de-vie. Les arômes puissants de ce fronsac 86 s'accompagnent d'une rondeur aimable. Rustique, avec du corps et du bouquet.

M. Denis Ardon, Ch. Plain-Point, Saint-Aignan, 33126 Fronsac, tél. 57.24.96.55 ℤ r.-v.

CH. RENARD 1985*

79 81 82 83 — 7,50 ha — 50 000

L'imposante demeure édifiée au début du XIX⁺ s. règne sur la propriété appartenant à la même famille depuis 1780. Encore peu évolué, ce vin possède de beaux tannins fermes et des flaveurs très vives de fleurs et de fruits rouges. Encore très jeune mais doit bien se faire.

Mme Janine Mothes, Ch. Puy-Guilhem, Saillans, 33141 Villegouge, tél. 57.84.32.08 ℤ r.-v.

CH. ROUET 1985*

78 79 80 81 82 83 85 — 10 ha — 25 000

Ayant commencé son évolution, ce vin rentre maintenant dans son âge adulte. La rondeur, la générosité de ses tannins souples le rendent agréable dès à présent.

M. Xavier Chassagnoux, Renard, La Rivière, 33126 Fronsac, tél. 57.24.96.37 ℤ r.-v.

Jardins à la française et belle maison. Tout cela ne manque pas de noblesse, à l'image du vin qui y est produit et dont on apprécie la couleur rouge vif, les arômes très fins légèrement vanillés et la constitution générale harmonieuse et ronde en bouche.

M. Patrick Danglade, Rouet, Saint-Germain-la-Rivière, 33240 Saint-André-de-Cubzac, tél. 57.50.25.62 ℤ r.-v.

CLOS DU ROY 1985**

4,50 ha   30 000

78 80 |82| 83 |85|

Dominé par le merlot, c'est un vin souple et rond aux tanins bien fondus et aux arômes dominés par des senteurs de fruits mûrs, très caractéristiques du merlot en 85. Bonne harmonie générale et aptitude certaine au vieillissement.

SCEA Clos du Roy, Saillans, 33141 Villegouge, tél. 57.74.38.88 Y r.-v.

CH. VIEUX LA VERGNE 1985*

n.c.   5 400

Franc et équilibré, il révèle ses arômes de fruits rouges et sa bouche ronde. Une certaine élégance aussi, tant dans sa couleur que dans sa matière. Un beau vin.

M. Pierre Szymakowski, Ch. Vieux La Vergne, Lugon, 33240 Saint-André-de-Cubzac, tél. 57.84.43.60 Y r.-v.

CH. VILLARS 1985*

20 ha   80 000

78| 79 80 81 82 83 84 85

Une belle propriété dominant la vallée de l'Isle et un vin charmeur au nez à la fois fruité et boisé. A la dégustation le bois de la barrique est encore trop marqué, mais l'on devine cependant sa belle constitution, souple et ample.

M. Jean-Claude Gaudrie, Moulin Haut-Villars, Saillans, 33141 Villegouge, tél. 57.84.32.17 Y t.l.j. sf dim. 8h-12h 14h-18h30.

Pomerol

Voisin de celui de Saint-Émilion, le vignoble de Pomerol, en terrasses au-dessus de l'Isle, affluent de la Dordogne, est très ancien. Mais pendant longtemps il est resté assez discret : après avoir connu des heures fastes au XIIe s. grâce aux hospitaliers de Saint-Jean qui y possédaient une importante commanderie, il fut presque entièrement détruit pendant la guerre de Cent Ans, avant d'être reconstitué aux XVe et XVIe s. Mais c'est surtout lors de l'âge d'or de la viticulture girondine qu'il prit son véritable essor, dans le troisième quart du siècle dernier. Il couvre 734 ha, donnant plus de cinq millions de bouteilles. Si l'encépagement est assez homogène, avec une dominante de merlot (70 %) que complète le bouchet (30 %), il existe une certaine diversité dans les terroirs, avec un plateau argileux (où se mêlent quelques graves) et, vers l'ouest, des sols sablonneux. Mais cela n'empêche pas les vins de présenter une analogie de structure entre eux. Ils ont un bouquet puissant et chaleureux ; ils sont ronds et souples, en même temps que corsés. Ce sont en général des vins de longue garde. Il faut en outre signaler que pomerol est l'une des seules grandes appellations où l'on n'ait pas éprouvé le besoin d'officialiser la hiérarchie des crus par un classement.

CH. BEAUREGARD 1985***

13 ha   54 000

75 77 78 81 |82| 83 84 85

La famille Guggenheim s'est inspirée de l'élégante chartreuse XVIIIe s. pour construire sa résidence de Long Island. Le vin ne trahit pas l'équilibre architectural de la demeure : harmonie et finesse sont les atouts majeurs de cette bouteille qui s'inscrit dans la lignée des grands pomerol.

Ch. Beauregard, Pomerol, 33500 Libourne, tél. 57.51.13.36 Y r.-v.

Héritiers Clauzel.

CH. BELLE BRISE 1985

2,50 ha   10 000

78 79 80 |82| 83 84 85

C'est un vin bien plein, ayant du volume et un caractère très «85» que l'on retrouve dans les arômes confits, traduisant la belle maturité des raisins vendangés.

M. Michel Lafage, 40, ch. de Béquille, 33500 Libourne, tél. 57.51.16.82 Y r.-v.

CH. BELLEGRAVE 1985

6,23 ha   35 000

D'une couleur limpide et peu profonde, ce vin possède une charpente légère, mais son harmonie générale est équilibrée, ce qui le rend très plaisant.

M. Jean-Marie Bouldy, René, Pomerol, 33500 Libourne, tél. 57.51.20.47 Y r.-v.

CH. BONALGUE 1985**

6,15 ha   30 000

76 78 |79| 80 |81| |82| 83 84 85

Ce château appartient au début du XIXe s. à un officier d'Empire. D'une forte intensité, la robe pourpre de ce millésime laisse bien augurer de la suite de la dégustation : aux arômes de truffe et de sous-bois succède au palais une sensation de richesse et de puissance à laquelle les tanins du bois apportent une note fine. C'est un beau vin, encore un peu rugueux, presque militaire, qui a besoin de temps pour se parfaire.

M. Pierre Bourotte, 28, rue Trocard, 33500 Libourne, tél. 57.51.20.56 Y r.-v.

CH. DE BOURGUENEUF 1985

5 ha   25 000

78 79 |83| 84 85

Le château de Bourgueneuf tire son nom de l'ancien «ténement» sur lequel il est situé. Les vins produits sur cette propriété sont ronds,

CH. CERTAN De May de Certan 1985**

■ 5 ha 20 000

75| 76 77 80 |81| 82 83 |84| 85

Fondée il y a quatre siècles par des Écossais, la propriété est régulièrement distinguée par les dégustateurs qui retrouvent dans ce cru toute l'élégance de l'AOC pomerol. Le vin, de trame légère et délicate, possède une jolie charpente très fraîche. D'une certaine vivacité, ce cru n'en présente pas moins la souplesse et l'ampleur d'un vin de grande garde qui a tous les atouts pour bien évoluer.

L'impression finale est bonne et persistante, les tanins très mûrs du raisin sont harmonieusement amalgamés avec les arômes vanillés du bois.

☞ Mme Barreau-Badar, Ch. Certan de May, Pomerol, 33500 Libourne, tél. 57.51.41.53 Y r.-v.

CH. CERTAN-GIRAUD 1985**

■ 7 ha 50 000

64 66 70 71 74 |75| |76| |78| 79 80 81 (82) 83 85

D'une belle couleur foncée avec des nuances orangées, ce vin se manifeste agréablement par des arômes fins, fleuris, possédant jeunesse et fraîcheur. D'une certaine vivacité, ce cru n'en présente pas moins la souplesse et l'ampleur d'un vin de grande garde qui a tous les atouts pour bien évoluer.

☞ SC des Dom. Giraud, Ch. Certan-de-May, 33330 Saint-Émilion, tél. 57.51.15.58 Y r.-v.

CLOS DU CLOCHER 1985**

■ 6 ha 24 000

77 79 80 81 |82| 83 |84| 85

Né à l'ombre du clocher de Pomerol, ce vin possède des arômes plaisants de fruits confits, avec des notes rappelant le cuir et le pruneau. Finesse et élégance, à défaut de puissance, caractérisent ce vin très «féminin». La dégustation se termine agréablement par des évocations de fruits mûrs et de vanille.

☞ GFA du Clos du Clocher, Catusseau, Pomerol, 33500 Libourne, tél. 57.51.62.17 Y r.-v.

☞ M. Jean Audy.

DOM. DE COMPOSTELLE 1985***

■ n.c. 5 000

On ne peut que regretter la faible production du château La Cabanne, au prix très abordable et tout à fait remarquable, dont celui-ci est le second vin : le nez est puissant, marqué par des arômes de vendanges surmûries (cacao cuir). En bouche, il est sans aspérité, presque moelleux avec des tanins fondus pleins de promesse. Pour l'avenir mais déjà accessible.

☞ M. Jean-Pierre Estager, 33 à 41, rue de Montaudon, 33500 Libourne, tél. 57.51.04.09 T r.-v.

CH. DU DOMAINE DE L'ÉGLISE 1985*

■ 7 ha 42 000

Une croix de Malte sur l'étiquette puisque ce domaine appartient aux Hospitaliers. Le 85 est encore un peu brut, jeune et fougueux. Ses arômes très présents et intenses (gibier) sont plutôt aimables (gibier) s'un raisin de merlot très mûr.

aimables, et ce 85 déjà séduisant n'échappe pas à la lignée.

☞ MM. Éd. et J.-M. Meyer, Ch. de Bourgueneuf, Pomerol, 33500 Libourne, tél. 57.51.16.73 r.-v.

CH. ENCLOS HAUT-MAZEYRES 1985

■ 7 ha 40 000

75| |78| |82| 83 85

Ce cru fut construit sous le Second Empire, lors de l'installation du chemin de fer. Il appartient depuis à la même famille qui produit un vin bien équilibré, déjà évolué que l'on peut apprécier dès maintenant.

☞ M. Roland de Pédro, Enclos Haut-Mazeyres, 33500 Libourne, tél. 57.51.16.69 Y r.-v.

CH. FEYTIT-CLINET 1986**

■ 6,35 ha 21 000

76 81 (82) 83 86

La robe d'un rouge franc et soutenu traduit toute la jeunesse de ce vin qui s'exprime par une solide construction où dominent encore des tanins très «carrés». On apprécie les saveurs de fruit rouge et la puissance de ce cru qui mérite quelques années de patience !

☞ Ets Jean-Pierre Moueix, 54, quai du Priourat, B.P. 29, 33500 Libourne.

☞ Héritiers Domergue Chasseuil.

CH. GAZIN 1985***

■ n.c. n.c.

|75| 76 77 78 79 |80| |81| |82| 83 85

Une des plus importantes propriétés de l'appellation, mais aussi une des valeurs les plus sûres ! La robe est belle, d'un rouge rubis très profond, et le bouquet est agréable mais encore discret, avec des odeurs vanille dues au vieillissement en barriques. En bouche, c'est un pomerol classique et très bien équilibré. Grande souplesse à l'attaque, onctuosité et moelleux des tanins, persistance vineuse et boisée, un grand vin de garde.

☞ M. de Bailliencourt, Ch. Gazin, Pomerol, 33500 Libourne, tél. 57.51.88.66 Y r.-v.

CH. GOMBAUDE-GUILLOT 1985**

■ 6,75 ha 26 000

(70) 71 |75| 76 77 |78| |80| |81| 82 83 |84| 85

Encore jeune mais très riche et plein d'avenir, ce vin doit être attendu pour être parfaitement apprécié : contentons-nous pour l'instant de louer sa belle couleur rouge bigarreau, vive et soutenue.

☞ GFA Ch. Gombaude-Guillot, Pomerol, 33500 Libourne, tél. 57.51.17.40 Y r.-v.

CH. GRANDS SILLONS GABACHOT 1985*

■ 4 ha n.c.

72 75 |79| 82 |83| |85|

On retrouve, en bouche, le caractère particulier des arômes de fruits surmûris et l'équilibre que confèrent des tanins chauds et moelleux. Ce vin est prêt à boire dès maintenant car il possède une souplesse très agréable.

☞ M. François Janoueix, 20, quai du Priourat, 33500 Libourne, tél. 57.51.55.44 T r.-v.

☞ Borie-Manoux SA, cours Balguerie-Stuttenberg, 33082 Bordeaux Cedex, tél. 56.48.57.57 T r.-v.

☞ MM. Castéja et Préban-Hansen.

CH. GRANGE-NEUVE 1985**

◼ 🍾 ▼ ⬛4

⑦ 74 75 78 80 81 |82| |83| 85

4 ha   20 000

Presque 100% de merlot avec toutes les qualités que peut apporter ce cépage dans un beau millésime : magnifique robe pourpre intense, arômes élégants de fruits mûrs, plénitude et charme du corps. C'est un vin solide dans lequel on mord à pleines dents. Très bon potentiel de vieillissement.

➥ CSE Ch. Grange-Neuve, Grange-Neuve, Pomerol, 33500 Libourne, tél. 57.74.63.87 ⟂ lu. ma. me. je. ve. 8h-12h 14h-18h.
➥ M. Yves Gros.

CH. GRATE CAP 1985*

◼ ▼⬛5

⑦5 |81| |82| |83| 85

10 ha   60 000

Ce vin bien équilibré et charpenté est encore brut et peu évolué. Très coloré, d'un rouge profond, il possède toutes les qualités lui permettant d'atteindre la plénitude après une patiente maturation.

➥ SCE Vignobles A. Janoueix, 63, rue J.-J. Rousseau, 33500 Libourne, tél. 57.51.27.97 ⟂ r.-v.

CH. HAUT-FERRAND 1985

◼ 🍾 ▼⬛4

70 71 76 79 80 |81| |82| |83| 85

4 ha   25 000

Sa couleur rouge orangé traduit un début d'évolution que l'on retrouve à la dégustation : l'attaque est souple et les tanins sont déjà bien fondus.

➥ SCE du Ch. Ferrand, Pomerol, 33500 Libourne, tél. 57.51.21.67 ⟂ r.-v.
➥ MM. Henry Gasparoux et Fils.

CH. LA CABANNE 1985**

◼ 🍾⬛6

70 71 78 |79| 80 |81| |82| 83 84 85

10 ha   60 000

Des cabanes isolées, domiciles des serfs au XIVᵉ s., auraient donné son nom à cette propriété située au centre géographique de l'appellation pomerol. Mais le château, chartreuse perdrelaise, n'en garde aucun vestige. C'est un vin charmeur, aimable et racé, très «BCBG» : il est complexe, très équilibré. On lui reprocherait une certaine sveltesse qui n'a pas permis de lui accorder une troisième étoile.

➥ M. Jean-Pierre Estager, 33 à 41, rue de Montaudon, 33500 Libourne, tél. 57.51.04.09 ⟂ r.-v.

CH. LA CONSEILLANTE 1985***

◼ ▼⬛7

76 77 78 80 |81| 82 83 84 85

12 ha   30 000

Richesse et élégance. La charpente parfaite de ce 85 est à la hauteur de la renommée de ce cru bouqueté et puissant. Il faudra encore le mériter.

➥ Héritiers Nicolas, Ch. La Conseillante, Pomerol, 33500 Libourne, tél. 57.51.15.32 ⟂ r.-v.

CH. LA CROIX 1985**

◼ ▼⬛6

74 75 76 |79| 80 |81| |82| 83 85

10 ha   n.c.

La croix sur le mur d'enceinte marque toujours le chemin de Saint-Jacques-de-Compostelle. Les pèlerins d'aujourd'hui seront nombreux à venir apprécier ce 85 parfaitement réussi possédant toutes les qualités du millésime, maturité des arômes, puissance et harmonie des tanins alliées à celle du cru : finesse et élégance.

➥ SC Joseph Janoueix, 37, rue Pline-Parmentier, 33500 Libourne, tél. 57.51.41.86 ⟂ r.-v.

CH. LA CROIX DE GAY 1985***

◼ 🍾 ▼⬛5

78 |79| 18 11 83 |84| (85)

11 ha   70 000

Propriété familiale faite de multiples parcelles mais riche d'un savoir-faire qu'aucun millésime ne dément et surtout pas ce 85 merveilleux dont la complexité et l'équilibre sont étonnants. Puissance et finesse sont intimement complémentaires dans ce beau vin de caractère. Un coup de coeur unanime.

➥ GFA du Ch. La Croix de Gay, Pomerol, 33500 Libourne, tél. 57.51.19.05 ⟂ r.-v.

CH. LA CROIX SAINT-GEORGES 1985*

▼⬛6

4 ha   n.c.

Remarquablement restauré, le château appartenait autrefois aux Hospitaliers de Saint-Jean de Jérusalem. Les pèlerins d'aujoud'hui pourraient trouver le réconfort dans ce vin très charmeur, issu presque exclusivement de merlot, dont le caractère fortement boisé a besoin d'évoluer pour parvenir à un équilibre optimum.

➥ SC Joseph Janoueix, 37, rue Pline-Parmentier, 33500 Libourne, tél. 57.51.41.86 ⟂ r.-v.

CH. LA CROIX-TOULIFAUT 1985***

◼ ⬛5

74 75 76 |78| |79| 81 82 83 85

1,25 ha   12 000

Ce petit vignoble produit un vin uniquement vinifié à partir du merlot. On retrouve les qualités du cépage dans la robe pourpre éclatante et dans les arômes intenses de fruits rouges. Le vin est puissant, rond et encore dominé par des tanins auxquels le temps apportera la sagesse.

➥ M. Jean-François Janoueix, 37, rue Pline-Parmentier, 33500 Libourne, tél. 57.51.41.86 ⟂ r.-v.

CH. LAFLEUR 1985***

◼ 🍾 ▼⬛7

4,50 ha   12 000

«Qualité passe quantité», telle est la devise du château Lafleur. On ne s'étonne donc pas de la richesse de ce pomerol issu, chose rare, de 50% de

merlot et 50% de cabernet-franc. La race de ce somptueux vin de garde apparaît déjà dans sa couleur sombre et intense. Les arômes sont puissants et un peu sauvages (odeurs de gibiers). La complexité et l'harmonie se manifestent encore davantage à la dégustation grâce à la matière très concentrée du raisin et à l'élevage en bois de qualité.

Mme et M.S. et J. Guinaudeau, Ch. Grand-Village, Mouillac, 33240 Saint-André-de-Cubzac, tél. 57.84.44.03 T r.-v.
Mme Marie Robin.

CH. LAFLEUR-GAZIN 1986*
81 (82) 83 86   7,79 ha   26 000

Derrière une jolie robe vineuse et brillante, le nez est marqué par une note boisée. Rond et riche, il présente un grand potentiel. On peut lui reprocher une certaine rusticité : un peu plus d'élégance en aurait fait un grand vin !

Ets Jean-Pierre Moueix.
54, quai du Priourat, B.P. 29, 33500 Libourne.
M. Jean-Jacques Borderie.

CH. LA FLEUR-PÉTRUS 198.***
72 73 74 (75) 76 77 79 80 81 82 83 84 86   9,08 ha   45 000

Voisin de Pétrus, ce vin a d. qui tenir ! Il séduit tout d'abord par son intensité aromatique, où l'on décèle des fruits mûrs, avec une pointe d'épices. A la dégustation, la première impression est tout en douceur et en souplesse, avant que le vin exprime totalement sa puissance et sa générosité. Les tanins de belle qualité sont là en support et s'effacent devant les arômes et la richesse de la matière : c'est l'équilibre.

SC Ch. La Fleur-Pétrus, Pomerol, 33500 Libourne.

CH. LA GANNE 1985
73 74 75 76 [80] 82 83 85   4 ha   15 000

D'un beau rouge sombre et légèrement boisé, ce vin, fruit d'une culture traditionnelle, possède une structure tannique lui permettant de bien vieillir.

M. Michel Dubois, 224, av. Foch, 33500 Libourne, tél. 57.51.18.24 T r.-v.

CH. LAGRANGE 1986***
81 82 83 85 86   8,3 ha   40 000

La robe d'un beau rouge sombre a séduit ; mais c'est pour le vin lui-même que nous avons eu un coup de cœur : c'est un vin riche et puissant, très racé, dont la dégustation est à la fois veloutée et charpentée. Le raisin très mûr donne des arômes de caramel et de cuir. Les tanins sont de première qualité et l'élevage en barrique parfaitement mesuré. Vin superbe d'une grande complexité.

Ets Jean-Pierre Moueix.
54, quai du P-iourat, B.P. 29, 33500 Libourne.

CH. LA GRAVE-TRIGANT-DE-BOISSET 1986***
73 74 75 76 77 79 80 81 82 83 84 85 86   8,19 ha   40 000

Un .eroit qui confère beaucoup d'élégance et

CH. LATOUR A POMEROL 1986**

CH. LATOUR A POMEROL 1986**
61 64 66 67 70 71 75 (76) 81 (82) 83 85 (86)   7,86 ha   35 000

Fruit de deux types de sols, ce vin a toute la finesse de l'élégance des terroirs graveleux, mais aussi toute l'amplitude que donne un sol argileux. Légèrement poivré au nez, il se développe en

Je finesse. D'une robe rouge cerise, le vin est encore un peu fermé au nez. En bouche, l'attaque est souple, ronde, agréable, presque enjôleuse. La finale très harmonieuse et longue traduit la richesse de la matière. A besoin néanmoins d'un peu de patience pour être à son apogée.

M. Christian Moueix, Ch. Grave-Trigant-de-Boisset, Pomerol, 33500 Libourne.

CH. LA POINTE 1985
79 30 [82] [83] [85]   n.c.   n.c.

D'une robe rubis franc et un nez très floral et fin marquant le début de la dégustation qui révèle ensuite un vin finement boisé, nerveux et souple à la fois.

M. Stéphane d'Arfeuille, Ch. La Pointe, 33330 Saint-Émilion, tél. 57.51.02.11 T r.-v.

DOM. DE LA POINTE 1985
1,20 ha   5 000

Un tout petit domaine qui produit régulièrement des pomerol rustiques. Les tanins sont encore un peu trop présents : le vin doit être attendu.

MM. Silvestrini Père et Fils, Chevreau, 33570 Lussac, tél. 57.74.50.76 T r.-v.

CH. LA ROSE FIGEAC 1985***
78 79 [82] (85)   5 ha   25 000

Un grand pomerol classique, issu de vignes quinquagénaires. La couleur est sombre (encre) et brillante et les arômes de fruits mûrs finement boisés et intenses. L'attaque est souple et se manifeste par la rondeur des tanins très mûrs. Très bon équilibre de structure et d'arômes. Un grand vin de garde.

M. Gérard Despagne, Ch. La Rose Figeac, Pomerol, 33500 Libourne, tél. 57.74.62.18 T t.l.j. sf dim. 8h-12h 14h-18h.

bouche avec souplesse. Tout est mesuré dans ce cru, rien n'est en excès.
➤ Mme Lacoste-Loubat, Ch. Latour, Pomerol, 33500 Libourne.

➤ Héritiers Ducasse, Ch. L'Evangile, Pomerol, 33500 Libourne, tél. 57.51.15.30 ⟟ r.-v.

CH. LE BON PASTEUR 1985 **

75 76 78 79 80 (81) 82 (83) 85   7 ha   45 000   ⬇ 6

Laissez-vous guider par ce bon pasteur dont les vins sont régulièrement appréciés par nos dégustateurs. A cheval sur Pomerol et Saint-Emilion, ce cru produit un vin souple, encore très boisé mais dont la finale vanillée est très agréable.
➤ Mme Geneviève Rolland, Maillet, Pomerol, 33500 Libourne, tél. 57.51.10.94 ⟟ r.-v.

CH. LE GAY 1985 *

8,90 ha   22 500   4

Issu de vignes de plus de trente ans, ce vin possède une bonne structure et des tanins bien fondus le rendant agréable à déguster dès maintenant, bien qu'il puisse encore attendre de longues années en cave.
➤ M. Robin, Ch. Le Gay, 33500 Pomerol, tél. 57.51.12.43 ⟟ r.-v.

CLOS L'ÉGLISE 1985 *

79 80 81 (82) 83 84 85   6 ha   25 000   ⬇ 6

Très loin de l'église de Pomerol, ce cru rappelle l'ancienne église des Templiers qu'elle jouxtait autrefois. Rubis, d'une teinte profonde, ce vin est souple et bien charpenté et possède une jolie finale boisée.
➤ MM. Michel et Francis Moreau, Ch. Plince, 33500 Libourne, tél. 57.51.20.24 ⟟ r.-v.
➤ Mme Marc.

CH. L'ENCLOS 1985 *

75 76 79 80 81 82 83 84 85   8,40 ha   45 000   ⬇ 5

Cette propriété appartient à l'une des plus anciennes familles de Pomerol dont on retrouve des ancêtres «Syndics de la paroisse» au XVIIe s. La tradition viticole se manifeste pleinement dans ce vin à la fois souple et riche dont les arômes suaves sont très intenses.
➤ SC du Ch. l'Enclos, Pomerol, 33500 Libourne, tél. 57.51.04.62 ⟟ r.-v.

CH. L'EVANGILE 1985 ***

75 76 77 78 79 80 81 (82) 83 85   13,25 ha   54 000   7

Ici, l'exceptionnel est la règle. Chaque millésime suscite l'enthousiasme de notre jury. Tout d'abord dominé par des notes animales, le nez se développe autour de senteurs de fruits, de bois et de fleurs mêlées. L'équilibre, l'harmonie sont parfaits. Les flaveurs de fruit du raisin et de vanille du bois sont merveilleusement alliées dans ce vin charnu et complet.

CLOS DES LITANIES 1985 **

1,25 ha   12 000   5

Nous pourrions à notre tour invoquer des litanies en l'honneur de ce beau vin admirable aussi bien par sa couleur rouge cerise, ses arômes intenses de fruits rouges (mûres, cassis) que par sa structure solide et vineuse à laquelle le bois des barriques a apporté une note d'élégance.
➤ SC Joseph Janoueix, 37, rue Pline-Parmentier, 33500 Libourne, tél. 57.51.41.86 ⟟ r.-v.

CH. MOULINET 1985 ***

75 76 77 (78) 79 80 81 82 83 85   18 ha   90 000   6

Une borne des Hospitaliers à l'entrée du domaine témoigne de l'ancienneté du cru. Ce vin montre ses arômes amples de fruits rouges mûrs très prometteurs. Race, générosité, subtilité, se retrouvent en bouche. Il est bien enveloppé par des tanins de qualité : on peut attendre sans crainte la maturité de cette bouteille.
➤ SC Dom. de Moulinet, 33500 Libourne, tél. 57.51.50.63 ⟟ r.-v.
➤ M. Armand Moueix.

CH. NENIN 1985 *

83 85   30 ha   150 000   5

Autour du château Nenin du XIXe s., dont le nom évoque un paysan du XVIe s., un très beau parc. Le vin qu'il produit n'a pour autant rien de rustique ; on apprécie dans ce 85 la finesse et l'élégance de sa constitution. L'ensemble est

CLOS DU PELERIN 1985*

3 ha   15 000

C'est un vin encore brut : couleur soutenue et brillante, vinosité des arômes (fruits très mûrs), structure complète et riche. Une jeunesse pleine de promesses.

→ M. Norbert Egreteau, Clos du Pelerin, Pomerol, 33500 Libourne, tél. 57.51.20.57 r.-v.

encore un peu «rugueux» et mérite quelques années de patience.

→ SC du Ch. Nenin, Pomerol, 33500 Libourne, tél. 57.51.00.01 r.-v.
→ M. Despujol.

PRIEURS DE LA COMMANDERIE 1985*

n.c.   15 000

Acheté en 1984 par son propriétaire actuel, le château a alors changé de nom : il s'appelait autrefois château Saint-André. D'une belle couleur rouge profond à reflets noirs, ce vin de bonne constitution est actuellement dominé par un caractère boisé envahissant que le temps atténuera.

→ Sté vignobles Dominique Pichon, av. Gal-de-Gaulle, B.P. 160, 33502 Libourne Cedex.
→ MM. P. Lasserre et J.-M. Garde, Clos René, Pomerol, 33500 Libourne, tél. 57.51.10.41 r.-v.
→ M. Clément Fayat.

→ M. Jean-Pierre Estager, 33 à 41, rue de Montaudon, 33500 Libourne, tél. 57.51.04.09 r.-v.
→ Héritiers Coudreau.

CH. PETIT VILLAGE 1985**

66 71 73 74 |75| 76 77 |78| |79| 80 |81| (82) |85|

11 ha   48 000

Le château se trouverait sur le site même du village de Pomerol, aujourd'hui disparu. Pas étonnant que ce cru soit un digne représentant de l'appellation : par sa couleur intense tout d'abord, mais surtout par la souplesse et l'onctuosité de sa structure complexe où les tanins mûrs sont de grande qualité.

→ Dom. Pras SA, Cos d'Estournel, Saint-Estèphe, 33250 Pauillac, tél. 56.44.11.37

CLOS RENE 1985*

|70| 71 73 (75) 76 |78| |79| 80 |81| 82 83 84 85

12 ha   60 000

Un vin très caractéristique du cépage merlot par son intensité colorante et la grande puissance aromatique des fruits mûrs, très typique de l'appellation pomerol. La souplesse des tanins aussi en fait un vin charmeur.

CH. REVE D'OR 1985

|81| |82| 83 |84| |85|

7 ha   n.c.

Derrière ce nom évocateur, se cache une exploitation familiale traditionnelle. D'un beau rouge pourpre, ce vin est rond, équilibré et très plaisant.

→ M. Maurice Vigier, Ch. Rêve d'Or, Pomerol, 33500 Libourne, tél. 57.51.11.92 r.-v.

CH. PETRUS 1986***

61 66 71 72 73 74 (80) 81 82 83 85 86

11 ha   40 000

Si vous passez par Pétrus, ne cherchez pas de bâtiment impressionnant : toute la grandeur est dans le vin, et ce 86 confirme s'il en était besoin la classe et la personnalité de ce cru. Les arômes puissants de merlot mûr, mêlés d'épices (cannelle) et de vanille (due au chêne neuf terrain) sont d'une harmonie remarquable. La structure traduit un équilibre achevé : intense concentration des arômes, charnu et élégance de l'ensemble qui révèle un terroir privilégié.

→ SC du Ch. Pétrus, Pomerol, 33500 Libourne.

CH. ROCHER-BEAUREGARD 1985*

80 81 82 83 |84| |85|

3 ha   n.c.

Très riche, velouté, avec des tanins très présents, ce cru ne manque pas de charme et possède un agréable bouquet où se mêlent des odeurs de gibier et d'épices.

→ M. Max Tournier, Tailhas, Pomerol, 33500 Libourne, tél. 57.51.36.49 r.-v.

CH. SAINT-PIERRE 1985

80 81 82 83 |84| |85|

3 ha   25 000

Rond, plaisant, bien équilibré, ce vin a déjà subi une bonne évolution que sa couleur rouge aux reflets jaunes traduit parfaitement. Il est prêt à boire dès maintenant, mais peut aussi attendre quelques années.

→ Héritiers de Lavaux, Ch. Martinet, 33500 Libourne, tél. 57.51.06.07 r.-v.

CH. PLINCETTE 1985

81 82 |83| 84 85

2 ha   12 000

Sur 2 hectares de sables et de graves, Plincette produit un vin charmant aux arômes subtils, fins et floraux. Une bouteille très plaisante.

CH. DE SALES 1985*

70 71 73 74 |76| 77 |78| 79 80 |81| 82 83 84 |85|

47,50 ha   n.c.

Dans la même famille depuis cinq siècles, cette propriété est la plus étendue de Pomerol. Élégant et fin, ce vin est souple et bien équilibré.

Lalande de pomerol

Créé, comme celui de Pomerol dont il est voisin, par les hospitaliers de Saint-Jean (à qui l'on doit aussi la belle église de Lalande qui date du XIIᵉ s.), ce vignoble produit, à partir des cépages classiques du Bordelais, des vins rouges colorés, puissants et bouquetés, qui jouissent d'une bonne réputation. Les meilleurs pouvant rivaliser avec les pome-

Libournais

M. Bruno de Lambert, Ch. de Sales, 33500 Libourne, tél. 57.51.04.92 ▼ r.-v.
GFA Ch. de Sales.

CH. DU TAILHAS 1985*

10,50 ha 50 000
|70| 75 78 |79||81| 82 83 84 |85|

Bien que très jeune, ce vin est déjà presque à point ! Les arômes et la dégustation sont marqués par la belle maturité des raisins : des tanins mûrs et de bonne envergure lui confèrent une grande souplesse et une certaine onctuosité.

SC du Ch. Tailhas, Pomerol, 33500 Libourne, tél. 57.51.26.02 ▼ r.-v.
M. Daniel Nebout.

CH. TAILLEFER 1985**

18 ha 90 000
75 76 77 78 |79| 80 81 83 85

D'une belle couleur pourpre intense ce vin possède un joli nez élégant. La dégustation fait apparaître un corps solide, plein et généreux, manquant encore un peu de nuances dans sa jeunesse mais promis à un bel avenir.

Héritiers Marcel Moueix, Ch. Taillefer, 33500 Libourne, tél. 57.71.50.63 ▼ r.-v.

CH. THIBEAUD-MAILLET 1985*

0,79 ha 5 500

Derrière une jolie robe rouge profond, caractéristique du millésime 85, apparaissent des arômes amples et fins conjuguant des senteurs de fruits mûrs et d'amande grillée. En bouche, le vin est charnu et ferme et les arômes sont bien tenus par des tanins élégants.

M. Roger Duroux, Ch. Thibeaud-Maillet, Maillet-Pomerol, 33500 Libourne, tél. 57.51.82.68 ▼ t.l.j. 8h-12h 14h-19h.

CH. TRISTAN 1985

3 ha 12 000

Un joli vin aux arômes délicats de raisins mûrs. «Bien planté», solide et puissant, ce millésime présente de réelles potentialités non encore exprimées.

SCE Cascarret, 98, cours Tourny, 33500 Libourne, tél. 57.51.04.54 ▼ r.-v.

CH. TROTANOY 1986***

7,22 ha 35 000
69 72 73 74 76 77 78 79 80 81 (82) 83 86

La robe est admirable : d'une intensité très forte, elle s'orne de reflets noirs profonds qui traduisent la richesse du cru. Les arômes sont complexes et francs : la fraîcheur du fruit s'allie à des notes animales et vanillées (et même réglissées). À la dégustation, l'impression de plénitude se confirme : rond et souple avec des tanins de grande qualité et une très belle matière, il est assuré d'un bel avenir.

SC du Ch. Trotanoy, Pomerol, 33500 Libourne.

CH. DE VALOIS 1985*

7 ha n.c.

Ce vin rond et soyeux en bouche est surtout remarquable par la finesse et l'intensité de ses arômes où se mêlent des senteurs de vanille, de truffe et d'épices.

SCEA Vignobles Leydet, 33500 Libourne, tél. 57.51.19.77 ▼ r.-v.

VIEUX CHATEAU CERTAN 1985**

13,50 ha 60 000
|61| 73 74 |75| 76| 77| 78 79 80 81 82 83 84 85

Autrefois métairie céréalière, le domaine s'est converti au XVIIIᵉ s. à la production vinicole. Ce 85 n'est pas encore prêt à être consommé : ses beaux tanins encore trop présents masquent sa richesse. On apprécie cependant dès maintenant la belle robe sombre et les arômes aux notes grillées.

SC du Vieux Ch. Certan, Pomerol, 33500 Libourne, tél. 57.51.17.33 ▼ r.-v.

VIEUX CHATEAU CLOQUET 1985

2,40 ha 9 500

Un avenir certain pour ce vin qui possède à la fois une solide constitution et une certaine souplesse. Les arômes très jeunes sont encore peu expansifs : le nez est «fermé», diraient les professionnels.

Mme Sabine Fontaine Boyer, Vieux Château Cloquet, Cloquet, 33500 Pomerol, tél. 57.51.31.41

CLOS VIEUX TAILLEFER 1985

1 ha 5 000

Seulement 5 000 bouteilles sont produites chaque année sur le petit clos. Derrière une jolie robe rubis clair, déjà un peu évoluée, se révèle un vin léger, bien équilibré et d'une grande finesse.

M. Francis Robin, Ch. Doumayne, 33500 Libourne, tél. 57.51.03.65 ▼ r.-v.

CH. VRAY CROIX DE GAY 1985*

3,66 ha 15 000
|83| |85|

D'un beau rouge carmin, ce vin révèle des arômes intenses où dominent les accents confits de figue sèche et d'abricot concentré. Vineux et charnu, il est long en bouche et possède toutes les qualités d'un bon vin de garde.

SCE Baronne Guichard, Ch. Siaurac, Néac, 33500 Libourne, tél. 57.51.64.58 ▼ r.-v.

rol et saint-émilion (896 ha; 6,1 millions de bouteilles).

CH. BECHEREAU 1985**

70|71 72 73 74 75 76 77 78 79 81 |82|83|84| 85|

5 ha — 25 000

Un très bon rapport qualité/prix et beaucoup de classicisme dans ce cru régulièrement distingué, mais qui n'a pas de nos dégustateurs. Le nez est encore discret, mais la dégustation est déjà agréable : puissant et chaleureux, ce vin possède une longue puissance et l'avenir lui appartient.

→ M. Jean-Michel Bertrand, Ch. Béchereau, Les Artigues-de-Lussac, 33570 Lussac, tél. 57.24.31.22. Y r.-v.

CH. BERTINEAU SAINT-VINCENT 1985*

81 82 (83) 84 |85|

4,20 ha — 24 000

Né sous l'égide de saint Vincent, patron des vignerons, ce vin, déjà bien évolué pour un 85, possède une belle couleur rubis intense et un joli nez aromatique où les senteurs du bois sont appréciées. Bien équilibré et possédant des tanins ronds, voilà un cru qui doit bien vieillir.

→ Mme Geneviève Rolland, Maillet, Pomerol, 33500 Libourne, tél. 57.51.10.94. Y r.-v.

CH. BROUARD 1985***

75|76 |78|79 80 81 (82) |83 |84| 85

2,50 ha — 13 000

Petite production, mais grande qualité pour ce cru qui figure parmi les tout premiers de Lalande. Issu d'une culture et d'une vinification traditionnelles, ce millésime possède tous les atouts d'un grand vin : éclat rubis de la robe, finesse et subtilité des arômes, complexité et richesse de la structure, soyeux des tanins. À faire vieillir.

→ M. Claude Bonhomme, Ch. Brouard, Lalande-de-Pomerol, 33500 Libourne, tél. 57.51.17.75. Y r.-v.

CH. CHEVROL BEL-AIR '985

15 ha — n.c.

75 76 |78|79|80| 82 83 |84 85|

La couleur est intense et attrayante, mais le nez est encore discret et fermé. L'ensemble est équilibré et plaisant, mais nécessite une certaine évolution.

→ M. Guy Pradier, Ch. Chevrol Bel-Air, Néac, 33500 Libourne, tél. 57.51.10.23. Y r.-v.

DOM. DE GACHET 1985*

1 ha — 6 000

(80) 83 85

Un seul hectare pour cette propriété et seulement 6 000 bouteilles réservées aux amateurs qui apprécieront la belle couleur cerise profonde, éclatante, ainsi que les arômes subtils légèrement épicés. À la fois plein et puissant, ce vin très bien équilibré possède un bon potentiel de vieillissement.

235

→ M. Jean-Pierre Estager, 33 à 41, rue de Montaudon, 33500 Libourne, tél. 57.51.04.09. Y r.-v.

CLOS DES GALEVESSES 1985***

(82) |84 |85|

6 ha — 30 000

Sans doute le meilleur rapport qualité/prix de l'appellation et quelle qualité ! Derrière une belle robe aux nuances pourpres apparaît un vin aux arômes très intenses, dominés par des odeurs animales et de cuir. Il se révèle ensuite riche et puissant à la dégustation, tout en restant souple et remarquablement équilibré.

→ M. M.-F. de Lavaux, Ch. Martinet, 33500 Libourne, tél. 57.51.06.07. Y r.-v.

CH. GARRAUD 1985

70 |75|79|81| (82) |83|85

30 ha — 144 000

D'une couleur brique rouge à reflets orangés, ce vin très bien vinifié est plaisant et agréable à boire dès maintenant.

→ M. Léon Nony, Ch. Garraud, Néac, 33500 Libourne, tél. 57.51.66.98. Y r.-v.

→ Sté Civile Château Garraud.

CH. DU GRAND MOINE 1985

|81| 82 83 84 85

3 ha — 8 000

Exploitation familiale transmise depuis quatre générations de mère en fille, le château du Grand Moine est un vin plaisant et aromatique dont les arômes très frais de fruits rouges sont flatteurs.

→ Mme M.-C. Pommier, Brouard, Lalande-de-Pomerol, 33500 Libourne, tél. 57.51.51.66 Y r.-v.

CH. HAUT-CHAIGNEAU 1985*

75|76 79 81 82 83 84 |85|

19,50 ha — 120 000

D'un rouge vif mais pas intense, ce vin possède beaucoup d'arômes et une bonne vinosité le rendant agréable à déguster dès maintenant.

→ M. André Chatonnet, Montagne, 33570 Lussac, tél. 57.74.62.25. Y r.-v.

CH. HAUT-CHATAIN 1985***

15,32 ha — 70 000

73 74 |75|76 |78|79|80 |81|82| |83|84| (85)

Martine est œnologue, Philippe ingénieur agronome. Ils ont derrière eux la longue tradition des familles vigneronnes. Le hasard des dégustations à l'aveugle a élu une fois encore, à l'enthousiasme d'un jury d'experts, leur cru fin et élégant : belle robe cerise aux reflets violets, nez intense de nuances végétales (café grillé) et animales (venaison). Souplesse et harmonie d'une charpente qui n'écrase pas les arômes mais les met en valeur. Riche d'une forte personnalité, une grande bouteille.

LE BORDELAIS

ment avec une belle amplitude. Un vin à laisser vieillir.

➛SCE Cascarret, 98, cours Tourny, 33500 Libourne, tél. 57.51.04.54 ♈ r.-v.

CH. LES HAUTS-CONSEILLANTS 1985*

79 |81| |82| |83| |84| |85| 10 ha   50 000

D'une belle couleur cerise avec des reflets violets, ce vin présente des arômes déjà en voie d'évolution. A la fois souple, puissant et bien charpenté, il possède un bel équilibre et une longue persistance.

➛M. Pierre Bourotte, 28, rue Trocard, 33500 Libourne, tél. 57.51.20.56 ♈ r.-v.

CH. PERRON 1985*

71 |75| 76 78 |79| 81 |82| 83 85   n.c.   80 000

Belle demeure du XVIIe s. dont les chais ont reçu d'importants aménagements. Cette très ancienne propriété produit régulièrement des vins de qualité et ce 85 ne faillit pas à la tradition : d'une belle couleur cerise, il exhale des arômes subtils (cassis, fraise) et possède un corps fin, encore marqué par des tanins un peu « carrés ». Bonne aptitude au vieillissement.

➛M. Michel-Pierre Massonie, Ch. Perron, B.P. 88, Lalande-de-Pomerol, 33503 Libourne Cedex, tél. 57.51.35.97 ♈ r.-v.

DOM. PONT DE GUESTRES 1985

|78| 79 |81| |82| |83| |84| 3 ha   18 000

Derrière une couleur très intense apparaît un vin au nez encore discret, et aux tanins souples et chaleureux. Il a besoin d'évoluer pour être au mieux de ses aptitudes.

➛MM. Jean Rousselot et Fils, Saint-Aignan, 33126 Fronsac, tél. 57.24.95.16 ♈ r.-v.

CH. SIAURAC 1985*

28.27 ha   120 000

Très bel équilibre et homogénéité parfaite pour ce grand classique de Lalande. Le nez est encore discret mais la dégustation révèle une très belle matière et beaucoup d'ampleur. Bonne aptitude au vieillissement.

➛SCE Baronne Guichard, Ch. Siaurac, Néac, 33500 Libourne, tél. 57.51.64.58 ♈ r.-v.
➛M. Olivier Guichard.

CH. DES TOURELLES 1985**

79 |81| (82) |83| 85   18 ha   75 000

Depuis les années 30, l'amicale des anciens vendangeurs (des Normands) participe à la récolte et organise chaque année un grand banquet en l'honneur des fiancés des dernières vendanges. On comprend leur attachement à ce cru dont nous saluons régulièrement la qualité. Belle couleur grenat, arômes subtils, vin puissant et chaleureux dont les beaux tanins permettent d'envisager avec confiance l'avenir.

➛M. François Janoueix, 20, quai du Priourat, 33500 Libourne, tél. 57.51.55.44 ♈ r.-v.

➛MM. A. Rivière et P. Junquas, Ch. Haut-Châtain, Néac, 33500 Libourne, tél. 57.74.02.79 ♈ r.-v.

CH. LA BORDERIE MONDESIR 1985**

|79| |80| 81 |82| 83 84 |85| 2.09 ha   14 000

Le petit vignoble produit, avec constance, de jolis vins comme ce 85 dont les arômes de pruneaux macérés sont très prenants. Bien équilibré, ample au corps solide, il n'en est pas moins rond et agréable grâce à des tanins bien fondus.

➛M. J.-M. Rousseau, Petit Sorillon, Abzac, 33230 Coutras, tél. 57.49.06.10 ♈ t.l.j. 8h-13h 15h-19h ; f. août

CH. LA CROIX BELLEVUE 1985**

70 71 73 75 |78| |79| (81) 82 83 |85| 8 ha   48 000

C'est un vin constitué à 70% de cabernet-sauvignon. La couleur épaisse, très soutenue, profonde, traduit la belle maturité de la vendange 85. On retrouve en bouche les qualités des tanins mûrs, parfaitement fondus, donnant au vin sa rondeur et sa souplesse.

➛SC Dom. de Moulinet, 33500 Libourne, tél. 57.51.50.63 ♈ r.-v.

CH. LA CROIX DES MOINES 1985**

76 77 (78) |79| 80 81 82 83 |84| 85   12 ha   50 000

Toute la richesse et la générosité du millésime 85 dans ce beau vin aux arômes très mûrs dominés par des notes animales. Belle vinosité que l'on retrouve en bouche, où le vin se révèle souple et soyeux. Les tanins ont besoin de se fondre pour que ce vin de race atteigne sa plénitude.

➛GAEC Trocard Père et Fils, Les Artigues-de-Lussac, 33570 Lussac, tél. 57.24.31.16 ♈ lu. ma. me. je. ve. 8h30-12h 14h-18h.

CH. LA GRAVIERE 1985*

70 71 76 78 79 81 |83| 85   6 ha   30 000

Produit sur des sols sablo-graveleux, ce millésime séduit tout d'abord par sa belle couleur cerise assez profonde. Les arômes présentent au nez quelques notes « grillées », l'attaque est nerveuse et la dégustation se développe agréable-

CH. TOURNEFEUILLE 1985*

14 ha   85 000

70/71 74 75/76 78/79 81 82 83 85/

Ce vin «de côtes» produit sur des terrains dominant la vallée de la Barbane est avant tout séduisant par sa magnifique couleur grenat d'une remarquable intensité. Le charme se poursuit aussi bien par les arômes fins et épicés que dans la dégustation douce et tout en rondeur.

↳ GFA Sautarel, Ch. Tournefeuille, Néac, 33500 Libourne, tél. 57.51.18.61. ☎ lu. ma. me. je. ve. 8h-12h 14h-19h.

Saint-émilion et saint-émilion grand cru

Étalée sur les pentes d'une colline dominant la vallée de la Dordogne, Saint-Émilion (4 000 habitants) est une petite ville viticole charmante et paisible. Mais c'est aussi une cité chargée d'histoire. Étape sur le chemin de Saint-Jacques-de-Compostelle, ville-forte pendant la guerre de Cent Ans et refuge des députés girondins proscrits sous la Convention, elle possède de nombreux vestiges racontant son passé. La légende fait remonter le vignoble à l'époque romaine, et attribue sa plantation à des légionnaires. Mais il semble que son véritable début, du moins sur une certaine surface, se situe au XIIIe s. Quoi qu'il en soit, Saint-Émilion est aujourd'hui le centre de l'un des plus célèbres vignobles du monde. Celui-ci, réparti sur neuf communes, comporte une riche gamme de sols : tout autour de la ville, le plateau calcaire et la côte argilo-calcaire (d'où viennent de nombreux crus classés). Leurs vins possèdent une belle couleur, annonçant des vins corsés et charpentés. Aux confins de Pomerol, les graves produisent des vins qui se remarquent par leur très grande finesse (cette région possédant aussi de nombreux grands crus). Mais l'essentiel de l'appellation générique saint-émilion est représenté par les terrains d'alluvions sableuses, descendant vers la Dordogne, qui produisent de bons vins. Pour les cépages, on note une nette domination ... ⁻lot que complètent le cabernet, et

dans une moindre mesure, le cabernet-sauvignon.

L'une des originalités de la région de Saint-Émilion est son classement. Assez récent (il ne date que de 1955), il est régulièrement et systématiquement revu (la première révision a eu lieu en 1958, la dernière en 1986); ensuite, il confond classement et appellation, avec quatre groupes ayant chacun leur propre appellation. L'appellation saint-émilion peut être revendiquée par tous les vins produits sur la commune et sur huit autres communes l'entourant. La seconde appellation, saint-émilion grand cru, ne correspond donc pas à un terroir défini, mais à une sélection de vins, devant satisfaire à des critères qualitatifs plus exigeants, attestés par la dégustation. L'appellation saint-émilion grand cru classé, elle, ne peut être revendiquée que, pour des domaines ayant fait l'objet d'un classement; les vins doivent subir une deuxième dégustation avant la mise en bouteilles. L'appellation saint-émilion premier grand cru classé, enfin, est accordée dans les mêmes conditions, mais de façon encore plus sévère, puisque seuls onze premiers grands crus sont classés dans le classement de 1986 contre soixante-quatre crus classés. Deux premiers grands crus classés

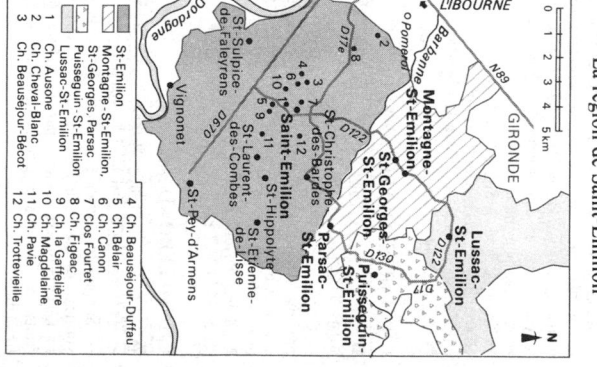

La région de Saint-Émilion

LIBOURNE

Dordogne

Barbane   N89

Pomerol

GIRONDE

Montagne-St-Émilion

St-Sulpice-de-Faleyrens

Vignonet

St-Georges-St-Émilion

St-Christophe-des-Bardes

Parsac-St-Émilion

Puisseguin-St-Émilion

St-Émilion

St-Laurent-des-Combes

St-Hippolyte

St-Étienne-de-Lisse

Lussac-St-Émilion

St-Pey-d'Armens

0 1 2 3 4 5 km

N

Légende

1
2
3

St-Émilion
Montagne-St-Émilion
St-Georges-St-Émilion
Puisseguin-St-Émilion
Lussac-St-Émilion

4 Ch. Beauséjour-Duffau
5 Ch. Bélair
6 Ch. Canon
7 Clos Fourtet
8 Ch. Figeac
9 Ch. Ausone
10 Ch. Cheval-Blanc
11 Ch. la Gaffelière
12 Ch. Magdelaine
Ch. Pavie
Ch. Trottevieille
Ch. Beauséjour-Bécot

(Ausone et Cheval-Blanc) ont en outre droit à un classement particulier « A », les neuf autres étant « B »... En 1982, la production a atteint 38,6 millions de bouteilles; il faut signaler que l'Union des producteurs de Saint-Émilion est sans nul doute la plus importante cave coopérative française située dans une zone de grande appellation.

Saint-émilion

CH. D'ARTHUS 1985*

■   4 ha   15 000   🍴↓Ⓥ3

|82| |83| |85|

La couleur est intense, mais le bouquet est encore peu prononcé, «fermé». Malgré sa jeunesse, le vin se développe bien à la dégustation. Il est souple et soyeux, et présente une bonne harmonie.

☛ SEV Fournier, Ch. Canon, 33330 Saint-Émilion, tél. 57.24.70.79 ☎ r.-v.
☛ Consorts Fournier.

CH. BARAIL DU BLANC 1985

■   5,35 ha   36 000   🍴↓Ⓥ3

|78| 79 |81| |82| 83 |85|

Sables, graviers et merlot marquent ce 85 dont le bouquet fruité est très intense. On retrouve toutes les qualités du cépage dans la structure ronde, souple et chaleureuse d'un vin prêt à boire... mais pouvant attendre.

☛ Union de Prod. de St-Émilion, Haut-Gravet, B.P. 27, 33330 Saint-Émilion, tél. 57.24.70.71 ☎ t.l.j. sf dim. 8h-12h 14h-18h.
☛ M. Jean-Jacques Elliés.

CH. BARBEROUSSE 1985*

■   7 ha   45 000   🍴Ⓥ3

|81| 82 |83| |85|

Ce vin est très séduisant comme tout ce que produit la propriété. Une structure agréable, souple et onctueuse, succède à des arômes marqués par le fruit.

☛ M. Jean Puyol, Le Bibey, 33330 Saint-Émilion, tél. 57.24.74.24 ☎ r.-v.

CH. BILLEROND 1985

■   10,15 ha   80 000   🍴↓3

67 70 71 73 74 |75| 76 |78| 79 81 |82| 83 |85|

Simple, sans grande prétention, très bien vinifié, il est élevé par l'Union des Producteurs. La dégustation est dominée par des arômes de fruits : le raisin est encore perceptible dans ce vin très agréable.

☛ Union de Prod. de St-Émilion, Haut-Gravet, B.P. 27, 33330 Saint-Émilion, tél. 57.24.70.71 ☎ t.l.j. sf dim. 8h-12h 14h-18h.
☛ MM. A. Martin et A. Robin.

CH. FRANC-PINEUILH 1985*

■   1,38 ha   10 000   Ⓥ3

76 78 79 81 |82| |83| |85|

Petite propriété, Franc-Pineuilh produit un vin aux reflets orangés, aimable, souple. On apprécie particulièrement les arômes complexes où dominent les senteurs de fruits rouges (groseille).

☛ M. Jean-Paul Deson, Saint-Christophe-des-Bardes, 33330 Saint-Émilion, tél. 57.24.77.40 ☎ r.-v.

CH. GRAND BOUQUEY 1985*

■   n.c.   n.c.   3

Distribué par le négociant Kressmann, ce saint-émilion se distingue par un nez assez fin d'où émergent des odeurs de pruneau. Ayant déjà subi une bonne évolution en bouteille, il se déguste agréablement dès maintenant.

☛ ED Kressmann et Cie, 35, rue de Bordeaux, B.P. 24, Parempuyre, 33290 Blanquefort, tél. 56.35.84.64 ☎ r.-v.

CH. GUEYROSSE 1985**

■   4,60 ha   24 000   🏛↓Ⓥ4

75 76 78 |79| 80 |81| 82 (83) |84| 85

Un très joli château, situé sur une terrasse graveleuse, aux portes de Libourne. Le vin est encore massif : d'une robe rouge foncée, couleur mûre, il présente toute la charpente d'un vin jeune et solide. Les tanins ne sont pas encore parfaitement fondus. L'épanouissement prendra encore quelques années.

☛ M. Yves Delol, Ch. Gueyrosse, 33500 Libourne, tél. 57.51.02.63 ☎ r.-v.

CH. HAUT-BREGNET 1985**

■   5 ha   30 000   🍴↓Ⓥ3

75 79 85

Trente ans, c'est l'âge moyen des vignes de la propriété : un bel âge pour la production d'un vin charnu, mûr et bien structuré. Malgré cette richesse, le millésime est très souple et rond en bouche, grâce à la présence de tanins très mûrs de bonne qualité.

☛ M. Daniel Mouty, Ch. Croix de Barille, Sainte-Terre, 33350 Castillon-la-Bataille, tél. 57.84.55.88 ☎ r.-v.

CH. HAUT-BRULY 1985

■   8 ha   50 000   🍴↓3

67 70 71 74 |75| 76 77 |78| 79 80 81 |82| 83 85

90% de merlot contribuent à donner à ce vin sa belle couleur rouge foncé et ses arômes de fruits mûrs. Les tanins sont fins et l'ensemble élégant. Une bouteille vive et gaie dont il faut profiter au plus vite.

☛ Union de Prod. de St-Émilion, Haut-Gravet, B.P. 27, 33330 Saint-Émilion, tél. 57.24.70.71 ☎ t.l.j. sf dim. 8h-12h 1[...]
☛ MM. Cante.

CH. HAUTES VERSANNES 1985*

■ 10,98 ha 80 000 ▮▮3
78 79 |82|83| 85

Après un an de bouteille, ce 85 ne déçoit pas. Finesse et délicatesse sont les atouts de ce cru qui, grâce à sa construction souple, peut être apprécié dès maintenant.
➤ Union de Prod. de St-Emilion, Haut-Gravet, B.P. 27, 33330 Saint-Emilion, tél. 57.24.70.71 ☎ t.l.j, sf dim. 8h-12h 14h-18h.
➤ MM. Lacoste Père et Fils.

CH. HAUT-MOUREAUX 1985*

■ 9 ha 90 000 ▮▮3
66 67 70 71 73 74 |75| 76 77 |78| 79 8| |82| 83 85

Que de promesses dans ce vin au bouquet marqué par le cépage merlot et les arômes de groseille. La robe rubis foncé traduit parfaitement la belle maturité des raisins ; la dégustation ne dément pas cette impression : richesse, puissance et charpente sont les principaux atouts de ce cru. A attendre !
➤ Union de Prod. de St-Emilion, Haut-Gravet, B.P. 27, 33330 Saint-Emilion, tél. 57.24.70.71 ☎ t.l.j, sf dim. 8h-12h 14h-18h.
➤ GAEC Courrèche Père et Fils

CH. HAUT RENAISSANCE 1985

■ 3 ha 22 000 ▮3
61 64 66 70 71 73 |75| 76 81 |82| 83 85

De père en fils depuis cinq générations, la propriété est exploitée avec le même soin. Les vignes de trente-cinq ans produisent des vins à la fois fruités et élégants, et qui ne nécessitent pas un long vieillissement.
➤ M. Denis Barraud, Ch Haut Renaissance, Saint-Sulpice-de-Faleyrens, 33330 Saint-Emilion, tél. 57.84.54.73 ☎ t.l.j, 8h-2h30/14h-19h30.

CH. JUGUET 1985**

■ 8,76 ha 65 000 ▮3
81 82 83 84 |85|

Excellent rappor, qualité/prix pour ce vin vinifié par la cave coopérative. Au beau rouge intense et aux reflets succédent d'agréables arômes de fruits mûrs. Charnu, puissant, mais aussi équilibré et d'une bonne persistance en bouche, ce 85 est une belle bouteille.
➤ Union de Proc. de St-Emilion, Haut-Gravet, B.P. 27, 33330 Saint-Emilion, tél. 57.24.70.7 ☎ t.l.j, sf dim. 8h-12h 14h-18h.
➤ MM. Yves et Maurice Landrodie.

CH. LAVIGNERE 1985*

■ 11,87 ha 80 000 ▮▮3
79 81 82 85 85

Avec un tel nom, comment ne pas faire un bon vin ? Le bouquet très très particulier : il rappelle les fleurs de géranium. Ce vin est riche de potentiels et possède une longue persistance après dégustation.
➤ Union de Prod. de St-Emilion, Haut-Gravet, B.P. 27, 33330 Saint-Emilion, tél. 57.24.70.71 ☎ t.l.j, sf dim. 8h-12h 14h-18h.
➤ M. Dominique Vallier.

LE CLOCHER 1985*

■ n.c. n.c. 3
83 85

Voici un clocher à l'appel duquel on ne reste pas insensible. Le bouquet, légèrement boisé, est délicat et séduisant. Il annonce une dégustation agréable grâce à la rondeur et même à une certaine légèreté de structure. Ce n'est pas un saint-émilion de garde, mais plutôt un cru plaisant à apprécier dès maintenant.
➤ MM. Dourthe Frères, 35, rue de Bordeaux, B.P. 70, Parempuyre, 33290 Blanquefort, tél. 56.35.84.64 ☎ r.-v.

CH. LES VIEUX-MAURINS 1985*

■ 8 ha 60 000 ▮▮3 V2
73 |75| 76 77 |78| |79| |80| |81| |82 83 85

Un rapport qualité/prix exceptionnel pour un vin de garde très prometteur. Le bouquet est puissant et complexe : fruits mûrs, cuir en sont les dominantes. Gras et velouté, ce cru a toute la charpente pour vieillir en s'épanouissant.
➤ M. Michel Goudal, Les Vieux-Maurins, Saint-Sulpice-de-Faleyrens, 33330 Saint-Emilion, tél. 57.24.62.96 ☎ t.l.j, 9h-12h30/15h-19h.

CH. PAGNAC 1985

■ 6,21 ha 48 000 ▮▮3
79 81 |82| 83 85

Le terrain constitué de sables où se mêlent des crasses de fer contribue sans doute à typer ce vin souple et fin, plaisant à boire grâce à son caractère fruité.
➤ Union de Prod. de St-Emilion, Haut-Gravet, B.P. 27, 33330 Saint-Emilion, tél. 57.24.70.71 ☎ t.l.j, sf dim. 8h-12h 14h-18h.
➤ M. Jean Pagnac.

PARVIS SAINT-EMILION 1985

■ n.c. n.c.

Très typé saint-émilion par ses arômes de fraise bien mûre, ce vin d'un pourpre «cardinal», est à la fois aimable et assez puissant. Loin d'avoir atteint son apogée, il devrait évoluer favorablement d'ici à 5 ans.
➤ Baron Philippe de Rothschild, La Baronnie, B.P. 117, 33250 Pauillac, tél. 56.59.20.20

CH. PATARABET 1985***

■ 6,97 ha 50 000 ▮▮3 V3
|75| 76 77 |78| 79 80 |82| |83| 84 (85)

Le château Patarabet n'est pas un haut lieu de l'architecture bordelaise, mais son vin, et tout particulièrement le 85, est l'une des plus belles expressions de l'appellation saint-émilion : vieilli en fût de chêne selon la méthode traditionnelle, voilà un grand vin de garde. Couleur très franche, arômes intenses de fruits secs grillés, amplitude, chair, tanins mûrs concourent à l'harmonie exceptionnelle de ce vin racé.

↪ SC du Ch. Patarabet, 33330 Saint-Emilion, tél. 57.24.74.73 ⵏ t.l.j. 9h-12h 14h-18h.
↪ M. Eric Bordas.

CHATEAU PATARABET
SAINT-ÉMILION
APPELLATION SAINT-ÉMILION CONTROLEE
1985
ERIC BORDAS
75 cl
S.C.E. DU CHATEAU PATARABET, PROPRIÉTAIRE A SAINT-EMILION 33330 - FRANCE

PAVILLON-CARDINAL 1985

■   n.c.   n.c.   [4]

Ce vin est le fruit de merlot très mûr dont on retrouve dans les arômes le caractère un peu animal. Il est chaud, rond, généreux, et possède une structure souple qui le rend bien aimable.
↪ Vignobles R. Giraud, Dom. de l'Oiseau, B.P. 31, 33240 Saint-André-de-Cubzac, tél. 57.43.01.44 ⵏ r.-v.

CH. QUEYRON PATARABET 1985*

■   9,48 ha   50 000   [3]

78 79 81 |82| 83 |85|

Ce cru est issu de terrains sableux comportant des crasses de fer, et son encepagement à 100% merlot. Voilà de quoi obtenir un vin typé comme ce 85 dont le nez est encore un peu discret mais la structure déjà bien affirmée.
↪ Union de Prod. de St-Emilion, Haut-Gravet, B.P. 27, 33330 Saint-Emilion, tél. 57.24.70.71 ⵏ t.l.j. sf dim. 8h-12h 14h-18h.
↪ M. François Itey.

CH. VIEILLE TOUR LA ROSE 1985*

■   4 ha   20 000   [3]

70 71 75 76 78 |79| 81 |82||83|

Sous une belle robe rouge brillante se cache un vin aimable, souple, presque tendre dont la finesse aromatique est intense. Bon à boire dans sa jeunesse.
↪ M. Daniel Ybert, Ch. Vieille Tour La Rose, 33330 Saint-Emilion, tél. 57.24.73.41 ⵏ r.-v.

Saint-émilion grand cru

CH. D'ARCIE 1985

■   4,71 ha   30 000   [3]

67 |70| 71 73 74 |75| 77 79 80 |81||82| 83 |85|

Issu d'un terroir sablo-graveleux et élevé par la cave coopérative, ce 85 est élégant, franc et attirant par sa belle couleur rouge vive très limpide.
↪ Union de Prod. de St-Emilion, Haut-Gravet, B.P. 27, 33330 Saint-Emilion, tél. 57.24.70.71 ⵏ t.l.j. sf dim. 8h-12h 14h-18h.
↪ M. Jacques-Antoine Baugier.

CH. AUSONE 1985***

■ 1er gd cru A   8 ha   40 000   [7]

62 64 70 71 |76| 77 78 79 |80| 81 (82) 83 85

Grand vin de caractère dont la délicatesse des arômes est séduisante, c'est l'un des grands de Bordeaux et chaque millésime justifie et confirme cette position. Tout ici est en nuance : des odeurs de truffe et de réglisse se joignent à la vinosité et au caractère subtilement boisé. Richesse et complexité aromatiques se retrouvent à la dégustation et composent une symphonie de saveurs qu'on ne se lasse pas d'apprécier.
↪ Mme Dubois-Challon, Ch. Ausone, 33330 Saint-Emilion, tél. 57.24.70.94 ⵏ r.-v.

CHATEAU AUSONE
SAINT-ÉMILION
1er GRAND CRU CLASSÉ
APPELLATION SAINT-EMILION GRAND CRU CONTROLEE
1983
Mme J. DUBOIS-CHALLON & Héritiers C. VAUTHIER
PROPRIÉTAIRES A SAINT-EMILION (GIRONDE) FRANCE
MIS EN BOUTEILLES AU CHATEAU
PRODUCE OF FRANCE

CH. BALESTARD LA TONNELLE 1985***

■ Gd cru clas. 10,33 ha   74 000   [6]

|70| 71 |76||79| 80 |81||82| (83) 84 85

Déjà célébré par François Villon, «ce divin nectar qui porte nom de Balestard» mérite aujourd'hui encore les éloges des plus fins dégustateurs. Couleur profonde, arômes intenses, structure complète, séduisent des maintenant et sont autant de gages d'un bon potentiel de vieillissement.
↪ M. Jacques Capdemourlin, Balestard La Tonnelle, 33330 Saint-Emilion, tél. 57.74.62.06 ⵏ r.-v.
↪ GFA Capdemourlin.

CH. DU BASQUE 1985*

■   10,13 ha   59 000   [3]

70 71 74 |75| 76 77 |78| 79 80 |81| 82 83 85

D'une couleur assez sombre, mais brillante, ce vin possède des arômes complexes où dominent des notes fumées. Intense et fruitée en attaque, la dégustation se poursuit par l'expression des tanins riches. Bonne évolution probable pour ce 85 d'un excellent rapport qualité/prix.
↪ Union de Prod. de St-Emilion, Haut-Gravet, B.P. 27, 33330 Saint-Emilion, tél. 57.24.70.71 ⵏ t.l.j. sf dim. 8h-12h 14h-18h.
↪ M. Elie Lafaye.

CH. BEARD LA CHAPELLE 1985**

■   16 ha   80 000   [4]

79 81 (82) |83| 84 85

Ce vin a beaucoup de présence : la matière est concentrée et les tanins sont imposants mais élégants. L'intensité aromatique est forte et recèle

CH. BEAU-SEJOUR BECOT 1985*

des parfums très vineux. Un très beau 85 et ce qui ne gâte rien, une étiquette sobre et élégante représentant l'église monolithe de Saint-Emilion.
♦ MM. R. Moureau et L. Desveaux.
26, rue de Caudéran, 33000 Bordeaux, tél. 56.52.21.46 Y r.-v.

Gd cru clas.	16,52 ha	97 000

70 71 73 75 76 78 80 81 82 83 85

Un joli nez de groseille domine les arômes de ce cru. On décèle dans ce 85 une nervosité remarquable qui peut surprendre. Les impressions de dégustation sont complexes et l'ensemble, d'un bel équilibre, est racé.
♦ GAEC Beau-Séjour-Bécot, Ch. Beau-Séjour-Bécot, 33330 Saint-Emilion, tél. 57.74.46.87

CH. BELAIR 1985***

1er grand cru B	13,20 ha	50 000

61 64 66 75 76 78 79 81 82 83 85

Belair, d'une notable rusticité, est un lieu empreint d'histoire : ne dit-on pas qu'Arsone et Du Guesclin y auraient séjourné ? Mais ce château vaut aujourd'hui avant tout par la qualité de son vin. Le millésime 85 possède un potentiel d'évolution remarquable : puissant et nerveux, il a encore tous les attraits de la jeunesse, mais l'on devine déjà une grande bouteille qu'il faut avoir la patience de mériter.
♦ Mme Dubois-Challon, Ch. Ausone, 33330 Saint-Emilion, tél. 57.24.70.94 Y r.-v.

CH. BEL-AIR OUY 1985*

	5,50 ha	38 000

64 66 71 74 75 76 77 78 79 80 82 83 85

Belle présentation pour ce vin très limpide, au nez intense et concentré. L'harmonie générale est agréable.
♦ Union de Prod. de St-Emilion, Haut-Gravet, B.P. 27, 33330 Saint-Emilion, tél. 57.24.70.71 Y t.l.j, sf dim. 8h-12h 14h-18h.
♦ GEA Bel-Air Ouy.

CH. BELLEFONT-BELCIER 1985**

	13 ha	88 000

77 78 79 81 82 83 84 85

Les fruits rouges (cerise, framboise) sont présents aussi bien au niveau de la couleur que des arômes. Le caractère fruité est également intense à la dégustation qui s'achève sur une longue finale soyeuse dominée par des tanins très mûrs.
♦ Ch. Bellefont-Belcier, Saint-Laurent-des-Combes, 33330 Saint-Emilion, tél. 57.24.72.16 Y r.-v.

CH. BELLEVUE 1985*

Gd cru clas.	6 ha	35 000

75 79 80 81 83 84 85

Refuge du député girondin Lacaze en 1793, le château Bellevue est une jolie chartreuse dont on peut trouver le vin aussi rare car il a besoin de temps pour mûrir. Les arômes sont intenses et marqués par des flaveurs très boisées. En bouche, il est expansif, mais il n'est pas encore à point.

♦ SC du Ch. Bellevue, Ch. Bellevue, 33330 Saint-Emilion, tél. 57.51.06.07 Y r.-v.

CH. BERLIQUET 1985**

Gd cru clas.	7,98 ha	58 000

70 71 75 76 77 78 79 80 81 82 83 84 85

C'est le seul vin promu dans la nouvelle classification de saint-émilion. Autrefois grand cru, il est aujourd'hui grand cru classé. Le terroir, l'encépagement, mais également l'âge moyen des vignes (quarante-sept ans) contribuent à donner à ce vin race et générosité. Vieillissement en fût de chêne dans une carrière que l'on peut visiter.
♦ Union de Prod. de St-Emilion, Haut-Gravet, B.P. 27, 33330 Saint-Emilion, tél. 57.24.70.71 Y t.l.j, sf dim. 8h-12h 14h-18h.
♦ Vie et vicomtesse de Lesquen.

CH. BERNATEAU 1985

	8 ha	n.c.

67 70 71 73 75 76 78 79 80 81 82 83 84 85

Depuis le XVIIIe s., de père en fils, la famille Lavau exploite ce vignoble. La tradition marque cette production. Ce vin est encore un peu «carré» et ses composants ont besoin de se fondre pour atteindre l'harmonie qu'on peut lui prédire.
♦ M. Régis Lavau, Côtes Bernateau, Saint-Etienne-de-Lisse, 33330 Saint-Emilion, tél. 57.40.18.19 Y r.-v.

CH. JACQUES BLANC Cuvée du Maître 1985*

	17 ha	30 000

82 83 85

Cette Cuvée du Maître est élevée en barrique, ce qui apporte au vin une jolie harmonie où se mêlent les parfums vanillés du bois et les senteurs de violette du raisin. Ce 85 est encore un peu austère, mais l'avenir lui appartient.
♦ GFA du Ch. Jacques Blanc, Saint-Etienne-de-Lisse, 33330 Saint-Emilion, tél. 57.40.18.01 Y r.-v.

CH. JACQUES BLANC 1985*

	17 ha	70 000

75 77 78 79 81 82 83 85

Ce vin né sous les auspices de Jacques Blanc, jurat de Saint-Emilion au XVe s., est chaleureux. L'intensité aromatique est forte et les arômes complexes (fruits surmûris).
♦ GFA du Ch. Jacques Blanc, Saint-Etienne-de-Lisse, 33330 Saint-Emilion, tél. 57.40.18.01 Y r.-v.

CH. CADET-PIOLA 1985**

Gd cru clas.	6,80 ha	40 000

64 66 67 69 70 71 72 73 74 75 76 77 78 79 80 81 82 83 84 85

Libertin par son étiquette, ce vin, certes séduisant, se montre plus grave dans sa robe soutenue, et aristocrate par ses arômes vanillés de bois neuf. C'est un vin de grande garde dont toute la puissance et la richesse se développent à la dégustation.

CH. CANON 1985***

■ 1er gd cru B   18 ha   100 000

70 75 76 78 79 80 81 82 83 85

Le lieutenant de frégate Jacques Canon qui rénova le vignoble en 1760 serait conquis par la qualité de ce 85 qui est « l'expression du très grand ». Tout y est parfait, depuis la couleur profonde et brillante, jusqu'à l'équilibre général alliant charpente et race. Et que dire des arômes où se confondent les parfums de vanille, de cassis et de réglisse.

↳ SEV Fournier, Ch. Canon, 33330 Saint-Emilion, tél. 57.24.70.79 ☎ r.-v.
↳ GFA Ch. Canon.

↳ M. Alain Jabiol, Ch. Cadet-Piola, 33330 Saint-Emilion, tél. 57.74.47.69
↳ GFA Jabiol.

CH. CAPET-GUILLIER 1985

■   15 ha   75 000

70 71 73 74 75 76 78 79 80 81 82 83 85

Ce vignoble de 15 hectares est situé sur le versant sud de la chaîne de coteaux et au pied de ceux-ci. Cette belle exposition favorise la production d'un vin intense et déjà complexe, dont l'évolution semble se produire assez vite. Ce 85, jeune par son âge, est déjà en pleine maturité.

↳ Sté Capet-Guillier, Ch. Capet-Guillier, Saint-Hippolyte, 33330 Saint-Emilion, tél. 57.24.70.21 ☎ r.-v.

CH. CARTEAU-COTES-DAUGAY 1985**

■   12 ha   60 000

70 71 74 75 76 77 78 79 80 81 82 83 85

Culture et élevage traditionnels pour ce cru dont on apprécie chaque année la grande régularité qualitative. C'est un vin de garde encore discret et caché lors de la dégustation de sélection, mais qui doit bien évoluer en raison de sa richesse.

↳ M. Jacques Bertrand, Ch. Carteau-Côtes-Daugay, 33330 Saint-Emilion, tél. 57.24.73.94 ☎ r.-v.

CH. CHAMPION 1985**

■   7 ha   20 000

73 75 76 77 78 79 80 81 82 83 84 85

Ce vin porte bien son nom ! La robe est d'un beau rouge soutenu et brillant, les arômes sont complexes avec une légère note boisée. La dégustation révèle sa belle présence, sa puissance. S'il manque un peu de fondu en raison de son jeune âge, c'est assurément un beau vin de grand avenir.

↳ M. Jean Bourrigaud, Ch. Champion, Saint-Christophe-des-Bardes, 33330 Saint-Emilion, tél. 57.74.43.98 ☎ t.l.j. 9h-12h 15h-19h.

DOM. CHANTE ALOUETTE CORMEIL 1985**

■   9 ha   42 000

75 78 79 80 81 82 83 84 85

L'alouette pourra chanter encore longtemps : ce vin a en effet un très bel avenir devant lui. Sa couleur sombre et intense traduit la très belle maturité du raisin. Cette impression se retrouve dans les arômes de fruits mûrs. Cette richesse se révèle à la dégustation par une concentration des composants et une mâche encore un peu rustique.

↳ M. Yves Delol, Ch. Gueyrosse, 33500 Libourne, tél. 57.51.02.63 ☎ r.-v.

CH. CHAUVIN 1985***

■ Gd cru clas.   12,49 ha   65 000

(75) 76 79 81 82 83 85

Séduisant par sa robe, gras, plein et très puissant, ce millésime est sans doute issu de vendanges très mûres. Les tanins sont très souples. Une magnifique bouteille de longue garde.

242

CH. CANON LA GAFFELIERE 1985**

■ Gd cru clas.   20 ha   110 000

61 62 64 66 75 76 78 79 80 81 82 (83) 85

Discret, élégant, le château ne manque pas de classe tout comme le vin produit sur cette propriété appartenant aujourd'hui à la famille de Neipperg dont l'un des ancêtres avait épousé l'impératrice Marie-Louise. Finement bouqueté, ce beau millésime développe une structure veloutée où tanins du raisin et de la barrique se fondent. L'avenir lui appartient, mais il est déjà très agréable à apprécier dans sa jeunesse.

↳ SCEV Comtes de Neipperg,
Ch. Canon La Gaffelière, 33330 Saint-Emilion, tél. 57.24.71.33 ☎ r.-v.

CH. CAP DE MOURLIN 1985*

■ Gd cru clas.   14 ha   81 000

70 79 80 81 82 83 84 85

Depuis 1982 le vignoble Capdemourlin a retrouvé l'unité qui avait présidé à sa création, il y a près de cinq siècles, par la famille de Jacques Capdemourlin. Toute une expérience, toute une tradition aussi, que l'on retrouve dans ce millésime complet, au bouquet très délicat. L'harmonie d'ensemble est très agréable.

↳ M. Jacques Capdemourlin,
Balestard La Tonnelle, 33330 Saint-Emilion, tél. 57.74.62.06 ☎ r.-v.
↳ GFA Capdemourlin.

CH. CHEVAL BLANC 1985***

- ■ 1er gd cru A 36,90 ha   150 000
- 66 67 69 70 71 72 73 74 **75** 76 77 78 79 80

La race ne trompe pas : elle transparaît dans les dégustations «à l'aveugle» et ce somptueux 85 a reçu tous les suffrages. La robe de ce Cheval Blanc est d'un rubis intense. Finesse, corpxxité, harmonie, sont les atouts de ce grand vin. Aux parfums de fruits rouges bien mûrs succèdent des sensations persistantes où le meilleur des tanins contribue à un équilibre parfait.

➤ SC du Ch. Cheval Blanc, Ch. Cheval Blanc, 33330 Saint-Emilion, tél. 57.24.70.70 ☎ r.-v.

Mis en bouteille au Château

CH. CLOS DES JACOBINS 1985**

- ■ Gd cru clas,   8 ha   50 000
- 75 76 77 **78 79 80 82 83 84** 85

Ce vin serait-il d'essence révolutionnaire ? Qui sait ? Une chose est sûre : les Domaines Cordier possèdent là un bien élégant, ambassadeur de saint-émilion. Tout en finesse, il décevra sans doute les amateurs de vins tanniques à la charpente imposante. Il séduira par sa subtilité et sa structure ciselée, tout en dentelle.

➤ Éts Cordier, 10, quai de Paludate, 33800 Bordeaux, tél. 56.31.44.44 ☎ r.-v.

CLOS FOURTET 1985**

- ■ 1er gd cru B   18 ha   80 000
- 70 71 73 74 75 76 **78 81 82 83** 85

Ce vin médiéval est bâti aux portes de la ville médiévale sur d'immenses carrières souterraines où vieillissent les vins. Quelle vie dans ce millésime 85, où se conjuguent les notes de fruits rouges et les senteurs vanillées de la barrique. Le cépage merlot se manifeste au vin au vin une rondeur et un «fondu» admirables.

➤ SC Ch. Clos-Fourtet, 33330 Saint-Emilion, tél. 57.24.70.90 ☎ r.-v.

➤ MM. Lurton frères, Mme S. Noël.

➤ M. Henri Onclet, 137, rue Doumer, 33500 Libourne, tél. 57.51.33.76 ☎ r.-v.

➤ B. Raynaud et M.-F. Février.

CH. CORBIN 1985**

- ■ Gd cru clas, 13,65 ha   70 000
- ④ 70 **75** 76 79 80 81 **82 83** 85

A la fois rustique et élégante, cette gentilhommière est à l'image du vin produit. La couleur est soutenue, la belle charpente fine et délicate. On retrouve ici les caractéristiques du millésime 85, issu de raisins très mûrs : rondeur et chaleur des tanins souples.

➤ SC des Dom. Giraud, Ch. Grand-Corbin, 33330 Saint-Emilion, tél. 57.51.15.58 ☎ r.-v.

CH. CÔTE DE BALEAU 1985*

- ■ Gd cru clas,   16 ha   105 000
- 64 79 81 **82** 83 85

Chaleureux, souple et rond, le bouquet est dominé par des arômes de fruits mûrs. L'ensemble est bien équilibré, harmonieux et constitué de tanins souples qui en font un vin agréable dès maintenant.

➤ SC des Grandes Murailles, 33330 Saint-Emilion, tél. 57.24.71.09 ☎ r.-v.

CÔTES ROCHEUSES 1985

- ■ Gd cru clas,   80 ha   500 000
- 67 71 73 74 **75** 76 77 **78** 79 80 82 83 85

Venu de tous les points de l'appellation, plaine, coteau, plateau, il est sans conteste l'expression d'un vin typé de saint-émilion. On y retrouve la souplesse du cépage merlot et son corps généreux ; le bouquet est fin et complexe.

➤ Union de Prod. de St-Emilion, Haut-Gravet, B.P. 27, 33330 Saint-Emilion, tél. 57.24.70.71 ☎ t.l.j. sf dim. 8h-12h 14h-18h.

CH. COUTET 1985*

- ■ Gd cru clas,   11 ha   50 000
- 61 62 64 66 67 70 71 75 76 77 78 79 81 82 83 84 85

Belle chartreuse romantique dominant la vallée de la Dordogne, le château Coutet produit un vin élégant aux arômes dominés par les accents du merlot mûr (fraise). La charpente est veloutée, et la fin de dégustation, persistante et légèrement épicée.

➤ M. Jean David-Beaulieu, Ch. Coutet, 33330 Saint-Emilion, tél. 57.24.72.27 ☎ r.-v.

CH. CROQUE MICHOTTE 1985

- ■ Gd cru clas,   15 ha   n.c.

Sur sable ferrugineux lourd, Croque Michotte est un discret château à l'image de son vin aux arômes de sous-bois et d'amandes grillées. Il est jeune, déjà rond, mais la maturité de ses tanins permet de l'apprécier dès maintenant.

➤ GFA Géofrion, Ch. Croque Michotte, 33330 Saint-Emilion, tél. 57.51.13.64 ☎ r.-v.

CLASSEMENT DES GRANDS CRUS DE SAINT-ÉMILION

(décret du 11 janvier 1984, arrêté du 23 mai 1986)

SAINT-ÉMILION, PREMIERS GRANDS CRUS CLASSÉS

A Château Ausone
Château Cheval-Blanc

Château Canon
Château Clos Fourtet
Château Figeac
Château La Gaffelière
Château Magdelaine
Château Pavie
Château Trottevieille

B Château Beau-Séjour
(Duffau-Lagarosse)
Château Belair

SAINT-ÉMILION, GRANDS CRUS CLASSÉS

Château Balestard La Tonnelle
Château Beau-Séjour (Bécot)
Château Bellevue
Château Bergat
Château Berliquet
Château Cadet-Piola
Château Canon-La Gaffelière
Château Cap de Mourlin
Château Chauvin
Château Clos des Jacobins
Château Clos La Madeleine
Château Clos de L'Oratoire
Château Clos Saint-Martin
Château Corbin
Château Corbin-Michotte
Château Couvent des Jacobins
Château Croque-Michotte
Château Curé Bon La Madeleine
Château Dassault
Château Faurie de Souchard
Château Fonplégade
Château Fonroque
Château Franc-Mayne
Château Grand-Barrail-
Lamarzelle-Figeac
Château Grand Corbin
Château Grand Corbin-Despagne
Château Grand Mayne
Château Grand Pontet
Château Guadet Saint-Julien
Château Haut Corbin
Château Haut Sarpe
Château La Clotte

Château La Clusière
Château La Dominique
Château Lamarzelle
Château L'Angelus
Château Laniote
Château Larcis-Ducasse
Château Larmande
Château Laroze
Château L'Arrosée
Château La Serre
Château La Tour du Pin-Figeac
(Giraud-Belivier)
Château La Tour du Pin-Figeac
(Moueix)
Château La Tour-Figeac
Château Le Châtelet
Château Le Prieuré
Château Matras
Château Mauvezin
Château Moulin du Cadet
Château Pavie-Decesse
Château Pavie-Macquin
Château Pavillon-Cadet
Château Petit-Faurie-de-Soutard
Château Ripeau
Château Sansonnet
Château Saint-Georges Côte Pavie
Château Soutard
Château Tertre Daugay
Château Trimoulet
Château Troplong-Mondot
Château Villemaurine
Château Yon-Figeac

CH. CURE BON LA MADELEINE 1985**

Gd cru clas.   5 ha   n.c.

(79) 80 1811 82 83 84 1851

Le château doit son nom au curé Bon qui en fut prédécesseur au début du siècle dernier. La prédominance du merlot qui représente 90% de l'encépagement, fournit à ce vin un agréable parfum de fruits rouges et une bonne structure «enjôleuse», ronde, très harmonieuse.

→ M. Maurice Lande, Ch. Cure-Bon-La-Madeleine, 33330 Saint-Emilion, tél. 57.51.20.36 ⊤ r.-v.

CUVÉE GALIUS 1985**

7 ha   n.c.

1821 83 85

La Cuvée Galius est une marque créée par la coopérative de Saint-Emilion en 1982. Son niveau de qualité lui permet chaque année d'accéder aux plus hautes distinctions. Derrière une belle robe brillante aux nuances orangées apparaît un vin bien charpenté, avec une note boisée et une intensité aromatique puissante.

→ Union de Prod. de St-Emilion, Haut-Gravet, B.P. 27, 33330 Saint-Emilion, tél. 57.24.70.71 ⊤ t.l.j; sf dim. 8h-12h 14h-18h.

CH. DASSAULT 1985**

Gd cru clas. 23,84 ha   100 000

75 76 1781 79 80 81 1821 1831 84 85

Le château Couperie fut acheté en 1955 par Marcel Dassault, qui lui donna son nom. La trentième récolte a donné un vin à la robe intense et attirante. Des tanins très mûrs apportent souplesse et ampleur. La charpente est solide, en même temps que très élégante : c'est le gage d'un vieillissement prometteur.

→ Ch. Dassault, 33330 Saint-Emilion, tél. 57.24.71.30 ⊤ r.-v.

CH. DESTIEUX 1985*

13 ha   60 000

175/ 76 77 1781 79 80 81 82 83 85

Il s'agit d'un saint-émilion typique qui a besoin encore de vieillir pour parfaire sa maturation. D'un rouge carmin, la robe témoigne de sa jeunesse. Les arômes de figue sèche et de noix s'associent aux parfums vanillés de la barrique. La belle structure annonce une évolution favorable.

→ MM. Dauriac, Ch. Destieux, Saint-Hippolyte, 33330 Saint-Emilion, tél. 57.24.77.44 ⊤ t.l.j; 8h-20h.

CH. DESTIEUX-BERGER 1985*

10,15 ha   66 000

67 70 71 175/ 76 77 78 79 80 81 82 83 85

Signe de jeunesse, la robe est d'un beau rouge brillant et le bouquet est encore assez discret. Rond, corsé, bien équilibré et vineux, le vin se développe bien et se termine sur une finale persistante et agréable.

→ Union de Prod. de St-Emilion, Haut-Gravet, B.P. 27, 33330 Saint-Emilion, tél. 57.24.70.71 ⊤ t.l.j; sf dim. 8h-12h 14h-18h.

CH. FONPLEGADE 1985*

Gd cru clas. 18 ha   90 000

64 66 69 70 71 73 74 75 78 79 1811 1821 83 1851

Une maison bourgeoise et une fontaine au milieu des vignes. Bien équilibre, d'un rouge très profond, 85 a déjà bien évolué et peut être très agréablement apprécié dès maintenant. On peut aussi le laisser vieillir à l'ombre d'une bonne cave : sa structure complète lui permet aussi d'attendre.

→ M. Armand Moueix, Ch. Fonplegade, 33330 Saint-Emilion, tél. 57.51.50.63 ⊤ r.-v.

CH. FAURIE DE SOUCHARD 1985*

Gd cru clas. 10,67 ha   50 000

1611 62 1641 1661 67 69 1701 71 72 73 74 1751 76 1781 1791 1811 1821 1831 84 85

Le merlot, cépage roi de Saint-Emilion, est très présent dans les arômes, très jeunes, de fruits rouges de ce millésime bien équilibré et présentant une certaine vivacité.

→ Mme Françoise Sciard-Jabiol, B.P. 24, 33330 Saint-Emilion, tél. 57.74.43.80 ⊤ r.-v.

→ GFA Jabiol-Sciard.

CH. DE FERRAND 1985**

28 ha   160 000

78 79 80 81 (82) 83 85

Acheté par le baron Bich en 1978, ce château à l'architecture élégante produit un vin fin, délicat, au bouquet très marqué par le caractère vanillé du bois neuf. Le corps est constitué de bons tanins qui laissent bien augurer de sa longévité.

→ Le baron Bich, Ch. de Ferrand, Saint-Hippolyte, 33330 Saint-Emilion, tél. 57.74.47.11 ⊤ r.-v.

CH. FIGEAC 1985***

1er cru B 37,50 ha   150 000

(61) 66 67 70 71 73 74 1751 76 77 79 80 81 82 83 85

Fidèle à lui-même, le plus médocain des saint-émilion offre à nouveau un très beau vin qui porte la marque de son terroir de graves sur lequel le cabernet-sauvignon arrive parfaitement à maturité. D'un joli rouge, cette bouteille se caractérise par d'agréables arômes de vanille et d'épices. Fin et délicat, ce 85 n'est pas seulement harmonieux et élégant; il a du chien.

→ M. Thierry Manoncourt, Ch. Figeac, 33330 Saint-Emilion, tél. 57.24.72.26 ⊤ r.-v.

CH. FOMBRAUGE 1985**

50 ha   n.c.

1611 (64) 1661 70 71 175/ 76 78 79 80 81 82 83 1841 85

Une très élégante chartreuse XVIIIe s. préside aux destinées de cette propriété, la plus étendue de l'appellation. On décèle déjà dans ce vin jeune toutes les qualités d'une grande bouteille : intensité des arômes de raisins mûrs, souplesse et rondeur, mais aussi fermeté des tanins. Belle harmonie et finale ample et généreuse.

→ SC du Ch. Fombrauge, Saint-Christophe-des-Bardes, 33330 Saint-Emilion, tél. 57.24.77.12 ⊤ r.-v.

CH. FONRAZADE 1985**

■   13,80 ha   80 000   ⏹ ♦ Ⅴ4

82 83 |85|

Un nom évocateur pour un très joli millésime équilibré et harmonieux, aux arômes de fruits confits et de réglisse. Charnu et complexe, ce vin ample et très présent possède des tanins discrets très élégants. Très prometteur.
↳ M. Guy Balotte, Ch. Fonrazade, 33330 Saint-Emilion, tél. 57.24.71.58 ⟊ r.-v.

CH. FONROQUE 1986****

■ Gd cru clas. 19,27 ha   95 000   ⏹ ♦|5

71 72 74 **75** 76 77 |78| 79 80 81 ⑧2 **83 85 86**

Un très vieux chai du XVIIIe s. pour un vin très jeune dont la couleur rouge profond et brillant est séduisante. Des arômes délicats, fins et encore discrets préparent agréablement à la dégustation où s'expriment toute la chaleur et la vigueur de ce cru. Bien équilibré, charnu et rond, ce vin bénéficie d'un élevage en bois de grande qualité. A conserver.
↳ GFA du Ch. Fonroque, 33500 Saint-Emilion.

CH. FOURNEY 1985*

■   10,80 ha   70 000   ⏹ ♦ Ⅴ4

61 64 70 73 74 |75| 76 77 **78 79** 80 |81| |82| |83| 85

Un parc comportant une exceptionnelle collection d'arbres originaires de tous les continents entoure le très élégant château XVIIIe s. Ce 85 présente au nez un bouquet de vin déjà évolué et une certaine finesse à la dégustation.
↳ M. Jean-Pierre Rollet, Ch. Fourney, 33330 Saint-Emilion, tél. 57.47.15.13 ⟊ r.-v.

CH. FRANC-BIGAROUX 1985*

■   9 ha   60 000   ⏹ ♦ Ⅴ4

70 71 76 |79|80 81 ⑧2 83 |85|

Plus connu à l'étranger qu'en France, ce cru est exporté à près de 90%. Sa robe rubis foncé est séduisante et ses arômes de fruits mûrs, agréables mais discrets. De structure épaisse et charnue, il est chaleureux et possède une belle finale ronde et veloutée.
↳ M. Yves Blanc, Ch. Haut-Brisson, Vignonet, 33330 Saint-Emilion, tél. 57.51.54.73 ⟊ r.-v.

CH. FRANC GRACE-DIEU 1985***

■   8 ha   30 000   ⏹ ♦|3

|80| |81| **82 83** |85|

Moitié merlot, moitié cabernet-franc, ce vin cumule les qualités des deux cépages : il a le fruit, la rondeur et la souplesse du merlot, les beaux tanins et le nerf du cabernet. C'est assurément l'exemple d'un encépagement parfaitement adapté au terroir.
↳ SEV Fournier, Ch. Canon, 33330 Saint-Emilion, tél. 57.24.70.79 ⟊ r.-v.

CH. FRANC-LARTIGUE 1985

■   7,86 ha   60 000   ⏹ ♦|3

79 80 |81| 82 83 85

Malgré l'âge des vignes (trente-sept ans), ce vin possède une structure légère et souple. Ses arômes de fruit sont encore un peu dominés par le bois, mais l'ensemble est franc et net.

↳ Union de Prod. de St-Emilion, Haut-Gravet, B.P. 27, 33330 Saint-Emilion, tél. 57.24.70.71 ⟊ t.l.j. sf dim. 8h-12h 14h-18h.
↳ M. et Mme Lafourcade.

CH. FRANC-MAYNE 1985**

■ Gd cru clas.   7 ha   n.c.   ⏹ ♦ Ⅴ5

75 |78| |79| 80 81 |82| ⑧3 84 **85**

De petite taille, la propriété, très ancienne, est située en partie sur le coteau nord de Saint-Emilion. Le vin est plaisant, très harmonieux, gras et rond en bouche. Il est très bien équilibré et laisse une longue finale.
↳ SCA Ch. Franc-Mayne, Ch. Franc-Mayne, 33330 Saint-Emilion, tél. 57.24.62.61 ⟊ r.-v.

CH. FRANC-PATARABET 1985

■   5,30 ha   n.c.   ⏹ Ⅴ3

67 74 80 |81| ⑧2 |83| 85

Une tradition de qualité dans cette propriété familiale. D'une charpente légère, le vin est bien équilibré et présente de jolis arômes de fruits mûrs.
↳ GFA Faure-Barraud, rue Guadet, 33330 Saint-Emilion, tél. 57.24.70.36 ⟊ r.-v.

CH. FRANC-PIPEAU DESCOMBES 1985*

■   4,50 ha   25 000   ⏹ Ⅴ3

|75| 76 79 80 |81| 83 |84| 85

Ce petit vignoble au pied du coteau offre un vin plaisant, très aromatique, dont la légère astringence doit s'atténuer avec le temps.
↳ Mme. J. Bertrand-Descombes, Ch. Franc-Pipeau Descombes, Saint-Hippolyte, 33330 Saint-Emilion, tél. 57.24.73.94 ⟊ r.-v.

CH. GAUBERT 1985

■   8 ha   20 000   ⏹ Ⅴ3

84 85

Produit sur le fameux plateau argilo-calcaire de Saint-Emilion, ce vin de couleur rubis est à la fois bouqueté (café), corsé et d'une bonne ampleur en bouche. C'est incontestablement un vin de garde.
↳ GAEC Ménager, Ch. Gaubert, Saint-Christophe-des-Bardes, 33330 Saint-Emilion, tél. 57.24.70.55 ⟊ r.-v.

CH. GRAND BARRAIL LAMARZELLE FIGEAC 1985

■ Gd cru clas. 19,13 ha   120 000   ⏹ Ⅴ5

64 70 73 77 **78 79** 80 |81| |82| |83| |85|

Ce domaine fait face au château Figeac et comporte une belle demeure 1900 aujourd'hui séparée du vignoble. Si le vin est encore un peu développé, il mérite la patience du consommateur, qui appréciera d'ores et déjà le caractère souple, gras et harmonieux de ce 85.
↳ SCEA Association Ed. Carrere, Ch. Lamarzelle-Grand-Barrail, 33330 Saint-Emilion, tél. 57.24.71.43 ⟊ r.-v.

CH. GRAND CORBIN DESPAGNE 1985*

■ Gd cru clas. 26,54 ha 150 000

70 71 75|76 |78| 79 80 81 (82) 83 85

La richesse du millésime éclate dans sa couleur d'un beau rouge rubis et dans ses arômes intenses et même violents de raisins mûrs (odeur de venaison). Un vin chaleureux aux tanins fondus lui donnant une bonne harmonie générale.
↳ Consorts Despagne, Ch. Grand Corbin-Despagne, 33330 Saint-Émilion, tél. 57.51.74.04 ↳ r.-v.

CH. GRAND CORBIN MANUEL 1985**

⑩ 12 ha 50 000

⑩ 71 73 74 75|76 78 79 |80|81|82| 83 84 85

C'est le vin d'un homme qui se consacre avec amour et passion à sa production. Le résultat est digne des efforts déployés. Les arômes de fruits rouges sont amples et harmonieux et l'expression de plénitude se retrouve à la dégustation : les tanins sont puissants et complexes. L'ensemble est fruité et d'une bonne longueur.
↳ M. Pierre Manuel, Ch. Grand Corbin Manuel, 33330 Saint-Émilion, tél. 57.51.12.47 ↳ r.-v.

CH. GRAND CORBIN 1985*

■ Gd cru clas. 12,20 ha 70 000

61 64 66 70 71 75|76 |78|79 80 81 (82) 83|85|

Frère de Corbin, ce 85 présente de bons arômes de raisins mûrs et de fruits rouges. Il est parfaitement équilibré et homogène.
↳ Sté familiale Alain Giraud, Ch. Grand-Corbin, 33330 Saint-Émilion, tél. 57.24.70.62 ↳ r.-v.

CH. GRANDES MURAILLES 1985*

■ Gd cru clas. 1,66 ha 12 000

76 79 81 (82) |84|85

Ce tout petit vignoble est blotti au pied de la grande muraille de Saint-Émilion, reste d'un couvent de dominicains. Ce vin est remarquable par ses arômes floraux très délicats, qui lui confèrent une grande finesse.
↳ SC des Grandes Murailles, 33330 Saint-Émilion, tél. 57.24.71.09 ↳ r.-v.

CH. GRAND GUEYROT 1985*

■ 13,50 ha 80 000

70 75 77 78 18|11|82|1 83 85

L'encépagement de cette propriété familiale est constitué à 50% de merlot, 40% de cabernet-franc et 10% de cabernet-sauvignon. L'importance du cabernet-franc se retrouve à la dégustation : les arômes sont marqués par des odeurs de poivron, les tanins sont fermes, le vin est encore un peu rustique, mais prometteur.
↳ GFA P. Cassat et Fils, B.P. 44, 33330 Saint-Émilion, tél. 57.24.72.36 ↳ r.-v.

...LARTIGUE 1985*

40 000

il se goûte agréablement et possède un intéressant bouquet où se distinguent des senteurs de pruneau et de réglisse.
↳ SNC Daudier de Cassini, Lartigue, 33330 Saint-Émilion, tél. ... ↳ r.-v.

CH. GRAND MAYNE 1985**

■ Gd cru clas. 16,87 ha 118 000

61 62 64 66 67 70 71 75|76|77 |78|79|80|81 82 83 85

Sur le flanc et au pied d'une des meilleures côtes, le manoir, dont certaines parties datent du XVᵉ s., est l'un des plus anciens crus de la commune de Saint-Émilion. D'une robe brillante au beau rubis, ce millésime possède une très grande classe. Grâce et élégance sont les caractéristiques qui lui conviennent le mieux. Le vieillissement de 60% de la récolte en barriques neuves donne un résultat très équilibré.
↳ M. Jean-Pierre Nony, Ch. Grand Mayne, 33330 Saint-Émilion, tél. 57.74.42.50 ↳ r.-v.

CH. GRAND-PONTET 1985*

■ Gd cru clas. 14 ha 90 000

80 81 82 |83|85|

On apprécie dès maintenant sa belle robe brillante aux nuances chaudes. Le bois domine les arômes : il a besoin encore d'un peu de bouteille pour parfaire son équilibre.
↳ SA Ch. Grand-Pontet, 33330 Saint-Émilion, tél. 57.74.46.88 ↳ r.-v.

CH. GRANGEY 1985

■ 6,20 ha 48 000

67 70 71 74 75|76 77 |78| 79 80 |81|81 82 83 85

D'une belle couleur brillante, ce vin parfumé et les goûts de fruits y sont très prononcés. Bien équilibré et déjà agréable.
↳ Union de Prod. de St-Emilion, Haut-Gravet, B.P. 27, 33330 Saint-Émilion, tél. 57.24.70.71 ↳ t.l.j. sf dim. 8h-12h 14h-18h.
↳ M. Félix Araoz.

CH. GRAVET 1985*

■ 8,32 ha 54 900

79 80 81 82 |83|84|85|

D'une belle couleur vermillon, la robe légère et franche annonce un millésime agréable. Des arômes de venaison, de vendanges très mûres, précèdent une dégustation très équilibrée : le vin est gras, charnu et possède de beaux tanins souples garants de son avenir.
↳ M. Jean Faure, Ch. Gravet, Saint-Sulpice-de-Faleyrens 33330 Saint-Émilion, tél. 57.24.75.68 ↳ r.-v.

CH. DES GRAVIERS D'ELLIES 1985

■ 7,42 ha 47 000

75|78|79 |81|81 82 |83|85|

On ne retrouve pas dans le vin la rustique beauté de la propriété. Au contraire, il s'agit d'un cru tout en finesse, léger, dont la vivacité peut faire penser à la structure d'un vin primeur. Il est agréable dès maintenant.

Libournais

→ M. Jean-Pierre Rollet,
Ch. des Graviers d'Elliès, Saint-Sulpice-
de-Faleyrens, 33330 Saint-Emilion,
tél. 57.47.15.13 **Y** r.-v.
→ M. Max Elliès.

CH. GUADET-SAINT-JULIEN 1985*

■ Gd cru clas. 5,50 ha   24 000   ⬗ ↓ ▽ 5

62 **66 167** 69 **170** 73 74 **175** 76 78 179 80 **81**
82 83 185l

L'étiquette de ce vin rend hommage a son
ancien propriétaire, Marie Elie Guadet, député
girondin guillotiné en 1794. Le vin est, pour cette
vendange, très marqué par le cépage merlot dont
il possède les arômes, la souplesse et la rondeur.
Ses tanins très mûrs se fondent harmonieusement. On retrouve ici toute la plénitude du
millésime 85.
→ M. Robert Lignac, rue Guadet 33330 Saint-
Emilion, tél. 57.74.40.04 **Y** r.-v.

CH. GUILLEMIN LA GAFFELIÈRE 1985***

■ 9,66 ha   n.c.   ⬗ ↓ ▽ 3

78 **79** 81 **82 83** 185l

Une bonne complémentarité des terroirs
(sables, argilo-calcaire, alluvions) et une belle
harmonie des cépages (malbec, cabernets, merlot)
conduisent à un vin riche, charnu, où tous les
constituants se fondent avec élégance. Beaucoup
de présence et d'équilibre dans ce millésime très
complet.
→ Vignobles Fomperier, La Gaffelière,
33330 Saint-Emilion, tél. 57.74.46.92 **Y** t.l.j. sf
dim. 8h30-12h15/14h-18h.

CH. HAUT-BRISSON 1985

■ 15 ha   80 000   ⬗ ▽ 4

76 79 80 1811 **82 183** l84l 85

Avant 1974, ce cru était vinifié par la cave
coopérative. M. Yves Blanc lui apporte aujour-
d'hui tous les soins selon des méthodes de culture
et d'élevage traditionnels. D'une belle couleur
sombre et brillante, ce vin est très homogène et
bien équilibré, mais il demeure encore peu
expressif.
→ M. Yves Blanc, Ch. Haut-Brisson,
Vignonet, 33330 Saint-Emilion, tél. 57.51.54.73
Y r.-v.

CH. HAUT-CORBIN 1985*

■ Gd cru clas. 7,50 ha   50 000   ⬗ ▽ 4

75 76 80 (82) **83** 185l

C'est un saint-émilion qui peut être bu jeune :
il est rond, agréable, souple et bien marié au bois.
C'est sans aucun doute un vin d'une sève riche et
noble. Le vieillissement contribuera aussi à son
harmonie.
→ SCA Haut-Corbin, Ch. Haut-Corbin,
33330 Saint-Emilion, tél. 56.31.44.44 **Y** r.-v.

CH. HAUTE-NAUVE 1985

■ 8,51 ha   65 000   ▮ ↓ ▽ 3

67 70 71 75 76 77 **78** 79 80 l81l **82** 83 85

Né sur la commune de Saint-Laurent des
Combes, où se trouve le dernier vestige de la
forêt de Cumbis, berceau de Saint-Emilion, ce vin
est agréable à boire jeune pour en apprécier les
saveurs épicées et florales.

Saint-émilion grand cru

→ Union de Prod. de St-Emilion, Haut-
Gravet, B.P. 27, 33330 Saint-Emilion,
tél. 57.24.70.71 **Y** t.l.j. sf dim. 8h-12h 14h-18h.

CH. HAUT-LAVALLADE 1985*

■ 12,50 ha   49 000   ⬗ ↓ ▽ 3

l70l 71 72 73 l75l 76 **78** l79l 80 1811 (82) 83 185l

Ne cherchez pas la représentation du château
sur l'étiquette : elle n'y figure pas, au profit d'une
vue du village de Saint-Emilion. Un goût de
vendanges très mûres est perceptible dans ce vin
dont on apprécie le caractère corsé et même
confit. La couleur de la robe traduit déjà une
certaine évolution que l'on décèle également dans
le bouquet de ce beau vin.
→ MM. Chagneau et Fils, Ch. Haut-Lavallade,
Saint-Christophe-des-Bardes, 33330 Saint-
Emilion, tél. 57.24.77.47 **Y** t.l.j. 8h-12h 14h-18h ;
f. sam. et dim. sur r.-v.

CH. HAUT-MONTIL 1985**

■ 4,30 ha   28 000   ▮▮ ▽

79 80 1811 (82) 83 **85**

Les 80% de merlot qui composent l'encépagement s'expriment avec force dans ce vin dont les
arômes de fruits rouges (cerise, framboise) traduisent toute la jeunesse. Ces senteurs fraîches se
développent à la dégustation avec une belle puissance dans un vin gras et charnu. A oublier
quelques années dans sa cave.
→ Union de Prod. de St-Emilion, Haut-
Gravet, B.P. 27, 33330 Saint-Emilion,
tél. 57.24.70.71 **Y** t.l.j. sf dim. 8h-12h 14h-18h.
→ M. André Vimeney.

CH. HAUT-PLANTEY 1985*

■ 9,40 ha   60 000   ⬗ ▽ 4

l75l 78 **79** 80 **81 82** 83 84 l85l

Ancien castel des abbés Marquaux dont les
armoiries sont représentées sur l'étiquette, le
vignoble, composé de 75% de merlot, de trente-
cinq ans d'âge, donne ici un vin souple, ample,
dominé par des arômes de fruits rouges. L'élevage
en barriques pendant dix-huit mois lui confère
une jolie note boisée.
→ M. Michel Boutet, Ch. Peyreau, 33330 Saint-
Emilion, tél. 56.24.70.86

HAUT-QUERCUS 1985**

■ 5 ha   30 000   ⬗ ↓ ▽ 4

78 79 1811 82 **83 85**

La marque a été créée par la coopérative en
1978, mais elle bénéficie cependant d'une longue
tradition viticole. Cette belle bouteille, ornée
d'une étiquette moderne, mérite un lent vieillissement pour que toute sa richesse et sa complexité,
aujourd'hui dominées par le bois de la barrique,
puissent s'exprimer.
→ Union de Prod. de St-Emilion, Haut-
Gravet, B.P. 27, 33330 Saint-Emilion,
tél. 57.24.70.71 **Y** t.l.j. sf dim. 8h-12h 14h-18h.

CH. HAUT-ROCHER 1985

■ 8,06 ha   45 000

74 **78** 179l 180l 1811 182l 83 84 85

Un vin remarq
rouges trè
dé

Libournais

CH. GRAND CORBIN DESPAGNE 1985*

■ Gd cru clas. 26.54 ha   150 000
70 71 75 76 78 79 80 81 ⑫ 83 85

La richesse du millésime éclate dans sa couleur d'un beau rouge rubis et dans ses arômes intenses et même violents de raisins mûrs (odeur de venaison). Un vin chaleureux aux tanins fondus lui donnant une bonne harmonie générale.

↳ Consorts Despagne, Ch. Grand Corbin-Despagne, 33330 Saint-Emilion, tél. 57.51.7.04
Y r-v.

CH. GRAND CORBIN MANUEL 1985**

■   12 ha   50 000
⑦ 71 73 74 75 76 78 79 80 81 ⑫ 83 85

C'est le vin d'un homme qui se consacre avec amour et passion à sa production. Le résultat est digne des efforts déployés. Les arômes de fruits rouges sont amples et harmonieux et l'expression de plénitude se retrouve à la dégustation : les tanins sont puissants et complexes. L'ensemble est fruité et d'une bonne longueur.

↳ M. Pierre Manuel, Ch. Grand Corbin Manuel, 33330 Saint-Emilion, tél. 57.51.12.47 Y r-v.

CH. GRANDES MURAILLES 1985*

■ Gd cru clas. 1.66 ha   12 000
61 64 66 70 71 75 76 78 79 80 81 ⑫ 83 84 85

Frère de Corbin, ce 85 présente de bons arômes de raisins mûrs et de fruits rouges. Il est parfaitement équilibré et homogène.

↳ Sté familiale Alain Giraud, Ch. Grand-Corbin, 33330 Saint-Emilion, tél. 57.24.70.62 Y r-v.

CH. GRAND CORBIN 1985*

■ Gd cru clas. 12.20 ha   70 000
61 64 66 70 71 75 76 78 79 80 81 ⑫ 83 85

Ce tout petit vignoble est abrité au pied de la grande muraille de Saint-Emilion, reste d'un couvent de dominicains. Ce vin est remarquable par ses arômes floraux très délicats, qui lui confèrent une grande finesse.

↳ SC des Grandes Murailles, 33330 Saint-Emilion, tél. 57.24.71.09 Y r-v.

CH. GRAND GUEYROT 1985*

■   13.50 ha   80 000
70 75 77 78 18 81 82 83 85

L'encépagement de cette propriété familiale es constitué à 50% de merlot, 40% de cabernet-franc et 10% de cabernet-sauvignon. L'importance du cabernet-franc se retrouve à la dégustation : les arômes sont marqués par des odeurs de poivron, les tanins sont fermes, le vin est encore un peu rustique, mais prometteur.

↳ GFA P. Cassat et Fils, B.P. 44, 33330 Saint-Emilion, tél. 57.24.72.36 Y r-v.

CH. GRAND-LARTIGUE 1985*

■   7.03 ha   40 000
⑧ 85

Ce vin a déjà été très bien évolué et il a un peu perdu la fraîcheur de la jeunesse. Rond et délicat, il se goûte agréablement et possède un intéressant bouquet où se distinguent des senteurs de pruneau et de réglisse.

↳ SNC Daudier de Cassini, Lartigue, 33330 Saint-Emilion, tél. 57.24.73.83 Y r-v.

CH. GRAND MAYNE 1985**

■ Gd cru clas. 16.87 ha   118 000
61 62 64 66 67 70 71 75 76 77 78 79 80 81 82 83 85

Sur le flanc et au pied d'une des meilleures côtes, le manoir, dont certaines parties datent du XVᵉ s., est l'un des plus anciens crus de la commune de Saint-Emilion. D'une robe brillante au beau rubis, ce millésime possède une très grande classe. Grâce et élégance sont les caractéristiques qui lui conviennent le mieux. Le vieillissement de 60% de la récolte en barriques neuves donne un résultat très équilibré.

↳ M. Jean-Pierre Nony, Ch. Grand Mayne, 33330 Saint-Emilion, tél. 57.74.42.50 Y r-v.

CH. GRAND-PONTET 1985*

■ Gd cru clas. 14 ha   90 000
80 81 82 83 85

On apprécie dès maintenant sa belle robe brillante aux nuances chaudes. Le bois domine les arômes ; il a besoin encore d'un peu de bouteille pour parfaire son équilibre.

↳ SA, Ch. Grand-Pontet, 33330 Saint-Emilion, tél. 57.74.46.88 Y r-v.

CH. GRANGEY 1985

■   6.20 ha   48 000
67 70 71 74 75 76 77 78 79 80 81 82 83 85

D'une belle couleur brillante, ce vin est très parfumé et les goûts de fruits y sont très prononcés. Bien équilibré et déjà agréable.

↳ Union de Prod. de St-Emilion, Haut-Gravet, B.P. 27, 33330 Saint-Emilion, tél. 57.24.70.71 T l.j. sf dim. 8h-12h 14h-18h.

↳ M. Félix Araoz.

CH. GRAVET 1985*

■   8.32 ha   54 900
79 80 81 82 83 84 85

D'une belle couleur vermillon, la robe légère et fraîche annonce un millésime agréable. Des arômes de venaison, de vendanges très mûres, précèdent une dégustation très équilibrée : le vin souples et gras, charnu et possède de beaux tanins garants de son avenir.

↳ M. Jean Faure, Ch. Gravet, Saint-Sulpice-de-Faleyrens 33330 Saint-Emilion, tél. 57.24.75.68 Y r-v.

CH. DES GRAVIERS D'ELLIES 1985

■   7.42 ha   47 000
75 78 79 81 82 83 85

On ne retrouve pas dans le vin la rustique beauté de la propriété. Au contraire, il s'agit d'un cru tout en finesse, léger, dont la vivacité peut faire penser à la structure d'un vin primeur. Il est agréable dès maintenant.

Libournais

↳ M. Jean-Pierre Rollet,
Ch. des Graviers d'Elliès, Saint-Sulpice-de-Faleyrens, 33330 Saint-Emilion,
tél. 57.47.15.13 ☎ r.-v.
↳ M. Max Elliès.

CH. GUADET-SAINT-JULIEN 1985*

■ Gd cru clas. 5,50 ha 24 000 ⊞ ↓ Ⓥ ⑤
62 ④ 66 I67I 69 I70I 73 74 I75I 76 78 I79I 80 81 82 83 I85I

L'étiquette de ce vin rend hommage à son ancien propriétaire, Marie Elie Guadet, député girondin guillotiné en 1794. Le vin est, pour cette vendange, très marqué par le cépage merlot dont il possède les arômes, la souplesse et la rondeur. Ses tanins très mûrs se fondent harmonieusement. On retrouve ici toute la plénitude du millésime 85.
↳ M. Robert Lignac, rue Guadet 33330 Saint-Emilion, tél. 57.74.40.04 ☎ r.-v.

CH. GUILLEMIN LA GAFFELIERE 1985**

■ 9,66 ha n.c. ⊞ ↓ Ⓥ ③
78 ⑦ 81 82 83 I85I

Une bonne complémentarité des terroirs (sables, argilo-calcaire, alluvions) et une belle harmonie des cépages (malbec, cabernets, merlot) conduisent à un vin riche, charnu, où tous les constituants se fondent avec élégance. Beaucoup de présence et d'équilibre dans ce millésime très complet.
↳ Vignobles Fomperier, La Gaffelière, 33330 Saint-Emilion, tél. 57.74.46.92 ☎ t.l.j. sf dim. 8h30-12h15/14h-18h.

CH. HAUT-BRISSON 1985

■ 15 ha 80 000 ⊞ ↓ Ⓥ ④
76 79 80 I81I 82 I83I I84I 85

Avant 1974, ce cru était vinifié par la cave coopérative. M. Yves Blanc lui apporte aujourd'hui tous les soins selon des méthodes de culture et d'élevage traditionnels. D'une belle couleur sombre et brillante, ce vin est très harmonieux et bien équilibré, mais il demeure encore peu expressif.
↳ M. Yves Blanc, Ch. Haut-Brisson, Vignonet, 33330 Saint-Emilion, tél. 57.51.54.73 ☎ r.-v.

CH. HAUT-CORBIN 1985*

■ Gd cru clas. 7,50 ha 50 000 ⊞ ↓ Ⓥ ④
75 76 80 ⑧ 83 84 I85I

C'est un saint-émilion qui peut être bu jeune : il est rond, agréable, souple et bien marié au bois. C'est sans aucun doute un vin d'une sève riche et noble. Le vieillissement contribuera aussi à son harmonie.
↳ SCA Haut-Corbin, Ch. Haut-Corbin, 33330 Saint-Emilion, tél. 56.31.44.44 ☎ r.-v.

CH. HAUTE-NAUVE 1985

■ 8,51 ha 65 000 ⊞ ↓ Ⓥ ③
67 70 71 75 76 77 78 79 80 I81I 82 83 85

Né sur la commune de Saint-Laurent des Combes, où se trouve le dernier vestige de la forêt de Cumbis, berceau de Saint-Emilion, ce vin est agréable à boire jeune par son fruité et ses saveurs épicées et florales.

Saint-émilion grand cru

↳ Union de Prod. de St-Emilion, Haut-Gravet, B.P. 27, 33330 Saint-Emilion, tél. 57.24.70.71 ☎ t.l.j. sf dim. 8h-12h 14h-18h.

CH. HAUT-LAVALLADE 1985*

■ 12,50 ha 49 000 ⊞ ↓ Ⓥ ⑤
I70I 71 72 73 I75I 76 78 I79I 80 I81I ⑧ 83 I85I

Ne cherchez pas la représentation du château sur l'étiquette : elle n'y figure pas, au profit d'une vue du village de Saint-Emilion. Un goût de vendanges très mûres est perceptible dans ce vin dont on apprécie le caractère corsé et même confit. La couleur de la robe traduit déjà une certaine évolution que l'on décèle également dans le bouquet de ce beau vin.
↳ MM. Chagneau et Fils, Ch. Haut-Lavallade, Saint-Christophe-des-Bardes, 33330 Saint-Emilion, tél. 57.24.77.47 ☎ t.l.j. 8h-12h 14h-18h ; f. sam. et dim. sur r.-v.

CH. HAUT-MONTIL 1985**

■ 4,30 ha 28 000 ⊟ ↓ ⊟
79 I81I ⑧ 83 85I

Les 80% de merlot qui composent l'encépagement s'expriment avec force dans ce vin dont les arômes de fruits rouges (cerise, framboise) traduisent toute la jeunesse. Ces senteurs fraîches se développent à la dégustation avec une belle puissance dans un vin gras et charnu. A oublier quelques années dans sa cave.
↳ Union de Prod. de St-Emilion, Haut-Gravet, B.P. 27, 33330 Saint-Emilion, tél. 57.24.70.71 ☎ t.l.j. sf dim. 8h-12h 14h-18h.
↳ M. André Vimeney.

CH. HAUT-PLANTEY 1985*

■ 9,40 ha 60 000 ⊞ Ⓥ ④
I75I 78 79 80 81 82 83 I85I

Ancien castel des abbés Marquaux dont les armoiries sont représentées sur l'étiquette, le vignoble, composé de 75% de merlot, de trente-cinq ans d'âge, donne ici un vin souple, ample, dominé par des arômes de fruits rouges. L'élevage en barriques apporte dix-huit mois lui confère une jolie note boisée.
↳ M. Michel Boutet, Ch. Peyreau, 33330 Saint-Emilion, tél. 56.24.70.86

HAUT-QUERCUS 1985**

■ 5 ha 30 000 ⊞ ↓ Ⓥ ④
78 79 I81I 82 83 85

La marque a été créée par la coopérative en 1978, mais elle bénéficie cependant d'une longue tradition viticole. Cette belle bouteille, ornée d'une étiquette moderne, mérite un lent vieillissement pour que toute sa richesse et sa complexité, aujourd'hui dominées par le bois de la barrique, puissent s'exprimer.
↳ Union de Prod. de St-Emilion, Haut-Gravet, B.P. 27, 33330 Saint-Emilion, tél. 57.24.70.71 ☎ t.l.j. sf dim. 8h-12h 14h-18h.

CH. HAUT-ROCHER 1985

■ 8,06 ha 45 000 ⊞ ↓ Ⓥ ③
74 I79I I80I I81I I82I 83 84 85

Un vin remarquable par ses arômes de fruits rouges très mûrs (framboise) que l'on retrouve en dégustation. D'une certaine unicité, il est plein, généreux et présente une bonne harmonie. De la

matière pour faire un grand vin, mais il mancue un peu d'élégance.
→ M. Jean de Monteil, Ch. Haut-Rocher, Sain.-Etienne-de-Lisse, 33330 Saint-Emilion, tél. 57.40.18.09 ☎ r.-v.

CH. HAUT-SARPE 1985**
■ Gd cru clas. 12,50 ha 85 000
66 70 71 75 76 78 79 81 82 83 85

Le château, alliant à la sobriété à l'élégance, fut construit selon des plans inspirés des Trianons de Versailles. Également sur la propriété, un moulin à vent habilement restauré. Mais le vin du château Haut-Sarpe a retenu toute l'attention de nos dégustateurs, par sa robe rouge foncée et sa charpente puissante qui le prédestine à être un très grand vin de garde.
→ Mme. D. André, Ch. Haut-Segottes, 3350 Libourne, tél. 57.51.41.86 ☎ r.-v.

CH. JEAN FAURE 1985*
■ Gd cru clas. n.c.
78 79 80 81 83 85

Bien équilibré, ce millésime se révèle très agréable. Il présente une finale longue encore dominée par le vieillissement en barriques.
→ MM. Dourthe Frères,
35, rue de Bo-deaux, B.P. 70, Parempuyre, 33290 Blanquefort, tél. 56.35.84.64 ☎ r.-v.

CLOS LABARDE 1985**
■ 4,50 ha 31 000
79 80 81 (82) [83] 84 85

Un vignoble accueillant puisque la propriété offre le gîte si vous passez par Saint-Emilion. Et cela mérite le détour pour goûter un vin très bien fait, d'une belle couleur profonde, aux arômes jeunes, et doni la structure ample et souple s'allie harmonieusement aux tanins bien fondus.
→ M. Jacques Bailly, Bergat, 33330 Saint-Emilion, tél. 57.74.40.26 ☎ r.-v.

CH. LA BOISSERIE 1985*
■ 7,84 ha 55 000
67 70 71 74 75 76 77 79 80 81 82 83 [85]

Grenat, belle et chaude, la robe annonce un vin chaleureux et à l'ampleur des parfums de violette et de fruits mûrs. Un millésime déjà harmonieux et très riche de promesses.
→ M. Urion de Prod. de St-Emilion, Haut-Gravet, B.P. 27, 33330 Saint-Emilion, tél. 57.24.70.71 ☎ t.l.j, sf dim. 8h-12h 14h-18h.
→ M. Louis Boisserie.

CH. HAUT-SEGOTTES 1985*
■ 8,28 ha 30 000
79 80 81 82 83 84 85

Une très belle maturité des raisins a dû présider à l'élaboration de ce millésime. Derrière une belle robe pourpre foncé éclatent des odeurs amples de fruits mûrs et de cuir. Le vin se révèle rond et d'un bon équilibre grâce à de tanins très mûrs et de qualité.
→ SC Joseph Janouex, 37, rue Pline-Parmentier, 3350 Libourne, tél. 57.51.41.86 ☎ r.-v.

CH. LA BONNELLE 1985*
■ 6,50 ha 33 000
66 67 70 71 73 74 75 76 77 79 80 81 82 83 85

C'est un vin puissant et vivant qui a puisé toutes ses forces dans des vignes de quarante ans d'âge. La couleur profonde d'un rouge encore jeune traduit la richesse de ce cru dont les aptitudes au vieillissement sont certaines.
→ Union de Prod. de St-Emilion, Haut-Gravet, B.P. 27, 33330 Saint-Emilion, tél. 57.24.70.71 ☎ t.l.j, sf dim. 8h-12h 14h-18h.
→ M. François Sulzer.

CH. LA CLOTTE 1986**
■ Gd cru clas. 3,67 ha 13 000
76 77 78 79 80 81 82 85 86

A l'ombre de la cité médiévale, le château La Clotte est imprégné des traditions artisanales de Saint-Emilion et produit un vin séduisant, tant par ses arômes que par sa structure qui lui permettra de vieillir harmonieusement.
→ Ets Jean-Pierre Moueix,
54, quai du Priourat, B.P. 29, 33500 Libourne.
→ Héritiers Chailleau.

CH. LA CLUSIERE 1985*
■ Gd cru clas. 3 ha 16 000
76 79 80 81 82 85 86

Enclavé dans Pavie et appartenant au même propriétaire, ce cru possède cependant sa personnalité propre, due en partie à un encépagement en merlot dominant (90%). D'une couleur légèrement tuilée, fin et élégant, ce vin a déjà commencé son évolution et possède un joli bouquet.
→ M. Jean-Paul Valette, Ch. Pavie, 33330 Saint-Emilion, tél. 57.24.71.81 ☎ r.-v.
→ Consorts Valette.

CH. LA COMMANDERIE 1985**
■ 4 ha 20 000
77 [78] 79 80 81 (82) 83 85

Le château a un nouveau propriétaire depuis 1986 et nous lui souhaitons de continuer dans la tradition de qualité de la propriété. D'un beau rouge profond et vineux, le 85 est remarquable par ses arômes puissants de raisin mûr où dominent des arômes de venaison. Cette puissance se retrouve à la dégustation, des tanins mûrs donnant alors une plénitude chaleureuse.
→ GFA La Commanderie,
Ch. La Commanderie, 33330 Saint-Emilion, tél. 57.24.60.44 ☎ r.-v.

CH. LA COUSPAUDE 1985
■ Gd cru clas. 7,01 ha 55 000
70 71 73 74 75 76 78 (79) 80 81 82 83 85

Bon vin de garde, très harmonieux à laisser vieillir, même si l'on ne possède pas une cave souterraine aussi remarquable que celle du château La Couspaude.
→ SCE Vignobles Aubert, Ch. la Couspaude, 33330 Saint-Emilion, tél. 57.40.15.76 ☎ r.-v.
→ GFA La Couspaude.

Libournais

Saint-émilion grand cru

CLOS DE LA CURE 1985*

■　　　　6 ha　　30 000　　　■▥ ↓▼ ❸

(82) |83| 85

Les prêtres de la paroisse ont longtemps exploité ce domaine qui jouxte la cure. On apprécie tout le caractère généreux du millésime 85 dans ce vin rond, ample, puissant, dominé par des saveurs de merlot très mûr.

➼ M. Christian Bouyer, Milon, Saint-Christophe-des-Bardes, 33330 Saint-Emilion, tél. 57.24.77.18 ▼ r.-v.

CH. LA DOMINIQUE 1985*

■　Gd cru clas.　19 ha　90 000　　▥ ↓▼ ❻

70 71 72 73 75 76 78 |79| 80 |81| (82) 83 85

Cette élégante propriété produit un vin à son image : une couleur vive, brillante, alerte, des arômes de fruits mûrs. Les tanins mériteraient d'être un peu plus fondus : laissons le temps faire son œuvre.

➼ Sté vignobles Dominique Pichon, av. Gal-de-Gaulle, B.P. 160, 33502 Libourne Cedex, tél. 57.51.69.74 ▼ r.-v.
➼ M. Clément Fayat.

CH. LA FLEUR CRAVIGNAC 1985**

■　　　7,60 ha　　40 000　　■▥ ↓▼ ❹

80 81 82 83 84 |85|

Déjà apprécié au début du siècle par Raymond Poincaré lors d'un congrès des anciens combattants, ce cru a aujourd'hui les honneurs des restaurants de l'Assemblée nationale. On apprécie le bel équilibre entre le vin et le bois de la barrique. Le caractère floral des arômes se combine aimablement avec le gras de la charpente.

➼ Mme Lucienne Beaupertuis, Cravignac, 33330 Saint-Emilion, tél. 56.28.09.96 ▼ r.-v.

CH. LA FLEUR PEILHAN 1985*

■　　　1,50 ha　　10 000　　　　▥▼ ❷

81 (82) |83| 85

Le vin de La Fleur Peilhan n'a pas encore totalement éclos. Il se montre fermé, discret aussi bien dans ses arômes que dans ses saveurs. Cependant tous les composants d'un bon vin de garde sont là : laissons le temps les révéler.

➼ M. Xavier Dangin, Ch Bellegrave, Vignonet, 33330 Saint-Emilion, tél. 57.84.53.01 ▼ r.-v.

CH. LA FLEUR PICON 1985

■　　　5,60 ha　　30 000　　　■▥ ↓▼ ❸

|75| 76 77 |78| 79 80 81 |82| 83 85

Un vin chaleureux très marqué par les tanins mûrs caractéristiques de la vendange 85. La couleur est brillante et l'intensité aromatique est forte, avec des notes rappelant le gibier, la toison animale.

➼ M. Christian Lassegues, La Fleur Picon, 33330 Saint-Emilion, tél. 57.24.70.60 ▼ r.-v.

CH. LAFLEUR VACHON 1985**

■　　　3 ha　　n.c.　　　　　　　▥▼ ❸

|79| |81| 82 83 84 85

Bien que discrets, les arômes sont séduisants. On retrouve une gamme d'odeurs de fruits secs : raisins de corinthe, abricots. De belle harmonie, 85 possède race et élégance. Il constitue à coup sûr un bon placement car il va encore s'épanouir.

➼ M. Tapon, Vachon, 33330 Saint-Emilion, tél. 57.24.71.20 ▼ r.-v.

CH. LA GAFFELIERE 1985***

■　1ᵉʳ gd cru B 22,05 ha　80 000　　▥ ↓▼ ❻

49 52 64| |66| |67| 70 |71| 72 74 |75| 77 |78| 79 80
|81| 82 83 84 85

Mi-manoir anglais, mi-chapelle, le château a de quoi surprendre. Son vin, charmeur par sa robe d'un brillant soutenu, a soulevé l'enthousiasme de nos dégustateurs. Ses arômes complexes et intenses rappellent les fruits cuits et le pruneau. Richesse et puissance aromatique s'allient aux tanins des raisins mûrs. Un équilibre exceptionnel. Un très grand coup de cœur.

➼ Comte L. de Malet Roquefort, Ch. La Gaffelière, 33330 Saint-Emilion, tél. 57.24.72.15 ▼ r.-v.

CH. LA GRACE DIEU 1985*

■　　　12 ha　　72 000　　　■▼ ❹

(70) |75| |79| 80 |81| 82 |83| |85|

Quel joli nom pour un vin. Et quel joli vin ! La robe est rubis avec des reflets noirs. Les arômes sont discrets mais on décèle des senteurs de fruits mûrs. L'harmonie d'ensemble est bonne : tanins mûrs et fruits rouges se conjuguent aimablement.

➼ M. Pauty, Ch. La Grâce Dieu, 33330 Saint-Emilion, tél. 57.24.71.10 ▼ lu. ma. me. je. ve. 9h15-12h, 14h-18h.

CH. LA GRACE DIEU LES MENUTS 1985

■　　　13 ha　　70 000　　　■▥ ↓▼ ❹

|79| 80 81 |82| 83 |84| 85

La belle robe d'un rouge vif et limpide est attirante mais le nez est discret et le vin encore fermé ne dévoile pas encore toutes ses qualités. A attendre.

➼ M. Max Pilotte, La Grâce Dieu, 33330 Saint-Emilion, tél. 57.24.73.10 ▼ t.l.j. sf dim. 8h-20h.

CLOS LA MADELEINE 1985*

■　Gd cru clas.　2 ha　10 000　　　▥▼ ❹

70 71 (75) 77 78 79 80 81 82 83 85

Dommage, il n'y en aura pas pour tout le monde. Rond, harmonieux, bien équilibré, le millésime offre des arômes complexes dominés par des senteurs de fruits rouges ; la finale est intense et durable.

➼ M. Hubert Pistouley, La Gaffelière, 33330 Saint-Emilion, tél. 57.24.71.50

250

CH. LAMARTRE 1985*

66 67 70 71 74 75 77 78 79 80 81 82 85   10.55 ha   84.400

Ce cru, vinifié par l'Union des Producteurs, bénéficie d'une magnifique exposition plein sud ; il possède une belle harmonie et beaucoup de richesse qui lui confèrent une capacité de vieillissement intéressante.

→ Union de Prod. de St-Emilion, Haut-Gravet, B.P. 27, 33330 Saint-Emilion, tél. 57.24.70.71 t.l.j., sf dim. 8h-12h 14h-18h.
→ Héritiers Vialard.

CH. LA MARZELLE 1985

73 75 76 77 78 79 80 81 82 83 85   Gd cru clas.   13 ha   80.000

Beaucoup de bouquet et de moelleux pour ce cru produit sur un terrain sablo-graveleux. Ces qualités en font un vin agréable, évolué, à consommer jeune.

→ ED Kressmann et Cie, 35, rue de Bordeaux, B.P. 24, Parempuyre, 33290 Blanquefort, tél. 56.35.84.64 r.-v.
→ SCEA Carrère.

CH. LA MONDOTTE 1985

70 71 75 78 79 80 81 82 83 85   4.16 ha   20.000

Ce vin profite des mêmes soins que son grand frère Canon La Gaffelière bien qu'il soit vinifié dans un chai séparé. De structure légère et peu tannique, il est franc et bien équilibré, à boire jeune.

→ Ch. La Mondotte, Saint-Laurent-des-Combes, 33330 Saint-Emilion, tél. 57.24.71.33 r.-v.
→ Comtes de Neipperg.

CH. DE LA NAUVE 1985***

84 85   4 ha   25.000

Derrière une étiquette résolument moderne se cache un vin très classique qui charmera les amateurs de saint-émilion charnu, corsé, possédant de bons tanins mûrs et onctueux. La robe, d'un beau rouge profond, ouvre la voie à des arômes puissants et complexes où les accents floraux sont très présents. Puissant et généreux ce beau vin s'épanouira avec le temps.

→ GAEC Veyry Père et Fils, Ch. de La Nauve, Saint-Laurent-des-Combes, 33330 Saint-Emilion, tél. 57.24.71.89 r.-v.

CH. L'ANGELUS 1985*

71 73 74 75 76 77 78 79 80 81 82 83 84 85   Gd cru clas.   25 ha   140.000

Derrière la belle robe pourpre intense, on apprécie les arômes subtils et fins. Sur la bois neuf et senteurs de fruits rouges se complètent heureusement. La structure complexe confirme la bonne naissance de ce cru, né à l'ombre d'un très beau chai en merlons.

→ SC du Ch. de l'Angélus, 33330 Saint-Emilion, tél. 57.24.71.39 r.-v.

CH. LAPELLETRIE 1985*

79 80 81 82 83 85   12.31 ha   70.000

Une ancienne carrière de pierres sert aujourd'-

hui de chai à cette propriété qui produit un vin fruité, vif et très aromatique (violette) que l'on apprécie déjà dans sa prime jeunesse.

→ GFA Ch. Lapelletrie, Saint-Christophe-des-Bardes, 33330 Saint-Emilion, tél. 57.24.77.54 r.-v.

CH. LARCIS-DUCASSE 1985**

73 76 (78) 79 80 81 82 83 84 85   Gd cru clas.   10 ha   65.000

Très belle exposition, tournée vers le midi pour ce cru très réussi, fin, rond et équilibré ; les notes vanillées du bois se mêlent avec bonheur aux tanins souples du vin. Le temps doit encore affirmer les qualités de cette bouteille où l'on distingue déjà toutes les caractéristiques d'un grand millésime.

→ Mme Hélène Gratiot, Ch. Larcis-Ducasse, Saint-Laurent-des-Combes, 33330 Saint-Emilion, tél. 57.24.70.84 r.-v.

CH. LARMANDE 1985**

70 71 76 78 79 80 81 82 83 84 85   Gd cru clas.   19 ha   98.000

On apprécie la qualité des arômes assez intenses où odeurs de fruits mûrs et de boisé conjuguent. Souple en attaque, la dégustation se prolonge par une finale légèrement tannique que le temps adoucira sans doute.

→ SCE Vg. Meneret-Capdemourlin, Ch. Larmande, 33330 Saint-Emilion, tél. 57.24.71.41 r.-v.

CH. LAROQUE 1985**

76 77 78 79 80 81 82 83 84 85   Gd cru clas.   44 ha   220.000

Le château du plus pur style Louis XIV mérite le détour. Son vin aussi ! Derrière une belle robe brillante apparaissent des arômes très épicés, fins et délicats. On retrouve à la dégustation cette finesse et cette élégance qui en font un vin nerveux, vif... presque spirituel.

→ SCA du Ch. Laroque, Saint-Christophe-des-Bardes, 33330 Saint-Emilion, tél. 57.24.77.28 r.-v.

CH. LA ROSE-COTES-ROL 1985***

75 76 78 (79) 80 81 82 83 84 85   8.50 ha   65.000

Au cœur de la cité de Saint-Emilion, ce cru est élevé dans une cave monolithe et se montre digne de ces lieux étonnants. C'est par excellence un vin de garde dont la structure est puissante et les tanins mûrs de grande qualité. Imposant par sa richesse, ce 85 possède une grande vinosité. Attendre quelques années pour l'apprécier à son optimum.

→ M. Yves Mirande, Ch. La Rose Côtes Rol, 33330 Saint-Emilion, tél. 57.24.71.28 r.-v. 9h-12h30/14h30-19h30.

CH. LA ROSE TRIMOULET 1985***

75 76 78 79 80 81 (82) 84 85   4.70 ha   30.000

C'est l'exemple même du vin «prêt à boire mais pouvant attendre». La puissance du bouquet, l'onctuosité et la souplesse due à une acidité très faible rendent la dégustation agréable dès maintenant. La richesse de structure laisse penser

que ce millésime se maintiendra à un niveau élevé pendant de nombreuses années. A conserver sans crainte.

↪ M. Jean-Claude Brisson.
Ch. La Rose Trimoulet, 33330 Saint-Emilion, tél. 57.24.73.24 ☎ r.-v.

CH. LA SERRE 1985**

■ Gd cru clas. 7 ha n.c. ▯▯ ▽ 6

66 70 71 75 76 |78| |79| |81| 82 83 85

Encépagement typique de Saint-Emilion, terrain argilo-calcaire sur le plateau oriental : voilà de bonnes conditions pour la naissance d'un grand vin, qui n'a pas encore dompté toutes ses qualités juvéniles : arômes boisés intenses, très forte charpente. L'équilibre général est réussi et on peut lui promettre un bel avenir.

↪ M. Bernard d'Arfeuille, Ch. La Serre, 33330 Saint-Emilion, tél. 57.51.17.57 ☎ r.-v.

CH. LASSEGUE 1985*

■ 23 ha 150 000 ▮▯▮ ▯▯ ↓ ▽ 4

64 70 75 |77| 78 79 81 |82| |83| 84 85

Les arômes de fruits rouges (cassis) sont très présents et donnent au vin un caractère fruité, vif. Jeune, mais déjà bien homogène, il est rond et agréable.

↪ M. Jean-Pierre Freylon et Fils, Ch. Lassègue, Saint-Hippolyte, 33330 Saint-Emilion, tél. 57.24.72.83 ☎ r.-v.

CH. LA TOUR DU PIN FIGEAC 1985**

■ Gd cru clas. 9 ha 48 000 ▯▯ 6

|70| |75| 76 77 78 79 80 81 |82| 83 85

Très coloré, très riche ; on retrouve dans ce millésime toutes les qualités d'une vendange très mûre. Avec des tannins fondus, ce millésime souple et gras développe toute sa richesse en bouche. Ses qualités d'ensemble en font un grand vin de garde.

↪ Héritiers Marcel Moueix, Ch. Taillefer, 33500 Libourne, tél. 57.71.50.63 ☎ r.-v.

CH. LA TOUR-FIGEAC 1985**

■ Gd cru clas. 13.63 ha 72 000 ▯▯ ▽ 5

|75| 76 77 78 |79| |80| 81 82 83 |84| |85|

A la fin du XVIIIe s. existait une tour qui a donné son nom au domaine, détaché de Figeac en 1879. Elle a été réédifiée récemment, tout comme l'élégante chartreuse. Le millésime 85 pourrait presque être bon dès maintenant tant l'harmonie accompagne déjà l'équilibre. Sa belle charpente lui apporte une réelle plénitude et une chaleur réconfortante.

↪ SC du Ch. La Tour-Figeac, 33330 Saint-Emilion, tél. 57.24.70.86 ☎ r.-v.

CH. LE CASTELOT 1985

■ 8.50 ha 35 000 ▯▯ ↓ ▽ 4

78 79 80 |81| 82 |83| 85

« Lou Castelot » aurait été construit après le passage de Louis XIV sur les lieux. Il aurait sans doute apprécié ce vin puissant, tout en devenir, qui sera, à n'en pas douter, un bon compagnon pour les repas de chasse. Il a besoin de temps pour s'arrondir et calmer sa fougue actuelle.

↪ Mme. Françoise Janoueix, 37, rue Pline Parmentier, 33500 Libourne, tél. 57.51.41.86 ☎ r.-v.
↪ GFA J.-F. Janoueix.

CH. LE CHATELET 1985*

■ Gd cru clas. 5.50 ha 30 000 ▮▯▮ ▯▯ ↓ ▽ 4

81 82 83 85

Voilà un saint-émilion à la couleur rubis clair et au nez floral. Souple à la dégustation, c'est une bouteille de bonne tenue à déguster dans la fougue de sa jeunesse.

↪ MM. H et P Berjal, Le Châtelet, 33330 Saint-Emilion, tél. 57.24.70.97 ☎ t.l.j. 9h-19h ; f. mi-sept. à mi-jui.

CH. LE JURAT 1985**

■ 7.20 ha 50 000 ▯▯ ↓ 3

75 76 80 |82| |83| 84 85

Ce cru appartient depuis 86 à la Société civile du château Haut Corbin, mais c'est toujours la maison Cordier et Georges Pauli qui le gèrent. Derrière une robe brillante mais légère, se cache un vin élégant, tout en finesse et en fruité dont l'harmonie d'ensemble est très agréable.

↪ SCA Haut-Corbin, Ch. Haut-Corbin, 33330 Saint-Emilion, tél. 56.31.44.44 ☎ r.-v.

CH. LE LOUP 1985

■ 6.27 ha 50 000 ▮▯▮ ↓ 3

79 81 82 83 85

N'ayez pas peur de ce loup : il s'agit d'un vin aimable, souple, aux tannins bien fondus, dont les arômes épicés, presque poivrés, sont remarquables.

↪ Union de Prod. de St-Emilion, Haut-Gravet, B.P. 27, 33330 Saint-Emilion, tél. 57.24.70.71 ☎ t.l.j. sf dim. 8h-12h 14h-18h.
↪ M. Patrick Garrigue.

CH. LE PRIEURE 1985*

■ Gd cru clas. 5.44 ha 24 000 ▮▯▮ ▯▯ ↓ 5

75 76 79 80 |81| |82| |83| 84 85

Ce vin, issu d'un démembrement du célèbre cru des Cordeliers, est manifestement de garde ; si sa structure actuelle est encore « anguleuse », on peut d'ores et déjà apprécier la finesse du bouquet très fruité.

↪ SCE Baronne Guichard, Ch. Siaurac, Néac, 33500 Libourne, tél. 57.51.64.58 ☎ r.-v.
↪ M. Olivier Guichard.

CH. LES GRAVIERES 1985

■ 3 ha 22 000 ▯▯ ▽ 3

70 |71| 73 |75| 76 81 |82| |83| 85

Le nom du château indique la nature du terroir donnant naissance à ce 85 d'un beau rouge rubis intense, aux arômes discrets, mais dont la charpente et la rondeur sont des gages de bon vieillissement.

↪ M. Denis Barraud, Ch. Haut Renaissance, Saint-Sulpice-de-Faleyrens, 33330 Saint-Emilion, tél. 57.84.54.73 ☎ t.l.j. 8h-12h30 14h-19h30.

CH. LE TERTRE-ROTEBOEUF
1985 ***
■ 4,90 ha 20 000
64 66 (70) 71 (74)(75) 76 (79)(80) 81 82 83 84 (85)

La propriété représente bien un petit domaine vigneron de pur style XVIII° s. en Bordelais. Produit sur des sols argileux, le vin provient de vendanges très mûres, presque surmûries (vendanges tardives). Cette richesse apparaît dans la couleur profonde et dans sa structure très charnue et puissante, à laquelle l'élevage en fût de chêne neuf apporte l'élégance nécessaire.
↳ MM. F. et E. Mitjavile, Ch. Le Tertre-Roteboeuf, Saint-Laurent-des-Combes, 33330 Saint-Émilion, tél. 57.24.70.57 ▼ r.-v.

CLOS DE L'ORATOIRE 1985 **
■ Gd cru clas. 10,32 ha 60 000
71 (75)(78) 79 (80) 81 82 83 84 85

Il ne demande qu'à vieillir! Les arômes subtils et l'on décèle des odeurs de café grillé. Une fois en bouche, l'équilibre est parfait, charnu, complet, il laisse un souvenir prononcé et agréable. Un grand vin dans un bon millésime.
↳ SC du Ch. Peyreau, 33330 Saint-Émilion, tél. 57.24.70.85 ▼ r.-v.

CH. MAGDELAINE 1986 ***
■ 1er gd cru B 10,36 ha 45 000
70 71 73 74 76 77 78 79 82 (83) 85 86

Issu d'un terroir calcaire, dans la Côte dominant la Dordogne, ce cru est essentiellement constitué de merlot (80%). D'une couleur rubis, déjà légèrement évoluée, le vin est avant tout remarquable par la richesse de ses arômes où épices et fruits rouges (cerise) se mêlent. À la fois ferme et soyeux, il est charnu et aromatique (toujours les fruits rouges). La race s'exprime totalement à travers l'élégance et le charme de cette bouteille.
↳ Éts Jean-Pierre Moueix, 54, quai du Priourat, B.P. 29, 33500 Libourne.

CH. MAGNAN 1985 **
■ 10 ha 48 000
79 80 81 82 85

Sur des sables anciens joux... grands crus, ce château possède un terroir remarquable bien mis en valeur. Le vin aux arômes concentrés et d'une belle bouteille doit bien vieillir et gagner en subtilité, ce qu'il a aujourd'hui en puissance.
↳ SCEA Cormeil-Figeac-Magnan, 33330 Saint-Émilion, tél. 57.24.70.53 ▼ r.-v.

CH. MAGNAN LA GAFFELIÈRE 1985 *
■ 7,79 ha 45 000
71 75 76 (78) 79 80 81 82 83 85

Quel nez! Quelle finesse d'arômes! Violette et fruits se disputent pour flatter l'odorat. Cette finesse se poursuit à la dégustation : le vin apparaît souple et soyeux. D'une bonne harmonie d'ensemble, il est facile et agréable à boire.
↳ M. Hubert Pistouley, La Gaffelière, 33330 Saint-Émilion, 🖷 57.24.71.50

CH. MILON 1985 **
■ 20 ha 70 000
(82)(83)(84) 85

On trouve trace de ce vignoble au Moyen Age et on se félicite que les propriétaires successifs lui aient conservé la qualité. Harmonie et subtilité sont les deux meilleurs qualificatifs pour cette belle bouteille dont on apprécie également la couleur profonde et les arômes complexes de café grillé et d'épices.
↳ M. Christian Bouyer, Milon, Saint-Christophe-des-Bardes, 33330 Saint-Émilion, tél. 57.24.77.18 ▼ r.-v.

CH. MATRAS 1985 **
■ Gd cru clas. 9 ha 60 000
⊠ 67 74 75 76 77 78 (79) 80 82 (83) 84 85

Merlot, cabernet-franc et cabernet-sauvignon constituent à égalité l'encépagement, complétés par 10% de malbec. Ils sont à l'origine de ce grand vin très gras, au nez très intense. Il vieillira bien et gagnera équilibre et harmonie. Il faut savoir laisser mûrir les bouteilles pleines de promesse.
↳ Mme V. Gaboriaud-Bernard, Ch. Bourseau, Lalande-de-Pomerol, 33500 Libourne, tél. 57.51.52.39 ▼ r.-v.
↳ GFA Ch. Matras.

CH. MAUVEZIN 1985 **
■ Gd cru clas. 3,30 ha n.c.
75 77 78 79 (81) 82 (83) 85

Tradition! c'est le maître mot pour ce cru déjà inscrit sur le rôle des impôts en 1741. Les vignes de quatre-vingts ans fournissent ici une toute petite production, vieille en chêne de l'Allier. Les soins jaloux des propriétaires nous offrent un vin complexe où les arômes de cerise et myrtille se conjuguent à la puissance et à l'harmonie des tanins. À garder précieusement : vieillissement garanti.
↳ GFA P. Cassat et Fils, B.P. 44, 33330 Saint-Émilion, tél. 57.24.72.36 ▼ r.-v.

CH. MAUVINON 1985 **
■ 14,18 ha 10 800
67 70 71 73 74 (75) 79 80 (81) 82 83 85

Saint-Sulpice-de-Faleyrens était autrefois le port de Saint-Émilion. Ce château produit un beau vin dont on apprécie aujourd'hui toutes les qualités de jeunesse : belle robe rouge rubis brillant, nez puissant aux odeurs florales, richesse. Charnu et bien équilibré, il lui manque l'harmonie que seul le temps peut lui apporter.
↳ Union de Prod. de St-Émilion, Haut-Gravet, B.P. 27, 33330 Saint-Émilion, tél. 57.24.70.71 ▼ L.l-j; sf dim. 8h-12h 14h-18h.
↳ M. Claude Tribaudeau.

CH. MILLAUD MONTLABERT 1985 *
■ 1,90 ha n.c.
70 73 74 (75) 76 (78)(79) 80 (81) (82)(83) 84 85

C'est un vin à l'évolution rapide, dont la couleur est déjà légèrement marquée. La rondeur des tanins mûrs contribue à lui donner son caractère agréable, à la fois souple et chaleureux.
↳ M. et Mme Claude Brieux.
↳ M. et Mme Claude Brieux, 33330 Saint-Émilion, tél. 57.24.71.85 ▼ r.-v.

CH. MOMBOUSQUET 1985

■ 30 ha 150 000 ▬ ▮◗ ▼ 6

73 74 **75** 76 77 |78| 79 80 |81| 82 |83| 85

La belle gentilhommière dominant une pièce d'eau, ne manque pas de charme et son vin non plus ! Il possède en effet des arômes floraux, de la sève et beaucoup d'élégance : c'est un millésime tout en finesse.

☛ Héritiers Daniel Querre, Ch. Mombousquet, Saint-Sulpice-de-Faleyrens, 33330 Saint-Emilion, tél. 57.24.75.24 ▼ r.-v.

CH. MONTLABERT 1985*

■ 12,50 ha 65 000 ▬ ◗ 3

|75| 76 77 **78** 79 80 81 **82** |83| |84| 85

D'une couleur franche et limpide, déjà évoluée, ce vin est rond, très équilibré et d'une constitution souple lui permettant d'être apprécié dès maintenant.

☛ SC du Ch. Montlabert, 33330 Saint-Emilion, tél. 57.24.70.75

CH. MOULIN BELLEGRAVE 1985

■ 10 ha 45 000 ▬ ◗ ▼ 3

70 75 76 79 80 81 |82| 83 |85|

Ce vin n'a pas tout le charme et l'épaisseur que l'on pourrait attendre d'un 85, il n'en est pas moins plaisant et sympathique, élégant et d'une bonne longueur en finale.

☛ M. Florian Perier, Ch. Moulin Bellegrave, Vignonet, 33330 Saint-Emilion, tél. 57.84.53.28

CH. MOULIN DU CADET 1986**

■ Gd cru clas. 5,03 ha 25 000 ◗ 5

76 77 78 79 80 81 **82 85** |86|

Ce Cadet produit des vins qui n'ont rien de mineur ! 86 en témoigne : le nez est fin, délicat et présente déjà les marques d'une évolution heureuse. Souple et ample, le vin possède un beau volume, une belle richesse et des arômes vanillés donnés par la barrique.

☛ SC du Ch. Moulin du Cadet, 33330 Saint-Emilion.

CH. NAUDE 1985

■ 5,85 ha 30 000 ▬ ◗ ♣ ▼ 4

75 76 77 **78 79** 81 |82| 83 84 85

Vinifié à Branne sur la rive gauche de la Dordogne, c'est le chêne. Comment voulez-vous que ce cru n'ait pas un arôme boisé délicat ? Sélection des meilleurs terroirs du château Bertinat-Lartigue, élevée en fûts de chêne neufs, c'est un vin fin, long en bouche, promis à un bon vieillissement.

☛ M. Alain Bonneau, 33420 Branne, tél. 57.84.50.01 ▼ r.-v.

CH. ORISSE DU CASSE 1985

■ 1 ha 8 000 ▮◗ ♣ ▼ 4

75 76 77 **78 79** 81 |82| 83 84 85

Oris en latin signifie bouquet. Lou casse, en dialecte, c'est le chêne. Comment voulez-vous que ce cru n'ait pas un arôme boisé délicat ? Sélection des meilleurs terroirs du château Bertinat-Lartigue, élevée en fûts de chêne neufs, c'est un vin fin, long en bouche, promis à un bon vieillissement.

☛ M. Richard Dubois, Saint-Sulpice-de-Faleyrens, 33330 Saint-Emilion, tél. 57.24.72.75 ▼ r.-v.

CH. PALAIS-CARDINAL-LA-FUIE 1985

■ 16 ha 95 000 ▬ ↓ ▼ 3

77 |79| |80| **81** |81| |82| |83| |84| 85

C'est un vin de belle robe, rouge profond et intense, qui possède à la fois la fraîcheur de la jeunesse et la puissance. Encore jeune, entier, son beau volume le prédispose à une bonne évolution.

☛ MM. Gérard Frétier et Fils, Ch. Palais Cardinal-la-Fuie, Saint-Sulpice-de-Faleyrens, 33330 Saint-Emilion, tél. 57.24.75.91 ▼ r.-v.

CH. DU PARADIS 1985

■ 15 ha 100 000 ▬ ▮◗ ▼ 4

79 80 82 83 85

Implanté à Saint-Emilion depuis près de cinq siècles, cette famille offre ici un joli vin encore un peu fermé, dont les qualités laissent espérer une bonne bouteille dans quelques années.

☛ Vignoble Raby-Saugeon SA, Ch. du Paradis, 33330 Saint-Emilion, tél. 57.84.53.27 ▼ r.-v.

CH. PARAN JUSTICE 1985*

■ 10,25 ha 76 000 ▬ ◗ 3

81 82 83 85

Brillante et d'un beau rouge, la robe de ce vin prépare bien à la dégustation. Des odeurs de venaison et fruits très mûrs s'exhalent et l'on retrouve en bouche puissance et longueur des tanins bien mariés au bois. C'est bon et cela doit bien vieillir !

☛ Union de Prod. de St-Emilion, Haut-Gravet, B.P. 27, 33330 Saint-Emilion, tél. 57.24.70.71 ▼ t.l.j ; sf dim. 8h-12h 14h-18h.
☛ Mme Odette Barbier.

DOM. DE PASQUETTE 1985*

■ 3 ha 18 000 ▬ ▮◗ ▼ 4

83 |84| 85

Ce vin est à réserver aux gibiers : sa plénitude, sa rondeur et sa richesse s'allieront parfaitement aux venaisons. Les tanins mûrs de bonne qualité confèrent à ce cru une structure solide. L'âge lui donnera l'harmonie.

☛ M. Alain Jabiol, Ch. Cadet-Piola, 33330 Saint-Emilion, tél. 57.74.47.69

CH. PATRIS 1985

■ 9,50 ha 60 000 ▮◗ ↓ 5

71 76 |78| |79| 80 **81** |82| |83| 84 85

D'une bonne couleur assez profonde, ce vin se caractérise par des arômes riches et complexes d'où émergent des senteurs de miel et de tilleul. La dégustation est agréable et la finale d'une bonne intensité.

☛ M. Michel Querre, Ch. Patris, 33330 Saint-Emilion, tél. 57.51.00.40 ▼ r.-v.

CH. PAVIE 1985***

■ 1er gd cru B 37 ha 194 000 ▮◗ ↓ ▼ 7

66 67 73 74 |75| |76| 77 |78| 79 |80| 81 **82** |82| 83 84 85

Pavie est situé sur l'un des premiers coteaux plantés en vigne, démontrant ainsi que les choix des meilleurs terroirs ont été faits très tôt. Comme tous les grands vins promis à un bel

254

avenir, celui-ci est encore discret, «fermé» diraient les spécialistes. On découvre cependant à la dégustation tous les atouts d'une grande bouteille : couleur soutenue, nez raffiné, subtil, tanins de qualité et bonne finale.

↪ M. Jean-Paul Valette, Ch. Pavie, 33330 Saint-Emilion, tél. 57.24.71.81 ☎ r.-v.
↪ Consorts Valette.

GRAND CRU CLASSÉ

CHATEAU PAVIE DECESSE

SAINT-ÉMILION GRAND CRU

APPELLATION SAINT-ÉMILION GRAND CRU CONTROLÉE

1985

PRODUCE OF FRANCE

S.C.A. DU CHATEAU PAVIE DECESSE
PROPRIÉTAIRES DE GRAND CRU A SAINT-EMILION
VALETTE
75 cl
12,5 % by Vol.

CH. PAVIE DECESSE 1985***

■ Gd cru clas. 8,10 ha 69 000 ⊕ ♪ 🍷

|71|72|73|74|75|77|78|79|80|81|82|83|84|85|

Détaché de Pavie à la fin du XIXᵉ s., la propriété a été rachetée par la famille Valette en 1970. Dominé par des arômes de cassis, ce vin s'épanouit en un véritable feu d'artifice de saveurs confites où l'on retrouve toute la maturité, tout le gras et la plénitude du millésime 85. C'est une très grande bouteille qui a réuni tous les suffrages.

↪ M. Jean-Paul Valette, Ch. Pavie, 33330 Saint-Emilion, tél. 57.24.71.81 ☎ r.-v.
↪ SCA Ch. Pavie Decesse.

CH. PAVIE MACQUIN 1985

■ Gd cru clas. 14 ha 60 000 ⊕ 🍷

|79|83|84|85

Albert Macquin fut un des rénovateurs du vignoble libournais après la crise du phylloxéra. Il parraine ce vin aux parfums très subtils, qui doit être apprécié dans toute sa jeunesse.

↪ GFA Ch. Pavie–Macquin, 33330 Saint-Emilion, tél. 57.24.74.23 ☎ r.-v.
↪ Héritiers Corre.

CH. PAVILLON-CADET 1985*

■ Gd cru clas. 2,50 ha 17 000 ⊕ ♪ 🍷

74 75 76 78 79 81 82 83 85

Ce 85 a été goûté par notre jury l'année dernière et ses qualités se confirment dans cette nouvelle dégustation. Aux arômes puissants de fruits succulent souplesse et ampleur de la charpente. L'harmonie générale est très ronde et la finale persistante.

↪ Mme Anne Llansas, 275, rue Turenne, 33000 Bordeaux, tél. 56.44.75.11

CH. PETIT-FAURIE-DE-SOUTARD 1985*

■ Gd cru clas. 7,20 ha 52 000 🍷

79 1 82 83 85

Aux portes de la ville de Saint-Emilion, sur un terrain de côte s'étendent les 7 hectares de ce vignoble. Des odeurs de fruits mûrs cuits compo-

---

sent le bouquet puissant. Le vin est souple, harmonieux avec une finale longue. Ses tanins lui promettent bonne vie.

↪ Sce Vignobles Aberlen, Ch. Petit-Faurie-de-Soutard, 33330 Saint-Emilion, tél. 57.74.62.06 ☎ r.-v.
↪ Mme Françoise Capdemourlin.

CH. PEYRAU 1985**

⑦ 76 78 |79| 80 81 82 83 |85|

75 cl 12,82 ha 80 000 ⊕ ♪ 🍷

Le château a fière allure au milieu de son vaste parc planté d'arbres séculaires. Le vin qu'il produit est à son image. Les fruits rouges très mûrs, traduisant une vendange presque surmûrie, dominent les arômes et composent une palette riche avec des saveurs de pruneaux fondants et des tanins complets.

↪ SC du Ch. Peyrau, 33330 Saint-Emilion, tél. 57.24.70.86 ☎ r.-v.

CH. PEYRELONGUE 1985*

70 |72| 74 75 |76| 77 78 79 80 |81| 82 83 84 85

■ 10 ha 60 000 ⊕ ♪ 🍷

D'une belle couleur grenat, ce vin rond et puissant est très marqué par le cépage merlot dont il possède tous les arômes caractéristiques.

↪ M. Jean-Jacques Bouquey, Ch. Peyrelongue, 33330 Saint-Emilion, tél. 57.24.71.17 ☎ r.-v.

CH. PINDEFLEURS 1985*

|75| |79| 81 82 83 |84| 85

■ 8,50 ha n.c. ⊕ 🍷

Derrière ce joli nom se cache un domaine Louis XIV ayant appartenu à la famille de Sèze. Le vin est digne de ces lieux prestigieux : la structure générale bien équilibrée est harmonieuse ; il possède une finale remarquablement intense.

↪ Mme Micheline Dior, Ch. Pindefleurs, 33330 Saint-Emilion, tél. 57.24.72.04 ☎ r.-v.

CH. PIPEAU 1985

■ 25 ha n.c. ⊕ ♪ 🍷

Issu de terroirs très variés (argilo-calcaire, argilo-siliceux, graveleux), ce vin complet possède une belle odeur de fruits mûrs(pruneau). Charnu et bien équilibré, il est encore un peu fermé et mérite un certain vieillissement.

↪ GAEC Mestreguilhem, Saint-Laurent-des-Combes, 33330 Saint-Emilion, tél. 57.24.72.95 ☎ r.-v.

CH. DE PRESSAC 1985*

70 75 76 78 79 81 82 83 84 85

■ 25 ha n.c. 🍷

Originaire du Quercy, le cépage auxerrois aurait été introduit dans cette propriété en 1747, prenant alors le nom de «noir de Pressac» avant d'être connu sous la dénomination de malbec, nom de son importateur en Médoc. Présent à 2% ici, ce cépage n'a pas beaucoup d'influence sur le caractère fruité et jeune de ce vin plaisant.

↪ M. Jacques Pouey, Ch. de Pressac, Saint-Etienne-de-Lisse, 33330 Saint-Emilion, tél. 56.81.45.00 ☎ r.-v.

CH. QUENTIN 1985*

70 75 78 79 80 81 82 83 84 85 — 22 ha 210 000

Produit sur des terrains argilo-calcaires, ce 85 à un nez discret mais il se révèle ample à la dégustation : il s'agit d'un vin complet, rond, dont les constituants sont déjà bien harmonisés et l'évolution en cours, prometteuse.

SCV ch. Quentin, Ch. Quentin, Saint-Christophe-des-Bardes, 33330 Saint-Emilion, tél. 57.24.77.43 r.-v.

CH. RIPEAU 1985**

Gd cru clas. n.c. 100 000
76 78 79 80 81 82 83 84 85

Une belle arrière-saison, des vendanges sans pluie, des raisins récoltés en pleine maturité, et vous obtenez un millésime comme celui-ci : aux arômes finement fleuris, succède un vin charnu, plein, puissant, débordant de matière, presque exubérant. La longueur finale est remarquable et l'équilibre achevé.

Mme F. Janouiex de Wilde, Ch. Ripeau, 33330 Saint-Emilion, tél. 57.74.41.41 r.-v.
GFA du Ch. Ripeau.

CH. DU ROCHER 1985

14 ha 80 000
75 76 77 78 79 80 81 82 83 85

Exploité par la même famille depuis plusieurs siècles, ce domaine produit un vin traditionnel, presque rustique, d'une couleur très soutenue et d'une constitution assez tannique.

Baron Stanislas de Montfort, Ch. du Rocher, Saint-Etienne-de-Lisse, 33330 Saint-Emilion, tél. 57.40.18.20 r.-v.
GFA du Ch. du Rocher.

CH. ROCHER BELLEVUE FIGEAC 1985***

5,50 ha 40 000
75 76 77 78 79 80 81 82 83 84 85

De «longue garde», il présente l'avantage de pouvoir être également apprécié relativement jeune. Le cassis confit domine les impressions aromatiques et ce vin qui se révèle très complexe, mêlant les accents boisés des barriques et des notes épicées. Les tanins sont déjà bien fondus, gage d'une belle harmonie.

SC Ch. Rocher-Bellevue-Figeac, 33330 Saint-Emilion, tél. 56.31.44.44 lu. ma. me. je. 9h-12h 14h-17h30.

CH. ROLLAND-MAILLET 1985

3,35 ha 15 000

D'un rouge sang limpide, ce 85 présente des arômes puissants et persistants de menthe sauvage. L'impression s'atténue à la dégustation et l'on apprécie l'harmonie d'ensemble de la bouteille.

Mme Geneviève Rolland, Maillet, Pomerol, 33500 Libourne, tél. 57.51.10.94 r.-v.

ROYAL SAINT-EMILION 1985*

n.c. 400 000
79 80 81 82 83 84 85

Une production importante pour cette sélection de la cave coopérative. Mais la qualité est aussi au rendez-vous : arômes fins et complexes, bel équilibre d'ensemble et structure tannique harmonieuse permettent d'envisager l'avenir.

Union de Prod. de St-Emilion, Haut-Gravet, B.P. 27. 33330 Saint-Emilion, tél. 57.24.70.71 t.l.j. sf dim 8h-12h 14h-18h.

CH. SAINT-GEORGES COTE PAVIE 1985**

5,42 ha 30 000
75 76 79 82 83 85

Le cru est admirablement situé sur le coteau de Pavie. Ce beau 85 rassemble toutes les qualités du millésime : maturité et plénitude des arômes. Rondeur et velouté lui viendront avec le temps, car il possède toutes les composantes qui lui garantissent une bonne évolution.

M. Jacques Masson, Ch. Saint-Georges Côte Pavie, 33330 Saint-Emilion, tél. 57.74.44.23 r.-v.

CH. SAINT-HUBERT 1985*

3 ha 30 000
76 78 79 81 83 85

Ce vin très floral à la robe légère est encore marqué par son élevage en fût de chêne. Le caractère boisé et vanillé est très présent et masque un peu sa vinosité.

SCE Vignobles Aubert, Ch. la Couspaude, 33330 Saint-Emilion, tél. 57.40.15.76 r.-v.

CLOS SAINT-MARTIN 1985*

Gnd cru clas. 1,33 ha 10 000
78 79 81 82 85

Un chai moderne remplace l'ancien chai de la cure Saint-Martin et concourt à l'obtention d'un beau vin grenat aux arômes épicés. Les premières impressions favorables sont confirmées par une belle harmonie et une finale riche et persistante.

SC des Grandes Murailles, 33330 Saint-Emilion, tél. 57.24.71.09 r.-v.

CH. DE SAINT-PEY 1985*

16 ha 70 000
75 76 78 79 80 81 82 83 85

Familiale depuis plusieurs siècles, la propriété a une longue tradition de qualité que l'on retrouve dans ce millésime dont la belle couleur marque déjà une légère évolution. Ce vin de grande qualité est rond et gracieux, et présente une palette d'arômes où pruneaux et fruits surmûris se mêlent.

M. Maurice Musset, Ch. de Saint-Pey, Saint-Pey-d'Armens, 33330 Saint-Emilion, tél. 57.40.15.25 t.l.j. sf dim. 9h-12h 14h-19h.

CH. SANSONNET 1985

Gd cru clas. 7 ha 40 000
75 78 79 80 81 82 83 85

Robe d'un rouge léger mais vif et arômes fruités traduisent la jeunesse de ce vin qui peut paraître aujourd'hui austère malgré de réelles qualités potentielles.

M. Francis Robin, Ch. Sansonnet, 33330 Saint-Emilion, tél. 57.51.03.65 r.-v.

CH. SOUTARD 1985**

■ Gd cru clas.   22 ha   140 000

70 71 73 (75) 76 78 79 81 82 83 85

Depuis la fin du XVIII⁰ s., cette propriété perpétue les traditions viticoles. 85 est un très beau vin de vieillissement, qui doit se mériter. Les arômes de fruits rouges dominent et la puissance se révèle : gras, onctueux, veraison, caractérisent les arômes ce joli vin.
↝ Comte et Comtesse des Ligneris, Ch. Soutard, 33330 Saint-Emilion, tél. 57.24.72.23 ℡ r.-v.

CH. TOUR RENAISSANCE 1985**

■   5 ha   20 000

71 75 76 78 79 81 82 83 84 85

Le vignoble est situé sur une telle croupe graveleuse de Saint-Sulpice-de-Faleyrens et son encépagement est largement dominé par le merlot qui se manifeste dans les arômes chauds de ce vin. Il est cependant délicat et sa constitution doit beaucoup à une vendange très mûre. Rondeur et tanins fondus laissent présager un bel avenir.
↝ M. Daniel Moury, Ch. Croix de Barille, Sainte-Terre, 33350 Castillon-la-Bataille, tél. 57.34.55.88 ℡ r.-v.

CH. TOUR-SAINT-CHRISTOPHE 1985*

■   17 ha   96 000

82 83 85

Sa couleur cerise est attirante, mais c'est surtout la rondeur et la plénitude de ce millésime qui séduiront. Les fruits mûrs et l'aimable caractère boisé typent d'une façon très intéressante cette production.
↝ M. Henri Guiter, Tour Saint-Christophe, 33330 Saint-Emilion, tél. 57.24.77.15 ℡ r.-v.

CH. TRAPAUD 1985

■   14 ha   84 000

67 70 71 72 74 75 76 78 79 80 81 82 83 84 85

Ce vin est un bon 85, prêt à boire mais pouvant vieillir : sa teinte est déjà évoluée et un bouquet intense. Toute la maturité du millésime apparaît à la dégustation où les tanins sont ronds et soyeux.
↝ M. André Larribière, Ch. Trapaud, Saint-Etienne-de-Lisse, 33330 Saint-Emilion, tél. 57.40.18.08 ℡ r.-v.

CH. TRIMOULET 1985*

■ Gd cru clas.   16 ha   90 000

76 78 79 80 81 82 83 85

Le 85 : un vin bien équilibré où le bois s'allie harmonieusement avec les tanins ; déjà mûr, il est prêt à être apprécié maintenant.
↝ M. Michel Jean, Ch. Trimoulet, 33330 Saint-Emilion, tél. 57.24.70.56 ℡ r.-v.

CLOS TRIMOULET 1985**

■   8 ha   47 300

70 74 (75) 76 77 78 79 80 81 82 83 84 85

Les arômes sont très vineux et présentent une petite note de cuit (pruneaux). On retrouve à la dégustation des tanins très mûrs et des saveurs de fruits confits qui donnent au vin une personnalité bien agréable.

↝ M. Guy Appollot, Clos-Trimoulet, 33330 Saint-Emilion, tél. 57.24.71.9€ ℡ r.-v.

CH. TROPLONG-MONDOT 1985**

■ Gd cru clas.   30 ha   130 00€

61 66 70 71 76 79 81 82 83 84 85

Cette propriété a jadis appartenu à la famille de Sèze dont un membre fut le défenseur de Louis XVI devant le tribunal révolutionnaire. Les principales caractéristiques d'un vin jeune (couleur framboise, vive, arômes fruités) dominent ce vin. Nuances et subtilité s'allient heureusement au velouté des tanins et à l'aspect charnu de la charpente. Beaucoup de puissance et d'avenir.
↝ M. Claude Valette, Ch. Troplong-Mondot, 33330 Saint-Emilion, tél. 57.24.70.72 ℡ r.-v.

CH. TROTTEVIEILLE 1985**

■ 1er gd cru B   n.c.   n.c.

82 83 85

Un nom plein de charme et de poésie pour cet ancien relais de diligence. Le millésime 85, avec sa puissance et sa générosité, est tout entier dans ce cru : couleur profonde, arômes de merlot très mûr, bouche chaleureuse et onctueuse, d'une rondeur parfaite. Malgré son jeune âge, toutes ces qualités le rendent agréable dès maintenant.
↝ Héritiers Castéja, Cours Balguerie-Stuttenberg, 33082 Bordeaux Cedex, tél. 56.48.57.57 ℡ r.-v.

CH. DU VIEUX GUINOT 1985

■   10,15 ha   65 000

80 81 82 83 84 85

Le domaine appartenait déjà à la famille Rollet sous le règne de Louis XV. On y produit un vin aimable, gouleyant, sympathique à la structure légère, mais aux arômes intenses de fruits mûrs.
↝ M. Jean-Pierre Rollet, Ch. Fourney, 33330 Saint-Emilion, tél. 57.47.15.13 ℡ r.-v.

CH. DU VIEUX-POURRET 1985**

■   4,24 ha   24 000

80 81 82 83 84 85

Beaucoup de densité dans ce millésime, tant au niveau de la couleur que des arômes. A la dégustation, le vin est complet et marqué par l'élégante saveur du bois harmonieusement marié aux fruits mûrs. Une très belle bouteille séduisante à plus d'un titre.
↝ SC Ch. Vieux-Pourret, 33330 Saint-Emilion, tél. 57.24.70.86

CH. VIEUX-SARPE 1985*

■   6,80 ha   48 000

66 67 70 75 76 78 79 80 81 82 83 85

Le moulin de Sarpe, construit en 1732, est admirablement restauré et veille sur le vignoble remarquablement installé sur un plateau calcaire. Des tanins très mûrs, presque confits et des arômes de pruneaux donnent à ce vin plénitude et générosité. C'est le compagnon idéal des gibiers dont il magnifiera les accents corsés par sa belle richesse.
↝ M. Jean-François Janoueix, 37, rue Pline-Parmentier, 33500 Libourne, tél. 57.51.41.86 ℡ r.-v.

CH. VILLEMAURINE 1985***

■ Gd cru clas.　7 ha　50 000　🍷▮Ⓥ⑥

69 70 73 74 75 76 77 **78** 79 80 (81) **82 83** 84 85

Elevé en barriques dans une magnifique cave souterraine, ce vin séduit tout d'abord par sa belle couleur profonde aux nuances orangées. Café torréfié, pain grillé, marquent les arômes d'une belle intensité. Sa classe s'exprime au cours de la dégustation d'une façon indiscutable : boisé fin et délicat, complexité aromatique, moelleux des tanins et longue persistance.

☛ Robert Giraud SA, Dom. de Loiseau, B.P. 31, 33240 Saint-André-de-Cubzac, tél. 57.43.01.44
☛ GFA Ch. Villemaurine.

CH. VIRAMIERE 1985**

■　　　9,85 ha　75 000　▮↓Ⓥ③

78 79 80 **81 82 83 85**

Très bon rapport qualité/prix pour cette bouteille produite par la coopérative de Saint-Emilion. Ce cru n'a accédé à l'appellation grand cru que depuis 1983, et il mérite amplement cette dénomination : d'une très belle couleur intense et limpide, il présente des arômes harmonieux de fruits rouges ; sa dégustation est complète : tanins mûrs et saveurs fruits rouges se mêlent agréablement.

☛ Union de Prod. de St-Emilion, Haut-Gravet, B.P. 27, 33330 Saint-Emilion, tél 57.24.70.71 ▼ t.l.j. sf dim. 8h-12h 14h-18h.
☛ M. Jean Pierrette.

CH. YON-FIGEAC 1985**

■ Gd cru clas.　24 ha　130 000　🍷↓Ⓥ⑤

80 (81) **82 83** (84) 85

24 ha d'un seul tenant pour ce vignoble reconstitué au début du siècle. Aux arômes de fruits mûrs se mêlent les senteurs vanillées des barriques. Tout cela est parfaitement équilibré et d'une grande finesse. A la dégustation le millésime 85 s'exprime pleinement avec toutes ses qualités. Forte charpente, harmonie générale des tanins, finale longue et élégante.

☛ SOGEVI, Ch. Peychaud, Teuillac, 33710 Bourg-sur-Gironde,, tél. 57.64.39.63 ▼ r.-v.
☛ GFA Ch. Yvon Figeac.

---

pondant d'ailleurs à des communes aujourd'hui fusionnées avec Montagne. Toutes sont situées au nord-est de la petite ville, dans une région au relief tourmenté qui en fait le charme, avec des collines dominées par nombre de prestigieuses demeures par nombre de prestigieuses demeures historiques. Les sols sont très variés et l'encépagement est le même qu'à Saint-Émilion ; aussi la qualité des vins est-elle proche de celle des saint-émilion. La production était en 1982 de 24 millions de bouteilles.

Lussac saint-émilion

CH. BARBE BLANCHE 1985**

■　　　20 ha　120 000　▮③

75 76 79 81 (82) (85)

S'agit-il de la barbe du bon roi Henri qui, dit-on, appréciait particulièrement ce vin ? Nul ne le sait ! A l'image du Vert Galant, ce vin est charmeur et généreux. Le bouquet se révèle très et mérite d'évoluer. La bouche se révèle très ronde avec beaucoup de finesse et d'élégance. Vin très flatteur et agréable pouvant bénéficier d'un certain veillissement.

☛ M. André Magnon, Ch. Barbe Blanche, 33570 Lussac, tél. 57.74.60.54 ▼ r.-v.

CH. BEL-AIR 1985*

■　　　20,50 ha　100 000　▮↓Ⓥ③

75 (76) 77 **78 79** 80 **81** (82) 83 85

Joli vin très typé : nez aromatique de merlot très mûr et dégustation souple et généreuse. L'ensemble est agréable à boire dès à présent.
☛ J.N. et S. Roi, Ch. Bel-Air, 33570 Lussac, tél. 57.74.60.40 ▼ t.l.j. 8h-20h.
☛ GFA du Ch. Bel-Air.

CH. DE BELLEVUE 1985**

■　　　11,06 ha　55 000　🍷↓Ⓥ③

73 74 (75) **76** (78) 79 80 (81) (82) **83** (85)

Le château est en fait une petite et élégante chartreuse du XVIII⁰ s. Les vins produits par cette propriété ont en général de l'avenir et ce 85 ne faillit pas à la tradition. Le bouquet est fin et fleuri et le vin est bien construit, avec une charpente solide et souple à la fois. Les arômes de fruits rouges légèrement épicés sont encore jeunes, mais l'ensemble peut être très apprécié dès maintenant.

☛ M. Charles Chatenoud, Ch. de Bellevue, 33570 Lussac, tél. 57.74.60.25 ▼ r.-v.

CH. CHAMBEAU 1986*

■　　　17 ha　80 000　🍷↓Ⓥ③

(78) (79) **81** (82) (83) **84 85** 86

D'une couleur rouge vermillon franche et jeune, ce vin exhale d'agréables parfums de mer-

---

Les autres appellations de la région de Saint-Émilion

Plusieurs communes, limitrophes de Saint-Émilion et placées jadis sous l'autorité de sa jurade, sont autorisées à faire suivre leur nom de celui de leur célèbre voisine. Ce sont les appellations de montagne saint-émilion, lussac-saint-émilion, puisseguin-saint-émilion, saint-georges-saint-émilion et parsac-saint-émilion, les deux dernières corres-

...iot. Il se révèle rond, très équilibré et assez nerveux. Bonne harmonie générale et bel avenir en perspective.

♠ M. Paul Bordes, Ch. Branda, Puisseguin, 33570 Lussac, tél. 57.74.62.55 ℡ r.-v.
♠ GFA du Ch. Branda.

CH. DU COURLAT 1985

13 ha 80 000

76 79 80 81 82 83 84 85

Ce vin a déjà bien évolué : la couleur tuilée de sa robe en témoigne. Sa structure ronde et souple lui confère un bel équilibre et le rend agréable dès maintenant.

♠ M. Pierre Bourotte, 28, rue Trocard, 33500 Libourne, tél. 57.51.20.56 ℡ r.-v.

CH. CROIX DE RAMBEAU 1985

6,50 ha 40 000

75 78 79 81 82 83 84 85

Belle robe d'un rouge vineux d'une couleur plus séduisante que celle de l'étiquette. Les arômes de merlot très mûr dominent agréablement le bouquet. On retrouve toute la plénitude du cépage à la dégustation.

♠ GAEC Trocard Père et Fils, Les Artigues-de-Lussac, 33570 Lussac, tél. 57.24.31.16 — lu. ma. me. je. ve. 8h30-12h 14h-18h.

CH. HAUT-MILON 1985**

6,60 ha 30 000

75 76 78 79 81 82 83 84 85

Le 85 mi-carbernet-sauvignon mi-merlot a un côté chasseur : arômes de sous-bois et de gibier. Bon pied, bon œil, un vin qui mérite bon accueil.

♠ Vignobles Jean Boireau, Les Jays, 33570 Lussac, tél. 57.24.32.08 ℡ r.-v.

CH. LA FRANCE DE ROQUES 1985*

5 ha 25 000

76 78 79 80 81 82 83 84 85

Produit sur la même propriété que le château de Roques, ce Lussac se distingue du puisseguin par son caractère frais et fruité qui en fait un vin très agréable, au bouquet tout en finesse. Très belle longueur en bouche et finale intense.

♠ M. Michel Sublett, Ch. de Roques, Puisseguin, 33570 Lussac, tél. 57.74.69.56 ℡ l.j. 9h-12h 14h-18h.

CH. DE LA GRENIÈRE 1985*

8,50 ha 60 000

73 74 75 76 78 79 80 81 82 83 84 85

C'est une belle propriété dont l'origine remonte quelques siècles en arrière. La charpente à l'aspect un peu rustique est entourée de vignes montant jusqu'à sa porte. Les vins sont régulièrement distingués dans ce Guide. Le 85 a une très riche constitution, très marquée par le terroir. Bouquet et dégustation sont encore fermes, mais on sent déjà la solide charpente qui annonce un bel avenir.

♠ M. Jean-Paul Dubreuil, Ch. de La Grenière, 33570 Lussac, tél. 57.74.64.96 ℡ l.j. 9h-12h 14h-18h.

ALAIN MIOT 1985*

n.c. n.c.

La couleur est légère, mais le bouquet est puissant et agréable (fruits cuits). Le vin est déjà évolué et présente des tanins ronds, aimables et flatteurs. Plaisant à boire.

♠ M. Alain Miot, 226, bd Godard, 33000 Bordeaux, tél. 56.39.83.95 ℡ r.-v.

CH. LE BOURDIL 1985*

9 ha 75 000

82 83 85

Vinifié à la cave coopérative, ce vin est un des dignes représentants de l'appellation Lussac. D'un bouquet jeune et agréable, il se caractérise par une grande finesse et possède une belle intensité aromatique.

♠ SCV de Puisseguin-Lussac, Puisseguin, 33570 Lussac, tél. 57.51.20.56 ℡ lu. ma. me. je. ve. 8h-12h 15h30-18h.

CH. MAYNE-BLANC 1985*

10 ha 60 000

75 76 78 79 80 81 82 83 84 85

La dégustation de ce château Mayne-Blanc permettra d'attendre agréablement le bon vieillissement de la Cuvée Saint-Vincent, issue de la même propriété. C'est un vin souple, soyeux, harmonieux et plaisant avec, peut-être, une fin de bouche un peu courte.

♠ M. Jean Boncheau, Ch. Mayne-Blanc, 33570 Lussac, tél. 57.74.60.56 ℡ l.j. 8h-12h 14h-19h.

CH. MAYNE-BLANC
Cuvée Saint-Vincent 1985***

3 ha 19 000

75 76 78 79 80 81 82 83 84 85

19 000 bouteilles seulement pour cette cuvée du château Mayne Blanc vieillie uniquement en barriques de chêne de un ou deux ans. C'est un grand vin de garde dont la dégustation est encore un peu austère mais dont les qualités sont certaines : beaucoup de charme et une charpente souple attestent de la belle constitution de ce millésime au caractère boisé, présent mais bien fondu. Une très belle bouteille.

♠ M. Jean Boncheau, Ch. Mayne-Blanc, 33570 Lussac, tél. 57.74.60.56 ℡ l.j. 8h-12h 14h-19h.

CH. DE TABUTEAU 1985

16 ha　n.c.

Le vignoble bénéficie de toute l'expérience d'une même famille depuis plusieurs générations. Ce vin est déjà bien évolué et mérite d'être consommé dès maintenant : on apprécie notamment son bouquet complexe aux nuances de sous-bois.

M. Jacques Bessou, Ch. Durand-Laplagne, Puisseguin, 33570 Lussac, tél. 57.74.63.07 Y lu. ma. me. je. ve. 8h-12h 14h-18h.

CH. TOUR DE GRENET 1985**

29 ha　180 000

70 71 74 75 76 78 81 82 83 84 85

La haute tour construite vers 1850 veille sur le vignoble. Le vin produit ici est rond et possède toutes les qualités aromatiques d'un merlot bien mûr. Les tanins sont ronds et soyeux. Le vin est plaisant et de consommation facile.

SCI des Vignobles Brunot, Ch. Cantenac, 33330 Saint-Emilion, tél. 57.51.35.22 Y r.-v.

Montagne saint-émilion

CH. BECHEREAU 1985*

6,30 ha　40 000

70 71 72 73 74 75 76 77 79 80 81 82 83 84 85

La robe est un peu légère, mais le bouquet est très présent avec des arômes de cuir et de pruneau cuit. On retrouve en bouche une structure souple, ample et soyeuse. Il manque peut-être un peu de nerf pour être de grand avenir.

M. Jean-Michel Bertrand, Ch. Béchereau, Les Artigues-de-Lussac, 33570 Lussac, tél. 57.24.31.22 Y r.-v.

CH. CALON 1985***

30 ha　150 000

73 74 76 79 81 82 83 85

Trois teaux moulins dominent le vignoble qui possède une cave creusée dans le rocher. L'âge moyen des vignes est de quarante ans et l'on retrouve cette maturité dans la chaleur et la générosité du cru. Rond, flatteur, soyeux et charnu, ce 85 est d'une persistance longue et de qualité.

M. Jean-Noël Boidron, Calon, Montagne, 33570 Lussac, tél. 56.96.28.57 Y r.-v.

CH. CAZELON 1985

3,20 ha　20 000

66 70 75 76 78 80 81 82 83 85

Issu d'un petit vignoble, ce vin a un joli bouquet de fruits rouges, masqué à la dégustation par des tanins trop présents. À suivre.

M. Jean Fourloubey, Ch. Cazelon, Montagne, 33570 Lussac, tél. 57.74.62.75

CH. COUCY 1985

18,50 ha　n.c.

75 76 78 79 81 82 83 84 85

Si la propriété est d'origine anglaise, le vin, quant à lui, est bien un montagne dont on apprécie la franche couleur vermillon et le caractère chaleureux et plaisant.

SCE du Ch. Coucy, Montagne, 33570 Lussac, tél. 57.74.62.14 Y r.-v.

CH. FAIZEAU 1985

9,31 ha　40 000

82 83 84 85

C'est un vin à la très solide constitution, issu de vignes âgées (plus de trente ans) et de merlot à 80%. Derrière la belle robe rouge foncé, le bouquet est encore discret et les tanins trop présents. Comme le 83 décrit l'année dernière, le 85 a besoin d'un peu de temps pour s'arrondir.

SC du Ch. Faizeau, Montagne, 33570 Lussac, tél. 57.51.19.05 Y r.-v.

CH. GUADET-PLAISANCE 1985*

6,43 ha　36 000

78 79 81 82 83 85

Ce vin mérite bien son nom : il est plaisant par la belle couleur rouge sombre, ses arômes agréables de merlot mûr. Rond, souple et assez fruité.

M. Jean-Paul Deson, Saint-Christophe-des-Bardes, 33330 Saint-Emilion, tél. 57.24.77.40 Y r.-v.

CH. HAUT-BERTIN 1985**

6 ha　17 000

81 82 83 85

Petit vignoble mais grande qualité pour ce vin un peu rustique, possédant une belle structure tannique puissante qui lui permet d'envisager l'avenir avec confiance.

Sté Fortin et Fils, Ch. Haut-Bertin, Montagne, 33570 Lussac, tél. 57.74.64.99 Y r.-v.
GFA Fortin Belot.

CH. JURA-PLAISANCE 1985

8 ha　8 000

75 76 77 78 79 80 81 82 83 85

À la frontière de Saint-Emilion et Pomerol, la propriété produit un vin dont on apprécie le nez très fruité (groseilles). En bouche, il se révèle dès à présent agréable et bien équilibré, avec une longue finale légèrement boisée.

M. Bernard Delol, Ch. Jura-Plaisance, Montagne, 33570 Lussac, tél. 61.42.83.50 Y r.-v.

CH. LA PAPETERIE 1985*

9 ha　60 000

74 75 78 79 80 81 82 83 84 85

La propriété, aux confins de quatre appellations (saint-émilion, lalande de pomerol, pomerol et montagne), tire largement parti de sa situation géographique. Ce vin bénéficie d'un vieillissement en bois d'environ 20 mois et l'on retrouve ici toutes les qualités d'un bon élevage : bouquet légèrement vanillé, tanins fondus, finale épicée.

M. Jean-Pierre Estager, 33 à 41, rue de Montaudon, 33500 Libourne, tél. 57.51.04.09 Y r.-v.

CH. LES TUILLERIES DE BAYARD 1985***

■ (75) | 82 | 83 | 85   27 ha   135 000   🍶 ♦ Ⅴ 🔲3

Selon la légende, le preux chevalier Bayard aurait donné son nom au domaine. Une chose est certaine, ce vin est sans reproche et nul besoin d'être brave pour l'apprécier : il possède beaucoup de rondeur et une charpente élégante à laquelle le vieillissement en barrique apporte une richesse supplémentaire.
↬ M. Laporte-Bayard, Montagne, 33570 Lussac, tél. 57.74.62.47 ⏱ r.-v.

CH. MAISON BLANCHE 1985***

■ 73 | 74 | 78 | 79 | 82 | 83 | 85   30 ha   180 000   🍶 ♦ Ⅴ 🔲4

La Maison Blanche date de 1820, mais le vignoble qu'elle commande existe depuis 1765. Voilà un 85 parfaitement réussi : très belle robe rouge grenat et bouquet de raisin mûr rappelant la pomme. Matière riche et concentrée lui donnant une très belle charpente et une solide constitution. Celles-ci lui permettront de bien vieillir.
↬ M. Gérard Despagne, Ch. Maison Blanche, Montagne, 33570 Lussac, tél. 57.74.62.18

CH. MONTAIGUILLON 1985*

■ 80 | 81 | 82 | 85   27 ha   n.c.   🍶 🔲3

D'un beau rouge foncé, ce vin est encore dominé par des tanins très présents. Actuellement, il manque de souplesse, mais il est bien constitué pour une longue garde.
↬ M. Amart, Ch. Montaiguillon, Montagne, 33570 Lussac, tél. 57.74.62.04 ⏱ lu. ma. me. je. ve. 9h30-12h 14h-19h.

CH. PETIT-CLOS-DU-ROY 1985*

■ 75 | 78 | 79 | 80 | 82 | 83 | 85   20 ha   85 000   🍶 ♦ Ⅴ 🔲2

Très belle chartreuse girondine avec perron à balustres du XVIII° s. Le vin est encore un peu « carré », dominé par des tanins puissants lui donnant beaucoup de mâche. À garder quelque temps.
↬ M. François Janoueix, 20, quai du Priourat, 33500 Libourne, tél. 57.51.55.44 ⏱ r.-v.

CH. PUYNORMOND 1985***

■ 81 | 82 | 83 | 85   4.70 ha   n.c.   🍶 ♦ Ⅴ 🔲2

Excellent rapport qualité/prix pour ce beau 85 qui présente toutes les qualités du millésime et du cépage merlot bien mûr, lors d'une grande année. Belle couleur rubis franche, bouquet puissant un peu animal (gibier), tanins ronds et soyeux, velouté lui donnant une bonne amplitude.
↬ M. Paul Massoubre, Ch. Puynormond, Parsac-Montagne, 33570 Lussac, tél. 57.74.68.74

CH. ROUDIER 1985***

■ 79 | 80 | 81 | (82) | 83 | 84 | 85   28.75 ha   150 000   🍶 ♦ Ⅴ 🔲4

Le château Roudier profite d'une magnifique exposition sur le flanc sud des coteaux de Saint-Georges et de Montagne. Les arômes rappellent la confiture de fraises (merlot surmûri) et tradui-

sent l'excellente maturité de la vendange. C'est un vin de bonne garde, possédant une bonne ampleur, beaucoup de charme et des tanins plaisants.
↬ M. Jacques Capdemourlin, Balestard La Tonnelle, 3330 Saint-Emilion, tél. 57.74.62.06 ⏱ r.-v.
↬ GFA Capdemourlin.

CH. SAINT-JACQUES CALON 1985*

■ (75) | 76 | 78 | 79 | 81 | 82 | 83 | 85   9 ha   60 000   🍶 ♦ Ⅴ 🔲3

Ce domaine, situé sur l'un des coteaux les plus élevés de la région, produit un beau vin chaleureux et généreux, d'un rouge profond. Le bouquet, animal, est légèrement épicé, et la dégustation révèle sa souplesse très flatteuse. On lui souhaiterait peut-être un peu plus de personnalité.
↬ Mr et Mme Y. et P. Meule, Ch. Saint-Jacques Calon, Montagne, 33570 Lussac, tél. 57.74.62.43 ⏱ r.-v.

CH. VERNAY-BONFORT 1985**

■ 81 | (82) | 83 | 85   n.c.   12 000   🍶 🔲2

La couleur est brillante avec une légère teinte d'évolution, le bouquet est encore discret, mais le vin est d'ors et déjà bien équilibré et harmonieux, même s'il mérite d'être attendu encore un peu. On apprécie la rondeur et la souplesse des tanins du raisin très bien marié avec le chêne des barriques.
↬ SCE de Bertineau, 193, rue David-Johnston, 33000 Bordeaux, tél. 56.81.76.50

VIEUX CHATEAU PALON 1985

■ 80 | 82 | 84 | 85   4 ha   12 000   🍶 ♦ Ⅴ 🔲3

Joli vin d'un rouge profond et au bouquet puissant et très flatteur. En bouche les tanins, un peu rustiques, sont encore trop présents.
↬ M. P. Colombel, Bertineau, Néac, 33500 Libourne, tél. 57.51.37.86 ⏱ r.-v.

VIEUX CHATEAU SAINT-ANDRE 1986***

■ 79 | 81 | 82 | 83 | 85 | 86   5.50 ha   28 000   🍶 ♦ Ⅴ 🔲3

Jean-Claude Berrouet signe ce vin. Comment s'étonner alors de son exceptionnelle qualité ? Derrière une belle robe rouge apparaissent des arômes fruités mêlés d'épices. Encore jeune et vif il possède une charpente à la fois souple et ferme. Beaucoup d'élégance dans ce vin qui a besoin de quelques années de bouteille.
↬ M. Jean-Claude Berrouet, 68, rue des 4-frères-Robert, 33500 Libourne.

Le tanin est une substance qui se trouve dans le raisin et qui apporte au vin certaines de ses propriétés gustatives ; il lui assure une longue conservation.

Puisseguin saint-émilion

CH. BRANDA 1986**

▮ 🍶↓Ⅴ 3

| 3 ha | n.c. |

78 79 80 81 82 83 85 86

Une valeur sûre dans l'appellation. Derrière des arômes intenses et vineux de vendanges bien mûres apparaît un vin chaud et assez rond possédant des tanins gras et onctueux. Belle finale très puissante et bel équilibre.
➤M. Paul Bordes, Ch. Branda, Puisseguin, 33570 Lussac, tél. 57.74.62.55 Ⲧ r.-v.
➤SCE Ch. Branda.

CH. COTES DU FAYAN 1985*

▮ Ⅴ 2

| n.c. | 18 000 |

79 80 81 82 83 85

Au sommet d'une croupe, la propriété bénéficie d'un excellent terroir. Le bouquet est floral et cette impression de fraîcheur se retrouve à la dégustation. La finale est riche et longue et laisse s'exhaler des arômes de fruits secs.
➤M. Guy Poitou, Ch. Côtes du Fayan, Puisseguin, 33570 Lussac, tél. 57.74.67.38 Ⲧ r.-v.

CH. GUIBOT LA FOURVIEILLE 1985*

▮ 🍶↓Ⅴ 3

| 41 ha | 250 000 |

75 76 81 82 83 84 85

Des soins attentifs et vigilants suivent le vin tout au long de sa vie, dans cette grande propriété où rien n'est sacrifié à la qualité. Et le résultat est là : robe d'un beau rouge grenat et bouquet vineux préparent agréablement à la dégustation : on y apprécie le caractère velouté du vin et ses arômes riches d'où émerge une légère note de réglisse. De bonne garde.
➤M. Henri Bourlon, Ch. Guibeau, Puisseguin, 33570 Lussac, tél. 57.74.63.29 Ⲧ r.-v.

CH. DES LAURETS 1985**

▮ Ⅴ 2

| 65 ha | 25 000 |

78 79 83 85

C'est le type même du vin prêt à boire, mais pouvant attendre. Il possède un bel équilibre, et les tanins, gage de vieillissement, sont très mûrs et veloutés. Les arômes, encore discrets dans le bouquet, possèdent une belle complexité et une richesse certaine. Beau vin de garde, ce cru est agréable dès maintenant et montre une belle longueur en bouche.
➤SCE des Laurets et de Malengin, Ch. des Laurets, Puisseguin, 33570 Lussac, tél. 57.74.63.03 Ⲧ r.-v.

CH. ROC DE PUISSEGUIN
Le Vieux Pigeonnier 1985

| n.c. | n.c. |

82 83 84 85

Produit par la coopérative de Puisseguin, ce vin possède encore une étonnante jeunesse : robe rouge vif, bouquet discret, vigueur, et même légère agressivité des tanins. Doit s'assagir avec le temps.
➤SCV de Puisseguin-Lussac, Puisseguin, 33570 Lussac, tél. 57.74.63.12 Ⲧ lu. ma. me. je. ve. 9h-12h 15h-18h.

Puisseguin saint-émilion

CH. DE ROQUES 1985**

🍶Ⅴ 3

| 15 ha | 80 000 |

61 70 76 78 79 81 82 83 85

Dans ce même Guide, l'année dernière, nous avions recommandé la patience aux amateurs de ce 85. Elle n'est pas déçue et l'on retrouve aujourd'hui un vin à la couleur évoluée et au bouquet enrichi et amplifié. On apprécie sa souplesse et sa rondeur ; très agréable.
➤M. Michel Sublett, Ch. de Roques, Puisseguin, 33570 Lussac, tél. 57.74.69.56 Ⲧ t.l.j. 9h-12h 14h-18h.

Saint-georges saint-émilion

CH. CALON 1985*

🍶↓Ⅴ 4

| 6 ha | 30 000 |

73 74 75 79 80 81 82 83 85

Ce petit vignoble rattaché au château Calon de Montagne produit un vin aux arômes concentrés de fruits mûrs. Il est chaleureux et généreux, avec une petite note boisée et une certaine mâche. Bonne finale.
➤M. Jean-Noël Boidron, Calon, Montagne, 33570 Lussac, tél. 56.96.28.57 Ⲧ r.-v.

CH. TOUR DU PAS SAINT-GEORGES 1985***

🍶Ⅴ 3

| 15 ha | 90 000 |

76 78 79 80 81 82 83 85

C'est une valeur sûre à Saint-Georges : il est vrai que ce cru bénéficie de l'expérience de la famille Dubois-Challon qui possède les châteaux Ausone et Belair. Finement aromatique, 85 présente une agréable note mentholée. En bouche, on découvre un vin gras et charnu, à la fois puissant et élégant. D'une bonne complexité, il est mis en valeur par un vieillissement en bois parfaitement conduit.
➤Mme Dubois-Challon, Ch. Ausone, 33330 Saint-Emilion, tél. 57.24.70.94 Ⲧ r.-v.

CH. TROQUART 1985*

🍶↓Ⅴ 3

| 5.02 ha | 37 000 |

66 67 70 71 72 74 75 76 77 78 79 80 81 82 83 85

Vin chaleureux, assez rond, d'une belle couleur rouge sombre. L'ensemble est assez aromatique et la fin de bouche est marquée par une agréable sensation poivrée. A boire mais peut attendre quelques années.
➤GFA Ch. Troquart, Montagne, 33570 Lussac, tél. 57.74.62.45 Ⲧ t.l.j. 9h-19h.

Entre Garonne et Dordogne

La région géographique de l'Entre-Deux-Mers forme un vaste triangle délimité par la Garonne, la Dordogne et la frontière sud-est du département de la Gironde; c'est sûrement l'une des plus riantes et des plus agréables du tout le Bordelais avec ses vignes qui couvrent 23 000 ha, soit le quart de tout le vignoble. Très accidentée, elle permet de découvrir de vastes horizons comme de petits coins tranquilles qu'agrémentent de splendides monuments, souvent très caractéristiques (maisons fortes, petits châteaux nichés dans la verdure et, surtout, moulins fortifiés). C'est aussi un haut lieu de la Gironde de l'imaginaire, avec ses croyances et traditions venues de la nuit des temps.

Entre-deux-mers

L'appellation entre-deux-mers ne correspond pas exactement à l'Entre-Deux-Mers géographique, puisque, regroupant les communes situées entre les deux fleuves, elle en exclue celles disposant d'une appellation spécifique. Il s'agit d'une appellation de vins blancs secs dont la réglementation n'est guère plus contraignante que pour l'appellation bordeaux. Mais dans la pratique, les viticulteurs cherchent à réserver pour cette appellation leurs meilleurs vins blancs. Aussi la production est-elle volontairement limitée (20 millions de bouteilles en 1982, avec les deux appellations haut-benauge, ci-dessous), et les dégustations d'agréage sont-elles particulièrement exigeantes. Le cépage le plus important est le sauvignon, qui communique aux entre-deux-mers un arôme particulier très apprécié, surtout en vin jeune.

Bordeaux haut-benauge

Pour des raisons historiques, neuf communes de la région de l'Entre-Deux-Mers peuvent bénéficier des appellations bordeaux haut-benauge et entre-deux-mers haut-benauge, en plus des appellations bordeaux et entre-deux-mers dont les spécificités et les vins sont assez voisins. Mais ces appellations sont peu utilisées, sauf pour la mise en bouteilles au château.

☐ **CH. DE BERTIN** 1987*

| | 3,50 ha | 20 000 | 🍷Ⓜ️❚ |

Non, ce château de Bertin n'est pas le Chambertin. Ne pas confondre Bordeaux et Bourgogne! Et puis c'est un blanc, jaune paille, sauvignon blanc et muscadelle. Son nez frais et fruité apporte des notes bien marquées : églantine et genêt. Ce vin est issu de l'une des neuf communes de l'appellation bordeaux haut-benauge, ancien comté de Benauge.

🍷 M. Guy Ferran, Cantois, 33760 Targon, tél. 56.23.93.61 ☎ r.-v.

☐ **CH. D'AUGAN** 1987*

| | 1 ha | 8 000 | 🍷Ⓜ️❚❷ |

Venu d'un coteau qui porta jadis une villa gallo-romaine, ce vin affirme régulièrement sa modernité par sa présentation (avec une note de cristal) que dans ses parfums. Classique, avec des notes florales, l'ensemble est fin et élégant.

🍷 Les Vignerons de Guyenne, Blasimon, 33540 Sauveterre-de-Guyenne, tél. 56.71.55.28
☎ r.-v.
🍷 M. Guy Mercadier.

☐ **BARON D'ESPIET** 1987*

| | n.c. | 10 000 | 🍷Ⓜ️❚ |

Serait-ce pour justifier son titre de noblesse que ce vin fait preuve d'élégance et de distinction, tant dans sa présentation (avec une note de cristal) que dans ses parfums. Et comme toute élégance véritable, celle-ci s'accompagne de discrétion, avec une pointe d'amabilité qu'apporte une charmante rondeur.

🍷 Cave Coop. d'Espiet, Espiet, 33420 Branne, tél. 57.24.24.08 ☎ lu. sa. 8h30-12h30 14h-18h.

☐ **CH. BEAULIEU** 1987*

| | n.c. | 30 000 | 🍷Ⓜ️❚❚ |

Issu d'un vignoble à forte proportion de sémillon (70%), ce vin, au bouquet assez fin avec une note florale bien marquée, se montre plaisant par sa finale longue et agréable.

🍷 Union Saint-Vincent, B.P. 4, 33420 Rauzan, tél. 57.84.13.66 ☎ r.-v.

☐ **CH. DE BEAUREGARD** 1987*

| | 10 ha | 85 000 | 🍷Ⓜ️❚❚ |

Une belle présentation pour ce vin, limpide et

Entre Garonne et Dordogne

brillant, qui saura faire apprécier en été sa fraîcheur et en toutes saisons son harmonieux retour en bouche.
☛ Ducourt et Fils, Ladaux, 33760 Targon, tél. 56.20.54.61 ✺ r.-v.

CH. BONNET 1987**
□ 100 ha 600 000

Un bien aimable château, qui vient de fêter son bicentenaire en 1988, pour un beau vin, à la fois classique et moderne, alliant 50% de sémillon avec à parts égales muscadelle et sauvignon. D'une blondeur raffinée, ce 87 sait se présenter avec élégance. Sa riche personnalité s'exprime aussi par ses parfums, d'une grande distinction avec une charmante note de fantaisie. Au total, un vin de caractère dont le parfait équilibre n'exclut pas la tendresse.
☛ SCEA Vignobles André Lurton, Ch. Bonnet, Grézillac, 33420 Branne, tél. 57.84.52.07 ✺ r.-v.

CH. BONNET Réserve élevée en fût 1986**
□ 2 ha 12 000

Un entre-deux-mers à la couleur ambrée, riche de reflets dorés. Très exotique : banane, orange confite. Boisé. Un solo acide, bien soutenu par les cordes et les cuivres. Une finale éblouissante. Un très beau vin 80% sauvignon blanc, mais au caractère original, en marge de l'appellation.
☛ SCEA Vignobles André Lurton, Ch. Bonnet, Grézillac, 33420 Branne, tél. 57.84.52.07 ✺ r.-v.

CH. CANDELEY 1987**
□ 8 ha 30 000

Une propriété sans histoire, mais un propriétaire au riche passé, ayant été ingénieur des

Entre-deux-mers

Charbonnages, avant de remonter à la surface en entre-deux-mers. Sympathique, léger et équilibré, ce 87 fait penser à la campagne par ses arômes de citronnelle et de jacinthe. Peut-être montrera-t-il moins d'aptitude au vieillissement que le 86, exceptionnel par ses riches arômes, mais par son harmonie, il accompagnera des plats distingués comme la terrine de poisson.
☛ M. Henry Devillaire, Toutifaut, Saint-Antoine-du-Queyret, 33790 Pellegrue, tél. 56.61.31.46 ✺ r.-v.

CH. CANET 1987*
□ 20 ha 80 000

Une maison paysanne sans relief particulier, mais cinq siècles de présence familiale pour cette propriété. Le vin porte la marque des cépages qui s'équilibrent dans son vignoble, avec une petite dominante pour le sauvignon que traduisent les notes de buis et de genêt.
☛ M. Bernard Large, Ch. Canet, Guillac, 33420 Branne, tél. 57.84.57.87 ✺ r.-v.

CHAIS DE VAURE 1987***
□ 60 ha 30 000

Résolument moderne par sa robe, ce vin fait preuve d'une grande élégance qu'il manifeste, entre autres, dans un remarquable bouquet floral, fin et bien typé. Un véritable gentleman. Un seul regret : l'étiquette n'est pas de meilleur aloi.
☛ CCV Chais de Vaure, Ruch, 33350 Castillon-la-Bataille, tél. 57.40.54.09 ✺ t.l.j. sf dim. 9h-12h 14h-18h.

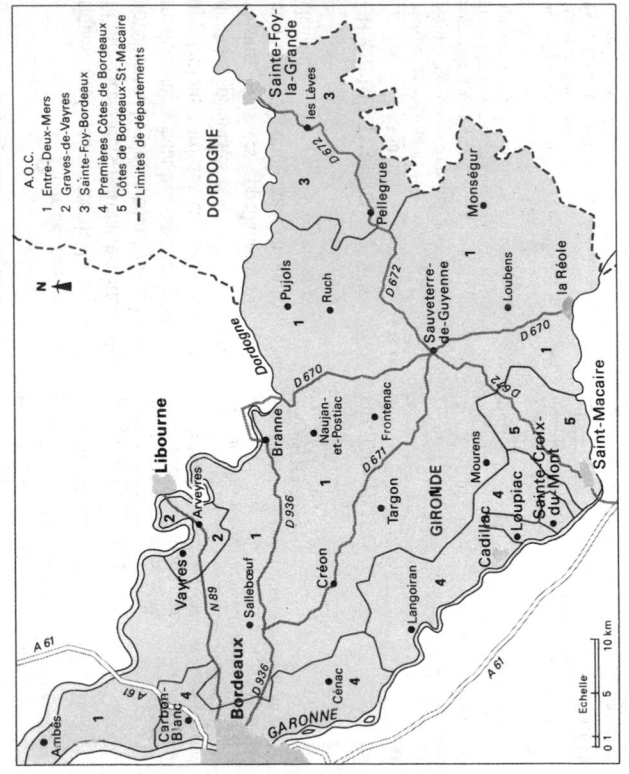

Entre Dordogne et Garonne

A.O.C.
1 Entre-Deux-Mers
2 Graves-de-Vayres
3 Sainte-Foy-Bordeaux
4 Premières Côtes de Bordeaux
5 Côtes de Bordeaux-St-Macaire
— Limites des départements

CH. DE CRAIN 1987

8,90 ha — 20 000

Issu d'un vignoble où se rencontrent cinq cépages, ce vin, classique par sa robe, fait preuve par ses arômes et sa structure d'un caractère plaisant et assez élégant.
➤ SCA de Crain, Ch. de Crain, Baron, 33750 Saint-Germain-du-Puch, tél. 57.24.50.66 r.-v.

CH. DUCLA 1987**

24 ha — 180 000

Célèbre par son étiquette impressionniste, ce cru mérite de l'être également par son vin. Bien que plus discret que l'87 remarquable 86, toujours très harmonieux, le 87 en témoigne par ses arômes distingués, son équilibre et sa bonne structure.
➤ GFA Dom. Mau, 68, rue Nationale, Gironde-sur-Drop, 33190 La Réole, tél. 56.71.91.75

EXCELLENCE 1987

10 ha — 80 000

On aimera l'étiquette tout en hauteur de cette union de coopératives. On aimera auss. le vin frais et vif dont le bouquet, floral et fruité, témoigne d'une vendange bien mûre.

CH. FONDARZAC 1987***

14,27 ha — n.c.

Dans une robe d'or, un vin d'une grande richesse : très aromatique, il expire sa grande personnalité par mille notes de fraîcheur et d'exotisme. Au total, un vin de caractère, puissant et complexe à souhait.
➤ M. Prodiffu, Le Bourg, Landerrouat, 33790 Pellegrue, tél. 56.61 33.73 t.l.j. sf dim. 8h30-12h30/14h-18h.

DOM. DE FONTENILLE 1987**

2,80 ha — 15 000

Ici, les millésimes se suivent et se ressemblent par leur qualité, avec à chaque fois une note printanière, apportée pour ce 87 par sa fraîcheur fruitée.
➤ SCA du Dom. de Fontenille, La Sauve-Majeure, 33670 Créon, tél. 56.23.03.26 r.-v.

GRANGENEUVE 1987*

54,13 ha — 6 000

Agréable à l'œil par son aspect brillant, ce vin sait séduire le palais par son équilibre harmonieux et charmeur. Mais c'est par ses parfums frais, fins et délicats qu'il manifeste le mieux son aimable personnalité.
➤ Coop. de Grangeneuve, Romagne, 33790 Targon, tél. 56.23.94.62 r.-v.

LES VIGNERONS DE GUYENNE 1987

n.c. — 25 000

Classique par sa robe, ce vin s'est aussi par son aspect général ; assez flatteur, il est fort agréable par sa fraîcheur et ses arômes floraux, caractéristiques de l'appellation.

➤ Les Vignerons de Guyenne, Blasimon, 33540 Sauveterre-de-Guyenne, tél. 56.71.55.28 r.-v.

CH. HAUT-POUGNAN 1986

n.c. — 100 000

Produit sur un vignoble où le sauvignon est majoritaire, ce vin, souple et équilibré, en porte la marque avec des arômes assez typés.
➤ M. J. Guéridon, Ch. Haut-Pougnan, Saint-Genès-de-Lombaud, 33670 Créon, tél. 56.23.06.00 t.l.j. sf dim. 8h-12h 14h-18n.

CH. LA BLANQUERIE 1987**

3 ha — 14 000

Riche d'un pigeonnier du XVIIIe s., la propriété sait se montrer agréable ; mais son meilleur ambassadeur est son vin. D'une grande régularité dans la qualité, celui-ci, puissant par son bouquet, sait conquérir le palais par sa fraîcheur et sa délicatesse.
➤ GAEC Rougier, La Blanquerie, Mérignas, 33350 Castillon-la-Bataille, tél. 57.84.10.35 r.-v.

CH. LA COMMANDERIE DE QUEYRET 1987

22 ha — 60 000

Un rien timide dans sa présentation, ce vin sait se montrer attachant par sa délicatesse et sa fraîcheur, avec une petite note fleurie de bon aloi.
➤ M. Claude Comin, Saint-Antoine-du-Queyret, 33790 Pellegrue, tél. 56.61.31.98 r.-v.

LA GAMAGE 1987*

n.c. — 500 000

Agréable à l'œil, ce vin, dont on notera la bonne régularité, l'est plus encore au nez, avec une certaine complexité et une note de pêche. Harmonieux, fruité et équilibré, l'ensemble est plus que sympathique.
➤ Union Saint-Vincent, B.P. 4, 33420 Rauzan, tél. 57.84.13.66 r.-v.

LA GIRONDAISE 1987

39 ha — n.c.

L'étiquette aurait sans doute besoin d'un petit lifting ; mais le vin, un rien timide par sa robe, fait preuve de plus d'audace par ses arômes fruités.
➤ SCV La Girondaise, 33190 Gironde-sur-Dropt, tél. 56.71.10.15 r.-v.

CH. LATOUR 1987*

2,50 ha — 24 000

« Palsambleu, que voilà un vin propre à courtiser la bergère. » Henri prononça-t-il cette phrase ? Vint-il réellement chasser sur ce domaine ? Bien malin qui pourra répondre. Mais il n'est pas besoin de se référer au Vert Galant pour trouver des qualités à ce millésime, aux arômes exotiques ; à l'instar de sonmez, sa bouche laisse des saveurs venues d'ailleurs, rondes et charnues.
➤ M. Raymond Laguens, Ch. Latour, Saint-Martin-du-Puy, 33540 Sauveterre-de-Guyenne, tél. 56.71.53.15 r.-v.

CH. DE L'AUBRADE 1987 ★ ★

□   2,50 ha   20 000   ♦♣ 🍷 2

Décidément, ce vin possède l'art de se présenter, avec une belle robe aux notes de cristal. Et la suite ne déçoit pas : puissant, complexe, floral et long, l'ensemble est fort séduisant.

↳ M. Jean-Pierre Lobre, Ch. de L'Aubrade, Rimons, 33580 Monségur, tél. 56.71.55.10 🍷 r.-v.

CH. LAUNAY 1987 ★ ★

□   50 ha   200 000   ♦♣ 🍷 2

Venu d'une commune très caractéristique de l'Entre-Deux-Mers (Soussac), ce vin apparaît comme un bon ambassadeur de son appellation. Fruité et bien équilibré, il surprendra peut-être certains par une note savoureuse de bonbon anglais, mais il saura se faire aimer du plus grand nombre.

↳ M. Rémy Greffier, Ch. Launay, Soussac, 33790 Pellegrue, tél. 56.61.31.44 🍷 r.-v.

CH. LE BORY-ROLLET 1987

□   5 ha   40 000   ♦♣ 🍷 2

Tout comme le Rollet-Sauviac, du même producteur, ce vin retiendra l'attention par ses parfums que révèle une note de fumé, et sa présence au palais.

↳ M. Jean-Pierre Rollet, Ch. Bory-Rollet, Tuillac, 33890 Gensac, tél. 57.47.15.13 🍷 lu. ma. me. je. ve. 10h-12h 14h-17h.

CH. LE CAILLOU 1987 ★

□   2 ha   8 000   ♦♣ 🍷 2

Juchée à flanc de coteau, une propriété fleurant bon son terroir, avec une maison de maître et des chais du XVII⁰ s. Classique et bien fait, le vir. s'inscrit dans la ligne générale, avec une fort plaisante note fruitée dans les arômes.

↳ M. Charles-Eric Pasquiers, Ch. Grand-Cant'eloup, Nerigean, 33750 Saint-Germain-du-Puch, tél. 57.24.00.58 🍷 r.-v.

CH. LES ARROMANS 1987 ★ ★ ★

□   2 ha   15 000   ♦♣ 🍷 2

Très régulier en qualité, ce cru propose avec le 87 un très beau vin dont l'agréable présentation n'est pas trompeuse. Rond, long et complexe, la suite est en effet séduisante, pour ne pas dire savoureuse, tant par ses arômes que par ses saveurs. Une chair de fruits mûrs, a noté un dégustateur.

↳ M. Jean, Duffau, Ch. Les Arromans, Moulon, 33420 Branne, tél. 57.84.50.87 🍷 r.-v.

CH. LES HAUTS-DE-FONTENEAU 1987 ★ ★

□   3,70 ha   33 000   ♦♣ 🍷 1

Un bien petit vignoble d'à peine quelques hectares, pourtant presque un géant, pour une commune qui ne dépasse guère la trentaine d'hectares de vignes. Et, comme d'habitude pour ce cru, un fort joli vin dont les arômes, complexes, fruités et floraux, annoncent l'équilibre et l'harmonie des saveurs qui s'épanouissent par la suite.

↳ Coop. de Grangeneuve, Romagne, 33760 Targon, tél. 56.23.94.62 🍷 r.-v.

↳ Vve Baluteau.

CH. MOULIN DE LAUNAY 1987 ★

□   60 ha   400 000   ♦♣ 🍷 1

Claude et Bernard Greffier ne sont pas seulement de sympathiques viticulteurs attachés à leur terroir. Ils sont aussi efficaces, comme l'atteste ce joli vin. Agréable à l'œil, il sait apporter de réels plaisirs par sa finesse et par la complexité de ses arômes floraux.

↳ SCEA Cl. et B. Greffier, Soussac, 33790 Pellegrue, tél. 56.61.31.51 🍷 r.-v.

CH. NARDIQUE LA GRAVIERE 1987 ★ ★

□   11 ha   100 000   ♦♣ 🍷 2

Original dans l'Entre-Deux-Mers par son terroir recélant des sols argilo-graveleux, ce vignoble s'est adapté à la nature avec une très forte proportion de sauvignon (90%). Sa présence se fait fortement sentir à la dégustation, avec des arômes et des saveurs bien marqués. Frais et équilibré, l'ensemble est très séduisant.

↳ GAEC Gérard Thérèse et Fils, Nardique la Gravière, Saint-Genès-de-Lombaud, 33670 Créon, tél. 56.23.01.37 🍷 t.l.j. 9h-12h 14h-19h.

CH. PEYREBON 1987

□   6 ha   25 000   ♦♣ 🍷 2

On appréciera le caractère souple et frais de ce vin sobre et classique à la bonne présence aromatique.

↳ M. Jean-François Robineau, Bouchet, Grézillac, 33420 Branne, tél. 57.84.52.26 🍷 t.l.j. sf dim. 9h-12h 14h-18h.

↳ SCA Ch. Peyrebon.

CH. POUCHAUD-LARQUEY 1986 ★ ★

□   3 ha   3 000   ♦♣ 🍷 2

Un petit vignoble, mais assurément pas un petit vin. Par sa bonne évolution, le 86 en témoigne : complexe, fruité, équilibré et long en bouche, il se montre toujours d'une grande fraîcheur.

↳ MM. Piva Père et Fils, Ch. Pouchaud-Larquey, Morizès, 33190 La Réole, tél. 56.71.44.97 🍷 r.-v.

CH. PUDRIS 1987 ★ ★

□   11 ha   60 000   ♦♣ 🍷 2

Une propriété qui connaît une évolution fort heureuse. Destiné à être bu jeune, ce vin à la belle robe apportera bien des satisfactions par ses riches arômes, mêlant les fleurs et les fruits de la passion à l'écorce d'orange. Le tout dans une impression générale de fraîcheur et de finesse.

↳ M. François Dupeyron, Ch. Pudris, Casseuil, 33190 La Réole, tél. 56.71.10.43 🍷 r.-v.

CH. REYNIER 1987 ★

□   10 ha   60 000   ♦♣ 🍷 1

Une cour fermée, deux vieilles tours, cet ancien relais de Saint-Jacques-de-Compostelle possède personnalité et charme. Le vin, lui aussi, est fort aimable par son fin bouquet, où pointe une note de banane et par son caractère gouleyant qui le mariera heureusement avec des coquillages. Rappelons notre coup de cœur pour le 86, l'an dernier.

CH. ROLLET SAUVIAC 1987**

5 ha — 40 000 — [icons]

Appartenant au vaste ensemble des vignobles Rollet, ce cru offre en 87 un vin fruité et assez ample dont on notera le caractère frais et l'honnête persistance.

🍇 Vignobles Rollet, Ch. Fourney, Saint-Pey-d'Armens, 33330 Saint-Emilion, tél. 57.47.15.13

🍷 r.-v.

🍷 M. Laban.

CH. ROQUEFORT 1987**

15 ha — 120 000 — [icons]

Un promontoire, une forteresse gauloise et une allée couverte néolithique, la commune de Lugasson est peu ordinaire. En bon enfant du pays, ce vin lui ressemble : très coloré, original par son bouquet fruité, il l'est aussi par la note de cassis et de groseille mûre qui marque l'importance du sauvignon dans l'encépagement (66%). Quant aux saveurs, elles sont très complexes avec des notes de banane, de fruits exotiques, et s'harmonisent bien avec la rondeur et la puissance.

🍇 SCE du Ch. Roquefort, Ch. Roquefort, Lugasson, 33119 Frontenac, tél. 56.23.97.48

🍷 r.-v.

CAVE DE SAINT-PEY-DE-CASTETS 1987

25 ha — 20 000 — [icons]

Printanier par sa robe, ce vin l'est aussi par ses parfums finement floraux et par sa fraîcheur qui lui donne un caractère vif et primesautier.

🍇 Cave Coop de St-Pey-De-Castets, Saint-Pey-de-Castets, 33350 Castillon-La-Bataille.

🍷 r.-v.

CH. THIEULEY 1987***

2 ha — 15 000 — [icons]

Considéré par beaucoup comme l'une des figures marquantes de la jeune génération des viticulteurs de l'Entre-deux-Mers, Francis Courselle montre par ce vin remarquablement réussi que sa réputation n'est pas injustifiée. D'une très belle présentation, il se développe très harmonieusement par la suite, avec des arômes d'une grande finesse et des saveurs d'une incontestable richesse.

🍇 M. Francis Courselle, Ch. Thieuley, La Sauve, 33670 Créon, tél. 56.23.00.01 🍷 r.-v.

1987

APPELLATION ENTRE-DEUX-MERS CONTROLÉE

PRODUCE OF FRANCE

Thieuley

1987   1987

CH. TOUR-DE-MIRAMBEAU 1987**

20 ha — 200 000 — [icons]

Marqué par le sauvignon, avec des arômes presque sauvages, de fumé, de pamplemousse et de citron, ce beau 87 s'inscrit dans la bonne tradition du cru. Au total, une bien agréable bouteille, fraîche et fruitée.

🍇 M. Jean-Louis Despagne, Ch. Tour-de-Mirambeau, Naujan-et-Postiac, 33420 Branne, tél. 57.84.55.08 🍷 r.-v.

CH. TURCAUD 1987***

8 ha — 60 000 — [icons]

Fidèle à sa méthode de travail d'une rigueur incontestable, Maurice Robert propose un vin excellent. D'une belle présentation, avec une robe dont on aimera regarder les jolis reflets dorés, ce 87, au bouquet riche et complexe, parvient à trouver un superbe point d'équilibre.

🍇 M. Maurice Robert, Ch. Turcaud, La Sauve-Majeure, 33670 Créon, tél. 56.23.04.41 🍷 r.-v.

CH. TURON-LA-CROIX 1987*

11 ha — 20 000 — [icons]

Dans l'Entre-Deux-Mers, le château Turon-La-Croix est connu pour ses nombreux vestiges archéologiques. Viticulteurs en même temps que médecins depuis trois générations, les Saric produisent un vin qui possède une personnalité bien affirmée.

🍇 M. Jean Saric, Lugasson, 33119 Frontenac, tél. 56.24.05.55 🍷 r.-v.

Château TURCAUD — ENTRE-DEUX-MERS — APPELLATION ENTRE-DEUX-MERS CONTROLÉE — MAURICE ROBERT — PROPRIÉTAIRE A LA SAUVE MAJEURE (GIRONDE) — FRANCE — 1987 — SEC

CH. VIEUX CAILLAUX 1987

30 ha — n.c. — [icons]

Devinez quelle est la principale originalité de ce vin ? Son parfum de pomme très marqué. Les consommateurs ne se plaindront pas de ce très agréable bouquet. La suite est, elle aussi, bien plaisante et très fraîche, on a là un entre-deux-mers idéal en dehors des repas. C'est un « vin de télévision » qui plaira tout particulièrement aux Britanniques.

🍇 Alain Miot, 228, bd Godard, ... Bordeaux, tél. 56.39.83.95 🍷 r.-v.

...ier.

Entre Garonne et Dordogne

Entre-deux-mers haut-benauge

tains donnent d'excellents vins rouges ; sur les coteaux, on trouve des sols graveleux ou calcaires ; l'argile devient de plus en plus abondante au fur et à mesure que l'on s'éloigne du fleuve. L'encépagement, les conditions de culture et de vinification sont classiques. Le vignoble pouvant revendiquer cette appellation représente 3 660 ha en rouge et 2 700 en blanc (incluant l'appellation cadillac) ; une part importante des vins, surtout blancs, est commercialisée sous des appellations régionales bordeaux. Les vins rouges ont acquis depuis longtemps une réelle notoriété. Ils sont colorés, corsés, puissants ; les vins produits sur les coteaux ont en outre une certaine finesse. Depuis 1981, les vins blancs portant cette appellation sont exclusivement des vins secs ; pour les vins liquoreux, on utilise l'appellation cadillac.

La région des côtes de bordeaux saint-macaire prolonge, vers le sud-est, celle des premières côtes-de-bordeaux. Elle fut connue autrefois pour ses vins blancs souples et liquoreux ; mais comme dans toute la Gironde, les blancs tendent aujourd'hui à diminuer au profit des rouges, commercialisés sous l'appellation bordeaux ; à l'heure actuelle, à peine une soixantaine d'hectares en produisent. Quantitativement assez réduite (150 ha), l'appellation sainte-foy bordeaux comprend des vins blancs et des vins rouges, et prolonge l'Entre-Deux-Mers proprement dit le long de la rive gauche de la Dordogne ; mais les rouges sont pratiquement toujours commercialisés en appellation bordeaux.

CH. VRAI CAILLOU 1987 ★★★

☐   30 ha   200 000   ▪ ↓ 🅥🅜

Un vaste vignoble et une production importante, mais la qualité n'en souffre pas. Fidèle à la tradition de la propriété, ce 87 fait preuve d'un beau caractère : très aromatique, il mêle les fruits exotiques à de fraîches notes mentholées ; souple, corsé et persistant, il laisse le dégustateur sur une belle impression.
☙ M. Michel Pommier, Ch. Vrai Caillou, Soussac, 33790 Pellegrue, tél. 56.61.31.56 🍷 r.-v.

Entre-deux-mers haut-benauge

CH. LES HAUTS DE SAINTE-MARIE 1986 ★★★★

☐   6 ha   35 000   ▪ ↓ 🅥🅜

Une bonne constance dans la qualité pour ce cru, qui montre par ce 86 que les entre-de-mers peuvent aussi fort bien vieillir. Aux qualités constatées l'an dernier, l'évolution de ce vin est venue ajouter quelques notes aromatiques d'abricot et de pêche. Au total, une bouteille non dépourvue d'avenir.
☙ M. Gilles Puch, 33760 Targon, tél. 56.23.00.71 🍷 r.-v.

CH. TOUTIGEAC 1987 ★★

☐   1,80 ha   16 500   ▪ ↓ 🅥🅜

La production assez confidentielle de ce vin n'empêche pas Philippe Mazeau de ne négliger ni la qualité de la présentation, l'étiquette en fait foi, ni celle du produit lui-même. Riche par sa robe d'or, celui-ci l'est également par ses arômes comme par sa présence en bouche. Issu d'une vendange saine et très mûre, ce vin accompagnera heureusement les poissons cuisinés.
☙ M. Philippe Mazeau, Ch. Toutigeac, 33760 Targon, tél. 56.23.90.10 🍷 r.-v.

Premières côtes de bordeaux

La région des premières côtes de bordeaux s'étend, sur une soixantaine de kilomètres, le long de la rive droite de la Garonne, depuis les portes de Bordeaux jusqu'à Cadillac. Les vignobles sont implantés sur des coteaux qui surplombent le fleuve et offrent de magnifiques points de vue. Les sols y sont très variés : en bordure de la Garonne, ils sont constitués d'alluvions

CH. ANNICHE 1986 ★

▪ 🅥🅜

☐   50 ha   120 000

78 **82** 83 85 86 l

Assez représentative des premières côtes par la diversité de ses sols, la propriété propose un vin dont le bouquet, encore naissant, s'annonce assez fin. Bien équilibrée, la structure générale est assez tannique pour permettre une bonne évolution pendant 2 à 3 ans.
☙ M. Michel Pion, Le Grand Chemin, 33550 Langoiran, tél. 56.23.05 l
14h-19h.

CH. B

CH. BALOT 1985
[82] [83] [84] [85]   10 ha   80 000   ■ 🍷 ⬇ V3

...et concentré, développe des arômes de caractère, avec des notes fruitées et giboyeuses.
→ M. Yvan Réglat, Monprimblanc, 33410 Cadillac, tél. 56.62.98.96 ▼ r.-v.

CH. BARREYRE 1985*
[82] [83] [85]   10 ha   30 000   ■ 🍷 V2

Robe jaune bouton d'or pour ce vin issu d'un vignoble dominant de 111 mètres la Garonne. N'étant pas éclatant en nuances odorantes, il récupère en bouche, marquant assez de rondeur et d'équilibre.
→ M.L. Viollet, Ch. Barreyre, 33550 Langoiran, tél. 56.67.20.52 ▼ r.-v.

CH. BESSAN 1986*
n.c.   24 000   ■ 🍷 V2

Commençant son évolution, la robe de ce vin est toujours d'une belle couleur rouge rubis. Discrètement bouquetée, avec une petite note de fumé, la suite tire son caractère aimable de sa rondeur et de son gras.
→ M. Rémy Verdier, Ch. Bessan, Tabanac, 33550 Langoiran, tél. 56.67.26.30 ▼ lu.-ma. me.-je. ve. 10h-12h 14h-20h.

CH. BRETHOUS 1986**
[75] [76] [78] [79] [81] [82] [83] [85] [86]   13.50 ha   60 000   ■ 🍷 V3

Aux charmes des bâtiments et du panorama s'ajoutent ici ceux du vin lui-même. Agréable à l'œil, il l'est aussi au nez, avec des notes épicées et de fruits bien mûrs. Ample, corsé et gras, il devrait bien vieillir.
→ Denise et François Verdier, Ch. Brethous, Camblanes, 33360 Latresne, tél. 56.20.77.76 ▼ t.l.j. 9h-12h 14h-19h.

CH. CASTAGNON 1985*
n.c.   60 000   ■ 🍷 V3

Une jolie petite chartreuse XVIII's, pour cette exploitation familiale qui produit avec régularité un vin fort agréable. Ce millésime en témoigne par sa belle robe, profonde et limpide, mais aussi par ses arômes, fins et riches, avec une petite note épicée qui relève le bouquet. Rond, gras et long, il laisse le dégustateur d'une bonne impression de volume qui augure d'une bonne évolution.
→ M. Charly Estansan, Chem. de Bichoulin, 33366 Quinsac, tél. 56.20.86.90 ▼ t.l.j. sf dim. 10h-12h 15h-18h.

DOM. DE CHASTELET 1985***
[79] [80] [81] [82] [83] [84] [85] 86   8.50 ha   25 000   ■ 🍷 V3

Plus que par la robe, c'est par le bouquet fin et puissant que se distingue ce vin. D'agréables senteurs d'épices, de bois et de vanille lui donnent en effet une réelle personnalité. Fin et assez élégant, l'ensemble ne manque pas d'attrait.
→ ...

ici, pas de château, mais un domaine qui a une...

---

histoire, jadis propriété d'un corsaire séduit par les lieux lors d'une escale à Bordeaux. Un très beau vin dont on appréciera les arômes, intenses et complexes, la charpente tannique et la marque du bois neuf qui se fond très harmonieusement dans l'ensemble. Une belle réussite, appelée à un très heureux vieillissement.
→ M. Jean Estansan, Dom. de Cabey, Quinsac, 33360 Latresne, tél. 56.20.86.02 ▼ t.l.j. 8h-12h 14h-19h ; 15 au 30 août

CH. CLUZEL 1986
84 86   7 ha   26 000   ■ 🍷 V3

Voisin du célèbre restaurant «le Saint-James», ce cru propose un vin tannique et assez aromatique qui nécessite d'être attendu pour être consommé.
→ M. Jacques Fourès, Ch. Saint-Genès, Saint-Genès-de-Lombaud, 33670 Créon, tél. 56.23.31.29 ▼ r.-v.
→ M. Reichenmann.

CH. CONSTANTIN 1985**
[81] [82] [83] 85   7 ha   32 000   ■ 🍷 V2

Un rien nostalgique par son étiquette qui évoque les vendanges dans l'entre-deux-guerres, ce vin est résolument dans le vent par son élégance. Celle-ci se lit dans la belle couleur rubis comme dans la finesse des arômes. À cela s'ajoutent une riche matière, une solide charpente et une bonne longueur. Une belle bouteille qui méritera d'être attendue.
→ M. Claude Modet, Constantin, Baurech, 33880 Cambes, tél. 56.21.34.71 ▼ r.-v.

CH. DUPLESSY 1985
[82] [83] [84] 85   10 ha   50 000   ■ 🍷 V2

Issu d'une propriété possédant une belle demeure de la fin du XVIII's, ce vin aux arômes sympathiques (avec des notes de fruits rouges à l'alcool et une pointe de cacao) allie une solide matière à un bon équilibre.
→ M. R. Briguet-Lamarre, 100, rue Chevalier, 33000 Bordeaux, tél. 56.48.06.06 ▼ r.-v.
→ SCE du Ch. Duplessy.

CH. FLORESTAN 1986*
25 ha   60 000   ■ 🍷 V3

Encore assez jeune, ce vin est fort encourageant par la finesse de ses parfums. Les senteurs de fruits rouges y rencontrent de très agréables notes de fruits distillés et d'amandes. Puissamment charpenté, avec des tanins bien mûrs, cette bouteille gagnera à être attendue 4 à 5 ans.
→ M. Patrick Bayle, Ch. Plaisance, Capian, 33550 Langoiran, tél. 56.72.15.06 ▼ t.l.j. sf dim. 9h-12h 14h-17h.

CH. GASSIES 1985*
5 ha   46 600

D'un rubis léger, ce vin reste fidèle à sa présentation. Sa rondeur et sa bonne finale lui donnent un aspect très plaisant et même harmonieux.

☛ SCA du Ch. Gassies, 33360 Latresne, tél. 56.44.60.10 ▼ r.-v.
☛ M. Jean Egreteaud.

CH. GRIMONT 1986 ▣2

■   n.c.   n.c.

Légèrement tuilé, ce château Grimont 86 exprime des parfums de fruits rouges, presque cuits avec une jolie note mentholée. Il ne vous saute pas au cou, mais sa retenue témoigne de sa délicatesse.
☛ MM. Dourthe Frères, 35, rue de Bordeaux, B.P. 70, Parempuyre, 33290 Blanquefort, tél. 56.35.84.64 ▼ r.-v.

CH. GUILLEMET 1982*

☐   5 ha   n.c.

Ce vin d'une bonne présentation jaune paille, avec quelques notes de miel et de vanille, possède une attaque souple, moelleuse. Une bonne persistance des arômes en bouche prolonge ces nuances suaves des arômes d'harmonie. Ce millésime semble être près de son optimum.
☛ M. Francis Bordeneuve, Ch. Guillemet, Saint-Germain-de-Graves, 33490 Saint-Macaire, tél. 56.63.71.14 ▼ r.-v.

CH. HAUT-GAUDIN 1985** ▤↓▽2

■   5 ha   15 000

|82| 85

Un millésime brillant, d'une jaune assez pâle; le nez est fin, intense avec des notes de fruits confits (abricot sec et figue); ample et charnu, très rond, ce vin équilibré et long se montre très chaleureux.
☛ M. Bernard Dubourg, Escoussans, 33760 Targon, tél. 56.23.93.08 ▼ r.-v.

CH. DE HAUX 1986** ▥▽2

■   17,25 ha   120 000

85 |86|

Symbole et résultat de la très heureuse évolution du cru durant ces dernières années, ce 86 est une belle réussite. Classique par sa robe, d'une belle couleur rubis et avec des parfums fruités, il se montre fort plaisant par sa souplesse et son équilibre.
☛ SCEA Ch. de Haux, Ch. de Haux, Haux, 33550 Langoiran, tél. 56.23.35.07 ▼ r.-v.

DOM. DE JONCHET 1985** ▽2

■   5,50 ha   10 000

79 |81| 83 84 |85|

Petit domaine s'accrochant au coteau autour d'une vieille chartreuse, la propriété propose un très joli 85. Si la robe est sympathique, c'est principalement par le bouquet et les saveurs qu'il se révèle au dégustateur. Ses parfums, puissants et complexes, invitent à la rêverie, cependant sa matière tannique, mûre et équilibrée, laisse apparaître sa nature profonde, élégante, avec juste ce qu'il faut de bois.
☛ M. Yves Rullaud, Dom. de Jonchet, 33880 Cambes, tél. 56.21.34.64 ▼ r.-v.

CH. DU JUGE 1986 ▤2

■   8 ha   n.c.

80 81 82 |83| 84 |85| |86|

Sans avoir la prétention de rivaliser avec le très beau 85 de cette propriété, le 86, en dépit d'une certaine légèreté, se montre agréable en rondeur et en arômes fruités qu'enrichit une petite note poivrée.
☛ Pierre et Chantal Dupleich, Ch. du Juge, 33410 Cadillac, tél. 56.62.17.77 ▼ r.-v.

CH. DE LA CLOSIERE 1986** ▥3

■   2 ha   12 000

83 |84| 85 |86|

Un petit vignoble et une production peu abondante mais de qualité pour ce cru dont on appréciera tout particulièrement le 85. Témoignant d'une vendange bien mûre, ses parfums sont très raffinés et annoncent le caractère élégant de la présence au palais. Au total, une belle bouteille résultant d'un travail soigné.
☛ Pierre et Chantal Dupleich, Ch. du Juge, 33410 Cadillac, tél. 56.62.17.77 ▼ r.-v.

CH. LA CLYDE 1986* ▥▽3

■   11,43 ha   45 000

80 81 |82| |83| |84| |(85)|

Au cœur des premières côtes de bordeaux, le vignoble de Tabanac qui domine la Garonne offre des vins rouges pleins de corps et d'esprit. Celui-ci par exemple, rubis, aux arômes de cuir et de fourrure, charnu en bouche. Ses tanins apparaissent un peu durs, mais il y a de la charpente ! À laisser vieillir encore...
☛ GAEC Cathala, Ch. La Clyde, Tabanac, 33550 Langoiran, tél. 56.37.41.78 ▼ r.-v.

CH. LA CLYDE 1986 ▥3

☐   1,75 ha   10 000

Avec des reflets verdâtres, ce vin a une limpidité parfaite, une bonne intensité odorante aux notes beurrées; droit de goût, il a une finale assez courte.
☛ GAEC Cathala, Ch. La Clyde, Tabanac, 33550 Langoiran, tél. 56.37.41.78 ▼ r.-v.

DOM. DE LA CROIX 1985* ▤↓▥1

☐   1 ha   6 000

Une belle finesse aromatique : on y trouve des touches fleuries, le miel et le pain grillé. Robe dorée, brillante et limpide. L'attaque ne manque pas d'ampleur et la vivacité ne tue pas le gras. En bouche, il est bien équilibré.
☛ M. Jean-Yves Arnaud, La Croix, Gabarnac, 33410 Cadillac, tél. 56.20.23.52 ▼ r.-v.

CH. LAGORCE 1985 ▤▽2

(75) 80 81 82 83

■   12 ha   50 000

Bien qu'hésitant entre un début d'évolution et les promesses d'une solide structure tannique, ce vin sait retenir l'attention par sa puissance aromatique.
☛ M. Marcel Baudier, Ch. Lagorce, 33550 Haut-Langoiran, tél. 56.67.01.52 ▼ r.-v.

CH. LAMOTHE 1986*

36 ha — 44 000

79 81 **82 83** 84 **85** 1861

Fortement avantagé par un beau terroir, ce cru ne se contente pas de posséder une demeure de caractère (en partie du XVIIIe s.) pour assurer sa renommée. Son vin est sans doute son premier ambassadeur, car il sait tenir les promesses d'une note aromatique de réglisse, il allie un bouquet fruité, avec des notes de bois et de réglisse, il est aussi attachant par son corps et sa rondeur.

→ MM. F. Néel et J. Perriquet, Ch. Lamothe, Haux, 33550 Langoiran, tél. 56.23.05.07 ⊤ r.-v.

CH. LA PEYRUCHE 1985

9,76 ha — 48 000

Se présentant dans une robe marquée par un liseré violine assez intense, ce vin discrètement bouqueté affirme sa personnalité par une légère note surmaturée.

→ Le Cellier de Graman, Graman, 33550 Langoiran, tél. 56.67.09.06 ⊤ lu, ma, me, je, ve, 9h-12h 14h-19h.

CH. LA PRIOULETTE 1985**

3 ha — 25 000

Déjà dégusté l'an dernier, ce vin confirme ses bonnes dispositions. Toujours très riche par ses parfums puissants et complexes, il montre une solide charpente portant la marque des tanins.

→ M. François Bord, Ch. La Prioulette, Saint-Maixant, 33490 Saint-Macaire, tél. 56.62.01.97

CH. DE LARDILEY 1986

3 ha — 20 000

83 84 **85** 86

Chaude et d'un beau rouge, la robe met en confiance et prépare heureusement à la découverte des fins arômes de fruits mûrs que réserve la suite de la dégustation. Rond et harmonieux, l'ensemble est fort plaisant à déguster actuellement.

→ Mme Marthe Lataste, 18, rte de Branne, 33410 Cadillac-sur-Garonne, tél. 56.62.66.82 ⊤ t.l.j. sf dim. 9h-13h 14h-19h.

DOM. LE GREYZEAU 1986***

4 ha — 20 000

82 83 1851 86

Très régulier en qualité, ce petit vignoble, s'il ne décroche jamais vers le bas, réserve parfois quelques belles surprises. Tel cet étonnant 86 dont on ne sait si l'on doit plus apprécier la grande richesse aromatique ou la puissante charpente. Rien qu'en le humant, c'est une foule d'images gourmandes qu'évoquent les senteurs de fumé, de fruits secs, d'amande grillée ou de fruits rouges bien mûrs. Une bouteille exceptionnelle par son harmonie.

→ M. Rolland Pescoury, Dom. Le Greyzeau, Yvrac, 33370 Tresses, tél. 56.06.75.51 ⊤ r.-v.

271

CH. LE PARVIS DE DOM TAPIAU 1986**

6 ha — 35 000

81 82 **83** 84 85 86

Né dans un joli château riche en souvenirs, ce vin montre par ses qualités les talents de vinificateur du maître des lieux. Marqué par une belle note aromatique de réglisse, il allie un bouquet fruité plaisant à une bonne matière. Une très belle bouteille pour le début des années 1990.

→ M. Pierre Reumaux, Ch. Le Parvis, Camblanes-et-Meynac, 33360 Latresne, tél. 56.20.72.10 ⊤ r.-v.

CH. MADRIAC 1985

8,12 ha — n.c.

83 84 85

Quelques reflets bruns dans ce vin à la fois boisé et fruité. L'attaque est moelleuse. Malgré une finale courte, il se montre équilibré dans son harmonie générale.

→ Le Cellier de Graman, Graman, 33550 Langoiran, tél. 56.67.09.06 ⊤ lu, ma, me, je, ve, 9h-12h 14h-19h.

→ M. Fernand Clarac.

CH. MATHEREAU 1986**

10 ha — 60 000

81 **82** 83 85 86

Témoignant de l'effort d'investissement entrepris sur la propriété, ce très joli 86 a tout pour séduire : de beaux parfums, une bonne matière tannique, et de la rondeur. Très harmonieuse, la bouteille promet de bien évoluer.

→ M. Philippe Boulière, Ch. Mathereau, Sainte-Eulalie, 33560 Carbon-Blanc, tél. 56.06.05.56 ⊤ r.-v.

CH. MELIN 1985*

7 ha — 34 000

75 78 79 **81 82** 83 84 85

La paix qui se dégage des lieux, avec en toile de fond, par l'autre côté de la Garonne, la forêt landaise, aide sans doute à faire un vin de bonne facture. Assez tannique, il monte bien en bouche.

→ M. Claude Modet, Constantin, Baurech, 33880 Cambes, tél. 56.21.34.71 ⊤ r.-v.

CLOS DU MONASTÈRE DU BROUSSEY 1985

7 ha — 30 000

84 85

Légère, mais avec une agréable note de brillant, la robe est révélatrice d'un vin léger mais fort agréable par la finesse de ses arômes fruités.

→ M. G. Mareuzzi, Le Vic. Cardan, 33410 Cadillac, tél. 56.62.60.91 ⊤ r.-v.

CLOS MONTAGNE 1986*

2,40 ha — 10 000

Une très belle présentation pour ce vin dont on admirera la robe, jeune, intense et nuancée. Finement bouqueté, 86 montre par la puissance de ses tanins qu'il possède de réelles possibilités de vieillissement.

→ M. Hubert Béraud-Sudreau, Clos Montagne, Cenac, 33360 Latresne, tél. 56.81.07.08 ⊤ r.-v.

CH. MONTJOUAN 1986***

3,80 ha 26 000

En pleine réorganisation, ce petit vignoble mené par des femmes n'a sans doute pas encore livré tous ses secrets. Pourtant, c'est à un niveau de qualité assez rare qu'il est déjà parvenu avec ce vin particulièrement élégant et complet : brillant et limpide, il offre un fin bouquet vanillé, une rondeur et une longueur remarquables. Il vieillira très joliment.

Mme Anne-Marie Le Barazer, Ch. Montjouan, Bouliac, 33270 Floirac, tél. 56.20.52.18 r.-v.

CH. DE PALETTE 1986

4,25 ha 24 000

82 85 |86|

Agréable par sa robe et ses parfums, ce vin devient assez intéressant en bouche où apparaît une structure souple en même temps que tannique qui débouche sur une très jolie finale.

SCEA Charles et Jean-Paul Yung, Beguey, 33410 Cadillac, tél. 56.62.95.25 r.-v.

CH. DU PAYRE 1986*

20 ha 80 000

75 77 78 79 80 81 82| 83 |84| 86

S'inscrivant dans la tradition du domaine par sa robe très agréable à l'œil, ce 86, rond et fruité, ne manque pas d'attrait, notamment en raison de son équilibre.

SC du Ch. du Peyrat, Ch. du Peyrat, Capian, 33550 Langoiran, tél. 56.23.95.03 r.-v.

CH. DU PEYRAT 1986**

22,80 ha n.c.

78 79 82 |83| 85 |86|

Issu d'un vignoble qui se distingue par la place importante qu'il occupe les cabernets dans l'encépagement, ce vin possède un charme réel qui vient tout autant de l'intensité des arômes (avec une très agréable note poivrée) que de la puissance de la charpente, équilibrée et tannique.

MM. Arnaud et Marcuzzi, Le Vic, Cardan, 33410 Cadillac, tél. 56.62.60.91 r.-v.

CH. PEYRAT 1986*

9,68 ha n.c.

78 79 82 85 |86|

Né au XVIIe s., détruit par incendie, le château a été entièrement reconstruit au début du XXe s.

Le vin est équilibré. Les tanins, très savoureux, et les agréables arômes fruités retiendront l'attention.

Le Cellier de Graman, Graman, 33550 Langoiran, tél. 56.67.09.06 lu. ma. me. je. ve. 9h-12h 14h-19h.

M. Jean-Claude de Biras.

CH. PEYRAT 1985*

2,77 ha n.c.

|83| 84 85

Une très belle couleur, de fins parfums pour ce vin assez moelleux ; il sera agréable à boire sur une viande blanche.

Le Cellier de Graman, Graman, 33550 Langoiran, tél. 56.67.09.06 lu. ma. me. je. ve. 9h-12h 14h-19h.

M. Jean-Claude de Biras.

CH. DE PIC 1986**

25 ha 130 000

|82| 83 84 |86|

Une très jolie robe pour un vin qui sait s'exprimer par la finesse et la puissance de son bouquet mêlant les fruits au grillé. Souple, tannique, bien charpentée et avec beaucoup de mâche, la structure d'ensemble, particulièrement intéressante, présente un grand avenir.

SCE Sepic, Ch. de Pic, Le Tourne, 33550 Langoiran, tél. 56.67.07.51 r.-v.

CH. PLAISANCE 1985*

25 ha 75 000

82 83 85

Une tradition de gastronomie puisque la propriété appartenait autrefois à un grand restaurateur bordelais. Son vin se devait d'être à la hauteur : il offre des arômes et des saveurs assez complexes, avec des notes de cuit et de pruneau. Une jolie petite bouteille.

M. Patrick Bayle, Ch. Plaisance, Capian, 33550 Langoiran, tél. 56.72.15.06 t.l.j. sf dim. 9h-12h 14h-17h.

CH. DE PLASSAN 1986**

9,50 ha 50 000

82 83 85

De retour des Îles, la famille Clauzel fit construire le château de Plassan au début de l'Empire. Style néoclassique, qu'on retrouve avec joie dans cette bouteille rouge vif, charmante et élégante, d'un équilibre parfait. Arômes de cacao et d'épices pour rappeler l'air du grand large, rigueur de l'architecture. Tabanac ne fait pas mieux.

SCEA Ch. de Plassan, Plassan, Tabanac, 33550 Langoiran, tél. 56.67.26.28 r.-v.

CH. PONCET 1986

7 ha 45 000

Issu d'un vignoble dominant la Garonne, ce vin, sans posséder une personnalité très marquée, est rendu agréable par sa rondeur et son fruité. Une bonne bouteille pour un déjeuner estival.

M. Jean-Luc David, Ch. Poncet, Omet, 33410 Cadillac, tél. 56.62.97.30 r.-v.

DOM. DE PRINGUEY 1985*

| | 2 ha | n.c. | [V 2] |

Si l'étiquette ne perdrait pas grand-chose à subir un petit lifting, le vin lui-même sait se présenter. L'élégance de sa robe prépare la découverte d'une bouteille ronde, très aromatique avec des notes animales de cuir, de fourrure, mêlées des fruits rouges confits. Bien équilibré, il est très agréable.

↳ M. Claude Cosset, Pringuey, 33360 Camblanes, tél. 56.52.51.20 ℡ r.-v.

CH. SAINT-MARTIN 1983

| [82][83][85] | □ 7 ha | 15 000 | [●●][♪][V 2] |

Agréable à l'œil, avec une robe jaune pâle, ce vin d'une présentation soignée se montre encore fermé. L'attaque est agréable. Un peu court en finale, il laisse bonne bouche avec en retour une petite amertume.

↳ M. Alain Bosviel, Ch. Saint-Martin, 33410 Cadillac, tél. 56.62.68.21 ℡ r.-v.

CH. PUY BARDENS 1985*

| [82][83][85] | ■ 1,20 ha | 60 000 | [●●][♪][V 2] |

Imposante propriété dominant la Garonne, Puy Bardens offre un millésime aux tanins assez puissants et aux arômes riches et complexes.

↳ M. Yves Lamiable, Ch. Puy Bardens, 33880 Cambes, tél. 56.21.31.14 ℡ r.-v.

CH. RENON 1986*

| [80][81][82][83][85][86] | ■ 4 ha | 22 000 | [●●][♪][V 3] |

Très régulier en qualité, ce petit vignoble reste fidèle à lui-même avec un joli 86. Fin et aromatique, il montre le sérieux de la vinification pratique au domaine.

↳ M. Jacques Boucherie, Ch. Renon, Tabanac, 33550 Langoiran, tél. 56.67.13.59 ℡ r.-v.

CH. REYNON 1986*

| [79][81][82][83][84][85][86] | ■ 10 ha | 65 000 | [●●][♪][V 3] |

Sans pouvoir rivaliser avec les grands millésimes du cru, tels les remarquables 82 et 85, ce 86 ne fera pas de tort à la réputation justifiée du château Reynon. Il ne se contente pas d'exhiber une jolie robe rubis ; discrètement mais harmonieusement bouqueté, il sait se rendre aimable par son caractère souple et chaleureux.

↳ Denis et Florence Dubourdieu, Ch. Reynon, Beguey, 33410 Cadillac, tél. 56.62.36.51 ℡ r.-v.

CH. DE RICAUD 1985*

| [75][81][82][83][84][85] | ■ 40 ha | 175 000 | [●●][♪][V 2] |

S'il doit sa célébrité à l'architecture d'un château de conte de fées, ce cru peut aussi tirer une certaine fierté de son vin. Évoluant très heureusement, le 85 confirme les qualités constatées lors de la dégustation de l'an dernier.

↳ SGMC Ch. de Ricaud, Loupiac, 33410 Cadillac, tél. 56.62.9757 ℡ lu. ma. me. je. ve. 8h-12h 13h30-17h30 ; f. ✕cût

↳ M. Alain Thiénot.

CH. ROQUEBERT 1986

| | ■ 11,08 ha | 55 000 | [●●][♪][V 2] |

Attirant par la limpidité de sa robe, ce vin, simple et vif, laisse sur une impression d'ensemble assez harmonieuse.

↳ MM. Christian et Philippe Neys, Ch. Roquebert, Quinsac, 33380 Latresne, tél. 56.97.01.21 ℡ r.-v.

La région des Graves

Pessac-léognan, graves et graves supérieures

Vignoble bordelais par excellence, les Graves n'ont plus à prouver leur antériorité : dès l'époque romaine leurs rangs de vignes commencent à encercler la capitale des Aquitains et à produire, selon l'agronome Columelle, «un vin qui se garde longtemps et se bonifie au bout de quelques années».

C'est au Moyen Age qu'apparaît le nom de «graves», désignant alors tous les pays de la rive gauche de la Garonne en amont de Bordeaux qui sont situés entre le fleuve et le plateau landais. Mais aujourd'hui, l'aire de l'appellation est coupée en deux par la zone des vins blancs liquoreux (sauternes, cérons et barsac), et a été modifiée par la création d'une nouvelle appellation pessac-léognan, en 1987.

Les graves sont constituées principalement par des terrasses construites par la Garonne lors des grandes crues millénaires ayant déposé une grande variété de débris caillouteux (galets et graviers) venus des Pyrénées et du sud du Massif central.

La zone aux confins de Bordeaux, située autour des communes de Pessac et de Léognan, a acquis depuis

Région des Graves

longtemps une notoriété incontestable; dans cette région se trouve la totalité des crus classés: les terroirs de rouges et de blancs sont bien différenciés. Cette situation avait incité les viticulteurs à solliciter une appellation communale, pessac-léognan, en s'inspirant du modèle médocain; c'est le 9 septembre 1987 qu'est sorti le décret interministériel pessac-léognan, précisant que les mentions «vins de graves», «grand vin» ou «cru classé des graves», peuvent figurer sur les étiquettes.

C'est ainsi qu'était achevée une guerre fratricide entre graves du Nord et graves du Sud, un antagonisme qui existait avant même que l'on créât l'appellation en 1937.

Pessac-léognan constitue une microappellation, puisqu'elle compte 35 propriétés viticoles, un peu moins de 1 000 ha qui ont produit 33 448 hl de vin rouge et 8 722 de vin blanc.

Les vignes, engoncées au milieu de la banlieue bordelaise sur dix communes (Cadaujac, Canéjac, Gradignan, Léognan, Martillac, Mérignac, Pessac, Saint-Médard-d'Eyrans, Talence et Villenave-d'Ornon) sont tout de même appelées à agrandir leur surface, le syndicat prévoyant 1 500 ha d'ici quinze ans. Mais paradoxalement ce vignoble, né de la proximité de la capitale aquitaine, est menacé par le développement de l'agglomération bordelaise. Certaines des plus prestigieuses propriétés, à commencer par Haut-Brion, sont devenues des vignobles enclavés dans la ville. Aussi les viticulteurs suivent-ils avec attention - et inquiétude - le projet d'implantation dans cette région d'une «technopole borde-

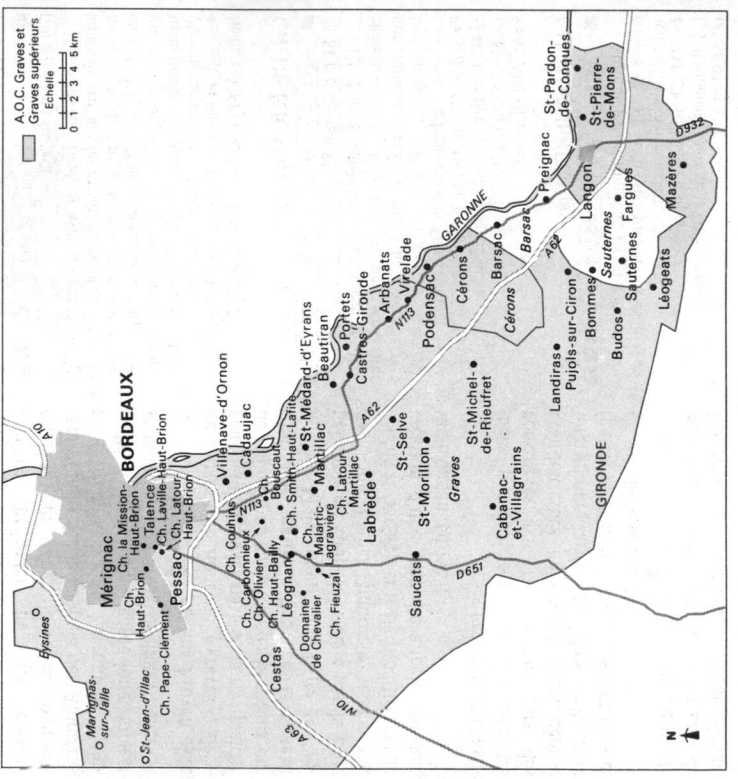

La région des Graves

laise », afin que celle-ci n'empiète pas sur les terrains classés.

Les 16 crus classés des graves, 13 rouges et 9 blancs secs (classement de 1855 pour Haut-Brion et 1959 pour les autres crus), ont constitué une union des crus classés de graves et sont tous compris dans l'aire d'appellation pessac-léognan.

Les graves du Sud ne jouissent pas de la même réputation, avec des cours nettement moins élevés; il existe certainement, par exemple autour de Portets et de Podensac, des terroirs privilégiés qui n'ont pas encore été pleinement valorisés : cette région est probablement l'une de celles où la création de nouveaux vignobles de haut niveau reste possible.

Il existe plusieurs types de vins dans ces appellations : les rouges se rapprochent de ceux du Médoc, ils ont la même structure corsée et élégante qui leur permet un excellent vieillissement. Leur bouquet, finement fumé, est particulièrement typé. Les vins blancs secs sont parmi les meilleurs de la Gironde; fins et bouquetés, ils sont frais et nerveux. Les plus grands sont élevés en barriques, et gagnent en richesse et complexité après quelques années de vieillissement en bouteille. On trouve aussi des vins moelleux, correspondant à des types anciens qui ont conservé leurs amateurs.

Si les vendanges 1987 ont été les premières à être faites sous le nouveau régime de pessac-léognan, on peut d'ores et déjà en trouver dans le commerce, puisque le décret avait un effet rétroactif pour le millésime 86.

Pour la clarté de l'édition, nous avons préféré mettre sous un même titre, pessac-léognan, les rouges et les blancs d'une même propriété, alors que les étiquettes porteront pour les rouges 85, la seule dénomination de graves, et pour les blancs 86, pessac-léognan.

Plus une vigne est âgée, meilleur est son vin.

CH. BARET 1985*   ■   10 ha   50 000   ⓷

Répondant à l'élégance du château par la noblesse de sa robe rubis, ce vin fait déjà preuve d'une belle personnalité, avec notamment de pertinentes notes de pruneaux cuits, mais il méritera d'être attendu.
→ Ch. Baret, Villenane-d'Ornon, 33140 Pont-de-la-Maye, tél. 56.87.08.02 ⴲ r.-v.

CH. BARET 1986   □   6 ha   30 000   ⓷

S'il n'a pas autant de personnalité que le rouge, ce blanc possède néanmoins une richesse aromatique qui fait son intérêt. Une aimable bouteille à boire jeune.
→ Ch. Baret, Villenane-d'Ornon, 33140 Pont-de-la-Maye, tél. 56.87.08.02 ⴲ r.-v.

CH. BOUSCAUT 1986*   □ Cru clas.   10 ha   35 000

79 80 81 82 83 84 85 86

Fruit d'un travail soigné, ce vin est bien équilibré. Fidèle à l'image que donne de lui sa robe, il fait preuve d'une réelle richesse par son bouquet mêlant finement les fruits mûrs au miel.
→ SC Ch. Bouscaut, Cadaujac, 33140 Pont-de-la-Maye, tél. 56.30.72.40 ⴲ r.-v.
→ MM. Lucien Lurton et Fils.

CH. BOUSCAUT 1985**   ■ Cru clas.   35 ha   130 000

76 79 80 81 82 83 84 85

À l'égal de l'élégant château que Lucien Lurton a rétabli dans sa dignité jadis engloutie dans un tragique incendie, le vin amorce sa remontée. Très complexe par ses arômes, ce 85 sait marier une certaine gracilité avec une réelle puissance.
→ SC Ch. Bouscaut, Cadaujac, 33140 Pont-de-la-Maye, tél. 56.30.72.40 ⴲ r.-v.
→ MM. Lucien Lurton et Fils.

CH. BROWN 1985*   ■ Cru clas.   n.c.   70 000

78 ⑦ 81 82 83 85

Issu d'un bon terroir de graves, ce 85 à la robe rubis léger montre un nez intense de fruits mûrs assez élégants bien qu'encore assez brutaux. Mais sa bouche est fraîche et les tanins gracieux. Une note très caractéristique de poivron vert, et du gras. Voilà un 85 aux airs de tendre voyou qui ne manque pas de charme.
→ M. Jean-Claude Bonnel, Ch. Brown, 33650 Léognan, tél. 56.87.08.10 ⴲ r.-v.

CH. CARBONNIEUX 1986*   □ Cru clas.   37 ha   210 000

81 82 83 84 85 86

Ce cru offre à nouveau, avec le 86, un joli vin, à la fois classique et original par son nez très fleuri (aubépine, buis) et son côté mentholé. Frais et jeune, l'ensemble équilibré est très élégant.

CH. CARBONNIEUX 1985***

■ Cru clas.   38 ha   220 000   [▮▮] ▼5

|75| 76 |78| 79 80 82 83 |84| 85

Né sur un vieux domaine qui savait impressionner les visiteurs par ses douze tours, ce vin a l'art de se faire respecter. Puissant et élégant, il montre qu'il ne craint personne par sa mâche, ses sensations épicées, poivre et cannelle, et sa richesse aromatique.
➥ M. Antony Perrin, Ch. Carbonnieux, 33850 Léognan, tél. 56.87.08.28 ♈ r.-v.
➥ SC des Grandes Graves.

DOM. DE CHEVALIER 1985***

□ Cru clas.   3 ha   9 000   [▮▮] ↓7

61 64 66 67 68 69 |70| |71| 73 75 76 |78| |79| |80|

Toujours aussi petit par sa taille mais toujours aussi grand par son vin, pourrait-on dire de ce cru, qui offre un 85 aussi réussi que les 84, 83 et 82. Plus discret qu'à l'habitude, le bouquet est cependant d'une extrême finesse, avec des notes de grillé et de sous-bois. Élégante et complexe, la présence au palais est remarquable.
➥ SC du Dom. de Chevalier, 33850 Léognan, tél. 56.21.75.27 ♈ r.-v.
➥ MM. C. Ricard et O. Bernard.

DOM. DE CHEVALIER 1984***

■ Cru clas.   15 ha   60 000   [▮▮] ↓7

64 |66| 68 69 |70| 71 73 74 75 76 77 |78| |79| 80
|81| 82 83 |84|

Il n'est pas besoin de se donner des titres de châtelain pour devenir une vedette, même en Bordelais. Ce «domaine» en est la preuve, avec un 84 au nez magnifique. Tannique et savoureuse, harmonieuse et complexe, cette bouteille, d'une persistance exceptionnelle fera craquer plus d'un dégustateur.
➥ SC du Dom. de Chevalier, 33850 Léognan, tél. 56.21.75.27 ♈ r.-v.
➥ MM. C Ricard et O. Bernard.

CH. COUHINS 1986*

□ Cru clas.   n.c.   n.c.   3

Quoique un peu discret au nez, il est fort plaisant, nerveux et équilibré.
➥ INRA, Ch. Couhins, Villenave-d'Ornon, 33140 Pont-de-la-Maye, tél. 56.77.32.77

CH. COUHINS 1985*

■   n.c.   n.c.   3

Domaine expérimental de l'INRA, Couhins offre un vin souple et élégant ne manquant pas de matière; mais il l'affirme avec beaucoup de finesse et de gracilité.
➥ INRA, Ch. Couhins, Villenave-d'Ornon, 33140 Pont-de-la-Maye, tél. 56.77.32.77

CH. COUHINS-LURTON 1986*

□ Cru clas.   5 na   25 000   [▮▮] ▼4

83 |85| 86

Entièrement voué au blanc et 100% sauvignon, ce cru s'inscrit parfaitement dans l'esprit de l'appellation. Dans un bel or franc s'exprime sa grande richesse aromatique à travers des notes très diverses et complexes (mandarine, pamplemousse...). L'attaque est ronde, la bouche équilibrée.
➥ SCEA Vignobles André Lurton, Ch. Bonnet, Grézillac, 33420 Branne, tél. 57.84.52.07 ♈ r.-v.

CH. DE CRUZEAU 1986*

□   n.c.   n.c.   ▼3

|81| 82 83 84 86

André Lurton, qui a sa petite idée sur les vins blancs, aime bien ce cru. Il a raison! par ses puissants parfums floraux et fruités, son équilibre et sa richesse, ce vin charnu est plus qu'agréable.
➥ SCEA Vignobles André Lurton, Ch. Bonnet, Grézillac, 33420 Branne, tél. 57.84.52.07 ♈ r.-v.

CH. DE CRUZEAU 1985**

■   43 ha   200 000   ▼3

|81| 82 83 |84| 85

Si le château ne date que de 1912, l'ancienne maison de maître du XVIII e s. a été heureusement conservée. Elle rappelle que ce cru a pour lui une réelle ancienneté. D'un beau grenat, le vin se montre à la hauteur du passé des lieux. Que ce soit par son bouquet, fin et intense, par son amabilité, ou sa grande harmonie, notamment en finale.
➥ SCEA Vignobles André Lurton, Ch. Bonnet, Grézillac, 33420 Branne, tél. 57.84.52.07 ♈ r.-v.

CH. FERRAN 1986

□   5 ha   30 000   [▮▮] ▼3

84 86

Issu d'un sympathique petit vignoble, ce vin sait se rendre aimable par un bouquet fin, élégant et floral. Il faudra le boire jeune pour profiter de sa grande fraîcheur.
➥ M. Hervé Béraud-Sudreau, Ch. Ferran, Martillac, 33650 La Brède, tél. 56.72.78.73 ♈ r.-v.

CH. FERRAN 1985

|83| |85| 3

Un vin qui se montre plaisant par sa souplesse bien que les tanins n'en soient pas absents. Mais il ne faudra pas l'attendre longtemps.
➥ M. Hervé Béraud-Sudreau, Ch. Ferran, Martillac, 33650 La Brède, tél. 56.72.78.73 ♈ r.-v.

CH. DE FIEUZAL 1986***

□   2,26 ha   12 000   [▮▮] ▼6

83 84 86

Même s'il n'est pas classé, le vin blanc de ce cru entend se montrer à la hauteur du rouge. Il est parfait. Sa robe, jaune paille doré, comme ses parfums, hors du commun par leur complexité et l'harmonie de la suite. Voilà une bouteille élégante promise à un très grand avenir.

➤ SA du Ch. Fieuzal, 5, av. de Lattre-de-Tassigny, Le Bourg, 33850 Léognan, tél. 56.21.77.86 ☎ r.-v.

➤ M. Gérard Gribelin.

CH. DE FIEUZAL 1985***

■ Cru clas.	30 ha	150 000	⇥ ♣ 🗑 6

70 75 77 78 79 81 82 83 85

Jadis propriété du duc de La Rochefoucauld, Fieuzal est l'une des valeurs sûres de l'appellation. Ce très beau 85 parfait par sa présentation et élégant par son bouquet est charpenté et racé à souhait. Une excellente bouteille qu'il conviendra de ménager.

➤ SA du Ch. Fieuzal, 5, av. de Lattre-de-Tassigny, Le Bourg, 33850 Léognan, tél. 56.21.77.86 ☎ r.-v.

➤ M. Gérard Gribelin.

CH. DE FRANCE 1985*

■	26 ha	150 000	⇥ ♣ 🗑 3

78 79 80 81 82 84 85

Né dans un vignoble privilégié par son ensoleillement, ce vin possède une personnalité assez marquée mais qui ne pourra que s'affirmer avec plus de force et plus de finesse d'ici quelques années. Rappelons le coup de cœur pour le 84.

➤ M. Bernard Thomassin, Ch. de France, 33850 Léognan, tél. 56.21.75.39 ☎ r.-v.

CH. GAZIN 1985*

■	12 ha	50 000	⇥ ♣ 🗑 4

77 78 79 82 83 84 85

Produit sur un sol assez original pour la région, ce vin fait preuve d'une personnalité bien affirmée par des arômes mûrs et intenses de coing, pruneau et kirsch.

➤ Sté Michotte-Foures, Ch. Gazin, 33850 Léognan, tél. 56.23.31.29

DOM. DE GRANDMAISON 1985*

■	11 ha	75 000	⇥ ♣ 🗑 *

81 82 83 85

Sur les bords de l'Eau Blanche, la petite rivière qui draine le secteur du pessac-léognan, ce domaine fait naître un joli vin au bouquet d'une grande finesse avec des notes de cassis, de fumé et de vanille.

➤ M. Jean Bouquier, Dom. de Grandmaison, 33850 Léognan, tél. 56.21.75.37 ☎ r.-v.

DOM. DE GRANDMAISON 1986**

□	3 ha	20 000	⇥ ♣ 🗑 3

85 86

Enclavé entre plusieurs grands crus classés, le petit vignoble n'a pas à faire de complexes devant ses voisins. Très soutenu et concentré, par sa robe comme par son bouquet, son très joli vin est d'une réelle ampleur.

➤ M. Jean Bouquier, Dom. de Grandmaison, 33850 Léognan, tél. 56.21.75.37 ☎ r.-v.

CH. HAUT-BAILLY 1985***

■ Cru clas.	23 ha	130 000	⇥ ♣ 🗑 6

78 (79) 83 85

Comme Chevalier, Haut-Bailly a appartenu jadis aux Ricard. Pour tout connaisseur qui se respecte, c'est la garantie que les qualités du terroir ont été portées à leur optimum. Les vins qu'y naissent atteignent à des sommets avec des millésimes comme ce 85 : on ne sait s'il faut plus en admirer la robe, le bouquet intense et complexe avec des notes de truffes, ou le corps somptueusement onctueux et crémeux. Cette très grande bouteille est assurément une valeur sûre à suivre de près.

➤ SCIA Ch. Haut-Bailly, 33850 Léognan, tél. 56.21.75.11 ☎ r.-v.

➤ M. Sanders.

CH. HAUT-BERGEY 1985*

■	16 ha	80 000	⇥ ♣ 🗑 4

79 82 83 84 85

Un très joli château de Belle au Bois dormant, célèbre pour ses quatre façades de style différent. Entièrement consacrée aux rouges, la propriété offre avec ce millésime un vin simple, franc et bien fait, avec une certaine puissance aromatique.

➤ M. Jacques Deschamps, Ch. Haut-Bergey, 33850 Léognan, tél. 56.21.75.02 ☎ r.-v.

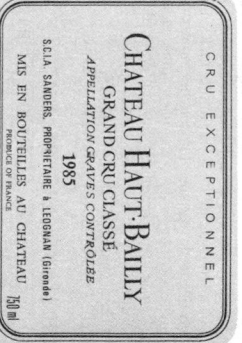

CH. HAUT-BRION 1985***

■ 1er gd cru clas.	40 ha	160 000	⇥ ♣ 🗑 7

73 74 76 77 78 79 80 81 82 83 84 85

Belle gentilhommière des XVIe et XVIIe s., aujourd'hui vignoble «intra muros», Haut-Brion reste un brillant vestige du passé viticole de Pessac. Né dans ce cadre unique, toujours égal à lui-même, le 85 montre tour à tour une couleur rouge très sombre peu évoluée, des arômes très complexes de brûlé, vanille, raisins très mûrs concentrés. La bouche, d'une vinosité sans égal, révèle une structure tannique présente mais fine. L'éblouissement vient d'une finale exceptionnelle.

CH. LA GARDE 1986*

▶ Dom. Clarence Dillon SA. B.P. 24, 33602 Pessac Cedex, tél. 56.98.28.17 **Ⲧ** r.-v.

	4,22 ha	12 000	**▮▼❸**

|85|86|

Sans avoir autant de classe que le Smith-Haut-Lafitte du même producteur, ce vin, rond, souple et assez aromatique, montre par sa très belle finale qu'il possède un sacré caractère.

▶ Sté Expl. Vignobles Eschenauer, Martillac, 33650 La Brède, tél. 56.72.71.07 **Ⲧ** r.-v.

CH. LA GARDE 1985

	48,65 ha	200 000	**▮▼❸**

|79| 81 |82| |83| |85|

Exemple des demeures qu'aimaient à se faire construire aux portes de la ville les bourgeois bordelais du siècle des Lumières, ce cru offre avec 85 un vin peut-être aussi réussi que certains autres millésimes, mais très original par ses parfums que traversent diverses notes comme l'orange confite et la prune.

▶ Sté Expl. Vignobles Eschenauer, Martillac, 33650 La Brède, tél. 56.72.71.07 **Ⲧ** r.-v.

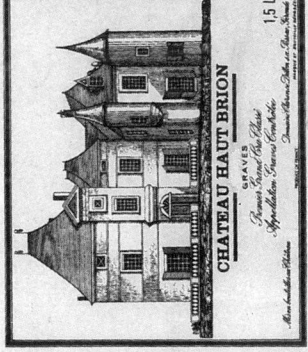

CHATEAU HAUT-BRION

CH. HAUT-BRION 1987***

	4 ha	24 000	**▯ ↓❼**

|79| **80** |81| (82) |83| **84** **85** **87**

Un encépagement axé essentiellement sur le sémillon, des terrains très silico-graveleux et une vinification très soigneuse, sont ses titres de noblesse. On découvre sa race dès la couleur, d'un joli jaune soutenu. Il manifeste des arômes assez intenses de fleurs et de vanille, mêlés à une fine odeur de banane. La bouche montre une suavité de bon aloi avec un volume et une puissance peu commune, lui conférant de la vinosité.

▶ Dom. Clarence Dillon SA. B.P. 24, 33602 Pessac Cedex, tél. 56.98.28.17 **Ⲧ** r.-v.

CH. HAUT-GARDERE 1985**

	n.c.	27 000	**▮↓▼❹**

|82| |83| |84| **85**

Propriété d'un seul tenant, le domaine a fait l'objet depuis une décennie d'importants travaux. Par son bouquet, allant du cassis à la framboise, et sa structure, mêlant la chair aux tanins, le très joli 85 prouve qu'il ne s'agit pas de vains efforts.

▶ M. Jacques Lesineau, Ch. Haut-Gardère, 33850 Léognan, tél. 56.21.75.33 **Ⲧ** r.-v.

CH. LAFARGUE 1985*

	7 ha	15 000	**▯ ↓▼❸**

|83| 84 85

Jouissant d'un terroir assez complexe comme les aime le pays des Graves du Nord, ce cru produit un vin souple et équilibré, avec une présence tannique suffisante pour assurer son évolution.

▶ M. Jean-Pierre Leymarie, Dom. de Domy, Martillac, 33650 Labrède, tél. 56.72.72.30 **Ⲧ** r.-v.

CH. LA LOUVIERE 1986**

	n.c.	60 000	**▯↓▼❸**

|82| |83| 84 **86**

Clin d'œil du vin à l'architecture, ce 86 prend un malin plaisir à ressembler au château lui-même. Équilibré et classique, brillant, floral (aubépine et acacia), il se montre solidement construit mais toujours dans la finesse et dans l'élégance.

▶ SCEA Vignobles André Lurton, Ch. Bonnet, Grézillac, 33420 Branne, tél. 57.84.52.07 **Ⲧ** r.-v.

CH. LA LOUVIERE 1985**

	30 ha	180 000	**▯↓▼❺**

|80| **81** |82| **83 84 85**

L'élégance du château, délicieuse chartreuse du pur XVIIIe s., a fait beaucoup pour la renommée de ce cru. Mais le vin n'y est pas étranger. Très élégant par ses arômes qu'enrichit une petite note poivrée, il est aussi d'une grande puissance, avec une charpente décidée à garantir son évolution future.

▶ SCEA Vignobles André Lurton, Ch. Bonnet, Grézillac, 33420 Branne, tél. 57.84.52.07 **Ⲧ** r.-v.

CH. LA MISSION HAUT-BRION 1985***

▮ Cru clas.	19 ha	85 000	**▯ ↓❼**

77 |78||80| **82** (83) **84 85**

Par curiosité, nous avons regoûté ce 85. Remarquable par sa couleur rouge franc (semblable à l'éclat d'un jus de framboise), par ses parfums intenses et fins à la fois où se mêlent des notes élégantes de fruits cuits et de cuir, il constitue l'archétype des arômes des graves par sa bouche soyeuse, plaisante, par ses tanins et sa finale délicate et élégante.

▶ Dom. Clarence Dillon SA, B.P. 24, 33602 Pessac Cedex, tél. 56.98.28.17 **Ⲧ** r.-v.

CH. LARRIVET HAUT-BRION 1986*

	1 ha	6 000	**▯↓▼❺**

83 |86|

Moins d'un hectare, il est difficile de faire plus petit, mais on n'a pas besoin d'être grand pour

CH. HAUT-NOUCHET 1986

	5,70 ha	20 000	**▮↓▼❸**

Résurrection d'un nom ayant connu un certain prestige au début du siècle, le cru, dont c'est le premier millésime, est fin et aromatique.

▶ SC Ch. Bouscaut, Cadaujac, 33140 Pont-de-la-Maye, tél. 56.30.72.40 **Ⲧ** r.-v.

▶ GFA Ch. Haut-Nouchet.

bien travailler. Rond et richement parfumé, ce vin à la belle robe en est la preuve évidente.

➤ SC du Ch. Larrivet-Haut-Brion, 33850 Léognan, tél. 56.21.75.51 ☎ r.-v.

CH. LARRIVET HAUT-BRION 1985**

81 (82) 83 84 85

■ 15 ha 100 000

Né à 1 km du bourg de Léognan sur un terroir de croupe typique du secteur, ce vin fait honneur à l'appellation : très parfumé, il montre son originalité par les senteurs d'œillet d'Inde qui traversent toute sa dégustation. Ses savoureux tanins au petit côté épicé le rendent très plaisant et assez prometteur.

➤ SC du Ch. Larrivet-Haut-Brion, 33850 Léognan, tél. 56.21.75.51 ☎ r.-v.

CH. LATOUR HAUT-BRION 1985***

77 78 79 80 81 (82) 83 85

☐ Cru clas. 5 ha 20 000

A deux pas du campus universitaire abritant la station œnologique, ce cru, enclavé dans l'agglomération bordelaise, profite d'un microclimat très particulier. Cela réussit fort bien au 85 déjà goûté l'an dernier et dont nous avons pu suivre l'évolution : il reste encore très jeune, aussi bien par sa robe d'un rouge assez profond, par ses arômes très fins de fruits rouges, que par une structure tannique soutenant une belle matière aromatique (pruneaux confits et venaison).

➤ Dom. Clarence Dillon SA, B.P. 24, 33602 Pessac Cedex, tél. 56.98.28.17 ☎ r.-v.

CH. LATOUR LEOGNAN 1986

☐ 7 ha 9 000

Sec, nerveux et assez pénétrant par ses arômes de miel et d'hydromel, ce vin doit être dégusté jeune pour profiter de son début d'évolution.

➤ M. Antony Perrin, Ch. Carbonnieux, 33850 Léognan, tél. 56.87.08.28 ☎ r.-v.

➤ SC des Grandes Graves.

CH. LA TOUR MARTILLAC 1985**

71 75 77 78 79 80 81 (82) 83 84 85

■ Cru clas. 19 ha 20 000

Propriétaires du cru depuis 1929, les Kressmann, grand nom du négoce bordelais, ont su préserver quelques très vieilles vignes. Celles-ci contribuent à donner sa belle personnalité au vin dont on appréciera, tout particulièrement dans ce millésime, la richesse aromatique, la chair délicate et l'élégance.

➤ Sté Fermière Dom. Kressmann, Ch. La Tour Martillac, Martillac, 33650 La Brède, tél. 56.72.71.21 ☎ r.-v.

➤ GFA La Tour Martillac.

CH. LA TOUR MARTILLAC 1986***

81 82 83 84 85 86

☐ Cru clas. 4,75 ha 30 000

Parfaitement à la hauteur de sa très solide réputation, ce très beau graves blanc est particulièrement intéressant par la grande complexité de ses arômes. Franc, riche et superbement fait, ce millésime a un avenir assuré.

CH. LAVILLE HAUT-BRION 1987***

80 81 82 83 (84) 85 87

☐ Cru clas. 6 ha 25 000

Contigu et vinifié à la Mission Haut-Brion dans des chais ultra-modernes, ce cru est considéré comme le pendant de celle-ci. Très plaisant à l'œil par son teint jaune clair d'un bel éclat, il séduit par ses arômes frais de seringa, de fleurs printanières. Au palais, on retrouve une certaine onctuosité et de délicates saveurs se conciliant sur des arômes persistants de fruits exotiques mêlés à une touche vanillée d'une très bonne délicatesse.

➤ Dom. Clarence Dillon SA, B.P. 24, 33602 Pessac Cedex, tél. 56.98.28.17 ☎ r.-v.

CH. LE PAPE 1985*

82 83 84 85

■ 5 ha 20 000

Issu d'un vignoble exploité par la même équipe que Carbonnieux, ce joli vin de garde mérite d'être noté pour ses qualités intrinsèques mais aussi pour son très bon rapport qualité/prix.

➤ M. Antony Perrin, Ch. Carbonnieux, 33850 Léognan, tél. 56.87.08.28 ☎ r.-v.

➤ GFA Ch. Le Pape.

CH. LE SARTRE 1985

84 85

■ 5 ha 25 000

Vieux domaine ressuscité il n'y a guère, le vignoble ne concrétise sans doute pas encore toutes ses potentialités. Mais son vin est déjà fort intéressant en équilibre et en grâce.

➤ M. Antony Perrin, Ch. Carbonnieux, 33850 Léognan, tél. 56.87.08.28 ☎ r.-v.

➤ GFA Le Sartre.

CH. LES CARMES HAUT BRION 1985

78 79 80 82 83 85

■ 3,80 ha 12 000

Ancien domaine de l'ordre des Grands Carmes, voici l'un des derniers bastions viticoles pessacais résistant à la marée urbaine, entouré d'un très beau parc dessiné par Fischer ; le vin est vigoureux, encore marqué par de solides tanins.

➤ SCEA Ch. Les Carmes Haut-Brion, 197, av. Jean Cordier, 33600 Pessac, tél. 56.51.49.43 ☎ r.-v.

➤ M. Philippe Chantecaille.

CH. MALARTIC LAGRAVIERE 1985***

79 81 82 83 84 85

■ Cru clas. 12,83 ha 70 000

Ici, la riche histoire du château liée à l'époque de Montcalm au Canada et la forte personnalité des propriétaires successifs fourniraient une ample matière à dissertation. Mais le vin sait occuper le devant de la scène : charmeur par ses notes aromatiques d'amandes grillées qui font penser à une savoureuse tarte frangipane, c'est un gentleman à l'élégance raffinée et au caractère très équilibré. Une très belle réussite.

Région des Graves

SCE du Ch. Malartic-Lagravière, 39, av. de Mont-de-Marsan, 33850 Léognan, tél. 56.21.75.08 ℽ r.-v.
GFA Marly-Ridoret.

CH. MALARTIC-LAGRAVIERE 1986**

□ Cru clas. 1,65 ha 10 000
|70||71||76||78||79| (80) |81||82||83| 84 85 86

D'une grande régularité, ce cru propose un très joli 86 dont on appréciera notamment la rondeur, le gras, la richesse aromatique, avec de petites notes de pain grillé, de fruits surmûris et une finale longue et élégante.
SCE du Ch. Malartic-Lagravière, 39, av. de Mont-de-Marsan, 33850 Léognan, tél. 56.21.75.08 ℽ r.-v.
GFA Marly-Ridoret.

CH. D'OLIVIER 1985**

■ Cru clas. 17,70 ha 15 000
78 79 80 |81| 83 |84| 85

Superbe forteresse du XIIIᵉ s. aux douves en eau, ce cru est en passe de redevenir l'un des porte-drapeaux de l'appellation. 85, toujours jeune mais déjà très beau, devrait avoir une superbe évolution qui le mènera à des sommets.
GFA Ch. d'Olivier, 33850 Léognan, tél. 56.21.73.31 ℽ r.-v.
M. Jean-Jacques de Bethmann.

CH. D'OLIVIER 1986*

□ Cru clas. 16,40 ha 105 000
76 78 82 83 86

Moins racé maintenant que le rouge du même cru, ce vin blanc est cependant fort bien fait et donnera pleinement satisfaction à ceux qui sauront le déguster jeune.
GFA Ch. d'Olivier, 33850 Léognan, tél. 56.21.73.31 ℽ r.-v.
M. Jean-Jacques de Bethmann.

CH. PAPE CLEMENT 1985***

■ Cru clas. 29 ha 120 000
75 78 79 (80) 82 85

Unanimement considéré comme l'un des fleu-

Pessac-Léognan

rons de la jeune appellation de pessac-léognan, ce cru a pour lui son ancienneté, rappelant le souvenir de Clément V, le pape gascon. Mais il s'individualise aussi par son vin qui a magnifiquement évolué cette année. Tannique à souhait et extraordinairement complexe par son bouquet, ce millésime possède une classe indiscutable. Une très grande bouteille toujours en gestation.
Ch. Pape Clément, 33600 Pessac, tél. 56.07.04.11 ℽ r.-v.

CH. PICQUE-CAILLOU 1985* [4]

■ 17 ha 8 000
81 |84| |85|

Dernier cru subsistant à Mérignac où les pistes d'aviation ont remplacé les vignes, le château justifie tout à fait son existence par la qualité de sa production. Très puissant par son bouquet mêlant les notes florales et animales à un fin boisé, ce vin possède un caractère particulier et aimable.
SCI Picque-Caillou, rte de Pessac, 33700 Mérignac, tél. 56.47.37.98 ℽ r.-v.

CH. ROCHEMORIN 1985**

■ 40 ha 190 000
78 |79| |80| 82 |84| 85

L'ombre de Montesquieu plane toujours sur la propriété, jadis dépendance du château de La Brède auquel elle était reliée par un souterrain qu'emprunta sans doute l'écrivain. Par son opulence, sa puissance et son élégance, ce vin évoque lui aussi le cadre de vie de la France aristocratique d'Ancien Régime, ses senteurs giboyeuses semblant être une invitation à la chasse.
SCEA Vignobles André Lurton, Ch. Bonnet, Grézillac, 33420 Branne, tél. 57.84.52.07 ℽ r.-v.

CH. ROCHEMORIN 1986**

□ 15 ha 60 000
82 |83| |85| |86|

Quand on pense que le vignoble fut abonné à la forêt dans les années 30 et que l'on voit aujourd'hui sa production, on frémit rétrospectivement. Équilibré, franc, aromatique et

LES CRUS CLASSÉS DES GRAVES

NOM DU CRU CLASSÉ	VIN CLASSÉ	NOM DU CRU CLASSÉ	VIN CLASSÉ
Château Bouscaut	en rouge et en blanc	Château Laville-Haut-Brion	en blanc
Château Carbonnieux	en rouge et en blanc	Château Malartic-Lagravière	en rouge et en blanc
Domaine de Chevalier	en rouge et en blanc	Château La Mission-Haut-Brion	en rouge
Château Couhins	en blanc	Château Olivier	en rouge et en blanc
Château Couhins-Lurton	en blanc	Château Pape-Clément	en rouge
Château Fieuzal	en rouge	Château Smith-Haut-Lafitte	en rouge
Château Haut-Bailly	en rouge	Château La Tour-Haut-Brion	en rouge
Château Haut-Brion	en rouge	Château La Tour-Martillac	en rouge et en blanc

CH. DE ROUILLAC 1985*

i811 83 85 — 6 ha — 30 000

Le baron Haussmann, qui fut aussi préfet de la Gironde, reçut bien sûr son empereur, Napoléon III, au château de Rouillac, dont il fit dessiner le parc par les paysagistes qui avaient réalisé le parc Monceau à Paris. Ce cru produit aujourd'hui un vin souple et agréable, équilibré qui se montre élégant.

♣ M. Pierre Sarthou, Ch. de Rouillac, Canéjan, 33610 Cestas, tél. 56.89.09.11 ᵀ r.-v.

CH. SMITH HAUT-LAFITE 1985***

Cru class. — 44.97 ha — 237 000

Une propriété sans château est comme une famille sans passé. Un temps amputé de sa demeure, ce cru était comme mal à l'aise et son vin s'en ressentait un peu. Mais tout cela est maintenant du passé. Reconstruit, Smith Haut-Lafitte n'hésite plus à affirmer sa personnalité par une structure très harmonieuse et un riche bouquet où le bois se mêle à la vanille. Cette excellente bouteille évoluera brillamment dans l'avenir.

♣ Sté Expl. Vignobles Eschenauer, Martillac, 33650 La Brède, tél. 56.72.71.07 ᵀ r.-v.

CH. SMITH HAUT-LAFITE 1985**

84 |85| |86| — 7.48 ha — 20 000

Les vignes blanches de Smith Haut-Lafitte se sont taillées depuis longtemps une grande renommée à laquelle le nuira pas ce millésime souple, onctueux et complexe. Il évoluera encore très favorablement durant les 2 ans à venir.

♣ Sté Expl. Vignobles Eschenauer, Martillac, 33650 La Brède, tél. 56.72.71.07 ᵀ r.-v.

CH. VALOUX 1985

n.c. — 90 000

Adjacent du château Bouscaut, ce domaine ne possède sans doute pas la noblesse de son voisin, mais son vin compense une certaine rusticité par un corps gras et tannique.

♣ SC Ch. Bouscaut, Cadaujac, 33140 Pont-de-la-Maye, tél. 56.30.72.40 ᵀ r.-v.

Graves

CH. D'ARCHAMBEAU 1985**

75 76 77 78 |79| 80 |81| (82) [83] 84 85 — 9 ha — 60 000

Bercé par les apaisantes senteurs venues de la forêt landaise voisine, le domaine offre un vin qui s'inscrit dans la tradition de qualité qui a fait sa réputation. Équilibrée, riche et puissante, la d'une bonne structure, ce vin aux agréables notes florales est bien fait.

♣ SCEA Vignobles André Lurton, Ch. Bonnet, Grézillac, 33420 Branne, tél. 57.84.52.07 ᵀ r.-v.

bouteille est assez charmeuse et méritera d'être attendre.

♣ Ch. d'Archambeau, Illats, 33720 Podensac, tél. 56.62.51.46 ᵀ r.-v.

CH. D'ARDENNES 1986***

80 81 (82) [83] [84] 85 86 — 20 ha — 50 000

Exploitée avec soin et passion par les frères Dubrey, la propriété offre à nouveau une très belle réussite avec un excellent 86. Il n'a peut-être pas toute la concentration du 85, mais il est remarquable par son élégance et le mariage harmonieux de ses arômes de fruits et de fleurs. Fine, vive, fraîche, cette bouteille ne peut que plaire.

♣ GAEC du Ch. d'Ardennes, Illats, 33720 Podensac, tél. 56.62.53.80 ᵀ lu. ma. me. je. ve. 8h-12h 14h-18h ; f. 20 août-20 oct.

♣ MM. F. et B. Dubrey.

CH. D'ARDENNES 1987***

86 87 — 10 ha — 30 000

Le château d'Ardennes est sans nul doute une valeur sûre. Il le confirme par la fraîcheur et la jeunesse de ce nouveau millésime. Cette jeunesse traverse toute la dégustation, depuis l'examen de la robe d'un beau jaune-vert jusqu'à la finale aussi aromatique que complexe. Élégant, avec des notes citronnées, l'ensemble évolue très heureusement.

♣ GAEC du Ch. d'Ardennes, Illats, 33720 Podensac, tél. 56.62.53.80 ᵀ lu. ma. me. je. ve. 8h-12h 14h-18h ; f. 20 août-20 oct.

♣ MM. F. et B. Dubrey.

CH. D'ARRICAUD 1986*

(75) 79 81 82 83 84 85 86 — i1 ha — 60 000

Un beau château néoclassique, un superbe panorama de vignes et de forêts ceinturés par les coteaux du Sauternais et de la Garonne : voici une bien agréable propriété ! Et son vin ne manque pas d'allure non plus. D'une belle couleur, il est marqué par de solides tanins qui incitent à l'attendre.

♣ M. et Mme A. et J. Bouyx, Ch. d'Arricaud, Landras, 33720 Podensac, tél. 56.62.51.29 ᵀ r.-v.

CH. D'ARRICAUD 1986

12 ha — 65 000

Moins connu que le vin rouge du même cru, ce blanc, fra.s, vif, et franc, marque son originalité par la diversité de ses parfums.

♣ M. et Mme A. et J. Bouyx, Ch. d'Arricaud, Landras, 33720 Podensac, tél. 56.62.51.29 ᵀ r.-v.

CH. BEAUREGARD DUCASSE 1987*

5.36 ha — 30 000

Plus de 110 m d'altitude, le vignoble détient un record pour les graves, c'est le point fort bien fait. Très jeune par sa robe, il séduira par sa structure à la fois souple et ample.

♣ M. Jacques Perromat, Ch. Beauregard-Ducasse, Mazères, 33210 Langon, tél. 56.63.08.97 ᵀ r.-v.

CH. BICHON CASSIGNOLS 1986*

■ ▯ ↓ ☑ 3
1.50 ha   6 800
|81| (82) |83||84| 86

Une extension de surface de 50% : cette propriété bat des records. Il est vrai que, partant d'un tout petit hectare, elle est encore loin d'être un géant. Plus notable est donc l'effort qualitatif dont ce 86 est la preuve, par son équilibre et sa finale tannique.
☛ M. Jean-François Lespinasse, Le Baradey, 33650 La Brède, tél. 56.20.28.20 ☒ r.-v.

CH. BICHON CASSIGNOLS 1986

□ ▮ ↓ ☑ 2
2.50 ha   10 000

Toujours à peine plus vaste que celui de rouge du même cru, ce vignoble blanc reste fidèle à lui-même avec un vin vif, frais et franc.
☛ M. Jean-François Lespinasse, Le Baradey, 33650 La Brède, tél. 56.20.28.20 ☒ r.-v.

DOM. DU BOURDAC 1986**

□ ▮ ↓ ☑ 3
7 ha   25 000

Vieille propriété familiale (depuis le XVIIe s.), le domaine produit un très joli vin dont on appréciera le côté aromatique, avec un bouquet fruité aussi ample qu'agréable. Nul ne s'étonnera de sa qualité si l'on songe que le vignoble est exploité par le Gaec du château d'Ardennes.
☛ GAEC du Ch. d'Ardennes, Illats, 33720 Podensac, tél. 56.62.53.80 ☒ lu. ma. me. je. ve. 8h-12h 14h-18h ; f. 20 août-20 oct.
☛ M. Pierre Dubrey.

CH. BRONDELLE 1986

■ ▮ ↓ ☑ 3
13 ha   60 000
|75| |78||79| |81| (82) |83||84| 85 86

Bénéficiant d'une bonne image de marque, il sait accrocher le regard par le côté brillant de sa robe. Assez tannique, la suite ne manque pas de caractère. Le graves blanc 86 a toujours ses inconditionnels.
☛ M. Roland Belloc, Ch. Brondelle, 33210 Langon, tél. 56.65.42.32 ☒ r.-v.

CH. CABANNIEUX 1985*

□ ▯ ↓ ☑ 3
12.43 ha   n.c.
|75| |78| |79| |81| 82 83 |84| 85

Tout le monde connaît l'importance du drainage pour la vigne. Or ici, du fait de la situation élevée, il est excellent. Cela explique sans doute les aspects prometteurs d'une bouteille appelée à bien vieillir.
☛ SCE du Ch. Cabannieux, 33640 Portets, tél. 56.67.22.01 ☒ r.-v.
☛ Mme Barrière et M. R. Dudignac.

CH. CABANNIEUX 1987**

□ ▯ ↓ ☑ 3
5.63 ha   n.c.

Venu d'une belle croupe graveleuse de Portets, ce beau vin ne se contente pas d'un très agréable bouquet, frais, fruité et fleuri. Bien équilibré, il évolue heureusement au palais.
☛ SCE du Ch. Cabannieux, 33640 Portets, tél. 56.67.22 01 ☒ r.-v.

CH. CAMUS 1985**

■ ▯ ↓ ☑ 3
4.50 ha   24 000
(75) 78 82 |84| 85

Le sol, graveleux, l'encépagement, avec une dominante de cabernet-sauvignon, les méthodes de travail, tout ici est traditionnel. Mais la tradition a du bon, si l'on en juge par ce très beau 85. Les arômes de cerise et de café, le corps, les fins tanins et l'aptitude au vieillissement en font un vin de plaisir.
☛ SICA les Vignobles de Bordeaux, Saint-Pierre-de-Mons, 33210 Langon, tél. 56.63.19.34 ☒ r.-v.
☛ MM. J.-P. Larriaut et Fils.

CH. CAMUS 1986*

□ ▮ ↓ ☑ 2
n.c.   22 000

À l'image de la présentation, discrète mais agréable, le bouquet ne manque pas de finesse. Mais c'est ensuite l'ampleur qui l'emporte dans le développement au palais, par ailleurs frais, fruité et rond.
☛ SICA les Vignobles de Bordeaux, Saint-Pierre-de-Mons, 33210 Langon, tél. 56.63.19.34 ☒ r.-v.
☛ MM. Larriaut et Fils.

CH. CARBON D'ARTIGUES 1985

■ ▮ ↓ ☑ 2
5.50 ha   31 000
|84| |85|

On peut penser qu'un peu de fruité, dominé par le bois, ne serait pas regrettable. L'impression d'ensemble, toutefois, est fort bonne. On note même, des l'examen visuel, une certaine élégance.
☛ M. Joseph Turroques, Ch. Carbon d'Artigues, Landiras, 33720 Podensac, tél. 56.62.53.24 ☒ t.l.j. sf dim. 9h-12h 14h-18h.

CH. DE CARDAILLAN 1985**

■ ▮ ↓ ☑ 4
20 ha   30 000
|82||83| 85

Avec un nom pareil, aux parfums d'épopée, on ne pouvait avoir un vin plat. Affirmant sa puissance par une robe sans faille, il s'impose par des senteurs de gibier dans un sous-bois d'automne. Bien charpenté, un vin encore très jeune, ne demandant qu'à vieillir.
☛ Comtesse de Bournazel, Ch. de Malle, Preignac, 33210 Langon, tél. 56.63.28.67 ☒ r.-v.

CH. CAZEBONNE 1985

□ ▮ ↓ ☑ 2
5.50 ha   40 000

Sympathique par sa jolie couleur jaune clair, ce vin richement bouqueté possède une structure équilibrée.
☛ SICA les Vignobles de Bordeaux, Saint-Pierre-de-Mons, 33210 Langon, tél. 56.63.19.34 ☒ r.-v.
☛ MM. Marc Bridet et Fils.

CH. DE CHANTEGRIVE 1986**

■ ▮ ↓ ☑ 3
35 ha   130 000
78 79 80 81 82 83 85 86

Vaste, renommée, et de belle facture, la propriété était pourtant inexistante voici un quart de siècle. Elle a été constituée parcelle par parcelle par Henri Lévêque. Le résultat est là : un vin fruité, gras, tannique, souple et équilibré. Marquée par une note vanillée apportée par le mer-

rain, la bouteille, très complète, mérite d'être attendue.
→ MM. H. et F. Lévêque, Dom. de Chantegrive, 33720 Podensac, tél. 56.27.17.38 Ⅰ r.-v.

CH. DE CHANTEGRIVE 1987★★★

75 78 82 |831|841|851 87

■ 40 ha   200 000 |i V3

Il est des vins qui passent sans marquer le palais. Celui-ci n'en est pas. Après avoir séduit l'œil par sa brillante robe jaune aux reflets verts, et conquis le nez par ses parfums de fruits à noyaux et de sauvignon, il éclate en bouche par son évolution excellente et explose en finale. Ne pas manquer de visiter le très élégant nouveau chai.
→ MM. H. et F. Lévêque, Dom. de Chantegrive, 33720 Podensac, tél. 56.27.17.38 Ⅰ r.-v.

PREMIÈRE PRESSE — château de CHANTEGRIVE — GRAVES — APPELLATION GRAVES CONTRÔLÉE — 1986

CH. CHANTELOISEAU 1987★★★★

□ 1 ha   5 000 |i V2

Qui a dit qu'il fallait disposer d'un certain espace pour faire un grand vin ? Sûrement pas les privilégiés qui auront pu goûter celui-ci, issu d'un petit vignoble d'un hectare. Sa grande complexité aromatique, avec des notes de sauvignon, de banane et d'abricot sec, sa rondeur, sa belle structure et son évolution au palais lui donnent un caractère plus que plaisant.
→ SCA Dom. Latrille-Bonnin, Ch. Petit Mouta, Mazères, 33210 Langon, tél. 56.63.41.70 Ⅰ r.-v.
→ GFA du Brion.

CH. CHERET-PITRES 1985

■ 4 ha   25 000 |Ⅱ i V3

Venu d'une propriété située au voisinage de la Garonne, ce vin, un peu fermé, tire son originalité de sa longueur en bouche.
→ M. Jean Boulanger, Ch. Cheret-Pitres, 33640 Portets, tél. 56.67.06.26 Ⅰ r.-v.

CH. CHICANE 1985★★

■ 15 ha   n.c. |Ⅱ V3

En dépit de son nom, il va droit au but. La robe, aussi franche que foncée, annonce une bonne constitution, ronde et aromatique, avec de multiples notes qui vont de la vanille au sous-bois.
→ M. Pierre Coste et Fils, 8, rue de la Poste, 33210 Langon, tél. 56.63.50.52 Ⅰ r.-v.

CH. CLARON 1987★

□ 12 ha   n.c. |i V2

Ici, l'armée de Napoléon, en route pour l'Espagne, aurait englouti toute la récolte de l'année. C'est dire que le vin de ce cru s'est toujours laissé boire facilement. Et ce n'est pas le millésime 87, frais et fleuri, qui renversera cette réputation.
→ GAEC Ardurats Père et Fils, Ch. Claron, Saint-Morillon, 33650 La Brède, tél. 56.20.25.75
Ⅰ r.-v.

CH. CRABITEY 1985

■ 16,50 ha   60 000 |i V2

Des pleurs des orphelins qui attendrirent les fonctionnaires de la République radicale en 1906, aux difficultés financières des sœurs franciscaines au début de l'aventure de Carbitey, les murs du vaste prieuré du XVIIIe s. sont chargés d'émotion. D'une belle couleur, assez puissant par ses parfums, et ferme, le vin est à l'image des bâtiments.
→ Ch. Crabitey, 33640 Portets, tél. 56.67.18.64
Ⅰ r.-v.
→ Ass. de la Chartreuse Seillon.

CH. DU CROS LA GRAVIERE 1985★

■ 2,70 ha   15 000 |i V3

Issu d'un petit vigroble, ce vin souple, fin et fruité affirme une personnalité certaine grâce à un bouquet que des notes de pistache rendent très original.
→ M. Michel Fournol, Ch. du Cros La Graviere, Virelade, 33720 Podensac, tél. 56.27.04.27 Ⅰ r.-v.

CH. DU CROS LA GRAVIERE 1985

■ 2 ha   12 000 |i V2

Un joli nom pour un vin agréable à l'œil, avec une belle couleur jaune à reflets verts, comme au nez, avec des parfums floraux.
→ M. Michel Fournol, Ch. du Cros La Graviere, Virelade, 33720 Podensac, tél. 56.27.04.27 Ⅰ r.-v.

CH. DUC D'ARNAUTON 1986★

1831|851 86

■ 3,50 ha   12 000 |Ⅱ i V3

Personnages marquants de la vie barsacaise, les Bernard sont aussi propriétaires d'un domaine dans les Graves où ils produisent un vin aux arômes aussi types que prometteurs. Corsée, charnue, tannique et équilibrée, cette bouteille a un bel avenir.
→ M. Patrick Bernard, Dom. de Maron, Landiras, 33720 Podensac, tél. 56.62.55.30 Ⅰ r.-v.

CH. FERRANDE 1986★★

75 77 80 81 82 83 85 86

■ 28 ha   200 000 |Ⅱ i V3

Servi par la nature, avec un bon terroir graveleux et un ensoleillement favorable, ce cru est aussi fort bien tenu. Toutes les conditions sont réunies pour que soient produits des vins tel le 86 dont on aimera la richesse aromatique. Cette bouteille, au bon potentiel de vieillissement, évoque une foule d'images de forêts, de sous-bois et de champignons.
→ SCE du Ch. Ferrande, Castres-Gironde, 33640 Portets, tél. 56.67.05.86 Ⅰ r.-v.
→ Les héritiers Delnaud.

CH. FERRANDE 1986*

□ 12 ha 60 000

83 84 86

Commandé par un joli château de style girondin, le vignoble produit un vin d'une belle couleur. Fin par ses senteurs fruitées (pêche et fruits de la passion), l'ensemble est frais et évolue maintenant très agréablement au cours de la dégustation.

SCE du Ch. Ferrande, Castres-Gironde, 33640 Portets, tél. 56.67.05.86 r.-v.

Les héritiers Delnaud.

CLOS FLORIDENE 1987***

□ 3,25 ha 21 000

86 (87)

Encore une fois, Denis Dubourdieu montre qu'il est l'un des grands spécialistes des vins blancs. La robe est d'une très belle couleur citron et annonce les surprises que réserve le bouquet. Très élégant, celui-ci, aprés avoir débuté sur une note fruitée classique, débouche bien vite sur un étonnant cocktail exotique. Une superbe bouteille.

Denis et Florence Dubourdieu, Ch. Reynon, Beguey, 33410 Cadillac, tél. 56.62.96.51 r.-v.

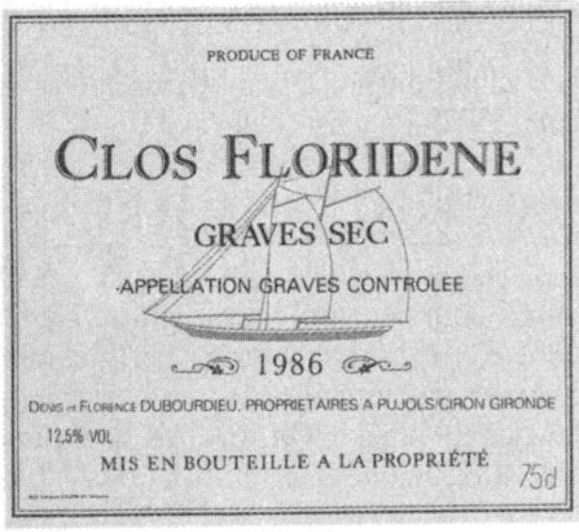

CLOS FLORIDENE 1986*

■ 2 ha 13 000

83 84 85 |86|

Sans atteindre les sommets du blanc, ce rouge, au puissant bouquet d'épices et de vanille, parvient à s'imposer par une solide structure qui lui permettra de voir venir l'avenir avec philosophie.

Denis et Florence Dubourdieu, Ch. Reynon, Beguey, 33410 Cadillac, tél. 56.62.96.51 r.-v.

DOM. DE GAILLAT 1985**

■ 15 ha n.c.

Avec une belle robe rubis, ce millésime respecte la tradition d'élégance du cru. Un bouquet intense de poivron, de raisins mûrs et de rose, une structure souple et franche et une longue finale rendent l'ensemble très plaisant.

M. Pierre Coste et Fils, 8, rue de la Poste, 33210 Langon, tél. 56.63.50.52 r.-v.

CH. DU GRAND ABORD 1986*

■ 5,30 ha 20 000

78 79 |81| |82| **83** |85| 86

Lié à l'histoire de la batellerie de Garonne, le domaine produit aujourd'hui un vin sympathique par ses parfums, fins et frais, comme par sa structure assez charmeuse.

M. Marc Dugoua, Ch. du Grand Abord, 33640 Portets, tél. 56.67.22.79 r.-v.

CH. DU GRAND ABORD 1987

□ 3 ha n.c.

Destiné à être bu assez jeune, ce vin, qui possède un bon équilibre et une honnête structure, est marqué par un arôme dominant, l'amande.

M. Marc Dugoua, Ch. du Grand Abord, 33640 Portets, tél. 56.67.22.79 r.-v.

CH. GRAND BOURDIEU 1987***

□ 2 ha 50 000

Fermier du domaine depuis 1985, Dominique Harvelan déclare volontiers qu'il entend lui redonner ses lettres de noblesse. C'est bien parti si l'on en juge d'après ce très beau 87. D'une haute typicité par son bouquet, il est remarquable par son équilibre qui s'accommode fort bien du bois neuf. Une très belle réussite.

M. Dominique Haverlan, quartier Daroubin, 33640 Portets, tél. 56.67.04.32 r.-v.

CH. GRAND BOURDIEU 1986

■ 4 ha 20 000

On peut regretter que, dotée au XIXe s. d'une grande maison bourgoise, la propriété n'ait point gardé son ancien nom de « Métayrie du Grand Bourdieu ». Mais on ne regrettera pas la richesse et la puissance de ce vin, même s'il est parfois un peu traçant.

M. Dominique Haverlan, quartier Daroubin, 33640 Portets, tél. 56.67.04.32 r.-v.

CH. GRAVA LACOSTE 1985

■ 1 ha 6 000

Issu d'un bon terroir, du moins si l'on en croit son nom, ce vin, sans être d'une grande puissance, possède un caractère aimable par sa souplesse et par la finesse des arômes de petits fruits rouges (framboises, fraises...).

M. Paul Léglise, Bommes, 33210 Langon, tél. 56.63.63.58 r.-v.

CH. GRAVEYRON 1985*

■ 4,75 ha 18 000

|83| 85

Portésiens depuis le XVIIIe s., les Cante sont des viticulteurs de vieille souche. Avec ce vin, ils se montrent à la hauteur de leur passé. Agréable à l'œil, tannique et bien équilibré, leur 85 a gagné le droit d'être attendu.

M. Henri Cante, Ch. Graveyron, 33640 Portets, tél. 56.67.23.69 r.-v.

CH. GRAVEYRON 1986

□ 4 ha 22 000

Produit par une famille implantée de longue date dans la région, ce vin aux arômes puissants se développe agréablement, avec assez de rondeur, en dépit d'une finale un peu vive.

SA Dulong Frères et Fils, 29, rue Jules-Guesde, 33270 Floirac, tél. 56.86.51.15

M. Cante.

CH. DES GRAVIERES 1986**
■ 85 86   15 ha   70 000

Rien à voir entre les gravières dévoreuses de terre à vigne et le nom de ce vin, héritage d'un passé lointain. Ici, le sol est resté graveleux. Cela donne un vin fin, subtil et intense par son bouquet. Corsé, ample et riche, ce beau 86 devrait évoluer favorablement en vieillissement.
- GAEC des Cabanasses, Les Cabanasses, 33650 La Brède, tél. 56.20.20.57 ▼ r.-v.
- M. Jean-Louis Ardurats.

CH. GUIRAUTON 1986*
□ 85 86   2 ha   10 000

Appartenant au même propriétaire que le château Magneau, ce cru produit également un vin très agréable. Richement bouqueté et très long en finale, il se développe très bien mais devrait gagner plus de fondu au vieillissement.
- GAEC des Cabanasses, Les Cabanasses, 33650 La Brède, tél. 56.20.20.57 ▼ r.-v.
- M. Jean-Louis Ardurats.

CH. HAUT-GRAVIER 1987
□   7 ha   31 000

Ce vin ne manque vraiment pas d'originalité : les parfums, qui dégagent une certaine force et leur caractère cuit, contrastent avec le côté gracile de la bouche. L'impression d'ensemble n'est pas inintéressant.
- SA Dulong Frères et Fils, 29, rue Jules-Guesde, 33270 Floirac, tél. 56.86.51.15.
- M.J.-C. Labat.

CH. HAUT POMAREDE 1985**
■   7 ha   20 000

Traversée de reflets verts à l'image de certains sols de la région, la robe de ce vin ne manque pas de charme. L'impression d'ensemble est elle aussi assez plaisante par son côté rond et fleuri.
- M. Alban Drusian, Ch. Haut Pomarède, Castres-Gironde, 33640 Portets, tél. 56.67.07.82 ▼ r.-v.

CH. LA BLANCHERIE-PEYRET 1985
■ 75 76 77 (78) (79) 80 (81) 82 83 84 85   9 ha   30 000

Nul ne sait véritablement si le nom de ce cru doit s'écrire avec un ou deux « n ». En revanche, la qualité du vin est sans ambiguïté. Très complexe par ses parfums, il est en effet aussi bien équilibré.

Dans ce cru, l'accent est davantage mis sur le blanc que sur le rouge. Celui-ci possède quand même une personnalité non négligeable qui se traduit notamment par un intense bouquet.
- Mme Françoise Braud-Coussié, La Blancherie, 33650 La Brède, tél. 56.20.20.39 ▼ r.-v.

CH. LA BLANCHERIE 1987*
□   11 ha   45 000

Dans cette maison chargée d'histoire (la nourrice de Montesquieu y est née) la tradition veut que les frères Labadie, anciens propriétaires guillotinés sous la Révolution, viennent goûter le vin chaque nuit. Sans doute le trouvent-ils bon. Cela n'étonnera personne, si l'on en croit ce très sympathique 87, fin et fleuri.
- Mme Françoise Braud-Coussié, La Blancherie, 33650 La Brède, tél. 56.20.20.39 ▼ r.-v.

CLOS DE LA BONNETTERIE 1985
■   1,70 ha   5 000

Issu d'un vignoble assez petit mais réparti entre plusieurs parcelles, ce vin se distingue par les notes de fruits secs (figues) qui traversent les arômes de bouche comme de nez.
- MM. Albert et Régne, Daroubin, 33640 Portets, tél. 56.67.24.28 ▼ lu, ma, me, je, ve, 8h-12h 14h-18h.

CH. LA CROIX 1985
■ 82 83 85   4,50 ha   27 000

Sympathique par sa présentation, il l'est aussi par des parfums assez typiques du cépage cabernet-sauvignon, avec une note cassis qui l'emporte. L'ensemble est gouleyan.
- SICA les Vignobles de Bordeaux, Saint-Pierre-de-Mons, 33210 Langon, tél. 56.63.19.34 ▼ r.-v.
- M. René Espagnet.

CH. LA GARANCE 1985*
□   3,93 ha   n.c.

Une petite note liquoreuse, surprenante mais pas désagréable, et quelques jolis parfums d'amandes grillées donnent un certain cachet à un vin somme toute assez original.
- M. Alain Thienot, Ch. La Garance, 33720 Cérons, tél. 26.47.41.25 ▼ r.-v.

CH. LA GARANCE 1986**
□   7,28 ha   n.c.

A la fois nette et complexe, avec de nombreux reflets, la présentation de ce vin met en confiance. La suite ne déçoit pas : l'ensemble, rond et très équilibré, se laisse boire sans problème.
- M. Alain Thienot, Ch. La Garance, 33720 Cérons, tél. 26.47.41.25 ▼ r.-v.

DOM. LA GRAVE 1985**
■ 80 81 82 83 (85)   1,50 ha   n.c.

Le sémillon ne fait aucune concession aux autres cépages. Il justifie ses prétentions par la qualité de millésimes comme celui-ci : on note l'équilibre entre la vigueur et le gras, mais aussi la très jolie couleur jaune-vert doré et le bouquet puissant, encore boisé.

Une toute petite vigne où s'équilibrent les

merlots et les cabernets, mais pas un petit vin. D'une belle couleur et solidement charpenté, il sait se rendre aimable par un bouquet boisé et des arômes de fraise.

↳ M. Peter Vinding-Diers, Ch. Rahoul, 33640 Portets, tél. 56.67.01.12 𝕿 r.-v.

DOM. LA GRAVE 1986✱✱✱

☐ 2 ha 6 000 ▮▮ ↓ 𝓥 ◪

Se présenter dans une élégante robe, jaune doré, est bien. Mais offrir des parfums complexes dans lesquels les fruits supportent heureusement le bois est encore mieux. Surtout quand l'équilibre du bouquet est suivi d'une structure générale très harmonieuse, avec une longue, longue finale.

↳ M. Peter Vinding-Diers, Ch. Rahoul, 33640 Portets, tél. 56.67.01.12 𝕿 r.-v.

CLOS LA MAURASSE 1985✱

▮ 5,33 ha 35 000 ▮▮ 𝓥 ◪

Si l'on aime l'agréable robe rubis de ce vin, on apprécie aussi le bouquet à la fois floral et animal, avec des notes réglissées et les arômes de violette qui lui donnent un caractère très typé.

↳ M. R. Sessacq, Clos La Maurasse, 33210 Langon, tél. 56.63.39.27 𝕿 r.-v.

CH. LAMOUROUX 1987✱✱

▮ 20 ha 60 000 ▮ ↓ 𝓥 ◫

81 │83│85│86│87│

Jouissant d'un terroir bien situé, ce cru, d'une bonne régularité, offre un 87 finement bouqueté avec un mélange d'arômes floraux et fruités, très agréable par sa rondeur. Une finale particulièrement longue.

↳ M. Olivier Lataste,
Grand Enclos du Ch. de Cérons, Cérons, 33720 Podensac, tél. 56.27.01.53 𝕿 r.-v.

CH. LASSALLE 1983

▮ 2 ha 6 000 ▮𝓥◫

Amorçant déjà son évolution, un vin finement bouqueté qui se marie heureusement avec les viandes blanches.

↳ M. Louis-Michel Labbé, Lassalle, 33650 La Brède, tél. 56.20.20.19 𝕿 r.-v.

CH. LASSALLE 1986✱

☐ 8 ha 30 000 ▮𝓥◫

Par sa couleur, d'un joli jaune pâle, il se présente bien. La suite, avec des senteurs évoquant le pain grillé et la brioche, est loin d'être antipathique.

↳ M. Louis-Michel Labbé, Lassalle, 33650 La Brède, tél. 56.20.20.19 𝕿 r.-v.

CH. LA TOURTE DES GRAVES 1986✱✱

☐ 2 ha 7 000 ▮ ↓ 𝓥 ◫

Que voici un nom qui met en appétit ! Comme le vin qu'il représente d'ailleurs. Souplesse, fraîcheur, gras et rondeur dessinent de jolis contours qui irritent en valeur son ampleur, sa puissance et sa longueur.

↳ M. Serge Chassaigne, 150, rue Abbé-de-l'Épée, 33000 Bordeaux, tél. 56.27.08.57 𝕿 r.-v.

CH. LE BOURDILLOT
Cuvée Réservée 1986

☐ 1 ha n.c. ▮▮ ↓ 𝓥 ◪

Assez confidentiel (comment pourrait-il en être autrement avec juste un hectare), ce vin possède un certain caractère qui se marque par une odeur d'épice et beaucoup de gras.

↳ M. Louis Haverlan, Dom. des Lucques, 33640 Portets, tél. 56.67.11.32 𝕿 r.-v.

CH. LE PAVILLON DE BOYREIN 1985✱

▮ 25 ha 50 000 ▮▮ ↓ 𝓥 ◫

76 77 78 79 │80│81│82│83│85│

Un rubis léger, quelques reflets tuilés, voici une robe qui détend l'œil. Fine par ses arômes boisés et fleuris, la suite est très plaisante.

↳ MM. Pierre Bonnet et Fils,
Le Pavillon de Boyrein, Roaillan, 33210 Langon, tél. 56.63.24.24 𝕿 r.-v.

CH. LE PLANTAT 1986✱✱

☐ 5 ha n.c. ▮𝓥◫

Pour être jeune, ce vignoble n'en est pas moins de caractère. Son vin lui ressemble, sa subtilité s'affirmant tout au long de la dégustation. Une belle bouteille, très harmonieuse.

↳ M. et Mme Labarrère, Ch. Plantat, Saint-Morillon, 33650 La Brède, tél. 56.78.40.77 𝕿 r.-v.

CH. LES CLAUZOTS 1985✱

▮ 9 ha 45 000 ▮𝓥◫

│82│ 83 │85│

A chacun son style : celui de ce vin est une plaisante et légère gracilité. Mais une gracilité bien comprise, c'est-à-dire ronde, fine et élégante, notamment dans les arômes mêlant les fruits aux fleurs.

↳ SICA les Vignobles de Bordeaux, Saint-Pierre-de-Mons, 33210 Langon, tél. 56.63.19.34 𝕿 r.-v.
↳ M. Paul Tach.

CLOS LES MAJUREAUX 1984✱✱

▮ 4 ha 20 000 ▮ ↓ ▮ 𝓥 ◫

78 81 │82│83│ 84

Régulier en qualité, ce vignoble dont la réputation n'est plus à faire propose avec ce 84 un très joli vin : du fruité, du corps, en même temps que de la souplesse. Ses très fins tanins, de qualité, le rendent agréable à boire.

↳ SICA les Vignobles de Bordeaux, Saint-Pierre-de-Mons, 33210 Langon, tél. 56.63.19.34 𝕿 r.-v.
↳ M. Pierre Chaloupin.

CLOS LES MAJUREAUX 1986

☐ 4 ha 15 000 ▮𝓥◫

Jeune par sa robe, ce vin l'est aussi par son caractère général, avec de doux parfums et beaucoup de vivacité dans son comportement au palais.

↳ SICA les Vignobles de Bordeaux, Saint-Pierre-de-Mons, 33210 Langon, tél. 56.63.19.34 𝕿 r.-v.
↳ M. Pierre Chaloupin.

CH. L'ÉTOILE 1986✱✱

☐ 30 ha 60 000 ▮▮ ↓ 𝓥 ◪

A l'égal du rouge de ce château, le blanc est fort réussi. On aimera la diversité du bouquet,

CH. L'ETOILE 1986**

n.c.　　n.c.

Entre la robe d'une couleur très soutenue et le corps, puissant et complexe, l'harmonie est totale. Les arômes, qui évoquent la venaison et les sous-bois, les tanins, le gras et l'équilibre général, la longueur, tout est prometteur.
- M. Pierre Coste et Fils, 8, rue de la Poste, 33210 Langon, tél. 56.63.50.52 r.-v.
- Latrille Bonnin.

CH. LE TUQUET 1986*

25 ha　　10 000

Halte incontournable de la chartreuse et les tour», tant l'architecture de la chartreuse et les chais est représentative ; le cru mérite lui aussi de retenir l'attention. Riche et complexe, il exhale de belles senteurs de sous-bois et de venaison et ne manquera pas de vieillir avec un grand bonheur.
- M. Paul Ragon, Ch. Le Tuquet, Beautiran, 33640 Portets, tél. 56.20.21.23 l.t.j; sf dim. 8h-12h 14h-18h.

CH. LE TUQUET 1987

19,80 ha　　80 000

Sans avoir le même attrait que le rouge, ce vin, obtenu par une vinification à basse température, est assez surprenant par ses arômes.
- M. Paul Ragon, Ch. Le Tuquet, Beautiran, 33640 Portets, tél. 56.20.21.23 l.t.j; sf dim. 8h-12h 14h-18h.

CH. MADELIS 1986**

86 87

8 ha　　35 000

Appartenant à la même famille depuis l'époque napoléonienne, Madélis a conservé le passage de chaque génération par un changement d'étiquette, l'actuelle étant signée Topor. Mais la tradition majeure est bien ici la fidélité à la qualité que l'on retrouve dans un 86 au bouquet fin et flatteur. Encore un peu jeune, la bouteille devrait être très belle d'ici 3 à 4 ans.
- GAEC Les Vign. Jean Courbin, Ch. Madélis, Grand Abord, 33640 Portets, tél. 56.67.22.03 r.-v.

CH. MADELIS 1987**

70 75 78 79 81 82 86

2 ha　　7 000

Le Bordelais est un pays de tradition, mais aussi d'innovation. Ce beau vin en témoigne par un modernisme qui se traduit par des arômes allant de l'ananas au pamplemousse, avec en plus une petite note de genêt. Plus classique, l'évolution en bouche est très plaisante par sa délicatesse.
- GAEC Les Vign. Jean Courbin, Ch. Madélis, Grand Abord, 33640 Portets, tél. 56.67.22.03 r.-v.

CH. MAGENCE 1985*

79 80 81 82 83 85

12,50 ha　　75 000

Le temps n'est plus où la production de ce cru partait par bateaux sur la Garonne, ses propriétaires ayant été non seulement des armateurs fluviaux mais aussi des pionniers de la vapeur. Sa production demeure classique et bien typée, tant par la couleur que par les arômes ou les saveurs.
- SICA les Vignobles de Bordeaux, Saint-Pierre-de-Mons, 33210 Langon, tél. 56.63.19.34 r.-v.
- M. Guillot de Suduiraut.

CH. MAGENCE 1985

17 ha　　100 000

Ce 85 richement bouqueté sera plaisant à boire jeune.
- SICA les Vignobles de Bordeaux, Saint-Pierre-de-Mons, 33210 Langon, tél. 56.63.19.34 r.-v.
- M. Guillot de Suduiraut.

CH. MAGNEAU 1986*

82 83 84 85 86

4 ha　　20 000

Est-ce pour se montrer à la hauteur de l'ancienneté du domaine que ce millésime se pare d'une belle robe? Peu importe la réponse, l'essentiel étant qu'elle n'est pas trompeuse : elle introduit heureusement à la découverte d'un vin souple et aromatique.
- GAEC des Cabanasses, Les Cabanasses, 33650 La Brède, tél. 56.20.20.57 r.-v.
- M. Henri Ardurats.

CH. MAYNE D'IMBERT 1987

85 87

4 ha　　5 000

Bien que d'une taille beaucoup plus réduite que celui de rouge, le vignoble blanc n'en est pas négligé pour autant. 87, léger et assez aromatique, est là pour montrer que le travail sur ce domaine est honnête.
- M. Henri Bouche, 23, rue François-Mauriac, 33720 Podensac, tél. 56.27.08.80 r.-v.

CH. MAYNE D'IMBERT 1985

82 83 85

20 ha　　60 000

Agréable à l'œil par sa robe d'une couleur assez soutenue, il l'est aussi au nez, avec des senteurs de sous-bois, et au palais, avec une saveur de poivron vert.
- M. Henri Bouche, 23, rue François-Mauriac, 33720 Podensac, tél. 56.27.08.80 r.-v.

CH. MONTALIVET 1987***

6,50 ha　　30 000

Quand on sait que le cru appartient au même propriétaire que Doisy-Daëne, on s'attend à ne pas être déçu. Et si la couleur n'est pas le point fort de ce vin, la suite est exceptionnelle par sa richesse aromatique mêlant amandes, noisettes, puis banane, ainsi que par sa chair. Une bouteille très originale que certains jugeront plus bourgogne que bordeaux. Mais c'est affaire d'opinion.
- M. Pierre Dubourdieu, Doisy-Daëne, Barsac, 33720 Podensac, tél. 56.27.15.84 r.-v.

CH. DE NAVARRO 1985 ▼ 2

□ 12 ha 75 000

Annonçant la péninsule Ibérique par son nom, ce vin, frais et fruité, trouvera une place naturelle dans un repas estival, voire un pique-nique.
→ M. Roger Biarnès, Ch. de Navarro, Illats, 33720 Podensac, tél. 56.27.20.27 ☎ r.-v.

CH. PESSAN 1986 ↓ ▼ 3

■ 8 ha 50 000 84 85 [86]

79 81 [82] 83 84 85 [86]

Une belle demeure entourée d'un parc splendide faisant face à l'église de Portets. Et un vin portant la marque du cabernet-sauvignon, avec des arômes fruités et des tanins assez puissants.
→ MM. Jean Médeville et Fils, Ch. Fayau, 33410 Cadillac, tél. 56.62.65.80 ☎ lu. ma. me. je. ve. 8h-12h 14h-16h.
→ Mme Bitot.

CH. PESSAN SAINT-HILAIRE 1986* ⬤ ▼ 3

■ 10 ha 50 000

[85] 86

Un instant menacé par la vague pavillonnaire, ce cru a su préserver un terroir favorable à la vigne. Le millésime corsé, prometteur par ses arômes et ses tanins, offre une finale à la hauteur de l'ensemble.
→ M. Dominique Haverlan, quartier Daroubin, 33640 Portets, tél. 56.67.04.32 ☎ r.-v.

CH. PESSAN SAINT-HILAIRE 1987* ↓ ▼ 3

□ 4 ha 10 000

[86] [87]

Récoltant les bénéfices des importantes améliorations apportées au domaine depuis des années, Dominique Haverlan offre avec ce millésime une très belle réussite. Très typée par ses arômes (iris, œillet), vive et assez nerveuse, la bouteille est plaisante. Elle a même un certain éclat.
→ M. Dominique Haverlan, quartier Daroubin, 33640 Portets, tél. 56.67.04.32 ☎ r.-v.
→ GFA du Brion.

CH. PETIT MOUTA 1986** ↓ ▼ 2

■ 4 ha 25 000

82 83 85 86

Tirant une certaine noblesse des vestiges d'une abbaye qui a servi de base aux bâtiments actuels, le domaine peut être fier de sa production. 86 offre un bouquet puissant, presque sauvage. Sa belle charpente concentrée et aromatique en fait une très jolie bouteille qui méritera d'être attendue.
→ SCA Dom. Latrille-Bonnin, Ch. Petit Mouta, Mazères, 33210 Langon, tél. 56.63.41.70 ☎ r.-v.

CH. DE PINGOY 1985 ↓ ▼ 3

■ 7 ha 23 000

L'étiquette est un peu «tristounette». Heureusement, le papier ne fait pas le vin, celui-ci étant plus sympathique que son côté coulant.
→ M. Philippe Dozier, Ch. de Pingoy, 33640 Portets, tél. 56.67.22.78 ☎ r.-v.

CH. DE PORTETS 1985* ▼ 3

■ 12 ha 65 000

[821] [83] [85]

Bâti sur les assises d'une ancienne villa gallo-romaine, le château a fière allure en même temps qu'un côté aimable. Son vin, franc de couleur, souple et assez tannique, est lui aussi sympathique.
→ M. Jean-Pierre Théron, Ch. de Portets, 33640 Portets, tél. 56.67.12.30

CH. DE PORTETS 1986 ▼ 2

■ 6 ha 25 000

85 86

Sans avoir autant de caractère que son frère rouge, le blanc, coulant et rond, réussit à donner un air de vacances à la dégustation : il entraîne l'imagination sur les sentiers aux parfums de buis et de genêt.
→ M. Jean-Pierre Théron, Ch. de Portets, 33640 Portets, tél. 56.67.12.30

CH. DU PUY DE CORNAC 1987* ↓ ▼ 2

□ 4 ha n.c.

Il n'entend pas vieillir ; ce vin aux parfums de fleurs réserve aux amateurs de plaisantes surprises par sa rondeur, sa fraîcheur, sa vigueur et sa bonne évolution au palais.
→ M. Jean Lardeau, Près de l'Eglise, Cévons, 33720 Podensac, tél. 56.62.17.77 ☎ r.-v.

CH. RAHOUL 1985** ▼ 4

■ 11,50 ha 72 000

79 80 [81] 82 83 [84] [85]

Si le château lui-même porte témoignage des travaux de restauration entrepris sur le domaine, le vin montre que la vigne n'a pas été oubliée. D'une grande richesse aromatique avec des notes de cannelle et de poivre, ce millésime semble évoluer très positivement avec le temps. Son avenir peut être envisagé avec sérénité.
→ SC Ch. Rahoul de Balguerie, Ch. Rahoul, 33640 Portets, tél. 56.67.01.12 ☎ r.-v.

CH. RAHOUL 1986** 4

□ n.c. n.c.

Un Champenois présidant à ses destinées, le cru ne pouvait légitimement pas négliger son blanc. Le beau 86, où l'on sent fortement la présence du bois, montre qu'on lui réserve tous les soins nécessaires. Très rond et aromatique, l'ensemble plaira au plus grand nombre.
→ SC Ch. Rahoul de Balguerie, Ch. Rahoul, 33640 Portets, tél. 56.67.01.12 ☎ r.-v.

CH. DE RESPIDE 1986 ↓ ▼ 2

■ 35 ha 50 000

Quoique moins intéressant que le blanc, ce graves rouge possède une certaine puissance. On a là un vin corsé, un peu à l'emporte-pièce, qui s'impose par sa force.
→ MM. Pierre Bonnet et Fils, Le Pavillon de Boyrein, Roaillan, 33210 Langon, tél. 56.63.24.24 ☎ r.-v.

CH. DE RESPIDE 1987* ↓ ▼ 2

□ 13,75 ha 65 000

Venu d'une propriété au beau château Louis

XIIIᵉ, ce vin séduit par sa robe d'un jaune brillant et retient l'attention par sa fraîcheur.
Le Pavillon de Boyrein, Roaillan, 33210 Langon, tél. 56.63.24.24 ☎ r.-v.

CH. RESPIDE-MEDEVILLE 1985**

(76) 81 82 83 84 85

4 ha — 12 000 — V4

Christian Médeville, plus qu'une signature, est une véritable garantie de qualité pour un vin. Ce beau 85 en témoigne par de douces saveurs, comme par le très agréable bouquet que traversent de multiples parfums d'une grande originalité. On n'oubliera pas de sitôt les notes très particulières d'encens et d'eucalyptus.
M. Christian Médeville, Ch. Gilette, Preignac, 33210 Langon, tél. 56.63.27.59 ☎ r.-v.

CH. RESPIDE-MEDEVILLE 1986**

6 ha — 30 000 — V3

S'il peut peut-être gagner un peu en ampleur, ce vin, qu'arrondit le bois, est franc et net, avec une agréable note sous-jacente de fruit.
M. Christian Médeville, Ch. Gilette, Preignac, 33210 Langon, tél. 56.63.27.59 ☎ r.-v.

CH. ROUGEMONT 1986

n.c. — n.c. — V3

Si le blanc est charmant, le rouge ici est plus ferme. À l'élégance il préfère une certaine force que lui apporte son caractère corsé.
MM. Edmond Coste et Fils, 8, rue de la Poste, 33210 Langon, tél. 56.62.20.89 ☎ r.-v.

CH. ROUGEMONT 1986*

n.c. — n.c. — V2

Net et bien fait, ce vin sait se présenter, avec une belle couleur, vive et brillante. La suite ne déçoit pas, les arômes d'ananas et de fruits exotiques se mariant à une structure pleine de rondeur et de gras.
MM. Edmond Coste et Fils, 8, rue de la Poste, 33210 Langon, tél. 56.62.20.89 ☎ r.-v.
M. André Turtaut.

CH. SAINT-AGREVES 1986*

85 86

2.50 ha — 10 000 — V2

Quoique portant le nom d'un évêque bordelais du XVIIᵉ s., ce vin blanc n'a rien d'un vin de messe. Frais et rond, avec des notes mentholées, il devrait affirmer très vite ses potentialités. Rappelons le très beau graves rouge 85, sélectionné l'an dernier.
M. et Mme Cl. et M.-C. Landy, Ch. Saint-Agrèves, Landiras, 33720 Podensac, tél. 56.62.50.85 ☎ r.-v.

CH. SAINT-HILAIRE 1983*

82 83 84 85

5 ha — 20000 — V3

Il porte le nom d'un évêque de Poitiers : ce cru offre un 83 particulièrement intéressant par son bouquet dont les nombreuses nuances se fondent en un ensemble harmonieux.

CH. DE SAINT-PIERRE 1985**

82 83 84 85

10 ha — 55 000 — V3

Ici, la vigne n'est pas l'unique activité, ni même la principale, l'élevage des chevaux l'emporte sur tout autre. Mais une présence familiale de plus de deux siècles permet une parfaite connaissance du terroir et à la naissance de vins comme ce 85. D'une belle couleur, il est aussi très riche en arômes avec des notes de cuir, d'épices, de cacao, de réglisse. L'ensemble, très bien fondu, est plus qu'agréable.
M. Henri Dulac, Ch. de Saint-Pierre, Saint-Pierre-de-Mons, 33210 Langon, tél. 56.63.07.28

Château de Saint Pierre — Graves — Appellation Graves Contrôlée — 1985 — Henri DULAC — Propriétaire à Saint Pierre de Mons (Gironde) France — Mis en bouteille au Château — 75 cl

CH. SAINT-PIERRE 1986*

20 ha — 110 000

Sans égaler la production rouge du même domaine, celle de blanc est loin de manquer de personnalité. Très agréable par une jolie présentation, elle l'est aussi par des notes aromatiques de grillé et d'eucalyptus. Pourquoi pas avec une alose grillée ?
M. Henri Dulac, Ch. de Saint-Pierre, Saint-Pierre-de-Mons, 33210 Langon, tél. 56.63.07.28

CH. SAINT-ROBERT 1985*

82 84 85

22 ha — 130 000 — V3

Un peu en retrait par rapport à l'excellent blanc, ce vin n'en est pas moins heureusement typé par ses arômes. D'une belle couleur rouge carmin, il possède une bonne charpente.
Crédit Foncier de France, Ch. Bastor Lamontagne, Preignac, 33210 Langon, tél. 56.63.27.66 ☎ r.-v.

CH. SAINT-ROBERT 1987**

84 85 87

10 ha — 50 000 — V2

Appartenant au même groupe que le château sauternais Bastor Lamontagne, ce cru bénéficie d'un sol argilo-sableux très favorable au vin blanc. Bismarck, déjà, l'avait fort apprécié au cours d'une longue visite. Rien d'étonnant donc à découvrir une production de très belle qualité. Très aromatique, nerveux, gras et rond, voici un

Graves supérieures

millésime 87, à déguster maintenant pour profiter de sa complexité.
↝ Crédit Foncier de France,
Ch. Bastor Lamontagne, Preignac, 33210 Langon, tél. 56.63.27.66 ⟊ r.-v.

CH. DE SANSARIC 1983

| | 4 ha | 20 000 | |

La robe n'est sans doute pas le point fort de ce vin qui se rattrape en exhalant des parfums fruités d'une réelle finesse. Une bouteille délicate qu'il conviendra de boire sans trop attendre.
↝ M. Dominique Abadie, Dom. de Sansaric, Castres-Gironde, 33640 Portets, tél. 56.67.03.17 ⟊ r.-v.

CH. TOUMILON 1986*

| | 6.15 ha | 36 000 | |

⑤ 78 |79| 82 83 85 86

Régulière en qualité, la vieille propriété familiale offre avec ce 86 un vin encore jeune. Il n'exprime pas toutes ses possibilités mais sa mâche, son ampleur et ses tanins indiquent qu'elles sont grandes.
↝ SICA les Vignobles de Bordeaux, Saint-Pierre-de-Mons, 33210 Langon, tél. 56.63.19.34 ⟊ r.-v.
↝ SCE Vignobles Sevenet.

CH. TOUMILON 1987*

| | 6 ha | 36 000 | |

82 84 85 |86| 87

Une bonne présentation, une attaque souple et franche, une belle évolution en bouche, puis une finale bien longue, voilà qui donne une bouteille bien sympathique.
↝ SICA les Vignobles de Bordeaux, Saint-Pierre-de-Mons, 33210 Langon, tél. 56.63.19.34 ⟊ r.-v.
↝ SCE Vignobles Sevenet.

CLOS TOURMILLOT 1985

| | 3 ha | 12 000 | |

Toujours agréable à l'œil, ce vin confirme le caractère délicat qui apparaissait l'an dernier.
↝ M. Marc Belis, Clos Tourmillot, 33210 Langon, tél. 56.63.02.52 ⟊ r.-v.

CH. TOURTEAU CHOLLET 1985

| | 25 ha | 130 000 | |

D'un beau rouge rubis, ce 85 fruité, net et équilibré, est assurément un bon vin de type commercial qui satisfera ceux qui sauront le boire sans trop attendre.
↝ SC du Ch. Tourteau-Chollet, 17, cours de la Martinique, 33027 Bordeaux Cedex, él. 56.52.11.46 ⟊ r.-v.

CH. TOURTEAU-CHOLLET 1986*

| | 10 ha | 40 000 | |

82 83 85

Simple mais aimable par sa robe jaune citron et par son bouquet d'une intensité honnête, ce vin se révèle surtout au palais où l'on sent une bonne structure.
↝ SC du Ch. Tourteau-Chollet, 17, cours de la Martinique, 33027 Bordeaux Cedex, tél. 56.52.11.46 ⟊ r.-v.

CH. D'ARRICAUD 1986

| | 2 ha | 6 000 | |

83 |84| 85| |86|

Petite production complémentaire du blanc sec et du rouge du même cru, ce vin, qui tire sur les liquoreux, est bien équilibré.
↝ M. et Mme A. et J. Bouyx, Ch. d'Arricaud, Landiras, 33720 Podensac, tél. 56.62.51.29 ⟊ r.-v.

CH. SAINT-AGREVES 1986

| | 1,50 ha | 5 000 | |

Sans avoir la même personnalité que le blanc sec du même cru, ce graves supérieures est fin et agréable. Il plaira particulièrement aux amateurs de moelleux pas trop lourds.
↝ M. et Mme Cl. et M.-C. Landry, Ch. Saint-Agrèves, Landiras, 33720 Podensac, tél. 56.62.50.85 ⟊ r.-v.

Le Médoc

Dans l'ensemble girondin, le Médoc occupe une place à part. A la fois enclavés dans leur presqu'île et largement ouverts sur le monde par un profond estuaire, le Médoc et les Médocains apparaissent comme une parfaite illustration du tempérament aquitain, oscillant entre le repli sur soi et la tendance à l'universel. Et il n'est pas étonnant d'y trouver aussi bien de petites exploitations familiales presque inconnues que de grands domaines prestigieux appartenant à de puissantes sociétés françaises ou étrangères.

S'en étonner serait oublier que le vignoble médocain (qui ne représente qu'une partie du Médoc historique et géographique), s'étend sur plus de 80 km de long et 10 de large. C'est dire si le visiteur peut donc seulement admirer les grands châteaux du vin du siècle dernier, avec leurs splendides chais-monuments, mais aussi partir à la découverte approfondie du pays. Très varié, celui-ci offre aussi bien des horizons plats et uniformes (près de Margaux) que de belles croupes

(vers Pauillac), ou l'univers tout à fait original du bas Médoc, à la fois terrestre et maritime.

Pour qui sait quitter les sentiers battus, le Médoc réserve de toute manière plus d'une heureuse surprise. Mais sa grande richesse, ce sont ses sols graveleux, descendant en pentes douces vers l'estuaire de la Gironde. Pauvre en éléments fertilisants, ce terroir est particulièrement favorable à la production de vins de qualité, la topographie permettant un drainage parfait des eaux.

On a pris l'habitude de distinguer le haut Médoc, de Blanquefort à Saint-Seurin-de-Cadourne, et le bas Médoc, de Saint-Germain-d'Esteuil à Soulac. Au sein de la zone première, six appellations communales produisent les vins les plus réputés. Les soixante crus classés sont essentiellement implantés sur ces appellations communales; cependant, cinq d'entre eux portent exclusivement l'appellation haut-médoc. Les crus classés représentent approximativement 25 % de la surface totale des vignes de Médoc, 20 % de la production de vins et plus de 40% du chiffre d'affaires. À côté des crus classés, le Médoc compte de nombreux crus bourgeois qui assurent la mise en bouteilles au château et jouissent d'une excellente réputation. Plusieurs caves coopératives existent dans les appellations médoc et haut-médoc, mais aussi dans trois appellations communales.

Une partie importante des vins des appellations médoc et haut-médoc est vendue en vrac aux négociants qui en assurent la commercialisation sous des noms de marque.

Le cépage traditionnel

en Médoc est le cabernet sauvignon. Aujourd'hui, il est probablement moins important qu'autrefois, mais il couvre cependant 52 % de la totalité du vignoble. Avec 34 %, le merlot vient en second; son vin, souple, est aussi d'excellente qualité; d'évolution plus rapide, il peut être consommé plus jeune. Le cabernet-franc qui apporte de la finesse, représente 10 %. Enfin, le petit verdot et le malbec ne jouent pas un bien grand rôle.

Médoc

L'ensemble du vignoble médocain a droit à l'appellation médoc; mais en pratique celle-ci n'est utilisée qu'en bas Médoc (la partie nord

L'ensemble des vins du Médoc jouit d'une réputation exceptionnelle; ils sont parmi les plus prestigieux vins rouges de France et du monde. Ils se remarquent à leur belle couleur rubis, évoluant vers une teinte tuilée; mais aussi à leur odeur fruitée, dans laquelle se mêlent les notes épicées de cabernet se mêlent souvent à celles, vanillées, qu'apporte le chêne neuf. Leur structure tannique, dense et complète en même temps qu'élégante et moelleuse, et leur parfait équilibre autorisent un excellent comportement au vieillissement; ils s'assouplissent sans maigrir et gagnent en richesse olfactive et gustative.

Quoi de neuf en Médoc?

La récolte en Médoc avec 600 480 hl a été nettement plus faible qu'en 1985 et 1986, 10 à 15 % de moins. Les rendements étaient moins forts, et l'on n'atteindra pas la qualité et l'intensité de ces deux millésimes. En revanche, il y de nombreuses réussites, des vins qui devraient s'ouvrir plus rapidement. Les châteaux ont, pour la plupart, opéré d'impitoyables sélections, ne gardant que les cuvées dignes de leur nom et de leur rang. 1987 a marqué par ailleurs un coup d'arrêt dans la fièvre des investissements. Après château Citran, cru bourgeois du Haut-Médoc vendu à un investisseur japonais au mois de mai, puis Pichon Longueville-Baron (deuxième grand cru classé de Pauillac), vendu au groupe Axa (assurances) pour une somme mirobolante, les transactions ont marqué une pause. Le prix des propriétés, la baisse des cours du vin semblent avoir refroidi leurs ardeurs.

Médoc

Médoc

de la presqu'île, à proximité de Lesparre), les communes situées entre Blanquefort et Saint-Seurin-de-Cadourne pouvant revendiquer celle de haut-médoc. Malgré cela, la production est importante : en moyenne 23 millions de bouteilles en 1982, pour une superficie de 2 976 ha.

Les médocs se distinguent par une belle couleur, généralement très soutenue. Avec un pourcentage de merlot plus important que dans les vins du haut Médoc et des appellations communales, ils possèdent souvent un bouquet fruité et beaucoup de rondeur en bouche.

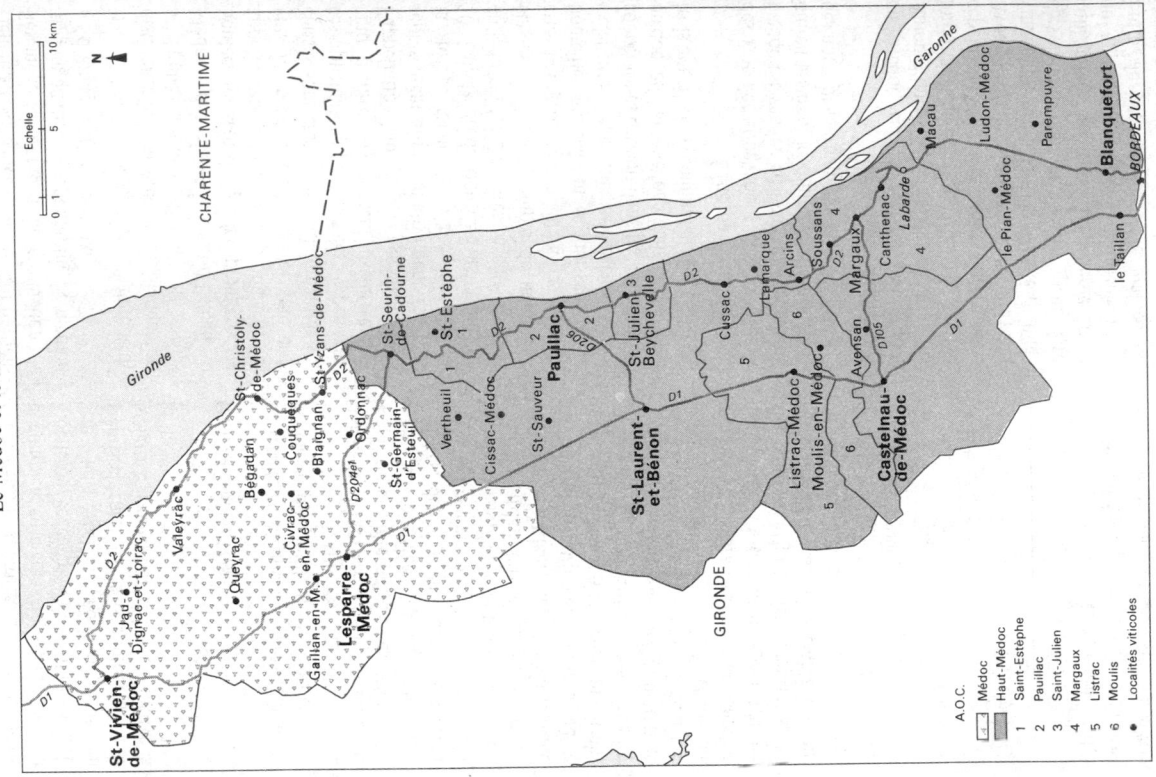

Le Médoc et le haut-Médoc

A.O.C.

Médoc
Haut-Médoc
1 Saint-Estèphe
2 Pauillac
3 Saint-Julien
4 Margaux
5 Listrac
6 Moulis
• Localités viticoles

292

Certains, venant sur de belles croupes graveleuses isolées, présentent aussi une grande finesse et une belle richesse tannique.

BARONNAT 1985**

■ n.c. n.c. [F]

Produit par un négociant ayant son siège dans la capitale du Médoc viticole, ce vin ne pouvait que s'inscrire dans la tradition. Ce qu'il fait avec élégance. Richement bouqueté, il montre l'influence du cabernet-sauvignon, par une note de poivron vert. Sa charpente tannique, ses arômes de cacao et sa belle finale sont un ne peut plus prometteurs.

♣ Baron Philippe de Rothschild, La Baronnie, B.P. 117, 33250 Pauillac, tél. 56.59.20.20

CH. BELLERIVE 1985**

■ Cru bourg. 12 ha 60 000 [F]
79 [81] (82) 83 84 85

Très sérieuse par ses méthodes de travail, la propriété, qui jouit d'un bon terroir, est d'une grande régularité dans la qualité. Encore assez jeune, ce millésime bien charpenté devrait bien évoluer dans l'avenir.

♣ M. Guy Perrin, Villeneuve, Valeyrac, 33340 Lesparre-Médoc, tél. 56.41.52.13 ♈ t.l.j. sf dim. 9h-18h.

CH. BLAIGNAN 1985*

■ 66 ha 400 000
83 85

Sur cette propriété, on ne fait pas dans la demi-mesure ; jugez-en par les chiffres : 70 hectares, 400 000 bouteilles. Mais on n'en oublie pas pour autant de donner du caractère au vin. Complexe, chaud et tannique, celui-ci possède en effet une réelle personnalité.

♣ SC du Ch. Taffard-Blaignan, 17, cours de la Martinique, 33027 Bordeaux Cedex, tél. 56.52.11.46

CH. BOIS DE ROC 1985*

■ 17 ha 100 000 V3
79 80 [81] 82 [83] 84 85

Des cabernets et des merlots mais aussi des petits verdots et des carmenères, l'encépagement de ce cru est tout à fait complet. Le vin ne s'en porte que mieux. Une belle couleur, un joli bouquet (avec des notes d'épices et de sous-bois), de l'ampleur et du volume ; il vieillira bien.

♣ GAF du Taillanet, Ch. Bois de Roc, Saint-Yzans-de-Médoc, 33340 Lesparre-Médoc, tél. 56.09.09.79 ♈ lu, ma, me, je, ve, 8h30-18h ; f. 15 sept. au 30 oct.

♣ M. et Mme Cazenave.

BOIS-GALANT 1985**

■ 15 ha 100 000 V3

Un nom sympathique, une étiquette agréable, des bâtiments soignés, Uni-Médoc ne ménage pas ses efforts pour mettre en valeur ses vins. Mais elle ne sacrifie pas non plus à la vinification. Ce très joli 85 franc et net est fort bien typé. C'est un authentique médoc.

♣ Uni-Médoc Union de Producteurs, Gaillan-en-Médoc, 33340 Lesparre-Médoc, tél. 56.41.03.12 ♈ t.l.j. sf dim. 8h30-12h30 14h-18h30.

♣ M. Pierre Secret, Ch. Bournac, Civrac, 33340 Lesparre-Médoc, tél. 56.41.51.24 ♈ r.-v.

CH. BOURNAC 1985*

■ Cru bourg. 11,35 ha 65 000
[81] [82] 84 85

De création assez récente (1975), la propriété tire le meilleur profit de ses jeunes vignes et offre un vin fin et gras qui évolue très heureusement au cours de la dégustation.

CH. CANTELYS 1985**

■ 6 ha 50 000
81 (82) 83 84 [85]

Assez classique par son terroir et son encépagement, ce cru s'inscrit aussi dans la bonne tradition de l'appellation par son vin. Long et harmonieux, celui-ci développe d'agréables parfums et des tanins d'une plaisante rondeur.

♣ Mme Courrian-Braquessac, Lafon, Prignac-Médoc, 33340 Lesparre, tél. 56.09.00.16 ♈ r.-v.

CH. CARCANIEUX 1985*

■ 25 ha 1 200 000 V2

Déjà bien engagée dans la pointe médocaine, la propriété ressent pleinement les influences océaniques qui lui font l'originalité de l'appellation médoc dans le Bordelais. Parfois un peu rude comme un vieux loup de mer, ce vin affiche cependant un caractère fort aimable par des tanins ronds et souples.

♣ Sté Fermière du Ch. Carcanieux, Queyrac, 33340 Lesparre, tél. 56.59.84.23 ♈ r.-v.

CH. CHEVALIER DE LASCOMBES 1985**

■ n.c. 200 000 V2
81 82 83 84 85

Créé en 1979, ce vin de marque s'est taillé une solide réputation qui n'aura pas à souffrir du très joli 85 : fruité et équilibré, d'une bonne structure, il est très prometteur.

♣ Alexis-Lichine et Cie, 109, rue Achard, 33028 Bordeaux Cedex, tél. 56.50.84.85

CUVÉE DE LA COMMANDERIE DU BONTEMPS 1985**

■ n.c. 388 000 V3
82 85

L'unanimité se fera sur la qualité de ce vin signé par le Bontemps du Médoc. On a là une production classique, sérieuse et plaisante, qui témoigne du savoir-faire des viticulteurs médocains. La Commanderie du Bontemps a trouvé son meilleur ambassadeur.

♣ Ulysse Cazabonne, 13, quai Jean-Fleuret, 33250 Pauillac, tél. 56.59.60.55 ♈ r.-v.

CH. DAVID 1985*

■ Cru bourg. 7 ha n.c. V3
70 71 72 73 74 (75) [76] 77 78 79 [81] 82 [83] [85]

Nouveau venu dans le club des crus bourgeois, ce millésime justifie sa promotion. Alliant une belle couleur rouge vif à un frais bouquet de raisins récemment pressés, il reste égal à lui-

même en bouche où sa fraîcheur laisse une agréable impression.

➤ M. Henry Coutreau, Ch. David, Vensac, 33590 Saint-Vivien-de-Médoc, tél. 56.09.44.62
Ⴘ r.-v.

GILBEY DE LOUDENNE 1985**

■ n.c. 100 000 ▮▮ ♦ ⩗ 2

Un vin de marque, mais produit par un négociant installé au cœur de l'appellation, autant dire un vin du cru. Très plaisant à l'œil avec ses reflets violine, ce beau 85, rond et tannique, affiche une réelle personnalité.

➤ Gilbey de Loudenne, Saint-Yzans-de-Médoc, 33340 Lesparre, tél. 56.09.05.03 Ⴘ r.-v.

GRAND SAINT-BRICE
Le Grand Art 1985*

■ 111 ha 40 000 ⩗ 3

Provenant d'une sélection de la production de la cave de Saint-Yzans, ce vin se distingue du Saint-Brice par une personnalité plus affirmée, simple mais très plaisante.

➤ Cave Coop. de Saint-Yzans, Saint-Yzans-de-Médoc, 33340 Lesparre-Médoc, tél. 56.09.05.05
Ⴘ r.-v.

CH. DES GRANGES D'OR 1985

■ 82 13,20 ha 73 000 ⩗ 3
83 84 85

Un parfum de mystère ou d'aventure dans le nom de ce vin au demeurant léger et sympathique avec sa jolie robe classique et ses senteurs de petits fruits rouges.

➤ MM. Lleu et Joannon, Les Granges d'Or, Blaignan, 33340 Lesparre-Médoc, tél. 56.41.57.71
Ⴘ r.-v.

CH. GREYSAC 1985***

■ Cru bourg. 60 ha 500 000 ▮▮ ♦ ⩗ 3
|75| 76 78 79 |80| |81| 82 83 84 85

Toujours fidèle à lui-même, ce cru propose un 85 parfaitement réussi. La profonde robe et le bouquet intense conduisent tout naturellement à la découverte d'un vin tannique, aromatique et élégant, qui ne peut qu'évoluer dans le bons sens pour donner d'ici quelque temps une superbe bouteille.

➤ Dom. Codem SA, Ch. Greysac, Begadan, 33340 Lesparre, tél. 56.41.50.29 Ⴘ r.-v.

CH. HAUT-GRAVAT 1985**

■ 82 5,92 ha 10 000 ▮▮▮ ♦ ⩗ 2
82 83 84 |85|

Le nom l'indique : ce cru jouit d'un bon terroir (une croupe de graves). On ne s'étonnera donc pas d'y découvrir un joli vin. Puissant et harmonieux par ses arômes d'épices et de venaison, il est très présent au palais où apparaissent des impressions de chaleur, d'onctuosité, de la rondeur et de tanins. Un seul regret : l'étiquette un peu vieillotte.

➤ M. Alain Lanneau, Ch. Haut-Gravat, Jau-Dignac-et-Loirac, 33590 Saint-Vivien-de-Médoc, tél. 56.09.41.20 ⏲ t.l.j. 9h-12h 14h-18h30.

CH. LA CARDONNE 1985**

■ Cru bourg. 78 ha n.c. 4
83 85

S'il a la « cote » auprès des journalistes, ce cru l'a aussi chez les amateurs auxquels il offre régulièrement de beaux millésimes, tel ce 85. Richement bouqueté, avec une heureuse note giboyeuse, il est aussi rond, ferme et tannique. Au total une bouteille d'une bonne ampleur qui pourra affronter l'avenir avec sérénité.

➤ Sté du Ch. Lafite-Rothschild, 33250 Pauillac, tél. 56.59.01.74 Ⴘ r.-v.

CH. LA CLARE 1985

■ Cru bourg. 20 ha 120 000 ▮▮▮ ♦ ⩗ 3
|70| 71 73 75 76 79 80 81 82 84 85

Toujours en cours de restauration, la propriété offre avec ce 85 un vin aimable, souple, gras et rond. Quoique discrets, les arômes sont assez fins.

➤ M. Paul de Rozières, Ch. La Clare, Begadan, 33340 Lesparre-Médoc, tél. 56.41.50.61
Ⴘ t.l.j. 8h-18h.

CH. LACOMBE-NOAILLAC 1985***

■ Cru bourg. 22 ha 130 000 ▮▮ ♦ ⩗ 3
82 |84| 85

Un bon terroir de graves garonnaises, un encépagement de qualité, du travail bien fait : ici, les dons de la nature et la volonté humaine se conjuguent pour donner un beau vin. Un très grand, même, si l'on en juge par l'exceptionnelle complexité des arômes (abricot surmûri, fruits rouges cuits...) ou par sa solide constitution. Une très belle bouteille qu'il faudra savoir attendre.

➤ M. Jean-Michel Lapalu, Jau-Dignac-et-Loirac, 33590 Saint-Vivien-du-Médoc, tél. 56.09.42.55
Ⴘ r.-v.

DOM. DE LA CROIX 1985*

■ Cru bourg. 8 ha 50 000 ▮▮ ⩗ 3
76 82 85

Issu d'une petite propriété familiale aux méthodes de travail artisanales, ce vin se veut classique et y réussit. Les amateurs de médoc ne s'en plaindront pas.

➤ SCF du Dom. de La Croix, Plautignan, Ordonnac, 33340 Lesparre-Médoc, tél. 56.09.02.02
Ⴘ r.-v.
➤ MM. Francisco.

LE CLASSEMENT DE 1855 REVU EN 1973

PREMIERS CRUS

Château Lafite-Rothschild (Pauillac)
Château Latour (Pauillac)
Château Margaux (Margaux)
Château Mouton-Rothschild (Pauillac)
Château Haut-Brion (Graves)

SECONDS CRUS

Château Brane-Cantenac (Margaux)
Château Cos-d'Estournel (Saint-Estèphe)
Château Ducru-Beaucaillou (Saint-Julien)
Château Durfort-Vivens (Margaux)
Château Gruaud-Larose (Saint-Julien)
Château Lascombes (Margaux)
Château Léoville-Las-Cases (Saint-Julien)
Château Léoville-Poyferré (Saint-Julien)
Château Léoville-Barton (Saint-Julien)
Château Montrose (Saint-Estèphe)
Château Pichon-Longueville-Baron (Pauillac)
Comtesse-de-Lalande
Château Pichon-Longueville-
Château Rausan-Ségla (Margaux)
Château Rauzan-Gassies (Margaux)

TROISIÈMES CRUS

Château Boyd-Cantenac (Margaux)
Château Cantenac-Brown (Margaux)
Château Calon-Ségur (Saint-Estèphe)
Château Desmirail (Margaux)
Château Ferrière (Margaux)
Château Giscours (Margaux)
Château d'Issan (Margaux)
Château Kirwan (Margaux)
Château Lagrange (Saint-Julien)
Château La Lagune (Haut-Médoc)

QUATRIÈMES CRUS

Château Langoa (Saint-Julien)
Château Malescot-Saint-Exupéry (Margaux)
Château Marquis d'Alesme-Becker (Margaux)
Château Palmer (Margaux)
Château Beychevelle (Saint-Julien)
Château Branaire-Ducru (Saint-Julien)
Château Duhart-Milon-Rothschild (Pauillac)
Château Lafon-Rochet (Saint-Estèphe)
Château Marquis-de-Terme (Margaux)
Château Pouget (Margaux)
Château Prieuré-Lichine (Margaux)
Château Saint-Pierre (Saint-Julien)
Château Talbot (Saint-Julien)
Château La Tour-Carnet (Haut-Médoc)

CINQUIÈMES CRUS

Château Batailley (Pauillac)
Château Croizet-Bages (Pauillac)
Château Dauzac (Margaux)
Château Grand-Puy-Ducasse (Pauillac)
Château Grand-Puy-Lacoste (Pauillac)
Château Haut-Bages-Libéral (Pauillac)
Château Haut-Batailley (Pauillac)
Château Belgrave (Haut-Médoc)
Château Camensac (Haut-Médoc)
Château Cantemerle (Haut-Médoc)
Château Clerc-Milon (Pauillac)
Château Cos-Labory (Saint-Estèphe)
Château Lynch-Bages (Pauillac)
Château Lynch-Moussas (Pauillac)
Château Mouton-Baronne-Philippe (Pauillac)
Château Pédesclaux (Pauillac)
Château Pontet-Canet (Pauillac)
Château du Terre (Margaux)

LES CRUS CLASSÉS DU SAUTERNAIS EN 1855

PREMIER CRU SUPÉRIEUR
Château d'Yquem

PREMIERS CRUS
Château Climens
Château Coutet
Château Guiraud
Château Lafaurie-Peyraguey
Clos Haut-Peyraguey
Château Rayne-Vigneau
Château Rabaud-Promis
Château Sigalas-Rabaud
Château Rieussec
Château Suduiraut
Château La Tour-Blanche

SECONDS CRUS
Château d'Arche
Château Broustet
Château Nairac
Château Caillou
Château Doisy-Daëne
Château Doisy-Dubroca
Château Doisy-Védrines
Château Filhot
Château Lamothe (Despujols)
Château Lamothe (Guignard)
Château de Malle
Château Myrat
Château Romer
Château Romer-Du-Hayot
Château Suau

CH. LA GORCE 1985*

■ Cru bourg. 23 ha 150 000 〔⊞ ↓ Ⅵ ⓷〕

|82| 83 |84| |85|

La tourelle qui surmonte cette chartreuse était-elle destinée à chasser la palombe ou à voir la rivière ? En tout cas, elle rappelle que la propriété est voisine de l'estuaire, situation favorable pour faire du bon vin. C'est le cas de ce 85 bien équilibré et élégant par ses arômes.

☛ M. Henri Fabre, Ch. La Gorce, Blaignan, 33340 Lesparre-Médoc, tél. 56.09.01.22 Ⲩ lu. ma. me. je. ve. 9h-12h 14h-17h.

CH. LA PIROUETTE 1985

■ Cru bourg. 7 ha 8 000

|82| |84| 85

Bien typé par son bouquet, ce 85 est agréable à l'œil par sa teinte d'un joli rouge. Assez gouleyant, l'ensemble se présente bien.

☛ M. Yvan Roux, Semensan, Jau-Dignac-et-Loirac, 33590 Saint-Vivien-de-Médoc, tél. 56.09.42.02 Ⲩ r.-v.

CH. LA TOUR BLANCHE 1985**

■ Cru bourg. 27 ha 150 000 〔↓ Ⅵ ⓷〕

|70 |75| 76 78 80 81 |82| |83| 84 85

Administré par Dominique Hessel, président du Conseil des vins du Médoc, ce cru fait honneur à l'appellation. Ample et aromatique, il fait preuve d'une belle complexité et révèle une structure aux tanins fins et bien enrobés.

☛ SCA du Ch. de La Tour Blanche, Saint-Christoly-de-Médoc, 33340 Lesparre, tél. 58.41.53.13 Ⲩ r.-v.

CH. LA TOUR DE BY 1985****

■ Cru bourg. 71 ha 700 000 〔⊞ ↓ Ⅵ ⓸〕

66 |70| 71 73 75 76 78 |79| 80 |81| |82| 83 84 |85|

Un ancien phare veillant sur la Gironde, de beaux chais en partie enterrés, une belle demeure bourgeoise presque aristocratique, La Tour de By est une propriété qui a fière allure. Mais cependant que son vin. Par sa robe très colorée, par ses puissants arômes de petits fruits rouges, par sa charpente tannique et onctueuse, c'est le médoc type.

☛ SV du Médoc Ch. La Tour de By, Bégadan, 33340 Lesparre-Médoc, tél. 56.41.50.03 Ⲩ t.l.j. sf dim. 8h-12h 13h30-17h30 ; f. juil., août. et le sam. à 12h

CH. LAUJAC 1985*

■ Cru bourg. 40 ha 200 000 〔⊞ ↓ Ⅵ ⓷〕

|70| 75 76 78 79 |81| |82| |83| |84| 85

Commandant un vaste domaine, le château Laujac est un bon exemple de ce qu'à pu donner en pays girondin le néoclassicisme. Le 85, agréable par sa finesse et ses notes aromatiques d'épices, se distingue lui aussi part son équilibre.

☛ SC du Ch. Laujac, Bégadan, 33340 Lesparre-Médoc, tél. 56.41.50.12 Ⲩ t.l.j. 9h-12h 14h-18h ; f. sur r.-v. sam. et dim.

CH. LES GRANDS CHENES 1985**

■ 7 ha 40 000 〔⊞ ↓ Ⅵ ⓷〕

|82| |83| |84| 85

Issu d'un petit vignoble familial aux vieilles traditions, ce vin, gras, ample et tannique, montre, par une structure imposante, qu'il ne craint pas l'avenir.

☛ Mme Gauzy-Darricade, Ch. Les Grands-Chênes, Saint-Christoly-Médoc, 33340 Lesparre-Médoc, tél. 56.41.53.12 Ⲩ r.-v.

CH. LES MOINES 1985

■ 12 ha 100 000 〔⊞ ↓ Ⅵ ⓷〕

74 |75| 76 |78| |79| |81| |82| |83| 84 85

Vêtu d'une robe plaisante mais un peu sévère, presque une bure, ce vin d'une rusticité de bon aloi possède de solides tanins qui lui permettront de regarder l'avenir avec une certaine philosophie.

☛ M. Claude Pourreau, Couquèques, 33340 Lesparre-Médoc, tél. 56.41.38.06 Ⲩ r.-v.

CH. LES ORMES-SORBET 1985***

■ Cru bourg. 21,50 ha 100 000 〔⊞ ↓ Ⅵ ⓸〕

66 67 70 71 74 75 76 |78| 79 81 |82| 83 |84| 85

Ce domaine présente une belle collection de vestiges préhistoriques et la propriété n'est pas tout à fait ordinaire. Son vin, chaud, aromatique, puissant, tannique et savoureux, possède beaucoup de caractère.

☛ M. Jean Boivert, Ch. les Ormes-Sorbet, Couquèques, 33340 Lesparre-Médoc, tél. 56.41.53.78 Ⲩ r.-v.

Sachez ranger votre cave : les blancs près du sol, les rouges au-dessus ; les vins de garde dans les rangées du fond, les bouteilles à boire en situation frontale. Et n'oubliez pas le livre de cave...

Au restaurant, il est conseillé de choisir un « petit » vin sur un menu préétabli, et de composer son menu à partir d'un grand vin ; mais en accordant les niveaux respectifs de qualité des mets et des vins.

LES VIEUX COLOMBIERS 1985**

230 ha — 150 000

Produit par la Cave de Prignac installée dans les murs du château de Bensse, ce vin est fidèle à l'image que donne ce lui sa belle robe. Très aromatique, il s'exprime au palais avec beaucoup d'intensité.

➜ SCV de Prignac-en-Médoc, 33340 Lesparre, tél. 56.09.01.02 T t.l.j. sf dim. 9h-12h 14h-18h; f. oct.

CH. LOUDENNE 1985***

Cru bourg. — 45 ha — 300 000

66 |70| 71 73 75 78 79 80 81 (82) 83 84 85

Par sa situation, par l'élégance de sa chartreuse XVIIIe s., comme par sa renommée, Loudenne est devenu l'un des phares de l'appellation. Très typé cabernet (poivron) par ses arômes, son vin gras, tannique, soyeux et très bien équilibré est un vin de prestige.

➜ Gilbey de Loudenne, Saint-Yzans-de-Médoc, 33340 Lesparre, tél. 56.09.05.03 T r.-v.

CH. DU MONTHIL 1985*

Cru bourg. — 15 ha — n.c.

Si le château ne date que de 1875, l'archéologie a révélé que la butte de graves et d'argiles, qui a donné son nom au cru, fut occupée par l'homme dès les temps préhistoriques. Aujourd'hui, les galets ne servent plus à produire du feu mais ils sont certainement à l'origine d'un joli vin au nez de cabernet-sauvignon, tannique, aromatique et bien typé.

➜ Dom. Coëm SA, Ch. Greysac, Begadan, 33340 Lesparre, tél. 56.41.50.29 T r.-v.

CH. MOULIN DE BEL-AIR 1985*

Cru bourg. — 5 ha — n.c.

Un bon représentant de ces crus art.sans pour lesquels la vinification se devait de respecter les méthodes héritées de la tradition ancestrale. La production, à la fois gracile et tannique, montre que cette fidélité peut être payante.

➜ Robert Girand SA, Dom. de Loiseau, B.P. 31, 33240 Saint-André-de-Cubzac, tél. 57.43.01.44
➜ M. Dertiguenave.

N DE NICOLAS 1985**

79 80 |81| 82 84 |85|

14 ha — 20 000

Le cru évolue très positivement en millésime en millésime. Le 85, très harmonieux, se développe agréablement au palais. Pas de doute, cette propriété est sur la bonne voie et les amateurs auront intérêt à suivre son devenir.

➜ M. Francis Ducos, Le Brouster, Jau-Dignac-et-Loirac, 33590 Saint-Vivien-de-Médoc, tél. 56.09.42.37 T t.l.j. 8h-20h.

Complexité, arômes tertiaires, truffe balsamique. Bouteille numérotée, tirage limité.

➜ Ets Nicolas, 253, av. du Gal-Leclerc, 94700 Maisons-Alfort, tél. 1.43.96.81.81

CH. MOULIN DE FERREGRAVE 1985*

Cru bourg. — 6 ha — 22 000

Il atteint son apogée, ce très joli médoc presque chaleureux donné si l'on s'en réfère à ses qualités : plein de fruits rouges, ce rondeur et d'harmonie.

CH. PATACHE D'AUX 1985**

Cru bourg. — 36 ha — 250 000

66 67 (70) 71 75 76 |78| 79 |81| 82 |83| |85|

Jadis fief des comtes d'Armagnac puis relais de diligence, ce domaine a dû connaître bien des histoires. Mais il n'est pas ici que l'on puisse dire travailler dans les règles de l'art. Fin, équilibré et d'un bonne persistance, il montre qu'ici on sait ce que veut dire que les voyageurs aient pu y déguster beaucoup de vins de la qualité de ce beau 85.

➜ SC Ch. Patache d'Aux, Begadan, 33340 Lesparre-Médoc, tél. 56.41.50.18 T lu. ma. me. je. ve. 8h-12h 14h-18h.

CH. PLAGNAC 1985*

Cru bourg. — 27 ha — 150 000

|79| 80 81 |82| |83| |84| |85|

Sans toutefois donner les mêmes résultats que pour certains millésimes précédents, l'alliance de vieilles vignes et de nouvelles plantations offre, avec ce 85, un vin très plaisant. Bien typé par ses arômes, il possède une gracieuse charpente.

➜ Ch. Plagnac, Begadan, 33340 Lesparre, tél. 56.31.44.44 T r.-v.

CH. PONTET 1985*

Cru bourg. — n.c.

70 (75) |76| 79 80 81 |82| 83 |84| 85

Très régulier en qualité, ce cru propose avec le 85 un vin assez bien typé par ses tanins, ses arômes et son goût de cabernet-sauvignon qui devrait s'arrondir et bien évoluer dans l'avenir.

➜ M. Emile Courr.an, 41, cours Victor-Hugo, 33340 Lesparre-Médoc, tél. 56.41.19.19 T r.-v.

CH. POTENSAC 1985***

Cru bourg. — 40 ha — n.c.

75 76 77 |78| |79| 80 |81| 82 |83| |84| 85

Posséder une église pour stocker des vins cela mène tout droit au paradis. Très bien situé et regardant les vins du fleuve (la Gironde), ce domaine produit un très joli vin à la robe rouge, vive, à liseré violine, au nez très typé médocain avec des arômes très jeunes, très vifs de fruits rouges (cassis) se mêlant à ceux - assez violents - de venaison. Doué d'une belle attaque, le vin est bien enrobé, par des tanins ô combien présents, mais soyeux, élégants, d'une bonne vinosité. On reste sous le charme.

➜ M. Paul Delon, Ch. Potensac, Ordonnac, 33340 Lesparre-Médoc, tél. 56.59.25.26 T r.-v.

CH. PREUILLAC 1985

Cru bourg. — 29 ha — 250 000

77 78 79 80 |81| (82) 83 |84| 85

Né dans un chai qui ne manque pas d'allure, ce vin sait se présenter avec une belle robe d'un

rouge intense. Discrètement bouqueté et plein, l'ensemble est fort honnête.
↪ SCF du Ch. Preuillac, 33340 Lesparre-Médoc, tél. 56.09.00.29 ℐ r.-v.
↪ Mme Bouet et Demars.

CH. ROLLAN DE BY 1985 * *

■ ▯ 2 ha 17 000 ▯ Ⓥ ③

82 83 84 **85**

La robe, d'un rouge sombre presque foncé, ainsi que le bouquet intense et complexe, annoncent une belle matière. Que devient-elle au palais ? Ronde et tannique, elle ne déçoit pas et est très prometteuse. Un vin de garde.
↪ M. Philippe Malcor, Ch. Rollan de By, Bégadan, 33340 Lesparre-Médoc, tél. 56.41.57.21 ℐ t.l.j, 9h-20h.

CH. ROQUEGRAVE 1985 *

■ Cru bourg. 26,50 ha 200 000 ▯ Ⓥ ③

79 **80 81** 82 84 85

Né dans des bâtiments simples, ce vin n'en fait pas un complexe. Agréable à l'œil, il montre par sa bonne tenue qu'il possède une structure plus que convenable.
↪ MM. Joannon et Lleu, Ch. Roquegrave, Valeyrac, 33340 Lesparre-Médoc, tél. 56.41.52.02 ℐ t.l.j, sf dim. 8h-12h 14h-18h.

CH. SAINT-AUBIN SEGUE LONGUE 1985 * *

■ Cru bourg. 13,50 ha 100 000 ▯ Ⓥ ③

83 **84** 85

Produit par la cave coopérative de Saint-Yzans, ce vin fait parfois penser à un vin de cépage. Il est plus particulièrement destiné à être consommé jeune pour profiter de son agréable caractère.
↪ Cave Coop. de Saint-Yzans, Saint-Yzans-de-Médoc, 33340 Lesparre-Médoc, tél. 56.09.05.05 ℐ r.-v.

SAINT-BRICE 1985

■ 111 ha 96 000 ▯ Ⓥ ③

Recréé en 1983, ce cru est, avec talent, représentatif d'un certain passé. Son vin réserve quelques sensations fortes à l'amateur par son puissant bouquet aux notes épicées comme par son imposante charpente tannique.
↪ SCV Saint-Aubin Séguelongue, Jau-Dignac-et-Loirac, 33590 Saint-Vivien-de-Médoc, tél. 56.09.57.28

CH. SAINT-CHRISTOLY 1985 * *

■ Cru bourg. 25 ha 150 000 ▯ Ⓥ ③

70 71 73 **75** 76 78 **79** 81 82 83 **85**

Le fils de « Popaul », célèbre figure du médoc, élabore un vin d'un joli rouge. Très typé médoc par ses puissants arômes de cabernet-sauvignon, ce 85 ressemble au propriétaire par sa solide structure.

↪ M. Hervé Héraud, Saint-Christoly-de-Médoc, 33340 Lesparre-Médoc, tél. 56.41.52.95 ℐ r.-v.

CAVE SAINT-JEAN 1985 *

■ ▯ 550 ha 170 000 ▯ Ⓥ ③

80 **82** 83 **84** 85

Un terroir assez diversifié permet à la cave de Bégadan de produire un vin qui, loin de renier son origine médocaine, l'affiche nettement par sa typicité.
↪ SCV de Bégadan-Médoc, Bégadan, 33340 Lesparre-Médoc, tél. 56.41.50.13 ℐ r.-v.

CH. SESTIGNAN 1985 *

■ ▯ Cru bourg. 14 ha 85 000 ▯ Ⓥ ③

78 79 81 82 83 84 **85**

La galère romaine de l'étiquette est là pour rappeler que la commune de Jau et Dignac, aujourd'hui croupe graveleuse réputée, fut jadis une île. Élégant par sa présentation, richement bouqueté, rond, présent en bouche et très généreux, ce vin est un ambassadeur de son terroir.
↪ M. Bertrand de Rozières, Ch. Sestignan, Jau-Dignac et Loirac, 33590 Saint-Vivien-de-Médoc, tél. 56.09.43.06 ℐ r.-v.

CH. TAFFARD 1985 * *

■ 17 ha 100 000 ▯ Ⓥ ③

78 79 **82** 83 84 **85**

Après une petite faiblesse en 1983, le cru renoue avec la tradition de grande qualité avec ce beau 85. Puissant par son bouquet forestier, c'est le type du vin de « fond de cave » par ses tanins qui s'équilibrent très bien avec des notes aromatiques de fruits rouges.
↪ Cave Coop. de Saint-Yzans, Saint-Yzans-de-Médoc, 33340 Lesparre-Médoc, tél. 56.09.05.05 ℐ r.-v.
↪ M. Paul Mottes.

CH. DE TASTE 1985 * *

■ 12 ha n.c. ▯ Ⓥ ③

80 **82** 83 84 **85**

Un nom qui invite à la dégustation pour un vin qui la justifie pleinement. Frais au nez, il est très plaisant en bouche où l'on découvre une structure ronde, équilibrée et tannique.
↪ M. Jean-François Blanc, Ch. de Taste, pl. de l'Église, Vensac, 33590 Saint-Vivien-de-Médoc, tél. 56.09.44.45 ℐ r.-v.

CH. TOUR HAUT-CAUSSAN 1985 * * *

■ Cru bourg. 17 ha 85 000 ▯ ▯ Ⓥ ③

62 64 **75** 76 79 80 81 **82** 83 84 **85**

Si l'on se rend à Blaignan, on découvrira que l'étiquette de ce vin n'est pas trompeuse : déployant largement ses ailes, le moulin continue de moudre les grains pour faire de la farine. De même la robe « sang noir » ne ment pas. La bouche est ronde, concentrée, charnue. Remarquable par la diversité de ses arômes, ce vin, tannique et fin, est très B.C.B.G. mais du bon chic bon genre qui a de la classe et de la race.

Médoc

M. Philippe Courrian, Ch. La Tour Haut-Caussan, Blaignan, 33340 Lesparre-Médoc, tél. 56.09.00.77 r.-v.

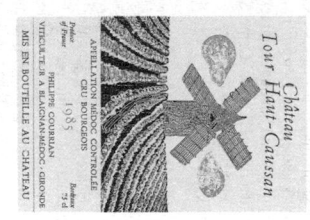

réputation plus importante, due en partie à la présence de cinq crus classés dans leur région, les autres se trouvant tous dans les six appellations communales enclavées dans l'aire des haut-médoc.

En médoc, le classement des vins a été réalisé en 1855, soit près d'un siècle avant les autres régions. Cela s'explique par l'avance prise par la viticulture médocaine à partir du XVIII e s.; car c'est là que s'est en grande partie produit «l'avènement de la qualité», avec la découverte des notions de terroirs et de crus, c'est-à-dire la prise de conscience de l'existence d'une relation entre le milieu naturel et la qualité du vin. Les haut-médoc se caractérisent par de la générosité, mais sans excès de puissance. Avec une réelle finesse au nez, ils présentent généralement une bonne aptitude au vieillissement. Ils devront alors être bus chambrés et iront très bien avec des viandes blanches et des volailles ou des gibiers à chair blanche. Mais bus plus jeunes et servis frais, ils pourront aussi accompagner d'autres plats, comme certains poissons.

CH. VIEUX CASSAN 1985*

8,80 ha 20 000

Remise en état depuis peu de temps, la propriété produit déjà un joli vin. Agréable à l'œil et au nez, il fait preuve en bouche d'une bonne présence tannique.

SCV du Ch. Vieux-Cassan, Saint-Germain d'Esteuil, 33340 Lesparre, tél. 56.09.01.36 t.l.j. sf dim. 9h-18h

VIEUX CHATEAU LANDON 1985

Cru bourg. 30 ha 180 000

S'il a l'art de se présenter dans une robe fine, brillante et limpide, ce vin est encore un peu fermé. Mais son agréable structure laisse entrevoir une bonne évolution d'ici 1 ou 2 ans.

M. Philippe Gillet, Ch. Landon, Bégadan, 33340 Lesparre-Médoc, tél. 56.4..50.42 lu. ma. me. je. ve. 8h30-13h 14h30-18h.

CH. VIEUX ROBIN 1985**

Cru bourg. 15 ha 70 000

80 81 82 83 84 85

Une vieille tradition familiale; le cru offre, avec ce 85, un très joli vin. Puissant, tannique et équilibré, il est tout à fait plaisant.

M. François Dufau, Ch. Vieux Robin, Bégadan, 33340 Lesparre-Médoc, tél. 56.41.50.64 lu. ma. me. je. ve. 9h-12h 14h-18h.

Haut-médoc

Proches quantitativement de l'appellation médoc, avec une production de 20 millions de bouteilles (1982), les haut-médoc jouissent d'une

CH. ARNAULD 1985***

80 81 82 83 84 85

Cru bourg. 18 ha 110 000

Voisin de la commune de Moulis, le domaine, jadis prieuré d'Arcins, jouit d'un beau sol de graves où l'on produit un fort beau vin. On aimera ses arômes de fruits mûrs et sa rondeur qui le rendent très agréable actuellement, sans nuire à ses possibilités de vieillissement.

SCEA Theil-Roggy, Ch. Arnauld, Arcins, 33460 Margaux, tél. 56.58.02.96 r.-v.

CH. BALAC 1985

71 75 76 78 Cru bourg. 4 ha 75 000
79 81 82 83 84 85

Une jolie chartreuse et une vaste forêt donnent un caractère très sympathique à ce domaine qui produit un vin léger et aimable, au caractère assez féminin.

M. Luc Touchais, Ch. Balac, 33112 Saint-Laurent-du-Médoc, tél. 56.59.41.76 r.-v.

CH. BARDIS 1985*

80 81 82 83 84 85

Cru bourg. 1,50 ha 6 000

Partageant la destinée du château Verdus, le petit domaine offre un vin léger mais harmonieux et bien fait, qui se laisse boire sans problème.

→ GAEC Dailledouze Père et Fils, Ch. Bardis, Saint-Seurin-de-Cadourne, 33250 Pauillac, tél. 56.59.31.59 ☂ r.-v.
→ GFA de Bardis et du Verdus.

CH. BEAUMONT 1985**

■ Cru bourg.   55 ha   350 000
75 79 80 81 |82| |83| |84| 85

Elégante demeure néo-Renaissance, ce château méritait largement l'effort de restauration dont il a fait l'objet. Il en est de même pour le vignoble. La qualité de ses sols de graves garonnaises lui permet en effet de se distinguer par de beaux millésimes tels que ce 85. Fin, frais et coulant bien en bouche, il n'est pas seulement plaisant; il a l'art de finir sur une note brillante, pour ne pas dire éclatante.
→ SCE du Ch. Beaumont, Cussac-Fort-Médoc, 33460 Margaux, tél. 56.58.92.29 ☂ r.-v.

CH. BEL AIR 1985*

■   35 ha   150 000
82 83 |85|

Composé de parcelles éparses se trouvant les unes près de l'église de Cussac, les autres à côté de Saint-Julien, ce cru affirme sa personnalité par une solide matière, bien structurée, et par de beaux parfums de fruits rouges surmûris avec une pointe de boisé.
→ Dom. Henri Martin, Ch. Gloria, Saint-Julien-Beychevelle, 33250 Pauillac, tél. 56.59.08.18 ☂ r.-v.

CH. BELGRAVE 1985***

■ 5ème cru clas.   53 ha   350 000
77 79 80 81 |82| |83| |84| (85)

Sympathique demeure, Belgrave vécut pourtant longtemps dans une atmosphère mauriacienne. L'un des propriétaires avait la clef du château, l'autre celle des chais, et ils ne se parlaient jamais. La qualité du vin, bien évidemment, s'en ressentait. Heureusement, cet âge là n'est plus qu'un lointain souvenir. Très classique par sa puissance, sa richesse aromatique et son boisé, ce millésime réserve de belles surprises à tous les instants de la dégustation.
→ MM. Dourthe Frères, 35, rue de Bordeaux, B.P. 70, Parempuyre, 33290 Blanquefort, tél. 56.35.84.64 ☂ r.-v.
→ GFA du Ch. Belgrave.

CH. BEL-ORME TRONQUOY DE LALANDE 1985*

■ Cru bourg.   25 ha   100 000
|81| |82| 83 84 85

Si le château tire son cachet de sa grâce, le vin, lui, préfère se distinguer par sa charpente et son ampleur. Elles laissent présager une bonne évolution pour ce joli 85, au bouquet complexe.
→ Héritiers Paul Quié, Ch. Bel-Orme, Saint-Seurin-de-Cadourne, 33250 Pauillac, tél. 56.59.31.09 ☂ r.-v.

CH. BONNEAU-LIVRAN 1985***

■ Cru bourg.   7,30 ha   60 000
|64| 66 70 73 75 76 78 |79| |80| 81 (82) 83 |84| 85

Rendu célèbre par son pigeonnier au toit de pagode, ce cru avait eu une petite faiblesse avec son 84, inférieur à sa qualité habituelle. Mais, avec 85, tout rentre magnifiquement dans l'ordre: très beau par sa robe, ample, charpenté, souple et corsé, c'est un vin de grande classe qui évoluera très heureusement, ses tanins s'en portant garants.
→ M. A. Micalaudy-Millon, Ch. Bonneau-Livran, Saint-Seurin-de-Cadourne, 33250 Pauillac, tél. 56.59.31.26 ☂ t.l.j. 9h-12h 14h-19h.

CH. DE BRAUDE 1985**

■   1,70 ha   10 000
(82) 83 85

A l'image de l'étiquette qui révèle un souci de recherche, ce millésime témoigne d'un travail bien fait. Délicat par ses arômes, avec une jolie note d'écorce d'oranges amères confites, l'ensemble est très plaisant par son équilibre entre rondeur et tanins.
→ M. Régis Bernaleau, Arsac, 33460 Margaux, tél. 56.58.84.51 ☂ lu. ma. me. je. ve. 8h-12h 13h30-19h.

CH. DE CAMENSAC 1985**

■ 5ème cru clas.   65 ha   360 000
81 |82| |83| 84 |85|

Très estimable au XIXe s., ce cru est resté longtemps un peu inférieur à son classement. Mais il a entrepris un beau redressement dont ce millésime montre le résultat. Agréable à contempler dans sa robe foncée, il est en effet très riche par ses arômes, concentrés et complexes, et élégant par sa rondeur et sa souplesse. Au total, une bien belle bouteille.
→ SAF du Ch. de Camensac, 33112 Saint-Laurent-le-Médoc, tél. 56.59.41.72 ☂ r.-v.

CH. CANTEMERLE 1985***

■ 5ème cru clas.   53 ha   250 000
70 71 77 |78| |79| |80| 81 |82| (83) |84| 85

Une toute petite étiquette, mais un grand vin. Somptueux par sa couleur d'un beau rouge sombre, ce millésime se veut très médocain. Notamment par son bouquet intense et giboyeux. La puissance se retrouve au palais, avec de la chair, des tanins et du volume. Cette bouteille n'a décidément qu'un seul défaut: elle exigera d'être attendue.

♠ SC du Ch. Cantemerle, Macau, 33460 Margaux, tél. 56.31.44.44 ☎ r.-v.

CANTERAYNE 1985

■ 72.17 ha 200 000 [symbols]

71 72 73 74 **75** 77 **78** 79 80 18|11 82 18|31 |84| |85|

Marque de la cave de Saint-Sauveur, ce vin possède un caractère bien senti qu'annonce la vigueur de la robe et l'intensité des parfums.

♠ SCV de Saint-Sauveur, Saint-Sauveur, 33250 Pauillac, tél. 56.59.57.11 ☎ lu. ma. me. je. ve. sa. 8h-12h 14h-18h.

♣ M. Jean Brun.

CH. DES CAPÉRANS 1985

■ 8 ha 30 000 [symbols]

18|21|83| 85

Issu de la commune de Cussac, ce vin se montre maintenant attachant par son aimable structure et ses arômes, discrets mais plaisants.

♠ SICA Les Vitic. du Fort-Médoc, Les Capérans, Cussac-Fort-Médoc, 33460 Margaux, tél. 56.58.92.85 ☎ lu. ma. me. je. ve. sa. 8h-12h 14h-18h.

CH. CHARMAIL 1985*

■ Cru bourg. 20 ha 140 000 [symbols]

81 |82| 83 18|41|85|

Issu d'un vignoble dominant la Gironde, ce vin fait preuve de délicatesse. Elle se laisse découvrir à travers le bouquet, encore naissant, comme dans la finesse des saveurs.

♠ SCA du Ch. Charmail, Saint-Seurin-de-Cadourne, 33250 Pauillac, tél. 56.59.30.62

☎ lu. ma. me. je. ve. 8h30-18h.

♣ M. Roger Sèze.

CHATELLENIE 1985

■ 20 ha 130 000 [symbols]

82 83 85

Quelque peu étrange, il mêle un caractère de vin vieux à des notes gracies. Il séduira les amateurs de vins vieillis qui l'apprécieront tout particulièrement sur un fromage...

♠ SCV de Vertheuil, Vertheuil 33250 Pauillac, tél. 56.41.98.16 ☎ ma. me. je. ve. sa. 8h30-12h30 14h-18h.

CHEVALIERS DU ROI SOLEIL 1985**

■ 50 ha 80 000 [symbols]

82 18|31|84| |85|

Si les chais des Viticulteurs de Fort-Médoc peuvent être parfois surprenants par leur architecture, leur vin est rassurant par son classicisme. Bien coloré, avec un nez intense de raisins confits, il est très médocain et saura vieillir avec bonheur.

♠ SICA Les Vitic. de Fort-Médoc, Les Capérans, Cussac-Fort-Médoc, 33460 Margaux, tél. 56.58.92.85 ☎ ma. me. je. ve. sa. 8h-12h 14h-18h.

CH. COUFRAN 1985**

■ Cru bourg. 65 ha 500 000 [symbols]

76 78 80 **81 82** 18|31|84| **85**

Une jolie chartreuse très girondine, et un beau vin. Jean Miailhe, le président des crus bourgeois, peut être fier à juste titre de Coufran. Suivant des beaux 82, 83 et 84, ce 85 se montre à la hauteur du cru : finement bouqueté, avec des notes de torréfaction, il est puissant et sait terminer par une grande finale.

♠ SCA du Ch. Coufran, M. Miailhe, Saint-Seurin-de-Cadourne, 33250 Pauillac, tél. 56.59.31.02 ☎ r.-v.

CH. DÉCORDE 1985*

■ Cru bourg. n.c. 72 000 [symbols]

81 82 18|31 85

Volontairement 'traditionnel, ce vin possède un caractère bien typé par sa profonde couleur, ses subtils arômes, son ampleur, son corps et sa rondeur. Avec ce qu'il faut de tanins, la bouteille devrait connaître un bel avenir au vieillissement.

♠ Robert Giraud SA, Dom. de Loiseau, B.P. 31, 33240 Saint-André-de-Cubzac, tél. 57.43.01.44

♣ P.-J. Mazeau.

CH. DILLON 1985**

■ 32 ha 220 000 [symbols]

76 **78** 79 18|11|82|18|31|83| 84 **85**

Le lycée agricole, aujourd'hui presque enclavé dans la grande banlieue bordelaise, justifie le maintien de sa vocation viticole par la qualité de sa production : une belle attaque et une solide structure tannique font de celui-ci un vin complet dont l'avenir est assuré.

♠ Lycée Agricole de Blanquefort, Ch. Dillon, 33290 Blanquefort, tél. 56.35.02.27 ☎ lu. ma. me. je. ve. 8h-12h 14h-17h30 : f. sam. a.-m.

CH. D'ESTEAU 1985**

■ 3,34 ha 16 000 [symbols]

83 84 |85|

Petit et jeune, le domaine produisait jusque là un vin assez timide. Mais le temps des complexes est passé. Quelle aisance et quelle allure dans sa robe ! Quelle finesse dans le bouquet ! Quelle solidité dans la charpente ! Équilibrée et bien faite, la bouteille est plus qu'agréable.

LE BORDELAIS

Médoc

Haut-médoc

M. Serge Playa, Ch. d'Esteau, Saint-Sauveur, 33250 Pauillac, tél. 56.59.57.02 Y r.-v.

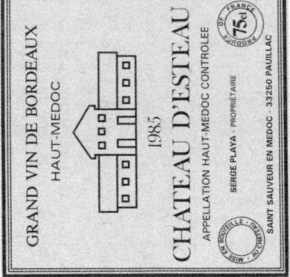

CH. FONTESTEAU 1985*

■ Cru bourg. 16 ha 45 000 ⬆ ▼3
76 77 |79| |81| |82| 83 |84| 85

Ici, le vin ressemble à la propriété. Elle se réfugie derrière ses bois et sa tour médiévale ; il se protège par un petit côté sauvage dans les arômes et par une note d'astringence dans les tanins. Mais ce sont là des traits de jeunesse qui lui assureront un bon vieillissement.

GAEC du Ch. Fontesteau, Saint-Sauveur, 33250 Pauillac, tél. 56.59.52.76 Y r.-v.

CH. GRAND CLAPEAU OLIVIER 1985*

■ Cru bourg. 17 ha 100 000 ⬆ ▼3
70 75 (78) 79 |81| |82| |83| 85

Le Grand Clapeau, l'un des derniers châteaux à maintenir la tradition viticole de Blanquefort, offre avec ce millésime un vin tannique et puissant dont la riche matière est un solide gage de bonne évolution.

M. Pierre Baudinière, Ch. du Grand Clapeau Olivier, Caychac, 33290 Blanquefort, tél. 56.95.00.89 Y r.-v.

DOM. GRAND LAFONT 1985*

■ 3,50 ha 10 000 ⬆ ▼3
(70) |75| 76 |78| |79| 80 81 82 83 84 85

Son ancien nom, le « Petit La Lagune », en dit long sur les qualités de ce vignoble. Son vin est à la fois agréable à l'œil et au nez, avec de jolies notes de surmûri, et bien constitué, avec une bonne montée en puissance au palais.

M. A.-M. Lavanceau, Dom. Grand Lafont, Ludon-Médoc, 33290 Blanquefort, tél. 56.30.44.31 Y r.-v.

CH. GRAND-MOULIN 1985**

■ Cru bourg. 20 ha 120 000 ⬆ ▼3
75 |81| 82 83 84 85

Venu de la commune de Saint-Seurin-de-Cadourne dont la réputation n'est plus à faire, ce vin fait preuve d'une forte personnalité. Il est presque exubérant ; un rien sauvage par ses arômes mêlant les notes de cuir et de cuit aux fruits mûrs, il est chaleureux, tannique et puissant. C'est un beau vin qui ne passera pas inaperçu.

SC Ch. La Mothe-Grand-Moulin, Saint-Seurin-de-Cadourne, 33250 Pauillac, tél. 56.59.35.95 Y r.-v.

M. Robert Gonzalvez.

CH. HANTEILLAN 1985*

■ 83 ha 400 000 ⬛ ⬆ ▼4
75 76 78 79 80 81 82 83 |84| |85|

Né dans un domaine mené par les femmes et réputé depuis plusieurs siècles, ce vin est un classique des médocs modernes. Très agréable à l'œil comme au palais, il présente une heureuse note de surmaturation.

SARL Ch. Hanteillan, Cissac-Médoc, 33250 Pauillac, tél. 56.59.35.31 Y r.-v.

CH. HAUT-LOGAT 1985**

■ 18 ha n.c. ▼3

Classique par sa robe d'une belle couleur, ce beau vin, plaisant et bien fait, l'est aussi par sa structure d'ensemble qui apporte tout ce que l'on est en droit d'attendre d'un médoc.

MM. M. et C. Quancard, Ch. Tour Saint-Joseph, 33250 Cissac-Médoc, tél. 56.59.58.71

CH. DU JUNCA 1985

■ 8 ha 27 000 ⬆ ▼3
75 78 79 80 81 |82| 83 85

Produit par une famille aux vieilles attaches girondines, ce vin, malgré un fondu encore un peu insuffisant, s'inscrit dans son terroir par son bouquet bien typé.

M. Serge Tiffon, Ch. du Junca, Lescarjean-Saint-Sauveur, 33250 Pauillac, tél. 56.59.56.35 Y r.-v.

CH. LACHESNAYE 1985*

■ Cru bourg. 15 ha 90 000 ⬛ ⬆ ▼4
79 80 |81| |82| 83 |84| |85|

Né dans une propriété au château de style néo-Tudor comme on l'affectionnait au XIXe s., ce vin, franc et solide, s'inscrit lui-aussi dans l'héritage traditionnel du Médoc.

GFA des Dom. Bouteiller, Cussac-Fort-Médoc, 33460 Margaux, tél. 56.58.94.80 Y r.-v.

CH. LA HOURINGUE 1985

■ 27,95 ha 140 000 ▼3

Un tout jeune vignoble qui vient d'être replanté pour ce vin à la fois tannique et délicat. Il est encore un peu tôt pour préjuger de l'avenir de ce domaine mais il paraît assez prometteur.

SA du Ch. Giscours, Labarde, 33460 Margaux, tél. 56.88.34.02 Y r.-v.

CH. LA LAGUNE 1985***

■ 3ème cru clas. 70 ha 300 000 ⬛ ⬆ ▼7
70 71 74 75 (78) 79 80 81 82 83 85

Venant de Bordeaux par la route des vins du Médoc, première rencontre avec un cru classé : La Lagune, exemplaire par l'homogénéité de ses bâtiments et de son domaine, modèle par la qualité de sa production. Ce 85, très jeune par sa robe foncée, est remarquable par la complexité de ses arômes, qui vont des boisés précieux (santal) au caramel, en passant par la vanille et la note empyreumatique. Mariant heureusement les

tanins de bois et de vin, cette bouteille sera de très grande garde.
→ SCA du Ch. la Lagu ie, Ludon-Médoc, 33290 Blanquefort, tél. 56.30.44.07 r.-v.
→ M. Jean-Michel Ducellier.

CH. LA MOTHE 1985**

■ 20 ha 120 000

75 78 79 80 [81][82] 83 85

Appartenant au même propriétaire que le château Grand Moulin, ce cru offre avec le 85 un vin qui semble assez prometteur par ses tanins encore jeunes.
→ SC Ch. La Mothe-Grand-Moulin, Saint-Seurin-de-Cadourne, 33250 Pauillac, tél. 56.59.35.95 r.-v.
→ M. Robert Gonzalvez.

CH. LAMOTHE-BERGERON 1985*

■ 60 ha 300 000

78 79 80 [81] 82 83 85

Bien que remontant sans doute au Moyen Age, ce domaine ne possède qu'un château XIXe s. Mais celui-ci est sympathique, à l'image de son vin dont on appréciera la robe aux reflets chatoyants. Encore un peu fermée, la bouteille devrait fort bien évoluer dans l'avenir.
→ SC Ch. Grand-Puy-Ducasse, 17, cours de la Martinique, 33027 Bordeaux Cedex, tél. 56.52.11.46

CH. LANESSAN 1985**

■ Cru bourg. 40 ha 200 000

64 66 67 [70] 71 73 74 [75] 78 [79] 81 82 33 84 85

Modèle d'architecture industrielle au XIXe s., point d'animation touristique dès les années 50 avec son musée du Cheval, Lanessan a bien souvent montré la voie. Complexe par ses arômes, avec de jolies notes épicées, riche et tannique, ce vin au caractère athlétique pourrait lui-aussi être cité en exemple.
→ GFA des Dom. Bouteiller, Cussac-Fort-Médoc, 33460 Margaux, tél. 56.58.94.80 r.-v.

LA PAROISSE 1985

■ 110 ha 100 000

78 79 [81] 82 83 85

Produit par la coopérative de Saint-Seurin-de-Cadourne, ce vin agréable et gracieux sait se montrer séduisant par ses arômes fruités.
→ CCV Saint-Seurin-de-Cadourne, Saint-Seurin-de-Cadourne, 33250 Pauillac, tél. 56.59.31.28 r.-v.

CH. LAROSE-TRINTAUDON 1985*

■ Cru bourg. 172 ha 1 000 000

78 79 [81] 82 83 85

Bien qu'issu d'un très vaste domaire, ce vin ne sacrifie en rien la qualité à la quantité. Attirant par sa robe d'un beau rouge sombre, il l'est aussi par ses puissants arômes très chauds. Rond et tannique, il devrait réserver d'heureuses surprises au vieillissement.
→ SFA du Ch. Larose-Trintaudon, 33112 Saint-Laurent-de-Médoc, tél. 56.59.41.72 r.-v.

CH. LARTIGUE DE BRONCHON 1985**

■ Cru bourg. 8 ha 50 000

71 73 74 [75] 76 78 79 80 [81] 82 (83) 84 85

Partageant la destinée de Sociando-Mallet, ce cru est fidèle à une production de qualité. Elégant, avec un fin fruité et de subtils arômes, le millésime est remarquable et nécessitera sans doute encore quelque 5 à 6 ans pour s'exprimer pleinement.
→ M. Jean Gautreau, Ch. Sociando-Mallet, Saint-Seurin-de-Cadourne, 33250 Pauillac, tél. 56.59.36.57 r.-v.

CH. LA TOUR CARNET 1985**

■ 4ème cru clas. 34 ha 16 000

[79] 80 [81][82] 83 [84] 85

Authentique demeure médiévale, mais sans fantôme, la Tour Carnet défraya jadis la chronique outre-Manche par une petite annonce proposant un poste de revenant à plein-temps. Il résultat ne semble pas avoir été très concluant. Il est vrai que le principal attrait du lieu, son vin, n'avait guère d'intérêt pour un être immatériel. Que ferait-il de son joli fonquet, de sa puissance ou de son boisé? Heureusement, il n'en est pas de même pour les (bons) vivants.
→ M. Pelegrin, Ch. Latour Carnet, 33112 Saint-Laurent et Benon, tél. 56.59.40.13 r.-v.

CH. LE BOURDIEU 1985*

■ Cru bourg. 53 ha 250 000

75 76 78 [79] [80] 81 82 [83] 84 85

Produit par une femme de tête, ce vin n'en est pas moins fait pour les hommes : puissant, vineux et tannique, il a indiscutablement de la mâche et beaucoup de matière.
→ Mlle Monique Barte, Ch. Le Bourdieu, Vertheuil-en-Médoc, 33250 Pauillac, tél. 56.41.98.01 r.-v.

CH. LE FOURNAS BERNADOTTE 1985*

■ 26 ha 180 000

75 76 78 80 [81] 82 [83] 84 85

Rappelant par son nom que les ancêtres des rois de Suède furent vignerons en Bordelais, ce vin, plaisant et léger, se montre d'un caractère facile et aimable.
→ SC du Ch. Le Fournas, Saint-Sauveur, 33250 Pauillac, tél. 56.59.57.04 r.-v.

CH. DE L'ÉGLISE VIEILLE 1985**

■ 12 ha 70 000

84 85

Confirmant ses bonnes dispositions, ce vin, dont on appréciera la belle couleur et le puissant bouquet aux notes animales, montre qu'il peut aborder l'avenir avec sérénité.
→ SICA Les Vitic du Fort-Médoc, Les Capérans, Cussac-Fort-Médoc, 33460 Margaux, tél. 56.58.92.85 ma. me. je. ve. sa. 8h-12h 14h-18h.
→ M. Denis Fedieux.

CH. LE NEURIN 1985★★★

▪ 6 ha 35 000 ▪ ♦ ☑ **3**

79 80 **81 82 83** 84 (85)

Ce vin, produit par la cave coopérative de Cussac, montre qu'elle sait non seulement parfaitement respecter l'identité de chaque cru mais même lui faire donner son maximum à chaque vendange. D'une belle couleur foncée, richement bouquetée, pleine, ronde et tannique, cette bouteille est une valeur sûre.

↬ SICA Les Vitic. du Fort-Médoc, Les Capérans, Cussac-Fort-Médoc, 33460 Margaux, tél. 56.58.92.85 ☎ ma. me. je. ve. sa. 8h-12h 14h-18h.

L'ERMITAGE DE CHASSE-SPLEEN 1985★★

▪ 13 ha 80 000 ▪ ♦ ☑ **3**

(82) 83 84 **85**

Produit par le château Chasse-Spleen, dont la réputation n'est plus à faire, ce vin montre qu'il n'a pas à envier son aîné ; ses aimables arômes vanillés, qui se relaient avec les fruits rouges, ses notes de café et de cacao, son corps et son élégance donnent un ensemble très harmonieux.

↬ SA Ch. Chasse-Spleen, Grand-Poujeaux, Moulis-en-Médoc, 33480 Castelnau-de-Médoc, tél. 56.58.02.37 ☎ r.-v.

LES CLOCHERS DU HAUT-MÉDOC 1985★★

▪ n.c. n.c. **3**

83 85

À l'image de son étiquette, ce vin est sobre, sérieux et sans excentricité. Mais s'il fait preuve d'un solide caractère, il ne se montre pas triste, étant agréable par sa robe et ses parfums comme par sa présence en bouche.

↬ MM. Dourthe Frères, 35, rue de Bordeaux, B.P. 70, Parempuyre, 33290 Blanquefort, tél. 56.35.84.64 ☎ r.-v.

CH. LES GRAVILLES 1985

▪ 3,99 ha 33 000 ☑ **2**

82 83 84 85

Issu d'un petit vignoble, ce cru, racheté en 1981 par la cave de Saint-Sauveur, offre un vin très honnête dont on appréciera le caractère souple et gouleyant.

↬ SCV de Saint-Sauveur, Saint-Sauveur, 33250 Pauillac, tél. 56.59.57.11 ☎ lu. ma. me. je. ve. sa. 8h-12h 14h-18h.

CH. LE SOULEY SAINTE-CROIX 1985

▪ Cru bourg. 18 ha 110 000 ▪ ♦ ☑ **3**

70 75 76 78 79 81 82 83 85

Très caractéristique de sa commune d'origine (Vertheuil), ce vin, léger, délicat et net, sait être agréable par sa rondeur.

↬ MM. Riffaud Père et Fils, Ch. Le Souley Sainte-Croix, Vertheuil, 33250 Pauillac, tél. 56.41.98.54 ☎ t.l.j. sf dim. 9h-12h 14h-18h.

CH. LESTAGE-SIMON 1985★★

▪ Cru bourg. 32 ha 200 000 ▪ ♦ ☑ **4**

78 81 82 83 84 85

Souvent un peu difficile à trouver, n'étant distribué que par le circuit traditionnel des caves et restaurants, ce vin donne raison à qui se donne la peine de le dénicher : agréable et charmant, il est encore jeune, mais montre déjà un bon équilibre et une riche matière, avec de belles qualités aromatiques.

↬ M. Charles Simon, Ch. Troupian, Saint-Seurin-de-Cadourne, 33250 Pauillac, tél. 56.59.31.83 ☎ r.-v.

CH. LIEUJEAN 1985

▪ 16,50 ha 90 000 ▪ ♦ ☑ **3**

83 84 85

Antérieur au rachat du domaine par ses actuels propriétaires, le millésime ne permet pas de se faire une idée de ce que pourra donner le vignoble dans l'avenir. Toutefois, par ses tanins, il indique qu'il existe ici de sérieuses potentialités. Une production à suivre, donc.

↬ SCV de Ch. Lieujean, Le Fournas, Saint-Sauveur-de-Médoc, 33250 Souillac, tél. 56.59.57.23 ☎ r.-v.

CH. LIVERSAN 1985★★

▪ 44 ha 150 000 ▪ ♦ ☑ **5**

82 83 85

Jadis un peu délaissé, le cru recouvre un nouvel éclat depuis son rachat par la famille de Polignac qui lui a apporté une parfaite restauration et des chais superbement modernes. Cet agréable vin, qui ne manque pas de personnalité, en est la preuve. Il se mariera à merveille avec un rôti de bœuf aux cèpes.

↬ Ch. Liversan, Saint-Sauveur, 33250 Pauillac, tél. 56.59.57.07 ☎ r.-v.
↬ Prince Guy de Polignac.

CH. MALESCASSE 1985★

▪ Cru bourg. 34 ha 150 000 ▪ ♦ ☑ **4**

75 76 77 78 79 80 81 82 83 84 85

Issu d'une propriété aux bâtiments caractéristiques d'une exploitation bordelaise, ce vin, léger et gouleyant, sait se rendre agréable par ses arômes fruités.

↬ Ch. Malescasse, Lamarque, 33460 Margaux, tél. 56.58.90.09 ☎ r.-v.
↬ M. Guy Tesseron.

CH. DE MALLERET 1985*

■ Cru bourg.   60 ha   100 000   ⦀ ♪ 🌡4

17|71|79|80| 81 |82 |83 |84 |85

Ici, ni le château ni le parc ne manquent d'allure. Et le vin, qui s'inscrit dans l'ensemble par son classicisme, ne manque pas de distinction. Bien équilibré, souple et charnu, il évite de tomber dans la facilité actuelle de certains vins trop riches en alcool.

↳ MM. A. de Luze et Fils,
90, quai des Chartrons, 33300 Bordeaux,
tél. 56.90.56.56 ⊤ r.-v.
↳ SC du Ch. de Malleret.

CH. MAUCAMPS 1985**

■ Cru bourg.   15 ha   n.c.   ⦀ ♪ 🌡4

78 |79| 80 |81 |82| 83 |84| 85

Contrastant avec le dépouillement de l'étiquette, la robe affirme avec puissance la personnalité de ce vin par sa couleur sombre. C'est aussi une impression de force que donnent les arômes de cuit, avec une note surmûrie, et les tanins. Au total, une belle bouteille qu'il faudra attendre.

↳ Indivision Tessandier, Ch. Maucamps,
Macau, 33460 Margaux, tél. 56.30.42.04 ⊤ r.-v.

CH. METRIA 1985**

■ Cru bourg.   7 ha   10 000   ⦀ ♪ 🌡3

Un vin plaisant et équilibré, où les arômes encore fermés de la framboise tendent à s'exprimer. De bonne longueur et vif, il est à ouvrir pour 1990.

↳ M. Christian Braquessac, Ch. la Tour-Carelot,
Avensan, 33430 Castelnau-de-Médoc,
tél. 56.58.71.39 ⊤ r.-v.

CH. MEYRE 1985*

■   8,30 ha   37 000   ⦀ ♪ 🌡3

Jadis fort réputé, ce cru avait complètement disparu après les gelées de 1956. Restauré, il propose à nouveau son vin avec ce millésime, le premier. Très typé cabernet-sauvignon par ses arômes, avec même une note de poivron vert, comme par ses tanins, celui-ci ne laisse pas indifférent et est très prometteur quant à l'avenir de la propriété.

↳ SC du Ch. de Meyre, Avensan,
33480 Castelnau-de-Médoc, tél. 56.88.80.77 ⊤ r.-v.

CH. MIQUEU 1985**

■   5,35 ha   40 000   ↓ 🅥3

80 81 |82| |83| 84 85

Un petit vignoble, mais un fort joli vin. Assez pointu, celui-ci possède à la fois de beaux arômes de fruits rouges et une solide charpente tannique qui lui permettra de fort bien vieillir.

↳ SCV de Vertheuil, Vertheuil, 33250 Pauillac,
tél. 56.41.98.16 ⊤ ma. me. je. ve. sa. 8h30-12h30 14h-18h.

CH. MOULIN-D'ARVIGNY 1985

■ Cru bourg.   30 ha   200 000   ↓ 🅥3

81 |82| 83 84 85

Issu de vignes du château Beaumont, ce vin, tout en étant léger par sa structure, présente un caractère assez gracieux qui le rendra très agréable pour un repas estival.

↳ SCE du Ch. Beaumont, Cussac-Fort-Médoc,
33460 Margaux, tél. 56.58.92.29 ⊤ r.-v.

CH. DU MOULIN ROUGE 1985*

■ Cru bourg.   13,50 ha   90 000   ⦀ ♪ 🌡4

75 76 78 80 |81| |82| 83 84 |85|

Tirant son nom d'une tour du XVIII° s, qui se dresse toujours au milieu des vignes, ce cru propose un vin qui reste dans la tradition du domaine par ses arômes giboyeux et sa puissance tannique, avant de finir sur une plaisante note mentholée.

↳ MM. Veyries-Pelon, Ch. du Moulin Rouge,
Cussac-Fort-Médoc, 33460 Margaux,
tél. 56.58.91.13 ⊤ l.l.j, sf dim. 8h-12h 14h-19h ;
f. dim. et fêtes sur r.-v.

DOM. DE PEY-BARON 1985**

■   0,50 ha   4 000   ⦀ ♪ 🌡2

84 85

Par sa taille comme par son âge, ce vignoble tient du gadget. Mais il faudrait beaucoup de gadgets de ce genre si l'on en juge d'après ce millésime : rond, charnu et harmonieux, il est encore dominé par le bois mais laisse déjà apparaître la très belle bouteille qu'il donnera après que les tanins se soient fondus.

↳ M. Jean-Jacques Cazeau, Saint-Julien-
Beychevelle, 33250 Pauillac, tél. 56.59.03.13
⊤ r.-v.

CH. PONTOISE CABARRUS 1985**

■ Cru bourg.   22,26 ha   170 000   ■ ♪ 🅥3

80 |82| |83| 84 |85|

Fidèle à son habitude, le sympathique François Tereygeol montre son savoir-faire avec ce beau vin qui révèle des qualités dès le premier regard par une robe aux reflets bigarreau. Délicatement bouqueté avec des arômes de raisin frais, l'ensemble est à la fois rond et puissant.

↳ SCIA du Haut-Médoc, rue Georges-Mandel,
Saint-Seurin-de-Cadourne, 33250 Pauillac,
tél. 56.59.34.92 ⊤ r.-v.
↳ M. François Tereygeol.

CH. PUY-CASTERA 1985

■ Cru bourg.   25 ha   140 000   ■ ♪ 🅥3

78 79 80 |81| |82| |83| |84| |85|

Comme son nom l'indique, le cru est situé sur une hauteur où est plantée la vigne qui a donné naissance à ce vin chaleureux et tannique.

HAUT-MÉDOC

DOMAINE DE
PEY-BARON
1985

APPELLATION HAUT-MÉDOC CONTRÔLÉE

MIS EN BOUTEILLE AU DOMAINE
J. CAZEAU - Viticulteur à Saint-Laurent-Médoc   75 cl

- SCE Ch. Puy-Castera, Cissac-Médoc, 33250 Pauillac, tél. 56.59.58.80 Y r.-v.
- MM. Marès.

CH. RAMAGE LA BATISSE 1985**

Cru bourg. 53 ha 250 000 V 4
75 80 81 82 |83| 84 |85|

«Vous devriez boire du bordeaux». Devenu propriétaire pour suivre le conseil de son médecin, Francis Monnoyeur produit régulièrement un vin capable de réconforter les gens. A la fois chaleureux par ses arômes de pain grillé et frais par ses élégantes notes mentholées, ce vin tient décidément à sa qualité, étant aussi souple et bien structuré qu'élégant.
- SCI Ch. Ramage La Batisse, Saint-Sauveur, 33250 Pauillac, tél. 56.59.57.24 Y r.-v.

CH. REYSSON 1985*

Cru bourg. 61 ha 200 000 V 3
(75) |78| 80 |81| |82| |83| 85

Voisine d'un marais célèbre en Médoc, la croupe qui porte ce vignoble ne manque pas de qualité. Ce vin en témoigne par sa bonne présentation, ses tanins, encore un peu crus, et ses arômes naissants.
- SC du Ch. de Reysson, 17, cours de la Martinique, 33027 Bordeaux, tél. 56.52.11.46

CH. SAINT-PAUL 1985*

Cru bourg. 20 ha 120 000 V 3
78 79 80 |81| |82| 84 |85|

Ce joli vignoble d'un seul tenant jouit d'une bonne exposition. D'une belle couleur, riche en arômes, avec à la marque d'une vendange bien mûre et tannique, le millésime montre qu'il a su en tirer profit.
- SC du Ch. Saint-Paul, Saint-Seurin-de-Cadourne, 33250 Pauillac, tél. 56.59.34.72 Y r.-v.
- M. Boucher.

CH. DE SAINTE-GEMME 1985

Cru bourg. 5 ha 30 000 V 3
82 83 |84| 85

Petit vignoble assez jeune, ce cru produit un vin fort aimable par sa rondeur et sa souplesse que viennent enrichir quelques jolies notes aromatiques de groseille.
- Ch. Pichon-Longueville-Baron, Cussac-Fort-Médoc, 33460 Margaux, tél. 56.58.94.80 Y r.-v.

CH. SÉGUR 1985***

Cru bourg. 35 ha 40 000 V 4
75 80 |82| 83 |84| (85)

Perpétuer par son nom le souvenir de l'une des grandes familles de l'histoire du vin en Bordelais est bien. Mais l'honorer par la qualité de sa production est encore mieux. C'est le cas ici avec un vin non seulement d'une très belle couleur rouge grenat, mais aussi d'une grande richesse aromatique, avec des notes de fruits rouges et de torréfaction. Quand on songe qu'il est soyeux et charpenté, on devine que, dans quelques années, on sera en face d'une grande bouteille.

- MM. J. et J.-P. Grazioli, Ch. Ségur, Parempuyre, 33290 Blanquefort, tél. 56.35.28.25 Y r.-v.

CH. SÉNÉJAC 1985**

Cru bourg. 18,25 ha 75 000 V 4
|78| 79 80 |81| |82| |83| 84 85

Beau château environné de sources jaillissantes alimentant 500 m2 de bassins qu'entourent des peupliers et des tilleuls, Sénéjac ne manque pas d'allure. Et son vin est à son image. Agréable à l'œil, il ne déçoit pas ensuite. Puissant, charnu, tannique et élégant, il est réellement très harmonieux par sa finesse aromatique.
- M. Charles de Guigné, Ch. Sénéjac, Le Pian-Médoc, 33290 Blanquefort, tél. 56.72.00.11 Y r.-v.
- Ch. Sénéjac.

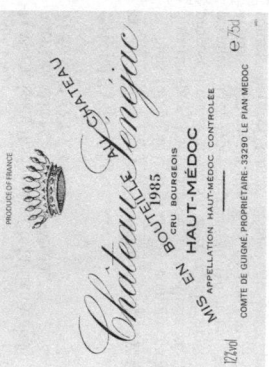

CH. SOCIANDO-MALLET 1985***

Cru bourg. 25 ha 160 000 V 5
70 71 73 75 |76| 78 79 |80| |81| (82) |83| |84| |85|

Dominant l'estuaire, le château permet de voir évoluer les navires qui remontent vers Bordeaux et ses avant-ports. Mais son premier charme est bien son vin dont on appréciera la grande régularité. D'un bel aspect, avec une robe d'un rubis très vif, 85 est complexe, fin et riche par ses arômes. C'est au palais, cependant, qu'apparaît pleinement le caractère équilibré et harmonieux que laisse développer une charpente pourtant puissante. Une très belle bouteille.
- M. Jean Gautreau, Ch. Sociando-Mallet, Saint-Seurin-de-Cadourne, 33250 Pauillac, tél. 56.59.36.57 Y r.-v.

CH. SOUDARS 1985**

Cru bourg. 16 ha 135 000 4
81 |82| |83| 84 85

Éric Miailhe, le fils du président des crus bourgeois, est aussi un fort bon viticulteur qui

propose ici un joli vin. D'une belle couleur, il retient l'attention par ses arômes assez complexes, avec des notes de café et de cacao.

→ M. Éric Mialhe, Saint-Seurin-de-Cadourne, 33250 Pauillac, tél. 56.59.31.52 ⚏ r.-v.

CH. TOUR-CARELOT 1985*

■   7 ha   10 000   ⫴ V 3

Habillé d'une robe grenat, son parfum d'une suavité empyreumatique laisse prévoir une bouche précieuse. Elle est encore trop jeune mais elle aura un bel âge mûr.

→ M. Christian Braquessac, Ch. la Tour-Carelot, Avensan, 33480 Castelnau-de-Médoc, tél. 56.58.71.39 ⚏ r.-v.
→ M. Jean Braquessac.

CH. TOUR DU HAUT-MOULIN 1985***

79 80 1811 82 (83) 84 85   ■ Cru bourg.   36 ha   220 000   ⫴ V 3

Ici on renouvelle tous les ans une partie ces fûts pour travailler avec du bois neuf, et on colle au blanc d'œuf. On respecte les traditions non par culte du passé mais pour que le vin ne subisse que des traitements sans heurts. Le résultat est ce-ci : sa très belle présentation, avec beaucoup de pleurs, n'est pas trompeuse ; sa rondeur, sa chair, sa présence tannique, son élégance et sa finale légèrement torréfiée lui donnent un visage superbe.

→ M. Laurent Poitou, Ch. Tour du Haut-Moulin, Cussac-Fort-Médoc, 33460 Margaux, tél. 56.58.91.10 ⚏ r.-v.

CH. TOUR-DU-ROC 1985*

■ Cru bourg.   12 ha   65 000   ⫴ V 3
75 78 179|180| 81 182| 83 84 85

Les appellations de Margaux et de Moulis constituent un voisinage de qualité pour ce cru d'Arcins qui a l'art de se présenter, avec une belle robe et un joli bouquet. Simple et sans façon, mais fruité et charnu, l'ensemble est tout à fait plaisant.

→ M. Philippe Robert, Tour du Roc, Arcins, 33460 Margaux, tél. 56.58.90.25 ⚏ r.-v.

CH. TOUR SAINT-JOSEPH 1985*

■   10 ha   55 000   3
80 81 82 83 851

Exploité par les fils de Marcel Quancard comme le château du Haut-Logat, ce cru lui aussi très appréciable par la qualité de sa production. Agréable à l'œil, 85 l'est aussi au nez par le bouquet de petits fruits rouges, bien mûrs. L'ensemble se goûte bien et devrait évoluer favorablement.

→ MM. M. et C. Quancard, Ch. Tour Saint-Joseph, 33250 Cissac-Médoc, tél. 56.59.58.71

CH. TROUPIAN 1985***

■ Cru bourg.   10 ha   60 000   ⫴ V 3
79 80 1811 (82) 83 184| 85

Un très bel aspect, avec une robe rouge rubis très profond ; un bouquet riche et complexe ; de la chair et du bois ; tout est bien dans ce vin élégant et féminin. Et en plus un très bon rapport qualité-prix. Un seul regret pour les amateurs de l'hexagone : 80% de la production est exportée.

→ M. Charles Simon, Ch. Troupian, Saint-Seurin-de-Cadourne, 33250 Pauillac, tél. 56.59.31.83 ⚏ r.-v.

DOM. DU VATICAN 1985**

■   1,50 ha   6 000   ⫴ V 3
75 79 81 82 83 184| 85

Présider aux destinées des majorettes et du Vatican, c'est étrange, sauf en Médoc où Guy Verdier réussit à produire dans son domaine du Vatican un très joli vin chaud, long et tannique, tout en s'occupant de l'active société musicale de Saint-Estèphe.

→ M. Guy Verdier, Le Bourg, Saint-Estèphe, 33250 Pauillac, tél. 56.59.30.61 ⚏ r.-v.

CH. VERDIGNAN 1985**

■ Cru Bourg.   50 ha   400 000   ⫴ V 4
76 78 80 81 82 1831 184| 85

Verdignan est sans doute l'un des plus anciens domaines de Saint-Seurin. Mais c'est aussi un cru excellent dont le vin est agréable tout au long de la dégustation, de la robe à la présence au palais, avec entre autres de beaux arômes de raisins surmûris.

→ SC du Ch. Verdignan, Saint-Seurin-de-Cadourne, 33250 Pauillac, tél. 56.59.31.02 ⚏ r.-v.

CH. VERDUS 1985

■ Cru Bourg.   8,50 ha   30 000   ⫴
78 179|1811 1821|1831| 84 85

Possédant des vestiges médiévaux et un très beau colombier, ce domaine est dans la même famille depuis 1656. Il produit un sympathique vin, goulayant et coulant bien en bouche.

→ Ch. Bardis et Ch. Verdus, Saint-Seurin-de-Cadourne, 33250 Pauillac, tél. 56.59.31.59 ⚏ r.-v.
→ GAEC Dailledouze Père et Fils.
→ GFA de Bardis et du Verdus.

CH. DE VILLEGEORGE 1985***

■ Cru bourg.   19 ha   3 000   ⫴ V 4
75 76 (82) 83 85

Connu pour ses grands crus (Brane, Durfort,

Climens...) Lucien Lurton possède aussi quelques jolis domaines non classés, dont celui-ci qui allie les charmes d'une jolie chartreuse à l'agrément d'un vin de grande classe aux intenses arômes de petits fruits et de noyau. Son équilibre, sa rondeur et sa structure assurent une bonne évolution pour s'ouvrir sur une finale assez exceptionnelle.
→ M. Lucien Lurton, Avensan, 33480 Castelnau-de-Médoc, tél. 56.88.70.20 ℡ r.-v.

BARON VILLENEUVE DE CANTEMERLE 1985**

■ n.c. n.c. 🔳

84 |85|

Second vin du château Cantemerle, Villeneuve est tout à fait digne de son aîné : une somptueuse couleur foncée, un bouquet riche et complexe et une très belle finale torréfiée lui donnent une fort belle personnalité.
→ Éts Cordier, 10, quai de Paludate, 33800 Bordeaux, tél. 56.31.44.44 ℡ r.-v.

Listrac-médoc

Correspondant exclusivement à la commune homonyme (521 ha), cette appellation est constituée de trois croupes graveleuses. Elle donne des vins d'une belle couleur rubis et d'une robuste charpente, tout en étant fruités et charnus (4,2 millions de bouteilles en 1982). Leur agrément tient à leur robustesse ; et ils sont particulièrement appréciables pour les millésimes marqués par une certaine légèreté dans les autres appellations.

CH. BELLEGRAVE 1985**

■ Cru bourg. 14,63 ha 80 000

|811 |82| (83)| 84 85

Issu de la croupe graveleuse située au nord de Listrac, ce vin est en accord avec son terroir et son encépagement (à dominante de cabernets). Richement bouqueté, avec une touche de fruits sauvages et d'épices, il annonce son aptitude au vieillissemnet par des tanins qui se fondent heureusement dans l'ensemble.
→ SC Vignoble Ch. Bellegrave, Village de Couhenne, B.P. 4, Listrac-Medoc, 33480 Castelnau-de-Médoc, tél. 56.58.02.40 ℡ r.-v.

CH. BELLEVUE LAFFONT 1985

■ Cru bourg. n.c. n.c.

Le second vin du château Fourcas-Dupré n'a sans doute pas la même élégance ni autant de puissance que son aîné. Mais il possède aussi de jolis arômes et un bon équilibre qui le rendront très agréables sans attendre un long vieillissement.
→ SC Ch. Fourcas Dupré, Listrac-Médoc, 33480 Castelnau-du-Médoc, tél. 56.58.01.07 ℡ r.-v.

CH. CAP LEON VEYRIN 1985**

■ Cru bourg. 18 ha 80 000

70 75 76 77 |79| 80 |81| 82 83 84 85

Un encépagement assez original pour le Médoc, avec une dominante de merlot, mais bien adapté à la nature du terroir. Le résultat est heureux, ce vin, souple et rond, se distinguant par son bouquet et sa délicatesse. On pourra le découvrir sur le site lui-même, car la propriété est aussi gîte rural et table d'hôtes.
→ M. Alain Meyre, Ch. Cap Léon Veyrin, Donissan, Listrac-Médoc, 33480 Castelnau Médoc, tél. 56.58.07.28 ℡ r.-v.

CH. CLARKE 1985**

■ n.c. 300 000

78 |79| 80 81 82 83 85

Vaste domaine au cœur de l'appellation, ce cru en pleine rénovation est devenu l'un des plus célèbres de Listrac. Son vin est à la hauteur de sa jeune réputation. D'une belle couleur très brillante, il allie des arômes complexes à une solide charpente qui lui permettra d'envisager avec confiance l'avenir. Une belle bouteille à attendre.
→ Cie Vini. E.& B. de Rothschild, 73, quai de Bacalan, 33300 Bordeaux, tél. 56.50.88.90 ℡ r.-v.
→ Baron Edmond de Rothschild.

CH. DUCLUZEAU 1985**

■ Cru bourg. 4 ha 22 000

77 |78| 79 80 81 (82) 83 |84| 85

Par son encépagement très merlot (90%), ce cru médocain est assez original. Il justifie son particularisme par la qualité de sa production. Très réussi, le millésime est surprenant par la complexité et la diversité de son bouquet aux notes d'épices et de fourrure. Bien équilibré et d'une belle puissance tannique, il méritera d'être attendu.
→ M. Jean-Eugène Borie, Ch. Ducluzeau, Castelnau-de-Médoc, 33480 Listrac, tél. 56.59.05.20

CH. FONREAUD 1985**

■ Cru bourg. 39 ha 220 000

|75| |78| |79| 80 |81| |82| |83| |84| |85|

L'un des rares châteaux que peuvent contempler les estivants empruntant la nationale Bordeaux-Soulac. Mais aussi un fort joli vin dont on appréciera le fin bouquet aux notes épicées, les tanins de qualité et une petite note de boisé qui se fond bien dans l'ensemble. Un grand bravo à Jean Chanfreau qui a su faire progresser cette propriété pour lui faire produire maintenant le vin de caractère que réclame son beau terroir.
→ SC du Ch. Fonréaud, Listrac-Médoc, 33480 Castelnau-de-Médoc, tél. 56.58.02.43 ℡ lu. ma. me. je. ve. 9h-12h 14h-18h.
→ Famille Chanfreau.

CH. FOURCAS DUPRE 1985**

■ Cru bourg. 40 ha 240 000

|70| 71 73 74 75 76 77 |78| 79 80 82 |83| |84| 85

Si le visiteur peut ici retrouver dans les chais un petit air du XIX° s., il peut aussi rencontrer un vin sympathique. D'une belle couleur cristalline, celui-ci marie subtilement les fruits rouges aux

notes épicées, les uns et les autres formant un ensemble complexe.

↝ SC Ch. Fourcas Dupré, Listrac-Médoc, 33480 Castelnau-du-Médoc, tél. 56.58.01.07 ⵜ r.-v.

CH. FOURCAS-HOSTEN 1985**

■ Cru bourg. 41 ha 200 000

71 73 75 76 77 78 79 / 80 [81] [82] 84 85

Ici il est interdit de passer directement dans les chais sans admirer les parterres de cyclamens superbes en automne. Mais il est interdit aussi de ne pas prendre son temps pour déguster ce vin savoureux. Il faut savoir jouir de sa robe aux reflets rubis ; il faut se laisser pénétrer par ses fines senteurs de raisins mûrs, tabac et réglisse ; il faut se laisser impressionner par ses tanins, son équilibre et son croquant.

↝ M. Michel Hostens, Ch. Fourcas-Hosten, Listrac, 33480 Castelnau-de-Médoc, tél. 56.58.03.83 ⵜ lu. ma. me. je. ve. 8h-12h 14h-17h30.

CH. FOURCAS-LOUBANEY 1985**

■ Cru bourg. 4 ha n.c.

78 79 81 82 [83] 84 85

Très régulier en qualité, ce petit domaine propose une fois encore un beau vin qui caresse l'œil, le nez et le palais. D'un rouge profond, il marque sa personnalité par des riches arômes de venaison avant ce se montrer rond et chaleureux.

↝ M. Michel Hostens, Ch. Fourcas-Loubaney, Listrac-Médoc, 33480 Castelnau-de-Médoc, tél. 56.58.03.83 ⵜ lu. ma. me. je. ve. 8h-12h30 14h-17h30.

GRAND LISTRAC 1985

■ Cru bourg. 168 ha 350 000 n.c.

Une production d'ampleur mais aussi d'une qualité fort honorable pour ce vin qui a eu jadis les honneurs des voitures-restaurants des trains grand-express européens. Bouqueté, équilibré et chaleureux, il sera agréable à boire dans sa jeunesse.

↝ Cave Vini. de Listrac-Médoc, Listrac-Médoc, 33480 Castelnau-de-Médoc, tél. 56.58.03 19 ⵜ r.-v.

CH. DE LA BECADE 1985**

■ Cru bourg. 22 ha 120 000

66 70 85

Issu d'un vignoble d'un seul tenant, ce vin se présente comme un listrac très bien typé par ses arômes. Ample, rond, très équilibré et marqué de façon originale par une note de « rose » en finale : l'ensemble est particulièrement plaisant.

↝ M. Jean-Pierre Théron, Ch. de Portets, 33640 Portets, tél. 56.67.12.30

CH. LALANDE 1985**

■ Cru bourg. 12 ha 60 000

75 /78/ 79 80 81 82 83 [84] 85

Issu d'une propriété familiale assez caractéristique, ce vin, bien construit, marie heureusement des parfums évoquant les fruits rouges et des tanins d'une bonne maturité à une réelle souplesse.

↝ Sté Dubose et Darriet, Ch. Lalande, Listrac-Médoc, 33480 Castelnau-de-Médoc, tél. 56.58.19.45 ⵜ r.-v.

CH. LESTAGE 1985**

■ Cru bourg. 52 ha 200 000

/75/ /78/ /79/ 80 [81] 81 82 83 84 85

Être un très bel exemple du type architectural présent du Second Empire n'est pas le seul intérêt que présente ce cru. Ce millésime a, lui aussi, tout ce qu'il faut pour retenir l'attention : une belle couleur, de complexes arômes de fruits rouges, de la rondeur, du volume et des tanins bien fondus lui donnent un aspect très agréable.

↝ SC du Ch. Lestage, Listrac-Médoc, 33480 Castelnau-de-Médoc, tél. 56.58.02.43 ⵜ lu. ma. me. je. ve. 8h-12h 14h-18n.

↝ Famille Chanfreau.

CH. LIOUNER 1985*

■ Cru bourg. 13 ha 34 000

74 /75/ 76 77 78 /79/ 80 [82] 83 85

Encore une fois, ce cru montre que sa bonne réputation n'est point usurpée. D'une très belle couleur, 85 s'affirme par la complexité de ses arômes. Sa solide charpente incitera à attendre 3 ou 4 ans avant d'ouvrir la bouteille.

↝ GAEC Bosq et Fils, Ch. Liouner, Listrac-Médoc, 33480 Castelnau-le-Médoc, tél. 56.58.04.38 ⵜ r.-v.

CH. MALBEC LARTIGUE 1985

■ Cru bourg. 13 ha 70 000

Petit frère du Mayne-Lalande, ce vin, sans avoir la richesse de son aîné, a de très belles qualités. Son bouquet, encore un peu fermé, montre son élégance. Les tanins sont très présents.

↝ M. Bernard Lartigue, Le Mayne-de-Lalande, Listrac-Médoc, 33480 Castelnau-de-Médoc, tél. 56.58.27.63 ⵜ r.-v.

CH. MAYNE-LALANDE 1985**

■ Cru bourg. 13 ha 70 000

78 80 81 [82] 83 85

Continuant son effort de modernisation, la propriété propose désormais des repas « à la ferme » dans le cadre d'une nouvelle structure d'accueil. Mais le travail du vin n'en est pas pour autant négligé. Par sa robe limpide et brillante, par ses très fins parfums et par sa structure harmonieuse, ce très beau 85 rappelle le succès du 82.

↝ M. Bernard Lartigue, Le Mayne-de-Lalande, Listrac-Médoc, 33480 Castelnau-de-Médoc, tél. 56.58.27.63 ⵜ r.-v.

CH. MOULIN DE LABORDE 1985

■ Cru bourg. 10 ha 60 000

75 76 77 78 79 81 [82] [83] [84] [85]

Rappelant par son nom le temps où ses propriétaires étaient à la fois meuniers et viticulteurs, ce cru produit un vin aimable qui se laisse boire sans difficulté.

↝ M. Michel Hostens, Ch. Fourcas-Loubaney, Listrac-Médoc, 33480 Castelnau-de-Médoc, tél. 56.58.03.83 ⵜ lu. ma. me. je. ve. 8h-12h30 14h-17h30.

CH. PEYREDON-LAGRAVETTE 1985 ◆*

■ Cru bourg.　6,30 ha　36 000　

73 |74| 75 76 |77| |78| 79 80 81 |(82)| |83| |84| 85

Issu comme son nom l'indique d'un terroir riche en petites graves, ce vin se montre digne de sa noble origine : très agréable au nez, avec un bouquet complexe, il marque fort heureusement le palais par de multiples notes où l'on retrouve les petits fruits mais aussi des notes diverses, acidulées, boisées et autres.

➤ M. Paul Hostein. Ch. Peyredon-Lagravette, Listrac-Médoc, 33480 Castelnau-de-Médoc, tél. 56.58.05.55 ⏲ r.-v.

CH. REVERDI 1985*

■ Cru bourg.　13 ha　75 000

75 76 77 |78| 80 81 |(82)| |83| 84 |85|

Fidèle à la tradition de Reverdi, ce vin allie une belle couleur à un caractère général souple, chaleureux et plaisant. Encore un peu crus, les tanins nécessiteront d'attendre un petit peu avant d'ouvrir la bouteille.

➤ M. Christian Thomas, Donissan, Listrac-Médoc, 33480 Castelnau-de-Médoc, tél. 56.58.02.25 ⏲ t.l.j. 9h-19h.

CH. SARANSOT-DUPRE 1985

■ Cru bourg.　10 ha　60 000

Saransot, « le petit ruisseau » en gascon, voilà bien un joli nom pour ce vin sans prétention mais souple et chaleureux avec même une petite note épicée de fort bon aloi.

➤ M. Yves Raymond. Ch. Saransot-Dupré, Listrac-Médoc, 33480 Castelnau-de-Médoc, tél. 56.58.03.02 ⏲ t.l.j. sf dim. 9h-20h.

CH. SEMEILLAN-MAZEAU 1985

■ Cru bourg.　11 ha　22 000

79 81 |82| |83| 84 85

Venu d'un quartier de Listrac au nom un peu inquiétant pour tout viticulteur, le « champ de la grêle », ce vin fait preuve d'un solide caractère avec une structure très tannique.

➤ SCE Semeillan-Mazeau, Matéou, Listrac, 33480 Castelnau-de-Médoc, tél. 56.58.01.12 ⏲ r.-v.

Margaux

S'identifiant tout à la fois à un village, une appellation, un magnifique château et à un premier grand cru, Margaux est assurément un nom plus que célèbre dans le monde entier. Trop souvent, pourtant, on oublie que cette appellation s'étend sur cinq communes (Margaux, Cantenac, Soussans, Labarde et Arsac) dont elle a sélectionné les

[Map of the Margaux appellation showing châteaux locations, with legend: A.O.C. Margaux, Cru classé, Cru bourgeois, Limites de communes]

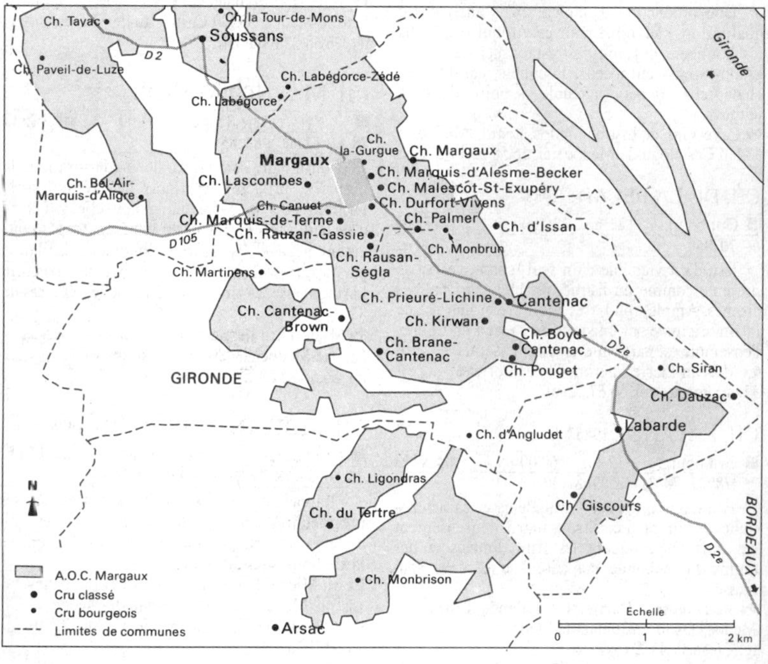

meilleurs sols (1 150 ha). Ce qui explique qu'elle possède quelques-unes des plus belles graves de tout le Bordelais, et qu'elle rassemble à elle-seule pas moins du tiers des crus classés en 1855. L'importance de l'appellation se traduit aussi par celle de sa production qui était de 6,8 millions de bouteilles en 1982. Le terroir principalement caillouteux et graveleux, avec quelques bancs calcaires, marneux et sablonneux, et l'encépagement, dominé par le cabernet sauvignon, communiquent aux margaux leur distinction, leur finesse, leur souplesse et leur remarquable aptitude au vieillissement. Mais ils leur donnent aussi une diversité qui se ressentira dans les «accords gourmands». En effet, s'ils se marient très bien avec entre autres les viandes blanches, les margaux ont chacun leur spécificité, et l'on pourra très heureusement servir tel cru avec une entrecôte et tel autre avec des champignons ou un gigot. Le tout étant d'éviter des mets trop sucrés ou trop épicés.

CH. D'ANGLUDET 1985**

■ 30 ha 140 000
66 |70|75| 76 78|79| 80 81 82 83 84 85

Il y a deux siècles, ce domaine, propriété du citoyen Legras, colonel de la milice locale, fut l'un des bastions de la Révolution à Cantenac. Ce qui ne l'empêche de baigner aujourd'hui dans une atmosphère romantique bien paisible tout à fait favorable à la dégustation de beaux vins : ce cru avec une finesse, puissant et charnu à souhait. Issu de vendanges bien mûres, il donnera une excellente bouteille quand les tanins se seront fondus dans l'ensemble.

↳ SCV du Ch. d'Angludet, Cantenac, 33460 Margaux, tél. 56.88.71.41 ℞ r.-v.

CH. BOYD-CANTENAC 1985**

■ 3ème cru class. 18 ha 80 000
70 71 74 75 76 77 78 |79| 80| 81 (82) 83 84 85

Situé sur le rebord méridional du très beau plateau graveleux de Cantenac, ce cru, qui jouit d'un bon drainage, offre avec le 85 un vin à la hauteur de son terroir : bien typé, franc, net et plaisant, il possède un caractère harmorieux et complexe que l'on retrouve dans les arômes de bouche comme dans le bouquet.

↳ GFA Ch. Boyd-Cantenac, Pouget.

CH. BRANE-CANTENAC 1985**

■ 2ème cru class. 85 ha 250 000
70 71 74 75 76 78 |79| 80 |81 82 83 84 85

Le château rappelle, par son nom, l'une des grandes figures de la viticulture, le baron Brane. Celui-ci ne reniera sans doute pas la production de ce cru. Richement bouqueté, avec de belles notes d'épices et de fruits confits, le 85, rond, charnu et joliment fait, ne manque décidément pas de charme.

↳ M. Lucien Lurton, Cantenac, 33460 Margaux, tél. 56.88.70.20 ℞ r.-v.

CH. CANTENAC BROWN 1985**

■ 3ème cru class. 42 ha 270 000
|75| 76 79 80 81 82 83 85

A l'égal du château et des chais, le vin est ici d'une belle construction. Intensément bouqueté avec des parfums de raisins mûrs, ce millésime s'annonce très prometteur par ses beaux tanins et sa longue finale.

↳ SC du Ch. Cantenac Brown, 33460 Cantenac, tél. 56.88.30.07 ℞ r.-v.

CH. CHARMANT 1985*

■ 5 ha 20 000
|70| 75 76 77 78 79 80 81|81 82 83 84 85

Petit frère du château La Galiane, ce vin est certes plus simple que son aîné, mais il n'en possède pas moins un caractère fort plaisant, floral, avec une bonne structure tannique et équilibré.

↳ René et Jeanne Renon, Ch. La Galiane, Soussans, 33460 Margaux, tél. 56.88.35.27 ℞ r.-v.

CH. DAUZAC 1985***

■ 5ème cru class. 50 ha 280 000
73 74 75 76 77 78 |79|80| |81 82 83 84 85

Un bon terroir, un encépagement approprié et un travail soigné, il n'en faut pas plus pour réussir un beau vin. La robe, par son intensité, annonce sa puissance tannique et sa richesse aromatique. Ces qualités, jointes à un côté souple et charnu bien plaisant, font de cette bouteille bien typée une valeur sûre.

↳ SA François Chatellier et Fils, Ch. Dauzac, Labarde, 33460 Margaux, tél. 56.88.32.10 ℞ r.-v.

CH. DESMIRAIL 1985***

■ 3ème cru class. 19 ha 35 000
81 82 (83) 84 85

Ce domaine n'est sans doute le plus connu de la collection de crus c'assés que possède Lucien Lurton. Mais il n'est certainement pas le dernier par la qualité. D'une très belle couleur rouge foncé, ce vin se montre particulièrement attractif par son bouquet complexe et concentré à souhait, avec des notes de cacao et de café. Puissant et montant bien en bouche, c'est un très grand vin qui est déjà agréable mais dont l'avenir est assuré.

↳ M. Lucien Lurton, Cantenac, 33460 Margaux, tél. 56.88.70.20 ℞ r.-v.

CH. DEYREM VALENTIN 1985*

■ Cru bourg. 9,87 ha 70 000
(70) 73 |75| |76| |77| 78 |80| 81 82 83 84 85

Une étiquette au look assez vieillot, mais un vin bien sympathique, tant par sa robe aux beaux reflets pourpres et rubis, que par sa souplesse ou ses arômes agréables nuances d'heureuses notes de pain grillé.

↳ M. Jean Sorge, Ch. Deyrem Valentin, Soussans, 33460 Margaux, tél. 56.88.35.70 ℞ lu. ma. me. je. ve. 8h3t-12h 14h-18h ; f. 15 au 31 août

CH. DURFORT-VIVENS 1985***

■ 2ème cru clas. 20 ha 60 000 Ⅲ ↓ 🍷

71 73 74 **75** 76 **78** 79 80 **81 82 83** 84 **85**

Aujourd'hui, les vignes et le château sont séparés et pourtant rarement la ressemblance entre le vin et la demeure atteint la perfection comme le fait Durfort avec ce millésime. A la finesse du bâtiment XVIIIᵉ s., répondent l'élégance et la race de cette bouteille issue d'un élevage particulièrement soigné comme le montre la richesse des arômes. D'un beau rouge grenat, ce 85, soyeux et charpenté, est assez enthousiasmant.

↳ M. Lucien Lurton, Cantenac, 33460 Margaux, tél. 56.88.70.20 🍷 r.-v.

CH. FERRIERE 1985***

■ 3ème cru clas. 4,14 ha 12 000 Ⅲ ↓ 🍷

75 76 77 **78** 80 81 **82** 83 84 ⑧⑤

Ici, la qualité est inversement proportionnelle à la taille de la propriété. Une couleur surprenante par son amplitude des arômes très complexes, avec des notes de vendanges bien mûres et de grillé, une attaque somptueuse, de la mâche, de savoureux et solides tanins : cette bouteille appelle les superlatifs.

↳ Ch. Ferrière, 33460 Margaux, tél. 56.88.70.66 🍷 r.-v.

GASQUET 1985**

■ n.c. n.c. Ⅲ 🍷 ⑤

⑧② 83 **85**

Ici, on n'est plus devant un château mais en face d'une marque commerciale. Toutefois, celle-ci honore le négoce par sa qualité : une belle couleur, un bouquet original avec des notes de pistache, une bonne concentration et de la richesse donnent sa dimension à cette bouteille.

↳ Mähler-Besse SA, 49, rue Camille-Godard, 33026 Bordeaux, tél. 56.52.16.75 🍷 r.-v.

CH. GISCOURS 1985***

■ 3ème cru clas. 75 ha 336 000 Ⅲ ↓ 🍷 ⑦

75 78 79 ⑧⓪ 81 **83 84 85**

S'il retient l'attention par l'importance de sa garenne, parc boisé à la bordelaise, et ses bâtiments, ce cru prestigieux mérite mieux qu'un regard rapide par la qualité de son vin. Sa belle robe carminée conduit tout droit à un bouquet évoquant la vendange bien mûre. Très rond, fin, délicat, tannique mais avec beaucoup de fondu et une bonne persistance, le 85 a de la race.

↳ SA du Ch. Giscours, Labarde, 33460 Margaux, tél. 56.88.34.02 🍷 r.-v.

CH. D'ISSAN 1985**

■ 3ème cru clas. 32 ha 160 000 Ⅲ 🍷 ⑤

70 71 73 **75** 76 77 **78** 79 **82** ⑧③ 84 **85**

Si les murs d'Issan pouvaient parler, ils auraient des choses surprenantes à raconter. Mais à défaut de savourer les souvenirs de cette vieille et belle demeure du XVIIᵉ s., on découvrira son joli vin. D'une belle couleur cerise, il possède en effet, outre des arômes de vendanges bien mûres (confiture de fraise), de la mâche, de la chair et d'intéressants tanins.

↳ SFV Ch. Cantenac, Ch. d'Issan, Cantenac, 33460 Margaux, tél. 56.88.70.72 🍷 r.-v.

↳ GFA Ch. d'Issan.

CH. KIRWAN 1985***

■ 3ème cru clas. 25 ha 160 000 Ⅲ 🍷 ⑥

62 64 66 ⑦⓪ 75 78 79 80 **81 82** 83 84 **85**

Heureuse époque que celle où des hommes politiques savaient dessiner d'aussi beaux parcs que celui de Kirwan, conçu par Camille Godart, maire de Bordeaux au XIXᵉ s. et propriétaire de ce cru. Parfait gentilhomme campagnard, il aurait sans doute été capable de réussir un vin semblable à ce très beau 85 aux notes surprenantes de nougat et de miel. Elégant, bien charpenté, harmonieux et d'une bonne longueur, l'ensemble est plus qu'heureux.

↳ MM. Schröder et Schyler, Ch. Kirwan, Cantenac, 33460 Margaux, tél. 56.88.71.42 🍷 r.-v.

CH. LABEGORCE 1985***

■ Cru bourg. 32 ha 200 000 Ⅲ ⑤

70 **75 78 79** 80 81 ⑧② 83 **85**

Ornée d'un beau château néoclassique émergeant des vignes, la propriété offre un vin d'une très bonne régularité que ne démentira pas ce millésime. D'une couleur plus engageante, il exprime déjà de bonnes dispositions mais nécessitera de vieillir pour que celles-ci puissent atteindre leur niveau optimal.

↳ MM. Dourthe Frères,
35, rue de Bordeaux, B.P. 70, Parempuyre, 33290 Blanquefort, tél. 56.35.84.64 🍷 r.-v.

CH. LABEGORCE-ZEDE 1985***

■ Cru bourg. 27 ha 120 000 Ⅲ M ④

70 **75 78 79** 80 81 **82** ⑧③ **84 85**

Si le cru ne peut guère impressionner par la majesté de ses bâtiments, il n'en est pas de même pour son vin. Dès le premier regard, la vivacité et le brillant de la robe annoncent un caractère exceptionnel. Intense et complexe, ce bouquet confirme l'impression première. Mais c'est au palais que ce vin explose, dans une sensation de plénitude et d'harmonie d'une rare qualité. Rien ne domine et rien n'est dominé dans cette très grande bouteille.

↳ GFA Labegorce-Zédé, Ch. Labégorce-Zédé, Soussans, 33460 Margaux, tél. 56.88.71.31 🍷 r.-v.

CH. LA GALIANE 1985**

■ 4,50 ha 20 000 Ⅲ ↓ M ④

75 76 77 **78** 79 80 81 81 **82 83 84 85**

Un de ces bons petits crus que l'on trouve dans

312

l'appellation margaux. A la fois souple, charpenté et richement bouqueté, avec des senteurs de petits fruits rouges très jeunes, un vin fort sympathique.

■ CH. LA GURGUE 1985**

Cru bourg.	11 ha	50 000

77 79 80 81 82 [83] 84 **85**

Déroutant par son nom («la bosse ronde»), ce vin n'est aussi par son côté presque sauvage, avec des arômes très divers allant de la muscade à la réglisse. C'est surprenant mais très plaisant, d'autant que la robe est irréprochable comme la longueur, la puissance et la complexité de l'ensemble.

→ Ch. La Gurgue, rue de la Trémoille, 33460 Margaux, tél. 56.58.02.37 r.-v.

■ CH. LARRUAU 1985*

n.c.		21 000

74 [75] [76] 77 [78] [79] 80 81 82 83 [84] 85

Le vignoble de ce cru est certes petit et assez jeune mais son implantation sur un terroir de qualité lui permet de produire un très joli vin. D'un rouge carmin, il se développe très agréablement au nez, avant de s'épanouir au palais où il est dans les règles de l'art. Une propriété à suivre, car on n'est plus très loin de la grande classe.

→ M. Bernard Château, 4 rue de la Trémoille, 33460 Margaux, tél. 56.88.35.50 r.-v.

■ CH. LASCOMBES 1985***

2ème cru clas.	98 ha	300 000

77 78 79 80 81 [82] 83 84 [85]

Une des plus vastes propriétés de Margaux et l'une des valeurs sûres de l'appellation par la qualité de son vin. Ce millésime en est la preuve : d'un rouge grenat, il se développe très agréablement au nez, il est la preuve : ... plexité, sa puissance et son élégance qu'il est dans les règles de l'art. Une propriété à suivre, car laisse apparaître sa puissante charpente. C'est le vin de garde par excellence.

→ Sté Vinicole Ch. Lascombes, 33460 Margaux, tél. 56.88.70.66 r.-v.

■ CH. LA TOUR DE MONS 1985

Cru bourg.	31 ha	150 000

[75] 76 78 79 80 81 [82] 83 84 85

Moins réussi que certains autres millésimes du même cru, le 85 n'en est pas moins agréable, avec un côté aromatique très plaisant qui devrait évoluer assez favorablement.

→ Héritier Pierre-J. Dubos, Ch. La Tour de Mons, Soussans, 33460 Margaux, tél. 56.88.33.02 lu. ma. me. je. ve. 9h-12h 14h-17h.

■ CH. LES BARAILLOTS 1985*

	5.80 ha	30 000

70 75 76 77 78 79 80 81 [82] 83 84 85

Entouré de levées de terre qui portent ici ce nom, le cru offre avec ce millésime une jolie petite bouteille dont on appréciera les saveurs de confiture de prunes, la souplesse et la finale chaleureuse. Tannique, ce vin devra être attendu quelque peu.

→ M. Michel Brunet, 2-4, rue de Corneillan, 33460 Margaux, tél. 56.88.74.19 r.-v.

■ CH. MALESCOT SAINT-EXUPERY 1985**

3ème cru clas.	34 ha	211 000

[62] [64] [69] [70] 71 74 [75] [76] 77 78 79 [80] 81 82 83 [85]

Avec château Margaux et Lascombes, ce cru jouit d'un voisinage prestigieux. Rien d'étonnant donc que sa production soit d'une grande qualité. Bien typé, il possède une richesse aromatique indiscutable et exhale des senteurs mêlant les notes boisées au raisin mûr. En bouche, on retrouve la même impression de finesse et d'élégance.

→ Ch. Malescot Saint-Exupéry, 33460 Margaux, tél. 56.88.70.68 r.-v.
→ M. Roger Zuger.

■ CH. MARGAUX 1985***

1er cru clas.	75 ha	n.c.

59 [61] 66 70 71 75 [78] 79 [80] 81 [82] 83 84 85

Arc de cercle bordant à l'est l'agglomération margalaise, le vignoble de château Margaux jouit d'un terroir unique par l'épaisseur de sa couche de graves et par la profondeur de la nappe phréatique. Par un travail soigné, on peut arriver ici à la réussite totale avec des millésimes comme ce 85. D'une robe exceptionnelle par sa jeunesse et sa couleur, un intense bouquet de réglisse, de venaison et de cuir. Ample, savoureux, fin et élégant, il atteint au génie.

→ SCA du Ch. Margaux, 33460 Margaux, tél. 56.88.70.28 r.-v.

MIS EN BOUTEILLE AU CHÂTEAU
CHATEAU MARGAUX
GRAND VIN
1985
PREMIER GRAND CRU CLASSE
MARGAUX

■ CH. MARQUIS D'ALESME 1985*

3ème cru clas.	10 ha	60 000

62 70 75 [78] 79 80 81 82 83 84 [85]

Grande demeure en brique du XIXe s. dans le style Louis XIII, ce château ne passe pas inaperçu. Très concentré, plein, rond et chaleureux, son vin ne manque pas, lui non plus, de caractère.

→ M. Jean-Claude Zuger, Ch. Marquis d'Alesme, 33460 Margaux, tél. 56.88.70.27 lu. ma. me. je. ve. 9h-11h30 14h-17h30.

■ CH. MARQUIS DE TERME 1985***

4ème cru clas.	35 ha	150 000

71 73 75 76 78 79 81 82 [83] 85

Remarquablement équipée, la propriété est devenue un modèle du genre et son vin, une valeur sûre. Il suffit de regarder la splendide couleur, pourpre foncé, de ce 85 pour s'en

convaincre. Et la suite ne déçoit pas : élégant, riche et harmonieux, l'ensemble est remarquable par l'équilibre qui s'établit entre les tanins bien fondus et les arômes, d'une rare concentration. Il est interdit de ne pas être patient pour ouvrir cette superbe bouteille.

→ SCA Ch. Marquis de Terme, 33460 Margaux, tél. 56.88.30.01 ☎ lu. ma. me. je. ve. 9h-12h 14h-17h.

CH. MARSAC-SEGUINEAU 1985**

■ Cru bourg. 10 ha 40 000 ● ↓ [4]
77 78 79 |81| |82| |83| 84 **85**

Évoluant très favorablement de millésime en millésime, ce cru bourgeois propose avec le 85 un très bon vin. On appréciera ses arômes complexes, sa rondeur, sa concentration, sa longueur, ses notes de miel, originales en finale, et son ... très bon rapport qualité/prix.

→ SC du Ch. Marsac-Séguineau, Soussans, 33460 Margaux, tél. 56.52.11.46

CH. MARTINENS 1985**

■ Cru bourg. 31 ha 85 000 ● [4]
73 **75 78 79** 81 82 83 84 **85**

L'actuel propriétaire de ce beau cru bourgeois n'organise peut-être plus de grands meetings aériens à l'égal de son prédécesseur de l'entre-deux-guerres, mais il s'inscrit dans la continuité par la qualité de sa production. Délicat, fin et distingué par sa robe comme par ses arômes, le 85, complet et harmonieux, «monte» très agréablement en bouche. Une belle bouteille qui méritera d'être attendue pour donner le meilleur d'elle-même.

→ SC Martinens, Ch. Martinens, Cantenac, 33460 Margaux, tél. 56.88.71.37 ☎ t.l.j. sf dim. 9h-12h 14h-18h.
→ Mme S. Dulos et M. J.-P. Seynat.

CH. MONBRISON 1985***

■ 9,80 ha 55 000 ● [5]

Intime et gai, que voici un bien joli petit château. Et pour le représenter, un vin superbe. Éclatant par la beauté de sa robe, il est étonnant par ses senteurs multiples et puissamment évocatrices ; c'est à une véritable promenade dans un sous-bois giboyeux et couvert de champignons qu'elles invitent. Quant à la structure d'ensemble, elle est impressionnante, avec de beaux tanins, de la chair, de la longueur. Une bouteille d'une très grande classe.

→ SC du Ch. Monbrison, Arsac, 33460 Margaux, tél. 56.58.80.04 ☎ r.-v.
→ Mme E. Davis et ses Fils.

CH. MONGRAVEY 1985*

■ 6,10 ha 32 000 ● ↓ [3]
|81| (82) |83| |84| |85|

Classique par son étiquette, ce vin est pourtant fort original par le mélange, souvent surprenant, des notes douces (vanillées) et sauvages. Indiscutablement, un vin qui ne manque pas de personnalité.

→ M. Régis Bernaleau, Arsac, 33460 Margaux, tél. 56.58.84.51 ☎ lu. ma. me. je. ve. 8h-12h 13h30-19h.

CH. NOTTON 1985*

■ n.c. n.c. ● ↓ [4]
79 80 **81 82** |83| |84| 85

Considéré à tort par certains comme le second vin de Brane-Cantenac, ce cru possède sa propre identité qui se traduit par une bonne régularité dans la qualité. On aimera ce 85, franc et tannique, qu'il conviendra d'attendre quelque peu.

→ M. Lucien Lurton, Cantenac, 33460 Margaux, tél. 56.88.70.20 ☎ r.-v.

CH. PALMER 1985***

■ 3ème cru clas. 45 ha n.c. ● [7]
73 74 |75| **78 79** |80| **81 82** (83) |84| **85**

Toujours fidèle aux traditions médocaines, ce cru fait preuve d'une régularité tout à fait exceptionnelle. Très riche et très complexe, il est réellement de très grande classe. Avec ses arômes, qui vont du pruneau à la venaison, et ses tanins, aussi fins que longs, cette bouteille appelle les superlatifs.

→ SCI Ch. Palmer, Cantenac, 33460 Margaux, tél. 56.88.72.72 ☎ r.-v.

PAVILLON ROUGE 1985**

■ 75 ha n.c. ● [6]
77 79 81 **82** |83| **84 85**

Petit frère du château Margaux, ce vin n'a pas la majesté de son aîné. Mais il est très plaisant par ses arômes complexes (cassis et vanille), par son élégance, par son équilibre et par sa belle finale de griottes. Une jolie bouteille dont l'avenir est assuré.

→ SCA du Ch. Margaux, 33460 Margaux, tél. 56.88.70.28 ☎ r.-v.

CH. PONTAC-LYNCH 1985
Cru bourg. 9 ha 48 000
|70| |71| |75| |76| 78 79 8C 81 |82| |83| 84 |85|

S'il se présente sous une étiquette assez impressionnante, c'est au contraire dans la légèreté et la finesse que ce vin trouve son harmonie. On notera la note de cassonade qui apparaît dans l'attaque.
→ GFA du Ch. Pontac-Lynch, Cantenac, 33460 Margaux, tél. 56.88.30.04 T r.-v.

CH. POUGET 1985**
4ème cru clas. 11 ha 45 000
|70| |71| |75| |77 78 79 80 |81| |82| |82| 83 84 85

Situé sur le rebord méridional du plateau de Cantenac, ce cru peut s'appuyer sur un très bon terroir. Rien d'étonnant, donc, à le voir produire un beau vin. Riche et plein, 85 se distingue notamment par ses élégants arômes mêlant les fruits rouges au cacao.
→ M. Pierre Guillemet, Cantenac, 33460 Margaux, tél. 56.88.30.58 T r.-v.
→ GFA Boyd-Cantenac et Pouget.

CH. PRIEURE-LICHINE 1985**
4ème cru clas. 62 ha n.c.
73 74 75 76 77 78 79 80 81| |81 82 83 |84| 85

Après une période un peu décevante, Prieuré-Lichine semble vouloir revenir à son rang le 4ème cru classé. Le très beau 85 en fournit le témoignage par l'harmonie de sa robe, la complexité du bouquet et la matière que découvre le palais. Par ses tanins, sa force et sa longueur, cette bouteille promet un beau vieillissement.
→ Ch. Prieuré-Lichine, Cantenac, 33460 Margaux, tél. 56.88.36.28 T r.-v.

CH. PUY-LESPLANQUES 1985
Cru bourg. n.c.

Second vin du château Pontac-Lynch destiné au négoce, cette bouteille ne manque pas de personnalité. Une délicate note mentholée affirme le très agréable bouquet fleuri.
→ Robert Giraud SA, Dom. de Loiseau, B.P. 31, 33240 Saint-André-de-Cubzac, tél. 57.43.01.44

CH. RAUSAN-SEGLA 1985***
2ème cru clas. 45 ha 170 000
|61| 66 67 |70| 71 74 |75| 76 77 |78| |79| 81 |52 83 85

Confirmant le splendide redressement du premier des seconds crus classés, ce millésime se distingue par sa riche collection de qualités. Couleur, corps, saveurs parlent pour lui. Mais sa première richesse est sans conteste son remarquable bouquet. Exceptionnel de finesse, il atteint en effet un degré rare dans l'art de séduire, faisant défiler une foule de senteurs qui vont de la violette au ca_é. Une très belle bouteille splendidement typée.
→ MM. Holt Frères et Fils, Ch. de La Tour, Sallebœuf, 33370 Tresses, tél. 56.81.58.90 T r.-v.

CH. RAUZAN-GASSIES 1985**
2ème cru clas. 30 ha 100 000
|70 71 75 76 77 78 79 80 |81 82 83 84 85

Assez diversifiées, les parcelles de Rauzan-Gassies constituent un bon échantillonnage des

terroirs margalais. Ce qui explique peut-être le caractère fort heureusement typé de ce très joli vin dont on appréciera tout particulièrement la richesse aromatique et la finale d'une grande distinction.
→ SC du Ch. Rauzan-Gassies, 33460 Margaux, tél. 56.88.79.88 T r.-v.

SCHRÖDER ET SCHYLER
Private Réserve 1985*
82 83 84 |85| 7 ha 23 000

Solidement implanté à Margaux, avec Kirwan, le négociant Schröder et Schyler propose avec ce vin de marque une bouteille fort agréable par sa souplesse et par la finesse de son bouquet.
→ MM. Schröder et Schyler, Ch. Kirwan, Cantenac, 33460 Margaux, tél. 56.88.71.42 T r.-v.

CH. SIRAN 1985**
24 ha 110 000
|64| |66| |70| |75| 76 77 78 79 80 81 82 83 84 85

La propriété, qui fait illustrer ses étiquettes par des artistes, appartient pendant un temps à la famille de Toulouse-Lautrec. Mais son principal titre de gloire reste son vin. Doté d'une puissante charpente tannique, franc et charnu, celui-ci mérite d'être attendu.
→ M. William Alain-Miailhe, Ch. Siran, Labarde, 33460 Margaux, tél. 56.81.35.01 T l.l.j. 10h-12h 14h30-17h30.

CH. TAYAC 1985*
Cru bourg. 30 ha 150 000
75 76 78 79 80 81 82 83 84 85

Reconstitué assez récemment, ce cru, qui fut divisé au siècle dernier, produit un vin fort agréable. Très délicat et fin, le 85 possède un côté aromatique qui ne peut que séduire par son charme.
→ M. André Favin, Ch. Tayac, Soussan, 33460 Margaux, tél. 56.88.33.06 T lu. ma. me. je. ve. 10h-12h 14h-18h.

CH. TOUR DE BESSAN 1985*
21 ha 80 000
80 81 82 83 |84| 85

Appartenant au même propriétaire que Brane et Durfort, ce cru ne peut prétendre rivaliser avec ceux-ci mais il possède une personnalité très sympathique, à la fois souple et tannique.
→ M. Lucien Lurton, Cantenac, 33460 Margaux, tél. 56.88.70.20 T r.-v.

CH. DES TROIS-CHARDONS 1985**
2.20 ha 10 000
70 75 |76| 78 |79| 80 |81| 82 83 |84| 85

« Qui s'y frotte, y repique », affirme l'étiquette de ce sympathique cru. C'est peut-être un clin d'œil, mais assurément pas une « promesse de gascon ». Un rien précieux, avec un côté dentelle, le 85, aromatique, rond et tannique, saura se faire apprécier des amateurs qui en redemanderont.
→ Sté Chardon Père et Fils, Ch. des Trois-Chardons, Issan-Cantenac, 33460 Margaux, tél. 56.88.33.94 T r.-v.

Moulis-en-médoc

Petit ruban de 12 km de long sur 300 à 400 m de large, moulis est la moins étendue de toutes les appellations communales du Médoc. Ce qui ne l'empêche pas de présenter une certaine diversité dans les terroirs, avec des graves et des croupes argilo-calcaires. Les vins (2,7 millions de bouteilles en 1982) sont marqués par un moelleux ainsi que par un fruité et une finesse de bouquet très caractéristiques.

CH. ANTHONIC Cru bourg. 1985**

■   16 ha   100 000   ⊕ ↓ ⩗ ▣ 3

75 76 78 79 80 81 (82) 83 84 85

A l'entrée du village de Moulis, ce cru semble se placer sous la protection de l'église (romane) Saint-Saturnin. Est-ce là la raison de la qualité de sa production ? Quoi qu'il en soit, celle-ci est réelle, comme le montre ce beau 85, intense par sa robe, ses arômes (avec des notes de cassis et de café grillé) et sa longue finale épicée.
↦ M. Pierre Cordonnier, Ch. Anthonic, Moulis-en-Médoc, 33480 Castelnau-de-Médoc, tél. 56.88.84.60 ▼ r.-v.

CH. BEL-AIR LAGRAVE 1985**

■   13 ha   70 000   ⊕ ↓ ⩗ ▣ 4

81 (82) (83) 85

Produit sur la belle croupe de graves de Poujeaux, ce vin profite au maximum de la qualité du terroir : attractif par sa profonde couleur, il est puissant et tannique à souhait. Déjà assez agréable avec sa longue finale, il n'est cependant pas encore au sommet de sa forme et méritera d'être attendu une bonne dizaine d'années.
↦ GFA Le Grand-Poujeaux, Grand-Poujeaux, 33480 Moulis-en-Médoc, tél. 56.58.01.89 ▼ r.-v.

CH. CHASSE-SPLEEN 1985***

■ Cru bourg.   58 ha   200 000   ⊕ ↓ ⩗ ▣ 5

75 76 (77) (78) 79 80 81 (82) (83) 84 85

La réputation de Chasse-Spleen n'est plus à faire : ce qui n'empêche pas l'équipe qui s'en occupe de veiller régulièrement à sa qualité. Après le 83, le 85 en est la preuve évidente. Sa robe, aussi foncée que limpide, ses arômes très complexes et sa puissante charpente tannique sont là pour garantir à la bouteille un très bel avenir dans les 10 ans à venir.
↦ SA Ch. Chasse-Spleen, Grand-Poujeaux, Moulis-en-Médoc, 33480 Castelnau-de-Médoc, tél. 56.58.02.37 ▼ r.-v.
↦ Mme Bernadette Villars.

CH. CHEMIN ROYAL 1985

■ Cru bourg.   4 ha   30 000   ⊕ ↓ ▣ 3

Issu d'un petit vignoble, ce vin est certes simple et léger mais il ne manque pas de finesse et évolue heureusement au cours de la dégustation.
↦ MM Chanfreau Héritiers, Listrac-Médoc, 03348 Castelnau-de-Médoc, tél. 56.58.02.43 ▼ lu. ma. me. je. ve. 8h-12h 14h-18h.

CH. DUPLESSIS-FABRE 1985*

■ Cru bourg.   17 ha   80 000   ⊕ ↓ ⩗ (82) 4

75 76 77 (78) 79 80 (81) (82) 83 84 85

Au XVIIIe s., ce domaine servit de relais de chasse au duc de Richelieu, maréchal de France et gouverneur de Guyenne. Bon vivant s'il en fut, il aurait sûrement apprécié ce joli vin aux arômes complexes (avec des notes de petits fruits rouges avec une pointe de surmaturation).
↦ SC Ch. Fourcas Dupré, Listrac-Médoc, 33480 Castelnau-du-Médoc, tél. 56.58.01.07 ▼ r.-v.

CH. DUTRUCH GRAND POUJEAUX 1985*

■ Cru bourg.   24 ha   140 000   ⊕ ↓ ⩗ ▣ 3

73 75 76 78 (79) 80 81 82 (83) 84 85

Situé sur une croupe graveleuse qui n'a rien à envier à celles d'appellations telles que margaux, saint-julien ou pauillac, ce cru prouve l'excellence de son terroir par celle du vin. A la fois rond et tannique, il devra être attendu pour que les tanins s'arrondissent et que les arômes puissent se développer pleinement. Mais la patience sera merveilleusement récompensée par la puissance de cette belle bouteille.
↦ M. François Cordonnier, Ch. Dutruch Grand-Poujeaux, Moulis-en-Médoc, 33480 Castelnau-de-Médoc, tél. 56.58.02.55 ▼ r.-v.

CH. JORDI 1985*

■   3,57 ha   12 000   ⊕ ↓ ⩗ ▣ 3

81 (82) 84 85

Belle couleur rouge cerise aux reflets scintillants. Le nez est marqué par des odeurs de fruits rouges à l'alcool, d'une façon intense et même complexe ; l'attaque est assez souple mais encore très dominée par un bon boisé. Vin trop enrobé de boisé neuf.
↦ M. Guy Coubris, 21, rue Victor-Hugo, 33480 Castelnau-de-Médoc, tél. 56.28.15.23 ▼ r.-v.

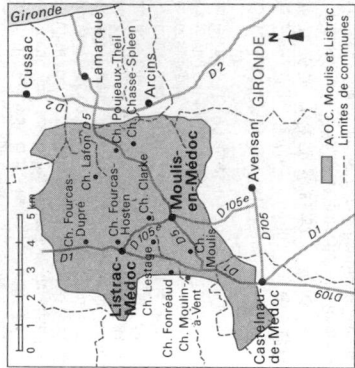

Moulis et Listrac

■ A.O.C. Moulis et Listrac
---- Limites de communes

Pauillac

A peine plus peuplée qu'un gros bourg rural, Pauillac est une vraie petite ville, agrémentée, qui plus est, d'un port de plaisance qui est, d'un canal du Midi. C'est un endroit où il fait bon déguster des crevettes, fraîchement pêchées dans l'estuaire, à la terrasse des cafés sur les quais. Mais c'est aussi, et surtout, la capitale du Médoc viticole, tant par sa situation géographique, au centre du vignoble, que par la présence de trois premiers grands crus (Lafite, Latour et Mouton) que complète une liste assez impressionnante de 18 crus classés. Une cave coopérative assure une production d'environ 5 000 hl, la production totale de l'appellation ayant été, en 1982, de 5,9 millions de bouteilles.

Venant sur des croupes graveleuses très pures, les pauillac sont des vins très corsés, puissants et charpentés, mais aussi fins et distingués, avec un bouquet délicat. Évoluant très heureuse-

CH. LA MOULINE 1985*

Cru bourg. 16 ha 70 000
82|83| 84 |85

Repris en main dans les années 80, ce cru commence à montrer ses possibilités. Classique par sa couleur, le 85 est chaleureux et tannique, notamment lors de l'attaque et en finale.
→ GFA Coubris, 72, av. Pasteur, 33600 Pessac, tél. 56.45.07.89 r.-v.

CH. MOULIN A VENT 1985*

Cru bourg. sup. 25 ha 120 000
75 76|78| 79 80 81|82|83| 84 85

Haut perché sur son coteau, à 30 ou 35 mètres d'altitude, Moulin à Vent est caractéristique du terroir du talus occidental des appellations de moulis et de listrac. Par sa robuste charpente, ce 85 lui aussi bien typé.
→ M. Dominique Hessel, Ch. Moulin à Vent, 33480 Moulis-en-Médoc, tél. 56.58.15.79 lu. ma. me. je. ve. 9h-12h 13h30-17h30.

CH. POMEYS 1985

Cru bourg. 8 ha 35 000
79 80 81|82|83| 84 85

Sans être aussi réussi que certains autres millésimes de ce cru, 85, volontairement léger est assez typé par son bouquet mais est un peu desservi par la rudesse de ses tanins qui devront encore évoluer.
→ M. Xavier Barennes, Ch. Pomeys, Moulis-en-Médoc, 33480 Castelnau-Médoc, tél. 56.58.24.85 t.l.j; 8h-20h ; f. dim. sur r.-v

CH. POUJEAUX 1985***

50 ha 250 000
66| 67 |71| 75 |76| |77| 78 |79| 80 |81| 82 83 84 (85)

Ici, la demeure est simple et l'étiquette discrète. Mais le terroir est des meilleurs et le vin des plus réussis. Notamment ce très beau 85, assez exceptionnel par sa complexité. De belles notes de vanille, de fruits rouges et de croûte de pain, puis de superbes tanins, bien mûrs et de bonne origine font le charme de cette excellente bouteille.
→ Indivision Theil, Ch. Poujeaux, Moulis-en-Médoc, 33480 Castelnau-de-Médoc, tél. 56.58.02.96 r.-v.

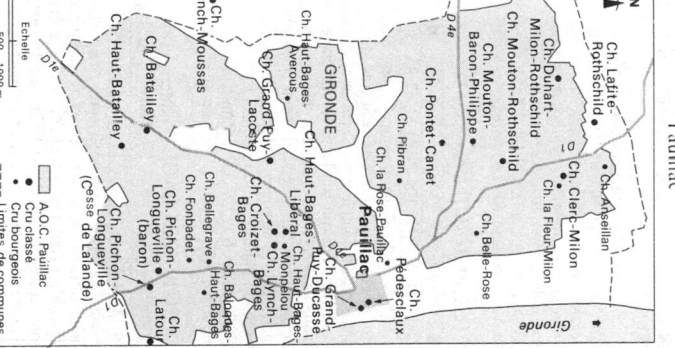

Pauillac

Echelle
0 500 1000 m

Ch. Lafite-Rothschild
Ch. Duhart-Milon-Rothschild
Ch. Mouton-Rothschild
Ch. Mouton-Baron-Philippe
Ch. Pontet-Canet
Ch. Clerc-Milon
Ch. la Fleur-Milon
Ch. Anseillan
Ch. Pibran
Ch. la Rose-Pauillac
Ch. Belle-Rose
Ch. Haut-Bages-Averous
Ch. Grand-Puy-Lacoste
Ch. Haut-Bages-Libéral
Ch. Croizet-Bages
Ch. Lynch-Bages
Ch. Grand-Puy-Ducasse
Ch. Pédesclaux
Ch. Bellegrave
Ch. Fonbadet
Ch. Pichon-Longueville (baron)
Ch. Pichon-Longueville (comtesse de Lalande)
Ch. Haut-Bages-Monpelou
Ch. Batailley
Ch. Haut-Batailley
Ch. Haut-Bages
Ch. Balogues-Haut-Bages
Ch. Latour
GIRONDE

A.O.C. Pauillac
Cru classé
Cru bourgeois
Limites de communes

ment au vieillissement, il convient de les attendre. Mais ensuite, il ne faut pas avoir peur de les servir sur des plats assez forts comme, par exemple, des préparations de champignons, des viandes rouges, des gibiers à chair rouge, ou des foies gras.

CH. ARTIGUES-ARNAUD 1985

⬛ n.c. 60 000 ⬛↓🔢3

82 |83| **84** 85

Issu de jeunes vignes, ce vin est tel que l'annonce sa couleur d'un rubis léger mais franc. On retiendra particulièrement la finale de pruneau, d'une bonne persistance.
↪ SC Ch. Grand-Puy-Ducasse,
17, cours de la Martinique, 33027 Bordeaux Cedex, tél. 56.52.11.46

CH. BATAILLEY 1985 * *

⬛ 5ème cru clas. 55 ha 250 000 ⬛↓Ⅴ🔢6

80 |81| |82| |83| 84 **85**

Des chais souterrains, un beau parc et un château XVIII° s. donnent une certaine allure à la propriété. Par son élégance, son vin s'inscrit heureusement dans l'ensemble. Un bouquet, fin et puissant où l'on trouve des notes de menthe et d'épices, une attaque franche et des tanins bien présents témoignent d'un travail bien fait et d'un vin bien construit.
↪ M. Emile Castéja, Ch. Batailley,
33250 Pauillac, tél. 56.59.01.13 ⵟ r.-v.

CH. BERNADOTTE 1985 * *

⬛ 4 ha 20 000 ⬛↓Ⅴ🔢5

|83| |84| |85|

Un vignoble petit mais pas négligé. Pour se convaincre qu'ici on sait travailler, il suffit de regarder et déguster ce très joli vin qui termine en beauté par une finale expressive et bien typée.
↪ M. Benoît Calvet, 41, rue Borie,
33300 Bordeaux, tél. 56.81.12.77 ⵟ r.-v.
↪ M. Eklund, SC Ch. Le Fournas.

CH. CLERC-MILON 1985 * * *

⬛ 5ème cru clas. 17 ha n.c. ⬛↓Ⅴ🔢7

72 73 74 **75 76** 77 |78| 79 80 81 **82 83 85**

Un grand voisinage et une même élégance. Rouge carmin à liseré bigarreau très mûr, il est plaisamment complexe par ses arômes mêlant les notes de venaison au bois. Rond, chaleureux, tannique, légèrement vanillé et soyeux, il possède de bonnes potentialités qui lui permettront de bien vieillir. Une bouteille à attendre 10 ans.
↪ Baron Philippe de Rothschild,
La Baronnie, B.P. 117, 33250 Pauillac,
tél. 56.59.20.20

CH. CROIZET BAGES 1985

⬛ 5ème cru clas. n.c. 80 000 ⬛↓🔢?

76 78 79 |82| 85

Longtemps un peu inférieur à son classement, cette propriété commence à refaire surface. Agréable à l'œil, frais et plaisant par ses arômes, franc et rond en bouche, ce 85 laisse entrevoir les importantes potentialités que réserve ce cru pour l'avenir.

↪ Héritiers Paul Quié, Ch. Croizet-Bages,
33250 Pauillac, tél. 56.59.01.62 ⵟ r.-v.

CH. DUHART MILON-ROTHSCHILD 1985 * *

⬛ 4ème cru clas. 124 ha 200 000 ⬛⬛↓Ⅴ🔢4

61 70 75 76 79 80 **81 82 85**

Le millésime évolue très heureusement : gras, ample, soyeux, vanillé et poivré, il est l'expression même de la finesse et de l'élégance. Son avenir est assuré.
↪ Sté Duhart-Milon-Rothschild, 33250 Pauillac, tél. 56.59.22.97 ⵟ r.-v.

CH. FONBADET 1985 *

⬛ 15 ha 80 000 ⬛⬛↓Ⅴ🔢?

|62| **70 71 74** 75 |76| |78| |79| 80 81 |82| 83 84 85

Encore un peu desservi par une trop forte présence du bois, ce vin à la belle robe rubis sombre et à l'attaque douce possède une bonne constitution qui le rend plaisant. La demeure XVIII° s. et le parc sont fort élégants.
↪ M. Pierre Peyronie, Ch. Fonbadet,
33250 Pauillac, tél. 56.59.02.11 ⵟ r.-v.

CH. GRAND-PUY-DUCASSE 1985 * *

⬛ 5ème cru clas. 38 ha 140 000 ⬛⬛↓🔢5

82 **83 85**

Commandé par un château situé en plein cœur de Pauillac, ce vignoble est réparti en trois parcelles au nord et à l'ouest de la commune. De bonne qualité, il offre un vin très intéressant, notamment avec ce 85. Tenant de la haute couture par sa robe, il est charmeur par son bouquet, fin et puissant, et séduisant par sa présence au palais où apparaît un savant dosage de boisé et de fruité. Une très belle bouteille qui honore l'appellation.
↪ SC Ch. Grand-Puy-Ducasse,
17, cours de la Martinique, 33027 Bordeaux Cedex, tél. 56.52.11.46

CH. GRAND-PUY-LACOSTE 1985 * * *

⬛ 5ème cru clas. 45 ha 150 000 ⬛⬛↓🔢6

61 62 64 66 |70| 77 |78| 79 |80| 81 |82| **83 84 85**

Une demeure du XIX° s. et un vignoble reconstitué au milieu des années 1970. Son terroir de plateau graveleux admirablement drainé lui permet de produire un très beau vin. Élégant par sa robe, d'un rouge brillant, il est distingué par ses arômes, fins, épices, puissants et élégants. Corsé et tannique, un 85 très prometteur.
↪ SC du Ch. Grand-Puy-Lacoste, 33250 Pauillac, tél. 56.59.06.66 ⵟ r.-v.

CH. HAUT-BAGES AVEROUS 1985 *

⬛ Cru bourg. 15 ha 75 000 ⬛⬛↓🔢5

76 78 79 80 |81| |82| **83 84 85**

Second vin de Lynch-Bages, il n'est en rien négligé. Agréable à l'œil comme au nez, d'une très bonne tenue, élégant, il est tout à fait représentatif de la qualité d'ensemble du pauillac.
↪ M. A. Cazes, Ch. Haut-Bages Averous,
33250 Pauillac, tél. 56.59.25.59 ⵟ r.-v.
↪ SA Ch. de Lynch-Bages.

318

CH. HAUT-BAGES LIBERAL 1985**

5ème cru clas.   25 ha   120 000

75|76 77 78 79 80 81 (82) 83 84 85

N'est pas voisin de Latour qui veut. Ce cru, en société familiale, l'est. Mieux, il s'en montre digne par ses qualités. Une belle robe, agrémentée de quelques reflets sombres, des arômes puissants et un caractère franc le rendent très flatteur. C'est la séduction dans l'élégance.

► Sté Ch. Haut-Bages Libéral, Saint-Lambert, 33250 Pauillac, tél. 56.58.02.37 ▼ r.-v.

CH. HAUT-BATAILLEY 1985*

5ème cru clas.   20 ha   100 000

66 71 75|76 77 |78|79| 80 81 (82) |83|84 85

Un château sans château mais avec un vin qui ne manque pas de personnalité. 85 est sensiblement plus concret que les deux précédents millésimes ; sa solide constitution lui permet de marier les tanins et le merrain. Il faudra l'attendre patiemment.

► Ch. Haut-Batailley, 33250 Pauillac, tél. 56.59.05.20 ▼ r.-v.

CH. LACOSTE BORIE 1985**

n.c.

Produit sur la même propriété que Grand-Puy-Lacoste, ce vin présente une certaine analogie avec son prestigieux aîné par sa puissance tannique et sa belle couleur. Mais il affirme aussi une personnalité très médocaine par des arômes de poivron et un côté feuille de cassis, sans doute apporté par le cabernet-sauvignon. Vanillé, cuit et croquant, l'ensemble est aussi présent que plaisant.

► SC du Ch. Grand-Puy-Lacoste, 33250 Pauillac, tél. 56.59.06.66 ▼ r.-v.

CH. LAFITE-ROTHSCHILD 1985***

1er cru clas.   90 ha   320 000

59 (61) 62 64 |66| 69 |70| 75 78 79 80 82 85

Ricardo Bofill vient de réaliser à Lafite des chais étonnants, véritable temple ou rotonde où les barriques, en larges cercles, semblent célébrer la gloire du premier cru. Avec ses arômes délicats et distingués de pain d'épice et de merrain, e très beau 85, riche et complexe, allie parfaitement l'élégance, la puissance et la diversité.

► Sté Ch. Lafite-Rothschild, 33250 Pauillac, tél. 56.59.01.74 ▼ r.-v.

► Baron de Rothschild.

LA ROSE PAUILLAC 1985

109 ha   150 000

80 |81||82| 83 84 |85|

Véritable institution, la cave de Pauillac a le mérite de permettre à de petites exploitations, et, avec elles, à une tradition familiale, de survivre. Mais elle justifie aussi son existence par la qualité tout à fait honorable de sa production. D'une jolie couleur, ce 85 en est une illustration par sa souplesse et sa finesse.

► SV La Rose Pauillac, rue du Mal-Joffre, B.P. 14, 33250 Pauillac tél. 56.59.26.00 ▼ r.-v.

CH. LATOUR 1985***

1er cru clas.   60 ha   180 000

(61) 73 74 75 76 77 78 79 80 81 82 83 85

Résultat de l'œuvre pluriséculaire de grands propriétaires et de talentueux régisseurs qui très tôt draineront le terrain pour évacuer l'eau, ce « poison de la vigne », Latour a atteint des sommets. Comme ses aînés, 85 confine à la perfection : une superbe robe, rouge grenat, un bouquet évoluant du pain grillé au cacao en passant par les gibiers, une charpente puissante, riche et harmonieuse, une finale assez exceptionnelle par sa longueur. Pas de doute, c'est un vrai Latour.

► SC du Ch. Latour, Saint-Lambert, 33250 Pauillac, tél. 56.59.00.51 ▼ r.-v.

LES FORTS-DE-LATOUR 1985**

n.c.

73 74 77 |78| 79 80 81 82 83 85

Depuis le siècle dernier - peut-être même plus tôt - on a pris l'habitude à Latour de séparer le grand vin des seconds vins. C'est dire l'héritage qu'ont à défendre les Forts de Latour. Remarquablement complexe par ses arômes (fruits rouges, tabac blond, rose, épices...) et ses tanins qui se veulent savoureux, équilibrée et harmonieuse, la bouteille sait allier amabilité et élégance. A noter : ce vin n'est commercialisé qu'après 6 ans de vieillissement.

► SC du Ch. Latour, Saint-Lambert, 33250 Pauillac, tél. 56.59.00.51 ▼ r.-v.

CH. LYNCH-BAGES 1985***

5ème cru clas.   80 ha   350 000

|70| 71 |75| 76 |78||79| 80 |81| (82) 83 84 85

Assez modeste par son château, Lynch-Bages est parfaitement représentatif des grands crus

médocains par ses équipements, son vignoble et son vin. Celui-ci attire l'œil par les reflets sombres de sa robe. Son bouquet est bien typé pauillac par ses notes de sous-bois et de cassis. La charpente tannique et l'élégance de l'ensemble achèvent la conquête du dégustateur. Une belle bouteille qui méritera d'être attendue.

➤ M. A. Cazes, Ch. Lynch-Bages, 33250 Pauillac, tél. 56.59.25.59 ⌶ r.-v.

CH. LYNCH-MOUSSAS 1985

■ 5ème cru clas. 40 ha 150 000 ⅢⅢ ☑5

⑦⑤|76| 77 **78 |79|** 80 **81 82 83** 84 |85|

Issu du partage au siècle dernier du domaine des Lynch, le cru présente avec ce millésime un vin un peu étrange par ses odeurs (où certains dégustateurs retrouvent un rappel des copeaux de bois) mais qui se laisse boire sans problème, sa gracilité s'équilibrant avec les tanins.

➤ M. Émile Castéja, Ch. Batailley,
33250 Pauillac, tél. 56.59.01.13 ⌶ r.-v.

CH. MONTGRAND MILON 1985

■ Cru bourg. 3 ha 15 000 ⅢⅢ ♣ ☑3

⑧② **83** 84 85

Le petit vignoble a été créé en 1800 par le régisseur de Lafite. D'une belle couleur rubis, son vin, souple et franc, est sympathique par ses arômes que relève une petite note de cacao.

➤ Alexis-Lichine et Cie, 109, rue Achard,
33028 Bordeaux Cedex, tél. 56.50.84.85
➤ M. Pierre Peyronie.

CH. MOUTON BARONNE PHILIPPE 1985***

■ 5ème cru clas. 50 ha 180 000 ⅢⅢ ♣ ☑7

72 73 74 75 76 77 |78|79| 80 **81 82 83 85**

Voisin de Mouton Rothschild, Mouton Baronne Philippe bénéficie d'autant de soins et de techniques. Le résultat est ce très beau millésime dont on appréciera les nombreuses qualités : le nez somptueux, boisé, empyreumatique, riche et complexe ; la charpente tannique puissante et concentrée ; un côté soyeux des plus plaisants avec des saveurs de café grillé et une très belle finale de cassis.

➤ Baron Philippe de Rothschild,
La Baronnie, B.P. 117, 33250 Pauillac,
tél. 56.59.20.20

CH. MOUTON ROTHSCHILD 1985***

■ 1er cru clas. 80 ha 270 000 ⅢⅢ ♣ ☑7

72 73 74 75 76 77 |78|79| 80 81 **82 83 85**

Haut lieu du vin en Gironde, Mouton est impressionnant par l'harmonie qui règne tout autour du château et des chais, des allées du parc aux vignes parfaitement entretenues. Cette magnificence se retrouve dans le vin lui-même. Très noble par sa couleur d'un rubis aux reflets violacés, sa charpente puissante et subtile, ses arômes exceptionnels mêlant les épices aux fruits mûrs rouges confits et une longue finale, ce millésime conquérant qui méritera d'être attendu longtemps.

➤ Baron Philippe de Rothschild,
La Baronnie, B.P. 117, 33250 Pauillac,
tél. 56.59.20.20

CH. PEDESCLAUX 1985*

■ 5ème cru clas. n.c. 90 000 ⅢⅢ ☑5

⑦⓪ **75** 78 79 80 82 **|83|** 84 85

Bien que portant un nom sans doute moins familier aux oreilles des amateurs que ceux de certains autres crus classés, le château Pedesclaux produit un vin très agréable. Franc, rond, tannique et équilibré, il se distingue par la fine touche de cerise qui traverse les arômes.

➤ ED Kressmann et Cie,
35, rue de Bordeaux, B.P. 24, Parempuyre,
33290 Blanquefort, tél. 56.35.84.64 ⌶ r.-v.

CH. PICHON-LONGUEVILLE-BARON 1985**

■ 2ème cru clas. 45 ha 180 000 ⅢⅢ ♣ ☑7

77 78 79 80 **81 82 83 84 85**

On ne présente plus Pichon-Baron, dont l'administration vient d'être confiée à Jean-Michel Cazes, halte incontournable de tout bon «winetour». On prend plaisir à déguster et décrire son vin, d'un très bon niveau. La complexité des arômes n'a d'égal que l'équilibre de la structure d'ensemble, ronde, fruitée, élégante et charpentée.

➤ Ch. Pichon-Longueville-Baron, Saint-Lambert,
33250 Pauillac, tél. 56.59.00.82 ⌶ r.-v.
➤ Groupe Axa.

CH. PICHON LONGUEVILLE COMTESSE DE LALANDE 1985**

■ 2ème cru clas. 60 ha 301 000 ⅢⅢ ☑7

64 66 |70| 71 73 74 |76| |77| **78 |79|** 80 **81 82** 83 84 ⑧⑤

Trois étoiles, coup de cœur, encore lui, serait-on tenté de s'écrier. Mais n'allez pas lui faire une marque de galanterie envers le plus féminin des crus classés médocains. En fait Pichon-Lalande s'impose de lui-même. Comment résister à l'explosion d'un bouquet remarquable par sa richesse et sa complexité ? Comment ne pas craquer devant son extraordinaire progression au palais ? Comment ne pas être abasourdi par sa subtile finale ? Mieux qu'une grande bouteille, un personnage.

médoc. Très puissants, ce sont d'excellents vins de garde.

CH. ANDRON BLANQUET 1985**

■ Cru bourg. 16 ha 100 000

75 76 78 79 80 81 82 83 84 85

D'allure discrète, l'exploitation n'en présente pas moins avec ce 85 un vin très réussi. Évoquant la cerise par sa robe et ses parfums, il procure une fort agréable impression de «croquant» et finit très harmonieusement.

◆ SCE des Dom. Audoy, Saint-Estèphe, 33250 Pailliac, tél. 56.59.30.22 ▼ r.-v.

CH. BEAU SITE 1985*

■ Cru bourg. 30 ha 175 000

Issu d'un vignoble regardant le fleuve, ce vin assez typé illustre la qualité de son terroir d'origine par sa profonde couleur, sa puissance et son caractère chaleureux.

◆ M. Émile Castéja, Ch. Batailley, 33250 Pauillac, tél. 56.59.01.13 ▼ r.-v.

CH. CALON-SEGUR 1985***

■ 3ème cru clas. 69 ha 240 000

61 75 76 78 79 80 81 82 83 85

Jadis propriété du marquis de Ségur, le «prince des vignes», ce domaine produit un vin aristocratique. D'une grande finesse par ses notes aromatiques mêlant le merlot surmaturé à la fraise, ce 85 s'inscrit dans la tradition du cru. Une belle bouteille élégante et racée.

◆ MM. Gasqueton et Peyrelongue, Ch. Calon-Ségur, Saint-Estèphe, 33250 Pauillac, tél. 56.59.30.27 ▼ r.-v.

Saint-Estèphe

A quelques encablures de Pauillac et de son port, Saint-Estèphe affirme un caractère terrien avec ses rustiques hameaux pleins de charme. Correspondant (à l'exception de cinq ha compris dans l'appellation pauillac) à la commune elle-même (1 089 ha), l'appellation est la plus septentrionale des six appellations communales médocaines. Ce qui lui donne une typicité assez accusée, avec une altitude moyenne d'une quarantaine de mètres et des sols formés de graves légèrement plus argileuses que dans les appellations plus méridionales. Comptant cinq crus classés, les vins qui y sont produits (7,7 millions de bouteilles en 1982) portent la marque du terroir. Celui-ci renforce nettement leur caractère, avec, en général, une acidité des raisins plus élevée, une couleur plus intense et une richesse en tanin plus grande que pour les autres

◆ SCI Ch. Pichon-Longueville Comtesse-de-Lalande, 33250 Pauillac, tél. 56.59.19.40 ▼ r.-v.

◆ Mme de Lencquesaing.

CH. PONTET-CANET 1985**

■ 5ème cru clas. 75 ha 300 000

70 71 73 74 75 76 77 78 79 80 81 82 83 84 85

Longtemps légèrement inférieur à son classement et à sa renommée, ce cru, que bien des cinéphiles connaissent, revient à son niveau normal. Le millésime sait réserver quelques sensations fortes par la puissance de ses arômes et ses tanins, nuancée par de fines notes de groseille. Cette bouteille méritera d'être attendue.

◆ Ch. Pontet-Canet, 33250 Pauillac, tél. 56.59.00.79 ▼ r.-v.

◆ M. Guy Tesseron.

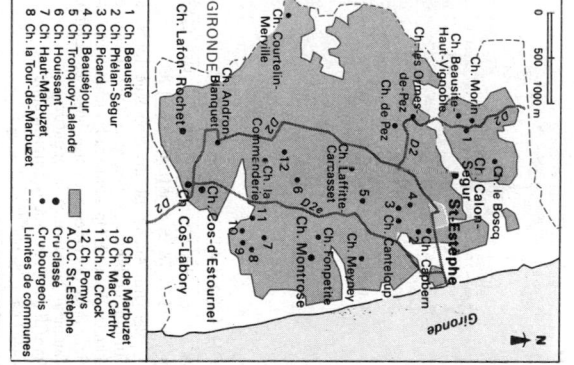

Saint-Estèphe

1 Ch. Beausite
2 Ch. Phélan-Ségur
3 Ch. Picard
4 Ch. Beauséjour
5 Ch. Tronquoy-Lalande
6 Ch. Houssant
7 Ch. Haut-Marbuzet
8 Ch. la Tour-de-Marbuzet
9 Ch. de Marbuzet
10 Ch. Mac Carthy
11 Ch. le Crock
12 Ch. Pomys

A.O.C. St-Estèphe
Cru classé
Cru bourgeois
Limites de communes

CH. CAPBERN GASQUETON 1985 [4]

■ Cru bourg. 30 ha 120 000

83 |85|

Vieille propriété familiale, ce cru offre un vin au caractère assez marqué, presque sauvage, mais en même temps rond et aimable.

↳ ED Kressmann et Cie,
35, rue de Bordeaux, B.P. 24, Parempuyre,
33290 Blanquefort, tél. 56.35.84.64 ♈ r.-v.
↳ M. Philippe Capbern-Gasqueton.

CH. CHAMBERT-MARBUZET 1985** [█ ↓ ▽ 7]

■ 9 ha 60 000

Plus petit et moins connu que le château Haut-Marbuzet, du même propriétaire, ce cru n'en offre pas moins un vin qui n'a rien à envier à son grand frère. D'un beau rubis, il est très expressif par ses parfums et fait preuve d'un certain panache pour sa riche matière. Il offre de réelles garanties pour l'avenir.

↳ SCV Duboscq et Fils, Saint-Estèphe,
33250 Pauillac, tél. 56.59.30.54 ♈ t.l.j. sf dim.
8h-12h 14h-18h.

CH. COS D'ESTOURNEL 1985*** [█ ↓ ▽ 5]

■ 2ème cru clas. 45 ha 300 000

|70| 73 74 |75| 76 78 |79| 80 81 **82 83 |84| 85**

Rencontre du classicisme et de l'exotisme, la description des chais nécessiterait une belle collection de mots. Pourtant celle-ci serait microscopique, comparée à celle qu'exigerait sa richesse extrême de ce superbe vin qui sait marier les sensations les plus diverses. La couleur est profonde, le bouquet d'une extraordinaire puissance, la bouche impressionnante par sa rondeur, son ampleur, la richesse de sa palette aromatique. Une très grande classe.

↳ Dom. Prats SA, Cos d'Estournel, Saint-Estèphe, 33250 Pauillac, tél. 56.44.11.37

CH. COS LABORY 1985*** [█ ↓ ▽ 5]

■ 5ème cru clas. 15 ha 100 000

64 **70** 75 76 78 79 80 |81| |82| |83| 84 **85**

Bernard Audoy est un œnologue formé à l'institut de Bordeaux. Son 85 a toute l'élégance d'un cru bien né. On admirera la richesse aromatique (avec des notes de cassis, réglisse et vanille), l'ampleur, la puissance, la longueur.

↳ SCE des Dom. Audoy, Saint-Estèphe,
33250 Pauillac, tél. 56.59.30.22 ♈ r.-v.

CH. DOMEYNE 1985*** [█ ↓ ▽ 3]

■ Cru bourg. 3.76 ha 30 000

|82| 83 84 85

Un petit vignoble mais sûrement pas un petit vin : le 85 évolue très favorablement. Ses arômes fruités qui se développent généreusement ; sa charpente s'affirme, tout comme sa longue finale et ses séduisantes notes de réglisse. Une très belle bouteille en puissance.

↳ GFA du Ch. Domeyne, Saint-Estèphe,
33250 Pauillac, tél. 56.59.30.21 ♈ r.-v.

CH. HAUT-MARBUZET 1985** [█ ↓ ▽ 5]

■ Cru bourg. 40 ha 210 000

71 73 **75** |78| 79 80 81 **82 83 84 85**

Une honnête maison bourgeoise, sans plus, mais derrière, un ensemble de propriétés qui occupent une bonne place dans le quartier de Marbuzet et un très joli vin. Se présentant dans une belle robe grenat, il laisse se développer harmonieusement de fins arômes de poudre de cacao légèrement rancioté et manifeste une réelle puissance en bouche.

↳ M. Henri Duboscq, Ch. Haut-Marbuzet Saint-Estèphe, 33250 Pauillac, tél. 56.59.30.54 ♈ r.-v.
↳ SCV Henri Duboscq et Fils.

CH. LA COMMANDERIE 1985* [4]

■ 13 ha 90 000

(82) 83 84 |85|

Négociant ayant franchi le pas en devenant viticulteur, Gabriel Meffre produit dans son domaine stéphanois un vin aux arômes assez prometteurs, avec des notes de réglisse, de boisé et de cannelle. Une bouteille de plaisir et d'agrément.

↳ ED Kressmann et Cie,
35, rue de Bordeaux, B.P. 24, Parempuyre,
33290 Blanquefort, tél. 56.35.84.64 ♈ r.-v.
↳ SC Ch. Canteloup et Commanderie.

CH. LAFON-ROCHET 1985* [█ ↓ ▽ 6]

■ 4ème cru clas. 40 ha 120 000

70 71 **75 76 77 78** |79| 80 |81| **82 83 |84| 85**

Connu pour son château bâti dans les années 1960, le cru propose avec ce 85 un vin de bonne facture. Classique par sa couleur comme par ses arômes, il est franc et plaisant.

↳ Ch. Lafon-Rochet, Saint-Estèphe,
33250 Pauillac, tél. 56.59.32.06 ♈ r.-v.

CH. LA HAYE 1985** [█ ↓ ▽ 4]

■ Cru bourg. 7.30 ha 30 000

(78) |79| 81 **82** |83| 85

Cos d'Estournel et Lafite-Rothschild, voilà qui fait un excellent voisinage pour ce domaine, ancien rendez-vous de chasse de Henri II et de Diane de Poitiers. Il n'est donc pas étonnant que son vin soit très original par son nez, puissant, séveux, corsé et plein d'expression.

↳ GFA du Ch. La Haye, Saint-Estèphe,
33250 Pauillac, tél. 56.59.32.18 ♈ r.-v.

CH. LE BOSCQ 1985** [█ ↓ ▽ 4]

■ Cru bourg. 15 ha 90 000

76 77 78 |79| 80 81 **82 83 |84| 85**

Jouissant d'un terroir très homogène (d'un seul tenant), ce cru propose un vin bien typé.

322

CH. LES ORMES-DE-PEZ 1985**

Cru bourg. 30 ha 180 000
62 66 |70| |75| |78| 79 |81| |82| 83 84 85

Charpenté et gras, il allie de fins arômes encore un peu fermés à une belle présentation et à une finale explosive. Un grand classique du Médoc.

↪ M. Philippe Durand, Ch. Le Boscq, Saint-Estèphe, 33250 Pauillac, tél. 57.74.55.92 ⟙ r.-v.
↪ M. et Mme Lucien Durand.

CH. DE MARBUZET 1985***

Cru bourg. 25 ha 160 000
80 81 |82| |83| |84| |85|

Bien que non classé, ce cru est l'un des plus connus du Médoc. A cause de l'élégance de son château, diront certains. Mais s'ils goûtent le 85, ils verront que la qualité du vin peut tout aussi bien expliquer cette renommée. D'une teinte très foncée, il laisse exploser un feu d'artifice d'arômes, avant de montrer son ampleur, son équilibre et son exceptionnelle persistance au palais. Une bouteille de très grande classe.

↪ Dom. Prats SA, Cos d'Estournel, Saint-Estèphe, 33250 Pauillac, tél. 56.44.11.37

MARQUIS DE SAINT-ESTÈPHE 1985

Cru bourg. 320 ha 1 300 000
|70| 71 73 75 |76| 78 |79| 80 81 82 |83| 85

Produit par la Cave Stéphanoise, ce vin provient à un bon équilibre entre l'ampleur et la rondeur. Souple et gras, il est discrètement mais finement bouqueté et débouche sur une plaisante finale.

↪ SV de Saint-Estèphe, Saint-Estèphe, 33250 Pauillac, tél. 56.59.32.05 ⟙ t.l.j. sf dim. 8h30-12h 14h-18h.

CH. MEYNEY 1985***

Cru bourg. 52 ha 230 000
70 71 77 |79| 80 81 82 83 |84| 85

Beau et vaste domaine bordant la Gironde, ce cru tire un excellent profit de son terroir de grande qualité. D'une couleur presque noire, 85 en porte témoignage. Ses arômes, alliant des fruits rouges mûrs à la vanille, sont à la fois puissants et fins. Mais c'est surtout par sa montée au palais et son extrême longueur qu'il manifeste avec éclat son caractère harmonieux.

↪ Dom. Cordier SA, Ch. Meyney, Saint-Estèphe, 33250 Pauillac, tél. 56.31.44.44 ⟙ r.-v.

CH. MONTROSE 1985**

2ème cru clas. 68 ha 240 000
64 66 67 |70| 75 76 78 |79| |80| 81 |82| 83 34 85

Les poètes regretteront peut-être les fleurs roses qui couvraient jadis ce coteau graveleux, mais les amateurs ne se plaindront pas d'y voir de la vigne. Le beau vin qui y naît dispose de beaucoup d'atouts pour faire oublier la lande d'autrefois. Souple, rond et tannique, il possède en effet une belle collection de parfums qui vont

de fines senteurs de caramel et de fruits rouges à des notes de surmûri. Cette belle bouteille ne manquera pas d'évoluer très heureusement.

↪ M. Jean-Louis Charmolüe, Ch. Montrose, Saint-Estèphe, 33250 Pauillac, tél. 56.59.30.12 ⟙ r.-v.

CH. POMYS 1985*

Cru bourg. 7 ha 40 000
|75| 76 |78| 79 80 |81| |82| 83 84 |85|

Aujourd'hui séparé de son beau château, le cru produit un vin dont la profonde couleur laisse imaginer une belle matière. Ce que confirme le reste de la dégustation, avec beaucoup de fruit et une belle présence au palais.

↪ SARL Arnaud, Ch. de St-Estèphe et Pomys, Saint-Estèphe, 33250 Pauillac, tél. 56.59.32.26 ⟙ r.-v.

CH. SAINT-ESTÈPHE 1985**

Cru bourg. 13 ha 80 000
|75| 76 |78| 79 80 |81| |82| 83 84 85

Le fait d'avoir le même propriétaire n'implique pas pour autant d'être semblable. C'est le cas de Pomys et de Saint-Estèphe. Tantôt l'un tantôt l'autre l'emporte en qualité. 85 fut le millésime de Saint-Estèphe avec des arômes plus complexes et une puissance tannique supérieure.

↪ SARL Arnaud, Ch. de St-Estèphe et Pomys, Saint-Estèphe, 33250 Pauillac, tél. 56.59.32.26 ⟙ r.-v.

CH. TOUR DES TERMES 1985*

Cru bourg. 28 ha 180 000
|78| |79| 80 81 |82| |83| 84 85

Tirant son nom d'une vieille tour au milieu des vignes, ce cru a produit en 85 un vin harmonieux et tannique qui possède une ampleur réelle et devrait bien vieillir.

↪ M. Jean Anney, Ch. Tour des Termes, Saint-Estèphe, 33250 Pauillac, tél. 56.59.32.89 ⟙ r.-v.

CH. TRONQUOY-LALANDE 1985**

Cru bourg. 17 ha 90 000
77 80 81 |82| 83 |85|

A l'image de la propriété elle-même, ce vin d'une élégance sereine et classique. Attirant par sa robe grenat, il montre son charme par ses arômes complexes, sa souplesse et sa rondeur.

↪ MM. Dourthe Frères, 35, rue de Bordeaux, B.P. 70, Parempuyre, 33290 Blanquefort, tél. 56.35.84.64 ⟙ r.-v.
↪ Mme Casteja.

CH. VALROSE 1985**

Cru bourg. 5 ha 30 000
|84| 85

Ce 85 prouve que la bonne réputation du petit vignoble n'est pas usurpée. Outre son intense couleur et son bouquet puissant et complexe, on appréciera sa belle charpente aux tanins enrobant bien le vin.

↪ SCEA Ch. Valrose, 5, rue Michel-Audoy, Saint-Estèphe, 33250 Pauillac, tél. 56.59.72.02 ⟙ r.-v.
↪ M. Jean-Louis Audoin.

Saint-julien

« Saint-Julien » pour l'une, « Saint-Julien-Beychevelle » pour l'autre, saint-julien est la seule appellation communale du Haut-Médoc à ne pas respecter scrupuleusement l'homonymie entre les dénominations viticole et municipale. La seconde, il est vrai, a le défaut d'être un peu longue, mais elle correspond parfaitement à l'identité humaine et au terroir de la commune et de l'appellation, à cheval sur deux plateaux aux sols caillouteux et graveleux.

Situé exactement au centre du haut-Médoc, le vignoble de Saint-Julien constitue sur une superficie assez réduite (un peu inférieure à 750 ha), une harmonieuse synthèse entre Margaux et Pauillac. Il n'est donc pas étonnant d'y trouver onze crus classés (dont cinq seconds). A l'image de leur terroir, les vins offrent un bon équilibre entre les qualités des margaux (notamment la finesse) et celle des pauillac (le corps). D'une manière générale, ils possèdent une belle couleur, un bouquet fin et typé, du corps, une grande richesse et une très belle sève. Mais bien entendu les quelques 5,4 millions de bouteilles produites en moyenne chaque année à Saint-Julien, sont loin de se ressembler toutes, et les dégustateurs les plus avertis noteront les différences qui existent entre les crus situés au Sud (plus proches des margaux)

et ceux du Nord (plus près des pauillac) ainsi qu'entre ceux qui sont à proximité de l'estuaire et ceux qui se trouvent plus à l'intérieur des terres (vers Saint-Laurent).

CH. BEYCHEVELLE 1985★★★ ⬗ ⬗Ⅶ

4ème cru clas. 60 ha 250 000

73 74 75 76 78 79 80 81 82 83 85

Superbe exemple de chartreuse bordelaise, le château prend ici des airs de monument. Et le vin n'est pas loin de lui ressembler. Passons sur sa robe, non point qu'elle ne soit pas très belle, mais parce que la suite réserve des surprises encore plus intéressantes. Songez que le bouquet, complexe à souhait, évoque autant la vendange bien mûre que la vanille ; quelle présence au palais, avec une charpente parfaite, tannique, grasse et souple. Une bouteille remarquable.
➤ SC Ch. Beychevelle A. Fould, Saint-Julien-Beychevelle, 33250 Pauillac, tél. 56.59.23.00
Ⅰ lu. ma. me. je. ve. 9h-11h30 14h-17h30.

DOM. CASTAING 1985 ■

1,25 ha 4 000

82 83 84 85

Très B.C.B.G, saint-julien est l'appellation des grands crus. Mais elle réserve aussi quelques petits vins sympathiques, comme celui que produit ce domaine. Tannique et légèrement épicé, il ne manque pas de personnalité.
➤ M. Jean-Jacques Cazeau, Saint-Julien-Beychevelle, 33250 Pauillac, tél. 56.59.03.13
Ⅰ r.-v.

CH. DUCRU-BEAUCAILLOU 1985★★★ ⬗ ⬗Ⅶ

2ème cru clas. 50 ha 180 000

66 70 71 75 76 78 79 80 81 82 83 84 85

Un superbe 85 : à la limite du noir, la couleur est exceptionnelle. Tout comme le bouquet dont la concentration et la diversité, avec des notes empyreumatiques, traduit le terroir de coteau graveleux. Au palais, on retrouve la densité du cabernet-sauvignon avec une petite note animale, et la rondeur des merlots très mûrs, dans une riche palette de saveurs. Un vrai Ducru-Beaucaillou élaboré pour accompagner la fin du siècle.

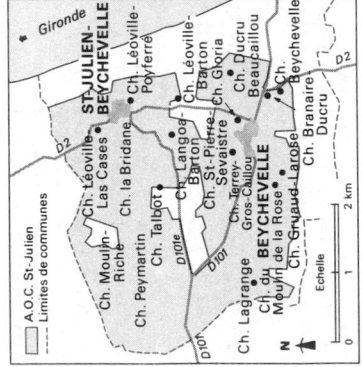

Saint-Julien

324

CH. LA BRIDANE 1985

■ 13 ha 80 000

74|75|78|79| 80 |81|82| 83 84 |85|

Situé sur l'un des points culminants de la commune de Saint-Julien, ce château propose avec le 85 un vin dont on appréciera le jeune corps assez tannique pour pouvoir évoluer favorablement dans l'avenir immédiat.

↣ GFA Pierre Saintout, Saint-Julien-Beychevelle, 33250 Pauillac, tél. 56.59.91.70
Ɪ r.-v.

CH. GRUAUD-LAROSE 1985***

■ 2ème cru clas. 81 ha 400 000

70 71 77 |78 |79| 80 |81 |82| 83 |84| 85

Divisé puis reconstitué, ce cru aurait pu oublier son passé. Mais il n'en est rien, son nom rappelant ses deux premiers propriétaires. Ceux-ci ne sont pas trahis par l'intensité de la robe que par la grande finesse des arômes (réglisse, tabac, vanille et multitude d'épices). Ample, rond, parfaitement charpenté, charnu, il est aussi remarquable par sa finale. La puissance tannique de l'ensemble garantit un très bel avenir à cette superbe bouteille.

↣ Ets Cordier, 10, quai de Paludate, 33800 Bordeaux, tél. 56.31.44.44 Ɪ r.-v.

↣ M. Jean-Eugène Borie, Ch. Ducru-Beaucaillou, Saint-Julien-Beychevelle, 33250 Pauillac, tél. 56.59.05.20 Ɪ r.-v.

CH. GLORIA 1985*

■ Cru bourg. 48 ha 50 000

64 66 70 71 |75| 76 |78 |79 |81 |82 |83| 85

Constitué par l'actuel propriétaire à partir d'une patiente sélection de parcelles bien situées ce cru offre un joli vin. Intense par sa robe et son bouquet, où se mêlent tabac et épices, ce 85 possède un corps qui lui permettra de bien vieillir. Une bouteille à attendre.

↣ Dom. Henri Martin, Ch. Gloria, Saint-Julien-Beychevelle, 33250 Pauillac, tél. 56.59.08.18
Ɪ r.-v.

CH. LAGRANGE 1985***

■ 3ème cru clas. 112 ha n.c.

78 79 |81| 82 |83| 84 (85)

Ayant bénéficié d'importants investissements, ce cru exprime aujourd'hui pleinement les potentialités de son terroir homogène et bien drainé. D'une grande finesse aromatique, avec des notes mentholées, 85 a tout pour donner une belle bouteille. Soyeux, ample, gras et d'une grande concentration, il allie harmonieusement la puissance à la finesse.

↣ SARL Ch. Lagrange, Saint-Julien-Beychevelle, 33250 Pauillac, tél. 56.59.23.63 Ɪ r.-v.
↣ Suntory Ltd.

CH. LALANDE-BORIE 1985**

■ Cru bourg. 18 ha 90 000

75 76 77 |78 |79| 80 |81| (82) |83| 84 |85|

Appartenant au même propriétaire que Ducru-Beaucaillou, ce cru, reconstitué depuis 1970, produit un vin on ne peut plus charmeur. Délicat, enjôleur et capiteux par son bouquet, il fait preuve en bouche d'une réelle concentration et d'une belle élégance.

↣ M. Jean-Eugène Borie, Ch. Lalande-Borie, Saint-Julien-Beychevelle, 33250 Pauillac, tél. 56.59.05.20 Ɪ r.-v.

CH. LANGOA-BARTON 1985***

■ 3ème cru clas. 15 ha 75 000

70 71 73 74 75 77 |78 |79| 80 |81 |82| 83 84 (85)
86

Un grand cru classé créé au début du XIXe s. et appartenant toujours à la famille du fondateur. Le fait est assez rare pour être noté. Le vin, lui non plus, ne passe pas inaperçu. Éclatant au nez, avec un véritable feu d'artifice de fruits et d'épices, il explose au palais qu'il attaque avec ampleur et souplesse. Son gras, sa mâche et sa charpente mènent ensuite tout droit à une très belle finale. Une excellente bouteille promise à un grand avenir.

↣ SF Ch. Langoa-Léoville-Barton, Saint-Julien-Beychevelle, 33250 Pauillac, tél. 56.59.06.05
Ɪ r.-v.

CH. LEOVILLE-BARTON 1985***

■ 2ème cru clas. 45 ha 256 000

70 71 73 74 75 77 |78|79| 80 |81 |82 |83| 84 (85)

Avec ce millésime le cru inaugure une nouvelle étiquette; l'élégance de la robe rejoint celle du graphisme. Merveilleusement bien boisée, la suite s'inscrit dans la même ligne. Distinction, rondeur, amplitude et équilibre, sont quelques-unes des qualités qui caractérisent cette bouteille dont le vieillissement ne réservera que de bonnes surprises.

↣ SF Ch. Langoa-Léoville-Barton, Saint-Julien-Beychevelle, 33250 Pauillac, tél. 56.59.06.05
Ɪ r.-v.

CH. LEOVILLE-LAS-CASES 1985***

■ 2ème cru clas. 80 ha n.c.

67 |70 |71 |75 |76| 77 |78 |79 |80| 82 |83| 84 |85|

Tout est mis en œuvre pour que le produit de ce terroir exceptionnel soit à la hauteur de sa réputation. Objet de rigueur, de sélection sans faille, le vin possède une robe rouge très sombre,

presque noire. Son bouquet intense, traduit la maturité et la concentration d'une très belle matière rehaussée, avec juste mesure, d'une touche de merrain. Un savoureux équilibre explose en bouche où les saveurs sont multiples et enrobées par le plaisir des sens. Un ensemble d'une totale harmonie.

SC du Ch. Léoville-las-Cases, Saint-Julien-Beychevelle, 33250 Pauillac, tél. 56.59.25.26 r.v.

CH. LÉOVILLE-POYFERRÉ 1985***

| 2ème cru clas. | 68 ha | n.c. |

76 78 79 80 81 82 83 84 85

Constitué par la partie centrale du plateau de Léoville, ce château se montre parfaitement digne de son classement et de son prestige par sa production. Ce très beau 85 au bouquet fin et nuancé est d'un remarquable équilibre. Rond et charpenté, il est déjà excellent mais il faudra savoir faire preuve de patience pour résister à la tentation et attendre qu'il ait atteint son apogée.

SC du Ch. Léoville-Poyferré, Saint-Julien-Beychevelle, 33250 Pauillac, tél. 56.59.08.30

LES FIEFS DE LAGRANGE 1985***

| n.c. | n.c. |

Pour n'être que le second vin du château Lagrange, ce cru n'en est pas moins un grand à part entière. Élégant, plein, riche, ce beau 85 est très typique de l'appellation par ses arômes velou-tés et crémeux.

SARL Ch. Lagrange, Saint-Julien-Beychevelle, 33250 Pauillac, tél. 56.59.23.63 r.v.
Suntory Ltd.

CLOS DU MARQUIS 1985***

| n.c. | n.c. |

75 76 78 79 81 82 83 84 85

M. Michel Delon et son équipe recherchent un produit de haute lignée. Si, au départ, le Clos du Marquis contenait les vins issus de jeunes vignes, le vignoble, prenant de l'âge, permet d'élaborer un cru qui, sans atteindre les sommets gustatifs de son grand frère, est plus que beau. Beau par sa couleur rouge profond à reflets sombres, par son nez très vanillé, doux, délicat mais tenace ; beau par son corps marqué par un joli boisé avec des notes de truffes, de sous-bois, de réglisse.

SARGET 1985*

| n.c. | n.c. |

Bien que signé par le même producteur que les châteaux Gruaud-Larose et Talbot, ce vin n'a pas leur personnalité. Mais comment atteindre la remarquable dimension de ses aînés ? Plus qu'honnête, il devrait mériter d'être attendu si l'on en juge d'après sa solide structure.

Ets Cordier, 10, quai de Paludate, 33800 Bordeaux, tél. 56.31.44.44 r.v.

CH. TALBOT 1985***

| 4ème cru clas. | 103 ha | 450 000 |

62 70 71 77 78 79 80 81 82 83 84 85

Un des rares crus médocains à n'avoir jamais connu d'éclipse. A la subtilité du bouquet de ce brillant millésime qui se traduit par des notes de grillé et de torréfaction, répond en bouche un équilibre parfait entre charpente tannique et le gras. Aucun doute n'est permis, cette bouteille est d'un grand avenir.

M. Jean Cordier, Ch. Talbot, Saint-Julien-Beychevelle, 33250 Pauillac, tél. 56.31.44.44 r.v.

CH. TERREY-GROS-CAILLOUX 1985*

| Cru bourg. | 15 ha | 70 000 |

77 79 80 81 82 83 85

Dans une robe pourpre, le nez, encore fermé, montre une note épicée. Ce cru est d'une bonne régularité par sa production franche et nette.

MM. A. Fort et H. Pradère, Ch. Terrey-Gros-Cailloux, Saint-Julien-Beychevelle, 33250 Pauillac, tél. 56.59.06.27 t.l.j. sf dim. 8h30-12h 14h-16h30 ; f. 2ème quinz. août

CH. SAINT-PIERRE 1985**

| 4ème cru clas. | 17 ha | 50 000 |

82 83 85

Une gentille petite étiquette un peu XIXe s. pour un très joli vin. Rond, gras et charpenté, il prouve par sa nervosité qu'il possède beaucoup de caractère. Comme il se doit, il pourra vieillir sans crainte, ce qui permettra d'apprécier son bouquet exceptionnellement typé pendant encore de longues années.

Dom. Henri Martin, Ch. Gloria, Saint-Julien-Beychevelle, 33250 Pauillac, tél. 56.59.08.18 r.v.

Les vins blancs liquoreux

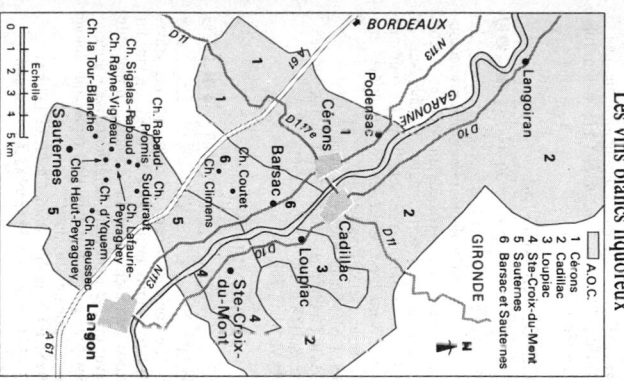

Quand on regarde une carte vinicole de la Gironde, on remarque aussitôt que toutes les appellations de liquoreux se retrouvent dans une petite région située de part et d'autre de la Garonne, autour de son confluent le Ciron. Simple hasard ? Assurément non, car c'est l'apport des eaux froides de la petite rivière landaise au cours entièrement couvert d'une voûte de feuillages qui donne naissance à un climat très particulier. Celui-ci favorise l'action du botrytis cinerea, champignon de la pourriture noble. En effet, le type de temps que connaît la région en automne (humidité le matin, chaud soleil l'après-midi) permet au champignon de se développer sur un raisin parfaitement mûr sans le faire éclater : le grain se comporte comme une véritable éponge et le jus se concentre par évaporation d'eau. On obtient ainsi des moûts très riches en sucre.

Mais pour obtenir ce résultat, il faut accepter de nombreuses contraintes. En effet, le développement de la pourriture noble est irrégulier sur les différentes baies ; il faut donc vendanger en plusieurs fois, par très successives, en ne ramassant à chaque fois que les raisins dans l'état optimum. En outre, les rendements à l'hectare sont faibles (avec un maximum autorisé de 25 hectolitres à Sauternes et Barsac) ; enfin, l'évolution de la surmaturation est très aléatoire, car en fonction des conditions climatiques ; aussi les grands millésimes sont-ils encore plus rares que pour les vins rouges.

Les vins blancs liquoreux

Quoi de neuf dans les Liquoreux ?

En 1986 l'extraordinaire développement de la pourriture noble semblait permettre tous les espoirs, y compris ceux du millésime du siècle. Malheureusement le fort rendement des sémillons a dans certains cas un peu contrebalancé ces dispositions exceptionnelles. Et le résultat, tout en s'annonçant de grande qualité, ne possèdera sans doute pas la même homogénéité que certains autres millésimes. En revanche, l'on trouvera quelques cuvées ou têtes de cuvée qui seront réellement hors de pair, notamment par leur côté très rôti et très plein. Et, d'une manière générale, l'on devrait avoir avec 86 un millésime de longue garde, avec plus de rôti que le 85 (qui plus fruité et floral sera à boire plus jeune). Si l'on peut noter le début de la construction d'un nouveau chai souterrain à Yquem, c'est malheureusement une disparition qui a marqué l'année 1986 dans les liquoreux, avec la mort du comte de Bournazel (propriétaire du château de Malle) qui était l'une des grandes figures de Sauternes.

Cadillac

Cette bastide qu'anoblit son splendide château du XVIIe s., surnommé « le Fontainebleau girondin », est souvent considérée comme la capitale des premières côtes. Mais c'est aussi, depuis 1983, une appellation de liquoreux. Encore réduite à quelques 80 ha, il est difficile aujourd'hui de définir avec rigueur ses caractéristiques.

Les vins blancs liquoreux

CH. FAYAU 1986*

(75) 86

| 8 ha | 35 000 | [icons] |

Une belle chartreuse et un vignoble où domine le sémillon. Les raisins sont récoltés par tries successives au fur et à mesure des atteintes de la « Pourriture Noble ». De ces traditions ancestrales naît un vin portant une très belle robe ; fougueux par sa jeunesse, long en bouche et gras, il est bien équilibré. Un long vieillissement est souhaitable.
➤ MM. Jean Médeville et Fils, Ch. Fayau, 33410 Cadillac, tél. 56.62.65.80 ☎ lu. ma. me. je. ve. 8h-12h 14h-16h.

CH. LABATUT-BOUCHARD 1985*

[83] 85

| n.c. | n.c. | [icons] |

Lorsque les grains de sémillon sont « rôtis », la robe est belle ; quand le raisin est « confit », le nez est fruité ; après l'œuvre accomplie par le botrytis cinerea le vin acquiert toute sa noblesse.
➤ M. Michel Bouchard, Ch. Labatut-Bouchard, Saint-Maixant, 33490 Saint-Macaire, tél. 56.62.02.44 ☎ r.-v.

CH. LA BERTRANDE 1984*

[81] 83 84

| 20 ha | 15 000 | [icons] |

Situé à 5 km de Cadillac-ville, ce château domine en partie la vallée de la Garonne et produit un vin d'une jolie robe, sérieux, équilibré, peut-être trop puissant, à boire maintenant.
➤ GAEC Vignobles Henri Gillet, Ch. La Bertrande, Omet, 33410 Cadillac, tél. 56.62.97.16 ☎ r.-v.

CH. DU CROS 1986

[81] [82] [83] 85 [86]

| 38 ha | 48 000 | |

Ce fut dès 1250 la place forte du « Cros ». Construit sur un rocher, le château domine la Garonne dans ses courbures les plus harmonieuses. Le vin est riche en mélange floral et fruité. L'attaque est souple. Grâce à son nez prometteur, il fait oublier une finale un peu courte.
➤ M. Michel Boyer, Ch. du Cros, Loupiac, 33410 Cadillac, tél. 56.62.99.31 ☎ r.-v.

CH. CLOS JEAN 1986*

[81] 83 [85] 86

| 11 ha | 60 000 | [icons] |

Hors l'accueil chaleureux réservé aux visiteurs par le propriétaire de ce domaine, le plus étonnant par le vieillissement d'un vin en petites cuves. Couleur jaune paille, d'intensité assez soutenue, riche, ce millésime, d'une attaque souple, évolue avec des arômes assez persistants.
➤ SCEA Vignobles Bord, Clos Jean, Loupiac, 33410 Cadillac, tél. 56.62.99.83 ☎ t.l.j. sf dim. 8h-20h.

CH. MOULIN NEUF 1982

[82] [83] [85]

| 4 ha | 10 000 | [icons] |

D'intensité soutenue, or un peu ocre, aux nuances mentholées, ce cru, souple et gras, ne manquerait pas de présence en finale les puissances aromatiques n'étaient pas aussi courtes.
➤ M. Alain Bosviel, Ch. Saint-Martin, 33410 Cadillac, tél. 56.62.68.21 ☎ r.-v.

CH. PEYROT-MARGES 1985**

79 80 [81] 82 83 84 85

| 2 ha | 10 000 | [icons] |

Couleur jaune intense légèrement ambrée, assez riche en notes vanillées, fruits confits et miel. L'attaque est souple ; boisé de type « croûte de pain confit », ce vin est puissant, très bien équilibré. Il devra se fondre dans le temps et donner un très jolie bouteille.
➤ GAEC des Vignobles Chassagnol, Gabarnac, 33410 Cadillac, tél. 56.62.98.00 ☎ t.l.j. sf dim. 10h-12h 15h-18h30.

CH. DE RICAUD 1986

[82] [83] [86]

| 25 ha | 30 000 | [icons] |

Cette splendide demeure moyenâgeuse entourée de 120 hectares possède un domaine viticole planté, pour la partie vigne blanche, sur 25 hectares, à dominance sémillon. Ce vin aux reflets verts présente un nez floral léger avec une finale aux sensations de cuit.
➤ SGMC Ch. de Ricaud, Loupiac, 33410 Cadillac, tél. 56.62.97.57 ☎ lu. ma. me. je. ve. 8h-12h 13h30-17h30 ; f. août
➤ M. Alain Thiénot.

CH. RONDILLON 1986

[83] [85] 86

| 7 ha | 30 000 | [icons] |

Le domaine occupe un mamelon, îlot graveleux, autour duquel-tourne le soleil. Le vin, lui aussi, se présente bien, d'une coloration naissante avec un développement floral botrytisé. L'attaque est souple avec une évolution rapide qui donne une finale un peu courte.
➤ SCEA Vignobles Bord, Clos Jean, Loupiac, 33410 Cadillac, tél. 56.62.99.83 ☎ t.l.j. sf dim. 8h-20h.

Loupiac

Le vignoble de Loupiac est d'une origine ancienne, son existence étant attestée depuis le XIIIe s. Par l'orientation, les terroirs et l'encépagement, cette appellation est très proche de celle de sainte-croix du mont. Mais comme sur la rive gauche, on sent, en allant vers le nord, une subtile évolution des liquoreux proprement dits vers des vins plus moelleux.

Les vins blancs liquoreux

Sainte-croix-du-mont

Un site de coteaux abrupts dominant la Garonne, trop peu connu en dépit de son charme ; et un vin ayant trop longtemps souffert (à l'égal des autres appellations de liquoreux de la rive droite) d'une réputation de vin de noces ou de banquets, mais le résultat est le même...

Pourtant, cette appellation, située en face de Sauternes, mérite mieux : à de bons terroirs, en général calcaires avec des zones graveleuses, elle ajoute un micro climat favorable au développement du botrytis. Quant aux cépages et aux méthodes de vinification, ils sont très proches de ceux du Sauternais. Et les vins, autant moelleux que véritablement liquoreux, offrent une plaisante impression de fruité. On les servira comme leurs homologues de la rive gauche ; mais leur prix, plus abordable, pourra inciter à leur donner un petit côté fou, par exemple pour composer de somptueux cocktails, idéals pour un dîner ou une soirée intime...

CH. DES GRAVES DU TICH 1985*

☐   2 ha   7000   🔲🔲

Avec du foie gras ou encore du roquefort : ce sainte-croix-du-mont 85 offre des arômes très caractéristiques, faits de miel sur du pain grillé. L'attaque est joyeuse, le gras bien présent, l'équilibre aérien.

☞ M. Jean Queyrens, Au Grand Village, Donzac, 33410 Cadillac sur Garonne, tél. 56.62.97.42
📞 t.l.j. 8h-12h 14h-18h.

CH. LA RAME
Réserve du Château 1985***

☐ 78 |80| |82| |83| |85|| 20 ha   20000   🔲🔲🔲

C'était au début du siècle : le négoce bordelais, amoureux du vin de ce domaine, voulait lui ouvrir un avenir des plus ambitieux. Ce millésime 85, doré, brillant, avec des impressions boisées, est fin et élégant. Il faudra attendre que le bois se fonde et ce vin sera fait de délicatesse et de puissance associées.

☞ M. et Mme F. et Y. Armand, La Rame, Sainte-Croix-du-Mont, 33410 Cadillac, tél. 56.62.01.50
📞 t.l.j. 9h-12h 14h-20h.
☞ GFA Ch. La Rame.

CH. BEL-AIR 1985*

☐ |79| |82| 83| |85| 9 ha   30000   🔲🔲

Belle robe qui commence à évoluer vers le doré. Ce vin, avec quelques nuances bouquetées très flatteuses, possède une bonne attaque classique, un très bon équilibre général. Une petite pointe d'amertume, en finale, lui donne du relief. Bel avenir.

☞ M. Michel Méric, Ch. Bel-Air, Sainte-Croix-du-Mont, 33410 Cadillac, tél. 56.62.01.19
📞 r.-v.

CH. H. DE BARITAULT 1983**

☐   7 ha   4000   🔲🔲

Brillant avec des reflets dorés, ce vin bouqueté aux nuances de tilleul possède une attaque ample et généreuse : riche et onctueux, ce millésime, à la finale intéressante, montre toute son élégance.

☞ Mr. Pierre Larrieu, Ch. H. de Baritault, Sainte-Croix-Du-Mont, 33410 Cadillac, tél. 56.62.04.52
📞 r.-v.

CH. GRAND COUSTIN 1986

☐ |81| 86   6 ha   20000

Ambré et brillant, avec un nez dit de « cuit » et une bonne attaque, ce vin équilibré se développe bien, avec des arômes persistants de « rôti ».

MISE EN BOUTEILLES AU CHÂTEAU

Château La Rame

Appellation Sainte-Croix-du-Mont contrôlée

Réserve du Château

Propriétaires-Exploitants à Sainte-Croix-du-Mont (Gironde) - France

1985

Nº 14226   75cl

Y. ARMAND & FILS

CH. LOUBENS 1983*

☐ 64 66 |70| |71| |75| |76| |78| 79 81 82 83   n.c.   n.c.   🔲🔲🔲

Ambré, fin, brillant, avec des odeurs florales (acacia), ce vin est riche, ample, et d'un bon équilibre, surtout en fin e, d'un bon liqueur, surtout en fin e, il doit se faire attendre et devrait se sublimer dans quelques années. Ne pas manquer le site exceptionnel et le très beau château ou Louis XVI entendit la messe avec le maître des lieux, Pierre de Lancre, célèbre chasseur de sorcières.

☞ SC du Ch. Loubens, Ch. Loubens, Sainte-Croix-du-Mont, 33410 Cadillac, tél. 56.62.01.25
📞 r.-v.

CH. LOUSTEAU-VIEIL 1986

☐ |81| |82| |83| 84 |85| 86   13 ha   50000   🔲🔲🔲

Jaune à nuances dorées, ce vin légèrement dosé possède une attaque souple, avec de bons

---

☞ Ch. Grand Coustin, Sainte-Croix-Du-Mont, 33410 Cadillac, tél. 56.62.01.90 📞 r.-v.
☞ M. Camille Pourgaion.

Les vins blancs liquoreux

arômes persistants en bouche malgré une finale un peu courte.
↳ M. Roland Sessacq, Sainte-Croix-Du-Mont, 33410 Cadillac, tél. 56.62.01.41 ☓ r.-v.

CH. PEYROT-MARGES 1985**

☐ 5 ha 25 000

79 80 |81| 82 84 85

Or fin brillant, d'une intensité odorante relevant des odeurs de fruits confits et de noyaux d'abricot, ce vin a une attaque riche, puissante et charpentée. L'ensemble assez gras est bien équilibré. L'évolution est mise en valeur par un excellent boisé. Le retour est long et harmonieux. Un très grand vin qui devrait bien vieillir.
↳ GAEC des Vignobles Chassagnol, Gabarnac, 33410 Cadillac, tél. 56.62.98.00 ☓ t.l.j. sf dim. 10h-12h 15h-18h30.

GRAND ENCLOS DU CHATEAU DE CERONS 1986**

☐ 4 ha 10 000

|67| |70| |72| |75||76| 81 |82| 83 85 |86|

Sous une étiquette d'une grande sobriété se cache l'une des valeurs sûres de Cérons, par sa couleur, ses fins arômes, son gras, sa rondeur et sa belle construction.
↳ M. Olivier Lataste, Grand Enclos du Ch. de Cérons, Cérons, 33720 Podensac, tél. 56.27.01.53 ☓ r.-v.

Cérons

Enclavés dans les Graves (appellation à laquelle ils peuvent aussi prétendre, à la différence des sauternes et barsac), les cérons assurent une liaison entre les barsac et les graves supérieurs moelleux. Mais là ne s'arrête pas leur originalité, qui réside aussi dans une sève particulière et une grande finesse.

CH. D'ARCHAMBEAU 1985***

☐ (76) 1,50 ha 5 000

80 |81| |85|

Venu des portes du Sauternais, ce vin, aussi plaisant au nez qu'à l'œil, n'a pas le caractère rustique de la demeure. Ses fins arômes d'abricot lui donnent une réelle distinction qui se marie avec du gras et une belle note de rôti. Plein et bien équilibré, l'ensemble est assurément une belle réussite.
↳ M. Jean-Philippe Dubourdieu, Ch. d'Archambeau, Illats, 33720 Podensac, tél. 56.62.51.46 ☓ r.-v.

Barsac

Tous les vins de l'appellation barsac peuvent bénéficier de l'appellation sauternes. Barsac s'individualise cependant par rapport aux communes du Sauternais proprement dit par un moindre vallonnement et par les murs de pierre entourant souvent les exploitations. Ses vins, eux, se distinguent des sauternes par un caractère plus légèrement liquoreux. Mais comme eux, ils peuvent être servis de façon classique, sur un dessert, ou, comme cela se fait de plus en plus, en entrée, sur un foie gras, ou sur les fromages forts de type roquefort.

CH. BROUSTET 1986*

☐ 2ème cru clas. 15 ha 20 000

|78||79| 80 81 82 83

Pour la petite histoire, on notera qu'ici est née la barrique bordelaise, ce domaine ayant abrité une importante tonnellerie. Mais on retiendra surtout l'agrément de ce vin au plaisant bouquet, dont les parfums mêlent judicieusement le bois et la vanille aux abricots.
↳ SEV Fournier, Ch. Canon, 33330 Saint-Emilion, tél. 57.24.70.79 ☓ r.-v.

CH. CLIMENS 1985**

☐ 1er cru clas. 35 ha 50 000

71 72 73 74 |76| 79 80 81 (83) 85

Ici, autant l'architecture du château est simple, autant le bouquet du vin est complexe. Il interpelle le dégustateur qui se demande s'il fait plus penser au sous-bois, au pain grillé ou au fruit confit. Sans pouvoir prétendre égaler certains millésimes du même cru, ce 85 possède une sacrée personnalité.

Château d'Archambeau — 1985 — CÉRONS — APPELLATION CÉRONS CONTROLÉE — J. PHILIPPE DUBOURDIEU, PROPRIÉTAIRE A ILLATS (GIRONDE) — MIS EN BOUTEILLE AU CHÂTEAU

CH. COUTET 1986**

1er cru clas.　36 ha　80 000

69 71 73 75 76 78 79 80 81 83 85 86

Comme le rappelle son architecture, ce domaine est l'un des plus anciens du Sauternais. Mais ça c'est le passé. Ici, le guerrier, le présent est beaucoup plus pacifique. C'est d'ailleurs à quelque élégant aristocrate que fait penser ce très joli 86, fin, agréable et bien équilibré. Dans cette bouteille, tout montre un travail soigné.

↜ SC du Ch. Coutet, Barsac, 33720 Podensac, tél. 56.27.15.46 r.-v.

↜ M. Baly.

CH. DOISY-DAENE 1986***

2ème cru clas.　n.c.

80 81 82 83 86

Ce domaine, très homogène, est considéré comme l'un des fleurons de l'appellation. Le splendide 86 ne peut que contribuer à asseoir cette renommée. Parfait par sa robe qui fait à merveille la «queue de paon», il est très typé par ses arômes de rôti et libère en bouche un volume rare. Fraîche et moelleuse à souhait, cette superbe bouteille mérite d'être suivie de près.

↜ M. Pierre Dubourdieu, Doisy-Daëne, Barsac, 33720 Podensac, tél. 56.27.15.84 r.-v.

CH. DOISY-DUBROCA 1985

2ème cru clas.　4 ha　6 000

Associé depuis longtemps à Climens, ce cru frère, à sans doute pas autant de personnalité que son frère. Mais il possède une certaine complexité aromatique qui s'exprime même dans certains millésimes plus difficiles, comme ce 85.

↜ M. Lucien Lurton, Ch. Climens, 33720 Barsac, tél. 56.27.15.33

CH. FARLURET 1986**

8.60 ha　20 000

76 78 81 82 83 85

Ici, l'étiquette est plutôt triste. Heureusement, le vin ne lui ressemble pas. La jolie robe annonce ses qualités. Qu'il s'agisse de ses parfums, qui mêlent les notes de miel aux touches de rôti, ou de sa présence en bouche, ronde et grasse, c'est un ensemble fort bien fait.

↜ MM. Robert Lamothe et Fils, Ch. Haut-Bergeron, Preignac, 33210 Langon, tél. 56.63.24.76 r.-v.

CH. GRAVAS 1986**

11 ha　35 000

67 69 70 71 75 76 78 81 82 83 85 86

Voisin des Doisy, ce cru s'appela un temps «Doisy-Gravas». C'est dire qu'il jouit d'un bon terroir. On ne s'étonnera donc pas des qualités du vin, notamment de ce beau 86 au riche bouquet, et dont la présence au palais se manifeste par beaucoup de gras et de beaux arômes, allant des amandes aux abricots.

↜ M. Pierre Bernard, Ch. Gravas, Barsac, 33720 Podensac, tél. 56.27.15.20 L.l.j., 8h-12h 14h-16h.

CH. LIOT 1985*

20 ha　60 000

Venu du plateau argilo-calcaire du haut Barsac, ce joli vin, récolté à bonne maturité et bien fait, ne décevra pas l'amateur qui appréciera encore sa belle robe, sa finesse, son bouquet floral et son moelleux en bouche.

↜ M. Jean-Gérard David, Ch. Liot, Barsac, 33720 Podensac, tél. 56.27.15.31 r.-v.

CH. MENOTA 1986

n.c.

Véritable château fort pour jeux de construction, ce domaine n'est pas banal. Son propriétaire ne l'est pas plus. Vin un peu traditionnel. D'un classicisme de bon aloi, il est finement bouqueté, avec de jolies notes florales, et fort bien équilibré. Voilà une bouteille bien typée par son «rôti».

↜ M. Robert Labat, Ch. Ménota, 33720 Barsac, tél. 56.27.15.80 r.-v.

CH. NAIRAC 1986**

2ème cru clas.　16 ha　20 000

Bel édifice néoclassique, le château Nairac possède une élégance qui se retrouve dans son vin. On aimera ses parfums délicats, balsamiques, avec leurs notes d'acacia et de vanille. Rond, équilibré et long, avec une bouche où l'on retrouve le pain grillé et la vanille, l'ensemble laisse sur une très belle impression.

↜ Mme Nicole Tari, Ch. Nairac, Barsac, 33720 Podensac, tél. 56.27.16.16 r.-v.

CH. PIADA 1986***

10 ha　26 000

70 71 73 75 76 79 80 81 82 83 85 86

Si quelqu'un vous dit que le Piada 86 est superbe, vous pourrez en conclure qu'il s'y connaît en matière de vin. Frais et jeune, le bouquet se savoure comme une délicieuse tarte aux fruits maison. Puis monte une impression d'élégance et d'équilibre qui conduit à une finale d'exception par sa matière, ses arômes de grillé et ses notes de passerillage de fruit.

Les vins blancs liquoreux

Sauternes

faire ramasser les raisins, malgré leur état surmûri. Mais si vous en visitez cinq, vous n'y comprendrez plus rien, chacun ayant sa propre version, qui se passe évidemment chez lui. En fait, nul ne sait qui « inventa » le sauternes, ni quand ni où.

Si l'histoire, en Sauternais, se cache toujours derrière la légende, la géographie, elle, n'a plus de secret. Chaque caillou des cinq communes constituant l'appellation (dont Barsac, qui possède sa propre appellation) est recensé et connu dans toutes ses composantes. Il est vrai que c'est la diversité des sols (graveleux, argilo-calcaires ou calcaires) et des sous-sols qui donne son caractère à chaque cru, les plus renommés étant implantés sur des croupes graveleuses. Obtenus avec trois cépages, le sémillon (70 à 80 %), le sauvignon (20 à 30 %) et la muscadelle, les vins de Sauternes sont dorés, onctueux, mais aussi fins et délicats. Leur bouquet « rôti » se développe très bien au vieillissement, devenant riche et complexe, avec des notes de miel, de noisette et d'orange confite. Il est à noter que les sauternes sont les seuls vins blancs à avoir été classés en 1855.

CH. PIOT DAVID 1986

| ☐ | 7 ha | 21 000 | 🍷 ↓ ♥ 4 |

75 81 |82| |83| |84| 85 86

Issu d'un vignoble d'un seul tenant, clos de murs, ce vin, résolument moderne, sait se rendre sympathique par ses notes aromatiques de noisettes et d'épices.
➥ M. Jean-Luc David, Ch. Poncet, Omet, 33410 Cadillac, tél. 56.62.97.30 ⊤ r.-v.

CH. DE ROLLAND 1986

| ☐ | 15 ha | 40 000 | 🍷 🍷 ↓ ♥ 4 |

78 79 80 |81| |82| |83| 85 |86|

Autrefois couvent de chartreux, ce cru n'a cependant rien de sévère. Ses arômes ont même un rien d'exotique avec des notes de mandarine qui se retrouvent dans le caractère chaleureux que découvre le palais.
➥ SCA Jean et Pierre Guignard, Ch. de Rolland, Barsac, 33720 Podensac, tél. 56.27.15.02 ⊤ r.-v.
➥ GFA Ch. de Rolland.

CH. SUAU 1985

| ☐ 2ème cru clas. | 8 ha | 20 000 | 🍷 🍷 ♥ 4 |

79 81 |82| |85|

Encore une vieille propriété avec ce château au caractère authentique. Et un vin dont on aimera la belle robe d'or et l'intensité aromatique. Si l'on peut regretter une note un peu trop sirupeuse qui enchantera certains, l'ensemble cependant est plaisant.
➥ M. Roger Biarnès, Ch. de Navarro, Illats, 33720 Podensac, tél. 56.27.20.27 ⊤ r.-v.

➥ M. Jean Lalande, Ch. Piada, Barsac, 33720 Podensac, tél. 56.27.16.13 ⊤ r.-v.

CH. D'ARCHE 1986 ★★

| ☐ 2ème cru clas. | 30 ha | 60 000 | 🍷 ↓ ♥ 5 |

70 71 75 76 |81| |83| |86|

Jolie chartreuse dominant le Ciron du haut de son coteau, ce cru jouit d'un site privilégié. Il sait en tirer profit comme le montre ce vin très bien réussi. Équilibré, il possède ce qu'il faut de rôti pour plaire au plus grand nombre.
➥ M. Pierre Perromat, Dom. de Fongrave, Gornac, 33540 Sauveterre-de-Guyenne, tél. 56.61.97.64 ⊤ r.-v.

BARON PHILIPPE 1986 ★★

| ☐ | n.c. | n.c. | 🍷 ↓ ♥ 6 |

72 73 74 75 76 78 79 81 82 |83| |85| 86

Bien qu'essentiellement médocain, pour ne pas dire pauillacais, ce négociant offre avec ce beau 86 un vin très typé par sa concentration, son rôti et son bouquet floral (fleur de genêt) avec un nez de miel et de cire d'abeille.
➥ Baron Philippe de Rothschild, La Baronnie, B.P. 117, 33250 Pauillac, tél. 56.59.20.20

CH. BASTOR-LAMONTAGNE 1986 ★★

| ☐ | 40 ha | 120 000 | 🍷 ↓ ♥ 4 |

71 |75| 76 |79| 80 81 |82| |83| 84 (85) 86

C'est depuis 1936 que le Crédit Foncier de France préside aux destinées de ce cru déjà célèbre au XVIIIe s. Ni sur un vignoble d'une taille respectable, ce vin ne se contente pas d'un beau bouquet. Très aromatique, la bouche est

---

Sauternes

Si vous visitez un château à Sauternes, vous saurez tout sur ce propriétaire qui eut un jour l'idée géniale d'arriver en retard pour les vendanges et de décider, sans doute par entêtement, de

332

...bien enveloppée par des parfums délicats de genêt et d'acacia. Bien construit, ce millésime gracile laisse la place d'honneur à la délicatesse.
➤ Crédit Foncier de France.
Ch. Bastor Lamontagne, Preignac, 33210 Langon, tél. 56.63.27.66 ℐ r.-v.

CH. BECHEREAU 1985

10 ha   25 000

Original pour le Sauternais par ses caves souterraines, ce cru offre un millésime qui n'est pas dépourvu d'une certaine puissance aromatique, ni de rondeur.
➤ M. Franck Deloubes, Ch. Béchereau, Bommes, tél. 56.63.61.73 ℐ r.-v.

CH. BOUYOT

13 ha   36 000

61 75 79 81 82 83 [85] 86

Issu d'un terroir assez diversifié, ce vin offre un réel plaisir à l'œil avec sa robe vieil or; le nez découvre de beaux parfums de genêt et de pain grillé. Quant au palais, il lui réserve un corps élégant et racé. Ce sera un vin parfait pour le foie gras.
➤ SARL des Vignobles Barraud, Le Bouyot, Barsac, 33720 Podensac, tél. 56.27.19.46 ℐ r.-v.

CH. CAILLOU 1985*

2ème cru clas.   15 ha   40 000

Un millésime difficile, mais malgré tout un joli vin, pour ce 85 qui sait trouver un équilibre entre le bois et les senteurs de mandarine et de pain grillé.
➤ M. Joseph Bravo, Ch. Caillou, Barsac, 33720 Podensac, tél. 56.27.16.38 ℐ r.-v.

CH. CAMERON 1985**

8,43 ha   18 000

[81] [82] [83] 84   85

Cameron est l'une de ces nombreuses petites propriétés que l'on trouve du côté de Bommes. Intéressant par son rapport qualité/prix, ce vin l'est aussi par sa personnalité. Très prometteur par son bouquet naissant, il mériterait d'être attendu.
➤ M. Pierre Guinabert, Ch. Cameron, 33210 Bommes, tél. 56.63.67.14 ℐ r.-v.

CH. CLOS HAUT-PEYRAGUEY 1985**

1er cru clas.   15 ha   40 000

[67] [69] [70] [71] 75 [76] [78] 79 [80] 81 82 83 84   85

Jacques Pauly a sa petite idée sur ce que doit être un sauternes et il la défend vigoureusement. Mais il plaide aussi sa cause par la qualité de sa production. Très équilibré et complet, ce très beau 85, issu de vendanges parfaitement botrytisées, montre une bonne intensité aromatique. Une longue et grasse finale complète heureusement le tableau d'ensemble.
➤ M. Jacques Pauly, Ch. Haut-Bommes, Bommes, 33210 Langon, tél. 56.63.61.53 ℐ L.j. 8h-19h.
➤ GFA du Clos Haut-Peyraguey.

Ce cru à la réputation de produire un bon petit sauternes; il la confirme avec ce 85 un peu court mais qui se développe très correctement avec un bon fruité.
➤ M. Roger Biarnès, Ch. de Navarro, Illats, 33720 Podensac, tél. 56.27.20.27 ℐ r.-v.

DOM. DU COY 1985

n.c.   7 ha   18 000

Le premier millésime conçu en sauternes par la maison de Pauillac sert avec brio l'image de l'appellation. Souple, très équilibrée et d'une grande finesse aromatique, cette bouteille est on ne peut plus prometteuse.
➤ Ulysse Cazabonne, 13, quai Jean-Fleuret, 33250 Pauillac, tél. 56.59.60.55 ℐ r.-v.

CUVÉE DE LA COMMANDERIE DU BONTEMPS 1985**

62 [66] 67 69 70 [71] [75] 76 78 79 80 81 [82] 83 [86]

n.c.

Ici, une authentique maison de campagne, fleurant bon les vacances, plus qu'un château. Et un vin qui partage l'élégance charmeuse de la demeure par ses arômes de citron, pain grillé et fruits de la passion. Rond et bien présent en bouche, l'ensemble est tout à fait agréable.
➤ Ch. Doisy-Vedrines, Barsac, 33720 Podensac, tél. 56.27.15.13 ℐ r.-v.
➤ M. Pierre Castéja.

CH. DOISY-VEDRINES 1986**

2ème cru clas.   20 ha   36 000

Produit par un négociant, ce vin possède une réelle personnalité. Équilibré et joliment bouqueté, avec une note d'aubépine bien sentie, il ne doit pas être négligé.
➤ MM. Dourthe Frères, 35, rue de Bordeaux, B.P. 70, Parempuyre, 33290 Blanquefort, tél. 56.35.84.64 ℐ r.-v.

DOURTHE FRERES 1985

n.c.   n.c.

CH. DE FARGUES 1984***

83 84   12 ha   12 000

Un vieux château dont les ruines sont une survivance du monde féodal, pour un vignoble aux dimensions assez modestes, telle pourrait être la définition de Fargues. Mais le vin n'a rien d'un vestige. Ruisselant par sa robe d'or et de cuivre, ce 84 associe un bouquet fin et très complexe (avec des notes d'amande et de miel) à une solide structure. Bien typée, équilibrée et très ronde, la bouteille, au plaisant côté abricot sec, promet de réserver de grandes surprises.
➤ Comte de Lur-Saluces, Ch. d'Yquem, Sauternes, 33210 Langon, tél. 56.63.21.05 ℐ r.-v.

CH. FILHOT 1986**

2ème cru clas.   55 ha   120 000

75 76 78 79 81 [82] 83 85 86

Impressionnant par les dimensions de son superbe château et de son vaste vignoble, Filhot est aussi fort respectable par la qualité de son vin. Celui-ci, très prometteur par la complexité de ses...

Les vins blancs liquoreux

arômes naissants, allie fraîcheur et race. Cette très jolie bouteille gagnera à être attendue.

➥ M. H. de Vaucelles, Ch. Filhot, Sauternes, 33210 Langon, tél. 56.63.61.09 ⊤ r.-v.
➥ GFA du Ch. Filhot.

CH. GUIRAUD 1985**

☐ 1er cru clas.   65 ha   70 000   ⅏ ♦ 🍷 7

75 76 79 80 |81| 82 83 85

Il est tout à fait passionnant de suivre l'évolution de ce corps vivant qu'est le vin. Château Guiraud révélait l'an dernier la richesse de ses arômes. Confirmant maintenant ses qualités, ce millésime s'est provisoirement refermé et joue avec le merrain. Toujours aussi équilibré, il méritera d'être attendu longtemps.

➥ SCA du Ch. Guiraud, Sauternes, 33210 Langon, tél. 56.63.61.01 ⊤ r.-v.
➥ MM. Narby.

CH. HAUT-BERGERON 1986**

☐   12 ha   30 000   ⅏ ♦ 🍷 5

(75) 76 78 81 82 83 |85| |86|

En partie contigu d'Yquem et appartenant à une famille sauternaise depuis le XVIIIe s., le cru se devait de produire un vin représentatif de l'appellation. Ce beau millésime, gras en bouche et complexe au nez avec ses notes d'amandes grillées, s'exprime longuement.

➥ MM. Robert Lamothe et Fils, Ch. Haut-Bergeron, Preignac, 33210 Langon, tél. 56.63.24.76 ⊤ r.-v.

DOM. DU HAUT-CLAVERIE 1985

☐   10 ha   30 000   ⅏⅏ ♦ 🍷 3

(75) 82 |83| |85|

Agréable par sa robe dorée brillante, ce vin est assez séduisant par sa finesse et ses arômes de fruits confits. Il conviendra aux amateurs de vins liquoreux.

➥ M. Edouard Kressmann et Cie, B.P. 70, 33290 Parempuyre, tél. 56.35.84.64

ED KRESSMANN ET CIE
Grande Réserve 1985

☐   n.c.   n.c.   4

Assez original par sa robe et son bouquet, ce vin s'inscrit résolument dans la gamme des sauternes modernes plus légers et moins liquoreux.

➥ M. Edouard Kressmann et Cie, tél. 56.35.84.64

CH. LAFAURIE PEYRAGUEY 1986*

☐ 1er cru clas.   30 ha   n.c.   🍷 7

77 78 80 81 (82) 83

Sans présenter la même classe que certains très grands millésimes produits par cet étrange château aux allures mauresques, ce 86, plus classique que moderne, devrait s'affiner au vieillissement. Il est faire apparaître un bouquet dont l'amorce n'est pas désagréable avec de jolies notes grillées.

➥ Dom. Cordier SA, Ch. Meyney, Saint-Estèphe, 33250 Pauillac, tél. 56.31.44.44 ⊤ r.-v.

CH. LAFON 1985*

☐   n.c.   n.c.   4

Si le Sauternais compte de grandes et belles propriétés, il possède aussi beaucoup de petits crus «artisans» au sens premier et noble du terme. Celui-ci en est un bon exemple. On aimera tout particulièrement sa robe d'un beau doré et son très riche bouquet.

➥ MM. Dourthe Frères, 35, rue de Bordeaux, B.P. 70, Parempuyre, 33290 Blanquefort, tél. 56.35.84.64 ⊤ r.-v.
➥ M.J. Dufour.

CH. LAMARINGUE 1986*

☐   2 ha   6 000   ⅏ ♦ 🍷 5

Régulière en qualité, cette propriété ne pouvait que produire un joli vin en 86. Moelleux et aromatique avec ses parfums balsamiques, il possède un caractère des plus agréables.

➥ M. Rémy Sessacq, Sainte-Croix-du-Mont, 33410 Cadillac, tél. 56.62.01.41 ⊤ r.-v.

CH. LAMOTHE-DESPUJOLS 1985**

☐ 2ème cru clas.   8 ha   22 000   🍷 5

70 71 (75) 76 81 |82| 83 85 86

Vieux castel dominant le Ciron, le cru sait tirer profit des richesses de son terroir pour offrir un vin de haute qualité. On sent bien le «rôti» dans le bouquet, et en bouche on découvre avec plaisir du gras et une jolie note confite. Débouchant sur une belle finale, ce 85 est plus que séduisant.

➥ M. Jean Despujols, Ch. Lamothe, Sauternes, 33210 Langon, tél. 56.63.61.22 ⊤ r.-v.

CH. LAMOTHE-GUIGNARD 1985***

☐ 2ème cru clas.   15 ha   33 000   🍷 ♦ 🍷 5

|84| 85

Jouir d'une bonne réputation, c'est bien ; mais la justifier, c'est encore mieux. Lamothe-Guignard le fait merveilleusement avec ce splendide 85. D'une étonnante subtilité aromatique, avec une note florale sauvignonnée, il est intense comme l'annonce sa robe entre or et jaune paille, mais aussi d'une rare élégance. Aphrodite plus qu'Apollon, c'est la grâce et sa race.

➥ MM. Ph. et J. Guignard, Ch. Lamothe, Sauternes, 33210 Langon, tél. 56.63.60.28 ⊤ r.-v.

CLASSÉ EN 1855

2e GRAND CRU

Château Lamothe
Guignard
SAUTERNES
1986

PH LLI GUIGNARD G.A.E.C.
VITICULTEURS-RÉCOLTANTS
À SAUTERNES (GIRONDE)

APPELLATION SAUTERNES
CONTRÔLÉE
PRODUCE OF FRANCE
750ml   MIS EN BOUTEILLE AU CHATEAU

CH. LAMOURETTE 1985

☐   7,50 ha   6 000   🍷 ♦ 🍷 4

Un joli nom pour un aimable vin qui sait se rendre charmeur par ses parfums un peu grillés

334

avec un rien de banane mûre. L'ensemble est moelleux et équilibré.

♠ M. Leglise, Ch. Lamourette, Bommes, 33210 Langon, tél. 56.63.63.58 Y r.-v.

CH. LA TOUR BLANCHE 1985***

□ 1er cru clas. — 27 ha — 55 000
Ⓝ 79 |81|82|83 85

Donation de la famille Osiris à l'Etat français, ce cru reste fidèle à sa vocation d'exploitation modèle. Si l'on est tenté de découvrir très vite les beaux arômes d'acacia, d'ananas et de merrain, il faudra cependant prendre son temps pour déceler du plaisir qu'offre la robe vieil or. Equilibrée, moelleuse et longue, cette bouteille réservera de belles surprises dans l'avenir.

♠ Ch. La Tour Blanche, Bommes, 33210 Langon, tél. 56.63.61.55 Y r.-v.
♠ Ministère de l'Agriculture.

CH. LATREZOTTE 1985

□ — 6,77 ha — 20 000
76 79 |82|85|

Petit bout d'Asie, ou d'ailleurs, en plein pays sauternais, ce domaine est hors du commun. Et son vin n'est pas mal, comme le montre son bouquet intense et fleuri.

♠ M. Horst Glock, Ch. Latrezotte, Barsac, 33720 Pocensac, tél. 56.27.16.50 Y r.-v.

CH. LES JUSTICES 1985***

□ — 8 ha — 20 000
61|62| |67|70|71| 73 75 |76|78| 79 |80| 81
82 83 85

On ne présente plus Christian Médeville, le spécialiste du vieillissement des sauternes. C'est dire que ce très beau 85 n'a pas à craindre l'avenir puisqu'il a déjà grandi depuis l'an dernier. Le mariage parfait du merrain et du bouquet (aux notes de pain grillé et d'épices) n'a d'égal que la fraîcheur et l'équilibre qui ravissent le palais.

♠ M. Christian Médeville, Ch. Gilette, Preignac, 33210 Langon, tél. 56.63.27.59 Y r.-v.

CH. DE MALLE 1985**

71 75 76 81 83 85
□ 2ème cru clas. — 25 ha — 50 000

Malle est "un des plus beaux «châteaux du Roi-Soleil» du Sauternais, pour ne pas dire l'une des plus belles demeures de la Gironde. Mais c'est aussi un cru qui mérite son classement par la qualité de sa production. Rond, aromatique et équilibré, ce 85 est tout à fait agréable.

♠ Comtesse de Bournazel, Ch. de Malle, Preignac, 33210 Langon, tél. 56.63.28.67 Y r.-v.

CRU PEYRAGUEY 1985**

75 76 |79|81|82 83 85
□ — 6 ha — 15 000

Ni château ni domaine, mais simple cru, ce vignoble affirme sa personnalité. Avec une très belle robe dorée et un bouquet intense qui témoigne d'une vendange faite au bon moment, ce 85, puissant et complexe, montre qu'ici l'on sait ce que vinifier veut dire.

♠ M. Hubert Mussotte, Miselle, Preignac, 33210 Langon, tél. 56.44.43.48 Y r.-v.

Célèbre pour ses cailloux multicolores, ce cru est aussi d'une bonne régularité par sa qualité. Le 86, qu'il convient de garder un certain temps, s'inscrit dans la bonne tradition de la propriété, avec une excellente longueur et un bouquet aussi riche que complexe.

CH. DE RAYNE-VIGNEAU 1986**

□ 1er cru clas. — 70 ha — 75 000
76 77 78 80 81 82 83 84 85 86

♠ SC du Ch. Rayne-Vigneau, 17, cours de la Martinique, 33027 Bordeaux Cedex, tél. 56.52.11.46

CH. RIEUSSEC 1984***

□ 1er cru clas. — — 120 000
62|67 70 |71|75 |76| 79 80 81 82 83 84

Situé sur une coupe graveleuse assez élevée, Rieussec jouit d'un terroir exceptionnel qui voit naître un vin excellent. Finement et délicatement bouqueté, le 84 sait évoluer pour l'élégance, la puissance et la complexité, tout en restant toujours remarquablement élégant.

♠ SA du Ch. Rieussec, Fargues, 33210 Langon, tél. 56.63.31.02 Y r.-v.

CH. ROMER-DU-HAYOT 1985*

□ 2ème cru clas. — 15 ha — 60 000
75 76 79 |81|82|83 85

Marqué par le sort, ce cru fut dispersé pendant longtemps par la perte de ses bâtiments d'exploitation, rasés pour laisser la place à l'autoroute des Deux-Mers. Malgré tout il s'accroche et produit un vin de qualité. Gras, moelleux et assez aromatique, le 85 a du caractère.

♠ MM. Dourthe Frères, 35, rue de Bordeaux, B.P. 70, Parempuyre, 33290 Blanquefort, tél. 56.35.84.64 Y r.-v.
♠ GFA Romer du hayot.

CH. SAINT-AMAND 1986**

67 |70|71|75 |76| 79 |80| |81| 82| 84 85 |86
□ 2ème cru clas. — 19 ha — 60 000

Humble par ses bâtiments, le cru se rattrape par la qualité de sa production. Puissant et souple, ce 86 est brillant par ses arômes qui ajoutent une note de vieux rhum à mille parfums de fleurs. Une belle bouteille.

♠ M. Louis Ricard, Ch. Saint-Amand, Preignac, 33210 Langon, tél. 56.63.27.28 Y r.-v.

CH. SAINTE-HELENE 1986

□ — n.c. — 25 000

Petit frère du château de Malle, ce cru n'en a pas la classe. Cela n'empêche pas le vin d'être typé et équilibré, avec du gras et de jolis parfums fleuris (genêt, acacia).

♠ Comtesse de Bournazel, Ch. de Malle, Preignac, 33210 Langon, tél. 56.63.28.67 Y r.-v.

CH. SIGALAS-RABAUD 1985***

□ 1er cru clas. — 14 ha — 25 000
66 69 76 78 79 |80| 81 82 83 85

Un vin tout en qualité, mêlant finesse et complexité. Une superbe bouteille qui révélera sa race pendant de longues années.

♠ GFA du Ch. Sigalas-Rabaud, Bommes, 33210 Langon, tél. 56.63.60.62 Y r.-v.

Les vins blancs liquoreux

Sauternes

CH. SUDUIRAUT 1983***

☐ 1er cru clas.   70 ha   80 000   ▤ ⬤ ↓ ▽ ⑤

78 79 83

Si Le Nôtre a dessiné le parc de ce château XVIIIe s., le vin lui aussi sait montrer son élégance. Il reste puissant et saura franchir les ans.

☛ SARL Ch. Suduiraut, Preignac, 33210 Langon, tél. 56.63.27.29 ⊤ r.-v.

CH. D'YQUEM 1984****

☐ 1er cru sup.   100 ha   66 000   ⬤ ⑦

37 42 45 53 55 59 ⑥⑦ 70 75 76 78 79 80 81 83 84

«Je n'appelle pas l'Yquem un vin puisqu'il existe «des vins» et que l'Yquem est unique.» Certes, Frédéric Dard ne faisait pas dans la demi-mesure mais il n'avait pas tort. On retrouve la personnalité aussi exceptionnelle que très parti-

culière du cru dans le bouquet de ce millésime dont le caractère botrytisé confine au mycélien. Riche, gras, rôti et puissant à souhait.

☛ Comte de Lur-Saluces, Ch. d'Yquem, Sauternes, 33210 Langon, tél. 56.63.21.05 ⊤ r.-v.

« Aimable et vineuse Bourgogne » écrivait Michelet. Quel amateur de vin ne reprendrait à son compte une telle assertion ? Avec le Bordelais et la Champagne, la Bourgogne porte en effet à travers le monde entier le prestigieuse renommée des vins de France les plus illustres, les associant sur ses terroirs avec une gastronomie des plus riches, et trouvant dans leur diversité de quoi satisfaire tous les goûts et réussir toutes les associations gourmandes.

Plus encore que dans toute autre région viticole, on ne peut dissocier en Bourgogne l'univers du vin de la vie quotidienne, dans une civilisation forgée au rythme des travaux de la vigne : depuis les confins auxerrois jusqu'aux monts du Beaujolais, tout au long d'une province qui relie les deux métropoles que sont Paris et Lyon, la vigne et le vin ont, dès la plus haute Antiquité, fait vivre les hommes ; et les ont fait vivre bien. Si l'on en croit Gaston Roupnel, écrivain bourguignon mais aussi vigneron à Gevrey-Chambertin, dans son *Histoire de la campagne française*, la vigne aurait été introduite en Gaule au VIe s. av. J.-C. « par la Suisse et les défilés du Jura », pour être bientôt cultivée sur les pentes des vallées de la Saône et du Rhône. Même si, pour d'autres, ce sont les Grecs qui sont à l'origine de la culture de la vigne venue du Midi, nul ne conteste l'importance qu'elle a prise très tôt sur le sol bourguignon. Certains reliefs du musée archéologique de Dijon en témoignent. Et lorsque le rhéteur Eumène s'adresse à l'empereur Constantin, à Autun, c'est pour évoquer les vignes cultivées dans la région de Beaune et qualifiées déjà « d'admirables et anciennes ».

Modelée par les avatars glorieux ou tragiques de son histoire, soumise aux aléas des données climatiques autant qu'aux transformations des pratiques agricoles - où les moines, dans les mouvances de Cluny ou de Cîteaux, jouèrent un rôle capital -, la Bourgogne a dessiné peu à peu la palette de ses « climats » et de ses crus, évoluant constamment vers la qualité et la typicité de vins incomparables.

Il faut cependant préciser que la Bourgogne des vins ne recouvre pas exactement la Bourgogne administrative : la Nièvre (qui se rattache administrativement à la Bourgogne, avec la Côte-d'Or, l'Yonne et la Saône-et-Loire) fait partie du vignoble du Centre et du vaste ensemble de la vallée de la Loire (vignoble de Pouilly-sur-Loire). Tandis que le Rhône (appartenant pour les autorités judiciaires et administratives à la Bourgogne lui aussi), pays du beaujolais, a acquis par l'habitude une autonomie que justifie - outre la pratique commerciale - l'usage d'un cépage spécifique. C'est ce choix qui est retenu dans le présent guide (voir le chapitre « le Beaujolais »), où l'on comprend donc en Bourgogne les vignobles de l'Yonne (basse Bourgogne), de la Côte-d'Or et de la Saône-et-Loire, bien que certains vins produits en Beaujolais puissent être vendus en appellation régionale bourgogne...

L'unité ampélographique de la Bourgogne - à l'exclusion, donc, du Beaujolais, planté de gamay noir à jus blanc - ne fait pas de doute : le chardonnay pour les vins blancs et le pinot noir pour les vins rouges y règnent en maîtres. Vestiges de pratiques culturales anciennes ou adaptations spécifiques à des terroirs particuliers, on rencontre cependant quelques variétés annexes : l'aligoté, cépage blanc donnant le célèbre bourgogne aligoté, fréquemment employé dans la confection du « kir » (blanc-cassis) ; il atteint son sommet qualitatif dans le petit pays de Bouzeron, tout près de Chagny (Saône-et-Loire). Le césar, lui, plant « rouge », était surtout cultivé dans la région d'Auxerre ; mais il tend à disparaître. Le sacy donne du bourgogne grand

ordinaire dans l'Yonne, spécialement à Chitry; le gamay, du bourgogne grand ordinaire et, associé au pinot, du bourgogne passetoutgrains. Fameux cépage aromatique des vignobles de Sancerre et de Pouilly-sur-Loire, le sauvignon, enfin, est cultivé à Saint-Bris-le-Vineux, dans l'Yonne.

Sous une relative unité climatique, globalement semi-continentale avec influence océanique atteignant ici les limites du Bassin parisien, ce sont donc les sols qui vont spécifier les caractères propres des très nombreux vins produits en Bourgogne. Car si l'extrême morcellement des parcelles est la règle partout, il se fonde en grande partie sur une juxtaposition d'affleurements géologiques variés, origine de la riche palette de parfums et de saveurs des crus de Bourgogne. Et plus que des données strictement météorologiques, c'est des variations pédologiques que rend compte ici la notion de «climat» (ou terroir) précisant les caractères des vins au sein d'une même appellation, et compliquant comme à plaisir le classement et la présentation des grands vins de Bourgogne... Ces climats, aux noms particulièrement évocateurs (la Renarde, les Cailles, Genevrières, Côte-Rôtie, Clos de la Maréchale, Clos des Ormes, Montrecul...), sont les termes consacrés depuis au moins le XVIIIe s. pour désigner des surfaces de quelques hectares, parfois même quelques «ouvrées» (une ouvrée est égale à 4 ares, 28 centiares), correspondant «à une entité naturelle s'extériorisant par l'unité du caractère de vin qu'elle produit...» (A. Vedel). Et l'on peut constater en effet qu'il y a parfois moins de différence entre deux vignes séparées de plusieurs centaines de mètres mais à l'intérieur du même climat qu'entre deux autres, voisines mais dans deux climats différents...

On dénombre en outre quatre niveaux d'appellations dans la hiérarchie des vins : appellation régionale, «village» (ou appellation communale) de Bourgogne, premier cru, grand cru. Et le nombre de terroirs légalement délimités ou de climats est très grand : on compte par exemple vingt-sept dénominations différentes pour les premiers crus récoltés sur la commune de Nuits-Saint-Georges, et ceci pour une centaine d'hectares seulement!

Des études récentes ont confirmé les relations (souvent constatées empiriquement) entre les sols et les lieux-dits donnant naissance aux appellations, aux crus ou aux climats. Ainsi, par exemple, a-t-on pu déterminer dans la Côte de Nuits cinquante-neuf types de sols différenciés selon leurs caractères morphologiques ou physico-chimiques (pente, pierrosité, taux d'argile, etc.), et correspondant de fait avec la distinction des appellations grand cru, premier cru, villages et régionale...

Plus simplement, dans une approche géographique beaucoup plus générale, il est d'usage de distinguer, du nord au sud, quatre grandes zones au sein de la Bourgogne viticole : les vignobles de l'Yonne (ou de basse Bourgogne); de la Côte-d'Or (Côte de Nuits et Côte de Beaune); la Côte chalonnaise; le Mâconnais.

Le Chablisien est le plus connu des vignobles de l'Yonne. Son prestige fut très grand à la cour parisienne pendant tout le Moyen Age, le transport fluvial rendant facile le commerce des vins avec la capitale; longtemps même, les vins de l'Yonne s'identifièrent tout simplement avec «les» bourgogne. Blotti dans la charmante vallée du Serein dont Noyers est le petit joyau médiéval, le vignoble de Chablis est comme un satellite isolé lancé à plus de cent kilomètres au nord-ouest du cœur de la Bourgogne viticole. Dispersé, il couvre environ 2 500 ha de collines aux pentes d'exposition variée, sur lesquelles «une constellation de hameaux et une nuée de propriétaires se partagent les récoltes de ce vin sec, finement parfumé, léger, vif, qui surprend l'œil par son étonnante limpidité à peine teintée d'or vert» (P. Poupon). Au sud d'Auxerre, Saint-Bris-le-Vineux est le pays du sauvignon, et partage avec Chitry la production de vins blancs, tandis que les vignobles rouges d'Irancy et Coulanges-la-Vineuse sont en pleine expansion. Le Clos de la Chaînette est enfin l'unique vestige du vignoble d'Auxerre proprement dit.

Dans l'Yonne, il faut encore signaler trois autres vignobles presque

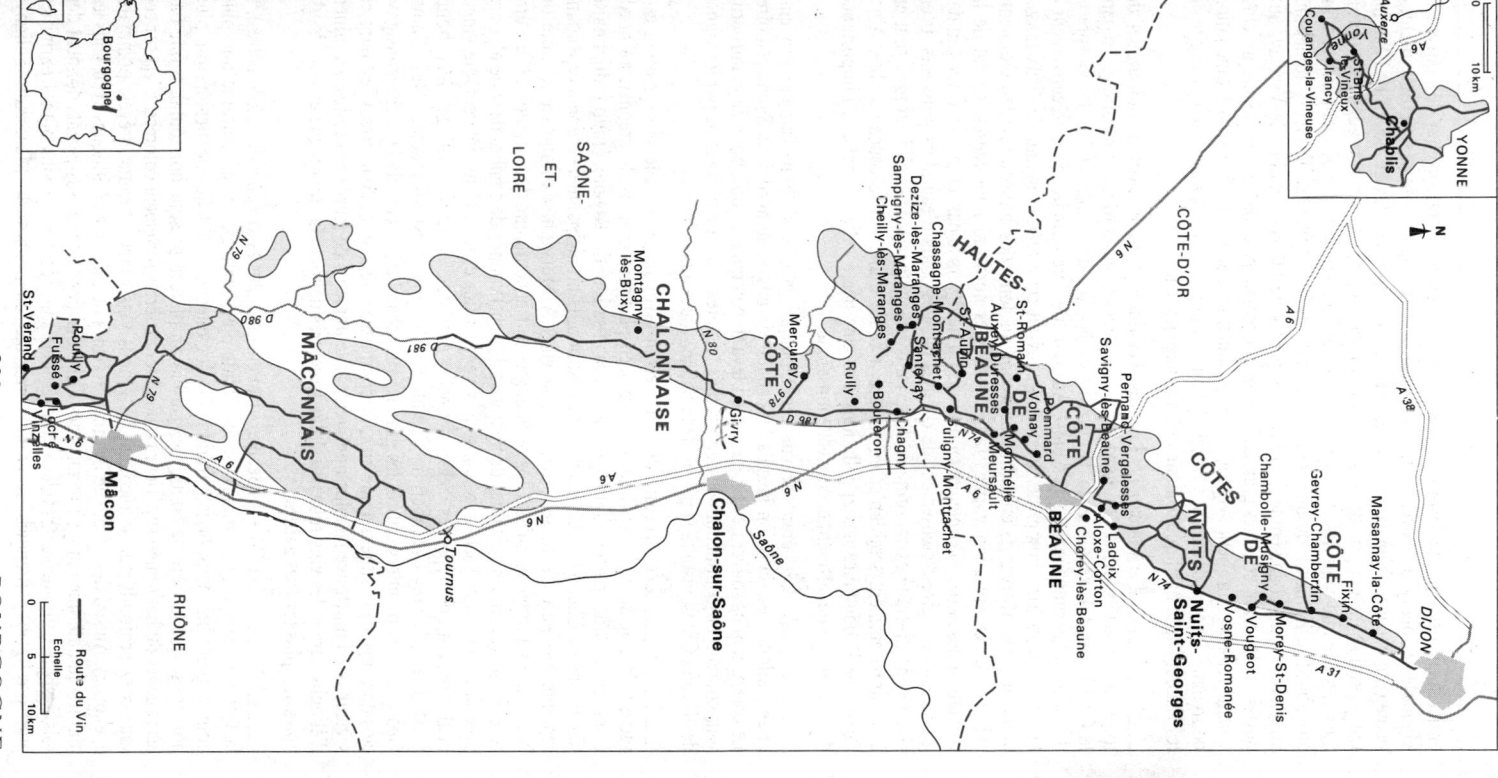

entièrement détruits par le phylloxéra, mais que l'on tente aujourd'hui de raviver : le vignoble de Joigny, à l'extrémité nord-ouest de la Bourgogne, dont la superficie atteint à peine cinq hectares, bien exposé sur les coteaux entourant la ville, au-dessus de l'Yonne. On y produit un vin gris de consommation locale, d'appellation bourgogne. Autrefois aussi célèbre que celui d'Auxerre, le vignoble de Tonnerre renaît également aujourd'hui aux abords d'Epineuil, où une trentaine d'hectares sont replantés ; l'usage y admet une appellation bourgogne-épineuil. Enfin, les pentes de l'illustre colline de Vézelay, aux portes du Morvan, et où les grands ducs de Bourgogne possédaient eux-mêmes un clos, voient renaître un petit vignoble en production depuis 1979 ; sous l'appellation bourgogne, les vins devraient y bénéficier du renom de l'endroit, haut lieu touristique où les visiteurs de la basilique romane ont remplacé les pèlerins.

Le plateau de Langres, karstique et aride, chemin traditionnel de toutes les invasions venues du nord-est, historiques ou, aujourd'hui, touristiques, sépare le Chablisien, l'Auxerrois et le Tonnerrois de la Côte-d'Or, dite «Côte de pourpre et d'or» ou, plus simplement, «la Côte». Au cours de l'ère tertiaire, et consécutivement à l'érection des Alpes, la mer de Bresse qui couvrait cette région, battant le vieux massif hercynien du Morvan, s'effondra, déposant au long des millénaires des sédiments calcaires de composition variée : failles parallèles nord-sud nombreuses, datant de la formation des Alpes ; «coulement» des sols du haut vers le bas au moment des grandes glaciations tertiaires ; creusement de combes par des cours d'eau alors puissants. Il en résulte une diversité extraordinaire de terrains se jouxtant sans être identiques, tout en étant apparemment semblables en surface à cause d'une mince couche arable. Ainsi s'explique l'abondance des appellations d'origine liée à celle des sols, et l'importance des «climats» qui affinent encore cette mosaïque.

Du point de vue géographique, la côte s'allonge sur environ cinquante kilomètres, de Dijon jusqu'à Dezize-lès-Maranges, au nord de la Saône-et-Loire. Le coteau le plus souvent exposé au soleil levant, comme il se doit pour de grands crus sous climat semi-continental, descend depuis le plateau supérieur, ponctué par les vignes des Hautes Côtes, jusqu'à la plaine de la Saône, vouée aux cultures.

De structure linéaire, ce qui favorise une excellente exposition est-sud-est, la côte se divise traditionnellement en plusieurs secteurs, le premier, au nord, étant en grande partie submergé par l'urbanisation de l'agglomération dijonnaise (commune de Chenôve). Par fidélité à la tradition, la municipalité de Dijon a cependant replanté une parcelle au sein même de la ville. A Marsannay commence la Côte de Nuits, qui s'allonge jusqu'au Clos des Langres, sur la commune de Corgoloin. C'est une côte étroite (quelques centaines de mètres seulement) coupée de combes de style alpestre avec des bois et des rochers, soumise aux vents froids et secs. Cette côte compte vingt-neuf appellations réparties selon l'échelle des crus, avec des villages aux noms prestigieux : Gevrey-Chambertin, Chambolle-Musigny, Vosne-Romanée, Nuits-Saint-Georges... Les premiers crus et les grands crus (chambertin, clos de la roche, musigny, clos de vougeot) se situent à une altitude comprise entre 240 et 320 mètres. C'est dans ce secteur que l'on trouve les plus nombreux affleurements de marnes calcaires, au milieu d'éboulis variés ; les vins rouges les plus structurés de toute la Bourgogne en sont issus, aptes aux plus longues gardes.

La Côte de Beaune vient ensuite, plus large (un à deux kilomètres), à la fois plus tempérée et soumise à des vents plus humides, ce qui entraîne une plus grande précocité dans la maturation. Géologiquement, la Côte de Beaune est plus homogène que la Côte de Nuits, avec au bas un plateau presque horizontal, formé par les couches du bathonien supérieur recouvertes de terres fortement colorées. C'est sur ces sols assez profonds que se récoltent les grands vins rouges (beaune grèves, pommard épenots...). Au sud de la Côte de Beaune, les bancs de calcaires oolithiques avec, sous les marnes du bathonien moyen recouvertes d'éboulis, des calcaires sus-jacents donnent des sols à vigne caillouteux, graveleux, sur lesquels sont récoltés les vins blancs parmi les plus prestigieux : premiers et grands crus des communes de Meursault, Puligny-

Montrachet, Chassagne-Montrachet. Si l'on parle de « côte des rouges » et de « côte des blancs », il faut citer entre les deux le vignoble de Volnay, implanté sur des terrains pierreux, argilo-calcaires et donnant des vins rouges d'une grande finesse.

La culture de la vigne se poursuit jusqu'à une altitude plus élevée dans la Côte de Beaune que dans la Côte de Nuits : 400 m et parfois plus. Le coteau est coupé de larges combes, dont celle de Pernand-Vergelesses, semblant séparer la fameuse montagne de Corton du reste de la côte.

C'est depuis une quinzaine d'années que l'on replante peu à peu les secteurs des hautes-côtes, où sont produites les appellations régionales bourgogne hautes-côtes-de-nuits et bourgogne hautes-côtes-de-beaune. L'aligoté y trouve son terrain de prédilection, qui met bien en valeur sa fraîcheur. Quelques terroirs y donnent d'excellents vins rouges issus de pinot noir, présentant souvent des odeurs de petits fruits rouges (framboises, cassis), spécialités de la Bourgogne cultivées là aussi.

Le paysage s'épanouit quelque peu dans la Côte chalonnaise; la structure linéaire du relief s'y élargit en collines de faible altitude s'étendant plus à l'ouest de la vallée de la Saône. La structure géologique est beaucoup moins homogène que celle du vignoble de la Côte-d'Or; les sols reposent sur les calcaires du jurassique, mais aussi sur des marnes de même origine ou d'origine plus ancienne, lias ou trias. Des vins rouges sont produits à partir du pinot noir à Mercurey, Givry et Rully; mais ces mêmes communes proposent aussi des blancs de chardonnay, tout comme Montagny; c'est aussi là que se trouve Bouzeron, à l'aligoté réputé. Il faut enfin signaler un bon vignoble aux abords de Couches, que domine le château médiéval. D'églises romanes en demeures anciennes, chaque itinéraire touristique peut d'ailleurs se confondre ici avec une route des vins...

Jeu de collines découvrant souvent de vastes horizons, où les bœufs charolais ponctuent de blanc le vert des prairies, le Mâconnais cher à Lamartine - Milly, son village, est vinicole, et lui-même possédait ces vignes - est géologiquement plus simple que le Chalonnais. Les terrains sédimentaires du triasique au jurassique y sont coupés de failles ouest-est. Sur des sols bruns calcaires, les blancs les plus réputés, issus de chardonnay, se récoltent sur les versants particulièrement bien exposés et très ensoleillés de Pouilly, Solutré et Vergisson; ils sont remarquables par leur aspect et leur aptitude à une longue garde. Les rouges et rosés proviennent du pinot noir pour les vins d'appellation bourgogne, et de gamay noir à jus blanc pour les mâcon, récoltés à plus basse altitude et sur les terrains moins bien exposés, aux sols souvent limoneux ou des régions siliceux facilitent le drainage.

Pour essentielles que soient les données pédologiques et climatiques, on ne peut présenter la Bourgogne vinicole sans aborder les aspects humains du travail de la vigne et des vins : les hommes attachés à leur terroir le sont souvent ici depuis des siècles. Ainsi, les noms de nombreuses familles sort dans les villages ceux d'il y a cinq cents ans. De même la fondation de certaines ma sons de négoce remonte au XVIIIe s.

Morcelé, le vignoble est constitué d'exploitations familiales de faible superficie. C'est ainsi qu'un domaine de quatre à cinq hectares suffit, en appellation communale (nuits-saint-georges, par exemple), à faire vivre un ménage occupant un ouvrier. Rares sont les producteurs qui possèdent et cultivent plus de dix hectares : l'illustre Clos-Vougeot, par exemple, qui couvre cinquante hectares, est partagé entre plus de soixante-dix propriétaires ! Ce morcellement des climats du point de vue de la propriété augmente encore la diversité des vins produits, et crée une saine émulation chez le vigneron; une dégustation consistera souvent, en Bourgogne, à comparer deux vins de même cépage et de même appellation, mais provenant chacun d'un climat différent; ou encore à juger deux vins de même cépage et de même climat, mais d'années différentes. Ainsi, en Bourgogne, deux notions reviennent en permanence en matière de dégustation : le cru, ou climat, et le millésime, auxquels s'ajoute un sûr la « touche »

personnelle du propriétaire qui les présente. Du point de vue technique, le vigneron bourguignon est très attaché au maintien des usages et traditions, ce qui ne signifie pas un refus absolu de la modernisation. C'est ainsi que la mécanisation de la viticulture est de plus en plus grande et que de nombreux vinificateurs ont su tirer profit de nouveaux matériels ou de nouvelles techniques. Il est toutefois des traditions qui ne sauraient être remises en cause aussi bien par les viticulteurs que par les négociants : un des meilleurs exemples est l'élevage des vins en fûts de chêne.

L'importance de l'élevage (conduite d'un vin depuis sa prime jeunesse jusqu'à son optimal qualitatif avant la mise en bouteilles) met en outre en évidence le rôle du négociant-éleveur : outre sa responsabilité commerciale, il assume une responsabilité technique. On comprend donc qu'une relation professionnelle harmonieuse se soit créée entre la viticulture et le négoce.

Il existe ainsi en Bourgogne deux comités interprofessionnels ayant respectivement pour siège Beaune et Mâcon ; ils se sont groupés récemment avec le comité de Villefranche-sur-Saône (Beaujolais), en une Fédération des interprofessions viticoles de la grande Bourgogne (F.I.V.B.). Outre son rôle de promotion en faveur des vins de Bourgogne, cette fédération aide au développement de la recherche et de l'expérimentation régionales, en relation notamment avec l'université de Dijon. Celle-ci a été le premier établissement en France, du moins au niveau universitaire, à dispenser des enseignements d'œnologie et à créer un diplôme de technicien, en 1934, en même temps qu'était fondée la prestigieuse confrérie des Chevaliers du Tastevin, qui fait tant pour le rayonnement et le prestige universel des vins de Bourgogne. Siégeant au château du Clos-Vougeot, elle contribue avec d'autres confréries locales à maintenir vivaces les traditions. L'une des plus brillantes est sans conteste la vente des Hospices de Beaune, rendez-vous de l'élite internationale du vin et « bourse » des cours de référence des grands crus ; avec le chapitre de la confrérie et la « Paulée » de Meursault, la vente est l'une des « Trois Glorieuses » ; mais c'est à travers toute la Bourgogne que l'on sait fêter joyeusement le vin, devant quelque « pièce » (228 litres) ou bouteille. Il n'en faut d'ailleurs pas tant pour aimer la Bourgogne et ses vins : n'est-elle pas tout simplement « un pays que l'on peut emporter dans son verre » ?

Quoi de neuf en Bourgogne ?

« Août fait le raisin, septembre fait le vin », dit la sagesse bourguignonne qui ajoute toutefois : « à la Saint-Martin, tu sais ce qu'il devient ». Moïse sauvé des eaux par un mois de septembre très chaud, ainsi apparaît le millésime 87 en Bourgogne. Une récolte d'abondance moyenne mais des vins de bonne qualité marqués par des arômes variés et très riches. En Côte-d'Or, les rouges ont des accents de mûre et de cassis. Des tanins assez puissants leur assurent une structure satisfaisante. Quantité raisonnable et millerandage sont des facteurs de qualité. Quant aux blancs de l'Yonne et de la Côte-d'Or, noisette ou « croissant chaud », ils ont assez de vigueur pour mettre en valeur des arômes persistants. En Saône-et-Loire, les rouges ont une jolie couleur de cerise et un nez fruité. Ils sont assez hétérogènes toutefois, selon le rendement des vignes. Les blancs sont intenses, souples et charnus. La Côte-d'Or produit 350 000 hl, la Saône-et-Loire 510 000 hl et l'Yonne 175 000 hl dont 135 000 hl pour les vins du Chablis (les vendanges ont été assez généreuses).

De Geisweiler et Fils à Nuits-Saint-Georges, ne subsistera-t-il qu'un nom sur des étiquettes longtemps prestigieuses ? L'actionnaire majoritaire britannique Grand Metropolitan vient en effet de fusionner Geisweiler et Idv France (Piat à La Chapelle-de-Guinchay). Disparition de Geisweiler à Nuits : cette maison avait créé par ailleurs et avec succès un important domaine viticole dans les Hautes-Côtes de Nuits (Bévy). En revanche, le groupe Jean-Claude Boisset s'agrandit, rachetant à Jean Valentin les maisons Morin Père et Fils (Nuits) et Laurent Gauthier (Savigny), la maison de négoce bordelaise Labardin ainsi que la Société Henry Bouhy (La Clayette) qui produit notamment des alcools.

Le domaine Jacques Prieur à Meursault (14 ha en chambertin et chambertin-clos-de-bèze, musigny, clos de vougeot, champans, santenots, chevalier-montrachet et montrachet) a été vendu pour moitié à un groupe d'investisseurs de Saône-et-Loire dirigé par Bertrand Devillard (Antonin Rodet à Mercurey). Celui-ci en devient avec Jean Prieur le co-gérant.

Enfin, une vente a fait grand bruit : celle du domaine Charles Noëllat à Vosne-Romanée - quelque 13 ha de romanée-saint-vivant, richebourg, clos de vougeot, etc., pour 65 MF (y compris la récolte 87), un stock important et les bâtiments d'exploitation - acheté par Lalou Bize-Leroy, co-gérante du domaine de la Romanée-Conti, qui dirige également la maison Leroy (Auxey-Duresse).

De son côté, Robert Drouhin (maison Joseph Drouhin) est le premier bourguignon depuis Paul Masson au XIXe s. à créer un large domaine outre-Atlantique. Il entreprend actuellement la mise en valeur de 55 ha de pinot noir dans la Willamette Valley de l'Oregon.

Quoi de neuf encore ? La Grande Rue à Vosne-Romanée souhaite une promotion en grand cru. Quant à la Côte chalonnaise, elle bénéficie enfin d'une personnalité reconnue comme telle parmi les bourgognes.

Les appellations régionales bourgogne

Les appellations bourgogne, bourgogne grand ordinaire et leurs satellites ou homologues couvrent l'aire de production la plus vaste de la Bourgogne viticole. Elles peuvent être produites dans les communes traditionnellement viticoles des départements de l'Yonne, de la Côte-d'Or, de la Saône-et-Loire, et dans le canton de Villefranche-sur-Saône, dans le Rhône.

La codification des usages, et plus particulièrement la définition des terroirs par la délimitation parcellaire, a conduit à une hiérarchie au sein des appellations régionales. L'appellation bourgogne grand ordinaire est l'appellation la plus générale, la plus extensive par l'aire délimitée. Avec un encépagement plus spécifique, on récolte dans les mêmes lieux le bourgogne aligoté et le bourgogne passetougrains.

Mieux vaut ne pas transporter des vins de qualité au cœur de l'été ou de l'hiver : il faut les préserver des températures extrêmes.

Bourgogne

L'aire de production

de cette appellation est assez vaste, si on considère les adjonctions possibles de différents noms de sous-régions (Hautes Côtes) ou de villages (Irancy, Marsannay) qui constituent chacun une entité à part, et sont présentés ici comme tels. Il n'est pas étonnant qu'en raison de l'étendue de cette appellation, les producteurs aient cherché à personnaliser leurs vins, et à convaincre le législateur d'en préciser l'origine. Toutes les micro-régions n'ont cependant pas obtenu à ce jour cette possibilité, certaines ayant déjà, autrefois, utilisé régulièrement ce nom, comme Épineuil, près de Tonnerre dans l'Yonne, où le vignoble actuellement en cours de reconstitution occupait des surfaces assez importantes. Dans le Châtillonnais, en Côte-d'Or, le nom de Massingy a été également utilisé, mais ce vignoble a quasiment disparu. Plus récemment, les viticulteurs ont ajouté et utilisent le nom de village à l'appellation bourgogne, sur les coteaux de l'Yonne. C'est le cas de Saint-Bris, sur la rive droite, et de Coulanges-la-Vineuse, sur la rive gauche.

Les volumes de l'appellation bourgogne sont en année moyenne d'environ 100 000 hl. En blanc, environ 10 000 hl sont produits à partir du cépage chardonnay, encore appelé beaunois dans l'Yonne. Le pinot blanc, bien que cité dans le texte de définition et autrefois un peu plus cultivé dans les hautes côtes de la Bourgogne, a pratiquement disparu. Il est d'ailleurs très souvent confondu, du moins par le nom, avec le chardonnay.

En rouge et rosé, la production à partir de pinot noir est de l'ordre de 85 à 90 000 hl en année moyenne. Le pinot beurot a malheureusement presque disparu en raison de sa carence en matières colorantes; il apportait aux vins rouges une finesse remarquable. Certaines années, les volumes déclarés peuvent être augmentés de volumes issus du «repli» des appellations communales du Beaujolais brouilly, côte-de-brouilly, chenas, chiroubles, fleurie, juliénas, morgon, moulin à vent et saint-amour. Ces vins sont alors issus du cépage gamay noir seul, et ont ainsi un caractère différent. Les vins rosés, dont les volumes augmentent un peu les années de maturité difficile ou de fort développement de la pourriture grise, peuvent être déclarés sous l'appellation bourgogne rosé ou bourgogne clairet.

Pour ajouter à la difficulté, on trouvera des étiquettes portant, en plus de l'appellation bourgogne, le nom du lieu-dit sur lequel a été produit le vin... Quelques vignobles anciens et réputés justifient aujourd'hui cette pratique; c'est le cas du Clos du Roy à Chenôve, des Montreculs, vestiges du vignoble dijonnais envahi par l'urbanisation. Pour les autres, ils créent la confusion avec les premiers crus et ne se justifient pas toujours.

MAXIME ET CHRISTOPHE AUGUSTE Coulanges-la-Vineuse 1986**

■ 5,50 ha 25 000 ⦾ ♦V2

Coulanges-la-Vineuse est un beau bourg vigneron de l'Yonne, plein de vieilles pierres et de vieux bois. A l'emplacement des fortifications, les promenades forment aujourd'hui un rempart de verdure. C'est à l'ombre de ces arbres qu'on aimerait boire cette bouteille tannique, au nez rustique, loyale et sincère, qui saura attendre.

➤ Maxime et Christophe Auguste, 1, imp. des Anes, 89580 Coulanges-la-Vineuse. tél. 86.42.22.70 Υ r.-v.

DOM. BERSAN ET FILS
Dom. Saint-Prix 1986

□ 4 ha 15 000 ■♦V3

Un vin simple et gentil, qui ne vous raconte pas d'histoire. Un peu vert et encore secret.

➤ Dom. Bersan et Fils, 20, rue de l'Eglise, 89530 Saint-Bris-le-Vineux, tél. 86.53.33.73 Υ r.-v.

BERSAN ET FILS 1986*

■ 8 ha 40 000 ■♦V2

Belle robe nuancée, avec un bon accent de pinot. Des caves du XIIe s., des ancêtres vignerons dès le XVe s. à Saint-Bris, cet ancien vignoble des Templiers reste fidèle à ses origines. Un vin long et plein, à un prix raisonnable. On débouchera cette bouteille sans remords ni scrupules.

➤ Dom. Bersan et Fils, 20, rue de l'Eglise, 89530 Saint-Bris-le-Vineux, tél. 86.53.33.73 Υ r.-v.

ALAIN BERTHAULT Pinot noir 1986

1,80 ha 7 000 ■♦V2

85 86

La nuance réglisse et vanille laisse une excellente impression première. Beaucoup de chaleur, un peu trop peut-être. Ensuite, il semble avoir trop évolué et manque de fraîcheur. Est-ce l'effet de la durée de livraison? Rappelons qu'Alain Berthault avait eu le prix d'excellence Hachette pour son 85 mais ce dernier doit être difficile à trouver chez les cavistes!

➤ M. Alain Berthault, Cercot, Moroges, 71390 Buxy, tél. 85.47.91.03 Υ r.-v.

PATRICK BERTRAND 1985**

□ 0,17 ha 2 000 ⦾ V2

Très long en bouche avec une pointe de sécheresse, avec aussi un nez très raffiné aux arômes floraux. Devrait s'épanouir encore et parvenir peu à peu à son optimum. A la mesure d'un superbe millésime qu'il faut savoir attendre avec patience.

➤ M. Patrick Bertrand, Barizey, 71640 Givry, tél. 85.44.40.31

ALBERT BESLE 1986*

■ 0,70 ha 5 000 ⦾ V2

Fontette se trouve tout près de Vézelay: un vignoble à peu près disparu, qui renaît actuellement. A en juger par cette bouteille, la vigne a raison de s'obstiner ici: des tanins bien fondus, un boisé harmonieux, un vin qui n'est pas indigne de la «Colline éternelle».

➤ M. Albert Besle, Fontette, 89450 Vézelay, tél. 86.33.25.21 Υ r.-v.

GERARD ET REGINE BORGNAT 1986

2,50 ha 12 000 ⦾ ♦V2

Datant du XVIIe s., le château d'Escolives, près d'Auxerre, possède 700 m2 de caves! C'est ici que Gérard et Régine Borgnat élèvent ce bourgogne qui doit être bu assez jeune. Il a plus de charme que de caractère.

M. et Mme Gérard Borgnat, 1, rue de l'Eglise, Escolives-Sainte-Camille, 89290 Champs-sur-Yonne, tél. 86.53.35.28 r.-v.

GERARD ET REGINE BORGNAT 1987*

0,75 ha 5 000
83 84 **85** 86 87

Dominante légèrement acide ; c'est un rosé vif et pointu. L'équilibre général ? Satisfaisant. Le plaisir ? Réel, si l'on aime les vins qui agacent un peu. Style Gainsbourg plutôt que Bécaud.
M. et Mme Gérard Borgnat, 1, rue de l'Eglise, Escolives-Sainte-Camille, 89290 Champs-sur-Yonne, tél. 86.53.35.28 r.-v.

BOUCHARD AINE ET FILS
Les Vendangeurs 1986*

n.c. 25 000
85 86

Des œufs en meurette devraient parfaitement convenir à ce pinot noir Les Vendangeurs, d'une solide maison de négoce. La robe est légère, les arômes évoquent les fruits rouges, sans excès d'intensité. Tendresse ! Elégance aussi.
Bouchard Aîné et Fils, 36, rue Sainte-Marguerite, 21203 Beaune Cedex, tél. 80.22.07.67 r.-v.

RENE BOURGEON Les Pourrières 1986

1 ha n.c.
85 86

Limpide mais à la robe ténue, ce bourgogne pas très ouvert offre une persistance moyenne. Bons arômes floraux et une certaine fraîcheur. Pointe de muscat. On peut aimer.
M. René Bourgeon, Jambles, 71640 Givry, tél. 85.44.35.85 r.-v.

RENE BOURGEON Les Pourrières 1986**

4 ha n.c.
85 **86**

Tout en finesse, ce vin rouge vif exprime les arômes d'un bouquet de fleurs et d'une corbeille de fruits. Une jolie réussite, bien vinifié et gardé en fût neuf. A la longue, ses tanins s'assoupliront. Les vignes ont vingt ans, cela se sent.
M. René Bourgeon, Jambles, 71640 Givry, tél. 85.44.35.85 r.-v.

GEORGES BOUTHENET 1986*

10 ha n.c.

A l'œil, cerise noire. Au nez, des arômes rustiques, du genre meuble en vieux bois. Si l'attaque en bouche est un peu sèche, la puissance et le feu sont au rendez-vous. Trop jeune encore pour être vraiment apprécié.
M. Georges Bouthenet, Eguilly, 71490 Couches, tél. 85.49.66.65 t.l.j. 8h-12h 14h-18h.

REGIS BOUVIER 1986*

2 ha 18 000

La fraîcheur du bouquet est délicate et discrète. Légèrement dominée par les tanins, la charpente conserve un très bon potentiel de vieillissement. A consommer dans 2 à 5 années.
M. Régis Bouvier, 52, rue de Mazy, 21160 Marsannay-la-Côte, tél. 80.51.33.93 r.-v.

RENE BOUVIER 1986**

n.c. 6 000

L'excellente fraîcheur de ce vin au fruité intense se révèle dans sa souplesse. Il peut être dégusté dès aujourd'hui.
M. René Bouvier, 2, rue Neuve, 21160 Marsannay-la-Côte, tél. 80.52.21.37 r.-v.

PHILIPPE BOUZEREAU
Cuvée Charles Bouzereau 1986

1,50 ha 3 000
81 **82 83 84 85** 86

Des notes de fruits frais suggérant le citron et la pomme verte émanent du bouquet. Ce vin franc et net est typique du millésime. On pourra le découvrir avec un poisson de rivière.
M. Philippe Bouzereau, 15, pl. de l'Europe, 21190 Meursault, tél. 80.21.20.32 r.-v.

YVES BOYER 1985***

0,30 ha 1 800

La brillance et la netteté de la robe soulignent une couleur rouge vif. On discerne à l'intérieur du bouquet intense et très flatteur des arômes de vanille, de moka et de fruits mûrs. Richesse et puissance caractérisent une structure bien équilibrée. Vanille et réglisse accompagnent la longue persistance de ce vin tout à fait remarquable. A noter : son prix exceptionnel.
M. Yves Boyer-Martenot, 17, rue Mazeray, 21190 Meursault, tél. 80.21.26.25 r.-v.

YVES BOYER-MARTENOT 1986*

0,50 ha 2 800

L'apparence dorée de ce chardonnay est soutenue par des reflets verts. La jeunesse du bouquet dissimule des évocations discrètes de fruits mûrs et de boisé. La bouche est onctueuse et moelleuse. On peut dès maintenant profiter de l'ensemble.
M. Yves Boyer-Martenot, 17, rue Mazeray, 21190 Meursault, tél. 80.21.26.25 r.-v.

DOM. JEAN-MARC BROCARD 1986

5 ha 30 000
(85) 86

Cerise... évidemment. C'est une spécialité du pays. Produit par des vignes de quinze ans, ce bourgogne rouge offre des parfums agréables. Son premier contact est plaisant, mais l'équilibre ne compense pas pleinement la faible profondeur.
M. Jean-Marc Brocard, Préhy, 89800 Chablis, tél. 86.41.42.11 r.-v.

DOM. JEAN-MARC BROCARD 1986

2 ha 5 000

Agréable, doucement boisé (ce qui témoigne d'un élevage consciencieux), un chardonnay de Préhy produit sur 2 hectares. Tout de même un peu juste.
M. Jean-Marc Brocard, Préhy, 89800 Chablis, tél. 86.41.42.11 r.-v.

CAVE DES VIGNERONS DE BUXY 1985*

[77] 78 79 81 82 83 [84] 85 · 105,36 ha · 240 000

Quelques reflets tuilés dans la robe profonde mais léger boisé présent. L'équilibre est bon. Créée en 1931 et modernisée en 1984 (cave), cette coopérative possède dans son chai d'élevage 17 foudres de 65 hl et plus de 1 000 pièces de chêne (228 l).

☛ Cave des Vignerons de Buxy, Les Vignes de la Croix, B.P.6, 71390 Buxy, tél. 85.92.03.03 ⏰ r.-v.

LUCIEN CAMUS-BRUCHON 1986***

0,23 ha · 1 500

Ce magnifique bourgogne blanc s'offre dans une teinte d'or parcourue de reflets verts. Le bouquet est envoûtant, il assemble des arômes de citron, de pâte d'amande et de fruit exotique. En bouche, une attaque fraîche se poursuit sur des rémanences d'extrait de marron. Onctueux et possédant une belle finale, ce vin est construit pour ravir les amateurs et dégustateurs avertis.

☛ M. Lucien Camus-Bruchon, 16 rue de Chorey, 21420 Savigny-les-Beaune, tél. 80.21.51.08 ⏰ r.-v.

Bourgogne Blanc
APPELLATION CONTROLÉE
Mise en bouteille à la propriété par
Lucien CAMUS-BRUCHON
Propriétaire à Savigny-les-Beaune (Côte-d'Or)
75 cl
Produit de France

CHAMPS PERDRIX 1986*

85 [86] · 4,50 ha · 35 000

Vignoble de sélection du pinot noir, destiné à améliorer la production, les Champs Perdrix ont toujours été classés parmi les meilleurs coteaux, en limite de Mercurey. Ici, le nez de fût neuf n'empêche pas ce vin de « pinoter » d'agréable façon. Fin, équilibré, il devrait bien vieillir.

☛ M. Emile Chandesais, Ch. Saint-Nicolas, B.P. 1, Fontaines, 71150 Chagny, tél. 85.91.41.77 ⏰ r.-v.

☛ SCEA Champs Perdrix.

EMILE CHANDESAIS 1986*

n.c. · 12 000

Un bourgogne rouge sans défaut. Il manque un peu de fruit, mais sa robuste constitution et son harmonie générale compensent largement ce défaut de jeunesse.

☛ M. Emile Chandesais, Ch. Saint-Nicolas, B.P. 1, Fontaines, 71150 Chagny, tél. 85.91.41.77 ⏰ r.-v.

CHANSON 1986**

n.c. · n.c.

Une note végétale, des senteurs de pamplemousse, de tilleul et d'ananas composent le bouquet. La présentation est soignée, découvrant la limpidité et la brillance d'une teinte jaune pâle. Onctueux et harmonieux, ce vin accompagnera une fondue vigneronne.

☛ MM. Chanson Père et Fils, 10, rue Paul-Chanson, 21201 Beaune Cedex, tél. 80.22.33.00 ⏰ r.-v.

CHANZY FRERES Clos de la Fortune 1986

[85] 86 · 1,95 ha · 10 000

Chardonnay léger, à servir avec un poisson grillé. Il est issu de vignes de quarante ans. Pas trop de nuances et un certain manque de caractère, mais l'impression première soit agréable.

☛ MM. Chanzy Frères, Dom. de l'Hermitage, Bouzeron, 71150 Chagny, tél. 85.87.23.69 ⏰ r.-v.

CLOS DU CHATEAU DOMAINE LAROCHE 1986***

3,50 ha · 20 000

Finement boisé et légèrement vanillé, le bouquet recèle des évocations de fruits. La teinte dorée laisse transparaître de légers reflets verts. La structure générale est bonne ; ce vin possède un potentiel de substance qui lui permettra de s'affirmer et d'évoluer durant 3 à 5 ans. Celui-là, il faut l'acheter vite et le conserver longtemps.

☛ Dom. Laroche, 22, rue Louis-Bro, 89800 Chablis, tél. 86.42.14.30 ⏰ r.-v.

JACQUES CLEMENT 1986*

4 ha · 6 000

Un très beau vin de garde, à un prix modique : le type même de la « bonne occasion ». La robe est très intense, violacée. Le parfum fait songer à la griotte. Rondeur et longueur s'harmonisent à la perfection. Celui-là, il faut l'acheter vite et le conserver longtemps.

☛ M. Jacques Clément, 1, Grande Rue, Jussy, 89290 Champs-sur-Yonne, tél. 86.53.30.77 ⏰ sa. 9h-20h ; f. dim. à 13h00

MICHEL COLBOIS 1985*

1,30 ha · 6 000

Ce 85 devrait se bonifier encore avec l'âge. Joliment cerise. Son nez annonce un plaisir un peu rude. L'agressivité domine encore l'impression finale. Mais c'est un beau millésime et on peut lui faire confiance.

☛ M. Michel Colbois, 15, route de Montallery, Chitry-le-Fort, 89530 Saint-Bris-le-Vineux, tél. 86.41.40.23 ⏰ r.-v.

FRANCOIS COLLIN Epineuil 1986*

[83] [85] [86] · 1,29 ha · 8 000

Un vin qui n'est apparu au grand jour qu'en 1978. Celui-ci est issu de vignes plus récentes encore (1983). Cela ne l'empêche pas d'être charpenté, rond et bien fait. Son vieillissement semble assuré.

☛ M. François Collin, Les Mulots, 89700 Tonnerre, tél. 86.75.93.84 ⏰ r.-v.

COMTES DE CHARTOGNE 1985***

n.c.   n.c.

Les comtes de Chartogne sont les ancêtres de Michel Jaboulet-Vercherre Voilà un beau titre de noblesse pour ce bourgogne qui le mérite bien, tant par sa belle couleur cerise parée de reflets orangés que par la fraîcheur du bouquet de fruits rouges mûrs. Ce vin charnu est tout à la fois charpenté et gras, riche d'une flaveur vanillée. A offrir avec un gibier mariné.
→ Jaboulet-Vercherre SA, 5, rue Colbert, 21201 Beaune, tél. 80.22.25.22 T r.-v.

CUVIER DES AMIS 1986*

n.c.   10 000

Irisé et pourpre, un bourgogne rouge tannique, plus robuste que subtil. Sa constitution lui permettra de bien vieillir, mais il est peu probable que son tempérament devienne beaucoup plus civilisé. Il faut l'aimer comme ça !
→ Le Cuvier des Amis, Les Plantées, Davayé, 71960 Pierreclos, tél. 85.35.83.65 T lu.-ma, me, je, ve. 10h-12h 14h-18h.

DOM. DU CHATEAU DE DAVENAY 1986**

2.50 ha   15 000

La robe oscille entre le grenat et le pourpre. Fruits rouges et boisé se distinguent franchement dans le bouquet. Ce vin savoureux et persistant marie avec bonheur les tanins et le moelleux. A consommer dès maintenant mais peut attendre 2 ou 3 ans.
→ SCEA Dom. du Ch. Davenay, 71150 Chagny, tél. 85.92.00.78

LUCIEN DENIZOT 1986*

0.21 ha   2 500

Acidité pas trop marquée et fin de bouche assez longue. Agréable au palais, tendre et franc, il devrait bien évoluer.
→ M. Lucien Denizot, Les Moirots, Bissey-sous-Cruchaud, 71390 Buxy, tél. 85.92.16.93 T r.-v.

ANTOINE DEPAGNEUX 1985**

n.c.   30 000

Sombre et à peine tuilé, pointu avec une note de griotte, ce 85 n'est pas encore sorti de sa jeunesse. Il va gagner des points en dormant en cave et on peut sans risque lui faire confiance.
→ M. Antoine Depagneux, Les Nivaudières, B.P. 8, Quincié-en-Beaujolais, 69430 Beaujeu, tél. 74.04.37.33

BERNARD DESERTAUX-FERRAND 1985

2.50 ha   7 000

Ce pinot noir s'offre dans une brillante robe rouge. Le bouquet est frais, mêlant petits fruits et vanille. Dominé par les tanins, ce vin fera découvrir, en bouche, des flaveurs de fruits secs.
→ M. Bernard Desertaux-Ferrand, Grande Rue, Corgoloin, 21700 Nuits-Saint-Georges, tél. 80.62.98.40 T t.l.j. sf dim. 9h-12h 14h-20h.

LOUIS DESFONTAINE 1985*

6.36 ha   40 000

Robe bien fournie et chatoyante, notes de sous-bois et de fruits rouges : un bourgogne assez puissant, équilibré, riche, apte au vieillissement.
→ M. Louis Desfontaine, Le Château, Chamilly, 71510 Saint-Léger-sur-Dheune, tél. 85.87.22.24 T r.-v.

ANTOINE DONAT 1986 Dessus Bon Boire 1986

3.65 ha   10 000

Pâle de robe, mais brillant et limpide. Comme le nez, l'harmonie est bonne.
→ M. Antoine Donat, 10, rue des Vergers, Vaux, 89290 Champs, tél. 86.53.80.80 T r.-v.

ANTOINE DONAT 1986*

4.85 ha   20 000

Léger, peut-être parce qu'il est souple et bien fondu. L'ensemble est équilibré et harmonieux. C'est tout simplement un vin à boire maintenant, dans sa jeunesse.
→ M. Antoine Donat, 10, rue des Vergers, Vaux, 89290 Champs, tél. 86.53.80.80 T r.-v.

ROBERT DUBOIS ET FILS 1985*

4.70 ha   24 000

Rouge, avec des éclats orangés, la robe est franche. Le bouquet, tout aussi franc, associe les fruits rouges à une senteur de cuir. Ce vin ferme et tannique accompagnera une grillade.
→ MM. Robert Dubois et Fils, Premeaux-Prissey, 21700 Nuits-Saint-Georges, tél. 80.62.30.61 T r.-v.

RENE DUCHEMIN 1985*

1.75 ha   8 000

Un vieux pressoir du XVIIIe s. à visiter et un vin bien fait à déguster : limpide et brillant, il offre de fins arômes de framboise et griotte. Sa structure est très intéressante.
→ M. René Duchemin, Dom. du Vieux Pressoir, Sampigny-lès-Maranges, 71150 Chagny, tél. 85.91.12.71 T r.-v.

RAYMOND DUPUIS Coulanges-la-Vineuse 1986*

6 ha   40 000

C'est un vin de jeunesse, rouge, vif, fin et réservé. Pour un 86, ce n'est pas si mal ! Nul doute qu'il devra vieillir un peu pour acquérir toutes ses qualités. Ce sont les Romains, paraît-il, qui ont apporté la vigne au pays. Ils n'ont pas été mal inspirés...
→ M. Raymond Dupuis, 17, rue des Dames, 89580 Coulanges-la-Vineuse, tél. 86.42.25.20 T r.-v.

CHRISTIAN FAUROIS 1984***

0.50 ha   2 000

Les arômes du bouquet, complexes et subtils, expriment les fruits rouges relevés d'une touche animale. La structure équilibre les tanins et le moelleux de ce beau millésime 84 persistant en bouche.

☛ M. Christian Faurois, Vosne-Romanée, 21700 Nuits-Saint-Georges, tél. 80.61.01.14 ☎ r.-v.

JEAN FELIX 1986

0.50 ha 3 000

Un rosé un peu sec et riche en alcool. Sa robe pâle et ambrée annonce finesse et fraîcheur des parfums. Convenable.

☛ M. Jean Félix, 17, rue de Paris, 89530 Saint-Bris-le-Vineux, tél. 86.53.33.87 ☎ r.-v.

BERNARD FEVRE 1984*

0.70 ha 4 000

Le bouquet, agréable, évoque le sous-bois. Doté d'une bonne persistance en bouche, ce vin à la couleur intense, fruité et équilibré, accompagnera une pintade.

☛ M. Bernard Fèvre, Saint-Romain, 21190 Meursault, tél. 80.21.21.29 ☎ r.-v.

FORNEROL VACHEROT 1985

1 ha 2 000

Ce vin nécessite une garde de 2 à 4 années qui assouplira son vigoureux caractère. Malgré sa rudesse présente, on peut envisager sans crainte son avenir.

☛ Fornerol-Vacherot, pl. de l'Eglise, Corgoloin, 21700 Nuits-Saint-Georges, tél. 80.62.98.50 ☎ r.-v.

JEAN GERMAIN Clos de La Fortune 1985*

n.c. n.c.

Le Clos de La Fortune 85 se présente dans une teinte ou pâle parcourue de reflets verts. Les évocations sont encore retenues par leur jeunesse, néanmoins des arômes de noisette et de foin coupé commencent à se révéler. Ce vin frais et équilibré accompagnera des hors-d'œuvre.

☛ Maison Jean Germain, 11, rue de Lattre-de-Tassigny, 21190 Meursault, tél. 80.21.63.67 ☎ t.l.j. sf dim. 9h-12h 14h-19h.

HUGUES GOISOT 1987

1.10 ha 6 500

Ce 87 jaune pâle, limpide, est assez parfumé. Il a la rondeur bourguignonne, mais les épaules pas très solides. La première impression en bouche, assez fugitive, est cependant excellente.

☛ M. Hugues Goisot, 27, rue de Paris, 89530 Saint-Bris-le-Vineux, tél. 86.53.32.72 ☎ r.-v.

JEAN-HUGUES GOISOT Cuvée du Corps de Garde 1985*

2.50 ha 15 000

81 (82) 83 84 85

Couleur pelure d'oignon, orangé, un vin coup de poing. Ne porte-t-il pas le nom prédestiné de «Cuvée du Corps de Garde»? Le fût neuf ne lui a pas fait de mal. Sa puissance ne l'empêche pas de développer des arômes joyeux et d'exprimer un bel équilibre.

☛ M. Jean-Hugues Goisot, 30, rue Bienvenu-Martin, 89530 Saint-Bris-le-Vineux, tél. 86.53.35.15 ☎ r.-v.

JEAN-HUGUES GOISOT Coteaux de Saint-Bris 1986

76 80 (81) (82) 83 84 85 86

1.10 ha 7 000

Ses arômes ne sont pas très développés, mais l'impression est favorable. La grande mode du cépage (chardonnay) mentionné sur l'étiquette, prend peu à peu le pas sur l'appellation régionale générique. Une idée anglo-saxonne devenue bourguignonne.

☛ M. Jean-Hugues Goisot, 30, rue Bienvenu-Martin, 89530 Saint-Bris-le-Vineux, tél. 86.53.35.15 ☎ r.-v.

DOM. MICHEL GOUBARD 1986

1 ha 6 000

85 86

Couleur assez intense, qui surprend un peu. Les arômes sont en revanche discrets, mais agréables. Un vin assez tendre et frais.

☛ M. Michel Goubard, Saint-Désert, 71390 Buxy, tél. 85.47.91.06 ☎ t.l.j. 8h-12h 14h-19h.

MICHEL GOUBARD Mont-Avril 1986**

4 ha 30 000

79 80 (81) 83 84 (85) (86)

Georges Blanc et la Maison Fauchon figurent parmi les clients de la famille Goubard qui propose ici un bourgogne rouge très brillant, bien fruité (léger nez de mûre). Ses tanins s'affirmeront avec le temps. Il possède le caractère des 86. Le coteau du Mont-Avril et son «vin renommé» sont cités par l'abbé Courtépée, historien de la Bourgogne du XVIIIe s.

☛ M. Michel Goubard, Saint-Désert, 71390 Buxy, tél. 85.47.91.06 ☎ t.l.j. 8h-12h 14h-19h.

LES CAVES DES HAUTES-COTES 1986*

1.50 ha 9 000

83 86

Elégantes et discrètes, les nuances aromatiques du bouquet évoquent les fleurs blanches. L'aspect unit la limpidité à la brillance, la teinte d'or pâle est mêlée de reflets verts. Frais et vif, un vin nanti d'une bonne attaque, équilibré. Une garde de 2 à 5 années lui sera profitable.

☛ Les Caves des Hautes-Côtes, rte de Pommard, 21200 Beaune, tél. 80.24.63.12 ☎ r.-v.

ULYSSE JABOULET 1985*

1.10 ha 9 000

☛ M. Ulysse Jaboulet, rue Colbert, 21200 Beaune, tél. 80.22.25.22 ☎ r.-v.

PATRICK JAVILLIER 1986**

1.50 ha 6 000

85 86

Patrick Javillier reste fidèle aux deux étoiles pour son bourgogne chardonnay. La teinte est assortie d'une excellente limpidité; la brillance

recouvre un nez vanillé unissant un arôme torréfié de pain grillé aux senteurs boisées. Ce vin est onctueux et gras; sa souplesse et sa persistance lui permettront d'accompagner un poulet en sauce normande.

☛ M. Patrick Javillier, 7, imp. des Acacias, 21190 Meursault, tél. 80.21.27.87 ❚ r.-v.

DOM. JEANNET 1986

| ■ | 4 ha | 15 000 | ▥ ▣2 |

82 83 **85** 86

Le bois domine un peu les arômes de fruits rouges (cerise) et c'est dommage. Mais ce vin, léger, équilibré dans sa constitution et pas très cher, sera agréable dans 2 où 3 ans. On pourra l'attendre en se réjouissant du 82 dégusté (à l'aveugle) par notre jury, qui est resté remarquable. Pinot noir très framboise.

☛ M. Jean-Noël Jeannet, Mazenay, Saint-Sernin-du-Plain, 71510 Saint-Léger-sur-Dheune, tél. 85.49.63.51 ❚ r.-v.

J.-C. JHEAN-MOREY 1986*

| □ | 0,51 ha | 1 500 | ▥ ♣ ▣3 |

Ample, charnu et structuré, ce vin est gratifié d'une bonne attaque. Les arômes sont discrets, encore renfermés dans la jeunesse. La teinte jaune pâle est brillante et limpide. A associer des à présent avec un plat d'asperges.

☛ M. J.-C. Jhean-Morey, 17, rue de Cîteaux, 21190 Meursault, tél. 80.21.2-15 ❚ r.-v.

JEAN-LUC JOILLOT 1986*

| ■ | 5 ha | 10 000 | ▥ ▣2 |

|76|79| 80 |82|83 84 85 |86|

Mariant les tanins et le moelleux, ce bourgogne est structuré et bien né. Ce bourgogne évoque des parfums de fruits rouges. Il est prêt à être consommé, mais pourra parfaitement évoluer durant 2 à 3 années.

☛ M. Jean-Luc Joillot, rue de la Métairie, 21630 Pommard, tél. 80.22.10.82 ❚ t.l.j. 8h-20h.

HENRI ET VINCENT JOUSSIER 1986

| □ | 1,50 ha | 10 000 | ▥ ♣ ▣2 |

Limpide et pas du tout désagréable. Un peu fermé? Ou pas très jeune? La qualité est honorable. «Malgré cela, me plaît», note l'un des dégustateurs. Alors pourquoi pas?

☛ MM. Henri et Vincent Joussier, Dom. de L'Evêché, Saint-Denis-de-Vaux, 71640 Givry, tél. 85.44.32.42 ❚ t.l.j. 8h-12h 14h-18h.

HENRI ET VINCENT JOUSSIER 1985

| ■ | 5 ha | 18 000 | ▥ ♣ ▣2 |

Vigneron à Saint-Denis-de-Vaux depuis le XVIᵉ s... au moins, la famille Joussier présente un vin qui a de bonnes couleurs aux joues et des arômes fruités. Un rien tannique et un tempérament un peu léger.

☛ MM. Henri et Vincent Joussier, Dom. de L'Evêché, Saint-Denis-de-Vaux, 71640 Givry, tél. 85.44.32.42 ❚ t.l.j. 8h-12h 14h-18h.

JEAN LABOUREAU 1985

| ■ | 3,60 ha | 5 000 | ▥ ▣3 |

83 |85|

Les fruits rouges confits associés à une senteur animale forment le registre aromatique de ce vin à la robe rubis, soutenue par des reflets orangés. L'ensemble, charpenté, est légèrement dominé par les tanins.

☛ M. Jean Laboureau, rte de Beaune, Bligny-les-Beaune, 21200 Beaune, tél. 80.26.81.93 ❚ r.-v.

PASCAL LABOUREAU 1985

| ■ | 1,83 ha | 3 500 |

83 85

...e bouquet évoque les fruits cuits dans ce vin charnu, solide et flatteur qui laisse apparaître en bouche une saveur boisée. A consommer avec une viande rouge.

☛ M. Pascal Laboureau, rte de Beau.e, Bligny-les-Beaune, 21200 Beaune, tél. 80.26.33.67 ❚ r.-v.

LA CHABLISIENNE Epineuil 1986

| ■ | 0,50 ha | 8 000 | ▥ ♣ ▣3 |

Un vin destiné à une consommation rapide. Assez clair, tannique, il montre que la renaissance du vignoble du Tonnerrois s'appuie sur de sérieuses et solides racines.

☛ Cave Coop. La Chablisienne, 8, bd Pasteur, B.P. 14, 89800 Chablis, tél. 36.42.11.24 ❚ t.l.j. si dim. 8h-12h 14h-18h; f. d'oct. à Pâques les dim.

ROBERT LANDRE 1985

| ■ | 6,50 ha | 20 000 | ▥ ▣2 |

84 85

...éger pour un 85 dont on attend plus de caractère, un bouquet plus épanoui. Mais ce bougogne au prix modique se boit facilement et ne s.iscite pas de critique.

☛ M. Robert Landré, Le Clos Michaud, Mellecey, 71640 Givry, tél. 85.45.13.84 ❚ r.-v.

LA P'TIOTE CAVE
Côte de Nantoux 1986*

| ■ | 1 ha | 7 000 | ▥ ▣2 |

Un bon petit bourgogne qui ne vieillira pas dans votre cave. Le prix est raisonnable et le prociuit honnête et sans défaut. Le boisé est bien là. le fruité aussi. Que demander d'au.re?

☛ M. Guy Mugnier, La P'tiote Cave, Rully, 71150 Chagny, tél. 85.87.15.21 ❚ r.-v.

LA P'TIOTE CAVE
Côte de Nantoux 1986*

| ■ | 0,50 ha | 2 000 | ▥ ♣ ▣2 |

Il n'a pas beaucoup de rose aux joues, mais il est rond, tendre et agréable. Mutin en un mot et bien réussi. On peut le choisir sans c'ainte d'être déçu

☛ M. Guy Mugnier, La P'tiote Cave, Rully, 71150 Chagny, tél. 85.87.15.21 ❚ r.-v.

LAROCHE Coulanges-la-Vineuse .986

| ■ | n.c. | 20 000 | ▥ ♣ ▣3 |

Un vin sans défaut, à boire jeune car il n'a pas le caractère d'un vin de garde.

☛ Dom. Laroche, L'Obédiencerie, rue Louis-Bro, 89800 Chablis, tél. 86.42.14.30 ❚ r.-v.

DOM. DE LA TOUR BAJOLE 1986*

■ ↓ ☑2

79 |82| 83 86   2,03 ha   12 000

Parfaite franchise de ce pinot produit par des vignes de trente ans. La famille Dessendre est, dans le pays de Couches, aussi ancienne et robuste qu'un cep de vigne. Sans doute 87 sue-t-il mieux encore que 86, mais cette bouteille a de l'élégance et de l'harmonie. Davantage de finesse que de puissance. Une belle élégance.

→ M. Jean-Claude Dessendre, Dom. de La Tour Bajole, Saint-Maurice-les-Couches, 71490 Couches, tél. 85.45.52.90 ☎ r.-v.

DOM. DE LA VIERGE 1986**

■ ☑2

☐   n.c.   5 000

Un hectare et des jeunes vignes (cinq ans). Cela donne un vin bien typé, fruité, que l'on peut apprécier dès à présent avec une entrée, une assiette de crustacés, un poisson de rivière. Placé sous le patronage de la Vierge, ce vin a été conçu sans péché.

→ M. Jean-Claude Biot, Dom. de la Vierge, Chitry-le-Fort, 89530 Saint-Bris-le-Vineux, tél. 86.41.42.79 ☎ r.-v.

HONORE LAVIGNE 1986**

■ ☑2

☐   n.c.   n.c.

La fraîcheur du bouquet laisse percevoir des arômes de fraise et de framboise. Souple et bien structuré, ce vin possède une remarquable substance et une longue persistance. Il est agréable dès maintenant mais on pourra le laisser évoluer 2 à 5 années sans crainte.

→ M. Honoré Lavigne, passage Montgolfier, 21700 Nuits-Saint-Georges, tél. 80.61.00.06 ☎ r.-v.

LEROY D'AUVENAY 1985**

■ ↓4

|83| 84 |85|

L'intensité de la teinte jaune pâle est mêlée de reflets verts. Les évocations florales du bouquet sont encore en retrait. La structure est vive et fraîche, possédant un bon équilibre. La souplesse et le gras de ce vin accompagneront des écrevisses à l'armoricaine.

→ SA Leroy, Auxey-Duresses, 21190 Meursault, tél. 80.21.21.10 ☎ r.-v.

LUPE-CHOLET Clos de Lupé 1985

■ ↓4

83 |84||85| 1,81 ha   9 000

C'est au début du XVIIe s. que la famille s'installe sur le Clos de Lupé qui couvre 3 hectares. Ce bourgogne 85 exhale une palette originale d'arômes de fruits mûrs et de bois de réglisse. Les tanins dominent encore la charpente.

→ Lupé-Cholet SA, av. du Gal-de-Gaulle, 21700 Nuits-Saint-Georges, tél. 80.22.17.99 ☎ r.-v.

P. DE MARCILLY 1983

■ ☑3

☐   n.c.   n.c.

Evocations discrètes de fruits rouges confits dans le bouquet alors que l'équilibre général est dominé par les tanins. La bouche fera découvrir une flaveur de bois de réglisse.

→ Maison P. de Marcilly, passage Montgolfier, 21700 Nuits-Saint-Georges, tél. 80.61.14.26 ☎ r.-v.

FREDERIC MAREY 1986

■ ☑3

■   3 ha   20 000

Rouge tendre, comme les nuances florales du bouquet qui s'unissent aux senteurs vertes. On offrira ce vin équilibré avec une grillade aux herbes.

→ M. Frédéric Marey, Meuilley, 21700 Nuits-Saint-Georges, tél. 80.61.12.44 ☎ r.-v.

ROLAND MAROSLAVAC-LEGER 1986***

■ ☑3

☐   1,58 ha   13 000

Encore très jeune et vif par sa couleur, ce vin harmonieux offre toute la richesse du chardonnay avec un remarquable moelleux. Le nez est avant tout végétal : on y discerne des exhalaisons de tilleul, de vanille et de miel. On peut le garder 3 à 5 ans avant de le déguster avec des langoustines.

→ M. Roland Maroslavac-Leger, 43, Grande Rue, Puligny-Montrachet, 21190 Meursault, tél. 80.21.31.23 ☎ r.-v.

MICHEL MARTIN 1986*

■ ☑2

■   3 ha   n.c.

Bon bourgogne au ventre vigneron : il a la rondeur d'un fût. La bouche est plus satisfaite que le nez.

→ M. Michel Martin, 61, rue André-Vildieu, 89580 Coulanges-la-Vineuse, tél. 86.42.33.06 ☎ r.-v.

RENE MARTIN 1986*

■ ☑2

■   2 ha   n.c.

Voici un bourgogne en toute franchise, dont les arômes expriment les fruits rouges. La robe grenat est sans défaut. Souple et harmonieux, il est à découvrir avec un fromage frais.

→ SA Prosper Maufoux, 71150 Sampigny-lès-Maranges, tél. 85.91.15.48 ☎ r.-v.

PROSPER MAUFOUX 1985

■ ☑2

■   n.c.   10 000

Dans une robe déjà brique, ce bourgogne est doté d'un nez fin et délicat. Souple et évolué, il sera consommé sans attendre.

→ SA Prosper Maufoux, pl. du Jet-d'Eau, 21590 Santenay, tél. 80.20.60.40 ☎ r.-v.

DOM. MELLENOTTE-DRILLIEN 1986**

■ ↓ ☑3

☐   n.c.   3 000

Tendre et délicat, ce bourgogne, bien équilibré quoiqu'un peu riche en alcool. Il bénéficie d'une acidité satisfaisante qui assurera sa conservation. Un bon chardonnay très harmonieux.

→ Dom. Mellenotte-Drillien, Mellecey, 71640 Givry, tél. 85.45.10.98 ☎ t.l.j. sf dim. 8h-12h 13h30-20h.

CH. DE MEURSAULT Clos du Château 1985***

■ ↓ ☑5

78 79 80 |81| |82| (83) 84 85   8 ha   50 000

Le château de Meursault propose cette superbe

cuvée 85. Elle se découvre dans une teinte jaune pâle ciselé de reflets verts. Les évocations puissantes du bouquet rappellent le pain grillé et le sous-bois mêlés aux senteurs de fleurs blanches. Le corps est équilibré, associant le moelleux, la souplesse et la vigueur. On l'offrira avec une viande blanche en sauce.

● Dom. du Château de Meursault, 21190 Meursault, tél. 80.21.22.98 ☎ t.l.j. 9h30-12h 14h30-18h ; f. déc., janv., fév.

JEAN-CLAUDE MICHAUT
Epineuil 1986

1 ha · 6 000

Encore un vignoble en pleine renaissance! Epineuil a vu naître en 1827 Alfred Grévin, fondateur du musée qui porte son nom. Le vin du pays (le Tonnerrois) n'est pourtant pas un vin de cire : vif, très éveillé, un rosé abricot qu'on aimera dans ses jeunes années.

● M. Jean-Claude Michaut, Epineuil, 89700 Tonnerre, tél. 86.55.24.99 ☎ r.-v.

BERNARD MICHEL 1985

3,75 ha · 20 000

Frais et gouleyant, mais sans beaucoup de corps. Peu de couleur. En revanche, un nez intéressant (champignon) et une pointe de tanin qui n'est pas désagréable du tout.

● M. Bernard Michel, Saint-Vallerin, 71390 Buxy, tél. 85.92.11.16 ☎ r.-v.

MOMMESSIN 1985

n.c. · n.c.

Il y a des petits bourgogne bien agréables à boire. Celui-ci est finement boisé, fruité de mûre, équilibré comme un bourgogne sans année. Court mais agréable.

● Mommessin, La Grange Saint-Pierre, BP 504 Charnay-lès-Mâcon, 71850 Mâcon.

JEAN MOREAU 1983*

1,50 ha · 12 000

Flatteur, le nez associe à des senteurs de fruits confits la vanille et le moka. La richesse de l'ensemble équilibre le gras et les tanins. On consommera cette bouteille avec un ragoût de mouton ou une autre viande en sauce.

● M. Jean Moreau, Dom. de La Buissière, 21590 Santenay, tél. 80.20.61.79 ☎ t.l.j. 8h-12h 13h-20h.

MORIN 1986**

1,50 ha · n.c.

Doté d'un très beau bouquet évoquant les fruits rouges associés à une senteur intéressante de vanille et de moka, ce vin se présente dans une robe rubis. Charnue et souple, la structure est riche de substance. Accompagnera un plat de charcuterie fine.

● Maison Morin, passage Montgolfier, 21700 Nuits-Saint-Georges, tél. 80.61.05.11 ☎ r.-v.

MICHEL MORIN 1986*

4 ha · 18 000

Ce viticulteur de Chitry (magnifique église fortifiée) produit un bon bourgogne chardonnay, pas trop vif, pas trop puissant, mais harmonieux

351

et plein d'aménité. On l'aimerait plus long en bouche, mais il est si bien équilibré!

● M. Michel Morin, 28, rue du Ruisseau, 89530 Chitry-le-Fort, tél. 86.41.41.61 ☎ r.-v.

MORTET ET FILS 1985*

78 79 80 81 **82** 83 84 85

1,30 ha · 8 000

Typique du cépage pinot, le bouquet évoque des senteurs boisées. L'ensemble possède une bonne architecture. Ce vin est apte à vieillir.

● MM. Mortet et Fils, 22, rue de l'Église, 21220 Gevrey-Chambertin, tél. 80.34.10.05 ☎ r.-v.

BERNARD MUNIER
Les Clos Prieur 1985**

78 79 **80** 81 **82** **83**84 85

1,48 ha · 10 000

Les tanins se fondent dans un ensemble harmonieux où dominent les fruits rouges. On mariera ce vin avec une volaille de Bresse.

● M. Bernard Munier, Gilly-lès-Cîteaux, 21640 Vougeot, tél. 80.62.87.93 ☎ r.-v.

DESSUS DES NANTELLES 1986*

85 86

3,98 ha · 20 000

Bien vif par sa couleur et par une petite pointe de jeunesse en bouche, il a un nez fin de petits fruits rouges. Il est bien équilibré, assez persistant. Tout à fait recommandable.

● SC des Nantelles, 10, rue des Vergers, Vaux, 89290 Champs, tél. 86.53.88.80 ☎ r.-v.

GUY NARJOUX 1986

3,50 ha · n.c.

Un peu vif, pas très costaud. Mais l'ensemble peut plaire : un bourgogne à boire frais et sans trop se poser de problèmes...

● M. Guy Narjoux, Le Bourg, Saint-Martin-sous-Montaigu, 71640 Givry, tél. 85.45.13.17 ☎ r.-v.

ROGER ET ALAIN NARJOUX 1985

6 ha · 35 000

Jolie robe et bonne structure. L'équilibre acide-tanins laisse penser que ce vin ne demande qu'à vieillir.

● MM. Roger et Alain Narjoux, Dom. du Cray, Saint-Martin-sous-Montaigu, 71640 Givry, tél. 85.45.13.17 ☎ t.l.j. 8h-21h.

ALAIN ET CHRISTIANE PATRIARCHE 1986**

2 ha · 10 000

Le bouquet est ouvert et intéressant : on y découvre des évocations de fruits mûrs et de boisé. La robe est brillante, couleur or, associée à des reflets verts. Ce vin onctueux et moelleux laisse en bouche une rémanence de pain grillé. Déjà agréable à déguster, il gagnera à être atenu à 2 à 3 années.

● Alain et Christiane Patriarche, 12, rue des Forges, 21190 Meursault, tél. 80.21.24.48 ☎ r.-v.

POTHIER-TAVERNIER 1986**

n.c. · n.c.

Les sympathiques négociants de Meursault

proposent un beau vin où une évocation de verveine domine légèrement des senteurs de tilleul et de citron. La teinte jaune est brillante et intense. Moelleuse à souhait, la bouche est pleine de rémanences suggérant le pain grillé et les épices. Ce bourgogne rond et moelleux accompagnera un saumon fumé.

M. Pothier-Tavernier, 12-14, rue de la Goutte-d'Or, 21190 Meursault, tél. 80.21.61.81 t.l.j. sf dim. 9h-12h 14h-18h.

DOM. DU PRIEURE 1986*

5.50 ha — 30 000

Le terroir parle par sa bouche. On le voit rouge brique et on le montre tout d'abord men-tholé, fruits exotiques. Puis, aéré, il se montre sous un jour beaucoup plus «bourgogne», pinot noir, mâconnais. Et il s'améliore encore au cours de la dégustation.

Véronique et Pierre Janny, Dom. de La Condemine, Péronne, 71260 Lugny, tél. 85.36.97.03 r.-v.

DOM. MAURICE PROTHEAU ET FILS 1986

n.c. — 6 000

Brillance rose assez jolie. Vert en fin de bouche, mais une fraîcheur qui devrait le faire apprécier en été. Le nez n'est pas trop affirmé. Bref, parfait avec des brochettes autour d'un barbecue.

MM. Maurice Protheau et Fils, Mercurey, 71640 Givry, tél. 85.45.25.00 r.-v.

CELLIER DES SAMSONS 1985**

n.c. — 30 000

Rouge intense, un excellent bourgogne vanille et framboise. Ses tanins sont bien couverts, longs, avec une touche de coing en finale. Un très bon vin, riche et plein de sève, honorant ce beau millésime.

Cellier des Samsons, Le Pont des Samsons, B.P. 3, Quincié-en-Beaujolais, 69430 Beaujeu, tél. 74.04.39.39

SIMON FILS Chardonnay 1985

0.50 ha — 2 000

82 (83) 84 85

Le comité de dégustation lui a trouvé un nez muscadé et floral. Ce pur cépage chardonnay est très agréable, vif et souple. A découvrir dès maintenant.

M. Simon Fils, Marey-les-Fussey, 21700 Nuits-Saint-Georges, tél. 80.62.91.85 r.-v.

LUC SORIN Julius Caesar 1986

3.50 ha — 18 000

78 81 (82) 83 85 (86)

Jules César, père de cette cuvée, n'a pas laissé un très bon souvenir en Bourgogne... Certe, un cépage porte son nom dans l'Yonne. Mais Alésia, tout de même... Ce vin à la pourpre romaine, la puissance impériale et une richesse en alcool qui rappelle un après-midi au Colisée. Il ne manque cependant pas de nuances sensibles et florales.

M. Luc Sorin, 13 bis, rue de Paris, 89530 Saint-Bris-le-Vineux, tél. 86.53.36.87 r.-v.

LUC SORIN 1986

3 ha — 15 000

Chardonnay pour 100%, bien sûr : il entre ici 20% de vin élevé en fût neuf. Bourgogne convenable et sans prétention, à conseiller avec un poisson en sauce. La dominante est un peu acide mais l'équilibre est assez bon.

M. Luc Sorin, 13 bis, rue de Paris, 89530 Saint-Bris-le-Vineux, tél. 86.53.36.76 r.-v.

PHILIPPE SORIN
Réserve du Maître de Poste 1986

5 ha — 5 000

Ancien relais de poste sur la route de Paris à Lyon, ce domaine accueillit jadis Napoléon au retour de l'île d'Elbe et Alexandre Dumas. Le vin a pris le... relais. Une bonne bouteille, bien rouge, forte de constitution et laissant une impression boisée.

M. Philippe Sorin, 12, rue de Paris, 89530 Saint-Bris-le-Vineux, tél. 86.53.60.76 r.-v.

JEAN-PAUL TABIT
Coteaux de Saint-Bris 1986*

(85) 86

2 ha — 10 000

Pas très coloré mais à l'arôme de griotte : il devrait faire un bon mariage avec un coq au vin. Fidélité au style du pinot noir, harmonie générale bonne et relativement longue, une bouteille très honnête, même par son prix.

M. Jean-Paul Tabit, 2, rue Dorée, 89530 Saint-Bris-le-Vineux, tél. 86.53.33.83 r.-v.

GERARD THOMAS 1986

1 ha — 5 000

La framboise domine les autres arômes fruités du bouquet. Ce vin, d'une grande persistance, dialoguera avec une viande blanche.

M. Gérard Thomas, Saint-Aubin, 21190 Meursault, tél. 80.21.32.57 r.-v.

JEAN VACHET 1985

3 ha — 20 000

La couleur est bien 85, malgré un certain manque d'intensité. Arômes de vanille et cuir. Charpenté ? Presque un peu trop. Longueur en bouche mais un soupçon d'alcool en moins rendrait ce vin plus agréable encore.

M. Jean Vachet, Saint-Vallerin, 71390 Buxy, tél. 85.92.12.91 r.-v.

GAEC DES VIGNERONS 1986

0.50 ha — 3 000

Limpide, boisé, nerveux et fin, le type même du millésime. Légèreté, fraîcheur et fruité sont aussi au rendez-vous.

GAEC des Vignerons, Remigny, 71150 Chagny, tél. 85.87.14.01 r.-v.

JACQUES VIGNOT
Côte Saint-Jacques 1986**

0.72 ha — n.c.

80 (82) 83 85 86

La Côte Saint-Jacques à Joigny eut jadis un renom extrême. Ce vignoble heureusement préservé, en partie reconstitué ces dernières années, n'est plus un chef-d'œuvre en péril. La famille

Vignot y met tout son cœur. Ce 86, légèrement tuilé, délicatement vanillé, a besoin de quelques années de bouteille pour s'imposer comme un remarquable bourgogne.

➤ M. Jacques Vignot, 22, chem. des Gravons, Paroy-sur-Tholon, 89300 Joigny, tél. 86.91.03.05 r.-v.

A. ET P. DE VILLAINE 1986*   5,50 ha   35 000   ⊞ V3

Aucune vigne en plaine : toutes sont situées sur des coteaux bien orientés à l'est. Un bourgogne signé d'un grand nom du vignoble bourguignon. Beau vin tannique et long. L'équilibre entre l'acidité et l'alcool est maîtrisé avec soin. Pour une viande rouge ou un fromage cuit.

➤ A. et P. de Villaine, Bouzeron, 71150 Chagny, tél. 85.91.20.50 r.-v.

ROLAND VIRE 1986   2 ha   5 000   V3

Le bourgogne rouge est souvent comme ça : robe colorée, arômes discrets, bonne vinification. Une bouteille sans problèmes ni états d'âme.

➤ Mme Roland Viré, 8, pl. de l'Église, Chitry-le-Fort, 89530 Saint-Bris-le-Vineux, tél. 86.41.42.74 r.-v.

Bourgogne grand ordinaire

En réalité, les appellations «bourgogne ordinaire» et «bourgogne grand ordinaire» sont très peu usitées; lorsqu'on les utilise, on néglige le plus souvent celle du bourgogne grand ordinaire : ce nom n'évoque-t-il pas une certaine banalité? Certains terroirs en marge du grand vignoble peuvent toutefois y produire d'excellents vins à des prix très abordables. Pratiquement tous les cépages de la Bourgogne peuvent contribuer à la production de ce vin qui peut se trouver en blanc, en rouge et en rosé ou clairet.

En blanc, les cépages seront le chardonnay ou le melon (ou muscadet), dont il n'existe plus que quelques vignes vestiges : ce cépage a conquis ses lettres de noblesse beaucoup plus à l'ouest de la France, pour produire le muscadet réputé dans la région nantaise; l'aligoté, presque toujours déclaré sous l'appellation bourgogne aligoté; le sacy (uniquement dans le département de l'Yonne) était essentiellement cultivé dans tout le Chablisien et dans la vallée de l'Yonne pour produire des vins destinés à la prise de mousse, et exportés; depuis l'avènement du crémant de Bourgogne, il est utilisé pour cette appellation.

En rouge et rosé, les cépages bourguignons traditionnels, gamay noir et pinot noir, sont les principaux. Dans l'Yonne encore, on peut utiliser le césar, qui est réservé au bourgogne à Irancy, et le tressot, qui ne figure que dans les textes mais plus jamais sur le terrain... C'est dans l'Yonne, et plus particulièrement à Coulanges-la-Vineuse, que l'on rencontre les meilleurs vins de gamay, sous cette appellation. La production de cette AOC est de 15 000 à 20 000 hl selon les années.

ALBERT BESLE 1986   0,30 ha   2 000   i M2

Un coup de chapeau au petit vignoble du Vézelien qui est en train de renaître de ses cendres! Rien de choquant dans ce bourgogne grand ordinaire légèrement herbacé, aimable comme la Madeleine qui veille sur lui et n'a guère de péchés à lui pardonner.

➤ M. Albert Besle, Fontete, 89450 Vézelay, tél. 86.33.25.21 r.-v.

BLANCHE ET HENRI GROS   Chardonnay 1986   0,33 ha   2 000   ⊞ V2

Doté d'un bon équilibre, ce vin allie une attaque souple à une finale vive. Le bouquet suggère les arômes de pomme mûre et de fruits exotiques. On l'appréciera dès maintenant avec des fruits de mer.

➤ MM. et Mme Gros, Chambœuf, 21220 Gevrey-Chambertin, tél. 80.51.81.20 r.-v. t.l.j. 9h-12h 14h-18h.

Bourgogne aligoté

C'est le «muscadet de la Bourgogne», dit-on. Excellent vin de carafe que l'on boit jeune, il exprime bien les arômes du cépage; il est un peu vif, et surtout, régionalement, il permet d'attendre les vins de chardonnay. Remplacé par ce dernier dans la Côte, il est un peu «descendu» dans l'aire de production lui étant réservée, alors qu'autrefois il était cultivé en coteaux. Mais le terroir influe sur lui autant que sur les autres cépages et

il y a autant de types d'aligotés que de régions où on les élabore. Les aligotés de Pernand étaient connus pour leur souplesse et leur nez fruité (avant de céder la place au chardonnay); les aligotés des Hautes-Côtes sont recherchés pour leur fraîcheur et leur vivacité; ceux de Saint-Bris dans l'Yonne semblent emprunter au sauvignon quelques traces de fleur de sureau, sur des saveurs légères et coulantes; ceux de Bouzeron enfin, qui se sont acquis récemment une certaine notoriété grâce à leur appellation distincte, «chardonnay» discrètement et signent ainsi leur appartenance à la Côte chalonnaise.

DOM. ARNOUX 1986

0,60 ha   1 200

Léger, agréable, bien équilibré, c'est un gentil vin qui se cache derrière une clarté parfaite dans une robe riche en couleur.

Dom. Arnoux Père et Fils, pl. de la Salle-des-Fêtes, 71390 Buxy, tél. 85.92.11.06 ☎ r.-v.

CHARLES AUDOIN 1986

0,79 ha   6 000

Paille, limpide et franc : trois raisons pour ne pas hésiter à le boire dès maintenant.

M. Charles Audoin, 7, rue de la Boulotte, 21160 Marsannay-la-Côte, tél. 80.52.34.24 ☎ r.-v.

DOM. BERSAN ET FILS
Dom. Saint-Prix 1986*

10 ha   60 000

Les Templiers ont creusé ici des caves. Ce domaine reste fidèle à la tradition et produit sur 10 hectares un bon aligoté avec lequel on pourrait préparer un brochet en y ajoutant quelques gouttes de vieux marc de Bourgogne.

Dom. Bersan et Fils, 20, rue de l'Église, 89530 Saint-Bris-le-Vineux, tél. 86.53.33.73 ☎ r.-v.

GUY BOCARD 1986*

0,67 ha   5 000

Doté d'une attaque ample et d'une bonne finale, cet aligoté exhale un bouquet puissant. La teinte jaune pâle laisse apparaître des reflets verts. A déguster avec des fruits de mer.

M. Guy Bocard, 4, rue de Mazeray, 21190 Meursault, tél. 80.21.26.06 ☎ r.-v.

GERARD BORGNAT 1987

0,50 ha   n.c.

Une belle propriété bourguignonne du XVIIe s., une cuverie immense et des caves dans lesquelles on se perdrait presque... Elle a appartenu jadis au comte d'Aunoux qui possédait ici un important vignoble avant la crise du phylloxéra. Ce vin n'a peut-être pas une personnalité brillante, mais il est bien fait.

M. et Mme Gérard Borgnat, 1, rue de l'Église, Escolives-Sainte-Camille, 89290 Champs-sur-Yonne, tél. 86.53.35.28 ☎ r.-v.

BOUCHARD AINE ET FILS 1986

n.c.   20 000

Dominé par sa vivacité, ce vin s'offre dans une tonalité jaune pâle. Le nez est ample et riche. On l'appréciera avec des coquilles Saint-Jacques.

Bouchard Aîné et Fils, 36, rue Sainte-Marguerite, 21203 Beaune, tél. 80.22.07.67 ☎ r.-v.

JEAN-CLAUDE BOUHEY 1986**

8 ha   10 000

Il est toujours difficile de marier vin et crudités. On pourra essayer celui-ci, beau par sa nuance paille aux reflets verts, réussi par son bouquet fin et délicat, remarquable par la saveur boisée qui accompagne la bouche moelleuse en même temps que fraîche et équilibrée.

M. Jean-Claude Bouhey, rte de Magny, Villers-la-Faye, 21700 Nuits-Saint-Georges, tél. 80.62.92.62 ☎ r.-v.

JEAN-MARC BROCARD 1986*

5 ha   n.c.

Il offre de jolis reflets verts. Son expression est vive. S'il lui manque un peu d'intensité en bouche, il est bien équilibré. Nous avions déjà conseillé l'an dernier une consommation jeune. Il est temps.

M. Jean-Marc Brocard, Préhy, 89800 Chablis, tél. 86.41.42.11 ☎ r.-v.

CELLIER DES SAMSONS 1986*

n.c.   10 000

L'aligoté convient bien au poisson grillé. Très limpide, celui-ci a une attaque insolente sous des arômes de citron encore un peu fermés. Fraîcheur et élégance.

Cellier des Samsons, Le Pont des Samsons, B.P. 3, Quincié-en-Beaujolais, 69430 Beaujeu, tél. 74.04.39.39

EDMOND CHALMEAU
Côtes de Chitry 1986

2,34 ha   12 000

Nous voici du côté de Chitry, dans les cailloux qui conviennent bien à l'aligoté. Les escargots feront un agréable contrepoint à ce vin qu'une pointe de gaz dessert encore. Cela lui passera sans doute.

M. Edmond Chalmeau, 20, rue du Ruisseau, Chitry-le-Fort, 89530 Saint-Bris-le-Vineux, tél. 86.41.42.09 ☎ r.-v.

DOM. PAUL CHEVROT 1986*

1,30 ha   8 000

Récolté sur les coteaux de Cheilly-les-Maranges, cet aligoté est teinté d'une nuance jaune pâle. Le nez est franc et discret, typique de l'appellation et du millésime. On en découvrira avec plaisir la fraîcheur. Peut-être même dans les caves construites en 1798.

M. Fernand Chevrot, Dom. Paul Chevrot, Cheilly-lès-Maranges, 71150 Chagny, tél. 85.91.10.55 ☎ r.-v.

DOM. CORNU 1986*

0,95 ha   8 000

Typique de l'appellation, ce vin apparaît dans une belle teinte jaune pâle avec des reflets verts. Le bouquet est floral. La fraîcheur de l'ensemble se mariera avec une salade composée.

➤ Dom. Cornu, Magny-lès-Villers, 21700 Nuits-Saint-Georges, tél. 80.62.92.05 ▼ r.-v.

CUVIER DES AMIS 1985**

n.c.   10 000

Pierre-à-fusil, un aligoté fleurant bon l'aubépine. Il frémit joliment sous le soleil du printemps. Peu acide, il est nerveux à souhait, très fin, plein de caractère. Le Cuvier des Amis se trouve sur la route des vins près de la Roche de Solutré.

➤ Le Cuvier des Amis, Les Plantés, Davayé, 71960 Pierreclos, tél. 85.35.83.65 ▼ lu.-ma. me. je. ve. 10h-12h 14h-18h.

PHILIPPE DEFRANCE
Coteaux de Saint-Bris 1986

1,80 ha   12 000

On peut toujours en faire l'expérience avec des bouchées à la reine ou des escargots. Située au cœur cru village de Saint-Bris, cette exploitation offre ici un aligoté aux parfums fleurs et à la charpente solide.

➤ M. Philippe Defrance, 5, rue du Four, 89530 Saint-Bris-le-Vineux, tél. 86.53.39.04 ▼ r.-v.

LUCIEN DENIZOT 1986

0,50 ha   4 000

Loyal pour un aligoté 86, avec un rien de mâche. Cela arrive, même en blanc. Son harmonie séduit.

➤ M. Lucien Denizot, Les Moirots, Bissey-sous-Cruchaud, 71390 Buxy, tél. 85.92.16.93 ▼ r.-v.

LOUIS DESFONTAINE 1986*

1,50 ha   10 000

Un aligoté limpide et suave, long et fruité. Peut-être un peu tendre, manquant de cette vivacité qui fait le charme du cépage. Il est cependant de très bonne harmonie. Très honorable.

➤ M. Louis Desfontaine, Le Château, Chamilly, 71510 Saint-Léger-sur-Dheune, tél. 85.87.22.24 ▼ r.-v.

DOMINIQUE DUBOIS D'ORGEVAL 1986

0,50 ha   n.c.

La vivacité et la jeunesse de ce 86 apparaissent dans la teinte or mêlée de reflets verts. Les arômes sont multiples et intenses. C'est une bouteille que l'on peut consommer en toute circonstance.

➤ M. Dominique Dubois-d'Orgeval, Chorey-les-Beaune, 21200 Beaune, tél. 80.24.70.89 ▼ r.-v.

SYLVAIN DUSSORT 1986

0,50 ha   4 000

Cet aligoté limpide s'offre dans une teinte jaune citron. La souplesse de sa silhouette accompagnera une friture.

➤ M. Sylvain Dussort, 2, rue de la Gare, 21190 Meursault, tél. 80.21.27.50 ▼ t.l.j. 8h-12h 14h-20h.

JEAN FELIX Coteaux de Saint-Bris 1986*

3,55 ha   20 000

...es 86 ont parfois la coquetterie de se faire prier... Celui-ci, par exemple. Il n'est pas trop expansif, et masque sa timidité par un excès de vivacité. C'est fréquent dans le jeune âge. Notre jury estime cependant qu'il se fera très bien. Acceptons-en l'augure.

➤ M. Jean Félix, 17, rue de Paris, 89530 Saint-Bris-le-Vineux, tél. 86.53.33.87 ▼ r.-v.

DOM. FOUGERAY DE BEAUCLAIR 1987*

2 ha   n.c.

Un poisson de rivière en sauce peut parfaitement dialoguer avec ce vin équilibré au bouquet vif et parfumé, qui se présente sous une teinte or pâle.

➤ Dom. Fougeray de Beauclair, 44 et 89, rue de Mazy, 21160 Marsannay-la-Côte, tél. 80.52.21.12 ▼ r.-v.

DOM. MARCEL ET BERNARD FRIBOURG 1986*

2,20 ha   12 000

Le bouquet est délicat, les senteurs nettes et franches. Un vin bien agréable qui saura répondre dès à présent à toutes les occasions «d'ouvrir une bonne bouteille».

➤ SCE Dom. M. et B. Fribourg, Villers-la-Faye, 21700 Nuits-Saint-Georges, tél. 80.62.91.74 ▼ t.l.j. sf dim. 8h-12h 14h-19h.

SERGE ET ARNAUD GOISOT
Coteaux de Saint-Bris 1986*

3 ha   20 000

Des vignes vieilles de vingt-cinq ans, trois hectares et la référence aux coteaux de Saint-Bris. Cela donne une bouteille dorée à souhait, pas très odorante mais dont l'harmonie ne présente aucun défaut.

➤ GAEC Serge et Arnaud Goisot, 8, rue de Gouaix, 89530 Saint-Bris-le-Vineux, tél. 86.53.32.15 ▼ r.-v.

HUGUES GOISOT 1986*

1,10 ha   6 500

V'cila assurément l'une des plus r ches émotions de cette dégustation. Hugues Goisot a réussi sur un hectare à peine à produire un aligoté délicieusement fruité, si rond et si long qu'on en perd le souffle. A ne pas oublier : il ne restera pas longtemps en cave.

➤ M. Hugues Goisot, 27, rue de Paris, 89530 Saint-Bris-le-Vineux, tél. 86.53.32.72 ▼ r.-v.

JEAN-HUGUES GOISOT
Coteaux de Saint-Bris 1986**

4,50 ha   30 000

Encore une famille qui cultive la vigne depuis le XVe s. au moins. Il est vrai qu'on peut voir vieux ! Bel aligoté qui s'est remarquablement ouvert depuis l'an dernier. Nez intense et fleuri,

Bourgogne aligoté

vif, souple, équilibré. Charmant si l'on doit le qualifier d'un mot.

☛ M. Jean-Hugues Goisot, 30, rue Bienvenu-Martin, 89530 Saint-Bris-le-Vineux.
Ⴑ 86.53.35.15 ♈ r.-v.

LES CAVES DES HAUTES-COTES 1986

☐   50 ha   150 000   ☷ ☑ ❸

La Cave des Hautes-Côtes propose ce vin jaune pâle plein de fraîcheur. Le nez est discret et franc. La bouche est agréable. On l'offrira avec une omelette aux morilles.

☛ Les Caves des Hautes-Côtes, rte de Pommard, 21200 Beaune, tél. 80.24.63.12 ♈ r.-v.

HENRI ET PAUL JACQUESON 1986*

☐   n.c.   4 000   ▥☷ ☷ ☑ ❷

Il est bien tendre pour un aligoté, ce petit, et il rappelle le chardonnay. Cela dit, il n'est pas mal du tout. Légère touche de bois, rondeur, fermeté, il a vraiment beaucoup d'atouts. Hors-d'œuvre ou fruits de mer, il accompagnera avec bonheur l'entrée du repas. Et puis, Jacqueson est un nom.

☛ SCEA Henri et Paul Jacqueson, En Chèvremont, Rully, 71150 Chagny, tél. 85.91.25.91 ♈ r.-v.

JOMAIN-MORONI 1986

☐   1,45 ha   3 500   ☷ ☑ ❷

Cet aligoté clair, net et franc, peut déjà être présent à côté d'une terrine de cèpes par exemple.

☛ M. Morain et Mme Veuve Moroni, Puligny-Montrachet, 21190 Meursault, tél. 80.21.30.48 ♈ r.-v.

FRANCOIS LABET 1986*

☐   n.c.   15 000   ▥☷ ☷ ☑ ❸

Ouvrir la bouteille une demi-heure avant de la déguster, pour lui permettre d'exprimer pleinement toute la fraîcheur de son bouquet. On aimera sa couleur pâle.

☛ Dom. Laroche, 22, rue Louis-Bro, 89800 Chablis, tél. 86.42.14.30 ♈ r.-v.

DOM. LAROCHE 1986

☐   n.c.   45 000   ☷ ☑ ❸

Un aligoté qui fait le dos rond. Il a plus de moelleux que de piquant et tire sur le chardonnay. Son intensité s'inscrit dans la moyenne.

☛ M. Jean-Claude Biot, Dom. de la Vierge, Chitry-le-Fort, 89530 Saint-Bris-le-Vineux, tél. 86.41.42.79 ♈ r.-v.

DOM. DE LA VIERGE 1986

☐   2,50 ha   10 000   ☷ ☑ ❷

Né sur argilo-calcaire des côtes de Chitry, ce vin est bien fait, sans tache, mais sans grande personnalité. Un petit prix très honnête.

CLAUDE MARECHAL 1986**

☐   0,60 ha   n.c.   ☷ ☑ ❷

Le moelleux et l'acidité sont parfaitement équilibrés dans l'élégante structure de cet aligoté doré. Les suggestions du bouquet sont à dominante florale. La souplesse et la fraîcheur de

l'ensemble en font un vin qui sera très apprécié à l'heure de l'apéritif.

☛ M. Claude Maréchal, rte de Chalon-sur-Saône, Bligny-lès-Beaune, 21200 Beaune, tél. 80.21.44.37 ♈ r.-v.

✔ BERNARD MARECHAL-CAILLOT 1986***

☐   0,50 ha   n.c.   ☷ ☑ ❸

L'aligoté de Bernard Maréchal-Caillot est une perle rare. Par sa couleur aux nuances vertes, par son nez franc, net et intense. Son élégante fraîcheur est dominée par les évocations fruitées. La structure est équilibrée et harmonieuse. On découvrira ce vin de préférence dans sa jeunesse, mais il peut se permettre de vieillir.

☛ M. Bernard Maréchal-Caillot, rte de Chalon, 21200 Bligny-lès-Beaune, tél. 80.21.44.55 ♈ r.-v.

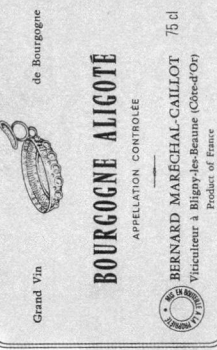

Grand Vin   de Bourgogne

BOURGOGNE ALIGOTÉ

APPELLATION CONTROLEE

BERNARD MARÉCHAL-CAILLOT
Viticulteur à Bligny-lès-Beaune (Côte-d'Or)
Product of France

Produce of France   75 cl

CH. DE MERCEY 1987

☐   3 ha   30 000   ☷ ☑ ❸

Très fleuri, mais bien jeune, ce vin sera très convenable quand il marchera sur ses deux jambes. Le château de Mercey est un beau domaine de 43 hectares exploité par la famille Berger.

☛ M. Jacques Berger, Dom. du château de Mercey, Cheilly-lès-Maranges, 71150 Chagny, tél. 85.91.11.96 ♈ r.-v.

BERNARD MICHEL 1986**

☐   1,50 ha   11 000   ☷ ☑ ❷

Très bel aligoté : juste ce qu'il faut de combativité, du brillant et du charme. On a envie de le marier au cassis de Dijon pour faire un kir du tonnerre de Dieu. Sans cassis, il sera merveilleux.

☛ M. Bernard Michel, Saint-Vallerin, 71390 Buxy, tél. 85.92.11.16 ♈ r.-v.

JEAN MICHELOT 1986

☐   1,05 ha   8 000   ☷ ☑ ❶

Légèrement doré, limpide, cet aligoté se montre franc de nez, chaleureux et corsé. Il est prêt à être consommé.

☛ M. Jean Michelot, rue des Charmots, 21630 Pommard, tél. 80.22.03.44 ♈ r.-v.

BERNARD MONDANGE 1986***

☐   2 ha   5 000   ☷ ☑ ❷

Il n'a pas fallu plus de quinze ans à Bernard Mondange pour produire un bel aligoté racé et élégant. Le 86 possède ses qualités. Les arômes sont puissants. La structure allie la souplesse à la vivacité, la bouche laisse une grande persistance.

Toutes les qualités de l'appellation sont réunies dans cette belle bouteille.
➥ M. Bernard Mondange, L'Étang-Vergy, 21220 Gevrey-Chambertin, tél. 80.61.41.59 ☎ r.-v.

HENRI NAUDIN-FERRAND 1986*

☐ 4.54 ha 42 000

Veille de près de trois siècles, la propriété familiale s'est longtemps consacrée à la production de framboises. La vigne a finalement pris le dessus pour donner un bourgogne aligoté au bouquet riche et développé. L'amplitude, le gras et la persistance de ce vin lui assureront une alliance réussie avec des escargots... de Bourgogne, bien entendu.
➥ M. Henri Naudin-Ferrand, rue d'Echevronne, Magny-lès-Villers, 21700 Nuits-Saint-Georges, tél. 80.62.91.50 ☎ r.-v.

HENRI PELLETIER 1986

☐ 1 ha 2 500

S'il ne dit pas trop son caractère, on sent que son bouquet pourrait bien s'exprimer un jour. S'il est léger, il n'en a pas moins une bonne harmonie.
➥ M. Henri Pelletier, chem. de la Vernoise, Poncey, 71640 Givry, tél. 85.44.38.82 ☎ r.-v.

GAEC DES VIGNERONS DE REMIGNY 1986***

☐ 2.50 ha 10 000

Sauvage...dans le bon sens, subtil et visiblement heureux de donner tout ce qu'il a, un aligoté de rêve. Superbe. Magnifique. Notre jury en a perdu le souffle.
➥ GAEC des Vignerons de Rémigny, Rémigny, 71150 Chagny, tél. 85.87.14.01 ☎ r.-v.

BOURGOGNE ALIGOTÉ
Appellation Contrôlée
12% vol.
Mis en bouteille à la propriété par G.A.E.C. des Vignerons, viticulteurs à Rémigny (S.-&-L.)
Guy FONTAINE et Jacky VION
PRODUCE OF FRANCE
750 ml

ANTONIN RODET 1985*

☐ n.c. n.c. [3]

Agressivité moyenne, longueur en bouche, caractère, voilà un vin assez fait qui correspond tout à fait à son nom et à son année de vendanges.
➥ M. Antonin Rodet, Mercurey, 71640 Givry, tél. 85.45.22.22 ☎ lu. ma. me. je. ve. 9h-12h 14h-18h.

JEAN-PAUL TABIT
Coteaux de Saint-Bris 1987*

☐ 4 ha 30 000

Cette exploitation possède des caves du XIIIe s. Les médailles d'or conquises depuis quinze ans au Concours de Paris forment déjà un beau collier. Ce vin aux arômes d'amande grillée

bénéficie d'une étonnante fraîcheur. S'il ne tient pas très longtemps en bouche, il est très agréable.
➥ M. Jean-Paul Tabit, 2, rue Dorée, 89530 Saint-Bris-le-Vineux, tél. 86.53.33.83 ☎ r.-v.

DOM. THEVENOT LE BRUN ET FILS Perles d'Or 1987**

☐ 4.50 ha 30 000

L'or pâle de la teinte reflète des nuances vertes. Des arômes de raisins, de fleurs et de fruits rouges s'unissent pour composer un bouquet intense et très frais. La structure est harmonieuse et équilibrée. La finesse de l'ensemble accompagnera une omelette aux truffes.
➥ Dom. Thevenot Le Brun et Fils, Marey-lès-Fussey, 21700 Nuits-Saint-Georges, tél. 80.62.91.64 ☎ r.-v.

ROLAND VIRE 1986*

☐ 3.50 ha 8 000

Un petit vignoble qui ne couvre guère plus de 3 hectares, pour cet aligoté très minéral, pierreà-fusil, à l'attaque de mousquetaire. Exactement ce qu'on attend de l'appellation.
➥ Mme Roland Viré, 8, pl. de l'Église, Chirryle-Fort, 89530 Saint-Bris-le-Vineux, tél. 86.41.42.74 ☎ r.-v.

Bourgogne aligoté bouzeron

ANCIEN DOMAINE CARNOT 1986**

☐ 5.56 ha 36 000

Pâle et limpide, cet aligoté de Bouzeron est gras et souple. Sa structure équilibrée le moelleux et la vigueur. On peut apprécier dès maintenant toute la fraîcheur de ce 86 avec un jambon persillé.
➥ SA Bouchard Père et Fils, Au Château, B.P. 70, 21202 Beaune Cedex, tél. 80.22.14.41 ☎ r.-v.

CHANZY FRERES
Clos de la Fortune 1986***

☐ 8.02 ha 45 000

« Trop bon pour un aligoté ! Extra ! » s'exclame l'un de nos jurés sur sa fiche de dégustation. Fruité, rond et solide, ce vin montre à quel point Bouzeron a su se faire une place maîtresse au soleil de la côte Chalonnaise. Daniel Chanzy a repris ce domaine en 1974. Il possède une cave voûtée du XVIe s., où se rappelle ici qu'un banquier de Chalon avait créé dans la propriété un verger modèle à la fin du siècle dernier.

Bourgogne passetoutgrains

Réservée aux vins rouges et rosés à l'intérieur de l'aire de production du bourgogne grand ordinaire, ou d'une appellation plus restrictive à condition que les vins proviennent de l'assemblage de raisins issu de pinot noir et gamay noir; le pinot noir doit représenter au minimum le tiers de l'ensemble. Il est courant de constater que les meilleurs vins contiennent des quantités identiques de raisin de chacun des deux cépages, voire davantage de pinot noir.

Les vins rosés sont obligatoirement obtenus par saignée : ce sont donc des rosés œnologiques, par opposition aux « gris » obtenus par pressurage direct de raisins noirs et vinifiés comme des vins blancs. Dans la saignée, le tirage des jus est effectué lorsque le vigneron a obtenu, lors de la macération, la couleur désirée, ce qui peut très bien arriver en plein milieu de la nuit ! La production de passetoutgrains rosé est très faible, c'est surtout en rouge que cette appellation est connue. Elle est produite essentiellement en Saône-et-Loire (environ les deux tiers), le reste en Côte-d'Or et dans la vallée de l'Yonne. Elle représente entre 50 000 et 60 000 hl. Les vins sont légers et friands, et doivent être consommés jeunes.

MM. Chanzy Frères, Dom. de l'Hermitage. Bouzeron, 71150 Chagny, tél. 85.87.23.69 ☎ r.-v.

BOURGOGNE ALIGOTÉ BOUZERON
CLOS DE LA FORTUNE
APPELLATION BOURGOGNE ALIGOTÉ CONTRÔLÉE
Mis en bouteille au Domaine
CHANZY FRÈRES
DOMAINE DE L'HERMITAGE
Viticulteurs-Récoltants à Bouzeron, Saône-et-Loire, France
12,5% Vol.   75 cl
PRODUCT OF FRANCE

DOM. DE LA RENARDE 1987

☐   2 ha   10 000   🔲⬛🔲 **2**

Encore bien jeune, il est un peu indiscipliné... Il est probable qu'il s'assagira avec le temps, car son harmonie n'espère aucune critique. Agréable goût de fruit, mais sa « présentation au temple » semble prématurée.

☎ M. Jean-François Delorme, Dom. de la Renarde, Rully, 71150 Chagny, tél. 85.87.10.12 ☎ r.-v.

ANDRE LHERITIER 1986*

☐   0,50 ha   3 200   🔲⬛🔲 **3**

On reconnaît l'amande, caractéristique du bouzeron. Souple et soyeux, avec une pointe de nervosité qui est dans la nature de l'aligoté.

☎ M. André Lhéritier, 4, bd de la Liberté, 71150 Chagny, tél. 85.87.00.09 ☎ r.-v.

A. ET P. DE VILLAINE 1986***

☐   8,30 ha   50 000   🔲⬛🔲 **3**

Quand ils ne veillent pas sur le domaine de la Romanée-Conti, dont ils sont cogérants, Aubert de Villaine et son épouse américaine Pamela produisent à Bouzeron où ils habitent, cet aligoté fleuri et étincelant. La simplicité de l'appellation cache ici un grand vin.

☎ A. et P. de Villaine, Bouzeron, 71150 Chagny, tél. 85.91.20.50 ☎ r.-v.

A. ET P. DE VILLAINE
Propriétaires
Bourgogne
Aligoté de Bouzeron
Appellation Contrôlée
1986
BOUZERON
Mis en bouteille au Domaine   e 75 cl

MAXIME ET CHRISTOPHE AUGUSTE 1986

⬛   1,50 ha   8 000   ➡️⬇️🔲 **1**

Robe déjà évoluée, tirant sur le brun rouge. Le nez épicé, poivré, n'est pas désagréable. L'astringence en fin de bouche provient des tanins. Normalement, ce vin devrait plaire à un robuste saucisson.

☎ Maxime et Christophe Auguste, 1, imp. des Anes, 89580 Coulanges-la-Vineuse, tél. 86.42.22.70 ☎ r.-v.

PAUL BEAUDET 1987

⬛   n.c.   n.c.   ➡️⬇️🔲 **2**

Un petit parfum de vanille et de la cerise. Un vin bien fait, net et correct, manquant de quelques muscles, mais fruité. Produit en Côte chalonnaise dans les environs de Givry sur des terrains argileux.

☎ M. Paul Beaudet, pl. de la Gare, Pontanevaux, 71570 La Chapelle-de-Guinchay, tél. 85.36.72.76 ☎ r.-v.

Trouver un producteur, un négociant ou une coopérative ? Consultez l'index en fin de volume.

ALAIN BERTHAULT 1985*

| n.c. | 2 500 | |

Un 85 assez tannique qui devrait bien se conserver en perdant son agressivité. Celui-là, en tout cas, ne manque pas de caractère ! Le producteur le conseille avec un repas léger. Disons : un peu relevé.

↪ M. Alain Berthault, Cercol, Moroges, 71390 Buxy, tél. 85.47.91.03 r.-v.

BONNARDOT PÈRE ET FILS 1986**

| 1,59 ha | 25 000 | |

Bien équilibré, ce vin marie avec souplesse la rondeur et les tanins. Il est gratifié d'une bonne persistance. La couleur de la robe est intense, rouge vif avec des reflets violacés, et recouvre un bouquet suggérant les petits fruits. En accompagnement d'un pâté de grives ou tout autre petit gibier à plumes.

↪ GAEC Bonnardot Père et Fils, rue de la Cure, Villers-la-Faye, 21700 Nuits-Saint-Georges, tél. 80.62.91.27 t.l.j. 8h-12h 14h-19h.

JEAN-CLAUDE BOUHEY 1985***

| 1,50 ha | 6 000 | |

On remarquera sans doute la belle intensité de la robe, la couleur pourpre et brillante. Les senteurs du bouquet, très pures et franches, suggèrent la framboise et la cerise confite. Ample et équilibré, ce vin comporte des tanins discrets. La souplesse de l'ensemble pourra être confrontée à une viande ou du gibier.

↪ M. Jean-Claude Bouhey, 7e de Magny, Villers-la-Faye, 21700 Nuits-Saint-Georges, tél. 80.62.92.62 r.-v.

GEORGES BOUTHENET 1986*

| 1,50 ha | 6 000 | |

Malgré un soupçon d'amertume en fin de dégustation, un vin qui tient solidement debout, conforme à l'appellation.

↪ M. Georges Bouthenet, Eguilly, 71490 Couches, tél. 85.49.66.65 t.l.j. 8h-12h 14h-18h.

EMILE CHANDESAIS 1987

| 5 ha | 45 000 | |

Jeune et déjà odorant, un honnête passetoutgrains pour un repas sans façon.

↪ M. Emile Chandesais, Ch. Saint-Nicolas, B.P. 1, Fontaines, 71150 Chagny, tél. 85.91.41.77 r.-v.

DOM. CORNU 1986***

| 2,01 ha | n.c. | |

Claude Cornu a su conjuguer avec brio le pinot et le gamay : un bel exercice de style qui permit d'aboutir à cette robe brillante et transparente, nuancée de reflets violacés. Le bouquet est complexe et intéressant, évoquant les fruits rouges mûrs et les épices. La bouche est équilibrée, pleine et charnue. Ce vin possède beaucoup de panache et de persistance.

↪ Dom. Cornu, Magny-lès-Villers, 21700 Nuits-Saint-Georges, tél. 80.62.92.05 r.-v.

ANTOINE DEPAGNEUX 1986*

| n.c. | 50 000 | |

Malgré des tanins qui accrochent un peu et qui devraient s'atténuer, un passetoutgrains très agréable, réglissé, suggérant le coing. D'un rouge légèrement tuilé, il garde sa fraîcheur et correspond fidèlement à ce qu'on attend de lui.

↪ M. Antoine Depagneux, Les Nivadières, B.P. 8, Quincié-en-Beaujolais, 69430 Beaujeu, tél. 74.04.37.38

CUVIER DES AMIS 1985

| n.c. | 10 000 | |

Encore jeune, un peu fermé, il chante ou plutôt murmure des arômes de groseille et de griotte. Les tanins sont en revanche rouge brique. Les tanins sont très présents. L'ensemble ne manque pas de puissance ni de rondeur. Tout le problème est de savoir s'il vieillira bien.

↪ Le Cuvier des Amis, Les Plantés, Davayé, 71960 Pierreclos, tél. 85.35.82.65 lu. ma. me. je. ve. 10h-12h 14h-18h.

DOMINIQUE DUBOIS D'ORGEVAL 1986

| 0,50 ha | n.c. | |

Des senteurs balsamiques jointes à des nuances de pain grillé composent le bouquet. Le ton de la robe est rouge franc, limpide et transparent. On pourra apprécier ses rondeurs dès aujourd'hui.

↪ M. Dominique Dubois-d'Orgeval, Chorey-lès-Beaune, 21200 Beaune, tél. 80.24.70.99 r.-v.

HUGUES GOISOT 1986

| 0,85 ha | 6 000 | |

Encore fermé, ce 86 exprime de bons arômes, très frais, sous une robe violacée et brillante. Gamay : 60%; Pinot noir : 40%. Un vin qui doit encore «se faire» et qu'il ne faut pas trop bousculer.

↪ M. Hugues Goisot, 27, rue de Paris, 89530 Saint-Bris-le-Vineux, tél. 86.53.32.72 r.-v.

LES CAVES DES HAUTES-CÔTES 1986

| 36 ha | 70 000 | |

S'offrant dans une robe rouge cerise, ce passetoutgrains recèle des arômes discrets. C'est un vin frais et bien équilibré à consommer dans un proche avenir.

PASCAL LABOUREAU 1986 ⛊↕♦2

0.70 ha   2 000

Les senteurs de ce vin sont discrètes ; elles mêlent les arômes épicés et les évocations de fruits rouges. Transparente et brillante, la tonalité de la robe est rouge intense. Une attaque franche et facile agrémentera toutes les entrées.
↪ M. Pascal Laboureau, rte de Beaune, Blignylès-Beaune, 21200 Beaune, tél. 80.26.83.67 ☎ r.-v.

DOM. LEJEUNE 1984 ⛊↕♦3

0.60 ha   3 000

Vif et frais en bouche, ce passetoutgrains est arrivé à son optimum. Le bouquet recèle toutes les senteurs d'un gamay vieillissant, à découvrir autour d'un buffet ou sur l'herbe : c'est un vin facile que l'on emportera pour le pique-nique.
↪ Dom. Lejeune, La Confrérie, 21630 Pommard, tél. 80.22.10.28 ☎ r.-v.

FREDERIC MAREY 1986 ♦2

1.50 ha   12 000

Une nuance groseille soutient la robe brillante et transparente. Le nez est développé, le bouquet se compose d'arômes de fruits rouges mûrs. Puissant et rond, ce vin est plus marqué par le pinot que par le gamay. En accompagnement avec des crudités.
↪ M. Frédéric Marey, Meuilley, 21700 Nuits-Saint-Georges, tél. 80.61.12.44 ☎ r.-v.

DOM. MELLENOTTE-DRILLIEN 1986* ⛊♦2

n.c.   30 000

Un domaine qui n'oublie pas les traditions tout en ayant l'esprit moderne dans ses techniques de vinification et d'élevage. Promis à une viande rouge, ce 86 (67% de gamay, 33% de pinot) provient de vignes de vingt ans. Pas très intense, mais tendre et assez long en bouche : la bonne moyenne.
↪ Dom. Mellenotte-Drillien, Mellecey, 71640 Givry, tél. 85.45.10.98 ☎ t.l.j. sf dim. 8h-12h 13h30-20h.

HENRY NAUDIN-FERRAN 1986* ⛊♦2

1.30 ha   10 000

L'aspect de la robe est brillant et transparent, rouge mêlé de reflets grenat. Le bouquet intense développe des arômes de fruits rouges. Équilibré, ce passetoutgrains possède une bonne attaque, qui se poursuit en souplesse jusqu'à une finale élégante.
↪ M. Henri Naudin-Ferrand, rue d'Echevronne, Magny-lès-Villers, 21700 Nuits-Saint-Georges, tél. 80.62.91.50 ☎ r.-v.

ANTONIN RODET 1986** ♦2

n.c.   n.c.

Excellent passetoutgrains qui fait honneur. Les effluves de cette bouteille sont sérieuses, ses reflets chatoyants et le vieillissement (pas trop, tout de même) ne poseront pas de problème.

↪ M. Antonin Rodet, Mercurey, 71640 Givry, tél. 85.45.22.22 ☎ lu. ma. me. je. ve. 9h-12h 14h-19h.

CELLIER DES SAMSONS 1986 ⛊♦3

n.c.   50 000

Clair et limpide, il est déjà évolué. Plus fin que puissant, il possède des arômes floraux, des tanins bien fondus. Il n'a pas de défaut. A servir avec une volaille pas trop compliquée ou une viande blanche. Le Cellier des Samsons réunit producteurs et coopérateurs à Quincié-en-Beaujolais.
↪ Cellier des Samsons,
Le Pont des Samsons, B.P. 3, Quinciéen-Beaujolais, 69430 Beaujeu, tél. 74.04.39.39

SIMON FILS 1986**

2 ha   5 000

Discret et fin, le bouquet est agréable. Les arômes qui le composent suggèrent les fruits rouges relevés d'une note épicée. Le ton de la robe est rouge cerise. La structure s'équilibre entre la rondeur et les tanins. Ce vin friand accompagnera toutes les charcuteries.
↪ M. Simon Fils, Marey-lès-Fussey, 21700 Nuits-Saint-Georges, tél. 80.62.91.85 ☎ r.-v.

VVE STEINMAIER ET FILS 1985** ♦2

1.50 ha   n.c.

On ne gardera pas très longtemps ce 85 déjà évolué et plaisant. Sa finesse et sa persistance lui donnent beaucoup d'attraits qu'il faut savoir saisir au vol. Prix très compétitif.
↪ SCEA Vve Steinmaier et fils, Montagny-lès-Buxy, 71390 Buxy, tél. 85.92.11.71 ☎ r.-v.

DOM. THEVENOT LE BRUN ET FILS 1986 ♦2

3.50 ha   10 000

La couleur cerise de la robe est intense. Les senteurs discrètes du bouquet sont franches. A découvrir avec une assiette de charcuterie.
↪ Dom. Thévenot Le Brun et Fils, Marey-lès-Fussey, 21700 Nuits-Saint-Georges, tél. 80.62.91.64 ☎ r.-v.

Ce petit vignoble situé à une quinzaine de kilomètres au sud d'Auxerre a vu sa notoriété confirmée en 1977 par l'adjonction officielle du nom d'Irancy à l'appellation bourgogne. Cet usage est déjà ancien, car une décision judiciaire des années 1930 précisait que le nom de la commune devrait être associé obligatoirement à l'appellation bourgogne.

360

Les vins d'Irancy ont acquis une réputation en rouge, grâce au césar ou romain, cépage local datant peut-être du temps des Gaules. Ce dernier, assez capricieux, est capable du pire et du meilleur; lorsqu'il a une production faible à normale, il imprime un caractère particulier au vin et, surtout, lui apporte un tanin permettant une très longue conservation. Au contraire, lorsqu'il produit trop, le césar donne difficilement des vins de qualité; c'est la raison pour laquelle il n'a pas fait l'objet d'une obligation dans les cuvées.

Le cépage pinot noir, qui est donc le principal cépage de l'appélation, donne sur les coteaux d'Irancy un vin de qualité, très fruité, coloré. Les caractéristiques du terroir sont surtout liées à la situation topographique du vignoble, qui occupe essentiellement les petites formant une cuvette au creux de laquelle se trouve le village. Le terroir débordait d'ailleurs sur les deux communes voisines de Vincelotte et de Cra-

vant, où les vins de la Côte de Palotte étaient particulièrement réputés. La production varie de 1 500 à 2 000 hl selon les années, davantage en 1982 et 1983.

DOM. BERSAN ET FILS 1986**

| 85 | 86 | | 1 ha | 5 000 |

Un rouge à la limpidité sans faille, intense et puissant. Il a un corps d'athlète, avec des muscles si puissants et si ronds, qu'on rêve de l'avoir comme moniteur de remise en forme.
Dom. Bersan et Fils, 20, rue de l'Eglise, 89530 Saint-Bris-le-Vineux, tél. 86.53.33.73 r.-v.

LEON BIENVENU 1986**

| 73 75 76 78 79 80 81 82 83 84 85 86 | | 6 ha | 40 000 |

Sur la rive droite de l'Yonne, au sud-est d'Auxerre, Irancy reste un village typiquement bourguignon. Ses vins eurent le bonheur de plaire à la plupart des rois de France. Vieille famille bourguignonne, les Bienvenu présentent ce rouge tout feu tout flamme, légèrement boisé, appelé à une longue garde. Très caractéristique de l'appellation.
M. Léon Bienvenu, Les Lys, Irancy, 89290 Champs-sur-Yonne, tél. 86.42.22.51 r.-v.

ROGER DELALOGE 1986**

| 85 86 | | 5 ha | 15 000 |

L'image même de la complexité... Pas de césar ici, mais uniquement du pinot noir, sur 5 hectares, et des vignes de vingt-cinq ans. Cela donne un vin très floral, effilé, qui semble se jouer de la pesanteur. Ce qu'on fait de mieux à Irancy.
M. Roger Delaloge, Ruelle du Milieu, Irancy, 89290 Champs-sur-Yonne, tél. 86.42.20.94 r.-v.

ROGER DELALOGE 1986**

| 85 86 | | 5 ha | 4 000 |

Un rosé d'irancy vinifié en gris. Donc peu coloré et léger, destiné à l'entrée, aux hors-d'œuvre. Robe cristalline, fraise. Forte intensité aromatique. Tout cela témoigne d'une vinification soignée et d'un réel amour du vin.
M. Roger Delaloge, Ruelle du Milieu, Irancy, 89290 Champs-sur-Yonne, tél. 86.42.20.94 r.-v.

LAROCHE 1986

| 73 74 75 76 77 78 79 80 81 82 83 84 85 86 | | n.c. | 20 000 |

Ce rouge d'irancy maintient la tradition : 5% de césar et 95% de pinot noir. Mais ces 5% sont quelque peu symboliques et on ne les distingue guère. Robe violette et nez encore fermé. Normal pour un 86. Une impression un peu sèche : l'âge des fûts ?
Dom. Laroche, 22, rue Louis-Bro, 89800 Chablis, tél. 86.42.14.30 r.-v.

GAEC RICHOUX 1986*

| | 8 ha | 35 000 |

Brillant, frais et particulièrement floral, il montre que l'irancy a mille cartes dans sa manche : ici tout en souplesse. Le charme !
GAEC Richoux, rue Soufflot, Irancy, 89290 Champs-sur-Yonne, tél. 86.42.21.60 r.-v.

LUC SORIN 1986*

| | 2,40 ha | 13 000 |
| 78 81 82 83 84 85 86 | | |

Cet irancy contient 15% du vieux cépage césar qui vient de la nuit des temps et qui est presque légendaire (85% de pinot noir). Cette présence se remarque bien. Couleur vivace et prononcée, nez encore fermé (c'est un 86) et forte structure tannique. Vieillissement garanti.
M. Luc Sorin, 13 bis, rue de Paris, 89530 Saint-Bris-le-Vineux, tél. 86.53.36.87 r.-v.

Marsannay

Dernière survivance de la «Côte Dijonnaise», Marsannay-la-Côte a su se défendre pour protéger son vignoble contre l'envahissement urbain de la banlieue de Dijon.

Consacrée depuis plus de cinquante ans à la production de bourgogne rosé, et marginalisée par sa position géographique, cette commune est en passe de réintégrer le train des autres appellations communales, avec un marsannay rouge qui est de la même classe que les autres vins de la Côte de Nuits.

ANDRE BART 1985

| | 2 ha | n.c. |
| 80 84 85 | | |

Des reflets orangés soutiennent la couleur rouge tendre de la robe. Le nez est discret, suggérant les arômes de fruits rouges. Ce vin rond et équilibré est prêt à la consommation.
M. André Bart, 24, rue de Mazy, 21160 Marsannay-la-Côte, tél. 80.52.12.09 r.-v.

ANDRE BART 1986*

| | 3 ha | 10 000 |
| 85 86 | | |

Caractéristique du rosé de marsannay, ce vin s'offre dans une couleur rose soutenue de reflets rubis et cerise. Le bouquet mêle des évocations herbacées et florales. La structure est fraîche et vive. A découvrir dès aujourd'hui.
M. André Bart, 24, rue de Mazy, 21160 Marsannay-la-Côte, tél. 80.52.12.09 r.-v.

REGIS BOUVIER 1986**

■ 2,35 ha 18 000 ⊪ ♦ ⊻ Ⅵ3

83 |85| |86|

La framboise et la cerise sont les arômes dominants du bouquet ; l'ensemble est franc et concentré. Le moelleux et les tanins fins sont bien fondus à l'intérieur de la structure ; la persistance en bouche destine ce 86 à accompagner une viande rôtie.

↝ M. Régis Bouvier, 52, rue de Mazy, 21160 Marsannay-la-Côte, tél. 80.51.33.93 ⊤ r.-v.

JEAN COLLOTTE 1986***

■ 85 |86| n.c. 5 000 ⊪ ♦ ⊻ Ⅵ2

Jean Collotte a réuni dans ce millésime tout ce que l'on pouvait attendre de l'appellation et du millésime. L'intensité de la robe unit le pourpre et le violet. L'aspect est brillant et limpide. Les évocations du bouquet sont riches en fruits rouges associés à une pointe de fumé. L'harmonieuse structure se révèle ronde et pleine. On peut au choix découvrir ce vin rapidement ou le laisser vieillir.

↝ M. Jean Collotte, 44, rue de Mazy, 21160 Marsannay-la-Côte, tél. 80.52.24.34 ⊤ r.-v.

GRAND VIN DE BOURGOGNE

Marsannay

APPELLATION CONTROLEE

Mis en bouteille à la propriété

Jean COLLOTTE
PROPRIETAIRE A MARSANNAY-LA-COTE (COTE-D'OR)

DEREY FRERES 1987

◤ 86 87 1 ha n.c. ⊪ ♦ ⊻ Ⅵ2

Ce rosé de marsannay est doté d'un bouquet évoquant les feuilles de cassis et les arômes de petits fruits. La fraîcheur de l'ensemble peut être appréciée dès aujourd'hui.

↝ Derey Frères, 1, rue Jules-Ferry, Couchey, 21160 Marsannay-la-Côte, tél. 80.52.15.04 ⊤ l.l.j; 8h-12h 14h-18h.

DOM. FOUGERAY DE BEAUCLAIR Cuvée Vieilles Vignes 1986*

■ 2 ha 7 500 ⊪ ♦ ⊻ Ⅵ2

Ce vin à couleur cerise est agréable. Dans sa structure féminine, il allie souplesse et rondeur avec un bel équilibre. Le nez est discret. Une garde de 2 à 4 ans révèlera toutes ses possibilités.

↝ Dom. Fougeray de Beauclair, 44 et 89, rue de Mazy, 21160 Marsannay-la-Côte, tél. 80.52.21.12 ⊤ r.-v.

DOM. FOUGERAY DE BEAUCLAIR 1986**

□ 1,50 ha n.c. ⊪ ⊻ Ⅵ3

Le marsannay blanc est rare : voici un brillant

représentant de l'appellation. La teinte jaune pâle est très limpide. Les évocations florales du bouquet sont franches et évoluées. L'ensemble est bien équilibré, moelleux et rond, avec une bonne persistance. Il est destiné à accompagner un plat de moules au safran ou autres fruits de mer cuisinés.

↝ Dom. Fougeray de Beauclair, 44 et 89, rue de Mazy, 21160 Marsannay-la-Côte, tél. 80.52.21.12 ⊤ r.-v.

ROGER FOURNIER 1986

■ 1,80 ha n.c. 5 000 ⊪ ♦ ⊻ Ⅵ3

Les évocations de groseille et d'eau d'orange grillée composent le bouquet de ce vin à la robe grenat. Possédant un bon moelleux, l'ensemble, plaisant, est à découvrir dès maintenant.

↝ M. Roger Fournier, 31 bis, rue Pasteur, Couchey, 21160 Marsannay-la-Côte, tél. 80.52.24.75 ⊤ l.l.j; sf dim. 9h-12h 13h-20h.

GEANTET-PANSIOT Champs-Perdrix 1986

■ 0,50 ha n.c. 5 000 ⊪ ♦ ⊻ Ⅵ3

Net et frais, le bouquet révèle sa jeunesse par des arômes de fruits rouges acidulés. La structure légère et agréable de ce vin peut être appréciée dès maintenant.

↝ GAEC Geantet-Pansiot, 3, rue de Beaune, 21220 Gevrey-Chambertin, tél. 80.34.32.37 ⊤ r.-v.

JEAN-PIERRE GUYARD 1986*

■ 83 85 86 8 ha 12 000 ⊪ ♦ ⊻ Ⅵ3

Une belle transparence dans ses reflets violets. Les arômes de petits fruits ne demandent qu'à se développer. La structure est équilibrée : il atteindra son apogée dans 2 ou 4 ans.

↝ M. Jean-Pierre Guyard, 4, rue du Vieux-Collège, 21160 Marsannay-la-Côte, tél. 80.52.12.43 ⊤ r.-v.

LUCIEN GUYARD 1986*

■ 82 83 86 2 ha 6 000 ⊪ ♦ ⊻ Ⅵ2

La tonalité rouge rubis de la robe est brillante et limpide. Les arômes de cerise et de vanille rejoignent au cœur du vin un bouquet franc et bien évolué. La structure est équilibrée et solide, l'ensemble possède un bon avenir.

↝ M. Lucien Guyard, 10, rue du Puits-de-Tet, 21160 Marsannay-la-Côte, tél. 80.52.14.46 ⊤ r.-v.

DOM. HUGUENOT PERE ET FILS Clos du Roy 1985**

■ 1,50 ha 6 000 ⊪ ♦ ⊻ Ⅵ3

Doté d'une belle apparence, ce 85 se présente dans une robe limpide et sombre. Le bouquet est évolué et suggère les arômes confits de cerise et de cassis unis au parfum du bois de réglisse. La structure associe les tanins fins et le moelleux dans un bel équilibre. On peut découvrir et apprécier ce vin savoureux avec une daube de cèpes.

↝ Dom. Huguenot Père et Fils, 7, ruelle du Carron, 21160 Marsannay-la-Côte, tél. 80.52.11.56 ⊤ r.-v.

Bourgogne hautes-côtes de nuits

vignoble a été associé un effort touristique qu'il faut souligner, avec en particulier la construction d'une maison des Hautes-Côtes où sont exposées les productions locales que l'on peut déguster avec la cuisine régionale.

PHILIPPE NADDEF 1986**

■ ▯ ♦ 🍷 ⬛   2 ha   6 000

Créée en 1983, cette jeune exploitation propose un marsannay à la belle robe rouge grenat, d'apparence brillante et limpide qui lui confère un aspect appétissant. Le bouquet est léger, avec des évocations florales mêlées aux arômes de groseille et de griotte. L'harmonie du moelleux et des tanins fins se résout dans une longue persistance. On peut découvrir cette belle bouteille avec un chapon aux endives.

↪ M. Philippe Naddef, 30, rue Jean-Jaurès, Couchey, 21160 Marsannay-la-Côte, tél. 80.51.45.99 🍷 r.-v.

CHARLES QUILLARDET 1986*

■ ▯ ♦ 🍷 ⬛   7,50 ha   30 000

Pleine de fraîcheur, la robe couleur grenat est transparente et brillante. Le nez évoque les fruits rouges acidulés. La charpente est équilibrée, charnue et solide. A offrir avec une viande rôtie ou grillée.

↪ M. Charles Quillardet, 18, rte de Dijon, 21220 Gevrey-Chambertin, tél. 80.34.10.26 🍷 lu. ma. me. je. ve. 9h30-12h 14h-18h.

Bourgogne hautes-côtes de nuits

Dans le langage courant et sur les étiquettes, on utilise le plus fréquemment « bourgogne hautes-côtes-de-nuits » pour les vins rouges, rosés et blancs produits sur seize communes de l'arrière-pays, ainsi que sur les parties de communes situées au-dessus des appellations communales et de crus de la Côte de Nuits. Ces vignobles produisent, bon an, mal an, de 5 à 10 000 hl de vin, dont 95 % en rouge. Cette production a augmenté de manière importante depuis 1970, date avant laquelle le vignoble se limitait à la production de vins plus régionaux, bourgogne aligoté essentiellement. Le vignoble s'est reconverti à ce moment-là et des terrains, plantés avant le phylloxéra, ont été reconquis.

Les coteaux les mieux exposés donnent certaines années des vins qui peuvent rivaliser avec des parcelles de la Côte ; les résultats sont d'ailleurs souvent meilleurs en blanc, et il est bien dommage que les plantations ne se soient pas faites davantage avec le chardonnay qui, sans nul doute, réussirait mieux, plus souvent. A l'effort de reconstitution du

BONNARDOT PERE ET FILS 1985

■ ▯ 🍷 ⬛   15,02 ha   20 000

83 85

Le bouquet ouvert exprime des senteurs évoluées de fruits cuits. Ce vin équilibré gagnera à vieillir 3 à 4 années.

↪ GAEC Bonnardot Père et Fils, rue de la Cure, Villers-la-Faye, 21700 Nuits-Saint-Georges, tél. 80.62.91.27 🍷 t.l.j. 8h-12h 14h-19h.

JEAN-CLAUDE BOUHEY 1986*

■ ⬛ ▯ ⬛   5 ha   15 000

84 (85) 86

Une robe toute marquée de la vivacité de la jeunesse, un nez flatteur qui assemble les fruits rouges frais. Nanti d'un bon support tannique, ce vin équilibré mérite une garde de 4 à 5 années.

↪ M. Jean-Claude Bouhey, rte de Magny, Villers-la-Faye, 21700 Nuits-Saint-Georges, tél. 80.62.92.62 🍷 r.-v.

DOM. CACHAT-OCQUIDANT ET FILS 1985*

■ ▯ ♦ 🍷 ⬛   1,48 ha   n.c.

Un vin bien caractéristique de l'appellation : riche et complexe, le bouquet associe des arômes de fruits rouges à des senteurs de torréfaction, d'épices et de tabac blond. Comme les tanins dominent encore les saveurs, on l'attendra 2 à 3 années.

↪ Dom. Cachat-Ocquidant et Fils, 21550 Ladoix-Serrigny, tél. 80.26.41.27 🍷 t.l.j. sf dim. 9h-12h 14h-18h.

M. ET J.-F. ECARD 1986

■ ⬛ ▯ ⬛   2,05 ha   1 500

(85) 86

Ici, la vigne est jeune puisqu'autrefois on cultivait les petits fruits rouges. Est-ce pour cela qu'on les retrouve dans la palette du bouquet avec une dominante de framboise ou dans la robe cerise ? Léger et fruité, ce vin équilibré est à découvrir dès aujourd'hui.

↪ GAEC Max & Jean-François Ecard, Arcenant, 21700 Nuits-Saint-Georges, tél. 80.61.04.10 🍷 r.-v.

DOM. MARCEL ET BERNARD FRIBOURG 1985*

■ ⬛ ▯ ⬛   1,33 ha   5 000

(83) 85

Légèrement dorée, la robe d'une excellente limpidité annonce les senteurs discrètement végétales du bouquet. D'une bonne persistance, ce vin gras et souple peut être servi avec une terrine de lapin de garenne.

↪ SCE Dom. M. et B. Fribourg, Villers-la-Faye, 21700 Nuits-Saint-Georges, tél. 80.62.91.74 🍷 t.l.j. sf dim. 8h-12h 14h-19h.

DOM. FRANCOIS GERBET 1985**

■ 10,50 ha 25 000 ■□ ↓ V3

i76i (76i) i79i 80 82 i84i 85i

Une touche épicée au milieu des parfums de fruits rouges confits. Typique du millésime 85 ce fruit à la robe maintenant légèrement évoluée allie tout à la fois le moelleux et les tanins. L'ensemble manifeste une bonne souplesse que l'on pourra apprécier bientôt.

➤ Dom. François Gerbet, Vosne-Romanée, 21700 Nuits-Saint-Georges, tél. 80.61.07.85 ⟂ r.-v.

LES CAVES DES HAUTES-CÔTES Tête de Cuvée 1983**

■ 91 ha 120 000 ■ ↓ V4

i83i 85

Transparente et si limpide, la robe reflète des nuances violettes au milieu de sa dominante grenat. Riche et complexe, le bouquet suggère les fruits confits, les épices avec une pointe de vanille. Harmonieux et équilibré, ce vin possède une riche substance. Il est étonnamment frais pour son millésime. En accompagnement avec un gibier en sauce.

➤ Les Caves des Hautes-Côtes, rue de Pommard, 21200 Beaune, tél. 80.24.63.12 ⟂ r.-v.

LABET PÈRE ET FILS 1985*

■ n.c. 9 000 ■ ↓ V3

81 82 83 84 i85i

Cerise, la robe, avec les reflets orangés de l'âge... Le bouquet est ouvert, flatteur, mêlant fruits rouges et senteurs de café torréfié. Parfait pour un pâté de canard, par exemple.

➤ M. François Labet, 21640 Vougeot, tél. 80.62.86.13

HONORÉ LAVIGNE 1986*

■ 2 ha 15 000 ■ ↓ V2

84 (85i) i86i

Limité à des senteurs végétales, le bouquet est encore fermé. Souple, rond et gras, ce vin bien équilibré est apte à vieillir et à s'affirmer durant 2 à 4 ans.

➤ M. Honoré Lavigne, passage Montgolfier, 21700 Nuits-Saint-Georges, tél. 80.61.00.06 ⟂ r.-v.

FRÉDÉRIC MAREY 1986**

□ n.c. 6 000 ■ V3

Des senteurs de sous-bois rejoignent celles de la feuille de cassis dans l'éventail aromatique du bouquet. Tout en brillance et en limpidité, ce vin fruité et vif présente en bouche un arôme de pamplemousse. À déguster en apéritif.

➤ M. Frédéric Marey, Meuilley, 21700 Nuits-Saint-Georges, tél. 80.61.12.44 ⟂ r.-v.

P. MISSEREY 1985*

■ n.c. 6 000 ■ V3

Rouge groseille avec déjà des reflets orangés, ce vin, à l'élégant bouquet de petits fruits rouges et de bois de réglisse, offre une charpente équilibrée et une longue persistance. À consommer sur une viande rouge.

➤ Maison P. Misserey, 3, rue des Seuillets, B.P. 10, 21702 Nuits-Saint-Georges Cedex, tél. 80.61.07.74 ⟂ r.-v.

BERNARD MONDANGE 1986**

□ 1 ha 2 500 ■ ↓ V3

85 86

C'est pratiquement en même temps que se corsituait le vignoble des Hautes-Côtes que furent plantées les vignes qui donnent naissance à ce vin, parfaite expression du chardonnay. Sa jeunesse et sa fraîcheur transparaissent dans une robe d'or mêlée de reflets verts. Le nez légèrement citronné évoluera avec les années. Rond, moelleux et fruité, il est d'une parfaite harmonie.

➤ M. Bernard Mondange, L'Étang-Vergy, 21220 Gevrey-Chambertin, tél. 80.61.41.59 ⟂ r.-v.

DOM. DE MONTMAIN Les Genevrières 1985

■ 2 ha 7 000 ■ ↓ V4

85 86

Une robe grenat, limpide et brillante, un bouquet chaleureux et flatteur, un bon équilibre. Mais il faut encore l'attendre pour mieux l'apprécier.

➤ Dom. de Montmain, Villars-Fontaine, 21700 Nuits-Saint-Georges, tél. 80.62.31.94 ⟂ r.-v.
➤ M. Bernard Hudelot-Verdel.

DOM. DE MONTMAIN Le Rouard 1985***

□ 2 ha 2 000 ■ ↓ V4

76 77 i78i i80i i82i 83 85

Ici, sur un domaine tout neuf, mais aux vignes de huit ans, les vins vieillissent dans une cave de 600 m2 creusée dans les marnes. Le Rouard 85 possède une robe limpide et dorée. Des senteurs de pain grillé et de châtaigne se mêlent harmonieusement à la vanille. Ce vin boisé unit la rondeur et le moelleux dans une belle structure. Il gagnera à être conservé de 3 à 5 ans.

➤ Dom. de Montmain, Villars-Fontaine, 21700 Nuits-Saint-Georges, tél. 80.62.31.94 ⟂ r.-v.
➤ M. Bernard Hudelot-Verdel.

JEAN-PIERRE MUGNERET 1986*

■ 0,74 ha 5 700 ■ V3

85 86

Le bouquet découvre des senteurs boisées, délicates et secrètes. Le moelleux et les tanins sont harmonieusement disposés à l'intérieur de la structure. Représentatif de son appellation et de son millésime, ce vin gagnera à vieillir quelques années.

➤ M. Jean-Pierre Mugneret, Concœur, 21700 Nuits-Saint-Georges, tél. 80.61.00.20 ⟂ r.-v.

HENRI NAUDIN-FERRAND 1986*

■ 1,28 ha 10 000 ■ ↓ V3

85 86

Créée en 1700, la propriété recouvre 15 hectares de vignes. C'est en fûts neufs que fut élaboré ce 86. Les senteurs du bouquet expriment les fruits rouges mûrs. En bouche, il est velouté et tout en douceur. Ce vin, à la belle robe cerise, est prêt à être consommé.

➤ M. Henri Naudin-Ferrand, rue d'Échevronne, Magny-les-Villers, 21700 Nuits-Saint-Georges, tél. 80.62.91.50 ⟂ r.-v.

PICARD PÈRE ET FILS 1986***

■ n.c. n.c. 3

Voici une belle réussite... Franc et net, le nez

est ouvert, fait de fruits rouges, fraise et framboise. Ce grand vin charnu, étoffé et moelleux accompagnera une entrecôte vigneronne.
► Picard Père et Fils, rte de St-Loup-de-Salle, 71150 Chagny, tél. 85.87.07.45.

SIMON FILS 1986

4 ha 20 000

(76) 78 79 78II 82 83 I84I 85 86

Une robe cerise, franche, limpide et brillante. Des parfums de fruits rouges délicats. Un vin souple et léger pour accompagner une viande blanche. Le 84, dégusté en commission, a paru racé bien charpenté, intéressant pour son millésime.
► M. Simon Fils, Marey-lès-Fussey, 21700 Nuits-Saint-Georges, tél. 80.62.91.85 Y r.-v.

DOM. THEVENOT LE BRUN ET FILS 1986

1,50 ha 6 000

Quelques reflets verts montrent la jeunesse de ce vin au bouquet de pain grillé, de fumé et de vanille. Equilibré, il accompagnera un poisson de rivière.
► Dom. Thévenot Le Brun et Fils, Marey-lès-Fussey, 21700 Nuits-Saint-Georges, tél. 80.62.91.64 Y r.-v.

DOM. THEVENOT LE BRUN ET FILS 1986*

2,50 ha 8 000

76 I78I 79 I80I 81 82 I83I 84 85 86

C'est surtout sa bouche qui a retenu les dégustateurs, par la parfaite présence des saveurs de cassis et de groseille. Mais sa robe pourpre n'en est pas moins belle, et le bouquet vif et frais. La souplesse de l'ensemble peut être appréciée sans attendre.
► Dom. Thévenot Le Brun et Fils, Marey-lès-Fussey, 21700 Nuits-Saint-Georges, tél. 80.62.91.64 Y r.-v.

nant installée au «Guidon» de Pommard, à l'intersection des D 973 et RN/74, au sud de Beaune. Elle vinifie un volume important de bourgogne hautes-côtes-de-beaune. De même que plus au nord, le vignoble s'est essentiellement développé depuis les années 1970-1975.

Le paysage est plus pittoresque que dans les Hautes-Côtes de Nuits, et de nombreux sites doivent faire l'objet d'une visite, comme Orches, la Rochepot et son château, Nolay, petit village bourguignon. Il faut enfin ajouter que les Hautes-Côtes, qui autrefois étaient le siège d'exploitations de polyculture, sont restées des régions productrices de petits fruits destinés à alimenter les liquoristes de Nuits-Saint-Georges et Dijon, et qu'on y rencontre encore sous différents états, des cassis, framboises ou liqueurs et eaux-de-vie de ces fruits, d'excellente qualité. L'eau-de-vie de poire des Monts-de-Côte-d'Or, bénéficiant d'une appellation simple, trouve également ici son origine.

JEAN-CLAUDE BOULEY 1981***

6 ha 40 000

81 82 I83I (85)

Surprenant pour son appellation, ce 81 se révèle dans une robe intense aux nuances tuilées. Le bouquet est puissant et masculin. Les odeurs animales côtoient celles de sous-bois. En bouche, une bonne harmonie jointe à un parfait équilibre enveloppe des saveurs de cerise et de fruits rouges. Une curiosité à ne pas manquer.
► M. Jean-Claude Bouley, Change, 21340 Nolay, tél. 85.91.10.89 Y r.-v.

DENIS CARRE 1985****

3,50 ha n.c.

79 82 I83I 84 85

Voici un vin brillant qui ensoleille le verre du dégustateur. Les senteurs boisées de fût sont en harmonie avec les arômes de fruits rouges. Très équilibré et complet, il possède une attaque fraîche et agréable. Sur table, il sera parfait avec une blanquette de veau.
► M. Denis Carré, Meloisey, 21190 Meursault, tél. 80.26.02.21 Y r.-v.

EMILE CHANDESAIS 1986*

n.c. 15 000 I86I 18 6l

80 81 82 83 I84I (85)

Les arômes, qui sont souvent le gage de la bonne tenue d'un vin au vieillissement, sont ici intenses. Ils évoquent la poire et le coing. Doté d'une bonne attaque et d'une bonne longueur en bouche, il accompagnera un sanglier.

Bourgogne hautes-côtes de beaune

Située sur une aire géographique plus étendue (une vingtaine de communes, et débordant sur le nord de la Saône-et-Loire), la production des vins d'appellation bourgogne hautes-côtes-de beaune représente un volume supérieur à celui des hautes-côtes-de-nuits. Les situations sont plus hétérogènes et des surfaces importantes sont également occupées par les cépages, aligoté et gamay.

La coopérative des Hautes-Côtes, qui a fait ses débuts à Orches, hameau de Baubigny, est mainte-

DOM. CORNU 1986

85 86

0,45 ha   3 500

L'odeur de pomme verte recouvre les autres arômes. C'est un vin à la jolie teinte pâle et brillante. Joignant la structure à l'équilibre, il ne pourra apparaître qu'agréable.

➤ Dom. Cornu, Magny-lès-Villers, 21700 Nuits-Saint-Georges, tél. 80.62.92.05 r.-v.

ROBERT DUBOIS ET FILS
Les Monts-Battois 1986

0,50 ha   4 500

Récolté sur les pentes du Mont Battois, ce 86 à la teinte paillée possède un nez flatteur, mêlant l'amande et le végétal. Pour l'apprécier à sa juste valeur, il suffit de l'attendre 2 à 3 ans.

➤ MM. Robert Dubois et Fils, Premeaux-Prissey, 21700 Nuits-Saint-Georges, tél. 80.61.30.61 r.-v.

MARC FOUQUERAND ET FILS 1986

82 |83| |85| 86

4 ha   15 000

La robe claire recouvre un ensemble d'arômes qui s'expriment avec légèreté. Ils évoquent les petits fruits, la vanille, la fraise. Il faudra attendre 2 ou 3 ans pour que cette bouteille atteigne son optimum.

➤ GAEC Fouquerand Père et Fils, La Rochepot, 21340 Nolay, tél. 80.21.72.80 t.l.j. sf dim. 9h-12h 14h-17h.

ALAIN GOUBARD 1985***

83 **85**

n.c.   25 000

Un vin accompli, que l'on peut déguster dès aujourd'hui. Une robe grenat intense, portant des reflets violets sombres, un bouquet franc et net, exprimant les senteurs mêlées de fruits rouges, de poivron et de bois de réglisse. Ferme et élégant, tout à la fois tannique et moelleux, il accompagnera une bonne fricassée d'escargots.

➤ M. Alain Goubard, Vignoble les Chenevières, Paris-l'Hôpital, 71150 Chagny, tél. 85.91.10.81 r.-v.

LES CAVES DES HAUTES CÔTES 1985*

n.c.   n.c.

La finesse de ce hautes-côtes se découvre dans une teinte jaune pâle. C'est un vin subtil et discret à offrir sur un poisson d'eau douce.

➤ Les Caves des Hautes-Côtes, rte de Pommard, 21200 Beaune, tél. 80.24.63.12 r.-v.

LES CAVES DES HAUTES-CÔTES Tête de Cuvée 1985*

85 ha   130 000

Les Caves des Hautes-Côtes proposent un beau vin sombre et brillant. Il exhale un bouquet séduisant, alliant les senteurs de gibier aux fruits rouges et à la vanille. Souple, fondu, concentré, il possède une bonne longueur qui lui permettra de vieillir.

CHRISTIAN MENAULT 1985***

6 ha   25 000

Ce hautes-côtes-de-beaune est une apothéose composée d'arômes multiples de petits fruits rouges. La robe, d'une excellente limpidité, apparaît dans une couleur intense, pourpre violacée. C'est un vin complet possédant équilibre et harmonie. On peut le déguster maintenant ou plus tard.

DOM. MAZILLY PÈRE ET FILS
Le Clou 1986**

|71| |73| 76 |78| 79 81 |82| 83 |84| 85 **86**

0,75 ha   5 000

Sous un aspect sombre couleur cerise, se dissimule un bouquet boisé et vanillé, où l'arôme de framboise se fond à l'ensemble. Très équilibré, autant au nez qu'en bouche, ce vin fait apprécier sa finesse et sa souplesse jointes à une bonne amplitude. Un régal dès maintenant.

➤ Dom. Mazilly Père et Fils, Meloisey, 21190 Meursault, tél. 80.26.02.00 r.-v.

MARIE LAFOUGE 1986*

81 84 85 86

3 ha   20 000

Aucun défaut, mais une grande réserve, une bonne mâche, et long. Un vin encore jeune qu'il faudra attendre 2 ou 3 ans.

➤ Mme Marie Lafouge, Paris-l'Hôpital, 71150 Chagny, tél. 85.91.12.66 r.-v.

JOSEPH LAFOUGE 1986

|78| 79 |81| |82| |83| 84 |85| 86

3 ha   5 000

À son actif une belle couleur et un bon parfum. Également une bonne mâche, une jolie longueur. Mais un «je-ne-sais-quoi» explique la sévérité d'un jury qui n'ose se prononcer sur sa longévité.

➤ M. Joseph Lafouge, Marchezeuil-Change, Change, 21340 Nolay, tél. 85.91.12.16 r.-v.

JEAN JOLIOT ET FILS 1984*

79 |81| |83| |84| |85|

6 ha   30 000

Caractéristique du millésime 84, le bouquet de ce vin suggère le chêne, l'humus et le sous-bois. Il est bien équilibré et sans rudesse. Il lui reste suffisamment de substance et de caractère pour vieillir. Au choix, à consommer maintenant ou plus tard.

➤ Dom. Jean Joliot et Fils, Nantoux, 21190 Meursault, tél. 80.26.01.44 r.-v.

HUBERT JACOB-MAUCLAIR 1986

78 79 82 |83| |84| |85| 86

1,15 ha   2 000

Plaisant et de bonne longueur, un vin équilibré et vif. On devra l'attendre 2 ou 3 ans avant qu'il puisse donner le meilleur de lui-même.

➤ M. Hubert Jacob-Mauclair, Changey, Echevronne, 21420 Savigny-lès-Beaune, tél. 80.21.57.07 r.-v.

➤ Les Caves des Hautes-Côtes, rte de Pommard, 21200 Beaune, tél. 80.24.63.12 r.-v.

Bourgogne hautes-côtes de beaune

M. Christian Menault, rue Chaude, Nantoux, 21190 Meursault, tél. 80.26.01.53 Ⓣ r.-v.

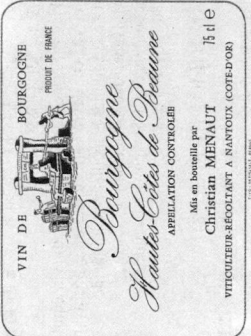

VIN DE BOURGOGNE
PRODUIT DE FRANCE
Bourgogne
Hautes-Côtes de Beaune
APPELLATION CONTROLEE
Mis en bouteille par
Christian MENAUT
75 cl e
VITICULTEUR-RÉCOLTANT A NANTOUX (CÔTE-D'OR)

MAISON P. MISSEREY 1985
n.c.   6 000

Les arômes sont intenses et marqués par le bois du fût neuf. Un vin harmonieux et équilibré auquel 2 à 3 ans de vieillissement sont nécessaires.

Maison P. Misserey, 3, rue des Seuillets, B.P. 10, 21702 Nuits-Saint-Georges Cedex, tél. 80.61.07.74 Ⓣ r.-v.

MOILLARD Les Alouettes 1986***
n.c.   n.c.

Voici un fleuron des hautes-côtes-de-beaune. Il a ravi les dégustateurs, après avoir dévoilé sa belle teinte jaune paille. Puissant, son bouquet est d'une grande finesse, il «chardonne» et évoque une multitude d'arômes de fruits. Bien structuré, marqué par un caractère végétal et beaucoup de personnalité, il peut être apprécié, au choix, au présent ou au futur.

Moillard, 2, rue François-Mignotte, 21700 Nuits-Saint-Georges, tél. 80.61.03.34 Ⓣ r.-v.

1986
Bourgogne Hautes Côtes de Beaune
Appellation Bourgogne Hautes Côtes de Beaune Contrôlée
"LES ALOUETTES"
Mis en bouteille par MOILLARD
NÉGOCIANT-ÉLEVEUR A NUITS-SAINT-GEORGES (CÔTE-D'OR) FRANCE
750 ml e
13% vol.

HENRI NAUDIN-FERRAND 1986*
4,84 ha   30 000

La discrétion du bouquet, due à sa jeunesse, laisse entrevoir des arômes de fruits et de sous-bois. La fraîcheur et la nervosité de ce vin tannique et bien équilibré sont de bon augure. A consommer dans 2 ou 3 ans.

M. Henri Naudin-Ferrand, rue d'Echevronne, Magny-lès-Villers, 21700 Nuits-Saint-Georges, tél. 80.62.91.50 Ⓣ r.-v.

HENRI NAUDIN-FERRAND 1985**
0,85 ha   n.c.

74 76 78 79 81 81 82 83 85

Confirmation, cette année, de la qualité de ce 85 en dégustation. Riche, le millésime s'offre sous une jolie teinte jaune pâle. Les arômes de fruits sont typiques du cépage chardonnay. Charnu et complet, ce beau vin pourra encore vieillir 2 à 3 ans.

M. Henri Naudin-Ferrand, rue d'Echevronne, Magny-lès-Villers, 21700 Nuits-Saint-Georges, tél. 80.62.91.50 Ⓣ r.-v.

CLAUDE NOUVEAU 1986**
5 ha   3 000

78 79 81 82 83 85 86

Cette cuvée de vieilles vignes (trente-cinq ans) a été élevée en fûts de chêne. Possédant des propriétés en Hautes-Côtes, mais aussi sur Sautenay et en Côte de Beaune, ce vigneron travaille sérieusement : la bouteille qu'il propose ici conviendra bien à un plat de gibier. Finesse et corps, les qualités du pinot noir avec la tonalité des hautes-côtes.

M. Claude Nouveau, Marchezeuil, Change, 21340 Nolay, tél. 85.91.13.34 Ⓣ r.-v.

CLAUDE NOUVEAU Tasteviné 1986
6 ha   10 000

79 81 82 83 85 86

La jeunesse défavorise un peu ce vin, et il faudra attendre quelque temps avant qu'il puisse s'exprimer à sa juste valeur. On pourra alors apprécier ses arômes intenses et complexes.

M. Claude Nouveau, Marchezeuil, Change, 21340 Nolay, tél. 85.91.13.34 Ⓣ r.-v.

PARIGOT PÈRE ET FILS 1986*
0,50 ha   3 500

85 86

Les hautes-côtes produisent ce type de vin à la belle teinte jaune paille. Le bouquet est riche, évoquant les fruits secs et les amandes. Doté d'une bonne attaque, ample et charnu, il accompagnera un poisson en sauce.

MM. Parigot Père et Fils, Meloisey, 21190 Meursault, tél. 80.26.01.70 Ⓣ r.-v.

MAISON PARIGOT ET RICHARD 1985**
n.c.   6 000

Ce vin affiche une teinte jaune pâle. Le bouquet est fin, évoquant le pain grillé. En bouche, le fond se révèle gras et charnu. Bien vinifié, on le dégustera pour lui-même en apéritif.

Maison Parigot et Richard, 9, rue du Jarron, 21420 Savigny-lès-Beaune, tél. 80.21.50.66 Ⓣ r.-v.

ROLLIN PÈRE ET FILS 1986*
2 ha   8 000

83 84 85 86

Caractéristique du millésime 86, l'excellente limpidité de la robe cerise charme l'œil. Au nez, les arômes de sous-bois se mêlent à ceux de fruits rouges. D'une grande finesse, ce vin «tout en dentelle» séduira les amateurs de vins élégants.

M. Rollin Père et Fils, Pernand-Vergelesses, 21420 Savigny-lès-Beaune, tél. 80.21.50.35 Ⓣ r.-v.

DOM. DES VIGNES DES DEMOISELLES 1986 ***

4 ha   25 600

82 83 84 (85) 86

Les Hautes-Côtes sont le paradis des petits fruits. On les retrouve ici mariés à des senteurs mêlées de bois de réglisse et d'épices. Il vieillira sans doute très bien : sa mâche est pleine et laisse des souvenirs longtemps après la dégustation. Bel exemple de la renaissance des hautes-côtes, qui produisent souvent d'excellents bourgogne emplis de fraîcheur.

→ MM. Gabriel Demangeot et Fils, Dom. Vignes des Demoiselles, Change, 21340 Nolay, tél. 85.91.11.10 ℤ r.-v.

Crémant de bourgogne

Comme toutes les régions viticoles françaises ou presque, la Bourgogne avait son appellation pour les vins mousseux produits et élaborés sur l'ensemble de son aire géographique. Sans vouloir critiquer cette production, il faut bien reconnaître que la qualité n'était pas très homogène et ne correspondait pas, la plupart du temps, à la réputation de la région, sans doute parce que les mousseux se faisaient à partir de vins trop lourds. Un groupe de travail constitué en 1974 jeta les bases du crémant en lui imposant des conditions de production aussi strictes que celles de la région champenoise et calquées sur celles-ci. Un décret de 1975 consacra officiellement ce projet auquel se sont ralliés finalement tous les élaborateurs (bon gré, mal gré) puisque l'appellation bourgogne mousseux a été récemment supprimée.

VEUVE AMBAL
Blanc de blancs - Brut **

n.c.   750 000

Des perles fines et persistantes apparaissent dans une teinte d'or pâle aux reflets verts. Le bouquet est franc et suave ; les arômes partagés évoquent la pomme mûre et les parfums floraux. Tout à la fois agréable, persistant et délicat, il sera particulièrement apprécié à l'heure de l'apéritif.

→ Veuve Ambal, Rully, 71150 Chagny, tél. 85.87.15.05 ℤ r.-v.

CAVES DE BAILLY
Blanc de noirs - Brut 1985 *

n.c.   300 000

Variante en dosage brut (0,85 gramme par litre) du millésime 85. De pleine mousse, ce

369

crémant à la robe brillante n'est pas trop raide. Au contraire : rondeur et moelleux le rendent très sociable.

CAVES DE BAILLY
Blanc de blancs - Extra-sec 1982 **

n.c.   150 000

Clair et de bonne mousse, ce crémant naît dans les anciennes carrières souterraines du hameau de Bailly (3,5 hectares !). La pierre du Pantéon vient d'ici. Une bouteille agréable.

→ SICA du Vignoble Auxerrois, Caves de Bailly, 89530 Saint-Bris-le-Vineux, tél. 86.53.34.00 ℤ r.-v.

○ Ce 82 constitue en crémant une sorte de « vintage ». Il parvient actuellement à son optimum. Ses charmes : la persistance de la mousse, la finesse et l'unité de constitution. Trois cépages le composent : aligoté, sacy et chardonnay.

→ S.CA du Vignoble Auxerrois, Caves de Bailly, 89530 Saint-Bris-le-Vineux, tél. 86.53.34.00 ℤ r.-v.

CAVES DE BAILLY Extra-sec 1985 *

n.c.   300 000

Blanc de noirs correct pour un extra-sec (bien dosé) soit 1,25 grammes par litre. Persistant, brillant, une mousse fine, très agréable.

→ SICA du Vignoble Auxerrois, Caves de Bailly, 89530 Saint-Bris-le-Vineux, tél. 86.53.34.00 ℤ r.-v.

PIERRE BERNOLLIN Brut 1984 *

1 ha   8 500

Pinot noir (50%), aligoté (30%), chardonnay (10%) et gamay (10%). A jus blanc, c'est presque de l'alchimie ! Les bulles sont fugaces et la mousse assez brève, délivrant des arômes intenses où l'on reconnaît surtout le chardonnay.

→ M. Pierre Bernollin, Aux Hesses, Jully-lès-Buxy, 71390 Buxy, tél. 85.92.12.19 ℤ r.-v.

ALA N BERTHAULT Brut 1985 *

0,50 ha   3 000

Excellente bouteille, riche, bien équilibrée. Les arômes sont souples. Volume et intensité : le chardonnay affirme nettement sa présence.

→ M. Alain Berthault, Cercot, Moroges, 71390 Buxy, tél. 85.47.91.03 ℤ r.-v.

PASCAL BOUTHENET Brut 1986 *

1 ha   n.c.

Bien sec, légèrement rosé, léger et cependant consistant, ce vin est agréable et laisse une jolie impression.

→ M. Pascal Bouthenet, Eguilly, 71490 Couches, tél. 85.49.66.65 ℤ r.-v.

CAVE COOP. DE CHARNAY-LES-MACON Brut *

0,50 ha   5 000

Péta e de fleur au nez, très limpide à l'œil, au vin bien typé, sucré, doux et ample à l'œil. La fin de bouche est toutefois ponctuée d'une note acide. Ce crémant produit au pied des roches de

Crémant de bourgogne

Soluté et de Vergisson a remporté la coupe Henri Boulay (père des coopératives viticoles en Saône-et-Loire) en 1987 et 1988.

➤ Cave Coop. Charnay-lès-Mâcon, En Condemine, 71850 Charnay-lès-Mâcon, tél. 85.34.54.24 Ⴠ r.-v.

DELIANCE Ruban Mauve - Brut 1986*

○   6 ha   25 000   ▮ V ▮ 3

Il n'a aucun défaut de caractère, sinon un tout petit quelque chose dans la robe. Son acidité n'est pas désagréable du tout et sa personnalité s'exprime avec bonhomie.

➤ Maison Deliance Père et Fils, Dracy-le-Fort, 71640 Givry, tél. 85.44.40.59 Ⴠ r.-v.

DELIANCE Ruban Rose - Brut 1984*

○   1 ha   5 000   ▮ V ▮ 3

Le nez est puissant et joyeux, l'ampleur parfaite et l'impression joliment poivrée. Malgré une robe pâle à reflet gris, c'est une bouteille bien sous tous rapports.

➤ Maison Deliance Père et Fils, Dracy-le-Fort, 71640 Givry, tél. 85.44.40.59 Ⴠ r.-v.

ANDRE DELORME Brut*

○   n.c.   12 000   ▮↓▮ V ▮ 3

Belle mousse, agréable teinte rose, parfums subtils, attaque vive, ce vin a beaucoup de qualités. Un peu trop acide cependant, ce qui le prive d'une certaine rondeur. Assez bien. Jean-François Delorme connaît à merveille son métier. Aussi attend-on de lui la perfection !

➤ André Delorme SA, rue de la République, Rully, 71150 Chagny, tél. 85.87.10.12 Ⴠ r.-v.

ANDRE DELORME
Blanc de blancs - Brut***

○   n.c.   50 000   ▮ V ▮ 3

65% d'aligoté et 35% de chardonnay, un crémant de bourgogne or pâle aux subtils arômes floraux. Ampleur, longueur, bouquet, tout y est.

➤ André Delorme SA, rue de la République, Rully, 71150 Chagny, tél. 85.87.10.12 Ⴠ r.-v.

LUCIEN DENIZOT Brut 1986**

○   1,50 ha   12 000   ▮ V ▮ 3

Raisin frais et nuance boisée en bouche, il a beaucoup de tempérament. Son originalité retiendra l'attention des amateurs de bouteilles curieuses, au charme très personnel.

➤ M. Lucien Denizot, Les Moirots, Bissey-sous-Cruchaud, 71390 Buxy, tél. 85.92.16.93 Ⴠ r.-v.

BERNARD DURY Brut**

○   1,50 ha   10 000   ▮ V ▮ 3

Net et brillant, ce crémant est composé de 85% de pinot et de 15% de gamay pressés l'un et l'autre en blanc. Sa teinte jaune pâle aux reflets verts laisse voir des bulles persistantes. C'est un vin frais et nerveux : il ajoutera « un brin de malice » à tous les desserts.

➤ M. Bernard Dury, Cissey, Mercueil, 21190 Meursault, tél. 80.21.48.44 Ⴠ r.-v.

DENIS FOUQUERAND Brut 1986

○   2 ha   10 000   ▮ V ▮ 2

Composé de 85% de pinot noir pressé en blanc et 15% de chardonnay, ce crémant possède une teinte jaune pâle soutenue de reflets or vert. Avec sa mousse fine et crémeuse, il accompagnera tous les desserts.

➤ M. Denis Fouquerand, La Rochepot, 21340 Nolay, tél. 80.21.71.59 Ⴠ r.-v.

LES CAVES DES
HAUTES-COTES Brut

○   16 ha   n.c.   ▮↓▮ V ▮ 3

Le bouquet est fin et discret, suggérant des senteurs florales sur fond de pomme. Les reflets verts de la robe jaune pâle abritent la vivacité et la fraîcheur d'un vin de fête.

➤ Les Caves des Hautes-Côtes, rte de Pommard, 21200 Beaune, tél. 80.24.63.12 Ⴠ r.-v.

CAVE COOP. LES VIGNERONS
D'IGE Brut**

○   10 ha   100 000   ▮↓▮ V ▮ 2

Court en mousse, mais fruité et très original. On y décèle même un goût de loukoum... Intense, flatteur, il possède un charme fou. Cette coopérative créée en 1927 produit 100 000 bouteilles de ce crémant haut de gamme et d'un excellent rapport qualité/prix.

➤ Group. Prod. Vignerons d'Igé, Igé, 71960 Pierreclos, tél. 85.33.33.56 Ⴠ r.-v.

MICHEL ISAIE Brut 1985

○   3,50 ha   26 000   ▮↓▮ V ▮ 3

De bonne tenue, sa couleur est un peu blanche. « Nez de fromage frais », écrit hardiment l'un de nos jurés sur sa fiche de dégustation ! Faut-il croire ? Une bouteille honnête.

➤ M. Michel Isaie, Saint-Jean-de-Vaux, 71640 Givry, tél. 85.47.11.14 Ⴠ r.-v.

LA DENTELLE Brut

○   n.c.   10 000   ▮ V ▮ 3

Or blanc, un vin qui ne tient pas en place : un tempérament turbulent. Mais il s'agit d'un vin effervescent ! Il exprime des arômes assez fins.

➤ Maison mâconnaise des Vins, 484, av. de Lattre-de-Tassigny 71000 Mâcon, tél. 85.38.36.70 Ⴠ t.l.j. 8h-21h ; f. 25 déc. et 1er mai

DOM. DE LA TOUR BAJOLE
Brut 1986

○   0,30 ha   2 500   V ▮ 3

C'est un brut de noirs, issu de pinot noir au parfum discret, derrière une jolie robe. Il est vinifié par la maison Delorme à Rully qui figure parmi les meilleurs producteurs de la région.

Chablisien

Jean-Claude Dessendre a repris en 1985 une partie de l'exploitation paternelle.
➤ M. Jean-Claude Dessendre.
Dom. de la Tour Bajole, Saint-Maurice-les-Couches, 71490 Couches, tél. 85.45.52.90 ▼ r.-v.

MADAME MASSON Brut***

1 ha	6 000	■ⓘ▼ V3

Toute la nervosité et la finesse que l'on peut attendre d'un crémant sont ici présentes : la brillance de la teinte aux nuances vertes, la bouche équilibrée, fraîche, élégante, le nez intensément floral relevé d'une touche de citronnelle. Ce très beau vin aux bulles fines et persistantes pourra accompagner tout un repas.
➤ Madame Masson, rue Haute, La Rochepot, 21340 Nolay, tél. 80.21.72.42

crémant de bourgogne tient bien la rampe, on sent le chardonnay dans ses bulles.
➤ MM. Maurice Protheau et Fils, Mercurey, 71640 Givry, tél. 85.45.25.00 ▼ r.-v.

SARRIEN***

1 ha	4 000	■ⓘ▼ V3

Parfait sous toutes les coutures : avec une douceur enveloppante qui lui vaut le coup de cœur ! Un nez floral très attrayant et une finesse assez rare pour un crémant; dans la « Bourgogne profonde » : vie la propriété de la famille dans une maison forte du XIIIe s.
➤ Les Vins Sarrien, Saint-Maurice-les-Couches, 71490 Couches, tél. 85.49.65.92 ▼ r.-v.
➤ M. Jacques Sarrien.

L. VITTEAU-ALBERTI
Brut 1986***

12 ha	90 000	■ⓘ▼ V3

Beau crémant, à la mousse assez généreuse. Finesse au nez. Il s'agit ici d'un assemblage de chardonnay, d'aligoté et de pinot noir. Ce producteur élabore des vins effervescents depuis 1951. Gérard Vitteau a créé un domaine viticole il y a une dizaine d'années afin de mieux personnaliser ses cuvées.
➤ M. L. Vitteau-Alberti, rue du Pont-d'Arrot, Rully, 71150 Chagny, tél. 85.87.23.97 ▼ t.l.j, sf dim. 8h-12h 14h-19h.
➤ M. Gérard Vitteau.

EMILE VOARICK*

n.c.	n.c.	ⓘ▼

Sa mousse se dissipe très vite, mais n'allez pas croire pour autant qu'il ne laisse aucun souvenir ! L'attaque est vigoureuse et le palais est ici le mieux servi. Cette exploitation a été créée il y a une quarantaine d'années.
➤ SCV E. Voarick, Saint-Martin-sous-Montaigu, 71640 Givry, tél. 85.45.23.23 ▼ t.l.j, sf dim. 8h-12h 14h-18h.

CAVE DES VIGNERONS DE MANCEY Brut 1985

10 ha	40 000	■ⓘ▼ V3

C'est à Mancey que le phylloxéra a été observé pour la première fois en Bourgogne, il y a plus de cent ans. Ce village proche de Tournus réussit un crémant à la robe classique, aimable et entreprenante. De brèves et grosses bulles. Il lui manque cependant un rien d'arrière-bouche.
➤ Cave des Vignerons de Mancey, 71240 Mancey, tél. 85.51.00.83 ▼ t.l.j, sf dim. 9h-12h 14h-18h.

PARIGOT Brut

n.c.	60 000	■ⓘ▼ V3

Son bouquet évoque le foin coupé. La finesse de ce crémant et sa discrète effervescence permettent de l'apprécier tout au long du repas.
➤ Maison Parigot et Richard, 9, rue du Jarron, 21420 Savigny-les-Beaune, tél. 80.21.50.66 ▼ r.-v.

PARIGOT Brut 1983**

n.c.	15 000	■ⓘ▼ V3

Précédemment sélectionné par le Comité interprofessionnel des vins de Bourgogne, ce crémant millésimé 83 se distingue à nouveau par la finesse et la persistance de ses bulles. La brillance de sa teinte jaune pâle et son bouquet délicat le feront apprécier en apéritif.
➤ Maison Parigot et Richard, 9, rue du Jarron, 21420 Savigny-les-Beaune, tél. 80.21.50.66 ▼ r.-v.

DOM. MAURICE PROTHEAU ET FILS Brut*

3,30 ha	28 000	■ⓘ▼ V3

Un peu vert mais ayant bon nez et bon œil, ce

Le Chablisien

Malgré une célébrité séculaire qui lui a valu d'être imité de la façon la plus fantaisiste dans le monde

Chablisien

entier, le vignoble de Chablis a bien failli disparaître : deux gelées tardives, catastrophiques, en 1957 et en 1961, ajoutées aux difficultés du travail de la vigne sur des sols rocailleux et terriblement pentus, avaient conduit à l'abandon progressif de la culture de la vigne ; le prix des terrains en grands crus atteignait un niveau dérisoire, et bien avisés furent les acheteurs du moment. L'apparition de nouveaux systèmes de protection contre le gel et le développement de la mécanisation ont rendu ce vignoble à la vie.

L'aire d'appellation couvre 6 834 ha sur les territoires de la commune de Chablis et de dix-neuf communes voisines, dont moins de deux mille sont actuellement plantées. Les vignes dévalent les fortes pentes des coteaux qui longent les deux rives du Serein, modeste affluent de l'Yonne. Une exposition sud-sud-est favorise à cette latitude une bonne maturation du raisin, mais on trouvera plantés en vigne des « envers » aussi bien que des « adroits » dans certains secteurs privilégiés. Le sol est constitué de marnes jurassiques (kiméridgien, portlandien). Il convient admirablement à la culture de la vigne blanche, comme s'en étaient déjà rendu compte au XIIe s. les moines cisterciens de l'abbaye toute proche de Pontigny, qui y implantèrent sans doute le chardonnay, appelé localement beaunois. Celui-ci exprime ici plus qu'ailleurs ses qualités de finesse et d'élégance, qui font merveille sur les fruits de mer, les escargots, la charcuterie. Premiers et grands crus méritent d'être associés aux mets de choix : poissons, charcuterie fine, volailles ou viandes blanches, qui pourront d'ailleurs être accommodés avec le vin lui-même.

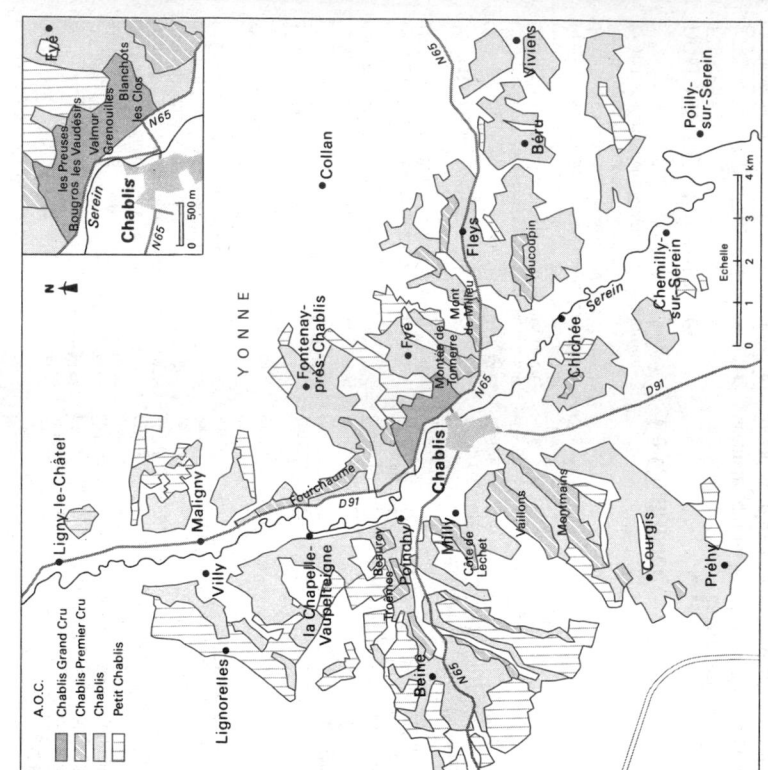

Le Chablisien

Petit chablis

Chablis

Produit sur 121 ha dont l'exposition est en principe la moins favorable, il possède une faible teneur en sucre (9,5° min.), une acidité élevée qui tend à la verdeur, et, surtout, une moindre complexité aromatique. Destiné traditionnellement à être bu dans l'année, en carafe, on le met aujourd'hui en bouteilles, où il se conserve davantage mais ne gagne rien en qualité, à l'exception de quelques cuvées de vieilles vignes, en bordure des premiers crus.

Le chablis, produit sur 1 184 ha, doit à son sol ses qualités inimitables de fraîcheur et de légèreté. Les années froides ou pluvieuses lui conviennent: mal, son acidité devenant alors excessive. En revanche, il conserve lors des années chaudes une vertu désaltérante que n'ont pas les vins de la Côte-d'Or également issus du chardonnay. On le boit jeune (un à trois ans), mais il peut vieillir jusqu'à dix ans et plus en gagnant ainsi en complexité et richesse de bouquet.

BOUCHARD AINÉ 1985

☐   n.c.   2 000   🍷🍷 **V5**

Il a gardé fraîcheur et jeunesse. On appréciera particulièrement son bouquet. Mais ce n'est tout de même pas un très grand vin et son prix est peu raisonnable.

🍷 Bouchard Aîné et Fils, 36, rue Sainte-Marguerite, 21203 Beaune, tél. 80.22.07.67 ☎ r.-v.

LA CHABLISIENNE 1986*

☐   50 ha   30 000   🍴**V3**

La coopérative de Chablis a fort bien réussi ce vin. Il surprend par son nez, intense, minéral et floral. L'acidité est discrète, le gras à sa place, la rondeur veloutée. Convenablement vinifié. Voilà exactement la bonne moyenne.

🍷 Cave Coop. La Chablisienne, 8, bd Pasteur, B.P. 14, 89800 Chablis, tél. 86.42.11.24 ☎ t.l.j; sf dim. 8h-12h 14h-18h; f. d'oct. à Pâques les dim.

ROLAND LAVANTUREUX 1986

☐   4 ha   15 000   🍴🍷**V3**

Un vignoble de 4 hectares sur des terrains portlandiens. Certes, il faut tenir compte du millésime, mais on aimerait plus de personnalité, plus de richesse en bouche, plus de fondant.

🍷 M. Roland Lavantureux, 4, rue Saint-Martin, Lignorelles, 89800 Chablis, tél. 86.47.53.75 ☎ r.-v.

DOM. DE L'ÉGLANTIÈRE 1986*

☐   1 ha   8 000   🍴**V2**

Jean Durup, un nom bien connu dans le Chablisien. Les racines de cette famille vigneronne plongent d'ailleurs loin dans le passé jusqu'au XVIe s. Ce petit chablis est produit par de vieilles vignes (cinquante-cinq ans). Vif et agréable, il accompagnera coquillages et poissons.

🍷 M. Jean Durup, 4, Grande Rue, Maligny, 89800 Chablis, tél. 86.47.44.49 ☎ r.-v.

COMPAGNIE DES VINS D'AUTREFOIS 1986

☐   n.c.   6 000   🔢**4**

Il a de la vivacité et d'assez bons arômes, mais il n'est pas très grand.

CHRISTIAN ADINE 1986***

☐   6 ha   30 000   🍴🍷**V3**

78 79 |81| |82| 83 |84| 85 |86|

Raymond Dumay dit d'un très bon chablis qu'il a «de l'amour». C'est bien le cas de celui-ci, riche en parfums et d'une charmante légèreté. Un «jeune marquis». N'allez pas croire pour autant qu'il n'a pas de caractère! Christian Adine a créé des chambres d'hôtes sur son exploitation: excellente façon de prolonger la douceur de l'accueil.

🍷 M. Christian Adine, rue Restif-de-la-Bretonne, Courgis, 89800 Chablis, tél. 86.41.40.28 ☎ r.-v.

PASCAL BOUCHARD 1986**

☐   n.c.   80 000   🍴🍷**V3**

85 86

Joëlle et Pascal Bouchard forment un jeune couple merveilleusement passionné. Lui vient du Ligny-le-Châtel, elle de la vieille famille Tremblay (chais à La Chapelle-Vaudelpergne). Une bouteille presque parfaite, racée, élégante. Si tous les chablis avaient une telle qualité, on n'aurait guère de soucis à se faire sur le destin de l'appellation.

🍷 Dom. Pascal Bouchard, 17, bd Lamarque, 89800 Chablis, tél. 86.42.18.64 ☎ r.-v.

JEAN-MARC BROCARD 1986*

☐   25 ha   200 000   🍴🍷**V3**

(78) |79| 80 81 |82| 83 84 |85| 86

Légers reflets dorés, un peu pâle pour un 86, mais l'intensité des arômes compense cela. Jolie odeur de sous-bois évoquant la fougère, puis une touche florale en finale. Enfin, une nuance poivrée qui s'installe en bouche. Un vin intéressant, qui a besoin d'attendre quelques années en cave.

🍷 M. Jean-Marc Brocard, Préhy, 89800 Chablis, tél. 86.41.42.11 ☎ r.-v.

373   BOURGOGNE

DOM. ETIENNE DEFAIX 1985

		♠ ♦ M 3

| 78 | 79 | 80 | 81 | 82 | (83) | 84 | 85 |

| | 7 ha | 30 000 |

Nuance vieux vert à l'œil, assez brillant, un vin finement boisé. Ses parfums de champignon, avec une touche florale, réjouissent le nez. L'acidité n'est pas peut-être pas suffisante. Ce caveau est ouvert tous les jours à Chablis, dans la rue principale.
↳ Dom. Etienne Defaix, 23, rue de Champlain, Milly, 89800 Chablis, tél. 86.42.43.05 ♈ t.l.j. 9h-19h.

JOSEPH DROUHIN 1986

		⊞ 4

| | n.c. | n.c. |

| 77 | 78 | 79 | 80 | 81 | 82 | 83 | (85) | 86 |

Robert Drouhin est en train de planter du pinot noir en Oregon. En ce qui concerne le chardonnay, il réfléchit encore avant d'en tenter l'expérience sur la côte du Pacifique. Ce vin-ci est convenable, mais il semble parvenu un peu vite à maturité, sans doute en raison de son caractère très « alcool ».
↳ Joseph Drouhin, 7, rue d'Enfer, 21200 Beaune, tél. 80.24.68.88 ♈ r.-v.

DOM. D'ELISE 1986

		♠ ♦ M 3

| 83 | (84) | 85 | 86l |

| | 7 ha | 30 000 |

Créé en 1972, ce domaine couvre 13 hectares d'un seul tenant. C'est rare en Chablisien ! Un vin à l'attaque agréable, qui souffre encore de sa jeunesse, de sa verdeur. Quand son acidité se sera atténuée, il délivrera avec davantage de bonheur son caractère assez végétal, un peu citronné.
↳ M. Frédéric Prain, Dom. d'Elise, Milly, 89800 Chablis, tél. 86.42.40.82 ♈ r.-v.

LA CHABLISIENNE 1986

		♠ ♦ M 3

| 76 | (78) | 81 | (83) | 84 | 85 | 86l |

| | 20 ha | 100 000 |

Fondée en 1923, cette coopérative réunit aujourd'hui 250 propriétaires cultivant 600 hectares de vignes. Elle obtient généralement des cuvées de bonne qualité. Malgré une certaine douceur qui atténue la vivacité attendue de l'appellation. Voilà une bouteille agréable, bien typée chardonnay. L'alcool est un peu trop présent : on le souhaiterait plus effacé.
↳ Cave Coop. La Chablisienne,
8, bd Pasteur, B.P. 14, 89800 Chablis,
tél. 86.42.11.24 ♈ t.l.j. sf dim. 8h-12h 14h-18h ;
f. d'oct. à Pâques les dim.

LAMBLIN ET FILS 1986

		♠ ♦ M 3

| | n.c. | n.c. |

Moyennement intense, il cède quelque peu à la tentation actuelle du boisé en excès. Point trop n'en faut, même si les Américains pensent souvent que le goût du chêne est celui du vin... Un chablis qui peut entrer dans la préparation d'un jambon du même nom.
↳ MM. Lamblin et Fils, Maligny, 89800 Chablis, tél. 86.47.40.85 ♈ lu. ma. me. je. ve. 8h-12h 14h-17h ; f. sam. a.-m.

DOM. LAROCHE Saint-Martin 1986 **

		♠ ♦ M 4

| | 45 ha | 300 000 |

| 78 | 79 | 80 | 81 | 82 | 83 | 85 | 86l |

L'église paroissiale de Chablis est dédiée à saint Martin, du nom de l'ancienne collégiale. D'où cette cuvée Saint-Martin. Le résultat n'est pas très aromatique, mais équilibré, rond et long.
↳ Dom. Laroche, L'Obédiencerie, rue Louis-Bro, 89800 Chablis, tél. 86.42.14.30 ♈ r.-v.

ROLAND LAVANTUREUX 1986 *

		♠ ♦ M 3

| | 7 ha | 25 000 |

| 84 | 85l | 86l |

Peut-être avec une entrée chaude, une tourte, des escargots ou des gougères... Un vin dans l'esprit du pays, produit par une exploitation née en 1979 de la reprise de deux petites propriétés. Il est fin, équilibré et de bonne garde.
↳ M. Roland Lavantureux, 4, rue Saint-Martin, Lignorelles, 89800 Chablis, tél. 86.47.53.75 ♈ r.-v.

BERNARD LEGLAND 1986 **

		⊞ 3

| | 6 ha | 30 000 |

| 83 | 84 | 85 | 86 |

Limpide, d'intensité moyenne, une bouteille printanière qui donne l'impression d'avoir le nez sur un pot de miel. Sec, légèrement agressif, le vin s'épanouit ensuite. Belle réussite : cette propriété a été créée il y a seulement 10 ans. A laisser vieillir.
↳ M. Bernard Legland, Préhy, Saint-Cyr-les-Colons, 89800 Chablis, tél. 86.41.42.70 ♈ r.-v.

DOM. LE VERGER 1986 **

		♠ ♦ M 3

| | 17 ha | 120 000 |

On a pu apprécier ce vin dans sa prime jeunesse : aujourd'hui, il a acquis un bouquet et une harmonie bien représentatifs de l'appellation.
↳ M. Alain Geoffroy, 4, rue de l'Equerre, Beines, 89800 Chablis, tél. 86.42.43.76 ♈ t.l.j. 9h-12h 14h-18h.

LOUIS MICHEL ET FILS 1986 **

		⊞ M 3

| | 5 ha | n.c. |

Sa robe est exactement celle qu'on attend d'un chablis. Le nez reste discret, tout en finesse : une pointe mentholée et un fond de noisette très chardonnay. On peut le trouver un peu sec, mais les 86 ne sont pas encore prêts à boire en 88. Cette exploitation cultive la vigne à Chablis depuis cinq générations et connaît bien son métier.
↳ GAEC Louis Michel et Fils,
11, bd de Ferrières, 89800 Chablis, tél. 86.42.10.24
♈ r.-v.

P. MISSEREY 1986 ***

		⊞ ♦ 4

| | 1 ha | 2 000 |

L'image même d'un chablis admirable ! Parfaitement vinifié, il joint l'ampleur à l'harmonie. Ses parfums, pain grillé, amande, brassée de fleurs sauvages, ont le charme d'une page de Colette. Ce 86 vieillira bien : il faut savoir respecter ses vertus à venir, en ne le buvant pas trop tôt. Faisant partie du groupe Lanvin à Nuits-Saint-Georges, avec J. Belin, P. Misserey reste un nom de grande tradition bourguignonne.

374

- Maison P. Misserey, 3, rue de Seuillets, B.P. 10, 21702 Nuits-Saint-Georges Cedex, tél. 80.61.07.74 r.-v.

SYLVAIN MOSNIER Tastevinè 1986

| 78 | 82 | 83 | 84 | 85 | 86 | 8 ha | 20 000 |

Il déborde de sève, comme un buisson de sureau ou d'aubépine au printemps. Son acidité ne lui permet pas encore d'épanouir ses qualités. Il doit en effet s'assouplir, calmer son caractère.

- M. Sylvain Mosnier, 4, rue Derrière-les-Murs, Beines, 89800 Chablis, tél. 86.42.43.96 t.l.j. sf dim. 9h-18h.

ALAIN PAUTRÉ 1986

5 ha   15 000

Alain Pautré a succédé à ses grands-parents. Il cultive des coteaux très accidentés, exposés au sud. Son chablis retient l'attention par sa nature tirant sur le muscat. De l'originalité, mais pas vraiment le «type chardonnay». Pour étonner un ami.

- M. Alain Pautré, 23, rue ce Chablis, Lignorelles, 89800 Chablis, tél. 86.47.43.04 t.l.j. 9h-12h 14h-17h.

GILBERT PICQ ET FILS 1986*

9,50 ha   30 000

Honnête, il manque d'une touche de finesse. Un tout petit peu d'alcool en moins et il serait mieux. La propriété a été créée en GAEC en 1976. Première bouteille en 1931. Accueil cordial au domaine qui se trouve à Chichée.

- GAEC Gilbert Picq et Fils, 3, rte de Chablis, Chichée, 89800 Chablis, tél. 86.42.18.30 t.r.v.

DOM. SERVIN 1986*

18 ha   100 000

Netteté et franchise marquent ce 86 à l'arôme de croissant chaud, préparé au beurre naturellement. Il ne manque ni de finesse ni de vivacité. On peut l'apprécier dès à présent avec des fruits de mer, ou le laisser patienter quelque temps.

- SCE Dom. Servin, 20, av. d'Oberwesel, 89800 Chablis, tél. 86.42.12.94 lu. ma. me. je. ve. 8h-12h 14h-18h; f. sam. et dim. sur r.-v

THOMAS-BASSOT 1987*

| 79 | 82 | 83 | 84 | 85 | 87 | n.c. | n.c. |

Brillant, très limpide, ce vin a un nez très frais et fruité de pomme verte. Cela lui donne son style : belle attaque, vive, pointue, tandis que l'équilibre se dessine ensuite. Thomas-Bassot fait

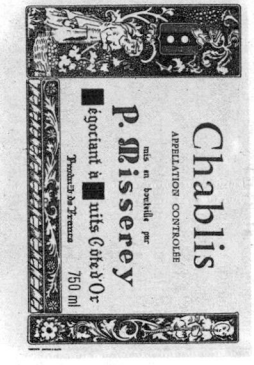

Chablis — APPELLATION CONTROLEE — mis en bouteille par P. Misserey, négociant à Nuits Côte-d'Or — 750 ml — Produce of France

maintenant partie du groupe Jean-Claude Boisset au second marché de la Bourse de Lyon.

- Maison Thomas-Bassot, 5, quai Dumorey, 21700 Nuits-Saint-Georges, tél. 80.62.31.21 r.-v.

CHARLES VIÉNOT 1986

n.c.   n.c.

Pas mal, mais d'une tonalité trop marquée par le muscat et une légère sensation d'amertume. Ce qui s'alaide pour lui : le millésime qui est encore en devenir et l'expression vivante d'un vin expansif.

- Charles Viénot, 5, quai Dumorey, B.P. 19, 21700 Nuits-Saint-Georges Cedex, tél. 80.62.31.05 r.-v.

Chablis premier cru

Il provient d'une trentaine de lieux-dits sélectionnés pour la qualité de leurs produits (581 ha). Il diffère du précédent moins par une maturité supérieure du raisin que par un bouquet plus complexe et plus persistant, où se mêlent des arômes de miel d'acacia, un soupçon d'iode et des nuances végétales. Le rendement est limité à 50 hl à l'hectare. Tous les vignerons s'accordent à situer son apogée vers la cinquième année, lorsqu'il «noisette». Les «climats» les plus complets sont la Montée de Tonnerre, Fourchaume, Mont-de-Milieu, Forêt ou Butteaux, et Léchet.

CHRISTIAN ADINE 1986*

3,30 ha   18 000

Be le robe et impression très agréable. Parfum d'une charmante fraîcheur, complexe, à la fois minéral et végétal. Pointe de muscat. Peu de longueur, mais de la vivacité.

- M. Christian Adine, rue Restif-de-la-Bretonne, Courgis, 89800 Chablis, tél. 86.41.40.28 r.-v.

MICHEL BARAT Monts-de-Milieu 1986*

| 82 | 83 | 84 | 85 | 86 | 2 ha | n.c. |

Il s'agit d'une exploitation familiale installée à Milly depuis trois générations. Un vin bien équilibré mais encore fermé. Belle robe classique, la longueur en bouche laisse espérer une évolution satisfaisante. A servir avec des crustacés ou un poisson chaud.

- M. Michel Barat, 6, rue de Léchet, Milly, 89800 Chablis, tél. 86.42.40.07 r.-v.

MICHEL BARAT Vaillons 1986*

☞ ■↓ ☑ ③

| (82) | 83 | 84 | 85 | 86 |

| 3 ha | n.c. |

Subtil goût de miel : un 86 très fin, dont l'acidité va évoluer pour offrir un vin bouqueté et léger. Goûtez-le donc avec un curry d'agneau. La délicatesse l'emporte ici sur tout le reste.
➥ M. Michel Barat, 6, rue de Léchet,
Milly, 89800 Chablis, tél. 86.42.40.07 ☎ r.-v.

MICHEL BARAT Côte de Léchet 1986***

☞ ■↓ ☑ ③

| (82) | 83 | 84 | 85 | 86 |

| 2,50 ha | 12 000 |

Côte de Léchet : 37 hectares sur Milly, un excellent cru de la rive gauche. Du Serein, bien sûr ! Viticulteur du pays, Michel Barat signe ici une excellente bouteille, musclée mais avec ce qu'il faut de chair et de rondeur. Aussi beau que le 85, coup de cœur l'an dernier. Vinification parfaite, un vin déjà prêt à servir.
➥ M. Michel Barat, 6, rue de Léchet,
Milly, 89800 Chablis, tél. 86.42.40.07 ☎ r.-v.

DOM. GABRIEL BOUC Montmains 1986

☞ ■ ☑ ⑥

| □ | n.c. | 4 800 |

La truite qui l'accompagnera devra être fortunée, car ce vin est très cher. Goût d'amande, reflets verts, il est très honnête et franc de caractère... sans parvenir toutefois à étonner.
➥ SA Bouchard Père et Fils,
Au Château, B.P. 70, 21202 Beaune Cedex,
tél. 80.22.14.41 ☎ r.-v.

PASCAL BOUCHARD Monts-de-Milieu 1986***

☞ ■ ☑ ④

| □ | n.c. | 6 000 |

| 85 | 86 |

Ce climat est sans aucun doute l'un des trois meilleurs parmi les premiers crus de Chablis. Il s'étend sur 34 hectares (Fleys et Fyé). Ce 86 touche à la perfection et rejoint sur bien des points les grands crus. Brillant et parfumé, floral en diable, il respire le bonheur ; le poisson avec lequel vous le servirez en restera bouche bée...
➥ Dom. Pascal Bouchard, 17, bd Lamarque,
89800 Chablis, tél. 86.42.18.64 ☎ r.-v.

PASCAL BOUCHARD Fourchaume 1986

☞ ■↓ ☑ ④

| □ | n.c. | 8 000 |

Les optimistes diront : il n'est pas encore sur ses deux jambes, laissons-lui le temps de s'exprimer. Les pessimistes : il restera toujours moyen en tout. Comment départager les membres de notre jury ? De toute façon, tous lui attribuent la note 2, signe d'une histoire brève.
➥ Dom. Pascal Bouchard, 17, bd Lamarque,
89800 Chablis, tél. 86.42.18.64 ☎ r.-v.

PASCAL BOUCHARD Montmains 1986*

☞ ■↓ ☑ ④

| □ | n.c. | 5 000 |

Minéral comme le sont souvent les Montmains. Long, presque linéaire. Pascal Bouchard et son épouse figurent parmi les « jeunes qui montent » à Chablis, appliquant le bon principe : patience et longueur de temps...
➥ Dom. Pascal Bouchard, 17, bd Lamarque,
89800 Chablis, tél. 86.42.18.64 ☎ r.-v.

DOM. JEAN COLLET ET FILS Montmains 1986*

☞ ■ ☑ ④

| 73 | (78) | 79 | 80 | 81 | 83 | 84 | 85 | 86 |

| 6 ha | 20 000 |

Nuance vanille, floral, jaune intense, ce premier cru donnera satisfaction. Le fût neuf souligne la tonalité générale. Trop ? Juste assez ? Affaire de goût, sinon de religion...
➥ MM. Jean Collet et Fils, 1, rue du Panonceau,
89800 Chablis, tél. 86.42.11.93 ☎ r.-v.

RENE ET VINCENT DAUVISSAT Forêt 1986*

☞ ↓ ☑ ③

| 73 | 74 | 76 | 77 | 78 | 79 | 80 | (83) | 84 | 85 | 86 |

| 3,60 ha | 24 000 |

Comme son père Robert, René Dauvissat bénéficie d'une importante clientèle dans la restauration, par exemple « le Bernardin » de Maguy et Gilbert Le Coze. Le Forêt de ce viticulteur est assurément l'une des meilleures réussites dans ce premier cru. Nonce apostolique à Paris, le futur pape Jean XXIII était un amateur éclairé de ce vin. La tradition est assurée : Vincent travaille aux côtés de son père René.
➥ MM. René et Vincent Dauvissat, 8, rue Emile-Zola, 89800 Chablis, tél. 86.42.11.58 ☎ r.-v.

RENE ET VINCENT DAUVISSAT Séchet 1986**

☞ ■ ↓ ④

| □ | 0,80 ha | 5 500 |

À boire avec du foie gras... quand il aura 20 ans. Le premier cru Séchet (ou Sécher) couvre 11 hectares sur la commune de Chablis. Il est voisin des Lys et leur ressemble. On ne le connaît guère en démontre amplement toutes les qualités. La longueur notamment, qui n'en finit pas d'étonner.
➥ MM. René et Vincent Dauvissat, 8, rue Emile-Zola, 89800 Chablis, tél. 86.42.11.58 ☎ r.-v.

RENE ET VINCENT DAUVISSAT Vaillons 1986**

☞ ■ ↓ ☑ ③

| 73 | 74 | 75 | 76 | 77 | 78 | 79 | 80 | 81 | 82 | (83) | 84 | 85 | 86 |

| 1,40 ha | n.c. |

La famille Dauvissat exploite 1,40 hectare dans ce premier cru. Cela donne un vin plein, charnu, voluptueux. Jean Cocteau écrivit La Voix Humaine en une seule nuit à l'hôtel de l'Etoile, au cœur de Chablis. Sans doute avait-il sur sa table une bouteille comme celle-ci... Rien de tel pour l'inspiration.
➥ MM. René et Vincent Dauvissat, 8, rue Emile-Zola, 89800 Chablis, tél. 86.42.11.58 ☎ r.-v.

DOM. DANIEL DEFAIX Les Lys 1985***

☞ ■ ☑ ⑤

| 73 | 74 | 75 | 76 | 77 | 78 | 79 | 80 | 81 | 82 | 83 | 84 | 85 |

| 1,50 ha | 6 000 |

Un premier cru historique : ce bout de terre appartenait à la couronne royale. Ce 85 à la longue caudalie porte la robe du sacre et, s'il évoque davantage le tilleul que le lys, il mérite bien son nom : un vrai monarque.

DOM. ETIENNE DEFAIX
Vaillons 1985*

Représentatif du millésime, il offre une heureuse synthèse de puissance et de gras. Arômes de pain grillé se prolongeant en bouche. Léger manque d'acidité pour un premier cru de Chablis : il faut le boire maintenant car ses qualités de garde ne sont pas assurées.

● Dom. Etienne Defaix, 23, rue de Champlain, Milly, 89800 Chablis, tél. 86.42.43.05 T.l.j, 9h-19h.

|78| 79 80 (81) 82|83|84| 85
3 ha   10 000

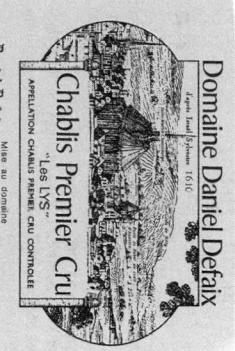

Domaine Daniel Defaix — Chablis Premier Cru "Les Lys" — APPELLATION CHABLIS PREMIER CRU CONTRÔLÉE — Daniel Defaix PROPRIÉTAIRE A MILLY-CHABLIS (YONNE)

JEAN-PAUL DROIN
Montée de Tonnerre 1986*

Un classique : Montée de Tonnerre vient généralement en tête des premiers crus. Celui-ci accompagnera poisson ou boudin blanc, grâce à son joli nez de fleurs blanches. L'alcool est bien contenu par l'acidité. Très agréable, mais d'un charme rapide qu'il faut savoir saisir au vol.

75 76 (78) 80 81|82| 83 84 |85|86|
1,75 ha   7 500
● M. Jean-Paul Droin, 14 bis, rue Jean-Jaurès, 89800 Chablis, tél. 86.42.16.78 T.r.-v.

JEAN-PAUL DROIN
Vosgros 1986

La vinification en fût neuf a ses mérites, mais point trop n'en faut. Cette bouteille au nez de chablis combatif, par son attaque nerveuse. Un chablis combatif, d'une famille vigneronne qui possède sur Chichée 60 ares de ce premier cru assez peu connu mais digne d'intérêt.

0,60 ha   2 000
● M. Jean-Paul Droin, 14 bis, rue Jean-Jaurès, 89800 Chablis, tél. 86.42.16.78 T.r.-v.

JEAN-PAUL DROIN
Montmains 1986**

Prolongeant vers le nord-est les Forêt, les Montmains sont l'un des bons premiers crus de la rive gauche. Leur représentant brille ici par l'élégance : vanillé, tout en dentelle, il émerveille par ses multiples qualités. Un 86 très réussi.

1 ha   1 500
● M. Jean-Paul Droin, 14 bis, rue Jean-Jaurès, 89800 Chablis, tél. 86.42.16.78 T.r.-v.

● Dom. Daniel Defaix, 23, rue de Champlain, Milly, 89800 Chablis, tél. 86.42.14.44 T.l.j, 9h-19h.

JEAN-PAUL DROIN
Fourchaume 1986

Très boisé, un vin qui respire la vanille et le chêne. Robe légère, intensité moyenne : on regrette que le fût ait quelque peu cité de son côté la couverture. Attention à ce défaut : à trop vouloir bien faire, on en fait parfois trop. Evitons le complexe californien !

● M. Jean-Paul Droin, 14 bis, rue Jean-Jaurès, 89800 Chablis, tél. 86.42.16.78 T.r.-v.

n.c.   0,38 ha   1 500

JOSEPH DROUHIN 1986***

Jeune, légèrement cuivré, rond et frais comme une pomme cueillie sur l'arbre, un fantastique premier cru de Chablis. Signé par une illustre maison de Beaune qui nous habitue à des plaisirs raffinés. Comment être à la fois ample et fin ? En voici le secret.

● Joseph Drouhin, 7, rue d'Enfer, 21200 Beaune, tél. 8.24.68.88 T.r.-v.

n.c.   n.c.

DOM. ALAIN GEOFFROY
Vaugreau 1986**

Cette appellation récente est située sur Beines. Nouveau premier cru, ce n'est pas encore un vin très connu. Cette bouteille en constitue un bon avec une pointe de muscat, la fleur au chapeau. Un 86 d'une souplesse extrême, prêt à boire.

● M. Alain Geoffroy, 4, rue de l'Equerre, Beines, 8980C Chablis, tél. 86.42.43.76 T.l.j, 9h-12h 14h-18h.

2,50 ha   17 000

DOM. ALAIN GEOFFROY
Fourchaume 1986

Il semble encore fermé, ce qui souligne peut-être excessivement sa chaleur et son tempérament. L'attaque est vive, le fruit bien mûr, mais on aimerait davantage de longueur. C'est un sprinter, pas un coureur de fond.

● M. Alain Geoffroy, 4, rue de l'Equerre, Beines, 89800 Chablis, tél. 86.42.43.76 T.l.j, 9h-12h 14h-18h.

1,50 ha   2 786

DOM. ALAIN GEOFFROY
Beauroy 1986*

Si les arômes ne sont pas très développés, l'harmonie en bouche n'inspire aucune critique. Fine, agréable, bien faite, une bouteille à garder quelques années.

● M. Alain Geoffroy, 4, rue de l'Equerre, Beines, 89800 Chablis, tél. 86.42.43.76 T.l.j, 9h-12h 14h-18h.

73 78 79 80 81 (82) |83||85|86|
6 ha   40 000

LA CHABLISIENNE Mont-de-Milieu 1986

Puissant et animal, il a de la terre à ses souliers et en laissera un peu sur le seuil de votre palais. A son avantage, une nature rustique, sincère, pas compliquée pour deux sous. Mais il est permis de préférer à ce prix une touche d'élégance, davantage de distinction.

78 79 |81| 82|83|84| 85 86
10 ha   60 000

➥ Cave Coop. La Chablisienne, 8, bd Pasteur, B.P. 14, 89800 Chablis. tél. 86.42.11.24 t.l.j. sf dim. 8h-12h 14h-18h ; f. d'oct. à Pâques les dim.

LA CHABLISIENNE Fourchaume 1986*

	18 ha	100 000
78 79	8		82	83		84	85 86		

On entre dans ce vin comme dans un jardin à la française : équilibre, arômes fleuris. Mais le soleil tape un peu fort. Bouteille à laisser vieillir. Probablement, comme la plupart des 86, faut-il avoir la patience de l'oublier pendant 2 à 3 ans.

➥ Cave Coop. La Chablisienne, 8, bd Pasteur, B.P. 14, 89800 Chablis. tél. 86.42.11.24 t.l.j. sf dim. 8h-12h 14h-18h ; f. d'oct. à Pâques les dim.

LA CHABLISIENNE Montée de Tonnerre 1986**

	4 ha	25 000
78 79	8		82	83		84	85 86		

Seule ici de son espèce, La Chablisienne fondée en 1923 assure le quart de la production du vignoble chablisien. Soucieuse de qualité, elle obtient parfois de véritables succès : ce 86 par exemple, très franc, dont les arômes se marient à la perfection. Il ressemble à un 85, c'est tout dire ! A boire sans trop attendre car il est impatient.

➥ Cave Coop. La Chablisienne, 8, bd Pasteur, B.P. 14, 89800 Chablis. tél. 86.42.11.24 t.l.j. sf dim. 8h-12h 14h-18h ; f. d'oct. à Pâques les dim.

LA CHABLISIENNE Montmains 1986**

	10 ha	60 000

Très complet, un Montmains 86 de la coopérative, l'un des meilleurs de la dégustation. Rien ne lui manque vraiment, ni le nez (fin et minéral), ni l'attaque (joyeuse et soutenue). Sa complexité pose ces mille et une questions dont on discute sans fin lors d'une descente de cave à Chablis.

➥ Cave Coop. La Chablisienne, 8, bd Pasteur, B.P. 14, 89800 Chablis. tél. 86.42.11.24 t.l.j. sf dim. 8h-12h 14h-18h ; f. d'oct. à Pâques les dim.

LA CHABLISIENNE Côte de Léchet 1986*

	8 ha	50 000

Limpide, un peu pâle, ce vin exprime davantage de force que de délicatesse. Assez vert, il n'a pas encore perdu son acidité. D'où un certain manque de rondeur, qui incitera à faire vieillir la bouteille avant d'en ôter le bouchon.

➥ Cave Coop. La Chablisienne, 8, bd Pasteur, B.P. 14, 89800 Chablis. tél. 86.42.11.24 t.l.j. sf dim. 8h-12h 14h-18h ; f. d'oct. à Pâques les dim.

DOM. DE LA MALADIERE Montée de Tonnerre 1986*

	1,57 ha	11 000

Haute et vigoureuse figure du Chablisien, William Fèvre anime ici la vie viticole. Dans sa Montée du Tonnerre 86, si le boisé domine (la bouteille est encore un peu jeune), l'impression est heureuse, vraiment agréable.

➥ Dom. de La Maladière, 14, rue Jules-Rathier, 89800 Chablis. tél. 86.42.12.51 t r.-v.

LAMBLIN ET FILS Montée de Tonnerre 1986

	n.c.	14 000
75 76 |8|| (82) |83| 85 86		

Fin mais encore avare de ses dons, à l'exception d'arômes tertiaires très mûrs, c'est un vin de noisette qui demeure dans l'ombre. L'attendre quelques années.

➥ MM. Lamblin et Fils, Maligny, 89800 Chablis. tél. 86.47.40.85 t lu. ma. me. je. ve. 8h-12h 14h-17h ; f. sam. a.-m.

LAMBLIN ET FILS Fourchaume 1986*

	n.c.	15 000
|8|| (82) |83| |85| 86		

Beaucoup de gras et de moelleux, un arôme de fruit cuit en compote : c'est original, et pas déplaisant du tout. Le climat de Fourchaume prolonge vers le nord la côte des grands crus. Il n'en possède souvent les qualités, avec exubérance. On en a ici l'exemple.

➥ MM. Lamblin et Fils, Maligny, 89800 Chablis. tél. 86.47.40.85 t lu. ma. me. je. ve. 8h-12h 14h-17h ; f. sam. a.-m.

LAMBLIN ET FILS Mont-de-Milieu 1986***

	n.c.	8 000

Ici, tout est dans le nez... Subtil, tout en finesse, il offre une large palette de douces sensations, tandis que la bouche s'émerveille de tant d'harmonie. Toute la famille Lamblin met la main à la bouteille dans cette affaire de négoce. Eleveurs établis à Maligny, les Lamblin sont également propriétaires en Fourchaume (coup de cœur pour le 85) et en Mont-de-Milieu, qui atteint les mêmes sommets.

➥ MM. Lamblin et Fils, Maligny, 89800 Chablis. tél. 86.47.40.85 t lu. ma. me. je. ve. 8h-12h 14h-17h ; f. sam. a.-m.

DOM. LAROCHE Vaillons 1986***

	7 ha	40 000
73 74 75 76 77 |78||79| 80 81 (82) 83 84 85 |86|		

Une grande bouteille de Vaillons vous en met « plein la bouche », tant elle est généreuse et incisive. Réputation peu confirme ce vin magnifique, qui suggère la pêche, l'amande grillée, le miel d'acacia. Nuance boisée. Cette symphonie de saveurs paraît placée sous la baguette de Karajan !

➥ Dom. Laroche, 22, rue Louis-Bro, 89800 Chablis. tél. 86.42.14.30 t r.-v.

Domaine Laroche 1986 Chablis Premier Cru — LES VAILLONS — APPELLATION CHABLIS PREMIER CRU CONTROLEE — Domaine Laroche Propriétaire-Eleveur à l'Obédiencerie de Chablis 89800 — 750 ml

DOM. LAROCHE Vau de Vey 1986

12 ha   75 000

(78) 79 81 |82|83|84| 85 85

Floral et légèrement vanillé, le Vau de Vey du domaine Laroche. Il est honnête, sans éclat particulier. Nul doute que ce premier cru récent doive faire des efforts pour mériter, après coup, sa promotion.

→ Dom. Laroche, 22, rue Louis-Bro, 89800 Chablis, tél. 86.42.14.30 ▼ r.-v.

DOM. LAROCHE Fourchaume 1986

7 ha   40 000

73 74 75 76 77 (78) |80| 81 |82| 83 84 85 86

Parfums délicats, élégants, on attendait plus de générosité au palais. Sans grand relief mais bien fait. Bonne lignée.

→ Dom. Laroche, 22, rue Louis-Bro, 89800 Chablis, tél. 86.42.14.30 ▼ r.-v.

DOM. DE L'ÉGLANTIÈRE

Montée de Tonnerre 1986

2 ha   16 000

Les arômes ont du mal à prendre le dessus sur l'acidité : celle-ci est utile bien sûr, mais de façon raisonnable. Le nerf gagne d'abord puis on cherche l'ampleur sans toujours la trouver. Vin léger et typé chablis.

→ M. Jean Durup, 4, Grande Rue, Maligny, 89800 Chablis, tél. 86.47.44.49 ▼ r.-v.

CH. DE MALIGNY Vau de Vey 1986

15 ha   200 000

La côte qui produit ce vin est une merveille. Comme Vau Ligneau, Vau de Vey est le petit dernier dans la famille des premiers crus. Il doit encore se faire un nom. Jean Durup a beaucoup milité pour l'extension du vignoble chablisien, contre les puristes dirigés par William Fèvre. Ses réussites sont inégales, mais on lui reconnaît une ardeur au moins égale à celle de son vieil adversaire et un même amour pour le vin.

→ M. Jean Durup, 4, Grande Rue, Maligny, 89800 Chablis, tél. 86.47.44.49 ▼ r.-v.

CH. DE MALIGNY Fourchaume 1986**

17 ha   225 000

Un Fourchaume de tout premier rang, présenté par Jean Durup, enfant de Maligny et syndicaliste viticole. La robe n'est pas étincelante, mais l'arôme de raisin mûr, le corps charnu, le moelleux et la longueur en bouche n'appellent que des compliments. Arômes secondaires de prune mirabelle... Un vin très réussi, à la personnalité affirmée.

→ M. Jean Durup, 4, Grande Rue, Maligny, 89800 Chablis, tél. 86.47.44.49 ▼ r.-v.

CH. DE MALIGNY

Montée de Tonnerre 1986

2 ha   16 000

On croit croquer de la pomme verte. Le nez est fin, développé. Peu d'intensité cependant : un premier cru de chablis et surtout une Montée de Tonnerre rendent exigeants.

→ M. Jean Durup, 4, Grande Rue, Maligny, 89800 Chablis, tél. 86.47.44.49 ▼ r.-v.

DCM. DES MARRONNIERS

Montmains 1986

3 ha   10 000

Couleur vive et robe limpide, voilà un vin si discret qu'on en vient à le regarder de plus près, car il ne manque pas de qualités, loin de là ! Agréable, sans éclat. Pas trop cher, ce qui ne gâte rien.

→ M. Bernard Legrand, Préhy, 89800 Chablis, tél. 86.41.42.70 ▼ r.-v.

LOUIS MICHEL Vaillons 1986**

2 ha   12 000

Un vin très aromatique : les fées ont mis beaucoup de fleurs dans son berceau avec une corbeille de pêches et d'amandes. Fin, harmonieux, il correspond bien à ce qu'on attend d'un chablis 86. Assez précoce : on pourra le boire dès à présent. Il provient d'une exploitation familiale depuis cinq générations.

→ GAEC Louis Michel et Fils, 11, bd de Ferrières, 89800 Chablis, tél. 86.42.10.24 ▼ r.-v.

MOMMESSIN 1985*

n.c.   n.c.

Ce négociant de Saône-et-Loire ne néglige pas ses produits chablisiens. Celui-ci est tout à fait dans la note, assez discret cependant.

→ Mommessin, La Grange Saint-Pierre, BP 504 Charnay-lès-Mâcon, 71850 Mâcon, tél. 85.34.47.74 ▼ r.-v.

DOM. MOREAU ET FILS

Vaillons 1986**

7,29 ha   55 000

|85| 85

Encore un peu agressif, c'est normal pour un 86 bien né. On pense à la pomme verte puis au miel, c'est dire s'il est complet ! Couleur jaune, sans reflets verts, c'est affirmer ici une belle originalité de caractère. Voilà un vin qui devrait très bien vieillir et ne décevoir personne. La maison J. Moreau et Fils a été fondée en 1814 par un tonnelier d'origine dijonnaise. Les Vaillons sont le glorieux cheval de bataille de ce remarquable domaine.

→ MM. Moreau et Fils, rte d'Auxerre, 89800 Chablis, tél. 86.42.40.70 ▼ r.-v.

SYLVAIN MOSNIER

Côte de Léchet 1986***

0,50 ha   2 500

82 83 84 |85| 86

Riche en arômes, un vin produit sur un demi-hectare de lieu-dit et qui devrait donner pleinement satisfaction. Le type même du bon vin, bien fait, clément élevé.

→ M. Sylvain Mosnier, 4, rue Derrière-les-Murs, Beines, 89800 Chablis, tél. 86.42.43.96 ▼ t.l.j, sf dim. 9h-18h.

SYLVAIN MOSNIER Beauroy 1986*

0,25 ha   2 000

Beauroy se situe sur Poinchy, commune aujourd'hui rattachée à Chablis. C'est un très ancien premier cru qui, au début du siècle, bénéficiait d'une belle réputation. Celle-ci a

perdu un peu de son ampleur, mais ce vin produit sur un quart d'hectare montre que Beauroy mérite bien son nom. Arômes poivrés, du moelleux, une pointe d'alcool en trop... peut-être, mais une belle réussite.

➤ M. Sylvain Mosnier, 4, rue Derrière-les-Murs, Beines, 89800 Chablis, tél. 86.42.43.96 ▼ t.l.j. sf dim. 9h-18h.

DOM. SERVIN Montée de Tonnerre 1986*

☐	3,71 ha	25 000	▮▼4

Cette Montée de Tonnerre porte bien son nom : elle explose littéralement en bouche. Chaud, flatteur et riche, un vin qui joue quelque peu au marquis. Il se rapproche des 85, et cela surprend. On ne se plaint cependant pas de cette méprise.

➤ SCE Dom. Servin, 20, av. d'Oberwesel, 89800 Chablis, tél. 86.42.12.94 ▼ lu. ma. me. je. ve. 8h-12h 14h-18h ; f. sam. et dim. sur r.-v

DOM. SERVIN Vaillons 1986*

☐	3,06 ha	22 000	▮▼4

Noisette sous une robe brillante, avec une tonalité beurrée qui rappelle le chardonnay du chassagne-montrachet, un vin plein d'élégance. Sacha Guitry raffolait du chablis : il aurait adoré boire celui-ci.

➤ SCE Dom. Servin, 20, av. d'Oberwesel, 89800 Chablis, tél. 86.42.12.94 ▼ lu. ma. me. je. ve. 8h-12h 14h-18h ; f. sam. et dim. sur r.-v

DOM. DE VAUROUX Montée de Tonnerre 1986*

☐	1,07 ha	8 000	▮↓4

Assez rond mou en 86, il offre une richesse en alcool qui déborde un peu du verre. Ses arômes de fruits mûrs séduisent le nez. L'équilibre tient bon, mais on reconnaît davantage l'appellation dans l'attaque, moins dans la suite de la conversation.

➤ Dom. de Vauroux, 8, rue Berthelot, 89800 Chablis, tél. 86.42.10.37 ▼ r.-v.

➤ Famille Tricon.

COMPAGNIE DES VINS D'AUTREFOIS Montmains 1986**

☐	n.c.	n.c.	5

La splendeur vanillée d'un excellent Montmains, puissant et riche. Ses nuances n'apparaissent que dans sa robe. Le reste est éclatant. Un vin qui tient bien en bouche et qui est extraordinairement concentré.

➤ Cie des Vins d'Autrefois, 9, rue Celer, 21200 Beaune, tél. 80.22.21.31

DOM. VOCORET Vaillons 1986**

☐	3,39 ha	45 000	▮▮▼4

Situé sur la commune de Chablis, Vaillons trône au milieu de la côte, au sud-ouest de la petite ville. Climat réputé, il est parfois confondu avec le Fourchaume, figure de proue des premiers crus. C'est le cas de ce 86, vif et intense, très chablis. Il fait honneur à l'appellation.

➤ GAEC Dom. Vocoret, 40, rte d'Auxerre, 89800 Chablis, tél. 86.42.12.53 ▼ r.-v.

DOM. VOCORET Forêt 1986

☐	5,10 ha	n.c.	▮▮▼4

En deux parties, coupé par Les Butteaux, le climat Forêt est considéré comme l'un des meilleurs de la rive gauche du Serein. Il est situé sur la commune de Chablis. Cette bouteille présente une jolie tendance florale. On peut la déboucher avec une andouillette.

➤ GAEC Dom. Vocoret, 40, rte d'Auxerre, 89800 Chablis, tél. 86.42.12.53 ▼ r.-v.

Chablis grand cru

Issu des coteaux les mieux exposés de la rive droite, sur une surface de 90 ha divisée en sept lieux-dits (Blanchot, Bougros, les Clos, Grenouille, Preuses, Valmur, Vaudésir), le chablis grand cru possède à un degré plus élevé toutes les qualités des précédents, la vigne se nourrissant d'un sol enrichi par des colluvions argilo-pierreuses. Le rendement est limité à 45 hl par hectare. Quand la vinification est réussie, un chablis grand cru est un vin complet, à grande persistance aromatique, auquel le terroir confère un tranchant qui le distingue de ses rivaux du sud. Sa capacité de vieillissement stupéfie, car il exige huit à quinze ans pour s'apaiser, s'harmoniser et acquérir un inoubliable bouquet de pierre à fusil, voire, pour les clos, de poudre à canon ! Plus que tout autre, il souffre de la standardisation des méthodes de travail de certains producteurs.

PASCAL BOUCHARD Les Clos 1986**

85 |86|

☐	n.c.	5 000	▮▮↓▼5

Joëlle et Pascal Bouchard ont repris l'exploitation familiale en 1979. Un domaine de 22 hectares, dont un hectare au grand cru Les Clos et un peu plus d'un hectare en Fourchaume. Passionné de qualité, ce jeune couple exporte la plus grande partie de sa production. Un style frais et fruité qu'exprime parfaitement cette bouteille dont l'évolution sera sans doute remarquable.

➤ Dom. Pascal Bouchard, 17, bd Lamarque, 89800 Chablis, tél. 86.42.18.64 ▼ r.-v.

DOM. JEAN COLLET Valmur 1986*

☐	0,50 ha	3 000	▮▮▼6

Un Valmur possède en général une excellente aptitude au vieillissement. C'est le cas de celui-ci, boisé et si charpenté qu'on se dit que les Piliers Chablisiens ont eu raison de choisir Jean Collet comme grand architrave. Sa haute stature

impose le respect; son vin aussi. Les soins qu'il apporte à ses trois parcelles en Valmur se lisent dans le verre.

♥ M. Jean Collet et Fils, 1, rue du Panonceau, 89800 Chablis, tél. 86.42.11.93 ℉ r.-v.

RENE ET VINCENT DAUVISSAT
Les Clos 1986**

1,80 ha	10 000

Un peu moins de 2 hectares et des vignes de vingt-cinq ans offrent ici un excellent chardonnay bien élevé dans le chêne. Encore jeune, il a du coffre et vieillira sans doute de façon très harmonieuse. Réputée pour son premier cru Forêt, la famille Dauvissat travaille à l'ancienne, exprime des parfums élégants et sûrs, s'attache à la plénitude plus qu'à l'anecdote.

♥ MM. René et Vincent Dauvissat, 8, rue Emile-Zola, 89800 Chablis, tél. 86.42.11.58 ℉ r.-v.

RENE ET VINCENT DAUVISSAT
Les Preuses 1986*

1 ha	10 000

Les Preuses prolongent Bougros vers le haut de la Côte. Leur rondeur est très agréable et leur réputation plutôt «facile». Cette bouteille présente un nez assez minéral, puis un caractère bien vif qui évolue vers l'amande amère. Heureuse longueur.

♥ MM. René et Vincent Dauvissat, 8, rue Emile-Zola, 89800 Chablis, tél. 86.42.11.58 ℉ r.-v.

JEAN DAUVISSAT Les Preuses 1986*

0,70 ha	4 000

Un petit domaine familial (près de 3 hectares, dont 70 ares dans les Preuses) fondé en 1899 par Alexandre Dauvissat : vieille maison du XVIIᵉ s. et belles caves chablisiennes. Ce vin à l'attaque vive et une nuance d'amande amère qui met en relief la longueur ainsi que la profondeur.

♥ M. Jean Dauvissat, 3, rue de Chichée, 89800 Chablis, tél. 86.42.14.62 ℉ r.-v.

76 77 78 (79) 80 |81| 82 83 84 85 |86|

JEAN-PAUL DROIN Vaudésir 1986**

1,15 ha	3 000

Le grand cru Vaudésir couvre 14,44 hectares entre les Preuses et Valmur. Il donne des vins au tempérament assez vif, presque nerveux. Leur goût de fruit et leur parfum de terroir ont des inconditionnels. Ce 86, nettement boisé, encore astringent lors de notre dégustation, possède des qualités qui vont s'épanouir et peut-être exploser, tant on les sent contenues.

♥ M. Jean-Paul Droin, 14 bis, rue Jean-Jaurès, 89800 Chablis, tél. 86.42.16.78 ℉ r.-v.

73 75 76 78 79 |80| 81 82 |83| |84| 85 86

JEAN-PAUL DROIN Les Clos 1986*

1 ha	3 000

On rencontre Jean-Paul Droin presque partout : dans quatre grands crus et dans cinq premiers crus. Le marquis de Carabas! Il est vrai que cette famille cultive ici la vigne depuis 1752. La neuvième génération n'est nullement indigne des précédentes, offrant un excellent exemple du caractère des Clos, très fin et riche d'harmonies intérieures.

75 76 78 79 |80| 81 |82| |83| 84 |85| |86|

♥ M. Jean-Paul Droin, 14 bis, rue Jean-Jaurès, 89800 Chablis, tél. 86.42.16.78 ℉ r.-v.

JEAN-PAUL DROIN Valmur 1986

1 ha	3 000

Situé au cœur des grands crus, Valmur s'étend sur près de 12 hectares. Coquetterie des Anglo-Saxons, son vin est réputé pour sa solide charpente et sa robuste constitution. Celui-ci est bien fait, mais encore un peu ferme. On le reverra avec plaisir dans quelques années.

♥ M. Jean-Paul Droin, 14 bis, rue Jean-Jaurès, 89800 Chablis, tél. 86.42.16.78 ℉ r.-v.

69 70 71 73 (75) 76 |80| |82| 83 |84| 85 86

JEAN-PAUL DROIN Grenouille 1986*

0,45 ha	2 000

Un grand poisson ou une poularde à la crème... pour accompagner cette bouteille de Grenouille qui n'a nul besoin d'un roi. Au milieu de la Côte des grands crus, ce climat (un peu moins de 10 hectares) brûle généralement comme un brasier : avec des flammes hautes et violentes. Ce 86 dégusté en 88 n'en est encore que plus flammèches. Mais on peut imaginer que le feu prendra.

♥ M. Jean-Paul Droin, 14 bis, rue Jean-Jaurès, 89800 Chablis, tél. 86.42.16.78 ℉ r.-v.

71 75 76 78 |79| 81 |82| 83 84 85 86

LA CHABLISIENNE Les Preuses 1986

3 ha	18 000

Fondée en 1923, la coopérative est la seule du Chablisien. Un vignoble de 500 hectares. Tous les grands crus, sauf Valmur, sont présents à l'appel. Cette bouteille des Preuses a des accents discrets et se tient sur sa réserve. Elle doit acquérir la maturité dans 2 à 3 ans. Nul doute qu'alors on l'appréciera.

♥ Cave Coop. La Chablisienne, 8, bd Pasteur, B.P. 14, 89800 Chablis, tél. 86.42.11.24 ℉ l.j, sf dim. 8h-12h 14h-18h ; f. d'oct. à Pâques lun. dim.

DOM. DE LA COUR DU ROY
Bougros 1986*

0,50 ha	3 000

Nez floral et intense. On pense au jasmin. Bougros se situe à la pointe nord-ouest des grands crus, sur quelque 4 hectares, le long de la route de Maligny. Fragile, en raison des gelées qui le menacent souvent, ce joli climat affirme sa personnalité. Parfum ici, il lui arrive d'être dur. Le 86 ne cède pas à ce défaut.

♥ M. Christian Mignard, Dom. de La Cour du Roy, 40, rue Auxerroise, 89800 Chablis, tél. 86.42.12.27 ℉ r.-v.

DOM. DE LA MALADIERE
Vaudésir 1986***

1,20 ha	8 000

Président du Syndicat de défense de l'appellation Chablis, énergique au sang bouillonnant et amant passionné de son vignoble, toujours en train de partir en croisade, William Fèvre est vraiment une figure. Partout chez lui dans les grands crus, il s'offre ici la coquetterie de décrocher un coup de cœur grâce à ce sublime Vaudésir,

rond et vanillé, qui aurait comblé de joie et d'idées peu catholiques l'écrivain du pays, Restif de la Bretonne.
Dom. de La Maladière, 14, rue Jules-Rathier, 89800 Chablis, tél. 86.42.12.51 r.-v.
M. William Fèvre.

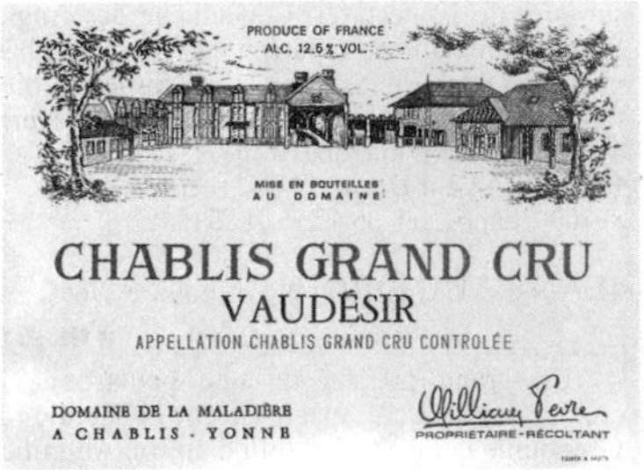
PRODUCE OF FRANCE
ALC. 12,5 % VOL.
MISE EN BOUTEILLES AU DOMAINE
CHABLIS GRAND CRU
VAUDÉSIR
APPELLATION CHABLIS GRAND CRU CONTROLÉE
DOMAINE DE LA MALADIÈRE
A CHABLIS - YONNE
PROPRIÉTAIRE-RÉCOLTANT

DOM. LAROCHE
Les Blanchots - Vieilles Vignes 1986*

☐ 1 ha 5 000

Rempart sud-est de la Côte des grands crus, Les Blanchots (12,19 hectares) figurent parmi les plus délicats. Les vieilles vignes du domaine Laroche y font souvent merveille. Ce 86 présente un style assez simple et proche du terroir. L'Obédiencerie, monument du XVe s. renferme un magnifique pressoir du XIIIe s. qui est sollicité chaque année à l'époque des vendanges. Sans doute le plus ancien de Bourgogne à offrir ses bons, loyaux et modestes services.
Dom. Laroche, L'Obédiencerie, rue Louis-Bro, 89800 Chablis, tél. 86.42.14.30 r.-v.

DOM. LAROCHE Les Clos 1986*

☐ 1 ha 5 000

73 |75| **76** 77 |78| 80 **81 82 83** 84 85 |86|

C'est probablement aux Clos que la viticulture chablisienne a fait ses premiers pas : le plus important des grands crus, sur près de 25 hectares. Soucieux de qualité, le domaine Laroche propose ici un vin plein de finesse et riche d'arômes de miel. Si l'attaque est un peu fermée, bel appel d'air ensuite, printanier et légérement boisé ! Le tout harmonieux et discret.
Dom. Laroche, L'Obédiencerie, rue Louis-Bro, 89800 Chablis, tél. 86.42.14.30 r.-v.

DOM. MOREAU Les Clos 1986**

☐ 7,10 ha 46 000 6

Les Domaines Jean Moreau règnent en maître sur Les Clos (7 hectares sur 25), avec un remarquable Clos des Hospices qui est l'oriflamme de l'appellation. Profond et onctueux, un vin de grande classe qui fait vraiment oublier tous les faux chablis des cinq continents. Il n'y a qu'un chablis, le nôtre !
MM. Moreau et Fils, rte d'Auxerre, 89800 Chablis, tél. 86.42.40.70 r.-v.

DOM. SERVIN Les Preuses 1986**

☐ 0,86 ha 3 000 5

Délicatement musqué, un vin au nez animal qui donne envie de courir la campagne. D'autant qu'à Chablis, le souvenir de Colette n'est pas loin : on y respire tous les parfums de la terre. Une bouteille très bien faite qui possède beaucoup de gras sur un fond élégant. Remarquable, elle peut être bue dès à présent.
SCE Dom. Servin, 20, av. d'Oberwesel, 89800 Chablis, tél. 86.42.12.94 lu. ma. me. je. ve. 8h-12h 14h-18h ; f. sam. et dim. sur r.-v

Sauvignon de saint-bris VDQS

Autrefois déclaré en appellation simple, ce vin de qualité supérieure, issu comme l'appellation l'indique du cépage sauvignon, est produit sur les communes de Saint-Bris-le-Vineux, Chitry, Irancy et une partie des communes de Quenne, Saint-Cyr-les-Colons et Cravant. Sa production est la plupart du temps limitée aux zones de plateaux calcaires où il atteint toute sa puissance aromatique. Contrairement aux vins du même cépage de la vallée de la Loire ou du Sancerrois, le sauvignon de saint-bris fait généralement sa dégradation malolactique, ce qui ne l'empêche pas d'être très parfumé, et qui lui confère une certaine souplesse. Celle-ci s'extériorise le mieux lorsque la richesse alcoolique voisine 12° .

SERGE ET ARNAUD GOISOT 1986

☐ 2 ha 10 000 2

Il a du ventre : gras, moelleux, souplesse, rien ne lui manque de ce côté-là. Mais un sauvignon devrait avoir davantage de nerfs, plus d'acidité et de vigueur. Bouteille déjà évoluée, qu'il faut boire maintenant. Les huîtres ne lui feront pas de mal.
GAEC Serge et Arnaud Goisot, 8, rue de Gouaix, 89530 Saint-Bris-le-Vineux, tél. 86.53.32.15 r.-v.

HUGUES GOISOT 1986**

☐ 1,30 ha 7 000 2

Huit secondes : c'est ce que l'un de nos jurés a noté, appréciant sa persistance en bouche. De type herbacé, c'est un sauvignon qui fait honneur au seul VDQS de Bourgogne. Son charme reste discret au nez mais il s'épanouit ensuite. On doit rendre hommage à la qualité de la vinification.
M. Hugues Goisot, 27, rue de Paris, 89530 Saint-Bris-le-Vineux, tél. 86.53.32.72 r.-v.

JEAN-HUGUES GOISOT 1986

☐ 0,60 ha 4 500 2

Le sauvignon s'endormirait-il à Saint-Bris ? Belle robe, arômes nets, mais une tendance à l'assoupissement. On attend d'un tel vin la pointe

d'agressivité qui en durcirait la nature. Mais peut-être les 86 sont-ils ainsi ?

→ M. Jean-Hugues Goisot, 30, rue Bienvenu-Martin, 89530 Saint-Bris-le-Vineux, tél. 86.53.35.15 Y r.-v.

PHILIPPE SORIN 1986

1,50 ha	5 000	▮▮ ♦ ▮ M 1

Jaune paille, il a encore le nez fermé. Jeunesse ? Certes. La rondeur l'emporte sur l'acidité et l'alcool masque quelque peu le caractère du vin : qui gagnerait à être plus affirmé. Le degré n'est pas tout.

→ M. Philippe Sorin, 12, rue de Paris, 89530 Saint-Bris-le-Vineux, tél. 86.53.60.76 Y r.-v.

JEAN-PAUL TABIT 1986*

2 ha	15 000	▮ M 2

Légèrement fumé, ce sauvignon apparaît un tout comme cohérent : l'acidité forme une colonne vertébrale pour supporter le corps agréablement enveloppé de chair. Persistance honorable. Le tout se fond bien.

→ M. Jean-Paul Tabit, 2, rue Dorée, 89530 Saint-Bris-le-Vineux, tél. 86.53.33.83 Y r.-v.

Fixin

Après avoir visité les pressoirs des Ducs de Bourgogne à Chenôve, dégusté le rosé de marsannay à Marsannay-la-Côte ou à Couchey, Fixin (150 ha) est la première d'une série de communes donnant leur nom à une appellation d'origine contrôlée, où l'on ne produit que des vins rouges. Ils sont solides, charpentés, souvent tanniques et de bonne garde. Ils peuvent également revendiquer, au choix, à la récolte, l'appellation côte-de-nuits-villages.

Les climats Hervelets, Arvelets, Clos du Chapitre et Clos Napoléon, tous classés en premiers crus, sont parmi les plus réputés, mais c'est le Clos de la Perrière qui en est le chef de file puisqu'il a même été qualifié de «cuvée hors classe» par d'éminents écrivains bourguignons, et comparé au chambertin.

Ce clos déborde un tout petit peu sur la commune de Brochon. Autre l'eu-dit : le Meix-Bas.

VINCENT ET DENIS BERTHAUT Les Clos 1986**

1 ha	4 000
76 78 79 80 81 82 83 84 85 86	♦ M 4

Le caramel et le bois de réglisse surgissent du bouquet au léger boisé alors que la bouche est fondue, tout en finesse, équilibrée. Il est trop jeune, bien sûr, mais on perçoit déjà son harmonie. 3 ans et il vivra bien 10 ans.

→ MM. Vincent et Denis Berthaut, 9, rue Noisot, Fixin, 21220 Gevrey-Chambertin, tél. 80.52.45.48 Y r.-v.

VINCENT ET DENIS BERTHAUT Les Arvelets 1986***

1 ha	3 000
76 78 79 80 81 82 83 84 (85) 86	♦ M 5

Les Arvelets sont implantés sur sols de type marneux et produisent ce vin à la robe cerise mêlée de reflets violacés. Les parfums dominants évoquent la framboise et le cassis. En bouche, l'attaque est tout en douceur, sur fond de gras et de rondeur. Persistant et solide, ce vin possède un bel avenir.

→ MM. Vincent et Denis Berthaut, 9, rue Noisot, Fixin, 21220 Gevrey-Chambertin, tél. 80.52.45.48 Y r.-v.

DOM. PIERRE GELIN Clos Napoléon 1986**

1er cru	1,83 ha	8 000
(78) 79 82 83 84 85 86		M 4

Le Clos Napoléon a été baptisé ainsi par Claude Noisot, pour glorifier son empereur. Derrière une robe rubis mêlée de reflets orangés, le bouquet est puissant, dominé par des senteurs boisées. Nanti d'une belle charpente, rond et équilibré, ce vin accompagnera un coq au vin.

→ Dom. Pierre Gelin, 2, rue du Chapitre, Fixin, 21220 Gevrey-Chambertin, tél. 80.52.45.24 Y r.-v.

ALAIN GUYARD Les Chenevières 1986**

1,50 ha	6 000
83 86	M 3

La robe cerise est soutenu par des reflets violacés. Les senteurs du bouquet sont puissantes, dominées par un fin boisé. En bouche, l'attaque de ce vin équilibré se poursuit tout en rondeur jusqu'à une belle persistance. Représentatif de son millésime, il est à offrir avec un gibier.

→ M. Alain Guyard, 10, rue du Puits-de-Tet, 21160 Marsannay-la-Côte, tél. 80.52.14.46 Y r.-v.

DOM. HUGUENOT PERE ET FILS 1985**

4 ha	15 000
74 78 79 80 81 82 83 85	M 3

Voici un vin rond et harmonieux, d'un bon niveau de qualité pour une appellation villages. Il se découvre dans une robe rubis brillant. Le nez

suggère principalement le bois de réglisse. Construit tout en finesse, ce vin possède un avenir assuré. A découvrir avec une viande blanche.

➤ Dom. Huguenot Père et Fils, 7, ruelle du Carron, 21160 Marsannay-la-Côte, tél. 80.52.11.56 ☎ r.-v.

A. LIGERET Clos du Meix Trouhans 1985*

|82| 83 85   n.c.   6 000

Un vin un peu sauvage où, à l'intérieur du bouquet, les senteurs de bois de réglisse supplantent celles de la civette. Rouge sombre, rappelant la couleur des cerises mûres, il est rond, gras et solide et possède un beau mais lointain avenir.

➤ Mr. A. Ligeret, 10, pl. du Cratère-St-Georges, 21700 Nuits-Saint-Georges, tél. 80.61.08.92 ☎ r.-v.

Gevrey-chambertin

Au nord de Gevrey, trois appellations communales sont produites sur la commune de Brochon : fixin sur une petite partie du Clos de la Perrière, côtes-de-nuits-villages, sur la partie nord (lieux-dits Préau et Queue-de-Hareng) et gevrey-chambertin sur la partie sud.

En même temps qu'elle constitue l'appellation communale la plus importante en volume (plus de 10 000 hl), la commune de Gevrey-Chambertin abrite des crus tous plus grands les uns que les autres. La combe de Lavaux sépare la commune en deux parties. Au nord, nous trouvons entre autres climats, les Évocelles (sur Brochon), les Champeaux, la combe aux Moines (où allaient en promenade les moines de l'abbaye de Cluny qui furent au XIIIe s. les plus importants propriétaires de Gevrey), les Cazetiers, le Clos Saint-Jacques, les Varoilles, etc. Au sud, les crus sont moins nombreux, presque tout le coteau étant en grand cru ; on peut citer les climats de Fonteny, Petite-Chapelle, Clos-Prieur, etc.

Les vins de cette appellation sont solides et puissants dans le coteau, élégants et subtils dans le piémont. A ce propos, il convient de répondre à une rumeur erronée indiquant que l'appellation Gevrey-Chambertin s'étend jusqu'à la ligne de chemin de fer Dijon-Beaune, dans des terrains qui ne le mériteraient

pas. Ce serait d'abord faire fi de la sagesse des vignerons de Gevrey ; et ensuite l'occasion d'apporter une petite explication : la côte a été le siège de nombreux phénomènes géologiques, et certains de ses sols sont constitués d'apports de couverture, dont une partie a pour origine les phénomènes glaciaires du quaternaire. La combe de Lavaux a servi de «canal», et à son pied s'est constitué un immense cône de déjection dont les matériaux sont identiques ou semblables à ceux du coteau. Dans certaines situations, ils sont simplement plus épais, donc plus éloignés du substratum. Essentiellement constitués de graviers calcaires plus ou moins décarbonatés, ils donnent ces vins élégants et subtils dont nous parlions précédemment.

PIERRE ANDRE 1985*

0,50 ha   2 300

Complexe, le nez associe les fruits rouges à des évocations florales soutenues par une touche épicée. La structure de ce vin est charnue, fine et sans agressivité. On peut lui prédire un bel avenir.

➤ M. Pierre André, Ch. de Corton-André, Aloxe-Corton, 21420 Savigny-lès-Beaune, tél. 80.26.44.25 ☎ t.l.j. 10h-18h.

JEAN-CLAUDE BOISSET 1985

|84|85|

Un bouquet discret, des arômes qui évoquent l'humus, le boisé fin et la vanille ; c'est un vin agréable, fin et élégant avec devant lui une carrière de 2 à 5 années.

➤ Gds Vins Jean-Claude Boisset, passage Montgolfier, 21700 Nuits-Saint-Georges, tél. 80.61.00.06 ☎ r.-v.

ALAIN BURGUET Vieilles Vignes 1986**

|80 81| 82 |84| |86| 1,50 ha   6 000

Alain Burguet fournit une partie de la grande restauration française. Il propose ici un vin au ton intense, se découvrant dans une robe rubis. Puissants, nets et racés, les arômes sont légèrement dominés par un parfum vanillé. L'équilibre de la charpente assemble la vigueur et le moelleux. Son harmonie générale destine ce vin à accompagner un sauté d'épaule d'agneau.

➤ M. Alain Burguet, 18, rue de l'Eglise, 21220 Gevrey-Chambertin, tél. 80.34.36.35 ☎ r.-v.

DOM. PHILIPPE CHARLOPIN-PARIZOT 1986***

|85| 86   4 ha   n.c.

La robe conjugue la couleur pourpre à des reflets violacés. Les arômes sont complexes et discrets, avec une touche onctueuse et vigoureuse ; ce vin possède beaucoup de chair et les

tannins actuels se fondront harmonieusement dans
d'agneau à l'ail doux.
→ SCE Dom. Philippe Charlopin,
31, rue des Baraques, 21220 Gevrey-Chambertin,
tél. 80.52.83.65 ℡ r.-v.

MICHEL CLUNY 1986**

84|85|

n.c.	4 ha	6 000	V4

La dominante boisée du bouquet couvre légèrement des arômes de fruits rouges confits. En
bouche, on découvre une attaque franche et une
structure équilibrée. Ce vin harmonieux et
agréable saura tirer avantage d'une garde de 4 à 6
années.
→ GAEC Michel Cluny et Fils, 5, rue du Tilleul,
Brochon, 21220 Gevrey-Chambertin,
tél. 80.52.45.07 ℡ t.l.j; 9h-12h 14h-18h.

JOSEPH DROUHIN 1986**

n.c.	n.c.

Conséquence d'un élevage en fût neuf, les
exhalaisons du bouquet sont intenses, légèrement
dominées par un parfum de vanille. L'ensemble,
équilibré, unit harmonieusement le moelleux et
la puissance. Les amateurs de vins jeunes apprécieront.
→ Joseph Drouhin, 7, rue d'Enfer, 21200 Beaune,
tél. 80.24.68.88 ℡ r.-v.

JOSEPH FAIVELEY Les Cazetiers 1985**

76|77|78|79|80|82|83|85|

1er cru	2,04 ha	8 000	V5

Le climat Les Cazetiers est particulièrement
bien placé : il se situe sensiblement à la même
hauteur que le chambertin. Le nez, complexe, pur
et franc, évoque des senteurs multiples de fruits
rouges, de foin coupé et de cuir. La solidité de la
charpente réalise un excellent compromis entre
l'acidité et le moelleux. Ce vin élégant et puissant
peut être conservé entre 8 et 10 années.
→ M. Joseph Faiveley, 8, rue du Tribourg, B.P. 9,
21700 Nuits-Saint-Georges, tél. 80.61.04.55

GEANTET-PANSIOT Le Poissenot 1986***

76|77|78|79|81|82|83|85|86|

1er cru	0,60 ha	3 000	V5

Le Poissenot doit sans doute son nom aux
moines de Cluny qui bâtirent jadis en ce lieu un
vivier. Le climat a donné un beau 86 à la robe
pourpre tirant sur le sombre. Les subtilités du nez
joignent l'onctuosité de la crème de cassis aux
arômes de bois de réglisse. La structure est excellente : elle allie la souplesse, la puissance et la
persistance.
→ GAEC Geantet-Pansiot, 3, rue de Beaune,
21220 Gevrey-Chambertin, tél. 80.34.32.37 ℡ r.-v.

GEANTET-PANSIOT Vieilles Vignes 1986**

76|77|78|79|80|81|82|83|85|86|

1 ha	4 500		V5

Ces Vieilles Vignes se présentent dans une
robe rouge nuancée de reflets violets. Fin et racé,
le nez suggère principalement les fruits rouges et
la bouche révèle fraîcheur et gras. On associera ce
friand ce millésime à une viande marinée.

→ GAEC Geantet-Pansiot, 3, rue de Beaune,
21220 Gevrey-Chambertin, tél. 80.34.32.37 ℡ r.-v.

LUCIEN GUYARD 1985***

84|85|

0,70 ha	3 000		V4

Le millésime 85 a donné ici le meilleur de lui-
même. Brillant et limpide dans sa robe pourpre
agrémentée de reflets violacés, il s'épanouit dans
un bouquet intense et long. La puissance et
l'équilibre de l'ensemble destinent ce vin à
accompagner une grande cuisine.
→ M. Lucien Guyard 19, rue du Puits-de-Tet,
21160 Marsannay-la-Côte, tél. 80.52.14.46 ℡ r.-v.

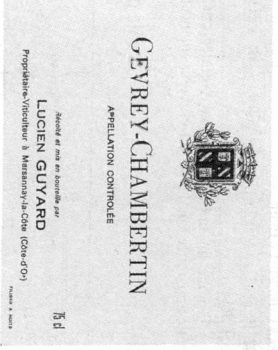

GEVREY-CHAMBERTIN
APPELLATION CONTROLEE
Récolté et mis en bouteille par
LUCIEN GUYARD
Propriétaire-Viticulteur à Marsannay-la-Côte (Côte-d'Or)
75 cl

LOUIS JADOT Clos Saint-Jacques 1985*

80|85

1er cru	n.c.	10 000	V7

La vanille, le bourgeon de cassis, les pruneaux
secs et le musc composent le bouquet. Doté d'une
grande souplesse associée à des tanins doux, ce
vin type 85 accompagnera une viande blanche.
→ Maison Louis Jadot, 5, rue Samuel-
Legay, B.P. 121, 21200 Beaune, tél. 80.22.10.57

LOUIS LESANGLIER Les Grimoises 1985*

76|78|79|81|82|83|85

1er cru	n.c.	n.c.	V7

Fruits rouges et coings se mêlent dans ce vin
riche et charnu qui possède toute la substance
nécessaire pour qu'une garde de 3 à 5 années
permette de l'apprécier à sa juste valeur.
→ Louis Lesanglier, 10, rue Jacques-Germain,
21420 Savigny-lès-Beaune, tél. 80.22.56.78 ℡ r.-v.

MARCHAND-GRILLOT ET FILS Petite Chapelle 1985***

76|79|82|83|84|85|

1er cru	0,70 ha	n.c.	V6

Cette Petite Chapelle aura sans doute beaucoup d'adeptes, car ce gevrey-chambertin est très
représentatif du beau millésime 85. La pourpre
de la robe est légèrement nuancée de reflets
orangés. Le bouquet évoque les fruits confits et la
peau d'orange grillée. La structure associe le
moelleux et la tanicité. Un très beau premier cru.
→ GAEC Marchand-Grillot et Fils,
23, rue Aquatique, 21220 Gevrey-Chambertin,
tél. 80.34.33.98 ℡ t.l.j; sf dim. 9h-12h 14h-18h.

Côte de Nuits

Gevrey-chambertin

MARCHAND-GRILLOT ET FILS 1985 ★★

■ 82 84 |85| 5.50 ha   n.c.   🍶 🎥 💲

D'une excellente limpidité, la robe mêle la couleur pourpre à des reflets violets. Les senteurs torréfiées de pain grillé et de café rejoignent la vanille. Associant élégance et finesse, ainsi qu'une bonne structure, ce vin pourra aller très loin.

☛ GAEC Marchand-Grillot et Fils, 23, rue Aquatique, 21220 Gevrey-Chambertin, tél. 80.34.33.98 ⟡ t.l.j. sf dim. 9h-12h 14h-18h.

JEAN-PHILIPPE MARCHAND Les Combottes 1986 ★★

■ 1ᵉʳ cru   0.25 ha   1 200   🍶 ↓ 🎥 💲

|85| |86|

Typique du millésime 86, ce premier cru a belle apparence : de légers reflets rubis nuancent le ton pourpre de la robe. Le nez, discret, tenu en retrait par sa jeunesse, évoque la framboise et la groseille. Ce vin vif et frais possède une bonne structure tannique et ses qualités intrinsèques pourront s'exprimer au cours des années à venir.

☛ M. Jean-Philippe Marchand, 1, pl. du Monument, 21220 Gevrey-Chambertin, tél. 80.34.33.60 ⟡ r.-v.

JEAN-PHILIPPE MARCHAND Les Cherbaudes 1986 ★

■ 1ᵉʳ cru   0,30 ha   1 500   🍶 ↓ 🎥 💲

Cette exploitation remonte au XVIᵉ s. Elle propose un 86 au bouquet intense et libéré qui allie des arômes de cerise, de foin coupé et de cassis. Ce vin riche et concentré est gratifié d'une belle persistance. On peut le découvrir avec un filet mignon.

☛ M. Jean-Philippe Marchand, 1, pl. du Monument, 21220 Gevrey-Chambertin, tél. 80.34.33.60 ⟡ r.-v.

La côte de Nuits (nord)

Grands crus
A.O.C. communales et premiers crus
A.O.C. régionales
Limites de communes

CÔTE-D'OR

DIJON
N74
D122
Fixey
Fixin
Brochon
Gevrey-Chambertin
Mazis-Chambertin
Ruchottes-Chambertin

Echelle
0 100   500 m

MOILLARD 1985*

78 (79) 82 |83| 85 — n.c.

La robe possède une belle limpidité. Des évocations de sous-bois composent le bouquet. Doté d'une bonne puissance, ce vin charnu et rond mérite d'être attendu quelques années.

↳ Moillard, 2, rue François-Mignotte, 21700 Nuits-Saint-Georges, tél. 80.61.03.34 ℡ r.-v.

JEAN RAPHET 1986*

79 81 82 83 (85) |86| — 4 ha — 18 000

Équilibré, gras et tannique, ce gevrey-chambertin se présente dans une robe cerise, nuancée de reflets orangés. Le nez, discret, suggère les senteurs de petits fruits rouges.

↳ M. Jean Raphet, 45, rue des Grands-Crus, Morey-Saint-Denis, 21220 Gevrey-Chambertin, tél. 80.34.31.67 ℡ r.-v.

ANTONIN RODET 1984*

|78| 79 81 |82| 83 |84| — n.c.

Il est conseillé d'ouvrir cette bouteille de 84 une heure environ avant de la consommer, avec un lapin de garenne peut-être. Le cassis et la griotte tiennent une place dominante dans le bouquet. La structure est fine, élégante, alors que le 85 est apparu puissant et tannique.

MORTET ET FILS 1985**

|69| |71| 72 76 |77| 78 79 80 81 82 83 84 85 — 3.50 ha — 9 000

Le comité de dégustation a trouvé que ce vin possédait «un caractère viril». Gageons que sa carrure saura séduire une clientèle féminine. Tenues en retrait pour leur jeunesse, les évocations du bouquet sont délicates et subtiles. La structure est solide. On attendra sagement cette bouteille 3 à 5 années, avant de la marier avec un confit de canard.

↳ MM. Mortet et Fils, 22, rue de l'Église, 21220 Gevrey-Chambertin, tél. 80.34.10.05 ℡ r.-v.

MOMMESSIN 1985*

n.c. — 5 000

Des arômes de fruits rouges apparaissent dans le bouquet, et des flaveurs boisées en bouche. L'ensemble est équilibré. Il faut attendre cette bouteille 3 à 5 années avant de l'offrir avec une bécasse.

↳ Mommessin, La Grange Saint-Pierre, BP 504 Charnay-lès-Mâcon, 71850 Mâcon, tél. 85.34.47.74 ℡ r.-v.

CLAUDINE MOINE-CHAMPY
Les Évocelles 1986*

0,16 ha — 1 200

Les Évocelles désignaient jadis un lieu envahi de broussailles. Ce climat présente aujourd'hui un 86 dont la robe rouge groseille est légèrement évoluée. Ce vin est bien équilibré, friand et gras. Il conviendra parfaitement à un fromage frais.

↳ Mme Claudine Moine-Champy, rue de la Petite-Issue, 21220 Gevrey-Chambertin, tél. 80.34.10.94 ℡ r.-v.

↳ M. Antonin Rodet, Mercurey, 71640 Givry, tél. 85.45.22.22 ℡ lu. ma. me. je. ve. 9h-12h 14h-19h.

JEAN TAUPENOT 1985**

76 78 81 82 83 85 — 2 ha — n.c.

Les couleurs caractéristiques du pinot s'expriment dans la robe. Arômes de fruits rouges et senteurs de venaison forment le bouquet. La structure est souple, ample et charnue, les tanins bien présents mais sans excès ni agressivité. Ce vin attendra son apogée dans les 5 à 8 années à venir.

↳ M. Jean Taupenot, 33, rue des Grands-Crus, Morey-Saint-Denis, 21220 Gevrey-Chambertin, tél. 80.34.35.24 ℡ r.-v.

DOM. TORTOCHOT 1986

|73||74| 76 77 |78| 79 80 81 82 83 84 86 — 5 ha — 10 000

Des arômes herbacés intenses composent le bouquet rouge franc nuancé de reflets rubis. Une garde de 2 à 4 années permettra à ce vin de mieux exprimer toutes ses qualités.

↳ GFA du Dom. Tortochot, 12, rue de l'Église, 21220 Gevrey-Chambertin, tél. 80.34.30.68 ℡ r.-v.

VACHET-ROUSSEAU 1986

|76||78| 79 80 81 |82| 83 |84| 85 |86| — 3.08 ha — 18 000

On peut apprécier dès maintenant ce millésime 86 à la robe jeune couleur groseille et au bouquet fruité et délicat.

↳ Vachet, Rousseau Père et Fils, 15, rue de Paris, 21220 Gevrey-Chambertin, tél. 80.34.32.03 ℡ r.-v.

DOM. DES VAROILLES
Clos Prieur 1985*

|76||78| 82 83 |85| — 0.33 ha — 1 200

Léon Naigeon, maître tonnelier au siècle dernier, a planté ce clos. Le 85, au bouquet de pain grillé, de fumé et de cuir, est brillant, d'une couleur rouge intense. La rondeur et la souplesse de la charpente le destinent à accompagner un ris de veau aux morilles.

↳ SC du Dom. des Varoilles, 11, rue de l'Ancien-Hôpital, 21220 Gevrey-Chambertin, tél. 80.34.30.30 ℡ r.-v.

DOM. DES VAROILLES
La Romanée 1985**

73 76 |78| 79 |83| |85| — 1er cru — 1,06 ha — 4 000

La typicité du millésime 85 se manifeste dans ce premier cru aux légers reflets orangés. Des arômes de fruits noirs, d'humus et de fumé composent un bouquet harmonieux. Les tanins doux et le moelleux dominent une acidité discrète. À consommer avec une viande rouge.

↳ SC du Dom. des Varoilles, 11, rue de l'Ancien-Hôpital, 21220 Gevrey-Chambertin, tél. 80.34.30.30 ℡ r.-v.

CHARLES VIÉNOT 1985***

■ 1er cru   n.c.   n.c.
78 79 (83) |85|

La maison Charles Viénot, fondée en 1735, propose ce gevrey-chambertin de belle facture, vêtu de pourpre. Les arômes dominants évoquent les petits fruits rouges. Charnu, doté de souplesse et d'amplitude, ce vin est à servir avec un lapin à la moutarde (de Dijon bien sûr!).
↳ Charles Viénot, 5, quai Dumorey, B.P. 19, 21700 Nuits-Saint-Georges Cedex, tél. 80.62.31.05 ▼ r.-v.

COMPAGNIE DES VINS D'AUTREFOIS 1986***

■   n.c.   n.c. |5|

Produit par le domaine Trapet-Javelier, ce vin à la belle robe rouge vif mêle les arômes de fruits rouges et de sous-bois. En bouche, des rémanences boisées et balsamiques accompagnent une structure équilibrée et harmonieuse. Avec une volaille.
↳ Cie des Vins d'Autrefois, 9, rue Celer, 21200 Beaune, tél. 80.22.21.31

Chambertin

ANTONIN RODET 1985***

■ Gd cru   n.c.

Voici un très beau vin qui mérite une garde prolongée. Il apparaît dans une robe soutenue et profonde. Dominé par un parfum de framboise, le bouquet évoque aussi la vanille. Solide, possédant une chair époustouflante, il excellera avec une viande rouge.
↳ M. Antonin Rodet, Mercurey, 71640 Givry, tél. 85.45.22.22 ▼ lu. ma. me. je. ve. 9h-12h 14h-19h.

DOM. LOUIS TRAPET PÈRE ET FILS 1982*

(78) |80| |81| 82 83 84

La senteur fine et agréable de ce vin suggère la violette. La teinte de sa robe est évoluée, nuancée de reflets ocres. Souple et délicat comme un 82 peut l'être, il est à point pour les amateurs de vin arrivé à maturité.
↳ SCE Dom. L. Trapet Père & Fils, 53, rte de Beaune, 21220 Gevrey-Chambertin, tél. 80.34.32.30 ▼ r.-v.

Chambertin-clos de bèze

Les religieux de l'abbaye de Bèze plantèrent en 630 une vigne dans une parcelle de terre qui donna un

vin particulièrement réputé : ce fut l'origine d'une appellation, qui couvre une quinzaine d'hectares ; les vins peuvent également s'appeler chambertin.

Bertin, vigneron à Gevrey, possédant une parcelle voisine du Clos de Bèze et fort de l'expérience qualitative des moines, planta les mêmes plants, et obtint un vin similaire : c'était le « champ de Bertin », d'où Chambertin. Sur une superficie de 12 ha environ, les vins de ce secteur ne peuvent porter le nom de chambertin-clos de Bèze.

CHANSON PÈRE ET FILS 1982*

■   n.c.
79 80 81 (82) 83 84 |85|

Sous la robe légère du millésime 82 affleure un bouquet très agréable dominé par une senteur vanillée. Souple, fin et fruité, c'est un vin féminin qui plaira à une majorité d'amateurs.
↳ MM. Chanson Père et Fils, 10, rue Paul-Chanson, 21201 Beaune Cedex, tél. 80.22.33.00 ▼ r.-v.

DOM. MARION 1985***

■ Gd cru   1.93 ha   6 700

Typique du millésime 85 dans la Côte de Nuits, la robe se révèle dans une couleur rouge foncée. La grande potentialité du bouquet ne demande qu'à se développer. C'est un vin généreux et très charpenté. En bouche, il exprime des saveurs de framboise et de cassis. Le jury lui promet un bel avenir.
↳ Bouchard Aîné et Fils, 36, rue Sainte-Marguerite, 21203 Beaune, tél. 80.22.07.67 ▼ r.-v.

Autres grands crus de Gevrey-chambertin

Autour des deux précédents, il y a une foule de crus qui, sans les égaler, restent de la même famille. Les conditions de production sont un peu moins exigeantes, mais les vins y ont les mêmes caractères de solidité, de puissance, de plénitude, où domine la réglisse, qui permet généralement de différencier les vins de Gevrey de ceux des appellations voisines : les Latricières (environ 7 ha) ; les Charmes (31 ha, 61 a, 30 ca) ; les Mazoyères, qui peuvent également s'appeler Charmes (l'inverse n'est pas possible) ; les Mazis, comprenant les Mazis-Haut

388

(environ 8 ha) et les Mazis-Bas (4 ha, 59 a, 25 ca); les Ruchottes (venant de roichot, lieu où il y a des roches); toute petite par la surface, comprenant les Ruchottes-du-Dessus (1 ha, 91 a, 95 ca) et les Ruchottes-du-Bas (1 ha, 27 a, 15 ca); les Griottes, où auraient poussé des cerisiers sauvages (5 ha, 48 a, (5 ca); e: enfin, les Chapelle (5 ha, 38 a, 70 ca), nom donné par une chapelle bâtie en 1155 par les religieux de l'abbaye ce Bèze, rasée à la Révolution.

Charmes-chambertin

DOM. CAMUS PERE ET FILS 1984*

Gd cru		3 ha	9 000	

83 84

Une structure fine et harmonieuse se révèle sous une robe grenat. Le nez est intense évoquant les fruits à noyaux et une touche discrète de boisé. Il accompagnera un coq au vin.

➜ Dom. Camus Père et Fils, 21, rue de Lattre-de-Tassigny, 21220 Gevrey-Chambertin, tél. 80.34.30.64 ℡ r.-v.

CHANSON PERE ET FILS

Charmes 1982*

Gd cru	n.c.	0.45 ha	n.c.	

Ce Charmes se découvre dans une :obe rouge, limpide et brillante. Le bouquet est évolué, il évoque des senteurs animales. Le millésime 82 apporte ici élégance et souplesse. Ce vin, que l'on peut apprécier dès maintenant, peut encore vieillir.

➜ MM. Chanson Père et Fils, 10, rue Paul-Chanson, 21201 Beaune Cedex, tél. 80.22.33.00 ℡ r.-v.

GEANTET-PANSIOT 1986**

Gd cru	0.45 ha	2 000	

69 71 73 76 77 78 79 80 81 82 83 85 86

Fleuron du domaine,cette cuvée suit l'exceptionnelle 85. La tonalité oscille entre e rubis et le rubis. Dotée d'un beau bouquet, de fruits à noyaux et de fruits secs mêlés à un boisé discret, la bouteille a de l'attaque jusqu'à ses derniers prolongements. Harmonieuse et équilibrée.

➜ GAEC Geantet-Pansiot, 3, rue de Beaune, 21220 Gevrey-Chambertin, tél. 80.34.32.37 ℡ r.-v.

NICOLAS 1980*

Gd cru	n.c.	8 000	

Belle réussite d'un millésime de faible réputation. Cette bouteille a certainement atteint son apogée. Cela se voit à la robe, se sent au nez qu'il faut aérer pour y déceler des arômes de cuir, cela se confirme en bouche au fruité sec mais d'une bonne ampleur. Un réel plaisir.

JEAN RAPHET 1986*

78 79 82 83 84 85 86

Gd cru		1 ha	4 000	

Les évocations végétales dominent le bouquet doté d'une belle intensité et composé d'arômes de fruits secs. La robe pourpre est séduisante. Équilibré, l'ensemble possède une bonne persistance. A laisser mûrir 2 ou 3 ans.

➜ M. Jean Raphet, 45, rue des Grands-Crus, Morey-Saint-Denis, 21220 Gevrey-Chambertin, tél. 80.34.31.67 ℡ r.-v.

ANTONIN RODET 1985**

72 81 85

Gd cru	n.c.		

La robe se manifeste dans une couleur cerise, soutenue et limpide. Les arômes puissants et complexes évoquent tout à la fois les fruits rouges et les feuilles de cassis, associés à une «touche» poivrée. C'est un beau vin franc et ample. La présence de tanins bien fondus permet de l'apprécier dès maintenant.

➜ M. Antonin Rodet, Mercurey, 71640 Givry, tél. 85.45.22.22 ℡ lu. ma. me. je. ve. 9h-12h 14h-19h.

DOM. TAUPENOT-MERME 1985*

75 76 77 78 79 80 83 85

Gd cru	1.50 ha	7 000	

La couleur de la robe cerise est brillante. Le bouquet suggère la violette et les fruits confits. Souple et ferme, ce vin prêt à la consommation accompagne une viande rouge.

➜ M. Jean Taupenot, 33, rue des Grands-Crus, Morey-Saint-Denis, 21220 Gevrey-Chambertin, tél. 80.34.35.24 ℡ r.-v.

COMPAGNIE DES VINS D'AUTREFOIS 1984**

Gd cru	n.c.	n.c.	

Le mot «charmes» désigne en Bourgogne d'anciens champs communs cultivés et retournés à la friche. Ce 84, entre rubis et grenat, possède un beau registre aromatique dominé par le boisé. Bien structuré, il s'estompe en bouche dans des saveurs fruitées. En accompagnement avec une viande en sauce.

➜ Cie des Vins d'Autrefois, 9, rue Celer, 21200 Beaune, tél. 80.22.21.31

Griottes-chambertin

JEAN-MARIE DELAUNAY 1985***

Gd cru	n.c.	15 000	

On dit qu'il a pu exister ici des vergers de ces cerisiers aigres que l'on dénomme griottes. Le ton de la robe est rouge intense; le bouquet assemble les arômes de fruits à noyaux et de vanille; la structure harmonise les tanins fins et la souplesse; ce grand vin de garde accompagnera un plat d'alouettes.

Morey-saint-denis

Morey-Saint-Denis constitue, avec un peu plus de 100 ha, une des plus petites appellations communales de la Côte de Nuits. On y trouve d'excellents premiers crus et cinq grands crus ayant une appellation d'origine contrôlée particulière : clos de Tart, clos Saint-Denis, Bonnes-Mares (en partie), clos de la Roche et clos des Lambrays.

Coincée entre Gevrey et Chambolle, on pourrait dire que ses vins (2 000 à 3 000 hl) sont, avec leurs caractères propres, intermédiaires entre la puissance des premiers et la finesse des seconds. Les vignerons présentent au public les morey-saint-denis, et uniquement ceux-ci, le vendredi précédant la vente des Hospices de Nuits (3ème semaine de mars) en un «Carrefour de Dionysos», à la salle des fêtes communale.

JOSEPH DROUHIN 1985*

■ Gd cru   n.c.   n.c.
72 74 76 77 78 79 80 81 82 83 84 85   7

Le bouquet de ce vin est une explosion d'arômes conjugant le cassis, le sous-bois et la vanille. Capiteux, souple et tout en rondeur, il est assez charpenté pour envisager un bel avenir.

☛ Joseph Drouhin, 7, rue d'Enfer, 21200 Beaune, tél. 80.24.68.88 ☎ r.-v.

Mazis-chambertin

JOSEPH FAIVELEY 1985**

■ Gd cru   1.20 ha   6 000
79 80 81 82 83 84 85   M6

«Mazis» désigne en patois de petites maisons. Ici, elles ont disparu pour faire place au vignoble. Ce vin est doté d'une robe cerise, brillante et limpide. Le bouquet de fruits rouges exprime beaucoup de finesse. Le corps est charpenté, riche de tanins francs et fondus. Une souplesse harmonieuse permet de l'apprécier dès maintenant.

☛ M. Joseph Faiveley, 8, rue du Tribourg, B.P. 9, 21700 Nuits-Saint-Georges, tél. 80.61.04.55

VACHET ROUSSEAU PERE ET FILS 1986**

■ Gd cru   0.53 ha   3 000
69 72 73 74 76 78 79 80 81 82 83 84 85 86   M7

Le bouquet, s'il évoque les petits fruits et le boisé noble, contient en réserve un potentiel aromatique qui s'exprimera avec l'âge. L'harmonieux équilibre de l'ensemble invite à associer ce grand cru à un gigot de mouton.

☛ M. Vachet Rousseau Père et Fils, 15, rue de Paris, 21220 Gevrey-Chambertin, tél. 80.34.32.03 ☎ r.-v.

Ruchottes-chambertin

ANTONIN RODET 1985*

■ Gd cru   n.c.   n.c.

Originaire d'un terrain de marnes blanches qui font son originalité, ce vin se présente dans une robe cerise. Les arômes sont discrets et boisés. En bouche, il possède une forte charpente tannique. Il lui faudra 3 à 5 années de vieillissement avant d'exprimer toutes ses qualités.

☛ M. Antonin Rodet, Mercurey, 71640 Givry, tél. 85.45.22.22 ☎ lu. ma. me. je. 9h-12h 14h-19h.

DOM. PIERRE AMIOT ET FILS
Les Ruchots 1986

■ 1er Cru   0.52 ha   2 000   M5

Voici un vin qui se découvre dans une robe rouge cerise. Le bouquet est fin et discret, dominé par des arômes boisés. On l'appréciera dans 1 ou 2 ans avec une viande blanche.

☛ GAEC Dom. Pierre Amiot Fils, 27, Grande-Rue, Morey-Saint-Denis, 21220 Gevrey-Chambertin, tél. 80.34.34.28 ☎ r.-v.

REGIS BOUVIER
En la Rue de Vergy 1986*

0.53 ha   4 000   M4
84 86

Pourpre et brillant, ce vin ne peut cacher son passage en fût neuf tant son bouquet est encore marqué par le bois : vanille, grillé, griotte, pourront se fondre avec l'âge. Sa puissance, sa rondeur lui permettront d'accompagner dans 2 ans les viandes rouges en sauce.

☛ M. Régis Bouvier, 52, rue de Mazy, 21160 Marsannay-la-Côte, tél. 80.51.33.93 ☎ r.-v.

CHANSON PERE ET FILS 1983**

■   n.c.   n.c.   M5
79 83 85

La robe commence à prendre des nuances tuilées, caractéristique d'un millésime vieillissant alors que les nuances animales du bouquet s'associent à des senteurs de sous-bois et d'humus. Charpenté et tannique mais sans la violence du millésime 83, ce vin bien réussi mérite une garde de 2 ou 3 ans.

DOM. PHILIPPE CHARLOPIN-PARIZOT 1986 ***

■ 1 ha n.c. ⬚ ♦ ▼ 4

La couleur pourpre et les reflets violacés de la robe expriment une grande jeunesse. Les senteurs végétales du bouquet sont mêlées d'arômes de petits fruits rouges. L'harmonie, la puissance et l'élégance composent une bouche équilibrée. Ce vin typé est plein d'avenir. On l'appréciera dans 3 ou 4 ans avec un canard rôti.

↪ SCE Dom. Philippe Charlopin, 31, rue des Baraques, 21220 Gevrey-Chambertin n, tél. 80.52.85.65 ☎ r.-v.

JOSEPH DROUHIN 1985**
Monts-Luisants

■ n.c. n.c. 6

Curieuse est la raison pour laquelle il existe un lieu-dit Monts-Luisants : les feuilles de cette vigne sont très jaunes et ne rougissent pas. Ce climat produit un vin pourpre puissant et riche qui a grandi au cours de cette année. Le bouquet suggère la framboise écrasée, mêlée aux fruits confits et aux senteurs de fourrure. D'un très bel équilibre, ce vin remarquable aussi par sa charpente et sa persistance accompagnera une viande rouge en sauce.

↪ Joseph Drouhin, 7, rue d'Enfer, 21200 Beaune, tél. 80.24.68.88 ☎ r.-v.

JOSEPH FAIVELEY 1985**

■ 10 000 ⬚ ♦ ▼ 6

Le pourpre de la robe est mêlé de reflets violets. Les arômes discrets, suggèrent les fruits rouges, avec une légère domination de la cerise. Étoffée et équilibrée, la structure de ce vin lui permettra d'attendre 4 ou 5 ans.

↪ Maison Joseph Faiveley, 8, rue du Tribourg, B.P. 09, 21700 Nuits-Saint-Georges, tél. 80.61.04.55 ☎ r.-v.

JEAN-PAUL MAGNIEN 1986**

■ n.c. 2 000 ⬚ ♦ ▼ 6

Il paraît que les caves du XVIII° s. valent le détour, ne seraice que pour découvrir ce joli morey-saint-denis encore dans une robe fraîche. Le cassis domine légèrement les autres évocations de fruits rouges. Harmonieux, avec une légère touche boisée, ce vin possède une grande délicatesse. On peut attendre 1 ou 2 ans avant de l'offrir avec une volaille de Bresse.

↪ M. Jean-Paul Magnien, 5, ruelle de l'Église, Morey-Saint-Denis, 21220 Gevrey-Chambertin, tél. 80.51.83.10 ☎ r.-v.

MOILLARD Monts-Luisants 1982**

■ 1er cru n.c. n.c. ⬚ ♦ ▼ 6

Derrière une robe légèrement tuilée, les parfums de sous-bois humide fusionnent avec les arômes de fruits secs dans un bouquet complexe et délicat. Les tanins sont présents mais discrets. Tout en finesse, ce vin se révèle déjà comme un grand, mais mérite néanmoins une conservation prolongée pour atteindre sa plénitude.

↪ Moillard, 2, rue François-Mignotte, 21700 Nuits-Saint-Georges, tél. 80.61.03.34 ☎ r.-v.
↪ Mme Prévot.

JEAN TARDY 1985

■ 1 ha 3 000 ⬚ ♦ ▼ 5

Un peu évolué pour son millésime, ce vin agréable se découvre dans une robe brillante et pourpre et révèle un bon bouquet de raisins secs et de fruits confits. A consommer dès aujourd'hui.

↪ M. Jean Tardy, 3, ruelle de l'Église, Morey-Saint-Denis, 21220 Gevrey-Chambertin, tél. 80.34.35.28 ☎ r.-v.

Clos de la roche, de saint-denis

Le Clos de la Roche - qui n'est pas un clos - est le plus important en surface, et comprend plusieurs lieux-dits (16 ha environ) ; le Clos Saint-Denis, d'environ 6,5 ha, n'est pas non plus un clos, et regroupe aussi plusieurs lieux-dits. Ces deux crus, assez morcelés, sont exploités par de nombreux propriétaires. Le Clos de Tart est, lui, entièrement clos de murs et exploité en monopole. Il fait un peu plus de 7 ha et les vins sont vinifiés et élevés sur place; la cave de deux niveaux mérite une visite. Le Clos des Lambrays est également exploité d'un seul tenant; mais il regroupe plusieurs parcelles et lieux-dits : les Bouchots, les Larrets ou Clos des Lambrays, le Meix-Rentier. Il représente un peu moins de 9 ha, dont 8,5 sont exploités par le même propriétaire. C'est le plus récent de la famille des grands crus.

Clos de la roche

DOM. DUJAC 1985***

■ Gd cru 1,30 ha 7 000 ⬚ ♦ ▼ 7

72 78 79 80 81 82 83 84 85

Issu d'une vendange non égrappée, d'un élevage 100% en fût neuf, ce vin non filtré se découvre dans une couleur rouge soutenu. Les arômes subtils et prometteurs sont dignes d'un grand cru. Ce très beau vin charpenté et gras

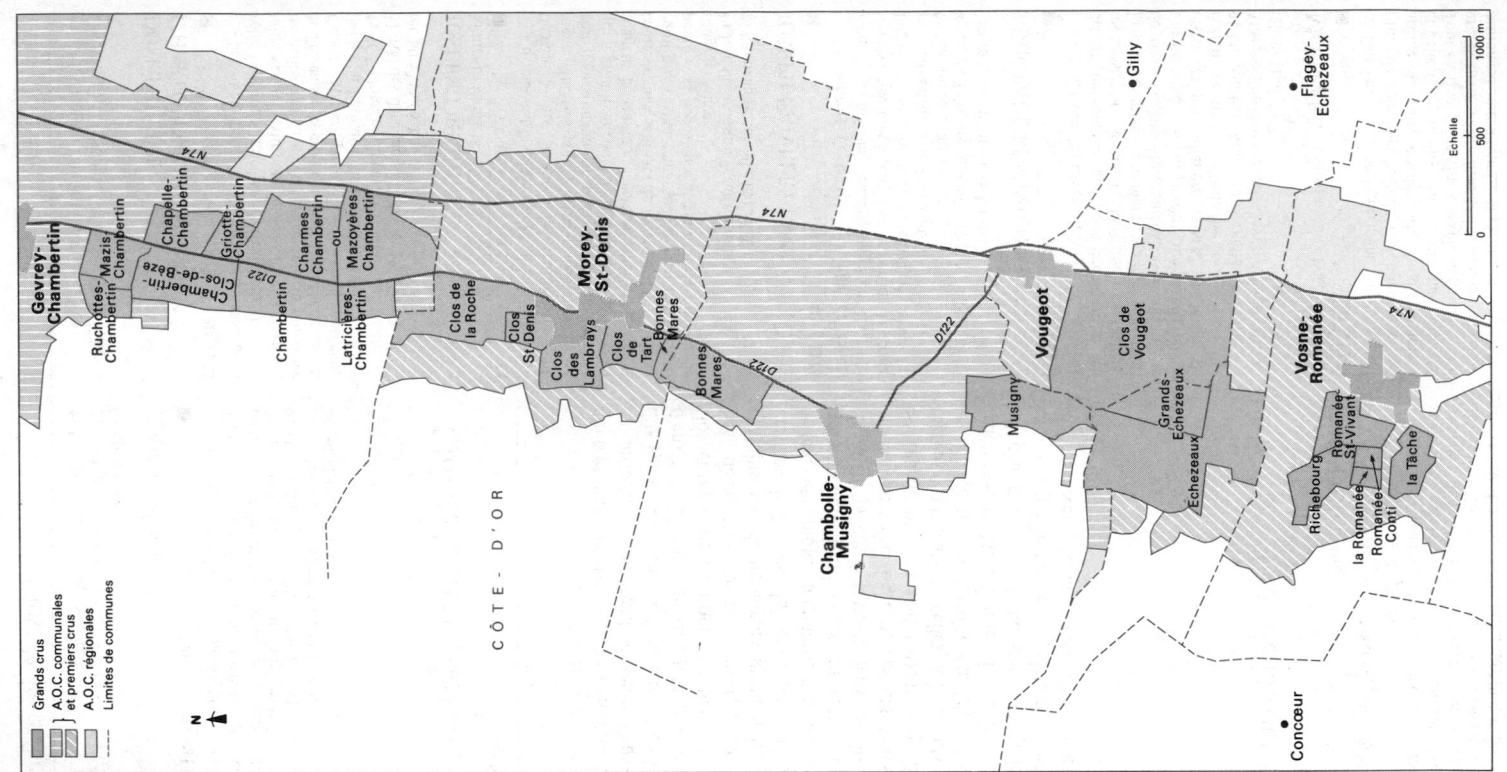

La côte de Nuits (centre)

Grands crus
A.O.C. communales et premiers crus
A.O.C. régionales
Limites de communes

N

Echelle

1000 m
500
0

CÔTE - D'OR

Gevrey-Chambertin
Ruchottes-Chambertin
Mazis-Chambertin
Chapelle-Chambertin
Griotte-Chambertin
Chambertin-Clos-de-Bèze
Charmes-Chambertin ou Mazoyères-Chambertin
Chambertin
D122
Latricières-Chambertin
Clos de la Roche
Clos St-Denis
Clos des Lambrays
Clos de Tart
Morey-St-Denis
Bonnes Mares
Bonnes Mares
Chambolle-Musigny
Musigny
N74
D122
Vougeot
Clos de Vougeot
Grands-Echezeaux
Echezeaux
Vosne-Romanée
Richebourg
Romanée St-Vivant
la Romanée
Romanée Conti
la Tâche
N74

Gilly

Flagey-Echezeaux

Concœur

Chambolle-musigny

Amoureuses. Tout un programme ! Mais Chambolle a aussi ses Charmes, Chabiots, Cras, Fousselottes, Groseilles et autres Lavrottes... Le petit village aux rues étroites et aux arbres séculaires abrite des caves magnifiques (domaine des Musigny).

Les vins de Chambolle sont élégants, subtils, féminins. Ils allient la force des bonnes-mares à la finesse des musigny ; c'est un pays de transition dans la Côte de Nuits.

---

mérite une garde prolongée ; c'est une bouteille pour l'an 2000.
- Dom. Dujac, 7, rue de la Bussière, Saint-Denis, 21220 Gevrey-Chambertin, tél. 30.34.32.58 ? r.-v.
- M. Jacques Seysses.

THOMAS-BASSOT 1985*

78 80 |82| 83 |85| n.c.   n.c.

Construit pour nous ravir dans l'avenir, ce vin est prometteur. Le bouquet se tient en réserve, suggérant un parfum de violette. Sa puissance et sa solide charpente lui permettront d'accompagner un gibier en sauce.
- Maison Thomas-Bassot, 5, quai Dumorey, 21700 Nuits-Saint-Georges, tél. 80.62.31.21 ? r.-v.

GHISLAINE BARTHOD 1986*

1.30 ha   4 500

Ghislaine Barthod a repris en 86 l'exploitation familiale Barthod-Noëllat. Ce chambolle-musigny est un vin de garde qui devra être conservé 4 à 5 années avant d'être apprécié. S'il apparaît déjà dans une robe pourpre nuancée de reflets violacés, la jeunesse 'retient encore ses arômes. La structure équilibre le moelleux et les tanins.
- Mme Ghislaine Barthod, rue du Lavoir, Chambolle-Musigny, 21220 Gevrey-Chambertin, tél. 80.62.80.16 ? r.-v.

GHISLAINE BARTHOD
Les Beaux Bruns 1986

1er cru   0.39 ha   2 000

Ce premier cru possède suffisamment de substance pour que l'avenir l'aide à affirmer et à exprimer toutes ses qualités. A un nez encore fermé, légèrement dominé par des senteurs de sous-bois, correspondent en bouche de subtiles rémanences d'épices et de bois de réglisse à l'intérieur d'une solide charpente.
- Mme Ghislaine Barthod, rue du Lavoir, Chambolle-Musigny, 21220 Gevrey-Chambertin, tél. 80.62.80.16 ? r.-v.

BICHOT 1986

n.c.   2 400

Des reflets violacés dans la robe couleur cerise annoncent un bouquet puissant et complexe de fruits mûrs. La structure est fortement dominée par les tanins. L'ensemble demande, pour s'assouplir, une période de vieillissement.
- Maison Albert Bichot, 6 bis, bd Jacques-Copeau, 21200 Beaune, tél. 80.22.17.99 ? r.-v.

EMILE CHANDESAIS 1986

n.c.   2 400

Des reflets sombres dans la robe nuancent la couleur pourpre, alors que le bouquet complexe unit les senteurs de venaison aux arômes de fruits mûrs. La structure est solide et demande à s'assouplir. Attendre 2 à 5 ans.
- M. Émile Chandesais, Ch. Saint-Nicolas, B.P. 1, Fontaines, 71150 Chagny, tél. 85.91.41.77 ? r.-v.

Clos saint-denis

DOM. PHILIPPE CHARLOPIN-PARISOT 1986**

Gd cru   0.20 ha   900

Il y en a si peu que les collectionneurs seront rares à le posséder. Il est intense, tant dans sa couleur que dans ses arômes. Le fût neuf s'est parfaitement marié avec le vin au bouquet de petits fruits rouges accompagnés d'une touche de raisins secs. La charpente est équilibrée, elle associe le gras et la vigueur. Par sa finale encore un peu austère, ce beau vin mérite d'être attendu 3 à 5 ans.
- SCE Dom. Philippe Charlopin, 31, rue des Baraques, 21220 Gevrey-Chambertin, tél. 80.52.85.65 ? r.-v.

DOM. DUJAC 1985*

Gd cru   1.50 ha   6 000

Le rouge cerise de la robe laisse transparaître des reflets cuivrés. Le musc et les senteurs de fourrure s'assemblent aux fruits confits liés à une touche de sous-bois. Équilibré, ce vin plaisant possède un bon potentiel de vieillissement.
- Dom. Dujac, 7, rue de la Bussière, Morey-Saint-Denis, 21220 Gevrey-Chambertin, tél. 80.34.32.58 ? r.-v.
- M. Jacques Seysses.

Chambolle-musigny

Le nom de Musigny à lui seul suffit à situer le pupitre dans la composition de l'orchestre. Commune de grande renommée malgré sa petite étendue, elle doit sa réputation à la qualité de ses vins et à la notoriété de ses premiers crus, dont le plus connu est le climat des

393   BOURGOGNE

CHANSON PERE ET FILS 1983*

■   ⬛ ⬤ �ⓖ

80 **81** 82 83 l84l   n.c.

Net et brillant, voici un vin solide au bouquet composé d'arômes de pâte de fruits et de confit. Typique du millésime, il est apte au vieillissement.

↪ MM. Chanson Père et Fils, 10, rue Paul-Chanson, 21201 Beaune Cedex, tél. 80.22.33.00 ☓ r.-v.

A. CHOPIN ET FILS 1986**

■   ⬤ ☐4

0,40 ha   2 000

Des nuances cerise affleurent dans la tonalité vive de la robe. Après une légère exhalation, une note boisée se découvre parmi des arômes de sous-bois suggérant de la fougère, le boisé, l'humus. Bien fruits rouges. Ce vin est modelé pour soutenir une garde prolongée.

↪ GAEC A. Chopin et Fils, Comblanchien, 21700 Nuits-Saint-Georges, tél. 80.62.94.34 ☓ r.-v.

GEORGES CLERGET 1986

■   n.c.   7

On discerne des senteurs animales évoquant la fourrure et le musc et des arômes de sous-bois suggérant la fougère, le boisé, l'humus. Bien structuré, ce vin doit être attendu 3 à 5 ans.

↪ M. Georges Clerget, 21640 Vougeot, tél. 80.62.86.59 ☓ r.-v.

↪ M. Philibert Moreau.

MICHEL CLUNY Les Charmes 1985*

■   ⬛ ⬤ ☐6

0,48 ha   2 000

Le bouquet unit des senteurs animales à des évocations de fruits rouges confits. Souple et soyeux, ce vin charmeur mérite d'être attendu 2 à 3 ans.

↪ GAEC Michel Cluny et Fils, 5, rue du Tilleul, Brochon, 21220 Gevrey-Chambertin, tél. 80.52.45.07 ☓ t.l.j. 9h-12h 14h-18h.

JOSEPH DROUHIN 1985*

■   n.c.   6

72 74 l76l 77 **78** 79 80 81 **82** 83 84 l85l

Le caractère féminin de ce vin tranparaît dans la tonalité délicate de la robe et dans les parfums de fruits rouges, francs et agréables. Bien structuré, il sera intéressant de le suivre au vieillissement, mais il est déjà un très bon compagnon de table.

↪ Joseph Drouhin, 7, rue d'Enfer, 21200 Beaune, tél. 80.24.68.88 ☓ r.-v.

ULYSSE JABOULET Les Frivoles 1985*

■   n.c.   7

La pâte de fruits, le moka et le bois de réglisse sont suggérés par le bouquet de ces frivoles à la robe brillante et transparente. Souple et charnues, elles attendront quelques années avant d'accompagner un pavé aux morilles.

↪ M. Ulysse Jaboulet, rue Colbert, 21200 Beaune, tél. 80.22.25.22 ☓ r.-v.

JACQUES-FREDERIC MUGNIER Les Fuées 1986***

■ 1er cru   0,70 ha   n.c.

Le mot « les Fuées » caractérise l'étendue de

vigne que pouvait piocher un homme en un jour avec la houe. Ce millésime brillant offre un bouquet complexe, épicé et ample ; une seconde lecture aromatique précisera des évocations de fruits mûrs. Ce vin complet associe dans sa structure l'équilibre et la persistance. Une belle bouteille vouée à grandir encore avec les années.

↪ M. Jacques-Frédéric Mugnier, Ch. de Chambolle-Musigny, Chambolle-Musigny, 21220 Gevrey-Chambertin, tél. 80.62.85.39

NICOLAS 1984

■   n.c.   ▮6

Une nouvelle dégustation du 84 de Nicolas, cette année : difficile performance d'un vin de l'excellente commune de Chambolle-Musigny dans un millésime souvent décrié, 84. Robe diluée, nez très fin et très bon comme beaucoup de vins légers, bouche elle aussi marquée par le millésime : un murmure interrompu. Un bon représentant, dans la norme des 84.

↪ Ets Nicolas, 253, av. du Gal-Leclerc, 94700 Maisons-Alfort, tél. 1.43.96.81.81.

ANTONIN RODET 1985*

■   n.c.   ⬛ ⬤ ☐6

73 **83** 84 85

L'apparence est nette et brillante, dominée par la tonalité vive de la robe. Le nez recèle des arômes de fruits rouges et de vanille. Ce vin allie ampleur et expression, moelleux et corps ; sa richesse en tanins fins le destine à évoluer 5 à 7 ans.

↪ M. Antonin Rodet, Mercurey, 71640 Givry, tél. 85.45.22.22 ☓ lu. ma. me. je. ve. 9h-12h 14h-19h.

HERVE ROUMIER 1986

■   3 ha   3 000

85   86

Des senteurs de sous-bois se retrouvent dans le bouquet délicat et discret de ce vin. Des reflets ambrés se découvrent dans l'intensité de la robe. Une attaque ronde et plaisante permet de l'apprécier dès maintenant en attendant le 85, deux étoiles l'an dernier.

↪ M. Hervé Roumier, rue de Vergy, Chambolle-Musigny, 21220 Gevrey-Chambertin, tél. 80.62.80.38 ☓ r.-v.

DOM. HENRI DE VILLAMONT 1985***

■   2,52 ha   9 000   ⬛ ⬤ ☐6

l80l **83** l84l ⑧⑤

Il ne reste de l'abbaye que la cave du XVIᵉ s. et un manoir du XVIIIᵉ s. Mais c'est surtout pour ce millésime qu'il faut découvrir le domaine : brillante, intense et profonde, la robe se découvre dans une tonalité rouge vif. Le nez de fruits rouges et de vanille unis à une touche boisée est complexe et puissant. La bouche bien fondue montre un parfait équilibre et une grande persistance. En un mot, ce vin possède l'expression et l'élégance d'un très grand bourgogne.

394

↪ Sté Henri de Villamont, rue du Dr-Guyot, B.P. 3, 21420 Savigny-les-Beaune, tél. 80.21.50.59 ℡ t.l.j. 9h30-12h30 14h30-19h30.

Grand Vin de Bourgogne
CHAMBOLLE-MUSIGNY
PREMIER CRU
APPELLATION CHAMBOLLE-MUSIGNY 1er CRU CONTROLÉE
1985
MIS EN BOUTEILLE AU DOMAINE PAR
Henri de Villamont sa
Propriétaire à Chambolle-Musigny (Côte-d'Or), France
75cl

Musigny

Avec Musigny, on change de registre, élégant et mâle, succède le hautbois propre à Beethoven, à Mozart. Les vins, malgré leur force, leur capacité de longévité, sont ici tout en dentelle, plein de distinction.

Le vignoble des musigny domine le Clos de Vougeot et rejoint, au sud, l'appellation échezeaux, sur la commune de Flagey-Echezeaux. Plusieurs propriétaires se partagent les 10 ha environ de l'appellation. Nous citerons pour mémoire les quelques hectolitres produits en vins blancs.

Bonnes-mares

Cette appellation de Morey au long du mur du Clos de Tart, mais la plus grande partie est située sur Chambolle. C'est le grand cru par excellence. Les vins de bonnes-mares sont pleins, vineux, riches, ont une bonne aptitude à la garde et accompagnent allègrement le civet ou la bécasse au bout de quelques années de vieillissement.

(15,55 ha) déborde sur la commune de Morey-Saint-Denis.

JACQUES-FREDERIC MUGNIER 1986**

	Gd cru	0,40 ha	n.c.	⬛🍷🍴🔲
83 85 86]				

L'aspect proond de ce musigny est caractéristque que du pinot noir des grands crus. Les émanations du bouquet, prenantes, joignent les fruits rouges aux senteurs animales. La structure est riche et corsée, unissant la vigueur et le gras. Ce vin peut être associé à un gibier à plumes, savamment cuisine.

↪ M. Jacques-Frédéric Mugnier, Ch. de Chambolle-Musigny, Chambolle-Musigny, 21220 Gevrey-Chambertin, tél. 80.62.85.39

DOM. JACQUES PRIEUR 1985***

	Gd cru	0,84 ha	3 500	⬛🍷🍴🔲
79] ⑧ 83 85]				

Une senteur torréfiée de moka s'assemble à la vanille sous une touche épicée dans un bouquet puissant et complexe. La charpente est souple et solide, la bouche persistante. On peut apprécier ce beau vin dès maintenant mais il gagnera à être attendu 3 à 5 ans.

↪ Dom. Jacques Prieur, 2, rue des Santenots, 21190 Meursault, tél. 80.21.23.85 ℡ r.-v.

Vougeot

C'est la plus petite commune de la côte viticole. Si l'on ôte de ses 80 ha les 50 ha du clos, les maisons et les routes, il ne reste que quelques hectares de vignes en vougeot, dont plusieurs premiers crus, les plus connus étant le Clos

DOM. PONNELLE 1985**

78 81 82|83| 85	n.c.	1 000	⬛🍷

La robe est brillante et s'offre dans une couleur rouge vif. Le nez est discret et élégant ; les fruits rouges s'allient à la vanille dans un bouquet légèrement boisé. Construit pour l'avenir, ce vin riche de substance devrait atteindre toute l'ampleur qu'il mérite dans les 5 à 8 années qui viennent.

↪ M. Pierre Ponnelle, 5, rue du Moulin, 21700 Nuits-Saint-Georges, tél. 80.61.22.41 ℡ r.-v.

DOM. FOUGERAY DE BEAUCLAIR 1986

	1,60 ha	n.c.	⬛🍷

La parcelle dont est issu ce bonnes-mares est située sur la commune de Morey-Saint-Denis. La tonalité brillante et limpide de la robe dévoile une légère évolution. Bien équilibré et élégant, ce vin est à marier avec une viande en sauce.

↪ Dom. Fougeray de Beauclair, 44 et 89, rue de Mazy, 21160 Marsannay-la-Côte, tél. 80.52.21.12 ℡ r.-v.

Blanc (vins blancs) et le Clos de la Perrière.

DOM. BERTAGNA
Clos de La Perrière 1985*
■ 1er cru   10 ha   10 000

80 82 83 85

Le Clos de la Perrière est situé entre le clos-de-vougeot et les musigny de Chambolle. Ce millésime 85, dans une robe cerise limpide, exprime des arômes amples mêlant les fruits à une touche animale. Il faudra attendre 5 à 7 ans son apogée.

↪ Dom. Bertagna, rue du Vieux-Château, 21640 Vougeot, tél. 80.62.86.04 ▾ t.l.j. 9h-19h; f. Jan.

PIERRE PONNELLE Le Prieuré 1985**
■ Gd cru   1,55 ha   n.c.

82 83 85

Ce vin est plein de promesses. Comme la plupart des grands crus, il a besoin d'une période de vieillissement pour assagir les excès de son caractère. La robe est cerise sombre. Le nez est secret, retenu par sa trop grande jeunesse. La solide structure est souple et ronde. Mais patience, il a tellement plus à donner.

↪ M. Pierre Ponnelle, 5, rue du Moulin, 21700 Nuits-Saint-Georges, tél. 80.61.22.41 ▾ r.-v.

actuel propriétaire des lieux, et la cuverie, qui abrite à chaque angle quatre magnifiques pressoirs d'époque.

PIERRE ANDRÉ 1985***
■ Gd cru   1,09 ha   3 000

71 76 77 78 79 80 82 83 85

Issu d'une parcelle de vigne située dans la partie haute du Clos, ce vin à la robe sombre reste une grande bouteille. Le bouquet est discret, mêlant les fruits rouges et le sous-bois. La charpente est équilibrée, conjuguant vigueur et élégance. Accompagnera un gibier.

↪ M. Pierre André, Ch. de Corton-André, Aloxe-Corton, 21420 Savigny-lès-Beaune, tél. 80.26.44.25 ▾ t.l.j. 10h-18h.

CH. DE LA TOUR 1984*
■ Gd cru   5,60 ha   24 000

76 78 79 80 81 82 83 84 85

Le château de La Tour est le seul vin récolté, vinifié et élevé dans l'enceinte même du Clos-Vougeot. Dans une robe vive, couleur cerise nuancée de reflets orangés. Délicat, un peu secret, ce grand cru évoque les fruits à noyaux joints à des senteurs animales. La bouche est ample, riche en tanins fins. L'ensemble évoluera en vieillissant.

↪ Mmes Labet et Dechelette, Dom. du Château de La Tour, Clos-Vougeot, 21640 Vougeot, tél. 80.62.86.13 ▾ t.l.j. 10h-19h; f. nov. à Pâques.

Clos de vougeot

Tout a été dit sur le Clos! Comment ignorer que plus de soixante-dix propriétaires se partagent ses 50 ha? Un tel attrait n'est pas voué au hasard; c'est bien parce qu'il est bon que tout le monde en veut! Il faut bien sûr faire la différence entre les vins «du dessus», ceux «du milieu» et ceux «du bas», mais les moines de l'abbaye de Cîteaux, lorsqu'ils ont élevé le mur d'enceinte, avaient tout de même bien choisi leur lieu...

Fondé au début du XIIe s., le Clos atteignit très rapidement sa dimension actuelle; l'enceinte d'aujourd'hui est antérieure au XVe s. Plus que le Clos lui-même, dont l'attrait essentiel se mesure dans les bouteilles, quelques années après leur production, le château, construit aux XIIe et XVIe s., mérite qu'on s'y attarde un peu. La partie la plus ancienne est constituée du cellier, de nos jours utilisé pour les chapitres de la confrérie des Chevaliers du Tastevin,

DOM. THOMAS-MOILLARD 1985*
■ Gd cru   n.c.   n.c.

76 80 85

L'intensité sombre de la robe revêt une nuance pourpre. Les arômes se tiennent au milieu d'une structure solide et équilibrée. Ce clos de vougeot est construit pour durer et être attendu... 5 à 10 ans.

↪ Moillard, 2, rue François-Mignotte, 21700 Nuits-Saint-Georges, tél. 80.61.03.34 ▾ r.-v.

DOM. JACQUES PRIEUR 1985**
■ Gd Cru   1,25 ha   6 000

82 83 85

La robe est sombre, pourpre, brillante, transparente et la vanille recouvre les senteurs complexes et puissantes du bouquet. La charpente est solide, équilibrée et une rémanence boisée accompagne la fin de bouche. Ce vin commence à montrer sa richesse et sera à son apogée dans 5 à 8 ans.

↪ Dom. Jacques Prieur, 2, rue des Santenots, 21190 Meursault, tél. 80.21.23.85 ▾ r.-v.

ANTONIN RODET 1985**
■ Gd cru   n.c.   n.c.

82 85

Les évocations boisées du bouquet supplantent les senteurs animales associées aux arômes de fruits rouges confits. Ce millésime 85 est parfaitement équilibré. L'harmonie des tanins doux et du moelleux le fera apprécier des amateurs de vin jeune.

Echezeaux et grands-échezeaux

Au sud du Clos de Vougeot, la commune de Flagey-Éche-zeaux, dont le bourg est dans la plaine, tout comme celui de Gilly (les Cîteaux) en face du Clos de Vougeot, longe le mur de celui-ci pour faire, jusqu'à la montagne, une incursion dans le vignoble. La partie du piémont bénéficie de l'appellation vosne-romanée. Dans le coteau se succé-dent deux grands crus : le grands-éche-zeaux et l'échezeaux. Le premier fait envi-ron 9 ha de surface, alors que le second en couvre plus de 30, sur plusieurs lieux-dits.

Les vins de ces deux crus, dont les plus prestigieux sont les grands-échezeaux, sont très « bourgui-gnons » : solides, charpentés, pleins de sève. Ils sont essentiellement exploités par les vignerons de Vosne et de Flagey.

Echezeaux et grands-échezeaux

● M. Antonin Rodet, Mercurey, 71640 Givry, tél. 85.45.22.22 ▼ lu. ma. me. je. ve. 9h-12h 14h-19h.

JACQUELINE JAYER 1986**

|84|86| — 3.50 ha — 1 800

Construit pour le futur, ce millésime 86 ! Il atteindra son apogée dans 5 à 6 ans. La robe est limpide et brillante, le nez, puissant, dominé par la vanille. La structure possède ampleur et persis-tance. Il faut être patient, ce vin tiendra ses promesses.

● Mme Jacqueline Jayer, Vosne-Romanée, 21700 Nuits-Saint-Georges, tél. 80.61.23.06 ▼ r.v.

● Joseph Drouhin, 7, rue d'Enfer, 21200 Beaune, tél. 80.24.68.88 ▼ r.v.

DOM. MONGEARD-MUGNERET 1986**

|76|79|80|81| 83 |84| 86 — 3.50 ha — n.c. |6|

Les subtiles évocations du bouquet associent des arômes de pain grillé, de poivre et de fruits : les tanins et le moelleux font ici « bon ménage » dans un grand cru équilibré. On le découvrira dans 2 à 4 ans avec un faisan.

● SARL Mongeard-Mugneret, Vosne-Romanée, 21700 Nuits-Saint-Georges, tél. 80.61.11.95 ▼ r.v.

JEAN-PIERRE MUGNERET 1985**

n.c. — n.c. |5|

La plupart des grands crus ont besoin de temps pour s'exprimer, ayant tant de choses à dire. Celui-ci gagnera à vieillir 5 à 8 années. Derrière l'éclat de la robe rouge cerise, le bouquet est secret, racé et flatteur. La charpente équilibre les tanins et le gras. L'ensemble mérite bien un peu de patience.

● M. Jean-Pierre Mugneret, Concœur, 21700 Nuits-Saint-Georges, tél. 80.61.00.20 ▼ r.v.

Echezeaux

ANTONIN RODET 1982*

n.c. — n.c. |7|

Typique du millésime 82, ce vin s'offre dans une robe rouge cerise, intense. Du bouquet sur-gissent des évocations animales (venaison, four-rure, cuir) associées aux arômes de fruits confits et d'épices. Sa structure plaisante et harmonieuse lui assure un avenir de 5 à 6 ans.

● M. Antonin Rodet, Mercurey, 71640 Givry, tél. 85.45.22.22 ▼ lu. ma. me. je. ve. 9h-12h 14h-19h.

CHARLES VIENOT 1985

n.c. — n.c.

La griotte, la vanille et le pain grillé sont les arômes dominants de ce vin que l'on pourra consommer dès la parution du Guide.

● Charles Vienot, 5, quai Dumorey, B.P. 19, 21700 Nuits-Saint-Georges Cedex, tél. 80.62.31.05 ▼ r.v.

DOM. DU CLOS FRANTIN 1985***

|83|85| — 0,99 ha — 4 500 |●|↓|7|

Les ceps qui produisent cet échezeaux vien-nent d'atteindre leur majorité (dix-huit ans). Brillant et transparent, rouge mêlé de reflets grenat, il affirme puissamment les senteurs du bouquet à la fois floral et fruité. Souple en même temps que solide, ample, il est déjà flatteur. On le découvrira avec une épaule de marcassin.

● Maison Albert Bichot, 6 bis, bd Jacques-Copeau, 21200 Beaune, tél. 80.22.17.99 ▼ r.v.

● Dom. du Clos Frantin

JOSEPH DROUHIN 1985**

n.c. — n.c. |7|

En France, Robert Drouhin, petit-fils du fon-dateur, ne produit que des vins millésimés de bourgogne, même s'il s'intéresse maintenant aux vignobles d'outre-Atlantique. Son échezeaux a des odeurs de confits, de musc et d'épices. La structure puissante est encore dominée par les tanins et démontre l'excellent potentiel d'une bouteille qui, pourra, suggère un dégustateur, accompagner des rognons de mouton grillé.

Grands-échezeaux

DOM. DE LA ROMANEE-CONTI 1982***
Gd cru n.c. 23 104 [icons]

82, ou les vendanges de Canaan. Une récolte abondante, qui a peut-être nui à la concentration. Cette bouteille d'une remarquable finesse sous l'éclat de la robe brille par son élégance. Voilà bien un vin dont on peut dire simplement qu'il est «de son terroir». Et, sans évoquer la griotte ou le cuir, disons tout simplement que ses arômes n'appartiennent qu'à lui. Il est issu de vignes qui ont quarante ans en moyenne. La grande classe et des qualités déjà épanouies qui vont s'embellir avec le temps.
SC du Dom. de La Romanée-Conti, Vosne-Romanée, 21700 Nuits-Saint-Georges, tél. 80.61.04.57

Vosne-romanée

Là aussi, la coutume bourguignonne est respectée : le nom de romanée est plus connu que celui de Vosne. Quel beau tandem ! Comme Gevrey-Chambertin, cette commune est le siège d'une multitude de grands crus ; mais il existe à côté des climats réputés, tels les Suchots, les Beaux-Monts, les Malconsorts et bien d'autres. L'appellation vosne-romanée occupe une surface d'environ 250 ha, et produit en moyenne plus de 5 000 hl, en vins rouges seulement.

ROBERT ARNOUX Les Maizières 1986
1er Cru n.c. n.c. [V 5]

Le bouquet exhale des arômes de cerise et la vie associés à une touche de fourrure et la bouche est plaisante avec une structure légère ; ce vosne-romanée accompagnera une viande blanche.
M. Robert Arnoux, 21700 Vosne-Romanée, tél. 80.61.09.85 r.-v.

DOM. BERTAGNA
Beaux Monts Bas 1985**
1er cru 0,92 ha 5 000 [icons]

Ces Beaux Monts Bas ont donné un 85 dont la robe rouge allie intensité et transparence. Le bouquet est frais et délicat. L'équilibre des tanins souples et du moelleux s'enrichit de flaveurs torréfiées. Ce vin actuellement flatteur progressera avec le temps.
Dom. Bertagna, rue du Vieux-Château, 21640 Vougeot, tél. 80.62.86.04 t.l.j. 9h-19h ; f. Jan.

CHANSON PERE ET FILS 1984
n.c. n.c. [icons]

Des reflets tuilés apparaissent dans la robe cerise de ce millésime prêt à être consommé. Dans le bouquet s'associent des senteurs de fourrure, de cuir, d'humus et d'épices.
MM. Chanson Père et Fils, 10, rue Paul-Chanson, 21201 Beaune Cedex, tél. 80.22.33.00 r.-v.

MAX ET JEAN-FRANCOIS ECARD 1986*
1er cru 0,11 ha 600 [icons]

La dimension des crus bourguignons étonne : 11 ares 68 pour ce premier cru dont le bouquet complexe associe des arômes de fruits rouges et une senteur animale de fourrure. Ce vin est équilibré et harmonieux, doté d'une bonne attaque et d'une longue persistance.
GAEC Max & Jean-François Ecard, Arcenant, 21700 Nuits-Saint-Georges, tél. 80.61.04.10 r.-v.

JEAN GRIVOT Les Beaux Monts 1986**
1er cru 0,94 ha 5 700 [icons]

94 ares sur Les Beaux Monts, et un millésime 86 à la robe pourpre avec de légères nuances violacées. La fraîcheur du nez exhale des senteurs de feuille de cassis, de pivoine et de cerise à l'eau de vie. La solide charpente est dominée par les tanins. On découvrira ce beau vin dans 5 à 10 années.
SC Jean Grivot, Vosne-Romanée, 21700 Nuits-Saint-Georges, tél. 80.61.05.95 r.-v.

CHARLES GRUBER 1985**
162,28 ha n.c. [icons]
79 82 83 85

Une robe pourpre, brillante et limpide, un nez qui marie les senteurs végétales de sous-bois et d'humus avec des arômes de cassis et de framboise confits, voici un millésime intéressant. Riche, étoffée et puissante, la charpente assure à ce vin de garde un bel avenir.
Charles Gruber, rue du Moulin, 21700 Nuits-Saint-Georges, tél. 80.61.07.24 r.-v.

MARC MANIERE 1986
n.c. n.c. [6]

Complexe, le nez laisse percevoir des arômes de cassis, de mûre, de framboise et de cerise sur un fond de sous-bois. La charpente est dominée par les tanins. On attendra 5 à 6 années avant de déguster ce millésime 86.
M. Marc Manière, 21700 Vosne-Romanée, tél. 85.38.42.87 r.-v.
M. Philibert-Moreau.

BERNARD MARTIN-NOBLET 1985**
1 ha n.c. [M 4]

Mélant les couleurs cerise et pourpre, la robe est limpide et brillante. Le bouquet associe les fruits rouges, les senteurs de fourrure, de cuir et d'humus. En bouche, des rémanences de cassis et de fruits agrémentent une harmonieuse structure. Accompagnera un fromage frais.
M. Bernard Martin-Noblet, 21700 Vosne-Romanée, tél. 80.61.27.84 r.-v.

DOM. MÉO-CAMUZET
aux Brûlées 1986 ● ● ●

0,80 ha	3 600	●●	▼

Le climat «Aux Brûlées» appartenait jadis au propriétaire du château du Clos-Vougeot. Les terres exposées plein sud livrent un 86 au bouquet à la fois puissant et complexe, où s'unissent des arômes de fruits, de fleurs et de vanille. De grande classe déjà, ce vin gagnera encore en ampleur avec des arômes de vanille.

◆ M. Méo-Camuzet, 21700 Vosne-Romanée, tél. 80.61.11.05

DOM. MONGEARD-MUGNERET
1986 ●

72 76 78 ⑧② ⑧⑤ 86			2 ha	●●	▼	▼ 5

Des reflets grenats sont perceptibles dans la robe rouge, brillante et limpide. Le bouquet aux arômes de fruits rouges est intense. Gras et souple, ce vin est bien équilibré, il gagnera à vieillir 2 à 3 années.

◆ SARL Mongeard-Mugneret, Vosne-Romanée, 21700 Nuits-Saint-Georges, tél. 80.61.11.95 ▼ r.-v.

GÉRARD MUGNERET 1986 ●

⑦⑨ ⑧⓪ 81 ⑧② 84 86		3 ha	8 000	●●	▼	▼ 4

Fruits rouges confits et vanille s'expriment avec puissance dans ce vin grenat dont la structure tannique est solide. Une garde de 2 à 5 années lui sera bénéfique.

◆ M. Gérard Mugneret, 21700 Vosne-Romanée, tél. 80.61.09.95 ▼ r.-v.

JEAN-PIERRE MUGNERET 1986 ● ● ●

		0,84 ha	5 500	●●	♣	▼ 4

Profonde et limpide, la robe cerise sombre se nuance de pourpre et annonce un bouquet complexe, avec des notes d'humus et de feuilles sèches qui rejoignent les arômes de cerise confite et de coing. La puissante structure harmonise le gras et les tanins. Ce superbe vin de garde évoluera durant 5 à 10 années.

◆ M. Jean-Pierre Mugneret, Concœur, 21700 Nuits-Saint-Georges, tél. 80.61.00.20 ▼ r.-v.

NAIGEON-CHAUVEAU ET FILS 1985 ●

		n.c.	n.c.	●●	♣	▼ 4

Retenu par la jeunesse du millésime, le bouquet discret et élégant développe des senteurs de fruits rouges confits. L'ossature de ce vin est légèrement dominée par les tanins. Il accompagnera une viande grillée.

◆ MM. Naigeon-Chauveau et Fils, rue de la Croix-des-Champs, 21220 Gevrey-Chambertin, tél. 80.34.30.30 ▼ r.-v.

CHARLES NOËLLAT Les Beaumonts 1983
1er cru ●

		2,90 ha	n.c.	●●	♣	▼ 6

Le 83 à la robe brillante et limpide montre des reflets orangés. Le bouquet est de type animal, laissant poindre des senteurs de cuir, de fourrure et de musc. À découvrir dès aujourd'hui.

◆ SCE Charles Noëllat, Vosne-Romanée, 21700 Nuits-Saint-Georges, tél. 80.61.10.82 ▼ r.-v.

PASQUIER DESVIGNES 1986 ●

		n.c.	2 600	●●	▲	▼ 5

Rouge cerise ou pourpre ? 86 en vosne-romanée n'est pas encore ouvert mais on perçoit des senteurs fines de sous-bois et d'humus, rejointes par un arôme de cerise à l'eau de vie. Le charpente est dotée d'un bon potentiel qui évoluera durant 3 à 5 années.

◆ M. Pasquier-Desvignes, Le Marquisat, B.P. 199, Saint-Lager, 69822 Belleville-sur-Saône Cedex, tél. 74.66.14.20 ▼ r.-v.

ANTONIN RODET Les Suchots 1985 ● ●
1er cru ●

		n.c.	n.c.	●●	▼	▼ 7

Quel beau nez de fruits rouges confits ! Quelle rondeur aussi ! Avec des tanins souples, la structure de ce vosne-romanée premier cru est équilibrée et harmonieuse ; une rémanence de vanille accompagne la longue persistance de la bouche. Ce vin peut être servi dès aujourd'hui avec une tourte aux morilles.

◆ M. Antonin Rodet, Mercurey, 71640 Givry, tél. 85.45.22.22 ▼ lu. ma. me. je. ve. 9h-12h 14h-19h.

La romanée, romanée-conti, romanée-saint-vivant, la tâche

Tous sont des crus plus prestigieux les uns que les autres, et il serait bien difficile d'en indiquer le plus grand... Certes, le romanée-conti jouit de la plus grande renommée, et l'on trouve dans l'histoire de nombreux témoignages de «l'exquise qualité» de son vin. La célèbre pièce de vigne de la Romanée fut convoitée par les grands de l'Ancien Régime : ainsi madame de Pompadour ne réussit pas à l'emporter contre le prince de Conti, qui put l'acquérir en 1760. Jusqu'à la dernière guerre, la vigne de la Romanée-Conti et de la Tâche resta non greffée, traitée au sulfure de carbone contre le phylloxéra. Mais il fallut alors l'arracher et la première récolte des nouveaux plans eut lieu en 1952. Ce romanée-conti exploité en monopole sur 1,80 ha - reste l'un des plus illustres - et des plus chers - vins du monde.

La romanée est plantée sur une superficie de 0,83 ha, richebourg sur 8 ha, romanée-saint-vivant sur 9,5 ha, et la tâche sur un peu plus de 6 ha.

Côte de Nuits

Comme dans tous les grands crus, les volumes produits sont de l'ordre de 20 à 30 hl par hectare selon les années.

La romanée

CH. DE VOSNE-ROMANEE 1982***

■ Gd cru 0.85 ha 6 500

On dit que ce cru, prescrit à Louis XIV, le guérit de ses maux. Légende ou vérité ? Aujourd'hui, la Romanée est le plus petit vignoble d'appellation contrôlée de France, monopole des comtes Liger-Belair confié à un négociant de haute réputation. Mitoyen de la Romanée-Conti, il en a la finesse, offrant un corps charnu et une remarquable plénitude. Profond par sa couleur, puissant par ses arômes complexes, un vin rare qu'il faut avoir goûté au moins une fois.

↘SA Bouchard Père et Fils,
Au Château, B.P. 70, 21202 Beaune Cedex,
tél. 80.22.14.41 ☎ r.-v.
↘M. le Comte Liger-Belair.

par le domaine de la Romanée-Conti, qui l'exploitait en location depuis 66. Issu de vignes d'une quinzaine d'années, le millésime 84 mis en bouteille en avril 86 est vraiment magnifique. Il possède tout ce qu'il faut de gras et de profondeur associés à une vivacité merveilleuse. On pense à une rose née ce matin.

↘SC du Dom. de La Romanée-Conti, Vosne-Romanée, 21700 Nuits-Saint-Georges,
tél. 80.61.04.57

SOCIÉTÉ CIVILE DU DOMAINE DE LA ROMANÉE-CONTI
PROPRIÉTAIRE A VOSNE-ROMANÉE CÔTE-D'OR FRANCE
ROMANÉE-ST-VIVANT
MAREY-MONGE
APPELLATION ROMANÉE-ST-VIVANT CONTROLÉE
13.911 Bouteilles Récoltées
N° 000000
ANNÉE 1984 75 cl
Mise en bouteille au domaine
LES ASSOCIÉS-GÉRANTS
PRODUCT OF FRANCE

Romanée-conti

DOM. DE LA ROMANEE-CONTI 1984***

■ Gd cru 1.80 ha 3 800

Un vin mythique que nous avons dégusté en 87 et qui n'atteindra pas son optimum avant 92. La robe a des subtilités qui échappent aux standards communs et fait penser à la patine de vieilles peintures du quattrocento ou de l'école flamande. De l'humus ou du sous-bois, avec la marque de Vosne-Romanée, jusqu'à l'ambre et aux résines aromatiques, le nez présente une diversité inouïe où se mêlent aussi une animalité sublimée, de la framboise et de la violette. Mais les saveurs sont encore très jeunes.

↘SC du Dom. de La Romanée-Conti, Vosne-Romanée, 21700 Nuits-Saint-Georges,
tél. 80.61.04.57

Romanée-saint-vivant

DOM. DE LA ROMANEE-CONTI 1984***

■ Gd cru 5.25 ha 13 984

La Romanée Saint-Vivant Marey-Monge (5,25 ha) constitue à elle seule un peu plus de la moitié de ce grand cru. Elle a été achetée en 1988 aux héritiers de cette grande famille bourguignonne

ANTONIN RODET 1981***

■ Grand cru n.c. n.c.

De l'an 1232 à la Révolution française, les moines du prieuré Saint-Vivant cultivèrent ce climat. Le millésime 81, cerise, nuancé de reflets orangés, exhale un bouquet délicat et vanillé. L'ensemble correspond à ce que l'on est en droit d'attendre d'un grand cru. Une bouteille à déguster pour elle-même.

↘M. Antonin Rodet, Mercurey, 71640 Givry,
tél. 85.45.22.22 ☎ lu. ma. me. je. 9h-12h 14h-19h.

La tâche

DOM. DE LA ROMANEE-CONTI 1981***

■ Gd cru 6.06 ha 11 552
67 72 73 75 78 79 80 81 82

Dense, sombre, encore dure, la Tâche, à nouveau dégustée cette année, vit actuellement son «âge ingrat». Entre le charme fou de la jeunesse et la parfaite sérénité, c'est l'adolescence du vin : romantique, pleine de rêves intérieurs, enfermée dans son jardin secret. L'âme est présente, riche de lendemains éblouis, mais elle ne se livre guère. Ce sera plus tard un très grand vin. La tâche est un monopole du domaine de la Romanée-Conti.

↘SC du Dom. de La Romanée-Conti, Vosne-Romanée, 21700 Nuits-Saint-Georges,
tél. 80.61.04.57

Nuits-saint-georges

Petite bourgade de 5 000 habitants, Nuits-Saint-Georges n'engendre pas comme ses voisines du nord de grands crus; l'appellation déborde sur la commune de Premeaux, qui la jouxte au sud. Ici aussi, les très nombreux premiers crus sont à juste titre réputés, et avec l'appellation communale la plus méridionale de la Côte de Nuits, nous trouvons un type de vins différent aux caractères de climats très accusés, où s'affirme généralement une richesse en tanin plus élevée, assurant une grande conservation.

Les Saint-Georges, dont on dit qu'ils portaient déjà des vignes en l'an mil, les Vaucrains aux vins robustes, les Cailles, endroit où les volatiles du même nom devaient aimer habiter, les Champs-Perdrix, les Porets, de « poirets », au caractère de poire sauvage accusé, sur la commune de Nuits, et les Clos de la Maréchale, des Argillières, des Porets, des Forêts-Saint-Georges, des Corvées, de l'Arlot, sur Premeaux, sont les plus connus de ces premiers crus. Près de 400 ha sont plantés et produisent près de 10 000 hl par an.

Petite capitale du vin de Bourgogne, Nuits-Saint-Georges a également son vignoble des Hospices, avec vente aux enchères annuelle de la production, le dimanche précédant les Rameaux. Elle est le siège de nombreux négoces de vin et de nombreux liquoristes qui produisent le cassis de Bourgogne, ainsi que d'élaborateurs de vins à mousse qui furent à l'origine du crémant de Bourgogne. C'est enfin ici que se trouve le siège administratif de la confrérie des Chevaliers du Tastevin.

Nuits-saint-georges

JULES BELIN Clos de l'Arlot 1985 *

■ 1er Cru   4 ha   6 000

Voici un 85 à la belle robe limpide. Des arômes discrets de fruits rouges confits émergent du bouquet. Si la structure est encore dominée par les tanins, ce vin devrait très bien évoluer et sera à consommer dans 4 à 6 années.

♥ Maison Jules Belin, 3, rue des Seuillets, BP 43, 21702 Nuits-Saint-Georges Cedex, tél. 80.61.07.74
Y r.-v.

JEAN-CLAUDE BOISSET 1983 **

82 83 [84] 85   n.c.   n.c.

La robe de ce 83, rouge brun, possède limpidité et transparence. Le nez de raisins de corinthe et de figue, dense, fin et discret, précède une bouche persistante, ronde, équilibrée et plaisante. Un vin remarquable à associer dès l'hiver à un gibier à plumes.

♥ Gds Vins Jean-Claude Boisset, passage Montgolfier, 21700 Nuits-Saint-Georges, tél. 80.61.00.06 Y r.-v.

LIONEL BRUCK 1985

■ 1er Cru   n.c.   n.c.

Ce nuits-saint-georges 85 demande à vieillir pour tempérer la vivacité de son caractère. Le bouquet exhale de discrètes évocations de fruits rouges. Sa structure invite à l'attendre 4 à 6 années.

♥ Lionel Bruck SA, rue du Moulin, 21700 Nuits-Saint-Georges, tél. 80.61.07.24 Y r.-v.

EMILE CHANDESAIS 1985

■   3 ha   2 000

Une nuits-saint-georges 85, couleur cerise mêlée de reflets tuilés, est d'ores et déjà prêt à être consommé. Le nez est discret et délicat. La nervosité de l'ensemble peut accompagner une viande blanche.

♥ M. Emile Chandesais, Ch. Saint-Nicolas, B.P. 1, Fontaines, 71150 Chagny, tél. 85.91.41.77 Y r.-v.

HENRI CHAUVENET 1985

■   3 ha   13 000

Ce nuits-saint-georges 85, couleur cerise tendre mêlée de reflets tuilés, au bouquet agrémenté d'une senteur délicate de framboise, et surtout une bonne présence en bouche feront de ce vin, après 2 à 5 années d'attente, un bon comparse pour des plats en sauce.

♥ Mr. Hubert Chauvenet, 97, rue Félix-Tisserand, 21700 Nuits-Saint-Georges, tél. 80.61.28.11 Y r.-v.

D. CHOPIN-GESSEAUME Les Pruliers 1985

■   0.50 ha   2 000

On découvrira sans plus attendre la robe cerise de ce vin aux parfums de fruits mûrs et aux senteurs épicées. La structure est étoffée.

♥ M. Daniel Chopin-Gesseaume, 32, rue du Tribourg, 21700 Nuits-Saint-Georges.

JULES BELIN Clos des Forêts Saint-Georges 1985 **

■ 1er cru   7 ha   20 000

Parfums floraux et végétaux pour ce 85 à la bouche équilibrée où l'on découvre une rémanence de raisin. L'harmonieuse structure renferme de solides tanins joints à une bonne rondeur. Tout est présent dans ce vin pour que, dans 2 à 4 années, il accompagne un chevreuil.

♥ Maison Jules Belin, 3, rue des Seuillets, BP 43, 21702 Nuits-Saint-Georges Cedex, tél. 80.6..07.74
Y r.-v.

J.-J. CONFURON Les Fleurières 1986

| | 1.23 ha | n.c. |

Ce lieu-dit de Nuits-Saint-Georges était jadis voué aux fleurs. Il produit un vin à la robe rouge vif nuancée de reflets violacés. L'intensité du bouquet est dominée par des arômes de fruits rouges. A consommer dans 2 à 3 ans avec des grives.

Dom. J.-J. Confuron, RN 74, Les Vignottes, Premeaux-Prissey, 21700 Nuits-Saint-Georges, tél. 80.62.31.08 r.-v.
Mme. Andrée Confuron.

DOM. CHRISTIAN CONFURON 1985

| | n.c. | n.c. |

Ce 85 exhale un parfum de fruits rouges confits. La charpente est légèrement dominée par les tanins. On lui accordera 2 à 5 années de garde pour adoucir son tempérament.

Dom. Christian Confuron, rue du Vieux-Château, 21640 Vougeot, tél. 80.62.86.80 r.-v.

ROGER DUPASQUIER ET FILS
Les Vaucrains 1985

| 1er cru | 0,33 ha | n.c. |

84 |85|

Ce Vaucrains est déjà évolué, comme le montrent ses reflets orangés. Une touche de boisé accompagne les senteurs de pain grillé et de vanille. Ce vin peut être consommé dès à présent, avec un gigot par exemple.

MM. Roger Dupasquier et Fils, Premeaux-Prissey, 21700 Nuits-Saint-Georges, tél. 80.62.31.19 r.-v.

FAIVELEY Clos de la Maréchale 1985***

| 1er Cru | 9,55 ha | 35 000 |

72 73 74 |76| (78) |80| 81 |82| |83| |85|

Le Clos de la Maréchale a appartenu à une maréchale du Second Empire. Mais le millésime 85, robe cerise et parfum de vanille, n'a pas encore obtenu son bâton : charnu, déjà parfait, il est destiné à devenir superbe.

M. Joseph Faiveley, 8, rue du Tribourg, B.P. 9, 21700 Nuits-Saint-Georges, tél. 80.61.04.55

MICHEL GAVIGNET Les Chabœufs 1986***

| 1er cru | 1 ha | 5 000 |

69 70 71 72 73 74 76 (78) 79 80 82 83 85 |86|

Habillé d'une robe cerise, brillante et limpide, ce vin élégant et bien équilibré, aux tanins fondus, séduit par une harmonie qui se découvrira au cours des années de garde. On appréciera cette belle bouteille au bouquet délicat et puissant avec un gibier à plumes.

M. Michel Gavignet, 22, rue Thurot, 21700 Nuits-Saint-Georges, tél. 80.61.12.78 r.-v.

MICHEL GAVIGNET 1986**

| | 2 ha | 10 000 |

74 76 (78) 79 80 82 83 84 85 |86|

Le grand-père de Michel Gavignet a débuté sa carrière de vigneron au domaine de La Romanée-Conti. C'est dire la qualité de l'héritage ! Tout est intense dans ce millésime 86 : la robe grenat, le bouquet où se mêlent fruits rouges et vanille.

Rond et équilibré, très persistant, ce vin flatteur peut être apprécié dès aujourd'hui.

M. Michel Gavignet, 22, rue Thurot, 21700 Nuits-Saint-Georges, tél. 80.61.12.78 r.-v.

PHILIPPE GAVIGNET Les Bousselots 1986

| 1er cru | 0.45 ha | 3 000 |

72 73 74 78 79 |80| |82| 83 |84| 85 86

Les Bousselots étaient-ils, comme certains l'affirment, remplis de petites bosses ? Les calcaires produisent un vin où des reflets violets transparaissent dans une robe rouge intense. Le bouquet de fruits cuits est plus léger. On attendra 2 à 3 années avant de le déguster.

M. Philippe Gavignet, 36, rue du Dr-Louis-Legrand, 21700 Nuits-Saint-Georges, tél. 80.61.09.41 r.-v.

CH. GRIS 1984

| 1er cru | 2,81 ha | 10 000 |

82 |83| |84| (85)

Créé après la Révolution française, ce vignoble porte un nom qui évoque la toiture d'ardoise de son château, très éloignée des tuiles vernissées bourguignonnes. De ce millésime 84 on découvrira sans attendre la tonalité tuilée de la robe et le bouquet évolué qui l'accompagne. La structure tout en dentelle de ce vin charmera une clientèle féminine ou tout amateur de vins délicats.

Lupé-Cholet SA, av. du Gal-de-Gaulle, 21700 Nuits-Saint-Georges, tél. 80.22.17.99 r.-v.
Ch. Gris SA.

LES CAVES DES HAUTES-COTES Les Thoreys 1985**

| | 0,60 ha | 2 500 |

Des parfums de vanille, de groseille et de framboise s'épanouissent au sein du bouquet. En bouche, des flaveurs fruitées accompagnent une charpente équilibrée. Les tanins et le moelleux se marient parfaitement dans l'ensemble. Ce vin, typé dans sa catégorie, est apte au vieillissement.

Les Caves des Hautes-Côtes, rte de Pommard, 21200 Beaune, tél. 80.24.63.12 r.-v.

LES CAVES DES HAUTES-COTES 1985

| | 3 ha | 17 000 |

On appréciera sans attendre ce millésime 85 à la robe cerise mêlée de reflets orangés. Les évocations du bouquet sont végétales et boisées. Légèreté et souplesse le destinent à accompagner un fromage frais.

Les Caves des Hautes-Côtes, rte de Pommard, 21200 Beaune, tél. 80.24.63.12 r.-v.

ULYSSE JABOULET 1985***

| | n.c. | n.c. |

Ce nuits-saint-georges est remarquablement bien construit. La tonalité cerise de la robe est parcourue de reflets rubis. Le bouquet associe fruits rouges et fleurs, rejoints par une évocation balsamique. La charpente offre une superbe contradiction entre la solidité d'un vin de garde et la délicatesse d'un vin accompli.

NUITS-SAINT-GEORGES
APPELLATION NUITS-SAINT-GEORGES CONTRÔLÉE

75 cl

☞ M. Ulysse Jaboulet, rue Colbert. 21200 Beaune, tél. 80.22.25.22 ☎ r.-v.

LABOURE-ROI 1986

n.c.   🍷5

Ce vin est prêt à être consommé : le bouquet évolué suggère des senteurs animales. La robe est dotée d'une bonne intensité, dans une tonalité rouge qui laisse paraître des reflets tuilés. A servir avec un fromage à pâte molle.

☞ M. Labouré-Roi, rue Lavoisier, B.P. 14, 21700 Nuits-Saint-Georges, tél. 80.61.12.86 ☎ r.-v.

HONORE LAVIGNE 1984*

n.c.   🍷4

Ce millésime 84 s'offre dans une robe rouge tendre, limpide et transparente. Les évocations fruitées du bouquet revêtent une bonne intensité. La charpente conjugue fort bien l'acidité, le moelleux et les tanins. A déguster dans les 2 à 3 années à venir.

☞ M. Honoré Lavigne, passage Montgolfier, 21700 Nuits-Saint-Georges, tél. 80.61.00.06 ☎ r.-v.

A. LIGERET Clos des Grandes Vignes 1985

1er Cru   n.c.   10 000   🍷7

Maison de négoce créée en 1832, voilà une société familiale qui s'approvisionne aussi hors du cercle familial. Son premier cru de Nuits, dans une robe cerise bien mûre brillante et limpide, exhale des senteurs de fruits rouges confits discrètes. Doté d'une ossature, il aura besoin de 2 à 4 années de garde pour que ses tanins se fondent harmonieusement dans l'ensemble.

☞ Mr. A. Ligeret, 10, pl. du Cratère-St-Georges, 21700 Nuits-Saint-Georges, tél. 80.61.08.92 ☎ r.-v.

DOM. MACHARD DE GRAMONT
Les Hauts Poirets 1985*

0,60 ha   3 500   🍷5

Le nom de ce climat garde le souvenir du verger qu'il fut autrefois. Le rouge cerise de la robe est brillant et limpide. Le bouquet mêle la vanille, le sous-bois, le musc et la truffe. Nanti d'une bonne puissance et d'une charpente solide, ce 85, bien persistant ; On veillera à ouvrir la bouteille une heure avant sa consommation.

☞ Dom. Machard de Gramont, Le Clos Prissey, B.P. 105, 21702 Nuits-Saint-Georges Cedex, tél. 80.61.15.25 ☎ r.-v.

DOM. MACHARD DE GRAMONT
Les Vallerots 1985*

1er cru   0,72 ha   4 300   🍷6

Ce premier cru arbore une belle robe rubis et réserve un nez fin et léger. Équilibré et rond, il affirme une agréable stature et se montre déjà persistant. Mais il faudra l'attendre avant de l'accompagner avec un lièvre en marinade.

☞ Dom. Machard de Gramont, Le Clos Prissey, B.P. 105, 21702 Nuits-Saint-Georges Cedex, tél. 80.61.15.25 ☎ r.-v.

P. DE MARCILLY 1985*

n.c.   🍷5

Ce nuits-saint-georges revêt une robe d'un beau rouge cerise tout à la fois profond et limpide. Le bouquet fin et subtil, la bouche, persistante et riche, sont à découvrir dans 2 à 3 années.

☞ Maison P. de Marcilly, passage Montgolfier, 21700 Nuits-Saint-Georges, tél. 80.61.14.26 ☎ r.-v.

TIM MARSHALL 1980**

78	79	80	82	83	84	85

1er cru   0,43 ha   1 800   🍷6

Tim Marshall est lui-même un fameux assemblage : britannique et bourguignon, il ne propose à la consommation que des millésimes accomplis. Le premier cru offre une robe cerise aux reflets tuilés, brillante et limpide. Fin et élégant, le bouquet évoque les fruits secs, les senteurs torréfiées, les épices et une touche animale. Prêt à boire tout en restant prometteur. Un vin et un vigneron original à découvrir.

☞ M. Tim Marshall, 47c, rue Henri-Challand, 21700 Nuits-Saint-Georges, tél. 80.61.11.52 ☎ r.-v.

TIM MARSHALL Les Perrières 1982

1er cru   0,25 ha   1 200   🍷5

Le nom de ce lieu-dit conserve le souvenir des carrières qu'il abritait jadis. La tonalité cerise de la robe se nuance de reflets tuilés. Le nez est intense et mêle des senteurs de torréfaction et de fruits secs. Un millésime 82 prêt à être dégusté.

☞ M. Tim Marshall, 47c, rue Henri-Challand, 21700 Nuits-Saint-Georges, tél. 80.61.11.62 ☎ r.-v.

P. MISSEREY Les Vaucrains 1985

1er cru   2 ha   3 000   🍷7

Le nez est intéressant, il associe un parfum de framboise à des senteurs mêlées de torréfaction et de pain grillé. Sa vigueur, habillée de rouge, accompagne un pigeon farci.

☞ Maison P. Misserey, 3, rue des Seuillets, B.P. 10, 21702 Nuits-Saint-Georges Cedex, tél. 80.61.07.74 ☎ r.-v.

P. MISSEREY Les Cailles 1985

1er cru   1 ha   2 500   🍷7

C'est en 1860 que fut édifiée la maison de négoce Misserey à Nuits-Saint-Georges. Cailles premier cru, dans une robe pourpre aux reflets orangés, offre des senteurs de sous-bois, la bouche est marquée par des rémanences vanillées. On découvrira ce vin sans attendre.

☞ Maison P. Misserey, 3, rue des Seuillets, B.P. 10, 21702 Nuits-Saint-Georges Cedex, tél. 80.61.07.74 ☎ r.-v.

GERARD MUGNERET
Les Chaignots 1986 * *

■　1,27 ha　4 000　⏣ ↓ 🆅 5

Remarquables, ces Chaignots. Les évocations épicées du bouquet rejoignent les senteurs de fruits cuits à l'intérieur du délicat bouquet. La charpente est solide et vigoureuse, légèrement dominée par les tanins. Ce vin équilibré accompagnera un coq au vin.

↳ M. Gérard Mugneret, 21700 Vosne-Romanée, tél. 80.61.09.95 ⵊ r.-v.

JEAN-PIERRE MUGNERET 1986 *

■　0,73 ha　5 000　⏣ 🆅 4

Le rouge de la robe, nuancé de reflets orangés, est limpide et brillant. L'élevage en fût neuf a valu au bouquet une enveloppe vanillée qui laisse poindre des arômes de fruits rouges confits ; la bouche est marquée par une légère dominante des tanins. A conserver 2 à 4 années.

↳ M. Jean-Pierre Mugneret, Concœur, 21700 Nuits-Saint-Georges, tél. 80.61.00.20

CHARLES NOELLAT Les Boudots 1985 *

■　1,50 ha　n.c.　⏣ 🆅 6

S'exprimant dans une robe pourpre et brillante, le nez puissant offre des arômes de cerise et de mûre joints à une senteur de confits. La structure solide équilibre le moelleux et les tanins. On peut le découvrir dès aujourd'hui.

↳ SCE Charles Noëllat, Vosne-Romanée, 21700 Nuits-Saint-Georges, tél. 80.61.10.82 ⵊ r.-v.

HENRI ET GILLES
REMORIQUET Rue de Chaux 1986 * *

■　1ᵉʳ cru　0,40 ha　2 000　⏣ ↓ 🆅 5

69 72 76 ⑦⑧ 80 ⑧②⑧⑤ ⑧⑥⑥

40 ares seulement pour ce remarquable Rue de Chaux : il y aura peu d'heureux pour apprécier le bouquet de ce premier cru qui exhale déjà des arômes de fruits rouges dominés par un parfum de vanille. Equilibre et harmonie permettent de le découvrir maintenant ou dans 2 à 4 ans.

↳ SCE Henri et Gilles Remoriquet, 25, rue de Charmois, 21700 Nuits-Saint-Georges, tél. 80.61.08.17 ⵊ r.-v.

HENRI ET GILLES
REMORIQUET Les Damodes 1986 *

■　1ᵉʳ cru　0,50 ha　2 000　⏣ ↓ 🆅 5

Un vin solide, bien charpenté, qui s'éveillera et saura mieux s'exprimer d'ici quelques années : jeune cerise pour sa couleur, dominé par un parfum de vanille, il demande qu'on l'attende avant de l'accompagner d'un fromage à pâte molle.

↳ SCE Henri et Gilles Remoriquet, 25, rue de Charmois, 21700 Nuits-Saint-Georges, tél. 80.61.08.17 ⵊ r.-v.

RION PERE ET FILS Les Murgers 1983

■　1ᵉʳ cru　0,80 ha　4 500　⏣ ↓ 🆅 6

Les pierres retirées lors des défrichements de jadis forment des tas que l'on appelle ici des murgers. Dans cette propriété, créée voici plus d'un siècle, on produit un premier cru à la robe rouge tuilé, limpide et transparente, et aux arômes de fruits confits et de caramel. Ce vin bien équilibré est prêt à la consommation.

↳ M. Rion Père et Fils, route nationale, Vosne-Romanée, 21700 Nuits-Saint-Georges, tél. 80.61.05.31 ⵊ r.-v.

ANTONIN RODET 1985 * *

■　n.c.　n.c.　🍾⬛ 🆅 6

La maison Antonin Rodet propose ce millésime 85 à la robe intense et vive, nuancée de reflets cerise. Le bouquet, tout en jeunesse, est délicat et secret. La structure associe les tanins fondus et la rondeur. Plein d'avenir, c'est un nuits-saint-georges qui réjouira les gourmets dans 2 à 4 années.

↳ M. Antonin Rodet, Mercurey, 71640 Givry, tél. 85.45.22.22 ⵊ lu. ma. me. je. ve. 9h-12h 14h-19h.

DOM THOMAS-MOILLARD
Clos de Thorey 1985 *

■　1ᵉʳ cru　n.c.　n.c.　⏣ 🆅 6

⑦⑥⑧⓪⑧③⑧⑤

Limpide et grenat, ce premier cru offre un puissant bouquet où s'unissent des arômes de cerise et de mûre. En bouche, l'équilibre du moelleux et des tanins se double d'une rémanence vanillée. En accompagnement d'un fromage affiné au marc.

↳ Thomas-Moillard, 2, rue François-Mignotte, 21700 Nuits-Saint-Georges, tél. 80.61.03.34 ⵊ r.-v.

DOM. THOMAS-MOILLARD 1985 *

■　n.c.　n.c.　⏣ ↓ 🆅 6

⑦⑧ 79 81 82 83 85

Le domaine Thomas-Moillard propose un nuits-saint-georges 85 plein d'avenir. On y découvrira sous une robe sombre, un bouquet subtil et secret, qui n'attend que les années pour séduire et s'exprimer. L'harmonie de la structure est faite de rondeur et de tanins fondus. A consommer dans 2 à 5 années.

↳ Thomas-Moillard, 2, rue François-Mignotte, 21700 Nuits-Saint-Georges, tél. 80.61.03.34 ⵊ r.-v.

CHARLES VIENOT
Les Corvées-Paget 1984 *

■　0,33 ha　1 500　⏣ ↓ 🆅 5

⑦⑧⓪ 82 83 84

Au Moyen Age, les habitants de Premeaux travaillaient ce climat pour les seigneurs du lieu. La robe est limpide et dotée d'une belle brillance. Le bouquet est réservé. Ce vin élégant et bien équilibré a une bonne persistance. Le charme de l'ensemble s'adresse à une clientèle plutôt féminine.

Côte de Nuits

CHARLES VIÉNOT
Les Argillières 1985**

0,21 ha	n.c.	

Charles Viénot, 5, quai Dumorey, B.P. 19,
21700 Nuits-Saint-Georges Cedex, tél. 80.62.31.05
Y r.-v.

Le nom du lieu-dit révèle la nature du terrain d'où est issu ce vin. Des senteurs de sous-bois confèrent au 85 un caractère «masculin». La bouche recueille une flaveur veloutée de bois de réglisse. Une bonne charpente tannique assure la solidité de l'ensemble.

Charles Viénot, 5, quai Dumorey, B.P. 19,
21700 Nuits-Saint-Georges Cedex, tél. 80.62.31.05
Y r.-v.

COMPAGNIE DES VINS D'AUTREFOIS
Les Rues de Chaux 1985

1er cru	n.c.	n.c.

Couleur cerise, ce premier cru limpide et brillant, produit par le domaine M. Dupasquier, est finement bouqueté, sa structure vive et légère le prédestine à une viande rôtie. [7]

Cie des Vins d'Autrefois, 9, rue Celer,
21200 Beaune, tél. 80.22.21.31

Côte de nuits-villages

Après Premeaux, le vignoble s'amenuise pour être réduit à une longueur de vignes d'environ 200 m à Corgoloin. C'est l'endroit où la côte est la plus étroite. La «montagne» diminue l'altitude, et la limite administrative de l'appellation côte-de-nuits-villages, anciennement appelée «vins fins de la Côte de Nuits», s'arrête au niveau du clos des Langres, sur Corgoloin. Entre les deux, deux communes: Prissey associée à Premeaux, et Comblanchien, réputée pour la pierre calcaire (appelée improprement marbre) que l'on tire des carrières du coteau. Toutes deux possèdent quelques terroirs aptes à porter une appellation communale. Mais les superficies de ces trois communes étant trop petites pour avoir une appellation individuelle, Brochon et Fixin y ont été associées pour constituer cette unique appellation côte-de-nuits-villages, qui, annuellement, voisine les 5 000 hl. On y trouve d'excellents vins, à des prix abordables.

Côte de nuits-villages

DOM. CHARLES ALLEXANT ET FILS 1986

81 82 83 84 86	2 ha	5 000	

Les nuances discrètes de la robe recouvrent des arômes discrets et agréables. Ce vin ferme et bien structuré saura se faire attendre durant les 3 ou 5 ans nécessaires à sa maturation.

Dom. Charles Allexant et Fils, Cissey, Merceuil, 21190 Meursault, tél. 80.21.46.86
Y r.-v.

EMILE CHANDESAIS 1986*

n.c.	8 000	

Avec une grillade, on recommandera ce vin à la robe rubis, nuancée de reflets orangés. Les senteurs sont ouvertes et intenses, les fruits rouges côtoient le bois de réglisse. En bouche, il se révèle ferme, gras et de bonne persistance.

M. Emile Chandesais, Ch. Saint-Nico as, B.P. 1, Fontaines, 71150 Chagny, tél. 85.91.41.77
Y r.-v.

BERNARD CHEVILLON 1986**

76 80 81 82 83 84 86	2,45 ha	5 000	

Typique du millésime et de l'appellation, ce côte-de-nuits issu de la commune de Corgoloin dévoile dans une robe grenat, des arômes discrets, racés, dominés par une senteur de pain grillé. Sa charpente et son ampleur lui permettront d'évoluer encore avec les années.

M. Bernard Chevillon, Voie Romaine, Corgoloin, 21700 Nuits-Saint-Georges, tél. 80.62.98.79 Y r.-v.

A. CHOPIN 1986***

5,50 ha	8 000	

Résultat d'une vinification parfaite, ce vin est doté d'une belle allure où l'apparence de la robe grenat intense se pare de reflets violets. Le bouquet est subtil, puissant, riche d'évocations de fruits rouges et confits. En bouche, de l'attaque jusqu'au final, il n'y a aucune faiblesse dans l'élégance.

GAEC A. Chopin et Fils, Comblanchien, 21700 Nuits-Saint-Georges, tél. 80.62.94.34 Y r.-v.

Côte de Nuits

Côte de nuits-villages

DANIEL CHOPIN 1986** ■□ ▽ ▣

■ 2 ha 6 000 ◧ ▽ ▣

76 ⑧ 79 **80 82 83 84 85 86**

Le millésime 84 avait été noté «chef-d'œuvre d'une année modeste». Le 86 séduit aussi, dans une belle robe légèrement évoluée couleur rubis qui recouvre des arômes de cassis au sirop et de boisé. Puissant, charnu et plein de charme.
↬ M. Daniel Chopin, Comblanchien, 21700 Nuits-Saint-Georges, tél. 80.62.94.09 ⊤ r.-v.

CLAVELIER PÈRE ET FILS 1985*** ◧ ▽ ▣

■ n.c. n.c. ◧ ▽ ▣

Situés à l'entrée sud de Comblanchien, les Établissements Clavelier feront découvrir ce superbe côte-de-nuits à la sombre robe pourpre. Le bouquet est net, concentré : fruits à noyaux côtoient pruneau sec, boisé, bois de réglisse et truffe. Gras et tannique, ce vin possède une amplitude surprenante. À grand vin, grande cuisine, obligatoirement !

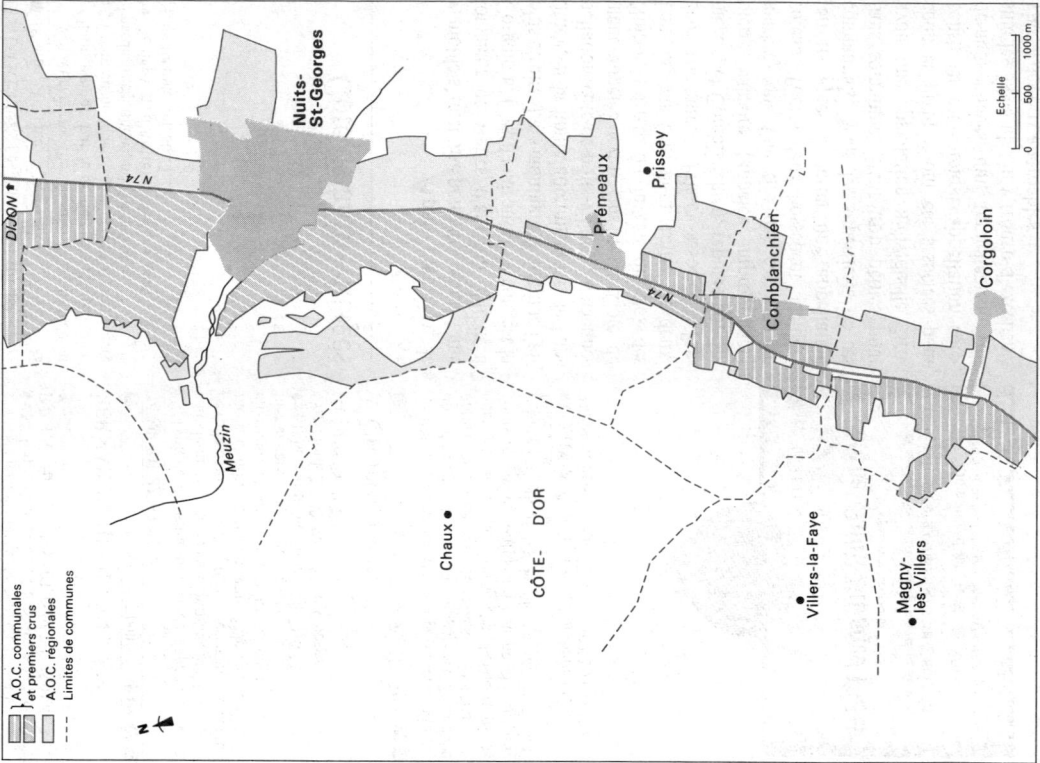

La côte de Nuits (sud)

A.O.C. communales et premiers crus

A.O.C. régionales

Limites de communes

JEAN-JACQUES CONFURON
Les Vignottes 1986 *

■ 1.40 ha   7 000

78 79 80 82 83 84 (85) 86

La robe fraîche revêt une couleur grenat pour offrir des senteurs de framboise, de peau d'orange torréfiée et de boisé. Doté d'une bonne attaque, ce vin élégant et ferme mérite d'être conservé en cave pendant 3 ou 5 années.

➤ Dom. J.-J. Confuron, RN 74, Les Vignottes, Premeaux-Prissey, 21700 Nuits-Saint-Georges, tél. 80.62.31.08 ⟨Y⟩ r.-v.
➤ MM. Andrée Confuron.

BERNARD DÉSERTAUX-FERRAND 1985 **

■ 7 ha   13 000

82 [83] 84 [85]

Le 85 de Bernard Désertaux, à une apparence délicate, limpide et transparente, où se marient les couleurs grenat et rose. Les arômes de fruits rouges dominent, mais laissent percer des senteurs de musc et de fumé. La structure des tanins fins et le bon moelleux assurent à ce vin un bel avenir.

➤ M. Bernard Désertaux-Ferrand, Grande Rue, Corgoloin, 21700 Nuits-Saint-Georges, tél. 80.62.98.40 ⟨Y⟩ t.l.j; sf dim. 9h-12h 14h-20h.

BERNARD DÉSERTAUX-FERRAND
Les Perrières 1986 **

□ 0.18 ha   1 200

Rares sont les côte-de-nuits-villages blancs. On aura l'agréable surprise de découvrir la teinte jaune pâle et les reflets verts de celui-ci. Le bouquet discret et fin, évoque la vanille et les senteurs de fougère. C'est un vin riche et harmonieux qui peut vieillir et surprendre plus d'un convive lors d'une dégustation à l'aveugle (étiquette cachée).

➤ M. Bernard Désertaux-Ferrand, Grande Rue, Corgoloin, 21700 Nuits-Saint-Georges, tél. 80.62.93.40 ⟨Y⟩ t.l.j; sf dim. 9h-12h 14h-20h.

RENE DURAND 1985

■ 7.50 ha   20 000

[76] (78) 80 82 83 84 85

Rond et souple, se dévoilant dans une robe grenat, ce vin exhale un bouquet suggérant les arômes de groseille, de framboise et de cerise. Pour accompagner une grillade.

Côte de Nuits-Villages — Appellation contrôlée — Mis en bouteille par CLAVELIER et FILS, NÉGOCIANTS-ÉLEVEURS À COMBLANCHIEN (CÔTE-D'OR) — PRODUCE OF FRANCE

➤ Ets Clavelier Père et Fils, Comblanchien, 21700 Nuits-Saint-Georges, tél. 80.62.94.11 ⟨Y⟩ t.-j.; sf dim. 8h-12h 13h30-18h.
➤ M. Maurice Chaudat.

➤ M. René Durand, Grande Rue, Comblanchien, 21700 Nuits-Saint-Georges, tél. 80.62.94.45 ⟨Y⟩ r.-v.

FORNEROL-VACHEROT 1984 **

(78) 79 80 81 82 83 84

■ 3 ha   4 000

Une grande continuité dans la qualité des Fornerol. La robe de ce 84 est transparente, nuancée de groseille. Le bouquet, intense et agréable, évoque les fruits mûrs, secs et confits. En bouche, ce beau vin se révèle moelleux et souple. Nous l'associerons à un petit gibier à plumes.

➤ M. Maurice Fornerol, Corgoloin, 21700 Nuits-Saint-Georges, tél. 80.62.98.50 ⟨Y⟩ r.-v.

FOUCERAY DE BEAUCLAIR 1985 *

■ 2 ha   n.c.

84 85

Voici un vin flatteur, facile, construit pour convaincre les amateurs hésitants. Sous sa robe rouge aux nuances orangées, les parfums sont puissants et légèrement évolués. Ils évoquent les fruits à noyaux, le bois de réglisse, le boisé et la liqueur de cassis.

➤ Dom. Fouceray de Beauclair, 44 et 89, rue de Mazy, 21160 Marsannay-la-Côte, tél. 80.52.21.12 ⟨Y⟩ r.-v.

MARCEL ET BERNARD FRIBOURG 1985 *

■ 1.57 ha   8 000

83 85

Les sympathiques vignerons de Villers-la-Faye ont élaboré un millésime 85 à la robe grenat, au bouquet délicat et subtil, suggérant les fruits rouges. Charnu et doté d'une belle persistance, il est d'un accès facile. Un vin «pédagogique, pour amateurs naissants».

➤ SCE Dom. M. et B. Fribourg, Villers-la-Faye, 21700 Nuits-Saint-Georges, tél. 80.62.91.74 ⟨Y⟩ t.l.j; sf dim. 8h-12h 14h-19h.

JEAN PIERRE GUYARD 1986

■ 2 ha   n.c.

Nuancée d'une couleur groseille, la robe est légère et brillante. Ce vin aux arômes de petits fruits et de confiture, équilibré et souple, peut être consommé dès maintenant ou attendu 2 ou 3 ans.

➤ M. Jean-Pierre Guyard, 4, rue du Vieux-Collège, 21160 Marsannay-la-Côte, tél. 80.52.12.43 ⟨Y⟩ r.-v.

JEAN JOURDAN-GUILLEMIER 1985

■ 2.70 ha   6 000

(79) [81] 82 83 84 85

La bonne intensité de la robe associe les couleurs orangées à la pourpre. Les senteurs élégantes évoquent la cerise, le caramel, le boisé et les épices. Sa structure lui assure un avenir certain. Rappelons que nous avions beaucoup apprécié le remarquable 83.

➤ M. Jean Jourdan, Corgoloin, 21700 Nuits-Saint-Georges, tél. 80.62.98.55 ⟨Y⟩ r.-v.

La Côte de Beaune

Ladoix

Trois hameaux, Serrigny, près de la ligne de chemin de fer, Ladoix, sur la RN 74, et Buisson, au bout de la Côte de Nuits, composent la commune de Ladoix-Serrigny. L'appellation communale est ladoix. Le hameau de Buisson est situé exactement à l'intersection géographique des Côtes de Nuits et de Beaune. L'intersection administrative s'est arrêtée à la commune de Corgoloin, mais la colline, elle, continue un peu plus loin; les vignes et les vins aussi. Au-delà de la combe de Magny qui concrétise la séparation, commence la montagne de Corton, aux grandes pentes à intercalations marneuses, constituant avec toutes ses expositions est, sud et ouest, l'une des plus belles unités viticoles de la Côte.

Ces différentes situations confèrent à l'appellation ladoix une variété de types auxquels s'ajoute une production de vins blancs mieux adaptés aux sols marneux de l'argovien; c'est le cas des gréchon, par exemple, situés sur les mêmes niveaux géologiques que les corton-charlemagne, plus au sud, mais jouissant d'une exposition moins favorable. Les vins de ce lieu-dit sont très typés. Dépassant rarement 2 000 hl en rouge et 200 hl en blanc, l'appellation ladoix est peu connue; c'est dommage!

Autre particularité: bien que jouissant d'une classification favorable donnée par le Comité de viticulture de Beaune en 1860, Ladoix ne possédait pas de premiers crus; omission qui vient d'être régularisée par l'INAO: la Corvée et le Clou d'Orge, aux caractères de vins de la Côte de Nuits, les Mourottes (basses et hautes), aux allures sauvages, le Bois-Roussot, sur la «lave», sont les principaux de ces premiers crus.

408

CLOS DES LANGRES 1986

3.50 ha   n.c.   🍷 ↓ 🔲

66 |71| 72 |73| 76| 77 |78| 79 |80| 81 |82| |83| 83| 84 |85|
86

Propriété des évêques avant la Révolution, le Clos des Langres est à la charnière de la Côte de Beaune et de la Côte de Nuits. Son 86 se manifeste dans une robe rouge rubis où affleurent des reflets orangés. Le bouquet laisse discerner des arômes discrets dominés par la framboise. Un vin équilibré qu'il faudra savoir attendre 3 ou 4 ans.

☛ Caves de la Reine Pédauque, B.P. 10,
Aloxe-Corton, 21420 Savigny-lès-Beaune,
tél. 80.26.40.00 🍷 r.-v.

☛ M. Gabriel Liogier d'Ardhuy.

JEAN-MARC MILLOT 1986

0.66 ha   n.c.   🍷🍷 |V| 🔲

84 |86|

Intensité, brillant, limpidité d'une robe rouge soutenu pour un vin qui évoque la groseille. Structuré, équilibré, il vieillira bien.

☛ M. Jean-Marc Millot, Comblanchien,
21700 Nuits-Saint-Georges, tél. 80.62.92.43 🍷 r.-v.

P. MISSEREY 1985*

3 ha   8 000   🍷 |V| 🔲

Les amateurs de vins jeunes l'apprécieront pour sa robe nuancée de reflets cuivrés, et ses senteurs d'écorce d'orange, de caramel et de vanille. Il est équilibré, ses tanins sont souples et fondus. Sa longueur et sa persistance le destinent à accompagner un fromage à pâte molle.

☛ Maison P. Misserey,
3, rue des Seuillets, B.P. 10, 21702 Nuits-Saint-Georges Cedex, tél. 80.61.07.74 🍷 r.-v.

MOMMESSIN 1985***

n.c.   n.c.   🍷 ↓ |V| 🔲

La couleur rubis de sa robe laisse transparaître des nuances orangées. Le bouquet évoque des senteurs sauvages de fourrure, de boisé, où le poivré affleure. C'est un vin de grande élégance à la structure complète qu'on associera à deux maîtres mots, plaisir... avenir.

☛ Mommessin, La Grange Saint-Pierre, B.P. 504
Charnay-lès-Mâcon, 71850 Mâcon,
tél. 85.34.47.74 🍷 r.-v.

HENRI NAUDIN-FERRAND 1986**

1.46 ha   9 000   🍷 ↓ |V| 🔲

Avant 1973, la famille Naudin-Ferrand cultivait aussi les céréales, les framboises, cassis et groseilles. Depuis, il reste 8 hectares de céréales et 15 hectares de vigne dont 1,46 en côte-de-nuits-villages. La robe est teintée de grenat. Les arômes puissants, agréables et ouverts, suggèrent les fruits mûrs. Possédant beaucoup de substance, ce vin tout à la fois charpenté et gras accompagnera une viande rouge ou rôtie.

☛ M. Henri Naudin-Ferrand, rue d'Echevronne,
Magny-lès-Villers, 21700 Nuits-Saint-Georges,
tél. 80.62.91.50 🍷 r.-v.

PIERRE ANDRE Clos des Chagnots 1986*

'78 79 80 81 82 83 84 85 86

2.50 ha	10 000	⊞ ♦15

Ce vin possède la charpente du chêne qu'évoque le nom de son climat. Une robe rouge franc dissimule un bouquet ouvert composé de nuances boisées, de vanille et de petits fruits. Sa structure lui permettra avec le temps de gagner en ampleur.

→ M. Pierre André, Ch. de Corton-André, Aloxe-Corton, 21420 Savigny-les-Beaune, tél. 80.26.44.25 ℡ t.l.j. 10h-18h.

PIERRE ANDRE 1986**

84 85 86

0.73 ha	3 500	⊞ ♦15

Ce ladoix blanc se présente dans une teinte or soutenue par des reflets verts. Brillant et limpide, c'est un vin qui «mérite le coup d'œil». Le bouquet exhale des arômes mêlés de fleurs printanières et de musc. Ample et fin, il accompagnera un brochet.

→ M. Pierre André, Ch. de Corton-André, Aloxe-Corton, 21420 Savigny-les-Beaune, tél. 80.26.44.25 ℡ t.l.j. 10h-18h.

CAPITAIN-GAGNEROT La Micaude 1985

1er cru	1.36 ha	5 800	⊞ ♦♣V4 r.-v.

Une nuance cerise se mêle à la couleur rouge intense de la robe alors que les arômes de fruits rouges sont prodigués généreusement. Ce vin flatteur possède une bonne attaque. Il peut être servi avec une volaille ou un petit gibier.

→ M. Capitain-Gagnerot, rte de Dijon, 21550 Ladoix-Serrigny, tél. 80.26.41.36 ℡ r.-v.
→ Dom. François Capitain et Fils.

CAPITAIN-GAGNEROT Les Gréchons 1986**

80 82 83 85 86

1er cru	0.51 ha	21 000	⊞ ♣V4

Le millésime 86 apporte beaucoup de fraîcheur et d'équilibre à ce vin limpide et brillant. Les arômes sont frais, discrets et fins. On le conseillera avec une entrée froide.

→ M. Capitain-Gagnerot, rte de Dijon, 21550 Ladoix-Serrigny, tél. 80.26.41.36 ℡ r.-v.
→ Dom. François Capitain et Fils.

CHEVALIER PERE ET FILS 1986

0.62 ha	n.c.

Légèrement dorée, la teinte de ce vin est limpide et brillante. Si le bouquet fait découvrir des senteurs évoluées, en bouche la structure est ronde et souple. Accompagnera une truite aux amandes.

→ GAEC Chevalier Père et Fils, Buisson, Cidex 18, 21550 Ladoix-Serrigny, tél. 80.26.43.65 ℡ r.-v.

CAVES DE LA REINE PEDAUQUE 1984

n.c.	30 000	⊞ ♦4

Il est bien temps de le boire, ce 84. Vous pouvez, si cela vous chante, allier la structure équilibrée de ce vin à une terrine de lièvre.

→ Caves de la Reine Pédauque, B.P. 10, Aloxe-Corton, 21420 Savigny-les-Beaune, tél. 80.26.40.00 ℡ r.-v.
→ M. Gabriel Liogier d'Ardhuy.

DOM. MICHEL MALLARD 1985**

71 73 (76) 78 79 80 81 82 83 84

3.08 ha	12 000	⊞ ♦4

La robe est d'un rouge légèrement ocré. Le bouquet est masculin, fait de pain grillé, de boisé et de musc. Équilibré, tannique et rond, c'est un vin de garde qui demandera cinq ou six années de vieillissement avant de pouvoir exprimer toute sa richesse.

→ GAEC Michel Mallard et Fils, rue de Corton, 21550 Ladoix-Serrigny, tél. 80.26.40.64 ℡ r.-v.

DOM. MICHEL MALLARD 1985

82 83 85

1er Cru	1.50 ha	4 000	⊞ ♣V4

Il émane de ce vin un bouquet complexe de torréfaction. Souple et flatteur, il accompagnera un rôti ou une viande rouge.

→ GAEC Michel Mallard et Fils, rue de Corton, 21550 Ladoix-Serrigny, tél. 80.26.40.64 ℡ r.-v.

MESTRE PERE ET FILS 1984*

80 81 83 84

1er Cru	1.50 ha	4 000	⊞ ♣V3

La couleur bronzée de la robe est conforme à ce que l'on attend d'un millésime 84. Ce vin possède une bonne intensité aromatique.

→ MM. Mestre Père et Fils, pl. du Jet-d'Eau, 21590 Santenay, tél. 80.20.60.11 ℡ r.-v.

HENRI NAUDIN-FERRAND La Corvée 1986*

1er Cru	0.35 ha	1 800	⊞ ♦♣V4

Les arômes de petits fruits sont jeunes et puissants. La fraîcheur de la robe rouge vif contient une structure robuste, construite pour durer. Il faut conserver ce vin pour un plaisir qui ne peut que s'accroître avec les années.

→ M. Henri Naudin-Ferrand, rue d'Echevronne, Magny-les-Villers, 21700 Nuits-Saint-Georges, tél. 80.62.91.50 ℡ r.-v.

GASTON ET PIERRE RAVAUT 1985

76 78 82 83 85

1er cru	1.60 ha	6 000	⊞ ♦♣V4 r.-v.

Un parfum de griotte domine les senteurs évoluées de ce vin. La robe se dévoile sous une couleur rouge groseille. Bien équilibré, on l'associera à une viande blanche.

→ GAEC Gaston et Pierre Ravaut, Buisson, 21550 Ladoix-Serrigny, tél. 80.26.41.94 ℡ r.-v.

Côte-de-beaune

Aloxe-corton

Aloxe-corton

Si l'on tient compte de la superficie classée en corton et corton-charlemagne, l'appellation aloxe-corton en occupe une faible part, sur la plus petite commune de la Côte de Beaune. Produisant environ 4 000 hl, elle déborde sur les communes de Ladoix et Pernand. Les premiers crus y sont réputés : les Maréchaudes, les Valozières, les Lolières (grandes et petites) sont les plus connus.

La commune est le siège d'un négoce actif, et plusieurs châteaux aux magnifiques tuiles vernissées méritent le coup d'œil. La famille Latour y possède un magnifique domaine où il faut

visiter la cuverie du siècle dernier, qui reste encore un modèle du genre pour les vinifications bourguignonnes.

PIERRE ANDRE 1986 **

■ 1er cru   1.20 ha   5 000   □ ↓ ⬡
78| 79 **80 82** ⑧ |84| **85 86**

Voici un bouquet plein de finesse, composé de senteurs de fruits secs et d'humus. Des reflets cerise animent une robe rubis, brillante et limpide. Harmonieux, équilibré et étoffé, ce vin devrait atteindre son summum dans 3 à 5 ans. ☛ M. Pierre André, Ch. de Corton-André, Aloxe-Corton, 21420 Savigny-lès-Beaune, tél. 80.26.44.25 ☗ t.l.j. 10h-18h.

DOM. CACHAT-OCQUIDANT ET FILS 1986

■   0.33 ha   1 800   □ ↓ ▣ ④
78|79| ⑧⓪ **81 82** 84 **85** 86

Bois de réglisse et pain grillé émergent de ce

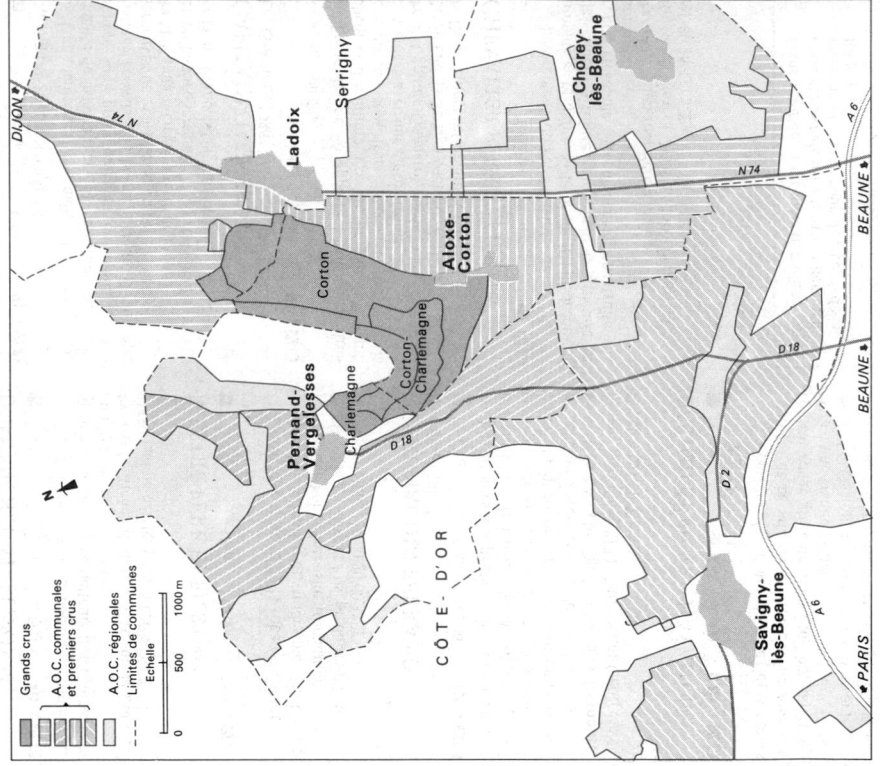

La côte de Beaune (nord)

410

vin pourpre à la charpente so ide, quelque peu dominé par les tanins. Il gagnera à vieillir.
→ Dom. Cachat-Ocquidant et Fils, 21550 Ladoix-Serrigny, tél. 80.26.41.27 ☎ t.l.j. sf dim. 9h-12h 14h-18h.

une robe cerise traversée de reflets orangés. Prune e, bois de réglisse dominent le bouquet de ce vin équilibré et harmonieux.
→ M. Dominique Dubois-d'Orgeval, Chorey-lès-Beaune, 21200 Beaune, tél. 80.24.70.89 ☎ r.-v.

CAPITAIN-GAGNEROT
Les Moutottes 1985*
1er cru
71 72 74 76 78 79 80 81 82 83 85   0,66 ha   5 400   ⊞ V 5

Des arômes boisés, francs et subtils, une riche structure tannique tempérée par un parfait équilibre, voici un 85 souple et élégant à la robe vive et brillante. Un premier cru remarquable destiné à progresser durant de nombreuses années.
→ M. Capitain-Gagnerot, rte de Dijon, 21550 Ladoix-Serrigny, tél. 80.26.41.36 ☎ r.-v.
→ Dom. François Capitain et Fils.

CHANDESAIS 1984***
80 81 82 83 84   n.c.   4 000   ⊞ V 5

On peut avoir un coup de cœur pour un 84, même quatre ans après la vendange ! Les arômes très puissants et de ce superbe aloxe-corton évoquent des senteurs animales unies à des nuances lactiques. Le parfait équilibre de la structure tannique et du moelleux, la persistance de cette cuvée en font un vin de garde.
→ M. Emile Chandesais, Ch. Saint-Nicolas, B.P. 1, Fontaines, 71150 Chagny, tél. 85.91.41.77 ☎ r.-v.

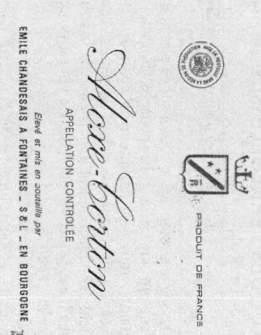

Alexe-Corton
APPELLATION CONTROLEE
Elevé et mis en bouteille par
EMILE CHANDESAIS À FONTAINES - S.E.L. - EN BOURGOGNE
PRODUIT DE FRANCE

CHANSON PERE ET FILS 1984**
80 81 84   n.c.   n.c.   ⊞ V 5

Subtil et fin, ce millésime 84 a vu sa charpente s'assouplir grâce aux années de garde. La bouche est riche et persistante. La robe brillante et limpide laisse apparaître des reflets tuilés dans une belle couleur cerise. A découvrir avec des noisettes d'agneau.
→ MM. Chanson Père et Fils, 10, rue Paul-Chanson, 21201 Beaune Cedex, tél. 80.22.33.00 ☎ r.-v.

DOMINIQUE DUBOIS D'ORGEVAL 1986*
80 81 84   n.c.   0,50 ha   ⊞ V 5

L'aloxe-corton doit avoir du corps. Celui-ci n'en est point dépourvu, brillant et limpide dans

DOM. GOUD DE BEAUPUIS
Valozières 1986
1er cru
n.c.   n.c.   ⊞ V 5

En langage populaire, «Valozières» signifiait petit va humide où l'on entreposait des oseraies. Ce climat produit un vin à la robe pourpre nuancée de reflets cerises. Le bouquet assez évolue livre des arômes de fruits confits, de cuir et de raisins secs. A consommer dans 2 à 5 années.
→ Dom. Goud de Beaupuis, Ch. des Moutots, Chorey-lès-Beaune, 21200 Beaune, tél. 80.22.20.63 ☎ t.l.j. 9h-19h.

DOM. ANTONIN GUYON
Les Fournières 1985*
1er cru
69 71 76 78 79 80 81 82 83 85   2,50 ha   12 000   ⊞ V 6

A cet endroit jadis les habitants traitaient dans des fourneaux les nodules de fer qu'ils découvraient dans les champs. Plus tard, on a trouvé meilleur compte de faire un vin de premier cru. Les Fournières 85, dans une robe d'un rouge intense, offrent des arômes boisés d'une grande finesse. La bouche en juste équilibre des tanins et du moelleux, le cru se révèle souple et élégant.
→ Dom. Antonin Guyon, 21420 Savigny-lès-Beaune tél. 80.67.13.24 ☎ r.-v.

MICHEL JUILLOT
Les Caillettes 1985*
84 85   0,50 ha   3 800   ⊞ V 6

«Les Caillettes» était déjà connu comme terrain de chasse avant d'être planté en vigne. Le beau rouge grenat de ce 85 s'illumine de reflets violacés tandis que ses arômes de vanille, de pain grillé et de fumé rejoignent une senteur animale. La bouche apporte des saveurs et bois de réglisse et de torréfaction. Or laissera ce vin mûrir quelques années avant de le servir avec... des cailles, bien sûr.
→ M. Michel Juillot, Grande Rue, B.P. 10, Mercurey, 71640 Givry, tél. 85.45.27.27 ☎ r.-v.

DOM. MACHARD DE GRAMONT
Les Merais 1985*
73 82 83 84 85   0,73 ha   3 800   ⊞ V 4

Synthèse de toutes les qualités qui composent un grand bourgogne, le 85 se présente sous une robe pourpre nuancée de reflets tuilés. Le bouquet est intense et complexe : un parfum de vanille recouvrant les évocations de cuir et de fruits rouges. Associant la puissance à l'élégance, la structure de cet aloxe-corton lui permettra de bien vieillir et de s'épanouir encore.

PIERRE PONNELLE 1985★★★

■ 116,43 ha   n.c.   ⬛ ↓ 🄵

78 (82) (83) 85

Voici un vin fort bien réussi. La robe oscille entre un pourpre et un violet brillant et limpide. Subtil et discret, le bouquet suggère les senteurs de sous-bois et de cuir. L'élégance et l'harmonie de l'ensemble permettent d'apprécier cette bouteille dès maintenant ou d'attendre quelques années encore.

➥ M. Pierre Ponnelle, 5, rue du Moulin, 21700 Nuits-Saint-Georges, tél. 80.61.22.41 🍷 r.-v.

RAPET PERE ET FILS 1986★

■ 1,50 ha   3 000   ⬛ 🄵

Des reflets tuilés apparaissent à travers la robe pourpre. Fruits rouges confits, senteurs de cuir, charpente et tanins encore puissants : on devra attendre 4 à 6 ans pour tout ce que promet la bouteille.

➥ Dom. Rapet Père et Fils, Pernand-Vergelesses, 21420 Savigny-lès-Beaune, tél. 80.21.50.05 🍷 r.-v.

GASTON ET PIERRE RAVAUT 1984★

■ 2,50 ha   10 000   ⬛⬛ ↓ 🄵

76 77 (78) 79 (80) 81 (82) 83 84 85

Bien structuré, ce 84 souple et équilibré apparaît dans une robe cerise tendre. Le bouquet est franc et agréable. On peut sans attendre découvrir et apprécier cette bouteille avec une viande blanche en sauce.

➥ GAEC Gaston et Pierre Ravaut, Buisson, 21550 Ladoix-Serrigny, tél. 80.26.41.94 🍷 r.-v.

DOM. DES TERREGELESSES
Clos de La Boulotte 1985★★★

■ 1,25 ha   5 000   ⬛ 🄵

(84) 85

La vigne a remplacé le boulot sur ce climat qui donne un vin à la robe pourpre, limpide et brillante, qui s'est parfaitement épanoui cette année. Cassis, framboise et bois de réglisse composent le bouquet délicat. L'harmonie de la structure allie élégance et souplesse. Ce vin est promis à un bel avenir.

➥ Dom. des Terregelesses, 25, rue Pierre-Joigneaux, 21200 Beaune, tél. 80.22.62.27 🍷 r.-v.

MAISON THOMAS-BASSOT 1985★

■   n.c.   ⬛ ↓ 🄵

(78) 79 (81) 82 83 (84) (85)

Les senteurs du bouquet mêlent les arômes de cacao et sous-bois en bouche, le bon équilibre entre l'acidité et la souplesse laisse percevoir des saveurs rappelant le bois de réglisse. On ne tardera pas à apprécier ce vin.

➥ Maison Thomas-Bassot, 5, quai Dumorey, 21700 Nuits-Saint-Georges, tél. 80.62.31.21 🍷 r.-v.

MICHEL VOARICK 1985★★

■ 2,50 ha   12 000   ⬛ 🄵

(78) 79 (81) 82 83 (84) (85)

Somptueusement pourpre, ce vin équilibré mêle les senteurs de café torréfié aux arômes de coing et de framboise. L'harmonie entre les tanins et le moelleux permet de le découvrir dès maintenant si l'on est impatient, mais une garde de 2 à 5 années ne peut lui être que profitable.

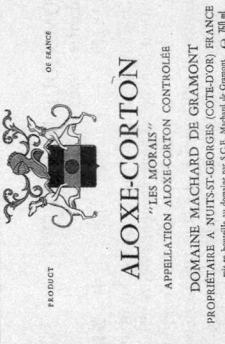

PRODUCT   OF FRANCE

ALOXE-CORTON
"LES MORAIS"
APPELLATION ALOXE-CORTON CONTROLEE

DOMAINE MACHARD DE GRAMONT
PROPRIÉTAIRE A NUITS-ST-GEORGES (CÔTE-D'OR) FRANCE
mis en bouteille au domaine par S.C.E. Machard de Gramont

➥ Dom. Machard de Gramont, Le Clos Prissey, B.P. 105, 21702 Nuits-Saint-Georges Cedex, tél. 80.61.15.25 🍷 r.-v.

ANDRE MASSON
Clos du Chapitre 1985★★★

■ 1er cru   1,80 ha   n.c.   ⬛ ↓ 🄵

71 (72) 73 74 76 (78) (79) 80 82 83 (84) 85

Développant des arômes de vin jeune et plus particulièrement ceux de petits fruits rouges, le bouquet est puissant et ample. La bouche de ce premier cru, dotée d'une grande persistance, affirme sa structure équilibrée, associant moelleux et souplesse. On peut sans crainte lui prédire un bel avenir.

➥ M. André Masson, Aloxe-Corton, 21420 Savigny-lès-Beaune, tél. 80.26.40.77 🍷 r.-v.

DOM. ANDRE NUDANT ET FILS
Les Coutières-La Toppe au Vert 1985★

■ 1er cru   0,95 ha   4 300   ⬛ 🄵

78 (79) 80 (81) (82) (83) 85

« La Toppe » désignait jadis une partie de terre défrichée puis livrée en pâture au bétail. Elle livre aujourd'hui un vin aux nuances animales, une certaine mâche lui donne un caractère viril. Une garde de 2 à 5 années lui sera nécessaire pour s'assouplir.

➥ Dom. André Nudant et Fils, Cidex 24 n° 4, 21550 Ladoix-Serrigny, tél. 80.26.40.82 🍷 r.-v.

DOM. ANDRE NUDANT ET FILS
Les Valozières 1985

■ 0,87 ha   4 000   ⬛ 🄵

78 (79) 80 (81) (82) (83) 85

On pourrait qualifier ce vin de « masculin » tant il développe des senteurs de cuir et de sous-bois. On le servira en carafe entre 16 et 18°.

➥ Dom. André Nudant et Fils, Cidex 24 n° 4, 21550 Ladoix-Serrigny, tél. 80.26.40.82 🍷 r.-v.

DOM. PODECHARD 1983★

■ 0,65 ha   3 000   ⬛ 🄵

Ce millésime se présente dans une robe tuilée. Les arômes évoquent le cassis confit et les senteurs animales. Chaleureux et souple, il est doté d'une bouche agréable d'où émergent des flaveurs de framboise. On l'offrira avec une volaille en sauce.

➥ SCE du Dom. René Podechard, Chorey-lès-Beaune, 21200 Beaune, tél. 80.22.21.76 🍷 r.-v.

↱ M. Michel Voarick, Aloxe-Corton, 21420 Savigny-les-Beaune, tél. 80.26.40.44 ▼ r.-v.

Pernand-vergelesses

Situé à la réunion de deux vallées, exposé plein sud, le village de Pernand est sans doute le plus «vigneron» de la Côte. Rues étroites, caves profondes, vignes de coteaux, hommes de grand cœur et vins subtils lui ont fait une solide réputation, à laquelle de vieilles familles bourguignonnes ont largement contribué. On y produit environ 2 500 hl de vins rouges, dont le premier cru la plus réputé, à juste titre, est l'île de vergelesses, tout en finesse. On y fait aussi d'excellents vins blancs (environ 400 hl).

DOM. CHANDON DE BRIAILLES
Ile des Vergelesses 1985*

1er cru	3,50 ha	12 000

L'aire des Iles de Vergelesses débute près d'une croix implantée sur la route Pernand-Beaune, et constitue le meilleur cru rouge de Pernand. Ce premier cru possède une robe rubis marquée maintenant de reflets orangés. Ses senteurs de cuir se mêlent à des odeurs de fruits confits. L'intensité aromatique se poursuit en bouche. Bien construit, il accompagnera une volaille rôtie.

↱ Dom. Chandon de Briailles, rue Sœur-Goby, 21420 Savigny-les-Beaune, tél. 80.21.52.31 ▼ r.-v.

CHANSON PÈRE ET FILS
Les Vergelesses 1984***

1er cru	n.c.	21 000

Une parure de rubis nuancé d'orange accueille le regard. Tout à la fois intenses et subtils, les arômes suggèrent le cassis et le sous-bois. L'assouplissement des tanins donne de la rondeur et façonne le final. Avec le temps, ce vin progressera encore dans le velours.

↱ MM. Chanson Père et Fils, 10, rue Paul-Chanson, 21201 Beaune Cedex, tél. 80.22.33.00 ▼ r.-v.

CHANSON PÈRE ET FILS 1986**

	n.c.	80 84 85 86

La teinte a «une belle allure», couleur or, avec des reflets verts. La limpidité est excellente. Ce vin possède beaucoup de substance. Des arômes floraux mêlés au miel et à l'abeille font de lui un «matin de printemps». Riche, rond, gras et persistant, il sera en harmonie avec une terrine de lapin aux noisettes.

↱ MM. Chanson Père et Fils, 10, rue Paul-Chanson, 21201 Beaune Cedex, tél. 80.22.33.00 ▼ r.-v.

EDOUARD DELAUNAY ET SES FILS Les Vergelesses 1985**

1er cr.	n.c.	15 000

Le pourpre de la robe est brillant et transparent. Les arômes du bouquet sont puissants, évocant des senteurs animales, nuancés d'une touche de tabac blond. La structure est ronde et bien équilibrée, les tanins sont fondus, l'ensemble est agréable. En accompagnement de rognons de veau à la moutarde.

↱ SA B... et J.-M. Delaunay, L'Étang Vergy, 21220 Gevrey-Chambertin, tél. 80.61.40.15 ▼ r.-v.

RAOUL DENIS PÈRE ET FILS 1985**

	2,50 ha	15 000	82 83 84 85

Tout à la fois brillant et limpide, ce vin se dévoile sous une robe pourpre nuancée de griotte. Arômes complexes dominés par le cassis, avec de légères évocations de fruits rouges et de pistache verte. Une petite pointe «sauvage» en bouche est atténuée par un parfait équilibre. Vin prometteur.

↱ GAEC Denis Père et Fils, Pernand-Vergelesses, 21420 Savigny-les-Beaune, tél. 80.2... 50.9... ▼ r.-v.

ROBERT DROUHIN 1986**

	n.c.	n.c.	84 85

Voici un vin intense par sa couleur pourpre nuancée de cerise, intense par son parfum de vanille, intense par sa rondeur et son équilibre. Bien structuré, il est à savourer avec une viande blanche.

↱ Les Caves des Hautes-Côtes, rte de Pommard, 21200 Beaune, tél. 80.24.63.12 ▼ r.-v.

LES CAVES DES HAUTES-CÔTES 1985*

	1,30 ha	9 500

Résultat d'une vinification exemplaire, sa robe rubis intense avec des reflets pourpres. La vanille et le pain brûlé dominent dans une grande intensité aromatique. Charpenté pour durer, frais sans rudesse, ce vin rond et gras possède une bonne persistance. A découvrir avec un gigot d'agneau.

↱ Joseph Drouhin, 7, rue d'Enfer, 21200 Beaune, tél. 80.24.68.88 ▼ r.-v.

LOUIS JADOT 1986*

	n.c.	16 000	82 83 84 85 86

Une excellente limpidité se révèle sous une teinte jaune claire aux reflets verts bleutés. L'aubépine comme légèrement d'autres évocations florales. Frais, jeune et vif, doté d'un bon équilibre, il est apte à vieillir.

↱ Maison Louis Jadot, 5, rue Samuel-Legay, B.P. 121, 21200 Beaune, tél. 80.22.10.57 ▼ r.-v.

ROGER JAFFELIN 1986*

1er Cru   2,10 ha   6 000

74 76 78 79 80 81 **82** 83 **84** 85 **86**

Vive mais sans excès, la robe est représentative du millésime. Le bouquet intense est dominé par la groseille et les fruits rouges. Très jeune, nerveux, il est agréable par sa finesse et son équilibre.

➥ SCE Roger Jaffelin et Fils, Pernand-Vergelesses, 21420 Savigny-lès-Beaune, tél. 80.21.52.43 ☎ r.-v.

PIERRE PONNELLE 1985

n.c.   n.c.

82 **83** 85]

La robe pourpre présente quelques reflets orangés. Les arômes animaux et fauves évoquèrent «la peau de sanglier» à un dégustateur chasseur. Vin équilibré, masculin, agréable et persistant.

➥ M. Pierre Ponnelle, 5, rue du Moulin, 21700 Nuits-Saint-Georges, tél. 80.61.22.41 ☎ r.-v.

ROLLIN PERE ET FILS 1986

4 ha   20 000

73 (78) 80 81 **82** 83 84 86

Avantagé par une belle robe rubis nuancée de quelques «touches» orangées, ce vin a un nez puissant, intense, de pain brûlé. Doté d'une bonne structure tannique, il est «sculpté pour le futur».

➥ MM. Rollin Père et Fils, Pernand-Vergelesses, 21420 Savigny-lès-Beaune, tél. 80.21.50.35 ☎ r.-v.

Corton

«La montagne de Corton» est constituée, du point de vue géologique et donc du point de vue des sols et des types de vins, de différents niveaux. Couronnées par le bois qui pousse sur les calcaires durs du rauracien (oxfordien supérieur), les marnes argoviennes laissent apparaître des terres blanches propices aux vins blancs (sur plusieurs dizaines de mètres). Elles recouvrent la «dalle nacrée», calcaire en plaquettes avec de nombreuses coquilles d'huîtres de grande dimension, sur laquelle ont évolué des sols bruns propices à la production de vins rouges.

Le nom du lieu-dit est associé à l'appellation corton, qui peut être utilisée en blanc mais est surtout connue en rouge. Les Bressandes sont produits sur des terres à rouges, et allient à la puissance la finesse que leur confère le sol. En revanche, dans la partie haute des Renardes, des Languettes et du Clos du Roy, les terres blanches donnent en rouges des vins charpentés qui, en vieillissant, prennent des notes animales, sauvages. On retrouve cela dans les Mourottes de Ladoix. Le corton est le grand cru le plus important en volume : environ 2 500 hl.

PIERRE ANDRE Les Pougets 1986**

Gd cru   2 ha   6 500

85 86

Typique d'un vin de garde, le millésime 86 se découvre dans une robe pourpre légèrement nuancée de reflets violets. Le nez se tient en retrait et suggère la cerise, l'épice, unis à une touche boisée. La bouche, riche et étoffée, possède une bonne attaque et une longue persistance.

➥ M. Pierre André, Ch. de Corton-André, Aloxe-Corton, 21420 Savigny-lès-Beaune, tél. 80.26.44.25 ☎ t.l.j. 10h-18h.

BONNEAU-DU-MARTRAY 1982*

2,50 ha   10 000

80 82

Ce 82 est au faîte de sa carrière. Le bouquet, fin et subtil, est dominé par des senteurs animales rappelant la fourrure, le musc et la venaison. La structure associe l'équilibre à une chaleureuse élégance.

➥ Dom. Bonneau-du-Martray, Pernand-Vergelesses, 21420 Savigny-lès-Beaune, tél. 80.21.50.64 ☎ r.-v.
➥ M. Le Bault de La Morinière.

DOM. CACHAT-OCQUIDANT ET FILS Clos de Vergennes 1984*

Gd cru   1,42 ha   7 000

78 [79] (80) 81 82 83 84 85

Ce Clos appartenait à l'ambassadeur de Louis XVI, auprès des indépendantistes américains de 1780. 84 est riche d'évocations de sous-bois, de fruits rouges confits et de senteurs de réglisse. Il est doté d'une structure étoffée, grasse et persistante.

➥ Dom. Cachat-Ocquidant et Fils, 21550 Ladoix-Serrigny, tél. 80.26.41.27 ☎ t.l.j. sf dim. 9h-12h 14h-18h.

CAPITAIN-GAGNEROT Les Renardes 1985***

Gd cru   0,33 ha   1 800

[78] [79] 80 [81] **82** 83 (85)

Voici un corton issu d'une vigne âgée d'une quarantaine d'années. Limpide et brillant dans une robe sombre, ces Renardes ont le nez fin et l'intensité d'une jeunesse qui ne demande qu'à s'épanouir : la structure est riche et fruitée, le bel équilibre unit les tanins fondus et le moelleux. Cette belle bouteille est à oublier durant 2 à 3 années dans la cave.

➥ M. Capitain-Gagnerot, rte de Dijon, 21550 Ladoix-Serrigny, tél. 80.26.41.36 ☎ r.-v.
➥ Dom. François Capitain et Fils.

EMILE CHANDESAIS
Clos des Meix 1985*

80 81 82 83|84|85 — n.c. — 1 800

Le bouquet, riche et puissant, évoque les arômes de fruits rouges, de pruneaux et d'amandes grillées associés à une senteur boisée. Franc, souple et charnu, ce beau vin à la robe sombre peut être consommé dès maintenant.

♠ M. Emile Chandesais, Ch. Saint-Nicolas, B.P. 1, Fontaines, 71150 Chagny, tél. 85.91.41.77 Y r.-v.

CHEVALIER PÈRE ET FILS
Le Rognet 1986*

76|77|(78)|79|80|81|82| 83 84 85 86 — 0.85 ha — n.c. — 1 800

Jadis, à la suite d'héritages, ce climat fut séparé du corton. Il donne un 86 à la robe intense et profonde. Le nez associe des fruits rouges à des senteurs de pivoine et d'épices. La structure est chaleureuse, dominée par les tanins. Laissez-le 4 à 6 années en cave.

♠ GAEC Chevalier Père et Fils, Buisson, Cidex 18, 21550 Ladoix-Serrigny, tél. 80.26.43.65 Y r.-v.

DOM. CORNU 1986**

85 86 — 0.61 ha — 1 900

Le pourpre de la robe est intense et limpide. Riches et élégants, les sous-bois et l'humus s'allient aux évocations de fourrure et de vanille. La bouche est dotée d'une borne attaque et la structure bien étoffée. On l'attendra 2 à 3 années.

♠ Dom. Cornu, Magny-les-Villers, 21700 Nuits-Saint-Georges, tél. 80.62.92.05 Y r.-v.

CHÂTEAU CORTON ANDRÉ 1986***

78|80|80 82 83 84 85 86 — 0.33 ha — 1 500

Au cœur du bouquet de ce 86, les senteurs de sous-bois rejoignent les fruits rouges, les évocations de fourrure et de musc. La bouche est riche et puissante, la structure harmonieuse. Ce grand bourgogne à la couleur pourpre peut être associé à un gibier à plumes.

♠ M. Pierre André, Ch. de Corton-André, Aloxe-Corton, 21420 Savigny-lès-Beaune, tél. 80.26.44.25 Y t.l.j. 10h-18h.

FAIVELEY Clos des Cortons 1985***

71 72 (76)|79 80 81 82| 83 85 — Gd cru — 2.90 ha — 7 000

Prêt à être dégusté et apprécié, ce corton arbore une robe couleur cerise ciselée de reflets orangés, brillante et limpide. Puissant et fin, typique du cépage pinot, boisé avec une note de vanille, il possède un bel équilibre où se marient les tanins fondus et le moelleux. En accompagnement d'une viande truffée.

♠ M. Joseph Faiveley, 8, rue du Tribourg, B.P. 9, 21700 Nuits-Saint-Georges, tél. 80.61.04.55

ANTONIN GUYON Bressandes 1985***

69| 76 (78) 79 80 81 82| 83 85] — Gd cru — n.c.

Le corton Bressandes est situé en partie sur une ancienne carrière. Il produit ce vin à la jolie robe rouge sombre alliant brillance et limpidité. Le bouquet, frais et fin, exhale les fruits rouges mêlés à une senteur de pin. Possédant beaucoup de chair et d'élégance, l'ensemble peut tout à la fois séduire dès aujourd'hui ou dans 2 à 5 années.

♠ Dom. Antonin Guyon, 21420 Savigny-lès-Beaune, tél. 80.67.13.24 Y r.-v.

MICHEL JUILLOT Perrières 1985*

71|72|73|76|77|78|79|80|81|82|(83)|84|85] — Gd cru — 1 ha — n.c.

Encore dominé par les tanins, le grand cru recèle de belles promesses, car son potentiel ne demande que quelques années de garde pour révéler sa richesse. Le rouge de la robe est nuancé de pourpre. À déguster dans 5 à 6 années.

♠ M. Michel Juillot, Grande Rue, B.P. 10, Mercurey, 71640 Givry, tél. 85.45.27.27 Y r.-v.

CAVES DE LA REINE PÉDAUQUE Renardes 1985**

[76] 78 81 82 83 84 85] — Gd cru — 2 ha — n.c.

Une renarde aurait-elle jadis creusé son terrier dans cette parcelle de corton ? On peut le penser en découvrant ici un bouquet tout en puissance et en finesse où les fruits rouges répondent aux odeurs d'amande. L'équilibre et la rondeur donnent beaucoup de classe et de personnalité à ce vin.

♠ Caves de la Reine Pédauque, B.P. 10, Aloxe-Corton, 21420 Savigny-lès-Beaune, tél. 80.26.40.00 Y r.-v.

♠ M. Gabriel Liogier d'Ardhuy.

DOM. MAILLARD Les Renardes 1985

[76] 78 81 82 83 84 85 — Gd cru — 1.40 ha — 3 000

Très riche et charnu, marqué par les tanins, ce vin doit être gardé 3 à 5 années avant d'être offert avec un gibier.

♠ Dom. Maillard Père et Fils, Chorey-lès-Beaune, 21200 Beaune, tél. 80.22.10.67 Y r.-v.

GASTON ET PIERRE RAVAUT Les Hautes-Mourottes 1984

71 76 (78) 79 80 81 82 83 84 — Gd cru — 0.58 ha — 2 500

Au lieu-dit les Haute-Mourottes, de petites murailles ont été élevées avant que la vigne n'en prenne possession. Celle-ci donne aujourd'hui un vin à la robe rouge cerise, légèrement tuilé. Les fruits confits, les épices et le sous-bois se mêlent dans le bouquet. Il est à découvrir d'ici 2 à 3 années.

♠ GAEC Gaston et Pierre Ravaut, Buisson, 21550 Ladoix-Serrigny, tél. 80.26.41.94 Y r.-v.

ANTONIN RODET Bressandes 1985

Gd Cru — n.c.

On raconte que les Bressandes ont appartenu il y a bien longtemps à trois vieilles filles venues de la B-esse. Prêt à être consommé, ce grand cru peut être offert avec une volaille.

♠ M. Antonin Rodet, Mercurey, 71640 Givry, tél. 85.45.22.22 Y lu. ma. me. je. ve. 9h-12h 14h-19h.

CHARLES VIENOT 1985

■   88.22 ha   n.c.   ⓦ ♦ Ⓜ Ⓥ

80 **82** 83 85

Il faudra attendre ce corton 2 à 4 années pour qu'il exprime le meilleur de lui-même. La couleur de la robe est cerise sombre. Le nez exprime les fruits rouges. La structure est charnue et solide.

↦ Charles Viénot, 5, quai Dumorey, B.P. 19, 2700 Nuits-Saint-Georges Cedex, tél. 80.62.31.05 ⵉ r.-v.

COMPAGNIE DES VINS D'AUTREFOIS Renardes 1985

■   n.c.   Ⓥ

Issu du domaine Gros-Faiveley, ce 84 possède un bouquet animal évoquant les senteurs de cuir et de fourrure mêlées à une touche épicée. La robe rouge cerise tendre évolue vers une teinte tuilée. Ce vin est prêt à être consommé.

↦ Cie des Vins d'Autrefois, 9, rue Celer, 21200 Beaune, tél. 80.22.21.31

Corton-charlemagne

L'appellation charlemagne, dans laquelle jusqu'en 1948 pouvait entrer l'aligoté, n'est pas utilisée. L'appellation corton-charlemagne représente un peu plus de 1 000 hl, dont la plus grande partie est produite sur les communes de Pernand-Vergelesses et Aloxe-Corton. Les vins de cette appellation - dont le nom est dû à l'empereur Charles le Grand qui aurait fait planter des blancs pour ne pas tacher sa barbe... - sont d'un bel or-vert, et atteignent leur plénitude après cinq à dix ans.

PIERRE ANDRE 1985**

□ Gd cru   2,50 ha   10 000   ♦ Ⓥ

80 81 82 **83** 85

Le cépage chardonnay s'exprime maintenant parfaitement dans la richesse et la finesse de ce vin doré, brillant et limpide. Le fruité de la bouche est soutenu par le moelleux et une bonne puissance substantielle. Il faudra savoir attendre cette jolie bouteille 4 à 6 ans.

↦ M. Pierre André, Ch. de Corton-André, Aloxe-Corton, 21420 Savigny-lès-Beaune, tél. 80.26.44.25 ⵉ t.l.j. 10h-18h.

DOM. BONNEAU DU MARTRAY 1983***

□ Gd cru   8,60 ha   45 000   ♦ Ⓥ

79 81 82 **83** 85

Dans sa palette d'or animée de reflets verts, ce corton-charlemagne est une vraie merveille et a atteint des sommets dont il n'est pas prêt de redescendre. Le bouquet exhale des senteurs de pain grillé, de verveine et de tilleul. La bouche, parfaitement équilibrée, marie le moelleux et la fraîcheur. Sa structure générale le destine à accompagner un foie gras, ou quelques poissons de haute gastronomie.

↦ Dom. Bonneau-du-Martray, Pernand-Vergelesses, 21420 Savigny-lès-Beaune, tél. 80.21.50.64 ⵉ r.-v.

↦ M. A. le Bault de la Morinière.

CORTON-CHARLEMAGNE
APPELLATION CONTROLÉE
BURGUNDY WHITE WINE
Bonneau du Martray
PROPRIÉTAIRE À PERNAND-VERGELESSES & ALOXE-CORTON (CÔTE-D'OR)
1983
PRODUCE OF FRANCE
Mis en bouteille au Domaine

CAPITAIN-GAGNEROT 1986

□ Gd cru   0,34 ha   1 600   ⓦ ♦ Ⓜ Ⓥ

80 **81** **82** **83** 85 86

Des reflets verts traversent l'or limpide de la teinte et les senteurs torréfiées du bouquet s'unissent à des arômes floraux. Ronde et équilibrée, la structure de ce vin autorise qu'on le serve des aujourd'hui.

↦ M. Capitain-Gagnerot, rte de Dijon, 21550 Ladoix-Serrigny, tél. 80.26.41.36 ⵉ r.-v.

CHANSON 1984**

□ Gd cru   n.c.   n.c.   ⓦ ♦ Ⓜ Ⓥ

83 84

Voici un grand cru brillant et limpide dans sa belle couleur or. Vigueur et moelleux s'organisent au sein de la substance mais les arômes sont retenus par la jeunesse de ce vin qu'il faudra faire vieillir.

↦ MM. Chanson Père et Fils, 10, rue Paul-Chanson, 21201 Beaune Cedex, tél. 80.22.33.00 ⵉ r.-v.

CHEVALIER 1986*

□   0,22 ha   n.c.   ⓦ ♦ Ⓥ

L'élevage en fût neuf se devine dans le caractère actuel de ce vin. Il faudra attendre quelques années pour que ce corton-charlemagne exprime pleinement son riche potentiel. La teinte est or mêlée de reflets verts, le bouquet intense suggère l'amande grillée. On le découvrira dans 4 à 6 années avec un saumon.

↦ GAEC Chevalier Père et Fils, Buisson, Cidex 18, 21550 Ladoix-Serrigny, tél. 80.26.43.65 ⵉ r.-v.

CAVES DE LA REINE PEDAUQUE 1985***

□ Gd cru   2 ha   85   ⓦ ♦ Ⓥ

80 81 82 **83** 84 85

Un parfum d'amande douce émerge des autres évocations aromatiques de ce vin à la robe délicatement dorée. La structure équilibre le moelleux,

416

l'amplitude et la puissance. Richement doté, ce corton-charlemagne est destiné à un bel avenir.
→ Caves de la Reine Pédauque, B.P. 10, Aloxe-Corton, 21420 Savigny-lès-Beaune.
tél. 80.26.40.00. ☎ r.-v.
→ M. Gabriel Liogier d'Ardhuy.

ANDRE NUDANT 1986***

☐ (9)   0.15 ha   900
78 (79) 80 81 82 83 84 86

Situé sur un terrain composé de marne blanche, ce corton-charlemagne se présente dans une teinte or traversée de reflets verts. Les arômes, essentiellement floraux, sont nuancés d'amandes et de pain grillé. Le corps est rond, moelleux et puissant ; la structure ouvragée pour la longévité.
→ Dom. André Nudant et Fils, Cidex 24 n° 4, 21550 Ladoix-Serrigny, tél. 80.26.40.82 ☎ r.-v.

Savigny-lès-beaune

Savigny est aussi un village vigneron par excellence. L'esprit du terroir y est entretenu, et la confrérie de la Cousinerie de Bourgogne est le symbole de l'hospitalité bourguignonne. Les Cousins jurent d'accueillir leurs convives «bouteille sur table et cœur sur la main».

Les vins de Savigny, en dehors du fait qu'ils sont «nourrissants, théologiques et morbifuges», sont souples, tout en finesse, fruités, agréables jeunes mais vieillissant bien. Récolte moyenne : 9 000 hl.

ROBERT AMPEAU ET FILS 1976***

n.c.   n.c.
(76) 77 78 79 80 81 82 83 84 85

Le temps a fait de lui un fleuron de Bourgogne et lui a donné toute la bronze de sa robe cerise, et tous ces arômes de cassis confit, de cuir, de champignon, de sous-bois et d'anis. En bouche, le goût de bois de réglisse domine. La charpente générale de ce 76 est loin d'être fragile, il lui reste de la tonicité, voire de la fougue.
→ M. Robert Ampeau et Fils, 6, rue du Cromin, 21190 Meursault, tél. 80.21.20.35 ☎ r.-v.

PIERRE ANDRE Clos des Guettes 1986*

1ᵉʳ cru   2.35 ha   10 000
81 82 (83) 84 85 86

Il y a bien longtemps, de la position des Guettes, on veillait sur l'ennemi. De nos jours, l'endroit produit un vin souple et soyeux, harmonieux et équilibré. Le bouquet est franc et agréable, nuancé de groseille et de framboise d'où

émergent des notes de confiture. A consommer avec une viande blanche.
→ M. Pierre André, Ch. de Corton-André, Aloxe-Corton, 21420 Savigny-lès-Beaune, tél. 80.26.44.25
☎ t.l.j. 10h-18h.

PIERRE ANDRE Les Guettottes 1986

(83) 86   0.80 ha   4 500

Joins à une pointe de griottes confite, les fruits rouges sont dominés par le sous-bois. Ce vin mérite que l'on attende quelques années. Ce vin vif, il possède une bonne structure et une finale souple. A consommer avec un gibier à plumes.
→ M. Pierre André, Ch. de Corton-André, Aloxe-Corton, 21420 Savigny-lès-Beaune, tél. t.l.j. 13h-18h.

PIERRE ANDRE Les Godeaux 1986

1.60 ha   8 000

Il émane de ce 86 un parfum intéressant qui associe Thumus, le feuillage et une touche de moka. Souple et léger, il s'accordera parfaitement avec un fromage à pâte molle.
→ M. Pierre André, Ch. de Corton-André, Aloxe-Corton, 21420 Savigny-lès-Beaune, tél. 80.26.44.25

DOM. ARNOUX PERE ET FILS 1985*

0.25 ha   15 000
76 78 80 81 82 83 84 86

On peut dès maintenant découvrir ce vin aux reflets cerise et aux senteurs boisées. Frais, jeune et vif, il possède une bonne structure et une finale souple. A consommer avec un gibier à plumes.
→ Dom. Arnoux Père et Fils, Chorey-lès-Beaune, 21200 Beaune, tél. 80.22.57.98 ☎ r.-v.

DENIS BOUSSEY 1986

n.c.   1 800
77 78 79 80 81 82 83 84 86

Le bouquet profond évoque sans exagération les arômes animaux. Les tanins fondus lui donnent une souplesse et une rondeur à associer avec un petit gibier.
→ M. Denis Boussey, Grande Rue, Monthélie, 21190 Meursault, tél. 80.21.21.23

DELAUNAY 1985**

n.c.   15 000

Framboise et cassis se combinent habilement dans le bouquet. Le rouge intense de la robe laisse apparaître des reflets violets. Et la structure ronde, souple et fruitée, le fera dès maintenant apprécier avec des escalopes de chevreuil.
→ SA B et J.-M. Delaunay, L'Etang Vergy, 21220 Gevrey-Chambertin, tél. 80.61.40.15 ☎ r.-v.

DOMINIQUE DUBOIS D'ORGEVAL 1985*

2.70 ha   n.c.

De petites pointes orangées affleurent dans la robe de couleur pourpre. Le nez est intense et épicé, suggérant le poivre et le poivron. Souple et agréable, un vin plein de bonnes rondeurs, prêt à boire.
→ M. Dominique Dubois-d'Orgeval, Chorey-lès-Beaune, 21200 Beaune, tél. 80.24.70.89 ☎ r.-v.

MAURICE ECARD Les Marbentons 1985*

| 1er cru | 2 ha | 8 000 |

Un vin discret par ses fins arômes de fruits rouges. Les tanins sont bien fondus mais la charpente tiendra bon. Moelleux, velouté en bouche comme à l'oeil, il ravira les convives.

M. Maurice Ecard, rue Chanson-Maldant. 21420 Savigny-lès-Beaune, tél. 80.21.50.61 r.-v.

DOM. FOUGERAY Les Gollardes 1985**

| 2 ha | n.c. |

78 79 81 82 84 |85|

On le découvre sous la couleur d'une «robe de cardinal». Ses arômes sont dissimulés par sa jeunesse, mais s'ouvrent sur les fruits rouges et le sous-bois. Un vin traditionnel bien structuré, à consommer avec un boeuf bourguignon.

Dom. Fougeray de Beauclair,
44 et 89, rue de Mazy, 21160 Marsannay-la-Côte, tél. 80.52.21.12 r.-v.
M. Jean-Louis Fougeray.

MAURICE ET JEAN-MICHEL GIBOULOT 1985*

| 7 ha | 20 000 |

72 73 74 76 77 |78| (79) |81| 82 83 84 85

La bonne association alcool, acide, tanins, donne un cocktail équilibré et intéressant. Au nez, les arômes de fruits côtoient le fumé et le brûlé. Ce vin féminin et léger est à découvrir dès maintenant.

MM. M. et J.-M. Giboulot, 27, rue du Gal-Leclerc, 21420 Savigny-lès-Beaune, tél. 80.21.52.30 r.-v.

VINCENT GIRARDIN Les Gollardes 1986*

| 0.70 ha | 3 000 |

Il était une fois un vilain cépage qui avait pour nom le gol. Tant il infestait un climat qu'il lui donna ce nom de Gollardes. Heureusement, le gentil pinot noir le supplanta. Tout cela pour dire que le 86 se dévoile dans une robe cerise sombre. Le bouquet est complexe, mêlant les feuillages, les fruits mûrs et les parfums floraux. Ce vin tannique et puissant est fait pour être attendu quelques années.

M. Vincent Girardin, rue de la Charrière, 21590 Santenay, tél. 80.20.61.95 r.-v.

ANNE-MARIE GUILLEMOT Les Jarrons 1986**

| 1er cru | 0.28 ha | 1 000 |

76 |78| |79| 80 82 84 (85) 86

Voici un vin étoffé et soyeux. Son nez est ouvert, évoquant les fruits rouges concentrés et la confiture. La robe est brillante, couleur rubis. Il possède une bonne fraîcheur qui lui permettra, dans 3 ou 5 ans, d'être au sommet de son évolution.

Mme Anne-Marie Guillemot,
4, rue Boulanger-et-Valte, 21420 Savigny-lès-Beaune, tél. 80.21.50.40 r.-v.

JEAN GUITON Les Hauts Jarrons 1986**

| 1er cru | 1.75 ha | 6 000 |

Les arômes sont harmonieux. On découvre des senteurs de prune, de mûre et de vanille. La robe

est belle, rouge vif aux reflets rubis. Puissant et riche, ce 86 possède beaucoup d'ampleur et de structure. Attendons-le pendant 5 à 8 ans.

M. Jean Guiton, rue de Pommard, Blingy-lès-Beaune, 21200 Beaune, tél. 80.26.82.88 r.-v.

DOM. GUYOT PERE ET FILS Les Serpentières 1986

| 1er cru | 1.85 ha | n.c. |

Souples et légères, ces Serpentières n'ont pas l'agressivité qu'évoque leur nom. Au contraire, c'est un vin fin et délicat, aux arômes de fruits rouges et de bois de réglisse. A consommer bientôt.

Dom. Guyot Père et Fils, 20, rue Chanson-Maldant, 21420 Savigny-lès-Beaune, tél. 80.21.55.16 r.-v.

DOM. JACOB-GIRARD ET FILS Les Gravains 1986*

| 1.30 ha | n.c. |

La robe couleur rubis est brillante et les arômes de coulis de framboise dominent les fruits rouges, dans ce vin tout en dentelle qui devrait charmer une clientèle féminine.

Dom. Jacob-Girard et Fils, rue de Citeaux, 21420 Savigny-lès-Beaune, tél. 80.21.52.29 r.-v.

CAVES DE LA REINE PEDAUQUE Les Peuillets 1985

| 1er cru | 2 ha | n.c. |

66 (69) (71) 72 73 (76) 77 (78) 79 80 81 82 (83) 84 85

L'évolution de ce vin permet de ne plus attendre. Sa robe brillante et ses reflets rubis, son nez ouvert aux senteurs fauves peuvent dès aujourd'hui trouver l'abri de notre verre.

Caves de la Reine Pédauque, B.P. 10, Aloxe-Corton, 21420 Savigny-lès-Beaune, tél. 80.26.40.00 r.-v.
M. Gabriel Liogier d'Ardhuy.

DOM. DE LA VELLE 1986

| 0.50 ha | 2 000 |

76 79 82 83 84 |85| 86

Au nez, les dominantes herbacées supplantent les arômes de petits fruits. La robe est d'une couleur rubis tendre, tendre comme la structure générale de ce vin.

M. Bretrand Darviot, 17, rue de La Velle, 21190 Meursault, tél. 80.21.22.83 t.l.j. 9h-12h 14h-18h ; f. déc. à Pâques

DOM. MACHARD DE GRAMONT Les Guettes 1985

| 1er cru | 1.04 ha | 5 300 |

69 71 76 78 79 80 82 (83)(84) 85

Ce 85 possède beaucoup de matière, et une rude charpente tannique qui doit être tempérée par quelques années en cave. Les qualités de la robe et du nez ne peuvent qu'assurer son avenir.

Dom. Machard de Gramont,
Le Clos Prissey, B.P. 105, 21702 Nuits-Saint-Georges Cedex, tél. 80.61.15.25 r.-v.

DOM. ANDRE NUDANT ET FILS 1985*

■   0,54 ha   3 500   🍷 V 4 ⬛ 3

78 80 18|11|82| 83 85

Redégusté cette année, ce vin est resté tannique comme le sont les vins traditionnels. Il possède une robe intense, rouge pourpre, pleine de jeunesse et de vivacité. C'est une bouteille remplie de promesses, que l'on doit laisser vieillir.

↳ Dom. André Nudant et Fils, Cidex 24 n° 4, 21550 Ladoix-Serrigny, tél. 80.26.40.82 ☎ r.-v.

JEAN-MARC PAVELOT Les Guettes 1986**

■ 1er cru   1,42 ha   7 500   🍷 V 4

|76| 77 |78| |79| 80 81 |82| 83 85 86

Les arômes de 86 sont délicats ; ils suggèrent des nuances de fleurs et la cerise. L'équilibre et la charpente légèrement tannique promettent un vieillissement serein et gratifiant.

↳ M. Jean-Marc Pavelot, 1, rue des Guettes, 21420 Savigny-lès-Beaune, tél. 80.21.55.21 ☎ r.-v.

JEAN-MARC PAVELOT Dominode 1985***

■ 1er cru   1,55 ha   7 000   🍷 V 4

75 76 77 78 |79| 80 |81| |82| 83 84 |85|

Dominode veut dire « la vigne du seigneur », et c'est bien un seigneur qui a forcé l'admiration des dégustateurs. Il se révèle dans une robe rouge vif aux reflets grenat. Le bouquet puissant et agréable évoque les fruits confits et les senteurs de fourrure. Riche et racé, charpenté et gras, c'est un vin complet à consommer avec une viande rouge.

↳ M. Jean-Marc Pavelot, 1, rue des Guetottes, 21420 Savigny-lès-Beaune, tél. 80.21.55.21 ☎ r.-v.

GRAND VIN

SAVIGNY-LES-BEAUNE
DOMINODE 1er CRU
APPELLATION CONTROLEE

Mis en bouteille par
Jean-Marc PAVELOT
PROPRIETAIRE A SAVIGNY-LES-BEAUNE (COTE-D'OR)
PRODUIT DE FRANCE

DE BOURGOGNE

75cl

ALBERT PONNELLE 1985

■   n.c.   n.c.   🍷 V 5

78

Structuré comme les cave du XIVe s, qui l'ont vu naître, bien équilibré, demandant à vieillir, ce vin possède des parfums de boisé et de sous-bois, avec une pointe de tanin. Il épouse parfaitement son millésime et fera dans quelques années une très bonne bouteille.

↳ M. Albert Ponnelle, 38, fg Saint-Nicolas, 21203 Beaune Cedex, tél. 80.22.00.05 ☎ lu. ma. me. je. ve. 9h-12h 14h-18h : f. d'oct. à juin

DOM. DU PRIEURE 1986

■ 1er cru   4,50 ha   20 000   🍷 V 3

78 79 |82| 83 84 85

Des reflets rosés agrémentent la couleur rubis de la robe. Le bouquet évoque l'aubépine. Discret et délicat, il est à consommer avec des cailles.

↳ M. Jean-Michel Maurice, Dom. du Prieuré, 21420 Savigny-lès-Beaune, tél. 80.21.54.27 ☎ r.-v.

ANTONIN RODET Les Vergelesses 1985

■ 1er cru   n.c.   n.c.   🍷 V 5

La riche rouge rubis, aux nuances orangées, est complète par des parfums de fruits rouges mûrs. Finesse et discrétion sont à découvrir dès à présent.

↳ M. Antonin Rodet, Mercurey, 71640 Givry, tél. 85.45.22.22 ☎ lu. ma. me. je. ve. 9h-12h 14h-19h.

ANTONIN RODET 1985

■   n.c.   n.c.   🍷 V 4

|78| 83 |84| |85|

Ce vin possède une bonne structure. Une petite pointe d'acidité lui donne de la vivacité et de la fraîcheur. Bien équilibré, il exhale un bouquet riche d'arômes de petits fruits. A consommer avec un fromage tendre.

↳ M. Antonin Rodet, Mercurey, 71640 Givry, tél. 85.45.22.22 ☎ lu. ma. me. je. ve. 9h-12h 14h-19h.

ROPITEAU FRERES 1985*

■   n.c.   6 000   🍷 V 5

|83| |84| |85| |86|

Il est conseillé d'ouvrir la bouteille une heure avant sa consommation, pour lui permettre de s'exprimer pleinement. Au nez, ce vin évoque les fleurs, le fumé, l'épicé et le boisé. En bouche, il est velouté et rond, sous une robe pourpre, brillante et limpide.

↳ MM. Ropiteau Frères, Les Chanterelles, B.P. 25, 21190 Meursault, tél. 80.21.23.94 ☎ t.l.j. 9h-20h ; f. 20 déc. au 15 mars

DOM. DES TERREGELESSES Les Vergelesses 1986**

□ 1er cru   1 ha   3 500   🍷 V 4

|83| |84| |85| |86|

Entre Savigny et la combe de Perrand, le massif de Bois-Noël est orienté plein sud. Il abrite de nombreux premiers crus dont les Vergelesses. Celui-ci est limpide et brillant, avec une teinte jaune d'or aux reflets verts. Il est agréable et puissant, et suggère la vanille et des nuances florales. Il faut savoir l'attendre entre 5 et 8 ans.

↳ Dom. des Terregelesses, 25, rue Pierre-Joigneaux, 21200 Beaune, tél. 80.22.62.27 ☎ r.-v.

CHARLES VIENOT Les Lavières 1985**

■ 1er cru   17,60 ha   n.c.   🍷 V 5

78 81 83 85

Jadis, on extrayait des laves de ce lieu-dit. De nos jours, les vignes y règnent en maître, et produisent un vin brillant, rouge rubis aux reflets orangés. Les parfums évoluent entre la vanille, la confiture et le moka. Racé, il possède une très bonne persistance. A consommer dès la parution du Guide.

➥ Charles Viénot, 5, quai Dumorey, B.P. 19, 21700 Nuits-Saint-Georges Cedex, tél. 80.62.31.05 ℡ r.-v.

DOM. HENRI DE VILLAMONT
Le Village 1985

83 84 85	n.c.	26 500

Un vin agréable et vif. Le rouge intense de la robe laisse poindre des nuances orangées. Le bouquet est discret, évoquant le sous-bois. A consommer de préférence dès maintenant.
➥ Sté Henri de Villamont, rue du Dr-Guyot, B.P. 3, 21420 Savigny-lès-Beaune, tél. 80.21.50.59 ℡ t.l.j. 9h30-12h30 14h30-19h30.

COMPAGNIE DES VINS D'AUTREFOIS 1984*

n.c.	n.c.

Dominés par une couleur cerise sombre, les reflets orangés de la robe annoncent l'évolution de ce 84. Au nez, les senteurs animales se mêlent à celles de sous-bois. En bouche, les tanins sont fondus. Souple et équilibré, il est à consommer dès maintenant.
➥ Cie des Vins d'Autrefois, 9, rue Celer, 21200 Beaune, tél. 80.22.21.31

LA P'TIOTE CAVE Les Beaumonts 1986*

0,55 ha	3 500
85 86	

La vigne de Guy Mugnier est située à 200 mètres de Savigny et à 3 mètres d'Aloxe-Corton. Elle produit un vin franc et net au bouquet intense de fruits rouges. L'ensemble équilibre la rondeur et les tanins pour qu'ils se fondent dans une grande souplesse.
➥ M. Guy Mugnier, La P'tiote Cave, Rully, 71150 Chagny, tél. 85.87.15.21 ℡ r.-v.

DOM. MACHARD DE GRAMONT
1985

0,85 ha	4 300
76 78 79 80 82	83	85	

Les senteurs qui émanent du bouquet, particulièrement évoluées pour le millésime, suggèrent le musc et la civette. Ce vin équilibré et charmeur accompagnera une entrée froide.
➥ Dom. Machard de Gramont, Le Clos Prissey, B.P. 105, 21702 Nuits-Saint-Georges Cedex, tél. 80.61.15.25 ℡ r.-v.

DOM. ANDRE NUDANT ET FILS
Les Beaumonts 1985*

0,85 ha	3 500
	78	80	81		82		83		85		

Ce vin séduisant mais ferme possède une bonne longueur. Son bouquet est intense et franc, fruits rouges et confiture. Sa belle robe rubis se mariera parfaitement avec un fromage à pâte molle.
➥ Dom. André Nudant et Fils, Cidex 24 n° 4, 21550 Ladoix-Serrigny, tél. 80.26.40.82 ℡ r.-v.

DOM. DES TERREGELESSES 1985**

2,50 ha	15 000

Un parfait vieillissement pour ce 85. A l'intérieur du bouquet prévaut une dominante d'arômes de framboise parmi les évocations de fruits rouges. Complet, charnu et riche de substance, il possède une bonne longueur. Il faudra le marier avec une viande en sauce.
➥ Dom. des Terregelesses, 25, rue Pierre-Joigneaux, 21200 Beaune, tél. 80.22.62.27 ℡ r.-v.

En superficie, l'appellation beaune est l'une des plus importantes de la côte. Mais Beaune, ville d'environ 20 000 habitants, est aussi et surtout la capitale viti-vinicole de la Bourgogne. Siège d'un important négoce, elle est une des cités les plus touristiques de France. La vente des vins des Hospices est devenue un événement mondial, et représente certainement l'une des ventes de charité les plus illustres. Centre d'un nœud auto-

Situé dans la plaine, en face du cône de déjection de la combe de Bouilland, le village possède quelques lieux-dits voisins de Savigny. On y produit aux environs de 4 000 hl d'appellation communale rouge, commercialisée surtout en côte-de-beaune-villages.

ARNOUX PERE ET FILS
Les Confrelins 1985*

79 80 81	82	83	84		85		8 000

Petits fruits rouges, tant dans la robe groseille que dans les arômes. Le bon équilibre de la structure permet de découvrir dès maintenant ce vin qui pourra encore évoluer pendant 2 à 3 années.
➥ Dom. Arnoux Père et Fils, Chorey-lès-Beaune, 21200 Beaune, tél. 80.22.57.98 ℡ r.-v.

DOM. ARNOUX PERE ET FILS 1984*

n.c.	n.c.

Typique du millésime, la robe se présente dans une tonalité rouge groseille légèrement orangée et le nez évoque des arômes de fruits rouges. Bien réussi, 84 est en âge d'être consommé avec des œufs en meurette, ou des entrées en sauce.
➥ Dom. Arnoux Père et Fils, Chorey-lès-Beaune, 21200 Beaune, tél. 80.22.57.98 ℡ r.-v.

routier très important, son développement touristique est certain.

Les vins, essentiellement rouges, sont pleins de force et de distinction. La situation géographique a permis le classement en premiers crus d'une grande partie du vignoble, et, parmi les plus prestigieux, nous pouvons retenir les Bressandes, le Clos du Roy, les Grèves, les Teurons, les Champimonts.

JEAN ALLEXANT Grèves 1985

(76)

1er cru 0,35 ha n.c.

69 71 72 73 74 76 (78) 82 83 84 85

Riche de tanins vifs mais agréables, ces « grèves » possèdent un bon équilibre général. La robe est pourpre, les arômes évoquent les fruits jeunes et le bois de réglisse. À consommer avec un gibier en sauce.

➤ Dom. Jean Allexant, Sainte-Marie-la-Blanche, 21200 Beaune, tél. 80.26.60.77 r.-v.

MICHEL ARCELAIN 1985*

1er cru 1 ha 3 000

69 71 72 73 74 76 (78) 82 83 85

Typique du millésime 85, ce vin se dévoile dans une robe pourpre intense. Les nuances odorantes sont multiples et complexes : framboise, cassis, raisin sec, humus et sous-bois. Bien équilibré, doté d'une bonne structure, il pourra vieillir entre 5 et 10 ans.

➤ M. Michel Arcelain, rue Mareau, 21630 Pommard, tél. 80.22.13.50 r.-v.

DOM. ARNOUX PÈRE ET FILS 1986*

1er cru 1,50 ha 8 000

71 73 76 78 80 81 82 83 84 85 86

Ce millésime possède une belle couleur sombre. Au nez, les arômes de fruits mûrs sont soutenus par une touche de cuir. L'attaque en bouche poursuit agréablement en bouche, mais il se fera attendre 3 ou 4 ans.

➤ Dom. Arnoux Père et Fils, Chorey-lès-Beaune, 21200 Beaune, tél. 80.22.57.98 r.-v.

LYCEE AGRI. ET VITICOLE DE BEAUNE Les Perrières 1986

1er cru 0,87 ha 4 500

85 86

Produit sur un terrain léger et peu profond, ce vin exprime des arômes fins de fruits rouges cuits. À boire dès aujourd'hui avec une terrine.

➤ Lycée agri. et viti. de Beaune, 16, av. Charles-Jaffelin, 21200 Beaune, tél. 80.22.34.77 r.-v.

LYCEE AGRI. ET VITICOLE DE BEAUNE La Montée Rouge 1986*

1er cru 1,24 ha 6 000

80 81 82 83 84 85

Ce vin exhale des arômes de fruits et de boisé et allie une attaque agréable à une bonne persistance aromatique. Quelques années de vieillissement lui seront bénéfiques.

➤ Lycée agri. et viti. de Beaune, 16, av. Charles-Jaffelin, 21200 Beaune, tél. 80.22.34.77 r.-v.

BOUCHARD PÈRE ET FILS Grèves - Vigne de l'Enfant Jésus 1985**

1er cru 3,91 ha 18 000

69 71 73 74 76 78 79 80 81 82 83 84 85

Vin harmonieux, velouté et d'une grande finesse. Un vrai petit Jésus en culotte de velours! On ne peut que confirmer cette expression bien bourguignonne.

➤ SA Bouchard Père et Fils, Au Château, B.P. 70, 21202 Beaune Cedex, tél. 80.22.14.41 r.-v.

BOUCHARD PÈRE ET FILS Du Château 1983*

1er cru 28,54 ha 130 000

Assemblage de dix-huit premiers crus de Beaune, propriété de la maison Bouchard Père et Fils. Ce cru est typique du millésime, le bouquet de sous-bois, musc et fruits secs est harmonieux. Tannique et puissante, cette cuvée gagnera encore à vieillir.

➤ SA Bouchard Père et Fils, Au Château, B.P. 70, 21202 Beaune Cedex, tél. 80.22.14.41 r.-v.

PHILIPPE BOUZEREAU Les Teurons 1985**

84 85

1er cru 0,50 ha 2 000

Les vignes des Teurons sont orientées vers le sud-est. Elles produisent ce vin limpide à la robe intense et aux nuances de griotte. Les parfums évolués et complexes évoquent le bois de réglisse et l'humus. La puissance est maîtrisée par l'équilibre. Accompagnement pour un petit gibier.

➤ M. Philippe Bouzereau, 15, pl. de l'Europe, 21190 Meursault, tél. 80.21.20.32 r.-v.

DOM. CAUVARD Bressandes 1985

1er cru 0,12 ha n.c.

80 81 82 83 84 85

Une nuance orangée éclaire la robe cerise. Au nez se manifestent de fines senteurs animales et boisées. La bouche révèle l'équilibre des tanins et du moelleux. On veillera à déboucher cette bouteille 1 heure avant de la consommer.

➤ Dom. Cauvard Père et Fils, 18 et 34 bis, rue de Savigny, 21200 Beaune, tél. 80.22.29.77 r.-v.

EMILE CHANDESAIS 1986

1er cru n.c. 3 000

80 81 82 83 84 85 86

Dans ce vin déjà bien évolué pour son millésime, les arômes de fruits rouges laissent discerner des senteurs de bois de réglisse et de rose. Une bonne bouteille à un prix raisonnable.

➤ M. Emile Chandesais, Ch. Saint-Nicolas, B.P. 1, Fontaines, 71150 Chagny, tél. 85.91.41.77 r.-v.

CHANSON PÈRE ET FILS Grèves 1985

1er cru n.c. 8 000

80 81 82 83 84 85

De la consistance et une pointe de fermeté, des arômes de bois de réglisse et des senteurs de sous-bois, donnent à ce vin toutes les qualités nécessaires pour accompagner une viande rôtie.

• MM. Chanson Père et Fils, 10, rue Paul-Chanson, 21201 Beaune Cedex, tél. 80.22.33.00 Y r.-v.

JOSEPH DROUHIN
Clos des Mouches 1986***

■ 1er cru   n.c.   [5]

72 74|76| 77|78| 79 80 81 82 83 85 86

La stabilité dans la perfection : ce pourrait être un slogan publicitaire, ce n'est que la conséquence du grand savoir-faire de la maison Drouhin. Le 86 apparaît dans une robe limpide et transparente, rouge vif, soutenue par des reflets violacés. Fin et élégant, le bouquet est complexe, mêlant les arômes vanillés à ceux des fruits rouges et la noblesse des senteurs de cuir à celle de la fourrure. Le vin est parfait !
• Joseph Drouhin, 7, rue d'Enfer, 21200 Beaune, tél. 80.24.68.88 Y r.-v.

JOSEPH DROUHIN 1985

■ 1er cru   n.c.   [6]

L'équilibre et la légèreté de ce vin à la belle robe limpide et vive invitent à l'associer à une terrine de lièvre.
• Joseph Drouhin, 7, rue d'Enfer, 21200 Beaune, tél. 80.24.68.88 Y r.-v.

BERNARD FEVRE
Epenottes 1984

■ 1er cru   0,69 ha   2 000   [4]

Cette parcelle de 69 ares, sur sol marnocalcaire du jurassique supérieur, produit un premier cru typique du millésime 84. Le bouquet évoque principalement des senteurs végétales. On peut l'apprécier dès maintenant avec un fromage à pâte molle.
• M. Bernard Fèvre, Saint-Romain, 21190 Meursault, tél. 80.21.21.29 Y r.-v.

JEAN GUITON
Les Sizies 1986

■ 1er cru   0,50 ha   2 500   [4]

Ce 86 possède une robe limpide et transparente, un bouquet composé d'arômes végétaux et fruités. C'est un vin fluide à boire dans 2 ou 3 ans.
• M. Jean Guiton, rte de Pommard, Bligny-lès-Beaune, 21200 Beaune, tél. 80.26.82.88 Y r.-v.

HOSPICES DE BEAUNE
Cuvée des Dames Hospitalières 1985*

78 79 80 81 82 83 84 85

Comment résister à l'hospitalité de ces Dames, parées d'une belle robe pourpre, exhalant des

---

parfums puissants marqués par la vanille, les fruits rouges et les cerises à l'eau-de-vie ? Ce vin pourra être attendu 3 ou 4 ans.
• M. Emile Chandesais, Ch. Saint-Nicolas, B.P. 1, Fontaines, 71150 Chagny, tél. 85.91.41.77
Y r.-v.

LOUIS JADOT
Clos des Coucherreaux 1985*

■ 1er cru   n.c.   12 000   [5]

71 72 73 76 78 79|80| 81 |82|83 85

Déjà très agréable, ce vin souple possède une belle attaque. Ses arômes de fruits secs et de griotte laissent poindre la senteur du bois de réglisse. Prêt pour la consommation.
• Maison Louis Jadot, 5, rue Samuel-Legay, B.P. 121, 21200 Beaune, tél. 80.22.10.57
Y r.-v.

ALBERT MOROT
Les Bressandes 1986*

■ 1er cru   1,27 ha   5 300   [5]

67 71 72 73 76 78 79 80 81 82 83 84 85 86

Les vignes furent la propriété de Jean Bressand, chanoine de Beaune au XIIIe s. Elles produisent un vin à la robe cerise et aux reflets pourprés, doté d'une bonne intensité aromatique évoquant le fumé et la griotte. L'avenir ne pourra que le gratifier.
• M. Albert Morot, Ch. de La Creusotte, 21200 Beaune, tél. 80.22.35.39 Y

ALBERT MOROT
Les Marconnets 1986

■ 1er cru   0,67 ha   2 800   [5]

69 71 72 73 76 78 79 80 81 82 83 84 85 86

La robe est typique du millésime. Le nez est encore fermé, il exprime des arômes de petits fruits et de boisé. C'est un vin prometteur, à consommer dans 4 ou 5 ans.
• M. Albert Morot, Ch. de La Creusotte, 21200 Beaune, tél. 80.22.35.39 Y

DOM. MUSSY
Epenottes 1986*

■ 1er cru   1 ha   3 200

La proximité de Pommard explique-t-elle la puissance et le corps contenus dans ces Epenottes ? Limpide et transparente, la robe se manifeste dans une couleur grenat vif. Le nez affiche les fruits rouges à l'alcool et les cerises confites. A attendre.
• Dom. Mussy, rue Dauphin, 21630 Pommard, tél. 80.22.05.56 Y r.-v.

ALBERT PONNELLE
Champs Pimont 1985

n.c.   [5]

Ce vin à la robe brillante, limpide, et de couleur cerise, exhale des arômes de fruits rouges. Marqué pae des tanins encore fermes, qui sont le gage d'une bonne conservation, il est typique de l'appellation.
• M. Albert Ponnelle, 38, fg Saint-Nicolas, 21203 Beaune Cedex, tél. 80.22.00.05 Y lu. ma. me. je. ve. 9h-12h 14h-18h ; f. d'oct. à juin

DOM. THOMAS-MOILLARD
Grèves 1986**

| ■ 1er cru | n.c. | n.c. | ⊕↓M⑤ |

[76] [80] 82 [83] 84 86

Le climat des Grèves est un des plus côtés de Beaune. D'une belle intensité, les arômes s'inscrivent dans la jeunesse du millésime et évoquent le cassis et les fruits confits. Possédant une bonne attaque, plein de vie, il est destiné à un bel avenir.
↪ Thomas-Moillard, 2, rue François-Mignotte, 21700 Nuits-Saint-Georges, tél. 80.61.03.34 ☎ r.-v.

COMPAGNIE DES VINS D'AUTREFOIS Tuvilains 1983

| ■ 1er cru | n.c. | n.c. | ⑤ |

Malgré le nom de son climat, c'est un vin sage qui a bien évolué et dont émanent des arômes de fruits confits et d'animaux. Il est à point pour la table.
↪ Cie des Vins d'Autrefo;s, 9, rue Celer, 21200 Beaune, tél. 80.22.13.91.

Côte de beaune

À ne pas confondre avec les côte-de-beaune-villages, l'appellation côte-de-beaune ne peut être produite que sur quelques lieux-dits de la montagne de Beaune.

DOM. JEAN ALLEXANT
Clos des Monsnières 1985*

| ■ | 0.78 ha | n.c. | n.c. | ⊕↓M④ |

Ce vin produit sur un ces lieux-dits de la montagne de Beaune, se présente dans une robe rouge cerise avec quelques reflets rubis. Avec un nez délicat où domine l'abricot, il équilibre dans la vivacité. Au choix avec un fromage léger ou une viande rouge.
↪ Dom. Jean Allexant, Sainte-Marie-la-Blanche, 21200 Beaune, tél. 80.26.60.77 ☎ r.-v.

BERTRAND DARVIOT
Clos des Monsnières 1986**

| ■ | 0.78 ha | n.c. | ⊕↓⑶ |

79 82 [83] 85 86

Un beau vin de la montagne de Beaune. Bien équilibré, tout en finesse, très représentatif du millésime 86 dans sa robe légère et limpide. Frais et délicat, il accompagnera toutes viandes rôties et régalera les convives.
↪ M. Bertrand Darviot, 17, rue De La Velle, 21190 Meursault, tél. 80.21.22.83 ☎ t.l.j; 9h-12h 14h-18h; f. déc. à Pâques

PIERRE PONNELLE
Les Pierres Blanches 1985*

| □ | n.c. | n.c. | ⊕↓⑶ |

Rares sont les côte de beaune blancs dont voici un brillant exemplaire. Limpide, frais, intense et

floral, avec un remarquable équilibre, ce Pierres Blanches ne peut laisser de marbre.
↪ M. Pierre Ponnelle, 5, rue du Moulin, 21700 Nuits-Saint-Georges, tél. 80.61.22.41 ☎ r.-v.

Pommard

C'est l'appellation bourguignonne la plus connue à l'étranger, en raison sans doute de sa facilité de prononciation... Le vignoble occupe plus de 300 ha pour une production d'environ 9 000 hl. L'argovien marneux est ici remplacé par des calcaires tendres, et les vins produits sont solides, tanniques, et ont une bonne aptitude à la garde. Les meilleurs climats sont classés en premiers crus, dont les plus connus sont les Rugiens et les Épenots.

MICHEL ARCELAIN 1985*

| ■ | 1.60 ha | 3 000 | ⊕↓⑷ |

69 72 73 74 76 78 79 80 81 82 83 84 85

Pomone, l'antique déesse des fruits et des jardins est peut-être à l'origine du nom Pommard. Pour les jardins nous ne pourrons rien dire, mais pour les fruits, le rapport est évident, ils devraient être rouges comme ceux qui agrémentent ce vin à la robe cerise et à la longue persistance aromatique
↪ M. Michel Arcelain, rue Mareau, 21630 Pommard, tél. 80.22.13.50 ☎ r.-v.

DOM. BERNARD BACHELET
Les Chanlins 1985***

| ■ | 1.50 ha | 5 000 | ⊕↓M⑤ |

[76] 79 81 82 [84] 85

«Très pommard», un qualificatif qui revenait souvent en dégustation pour qualifier ce vin à l'étoffe d'un premier cru. Grenat brillant, il allie arômes carnés et senteurs de réglise et de bourgeons de fruits. Tannique et gras, il associe l'équilibre général à une bonne longueur en bouche, avec en plus une touche de féminité.
↪ Dom. Bernard Bachelet et Fils, Dez ze-les-Maranges, 71150 Chagny, tél. 85.91.16.11 ☎ r.-v.

DOM. BILLARD-GONNET
Les Charmots 1986

| ■ 1er cru | 0.45 ha | 2 000 | ⊕↓M⑤ |

[76] 77 [78] 79 80 81 82 83 [84] 86

Les arômes de fruits rouges évoluent vers l'écorce d'orange. Sont-ils une conséquence de l'exposition plein sud des «Charmots»? La robe est légèrement tuilée, le corps discret; mais harmonieux. À boire dès maintenant.
↪ Dom. Billard-Gonnet, rte d'Ivry, 21630 Pommard, tél. 80.22.17.33 ☎ r.-v.

DOM. BILLARD-GONNET
Les Bertins 1985***

■ 1er cru   0,40 ha   1 800   🍷 ↓ ☑ 6

76 77 ⑦⑧ 80 |81| |82| 83 |84| |85|

Précédemment recommandé pour son Clos de Verger, le domaine Billard-Gonnet nous enchante avec «les Bertins». Robe légèrement tuilée, limpide et brillante. Arômes discrets dominés par la vanille issue du fût neuf. Harmonie des tanins fondus, beaucoup de velouté et d'élégance. Typique de ce grand millésime.
🍾 Dom. Billard-Gonnet, rte d'Ivry, 21630 Pommard, tél. 80.22.17.33 ☎ r.-v.

DOM. GABRIEL BOUCHARD
Les Charmots 1985

■ 1er cru   0,50 ha   1 800   🍷 ↓ ☑ 6

72 80 81 |82| 83 84 85

Limpide et brillante, la robe est d'un rouge légèrement passé. Les arômes encore évo-

luent vers le sous-bois. Tendre en bouche, à consommer dès maintenant.
🍾 Dom. Gabriel Bouchard, 4, rue du Tribunal, 21200 Beaune, tél. 80.22.26.16 ☎ r.-v.

DENIS CARRE 1986*

■   n.c.   n.c.   🍷 ☑ 4

Dans les caves voûtées, le vin de Denis Carré se laisse aller vers l'alchimie du «bon goût». Au ton du rouge pourpre, limpide et transparent, répondent l'équilibre et la fraîcheur du millésime. Un vin fait pour réjouir le poète qui sommeille en nous.
🍾 M. Denis Carré, Meloisey, 21190 Meursault, tél. 80.26.02.21 ☎ r.-v.

DOM. DE COURCEL
Rugiens 1985***

■ 1er Cru   1 ha   3 500   🍷 ↓ ☑ 6

On dit qu'à Pommard, «les vignes sont entourées de murs pour retenir la qualité». Voici un vin qui confirme ce dicton, alliant la puissance de

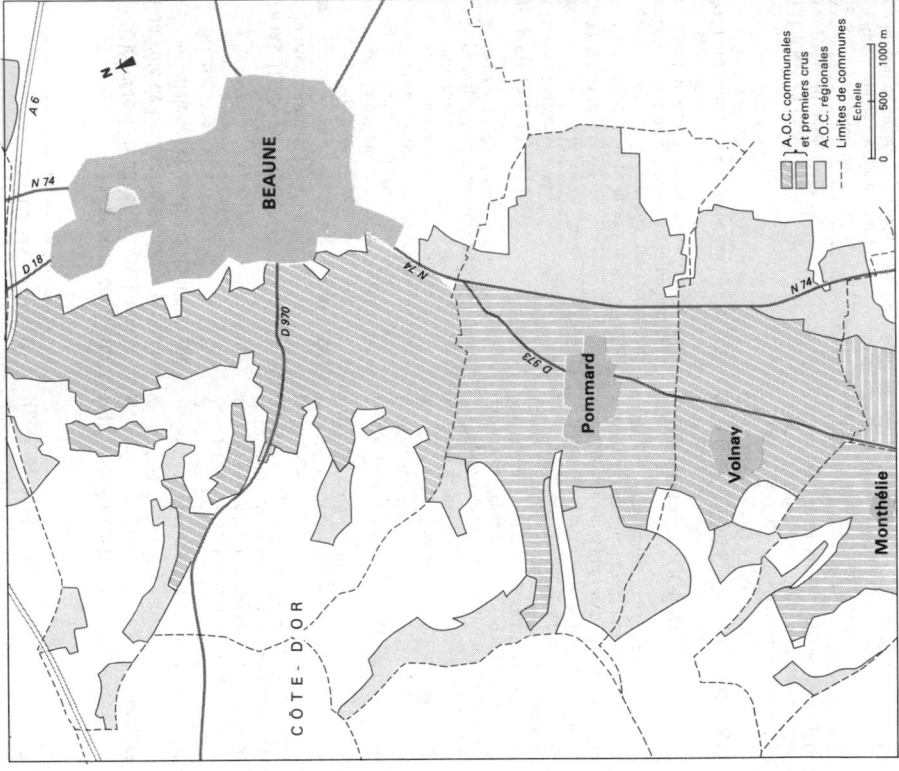

La côte de Beaune (centre-nord)

l'élevage en fût neuf et la finesse d'un « bon caractère ». Belle robe rouge intense. Une touche réglissée en fin de bouche lui assure un parcours sans faute. À découvrir obligatoirement.

➥ Dom. de Courcel, 21630 Pommard, tél. 80.22.10.64

➥ M. Gilles de Courcel.

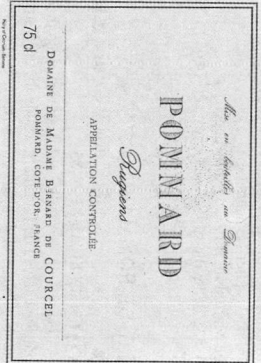

Mis en bouteille au Domaine

POMMARD

Rugiens

APPELLATION CONTRÔLÉE

DOMAINE DE MADAME BISSARARD DE COURCEL
POMMARD, CÔTE D'OR, FRANCE

75 cl

---

brillan z, nez boisé et délicat, souple, légèrement alcool∞x en bouche.

➥ M. Jean Laboureau, rte de Beaune, Bigny-les-Beaune 21200 Beaune, tél. 80.26.81.93 ▼ r.-v.

DOM. LAHAYE PÈRE ET FILS
Les Vignots 1985

	0,78 ha	2 600	∰ ♣ Ⅴ Ⅴ⑤
	78	79	80	81	82	83	84	85			

Les ancêtres des propriétaires travaillaient la terre bourguignonne il y a plus de 50) ans. On pourra certainement en apprendre davantage à leur sujet en découvrant sur place ce vin léger et délicat, qui s'épanouit lentement dans le verre.

➥ MM° Lahaye Père et Fils, pl. de l'Eglise, 21630 Pommard, tél. 80.22.04.01 ▼ r.-v.

DOM. RAYMOND LAUNAY
Les Perrières 1985

◉ 71	76	78 |79| 81 |82| 83	84	85			
	2,50 ha	n.c.	ⅰ Ⅴ Ⅴ⑤

Enracinées à l'intérieur du fameux « guidon de Pommard », « les Perrières » sont situées sur des éboulis cailloux eux. Rouge profond, brillant en couleur — le 85 a des arômes de fruits et de boisé, des tanins puissants, où le fût neuf s'intègre parfaitement. Sa structure puissante lui assure un grand avenir.

➥ Dom. Raymond Launay, 21630 Pommard, tél. 80.22.12.23 ▼ t.l.j. 8h-19h.

DOM. RAYMOND LAUNAY
Clos Blanc 1985

	1ᵉʳ cru		
	n.c.	1 000	ⅰ Ⅴ Ⅴ⑤

« Clos Blanc » mais vin à la robe pourpre soute n., brillant. Arômes typiques de Pommard « tourmenté par la violette » avec une tonalité carnée. Un peu fermé, il exprimera sa richesse avec le temps. On lui a associé sur table un porc aux preaux.

➥ Dom. Raymond Launay, 21630 Pommard.

DOM. LEJEUNE Rugiens 1984*

	0,26 ha	1 000	∰ ♣ Ⅴ⑥
|69| |71| |72| |73| ⑧ 79 |80| 81 |82| 84			

Fr it d'une vinification toute particulière (longue macération), ce « Rugiens » de grande garde dévoile une robe rubis très soutenu. Les fruits rouges sont discrets mais ne demandent qu'un peu de patience. Gras, doté d'une bonne struct 're, il saura accompagner un faisan.

➥ Dom. Lejeune, La Confrérie, 21630 Pommard, tél. 80.22.10.28 ▼ r.-v.

➥ Famille Jullien de Pommerol.

GABRIEL FOURNIER 1986

	0,50 ha	500	∰ ♣ Ⅴ④

Robe tuilée, que l'on nomme ici « pelure d'oignon ». Nez original : caramel au beurre, vanille et friand. Souple et léger. A attendre 2 ou 3 ans.

➥ M. Gabriel Fournier, Tailly, 21190 Meursault, tél. 80.21.46.50 ▼ r.-v.

GRAND CLOS DES EPENOTS
Les Epenots 1985***

	1ᵉʳ cru		
	84	85		

« Bon sang ne saurait mentir ». On place souvent « Les Epenots » parmi les meilleurs des premiers crus. Et ce n'est pas surfait. Preuve ce superbe vin de la maison Rodet. Rubis foncé, brillant, il recèle au nez les caractéristiques de son appellation, venaison, bourgeons de cassis. Grande amplitude, grande netteté, structure complexe et puissante, un vin qui peut voir venir les années sans crainte.

➥ M. Antonin Rodet, Mercurey, 71640 Givry, tél. 85.45.22.22 ▼ lu. ma. me. je. ve. 9h-12h 14h-19h.

JEAN JOLIOT ET FILS 1984***

	1,25 ha	4 500	∰ ♣ Ⅴ⑤
76	78	81	83	84			

Le millésime 84 est à découvrir ; celui-ci s'offre sous une belle couleur cerise, avec des arômes « confiseur » de vanille fondue et de levure de boulanger. Ample et de bonne structure, il est puissant, nerveux, et très long. Construit comme un athlète de marathon.

➥ Dom. Jean Joliot et Fils, Nantoux, 21190 Meursault, tél. 80.26.01.44 ▼ r.-v.

JEAN LABOUREAU 1985

	1,20 ha	2 400	∰ ♣ Ⅴ⑤

Après notre dégustation de l'an dernier, Jean Laboureau précise que ce vin est le fruit d'un élevage en fût neuf et qu'il faudra l'attendre quelques années. Nous le suivrons sur cet avis après un nouvel examen en 88 : belle couleur

---

MAZILLY PÈRE ET FILS
Les Nazons 1986*

	0,80 ha	4 000	∰ ♣ Ⅴ⑤
69| 73	76	77	78 |79| 81 |82| ⑧ 84 85 86			

Un millésime plein d'entrain, pour une belle robe aux reflets violets, typique de Pommard.

Alliance de fût neuf et de pinot noir, le nez est léger, évoluant vers les fruits rouges. Devrait s'améliorer avec l'âge.

➥ Dom. Mazilly Père et Fils, Meloisey, 21190 Meursault, tél. 80.26.02.00 ☎ r.-v.

JEAN MICHELOT 1984*

■ 2.85 ha 7 000

[72] [76] 77 [78] [79] [80] 81 [82] 83 84

Ce vin pourrait être le début d'une chanson : sur une mélodie d'arômes évolués, nous jouons avec la framboise et le cassis, avec un rythme soutenu et élégant. Robe en rouge majeur cerise.

➥ M. Jean Michelot, rue des Charmots, 21630 Pommard, tél. 80.22.03.44 ☎ r.-v.

P. MISSEREY 1985*

■ 2 ha 1 500

74 79 82 83 85

Vin fin et élégant, qui demandera de la patience avant d'atteindre sa plénitude. Une robe déjà évoluée, tout en conservant une bonne intensité. L'attaque est franche et équilibrée. Tout ici est dominé par les fruits rouges confits.

➥ Maison P. Misserey,
3, rue des Seuillets, B.P. 10, 21702 Nuits-Saint-Georges Cedex, tél. 80.61.07.74 ☎ r.-v.

MOILLARD 1985**

■ n.c. n.c.

74 79 82 83 85

Arômes multiples d'où émerge la « liqueur de framboise », jointe à la vanille, aux petits fruits rouges, entourée de boisé. Une bouche équilibrée et agréable qui réjouira plus d'un convive.

➥ Thomas-Moillard, 2, rue François-Mignotte, 21700 Nuits-Saint-Georges, tél. 80.61.03.34 ☎ r.-v.

HUBERT DE MONTILLE
Rugiens 1985**

■ 1er cru 1 ha 4 500

84 85

Le caractère mâle, très charpenté des « Rugiens », s'exprime ici. Une couleur sombre, un nez animal et grillé, associé à une pointe de bourgeon de cassis. La structure est puissante, la longueur des plus agréables. Un vin à ne rechercher que sur les bonnes cartes de restaurant.

➥ M. Hubert de Montille, Volnay, 21190 Meursault, tél. 80.21.62.67 ☎ r.-v.

PARIGOT PÈRE ET FILS
Les Charmots 1986**

■ 1er cru 0,30 ha 1 500

(83) 85 [86]

Près du village de Pommard, « les Charmots », exposé plein sud, donne ce vin pourpre et brillant aux arômes complexes de fruits rouges. Il est net et franc en bouche. Sa structure générale laisse espérer un vin de longue garde.

➥ MM. Parigot Père et Fils, Meloisey, 21190 Meursault, tél. 80.26.01.70 ☎ r.-v.

PASQUIER-DESVIGNES 1986*

■ n.c. 3 000

Nous voudrions associer ce vin au village de Pommard dont il porte le nom : il a la fraîcheur et la complexité des petites rues du pays, le charme et le boisé de ces lieux secrets qui ravissent l'œil et la complicité des vrais gourmets. Imaginez-le ainsi... avant de le découvrir.

➥ M. Pasquier-Desvignes,
Le Marquisat, B.P. 199, Saint-Lager, 69822 Belleville-sur-Saône Cedex, tél. 74.66.14.20 ☎ r.-v.

CH. DE POMMARD 1985**

■ 20 ha 60 000

[78] [79] [80] 81 [82] 83 84 85

Dans une bouteille spécialement façonnée pour le château de Pommard, réside un vin d'une sombre intensité, limpide et transparent. Fondus ensemble, les fruits rouges et la vanille révèlent un nez puissant. Bien structurée, de l'attaque jusqu'au fond, son harmonieuse personnalité se doit d'être découverte entre 5 et 15 ans d'âge.

➥ Château de Pommard, 21630 Pommard, tél. 80.22.07.99 ☎ r.-v.

➥ Dr Jean-Louis Laplanche.

DANIEL REBOURGEON-MURE 1985*

■ 1,40 ha n.c.

[76] [77] [78] (79) 80 [81] [82] 83 85

Vinifié dans une des plus anciennes propriétés familiales du village (1582), ce vin fin à la robe évoluée, d'où émanent des parfums de fruits rouges confits, conserve une bonne fraîcheur en bouche. À servir avec une viande en sauce.

➥ M. Daniel Rebourgeon-Mure, Grande Rue, 21630 Pommard, tél. 80.22.75.39 ☎ r.-v.

ANTONIN RODET 1984**

■ n.c. n.c.

[76] [78] 83 84

Un vin fait pour la convivialité. On l'imagine volontiers sur une table bien garnie où il saura rehausser toutes sortes de gibiers. D'une très belle apparence, subtil, riche en fruits et bien structuré, il est la conséquence d'un millésime parfaitement maîtrisé. Évolué, il est à boire dès maintenant. Une des nombreuses réussites de la maison Rodet.

➥ M. Antonin Rodet, Mercurey, 71640 Givry, tél. 85.45.22.27 ☎ lu. ma. me. je. ve. 9h-12h 14h-19h.

JEAN TARTOIS 1985***

■ 2 ha n.c.

Ce pommard est le fleuron de son producteur. Sa belle robe rouge grenat, intense et limpide, habille des arômes complexes, fin et élégant mélange de fruits rouges, de vanille, de café grillé poursuivi par une touche animale (cuir). Belle structure, du chic, du fond, du race, un vin à la de la classe : le garder de 5 à 15 ans c'est acquérir « une noblesse en cave ».

De nombreux auteurs du siècle dernier ont cité le vin de Volnay; nous rappellerons le vicomte A. de Vergnette qui, en 1845, au congrès des Vignerons français, terminait ainsi son savant rapport: «Les vins de Volnay seront encore longtemps comme ils étaient au XIVᵉ s., sous nos Ducs, qui y possédaient les vignobles de Caille-du-Roy («Cailleray», devenu Caillerets): les premiers vins du monde.»

finesse; ils vont de la légèreté des Santenots, situés sur la commune voisine de Meursault, à la solidité et à la vigueur du Clos des Chênes ou des Champans. Nous ne les citerons pas tous ici de peur d'en oublier. Le Clos des Soixante Ouvrées y est également très connu, et donne l'occasion de définir l'ouvrée: quatre ares et vingt-huit centiares, unité de base des terres viticoles correspondant à la surface travaillée à la pioche par un ouvrier dans sa journée, au Moyen Age.

SCE Jean et Pierre Tartois, 21630 Pommard, tél. 80.22.11.70 T. r.-v.

ROBERT AMPEAU Santenots 1981**

76	77	78	79	80	81		
				n.c.		n.c.	

Faut-il être cynophile pour aimer ce vin? Étrange question... Mais les dégustateurs ont été unanimes à lui trouver un nez animal, de chien mouillé. Original et à découvrir, robe limpide, intense, rouge vif. Très bonne attaque, puissant, ample et gras. Il peut encore vieillir!

MM. Robert Ampeau et Fils, 6, rue du Cromin, 21190 Meursault, tél. 80.21.20.35 T. r.-v.

DOM. MARQUIS D'ANGERVILLE Clos des Ducs 1984**

76	78	80	81	82	84		
				2,20 ha		6 000	

Pas de vente ni de visite pour apprécier les vins du domaine. Ce clos appartient aux ducs de Bourgogne. Maintenant clos monopole du marquis d'Angerville, il produit un vin tout en finesse à rechercher sur les meilleures cartes des restaurants.

SCE Dom. Marquis d'Angerville, Volnay, 21190 Meursault, tél. 80.21.61.75

BOUCHARD AINE ET FILS 1979*

	n.c.	2 800

Vin accompli, robe d'une bonne intensité aux nuances tuilées. Belle gamme d'arômes animaux, suivie d'une bouche complexe, longue et bien remplie. Sur une caille farcie aux baies de cassis, ou tout autre gibier à plumes.

Bouchard Ainé et Fils, 36, rue Sainte-Marguerite, 21203 Beaune Cedex, tél. 80.22.07.67 T. r.-v.

B. VIRELY-ROUGEOT Clos des Arvelets 1985

1ᵉʳ cru	0,91 ha	4 000

«Les Arvelets», en celtique, désignait le cours d'eau. «Les Arvelets» et «les Epenots», intermédiaires entre «les Rugiens» et «les Epenots», donnent un 85 grenat tendre en couleur, au nez encore un peu fermé, dominé par le bois de réglisse et le bourgeon de cassis. Net et franc en bouche, il est à boire dès maintenant.

M. Bernard Virely-Rougeot, 21630 Pommard, tél. 80.22.34.34 T. r.-v.

B. VIRELY-ROUGEOT 1985*

	0,89 ha	3 000

Il y a chez Virely-Rougeot une homogénéité que l'on retrouve d'un vin à l'autre. C'est une preuve de savoir-faire. Ce 85 couleur cerise, au nez léger, frais, aux arômes de fruits à noyaux est net et franc; une bouteille à ouvrir dès aujourd'hui.

M. Bernard Virely-Rougeot, rue Notre-Dame, 21630 Pommard, tél. 80.22.34.34 T. r.-v.

JOSEPH VOILLOT Rugiens 1985**

	0,40 ha	1 500

Lors de la dégustation de ce «Rugiens», l'un des participants formula un lapsus superbe et évocateur. Voulant dire «de bonne conservation», il dit «de bonne conversation». De là à vouloir converser longtemps avec ce vin discret et flatteur, découvrant une telle structure sous une robe grenat, il n'y a qu'un pas que nous franchissons allégrement.

M. Joseph Voillot, Volnay, 21190 Meursault, tél. 80.21.62.27 T. r.-v.

Volnay

Blotti au creux du coteau, le village de Volnay évoque une jolie carte postale bourguignonne. Moins connue que sa voisine, l'appellation n'a rien à lui envier, et les vins sont tout en

DENIS BOUSSEY 1986*

| | 0,61 ha | 3 000 | ⬛ ▾ 3 |

77 78 79 80 81 82 83 84 85 86

Il est peut-être utile d'ouvrir ce vin deux à trois heures avant la dégustation. Belle couleur violacée, bonne attaque en bouche, assez gras et ample. Son nez discret devrait bien évoluer. A garder entre 3 et 5 ans.
➤ M. Denis Boussey, Grande Rue, Monthélie, 21190 Meursault, tél. 80.21.21.23 r.-v.

LIONEL J. BRUCK 1985**

| | n.c. | 3 000 | ⬛ ↓ ▾ 5 |

78 83 85

Intense et pourpre pour la robe, puissant et complexe par son bouquet de sous-bois et d'humus. Un vin long et équilibré, charpenté, avec un bon potentiel de vieillissement. Remarquable pour accompagner un gibier.
➤ Lionel Bruck SA, 6, quai Dumorey, 21700 Nuits-Saint-Georges, tél. 80.61.07.24 lu. ma. me. je. ve. 9h-12h 14h-17h.

EMILE CHANDESAIS
Clos des chênes 1986***

| 1er cru | n.c. | 3 000 | (86) |

79 80 81 82 83 84 (86)

Quel équilibre, quelle matière. Tout est intense, de la pourpre dont il est habillé, aux arômes complexes perceptibles sous la puissance caractéristique de ce climat, encore éclipsés par sa jeunesse. Ample, boisé, c'est un fleuron de Volnay.
➤ M. Emile Chandesais, Ch. Saint-Nicolas, B.P. 1, Fontaines, 71150 Chagny, tél. 85.91.41.77 r.-v.

DOM. Y. CLERGET
Clos du Verseuil 1986

| 1er cru | 0,68 ha | 3 000 | ⬛ ↓ ▾ 5 |

73 76 77 (78) 79 80 81 82 83 84 86

Dans sa robe violacée, ce vin demande une aération avant de pouvoir s'exprimer pleinement. Tannique, équilibré, il est apte au vieillissement.
➤ Dom. Y. Clerget, rue de La Combe, Volnay, 21190 Meursault, tél. 80.21.61.56 r.-v.

DOM. BERNARD DELAGRANGE 1985*

| 1er cru | 1,30 ha | n.c. | ⬛ ▾ 5 |

80 (83) 85

Un ancien fief seigneurial creusé dans la roche aux XIVe et XVe s. abrite les caves de Bernard Delagrange. Ce millésime 85, à la robe rouge soutenu, au nez développé, possède une bonne attaque, de la substance. Tout ce que l'on espère d'un Volnay 1er cru, mais avec des saveurs moins pleines que le très beau 83, coup de cœur de la précédente édition.
➤ Dom. Bernard Delagrange, 10, rue du 11-novembre, 21190 Meursault, tél. 80.21.22.72 t.l.j. 9h-19h.

DOM. BERNARD DELAGRANGE
Caillerets 1984

| 1er cru | 0,34 ha | n.c. | ⬛ ▾ 5 |

Tuilé, ou pelure d'oignon, c'est en tout cas une couleur évoluée qui accueille le dégustateur. Marqué en tanins, chaud, corsé, boisé.
➤ Dom. Bernard Delagrange, 10, rue du 11-novembre, 21190 Meursault, tél. 80.21.22.72 t.l.j. 9h-19h.

DOM. DE LA POUSSE D'OR
Clos de La Bousse d'Or 1984**

| 1er cru | 2,20 ha | | ⬛ ▾ 6 |

72 73 74 76 (78) 79 80 81 82 83 84

Il est encore tout jeune, typé dans le millésime, avec une belle robe grenat profond aux reflets violacés et des arômes intenses de sous-bois, de cuir. Tannique, réservant une bonne longueur en bouche, sa substance lui permet le vieillissement.
➤ SCE du Dom de La Pousse d'Or, rue de La Chapelle, Volnay, 21190 Meursault, tél. 80.21.61.33 r.-v.

P. DE MARCILLY 1985

| | n.c. | n.c. | ⬛ ▾ 5 |

Marqué par quelques reflets bruns, ce millésime montre l'amorce d'une évolution précoce par ses arômes animaux. Jolie bouteille à consommer dès maintenant.
➤ Maison P. de Marcilly, passage Montgolfier, 21700 Nuits-Saint-Georges, tél. 80.61.14.26 r.-v.

DOM. MONCEAU-BOCH
Champans 1986**

| 1er cru | 1,07 ha | 4 000 | ⬛ ▾ 4 |

71 76 (78) 79 82 83 85 86

Champans veut dire champs en pente. Un banc de roche, un sol caillouteux, il faut cette hostilité pour que le pinot noir s'exprime pleinement et produise un vin ici violacé et brillant. Les arômes de fruits rouges mêlés de vanille sont discrets. La bouche est équilibrée, boisée, riche de tanins fondus, bien typée volnay.
➤ M. Hubert Guidot, 2, rue du Moulin Judas, 21190 Meursault, tél. 80.21.23.65 r.-v.

HUBERT DE MONTILLE
Champans 1985**

| 1er cru | 0,65 ha | 3 000 | ⬛ 6 |

Prometteur, ce champans typique, à la jolie robe pourpre et limpide où apparaissent des reflets verts. Très jeune, avec un nez élégant de petits fruits et une bonne substance, c'est un millésime long et ample. A consommer dans 3 ou 5 ans, mais il ne se trouve que dans les restaurants.
➤ M. Hubert de Montille, Volnay, 21190 Meursault, tél. 80.21.62.67 r.-v.

DOM. DU CHATEAU DE BEAUNE
Caillerets 1985**

| 1er cru | 2,57 ha | 10 500 | ⬛ 6 |

69 71 74 76 78 79 80 81 82 83 84 85

L'étiquette nous rappelle «qui n'a de vigne en Cailleray ne sait ce que vaut le vrai». Rouge intense, très fin au nez, il est tout à la fois rond et bien structuré. Une bouteille de garde, promise à un grand avenir.
➤ SA Bouchard Père et Fils, Au Château, B.P. 70, 21202 Beaune Cedex, tél. 80.22.14.41 r.-v.

ANTONIN RODET 1985*

n.c. | n.c.

Brillant avec un un nez très charmeur, fin et fruité, ce vin est tout en élégance et finesse. Il possède un avenir certain.

↳ M. Antonin Rodet, Mercurey, 71640 Givry, tél. 85.45.22.22 lu. ma. me. je. ve. 9h-12h 14h-19h.

ANTONIN RODET Santenots 1985**

1er cru | n.c. | n.c.

En général le plus ferme et le plus corsé des volnay. C'est le type même des vins de garde. Couleur intense, très rouge. Prometteur par la jeunesse de ses traits, il demande à évoluer pour exprimer son potentiel aromatique. Une bonne attaque, beaucoup de matière, de la solidité, de la longueur.

↳ M. Antonin Rodet, Mercurey, 71640 Givry, tél. 85.45.22.22 lu. ma. me. je. ve. 9h-12h 14h-19h.

REGIS ROSSIGNOL 1986

|76| 79 |80| 82 | 83 | **84** |86|

1er cru | n.c. | n.c. | 3 000

Se rendre chez Régis Rossignol, c'est s'assurer une rencontre avec un vinificateur de talent. Le millésime 86 est brillant, couleur grenat, vif. 84 avait été un très remarquable coup de cœur Hachette.

↳ M. Régis Rossignol, rue d'Amour, Volnay, 21190 Meursault, tél. 80.21.61.59 r.-v.

ROSSIGNOL-FEVRIER 1986**

84 86

n.c. | n.c. | 3 000

Belle intensité de couleur d'une robe grenat aux reflets violacés. Parfait équilibre des tanins et de l'acidité. Puissant, rempli de matière, c'est un vin de garde au nez encore discret, mais d'une remarquable harmonie.

↳ GAEC Rossignol-Février, rue du Mont, Volnay 21190 Meursault, tél. 80.21.61.59 r.-v.

JOSEPH VOILLOT 1985***

1er cru | 1,15 ha | 4 500

Un vin charpenté où tout est remarquable, de l'intensité de la couleur cerise, aux qualités aromatiques développées et complexes, dominées par un caractère animal, jusqu'à la fin de bouche élégante et longue qui supporterait un plat un peu corsé.

↳ M. Joseph Voillot, Volnay, 21190 Meursault, tél. 80.21.62.27 r.-v.

Monthélie

La combe de Saint-Romain sépare les terroirs à rouges des terroirs à blancs; Monthélie est exposé sur le versant sud de cette combe. Dans ce petit village moins connu que ses voisins, les vins sont d'excellente qualité et d'un très bon rapport qualité-prix.

JACQUES BOIGELOT
Les Champs-Fuillots 1984**

79 (82) 84 85

1er cru | 0,35 ha | 2 100

Les arômes de ce Champs-Fuillots sont délicats et nets et suggèrent les fruits secs. Le 84 peut encore évoluer avec les années; on l'offrira avec des cailles farcies.

↳ M. Jacques Boigelot, Monthélie, 21190 Meursault, tél. 80.21.22.81 r.-v.

JEAN-CLAUDE BOISSET 1985

82 |83| |84| |85|

n.c. | n.c.

Le ton pourpre de la robe est soutenu par une belle brillance, et le bouquet hésite entre senteurs végétales et senteurs lactiques. Doté d'une solide charpente, ce vin accompagnera un bleu d'Auvergne.

↳ Gds Vins Jean-Claude Boisset, passage Montgolfier, 21700 Nuits-Saint-Georges, tél. 80.61.00.06 r.-v.

BOUCHARD AINE ET FILS 1985

n.c. | n.c. | 3 000

A dominante végétale, les arômes inclinent vers les feuilles sèches et les herbes. Doté d'une bonne finale, ce vin solide accompagnera un bœuf bourguignon (bien entendu).

↳ Bouchard Aîné et Fils, 36, rue Sainte-Marguerite, 21203 Beaune Cedex, tél. 80.22.07.67 r.-v.

BOUCHARD PERE ET FILS 1985**

n.c. | n.c.

La maison Bouchard Père et Fils, négociants au château de Beaune, fait découvrir un beau vin à la robe rouge intense. Les composantes du bouquet sont autant d'allusions aux fruits rouges. Tout à la fois longue, puissante, et équilibrée, cette belle bouteille mérite d'être associée à une grande cuisine.

↳ SA Bouchard Père et Fils, Au Château, B.P. 70, 21202 Beaune Cedex, tél. 80.22.14.41 r.-v.

DENIS BOUSSEY Les Hauts-Brins 1986

76 | 77 | 78 | 79 | 80 |82| 83 | 84 | 85 | 86

1,45 ha | 5 200

Le lieu-dit Les Hauts-Brins se situe à proximité du coteau de Volnay. Exposé plein sud, il donne des vins légers. La robe rouge cerise de celui-ci dissimule un bouquet discret. La bouche est élégante et délicate. On peut le découvrir dès maintenant.

↳ M. Denis Boussey, Grande Rue, Monthélie, 21190 Meursault, tél. 80.21.21.23 r.-v.

Côte-de-beaune

Monthélie

ERIC BOUSSEY 1986*

■ 2 ha   4 500   ▥ ☷☷ ▾ᗐ③

76 78 79 80 82 ⑧ 84 85 86

Un soupçon de géranium émerge du bouquet de ce 86 limpide et brilant. La structure est équilibrée, ronde et ample. On peut l'associer à un rosbif.

➥ M. Eric Boussey, Monthélie, 21190 Meursault, tél. 80.21.60.70 ☓ r.-v.

JEHAN CHANGARNIER 1986**

■ 4 ha   8 000   ☷☷ ↓▾ᗐ③

76l 83 84 l85l 86

Des arômes élégants de vanille émanent de ce vin à la robe cerise. Dotée d'un bon support tannique, la charpente est ronde et bien équilibrée. Ce beau vin de garde sera à point dans 2 ou 3 années.

➥ M. Jehan Changarnier, Monthélie, 21190 Meursault, tél. 80.21.22.18 ☓ r.-v.

LOUIS DESCHAMPS 1986**

■ 2 ha   5 000   ☷☷ ▾ᗐ③

76 78 79 80 82 ⑧ 84 85 86

Une robe rouge nuancée de reflets violacés, un nez délicat et, parmi tous les arômes, une senteur évoquant la truffe qui ravira les connaisseurs. Bien construit et solide, il est promis à un bel avenir.

➥ M. Louis Deschamps, Grande Rue, Monthélie, 21190 Meursault, tél. 80.21.20.20 ☓ r.-v.

MARCEL DESCHAMPS ET FILS 1986**

■ 7 ha   12 000   ☷☷ ▾ᗐ③

79 83 l84l 85 l86l

Toujours parfait, Marcel Deschamps : la framboise domine les composantes fruitées du bouquet. Solide, c'est un vin bien construit, apte au vieillissement. On associera volontier à table la

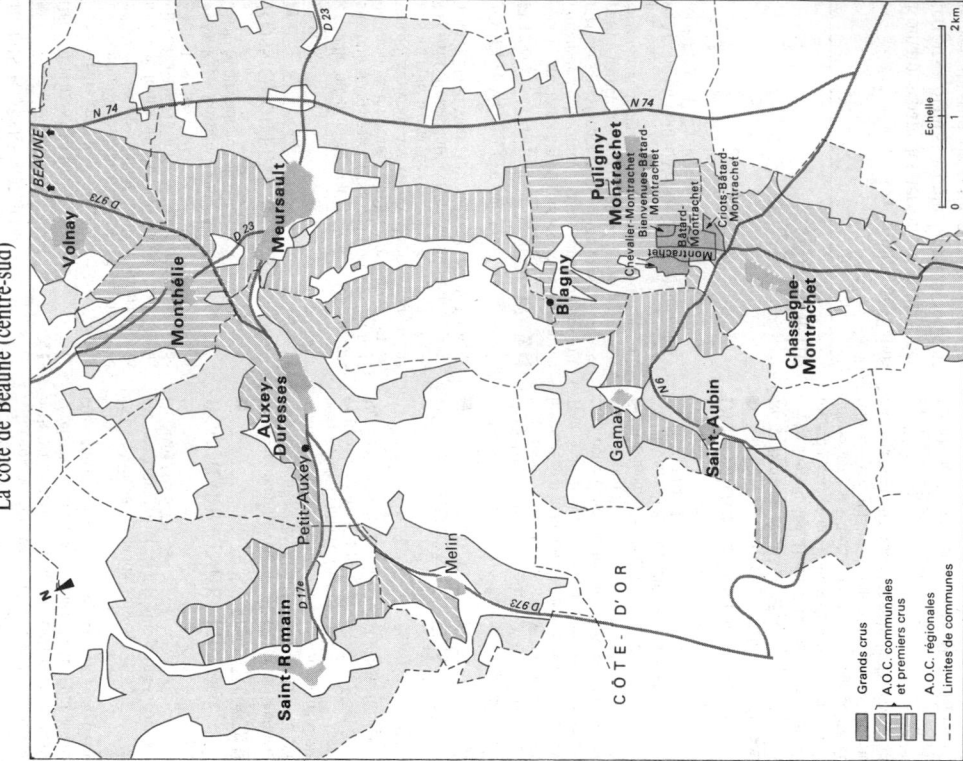

La côte de Beaune (centre-sud)

430

sauce.

brillance de sa belle robe rouge à un gibier en

↜ M. Marcel Deschamps, Monthélie,
21190 Meursault, tél. 80.21.28.60 ⵌ r.-v.

Château de Monthélie
Monthélie sur la Velle
Mise du Château
E. de Suremain
Viticulteur à Monthélie par Meursault (Côte-d'Or)
Appellation Monthélie 1er Cru Contrôlée
France
75 cl

PAUL GARAUDET Les Duresses 1986**

| ■ 1er Cru | 0,60 ha | 2 700 | ⵌ ⵌ 4 |

76|78| 79 81 82 83 |84| 85 86

Bien structuré, légèrement marqué par une touche de fût neuf, ce vin est avant tout dédié au futur. Il possède suffisamment de substance pour pouvoir prétendre au vieillissement et surtout en tirer un grand bénéfice. À mettre en cave et à attendre religieusement.

↜ M. Paul Garaudet, rue du Cimetière, Monthélie, 21190 Meursault, tél. 80.21.28.78 ⵌ r.-v.

P. DE MARCILLY 1985

| ■ | n.c. | n.c. | ⵌ 3 |

Particulièrement évolué pour son millésime avec des arômes de sous-bois, d'humus et de champignons, il accompagnera dès maintenant un confit d'oie, ou une volaille en sauce.

↜ Maison P. de Marcilly, passage Mongolfier, 21700 Nuits-Saint-Georges, tél. 80.61.14.26 ⵌ r.-v.

LOUIS JADOT 1985**

82 83 85

| ■ | n.c. | 21 000 | ⵌ ⵌ 4 |

La robe est d'un aspect charmant. Se tenant en retrait, les arômes évoquent les fruits secs. L'équi-libre, la rondeur lui promettent un superbe avenir dans 5 ou 7 ans.

↜ Maison Louis Jadot, 5, rue Samuel-Legay, B.P. 121, 21200 Beaune, tél. 80.22.10.57 ⵌ r.-v.

CH. DE MONTHÉLIE
Sur La Velle 1985***

| ■ 1er Cru | 2,50 ha | 7 000 | ⵌ ⵌ 4 |

À peine a-t-il charmé par l'intensité de sa robe rouge, que ce château ce Monthélie envoûte de ses parfums discrets de fruits rouges et de bois noble. L'attaque est nette et franche, le caractère de l'ensemble est équilibré et harmonieux. On peut difficilement faire mieux.

↜ M. Éric de Suremain, Ch. de Monthélie, Monthélie, 21190 Meursault, tél. 80.21.23.52 ⵌ r.-v.

DOM. MONTHÉLIE DOUHAIRET

| ■ | 2,18 ha | n.c. | ⵌ 3 |

1986

81 85 86

Voici un vin arrivé à maturité, prêt à la consommation. Brillant, nuancé de reflets ambrés, il escortera une terrine ou un plat froid.

↜ SCE Dom. Monthélie Douhairet, Monthélie, 21190 Meursault, tél. 80.21.01 ⵌ r.-v.
↜ Mlle Armande Douha ret.

MAURICE PINQUIER 1986*

| ■ | 2,50 ha | 5 500 | ⵌ 3 |

Avec ce bel équilibre, il est fait pour durer et développera ses arômes. Pour arroser, dans 2 ou 3 ans, un rôti de veau.

↜ M. Maurice Pinquier, Monthélie, 21190 Meursault, tél. 80.21.22.78 ⵌ r.-v.

THOMAS-BASSOT 1985*

| ■ | n.c. | n.c. | ⵌ ⵌ 3 |

La maison Thomas-Bassot, fondée en 1850, propose ce vin harmonieux et prometteur à la jolie robe. Le bouquet est discret mais tout semble être réuni dans cette bouteille pour que l'on puisse l'apprécier vers 1995.

↜ Maison Thomas-Bassot, 5, quai Dumorey, 21700 Nuits-Saint-Georges, tél. 80.62.31.21 ⵌ r.-v.

Auxey-duresses

Auxey possède des vignes sur les deux versants. Les premiers crus rouges des Duresses et du Val sont très réputés. Sur le versant «Meursault», on produit d'excellents vins blancs qui, sans avoir la réputation des grandes appellations, sont également très intéressants. L'appellation représente, en année moyenne, environ 1 000 hl en blanc et 3 000 en rouge.

BOUCHARD PÈRE ET FILS 1986

| □ | 26 ha | n.c. | ⵌ 5 |

Un or limpide et brillant annonce des nuances de miel, de citronnelle et de fougère. À boire prochainement en prenant soin d'ouvrir la bouteille une demi-heure à l'avance.

↜ SA Bouchard Père et Fils, Au Château, B.P. 70, 21202 Beaune Cedex, tél. 80.22.14.41 ⵌ r.-v.

JEAN-PIERRE DICONNE 1985***

| ■ | 1,21 ha | 5 000 | ⵌ ⵌ 3 |

73 |76 77 |78| 79| 80 |81|82 83 |84| 85

Pour son entrée dans le guide, Jean-Pierre Diconne propose un splendide auxey-duresses (prononcez aussey) rouge. Légèrement pourpre, doté d'une bonne intensité, il laisse sur le verre

« des larmes épaisses ». Boisé, développé, riche d'arômes de cerise et de bourgeon de cassis, il séduit par une belle structure et un équilibre parfait. Ce vin puissant possède un avenir assuré d'une bonne dizaine d'années. C'est un superbe coup de cœur.
☛ M. Jean-Pierre Diconne, Auxey-Duresses, 21190 Meursault, tél. 80.21.25.60 ⊤ r.-v.

JEAN-PIERRE DICONNE 1985**

0,88 ha   4 500

|73| |74| 75 |76| 77 |78| |79| 80 |81| |82| 83 84 |85|

Les fées se sont penchées sur les cuves de Jean-Pierre Diconne. Après avoir obtenu un coup de cœur pour son rouge, il réussit un beau doublé en plaçant son blanc parmi les meilleurs. Couleur or marbré de reflets verts, ce vin possède le « coup de patte » de son vinificateur : senteurs de pain grillé, de miel et de vanille, riche bouquet agrémenté d'une pointe de bergamote. Très long en bouche, il possède la garde d'un grand bourgogne.
☛ M. Jean-Pierre Diconne, Auxey-Duresses, 21190 Meursault, tél. 80.21.25.60 ⊤ r.-v.

LOUIS JADOT 1986*

n.c.   15 000

|76| 78 79 |80| |81| 82 83 |84| |85| 86

Encore très jeune, il se présente parfaitement, sous un aspect d'or blanc à reflets verts. Les nuances de miel et de citronnelle laissent entrevoir des perspectives intéressantes. L'attaque est vive et chaude. Il devrait atteindre son plein épanouissement dans 3 à 5 ans.
☛ Maison Louis Jadot,
5, rue Samuel-Legay, B.P. 121, 21200 Beaune, tél. 80.22.10.57 ⊤ r.-v.

DOM. ANDRE ET BERNARD LABRY 1985

5 ha   20 000

|76| 82 |83| 84 85

Pourpre à l'œil, ce vin vif et soigné mêle les fruits frais et confits, avec un léger boisé. Il saura se faire attendre 2 à 5 ans.
☛ Dom. André et Bernard Labry, Melin, Auxey-Duresses, 21190 Meursault, tél. 80.21.21.60 ⊤ r.-v.

CLAUDE MARECHAL-JACQUET 1986**

0,80 ha   n.c.

|78| |83| 85 86

Ce superbe millésime 86 à la belle couleur or pâle est une explosion d'arômes de fruits à chair jaune, mangue, pêche et coing. Il se poursuit parfaitement en bouche et se caractérise par une grande fraîcheur. Nous lui prévoyons un grand avenir. Aux dires des dégustateurs, s'il est parfait pour un plat fin de poisson, il peut aussi être l'unique témoin d'un tête à tête.
☛ M. Claude Maréchal, rte de Chalon-sur-Saône, Bigny-lès-Beaune, 21200 Beaune, tél. 80.21.44.37 ⊤ r.-v.

PIERRE PONNELLE 1985***

n.c.   n.c.

|78| 83 85 86

La « parure d'un grand bourgogne » pour cet auxey-duresses cristallin, or pâle à reflets verts, qui est un régal pour les yeux. Pêle-mêle, il marie puissance et finesse dans de multiples senteurs : boisé, miel, grillé, pain d'épices, prune, citronnelle. D'une harmonie générale délicate et élégante, c'est un grand vin de garde. Pour un plat riche.
☛ M. Pierre Ponnelle, 5, rue du Moulin, 21700 Nuits-Saint-Georges, tél. 80.61.22.41 ⊤ r.-v.

MICHEL PRUNIER 1986*

2 ha   10 000

|78| |79| 80 |82| 83 84 85 |86|

Jeunesse mêlant la pourpre au rubis, les cerises noires aux myrtilles rehaussées de boisé neuf : un vin au moelleux soutenu, agréable et charpenté.
☛ M. Michel Prunier, rte nationale, Auxey-Duresses, 21190 Meursault, tél. 80.21.21.05 ⊤ r.-v.

MICHEL PRUNIER 1986**

1 ha   5 000

77 78 |79| 80 |81| 82 |83| 84 85 86

Michel Prunier, déjà cité dans le précédent guide, persiste et poursuit dans la qualité. Ce 86 à la profonde couleur d'or soutenu offre au nez un soupçon de bois parfaitement fondu comme une touche de peinture sur une aquarelle. Puissant et nerveux, tout en étant déjà très plaisant, c'est un vin auquel l'équilibre moelleux-acide promet un grand avenir.
☛ M. Michel Prunier, rte nationale, Auxey-Duresses, 21190 Meursault, tél. 80.21.21.05 ⊤ r.-v.

DOM. GUY ROULOT 1985**

1,50 ha   4 000

|78| |79| 80 82 |84| 85

Au domaine Guy Roulot, on est artisan distillateur depuis 1860, mais le vin tient la plus grande place. Ce 85, d'une couleur intense, pourpre, au nez vif et frais de griotte et de cassis jouit d'un bon moelleux soutenu par des tanins doux. Il peut se conserver durant de nombreuses années.
☛ SCE Dom. Guy Roulot, 1, rue Charles-Giraud, 21190 Meursault, tél. 80.21.21.65 ⊤ r.-v.

Saint-romain

Le vignoble est situé dans une position intermédiaire entre la côte et les hautes côtes. Les vins de Saint-Romain, surtout les blancs, sont toujours fruités et gouleyants, et toujours prêts à donner plus qu'ils n'ont promis, selon les viticulteurs eux-mêmes. Le site est magnifique et mérite une petite excursion.

GILLES BUISSON 1985*

4,35 ha   20 000

|78| 83 85 86

Une exploitation familiale depuis trois générations présente un vin grenat aux reflets orangés, parfumé de fruits mûrs, de sous-bois et d'épices.

DENIS CARRE Le Jarron 1985*

n.c. [3]

Chaleureux et riche, ce 85 bien charpenté metra en valeur une pintade aux raisins.
 M. Gilles Buisson, Saint-Romain, 21190 Meursault, tél. 80.21.27.91 r.-v.

Le mot «jarron» désignait jadis une branche d'arbre. Des bois, sans doute, couvraient ce climat avant que la vigne n'apparaisse. Le bouquet est discret et une garde de 2 à 3 ans lui permettra de s'exprimer pleinement. Avec un plat de perdrix.
 M. Denis Carré, Meloisey, 21190 Meursault, tél. 80.26.02.21 r.-v.

BERNARD FEVRE 1986*

1,21 ha 5000

Si Bernard Fèvre n'a que vingt-neuf ans, il n'en est pas moins l'héritier d'une tradition vigneronne implantée à Saint-Romain depuis le XVIIIe s. Le vin de sa commune, d'un bel or nuancé de reflets verts, recèle un bouquet fruité. Corsé et solide, il est apte à bien évoluer en vieillissant.
 M. Bernard Fèvre, Saint-Romain, 21190 Meursault, tél. 80.21.21.29 r.-v.

GERMAIN PERE ET FILS 1983*

1811 1821 1831

5 ha 10000

C'est bien un 83, solide et vigoureux. La coloration tuilée de la robe est limpide. La puissance du nez mêlant des senteurs animales suggérées à la fourrure, le cuir et le musc. On peut le découvrir dès aujourd'hui avec des cailles au raisin.
 Dom. Germain Père et Fils, Saint-Romain, 21190 Meursault, tél. 80.21.22.11 t.l.j; 9h-12h 14h-18h.

GERMAIN PERE ET FILS 1985*

79 (83) [85]

1,50 ha 5000

Montrant déjà un bon équilibre entre l'acidité et le moelleux, ce millésime s'affinera avec le temps. Le bouquet manifeste une pointe boisée et associe les arômes de fleurs et de fruits. On offrira ce vin avec un poisson en sauce.
 Dom. Germain Père et Fils, Saint-Romain, 21190 Meursault, tél. 80.21.22.11 t.l.j; 9h-12h 14h-18h.

MAISON JEAN GERMAIN
Clos sous le Château 1986**

1821 (83) [84] [85] 86

0,80 ha 6000

On ne prendra aucun risque en laissant vieillir ce vin 3 à 5 ans. L'équilibre et la sobriété de sa structure ne pourront que s'affirmer. Aromatiquement complexe et puissant, avec un bouquet de fruits rouges liés à des senteurs boisées, il accompagnera une omelette aux cèpes.
 Maison Jean Germain, 11, rue de Lattre-de-Tassigny, 21190 Meursault, tél. 80.21.63.67 t.l.j, sf dim. 9h-12h 14h-19h

PIERRE PONNELLE 1985**

n.c.

Au cœur du bouquet, une touche discrète de fruits rouges se devine à travers des nuances complexes suggérant le sous-bois. Typée 85, l'ample charpente de ce vin est riche de tanins bien fondus. On saura le laisser vieillir 3 à 5 ans avant de l'offrir avec un marcassin mariné
 M. Pierre Ponnelle, 5, rue du Moulin, 21700 Nuits-Saint-Georges, tél. 80.61.22.41 r.-v.

CHARLES VIENOT 1986

(83) 86

n.c.

La fraîcheur s'exprime dans une teinte or pâle où transparaissent des reflets verts. Agréable et délicat, il peut être servi sans plus attendre.
 Charles Viénot, 5, quai Dumorey, B.P. 19, 21700 Nuits-Saint-Georges Cedex, tél. 80.62.31.05 r.-v.

Meursault

Avec Meursault commence la véritable production de grands vins blancs. Plus de 15000 hl par an de premiers crus mondialement réputés: les Perrières, les Charmes, les Poruzots, les Genevrières, les Gouttes d'Or, etc. Tous allient la subtilité à la force, la fougère à l'amande grillée, l'aptitude à être consommés jeunes aux possibilités de longévité. Meursault est bien la «capitale des vins blancs de Bourgogne».

Les «petits châteaux» qui restent à Meursault sont les témoins d'une opulence ancienne, attestant une notoriété certaine des vins produits. La Paulée, qui a pour origine le repas pris en commun à la fin des vendanges, est devenue une manifestation traditionnelle qui se déroule le troisième jour des «Trois Glorieuses».

DOM. BERNARD BACHELET
Les Navaux 1985*

79 8[] 82 83 84 85

0,80 ha 4000

Prévoir de déboucher cette bouteille une heure avant sa consommation. Elle ne jouira que mieux exhaler toutes ses senteurs végétales, et faire apprécier sa personnalité.
 Dom. Bernard Bachelet et Fils, Dezize-les-Maranges, 71150 Chagny, tél. 85.91.16.11 r.-v.

GUY BOCARD Charmes 1986 **

1er cru	0,67 ha	2 000	n.c.	⏺ ↓ Ⓥ Ⓖ

85 |86|

Le charme des «Charmes», c'est cette robe limpide aux reflets jaunes, aux nuances vertes. C'est un bouquet associant le boisé, le grillé, le fumé. C'est un vin très rond, jeune, qui s'exprime déjà.

→ M. Guy Bocard, 4, rue de Mazeray,
21190 Meursault, tél. 80.21.26.06 ⏳ r.-v.

GUY BOCARD Bouchères 1986 *

1er cru	n.c.	n.c.	⏺ ↓ Ⓥ Ⓖ

Ce vin jaune pâle aux reflets dorés, aux senteurs multiples qui évoquent les fleurs sauvages et les épices devra être aéré une heure avant la dégustation pour dévoiler tous ses arômes.

→ M. Guy Bocard, 4, rue de Mazeray,
21190 Meursault, tél. 80.21.26.06 ⏳ r.-v.

GUY BOCARD Les Grands Charrons 1986 *

	0,44 ha	1 600	⏺ Ⓥ Ⓢ

Un vin homogène, harmonieux, rond et gras, doté d'un nez puissant, floral, fruité et légèrement boisé. A boire dans une période de 5 à 10 ans.

→ M. Guy Bocard, 4, rue de Mazeray,
21190 Meursault, tél. 80.21.26.06 ⏳ r.-v.

PHILIPPE BOUZEREAU Charmes 1986 *

1er cru	n.c.	n.c.	⏺ Ⓥ Ⓢ

D'une limpidité excellente et élégant de robe, il est trop jeune pour pouvoir révéler toute sa richesse. Le type même d'un vin très prometteur qu'il faut savoir conserver.

→ M. Philippe Bouzereau, 15, pl. de l'Europe,
21190 Meursault, tél. 80.21.20.32 ⏳ r.-v.

YVES BOYER-MARTENOT
Les Narvaux 1986 ***

	1,20 ha	3 600	⏺ Ⓥ Ⓢ

78 79 82 |83| 85 |86|

Ce Narveaux n'a pas attendu pour exprimer le meilleur de lui-même. Des reflets verts sur une couleur or, d'où émergent, subtils et riches, des arômes fruités et boisés. Un vin modelé pour parcourir de longues distances. A découvrir, selon l'impatience, au présent ou au futur.

→ M. Yves Boyer-Martenot, 17, rue Mazeray,
21190 Meursault, tél. 80.21.26.25 ⏳ r.-v.

CHANSON PERE ET FILS
Genevrières 1984 *

1er cru	n.c.	n.c.	⏺ Ⓥ Ⓖ

83 |84|

Très fraîche pour son millésime, la teinte est de couleur jaune intense. Les parfums sont évolués, la structure générale bien équilibrée. Ce vin demande à être ouvert une heure avant consommation.

→ MM. Chanson Père et Fils,
10, rue Paul-Chanson, 21201 Beaune Cedex,
tél. 80.22.33.00 ⏳ r.-v.

CHARTRON ET TREBUCHET 1986 **

	n.c.	9 000	⏺ Ⓥ Ⓢ

84 |85| 86

Voici un vin de garde à la couleur dorée. Il est construit pour la distance et possède un bouquet développé, où domine la vanille. Très puissant, il est tout en réserve, et ne pourra être apprécié à sa juste valeur que dans quelques années.

→ Chartron et Trébuchet, 13, Grand Rue,
Puligny-Montrachet, 21190 Meursault,
tél. 80.21.36.91 ⏳ r.-v.

✶

DOM. DU CHATEAU DE BEAUNE
Genevrières 1986 ***

1er cru	1,31 ha	7 000	⏺ ↓ Ⓩ

79 80 |82| 83 84 |85| |86|

Toute la finesse des Genevrières semble contenue sous la robe jaune intense de ce vin. Les arômes sont puissants, exprimant les fruits exotiques, le bois de réglisse et le pain grillé. L'élégance est jointe à la fraîcheur, formant un rare équilibre. Une des merveilles du château de Beaune.

→ SA Bouchard Père et Fils,
Au Château, B.P. 70, 21202 Beaune Cedex,
tél. 80.22.14.41 ⏳ r.-v.

DOM. PHILIPPE DELAGRANGE
Les Pelles 1986 **

	0,74 ha	n.c.	⏺ Ⓥ Ⓢ

85 |86|

Les arômes de pêche et d'abricot ont une amplitude remarquable. Puissant, ce vin est long et fin. Sa teinte limpide et jaune pâle supportera le vieillissement.

→ Dom. Bernard Delagrange,
10, rue du 11-novembre, 21190 Meursault,
tél. 80.21.22.72 ⏳ t.l.j. 9h-19h.

DELAUNAY 1985 *

	n.c.	15 000	⏺ ↓ Ⓥ Ⓖ

Pâle et limpide, l'or de la robe est parcouru de reflets verts. La fraîcheur du nez suggère les arômes lactiques. Souple et puissante, la structure de ce vin est faite pour évoluer favorablement en vieillissant. Le moment venu, accompagnez-le d'une fricassée de volaille.

→ SA B. et J.-M. Delaunay, L'Etang Vergy,
21220 Gevrey-Chambertin, tél. 80.61.40.15 ⏳ r.-v.

MICHEL DUPONT-FAHN
Le Pré de Manche 1985

	1,50 ha	6 000	⏺▬ Ⓥ Ⓐ

Une couleur or ou paille s'allie à des parfums

legers de fruits mûrs. Il faudra savoir attendre ce vin typique et bien structuré.

➥ M. Michel Dupont-Fahn, Les Toisières, Monthélie, 21190 Meursault, tél. 80.21.26.78 ⟁ r.-v.

DOM. M. DUSSORT 1986***

| ☐ | 0,40 ha | 3 000 |

78 79 81 82 83 84 851 861

L'aspect est remarquable : la couleur or tendre légèrement nuancée de vert, la limpidité de l'ensemble est parfaite. Les arômes délicats mêlent les senteurs florales et boisées. En bouche, la très belle attaque se perpétue dans la distance et l'équilibre. Superbe !

➥ M. Dussort, 12, rue Charles-Giraud, 21190 Meursault, tél. 80.21.21.21 ⟁ t.l.j. 8h-12h 14h-20h.

PRODUCE OF FRANCE

MIS EN BOUTEILLE À LA PROPRIÉTÉ
Domaine M. DUSSORT
Propriétaire à MEURSAULT, Côte-d'Or

MEURSAULT
APPELLATION CONTRÔLÉE
75 cl

CH. GENOT-BOULANGER
Clos du Cromin 1985*

| ☐ | 1,42 ha | 4 600 |

79 82 (83) 851

Tempéré par l'odeur de bois du fût neuf, le nez est intense et complexe. Nerveux, soyeux et fin, c'est un vin bien construit, qui mérite d'être découvert.

➥ Ch. Génot-Boulanger, 25, rue de Cîteaux, 21190 Meursault, tél. 80.21.24.18 ⟁ r.-v.
➥ M. Charles Henri Génot.

LOUIS JADOT 1986**

| ☐ | n.c. | 120 000 |

72 76 78 79 80 81 82 83 84 (85) 861

Un bouquet complexe de fruits frais, joint aux arômes de torréfaction et d'épices. Une belle attaque franche et souple, un beau potentiel de vieillissement. Très harmonieux, ce vin peut accompagner un homard.

➥ Maison Louis Jadot, 5, rue Samuel-Legay, B.P. 121, 21200 Beaune, tél. 80.22.10.57 ⟁ r.-v.

PATRICK JAVILLIER
Clos du Cromin 1986

| ☐ | 1 ha | 7 000 |

85 86

Un vin discret à la teinte limpide qui devrait, au cours des années, affirmer sa typicité.

➥ M. Patrick Javillier, 7, imp. des Acacias, 21190 Meursault, tél. 80.21.27.87 ⟁ r.-v.

J.-C. JHEAN-MOREY
Clos du Cromin 1986***

| ☐ | 0,70 ha | 2 400 |

78 79 83 86

« Jeune d'or vêcu Meursault, vivra encore », proverbe bien en accord avec ce vin. Tenu en réserve par sa jeunesse, son potentiel aromatique est des plus prometteurs. Structure, équilibre, caractère, toutes les capacités nécessaires au vieillissement sont réunies dans une belle bouteille pleine d'avenir.

➥ M. J.-C. Jhean-Morey, 17, rue de Cîteaux, 21190 Meursault, tél. 80.21.24.15 ⟁ r.-v.

PATRICK JAVILLIER
Les Tillets 1986***

| ☐ | 1,50 ha | 12 000 |

1851 861

Classique, la robe couleur or aux reflets verts. Classique et limpide comme la plus grandes symphonies. Riche d'exhalaisons nobles et puissantes, évoquant le miel et la vanille. Harmonieux... ce vin dans lequel tout est presque dit. Le soufre complice des dégustateurs et leurs hochements de tête le confirment comme message des grands moments.

➥ M. Patrick Javillier, 7, imp. des Acacias, 21190 Meursault, tél. 80.21.27.87 ⟁ r.-v.

PRODUCE OF FRANCE

Meursault
LES TILLETS
Mis en bouteille à la propriété
PATRICK JAVILLIER
APPELLATION MEURSAULT CONTRÔLÉE
PROPRIÉTAIRE, 21190 MEURSAULT (CÔTE D'OR)
75cl

PATRICK JAVILLIER
Les Narvaux 1986*

| ☐ | 0,25 ha | 1 500 |

1851 861

Des arômes qui demandent à s'épanouir, une bonne homogénéité, une couleur jaune pâle limpide. C'est un vin très agréable qui réservera dans la qualité : l'an dernier, Patrick Javillier nous avait donné un coup de cœur avec son 85.

➥ M. Patrick Javillier, 7, imp. des Acacias, 21190 Meursault, tél. 80.21.27.87 ⟁ r.-v.

J.-C. JHEAN-MOREY
Clos du Cromin 1986**

| ☐ | 0,41 ha | 2 000 |

76 81 84 85 86

Rare est le meursault rouge. Celui-ci apparaît sous une belle robe grenat. Les arômes sont dominés par des nuances animales. En bouche, les saveurs se révèlent souples et agréables. A boire dès maintenant.

➥ M. J.-C. Jhean-Morey, 17, rue de Cîteaux, 21190 Meursault, tél. 80.21.24.15 ⟁ r.-v.

DOM. LAHAYE PERE ET FILS
Les Grands Charrons 1986   ⬛ 🗓 ▽ 5

| □ | 0,42 ha | 2 000 |

(78) 82 85 86

Un vin net et agréable. Sa souplesse et sa finesse le destinent à accompagner une viande blanche ou un poisson de rivière.
➥ MM. Lahaye Père et Fils, pl. de l'Eglise, 21630 Pommard. tél. 80.22.04.01 ☎ r.-v.

DOM. LAROCHE Poruzots 1986★★   ⬛ ↓🗓 ▽ 6

| □ 1er cru | 0,60 ha | 3 500 |

Se dévoilant sous une couleur or avec quelques pointes de doré, le nez est intense, ouvert, harmonieux mélange de boisé et de fruité. Jeune et vif, ce vin possède cependant de bonnes rondeurs. Recommandé avec un turbot sauce normande.
➥ Dom. Laroche, L'Obédiencerie, rue Louis-Bro, 89800 Chablis, tél. 86.42.14.30 ☎ r.-v.
➥ M. Michel Laroche.

DOM. LAROCHE 1986★★★   ⬛ 🗓 ▽ 6

| □ | 1 ha | 4 500 |

Il faut découvrir la couleur jaune aux reflets verts de ce 86 qui possède le caractère bien marqué et harmonieux, intense et typique de son appellation. Sa longueur lui permettra d'atteindre la plénitude dans les 5 années à venir.
➥ Dom. Laroche, L'Obédiencerie, rue Louis-Bro, 89800 Chablis, tél. 86.42.14.30 ☎ r.-v.

LEROY 1983★   ⬛ 🗓 ▽ 7

| □ | n.c. | n.c. |

Un vin bien évolué, caractéristique du millésime 1983, à la couleur jaune intense, aux reflets verts. Il exprime des arômes de cire d'abeille et de miel. A déguster dès maintenant.
➥ SA Leroy, Auxey-Duresses, 21190 Meursault, tél. 80.21.21.10 ☎ r.-v.

DOM. JOSEPH MATROT
Blagny 1986★★   ⬛ 🗓 ▽ 6

| □ 1er cru | 2 ha | n.c. |

69 73 78 79 80 [82] (85) [86]

Le bouquet est surprenant. Intense et complexe, il évoque le pain grillé, suggère l'épice, la cannelle, le sureau. En bouche, on retrouve le pain grillé mêlé de cuir et de quelques fleurs, parmi des saveurs très friandes.
➥ Dom. Joseph Matrot, 12, rue de Martray, 21190 Meursault, tél. 80.21.20.13 ☎ r.-v.

MESTRE-MICHELOT
Sous la Velle 1986★   ⬛ 🗓 ▽ 6

| □ | 0,81 ha | 4 000 |

83 [84] 85 [86]

Les chais du vigneron, situés justement sous la Velle, invitent à découvrir ce cru. Il est paré d'une belle teinte limpide, les arômes sont discrets, très typiques de meursault, et suggèrent le miel et les fruits secs. En bouche, ce vin laisse une nuance d'abricot.
➥ Mestre-Michelot, 12 bis, rue de Mazeray, 21190 Meursault, tél. 80.21.26.88 ☎ r.-v.

CH. DE MEURSAULT 1985★★★   ⬛ ↓🗓 ▽ 7

| □ | 8 ha | 30 000 |

[78] [79] 80 [81] 82 (83) 84 [85]

De l'alliance du cépage chardonnay avec un sol mêlé de calcaire et d'éboulis limoneux, résulte ce vin à la couleur or pâle. Les arômes sont intenses, ils suggèrent le pain grillé et le café. En bouche, l'attaque est franche, souple, soyeuse. Il semble idéal pour accompagner une poularde aux nouilles.
➥ Dom. du Château de Meursault, 21190 Meursault, tél. 80.21.22.98 ☎ t.l.j. 9h30-12h 14h30-18h ; f. déc., janv., fév.

CHANTAL MICHELOT
Grands Charrons 1986★★★   ⬛ 🗓 ▽ 6

| □ | 0,32 ha | 2 000 |

82 [83] 84 [85] [86]

Ces «Grands-Charrons» sont gratifiés d'une belle robe limpide à la couleur or. Le nez est puissant et fin, nuancé de miel et d'amande. Les saveurs sont encore fermées, mais elles possèdent longueur et finesse. Un beau vin qui ne demande qu'à s'épanouir.
➥ Mme Chantal Michelot, 31, rue de La Velle, 21190 Meursault, tél. 80.21.23.17 ☎ r.-v.

DOM. GENEVIEVE MICHELOT
Clos du Cromin 1986★★   ⬛ 🗓 ▽ 6

| □ | 1 ha | 3 000 |

73 [82] 83 [84] 85 [86]

La chaleur et le moelleux d'un cru racé. Ce vin recèle des arômes intenses et fins de boisé, où affleurent la vanille et la noisette. D'une belle persistance, il peut sans crainte accompagner un foie gras.
➥ Mme Geneviève Michelot, 24, rue de La Velle, 21190 Meursault, tél. 80.21.24.32 ☎ r.-v.

POTHIER-TAVERNIER
Le Poruzot 1986★★   ⬛ 🗓 ▽ 6

| □ 1er cru | n.c. | n.c. |

81 [82] [83] 84 [85] 86

La teinte or de ce meursault premier cru s'auréole de reflets verts dans une robe brillante et limpide. Le bouquet est puissant, riche et complexe, suggérant la noisette mariée à des senteurs florales. Rond, charnu et moelleux, ce vin harmonieux est loin d'être à son apogée. On le conservera patiemment 2 à 3 années.
➥ M. Pothier-Tavernier, 12-14, rue de la Goutte-d'Or, 21190 Meursault, tél. 80.21.61.81 ☎ t.l.j. sf dim. 9h-12h 14h-18h.

DOM. PRIEUR BRUNET
Chevalières 1986★   ⬛ 🗓 ▽ 5

| □ | 0,60 ha | 4 800 |

78 83 85 86

Un millésime de grande réputation soutient ce vin plein de promesses. La robe est dorée, le bouquet épanoui et floral. Il possède un équilibre général qui lui assure un bel avenir.
➥ Dom. Prieur Brunet, rue de Narosse, 21590 Santenay, tél. 80.20.60.56 ☎ t.l.j. sf dim. 10h-12h 15h-19h.

436

Côte-de-beaune

JACQUES PRIEUR Perrières 1986

□ 1er cru — 0.30 ha — 1 600

Bien équilibré, avec une petite pointe d'évolution, c'est un vin intense et floral, que l'on peut apprécier dès maintenant.
♠ Dom. Jacques Prieur, 2, rue des Santenots, 21190 Meursault, tél. 80.21.23.85 ▼ r.-v.

ROPITEAU 1986**

□ 1er cru — n.c. — 120 000

Le meursault de Ropiteau est brillant par la couleur et par des arômes délicats où le fruité se marie à l'épice. Typique de l'appellation, ample et soyeux, il garde encore de belles promesses. Pour saumon frais.
♠ MM. Ropiteau Frères, Les Chanterelles, B.P. 25, 21190 Meursault, tél. 80.21.23.94 ▼ t.l.j; 9h-20h; f. 20 déc. au 15 mars

ROPITEAU Les Perrières 1986***

□ 1er cru — n.c. — 6 000

La grande réputation des Perrières est encore confortée par ce superbe millésime limpide, d'un or pâle aux reflets verts. Les senteurs évoquent le cuir, joint au grillé. Encore fermé, mais riche et plein d'avenir, il mettra en valeur une lotte à l'armoricaine.
♠ MM. Ropiteau Frères, Les Chanterelles, B.P. 25, 21190 Meursault, tél. 80.21.23.94 ▼ t.l.j; 9h-20h; f. 20 déc. au 15 mars

DOM. GUY ROULOT Les Luchets 1986

□ — 1 ha — 5 000

76 | 78 | 79 | 80 | 81 | **82** | **83** | **85** | 86

Vinifié par une équipe familiale très compétente, «Les Luchets» 85 était coup de cœur l'an dernier. Brillant, le 86 est très agréable à découvrir sous sa couleur or pâle. Doté d'arômes puissants, vanillé et boisé, il devrait bien évoluer en vieillissant.
♠ SCE Dom. Guy Roulot, 1, rue Charles-Giraud, 21190 Meursault, tél. 80.21.21.65 ▼ r.-v.

DOM. AIME LANGOUREAU Sous le Puits 1985***

76 | 77 | 78 | 79 | 80 | 82 | (83) | 84 | 85 — 0.40 ha — 3 000

L'altitude et la situation retirée de ce petit terroir lui confèrent assez de personnalité pour la fois sur Meursault et Puligny, Blagny jouit d'une appellation particulière réservée aux vins rouges, dont certains lieux-dits sont classés en premiers crus; tous ses vins sont de grande classe.

Blagny

Petit hameau situé à

DOM. BERNARD BACHELET Les Grands-Champs 1985

79 | 82 | 85 — 0.64 ha — 3 500

Des arômes verts nuancent la teinte jaune pâle. Les arômes sont délicats et discrets, on peut y discerner l'odeur de la pierre à fusil. Sa souplesse conviendra à un poisson de rivière.
♠ Dom. Bernard Bachelet et Fils, Dezize-lès-Maranges, 71150 Chagny, tél. 85.91.16.11 ▼ r.-v.

LOUIS CARILLON ET FILS 1986**

69 | 70 | 71 | 72 | **73** | 74 | 75 | (76) | 77 | **78** | 79 | 80 | 81 | 82 | 83 | 84 | **85** | 86 — 6 ha — 30 000

Vif et allègre, fin comme une fleur blanche avec une pointe de pain grillé, juste ce qu'il faut de bois pour respecter son âge, et une touche d'amande fraîche en bouche. Voilà une bouteille munie d'un beau passeport pour l'avenir.
♠ SC Carillon Louis et Fils, 21190 Puligny-Montrachet, tél. 80.21.30.34 ▼ r.-v.

Puligny-montrachet

qu'il bénéficie d'une appellation autonome en rouge depuis quelques années. En bon millésime il atteint facilement la classe d'un grand cru. C'est un vin de longue garde.
♠ M. Gilles Bouton, Gamay, Saint-Aubin, 21190 Meursault, tél. 80.21.32.63 ▼ t.l.j; 8h-18h.

Centre de gravité des vins blancs de Côte d'Or, serrée entre ses deux voisines Meursault et Chassagne, cette petite commune tranquille ne fait en surface de vignes que la moitié de Meursault, ou, les deux tiers de Chassagne, mais se console de cette modestie apparente en possédant les plus grands crus blancs de Bourgogne, dont le montrachet, en partage avec chassagne.

La position géographique de ces grands crus, selon les géologues de l'université de Dijon, correspond à une émergence de l'horizon bathonien, qui leur confère plus de finesse, plus d'harmonie et plus de subtilités aromatiques qu'aux vins récoltés sur les marnes avoisinantes.

Les autres climats et premiers crus de la commune exhalent fréquemment des senteurs végétales à nuances résineuses ou terpéniques, qui leur donnent beaucoup de distinction.

CHANSON PERE ET FILS 1984**

	n.c.	n.c.	

Ce puligny-montrachet ouvre une fenêtre sur un jardin printanier, où sont conjugés des arômes floraux et végétaux, des notes d'amande et de bois léger. Le millésime 84, souple, délicat et moelleux, accompagnera parfaitement dès maintenant palourdes ou moules.

☛ MM. Chanson Père et Fils, 10, rue Paul-Chanson, 21201 Beaune Cedex, tél. 80.22.33.00 r.-v.

DOM. JEAN CHARTRON
CLos de La Pucelle 1986***

1er Cru	1,16 ha	7 500	

83 **85** 86

Autrefois, le seigneur de Puligny partagea ses terres. Ses filles ou «pucelles» eurent droit à ce clos maintenant propriété du maire de Puligny. Le bouquet de ce 86, complexe, unit les allusions boisées et florales. Puissant mais sans excès, ce vin long et équilibré est remarquablement fin. A attendre absolument en raison du boisé qui se fondra harmonieusement au cours de la garde.

☛ Dom. Jean Chartron, 13, Grand'rue, Puligny-Montrachet 21190 Meursault, tél. 80.21.32.85 r.-v.

CHARTRON ET TREBUCHET
Les Referts 1986

1er Cru	n.c.	4 500	

Le boisé domine encore et il faudra attendre 2 ou 3 années pour découvrir ce premier cru équilibré, dont on perçoit déjà, derrière les tanins, de bon arômes. Notons l'étiquette très élégante de ce premier cru.

☛ MM. Chartron et Trébuchet, 13, Grand'Rue, Puligny-Montrachet, 21190 Meursault, tél. 80.21.36.91 r.-v.

DELAUNAY 1985*

	n.c.	10 000	

Si la teinte or se pare de reflets verts, les arômes évoquent les fruits mûrs, la banane et le coing. Ce vin moelleux et puissant accompagnera volontiers des langoustines.

☛ SA B. et J.-M. Delaunay, L'Etang Vergy, 21220 Gevrey-Chambertin, tél. 80.61.40.15 r.-v.

JOSEPH DROUHIN 1986***

	n.c.	n.c.	

L'approche des parfums est un jeu de piste; on découvre tour à tour les diverses évocations florales, à l'intérieur d'une dominante herbacée. La bouche est délicate, équilibrée, harmonieusement fondue, élégante. La richesse de l'ensemble s'épanouira encore. C'est une future superbe bouteille à marier avec les plus fins poissons en sauce (au vin blanc bien sûr).

☛ Joseph Drouhin, 7, rue d'Enfer, 21200 Beaune, tél. 80.24.68.88 r.-v.

MAISON JEAN GERMAIN 1985**

	n.c.	3 000	

80 81 82 (83) **84** **85**

Ici la mise en bouteille est assez tardive, après un long élevage en fût. Aussi, derrière une robe jaune paille limpide et une attaque ronde et ample, on découvre un bouquet intense, encore jeune mais très floral. Ce millésime associe moelleux et bonne acidité. On peut parfaitement le découvrir avec une omelette aux truffes. Le jury a même estimé qu'il supporterait le foie gras.

☛ Maison Jean Germain, 11, rue de Lattre-de-Tassigny, 21190 Meursault, tél. 80.21.63.67 t.l.j. sf dim. 9h-12h 14h-19h.

LOUIS JADOT 1986*

	n.c.	85 000	

72 **76** 78 79 **80** 81 82 83 **84** 85 86

Représentatif de son millésime, ce vin se dévoile dans sa teinte pâle aux reflets verts. Le bouquet est assez riche, dominé par un arôme de citronnelle. Elégant, vif et ample, il devrait parfaitement vieillir.

☛ Maison Louis Jadot, 5, rue Samuel-Legay, B.P. 121, 21200 Beaune, tél. 80.22.10.57 r.-v.

DOM. JACQUES PRIEUR
Les Combettes 1986**

1er Cru	1,50 ha	7 000	

Un vin élégant plus que puissant, comme doit être un puligny. C'est ainsi que conclut le jury, séduit par ce cru si pâle, aux arômes complexes et fins, légèrement boisés en même temps que floraux. Un très bel équilibre où ne domine ni le tanin ni l'alcool.

☛ Dom. Jacques Prieur, 2, rue des Santenots, 21190 Meursault, tél. 80.21.23.85 r.-v.

CH. DE PULIGNY 1986

	1,50 ha	8 000	

Le château de Puligny a été acquis en 1985 par les domaines Laroche, célèbres pour leurs crus chablis. Leur premier millésime devra attendre 2 ou 3 ans. Il est brillant dans sa couleur, discret dans ses senteurs florales, mais sans modestie quant à son prix.

☛ Dom. Laroche, L'Obédiencerie, rue Louis-Bro, 89800 Chablis, tél. 86.42.14.30 r.-v.
☛ M. Michel Laroche.

ANTONIN RODET Perrières 1985*

1er Cru	n.c.	n.c.	

L'homme qui extrayait la pierre était jadis nommé «le perrier», de là le mot «Perrières», devenu synonyme de carrières. La teinte or de ce millésime est soutenue par des reflets verts. Le bouquet évoque les fruits mûrs. Souple et équilibré, il demande à s'ouvrir et à évoluer.

☛ M. Antonin Rodet, Mercurey, 71640 Givry, tél. 85.45.22.22 lu. ma. me. je. ve. 9h-12h 14h-19h.

ANTONIN RODET 1984

	n.c.	n.c.	

83 **84**

Ce vin est typique du millésime 84 dans une robe attrayante, jaune pâle avec des reflets verts. Et si le nez subtil se cherche encore, avec des nuances végétales, ce vin s'épanouira dans les années qui viennent.

☛ M. Antonin Rodet, Mercurey, 71640 Givry, tél. 85.45.22.22 lu. ma. me. je. ve. 9h-12h 14h-19h.

ROUX PERE ET FILS 1986*

| | 79||81| 82 83 85 |86| | n.c. | 22 500 | 🅥🄶 |

Délicatesse et finesse se rejoignent dans la charpente de ce vin brillant, couleur jaune pâle, fleurs de chèvrefeuille et d'aubépine. Les senteurs unissent la vanille aux arômes de fleurs et harmonieuse. S'il était plus gras, ce serait un très grand vin. A offrir avec un poisson élaboré en sauce.

☛ MM. Roux Père et Fils, Saint-Aubin,
21190 Meursault, tél. 80.21.32.92 ☎ r.-v.

JACQUES THEVENOT 1986
Les Folatières 1986*

| □ 1er Cru | 0,42 ha | 3 000 | 🄶🅥🄶 |

Un beau Folatières couleur or. Le nez est affirmé, dominé par des arômes de fruits secs reliés à des touches fraîches et florales. La structure est belle et harmonieuse; en bouche on découvre des rémanences de pain grillé et de bois noble. L'élégance d'un premier cru.

☛ M. Jacques Thevenot, 13, rue des Forges,
21190 Meursault, tél. 80.21.26.27 ☎ r.-v.

COMPAGNIE DES VINS D'AUTREFOIS Champs-Gains 1986**

| □ 1er cru | n.c. | n.c. | �7 |

La puissance du bouquet révèle des senteurs florales qui s'affineront en vieillissant. Souple et élégant, doté d'un bon moelleux et d'une grande longueur en bouche, ce premier cru plein de promesses accompagnera une truite aux amandes.

☛ Cie des Vins d'Autrefois, 9, rue Celer,
21200 Beaune, tél. 80.22.21.31

COMPAGNIE DES VINS D'AUTREFOIS 1986

| □ | n.c. | n.c. | 🄶 |

Fleur d'acacia unie à un léger boisé, vivacité, fraîcheur. Un vin limpide, un peu court, trop jeune sans doute.

☛ Cie des Vins d'Autrefois, 9, rue Celer,
21200 Beaune, tél. 80.22.21.31

439

Montrachet

passé récent, était de se faire attendre plus ou moins longtemps avant de manifester dans sa plénitude la qualité exceptionnelle qu'on attendait d'eux. Dix ans était le délai accordé au « grand » montrachet pour atteindre sa maturité, cinq ans pour le bâtard et son entourage; seul le chevalier-montrachet semblait manifester plus rapidement une ouverture plus communicative.

Depuis quelques années cependant: en 1982, 1983 et 1985, on rencontre des cuvées de montrachet avec un bouquet d'une puissance exceptionnelle et des saveurs si élaborées qu'on peut en apprécier la qualité immédiatement, sans avoir à supputer l'avenir.

Montrachet

AMIOT-BONFILS 1986**

| □ Gd cru | 0,10 ha | 600 | 🄶🅥🄷 |
| 71 |78||79| |82| |83| 85 |86| | | | |

La plénitude de ce vin s'obtient après quelques minutes de présence dans le verre. Sous une teinte d'or, le bouquet est profond et intense, composé d'évocations végétales de foin coupé, de tabac blond et de fruits secs. La structure est harmonieuse et conforme à ce que l'on attend d'un grand vin.

☛ SCE Amiot-Bonfils, rue du Grand-Puits,
Chassagne-Montrachet, 21190 Meursault,
tél. 80.21.38.62 ☎ t.l.j. sf dim. 10h-12h 14h-19h;
f. janv.

JOSEPH DROUHIN
Marquis de Laguiche 1986***

| 🅣 Gd cru | 2,06 ha | 12 000 | |
| |83||84| 85 |86| | | | |

Cette vigne de 2 ha 06 a 25 ca d'un seul tenant est la plus importante en montrachet. Mis en bouteille début 83, le 86 apparaît un peu plus tannique, un peu plus acide que le 85. Il possède tous les atouts d'un merveilleux vin de garde, un nez d'amande fraîche, cette vigueur pleine d'élégance qui incitait Alexandre Dumas à tomber à genoux. C'est incommode pour déguster, mais c'est un montrachet et il en mérite le nom.

☛ Joseph Drouhin, 7, rue d'Enfer, 21200 Beaune,
tél. 80.24.68.88 ☎ r.-v.

DOM. JACQUES PRIEUR 1986*

| □ Gd cru | 0,60 ha | 3 000 | 🄶♨🅥🄷 |
| |83| 84 🅖 86 | | | |

Sous les reflets verts qui frangent la teinte jaune pâle, le bouquet associe le miel, les épices et la citronnelle. Intense et long, ce vin possède

---

Montrachet, chevalier, bâtard, Bienvenues bâtard, criots bâtard

La particularité la plus étonnante de ces grands crus, dans un

Côte-de-beaune

Chevalier-montrachet

tous les éléments nécessaires pour devenir un grand vin. Rappelons le superbe 85 du même domaine.

❧ Dom. Jacques Prieur, 2, rue des Santenots, 21190 Meursault, tél. 80.21.23.85 ⊤ r.-v.

Chevalier-montrachet

DOM. JEAN CHARTRON 1986** ⦾ ⦿ ▼ Ⓩ

☐ Gd cru	0,96 ha	6 000

83 |85| 86

Le nez est délicat et subtil, dominé par une note fraîche de menthe rehaussée par des évocations discrètes de fleurs, d'épices et de fruits secs. La structure est dense et élégante. L'apparence légère de la teinte associe les reflets verts et la couleur or. Bravo, monsieur le maire.

❧ Dom. Jean Chartron, 13, Grand'rue, Puligny-Montrachet 21190 Meursault, tél. 80.21.32.85 ⊤ r.-v.

DOM. DU CHATEAU DE BEAUNE 1986*** ⦾ ⦿ ↓ Ⓩ

☐ Gd cru	2,02 ha	8 000

79 |80| |82| 83 84 |85| 86

La maison Bouchard Père et Fils est le producteur le plus important de chevalier-montrachet. Le millésime 86 s'offre dans une teinte or pâle ciselée de reflets verts. Le bouquet profond et évolué évoque le cuir de Russie, le bois de réglisse, le tabac blond, la cire d'abeille et les fruits confits. En bouche, une certaine opulence permet de l'associer à une cuisine riche et gourmande.

❧ SA Bouchard Père et Fils, Au Château, B.P. 70, 21202 Beaune Cedex, tél. 80.22.14.41 ⊤ r.-v.

Bâtard-montrachet

LOUIS JADOT 1986* ⦾ ⦿ ▼ Ⓩ

☐	n.c.	3 600

72 |76| 78 79 |80| |81| |82| 83 |84| |85| |86|

La teinte est brillante, or mêlé de reflets verts. Un large registre aromatique évoque les senteurs boisées et végétales jointes à des notes fraîches et citronnées. En bouche, une riche palette de flaveurs s'achève sur une rémanence de fruits confits. La structure et l'équilibre de ce vin sont parfaits.

❧ Maison Louis Jadot, 5, rue Samuel-Legay, B.P. 121, 21200 Beaune, tél. 80.22.10.57 ⊤ r.-v.

DOM. ETIENNE SAUZET 1986*** ⦾ ⦿ ↓ Ⓩ

☐ Gd cru	0,40 ha	2 400

|78| |79| 81 |82| Ⓢ |85| 86

Réputé pour ses Combettes, Referts et Perrières, le domaine Etienne Sauzet porte un nom respecté en Bourgogne. Ancien rugbyman, Gérard Boudot a repris le flambeau et réussit ces vins ronds et dorés. Le 86 possède le volume du 85, la même générosité de corps, avec davantage d'acidité. Cet utile soutien lui permettra d'affronter l'épreuve du temps. Mais 2 400 bouteilles trouvent vite leurs amateurs. Prenez le temps d'apprécier ses autres blancs étincelants, vous ne le regretterez pas.

❧ Dom. Etienne Sauzet, Puligny-Montrachet, 21190 Meursault, tél. 80.21.32.10 ⊤ r.-v.
❧ M. Gérard Boudot.

Bienvenues-bâtard-montrachet

ANTONIN RODET 1985* ⦾ ⦿ ▼ Ⓩ

☐ Gd cru	n.c.	n.c.

Les évocations du bouquet, discrètes, évolueront et s'affirmeront en vieillissant. Ce vin, or pâle, limpide et transparent, long en bouche, est doté d'une acidité qui lui confère une finale fraîche. A attendre 5 à 7 ans peut-être ?

❧ M. Antonin Rodet, Mercurey, 71640 Givry, tél. 85.45.22.22 ⊤ lu. ma. me. je. ve. 9h-12h 14h-19h.

Criots-bâtard-montrachet

DOM. JOSEPH BELLAND 1985** ⦾ ↓ ▼ Ⓩ

☐ Gd cru	0,64 ha	3 300

|78| |79| |82| 83 84 85

L'ensemble aromatique est frais et élégant, union réussie d'évocations végétales et florales. La bouche s'harmonise avec le bouquet dans une

Domaines du Château de Beaune

CHEVALIER-MONTRACHET
GRAND CRU
APPELLATION CHEVALIER-MONTRACHET CONTROLEE
1986
PRODUIT DE FRANCE
75 cl

Dans ce guide, la reproduction d'une étiquette signale un vin particulièrement recommandé, un « coup de cœur » de la Rédaction.

L'alcool assure corps et rondeur au vin ; l'acidité lui donne l'attaque et la nervosité ; les tanins lui procurent structure et charpente.

440

Chassagne-montrachet

Une nouvelle combe, celle de Saint-Aubin, empruntée par la N 6, forme à peu près la limite méridionale de la zone des vins blancs, suivie par celle des vins rouges ; les Ruchottes marquent la fin. Les Clos Saint-Jean et Morgeot, vins solides et vigoureux, sont les plus réputés des chassagne rouges, qui représentent 7 000 hl, alors que les blancs approchent des 5 000 hl.

CHARLES BADER MIMEUR 1986***

| | n.c. | n.c. | 🔵 V 5 |

Brillant, limpide, doré, voici un superbe représentant de l'appellation. Le bouquet, pourvu d'une belle intensité, associe fruits et vanille. Ample et élégant, riche des flaveurs les plus fines, avec une touche de café, ce millésime exceptionnel pourra être associé à une grande cuisine.
♣ M. Charles Bader-Mimeur, Ch. de Chassagne-Montrachet, 21190 Meursault, tél. 80.21.31.01 ☎ t.l.j., 8h-12h 14h-18h.

bouquet couvre légèrement les évocations vanillées unies à une touche de châtaigne. Moelleux et rond, persistant, il est à découvrir dès maintenant avec un loup de mer au gros sel.
♣ M. Jean-Claude Bachelet, Saint-Aubin, 21190 Meursault, tél. 80.21.31.01 ☎ r.-v.

AMIOT-BONFILS Les Vergers 1986

| □ 1er cru | 0,30 ha | 2 000 | |

[79][82][83][86]

Brillant, limpide, paillé, dominé par la vanille. La vivacité du caractère devrait s'assouplir en vieillissant.
♣ M. Guy Amiot, rue du Grand-Puits, Chassagne-Montrachet, 21190 Meursault, tél. 80.21.38.62 ☎ t.l.j. sf dim. 10h-12h 14h-19h ; f. jan.

DOM. BERNARD BACHELET 1986

| □ | 3,50 ha | n.c. | 🔵 ♦ V 3 |

84 85 86

Les Bachelet ont acquis en 1983 l'ancien domaine de Marcilly dont les vignes de vingt-cinq ans sont situées à Chassagne-Montrachet. Leur 86, d'un bel éclat, mêle le pourpre et le rubis, et les arômes de pruneaux aux senteurs végétales. 2 à 4 années de vieillissement lui apporteront toute l'harmonie qu'il mérite.
♣ Dom. Bernard Bachelet et Fils, Dezize-lès-Maranges, 71150 Chagny, tél. 85.91.16.11 ☎ r.-v.

BERNARD BACHELET ET FILS

Morgeot 1985*

| □ 1er cru | 0,40 ha | 2 500 | 🔵 ♦ V 5 |

[78][76] 79 81 [82] 83 [84] 85

Discrets, subtils, les arômes évoquent le fumé et les épices. Moelleux à souhait, mais encore si jeune, ce vin est à oublier quelque temps en cave.
♣ Dom. Bernard Bachelet et Fils, Dezize-lès-Maranges, 71150 Chagny, tél. 85.91.16.11 ☎ r.-v.

JEAN-CLAUDE BACHELET 1985**

| □ 1er cru | 1,18 ha | n.c. | 🔵 ♦ V 5 |

Une sculpture sur bois, Christ flagellé du XVIe s., illustre l'étiquette de ce très beau vin qui associe des reflets dorés à une couleur paille dans une excellente limpidité. La dominante boisée du

DOM. JOSEPH BELLAND

Clos Pitois 1982*

| □ 1er cru | 3 ha | 10 000 | 🔵 ♦ V 4 |

78 79 [81] 82

Une structure affinée et souple soutient un bouquet développé dans ce vin bien représentatif du millésime 82. La robe rubis est mêlée de reflets orangés. Accompagnera une omelette aux pointes d'asperges.
♣ Dom. Joseph Belland, rue de la Chapelle, 21590 Santenay, tél. 80.20.61.13 ☎ t.l.j. sf dim. 8h-12h 14h-19h ; f. dim. sur r.-v.

ROGER BELLAND Clos Pitois 1985*

| □ 1er cru | 2,50 ha | 11 000 | 🔵 ♦ V 4 |

81 [82] [83] [84] 85

Le clos Pitois existe depuis 1481 et a représenté la France à l'Exposition universelle de Londres en 1864. Évolué, l'arôme de ce 85 associe fruits rouges et senteurs animales. Arrivé à sa plénitude, avec une structure équilibrée et harmonieuse, doté d'une bonne persistance, il sera associé à une viande grillée, à la plus proche occasion.
♣ M. Roger Belland, rue de la Chapelle, B.P. 13, 21590 Santenay, tél. 80.20.60.95 ☎ t.l.j. 8h-12h 13h30-19h.

structure franche et bien dessinée. Tout concourt à ce que les années fassent de ce beau millésime un très grand vin destiné au homard.
♣ Dom. Joseph Belland, rue de la Chapelle, 21590 Santenay, tél. 80.20.61.13 ☎ t.l.j. sf dim. 8h-12h 14h-19h ; f. dim. sur r.-v.

♠ M. Roger Belland, rue de la Chapelle, B.P. 13, 21590 Santenay, tél. 80.20.60.95 ⟡ t.l.j, 8h-12h 13h30-19h.

JEAN CLAUDE BOISSET 1986** ▮ V 3

Des petits fruits plutôt secs et des arômes végétaux pour ce joli vin qui allie le moelleux et la vigueur. Chassagne-montrachet peut être dégusté avec des rognons de veau.

♠ Gds Vins Jean-Claude Boisset, passage Montgolfier, 21700 Nuits-Saint-Georges, tél. 80.61.00.06 ⟡ r.-v.

EMILE CHANDESAIS 1985   ▮ V 4
n.c.   3 600

La finesse du bouquet est occultée par sa jeunesse. Ce vin mérite d'être attendu quelques années. Il pourra alors exprimer tout son caractère.

♠ M. Emile Chandesais, Ch. Saint-Nicolas, B.P. 1, Fontaines, 71150 Chagny, tél. 85.91.41.77 ⟡ r.-v.

MARC COLIN Les Caillerets 1986**   ↓ V 5
☐ 1er cru   0.75 ha   5 500
78 ⑦ 80 81 **82 83** 85 **86**

Une très belle étiquette, pressoir et foulage évoquant la tradition des grands bourgogne. Dans ce bouquet délicat et discret, la vanille supplante encore les autres arômes. Fin et élégant, les Caillerets montre une grande fraîcheur et un parfait équilibre. Un vin à ne consommer que pour fêter l'ouverture du grand marché européen. Rendez-vous en 1992.

♠ M. Marc Colin, Gamay-Saint-Aubin, 21190 Meursault, tél. 80.21.30.43 ⟡ r.-v.

EDOUARD DELAUNAY 1985*   ☐ ↓ V 6
☐   n.c.   15 000

Agrémenté de reflets verts, l'aspect est limpide. Les arômes de fruits mûrs sont typiques du millésime 85. L'ensemble marie la puissance à la souplesse. S'accorderait bien avec une poitrine de veau en meurette.

♠ M. Jean-Marie Delaunay, l'Etang Vergy, 21220 Gevrey-Chambertin, tél. 80.61.40.15 ⟡ r.-v.

RENE FLEUROT Abbaye de Morgeot 1986*   ☐ V 6
☐ 1er cru   2.22 ha   12 000

Brillante et limpide, la teinte jaune pâle répond aux évocations florales du bouquet. En bouche, une rémanence vanillée accompagne le friand, la finesse et la subtilité de ce vin. A attendre 2 à 4 années.

♠ M. René Fleurot, Le Passetemps, 21590 Santenay, tél. 80.20.61.15 ⟡ t.l.j, 8h-12h 14h-18h.

JEAN-NOEL GAGNARD 1985***   ☐ V 6
☐ 1er cru   1.20 ha   4 000

Un vin tout à fait exceptionnel, assemblage de trois premiers crus, les Chenevottes, la Maltroie et les Champs Gains. De couleur or ou mêlé de reflets verts, subtil et complexe, il évoque le fumé, la pivoine et la vanille. La bouche harmonieuse est dotée d'une longue persistance. Sa richesse et son moelleux destinent ce grand millésime à être dégusté pour lui-même.

♠ M. Jean-Noël Gagnard, Chassagne-Montrachet, 21190 Meursault, tél. 80.21.31.68

MICHEL GUTRIN 1985*   ▮ V 3
0.35 ha   2 200

Voici un vin prêt à la consommation. La robe rubis est soutenue par des reflets orangés. Le bouquet est parcouru d'évocations de fruits rouges. Nanti d'une bonne attaque, solide et équilibré, il peut accompagner un pigeonneau rôti.

♠ SCE Dom. Saint-Michel, pl. de la Mairie, 21590 Santenay, tél. 80.20.60.27 ⟡ r.-v.
♠ M. Michel Gutrin.

CH. DE LA MALTROYE Morgeot-Fairendes 1985***   ▮ V 4
☐ 1er cru   0.28 ha   2 400

La jeunesse de ce Morgeot-Fairendes se traduit par une couleur jaune tendre mêlée de reflets verts. Intense, le bouquet évoque pain frais et vanille. La bouche est équilibrée, persistante et se termine sur une rémanence d'amande fraîche. Une superbe harmonie fait de ce premier cru un très grand vin de garde.

♠ SCE Ch. de La Maltroye, Chassagne-Montrachet, 21190 Meursault, tél. 80.21.32.45 ⟡ r.-v.
♠ M. A. Cournut et Fils.

CH. DE LA MALTROYE Clos Saint-Jean 1985**   ▮ V 3
☐ 1er cru   72.35 ha   4 500

Issu de première cuvée, ce Clos Saint-Jean, dans une robe cerise, exhale un bouquet subtil et complexe, évoquant les fruits rouges, notamment la framboise. L'ensemble possède une bonne tenue et une jolie finale. On peut l'associer à une viande en sauce.

♠ SCE Ch. de La Maltroye, Chassagne-Montrachet, 21190 Meursault, tél. 80.21.32.45 ⟡ r.-v.

CH. DE LA MALTROYE Morgeot Vigne Blanche 1984***   ▮ V 5
☐ 1er cru   1.10 ha   8 000

Un château à la bourguignonne, grande maison au milieu des vignes. Intense et chaleureux, le bouquet évoque les arômes de miel, de cire d'abeille et de fleurs des champs, piqués d'une touche poivrée. La bouche découvre une flaveur rappelant le pain d'épice et se montre équilibrée

et harmonieuse. Il est conseillé d'ouvrir la bouteille un quart d'heure avant de la servir.
➜ SCE Ch. de La Maltroye, Chassagne-Montrachet, 21190 Meursault, tél. 80.21.32.45 ¥ r.-v.

RENE LAMY Morgeot 1986*
1,80 ha | 10 000 | V 3

85 86

Brillante et limpide, la tonalité rouge de la robe est animée de reflets orangés. Généreux et puissant, doté d'une bonne persistance, mais encore dominé par les tanins, ce vin est à conserver.
➜ M. René Lamy, Chassagne-Montrachet, 21190 Meursault, tél. 80.21.30.52 ¥ r.-v.

RENE LAMY Morgeot 1986**
□ 1er cru | 0,25 ha | 1 500 | V 3

Or parfait, ce Morgeot est aussi le plus parfait exemple d'équilibre des saveurs. Intense, vanille, fruité, frais : toutes les qualités de ce millésime peuvent être associées aux plus fins poissons en sauce.
➜ M. René Lamy, Chassagne-Montrachet, 21190 Meursault, tél. 80.21.30.52 ¥ r.-v.

MORIN PERE ET FILS 1986*
n.c. | n.c. | V 3

Ici les fruits à noyaux et le pain d'épice dominent. La structure se résout sur une finale fraîche. A conserver 4 à 6 années.
➜ Maison Morin, passage Montgolfier, 21700 Nuits-Saint-Georges, tél. 80.61.05.11 ¥ r.-v.

JEAN PILLOT Morgeot 1986*
1,25 ha | 2 500 | V 4

Une structure équilibrée et élégante abrite un bouquet végétal. La finesse et l'harmonie de l'ensemble peuvent être découvertes et appréciées dès aujourd'hui.
➜ M. Jean Pillot, Chassagne-Montrachet, 21190 Meursault, tél. 80.21.33.35 ¥ r.-v.

JEAN PILLOT Les Champs-Gains 1986***
□ 1er cru | 0,30 ha | 1 500 | V 5

On prétend qu'au lieu-dit les Champs-Gains l'herbe n'ait fort vivace. Toujours est-il que ce climat produit un vin d'une belle brillance. Avec un bouquet délicat et discret, le millésime affirme sa jeunesse. Ce vin est substantiel et équilibré ; sa solide structure lui assure un bel avenir.
➜ M. Jean Pillot, Chassagne-Montrachet, 21190 Meursault, tél. 80.21.33.35 ¥ r.-v.

DOM. PRIEUR BRUNET Morgeot 1985***
□ 1er cru | 0,75 ha | 4 000 | V 5

Une figure de chevreuil, pour ce Morgeot 85 à la robe grenat profond nuancé de reflets tuilés. La bonne intensité du bouquet associe les arômes de fruits rouges et les senteurs boisées. En bouche, les saveurs s'équilibrent dans une grande persistance. Il possède un bon potentiel qui se révèlera dans 2 à 4 années.
➜ Dom. Prieur-Brunet, rue de Narosse, 21590 Santenay, tél. 80.20.60.56 ¥ t.l.j. sf dim. 10h-12h 15h-19h.

ANTONIN RODET Morgeot 1985*
□ 1er cru | n.c. | n.c. | V 5

Un parfum vanillé issu de l'élevage en fût neuf domine les évocations torréfiées du bouquet. En bouche, ce vin affiche une sensation de douceur ; par le moelleux de sa structure joint à la rondeur. Cette bouteille séduira.
➜ M. Antonin Rodet, Mercurey, 71640 Givry, tél. 85.45.22.22 ¥ lu. ma. me. je. ve. 9h-2h 14h-19h.

ANTONIN RODET 1985**
□ | n.c. | n.c. | V 5

Un nez bien jolie bouteille, or ciselé de reflets verts. Le bouquet suggère, avec fraîcheur, les fruits verts. Souple, rond et moelleux, avec une rémanence de grillé et de fumé, le millésime fait bon mariage avec le bois neuf. A découvrir avec une tarte aux griottes.

P. DE MARCILLY 1986
n.c. | n.c. | V 3

Le nez est dominé par des arômes de fruits et des parfums végétaux. La bouche se termine sur une finale fraîche.
➜ Maison P. de Marcilly, passage Montgolfier, 21700 Nuits-Saint-Georges, tél. 80.61.14.26 ¥ r.-v.

HONORE LAVIGNE 1986
n.c. | n.c. | V 3

Fruits secs, foin coupé et vanille se retrouvent dans le bouquet de ce vin ferme qui demande quelques années pour s'assagir.
➜ M. Honoré Lavigne, passage Montgolfier, 21700 Nuits-Saint-Georges, tél. 80.61.00.06 ¥ r.-v.

PROSPER MAUFOUX 1985
□ | n.c. | 8 000 | V 6

La fraîcheur du bouquet développe des parfums de fruits acidulés. Un vin vif encore trop jeune, à revoir dans 4 ans.
➜ SA Prosper Maufoux, pl. du Jet-d'Eau, 21590 Santenay, tél. 80.20.60.40 ¥ r.-v.

DOM. MOREY PERE ET FILS 1985*
2,50 ha | 15 000 | V 4

Fruits rouges, avec une note boisée, cette appellation villages en 85 se montre solide et puissante, avec une bonne longueur. A servir avec un pintadeau, ou autre petite volaille.
➜ Dom. Marc Morey et Fils, Chassagne-Montrachet, 21190 Meursault, tél. 80.21.30.11 ¥ r.-v.

DOM. MOREY PERE ET FILS
Morgeot 1984

74 77 [80] 81 [82] 84

1er cru | 0,20 ha | 1 500 | V 4

La robe oscille entre le rubis et le grenat, les senteurs du bouquet suggèrent les fruits à noyaux

et le bois. Ce vin équilibré est prêt à la consommation.
➜ Dom. Marc Morey et Fils, Chassagne-Montrachet, 21190 Meursault, tél. 80.21.30.11 ¥ r.-v.

☎ M. Antonin Rodet, Mercurey, 71640 Givry, tél. 85.45.22.22 ♆ lu. ma. me. je. ve. 9h-12h 14h-19h.

Saint-aubin

Saint-aubin est aussi dans une position topographique voisine des Hautes-Côtes; mais une partie de la commune joint Chassagne au sud et Puligny à Blagny à l'est. Les Murgers des Dents de Chien, premier cru de Saint-Aubin, sont même à faible distance des chevalier-montrachet et des Caillerets. Il faut dire que les vins sont également de grande qualité. Le vignoble s'est un peu développé en rouge, mais c'est en blanc qu'il atteint le meilleur.

RENE BLONDEAU-DANNE 1986*
en Rémilly 1986*

■ 1er Cru	0,19 ha	1 000	⬛ ▽4

76 **78** 79 80 **81 82 83 84 85**

Riche en substance, doté d'un grand potentiel, ce vin est avant tout construit pour les années à venir. On le redécouvrira avec joie dans 3 à 5 années.

☎ M. René Blondeau-Danne, Saint-Aubin, 21190 Meursault, tél. 80.21.30.78 ♆ r.-v.

DOM. CLERGET Les Frionnes 1985

□ 1er cru	0,77 ha	2 000	▽5

76 **78** 79 **80 82 83 84 85**

«Les frionnes» étaient des oiseaux de la grosseur d'une alouette qui infestaient jadis le lieu. Issu de ce climat, ce vin à la teinte jadis le lieu recèle un bouquet évolué de pomme et de noisette où affleure la cire d'abeille. Soutenu et nerveux, il peut accompagner une timbale de poisson un peu relevée.

☎ Dom. Clerget, Saint-Aubin, 21190 Meursault, tél. 80.21.30.28 ♆ r.-v.

MARC COLIN La Chatenière 1986*

□ 1er cru	0,50 ha	2 000	↓ ▽4

80 81 **82 83 85 86**

Ce vin s'affiche dans une teinte brillante, d'or semé de reflets verts. La vanille domine les arômes d'amande et de fruits à l'eau-de-vie. L'harmonie de la bouche est bonne. Accompagnera langouste ou tout autre crustacé.

☎ M. Marc Colin, Gamay-Saint-Aubin, 21190 Meursault, tél. 80.21.30.43 ♆ r.-v.

JEAN-MARIE DELAUNAY 1985*

□ 1er cru	n.c.	15 000	↓ ▽3

Une robe dorée et limpide, un nez discret et subtil, voici un vin composé d'arômes de fruits avec une touche minérale. Rond, puissant et chaleureux ce premier cru accompagnera volontiers un poulet en croûte.

☎ M. Jean-Marie Delaunay, l'Etang Vergy, 21220 Gevrey-Chambertin, tél. 80.61.40.15 ♆ r.-v.

MICHEL LAMANTHE 1986**

⑦⑥ **78** 79 80 81 **82 85 86**	■ 1er cru	n.c.	3 000	⬛ ▽3

La nuance cerise de la robe est intense et recouvre un nez floral mêlé aux senteurs d'humus et de feuilles sèches. L'équilibre est la carte maîtresse de l'ensemble. Ce vin qui est apparu harmonieux en pleine jeunesse, devra atteindre son apogée dans une dizaine d'années.

☎ M. Michel Lamanthe, Saint-Aubin, 21190 Meursault, tél. 80.21.33.23 ♆ r.-v.

DOM. AIME LANGOUREAU
en Rémilly 1986

■ 1er cru	1 ha	4 000	⬛ ↓ ▽3

77 **78** 79 **80 81 82 83 84 85 86**

Amande amère et fruits à l'eau-de-vie marquent le bouquet. L'or de la robe est profond et soutenu. C'est un vin frais, prêt à la consommation.

☎ M. Gilles Bouton, Gamay, Saint-Aubin, 21190 Meursault, tél. 80.21.32.63 ♆ t.l.j. 8h-18h.

DOM. AIME LANGOUREAU 1985**

■ 1er cru	1 ha	5 000	⬛ ↓ ▽3

78 81 **82** 83 84 85

De discrets arômes végétaux composent un bouquet tout en finesse dans une robe agrémentée de reflets violacés. Le juste rapport entre l'acidité et les tanins sur fond de souplesse permettra à ce vin de garde de s'affirmer dans la qualité au long des années.

☎ M. Gilles Bouton, Gamay, Saint-Aubin, 21190 Meursault, tél. 80.21.32.63 ♆ t.l.j. 8h-18h.

DOM. DU PIMONT Le Charmois 1985*

■ 1er cru	2,81 ha	15 000	⬛ ▽6

80 **82 83 84 85 86**

L'intensité de la robe dissimule des évocations discrètes et délicates de fruits rouges confits. Le gras et le velouté de ce vin permettent à la bonne structure tannique de ne pas se révéler agressive. En accompagnant avec un fromage léger.

☎ Dom. du Pimont, Saint-Aubin, 21190 Meursault, tél. 80.21.30.28 ♆ r.-v.

HENRI PRUDHON ET FILS
Les Frionnes 1986**

■ 1er cru	1,50 ha	6 000	⬛ ↓ ▽3

82 84 **85** 86

Une des plus anciennes familles de Saint-Aubin propose ce vin solide et masculin, qui se découvre dans une robe cerise. Le nez est intense, très développé évoquant des senteurs de vieux cuir et de musc. Caractéristique de son appellation et de son millésime, il pourra accompagner un gibier à plumes.

☎ SCE Henri Prudhon et Fils, Saint-Aubin, 21190 Meursault, tél. 80.21.36.70 ♆ r.-v.

HENRI PRUDHON ET FILS 1986

(76) 79 |82| 83 |84| 86

| | n.c. | n.c. | [4] |

La robe brillante de ce 86, présenté par Philibert Moreau de Mâcon, affiche une belle couleur cerise, cerise que l'on retrouve dans ses arômes de fruits rouges. Ce vin souple et franc doit attendre au moins 2 bonnes années pour se marier avec une volaille.
♦ SCE Henri Prudhon et Fils, Saint-Aubin, 21190 Meursault, tél. 80.21.36.70 ☎ r.-v.

ROUX PÈRE ET FILS
La Pucelle 1986 **

| □ | n.c. | 35 000 | |

77|81| **82 83 84** |85| |86|

Le bouquet est une explosion d'arômes de pain grillé, pain d'épice, vanille, coing, fruits secs et raisins de Corinthe. La teinte est soutenue couleur or nuancée de reflets verts. Gras et long en bouche, ce vin sera de bonne garde. A découvrir au présent ou au futur, selon l'impatience du possesseur.
♦ MM. Roux Père et Fils, Saint-Aubin, 21190 Meursault, tél. 80.21.32.92 ☎ r.-v.

GÉRARD THOMAS Les Frionnes 1986 **

| ■ 1er cru | 0.30 ha | 1 800 | ⊕ ↓ V4 |

83 85 |86|

Le comité de dégustation lui a trouvé «un nez développé, évoquant le cuir de Russie». La bouche est équilibrée et souple, elle découvre des saveurs de fruits rouges et de groseille. Pour l'avantager encore, il est conseillé de déboucher une demi-heure environ avant la consommation.
♦ M. Gérard Thomas, Saint-Aubin, 21190 Meursault, tél. 80.21.32.57 ☎ r.-v.

---

est souvent déclarée en côte-de-beaune-villages.

DOM. JEAN ALLEXANT 1986

| ■ | n.c. | 0.99 ha | ⊕ ↓ V4 |

Le bouquet est très agréable, dominé par des arômes de pain grillé et de fumé. La robe couleur cerise est légèrement évoluée. Sa vivacité lui permettra l'accompagner un saint-marcelin.
♦ Dom. Jean Allexant, Sainte-Marie-la-Blanche, 21200 Beaune, tél. 80.26.60.77 ☎ r.-v.

BERNARD BACHELET 1986 **

|76| |78| **79 81 82** |84| **85 86**

| ■ | n.c. | 6 000 | ⊕ ↓ V3 |

Le chevreuil qui l'accompagnera n'est pas encore né! L'harmonie générale de la charpente se révèle dans le rouge pourpre, intense et profond de la robe. Le bouquet évoque les fruits à noyaux, assemblés aux senteurs d'humus et de fougères. Un très beau vin de garde.
♦ Dom. Bernard Bachelet et Fils, Deizre-les-Maranges, 71150 Chagny, tél. 85.91.16.11 ☎ r.-v.

DOM. JOSEPH BELLAND
Commes 1979

75 |78| |79| |81| |82| |83|

| ■ 1er cru | 2.50 ha | 10 000 | ⊕ ↓ V3 |

Vieilli pendant deux ans en fûts de chêne dans les caves voûtées du XVIIIe s., ce vin est sur la table de l'ambassade de France à Moscou. Le 79 s'exprime ici pleinement dans une robe rouge orangée, transparente. Le bouquet évoque des senteurs animales de fourrure et de venaison. L'équilibre conjugé à la puissance lui promet une belle carrière.
♦ Dom. Joseph Belland, rue de la Chapelle, 21590 Santenay, tél. 80.20.61.13 ☎ t.l.j. sf dim. 8h-12h 14h-19h ; f. dim. sur r.-v.

Santenay

Dominé par la montagne des Trois-Croix, le village de Santenay est devenu, grâce à sa «fontaine salée» aux eaux les plus lithinées d'Europe, une ville d'eau réputée... C'est donc un village polyvalent, puisque son terroir produit également d'excellents vins rouges. Les Gravières, la Comme, Beauregard en sont les crus les plus connus. Comme à Chassagne, le vignoble présente la particularité d'être souvent conduit en cordon de Royat, élément qualitatif non négligeable. Enfin, les deux appellations de chassagne et santenay débordent légèrement sur la commune de Remigny, en Saône-et-Loire, où l'on trouve aussi les appellations de cheilly, sampigny et dezize-lès-maranges, dont la production

ADRIEN BELLAND Clos Genêt 1985

| ■ | 1.50 ha | 8 000 | ⊕ ↓ V4 |

Derrière une jolie robe pourpre, les senteurs d'une bonne intensité évoquent le pain grillé et le fumé. En bouche, ce vin équilibré révèle des saveurs le bois de réglisse.
♦ M. Adrien Belland, pl. du Jet-d'Eau, 21590 Santenay, tél. 80.20.61.90 ☎ r.-v.

ROGER BELLAND Beauregard 1985 **

81 82 (83) |84| |85|

| ■ 1er cru | 2 ha | 9 000 | ⊕ ↓ V4 |

Le boisé, les fruits rouges, la framboise et le bois de réglisse forment un bouquet d'une grande élégance. C'est un vin friand, long et très plaisant, représentatif de l'excellent millésime 85. A offrir avec un petit gibier à plumes.
♦ M. Roger Belland, rue de la Chapelle, B.P. 13, 21590 Santenay, tél. 80.20.60.95 ☎ t.l.j. 8h-12h 13h30... 9h.

CLOS BELLEFOND 1986

| ■ | 1.53 ha | 7 000 | ⊕ ↓ V4 |

Tout en finesse, les arômes du bouquet évoquent les cerises à l'eau-de-vie et la framboise. Ce vin est déjà mûr; on peut le découvrir avec une viande blanche.

SCE du Clos Bellefond, Dom. Louis Nié, 21590 Santenay, tél. 80.20.60.29 r.-v.

CLOS BELLEFOND La Comme 1986

1er Cru 2.02 ha 10 000

Le rouge de la robe est nuancé de reflets jaunes. Les évocations de fruits à noyaux et de fleurs sont discrètes et délicates. Ce vin pourra être consommé dès la parution du Guide.
SCE du Clos Bellefond, Dom. Louis Nié, 21590 Santenay, tél. 80.20.60.29 r.-v.

ALBERT BICHOT 1985*

81 82 83 85   n.c.

Une tonalité «griotte» nuance la couleur rouge de la robe. Le bouquet suggère des arômes de framboise et de feuille de cassis. C'est un vin nanti d'une bonne persistance. On lui associera une pintade aux choux.
Maison Albert Bichot, 6 bis, bd Jacques-Copeau, 21200 Beaune, tél. 80.22.17.99 r.-v.

J.-C. BOISSET 1985

n.c.   n.c.

Le nez est riche, recélant des senteurs évoluées. C'est un vin robuste, puissant et rond à consommer dès maintenant.
Gds Vins Jean-Claude Boisset, passage Montgolfier, 21700 Nuits-Saint-Georges, tél. 80.61.00.06 r.-v.

EMILE CHANDESAIS Gravières 1986*

1er Cru   n.c.   4 500

Les Gravières sont situées sur des calcaires

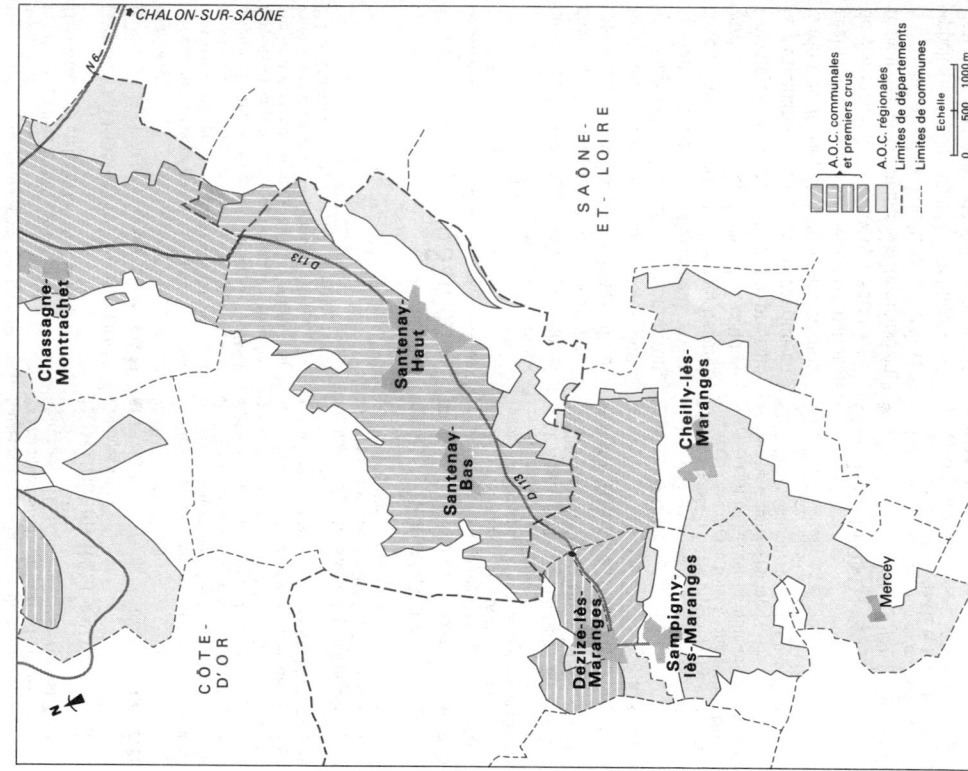

La côte de Beaune (sud)

CHALON-SUR-SAÔNE

SAÔNE-ET-LOIRE

CÔTE-D'OR

Chassagne-Montrachet

Santenay-Haut

Santenay-Bas

Dezize-lès-Maranges

Sampigny-lès-Maranges

Cheilly-lès-Maranges

Mercey

A.O.C. communales et premiers crus
A.O.C. régionales
Limites de départements
Limites de communes

Echelle
0   500   1000 m

446

marneux recouverts par des sols riches en caillou-tis. Limpide et transparent, ce 86 présente des arômes fins et plaisants, mais la jeunesse l'em-pêche de s'exprimer à sa juste valeur. Il faudra l'attendre 4 à 5 années avant de l'apprécier sur un jambon persillé.
→ MM. Emile Chandesais, Ch. Saint-Nicolas, B.P. 1, Fontaines, 71150 Chagny, tél. 85.91.41.77
Y r.-v.

CHANSON PERE ET FILS 1984*

1er Cru — 1,60 ha — 8 000 — n.c.

Le ton de la robe est rouge cerise. Le bouquet, complexe et fin, suggère le sous-bois et l'humus; dès arômes naissants de musc et de fourrure dénotent une évolution vers les senteurs ani-males. Ce vin est bien équilibré, avec une domi-nante tannique qui lui assure un avenir de 3 à 4 années.
→ MM. Chanson Père et Fils, 10, rue Paul-Chanson, 21201 Beaune Cedex, tél. 80.22.33.00
Y r.-v.

DOM. PAUL CHEVROT
Clos Rousseau 1986*

1er Cru — n.c.

Les femmes ont toujours été associées à la production du domaine Chevrot. Le Clos Rous-seau, premier cru prestigieux, est bien typique de son millésime. Ses arômes floraux laissent trans-paraître un boisé fin et léger. La bouche est flatteuse, la structure équilibrée, les tanins bien fondus. Long et persistant, on l'offrira avec un fromage à pâte molle.
→ M. Fernand Chevrot, Dom. Paul Chevrot, Cheilly-Lès-Maranges, 71150 Chagny, tél. 85.91.10.55 Y t.l.j; sf dim. 9h-12h 14h-17h; f. dim. a.-m.

JACQUES GIRARDIN Beauregard 1986

1er Cru — n.c.
(80) |79| 81 |82 83| 84 86

On peut sans peine imaginer que le nom de ce climat est dû à sa belle exposition. Limpide et fruité, ce 86 à la robe intense affirme ses qualités de garde : 3 à 5 années de cave lui permettront d'évoluer encore.
→ M. Jacques Girardin, 21590 Santenay, tél. 80.20.60.12 Y r.-v.

DOM. JABOULET-VERCHERRE
Grand Clos Rousseau 1985

1er Cru — 0,65 ha — 3 400
79 81 |82 83| 85|

Les dégustateurs ont trouvé un nez de venai-son, marié à des senteurs épicées. L'ensemble aromatique est élégant et léger. On peut envisa-ger pour ce vin harmonieux et rond une bonne évolution.
→ M. Jaboulet-Vercherre SA, 5, rue Colbert, 21201 Beaune, tél. 80.22.25.22 Y r.-v.

DOM. DE LA BUISSIERE
Clos des Mouches 1983***

1er cru — 1 ha — 5 000
79 |81|82| 83 |84|

En dialecte local, les abeilles sont souvent appelées mouches. Il y a bien longtemps, on installait des ruches dans les vignes qui portaient beaucoup de fleurs et où les raisins étaient fort sucrés. Ce a a justifié le nom de ce climat. Ce 83 est superbe : un très grand vin de garde qu'il faut découvrir absolument.
→ M. Jean Moreau, Dom. de La Buissière, 21590 San enay, tél. 80.20.61.79 Y t.l.j; 8h-12h 13h-20h.

DOM. RAYMOND LAUNAY
Clos de Gaisulard 1985

3 ha — 12 000

La vigne qui produit ce vin est proche de l'ancienne route de l'étain que les Romains empruntaient pour relier l'Italie à la Grande-Bretagne. La robe de ce 85 est déjà nuancée de reflets orangés. Le bouquet joint l'épice, le fumé et le boisé. Une finale puissante lui permettra d'accompagner un roquefort.
→ Dom. Raymond Launay, 21630 Pommard, tél. 80.22.12.23 Y t.l.j; 8h-19h.

HERVE DE LAVOREILLE
Clos des Gravières 1986*

1er cru — 0,56 ha — 2 700
84 85|86|

Les Gravières blancs sont rares. Paille et limpide, avec un bouquet intense, riche d'exhalai-sons de fruits, ce premier cru flatteur, souple et moelleux, mérite qu'on le découvre avec un poisson de rivière.
→ M. Hervé de Lavoreille, Santenay-Le-Haut, 21590 Santenay, tél. 80.20.61.57 Y r.-v.

DOM. LEQUIN-ROUSSOT
La Corne 1985*

1er cru — 1,86 ha — 10 000
69 72 79 80 |82| 83 84 85

«Corne» est un mot bourguignon qui sert à désigner un coin de terre. Elle donne ce vin solide au nez de fruits rouges. En bouche, il est long et soutenu, dominé par la framboise. A conserver 3 à 4 années.
→ Dom. Lequin-Roussot, rue de la Gare, 21590 Santenay, tél. 80.20.61.46 Y r.-v.
→ René et Louis Lequin Frères.

MARINOT-VERDUN 1986*

n.c.

Brillante, la tonalité de la robe oscille entre les couleurs pourpre et cerise. Les senteurs animales suggèrent le cuir et le musc; elles dominent des arômes le cerise, de pivoine et d'humus assem-blés a ie touche épicée. Son élégante structure accompagnera une pintade en sauce.

➤ M. Louis Marinot, Caves de Mazenay, Saint-Sernin-du-Plain, 71510 Saint-Léger-sur-Dheune, tél. 85.49.07.19 Ⓨ t.l.j. sf dim. 8h-12h 13h30-18h.

MAURICE MASSON Beaurepaire 1985**

▪ 1er Cru   0.60 ha   8 000   ⬤ ▽4

Vigneron à La Rochepot, Maurice Masson offre un beau premier cru à la robe intense et brillante. Des arômes subtils et discrets évoquent le sous-bois et la venaison. La bouche est bien équilibrée. Ce vin harmonieux accompagnera une viande marinée.
➤ M. Maurice Masson, rue Haute, La Rochepot, 21340 Nolay, tél. 80.21.72.42 Ⓨ r.-v.

PROSPER MAUFOUX 1985*

▪   12 000
76 79 81 [83] 84 85

Un bon équilibre général harmonise la richesse tannique de ce vin souple et prometteur qui demande 3 à 5 années de garde avant de pouvoir s'accomplir. La tonalité de la robe est rouge intense, le bouquet évoque une multitude de petits fruits. Pour accompagnement de viande grillée.
➤ SA Prosper Maufoux, pl. du Jet-d'Eau, 21590 Santenay, tél. 80.20.60.40 Ⓨ r.-v.

DOM. DU CH. DE MERCEY 1985*

▪   1,15 ha   7 500   [85]
79 80 81 [82] 83 [85]

Ce santenay semble bien vieillir dans sa belle robe pourpre intense et limpide. Il émane des senteurs épicées, dominées par le poivron, avec quelques notes de feuille de cassis. Encore vif et bien structuré, nanti de tanins solides, il peut accompagner un fromage d'Epoisses. On peut aussi l'attendre.
➤ M. Jacques Berger, Dom. du château de Mercey, Cheilly-lès-Maranges, 71150 Chagny, tél. 85.91.11.96 Ⓨ r.-v.

MESTRE PERE ET FILS
Gravières 1984

▪ 1er Cru   2 ha   8 000
73 78 79 80 [81] 83 84

Typique du millésime 84, la tonalité de la robe est soutenue par des reflets orangés. Le nez discret et élégant suggère le fumé. Dotée d'un bon équilibre, cette bouteille accompagnera un coq au vin.
➤ MM. Mestre Père et Fils, pl. du Jet-d'Eau, 21590 Santenay, tél. 80.20.60.11 Ⓨ r.-v.

MOMMESSIN 1985*

▪   n.c.   6 000

C'est un vin puissant et tannique. Sa forte charpente recèle des arômes discrets, qui nécessiteront une garde prolongée avant de pouvoir s'ouvrir complètement. A servir alors avec un faisan.
➤ Mommessin, La Grange Saint-Pierre, BP 504 Charnay-lès-Mâcon, 71850 Mâcon, tél. 85.34.47.74 Ⓨ r.-v.

MORIN 1986*

▪

La maturité de ce vin permet d'apprécier les arômes évolués qui composent son bouquet. On découvre des évocations de fruits confits, de cuir, d'humus, mêlées aux senteurs torréfiées de pain grillé et de café. Persistant et bien structuré, il devra accompagner un plat en sauce assez riche.
➤ Maison Morin, passage Montgolfier, 21700 Nuits-Saint-Georges, tél. 80.61.05.11 Ⓨ r.-v.

BERNARD MOROT-GAUDRY 1985

▪   0.67 ha   3 000   ⬤ ▽4

Le foin coupé et les fruits confits unissent leurs senteurs dans le bouquet. La bouche, fondue et souple, retrouve les mêmes fruits confits. A découvrir dans 3 à 5 années.
➤ M. Bernard Morot-Gaudry, Moulin Pignot, Chagny, 71150 Paris-l'Hôpital, tél. 85.91.11.09 Ⓨ r.-v.

LUCIEN MUZARD Maladière 1985

▪ 1er Cru   3 ha   25 000   ⬤ Ⓩ
79 82 83 85

Le mot «Maladière» désigne en Bourgogne des hôpitaux bâtis le long des routes. Il faudra attendre 2 à 3 années avant que ce vin puisse exprimer toute sa personnalité.
➤ M. Lucien Muzard, rue de la Cour-Verreuil, 21590 Santenay, tél. 80.20.61.85 Ⓨ t.l.j. 9h-12h 14h-20h.

NICOLAS Les Gravières 1976*

▪ 1er Cru   n.c.   8 000   ⬤ Ⓩ

Un premier cru de la commune de Santenay dans un millésime historique : l'année de la sécheresse. Chaleur de la robe brunie dans sa masse, chaleur sèche du bouquet empyreumatique café-caramel qu'il faut aérer, chaleur de la bouche riche en alcool. Bien adapté au gibier.
➤ Nicolas, 253, av. du Gal-Leclerc, 94700 Maisons-Alfort, tél. 1.43.96.81.81.

CLAUDE NOUVEAU 1986***

▪   2 ha   8 000   ⬤ ▽3
[81] 82 [83] 85 [86]

Une brillante vinification permet d'apprécier l'intense tonalité pourpre de la robe. Le bouquet recèle une foule d'arômes évoquant le cassis, la mûre, les senteurs de fougère et d'épices, soutenues par une touche d'humus. L'harmonie et l'équilibre, la souplesse et l'élégance font de ce vin une réussite tant au présent que pour l'avenir.
➤ M. Claude Nouveau, Marchezeuil, Change, 21340 Nolay, tél. 85.91.13.34 Ⓨ r.-v.

CLAUDE NOUVEAU
Grand Clos Rousseau 1986

▪ 1er Cru   0.84 ha   3 500   ⬤ ▽4
82 [83] 84 85 86

Situé près du village de Santenay, le Clos Rousseau produit un vin à la robe limpide et transparente soutenue par des reflets violacés. Le nez est flatteur, mêlant les arômes de fruits rouges aux senteurs de sous-bois. Son évolution générale permet de le consommer dès maintenant.
➤ M. Claude Nouveau, Marchezeuil, Change, 21340 Nolay, tél. 85.91.13.34 Ⓨ r.-v.

Côte-de-beaune

DOM. FLEUROT-LAROSE
Clos du Passetemps 1985**

1er Cru — 2.26 ha — 10 000

Le Clos du Passetemps est un monopole du domaine René Fleurot dont la belle cave peut contenir quatre mille «pièces» bourguignonnes de 228 l, creusée sous la roche, elle se maintient à une température de 10°. Ce 85 se découvre dans un beau ton rouge brillant et profond. Le bouquet est riche et subtil, avec des notes de framboise. Long, persistant et chaleureux, il accompagnera une pintade farcie.

→ M. René Fleurot, Le Passetemps, 21590 Santenay, tél. 80.20.61.15 Ⓣ t.l.j. 8h-12h 14h-18h.

DOM. PRIEUR BRUNET
Maladière 1985***

1er Cru — 5.20 ha — 30 000

64 69 76 78 79 81 82 83 85

Un premier cru tout à fait remarquable, à la robe vive et limpide. La vanille, le boisé, les fruits rouges et les senteurs animales forment son bouquet. C'est un vin de garde harmonieux et riche en tanins.

→ Dom. Prieur Brunet, rue de Narosse, 21590 Santenay, tél. 80.20.60.56 Ⓣ t.l.j. sf dim. 10h-12h 15h-19h.

THOMAS-BASSOT Gravières 1985

1er Cru — 5.49 ha — n.c.

Encore un peu frileux, le bouquet suggère les fruits rouges. La robe se découvre dans une tonalité grenat. Ce joli vin est prêt à boire : il ne faut pas s'en priver.

→ Maison Thomas-Basso, 5, quai Dumorey, 21700 Nuits-Saint-Georges, tél. 80.62.31.21 Ⓣ t.l.j. r.-v.

COMPAGNIE DES VINS D'AUTREFOIS Clos des Mouches 1985***

1er Cru — n.c. — n.c.

Promis à un grand avenir, ce superbe Clos des Mouches apparaît dans une robe rouge brillante et limpide. Mélange de fruits rouges et de venaison, équilibré et harmonieux, d'une grande longueur, c'est un parfait exemple de grande vinification.

→ Cie des Vins d'Autrefois, 9, rue Celer, 21200 Beaune, tél. 80.22.21.31

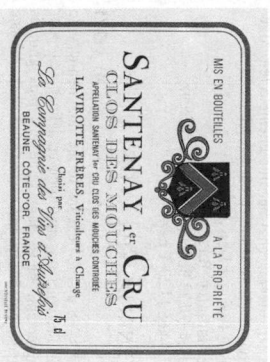

Côte de beaune-villages

A ne pas confondre avec l'appellation côte-de-nuits-villages qui possède une aire de production particulière, l'appellation côte-de-beaune n'est en elle-même pas délimitée. C'est une appellation de substitution pour tous les vins rouges des appellations communales de la Côte de Beaune, à l'exception de beaune, aloxe-corton, pommard et volnay.

DOM. BERNARD BACHELET 1985***

— 9.50 ha — 20 000

82 (83) — 85

Belle couleur rouge foncé aux reflets pourpres et rubis. D'une limpidité parfaite. Senteurs complexes au premier abord fruitées, migrant vers les arômes animaux, auxquelles s'ajoute une présence subtile de thym et de girofle. Plein et harmonieux, persistant en bouche, à marier avec un chevreuil. Notons que le 83 a reçu deux étoiles et dénote une parfaite aptitude à vieillir.

→ Dom. Bernard Bachelet et Fils, Dezize-les-Maranges, 71150 Chagny, tél. 85.91.16.11 Ⓣ r.-v.

BOUCHARD AINE ET FILS
Les Abbesses 1985

82 85 — n.c. — 7 000

On pourrait croire au titre d'un roman historique «Les Abbesses». Rouge foncé, reflets pourpres. Arômes de verdure, fougère, sous-bois. Une certaine ampleur, nette et corsée.

→ Bouchard Aîné et Fils, 36, rue Sainte-Marguerite, 21203 Beaune Cedex, tél. 80.22.07.67 Ⓣ r.-v.

EMILE CHANDESAIS 1986**

80 81 82 83 84 85 86 — n.c. — 18 000

Ce négociant a choisi ce 86 dans les meilleurs coteaux du Couchois. Histoire de prouver que lorsque les rendements sont contenus, les millésimes (même petits) peuvent être de qualité. Une belle bouteille, racée et puissante. Parfums intenses très chaleureux, merveilleuse longueur en bouche.

→ M. Émile Chandesais, Ch. Saint-Nicolas, B.P. 1, Fontaines, 71150 Chagny, tél. 85.9 41.77 Ⓣ r.-v.

CHANSON PERE ET FILS 1984**

83 84 85 86 — n.c. — n.c.

La raison Chanson a parfaitement su maîtriser les problèmes du millésime 84, comme en témoigne cet excellent vin qui se présente dans une robe couleur cerise. Le nez est fin, typique du pinot, exprime le parfum de la framboise mêlé à un léger boisé. Déjà souple et fondu, agréable, il peut aussi attendre.

MM. Chanson Père et Fils, 10, rue Paul-Chanson, 21201 Beaune Cedex, tél. 80.22.33.00 ▼ r.-v.

DOM. PAUL CHEVROT
Chilly-lès-Maranges 1986

⬛ ↓ ▼ 3

76 77 78▮ 79 81 82 83 84▮ 85 86 — 1,50 ha — 7 000

Robe légère, jeune et brillante. Nez frais bien marqué le «terroir», qui se poursuit en bouche. Vin féminin et tendre.
M. Fernand Chevrot, Dom. Paul Chevrot, Chilly-lès-Maranges, 71150 Chagny, tél. 85.91.10.55 ▼ r.-v.

RENE DUCHEMIN 1985*

1,75 ha — 8 000

Si ce vin est discret, il n'en possède pas moins de réelles qualités : des arômes assez fins de griotte et de framboise, un équilibre qui doit lui permettre de bien évoluer. Cette propriété des Maranges (îlot de Saône-et-Loire rattaché à celui de la Côte de Beaune) possède un beau pressoir du XVIIIe s.
M. René Duchemin, Dom. du Vieux Pressoir, Sampigny-lès-Maranges, 71150 Chagny, tél. 85.91.12.71 ▼ r.-v.

RENE DURAND 1983***

⬛ ▼ 3

0,75 ha — 3 000

Le sympathique et accueillant viticulteur de Comblanchien est un brillant vinificateur, qui a su dépasser la difficulté du millésime. La robe est sombre, d'une jeunesse surprenante. Les arômes de fruits rouges sont concentrés très légèrement cuits. Les tanins présents mais fondus révèlent une forte personnalité, riche et harmonieuse. Une belle réussite !
M. René Durand, Grande Rue, Comblanchien, 21700 Nuits-Saint-Georges, tél. 80.62.94.45 ▼ r.-v.

JEAN GERMAIN 1985

⬛ ↓ ▼ 4

n.c. — 4 500

Robe tendre claire, aux reflets orangés. De bons arômes de fruits évolués. Construit tout en rondeur, un vin léger et souple.
Maison Jean Germain, 11, rue de Lattre-de-Tassigny, 21190 Meursault, tél. 80.21.63.67 ▼ t.l.j. sf dim. 9h-12h 14h-19h.

CHARLES GRUBER 1985**

⬛ ↓ 3

82 83 84▮ 85 — n.c. — n.c.

Avec rondeur et ampleur, typique du millésime, limpide, il charme par sa couleur de cerise foncée, et ses arômes intenses de fruits rouges. Un peu fermé, il s'affirmera sans nul doute dans les années à venir.
Charles Gruber, rue du Moulin, 21700 Nuits-Saint-Georges, tél. 80.61.07.24 ▼ r.-v.

DOMINIQUE LAFOUGE 1986*

⬛▮ ▼ 3

76▮ 81▮ 82 83▮ 85▮ 86 — 0,50 ha — 4 000

Ce n'est pas un vin qui «explose» : léger, agréable, il vise tout simplement à plaire et il y réussit assez bien. Si un rôti peut s'en accommoder, nul n'en sera mécontent.
M. Dominique Lafouge, Marchezeuil, Change, 21340 Nolay, tél. 85.91.12.16 ▼ r.-v.

LA P'TIOTE CAVE 1986

⬛ ▼ 3

85 86 — 0,56 ha — 3 800

Une pointe d'amertume nuit un peu à ce vin qui a une belle couleur et d'honnêtes qualités. Cette P'tiote Cave se situe à Chassey-le-Camp, haut lieu de la préhistoire bourguignonne.
M. Guy Mugnier, La P'tiote Cave, Rully, 71150 Chagny, tél. 85.87.15.21 ▼ r.-v.

P. MISSEREY 1985*

⬛ ▼ 4

3 ha — n.c.

Couleur rouge cerise soulignée de reflets orangés. Il ne faut plus l'attendre, même si ses arômes discrets sont encore marqués par le boisé du chêne.
Maison P. Misserey, 3, rue des Seuillets, B.P. 10, 21702 Nuits-Saint-Georges Cedex, tél. 80.61.07.74 ▼ r.-v.

MOMMESSIN 1985**

⬛ ▼

n.c. — 12 000

On dit de lui : «beau vin de la côte». Couleur rouge cerise soutenue et selon l'inclinaison du verre quelques reflets rubis. Arômes légers : compote de fraises et cerises. Bonne construction, rondeur, équilibre, belle longueur : pour sa persistance, nous le dédions à un roquefort.
Mommessin, La Grange Saint-Pierre, BP 504 Charnay-lès-Mâcon, 71850 Mâcon, tél. 85.34.47.74 ▼ r.-v.

CLAUDE NOUVEAU 1986

⬛ ↓ ▼ 3

79 81▮ 82 83▮ 85 86 — 0,60 ha — 2 500

Issu du coteau des Maranges, ce vin limpide à la robe vive et à la charpente robuste est dominé par des arômes de fruits à l'eau-de-vie. Il ne demande qu'à bien vieillir, sous bonne garde.
M. Claude Nouveau, Marchezeuil, Change, 21340 Nolay, tél. 85.91.13.34 ▼ r.-v.

PASQUIER-DESVIGNES 1986

⬛ ↓ 3

83▮ 86 — n.c. — 9 600

Avec un nez léger et subtil, ce vin tout en dentelle devrait charmer une clientèle féminine. À découvrir avec une viande blanche.
Pasquier-Desvignes, Le Marquisat, B.P. 199, Saint-Lager, 69822 Belleville-sur-Saône Cedex, tél. 74.66.14.20 ▼ r.-v.

HENRI DE VILLAMONT 1985

⬛ ↓ ▼ 4

6,50 ha — 40 000

Avec un nez encore fermé aux nuances de vanille, voici un vin fluide et délicat, fait pour l'agrément. Élevé dans l'une des plus grandes caves de Bourgogne, construite par Léonce Boquet en 1888.
Ste Henri de Villamont, rue du Dr-Guyot, 21420 Savigny-lès-Beaune, tél. 80.21.50.59 ▼ t.l.j. 9h30-12h30 14h30-19h30.

La Côte chalonnaise

La Côte chalonnaise, assure la transition entre le vignoble de Côte-d'Or et celui du Mâconnais. L'appellation rully déborde de sa commune d'origine sur celle de Chagny, petite capitale gastronomique. On y produit à peu près autant de vins blancs que de vins rouges (environ 2 500 hl). Nés sur le jurassique supérieur, ils sont aimables et généralement de bonne garde. Les Clouds et la Renarde sont les premiers crus les plus réputés.

ou région de Mercurey, assure la transition...

Rully

DOM. BELLEVILLE PÈRE ET FILS Rabourse 1986**

■ 1er cru	0,50 ha	2 500

Pâle au premier coup d'œil, il apparaît en réalité très agréable, peut-être un peu léger mais sans le moindre défaut. Il faudra le boire assez vite pour profiter au maximum de sa jeunesse. Repris en 1982 par Christian Belleville, ce domaine a créé le restaurant Le Vignoble juste au-dessus des caves. Excellente façon de rapprocher le verre et la fourchette.

☛ Dom. Belleville Père et Fils, rue de La Loppe, Rully, 71150 Chagny, tél. 85.91.22.19 ▼ t.l.j; 8h-2zh.

MICHEL BRIDAY Les Chailloux 1986*

■	1 ha	7 000

851 86

Culture et élevage du vin selon la «méthode naturelle Lemaire». Belle robe cerise et nez bien évolué (fruits rouges et même moka, ce qui est plus rare!). Plus léger ensuite, mais agréable. Tout en douceur. Pour des œufs en meurette.

☛ M. Michel Briday, Grande Rue, Rully, 71150 Chagny, tél. 85.87.07.90 ▼ r.-v.

LIONEL J. BRUCK 1985

□	n.c.	n.c.

Clair et orné de jolis reflets, ce rully blanc a un nez discret, légèrement vanillé. Note boisée. A boire assez vite et sans grande profondeur.

☛ Lionel Bruck SA, 6, quai Dumorey, 21700 Nuits-Saint-Georges, tél. 80.61.07.24 ▼ lu. ma. me. je. ve. 9h-12h 14h-17h.

ÉMILE CHANDESAIS 1986**

■	n.c.	12 000

Jolie robe et nez de sous-bois. Des arômes

JEAN DAUX 1986**

□	2,60 ha	7 500

On a dit que les blancs de Rully ont «la fraîcheur et le poli du marbre». C'est le cas de cette bouteille plus dorée que jaune, agréablement variée, avec une touche boisée, agréable, pleine. Elle est presque parfaite.

☛ M. Jean Daux, rue de Geley, Rully 71150 Chagny, tél. 85.91.21.52 ▼ r.-v.

JEAN DAUX 1986*

■	1 ha	5 000

Fin e, léger, agréable. Un type primeur qui surprend un peu pour un cru. A boire dans les 2 ans.

☛ M. Jean Daux, rue de Geley, Rully 71150 Chagny, tél. 85.91.21.52 ▼ r.-v.

HENRI ET PAUL JACQUESON Les Clouds 1986**

⊗ 1er cru	1,26 ha	10 000

80 82 83 84 85 86

On a vente depuis longtemps la conservation des vins rouges de Rully : en 1784 on en avait envoyé aux Indes orientales. Le retour de quelques bouteilles l'année suivante émerveilla les heureux dégustateurs. Nul doute que ce Rully 86 pourrait subir avec succès la même épreuve.

☛ SCEA Henri et Paul Jacqueson, En Chèvremont, Rully, 71150 Chagny, tél. 85.91.25.91 ▼ r.-v.

H. ET P. JACQUESON Les Chaponnières 1986**

■	1,23 ha	9 000

Si ce 86 se tient encore sur sa réserve, c'est qu'il est bien élevé. Nul doute qu'il s'ouvrira en développant ses arômes d'amande et de taillis.

☛ SCEA Henri et Paul Jacqueson, En Chèvremont, Rully, 71150 Chagny, tél. 85.91.25.91 ▼ r.-v.

H. ET P. JACQUESON Grésigny 1986**

□	1,50 ha	9 000

Mais... une pointe d'alcool et une tonalité boisée, voilà un très beau vin qui fera merveille avec une viande blanche. Un bouquet d'agrumes, une bouche vanille et miel, il a du corps et du charme. Il vieillira. La famille Jacqueson porte avec ardeur le flambeau des vins de Rully.

☛ SCEA Henri et Paul Jacqueson, En Chèvremont, Rully, 71150 Chagny, tél. 85.91.25.91 ▼ r.-v.

MAISON LOUIS JADOT 1985**

■	n.c.	22 000

82 83 85

Son goût aromatique de cacahuète grillée le rend crépitant. Très agréable et tout ce qu'il

---

d'humus, «un corps et de la prestance. Avec un bel avenir. Pour un fromage affiné au marc de Bourgogne, l'époisse par exemple.

☛ M. Emi e Chandesais, Ch. Saint-Nicolas, B.P. 1, Fontaines, 71150 Chagny, tél. 85.91.41.77 ▼ r.-v.

Côte chalonnaise

Rully

faut de gras, de tanin et de longueur. Avec un vieillissement assuré. La maison Louis Jadot est un «must» en Bourgogne.

🍷 Maison Louis Jadot, 5, rue Samuel-Legay, B.P. 121, 21200 Beaune, tél. 80.22.10.57
🍷 r.-v.

LA P'TIOTE CAVE
Montagne de Remenot 1986

| ■ | n.c. | 3 000 | ⬛ ↓ ✓ 🔳 |

85 86

La P'tiote Cave, c'est un vigneron qui sait recevoir. Son 86 est agréable et vif. Assez léger.

🍷 M. Guy Mugnier, La P'tiote Cave, Rully, 71150 Chagny, tél. 85.87.15.21 🍷 r.-v.

LA P'TIOTE CAVE Les Chênes 1986

| □ | 0.75 ha | 3 000 | ⬛ ↓ ✓ 🔳 |

85 🔲 86 🔲

Le chêne masque un peu le fruit : c'est aussi le caractère des Chênes dans leur jeunesse. Pourtant, cette bouteille, vive et entière, plaira à ceux qui aiment l'attaque. Nuance miellée qui donne de la douceur.

🍷 M. Guy Mugnier, La P'tiote Cave, Rully, 71150 Chagny, tél. 85.87.15.21 🍷 r.-v.

Le Mâconnais et le Chalonnais

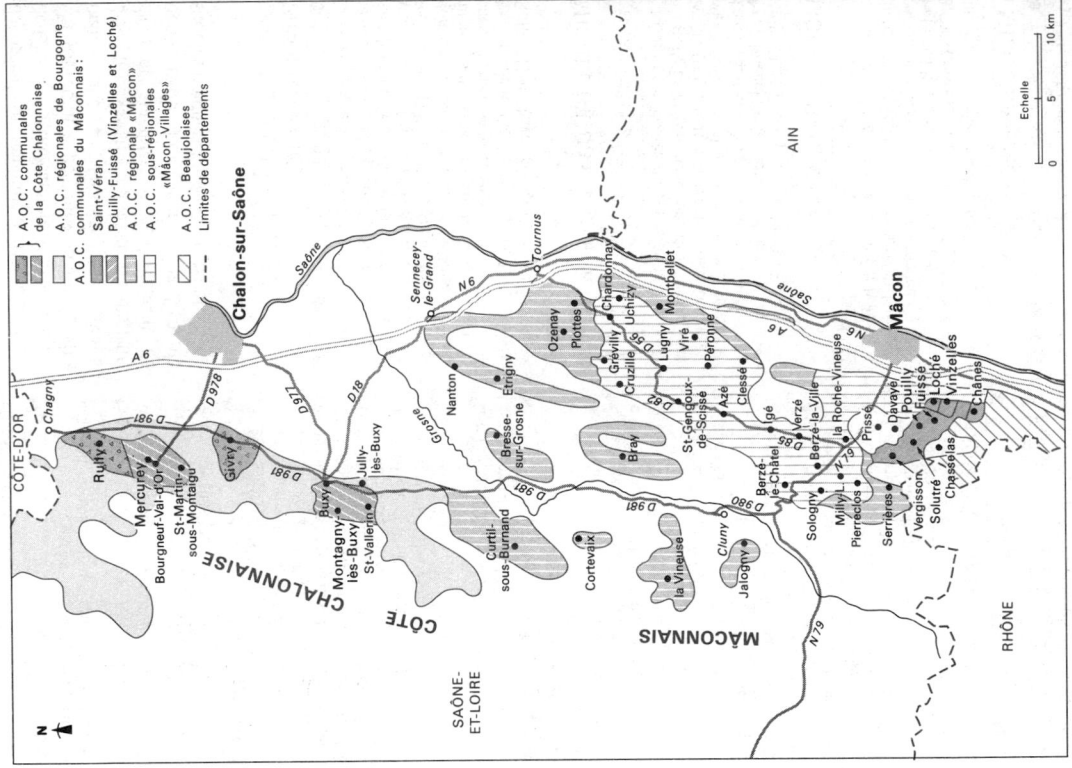

A.O.C. communales
A.O.C. régionales de la Côte Chalonnaise
A.O.C. communales du Mâconnais :
  Saint-Véran
  Pouilly-Fuissé (Vinzelles et Loché)
A.O.C. régionale «Mâcon»
A.O.C. sous-régionales «Mâcon-Villages»
A.O.C. Beaujolaises
Limites de départements

Echelle
0   5   10 km

452

DOM. DE LA RENARDE 1986**

1er cru — 2.50 ha — n.c.
1851 1861

Robe parfaite avec ces fameux reflets verts que les Bourguignons voient dans l'or. La dégustation laisse une impression de bourgeon de cassis, de miel et de bergamote. Gras, rond, puissant, avec cette touche vanillée de bon aloi. Bref : un bonheur.
→ Dom. de La Renarde, Rully, 71150 Chagny, tél. 85.87.10.12 T r.-v.
→ M. Jean-François Delorme.

DOM. DE LA RENARDE Varot 1986*

18 ha — n.c.
80 81 82 83 84 85 86

Ses arômes sont joliment mêlés : bergamote et vanille. Il demande à s'assagir et il sera excellent quand il aura acquis la sérénité de la bouteille.
→ Dom. de La Renarde, Rully, 71150 Chagny, tél. 85.87.10.12 T r.-v.
→ M. Jean-François Delorme.

CELLIER MEIX GUILLAUME Grésigny 1986*

1er cru — n.c. — 10 000
83 85 86

De bonne composition, ce vin donne envie de préparer un poulet à la crème. Fondée en 1890 par le grand-père des viticulteurs actuels, cette exploitation mérite tous les éloges. Un peu acidulé, ce 86 ne verse dans aucun excès. On aime son équilibre, son fruité, sa fraîcheur, sa sincérité touchante.
→ M. Pierre-Marie Ninot, Dom. Ninot, Le Meix Guillaume, Rully, 71150 Chagny, tél. 85.87.07.79 T r.-v.

P. MISSEREY 1985

2 ha — 5 000

Agréable nez d'amande douce, mais il ne vieillira plus. Ce rully est issu d'une maison qui fut longtemps dirigée par l'un des piliers de la confrérie des Chevaliers du Tastevin.
→ Maison P. Misserey.
3, rue des Seuillets, B.P. 10, 21702 Nuits-Saint-Georges Cedex, tél. 80.61.07.74 T r.-v.

DOM. P.-M. NINOT Les Chaponnières 1985

2 ha — 3 000

Ce rully 85 provient d'une vigne encore jeune. Convenable mais léger. Ce domaine a été fondé en 1890 et il a une bonne réputation.
→ M. Pierre-Marie Ninot, Dom. Ninot, Le Meix Guillaume, Rully, 71150 Chagny, tél. 85.87.07.79 T r.-v.

DOM. MAURICE PROTHEAU ET FILS La Chatalienne 1986

2 ha — 12 000

On attend d'un rully rouge un peu plus de consistance. Celui-ci est bien, mais léger, léger... Pour ceux et celles qui aiment les vins gouleyants.
→ MM. Maurice Protheau et Fils, Mercurey, 71640 Givry, tél. 85.45.25.00 T r.-v.

DOM. MAURICE PROTHEAU ET FILS Les Grésigny 1986*

1er cru — 1.77 ha — 8 000

Bon et long en bouche, écrit l'un de nos jurés sur sa fiche de dégustation. Peut-on mieux dire ? Vieillissement assuré.
→ MM. Maurice Protheau et Fils, Mercurey, 71640 Givry, tél. 85.45.25.00 T r.-v.

ANTONIN RODET Les Thivaux 1986**

1er cru — n.c. — n.c.

On a presque l'impression de croquer une amande. Belle couleur, arômes intenses, longueur en bouche, l'harmonie est remarquable et sa vieillesse sera superbe.
→ M. Antonin Rodet, Mercurey, 71640 Givry, tél. 85.45.22.22 T lu. ma. me. je. ve. 9h-12h 14h-19h.

ERIC DE SUREMAIN Meix Caillet 1986***

1er cru — 0.40 ha — 1 800
85 1861

Remarquable rully 86 : il n'a pas seulement bon fond, il a un vrai caractère. On réalise ici combien les vins de la Côte chalonnaise peuvent émerveiller le palais quand ils sont de noble lignée.
→ M. Eric de Suremain, Ch. de Monthélie, Monthélie, 21190 Meursault, tél. 80.21.23.32 T r.-v.

MAISON THOMAS-BASSOT 1986***

n.c. — n.c. — n.c.

Sous une robe écarlate digne d'un cardinal, un tempérament de grand seigneur. Il a du gras, de la force, de la complexité et de l'avenir. Un rully qui pourrait être versé dans le verre spécialement exécuté au XVIe s., pour Charles de Saint-Ligier et qui est aujourd'hui encore conservé au château. Il contient trois litres et on soumet rituellement à cette épreuve les futurs gendres de la famille.
→ Maison Thomas-Bassot, 5, quai Dumorey, 21700 Nuits-Saint-Georges, tél. 80.62.31.21 T r.-v.

Un sélection de cavistes, de bistrots à vin, de grandes caves de restaurants ? Voyez le chapitre « les bonnes adresses du guide ».

Mercurey

Mercurey, situé à 12 km au nord-ouest de Chalon-sur-Saône, en bordure de la route Chagny-Cluny, jouxte au sud le vignoble de Rully. C'est l'appellation la plus importante de la Côte chalonnaise : près de 20 000 hl dont moins de 1 000 en blanc. Elle s'étend sur trois communes : Mercurey, Saint-Martin-sous-Montaigu et Bourgneuf-Val-d'Or.

Quelques lieux-dits bénéficient de la dénomination «premier cru». Les vins sont en général légers et agréables, avec de bonnes aptitudes au vieillissement.

JULES BELIN 1985

■ | 2 ha | 3 500 | � V3

Brillant, mais avouant son âge par une nuance tuilée, c'est un 85 équilibré, avec une légère note tannique en fond de bouche.

↳ Maison Jules Belin, 3, rue des Seuillets, BP 43, 21702 Nuits-Saint-Georges Cedex, tél. 80.61.07.74 ⳾ r.-v.

RENE BLONDEAU-DANNE 1985

■ | 1,43 ha | 5 000 | ⅅ V4

Peu teinté, pointant un nez assez fin (nuance vanillée) et une bouche légèrement chocolatée et vanillée, ce vin devrait être intéressant avec un plat original de «nouvelle cuisine» liant des saveurs que l'on n'a pas l'habitude de trouver mariées.

↳ M. René Blondeau-Danne, Saint-Aubin, 21190 Meursault, tél. 80.21.30.78 ⳾ r.-v.

DOM. BORDEAUX MONTRIEUX
Clos Fortoul 1985 **

■ | 3,81 ha | 10 000 | ⅅ ↓ V3

Finement boisé, un vin excellent, intense, aromatique, qui donne beaucoup de plaisir. Le Clos Fortoul dont les murs datent du XVᵉ s. (1,50 m à la base, parfois, et 4 m de hauteur) est l'un des très bons climats de Mercurey. Quant à la famille Bordeaux Montrieux, elle exploite le célèbre domaine Thénard en montrachet.

↳ M. Jacques Bordeaux Montrieux, Mercurey, 71640 Givry, tél. 85.45.10.92 ⳾ r.-v.

DOM. BOUCHARD AINE 1986 *

■ | 10 ha | 42 000 | ⅅ ↓ V3

Robe superbe, nez légèrement fruité et dans la tonalité discrète des 86, impression générale assez sympathique. Son astringence le destine à quelques années de garde. Une chance : le bœuf bourguignon auquel il semble voué doit cuire longtemps... Il l'attendra!

↳ Bouchard Aîné et Fils, 36, rue Sainte-Marguerite, 21203 Beaune Cedex, tél. 80.22.07.67 ⳾ r.-v.

DOM. BOUCHARD AINE 1986 * *

□ | 1 ha | 6 000 | ■ ↓ V5

A Napoléon qui goûtait le vin du pays, le vigneron Prieur aurait répondu au compliment de l'Empereur : «Oh! oui, j'en ai du meilleur dans ma cave mais je le garde pour les grandes occasions». Ce pourrait être ce vin-là, franc et très typé mercurey. A boire avec des quenelles de brochet ou une mousse de poisson.

↳ Bouchard Aîné et Fils, 36, rue Sainte-Marguerite, 21203 Beaune Cedex, tél. 80.22.07.67 ⳾ r.-v.

DOM. BRINTET Cuvée La Charmée 1985

■ | 1,50 ha | 8 000 | ⅅ V3

Que lui manque-t-il? Ni le nez (griotte) ni la couleur (discrète mais sans défaut). Non, il lui manque la corpulence. Une viande en sauce ou un fromage peuvent lui faire bon accueil.

↳ MM. L. et Ch.-F. Brintet, Grande Rue, Mercurey, 71640 Givry, tél. 85.45.14.50 ⳾ r.-v.

DOM. DE CHAMEROSE
La Chiquette 1986 *

□ | 1 ha | 2 000 | ⅅ V3

Un mercurey léger, mais franc de la tête aux pieds : belle teinte et bonne longueur. Net et honnête.

↳ M. Louis Modrin, Dom. de Chamerose, Mercurey, 71640 Givry, tél. 85.45.13.94 ⳾ r.-v.

DOM. DE CHAMEROSE
Clos des Baraults 1985

■ | 5 ha | 2 500 | ⅅ V3

Pas trop de caractère mais un nez poivré qui n'est pas déplaisant et un joli brin de gaieté. Le domaine de Chamerose possède une intéressante collection de vieux outils de vignerons et de tonneliers, ce qui ajoute au charme de la descente de cave.

↳ M. Louis Modrin, Dom. de Chamerose, Mercurey, 71640 Givry, tél. 85.45.13.94 ⳾ r.-v.

DOM DE CHAMEROSE
Les Crêts 1985 * * *

■ | 5 ha | 2 500 | ⅅ V4

Rubis profond, encore un peu fermé, voici un grand 85 au goût de cerises mûres et au tanin puissant. Equilibré, long et plein de personnalité, c'est un vin de garde dont l'avenir est assuré. Le domaine de Chamerose mérite ici tous les éloges.

↳ M. Louis Modrin, Dom. de Chamerose, Mercurey, 71640 Givry, tél. 85.45.13.94 ⳾ r.-v.

CH. DE CHAMIREY 1983 * *

■ ↓ V4 | 6 ha | n.c. |

76 [78] 79 81 82 [83]

Finesse avant tout : sur la robe, dans les arômes, dans l'équilibre général d'un vin agréable et raffiné présenté par Bertrand Devillard, l'un des jeunes négociants-éleveurs de Bourgogne qui prennent une part active à l'action de promotion de ce vignoble. Le château de Chamirey est la propriété familiale du marquis de Jouennes, beau-père de l'actuel président de la maison.

454

- M. Antonin Rodet, Mercurey, 71640 Givry, tél. 85.45.22.22 lu, ma, me, je, ve, 9h-12h 14h-19h.
- Marquis de Jouennes d'Herville.

EMILE CHANDESAIS 1986*

■ 80 82 **83** 84 85 |86|

| n.c. | 30 000 | ∎ V2 |

Déjà éveillé, presque déluré, il occupe toute sa place harmonieuse avec une assez belle fermeté pour un vin dont le millésime est souvent considéré comme léger. Fraîcheur agréable.
- M. Emile Chandesais, Ch. Saint-Nicolas, B.P. 1, Fontaines, 71150 Chagny, tél. 85.91.41.77 r.-v.

EMILE CHANDESAIS
Clos l'Evêque 1986*

■

| n.c. | 6 000 | ∎ V3 |

Bien pour l'année, qui n'est pas encore pleinement épanouie, et élégant. Sa légereté le destine à une viande blanche.
- M. Emile Chandesais, Ch. Saint-Nicolas, B.P. 1, Fontaines, 71150 Chagny, tél. 85.91.41.77 r.-v.

EMILE CHANDESAIS Clos du Roy 1986

■

| n.c. | 3 600 | ∎ V3 |

Pas très long, légèrement boisé, agréable, il sera bien éveillé dans 2 à 3 ans. C'est un Clos du Roy.
- M. Emile Chandesais, Ch. Saint-Nicolas, B.P. 1, Fontaines, 71150 Chagny, tél. 85.91.41.77 r.-v.

CHANZY FRERES Clos du Roy 1986

■ 82 85 86

| 1,74 ha | 10 000 | ∎ V4 |

Jeune et encore fermé. Mais la couleur est belle pour l'année et il est très tannique. On peut tenter sa chance en pariant sur lui pour un succès en 1990.
- MM. Chanzy Frères, Dom. de l'Hermitage, Bouzeron, 71150 Chagny, tél. 85.87.23.69 r.-v.

DOM. DU CHATEAU DE MERCEY 1985*

■ 76 78 81 **83** 84 85

| 14 ha | 60 000 | ∎ ♦ V4 |

Limpide et très clair, il fait partie des mercurey type herbacé ou fleurs séchées. Encore jeune, ce domaine situé à Cheilly-lès-Maranges possède un vignoble de 15 hectares sur le terroir de Mercurey. Au château de Mercey, Jacques Berger exploite également 1 hectare situé à santenay et 26 hectares en bourgogne hautes-côtes de Beaune.
- M. Jacques Berger, Dom. du château de Mercey, Cheilly-lès-Maranges, 71150 Chagny, tél. 85.91.11.96 r.-v.

DOM. DU CHATEAU DE MERCEY 1986*

□ 82 |83| |85| 86

| 1,50 ha | 9 000 | ∎ ♦ V4 |

Obtient partout la mention «assez bien», le domaine du château de Mercey est situé à Cheilly-lès-Maranges, à une quinzaine de kilomè-

---

tres de Mercurey. Il possède sur cette dernière commun un vignoble de 15 hectares.
- M. Jacques Berger.
- Dom. du château de Mercey, Cheilly-lès-Maranges, 71150 Chagny, tél. 85.91.11.96 r.-v.

LOUIS DESFONTAINE 1986**

■

| 3 ha | 15 000 | ∎ ♦ V3 |

Vin bien réussi, déjà épanoui, avec une touche d'amertume qui disparaîtra. Les fruits rouges emplissent merveilleusement le bouquet.
- M. Louis Desfontaine, Le Château, Chamilly, 71510 Saint-Léger-sur-Dheune, tél. 85.87.22.24 r.-v.

LOUIS DESFONTAINE 1986**

□

| 0,45 ha | n.c. | ∎ V3 |

Le vin de Mercurey passe pour avoir fait les délices de Gabrielle d'Estrées. Celui-là lui aurait assurément tourné la tête, tant il est charmeur et spirituel. Et franc, ce qui ne gâte rien... même en amour.
- M. Louis Desfontaine, Le Château, Chamilly, 71510 Saint-Léger-sur-Dheune, tél. 85.87.22.24 r.-v.

JOSEPH DROUHIN 1986*

■

| n.c. | n.c. | 3 |

Vif, bien rouge, un mercurey 86 qui attaque avec vigueur et enthousiasme. Le boisé n'enlève rien aux parfums, très fruits rouges. Un gras admirable. Aucune déception en vue. Signé Joseph Drouhin, ce vin bénéficie aussi d'une prestigieuse étiquette. Et Laurence Jobard est une si formidable œnologue!
- Joseph Drouhin, 7, rue d'Enfer, 21200 Beaune, tél. 80.24.68.88 r.-v.

CH. GENOT-BOULANGER
Les Sazenay 1985

■

| 1,73 ha | 5 300 | ∎ ♦ V3 |

Fine et tendre, elle est un peu léger pour l'appellation; on le boira assez vite. Ce domaine situé à Meursault possède des vignes sur Chassagne-Montrachet, Beaune, Volnay, Pommard et Mercurey.
- Ch. Génot-Boulanger, 25, rue de Citeaux, 21190 Meursault, tél. 80.21.24.18 r.-v.
- M. Charles-Henri Génot.

MICHEL ISAIE 1985

■

| 3 ha | 16 000 | ∎ ♦ V3 |

Simplement cité car le jura a pensé que le bois neuf lui aurait mieux convenu... Il a donc une petite pointe de sécheresse mais la robe est agréable.
- M. Michel Isaïe, Saint-Jean-de-Vaux, 71640 Givry, tél. 85.45.23.32 r.-v.

JEANNIN-NALTET PERE ET FILS 1986*

■

| 1,20 ha | 6 700 | ∎ ♦ V4 |

Sa couleur? Très belle. Ses arômes? Note de menthe sur fond de pruneaux. Cela peut vous étonner, mais c'est agréable. Et très nouvelle cuisine! Un vin qui se déguste bien, issu d'un domaire qui est presque synonyme de mercurey.

EMILE JUILLOT La Cailloute 1985

	4,06 ha	n.c.	Ⓨ r.-v.

Net et léger, le boisé efface un peu le corps du vin. Nullement désagréable pourtant.
☛ Dom. Emile Juillot, Clos Laurent, Mercurey, 71640 Givry, tél. 85.45.13.87 Ⓨ r.-v.

MICHEL JUILLOT Clos Tonnerre 1985*

	3 ha	n.c.	◫ ↓ Ⓥ5

Plaisant, très gai, fruité, il est «du tonnerre» comme son nom l'indique. A tel point qu'il tire un peu sur le beaujolais... On peut le regretter ou s'en satisfaire. Ce domaine s'étend sur 26 hectares de vignes : Mercurey ainsi que Corton et Corton-Charlemagne.
☛ M. Michel Juillot, Grande Rue, B.P. 10, Mercurey, 71640 Givry, tél. 85.45.27.27 Ⓨ r.-v.

DOM. DE LA CROIX-JACQUELET La Perrière 1985

83	85		↓ Ⓥ4
	2,55 ha	15 200	

L'intensité reflète le millésime, la rondeur s'accompagne d'un léger et agréable goût de cerise. Mais ces qualités, sans être négligeables, justifient-elles un prix si peu raisonnable ?
☛ Dom. de La Croix-Jacquelet, Mercurey, 71640 Givry, tél. 85.45.14.72 Ⓨ t.l.j. sf dim. 8h-12h 13h30-17h30.

DOM. DE LA CROIX-JACQUELET 1986

☐	2,50 ha	13 000	

Nullement désagréable, mais sans grand relief. La bouche est plaisante, la couleur aussi.
☛ Dom. de La Croix-Jacquelet, Mercurey, 71640 Givry, tél. 85.45.14.72 Ⓨ t.l.j. sf dim. 8h-12h 13h30-17h30.

DOM. LA MARCHE La Vigne du Chapitre 1986**

85	86		◫ ↓ Ⓥ4
	2,73 ha	15 000	

Voilà bien un vin de garde ! La pintade qu'il honorera de sa présence n'est pas encore née... Ses arômes ne demandent qu'à s'épanouir. En bouche, il est clair, net, encore un peu tannique, mais cela passera. Laissez-le vieillir.
☛ SC Dom. La Marche, 36, rue Sainte-Marguerite, 21203 Beaune Cedex, tél. 80.22.07.67 Ⓨ r.-v.

ROBERT LANDRE 1984*

84	85		◫ ↓ Ⓥ3
	8 ha	15 000	

On imagine pour ce vin une soirée d'été... Il a un charme très personnel. Léger, fin, il a de la présence et c'est une qualité remarquable. Ce 84 sera sans doute à son apogée en 1990. Laissez-lui le temps d'y parvenir.
☛ M. Robert Landré, Le Clos Michaud, Mellecey, 71640 Givry, tél. 85.45.13.84 Ⓨ r.-v.

LA P'TIOTE CAVE Le Clos des Hayes 1986

85	86		◫ ↓ Ⓥ3
	0,48 ha	3 300	

Il porte les couleurs 86. S'il lui manque un peu de personnalité, il est fin et agréable.
☛ M. Guy Mugnier, La P'tiote Cave, Rully, 71150 Chagny, tél. 85.87.15.21 Ⓨ r.-v.

LA P'TIOTE CAVE Les Champs Martins 1986

☐	0,15 ha	1 000	◫ ↓ Ⓥ3

Les arômes de bois tirent un peu trop la couverture à eux. C'est le seul défaut de ce vin complet mais discret.
☛ M. Guy Mugnier, La P'tiote Cave, Rully, 71150 Chagny, tél. 85.87.15.21 Ⓨ r.-v.

PAUL DE LAUNAY Clos du Ch. de Montaigu 1985*

74	76	78	79	82	83	84	85		◫ Ⓥ4
	1,50 ha	5 000	

Une belle robe intense. De la mâche. Boisé mais sans excès. Un 85 qui délivre un bel arôme de pinot. Une bouteille réussie qui pourrait mériter une étoile de plus. Paul de Launay exploite depuis 25 ans ce domaine qui comporte 15 hectares de vignes, presque tout en Mercurey.
☛ M. Paul de Launay, Dom. du Meix-Foulot, Mercurey, 71640 Givry, tél. 85.45.13.92 Ⓨ r.-v.

HONORE LAVIGNE 1986

	n.c.	n.c.	⊞ ◫ Ⓥ3

Honoré Lavigne ? Disons plus simplement Jean-Claude Boisset. Le vin est ainsi fait... Jolie robe pourpre, bouquet charmant, mais le roman d'amour s'achève trop vite.
☛ M. Honoré Lavigne, passage Montgolfier, 21700 Nuits-Saint-Georges, tél. 80.61.00.06 Ⓨ r.-v.

LOUIS LESANGLIER Les Grimpettes 1985***

	n.c.	n.c.	◫ Ⓥ4

L'étiquette porte l'image d'un sanglier. Pourtant, ce vin très prometteur, bien typé 85, légèrement vanillé en fin de bouche, n'est ni lourd ni puissant. Il donne au contraire un bonheur intense et fin. Celui de croquer une cerise sur l'arbre ! Un mercurey à un millimètre de la perfection.
☛ Louis Lesanglier, 10, rue Jacques-Germain, 21420 Savigny-les-Beaune, tél. 80.22.56.78 Ⓨ r.-v.

LES CAVES DU CLOSEAU 1986*

	n.c.	n.c.	◫ ◫ Ⓥ3

La puissance de son nez et ses tanins très présents permettent de bien augurer de son avenir : des qualités certaines.
☛ Les Caves du Closeau, Mercurey, 71640 Givry, tél. 85.45.18.66 Ⓨ r.-v.

LEVERT FRERES Chanteflûté 1982*

	6,50 ha	n.c.	Ⓥ4

Déjà ambré, bien représentatif du millésime, un vin assez fin. Ici, le savoir-faire n'est pas récent : on est vigneron depuis 1595. Équilibré, ce 82 livre tous ses parfums. Il faut le boire maintenant avec un rôti ou un fromage.

DOM. DU MEIX-FOULOT 1985*

78 79 |82| 83 |84| 85

2 ha | 7 000

Rouge foncé, arômes de pruneaux, ce 85 possède une chaleur communicative. Il vous saute au cou ! Devrait convenir à un plat de gibier, mais dans 3 ou 4 ans.

→ M. Paul de Launay, Dom. du Meix-Foulot, Mercurey, 71640 Givry, tél. 85.45.13.92 ℡ r.-v.

LES VIGNERONS DU CAVEAU DE MERCUREY 1985

|82| 83 84 85

2 ha | 10 000

Manque d'ampleur mais de la rondeur. C'est plus un effet de l'âge (il se bonifiera) qu'un défaut de nature. Attendons donc !... Ce caveau est une chapelle du XVe s. au milieu des vignes : c'est un caveau de dégustation créé près du château ce Garnerot par une douzaine de viticulteurs qui se sont associés ainsi pour mettre en valeur de bonnes cuvées du pays.

→ Les Vig. du Caveau de Mercurey, Mercurey, 71640 Givry, tél. 85.45.20.01 ℡ l.-j., 10h-12h 14h-18h ; f. sam., dim., et jours fériés d'oct. à juin

MOILLARD 1986*

83 84 85 86

n.c. | n.c.

Boisé agréable, très long. Bonne tenue en bouche, plus solide qu'élégant. Moillard est l'un des noms les plus respectables du négoce-éleveur nuiton.

→ Thomas-Moillard, 2, rue François-Mignotte, 21700 Nuits-Saint-Georges, tél. 30.61.03.34 ℡ r.-v.

MOMMESSIN 1986*

n.c. | n.c.

Rouge cerise très foncé, cdorant, avec une note boisée de bon aloi, il se montre encore jeune, mais il a du corps. Tannique, il devrait bien vieillir.

→ Mommessin, La Grange Saint-Pierre, BP 504 Charnay-lès-Mâcon, 71850 Mâcon, tél. 85.34.47.74 ℡ r.-v.

PHILIBERT MOREAU Tête de cuvée 1985

84 85

n.c. | 20 000

L'intensité est bien celle du millésime. Bonne bouche et bon cœur. Ses arômes restent fruités (cerise). Une bonne rondeur le rend harmonieux.

→ M. Hugues de Suremain, Bourgneuf-Val d'or, Mercurey, 71640 Givry, tél. 85.45.11.10 ℡ r.-v.

→ M. Philibert Moreau.

GUY NARJOUX 1986**

4 ha | n.c.

Fin, équilibré, parfumé, il a l'avenir devant lui. L'exemple même d'un mercurey bien structuré, qu'on peut acheter sans crainte.

→ M. Guy Narjoux, Le Bourg, Saint-Martin-sous-Montaigu, 71640 Givry, tél. 85.45.14.28 ℡ r.-v.

PIERRE PONNELLE 1984

n.c. | n.c.

Pas très expressif ni loquace, mais honorable pour un 84. Sa couleur est belle. La maison Pierre Ponnelle (abbaye Saint-Martin à Beaune) fait partie du groupe Jean-Claude Boisset à Nuits-Saint-Georges.

→ M. Pierre Ponnelle, 5, rue du Moulin, 21700 Nuits-Saint-Georges, tél. 80.61.22.41 ℡ r.-v.

DOM. MAURICE PROTHEAU ET FILS Les Ormeaux 1986*

2,50 ha | n.c.

Exce.lente impression pour un 86, encore frais émoulu ce la cave. La robe est belle, le bouquet agréable, la bouche équilibrée. Ce domaine, installé à E.royes jusqu'en 1978, se situe désormais au Clos-l'Évêque. On peut rencontrer ici Johnny Hallyday, ou Jean Amadou qui figurent parmi les amis ce la maison.

→ MM. Maurice Protheau et Fils, Mercurey, 71640 G.vry, tél. 85.45.25.00 ℡ r.-v.

ANTONIN RODET 1985**

n.c. | n.c.

Élégant et un peu réglissé, très rubis, ce 85 reste ferme, plein, tannique et long. N'est-ce pas beaucoup de qualités ? Un beau vin de garde, qui attend à son apogée dans 5 à 6 ans.

→ M. A.ntonin Rodet, Mercurey, 71640 Givry, tél. 85.4<.22.22 ℡ lu, ma, me, je, ve, 9h-12h 14h-19h.

Mercurey Rodet — Appellation Mercurey Contrôlée — 1985 — MIS EN BOUTEILLE PAR ANTONIN RODET À MERCUREY (SAÔNE-ET-LOIRE) FRANCE — 75cl

ANTONIN RODET Clos du Roi 1985

6 ha | n.c.

On devine ici une grande violence à peine contenue, ce Clos du Roi se comporte en monstre impulsif et prêt à rompre des lances. Comment se comportera-t-il dans votre verre ? Faites-en l'expérience, et vous verrez bien.

→ M. Antonin Rodet, Mercurey, 71640 Givry, tél. 85.45.22.22 ℡ lu, ma, me, je, ve. 9h-12h 14h-19h.

→ Marquis de Jouennes d'Herville.

HUGUES DE SUREMAIN Clos du Roi Bondue 1985

1 ha | 5 000

Bien habillé mais court vêtu. Le Bondue est expcsé nord-est. Son nom évoque « le bon endro.t ». Vin un peu sévère dans sa jeunesse, il s'équilibre avec l'âge.

→ M. Hugues de Suremain, Bourgneuf-Val d'or, Mercurey, 71640 Givry, tél. 85.45.11.10 ℡ r.-v.

HUGUES DE SUREMAIN
Clos l'Evêque 1985*

⊞ ↓ ▼ 4

|76| 78 79 |80| 82 83 84 |85|

■ 1,50 ha   n.c.

Climat exposé à l'est et en coteau, le Clos l'Evêque donne souvent le vin le plus typé de l'appellation. Le goût des petits fruits apparaît ici très nettement. Ce 85 a de la vivacité et de la puissance. Ces traits de caractère l'emportent sur la finesse.

↪ M. Hugues de Suremain, Bourgneuf-Val d'or, Mercurey, 71640 Givry, tél. 85.45.11.01 Y r.-v.

YVES DE SUREMAIN Clos Voyen 1985*

⊞ ↓ ▼ 4

|76| 78 79 80 |82| (83) 84 |85|

1er cru   2 ha   6 000

Agréable et plein de jeunesse, il est fin, léger et bien équilibré. Un jeune marquis pensant plus à danser qu'à philosopher. Le Clos Voyen est l'un des meilleurs premiers crus de Mercurey.

↪ M. Yves de Suremain, rue du Reu, 71640 Mercurey, tél. 85.45.20.87 Y r.-v.

YVES DE SUREMAIN Les Crêts 1985

■

1er cru   2 ha   5 000

Une belle robe pour ce millésime. Il est moins flatteur et moins généreux que le Clos Voyen du même propriétaire, il a cependant une bonne expression et un équilibre satisfaisant. Les Crêts sont un climat sud de Mercurey, donnant des vins fruités.

↪ M. Yves de Suremain, rue du Reu, 71640 Mercurey, tél. 85.45.20.87 Y r.-v.

SCV E. VOARICK Clos du Roy 1985*

⊞ ↓ ▼ 4

1er cru   n.c.

Plein et tout rond, il parvient à son apogée : arômes de sous-bois qui font beaucoup rêver et goût de kirsch. A boire rapidement, car il faut faire attention à l'oxydation de la bouteille quand le bouchon sera ôté. Le Clos du Roy est vraiment un beau premier cru.

↪ SCV E. Voarick, Saint-Martin-sous-Montaigu, 71640 Givry, tél. 85.45.23.23 Y t.l.j, sf dim. 8h-12h 14h-18h.

profondeur rubis de la robe, charpente et persistance : rien ne lui fait défaut. Un véritable chevalier Bayard, qui sera magnifique dans 5 à 10 ans, avec cette générosité pudique qu'ont parfois les très grands vins. Si l'on n'en choisissait qu'un, ce serait celui-là.

↪ M. René Bourgeon, Jambles, 71640 Givry, tél. 85.44.35.85 Y r.-v.

CLOS DU CELLIER AUX MOINES 1985*

⊞ ↓ ▼ 3

■ 4,40 ha   25 000

Belle couleur cerise légèrement violacée pour ce 85 aux parfums de vanille et de framboise. Fruité et vif, il est encore fermé et il doit atteindre la perfection dans quelques années. D'où sa note modeste aujourd'hui, mais qui ne préjuge nullement de l'avenir, d'autant que la vinification semble ici parfaite.

↪ M. Jean-François Delorme, Dom. de La Renarde, Rully, 71150 Chagny, tél. 85.87.10.12 Y r.-v.

JEAN CHOFFLET 1986**

⊞ ▤ ▼ 3

|76| 78 |82| 83 85 |86|

■ 3,50 ha |86|

A dominante tannique, très équilibré, un vin tout à fait représentatif de l'appellation. Robuste et élégant, il en exprime tout le charme. On lui reprochera peut-être son manque d'ampleur, mais c'est un 86. Le bouquet est fin, fruité. Bien agréable.

↪ M. Jean Chofflet, Russilly, 71640 Givry, tél. 85.44.34.78 Y r.-v.

DESVIGNES 1986

▼ 3

□ 1,20 ha   7 000

Brillant et limpide, il vous emporte d'abord par sa puissance. Le chardonnay dans toute sa personnalité. Mais on en est ensuite étonné par son évolution.

↪ Propriété Desvignes, 36, rue de Jambles, Poncey, 71640 Givry, tél. 85.44.37.81 Y r.-v.

CHARLES GRUBER 1986*

⊞ ↓ ▼ 4

□   n.c.

Un givry très floral, sensible et délicat. C'est ainsi qu'on le préfère! Sa plénitude est déjà affirmée, mais il ne faut pas le bousculer. On peut attendre...

↪ Charles Gruber, rue du Moulin, 21700 Nuits-Saint-Georges, tél. 80.61.07.24 Y r.-v.

Givry

A six km au sud de Mercurey, cette petite bourgade typiquement bourguignonne est riche en monuments historiques. Le givry rouge, la production principale (4 000 hl), aurait été le vin préféré d'Henri IV. Les prix sont très abordables.

RENE BOURGEON 1986***

⊞ ▼ 3

■ 1,30 ha   n.c.

Henri IV en aurait été amoureux, puisqu'il avait un faible pour le givry! Arômes de violette,

Côte chalonnaise

DOM. DE LA RENARDE
Clos du Cellier aux Moines 1986 **

1851 86 | 4.40 ha | 20 000

De bonnes vignes de quinze ans donnent ici un vin qui ne demande qu'à prendre de l'âge. Dans une très belle robe grenat soutenu, il développe un agréable nez de griotte légèrement vanillé. Équilibré, bien charpenté, il saura attendre 2 ou 3 ans.
→ Dom. de la Renarde, Rully, 71150 Chagny, tél. 85.87.10.12 ℡ r.-v.
→ M. Jean-François Delorme.

P. MISSEREY 1985*

1851 86 | 1.50 ha | 3 000

Légèrement boisé et agréable, voilà un givry corsé, plein et harmonieux. À notre avis, il faut le boire sans trop tarder car il est actuellement au mieux de sa forme et il ne gardera pas éternellement ses qualités.
→ Maison P. Misserey,
3, rue des Seuillets, B.P. 10, 21702 Nuits-Saint-Georges Cedex, tél. 80.61.07.74 ℡ r.-v.

GERARD MOUTON 1986*

75 76 78 79 81 82 83 85 86 | 0.50 ha | 4 000

Brillant d'un or intense, ce vin riche et moelleux semble plein de ressources aromatiques. On perçoit l'élevage en fût de chêne neuf. Un vin de garde bien plaisant.
→ M. Gérard Mouton, 1, rue du Four-Poncey, 71640 Givry, tél. 85.44.37.99 ℡ r.-v.

PARIZE PERE ET FILS
La Saulleraie 1986 * *

85 86 | 0.52 ha | 3 720

Pâle, à la limite de l'or blanc. Sa persistance est étonnante ; nez de pommes vertes, floral, bien typé chardonnay. A conseiller avec une friture de poissons tirés de la Saône. La famille Parize, qui exploite 8 hectares en givry, pratique les cuvaisons traditionnelles et honore la viticulture de la Côte chalonnaise. Un bon vin de propriété.
→ SCEA Parize et Fils, 18, rue des Faussillons, 71640 Givry, tél. 85.44.38.60 ℡ t.l.j. 8h-12h 14h-18h.

HENRI PELLETIER 1986

85 86 | 2 ha | 6 000

L'éclat de la robe est à son avantage. L'harmonie est agréable. Peu intense, mais il est encore si jeune.
→ M. Henri Pelletier, chem. de la Vernoise, Poncey, 71640 Givry, tél. 85.44.38.82 ℡ r.-v.

DOM. RAGOT 1986

76 78 79 (81) 82 83 84 85 86 | 2 ha | 12 000

Or et brillance. Arômes de vanille avec une pointe de citron. Saveurs bien équilibrées. C'est un vin plein de caractère et ce fraîcheur.
→ Dom. Ragot, 17 rue de la Planchette, Poncey, 71640 Givry, tél. 85.44.38.84 ℡ r.-v.

Givry

DOM. RAGOT 1986

76 78 79 81 82 83 84 85 86 | 5 ha | 30 000

Limpide et bien coloré, ce vin surprend au premier abord par son agressivité. Il ne présente pas de défauts, mais on le préférerait peut-être plus riche, mieux équilibré. A son avantage : sa délicatesse et cerise qui est pleine de charme.
→ Dom. Ragot, 17 rue de la Planchette, Poncey, 71640 Givry, tél. 85.44.38.84 ℡ r.-v.

DOM. GUSTAVE SILVESTRE
Clos Saint-Paul 1985*

1.50 ha | 6 000

N'a pas encore délivré tous ses arômes ; son âge, trop jeune, ne lui a pas encore donné de rondeur. Ce vin tannique, joliment marqué par l'empreinte du fût de chêne, ne manque pourtant pas d'attrait : il fait preuve, notamment, d'une remarquable finesse en fin de bouche. Créé en 1879, ce domaine possède des vignes de quarante ans qui produisent peu. Excellent givry de qualité.
→ Dom. Gustave Silvestre, 9, rue de La Baraude, 71640 Givry, tél. 85.44.31.04 ℡ t.l.j. 8h-12h 14h-20h.

VEUVE STEINMAIER ET FILS
Clos de la Baraude 1982*

82 83 | 6 ha | 30 000

Léger en couleur mais très brillant, ce givry a bon nez. Son arôme de gibier incitera à le servir avec une viande rôtie ou en sauce. Ce domaine familial a acquis le Clos de la Baraude en 1962. Le millésime 82, dégusté 6 ans plus tard, a fort bien vieilli et il demeure plaisant.
→ SCEA Vve Steinmaier et fils, Montagny-lès-Buxy, 71390 Buxy, tél. 85.92.11.71 ℡ r.-v.
→ M. Jean et Brigitte Steinmaier.

VEUVE STEINMAIER ET FILS 1986*

1851 8? | 2 ha | 12 000

La brillance ? Très belle. Le nez n'est pas très puissant, mais plutôt délicat (citron, tilleul, fruits secs). L'ensemble est harmonieux, avec une légère pointe d'acidité qui apporte beaucoup de fraîcheur. Un grand caractère, très représentatif de cette appellation et appelé à vieillir encore 2 ou 3 ans.
→ SCEA Vve Steinmaier et fils, Montagny-lès-Buxy, 71390 Buxy, tél. 85.92.11.71 ℡ r.-v.
→ M. Jean et Brigitte Steinmaier.

BERNARD TATRAUX
Les Grandes Berges 1986* *

2 ha | 6 000

Ce 86 laisse une impression vivace et plaisante. Sa loyauté est parfaite, sa puissance soutenue par un rien d'acidité. Léger réglisse et fruits rouges (griottes), parfait équilibre, c'est un vin d'avenir.
→ Bernard Tatraux, 33, rue de la Planchette, Poncey, 71640 Givry, tél. 85.44.57.41 ℡ r.-v.

Montagny

Entièrement voué aux vins blancs, Montagny, village le plus méridional de la région, annonce déjà le Mâconnais. L'appellation peut être produite sur quatre communes : Montagny, Buxy, Saint-Vallerin et Jully-les-Buxy. Les climats peuvent être seuls revendiqués sur la commune de Montagny. La production avoisine les 3 000 hl.

BOUCHARD AINE ET FILS 1986

| | 3,85 ha | n.c. |

Bonne bouteille, mais un peu fermée : elle ne s'exprime guère et c'est peut-être un effet de jeunesse. On la voit limpide, on la sent fine et équilibrée. Tout près d'une étoile.
☛ Bouchard Aîné et Fils, 36, rue Sainte-Marguerite, 21203 Beaune Cedex, tél. 80.22.07.67 ♈ r.-v.

CAVE DES VIGNERONS DE BUXY Cuvée spéciale 1986*

| 1er Cru | 69 ha | 220 000 |

Légère acidité qui est la bienvenue pour un blanc et qui ne manque pas d'utilité pour un 86. Vin de qualité, représentatif de l'appellation. Cette coopérative a été créée en 1931.
☛ Cave des Vignerons de Buxy, Les Vignes de la Croix, B.P.6, 71390 Buxy, tél. 85.92.03.03 ♈ r.-v.

BERNARD MICHEL 1986*

| 1er cru | 3 ha | 18 000 |

[85][86]

Depuis 1970, Bernard Michel a toujours décroché un premier prix en montagny au concours de la Côte chalonnaise. Avec un joli nez, net et franc par ses arômes et bien équilibré, celui-là peut également prétendre à cette distinction.
☛ M. Bernard Michel, Saint-Vallerin, 71390 Buxy, tél. 85.92.11.16 ♈ r.-v.

MAISON PIERRE PONNELLE 1986

| 1er cru | n.c. | n.c. |

Manque un peu d'acidité, mais il s'agit d'un millésime à prendre comme il est. Le nez est bon, la bouche longue et équilibrée.
☛ M. Pierre Ponnelle, 5, rue du Moulin, 21700 Nuits-Saint-Georges, tél. 80.61.22.41 ♈ r.-v.

ANTONIN RODET 1985

| 1er cru | n.c. | n.c. |

81 [82][83] 84[85]

Très sec, un vin aux arômes plaisants mais qui se montre discret. A-t-il quelque chose à dire ? Ou préfère-t-il garder encore ses secrets ?
☛ M. Antonin Rodet, Mercurey, 71640 Givry, tél. 85.45.22.22 ♈ lu. ma. me. je. ve. 9h-12h, 14h-19h.

460

JEAN TATRAUX 1986**

[85][86]

| | 3 ha | 2 000 |

Très beau vin, à l'avenir plein de promesses. Sa persistance en bouche est une merveille. Joli goût de fruits rouges avec une pointe de réglisse. Rondeur, fraîcheur, un bon vin à encourager, a noté l'un des membres du jury.
☛ M. Jean Tatraux, 18, rue de l'Orcène, Poncey, 71640 Givry, tél. 85.44.36.89 ♈ r.-v.

DOM. THENARD
Les Bois Chevaux 1985***

83 85

| | 7.78 ha | 28 000 |

Jacques Bordeaux-Montrieux veille avec amour sur un domaine illustrissime, créé par le baron Thénard qui inventa la lutte contre le phylloxéra par le sulfure de carbone. Le montrachet figure parmi les vins de la propriété. Implantée à Givry, celle-ci honore également les crus de cette commune, et notamment les Bois-Chevaux, un lieu-dit connu depuis 1285. La bouteille est un bijou, noyau de cerise au nez. Quelques années pour l'apprécier pleinement avec un rôti ou un fromage de Bourgogne.
☛ Dom. Thénard, 7, rue de l'Hôtel-de-Ville, 71640 Givry, tél. 85.44.31.36 ♈ r.-v.

GRANDS VINS DE BOURGOGNE
MIS EN BOUTEILLE A LA PROPRIÉTÉ
75 cl
GIVRY
LES BOIS-CHEVAUX
APPELLATION GIVRY CONTROLÉE
STATE BOTTLED
DOMAINE THENARD
PROPRIÉTAIRE-RÉCOLTANT A GIVRY, SAONE-ET-LOIRE, FRANCE

CHARLES VIENOT 1986*

| | n.c. | n.c. |

Bien que manquant un peu de brillant, ce vin bien constitué, rond, fera une bonne bouteille dans quelques années. Le givry n'est pas un vin de primeur... et il émerveille au bout de 4 ou 5 ans. C'est le cas de celui-ci, à n'en pas douter.
☛ Charles Viénot, 5, quai Dumorey, B.P. 19, 21700 Nuits-Saint-Georges Cedex, tél. 80.62.31.05 ♈ r.-v.

COMPAGNIE DES VINS D'AUTREFOIS Cuvée Hautes-Pierres 1986

| | n.c. | n.c. |

Brillant, mais léger. Il laisse une bonne impression : celle d'un jeune marquis plein de finesse mais dont le corps n'est pas encore affirmé. Dans la bonne moyenne et à boire assez vite. Ses atouts sont son nez.
☛ Cie des Vins d'Autrefois, 9, rue Celer, 21200 Beaune, tél. 80.22.21.31

ALAIN ROY 1986***

□ 1er cru   8 ha   50 000

« A sa couleur d'or vert qui est un charme pour les yeux, s'allie un parfum de noisette qui enchante l'esprit », a-t-on écrit du montagny. En voulez-vous l'exemple ? Dégustez ce vin parfait pour l'appellation et pour le millésime.
→ M. Alain Roy, Montigny-lès-Buxy, 71390 Buxy, tél. 85.92.11.83 ▼ r.-v.

VEUVE STEINMAIER ET FILS
Mont-Cuchot 1986*

□ 1er cru   1,50 ha   9 000

Légèrement muscaté, il a la belle couleur et bon nez. A essayer avec des coquillages ou des crustacés ? Je dirais plutôt avec le dessert (crème anglaise, par exemple). Longueur en bouche et élégante harmonie.
→ SCEA Vve Steinmaier et fils, Montigny-lès-Buxy, 71390 Buxy, tél. 85.92.11.71 ▼ r.-v.

MAISON THOMAS-BASSOT 1986*

□ 1er Cru   n.c.   n.c.

Jadis très illustre et située à Gevrey-Chambertin, la maison Thomas-Bassot a été reprise par le groupe Jean-Claude Boisset à Nuits-Saint-Georges. Elle nous offre ici un montagny long et fin avec ce qu'il faut de gras et de rondeur.
→ Maison Thomas-Bassot, 5, quai Dumorey, 21700 Nuits-Saint-Georges, tél. 80.62.31.21 ▼ r.-v.

JEAN VACHET Les Coères 1986*

□ 1er cru   4 ha   25 000
851186

Sous une couleur franche, un montagny qui reste d'abord sur ses gardes puis développe agréablement ses arômes. Un très bel équilibre et une jolie longueur. On est ici vigneron de père en fils depuis 1550.
→ M. Jean Vachet, Saint-Vallerin, 71390 Buxy, tél. 85.92.12.91 ▼ r.-v.

Mâcon, mâcon supérieur et mâcon-villages

Les appellations mâcon, mâcon supérieur ou mâcon suivi de la commune d'origine sont utilisées pour les vins rouges, rosés et blancs. Les

461

---

vins blancs peuvent s'appeler aussi pinot-chardonnay-mâcon. L'aire de production est relativement vaste, et, depuis la région de Tournus jusqu'aux environs de Mâcon, la diversité des situations se traduit par une grande variété dans la production.

Le secteur de Viré, Clessé, Lugny, Chardonnay, propice à la production de vins blancs légers et agréables, est le plus connu, et de nombreux viticulteurs se sont groupés en caves coopératives pour vinifier et faire connaître leurs vins. C'est d'ailleurs dans ce secteur que s'est développée la production pour atteindre environ 90 000 hl en blanc. En rouge, elle est de l'ordre de 50 000 hl et a évolué, quant aux cépages, du gamay jadis unique, vers le pinot noir.

COLLIN ET BOURISSET 1986*

■   n.c.   6 000

L'évolution satisfaisante de ce vin paraît assurée. Sa relative jeunesse ne permet pas d'en apprécier encore toutes les qualités mais l'équilibre général, la nervosité et la structure sont déjà au rendez-vous.
→ Collin et Bourisset, av. de la Gare, 71680 Crèches-sur-Saône, tél. 85.37.11.15 ▼ r.-v.

CLOS DE CONDEMINE 1986

□   n.c.   25 000

Le vin qu'il faut prendre au premier degré : simple et sans complication, comme il se présente à nous. Pour ceux qui aiment les vins qui ne font pas ce chichis.
→ M. Roger Luquet, Fuissé, 7190 Pierreclos, tél. 85.35.60.91 ▼ t.l.j; 8h-12h 13h30-19h ; f. dim. a.-m.

COUPE PERRATON 1986**

□   n.c.   10 000

Du chardonnay produit à Chardonnay : qu'espérer de mieux ? Cette Coupe Perraton exprime à merveille les qualités du cru et du cépage. De la puissance, du gras, les épaules larges. Mais aussi d'immenses arômes de miel et de l'ordre en tout.
→ Cave de Chardonnay, Chardonnay, 71700 Tournus, tél. 85.40.50.49 ▼ r.-v.

CUVIER DES AMIS 1985

n.c. 10 000

L'acidité agréable compense une fin de bouche quelque peu abrupte. Plus rond que long, un vin rubis clair au nez plein et puissant, légèrement poivré. Parvient à son meilleur épanouissement.

➤ Le Cuvier des Amis, Les Plantées, Davayé, 71960 Pierreclos, tél. 85.35.83.65 ☎ lu. ma. me. je. ve. 10h-12h 14h-18h.

DOM. DES DEUX ROCHES 1987*

2 ha 10 000

Un gamay à boire jeune. Frais et gouleyant, il offre tout ce qu'il possède : sa belle robe rouge violacée, ses arômes de cassis et de framboise. Un vin produit sur 20 hectares de vignes de trente-cinq ans environ.

➤ GAEC Dom. des Deux Roches, Davayé, 71960 Pierreclos, tél. 85.35.83.29 ☎ r.-v.

J.-P. ET M.-M. GOBETTI
La Croix de Levy 1986***

0,46 ha 4 000

S'il manque un peu de limpidité, ce qui lui vaut de rater le «coup de cœur», ce vin est cependant digne de tous les éloges. On a l'impression de déboucher un bocal de fruits conservés dans l'alcool, une «confiture de vieux garçon». Nuances de réglisse et d'épices... La dégustation confirme cette excellente impression et l'on rêve de cochonnailles pour l'accompagner joyeusement.

➤ M. Jean-Paul Gobetti, 20, rue Lamartine, 71000 Mâcon, tél. 85.38.82.40 ☎ r.-v.

DOM. LACHARME 1986

4,40 ha 25 000

Elevé pour un tiers en fûts de chêne neufs, un vin produit par des vignes de trente ans. Certes, il n'est pas étincelant, mais il est honnête. Bon nez bon œil.

➤ SCEA Dom. Lacharme et Fils, Le Pied du Mont, La Roche Vineuse, 71960 Pierreclos, tél. 85.37.71.16 ☎ r.-v.

LA ROCHE VINEUSE 1986**

3,12 ha 10 000

Encore sombre, rubis légèrement violacé, sa robe habille des arômes riches et complexes (réglisse, épices, fruits rouges). Ce vin est produit à partir d'une vendange très mûre, son acidité est faible et sa conservation doit être excellente. Une solide charpente mâconnaise garantit l'avenir !

➤ SCEA Dom. Lacharme et Fils, Le Pied du Mont, La Roche Vineuse, 71960 Pierreclos, tél. 85.37.71.16 ☎ r.-v.

LYCEE AGRICOLE ET VITICOLE DAVAYE 1987**

4 ha 20 000

On a toujours un faible pour les vins du lycée agricole et viticole de Davayé. A en juger par cette bouteille, la nouvelle génération se débrouillera très bien : excellente limpidité, parfum de groseille, richesse et harmonie. L'établis-

sement cultive 17 hectares. Jadis propriété de la famille de Maizod puis de l'évêché d'Autun, le domaine appartient à la collectivité depuis 1906. Talleyrand ne dédaignait pas de le solliciter quand il disait la messe... mais cela ne suffit pas à le retenir à Autun.

➤ Lycée agr. et viti. de Davayé, Davayé, 71960 Pierreclos, tél. 85.35.83.32 ☎ lu. ma. me. je. ve. 8h-12h 14h-18h.

DOM. DU PRIEURE 1985*

1,70 ha 10 000

La robe reste franche et vive, les arômes rappellent la cerise sauvage. S'il manque un peu de gras, ce 85 «peut encore tenir une paire d'années», affirme l'un de nos dégustateurs. Juste ce qu'il faut d'acidité pour assurer la présence en bouche.

➤ Véronique et Pierre Janny, Dom. de La Condemine, Péronne, 71260 Lugny, tél. 85.36.97.03 ☎ r.-v.

GROUPEMENT DE PRODUCTEURS DE PRISSE 1987*

86 ha 120 000

Un vin qui a du panache. Mâcon, tout simplement, mais avec sa joie de vivre et son tempérament coloré. Encore jeune et déjà robuste, tout le charme du gamay.

➤ Groupt Producteurs de Prissé, Prissé, 71960 Pierreclos, tél. 85.37.88.06 ☎ r.-v.

DOM. DES PROVENCHERES 1987*

4,18 ha 30 000

Robe claire et marbrée, un mâcon bien typé gamay, aux tanins fondus et d'une souplesse étonnante. Sans doute ne vieillira-t-il pas longtemps, mais il sera très agréable durant ses 2 à 3 premières années.

➤ M. Maurice Gonon, Dom. des Provenchères, Serrières, 71960 Pierreclos, tél. 85.35.71.96 ☎ r.-v.

MAISON THOMAS-BASSOT 1987

n.c. n.c.

Oeil intense et vif. Notre jury lui trouve une «dureté fine», ce qui montre bien à quel point les Bourguignons ont le sens des nuances ! Arômes fondus et vinosité affirmée, ce devrait être un vin de garde.

➤ Maison Thomas-Bassot, 5, quai Dumorey, 21700 Nuits-Saint-Georges, tél. 80.62.31.21 ☎ r.-v.

CAVE DE VERZE 1986

83 ha n.c.

Bien limpide et fruité, un rosé qui possède juste ce qu'il faut d'acidité. Assez agréable, mais risque de décliner : à boire sans trop tarder.

➤ Cave Coop. de Verzé, Verzé, 71960 Pierreclos, tél. 85.33.30.76 ☎ r.-v.

Mâcon supérieur

CAVE COOP. DE CHARNAY 1987

| | | ■ | 20 ha | 5 000 | 🍴👤▼1 |

La coopérative de Charnay-lès-Mâcon a été fondée en 1929. Elle fête donc ses 60 ans en 1989. Bon anniversaire! Cette bouteille se présente bien, avec une couleur lumineuse. Son nez est modeste, nuance pin.

↳ Cave Coop. de Charnay, En Condemine, 71850 Charnay-lès-Mâcon, tél. 85.34.54.24 ⌶ r.-v.

DOM. DES BRUYÈRES

Mâcon-Pierreclos 1986**

| | | ■ | 7,30 ha | 10 000 | ▼1 |

Robe éclatante, on n'en attendait pas moins de ce vin portant le nom de Pierreclos et rappelant les amours de Lamartine. Nez ce vanille, boisé. Vinosité assez ronde, longueur et puissance. Bon vin aujourd'hui et meilleur demain.

↳ M. Maurice Lapalus, Dom. des Bruyères, 71960 Pierreclos, tél. 85.35.71.90 ⌶ r.-v.

---

d'alcool en trop? Nos jurés en ont longtemps discuté avant de conclure que sa tenue générale méritait es circonstances atténuantes.

↳ GAEC de Monterrain, Les Monterrains-Serrières, Serrières, 71960 Pierreclos, tél. 85.35.73.47 ⌶ r.-v.

↳ MM. Georges et Patrick Ferret.

CELLIER DES SAMSONS 1985*

| | | ■ | n.c. | 30 000 | 🍴👤▼2 |

La Saône-et-Loire produit quelque 60 000 hl de mâcon supérieur rouge. C'est le vin des repas amicaux autour d'une volaille ou d'une viande blanche. Ce 85 commence bien (arômes de sous-bois et nuances épicées) et finit tout aussi bien. Il promet!

↳ Cellier des Samsons.
Le Pont des Samsons, B.P. 3, Quincié-en-Beaujolais, 69430 Beaujeu, tél. 74.04.39.39

Mâcon-villages

DOM. ANDRÉ BONHOMME Viré 1986*

| | | ■ | 6 ha | 50 000 | 🍴👤▼3 |

De l'équilibre, de la longueur et une touche finale d'amande, voilà ce qu'on appelle un beau vin. Personnalité viti-vinicole de Saône-et-Loire, au sein de caves particulières, André Bonhomme a des clients fidèles et beaucoup d'amis. On comprend pourquoi en dégustant ce Viré 86.

↳ M. André Bonhomme, Cidex 2108, Viré, 71260 Lugny, tél. 85.33.11.86 ⌶ r.-v.

CAVE COOP. DE CHAINTRÉ

Chaintré 1986

| | | 85 86 | 5,03 ha | 30 000 | 🍴👤▼2 |

Un 86 à boire dès maintenant. Sans être exceptionnelle, sa longueur est bonne. Arômes de praline intenses et adoucis par des bruissements de feuillages. L'alcool ne se dissimule pas derrière son petit doigt. Bouteille à ouvrir avec un plat de charcuteries bourguignonnes. Une dégustation qui confirme celle de l'an dernier.

↳ Cave de Chaintré, Cidex 418, Chaintré, 71570 La Chapelle-de-Guinchay, tél. 85.35.61.61 ⌶ r.-v.

ANTOINE DEPAGNEUX 1985**

| | | ■ | n.c. | 30 000 | 🍴👤▼1 |

Un mâcon supérieur charnu et sérieux, qui s'assoupit avec l'âge. Beau mâcon, il est vrai! Il n'a rien perdu de ses couleurs, et l'impression au nez est tout en finesse. Ses tanins n'accrochent pas. Vin parfait dès à présent.

↳ M. Antoine Depagneux,
Les Nivaudières, B.P. 8, Quincié-en-Beaujolais, 69430 Beaujeu, tél. 74.04.37.38

CAVE DES VIGNERONS D'IGÉ 1987

| | | 84 85 87 | 95 ha | 60 000 | 🍴👤▼1 |

Créée en 1927, la cave coopérative d'Igé produit ce mâcon supérieur qui ne manque pas de feu aux joues. Son fruité semble plus discret. Son prix modique le rend intéressant comme vin de tous les jours.

↳ Group. Prod. Vignerons d'Igé, Igé, 71960 Pierreclos, tél. 85.33.33.56 ⌶ r.-v.

EMILE CHANDESAIS 1986*

| | | □ | n.c. | 12 000 | 🍴▼2 |

Sa légère acidité devrait l'aider à bien vieillir. Belle robe et jolis arômes, avec les caractères du millésime 86: de la souplesse et du gras, qui devraient s'harmoniser avec une entrée fine, une tourte chaude... Emile Chandesais est une «figure» du vin. L'exploitation se trouve près de Rully, à Fontaines en Côte chalonnaise.

↳ M. Emile Chandesais, Ch. Saint-Nicolas, B.P. 1, Fontaines, 71150 Chagny, tél. 85.91.41.77 ⌶ r.-v.

CAVE DES VIGNERONS DE MANCEY 1986*

| | | □ | 20 ha | 50 000 | 🍴👤▼3 |

C'est à Mancey que le phylloxéra fut observé pour la première fois en Bourgogne. Ce mâcon produira une émotion beaucoup plus heureuse. Nez discret, floral; fraîcheur et bonne teneur en bouche.

↳ Cave des Vignerons de Mancey, 71240 Mancey, tél. 85.51.00.83 ⌶ t.l.j, sf dim. 9h-12h 14h-18h.

DOM. DE MONTERRAIN

Mâcon-Serrières 1986**

| | | ■ | n.c. | 17 000 | ▼2 |

Un vin de coteau que Jean-Claude Jambon, premier sommelier du monde, a pu apprécier lors de la Saint-Vincent à Serrières. Belle bouteille, encore peu ouverte mais sans défaut. Une pointe

---

CAVE DE CHARDONNAY
Petit Paumé 1985*

83 1841 85 86   n.c.   50 000

L'étiquette surprend : « Petit Paumé », quel drôle de nom pour un vin! Car il n'est pas paumé du tout, ce petit... Produit par la Cave de Chardonnay, haut lieu de ce cépage, il a la vigueur d'un 85. Arômes assez épais, mais joli goût de terroir en bouche. C'est une bouteille qui parvient à maturité.
➤ Cave de Chardonnay, Chardonnay, 71700 Tournus, tél. 85.40.50.49 ▼ r.-v.

DOM. DES CHAZELLES
Viré 1987***

85 86 (87)   2 ha   12 000

Josette et Jean-Noël Chaland proposent non seulement ce vin admirable, mais aussi deux chambres d'hôtes. N'hésitez pas, surtout si on vous sert ce mâcon-viré au petit déjeuner. A la réflexion, il sera plus à son aise avec un poulet de Bresse à la crème ou des andouillettes au viré. Un 87 de grand avenir, aux arômes de fleurs blanches puis de miel, plein et puissant. Il sort du lot!
➤ Jean-Noël et Josette Chaland, Cidex 2163, Viré, 71260 Lugny, tél. 85.33.11.18 ▼ r.-v.

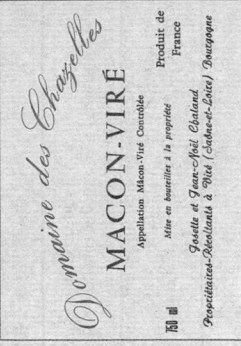

Domaine des Chazelles — Appellation Mâcon-Viré Contrôlée — MACON-VIRÉ — Produit de France — Mise en bouteilles à la propriété — Josette & Jean-Noël Chaland, Propriétaires-Récoltants à Viré (Saône-et-Loire), Bourgogne — 750 ml

COLLIN ET BOURISSET 1987
4 800

Belle limpidité et couleur paille, un vin plein de cachotteries. On doit attendre qu'il se « libère », avant tout jugement définitif. Sera sûrement agréable avec un « bouton de culotte », fromage de chèvre du Mâconnais.
➤ Collin et Bourisset, av. de la Gare, 71680 Crèches-sur-Saône, tél. 85.37.11.15 ▼ r.-v.

CUVIER DES AMIS 1986*

n.c.   10 000

Ce n'est assurément pas un vin d'anthologie, mais on le trouvera agréable. Bien dans la moyenne de l'appellation, conforme au millésime et honnêtement réussi. Nuances herbacées et robe flatteuse.
➤ Le Cuvier des Amis, Les Plantées, Davayé, 71960 Pierreclos, tél. 85.35.83.65 ▼ lu. ma. me. je. ve. 10h-12h 14h-18h.

ANTOINE DEPAGNEUX 1985**

n.c.   50 000

Encore très frais pour un 85, il peut regarder l'avenir avec sérénité. Pâle et limpide, sa robe

l'habille bien. Intensité moyenne, avec des arômes légèrement anisés. Une touche boisée. A boire avec un poisson en sauce, de la lotte par exemple, ou à laisser vieillir : un excellent mâcon blanc.
➤ M. Antoine Depagneux, Les Nivaudières, B.P. 8, Quincié-en-Beaujolais, 69430 Beaujeu, tél. 74.04.37.38

GEORGES DUBOEUF 1987*

n.c.   n.c.

Jolie étiquette de P. Albuisson et arômes persistants avec une robe de mariée... De type abricot, il « chardonne » bien. Un peu sec toutefois en fin de bouche, mais c'est sans doute l'effet d'une mise en bouteilles très récente lors de notre dégustation. Ce petit défaut disparaîtra en cave.
➤ Les Vins Georges Duboeuf, B.P. 12, Romanèche-Thorins, 71570 La Chapelle-de-Guinchay, tél. 85.35.51.13 ▼ t.l.j. sf dim. 8h-12h30 13h30-17h ; f. sam. a.-m., dim. et août

CH. DE FRANCLIEU 1987***

22 ha   7 000

Fondée en 1929 et fêtant cette année ses 60 ans, la cave coopérative de Charnay-lès-Mâcon entretient avec fierté le souvenir de Claude Brosse, vigneron du pays qui «monta» à Versailles pour faire à la carte du Roi-Soleil l'hommage de ses vins. Celui-ci aurait séduit Saint-Simon pourtant connu pour sa dent dure. Un mâcon brillant, muscat, fleur d'acacia, que l'on imagine en train de danser sur un parquet ciré.
➤ Cave Coop. Charnay-lès-Mâcon, En Condemine, 71850 Charnay-lès-Mâcon, tél. 85.34.54.24 ▼ r.-v.

CHARLES GRUBER 1987*

n.c.   n.c.

Celui-ci, floral et légèrement réglisse, n'impressionne pas par sa puissance. Équilibré et très plaisant, il joue la carte de la finesse. Il faut admettre qu'il a un charme fou.
➤ Charles Gruber, rue du Moulin, 21700 Nuits-Saint-Georges, tél. 80.61.07.24 ▼ r.-v.

LES VIGNERONS D'IGÉ Igé 1987*

2 ha   10 000

Il laisse la bouche fraîche et heureuse. Que lui demander de plus ? Bonne attaque mêlée à des arômes herbacés assez fréquents en mâcon rosé. L'acidité est discrète, la bouche un peu courte, mais aucun regret ne vient gâter la dégustation. A prendre tel qu'il se présente.
➤ Group. Prod. Vignerons d'Igé, Igé, 71960 Pierreclos, tél. 85.33.33.56 ▼ r.-v.

DOM. DE LA CONDEMINE 1986*

3,50 ha   20 000

Véronique et Pierre Janny ont vaillamment repris ce vignoble en 1982. Ils recherchent surtout le gras et la rondeur, davantage que la vivacité. C'est un style marqué par de profonds arômes de terroir. L'authenticité aussi a son charme.
➤ Véronique et Pierre Janny, Dom. de La Condemine, Péronne, 71260 Lugny, tél. 85.36.97.03 ▼ r.-v.

Mâconnais

CH. DE LA GREFFIERE 1986***
□ 83 85 86|
6 ha — 13 000 — V 2

Or doré, puissant par son bouquet de pommes reinette associé à des arômes épicés de vanille et de cannelle, ce 86, d'une parfaite harmonie, révèle en bouche un goût de miel fort séduisant. L'un des meilleurs mâcon blancs dont on puisse rêver. A frôlé le coup de cœur.
↳ MM. Henri et Vincent Greuzard, Ch. de La Greffière, La Roche-Vineuse, 71960 Pierreclos, tél. 85.37.79.11 ℡ l.-j: 8h-19h.

LES CHARMES 1987
□ 85 86|
85 ha — 850 000 — V 2

Fatigué par sa mise en bouteilles, il n'était pas au mieux de sa forme lors de la dégustation. Jolie intensité et un nez tapageur. L'aération lui fait du bien : du gras, de la longueur, du fruit.
↳ Cave de Lugny, 71260 Lugny, tél. 85.33.22.85 ℡ r.-v.

CH. LONDON 1986
□ 85 86|
7 ha — 60 000 — V 2

Château London est un lieu-dit d'Igé. Limpide, végétal et jaune, un vin poivré, café grillé, qui s'affirme celle des bons crus. De la verdeur pourtant, comme sur l'étiquette encore... Elle assurera une bonne évolution.
↳ MM. Loron et Fils, Pontanevaux, 71570 La Chapelle-de-Guinchay, tél. 85.36.70.52

LORON ET FILS 1986*
□
n.c. — 10 000

Fondateur de la maison en 1821, Jean-Marie Loron vous fixe d'un regard balzacien sur l'étiquette de ce vin bourgeois. La couleur de celui-ci est celle des bons crus.

MAISON MACONNAISE DES VINS 1986
□ 82 83 84 85 86|
n.c. — 12 000

Peut-on être à la fois sec et glissant ? A en juger par ce vin, oui. Il n'est pas de très grand style, mais constitue une approche assez agréable du Mâconnais.
↳ Maison mâconnaise des Vins, 484, av. de Lattre-de-Tassigny 71000 Mâcon, tél. 85.38.36.70 ℡ l.-j: 8h-21h ; f. 25 déc. et 1er mai.

JEAN MANCIAT 1986*
□
3 ha — n.c.

On cédera volontiers au charme de cette bouteille au bouquet fleuri. Un vin bien bâti et solidement constitué, comme une église romane née à l'ombre de Cluny. Bonne aptitude au vieillissement, d'autant que ce 86 n'est pas encore tout à fait épanoui.
↳ M. Jean Manciat, Levigny, 71850 Charnay-lès-Mâcon, té. 85.34.35.50 ℡ r.-v.
↳ M. Marcel Manciat.

465

Mâcon-villages

DOM. MANCIAT-PONCET
Charnay 1987
□ 86| 87|
n.c. — 43 000 — V 2

Si jeune qu'on doit lui faire confiance. Les yeux fermés ? Pas du tout : sa couleur est bien dorée. Le nez bouché ? Pas davantage : raisin frais, il n'est pas désagréable. Mais son acidité demeure vivace et elle devra impérativement se dissiper.
↳ Dom. Manciat-Poncet, chem. des Gérards, Levigny, ℡ 850 Charnay-lès-Mâcon, tél. 85.34.13.77 ℡ r.-v.
↳ M. Clade Manciat-Poncet.

DOM. RENE MICHEL ET FILS
Clessé 1985***
□ 83 84 85 86|
4 ha — 30 000 — V 3

Ample, épicé, puissant, un grand mâcon blanc, produit sur de très vieilles vignes à Clessé. Son harmonie est presque poétique. Sa persistance presque phénoménale. Riches possibilités d'épanouissement futur. Bref, une vraie découverte et une bonne occasion.
↳ MM. René Michel et fils, Cray, 71260 Clessé, tél. 85.36.54.27 ℡ r.-v.

GILBERT MORNAND
Clessé - le Clos du Château 1986*
□ 84 85 86|
5 ha — 25 000 — V 3

Le nez d'amande grillée, intense et enveloppant, vous interpelle dès le début de la dégustation. Du musc ! Et du muscle ! Il est fort en bouche, pour être poli. S'il n'est pas très caractéristique des vins du Mâconnais, sa parenté avec certains blancs de la Côte de Beaune (auxey-duresses) plaide en sa faveur. Rappelons notre coup de cœur pour le 85.
↳ M. Gilbert Mornand, Clessé, 71260 Lugny, tél. 85.36.94.09 ℡ r.-v.

PIERRE PONNELLE 1986*
□
n.c. — n.c.

Très sec et bien brillant, un mâcon blanc aux parfums de cire d'abeille et de fleurs séchées. Doit encore vieillir, car ses potentialités lui laissent beaucoup d'espoir.
↳ M. Pierre Ponnelle, 5, rue du Moulin, 21700 Nuits-Saint-Georges, tél. 80.61.22.41 ℡ r.-v.

DOM. DU PRIEURE 1986***
□
10 ha — 80 000 — V 2

Cet ancien prieuré du XVe s. et sa belle chapelle romane abritent un vin qui incite à se mettre à genoux. Bel or vert, il est d'une intensité...

moyenne mais très originale, noisette et menthe. L'attaque franche et nette ouvre sur un labyrinthe de saveurs délicieuses. Quelle harmonie ! Destinée à des amateurs éclairés, une bouteille dont la garde est assurée.
☛ Véronique et Pierre Janny,
Dom. de La Condemine, Péronne, 71260 Lugny, tél. 85.36.97.03 ▾ r.-v.

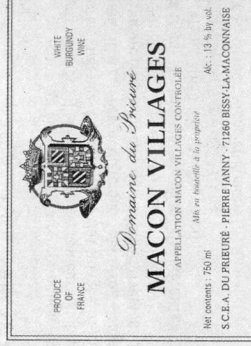

WHITE BURGUNDY WINE

Domaine du Prieuré

MACON VILLAGES

APPELLATION MACON VILLAGES CONTROLEE

Mis en bouteille à la propriété

PRODUCE OF FRANCE

Net contents: 750 ml   Alc. 13 % by vol.

S.C.E.A. DU PRIEURÉ · PIERRE JANNY · 71260 BISSY-LA-MACONNAISE

GROUP. DE PRODUCTEURS DE PRISSE 1987**

	70 ha	300 000	

Le «top niveau» ou peu s'en faut. Exactement ce qu'on espère d'un mâcon blanc. Virginal, il exprime des arômes si fruités qu'ils évoquent presque le bonbon acidulé. Bouche fraîche et nette, il rappelle l'abricot en fin de dégustation. Excellent en apéritif ou avec des fruits de mer.
☛ Groupt Producteurs de Prissé, Prissé, 71960 Pierreclos, tél. 85.37.88.06 ▾ r.-v.

QUINTAINE Clessé 1986**

	5 ha	40 000	

On pense à la bergamote quand on plonge le nez sur ce mâcon classé 86, de tonalité fruit mûr. «A la mode», il plaira aux amateurs de vins jeunes et gais, d'une puissance moyenne mais bien vinifiés.
☛ Guillemot-Michel, Quintaine, Clessé, 71260 Lugny, tél. 85.36.95.88 ▾ r.-v.

CELLIER DES SAMSONS 1985***

	n.c.	50 000	

Intense à l'œil, fin au nez, un très beau vin dont la jeunesse étonne. Quelle fraîcheur pour un 85 ! En tout point équilibré, il exprime des senteurs de noisette et des saveurs d'abricot. Et il est si long qu'on n'en voit pas le bout... Peut-être une pointe d'alcool en trop, perceptible en fin de bouche, mais on ne s'en plaindra pas avec une volaille en sauce blanche.
☛ Cellier des Samsons,
Le Pont des Samsons, B.P. 3, Quincié-en-Beaujolais, 69430 Beaujeu, tél. 74.04.39.39

DOM. DE SOMERE 1986*

		1,50 ha	9 000	
[85] [86]				

Assez équilibré malgré une certaine verdeur qui s'atténuera avec l'âge, un vin qui conserve précieusement ses arômes de jeunesse. Noisette grillée. S'il n'offre pas une ampleur majestueuse,

sa discrétion témoigne d'une bonne éducation et il exprime une finesse très agréable. Un vrai chardonnay, élégant et frais.
☛ M. Pierre Santé, La Roche-Vineuse, 71960 Pierreclos, tél. 74.66.03.89 ▾ r.-v.

JEAN-CLAUDE THEVENET Pierreclos 1987*

[85]	87	6 ha	40 000	

Ses parfums d'amande et d'abricot sec enthousiasment le nez. Encore fermé, il laisse apparaître en bouche un je-ne-sais-quoi de pomme verte qui devrait s'harmoniser avec un poisson grillé. Plus vif que rond, il demande à vieillir. Pierreclos fait partie des sites lamartiniens et l'on récite ici le vin en vers de douze pieds.
☛ M. Jean-Claude Thevenet, Le Bourg, 71960 Pierreclos, tél. 85.35.72.21 ▾ t.l.j. sf dim. 7h30-12h 14h-19h.

CAVE COOP. DE VERZE Verzé 1986

83 85 86	84 ha	n.c.	

Intense avec une note florale, ce n'est pas un vin très parfumé. Il est «nature», proche du terrain, les pieds assez lourds. Mais sa franchise, sa sincérité, son côté simple et direct éveillent la sympathie.
☛ Cave Coop. de Verzé, Verzé, 71960 Pierreclos, tél. 85.33.30.76 ▾ r.-v.

CH. DE VIRE Viré 1986*

	8 ha	50 000	

Du vert dans du jaune, c'est la robe classique du chardonnay. Légèrement herbacé, un nez floral, frais, riche en surprises. La rondeur et l'élégance vont de paire. Un peu de vieillissement l'assouplira encore. Détruit sous la Révolution, le château de Viré a été réédifié au début du siècle.
☛ SA Prosper Maufoux, pl. du Jet-d'Eau, 21590 Santenay, tél. 80.20.60.40 ▾ r.-v.

Pouilly-fuissé

Le profil des roches de Solutré et Vergisson s'avance dans le ciel comme la proue de deux navires ; à leur pied, le vignoble le plus prestigieux du Mâconnais, celui de pouilly-fuissé, se développe sur les communes de Fuissé, Solutré, Pouilly, Vergisson, et Chaintré. La production est d'environ 32 000 hl.

Les vins de Pouilly ont acquis une très grande notoriété, notamment à l'exportation, et leurs prix ont

toujours été en compétition avec ceux des chablis et même des meursault. Ils sont vifs, pleins de sève et parfumés. Lorsqu'ils sont élevés en fûts de chêne, ils acquièrent en vieillissant des arômes caractéristiques d'amande grillée ou de noisette.

DANIEL BARRAUD
Nectar Faramineux 1986

1,50 ha	4 000

L'étiquette de cette bouteille est signée P. Albuisson qui a réalisé la série des fleurs pour Dubeuf : «nectar faramineux», indique-t-elle en faisant allusion à la bête faramine, légende du pays. Disons qu'on est ici en présence d'un vin agréable, très aromatique (fruit sec, tilleul). Il vieillira moins longtemps que l'illustre animal.
➤ M. Daniel Barraud, Le Répostère, Vergisson, 71960 Pierreclos, tél. 85.35.84.25

VICTOR BERARD 1985**

n.c.	n.c.

Reflets jaunes assez marqués sur la robe : voilà bien le style 85. Fine odeur de tilleul et de noisette : la complexité des arômes s'épanouit ensuite pour donner le sentiment d'une authentique distinction. De la classe !
➤ M. Victor Bérard, rue de Lyon, 71004 Varennes-lès-Macon, tél. 85.34.70.50 lu. ma. me. je. ve. 8h-12h 14h-18h.

BOUCHARD AINE ET FILS 1986**

n.c.	17 000

Les pouilly-fuissé 86 sont décidément en grande forme. Présenté par une maison beaunoise, celui-ci a le type du minéral : clair et doré, souple et gras. Tout cela ne masque cependant pas la fraîcheur, une certaine légèreté d'être.
➤ Bouchard Aîné et Fils, 36, rue Sainte-Marguerite, 21203 Beaune Cedex, tél. 80.22.07.67

GEORGES BURRIER Les Champs 1985*

1 ha	7 000

Bon prolongement de l'impression première qui mêle le miel et l'églantine. Le moelleux est gras, onctueux, savoureux. Tout cela ne masque cependant pas la fraîcheur, une certaine légèreté d'être.
➤ Ets Georges Burrier SARL, Fuissé, 71960 Pierreclos, tél. 85.35.61.75 r.-v.

ROGER CORDIER 1986*

4,96 ha	8 000

82|84|85 86

Couleur soutenue : on peut essayer cette bouteille avec un turbot en matelote. Si elle manque de gras, elle offre une jolie longueur en bouche. L'exemple même d'un vin complet, plein, à la structure d'église romane. Une certaine dureté et beaucoup de tendresse sous la pierre.

➤ M. Roger Cordier, Les Molards, Fuissé, 71960 Pierreclos, tél. 85.35.62.89 t.l.j. 9h-12h 14h-18h

DOM. CORSIN 1986*

3,30 ha	14 000

85 86

Sous une légère nuance de bois (il «crénaille» un peu), de beaux arômes de rose sauvage et de fougère. Un vin pas très puissant, mais agréable et souple, dont la constitution ne présente aucun défaut. Point de vente à Davayé. Conviendra à une viande blanche ou à un poisson.
➤ SCEA Dom. Corsin, Les Coreaux, Pouilly-Fuissé, 71960 Pierreclos, tél. 85.35.83.69 r.-v.

DOM. MICHEL DELORME 1986*

3,15 ha	8 000

Une bien jolie maison mâconnaise, avec sa galerie aux voûtées du XVIIe s. : elle se trouve à Vergisson, au pied de la roche sœur de celle de Solutré. Un vin net et limpide, encore vert et acidulé, très floral toutefois. Son gras lui permettra de passer quelques hivers sans trop souffrir du froid.
➤ M. Michel Delorme, Le Bourg, Vergisson, 71960 Pierreclos, t.l.j. 8l-20h.

GEORGES DUBOEUF 1986**

n.c.	30 000

78 79 ⑩ 83 85 86

Ah! voici Duboeuf... On le guette naturellement avec curiosité. Le prix de la bouteille constitue d'abord une heureuse surprise. Un vin limpide, un peu léger au nez (citronnelle, chèvrefeuille, ananas même...). Il faut assurément le laisser se bonifier en cave car il est encore jeune. Sa charpente doit lui permettre de bien vieillir.
➤ Les Vins Georges Duboeuf, B.P. 12, Romanèche-Thorins, 71570 La Chapelle-de-Guinchay, tél. 85.35.51.13 t.l.j.; 8h-12h 13h30-17h; f. sam. a.-m., dim. et août

ROGER DUBOEUF Les Plessis 1987*

2 ha	10 000

78 79 ⑪ 83 84 85 87

Un feu boisé, nuance noix fraîche, un vin dont le nerf reste souple. Net et sincère, il n'est pas très compliqué de caractère et devrait plaire tout... pas poser de problèmes métaphysiques. Après...
➤ MM. Roger Duboeuf et Fils, Cidex 419, Chaintré, 71570 La Chapelle-de-Guinchay, tél. 85.35.61.25 t.l.j.; sf dim. 8h-19h.

CH. FUISSE Vieilles Vignes 1986**

4 ha	12 000

74 75 ⑦ ⑦ 78 79 81 82 ⑬ 85 86

Une cuvée étincelante, bien proche des trois étoiles, produite à l'ombre d'une belle tour XVe s., qui faisait autrefois partie de la seigneurie de Fuissé. La salle des gardes accueille parfois les dégustations. Ce vin chardonne à merveille. Vanille miel, coing avec une touche boisée qui s'atténuera sans doute avec le temps. À laisser vieillir.
➤ MM. J.-J. Vincent et Fils, Ch. Fuissé, Fuissé, 71960 Pierreclos, tél. 85.35.61.44 r.-v.

Mâconnais

Pouilly-fuissé

CH. FUISSE 1986 ★★★

☐ 14 ha 65 000 ▮▯ ↓ ▣ 5

On a parlé à son propos d'un vin « hallucinant », tant son bouquet est un Himalaya d'intensité. Encore jeune et riche d'avenir, ce 86 signé Vincent exprime merveilleusement des arômes de miel et de vanille. Aucune lourdeur dans sa puissance. Une charmante petite pointe boisée. Bref, on croit rêver...

☛ MM. J.J. Vincent et Fils, Ch. Fuissé, Fuissé, 71960 Pierreclos. tél. 85.35.61.44 ☓ r.-v.

GRAND VIN DE BOURGOGNE

CHATEAU FUISSÉ
Pouilly-Fuissé

Appellation Pouilly-Fuissé Contrôlée
M. Vincent et Fils, Propr. Viticulteur à Fuissé (S.-et-L.)

Mise en Bouteilles au Château

750 ml

Produce of France

GEORGES GOYON 1985 ★

☐ 1,50 ha 4 000 ▮▯ ↓ ▣ 4

Il chardonne bien, dans un style « Enlèvement au sérail » : langoureux en bouche et offrant au nez tous les parfums de Byzance (miel et fruits confits). Il parvient à sa pleine maturité et ne se gardera sans doute pas longtemps.

☛ Dom. Georges Goyon, Le bourg, Solutré-Pouilly, 71960 Pierreclos, tél. 85.35.80.70 ☓ r.-v.

DOM. JEAN GOYON 1986 ★★

☐ 4 ha 11 000 ▮▯ ↓ ▣ 4

76 77 78 79 80 81 82 83 84 85 86

On pense à Lamartine, cet enfant du pays : « Nous avons respiré cet air d'un autre monde »... Car, s'il manque un peu d'ampleur (les vers n'ont que douze pieds), quel beau vin ! Très brillant, tout en finesse, exprimant l'intensité du chardonnay quand il choisit de parler au cœur !

☛ Dom. Jean Goyon, Le Bourg, Solutré-Fuissé, 71960 Pierreclos, tél. 85.35.81.15 ☓ r.-v.

CHARLES GRUBER 1986 ★

☐ n.c. n.c. ▮▯ ↓ ▣ 4

À l'œil, un véritable vitrail sous un rayon de soleil. Nez du genre ruche, très miel, d'une parfaite franchise. Ce vin devrait vieillir avec bonheur, grâce à ses vertus : du gras, de la puissance.

☛ Charles Gruber, rue du Moulin, 21700 Nuits-Saint-Georges, tél. 80.61.07.24 ☓ r.-v.

DANIEL GUYOT 1985 ★

☐ n.c. n.c. ▮▯ ↓ ▣ 4

76 82 83 85 86

Un parfum de fougère et de noisette légèrement fumé... Mais il est tout ce qu'il y a de plus fuissé. Sec en bouche, il a un petit goût de pierre à fusil pas désagréable du tout : les hommes taillent ici le silex depuis la nuit des temps. Rien d'étonnant s'ils réussissent maintenant à le mettre en bouteille.

☛ M. Daniel Guyot, Vergisson, 71960 Pierreclos, tél. 85.35.84.55 ☓ r.-v.

DOM. EDMOND LANEYRIE 1985 ★★

☐ 0,50 ha 1 000 ▮▯ ↓ ▣ 5

78 79 80 81 82 83 85

La famille Laneyrie possède des vignes sur ce terroir depuis le XVIIIe s., notamment le climat La Frérie qui appartenait jadis aux moines de Cluny. Ce pouilly-fuissé 85 a parfaitement évolué. L'or est très pâle, les arômes sont fins et cependant capiteux, le moelleux est délicieusement arrondi ! Parfait pour son millésime et de belles perspectives de vieillissement.

☛ GFA Dom. Laneyrie, Le Bourg, Solutré-Fuissé, 71960 Pierreclos, tél. 85.36.72.54 ☓ r.-v.

Pouilly-Fuissé
APPELLATION CONTRÔLÉE

Mis en bouteilles à la Propriété

G.E.A DOMAINES EDMOND LANEYRIE, PROPRIÉTAIRE A SOLUTRÉ-POUILLY (S.-&-L.)

750 ml

Product of France

ROGER LASSARAT
Clos de France 1986 ★★

☐ 0,90 ha 4 000 ▮▯ ↓ ▣ 5

76 78 79 81 83 84 85 86

Gras et chaleureux, jaune bronze, nettement boisé et légèrement surmaturé, ce pouilly-fuissé joue un peu au sauternes. Ses arômes de fruits confits, de miel et d'acacia le rendent très agréable. Mais il faut aimer ce type de vin « très fait ».

☛ M. Roger Lassarat, Le Martelet, Vergisson, 71960 Pierreclos, tél. 85.35.84.28 ☓ r.-v.

JEAN-JACQUES LITAUD
Vieilles Vignes 1986 ★★

☐ 1 ha 4 000 ▮▯ ↓ ▣ 4

Arômes déjà ouverts de beurre et d'amande fraîche, un peu de muscat, un peu riche en alcool, un vin d'une attaque vigoureuse. Le gras a l'enveloppe bien. A boire maintenant.

☛ M. Jean-Jacques Litaud, Les Nembrets, Vergisson, 71960 Pierreclos, tél. 85.35.85.69 ☓ r.-v.

LORON ET FILS Les Vieux Murs 1986 ★★

☐ n.c. 30 000 ▮▯ ↓ ▣ 3

Un pouilly-fuissé 86 très réussi : nez d'agrumes sans agressivité. L'élégance ne nuit pas à la vigueur. Tout cela se fond merveilleusement bien. On ne trouve aucune raison de le laisser de côté, d'autant que son rapport qualité/prix est exemplaire.

☛ MM. Loron et Fils, Pontanevaux, 71570 La Chapelle-de-Guinchay, tél. 85.36.70.52

ROGER LUQUET 1986

5 ha 30 000

71 76|78|79|81|83|85|86|

Vin assez complet, avec des nuances tanniques boisées. Sa richesse en alcool lui donne un caractère généreux. Bel ou vert de la robe et arômes moyens, qui lui sont fidèles. Roger Luquet fournit de nombreux restaurateurs qui lui sont fidèles.

→ M. Roger Luquet, Fuissé, 71960 Pierreclos, tél. 85.35.60.91 ℡ t.l.j; 8h-12h 13h30-19h; f. dim. a.-m.

MAISON MACONNAISE DES VINS 1985

n.c. 3 000

De réels atouts dans ce vin discret mais élégant, présenté par la Maison mâconnaise des Vins, société coopérative des viticulteurs de Saône-et-Loire, qui a créé à Mâcon un restaurant, une formidable vitrine des vins de la région.

→ Maison mâconnaise des Vins, 484, av. de Lattre-de-Tassigny 71000 Mâcon, tél. 85.38.36.70 ℡ t.l.j; 8h-21h; f. 25 déc. et 1er mai

DOM. MANCIAT-PONCET
La Roche 1986*

1,50 ha 12 000

76 78 80 81 82 83 84 85 86

Doré, brillant, voilà un vin chaleureux, pas très long mais enveloppant et d'une attaque digne des Trois Mousquetaires. Un «beau vin», comme on dit ici. Achetée en 1870 par Antoine Poncet, cette propriété a été transmise ensuite de génération en génération.

→ Dom. Manciat-Poncet, chem. des Gérards, Levigny, 7.850 Charnay-lès-Mâcon, tél. 85.34.18.77 ℡ r.-v.

NICOLAS 1985

n.c. 30 000

N'est-il pas timide, ce pouilly-fuissé? Pourtant, sa robe est agréable mais il faut de l'imagination pour découvrir le vanille du bouquet.

→ Éts Nicolas, 253, av. du Gal-Leclerc, 94700 Maisons-Alfort, tél. 1.43.96.81.81.

HENRI PLUMET
Clos du Chalet-Pouilly 1986*

4,50 ha 16 000

Sec et fruité, un pouilly-fuissé promis à un bel avenir en raison de son équilibre remarquable. Il peut se pencher du haut de la roche de Solutré sans risquer de tomber. Ses arômes de vanille font dire qu'il chardonne bien. Son côté acidulé, légèrement astringent va sûrement disparaître.

→ M. Bernard Léger-Plumet, Les Gerbeaux, Solutré-Pouilly 71960 Pierreclos, tél. 85.35.80.07

MADAME ROBERT-DENOGENT
Les Reisses 1986*

1 ha 3 500

79 80 81 82 85 86

Cette propriété a été créée au début du siècle par l'arrière-grand-père de Madame Robert-Denogent. L'élevage se fait en fût, avec un panachage de bois (Vosges, Allier et Nièvre). Le résultat est ici intéressant, même si le chêne envahit cette bouteille. C'est un problème qui devient général en Bourgogne: le style californien. Raymond Dumay n'avait pas tort quand il prédisait naguère que les Américains finiraient par nous imposer leur goût...

→ Dom. Robert-Denogent, Fuissé, 71960 Pierreclos, tél. 85.35.60.02 ℡ r.-v.
→ Madame Robert-Denogent.

Pouilly loché et pouilly vinzelles

ROGER SAUMAIZE 1986*

1,50 ha 4 000

85|86|

Un vin produit sur un hectare et demi de vignes de vingt ans. Nuance champignon, tonalité de chêne il n'est pas encore tout à fait ouvert. S'il manque un peu de puissance, il apparaît déjà riche et plein. Le 85, coup de cœur l'an dernier, reste pour nous le modèle du pouilly-fuissé par son intense complexité aromatique.

→ M. Roger Saumaize, Vers La Croix, Vergisson, 71960 Pierreclos, tél. 85.35.84.05 ℡ r.-v.

ROGER SAUMAIZE
Clos de la Roche 1986**

1,65 ha 4 000

La robe est glorieuse, le nez comblé: miel et vanille, fougère et chèvrefeuille, poire. Sans même parler du chêne du tonneau, discret, juste ce qu'il faut. Excellente cuvée à laquelle l'on peut prédire un magnifique avenir. Le rapport qualité/prix ajoute à la satisfaction générale.

→ M. Roger Saumaize, Vers La Croix, Vergisson, 71960 Pierreclos, tél. 85.35.84.05 ℡ r.-v.

MAISON THOMAS-BASSOT 1987

n.c. n.c.

Robe dorée et brillante, arômes de vanille et de café grillé, un vin dans le style de l'année, généreux au nez mais un peu court en bouche. Il devrait assez bien vieillir.

→ Maison Thomas-Bassot, 5, quai Dumorey, 21700 Nuits-Saint-Georges, tél. 80.62.31.21 ℡ r.-v.

Pouilly loché et pouilly vinzelles

Beaucoup moins connues que leur voisine, ces petites appellations situées sur les communes de Loché et Vinzelles produisent des vins de même nature que le pouilly-fuissé, avec peut-être un peu moins de corps. La production est de l'ordre du millier d'hectolitres, uniquement en vins blancs.

Pouilly loché

CAVE DES CRUS BLANCS 1986*

82 |83| 84 |85| 86   10 ha   10 000

Démarre très fort et ne rompt pas le combat après le premier assaut : un vin agréable et d'une riche personnalité. Son nez exprime ce que Jean Lenoir adore retrouver dans le chardonnay, le parfum beurre frais. Excellente harmonie de l'alcool et du tanin.
Cave des Crus Blancs, 71145 Vinzelles, tél. 85.35.61.38 r.-v.

CH. DE LOCHE 1986*

82 |83| 84 |85| 86   3,50 ha   10 000

Pouilly-loché est la plus petite des trois appellations pouilly : une quinzaine d'hectares. Rarement vendu dans le passé, sous ce nom que la gare du TGV a remis à la mode, d'où la réapparition de pouilly-loché sur les étiquettes ! Ce 86, jaune souteu, a du fruit et du charme.
Cave des Crus Blancs, 71145 Vinzelles, tél. 85.35.61.38 r.-v.
Mme Marie-France Bourdon.

DOM. SAINT-PHILIBERT 1986*

4,40 ha   15 000

Le domaine Saint-Philibert appartient à la famille Bérard depuis le XVIᵉ s. Celle-ci a donc eu le temps de se faire la main : on le constate en dégustant ce vin aux arômes opulents, vineux et persistants.
M. Philippe Bérard, Dom. Saint-Philibert, Loché, 71000 Mâcon, tél. 78.43.24.96 r.-v.

Pouilly-loché

travers les vignobles français (1787), aurait aimé ce vin au bouquet généreux et à l'éducation parfaite.
Cave des Crus Blancs, 71145 Vinzelles, tél. 85.35.61.38 r.-v.

MAISON MACONNAISE DES VINS 1985**

n.c.   6 000

Vineux, riche et puissant, ce 85 présenté par la Maison mâconnaise des Vins (coopérative fondée en 1958) déborde maintenant d'arômes chaleureux. Il est du style solide et bien bâti. L'élégance ? Il n'en manque pas non plus.
Maison mâconnaise des Vins, 484, av. de Lattre-de-Tassigny 71000 Mâcon, tél. 85.38.36.70 t.l.j. 8h-21h ; f. 25 déc. et 1ᵉʳ mai

PIERRE PONNELLE 1985***

n.c.   n.c.

Ce qu'on peut faire de mieux en pouilly-vinzelles. Un vin aux tanins prononcés, très gras et dont la persistance impressionne vivement. Oncteux, il séduit le corps et l'esprit. Créée au XIXᵉ s. par Pierre Ponnelle, qui acquit en 1875 l'abbaye de Saint-Martin à Beaune, cette maison est entrée dans le groupe nuiton Jean-Claude Boisset. Elle a pris récemment le contrôle de Marcilly Frères, une autre maison beaunoise.
M. Pierre Ponnelle, 5, rue du Moulin, 21700 Nuits-Saint-Georges, tél. 80.61.22.41 r.-v.

Pouilly-vinzelles

CAVE DES CRUS BLANCS 1986

|85| 86   20 ha   30 000

Le pouilly-vinzelles a-t-il la classe de pouilly-fuissé ? On en discute... Si celui-ci possède une robe d'un or très pur, ses arômes ne sont guère expansifs. Vin dépourvu de défauts qui assistera très bien les fruits de mer.
Cave des Crus Blancs, 71145 Vinzelles, tél. 85.35.61.38 r.-v.

CH. DE LAYE 1986*

82 |83| 84 |85| 86   15 ha   20 000

Le château de Layé a été construit à partir du XIIᵉ s. et il appartenait à l'une des plus anciennes seigneuries du Mâconnais. Il a été réuni au XVIIIᵉ s. au château de Vinzelles. Thomas Jefferson qui séjourna à Layé au cours de son voyage à

Saint-véran

Réservée aux vins blancs produits sur huit communes de la Saône-et-Loire, saint-véran est la dernière née des appellations du Mâconnais (1971). La production, d'environ 15 000 hL, peut être située dans la hiérarchie entre le pouilly et les mâcon suivis d'un nom de village. Ces vins sont légers, élégants, fruités, et accompagnent à merveille les débuts de repas.

Produite surtout sur des terroirs calcaires, l'appellation constitue la limite sud du Mâconnais, et, d'une parcelle à l'autre, on passe du calcaire au granit et des cépages chardonnay au gamay, roi du Beaujolais voisin.

DANIEL BARRAUD
Nectare Faramineux 1986**

1 ha	6 000	

Belle bouteille sous une étiquette «festival d'Avoriaz»: un monstre y aiguise ses griffes. Si la Roche de Solutré est entrée dans l'histoire politique de la Vème République, celle de Vergisson avait inspiré plusieurs siècles plus tôt la légende de la bête faramine. Mais le vin? Il ressemble plutôt aux princesses des contes, avec sa robe tissée de fils d'or, son charme de rose éclose à l'aube et son bel héritage en perspective.

➥ M. Daniel Barraud, Le Repostère, Vergisson, 71960 Pierreclos, tél. 85.35.84.25 ☕ r.-v.

LIONEL BRUCK 1985***

n.c.		

Un TGV: très grand vin, bien sûr. Teinte un peu accentuée en raison de l'âge et parfums exprimant à la perfection le type 85, sa finesse et sa générosité. Le gras assure une remarquable plénitude en bouche. Le miracle du liquide quand il devient solide... L'élevage du vin s'apparente parfois à un art, et c'est le cas ici.

➥ Lionel Bruck SA, 6, quai Dumorey, 21700 Nuits-Saint-Georges, tél. 80.61.07.24 ☕ lu. ma. me. je. ve. 9h-12h 14h-17h.

CAVE COOP. DE CHARNAY-LES-MACON 1987

21 ha	7 500	

Léger et bien vêtu, aux arômes de végétaux et de rafle, un 87 encore jeunet. La cave de Charnay a été fondée en 1929 et elle accueille le public dans un beau caveau de dégustation. Vin sans défaut.

➥ Cave Coop. Charnay-lès-Mâcon, En Condemine, 71850 Charnay-lès-Mâcon, tél. 85.34.54.24 ☕ r.-v.

86 871

CUVIER DES AMIS 1985

	10 000	

La finesse manque d'ampleur: voilà bien la complexité du travail d'un dégustateur... Même s'il s'agit d'un 85, sa jeunesse saute aux yeux. On aimerait le revoir dans un an au sud sec. Le Cuvier des Amis se trouve dans une ancienne grange qui a fait sa révolution viticole.

➥ Le Cuvier des Amis, Les Plantées, Davayé, 71960 Pierreclos, tél. 85.35.83.65 ☕ lu. ma. me. je. ve. 10h-12h 14h-18h.

DOM. DES CRAIS 1986

2,50 ha	6 000	

Exposé au sud-ouest, le domaine des Crais a vu la vigne s'épanouir ici il y a 20 ans. Sol argilo-calcaire très sec. Un saint-véran qui doit s'émousser avec l'âge. Sans doute trouvera-t-il alors son vrai tempérament, plus tendre et séducteur. Distribué par l'Eventail.

➥ M. Roger Tissier, Leynes, 71570 La Chapelle-de-Guinchay, tél. 74.66.03.89 ☕ r.-v.

BERNARD LEGER-PLUMET
Les Corillauds 1986*

1,50 ha	5 600	

On a compté 7 caudalies autour de notre table de dégustation. C'est dire s'il est long. Finesse de l'aubépine avec un je-ne-sais-quoi qui fait penser à Dijon. Le pain d'épice, pardi! Charpente solide. Sa vivacité s'atténuera.

➥ M. Bernard Leger-Plumet, Les Gerbaux, Solutré-Pouilly 71960 Pierreclos, tél. 85.35.80.07 ☕ r.-v.

ANTOINE DEPAGNEUX 1985

n.c.	20 000	

Arômes, bouquet et robe sont tout à fait saint-véran. Escargots et grenouilles devraient s'en accommoder. Vif et plein, légèrement acide, il exprime son caractère sans forcer sa nature.

➥ M. Antoine Depagneux, Les Nivardières, B.P. 8, Quincié-en-Beaujolais, 69430 Beaujeu, tél. 74.04.37.38

ANDRE DEPARDON 1986**

n.c.	2,75 ha	12 000

On disait autrefois beaujolais blanc (cette appellation n'a pas disparu mais elle est devenue assez rare). Saint-véran a pris le relais: voici un vin qui devrait bien vieilli. Agréable sous tout rapport, intense, il témoigne d'une vinification soignée. Distribué par l'Eventail.

➥ M. André Depardon, Leynes, 71570 La Chapelle-de-Guinchay, tél. 74.66.03.89 ☕ r.-v.

85 86

GEORGES DUBOEUF 1987***

n.c.		

Si sa fin de bouche avait quelques millimètres en plus, ce serait un coup de cœur. Il n'en obtient pas moins le prix d'excellence, tant il est parfumé et gras, ample et nuancé. Un bon conseil: si vous ne savez pas quel vin choisir avec un poisson qui ne encore, ne regretterez sûrement pas et le poisson non plus. Un vin signé Georges Duboeuf.

➥ Les Vins Georges Duboeuf, B.P. 12, Romanèche-Thorins, 71570 La Chapelle-de-Guinchay, tél. 85.35.51.13 ☕ t.l.j. sf dim. 8h-12h 13h30-17h; f. sam. a.-m., dim. et août

85 87

ROGER LASSARAT
Cuvée Vieilles Vignes 1987**

2,30 ha	13 000	

«Un grand vin est une œuvre personnelle qui exprime l'art de celui qui le fait», estime Roger Lassarat. Viticulteur à Vergisson, il étend ses racines jusqu'à Vosne-Romanée en Côte de Nuits. Son saint-véran 87 manque encore d'un soupçon de limpidité au printemps 88, mais il développe des arômes très représentatifs de son millésime. Ampleur et plénitude parfaite, ce qu'il faut de boisé, du gras... Bref, remarquable.

➥ M. Roger Lassarat, Le Martelet, Vergisson, 71960 Pierreclos, tél. 85.35.84.28 ☕ r.-v.

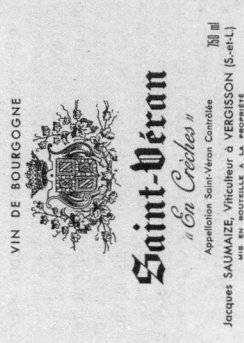

VIN DE BOURGOGNE

Saint-Véran
« En Crèches »

Appellation Saint-Véran Contrôlée

750 ml

Jacques SAUMAIZE, Viticulteur à VERGISSON (S.-et-L.)
MIS EN BOUTEILLE À LA PROPRIÉTÉ
PRODUCE OF FRANCE

MAISON MÂCONNAISE DES VINS 1986*

□   n.c.   11 000

Compte tenu de l'année, un beau résultat. Fin et floral, ce vin sait être vif sans la moindre agressivité.
• Maison mâconnaise des Vins, 484, av. de Lattre-de-Tassigny 71000 Mâcon, tél. 85.38.36.70 Y t.l.j. 8h-21h; f. 25 déc. et 1er mai

GROUPEMENT DE PRODUCTEURS DE PRISSÉ 1987*

79 83 |84| |85| 86 87   120 ha   400 000

Très gouleyant, très frais, un vin plus vif que rond, dégusté pour le 60ème anniversaire de la Cave coopérative de Prissé. Il peut vieillir honorablement et réunit la plupart des qualités du cru.
• Groupt Producteurs de Prissé, Prissé, 71960 Pierreclos, tél. 85.37.88.06 Y r.-v.

CELLIER DES SAMSONS 1986*

(83) 84 85 86   n.c.   20 000

Tendre, très doux, il joue la carte du charme. Rien d'exceptionnel, mais, malgré une touche d'amertume en fin de bouche, on s'y laisse prendre.
• Cellier des Samsons, Le Pont des Samsons, B.P. 3, Quincié-en-Beaujolais, 69430 Beaujeu, tél. 74.04.39.39

JACQUES SAUMAIZE
En Crèches 1986***

□   2,50 ha   8 000

Quand on déguste ce vin, on se dit que l'INAO a été bien inspirée en 1971, quand elle a créé l'appellation saint-véran. Tout à fait dans le style chardonnay, remarquable pour son millésime, il tient admirablement en bouche et s'y éternise. Son goût de miel donne envie d'être abeille et de vivre dans cette ruche! Demandez En Crèches.
• M. Jacques Saumaize, Vergisson, 71960 Pierreclos, tél. 85.35.82.14 Y r.-v.

DOM. DES VALANGES 1986**

□   4,50 ha   20 000

Jaune soutenu, un vin très prenant, presque envahissant tant il déborde de personnalité. Si l'alcool domine légèrement en bouche, les arômes expriment des variations subtiles sur le thème de la noisette et du tilleul. Un bon saint-véran, c'est cela : souple, vineux et amical.
• M. Michel Paquet, Les Valanges, Davayé, 71960 Pierreclos, tél. 85.35.85.03 Y r.-v.

M. VINCENT ET FILS 1986***

□   6 ha   40 000

Jaune botte de paille, un vin produit sur la commune de Davayé (6 hectares d'un seul tenant). Le domaine du château de Fuissé pourvient quelquefois à réussir de prodigieuses bouteilles. C'est le cas de ce saint-véran, si harmonieux qu'on le dirait sorti d'un orgue. Amande et miel, bien sûr, le l'ampleur et de riches échos : parfait en début de repas avec coquillages, crustacés ou terrine de poissons.
• MM. J.-J. Vincent et Fils, Ch. Fuissé, Fuissé, 71960 Pierreclos, tél. 85.35.61.44 Y r.-v.

Vin des rois et des princes devenu celui de toutes les fêtes, le champagne s'auréole de la gloire et du prestige de porter dans le monde entier l'élégance et la séduction françaises. Son illustre réputation, il la doit autant à son histoire qu'à ses traits spécifiques qui font que, pour beaucoup, il n'est vin de Champagne que le champagne; ce n'est pourtant pas si simple...

En effet, la région champenoise, située à moins de 200 km au nord-est de Paris, constitue l'aire délimitée de trois appellations d'origine contrôlée : le champagne, les coteaux champenois et le rosé des riceys. Cette zone, la plus septentrionale des régions vinicoles de France, s'étend principalement sur les départements de la Marne et de l'Aube, avec de modestes extensions dans l'Aisne, la Seine-et-Marne et la Haute-Marne. Le tout couvre plus de 34 000 ha, dont 25 000 sont effectivement plantés.

De part et d'autre de la Marne, Reims et Épernay se partagent le rôle de capitale du champagne; la première bénéficie en outre de l'attrait de ses monuments et musées pour attirer la foule des visiteurs qui peuvent découvrir également l'univers surprenant des caves, parfois fort anciennes, des «grandes maisons».

Un même paysage vallonné se révèle dans toute l'aire des trois appellations, où l'on distingue cependant traditionnellement quatre régions principales : la Montagne de Reims, où certaines vignes sont orientées au nord, avec des sols sablonneux; la Côte des Blancs, bénéficiant, aux portes d'Épernay, d'une relative régularité climatique; la Vallée de la Marne, qui se scinde entre les reliefs crayeux dont les pentes sont couvertes de vignes sur les deux rives, la qualité de la production ne variant guère, contrairement à ce que l'on pourrait croire, selon l'orientation au nord ou au sud; le vignoble de l'Aube, enfin, à l'extrême sud-est de l'aire d'appellation, et séparé des autres secteurs par une zone de 75 km où la vigne n'est pas cultivée. Plus élevé et davantage exposé aux gelées de printemps, il n'en produit pas moins des vins de qualité; c'est là que se trouve la seule appellation communale : celle du rosé des riceys.

Le retrait de la mer, il y a quelque 70 millions d'années, puis les boulversements dus aux secousses telluriques ont formé un socle crayeux dont la perméabilité et la richesse en principes minéraux apportent leur finesse aux vins de la Champagne; une couche superficielle argilo-calcaire recouvre ce socle sur près de 50 % des terroirs actuellement plantés. En outre, les vignerons champenois ont coutume d'amender généreusement les sols à l'aide de compost organique. Dans l'Aube, la composition des sols les rapproche de ceux de la Bourgogne voisine (marnes).

Si le gel - à une telle latitude, les gelées de printemps sont fréquentes - rend difficile la régularité de la production, les écarts climatiques sont cependant tempérés par la présence d'importants massifs forestiers; ils équilibrent la douceur atlantique et la rigueur continentale, en entretenant une relative humidité. L'absence d'excès de chaleur est également un élément déterminant de la finesse des vins. Le choix des cépages, bien sûr, s'adapte aux variations pédologiques et climatiques. Pinot noir (28 % de la surface plantée), pinot meunier (48 %), chardonnay (24 %) se partagent les 25 000 ha plantés, où la production des vins occupe environ 31 000 personnes, dont 14 400 vignerons exploitants.

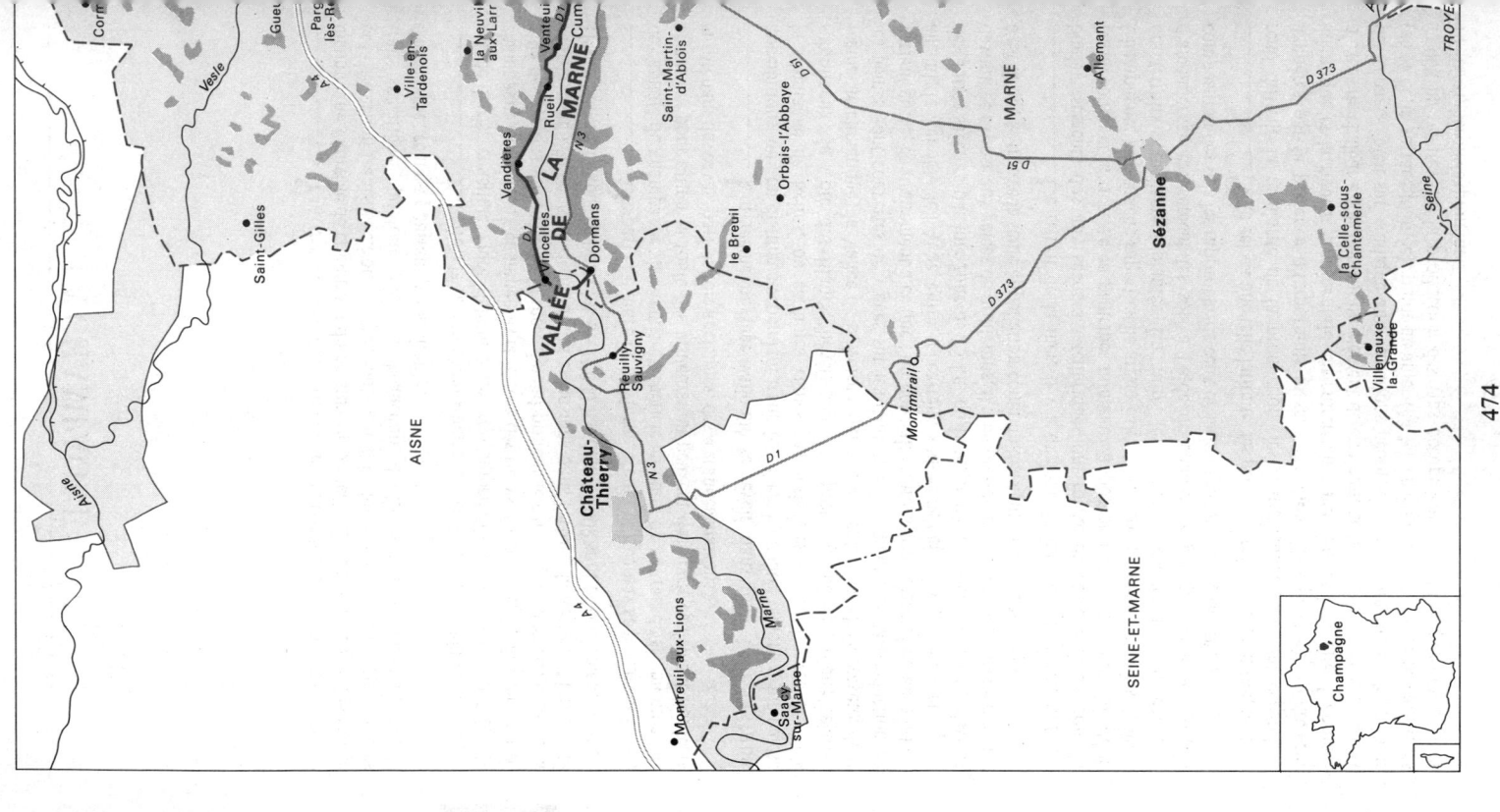

AISNE

Aisne

Vesle

Corm

Gue

Saint-Gilles

Parc
lès-R

Ville-en-
Tardenois

la Neuvi
aux'Larr

Rueil

Venteui
Cum

LA MARNE

Vincelles

Vandières

D 1

D 1

N 3

Dormans

VALLÉE DE LA MARNE

Reuilly
Sauvigny

Château-
Thierry

N 3

A A

Montreuil-aux-Lions

Marne

Marne

Saacy-
sur-Marne

Saint-Martin-
d'Ablois

Orbais-l'Abbaye

le Breuil

Montmirail

D 1

D 51

D 51

D 51

MARNE

Allemant

Sézanne

D 373

D 373

D 373

la Celle-sous-
Chantemerie

Villenauxe-
la-Grande

Seine

TROYE

SEINE-ET-MARNE

474

Champagne

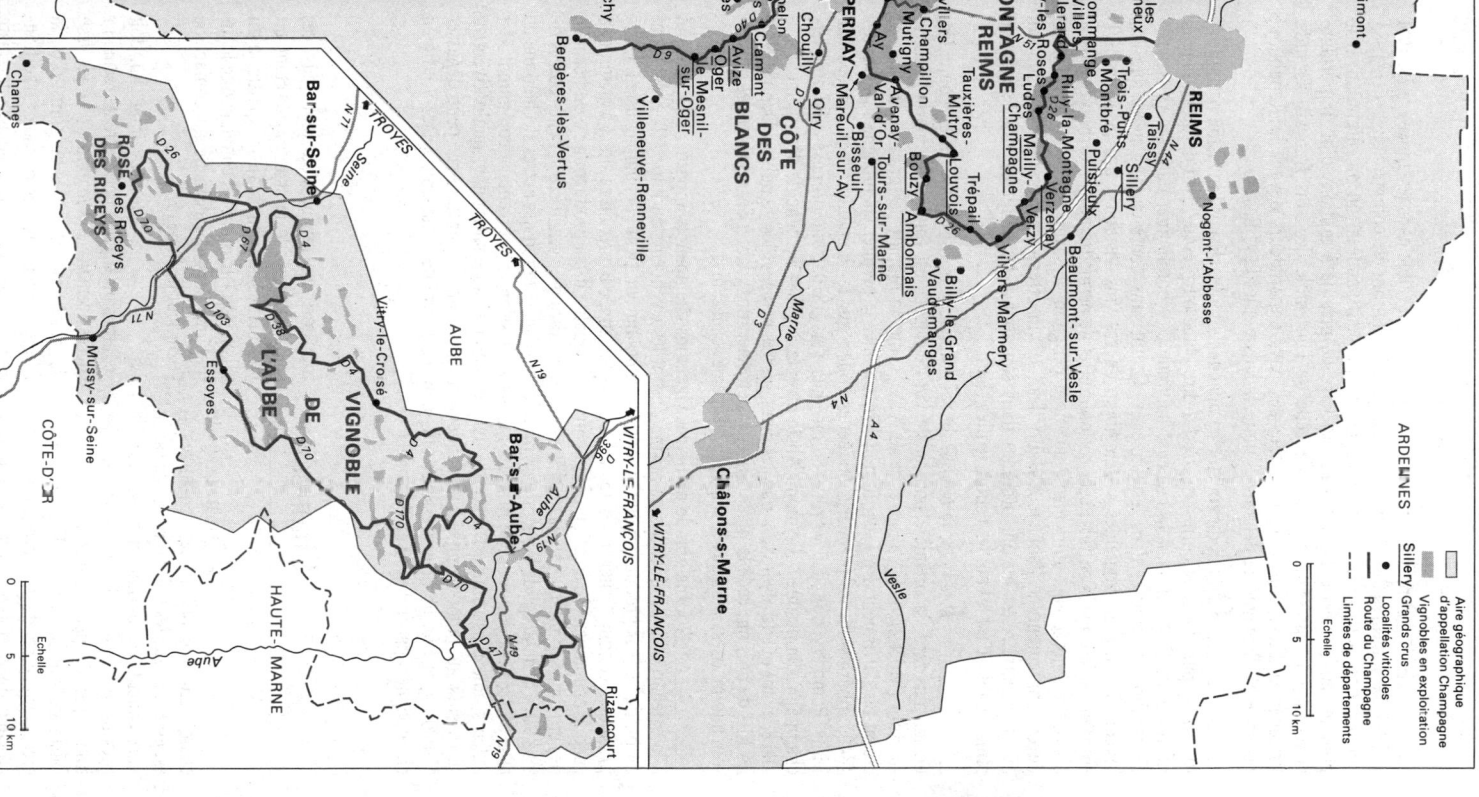

LA CHAMPAGNE

REIMS

ARDENNES

MONTAGNE DE REIMS

Taissy
Sillery
Trois-Puits
Montbré
Puisieulx
Rilly-la-Montagne
Verzenay
Verzy
Beaumont-sur-Vesle
Nogent-l'Abbesse

Champillon
Mutigny
Villers
Avenay
Val-d'Or
Tours-sur-Marne
Bouzy
Ambonnais
Billy-le-Grand
Vaudemanges
Villers-Marmery
Mailly-
Ludes
les-Roses
Mareuil-sur-Aÿ
Bisseuil
Mutry
Tauxières-
Louvois
Trépail

ÉPERNAY
Aÿ
Chouilly
Ciry

CÔTE DES BLANCS

Cramant
Avize
Oger
le Mesnil-
sur-Oger
Villeneuve-Renneville
Bergères-lès-Vertus

TROYES

Chanves

ROSÉ DES RICEYS

les Riceys

Bar-sur-Seine

Mussy-sur-Seine

CÔTE-D'OR

VIGNOBLE DE L'AUBE

Essoyes

Vitry-le-Croisé

AUBE

Bar-s.-Aube

HAUTE-MARNE

Rizaucourt

VITRY-LE-FRANÇOIS

Châlons-s.-Marne

Châlampagne

Vesle

Marne

Aube

Seine

Échelle
0   5   10 km

Échelle
0   5   10 km

Aire géographique
d'appellation Champagne
Vignobles en exploitation
Grands crus
Sillery   Localités viticoles
Route du Champagne
Limites de départements

Après une production relativement faible dans les années 1978, 1980 et 1981, ce sont près de 160 millions de bouteilles qui ont été commercialisées en 1983, l'élaboration particulière du champagne sur plusieurs années (un an minimum, trois pour les millésimés) obligeant à un stockage de près de 3 millions d'hl. Importante, l'exportation représente le quart de celle de l'ensemble des vins français, Grande-Bretagne et États-Unis venant en tête des pays importateurs devant la République Fédérale d'Allemagne, la Belgique, l'Italie, la Suisse et les Pays-Bas.

On fait du vin en Champagne au moins depuis l'invasion romaine. Il fut blanc, puis rouge et enfin gris, c'est-à-dire blanc ou presque, issu de pressurage de raisins noirs. Déjà, il avait la fâcheuse habitude de « bouillonner dans ses vaisseaux » c'est-à-dire de mousser dans les tonneaux. Ce fut sans doute en Angleterre que l'on inventa la mise en bouteilles systématique de ces vins instables qui, jusqu'en 1700 environ, étaient livrés en fûts ; cela eut pour effet de permettre au gaz carbonique de se dissoudre dans le vin : alors même que dom Pérignon ne savait pas encore qu'il allait devenir procureur de l'abbaye d'Hautvillers, le vin effervescent était né. Technicien avant la lettre, c'est lui qui produira dans son abbaye les meilleurs vins ; négociant remarquable, c'est lui qui les vendra le plus cher...

En 1728, le conseil du roi autorise le transport du vin en bouteilles ; un an plus tard, la première maison de vin de négoce est fondée : Ruinart. D'autres suivront (Moët en 1743), mais c'est au XIXᵉ s. que la plupart des grandes maisons se créent ou s'affirment. En 1804, Mme Clicquot lance le premier champagne rosé, et, dès 1840, apparaissent les premières étiquettes collées sur les bouteilles. A partir de 1860, Mme Pommery boit des « brut » tandis que, vers 1870, sont proposés les premiers champagnes millésimés. Raymond Abelé invente, en 1884, le banc de dégorgement à la glace, avant que le phylloxéra puis les deux guerres ravagent les vignobles. Depuis 1945, les fûts de bois ont cédé la place aux cuves en acier inoxydable, dégorgement et finition sont automatisés, alors que le remuage lui-même se mécanise.

Une grande partie des vignerons champenois appartient aujourd'hui à la catégorie des producteurs de raisin : ce sont les « vendeurs au kilo ». Ils cèdent tout ou partie de leur production aux grandes marques qui vinifient et champagnisent. Cette pratique a conduit l'interprofession à fixer chaque année le prix du raisin et à attribuer à chaque commune une cotation en fonction de la qualité de sa production : c'est l'échelle des crus. Les communes cotées 100 % ont droit au titre de « grand cru », celles cotées de 99 à 90 % bénéficient de la mention « premier cru », la cotation des autres s'échelonne de 89 à 80 % ; il va de soi que le prix des raisins varie selon le pourcentage communal. Par ailleurs, une plus-value est accordée au pinot noir et au chardonnay, qualitativement supérieurs au pinot meunier. Le rendement maximum à l'hectare ne peut dépasser 13 000 kg, et l'on ne peut pressurer plus d'un hectolitre de moût apte à être vinifié en champagne à partir de 150 kg de raisin.

Champagne

La singularité du champagne apparaît dès les vendanges. Il est essentiel que les baies (grains) de raisin parviennent en parfait état au lieu de pressurage. Pour cela, on remplace les hottes par de petits paniers, afin que le raisin ne soit pas écrasé. Il a fallu aussi créer des centres de pressurage disséminés au cœur du vignoble afin de raccourcir le transport du raisin. Pourquoi tous ces soins ? Parce que le champagne étant un vin blanc issu en majeure partie d'un raisin noir - le pinot - il convient que le jus incolore ne soit pas taché au contact de l'extérieur de la peau.

Le pressurage, lui, doit se faire sans délai et permettre de recueillir successivement et séparément le jus issu des zones concentriques du grain ; d'où la forme particulière des pressoirs traditionnels champenois : on y entasse le raisin

476

sur une vaste surface mais à une faible hauteur, pour ne pas abîmer les baies et pour faciliter la circulation du jus ; la vendange n'est jamais éraflée.

Le pressurage est sévèrement réglementé. Le pressoir doit recevoir 4 000 kg de raisin, ni plus ni moins ; cette unité s'appelle un marc. Le pressurage est fractionné ; ce qui emplit l'équivalent des dix premières pièces (dix fois 205 l) porte le nom de cuvée. On presse à nouveau, et on tire encore deux pièces (401 l), baptisées premières tailles (puisqu'on a retroussé le marc, on a «taillé»). Puis on represse encore une fois, pour la deuxième taille. On peut presser encore, mais on obtient alors un jus sans intérêt, qui ne bénéficie d'aucune appellation, la «rebêche» (on a «bêché» à nouveau le marc). Plus on pressure, plus la qualité s'affaiblit. Les trois moûts, acheminés par camion au cuvier, sont vinifiés très classiquement comme tous les vins blancs, avec beaucoup de soin : champagne et anhydride sulfureux sont incompatibles.

À la fin de l'hiver, le chef de cave procède à l'assemblage de la cuvée. Pour cela, il goûte les vins disponibles et les mêle dans des proportions telles que l'ensemble soit harmonieux et corresponde au goût suivi de la marque. S'il élabore un champagne non millésimé, il fera appel aux vins de réserve, produits des années précédentes. Légalement, il est possible, en Champagne, d'ajouter un peu de vin rouge au vin blanc pour obtenir un ton rosé (ce qui est interdit partout ailleurs). Cependant, quelques rosés champenois sont obtenus par saignée.

Ensuite, la champagnisation proprement dite commence. Il s'agit de transformer un vin tranquille en vin effervescent. À la cuvée, on ajoute 24 g de sucre par litre, accompagné de levures, et l'on procède à la mise en bouteilles : c'est le tirage. Les levures vont transformer le sucre en alcool et il se dégage du gaz carbonique qui se dissout dans le vin. Cette deuxième fermentation en bouteilles s'effectue lentement, à basse température (11 °C), dans les fameuses caves champenoises. Au bout d'une année au minimum - délai porté à trois ans pour les champagne millésimés, et plus pour les grands champagne - les bouteilles seront dégorgées, c'est-à-dire purgées des dépôts dus à la deuxième fermentation.

Chaque bouteille, une à une, est placée sur les célèbres pupitres, afin que la manipulation fasse glisser le dépôt dans le col, contre le bouchon. Durant deux ou trois mois, les bouteilles vont être secouées et de plus en plus inclinées, la tête en bas, jusqu'à ce que le vin soit parfaitement limpide. Pour chasser le dépôt, on gèle alors le col dans un bain réfrigérant et on ôte le bouchon ; le dépôt expulsé, il est remplacé par un vin plus ou moins édulcoré : c'est le dosage. Si l'on ajoute du vin pur, on obtient un brut 100 % (brut sauvage de Piper Heidsieck, ultra-but de Laurent Perrier, et les champagne dits non dosés). Si l'on ajoute très peu de liqueur (1 %), le champagne est brut ; 2 à 5 % donnent les secs, 5 à 8 % les demi-secs, 8 à 15 % les doux. Les bouteilles sont ensuite «poignettées» pour homogénéiser le mélange, et se reposent encore un peu pour laisser disparaître le goût de levure. Puis elles sont habillées et livrées à la consommation. Dès lors, le champagne est prêt à être apprécié au mieux de sa forme. Le laisser vieillir ne peut que lui nuire : les maisons sérieuses se flattent de ne commercialiser le vin que lorsqu'il a atteint son apogée.

D'excellents vins de belle origine issus du début de pressurage, de nombreux vins de réserve (pour les non millésimés), le talent du créateur de la cuvée et son dosage discret, minimum, indécelable, s'allieront donc à un long mûrissement du champagne sur ses lies pour donner naissance aux vins de la meilleure qualité. Mais il est très rare que l'acheteur soit informé, du moins avec précision et sûreté, de l'ensemble de ces critères.

Que peut-on lire en effet sur une étiquette champenoise ? La marque et le nom du producteur ; le dosage très approximatif (brut, sec, etc.) ; le millésime - ou son absence - ; la mention «blanc de blancs» lorsque seuls des raisins blancs participent à la cuvée ; quand cela est possible - mais c'est rare - la commune d'origine des raisins ; parfois enfin, mais cela est peu fréquent, la cota-

tion qualitative des raisins, sous la forme de « grand cru » pour les seize communes qui ont droit à ce titre ou « premier cru » pour les trente-sept autres. Le statut professionnel du producteur, lui, est une mention obligatoire, portée en petits caractères sous forme codée : NM, négociant-manipulant ; RM, récoltant-manipulant ; CM, coopérative-manipulante ; MA, marque d'acheteur.

Que déduire de tout cela ? Que les Champenois ont délibérément choisi une politique de marque ; que l'acheteur commande du Moët et Chandon, du Bollinger, du Taittinger, parce qu'il préfère le goût suivi de telle ou telle marque. Cette conclusion est valable pour tous les champagne de négociants-manipulants, de coopératives et des marques auxiliaires, mais ne concerne pas les récoltants-manipulants qui, par obligation, n'élaborent des champagne qu'à partir de raisins de leurs propres vignes, généralement groupées dans une seule commune. Ces champagne sont dits monocrus ; quand ce cru est prestigieux, il va de soi qu'il figure sur l'étiquette.

En dépit de l'appellation unique « champagne », il existe un très grand nombre de champagne différents, dont les caractères organoleptiques variables sont susceptibles de satisfaire tous les usages et tous les goûts des consommateurs. Ainsi le champagne peut-il être blanc de blancs ; blanc de noirs (de pinot meunier, de pinot noir ou des deux) ; issu du mélange blanc de blancs/blanc de noirs, dans toutes les proportions imaginables ; d'un seul cru ou de plusieurs ; originaire d'un grand cru, d'un premier cru ou de communes de moindre prestige ; millésimé ou non (les non-millésimés peuvent être composés de vins jeunes, ou faire appel à plus ou moins de vins de réserve ; parfois ils sont le produit de l'assemblage d'années millésimées) ; crémant (petite mousse) ou « normal » ; non dosé ou dosé très variablement ; mûri brièvement ou longuement sur ses lies ; dégorgé depuis un temps plus ou moins long ; blanc ou rosé (rosé obtenu par mélange ou par saignée)... La plupart de ces éléments pouvant se combiner entre eux, il existe donc une infinité de champagne. Quel que soit son type, on s'accorde à penser que le

meilleur est celui qui a mûri le plus longtemps sur ses lies (cinq à dix ans), consommé dans les six mois suivant son dégorgement.

En fonction de ce qui précède, on s'explique mieux que le prix des bouteilles puisse varier de un à huit, et qu'il existe des « hauts de gamme » ou des « cuvées spéciales ». Il est malheureusement certain que, dans les grandes marques, les champagne les moins chers sont les moins intéressants. En revanche, la grande différence de prix qui sépare la gamme intermédiaire (millésimés) de la plus élevée ne traduit pas toujours rigoureusement un saut qualitatif.

Le champagne se boit entre 7 et 9°, frais pour les blancs de blancs et les champagne jeunes, moins rafraîchi pour les millésimés et les champagne vineux. Outre la bouteille classique de 75 cl, le champagne est proposé en quart, demie, « magnum » (2 bout.), « jéroboam » (4 bout.), « mathusalem » (8 bout.), « salmanazar » (12 bout.)... La bouteille sera refroidie progressivement par immersion dans un seau à champagne contenant de l'eau et de la glace. Pour la déboucher, enlever ensemble muselet et habillage. Si le bouchon tend à être expulsé par la pression, on le laissera venir avec habillage et muselet. Lorsque le bouchon résiste, on le maintient d'une main alors que l'on fait tourner la bouteille de l'autre. Le bouchon est extrait lentement, sans bruit, sans décompression brutale.

Le champagne ne doit pas être servi dans des coupes, mais dans des verres de cristal, étroits et élancés, secs, non refroidis par des glaçons, exempts de toute trace de détergent qui tuerait les bulles et la mousse. Il se boit aussi bien en apéritif, aux entrées et avec des poissons maigres. Les vins vineux, à majorité blanc de noirs, et les millésimés de haut vol sont souvent servis avec les viandes et les sauces colorées. Au dessert et avec tout ce qui est sucré, on boira un demi-sec plutôt qu'un brut, le sucre renforçant trop la sensibilité du palais aux structures acides.

Les derniers millésimes : 1975, grands vins équilibrés et complets ; 1976, souvent lourds, trop généreux, demi-fins, évoluant rapidement ; 1979, vins harmonieux de qualité, avec une forte production ; 1980, supérieurs à leur réputation, vins sains, directs, sans complication inutile ; 1981, intéressants, proches des 1979 ; 1982, bons vins complets ; 1983, droits, sans artifices ; 1984, n'est pas un millésime, n'en parlons pas ; 1985, grandes bouteilles en vue.

Quoi de neuf en Champagne ?

En 1986, le champagne battait un record de vente (environ 205 000 millions de bouteilles), record à nouveau battu en 1987 puisque le nombre total de bouteilles vendues approche 218 000 millions (217 798 358 !).

Cette performance est d'autant plus remarquable que dans l'ensemble, le marché du vin subit les contrecoups de la conjoncture internationale, de l'effritement du dollar, etc. Toutes les catégories de producteurs - négociant manipulant (NM), récoltant manipulant (RM) et coopérative de manipulation (CM) - augmentent leur chiffre de vente, les négociants manipulants plus que les autres (+7,2 %-+4,4 %). Les proportions marché français/exportation (63 % - 37 %) ne varient guère depuis quatre ans, encore que les exportations en 1987 aient accusé un léger tassement plus augmenté que la consommation intérieure (8 %-5,3/1%).

La France demeure le pays où l'on boit le plus de champagne (135 millions de bouteilles) alors que la Grande-Bretagne conserve, depuis 1985, sa position de premier importateur (19 millions, plus 20 % par rapport à 1986) suivi par les États-Unis (16 millions, plus 6,6 %), l'Allemagne Fédérale (10 millions et demi, plus 12 %), la Suisse (7 millions, plus 14 %), l'Italie (7 millions, plus 13 %) et la Belgique (5 millions, plus 7,6 %). À noter que l'Allemagne, la Grande-Bretagne, la Suisse et l'Italie ont doublé leur consommation dans les cinq dernières années.

1986 avait été l'année des regroupements pour échapper aux tentatives des « raiders », 1987 a été une année de consolida-

tion encore qu'aucune maison cotée en bourse puisse prétendre se soustraire à des prises de contrôle inattendues. Les années à venir nous éclaireront car la prospérité champenoise suscite bien des convoitises...

Cette prospérité n'est pas sans créer de nombreux problèmes, le plus important étant celui relatif aux « sorties » comme on le dit en Champagne. En d'autres termes, la Champagne vend actuellement (1988) plus de vin qu'elle n'en produit. Cela se traduit par un amenuisement du stock ce qui, si l'on n'y prend pas garde, conduit à un abaissement qualitatif du champagne.

L'aire d'appellation n'étant pas extensible, en dépit de quelques nouvelles plantations (production maximum de 250 millions prévue vers 1992), la hausse des prix des champagnes est inévitable, sauf à envisager des convulsions économiques mondiales affectant la croissance des ventes.

Les vignerons ne garderont pas un souvenir impérissable de 1987. Fort heureusement, le gel a épargné la vigne et la floraison a bénéficié de quelques jours de soleil. Le mois d'août a été chaud mais les pluies de septembre et d'octobre ont gonflé les raisins dont l'état sanitaire est demeuré satisfaisant.

Cela explique une très abondante récolte : 967 000 pièces soit 11 642 kg/ha, récolte plus volumineuse que celle de 1986 pourtant considérée comme l'une des plus considérables connues (avec 1982 et 1983). En 1987 les raisins noirs sont meilleurs que les chardonnays. Tous sont d'un degré alcoolique faible. Presque aucune maison de Champagne n'envisage de millésimer 1987, encore que Pommery s'y soit résolu.

○   n.c.   n.c.   🍴🍷🥂

HENRI ABELE Sourire de Reims

Le sourire est reproduit en médaillon sur celui de l'ange de la cathédrale de Reims. C'est « brut sans année », cheval de bataille de la maison, et classique. Son équilibre et son aimable opulence le rendent polyvalent. (NM)

○   n.c.   n.c.   🍴🍷🥂

HENRI ABELE Grande Marque Impériale 1982*

🍷 Champagne Henri Abelé SA, 50, rue de Sillery, 51100 Reims, tél. 26.85.23.86
☎ r.-v.

Une très ancienne maison de champagne fondée en 1757 et demeure dans la descendance

de son créateur près de deux siècles. Avant de changer plusieurs fois de main, ce 82 possède toutes les qualités de cet excellent millésime : or à l'œil, une touche de pain grillé à l'olfaction, l'équilibre et l'ampleur en bouche. (NM.)
☛ Champagne Henri Abelé SA, 50, rue de Sillery, 51100 Reims, tél. 26.85.23.86 ⟁ r.-v.

AUTREAU DE CHAMPILLON**
○ 1er cru   5.50 ha   40 000

Depuis 1670 les Autréau sont vignerons à Champillon. Avec beaucoup de pinot meunier, un quart de pinot noir et une touche de chardonnay, ils élaborent un champagne complexe, long, à son apogée. (RM.)
☛ Champ. Autréau de Champillon, 15, rue René-Baudet, Champillon, 51160 Ay, tél. 26.59.46.00 ⟁ r.-v.

AYALA
○ n.c.   n.c.

Il joue sa partie, en sourdine, avec légèreté, mais il faut tendre l'oreille. Il est fin, plaisant avec ses flaveurs de pomme. (NM.)
☛ Champagne Ayala, 2, bd du Nord, B.P. 6, 51160 Ay, tél. 26.55.15.44

AYALA Grande Cuvée 1982*
○ n.c.   n.c.

Une nouveauté pour le Guide Hachette puisque cette cuvée de prestige n'est commercialisée que depuis la fin de l'année 1987, mais elle était préparée de longue date (1982). Quatre parts de chardonnay pour une part de pinot noir, ainsi est élaborée la Grande Cuvée d'Ayala, agréable à l'œil, dont le nez est plus ample que la bouche. (NM.)
☛ Champagne Ayala, 2, bd du Nord, B.P. 6, 51160 Ay, tél. 26.55.15.44

EDMOND BARNAUT Grande Réserve**
○ Gd cru   n.c.   30 000

Né sur la commune de Bouzy, ce vin devrait présenter un caractère imposant, massif, plus plein que fin. Il n'en est rien. Il est parfaitement équilibré, fin, floral, fruité-pain épicé en bouche. Son secret ? L'assemblage de vieux vins - le plus jeune a 5 ans - et 20% de chardonnay. (RM.)
☛ M. Robert Secondé-Cherier, 13, rue Pasteur, B.P. 19, Bouzy, 51150 Tours-sur-Marne, tél. 26.57.01.54 ⟁ r.-v.

EDMOND BARNAUT Extra brut
○ Gd cru   n.c.   20 000

Un grand cru de Bouzy pour une somme modique, un champagne non dosé pour amateur averti. Une robe qui « fait l'œil », un nez puissant, une bouche qui cherche son élégance. Excellent champagne de repas. (RM.)
☛ M. Robert Secondé-Cherier, 13, rue Pasteur, B.P. 19, Bouzy, 51150 Tours-sur-Marne, tél. 26.57.01.54 ⟁ r.-v.

BARON ALBERT Jean de la Fontaine 1982*
○ n.c.   10 000

Pourquoi Jean de la Fontaine ? Parce que celui-ci conçut, dit-on, la fable « le Coche et la Mouche » en parcourant le chemin de Monthays et que ce chemin traverse le vignoble Baron Albert. Ce champagne chardonnay-pinot meunier est frais et harmonieux. (NM.)
☛ Champagne Baron Albert, Porteron, 02310 Charly-sur-Marne, tél. 23.82.02.65 ⟁ r.-v.

HERBERT BEAUFORT Carte Or
○ n.c.   20 000

Sa robe jaune soutenu laisse augurer un vin évolué. Il l'est au nez et en bouche. (RM.)
☛ Champagne Herbert Beaufort, 32, rue de Tours, B.P. 7, Bouzy, 51150 Tours-sur-Marne, tél. 26.59.01.34 ⟁ r.-v.

BEAUMET 1983*
○ n.c.   100 000

L'un des rares rosés champenois à naître d'une courte macération. Est-ce à l'exploitation de cette technique, la seule admise pour produire de véritables rosés hors Champagne, qu'il doit son nez thé fumé et résineux, caractères que l'on retrouve en bouche ? Sa vinosité le destine à la table. (NM.)
☛ SA Champagne Beaumet, 3, rue Malakoff, B.P. 247, 51207 Epernay Cedex, tél. 26.54.53.34 ⟁ r.-v.

BEAUMET Blanc de blancs**
○ n.c.   n.c.

Maison centenaire achetée en 1977 par le Champenois bien connu Jacques Trouillard. Ce blanc de blancs a frôlé le coup de cœur (deux dégustateurs). Harmonieux et souple, pour poisson sans sauce. (NM.)
☛ SA Champagne Beaumet, 3, rue Malakoff, B.P. 247, 51207 Epernay Cedex, tél. 26.54.53.34 ⟁ r.-v.

BEAUMONT DES CRAYÈRES
○ n.c.   150 000

Une « union des viticulteurs » très curieuse, puisque la surface moyenne des vignobles appartenant aux adhérents s'élève à quarante ares ! Autant dire qu'ils ont tous un deuxième métier. Le vin est l'œuvre d'un jeune œnologue qui élabore une cuvée avec 55% de chardonnay et 45% de pinot, un champagne vêtu d'une robe paille claire au bouquet discret et simple, simplicité que l'on retrouve dans une bouche gouleyante. Pour les journées d'été sous la tonnelle. (CM.)
☛ Beaumont des Crayères, Mardeuil, 51200 Epernay, tél. 26.55.29.40 ⟁ r.-v.

YVES BEAUTRAIT Cuvée Club 1983*
○ Gd cru   3 000

Présenté dans sa bouteille spéciale, à la robe très claire. Pourtant, la cuvée comporte 2/3 de pinot noir pour 1/3 de chardonnay. Bouquet intense, prélude à un vin puissant de bonne longueur. (RM.)
☛ M. Yves Beautrait, 4, rue des Cavaliers, Louvois, 51160 Ay, tél. 26.57.03.38 ⟁ r.-v.

YVES BEAUTRAIT*
○ n.c.   2 000

Yves Beautrait, dans sa cuverie très moderne de Louvois, vinifie un rosé coloré par adjonction

de Bouzy rouge (pinot noir 70%, chardonnay 30%). Un vin rosé vif, agréable et limpide, non exempt de quelques reflets tuilés. Nez léger mais net, bouche vive sans agressivité. (RM).
♠ M. Yves Beautrait, 4, rue des Cavaliers, Louvois, 51160 Ay, tél. 26.57.03.38 Y r.-v.

BESSERAT DE BELLEFON 1982*

n.c.

82 est un beau millésime dont on a su tirer parti chez Besserat de Bellefon en l'habillant d'une robe or brillant sillonnée de bulles minuscules, Nez fin, floral, et bouche directe, précise, aux arômes citronnés. (NM).
♠ Champagne Besserat de Bellefon, allée du Vignoble, 51100 Reims, tél. 26.36.09.18 Y r.-v.

BESSERAT DE BELLEFON**
Cuvée des Moines***

n.c.

Il n'est pas donné mais il est très bon, ce « brut sans année ». Dans un assemblage favorisant les pinots, on ne s'étonne pas de la puissance, de la rondeur et de la longueur. Vin frais, équilibré, parfaitement dosé. (NM).
♠ Champagne Besserat de Bellefon, allée du Vignoble, 51100 Reims, tél. 26.36.09.18 Y r.-v.

BESSERAT DE BELLEFON**
Cuvée des Moines**

n.c.

Au vin blanc issu de la vinification des trois cépages champenois est ajoutée une part de vin rouge de Bouzy et d'Ay. Depuis que le mot « crémant » est utilisé dans d'autres régions, le Crémant des Moines s'est transformé en Cuvée des Moines sans perdre pour autant son caractère de crémant. Teinte idéale, nez subtil et réservé, bouche nerveuse et longue. (NM).
♠ Champagne Besserat de Bellefon, allée du Vignoble, 51100 Reims, tél. 26.36.09.18 Y r.-v.

BESSERAT DE BELLEFON 1982

n.c.

Un rosé qui n'est pas rosé - ou si peu ! Or, or cuivré... Pourtant, le vin rouge est décelable en bouche avec quelques tanins et une corpulence évidente. Un champagne rosé sans lourdeur mais du type sérieux. Convient à la table. (NM).
♠ Champagne Besserat de Bellefon, allée du Vignoble, 51100 Reims, tél. 26.36.09.18 Y r.-v.

BESSERAT DE BELLEFON
Grande Cuvée B de B***

n.c.

Un champagne qui a fait l'unanimité des dégustateurs et que l'on devrait boire très souvent. Cette cuvée de prestige logée en bouteille spéciale n'est pas millésimée, puisque les années 79 et 82 s'y donnent rendez-vous. Davantage de chardonnay que de pinot noir tous très originaires de grands crus. Nez très complexe de coing, d'agrume, de venaison, de fruits exotiques, précédant une attaque nette, élégante ; arômes de noix fraîches, grande longueur et équilibre idéal. (NM).
♠ Champagne Besserat de Bellefon, allée du Vignoble, 51100 Reims, tél. 26.36.09.18 Y r.-v.

BILLECART-SALMON
Cuvée N.-F. Billecart 1983*

n.c.

La bouteille est l'exacte reproduction de celle vendue en 1818 par le fondateur de la marque. Une cuvée irréprochable à l'œil, au nez fruité et très pleine en bouche. De la solidité, des structure; excellent lors d'un repas. (NM).
♠ SA Champagne Billecart-Salmon, 40, rue Carnot, Mareuil-sur-Ay, 51160 Ay, tél. 26.50.50.22 Y r.-v.

BILLECART-SALMON**

n.c.

Billecart-Salmon siège à Mareuil-sur-Ay depuis plus de cent cinquante ans (1818). Son « brut sans année » aux grains de mousse fins, au nez subtil mais réservé, propose en bouche, avec touche d'amertume, des arômes citronnés soulignés d'une élégance, des arômes citronnés soulignés d'une touche d'amertume. (NM).
♠ SA Champagne Billecart-Salmon, 40, rue Carnot, Mareuil-sur-Ay, 51160 Ay, tél. 26.50.60.22 Y r.-v.

BILLECART-SALMON
Blanc de blancs 1983

n.c.

Un blanc de blancs présenté en bouteille spéciale. Feuille claire, mousse fine, bulles petites et bien renouvelées. Nez fruité, pomme coupée et noisette. Bouche ferme, très ferme, gaz bien intégré, mais est-il assez élégant ? (NM).
♠ SA Champagne Billecart-Salmon, 40, rue Carnot, Mareuil-sur-Ay, 51160 Ay, tél. 26.50.60.22 Y r.-v.

GAETAN BILLIARD***

n.c. 9 000

Cette maison a changé de mains en 1985. Si l'on en juge par ce rosé, cela a été bénéfique. Un vin qui frise la perfection. La teinte très pâle de la robe est idéale selon les critères champenois, les arômes de fruits rouges alliés à une touche de miel parfaitement fin se retrouvent en bouche après une attaque légère. Un vin tout en jeunesse. (NM).

GAETAN BILLIARD Cachet rouge*

n.c. — 75 000

Le brut est habillé d'or pâle. Ses arômes sont fins et élégants. La bouche, tout en rondeur, semble souffrir d'un dosage généreux. (NM.)

☞ Champagne Gaëtan Billiard, 14-16, rue des Moissons, 51100 Reims, tél. 26.47.01.54 ☒ r.-v.

BINET 1983*

n.c. — n.c.

Au 82 succède très logiquement le 83. Sa robe est très claire, or pâle aux reflets verts. Bouquet légèrement fruité, attaque douce mais bon équilibre. Rondeur soulignée par une acidité modérée. (NM.)

☞ Champagne Binet, 18, rue Colbert, 51100 Reims, tél. 26.03.40.19 ☒ r.-v.

BINET

n.c. — n.c.

Un rosé pelure d'oignon. La robe est évoluée, ce que le nez confirme. En bouche, carré. Conseillé avec un plat robuste. (NM.)

☞ Champagne Binet, 18, rue Colbert, 51100 Reims, tél. 26.03.40.19 ☒ r.-v.

BINET Sélection*

n.c. — n.c.

Une cuvée de prestige logée dans une bouteille spéciale à l'étiquette impériale. Un vin habillé d'or pâle dont le nez ne s'ouvre que si on l'attend. A la dégustation, il présente la rondeur d'une cuvée spéciale mais la finesse est amoindrie par un dosage perceptible. (NM.)

☞ Champagne Binet, 18, rue Colbert, 51100 Reims, tél. 26.03.40.19 ☒ r.-v.

BINET Crémant blanc de blancs 1983

n.c. — n.c.

C'est un crémant, terme qu'on ne lit plus guère sur les étiquettes champenoises. Cela veut dire que le vin contient moins de gaz carbonique. C'est le cas. Est-ce pour cela que ce blanc de blancs paraît moins aérien ? Dosage perceptible. (NM.)

☞ Champagne Binet, 18, rue Colbert, 51100 Reims, tél. 26.03.40.19 ☒ r.-v.

H. BLIN**

n.c. — 250 000

Remarquable et rare blanc de noirs à base de pinots meuniers (80%) et de 20% de pinots noirs : mousse fine, nez puissant de coing et de pomme, bouche jeune et fraîche. Dosage parfait. (CM.)

☞ Champagne H. Blin et Cie, 5, rue de Verdun, Vincelles, 51700 Dormans, tél. 26.58.20.04 ☒ r.-v.

H. BLIN

n.c. — 20 000

4/5ème de pinot meunier, 1/5ème de pinot noir pour une robe rose claire. On croirait qu'il fume et qu'il a pas un peu traînant. (CM.)

☞ Champagne H. Blin et Cie, 5, rue de Verdun, Vincelles, 51700 Dormans, tél. 26.58.20.04 ☒ r.-v.

H. BLIN 1982

n.c. — 30 000

Fondé en 1947, le Champagne Blin a connu un beau développement. La robe de ce 1982 accuse son âge, son nez présente une touche herbacée et sa bouche est tout à la fois nerveuse et dosée. (CM.)

☞ Champagne H. Blin et Cie, 5, rue de Verdun, Vincelles, 51700 Dormans, tél. 26.58.20.04 ☒ r.-v.

BLONDEL Cuvée Prestige 1973*

n.c. — n.c.

Une présentation originale, sympathique. Un grand millésime sur le retour, mais la bouche est très précise. La robe ne porte pas son âge. (NM.)

☞ M. Thierry Blondel, Les Monts Fournois, B.P. 12, Ludes, 51500 Rilly-la-Montagne, tél. 26.03.43.92 ☒ r.-v.

BLONDEL Carte Or

n.c. — 20 000

Deux parts de pinot noir et une de chardonnay pour un champagne classique, équilibré, plutôt corpulent, arrondi par un dosage perceptible. (NM.)

☞ M. Thierry Blondel, Les Monts Fournois, B.P. 12, Ludes, 51500 Rilly-la-Montagne, tél. 26.03.43.92 ☒ r.-v.

BOIZEL***

n.c. — 70 000

Trois quarts de pinot noir, pinot meunier et chardonnay se partageant le solde. La bonne cuvée pour nos dégustateurs qui ne tarissent pas d'éloges : robe rose pâle saumon, nez fin, presque fauve, bouche intense, équilibrée, fruitée, aromatique (fraise, framboise) bien fondue, etc. : ainsi se définit un coup de cœur. (NM.)

☞ Champagne Boizel, 14-16, rue de Bernon, B.P.149, 51200 Epernay, tél. 26.55.21.51 ☒ r.-v.

CHAMPAGNE — MAISON FONDÉE EN 1834 — BOIZEL — Epernay FRANCE — ROSÉ BRUT — PRODUCE OF FRANCE — 12% vol. 750 ml

BOLLINGER Spécial Cuvée**

n.c. — n.c.

Dans sa robe d'or aux reflets presque roses, il annonce une forte charpente au service d'arômes

noisetés. Sa personnalité, sa structure et sa longueur le destinent aux repas. (NM.)
Champagne Bollinger SA, 16, rue Jules-Lobet, 51160 Ay, tél. 26.55.21.31 r.-v.

BOLLINGER «R.D.» - Extra brut 1979***

| n.c. | | [7] |

Le nouveau millésime «R.D.» de Bollinger, qui succède au 76 «R.D.», marque déposée, signifie «récemment dégorgé». La date du dégorgement est indiquée sur une contre-étiquette. Logiquement, ce champagne doit être bu sitôt après son achat. Un «R.D.» très Bollinger à la robe or soutenu-or ambré, au nez boisé-fruité, majestueux en bouche. N'est nullement intimidé par la cuisine qui a du coffre. (NM.)
Champagne Bollinger SA, 16, rue Jules-Lobet, 51160 Ay, tél. 26.55.21.31 r.-v.

BOLLINGER Grande Année 1983

| n.c. | | [7] |

Bollinger lance son millésimé 83. Un vin qui n'est pas tout à fait ouvert. Pourtant, son nez puissant évoque le sous-bois ainsi que le pain grillé et sa bouche est vive, ronde et justement dosée. (NM.)
Champagne Bollinger SA, 16, rue Jules-Lobet, 51160 Ay, tél. 26.55.21.31 r.-v.

ALEXANDRE BONNET
Brut Prestige*

| n.c. | 180 000 | [7] |

Dans sa robe jaune d'or éclatante sillonnée de bulles fines, il offre des arômes grillés intenses de fruits mûrs suivis d'une bouche équilibrée, longue, assez «faite». Un vin pour la table. (RM.)
SCE Bonnet Père et Fils, 138, rue du Gal-de-Gaulle, 10340 Les Riceys, tél. 25.29.30.93 r.-v.

ALEXANDRE BONNET
Brut millésimé 1981*

| n.c. | 15 000 | [iV][4] |

Un joli caractère, un type bien affirmé. La cuvée comprend 60% de pinot noir, mais quel pinot! Envahissant, dominant, imprégnant la robe or orangé donnant de la charpente et de la rondeur en bouche. (RM.)
SCE Bonnet Père et Fils, 138, rue du Gal-de-Gaulle, 10340 Les Riceys, tél. 25.29.30.93 r.-v.

F. BONNET PERE ET FILS***

| n.c. | 40 000 | [iV][4] |

Le «brut sans année» le plus complimenté de la dégustation. «Mousse, bulles, cordon parfait, nez typé, odorant, donne envie d'en savoir plus - quelque chose de très particulier, plaisant, équilibré, pas d'agressivité, bien fondu, harmonieux, long en bouche...». (NM.)
Champ. F. Bonnet Père et Fils, rue du Mesnil, Oger, 51190 Avize, tél. 26.57.52.43 r.-v.

F. BONNET PERE ET FILS
Blanc de blancs 1983

| n.c. | 90 000 | [iV][5] |

Habillé d'une robe d'or aux reflets verts, ce vin au nez floral doublé d'une touche végétale laisse en bouche, après une attaque nerveuse, une impression de richesse tapageuse. (NM.)
Champ. F. Bonnet Père et Fils, rue du Mesnil, Oger, 51 90 Avize, tél. 26.57.52.43 r.-v.

FRANCK BONVILLE ET FILS
Blanc de blancs***

| n.c. | | [iV][4] |

A donné un coup de cœur à certains dégustateurs qui écrivent : «Mousse crémeuse, cordon persistant, bulles microscopiques, nez typé et nuancé, léger goût de miel, très long en bouche. A découvrir.» (RM.)
Champ. Franck Bonville et Fils, 9, rue Pasteur, 51190 Avize, tél. 26.57.52.30

FRANCK BONVILLE ET FILS
Blanc de blancs - Brut réserve 1982**

| Gd cru | n.c. | [iV][4] |

La maison Franck Bonville a proposé deux vins à nos dégustateurs, deux résultats remarquables. Un vignoble très bien situé et une vinification parfaite l'expliquent. Ce millésimé dont la tenue dans le verre est irréprochable présente au nez et en bouche des arômes de pain grillé beurré et de noisettes vanillées soutenus par une charpente harmonieuse. (RM.)
Champ. Franck Bonville et Fils, 9, rue Pasteur, 51190 Avize, tél. 26.57.52.30

BRICOUT Elégance de Bricout 1982**

| n.c. | | [5] |

La dynamique maison Bricourt - ex Bricourt et Koch -, propriétaire du château d'Avize, lance une nouvelle cuvée spéciale baptisée «Elégance» composée de grands blancs d'Avize et de Cramant et de grands noirs d'Ay et de Verzenay. Quatre grands crus pour un vin au nez très fin et à la bouche fraîche parfaitement équilibrée. (NM.)
Champagne Bricout, 29, Rempart du Midi, 51190 Avize, tél. 26.57.53.93 t.l.j.

BRICOUT
BRICOU...*

| 40 ha | n.c. | [5] |

Un «rosé de noirs», si on ose le dire. Bricout revend systématiquement ses tailles, seule la

cuvée compose les vins. Celui-ci s'habille en rose saumon «couleur vitrail». Floral à l'olfaction, à l'attaque vive ; sa bouche est nerveuse puis il s'efface. (NM.)

➤ Champagne Bricout, 29, Rempart du Midi, 51190 Avize, tél. 26.57.53.93 ☎ t.l.j.

BRICOUT Carte Or Prestige — 5

n.c.   n.c.

La mousse tient bien, le cordon demeure, il couronne une robe jaune pale. Le nez est discret, la bouche équilibrée. Une bouteille qui joue sa partie de «brut sans année». (NM.)

➤ Champagne Bricout, 29, Rempart du Midi, 51190 Avize, tél. 26.57.53.93 ☎ t.l.j.

BRICOUT Carte Noire — 5

n.c.   n.c.

La maison la plus dynamique d'Avize propose avec sa Carte Noire un «brut sans année» parfaitement ciblé : exempt de défaut et sans typicité accusée. (NM.)

➤ Champagne Bricout, 29, Rempart du Midi, 51190 Avize, tél. 26.57.53.93 ☎ t.l.j.

BRICOUT 1981 — 5

n.c.   n.c.

Un paysage tout en lignes droites et en surfaces planes. Pas de couleur délirante, pas de surprise. Discipliné, bon chic bon genre. (NM.)

➤ Champagne Bricout, 29, Rempart du Midi, 51190 Avize, tél. 26.57.53.93 ☎ t.l.j.

BROCHET-HERVIEUX Brut extra* — V3

n.c.   n.c.

Vin sain, presque muselé à base de pinot noir (85%). Il se présente d'une pièce et va droit au but avec fougue et jeunesse. Champagne de table. (RM.)

➤ Champ. Brochet-Hervieux & Fils, Ecueil, 51500 Rilly-la-Montagne, tél. 26.49.74.10 ☎ r.-v.

CANARD-DUCHENE Patrimoine* — V6

n.c.   2 050 000

Sur l'étiquette figure un sabre pour rappeler qu'on peut «sabrer» un champagne. Ouvrir la bouteille à l'aide d'un sabre. Il en sort un vin coloré, jaune soutenu. A robe évoluée, bouche accomplie. Bon équilibre. (NM.)

➤ Champagne Canard-Duchêne, 1, rue Edmond-Canard, Ludes, 51500 Rilly-la-Montagne, tél. 26.47.78.78 ☎ r.-v.

CANARD-DUCHENE Patrimoine 1983* — V6

n.c.   100 000

La maison de Ludes propose un 83 tout à fait dans son style : direct, solide, plus construit qu'ample. Sa robe or vert et son attaque ferme montrent qu'il peut vieillir. (NM.)

➤ Champagne Canard-Duchêne, 1, rue Edmond-Canard, Ludes, 51500 Rilly-la-Montagne, tél. 26.47.78.78 ☎ r.-v.

CANARD-DUCHENE Cuvée Spéciale du Bi-Centenaire**

n.c.   72 000

Un quart de 83 (chardonnay), trois quarts de 85 (pinot noir), telle se compose la cuvée sélectionnée pour être le champagne officiel commémoratif du bicentenaire de la Révolution. Etiquette spéciale, des oiseaux bleus, blancs, rouges de Folon... Un champagne à sabrer pour qu'il puisse sonner le clairon. (NM.)

➤ Champagne Canard-Duchêne, 1, rue Edmond-Canard, Ludes, 51500 Rilly-la-Montagne, tél. 26.47.78.78 ☎ r.-v.

CASTELLANE Blanc de blancs 1981** — V7

n.c.   n.c.

On la remarque, cette robe, car elle a perdu sa pâleur ; on ne s'étonne donc pas d'un bouquet épicé doublé de fruits mûrs. Bouche dans le même esprit dont on perçoit le dosage. (NM.)

➤ Champagne de Castellane, 57, rue de Verdun, B.P. 136, 51204 Epernay Cedex, tél. 26.55.15.33 ☎ t.l.j. 10h-11h30 14h-17h ; f. du 30 sept. au 1er mai

CASTELLANE Cuvée Commodore 1981* — V7

n.c.   n.c.

Une cuvée spéciale dans une curieuse bouteille tout en courbes munie d'une étiquette non traditionnelle contenant un champagne très classique, gai, pétillant, qui n'accuse nullement son âge, au nez frais, légèrement fumé, à la bouche légère et nerveuse. (NM.)

➤ Champagne de Castellane, 57, rue de Verdun, B.P. 136, 51204 Epernay Cedex, tél. 26.55.15.33 ☎ t.l.j. 10h-11h30 14h-17h ; f. du 30 sept. au 1er mai

CASTELLANE 1983** — V6

n.c.   n.c.

Un très bon 83, millésime pas si facile à exploiter qu'on pourrait le croire. Robe lumineuse, claire et limpide. Nez floral tout en finesse alors qu'en bouche se développent des arômes tertiaires riches. (NM.)

➤ Champagne de Castellane, 57, rue de Verdun, B.P. 136, 51204 Epernay Cedex, tél. 26.55.15.33 ☎ t.l.j. 10h-11h30 14h-17h ; f. du 30 sept. au 1er mai

CASTELLANE* — V5

n.c.   n.c.

Sur les nouvelles étiquettes figure toujours la croix de Saint-André qui ornait le drapeau du régiment de Champagne. Vin rosé pâle, pain sec, framboisé au nez, bouche finement citronnée qui chute un peu longuement. (NM.)

➤ Champagne de Castellane, 57, rue de Verdun, B.P. 136, 51204 Epernay Cedex, tél. 26.55.15.33 ☎ t.l.j. 10h-11h30 14h-17h ; f. du 30 sept. au 1er mai

CASTILLE Blanc de blancs 1980** — V5

n.c.   20 000

La marque qui monte. Un blanc de blancs séducteur, au bouquet épicé tempéré par une touche de miel que l'on retrouve en bouche. (NM.)

➤ M. Alain Thienot, 14, rue des Moissons, 51100 Reims, tél. 26.47.41.25 ☎ r.-v.

CASTILLE*** — V4

n.c.   130 000

Les dégustateurs ont été unanimes : saluer un

484

très bon vin. Robe d'or à reflets verts, nez puissant et néanmoins fin, nuancé d'un soupçon d'exotisme. La bouche est équilibrée dans son ampleur et sa fraîcheur. Dosage réussi ; en un mot, le coup de cœur. (NM.)

➤ M. Alain Thienot, 14, rue des Moissons, 51100 Reims, tél. 26.47.41.25 ▼ r.-v.

CASTILLE*

Il « bulle » bien, finement, dans sa robe saumonée. Son bouquet discrètement fruité et sa bouche nette, franche, d'une corpulence aérienne le destine aux après-midi ensoleillés. (NM.)

➤ M. Alain Thienot, 14, rue des Moissons, 51100 Reims, tél. 26.47.41.25 ▼ r.-v.

CATTIER 1982**

| | n.c. | 80 000 | |

Les cépages champenois, presque en parts égales, composent cette belle cuvée or pâle à la mousse crémeuse. Nez fin exempt de critique, bouche aussi intense qu'équilibrée, aussi fraîche que fine. (RM.)

➤ M. Jean-Jacques Cattier, 6-11, rue Dom-Pérignon, Chigny-les-Roses, 51500 Rilly-la-Montagne, tél. 26.03.42.11 ▼ r.-v.

CATTIER Clos du Moulin*

| 1er cru | 2,70 ha | 25 000 | |

L'un des trois ou quatre clos champenois, vinifié et vendu en tant que Clos. Celui-ci est situé près de Chigny-les-Roses dans la Montagne de Reims. Assemblage de trois années, 1979, 1980, 1982, de pinots noirs et de chardonnays en parts égales. « Se boit tout seul, fluide, léger, équilibré, long en bouche, ampleur modérée. » (RM.)

➤ M. Jean-Jacques Cattier, 6-11, rue Dom-Pérignon, Chigny-les-Roses, 51500 Rilly-la-Montagne, tél. 26.03.42.11 ▼ r.-v.

CATTIER***

| 1er cru | n.c. | n.c. | |

Elourdissante réussite du pinot meunier (50%) épaulé par 30% de pinot noir et 20% de chardonnay. « Complexe, bonne attaque, équilibré », écrivent les dégustateurs qui précisent : « champagne de référence ». (RM.)

➤ M. Jean-Jacques Cattier, 6-11, rue Dom-Pérignon, Chigny-les-Roses, 51500 Rilly-la-Montagne, tél. 26.03.42.11 ▼ r.-v.

CATTIER

| 1er cru | n.c. | 15 000 | |

Beaucoup de pinot meunier presque autant de pinot noir et une pointe de chardonnay, telle est la recette du brut rosé Cattier. Sa robe est colorée de teintes modernes un peu froides roses framboisées. Son nez épicé-citronné annonce une bouche fraîche et nerveuse mais un peu courte. (RM.)

➤ M. Jean-Jacques Cattier, 6-11, rue Dom-Pérignon, Chigny-les-Roses, 51500 Rilly-la-Montagne, tél. 26.03.42.11 ▼ r.-v.

JACKY CHARPENTIER Réserve

| 1er cru | n.c. | 15 000 | |

9/10ème de pinot meunier, 1/10ème de pinot noir : un blanc de noirs à la robe ambrée-dorée, au nez de pomme et de pain grillé fumé confirmé par une bouche évoluée et brève. (RM.)

➤ M. Jacky Charpentier, 88, rue de Reuil, Villers-sous-Châtillon, 51700 Dormans, tél. 26.58.05.78 ▼ r.-v.

JACKY CHARPENTIER*

| | n.c. | 5 000 | |

Un rosé de noirs 100% pinot dont 10% de pinot noir. Un rosé prononcé, presque saumoné. Un fruité cerise griotte. Une rondeur ample, presque trop. Un vin de repas. (RM.)

➤ M. Jacky Charpentier, 88, rue de Reuil, Villers-sous-Châtillon, 51700 Dormans, tél. 26.58.05.78 ▼ r.-v.

CHASSENAY D'ARCE Cuvée Sélection*

| | n.c. | 700 000 | |

250 hectares sur neuf communes complantés de 90% de pinot noir et de 10% de chardonnay autorisent la vinification de ce vin zébré de bulles fines. Couronné d'un cordon persistant et finement pour un bouquet d'arômes d'amandes grillées. Bouche pleine et évoluée. (CM.)

➤ Champagne Chassenay d'Arce, Ville-sur-Arce, 10110 Bar-sur-Seine, tél. 25.38.74.07 ▼ r.-v.

➤ CV des Coteaux de l'Arce.

CHASSENAY D'ARCE*

| | n.c. | 70 000 | |

Il avance sans détour dans sa robe pelure d'oignon. Le nez au fruité cerise sous-jacent n'est pas exubérant. En bouche, robuste, rustique, charnu, net. Un vrai rosé de repas. (CM.)

EMILE CLERAMBAULT Carte Noire

O	n.c.	150 000

Pinot noir (80%) et pinot meunier (20%) se conjuguent dans ce tandem dont ce blanc de noirs au nez évolué et qui laisse une curieuse impression d'astringence en bouche. Pour le repas, impérativement. (CM.)

Champagne Emile Clérambault, Neuville-sur-Seine, 10250 Mussy-sur-Seine, tél. 25.38.20.10
t.l.j. sf dim. 8h-12h 14h-18h.

EMILE CLERAMBAULT
Carte Or grand millésime 1982***

O	n.c.	15 000

Quelques dégustateurs lui ont accordé un coup de cœur. Les Anglo-Saxons l'adoreront car son évolution est certaine. Puissante symphonie : éclat des cuivres, charme des cordes, langueur des anches. (CM.)

Champagne Emile Clérambault, Neuville-sur-Seine, 10250 Mussy-sur-Seine, tél. 25.38.20.10
t.l.j. sf dim. 8h-12h 14h-18h.

EMILE CLERAMBAULT*

O	n.c.	20 000

Coup de cœur dans le précédent Guide, sa formule n'a pas varié : que des raisins noirs, 4/5ème de pinot noir et 1/5ème de pinot meunier. Mais les années d'origine évoluent. Sa mousse rose est abondante, son nez fruité fait songer aux coings alors que sa bouche est nerveuse, presque rétive et que son corps est transparent. (CM.)

Champagne Emile Clérambault, Neuville-sur-Seine, 10250 Mussy-sur-Seine, tél. 25.38.20.10
t.l.j. sf dim. 8h-12h 14h-18h.

RAOUL COLLET**

O	25 ha	50 000

Les viticulteurs d'Aÿ proposent un rosé blanc de noirs, donc 100% pinot qui séduit les dégustateurs : «frais, équilibré, beaucoup d'arômes, long». (CM.)

Champagne Raoul Collet, 34, rue Jeanson, 51160 Aÿ Champagne, tél. 26.55.15.88 r.-v.
COGEVI.

RAOUL COLLET Carte d'Or 1982

O	50 ha	100 000

Si l'on assemble 2/5ème de chardonnay à 3/5ème de pinot noir de diverses provenances champenoises, on obtient un champagne qui se définit par son équilibre, un équilibre sans rien de dominant. (CM.)

Champagne Raoul Collet, 34, rue Jeanson, 51160 Aÿ Champagne, tél. 26.55.15.88 r.-v.

DELABARRE*

O	n.c.	5 000

Classique à l'œil, intense au nez, il est marqué par les fruits rouges. Quant à la bouche, elle est équilibrée, on y découvre même des arômes de réglisse. (RM.)

Champagne Chassenay d'Arce, Ville-sur-Arce, 10110 Bar-sur-Seine, tél. 25.38.74.07 r.-v.
CV des Coteaux de l'Arce.

DELABARRE Brut Prestige*

O	n.c.	9 000

A peine plus de pinot meunier que de chardonnay et de pinot noir dans ce brut prestige bien habillé d'une superbe teinte champagne. Les arômes floraux (chèvrefeuille) deviennent quelque peu miel en bouche. Attaque franche et finale agréable. (RM.)

Champagne Delabarre, 26, rue de Châtillon, Vandières, 51700 Dormans, tél. 26.58.02.65 t.l.j. sf dim. 8h-12h 14h-19h ; f. janv., août
M. Brochet.

LAURENT DESMAZIERES
Cuvée Tradition*

O 1er Cru	n.c.	30 000

Il se compose de 20% de chardonnay et de 80% des deux pinots à parts égales. On pourrait le croire très «noir» et pourtant il convient à l'apéritif. Finesse, élégance, bonne attaque, mais légère amertume en fin de bouche. (NM.)

Champagne Laurent Desmazières, 9, rue Dom-Pérignon, Chigny-les-Roses, 51500 Rilly-la-Montagne, tél. 26.03.44.46
M. Jean-Jacques Cattier.

A. DESMOULINS Cuvée Prestige*

O	n.c.	n.c.

Bonne mousse et jolie robe or pâle pour un vin au nez peu varié annonçant une bouche puissante. Dosage réussi. (NM.)

Champagne A. Desmoulins et Cie, 44, av. Foch, B.P. 10, 51200 Epernay, tél. 26.54.24.24 r.-v.
M. Jean Boulore-Desmoulins.

A. DESMOULINS Cuvée Grand Rosé*

O	n.c.	10 000

Un rosé de repas dans sa robe saumon soutenu. Il respire fort et marche à grandes enjambées, tout droit, avec obstination. (NM.)

Champagne A. Desmoulins et Cie, 44, av. Foch, B.P. 10, 51200 Epernay, tél. 26.54.24.24 r.-v.

A. DESMOULINS Brut Idéal*

O	n.c.	45 000

Sous cette désignation, et derrière une étiquette argentée, se cache un brut non dosé au nez évolué et à la bouche mordante et nette. Un champagne d'amateur qu'il faut offrir avec discernement. (NM.)

Champagne A. Desmoulins et Cie, 44, av. Foch, B.P. 10, 51200 Epernay, tél. 26.54.24.24 r.-v.

DEUTZ Blanc de blancs 1982*

O	n.c.	30 000

Le champagne à la mode - blanc de blancs - d'une maison à la mode. Robe typiquement chardonnay, nez empyreumatique, bouche construite et touche fumée. (NM.)

🛒 Maison Deutz et Geldermann,
16, rue Jeanson, B.P. 9, 51160 Ay-Champagne,
tél. 26.55.15.11

DEUTZ Cuvée William Deutz 1982****

○   n.c.   30 000   4

La maison Deutz fête en 1988 son cinquantième anniversaire. Elle demeure une entreprise familiale. Depuis la guerre, la qualité des champagnes Deutz n'a cessé de progresser. Les fiches établies par les dégustateurs sont éloquentes : « mousse abondante, cordon persistant, jaune doré chaleureux, nez puissant, noisette grillée, pain d'épice, très élégant en bouche, du caractère, longueur, finesse, un très beau vin ». Comment résister au coup de cœur ? (NM.)

🛒 Maison Deutz et Geldermann,
16, rue Jeanson, B.P. 9, 51160 Ay-Champagne,
tél. 26.55.15.11

DEUTZ

○   n.c.   n.c.

Cela commence très bien avec une mousse abondante, fine et persistante. Cela se poursuit discrètement dans les arômes ténus et s'achève brièvement par un dosage sensible. (NM.)

🛒 Maison Deutz et Geldermann,
16, rue Jeanson, B.P. 9, 51160 Ay-Champagne,
tél. 26.55.15.11

DEUTZ 1982***

○   n.c.   30 000

Un deuxième coup de cœur pour Deutz ? Oui, mais nous avons proscrit le cumul. C'est la règle du Guide. Robe très claire, joyeuse, gorge-de-pigeon, nez très net et très fin (cerise vanille et floral) auquel succède une bouche fine et voluptueuse, fruitée, au gaz carbonique parfaitement intégré. Une belle bouteille qui se suffit à elle-même. (NM.)

🛒 Maison Deutz et Geldermann,
16, rue Jeanson, B.P. 9, 51160 Ay-Champagne,
tél. 26.55.15.11

DEUTZ Cuvée William Deutz 1982*

○   n.c.   n.c.

Une nouveauté chez Deutz. Une cuvée spéciale rosée. Teinte parfaite, pétale de roses fanées, bulles idéales, nez fruité avec finesse. Fin, équilibré en bouche, mais une pointe de dureté nuit au déploiement de son charme. (NM.)

🛒 Maison Deutz et Geldermann,
16, rue Jeanson, B.P. 9, 51160 Ay-Champagne,
tél. 26.55.15.11

FRANCOIS DILIGENT Carte Blanche***

○   n.c.   10 000   4

Un : entrée en fanfare dans le Guide Hachette. Robe or soutenu, nez développé empyreumatique de noisettes grillées-vanillées, bouche puissante, ample, aromatique, longue, « Vin de grands soirs » écrit un dégustateur. (NM.)

🛒 SARL Moutard-Diligent, Buxeuil, 10110 Bar-sur-Seine, tél. 25.38.50.73 Ⓨ r.-v.

DOQUET-JEANMAIRE Blanc de blancs 1979*

○   n.c.   10 000   5

Les vins du Mesnil sont connus pour leur longévité. Ils participent à cette cuvée en association avec ceux de Vertus. Robe jeune, nez riche en arômes tertiaires, bonne attaque dans une bouche fraîche. (RM.)

🛒 Champagne Doquet-Jeanmaire,
av. de Bammental, 51130 Vertus, tél. 26.52.16.50
Ⓨ r.-v.

DOQUET-JEANMAIRE Carte Or - Blanc de blancs*

○   n.c.   100 000   4

Un rosé or tendre, clair, résultat de l'assemblage de 85% de blanc de blancs chardonnay et de 15% de pinot noir de Vertus. Cette forte proportion de chardonnay lui donne un nez très très fin, feuilles sèches. La bouche est un peu repliée sur elle-même, un peu austère. Un rosé sérieux. (RM.)

🛒 Champagne Doquet-Jeanmaire,
av. de Bammental, 51130 Vertus, tél. 26.52.16.50
Ⓨ r.-v.

Cette entreprise familiale créée en 1959 connaît le succès (y compris un coup de cœur dans un 'Guide Hachette'). Ce vin ne démérite pas, il est frais, léger, droit, vif et équilibré. (RM)

🛒 Champagne Doquet-Jeanmaire, 51130 Vertus, tél. 26.52.16.50
av. de Bammental,
Ⓨ r.-v.

ANDRE DRAPPIER Grande Sendrée 1983

○   n.c.   40 000   6

Il y a très de deux siècles que les Drappier travaillent la vigne à Urville. Ils disposent d'installations modernes pour vinifier divers champagnes dont le haut de gamme Grande Sendrée marqué par les raisins noirs (pinot noir 60%), au nez noisette massif dans une bouche ni courte ni longue. (RM.)

ANDRE DRAPPIER
Grande Sendrée 1982 **

2,40 ha   20 000

La maison Drappier nous a donné l'occasion de comparer les millésimes 82 et 83 tels qu'ils se présentent dans la cuvée de prestige Grande Sendrée. La supériorité du 82 n'étonnera personne. On peut dire qu'il est grand alors que 83 n'est que bon. Il est vrai que les dégustateurs complimentent la finesse du nez et la rondeur de la bouche. Ils précisent : « très typé, ne convient pas à tous les consommateurs ». (RM)

☛ Champagne André Drappier, Urville, 10200 Bar-sur-Aube, tél. 25.26.40.15 ℞ r.-v.

ANDRE DRAPPIER Carte d'Or 1983

n.c.   180 000

Un blanc de noirs 100% pinot noir. Il ne cache pas ses origines dans sa robe or jaune. Nez de miel d'acacia, bouche évoluée mais longue. (RM.)

☛ Champagne André Drappier, Urville, 10200 Bar-sur-Aube, tél. 25.26.40.15 ℞ r.-v.

ROBERT DUFOUR ET FILS *
Cuvée Prestige ***

n.c.   5 000

La surprise de la dégustation. Un blanc de blancs de l'Aube trois étoiles ! Les dégustateurs le décrivent comme « complexe, riche, puissant, vineux, évolué ou à point au nez mais frais en bouche, à conseiller aux amateurs de vin masculin, rond et charpenté ». La cuvée de ce vin mystère, de ce chardonnay sudiste, est un assemblage des années 1981 et 1982. (RM.)

☛ Champ. Robert Dufour et Fils, 4, rue de la Croix-Malot, Landreville, 10110 Bar-sur-Seine, tél. 25.38.52.25 ℞ r.-v.

ROBERT DUFOUR ET FILS *
Brut Sélection **

7 ha   5 000

Une bouteille très controversée. Certains la rejettent d'autres en reçoivent un coup au cœur : « puissant mais sans relief ni finesse » à « superbe, complet, rosé d'exception, une curiosité, le meilleur de la dégustation ». Ce vin étrange est un rosé de l'Aube 100% pinot noir non millésimé du millésime de la vendange 1985. Son prix incite à l'achat immédiat. (RM.)

☛ Champ. Robert Dufour et Fils, 4, rue de la Croix-Malot, Landreville, 10110 Bar-sur-Seine, tél. 25.38.52.25 ℞ r.-v.

DUVAL-LEROY Brut Sélection **

82 ha   n.c.

Chez Duval-Leroy, le chardonnay est toujours à l'honneur. Sauf dans le rosé 100% pinot noir obtenu par saignée : Un vin rose pâle, vieux rose pour être précis. Nez franc mais discret alors que la bouche s'exprime directement, sans détours. (NM.)

☛ Champagne Duval-Leroy, rue du Mont-Chenil, 51130 Vertus, tél. 26.52.10.75 ℞ r.-v.

MICHEL EGLY *

Gd cru   n.c.   10 000

Les pinots noirs d'Ambonnay sont parmi les plus généreux de la Champagne. La cuvée de ce rosé en comporte 3/4 pour 1/4 de chardonnay. Sa robe est saumon clair, le bouquet fait songer à des pommes confites. En bouche, du volume sans rondeur. (RM.)

☛ M. Michel Egly, 15, rue de Trépail, B.P. 15, Ambonnay, 51150 Tours-sur-Marne, tél. 26.57.00.70 ℞ r.-v.

MICHEL EGLY

n.c.   30 000

3/4 pinots noirs 1/4 chardonnays récoltés dans les communes de Bouzy et d'Ambonnay sont à l'origine de ce vin à la mousse fugace, au nez vanillé fumé et à la bouche droite et brève. (RM.)

☛ M. Michel Egly, 15, rue de Trépail, B.P. 15, Ambonnay, 51150 Tours-sur-Marne, tél. 26.57.00.70 ℞ r.-v.

ESTERLIN *

n.c.   n.c.

La mousse tient. À l'œil, il paraît moins évolué qu'en bouche. Bon équilibre. (CM.)

☛ Champagne Esterlin, 2, rue du Château, Mancy, 51200 Epernay, tél. 26.59.71.52 ℞ r.-v.

ESTERLIN Blanc de blancs ***

n.c.   60 000

Les bulles s'envolent finement. Le cordon persiste. Le nez donne dans l'élégance. La bouche a du caractère. Le souvenir ne s'efface pas. (NM.)

☛ Champagne Esterlin, 2, rue du Château, Mancy, 51200 Epernay, tél. 26.59.71.52 ℞ r.-v.

Champagne ESTERLIN — MANCY-51200 EPERNAY

NICOLAS FEUILLATTE
Cuvée Prestige 1982 *

1er cru   n.c.   n.c.

Cette cuvée de prestige est le porte-drapeau du centre géant de vinification sis près d'Epernay. Autant de pinot noir que de chardonnay associé à 1/5ème de pinot meunier se retrouve dans cette robe or pâle ornée d'un cordon fin. Nez typé de champagne, bouche parfaitement équilibrée. A-t-il de la personnalité ?. (CM.)

☛ Champagne Nicolas Feuillatte, CD 40 A, B.P. 210 Chouilly, 51206 Epernay, tél. 26.54.50.60 ℞ r.-v.

GALLIMARD PERE ET FILS
Brut Prestige

| | | 3 ha | 10.000 | 🍷📖▮Ⅴ4 |

Un blanc de noirs 100% pinots noirs de la commune des Riceys. Sa mousse est abondante, durable, alors qu'il offre des arômes de miel herbacé que l'on retrouve dans une bouche où le dosage est sensible. (RM).

🍷 Champ. Gallimard Père et Fils, 18, rue du Magny, 10340 Les Riceys, tél. 25.29.32.44 Ⅴ t.l.j; sf dim. 8h-12h 14h-18h.

GALLIMARD PERE ET FILS
Cuvée de Réserve

| ○ | | 2 ha | 10.000 | 📖▮Ⅴ4 |

Un «rosé de noirs», puisque seul le pinot participe à la cuvée. Un rosé trop rouge aux dires de quelques dégustateurs. Nez de bonbon anglais, grenadine en bouche. (RM).

🍷 Champ. Gallimard Père et Fils, 18, rue du Magny, 10340 Les Riceys, tél. 25.29.32.44 Ⅴ t.l.j; sf dim. 8h-12h 14h-18h.

RENE GEOFFROY
Cuvée de Réserve

| ○ 1er cru | | 8 ha | 50.000 | 📖▮Ⅴ4 |

Les Geoffroy sont vignerons depuis 1600. Ils ont l'art d'assembler les deux pinots avec un peu de chardonnay et n'ont pas oublié les fameux petits fûts champenois. Ce a fait évoluer le vin mais donne du caractère. N'est-il pas trop dosé? (RM).

🍷 M. René Geoffroy, 150, rue du Bois-des-Jots, Cumières, 51200 Epernay, tél. 26.55.32.31 Ⅴ r.-v.

RENE GEOFFROY
Cuvée Prestige 1983*

| ○ | | 1 ha | 8.000 | 📖▮Ⅴ5 |

Un champagne de caractère qui joue la carte du boisé. Il peut désoriente, c'est un vin d'amateurs de champagne typé, dit «à l'ancienne». Le cordon tient longuement et le vin «fait des jambes» dans le verre, plus exactement sur ses parois. Bouquet poivré, animal, mûr, puissant, bouche vineuse et charpentée en dépit de 60% de chardonnay. Idéal pour un repas. (RM.)

🍷 M. René Geoffroy, 150, rue du Bois-des-Jots, Cumières, 51200 Epernay, tél. 26.55.32.31 Ⅴ r.-v.

GERMAIN 1983*

| ○ | | n.c. | 100.000 | 📖▮Ⅴ5 |

Un bon 83 que l'on pourra servir au cours d'un repas. Sa charpente, sa rondeur, son volume même y incitent. Ses 60% de pinot noir (+ 15% de meunier) l'ont préparé à cet usage. (NM.)

🍷 Champagne H. Germain, 31, rue de Reims, 51500 Rilly-la-Montagne, tél. 26.03.40.19 Ⅴ r.-v.

GERMAIN
Cuvée Vénus 1983**

| ○ | | n.c. | 30.000 | 📖▮Ⅴ5 |

Une bouteille à «bague carrée» (goulot) qui implique une vinification sous liège. Jolie robe or clair, nez typé qui gagne à l'aération et fait songer au pinot. Bouche ample, équilibrée, qui parle un peu fort. (NM.)

🍷 Champagne H. Germain, 31, rue de Reims, 51500 Rilly-la-Montagne, tél. 26.03.40.19 Ⅴ r.-v.

GERMAIN*

| ○ | | n.c. | 400.000 | |

La grande maison de Rilly-la-Montagne attein-

489

---

dra bientôt l'âge vénérable d'un siècle. Son brut est ce rposé pour moité de pinot noir - Montagne de Reims oblige - et d'un tiers de pinot meunier, complété par du chardonnay. Robe paille aux reflets roses, nez fruité rond et bouche solide. (NM).

🍷 Champagne H. Germain, 31, rue de Reims, 51500 Rilly-la-Montagne, tél. 26.03.40.19 Ⅴ r.-v.

GERMAIN
Blanc de blancs 1983

| ○ | | n.c. | 100.000 | 🍷📖▮Ⅴ6 |

Une grande réussite qui s'explique: sélection de huit leux-dits et 4% de la vendange. Un «Spécial Club» parfait à l'œil et parfait au nez. Arômes d'acacia citronné mielleux, parfait en bouche «croquant», saveurs de fruits confits, d'acacia, etc. (RM)

🍷 SA Pierre Gimonnet et Fils, 1, rue de la République, Cuis, 51200 Epernay, tél. 26.55.12.54 Ⅴ r.-v.

PIERRE GIMONNET ET FILS
Spécial Club - Blanc de blancs 1982***

| ○ | | | 8.384 | 🍷📖▮Ⅴ6 |

Il est habillé d'or clair, au nez est son accord avec une bouche charnue. (NM)

🍷 Champagne H. Germain, 31, rue de Reims, 51500 Rilly-la-Montagne, tél. 26.03.40.19 Ⅴ r.-v.

PIERRE GIMONNET ET FILS
Brut Fleuron - Blanc de blancs 1982*

| ○ 1er cru | | n.c. | 110.000 | 📖▮Ⅴ5 |

Des chardonnays de haut vol: 47% de Cramant grand cru, 11% de Chouilly grand cru, 42% de Cuis premier cru! Au nez il paraît évolué, alors qu'en bouche des arômes de pain grillé préludent à une finale harmonieuse. (RM)

🍷 SA Pierre Gimonnet et Fils, 1, rue de la République, Cuis, 51200 Epernay, tél. 26.55.12.54 Ⅴ r.-v.

PIERRE GIMONNET ET FILS
Cuis 1er cru - Blanc de blancs

| ○ 1er cru | | n.c. | 120.000 | 📖▮Ⅴ5 |

A l'entrée de la Côte des Blancs, la commune de Cuis, c'est le 1er cru, d'où ce vin est originaire. Une belle illustration, modèle d'équilibre et de longueur. (RM.)

🍷 SA Pierre Gimonnet et Fils, 1, rue de la République, Cuis, 51200 Epernay, tél. 26.55.12.54 Ⅴ r.-v.

Pierre Gimonnet & Fils
Champagne
BRUT 1982
BLANC DE BLANCS
CUIS 51200 EPERNAY

PAUL GOBILLARD
Carte Or**

| ○ | | n.c. | 20.000 | 🍷📖▮Ⅴ5 |

Elevée dans les celliers du château de Pierry, cette Carte Or exploite les trois cépages champe-

LA CHAMPAGNE

nois. De fines bulles strient une robe très pâle qui ne préface pas un nez déjà évolué mais très fin. Bouquet et arômes en bouche sont de même esprit. (NM.)
☛ M. Paul Gobillard, Ch. de Pierry, B.P. 1, Pierry, 51200 Epernay, tél. 26.54.05.11 Y r.-v.

PAUL GOBILLARD 1982
n.c.   20 000

Un millésimé en demi-teinte, ni faible ni puissant, dont la robe reste jeune, au nez empyreumatique, et dont la bouche demeure légère en dépit d'un dosage sensible. (NM.)
☛ M. Paul Gobillard, Ch. de Pierry, B.P. 1, Pierry, 51200 Epernay, tél. 26.54.05.11 Y r.-v.

PAUL GOBILLARD Cuvée Régence **
n.c.   5 000

Cuvée de prestige non millésimée livrée dans une bouteille façon XVIIIe s. Non millésimée parce qu'elle est obtenue par l'assemblage de plusieurs années ayant mérité le millésime. Elle doit sa finesse à 75% de chardonnay de la grande Côte des Blancs et sa puissance à 25% de grands noirs d'Ay ainsi qu'à ceux de Cumières et Pierry. Bouquet poivré, musqué, fauve, bouche corsée. (NM.)
☛ M. Paul Gobillard, Ch. de Pierry, B.P. 1, Pierry, 51200 Epernay, tél. 26.54.05.11 Y r.-v.

PAUL GOBILLARD Carte Blanche
n.c.   100 000

Il est vif, frais, nerveux. Pourtant il se compose par moitié de pinot meunier, dont il tire le fruité. 25% de chardonnay lui donne de la gaîté. (NM.)
☛ M. Paul Gobillard, Ch. de Pierry, B.P. 1, Pierry, 51200 Epernay, tél. 26.54.05.11 Y r.-v.

PAUL GOERG 1982 **
n.c.   80 000

Etonnant 1982 d'une fraîcheur magique, œuvre d'une nouvelle marque créée en 1985. Toutes les qualités des meilleurs blancs de blancs s'y trouvent réunies : mousse parfaite, bulles minuscules et robe d'or. Nez floral élégant, bouche nette, fraîche, nerveuse, tout en finesse. (CM.)
☛ La Goutte d'Or, 4, pl. du Mont-Chenil, B.P. 10, 51130 Vertus, tél. 26.52.15.31

PAUL GOERG Blanc de blancs *
n.c.   300 000

Ce vin a été distingué à Vinexpo (Bordeaux) en 1987. Le nez demeure discret mais la bouche est équilibrée et longue. (CM.)
☛ La Goutte d'Or, 4, pl. du Mont-Chenil, B.P. 10, 51130 Vertus, tél. 26.52.15.31

PAUL GOERG *
n.c.   100 000

En fait, un blanc de blancs coloré au vin rouge de Vertus. Résultat : un vin très fin à la robe plus jaune que rose dont le nez, d'une grande discrétion, évoque les feuilles séchées au léger parfum. La bouche confirme un léger fruité, impression confirmée en bouche : gaz carbonique très fin parfaitement intégré, finesse dans la réserve. De la classe dans la retenue. (CM.)
☛ La Goutte d'Or, 4, pl. du Mont-Chenil, B.P. 10, 51130 Vertus, tél. 26.52.15.31

MICHEL GONET Blanc de blancs **
n.c.   50 000

Il a donné un coup de cœur à un dégustateur chevronné, lui-même élaborateur de cuvées prestigieuses. Parfait à l'œil, nez intense floral, empyreumatique et bouche élégante, équilibrée, ronde et longue. (RM.)
☛ M. Michel Gonet, 196, av. Jean-Jaurès, 51190 Avize, tél. 26.57.50.56 Y r.-v.

GONET-SULCOVA Réserve Brut *
n.c.   50 000

Un blanc de noirs 100% pinot noir. La robe est jaune pâle à reflets verts, le nez discret et fin, la bouche équilibrée qu'on souhaiterait plus longue. Une bonne élégance. (RM.)
☛ MM. Gonet-Sulcova, 13, rue Henri-Martin, 51200 Epernay, tél. 26.54.37.63 Y r.-v.
☛ M. Vincent Gonet.

GOSSET 1983
n.c.   70 000

Il a fallu rassembler 15 crus, 42% de chardonnay, 50% de pinot noir et une touche de pinot meunier pour obtenir ce nez de coing et de pain grillé-fumé. Tout cela se retrouve en bouche. Excellent avec un repas fin. (NM.)
☛ Champagne Gosset, 69, rue Jules-Blondeau, B.P.7, 51160 Ay, tél. 26.55.14.18 Y r.-v.

GOSSET Grand Millésime 1982 **
n.c.   50 000

Ce grand millésime 82 prend la relève du 79. Toujours dans sa bouteille XVIIIe s., cette cuvée réunit 20 crus, beaucoup de chardonnay (62%) et 38% de pinot noir. La robe or paille soutenu annonce un nez empyreumatique fruité-chaud évolué que confirme une bouche ample et longue. (NM.)
☛ Champagne Gosset, 69, rue Jules-Blondeau, B.P.7, 51160 Ay, tél. 26.55.14.18 Y r.-v.

GOSSET Grand millésime 1982 **
n.c.   20 000

Un blanc de blancs rosifié par 12% de Bouzy rouge. Cinq crus de chardonnay donnent toute la finesse que l'on souhaite et ce vin précis, faiblement dosé, auquel le Bouzy rouge n'apporte aucune dureté. Un rosé de grande élégance que l'on boit à grandes lampées. (NM.)
☛ Champagne Gosset, 69, rue Jules-Blondeau, B.P.7, 51160 Ay, tél. 26.55.14.18 Y r.-v.

GOSSET Grande Réserve ***
n.c.   100 000

Une bouteille superbe à regarder, copie d'un flacon du XVIIIe s., ornée d'une étiquette très raffinée. La cuvée naît de l'assemblage des années 82 et 83 complété de 80 (vin de réserve) conservé en magnum. 45% de chardonnay, 41% de pinot noir, 14% de pinot meunier se marient idéalement. Le plus étonnant dans ce champagne où

finesse et élégance se donnent la réplique, est l'intimité absolue du gaz et du vin. (NM.)
🍷 Champagne Gosset, 69, rue Jules-Blondeau, B.P.7, 51160 Ay, tél. 26.55.14.18 ▼ r.-v.

HENRI GOUTORBE
Cuvée Traditionnelle

| ○ | n.c. | 80 000 | ▮♦▼▲ |

Henri Goutorbe habite Ay, il est l'un des rares producteurs à y proposer un coteau champenois (rouge naturellement). Son champagne Cuvée Traditionnelle comprend, comme il se doit, les trois cépages. Son nez comme sa bouche est plus riche et plus puissant que fin. (RM.)
🍷 M. Henri Goutorbe, 11, rue Léon-Bourgeois, 51160 Ay-Champagne, tél. 26.55.21.70 ▼ r.-v.

CHARLES HEIDSIECK 1982

| ○ | n.c. | 400 000 | ▮♦▼▲ |

Un beau millésime dont on a tiré chez Charles Heidsieck tous les aspects flatteurs. A l'œil il illumine ; au nez il respire ; en bouche sa corpulence est sensible puis s'oublie. (NM.)
🍷 Champagne Charles Heidsieck, 3, pl. des Droits-de-l'Homme, 51100 Reims, tél. 26.8?.03.27 ▼ r.-v.

IVERNEL

| ○ | n.c. | n.c. | ▮♦ |

La bouteille de rosé de Daniel Ivernel d'Ay est très reconnaissable car elle est en verre incolore dépoli. Le vin lui aussi est reconnaissable car il est plus teinté que d'autres. Nez rappelant discrètement le pain grillé alors que la bouche évoque la fraise vanillée. (NM.)
🍷 Champagne Ivernel, 4, rue Jules-Lobet, 51160 Ay, tél. 26.55.21.10 ▼ r.-v.

JACQUART 1982

| ○ | 40 ha | 320 000 | ▼ G |

Pas moins d'une vingtaine de crus noirs et blancs se donnent rendez-vous dans cette bouteille millésimée 82. Robe impeccable, nez puissant, presque massif, très belle attaque en bouche mais fine à sèche (astringence ?). Champagne de repas. (CM.)
🍷 Champagne Jacquart, 5, rue Gosset, 51100 Reims, tél. 26.07.20.20

JACQUART *

| ○ | 40 ha | 300 000 | ▮♦▼▲ |

Rose ambré léger, nez fruité marqué par le pinot. La bouche allie la fraise et la framboise mais le dosage est perceptible. (CM.)
🍷 Champagne Jacquart, 5, rue Gosset, 51100 Reims, tél. 26.07.20.20

JACQUART Sélection **

| ○ | 120 ha | 1 000 000 | ▮♦▼▲ |

Jacquar, produit un million de bouteilles de brut Sélection, à la robe paille claire, au nez floral enrobé de noisettes et dont la bouche fine, fraîche et légère convient à l'apéritif et à l'accompagnement des poissons. (CM.)

GEORGE GOULET
Cuvée du Centenaire 1982

| ○ | n.c. | n.c. | ▼ G |

Cette cuvée rappelle que cette marque a fêté son centenaire en 1967. Elle n'est composée que de grands crus : un petit tiers de pinot noir de Verzenay d'Ay et de Bouzy et deux bons tiers de chardonnay de Cramant, d'Avize et du Mesnil. A l'œil : paille claire, bulles et cordon parfaits, nez fruité et noiseté. En bouche, attaque douce, presque molle, puis beaucoup de rondeur. A boire à table. (NM.)
🍷 Grands Vins Chatellier, 2 et 4, av. du Galliard, 51055 Reims, tél. 26.85.05.77 ▼ r.-v.
🍷 M. Philippe Chatellier.

GEORGE GOULET Extra Quality

| ○ | n.c. | n.c. | G |

Une grosse moitié de pinot noir, un petit tiers de chardonnay et du pinot meunier entrent dans ce brut sans année honnête et nerveux. (NM.)
🍷 Grands Vins Chatellier, 2 et 4, av. du Galliard, 51055 Reims, tél. 26.85.05.77 ▼ r.-v.

GEORGE GOULET
«G» - Blanc de blancs **

| ○ | n.c. | n.c. | G |

Le blanc de blancs est à la mode, voici celui de George Goulet. Il est bienvenu, très classique. Robe or pâle aux reflets verts, nez réservé de chardonnay, bouche fine discrètement dosée. (NM.)
🍷 Grands Vins Chatellier, 2 et 4, av. du Galliard, 51055 Reims, tél. 26.85.05.77 ▼ r.-v.

HENRI GOUTORBE
Cuvée Prestige **

| ○ | n.c. | 20 000 | ▮♦▼▲ |

Les trois cépages champenois en parts égales sont à l'origine de la cuvée de prestige d'Henri

➥ SA Krug Vins Fins de Champagne,
5, rue Coquebert, B.P. 22, 51051 Reims Cedex,
tél. 26.88.24.24 ☎ r.-v.

JACQUESSON ET FILS
B.-B. - Blanc de blancs*

○　　　11 ha　70 000　　　🍴🍷▮5

Plein de jeunesse, presque adolescent : les arômes sont naissants mais ils ont du nerf. Finesse et brièveté. (NM.)

➥ Champagne Jacquesson et Fils,
68, rue du Colonel-Fabien, Dizy, 51200 Epernay,
tél. 26.53.00.66 ☎ r.-v.
➥ M. Jean Chiquet.

JACQUESSON ET FILS
Signature 1981**

○　　　n.c.　25 000　　　▮▮ ↓ ▮5▮6

Cette bouteille est l'exacte reproduction d'une bouteille de champagne Jacquesson du début XIXᵉ s. La cuvée assemble autant de blanc de blancs que de blanc de noirs. Ces raisins sont récoltés uniquement dans des vignobles appartenant à Jacquesson à Avize et à Ay - deux grands crus - et à Dizy, un premier cru. Très beau champagne aussi bien équilibré que dosé. (NM.)

➥ Champagne Jacquesson et Fils,
68, rue du Colonel-Fabien, Dizy, 51200 Epernay,
tél. 26.53.00.66 ☎ r.-v.
➥ M. Jean Chiquet.

JEANMAIRE Blanc de noirs 1983*

○　　　n.c.　50 000　　　🍴▮▮5

L'un des très rares vins étiquetés blanc de noirs, monocépage, direct, à l'attaque franche, presque brutal en bouche. Peut accompagner une viande. (NM.)

➥ Champagne Jeanmaire, 12, rue Godart-Roger,
51200 Epernay, tél. 26.54.60.32 ☎ r.-v.

KRUG Grande Cuvée***

○　　　n.c.　n.c.　　　▮▮ 7

C'eût été un coup de cœur si le millésimé ne nous l'avait déjà donné. Une bouteille réservée à ceux qui exigent du champagne une personnalité accusée. Ici on ne cache pas le boisé, on ne dissimule pas que les les «petits fûts» font évoluer le vin. Et ceci explique la complexité au nez et en bouche, la corpulence, la présence extrême, si l'on peut dire, de ce splendide vin que l'on boira à table. (NM.)

➥ SA Krug Vins Fins de Champagne,
5, rue Coquebert, B.P. 22, 51051 Reims Cedex,
tél. 26.88.24.24 ☎ r.-v.

KRUG Vintage 1981***

○　　　n.c.　n.c.　　　▮▮ 7

La perfection, si l'on en croit nos dégustateurs : «quelle classe, à «flairer» longtemps avant de goûter, extraordinaire, à découvrir à tout prix, plus que parfait, n'a aucun égal, trois étoiles et plus, nez de grands bourgogne blancs», etc. Composition du chef-d'œuvre : dix-neuf crus. Pinot noir 31%, meunier 19%, chardonnay 50%. (NM.)

CH. LALLEMENT-DEVILLE 1983*

○　　　n.c.　2 000　　　▮▮ 6

Une anomalie, une étrangeté : un blanc de blancs issu de la commune de Verzy réputée pour ses pinots noirs. Fin, aux flaveurs miellées, il friserait la perfection si un dosage trop généreux ne perturbait la fin de bouche. (RM.)

➥ M. Charles Lallement-Deville, 28, rue Irénée-Gass, 51380 Verzy, tél. 26.97.95.90 ☎ r.-v.

LAMIABLE**

○　　　5 ha　50 000　　　🍴↓▮▮ 4

Moitié pinot noir, moitié chardonnay, une bonne vieille recette pour vinifier un champagne équilibré aux arômes fruités (abricot ?) de velours, à l'attaque vive et dont la charpente ne nuit pas à la fraîcheur. (RM.)

➥ Champagne Lamiable, 8, rue de Condé,
51150 Tours-sur-Marne, tél. 26.58.92.69 ☎ r.-v.

LAMIABLE Spécial Club 1983*

○ Gd cru　n.c.　9 000　　　🍴▮▮5

Monocru de Tours-sur-Marne, commune classée grand cru. Chardonnay (60%) et pinot (40%) voisinent dans cette cuvée Spécial Club au nez puissant fruité et à la bouche nerveuse. (RM.)

➥ Champagne Lamiable, 8, rue de Condé,
51150 Tours-sur-Marne, tél. 26.58.92.69 ☎ r.-v.

LANG-BIEMONT Cuvée 111

○　　　50 ha　n.c.　　　🍴▮▮5

Lang-Biemont a été fondé il y a plus d'un siècle (1875). Depuis 1979, la Société a pris un nouveau départ. Sa Cuvée 111 est marquée par le pinot noir (75%). Très fruité, plus corpulent que fin, c'est un champagne de repas. (NM.)

➥ Champagne Lang-Biémont, Les Ormissets,
Oiry, 51200 Epernay, tél. 26.55.43.43 ☎ r.-v.

LANG-BIEMONT

○　　　50 ha　n.c.　　　🍴▮▮5

Dans ses installations très modernes qui n'excluent pas le stockage sous bois, Lang-Biemont vinifie un rosé à base de pinot (trois quarts) assisté d'un quart de chardonnay. La robe tend vers le saumon clair, le nez demeure réservé alors que la bouche presque vineuse ne «trace» pas. (NM.)

➥ Champagne Lang-Biémont, Les Ormissets,
Oiry, 51200 Epernay, tél. 26.55.43.43 ☎ r.-v.

492

LANSON Black Label*

n.c.	6 000 000	[V6]

Depuis 1760, Lanson montre son savoir-faire. Son étiquette noire annonce un «brut sans année» dans le style maison maintenu d'année en année : plutôt évolué, vineux, puissant, fruits rouges. Encore meilleur à table. (NM.)
Champagne Lanson, 12, bd Lundy, B.P. 163, 51056 Reims Cedex, tél. 26.40.36.26 r.-v.

LANSON
Cuvée du 225ème Anniversaire 1981*

n.c.	n.c.	[V7]

Rares sont les maisons qui peuvent élaborer une cuvée en l'honneur de leur 225ème anniversaire! Ce 81 se compose de trois parts de chardonnay d'Avize et de Cramant pour deux parts de pinot noir de Bouzy et de Verzenay : rien que des grands crus. Teinte or orangé, bouquet très mûr, rappelant la pomme très mûre, bouche ample et ronde. Champagne de repas. (NM.)
Champagne Lanson, 12, bd Lundy, B.P. 163, 51056 Reims Cedex, tél. 26.40.36.26 r.-v.

LANSON Red Label 1983**

n.c.	n.c.	[6]

Presque autant de chardonnay que de pinot noir dans ce millésimé 83. Ces raisins sont cueillis dans les trois grandes régions (Côte des Blancs, Vallée de la Marne, Montagne de Reims). Mousse parfaite, robe or vert, nez discret, bouche pleine et longue. (NM.)
Champagne Lanson, 12, bd Lundy, B.P. 163, 51056 Reims Cedex, tél. 26.40.36.26 r.-v.

LANSON Dry sec*

n.c.	n.c.	[V6]

Une fantaisie? Non, une nécessité, le champagne demi-sec (ou demi-doux) pour ceux qui veulent boire un champagne avec un dessert normalement sucré ou très sucré. Le brut n'y résiste pas, il devient affreusement maigre et acide. Ce «dry-sec» à la robe or jaune étonnera plus d'un consommateur qui pense ne pas aimer ce type de vin. Très plein, tout en rondeur, son équilibre est réussi : le sucre est parfaitement intégré, il ne reste pas en bouche. (NM.)
Champagne Lanson, 12, bd Lundy, B.P. 163, 51056 Reims Cedex, tél. 26.40.36.26 r.-v.

LANSON**

n.c.	n.c.	[6]

A peine plus de pinots noirs que de chardonnays dans ce rosé habillé comme il se doit d'une robe très pâle. Nez classique de raisins frais. Bouche puissante et fine à la fois où le vin rouge appuie la corpulence du champagne sans l'écraser. Très belle réussite, fraîche et nerveuse. (NM.)
Champagne Lanson, 12, bd Lundy, B.P. 163, 51056 Reims Cedex, tél. 26.40.36.26 r.-v.

GUY LARMANDIER

1er cru	25 000	n.c.	[i V4]

Un «brut» sans année» réservé aux amateurs de champagne nerveux, vif, incisif. Il est très peu dosé, presque blanc de blancs (à 5% près). Excellent en apéritif. (RM)

M. Guy Larmandier, 30, rue du Gal-Koenig, 51130 Vertus, tél. 26.52.12.41 r.-v.

GUY LARMANDIER
Cramant - Blanc de blancs

Gd cru	20 000	n.c.	[i V4]

Le vin des jeunes filles en fleur, sa teinte pâle ne tache pas les robes blanches, sa légèreté n'effarouche pas les palais juvéniles. (RM.)
M. Guy Larmandier, 30, rue du Gal-Koenig, 51130 Vertus, tél. 26.52.12.41 r.-v.

GUY LARMANDIER*

Gd cru	10 000	n.c.	[i V5]

Beaucoup de chardonnay assaisonné de pinot noir pour obtenir ce rosé très (trop?) coloré. Les fruits rouges et le vin rouge en sont les caractères dominants. (RM.)
M. Guy Larmandier, 30, rue du Gal-Koenig, 51130 Vertus, tél. 26.52.12.41 r.-v.

LARMANDIER PERE ET FILS
Cramant - Blanc de blancs*

Gd cru	5 000	n.c.	[i V5]

Au chardonnay, il doit sa robe or vert et sa finesse. Le cramant lui donne l'équilibre mais aurait dû lui conférer ampleur et complexité. (RM.)
SA Larmandier, 2, rue du Mont-Félix, B.P. 4, Cramant, 51200 Epernay, tél. 26.57.52.19 r.-v.

LARMANDIER-BERNIER
Spécial Club - Blanc de blancs 1983*

1er cru	5 000	n.c.	[i V5]

Il est très bien habillé dans sa robe or pâle. Pourquoi son nez a-t-il quelques rides? Bouche équilibrée et longue. (RM.)
Champagne Larmandier-Bernier, 43, rue du 28-Août, 51130 Vertus, tél. 26.52.13.24 r.-v.

LARMANDIER-BERNIER*

1er cru	40 000	n.c.	[i V4]

Trois quarts de chardonnay et un quart de pinot noir pour une robe paille, brillante et de minuscules bulles. Il convient parfaitement à l'apéritif. A table, il serait étouffé. (RM.)
Champagne Larmandier-Bernier, 43, rue du 28-Août, 51130 Vertus, tél. 26.52.13.24 r.-v.

LAUNOIS PERE ET FILS
Cuvée réservée - Blanc de blancs*

Gd cru	100 000	n.c.	[i V4]

Launois père et fils, blanc de blancs, grand cru, tout pour plaire. Or vert, bulles fines, notes acidulées, fraîcheur. Excellent à l'apéritif. (RM.)
Champagne Launois Père et Fils, 3, av. de la République, Le Mesnil-sur-Oger, 51190 Avize, tél. 26.57.50.15 r.-v.

LAURENT-PERRIER Ultra brut*

1er cru	n.c.	n.c.	[i V6]

Pas plus de liqueur de dosage que de couleur dans la robe très pâle de cet «ultra-brut». Bouquet très pur mais très discret de fleurs blanches. Bouche aiguë, tranchante, cristalline. Un cham-

pagne d'amateurs à ne pas servir trop froid avec un poisson fin grillé ou frit. (NM.)
➤ Champ. Laurent-Perrier et Cie, Dom. de Tours-sur-Marne, 51150 Tours-sur-Marne, tél. 26.58.91.22 ℐ r.-v.

LAURENT-PERRIER *

○   n.c.    6

Un rosé de soirée mondaine. Robe rose pâle brillante, selon la tradition, nez discret au fruité léger, bouche nette, très enveloppée, empreinte de civilité. (NM.)
➤ Champ. Laurent-Perrier et Cie, Dom. de Tours-sur-Marne, 51150 Tours-sur-Marne, tél. 26.58.91.22 ℐ r.-v.

LAURENT-PERRIER
Cuvée Grand Siècle ***

○   n.c.   7

La cuvée Grand Siècle n'est jamais millésimée car elle résulte de l'assemblage de plusieurs années précédemment millésimées, donc plusieurs années de haute qualité. Un coup de cœur unanime car cette cuvée réussit le tour de force paradoxal d'offrir des arômes complexes de vieillissement tout en conservant intégralement sa fraîcheur. Acacia, miel, amande, gras et rond, finesse et longueur. Le grand champagne des grands repas. (NM.)
➤ Champ. Laurent-Perrier et Cie, Dom. de Tours-sur-Marne, 51150 Tours-sur-Marne, tél. 26.58.91.22 ℐ r.-v.

LAURENT-PERRIER 1981

○   n.c.   6

La grande maison de Tours-sur-Marne aime les vieux millésimes (voir sa série « millésimes rares »). Ce 1981 est habillé d'une robe or cuivré traversée de bulles paresseuses. Nez de pinot évolué, fruité, pâte d'amande. Bouche calme et fine. Vin d'esprit anglo-saxon. (NM.)
➤ Champ. Laurent-Perrier et Cie, Dom. de Tours-sur-Marne, 51150 Tours-sur-Marne, tél. 26.58.91.22 ℐ r.-v.

LAURENT-PERRIER

○   n.c.   5

Une grande maison fondée en 1812. La mousse est fine dans une robe cristalline. Bien charpenté, rond et puissant mais généreusement dosé, fruité, il semble un peu évolué. (NM.)
➤ Champ. Laurent-Perrier et Cie, Dom. de Tours-sur-Marne, 51150 Tours-sur-Marne, tél. 26.58.91.22 ℐ r.-v.

ALBERT LE BRUN Carte Blanche **

○   n.c.   200 000   4

Une Carte Blanche très réussie à la robe séduisante traversée de fines bulles et couronnée d'un cordon tenace. Au nez et en bouche, les raisins noirs explosent. L'équilibre est souligné par un dosage ad hoc. (NM.)
➤ Champagne Albert Le Brun, 93, av. de Paris, B.P. 204, 51000 Châlons-sur-Marne Cedex, tél. 26.68.18.68 ℐ r.-v.

ALBERT LE BRUN Cuvée Réservée *

○   n.c.   40 000   5

Claire et pâle, cette robe annonce un nez légèrement végétal, et plus fine de corpulence sur fond de pommes vertes. Dosage réussi. (NM.)
➤ Champagne Albert Le Brun, 93, av. de Paris, B.P. 204, 51000 Châlons-sur-Marne Cedex, tél. 26.68.18.68 ℐ r.-v.

ALBERT LE BRUN Vieille France *

○   n.c.   60 000   5

Cuvée de prestige, logée comme le rosé dans une bouteille reproduisant celle peinte par Nicolas Lancret (1690-1743) dans une toile célèbre : le déjeuner de jambon. La cuvée comprend plus de raisins noirs que de raisins blancs, sa robe or vert annonce un nez frais et fin et une bouche équilibrée qui raconte une histoire brève et facile. (NM.)
➤ Champagne Albert Le Brun, 93, av. de Paris, B.P. 204, 51000 Châlons-sur-Marne Cedex, tél. 26.68.18.68 ℐ r.-v.

ALBERT LE BRUN
Vieille France **

○   n.c.   5

Dans sa bouteille trapue reconnaissable entre mille, ce rosé, marqué par le pinot noir, respire la distinction. Robe rose rose, nez discret bon chic bon genre et construction nette, précise, sans l'ombre d'une lourdeur. (NM.)
➤ Champagne Albert Le Brun, 93, av. de Paris, B.P. 204, 51000 Châlons-sur-Marne Cedex, tél. 26.68.18.68 ℐ r.-v.

LE BRUN DE NEUVILLE
Cuvée du Roi Clovis *

○   n.c.   30 000   5

Une mousse un peu forte couronnant une robe or vert. Un nez fin dans sa discrétion puis une bouche nerveuse. Un brut sans année, jeune, trop jeune ? (CM.)
➤ Champagne Le Brun de Neuville, rte de Chantemerle, Bethon, 51260 Anglure, tél. 26.80.43.43 ℐ r.-v.

LE BRUN DE NEUVILLE
Blanc de blancs *

○   n.c.   70 000   4

On le croirait tout exprès vinifié pour être bu en fin d'après-midi sous un parasol. Pointe d'acidité sans agressivité, frais. (CM.)
➤ Champagne Le Brun de Neuville, rte de Chantemerle, Bethon, 51260 Anglure, tél. 26.80.43.43 ℐ r.-v.

LE BRUN DE NEUVILLE

	n.c.	60 000	

Un groupement de producteurs périphérique qui assemble 3/5ème de chardonnay à 2/5ème de pinot noir pour obtenir un rosé très clair, pétales de rose, teintes, aucunement agressif, à la bouche nette. (CM)

➜ Champagne Le Brun de Neuville, rte de Chantemerle, Bethon, 51260 Anglure, tél. 26.80.48.43 ℃ r.-v.

LE BRUN DE NEUVILLE
Cuvée sélection**

	n.c.	240 000	

Belle réussite de ce groupement de producteurs excentré. Qualité obtenue grâce à 70% de chardonnay (solde : pinot noir). Robe jaune paille, nez de bergamote citronnée, bouche fine, fraîche, équilibrée. (CM)

➜ Champagne Le Brun de Neuville, rte de Chantemerle, Bethon, 51260 Anglure, tél. 26.80.48.43 ℃ r.-v.

PASCAL LECLERC-BRIANT
Spécial Club 1983**

	30 ha	30 000	

Un haut de gamme jeune qui n'a pas encore atteint son apogée, composé d'autant de pinot noir que de chardonnay. Robe d'or vert et nez élégant de pain grillé. Bouche jeune encore réservée et longue. (RM.)

➜ M. Pascal Leclerc-Briant, 204, rue Gaston-Poittevin, Cumières, 51200 Épernay, tél. 26.54.45.33 ℃ r.-v.

PASCAL LECLERC-BRIANT
Cuvée de Réserve

	n.c.	n.c.	

Pascal Leclerc est un personnage dynamique et imaginatif, grand inventeur de cuvées et d'événements. Son brut «sans année» marque par le pinot noir (70%) est typé fruits rouges. Sa corpulence le destine aux repas. (RM.)

➜ M. Pascal Leclerc-Briant, 204, rue Gaston-Poittevin, Cumières, 51200 Épernay, tél. 26.54.45.33 ℃ r.-v.

ABEL LEPITRE
Réserve C - Blanc de blancs 1983**

	n.c.	n.c.	

Quatre grands crus : Avize, Cramant, Le Mesnil, Oger et un premier cru Vertus, se sont donné rendez-vous dans cette bouteille. Il s'agit d'un crémant (quatre atmosphères), information qui ne figure pas sur l'étiquette. Vin épicé, équilibré, civilisé et long avec élégance. (NM.)

➜ Grands Vins Chatellier, 2 et 4, av. du Gal-Giraud, 51055 Reims, tél. 26.85.05.77 ℃ r.-v.

ABEL LEPITRE

	n.c.	n.c.	

Le champagne «courant» de cette maison rémoise; or très classique à l'œil, au nez vif qui s'ouvre dans le verre, il est jeune et équilibré en bouche. Terroir-t-il? (NM)

➜ Grands Vins Chatellier, 2 et 4, av. du Gal-Giraud, 51055 Reims, tél. 26.85.05.77 ℃ r.-v.

ABEL LEPITRE
Cuvée 134 - Blanc de blancs**

	n.c.	n.c.	

Chez Abel Lepitre, le blanc de blancs est baptisé «Cuvée 134». Présentation idoine, nez discret, harmonieux en bouche, avec souplesse et civilité. Un blanc de blancs lisse. (NM.)

➜ Grands Vins Chatellier, 2 et 4, av. du Gal-Giraud, 51055 Reims, tél. 26.85.05.77 ℃ r.-v.

➜ M. Félix Chatellier.

MAILLY-CHAMPAGNE
Cuvée des Échansons*

Gd cru	n.c.	50 000	

Mailly-Champagne, ainsi que son nom le sous-entend vinifie du raisin récolté dans la commune de Mailly classée grand cru. Dans la «Cuvée des Échansons» sont assemblés trois quarts de pinot noir et un quart de chardonnay. La cuvée ne porte pas de millésime car les années 80 et 82 se rejoignent dans la bouteille. Cela se confirme par un bouche ample, ronde, aux arômes de miel. (CM)

➜ Sté des Prod. Mailly-Champagne, Mailly-Champagne, 51500 Rilly-la-Montagne, tél. 26.49.41.10 ℃ r.-v.

MAILLY-CHAMPAGNE
Brut Intégral***

Gd cru	n.c.	35 000	

Une grande bouteille de vin non dosé, c'est-à-dire d'un vin qui doit se défendre tout seul, sans l'aide éventuelle d'une liqueur d'expédition. Seuls les champagnes de haute qualité peuvent tenter ce pari avec panache de cette épreuve. Celui-ci, dans sa robe or-jaune, offre un nez puissant et vineux. En bouche, les 75% de pinot noir s'affirment avec rondeur. Idéal à table. (CM.)

➜ Sté des Prod. Mailly-Champagne, 51500 Rilly-la-Montagne, tél. 26.49.41.10 ℃ r.-v.

MAILLY-CHAMPAGNE*

Gd cru	n.c.	40 000	

Il comprend 9/10ème de pinot noir pour 1/10ème de chardonnay; les pinots sont directement vinifiés en rosé. Il ne porte pas de millésime mais a demeure quatre années sur lattes, c'est-à-dire une cave avant dégorgement. Robe rose pâle un peu ╕ombrée, nez évolué, bouquet tertiaire, bouche équilibrée et longue. (CM.)

➜ Sté des Prod. Mailly-Champagne, 51500 Rilly-la-Montagne, tél. 26.49.41.10 ℃ r.-v.

A. MARGAINE Cuvée Tradition*

	n.c.	55 000	

Mais oui, la Montagne de Reims abrite des chardonnays! On en trouve 85% dans ce vin floral, léger, frais, bien adapté à l'apéritif. (RM.)

➜ Champagne A. Margaine, 3, av. de Champagne, Villers-Marmery, 51380 Verzy, tél. 26.97.92.13 ℃ r.-v.

MARIE-STUART**

	n.c.	150 000	

Les dégustateurs ont bien noté ce vin auquel ils ont attribué une fonction : être bu à table en

complément d'un plat de viande : blanche pour certains, gibier pour d'autres. C'est dire que ce vin a de la rondeur, de la vinosité, des bouquets et des arômes poivrés épicés. (NM.)
• CVC Champagne Marie-Stuart, 8, pl. de la République, 51100 Reims, tél. 26.47.92.26 ℉ r.-v.

MARIE-STUART 1981

n.c.   170 000

Une marque qui rend hommage à Marie Stuart dont la mère a été inhumée à Reims. 81 est un millésime qui commence à se faire rare. Celui-ci n'accuse pas son âge, certains 82 l'ont devancé. Robe claire, nez d'épices (poivre, etc.). Bouche agréable, brève, sans complexité. (NM.)
• CVC Champagne Marie-Stuart, 8, pl. de la République, 51100 Reims, tél. 26.47.92.26 ℉ r.-v.

G.-H. MARTEL Carte d'Or

n.c.   100 000

G.H. Martel est une ancienne maison (1869) rachetée il y a quelques années par B. Rapeneau. Vin vif, floral et végétal doué d'un équilibre nerveux. (NM.)
• Maison du Champ. G.-H. Martel, 4, rue Paul-Bert, B.P. 1011, 51318 Magenta-Epernay Cedex, tél. 26.51.06.33 ℉ r.-v.
• M. E. Rapeneau.

G.-H. MARTEL Aigle d'Or 1982

n.c.   50 000

Les trois cépages champenois collaborent à cette cuvée 82 à la robe or paille tirant sur le jaune soutenu, au nez floral qu'il faut aérer et qui, en bouche, conjugue curieusement verdeur et évolution. (NM.)
• Maison du Champ. G.-H. Martel, 4, rue Paul-Bert, B.P. 1011, 51318 Magenta-Epernay Cedex, tél. 26.51.06.33 ℉ r.-v.

MERCIER**

n.c.   n.c.

On devine sa robe rose aux tons déjà évolués au travers du verre incolore de sa bouteille. Il s'agit d'un vin ample, corpulent, plus puissant que fin, parfait au cours d'un repas. (NM.)
• Champagne Mercier, 75, av. de Champagne, 51200 Epernay, tél. 26.54.71.11 ℉ r.-v.

MERCIER

n.c.   n.c.

Dix-huit kilomètres de caves et le plus gros foudre d'une contenance de deux cent mille bouteilles. Ici, un brut jaune paille au nez plutôt évolué de fruits cuits, voire d'arômes tertiaires et à la bouche solide, virile et puissante. (NM.)
• Champagne Mercier, 75, av. de Champagne, 51200 Epernay, tél. 26.54.71.11 ℉ r.-v.

PIERRE MIGNON Grande Réserve*

n.c.   40 000

Bonne réussite de cette Grande Réserve essentiellement à base de pinot meunier (90%) assisté d'un peu de chardonnay. Elle a toutes les qualités de la bouteille apéritive : légèreté, finesse, fraîcheur : un meunier qui fait mentir sa réputation. (RM.)

• M. Pierre Mignon, 5, rue des Grappes-d'Or, Le Breuil, 51210 Montmirail, tél. 26.59.22.03 ℉ r.-v.

PIERRE MIGNON*

n.c.   10 000

Un rosé pur pinot meunier à comparer avec un autre rosé 100% pinot meunier de la même commune, également sélectionné dans ce guide. Teinte rose vif, nez fruité sans agressivité, attaque franche, équilibre discret. (RM.)
• M. Pierre Mignon, 5, rue des Grappes-d'Or, Le Breuil, 51210 Montmirail, tél. 26.59.22.03 ℉ r.-v.

PIERRE MIGNON Brut Prestige 1983**

n.c.   25 000

Une cuvée de prestige d'un prix attractif, d'une qualité remarquable et qui octroie au pinot meunier les lettres de noblesse qu'il n'a (généralement) pas. La cuvée : 85% pinot meunier, 15% chardonnay. Le résultat : nez fruité, fin, juste évolué comme il le faut. (RM.)
• M. Pierre Mignon, 5, rue des Grappes-d'Or, Le Breuil, 51210 Montmirail, tél. 26.59.22.03 ℉ r.-v.

MOET-ET-CHANDON
Dom Pérignon 1982**

n.c.   n.c.

En 1929, Moët-et-Chandon prépare la cuvée spéciale Dom Pérignon, lancée commercialement en 1936. Blanc de blancs et blanc de noirs s'y conjuguent. Les raisins blancs dominant légèrement les raisins noirs. De fines bulles sillonnent l'or clair, elles persistent dans le cordon. Nez qu'il faut attendre un peu pour qu'il s'exprime, bouche dense. Une étiquette historique pour un champagne de repas. (NM.)
• Champagne Moët-et-Chandon, 20, av. de Champagne, B.P. 140 51200 Epernay Cedex, tél. 26.54.71.11 ℉ r.-v.

MOET-ET-CHANDON
Brut Impérial**

n.c.   n.c.

La bouteille la plus vendue de la plus grande maison de champagne. Un vin fruité, rond, équilibré, qui prend ampleur et puissance dans le verre. Champagne de repas ou de buffet. (NM.)
• Champagne Moët-et-Chandon, 20, av. de Champagne, B.P. 140 51200 Epernay Cedex, tél. 26.54.71.11 ℉ r.-v.

MOET-ET-CHANDON
Brut Impérial 1983*

| | n.c. | n.c. | ↓🍷 |

Un 83 au caractère très accusé. Les dégustateurs le complimentent mais ajoutent : « à réserver à des gens avertis ». Robe or clair-or vert, bouquet tertiaire, bouche équilibrée et bonne finale. (NM.)

☛ Champagne Moët-et-Chandon, 20, av. de Champagne, B.P. 140 51200 Epernay Cedex, tél. 26.54.71.11 ⬫ r.-v.

MOET-ET-CHANDON
Brut Impérial 1983*

| | n.c. | n.c. | ↓🍷 |

1983, un millésimé normal, ni grand ni petit. Ce rosé a une robe normale, plutôt rose clair à reflets jaunes, un nez normal donc accusant son âge et une bouche normale, c'est-à-dire structurée plutôt dense. Un vin de repas. (NM.)

☛ Champagne Montaudon, 6, rue Ponsardin, 51100 Reims, tél. 26.47.53.30 ⬫ r.-v.

MONTAUDON*

| | n.c. | n.c. | ▾🍷 |

Un bon « brut sans année » au nez de pêches, de fruits secs mais particulièrement rond et structuré en bouche. Franc de goût, il pourrait être plus long mais l'ensemble est élégant. (NM.)

☛ Champagne Montaudon, 6, rue Ponsardin, 51100 Reims, tél. 26.47.53.30 ⬫ r.-v.

MONTAUDON Grande Rose 1982**

| | n.c. | n.c. | ▾🍷 |

L'étiquette est apposée sur une belle bouteille. La rosace de la cathédrale de Reims annonce un champagne rosé or-pelure d'oignon au nez très fin faisant songer aux feuilles séchées fumées. A la dégustation, harmonieux et aérien. Gaz parfaitement intégré. (NM.)

☛ Champagne Montaudon, 6, rue Ponsardin, 51100 Reims, tél. 26.47.53.30 ⬫ r.-v.

MOUTARD PERE ET FILS 1976*

| | n.c. | 15 000 | 🄴 |

Ce vénérable qui doit beaucoup au pinot « bulle » comme un jeune homme d'or aux reflets verts. Nez, quelque peu ridé, bouche sans lèvres charnues. Longévité remarquable. (RM.)

☛ MM. Moutard Père et Fils, Buxeuil, 10110 Bar-sur-Seine, tél. 25.38.50.73 ⬫ l.j.j dim. 8h30-12h 14h-19h.

MOUTARD PERE ET FILS**

| | n.c. | 100 000 | ▾🄳 |

Bel exemple de vin évolué réservé aux amateurs de champagne avertis. Ocre doré, il exprime des arômes de pain grillé. Puissant avec un bon équilibre alcool-acide, il finit en finesse avec une dominante de fruits confits. (RM.)

☛ MM. Moutard Père et Fils, Buxeuil, 10110 Bar-sur-Seine, tél. 25.38.50.73 ⬫ l.j.j sf dim. 8h30-12h 14h-19h.

JEAN MOUTARDIER
Brut Sélection*

| | 2,50 ha | 30 000 | 🍴▾🄳 |

Nos dégustateurs voient ce Brut Sélection accompagner un repas en sauce, un canard à l'orange, etc. Pourquoi ? Un nez dominé par les raisins noirs, une bouche très ronde et généreuse l'expliquent. Les deux tiers de pinot noir ne sont pas étrangers à la vinosité de ce champagne. (RM.)

☛ M. Jean Moutardier, Le Breuil, 51210 Montmirail, tél. 26.59.21.09 ⬫ r.-v.

JEAN MOUTARDIER Carte d'Or

| | 10 ha | 70 000 | 🍴▾🄳 |

Le Breuil est quelque peu excentré mais le pinot meunier s'y plaît. On en trouve 80% dans cette Carte d'Or vendue à un prix très attractif. Dans sa robe or plombé, les bulles paraissent. Son bouquet de pain grillé est évolué. En bouche, des arômes de coing confirment cette évolution. (RM.)

☛ M. Jean Moutardier, Le Breuil, 51210 Montmirail, tél. 26.59.21.09 ⬫ r.-v.

JEAN MOUTARDIER Carte d'Or

| | 1 ha | 15 000 | 🍴▾🄳 |

Un rosé qui intéressera tous les amateurs de cépages puisqu'il naît de la vinification du pinot meunier seul. Robe intense et violacée, nez vineux, bouche équilibrée. (RM.)

☛ M. Jean Moutardier, Le Breuil, 51210 Montmirail, tél. 26.59.21.09 ⬫ r.-v.

MUMM Cordon Rouge

| | n.c. | n.c. | 🍴▾🄶 |

Pas moins d'une quarantaine de crus et bien entendu les trois cépages champenois collaborent à la célèbre cuvée Cordon Rouge. Robe pâle, nez discret, bouche équilibrée sans dominante. Un « brut sans année » classique. (NM.)

☛ MM. G.-H. Mumm et Cie, 29, rue Chp-de-Mars, BP 2712, 51053 Reims Cedex, tél. 26.42.22.73 ⬫ r.-v.

MUMM Mumm de Mumm 1982**

| | n.c. | n.c. | 🍴▾🄷 |

La nouvelle cuvée de prestige de Mumm proposée dans un élégant flacon habillé d'une sobre étiquette. Sa robe or soutenu laisse deviner un champagne ample. Bouquet développé empreint de vinosité, impression confirmée à la dégustation. La cuvée comprend presque autant de pinot noir que de chardonnay. Vinifié pour accompagner les repas de qualité. (NM.)

☛ MM. G.-H. Mumm et Cie, 29, rue Chp-de-Mars, BP 2712, 51053 Reims Cedex, tél. 26.42.22.73 ⬫ r.-v.

MUMM Mumm de Cramant***

| Gd cru | 220 ha | n.c. | 🍴▾🄷 |

Remplace le très célèbre crémant de cramant de Mumm, un blanc de blanc monocru de la commune de Cramant classée grand cru. Un chef-d'œuvre absolu. Or blanc très pâle, bouquet empyreumatique foin séché-pain grillé, parfaite intégration du gaz carbonique en bouche. Para-

Champagne

doxalement, de grande sapidité et d'extrême finesse. Un champagne de classe. (NM.)

➤ MM. G.-H. Mumm et Cie, 29, rue Chp-de-Mars, BP 2712, 51053 Reims Cedex, tél. 26.40.22.73 ⛾ r.-v.

NOMINE-RENARD**

○   n.c.   140 000

Villerenard est quelque peu excentré mais les trois cépages champenois en parts égales y produisent un très bon « brut sans année », fin, équilibré et de bonne longueur. Excellent rapport qualité/prix. (RM.)

➤ Champagne Nominé-Renard, rue Vigne-l'Abbesse, Villevenard, 51270 Montmort, tél. 26.52.82.60 ⛾ t.l.j. sf dim. 8h-18h.

CHARLES ORBAN Spécial Club 1982

○   n.c.   7 000

80% de pinot meunier allégé de 20% de chardonnay dans cette cuvée spéciale du club des vignerons champenois. La robe d'or pur est couronnée d'un cordon tenace. Nez délicat de lierre, chèvrefeuille et floral, suivi d'une bouche directe et brève. (RM.)

➤ M. Charles Orban, 44, rte de Paris, Troissy, 51700 Dormans, tél. 26.50.70.05 ⛾ r.-v.

OUDINOT**

○   n.c.   200 000

Bulles et mousse fines, robe gaie, or vert pâle, nez riche et subtil annonçant une bouche fraîche et équilibrée. (NM.)

➤ Champagne Oudinot, 12, rue Godart-Roger, 51200 Epernay, tél. 26.54.60.31 ⛾ r.-v.

OUDINOT Blanc de blancs 1982*

○   n.c.   50 000

Une cuvée spéciale blanc de blancs, ce qui n'est pas surprenant si l'on sait que Oudinot-Trouillard dispose d'excellents vignobles dans la Côte des Blancs. A l'œil, ce champagne se présente parfaitement. Au nez, finesse et complexité, caractères que l'on retrouve dans une bouche où la finesse devient légèreté. (NM.)

➤ Champagne Oudinot, 12, rue Godart-Roger, 51200 Epernay, tél. 26.54.60.31 ⛾ r.-v.

BRUNO PAILLARD Blanc de blancs 1983*

○   n.c.   n.c.

Une étiquette originale reproduisant une peinture spécialement exécutée pour ce vin sur le thème de l'équilibre. Porté également sur l'étiquette, la date du dégorgement (janvier 1988). Et le vin ? Une robe très claire, un nez fin mais qui ne donne pas beaucoup de caractère au visage

dont la bouche souriante est trop vite oubliée. (NM.)

➤ Champagne Bruno Paillard, rue Jacques-Maritain, 51100 Reims, tél. 26.36.20.22 ⛾ r.-v.

BRUNO PAILLARD**

○   n.c.   60 000

Douze villages, deux millésimes (on dit deux années en Champagne ce qui est plus exact). 85% de pinot noir et 15% de chardonnay forment la cuvée rose soutenu presque évolué, logée dans une bouteille incolore. Nez de fruits rouges, bouche de fruits rouges, corpulence et puissance pour accompagner une volaille. (NM.)

➤ Champagne Bruno Paillard, rue Jacques-Maritain, 51100 Reims, tél. 26.36.20.22 ⛾ r.-v.

BRUNO PAILLARD 1979*

○   n.c.   n.c.

Quand on achète un vieux champagne, il faut qu'il soit récemment dégorgé. Si la date de cette opération est indiquée, c'est encore mieux. Bruno Paillard satisfait ces deux desiderata. Son 1979 80% chardonnay est net, précis, ample et long. Excellent au cours d'un repas. (NM.)

➤ Champagne Bruno Paillard, rue Jacques-Maritain, 51100 Reims, tél. 26.36.20.22 ⛾ r.-v.

PALMER Blanc de blancs 1983**

○   n.c.   n.c.

A l'œil une journée printanière ensoleillée, au nez un léger brouillard, en bouche le plein été. (CM.)

➤ Champagne Palmer et Cie, 67, rue Jacquart, 51100 Reims, tél. 26.07.35.07 ⛾ r.-v.

PALMER**

○   n.c.   350 000

Avec ses 50% de chardonnays, ce « brut sans année » est l'un des plus intéressants que l'on puisse trouver. Son très faible dosage le destine aux vrais amateurs de champagne. Finesse, élégance, équilibre. Parfait à l'apéritif et en début de repas. (CM.)

➤ Champagne Palmer et Cie, 67, rue Jacquart, 51100 Reims, tél. 26.07.35.07 ⛾ r.-v.

PALMER Récemment Dégorgé 1979

○   n.c.   n.c.

Lorsqu'on débouche une bouteille de 1979, le silence se fait. On chuchotte. Par respect ou parce que l'on prend des nouvelles d'un malade fatigué ? « Il bulle encore », dit l'un. « Oui mais sa robe tire sur l'orange » dit l'autre. « Superbe à table », complète le troisième. (CM.)

➤ Champagne Palmer et Cie, 67, rue Jacquart, 51100 Reims, tél. 26.07.35.07 ⛾ r.-v.

PALMER Brut 1982*

○   n.c.   n.c.

50% de chardonnay, 40% de pinot noir, 10% de pinot meunier pour une robe aux reflets dorés, pour un nez pas trop discret mais pour une bouche aussi équilibrée que fraîche et élégante. (CM.)

➤ Champagne Palmer et Cie, 67, rue Jacquart, 51100 Reims, tél. 26.07.35.07 ⛾ r.-v.

PANNIER Carte Noire*

n.c.   280 000   ▮▮▮▮5

Le pinot meunier s'affirme dans cette cuvée à la robe blonde pâle, au nez fin et végétal nuancé de ferments et dont la bouche s'avère fine, nerveuse et de bonne longueur. Dosage réussi. (CM.)
↪ Champagne Pannier, 23, rue Roger-Catillon, 02400 Château-Thierry, tél. 23.69.13.10 r.-v.

PANNIER 1983**

n.c.   80 000   ▮▮▮▮4

Extraordinaire réussite d'un vin de meunier (90%) du Nord de la Vallée de la Marne. Les dégustateurs l'ont trouvé élégant, bien équilibré avec de la mâche et un corps bien fait. (CM.)
↪ Champagne Pannier, 23, rue Roger-Catillon, 02400 Château-Thierry, tél. 23.69.13.10 r.-v.

JOSEPH PERRIER Cuvée Royale - Blanc de blancs

n.c.   30 000   ▮▮▮▮5

Beau travail de la maison Joseph Perrier qui présente un vin à la robe jaune mais au nez déjà évolué de miel, de tilleul et qui en bouche s'avère fin, fruité, délicat et élégant. (NM.)
↪ Champ J. Perrier Fils et Cie, 69, av. de Paris, B.P. 31, 51000 Châlons-sur-Marne, tél. 26.68.29.51 r.-v.

JOSEPH PERRIER Cuvée Royale***

n.c.   500 000   ▮▮▮▮6

Les trois cépages collaborent à égalité dans ce champagne qui envoie ses dégustateurs au septième ciel. Ils aiment ses arômes de noisette grillée tout en distinction. Ils le trouvent rond, équilibré, ample, fin, franc, etc. «Le champagne, rien ne peut le remplacer», écrit l'un d'eux. (NM.)
↪ Champ. J. Perrier Fils et Cie, 69, av. de Paris, B.P. 31, 51000 Châlons-sur-Marne, tél. 26.68.29.51 r.-v.

Maison fondée en 1625

La Cave Perrier fils & Co., Châlons-sur-Marne

CHAMPAGNE
Cuvée Royale

PRODUCE OF FRANCE
As supplied to
Their late Majesties
QUEEN VICTORIA
& KING EDWARD VII
75cl.

JOSEPH PERRIER Cuvée Royale 1982*

n.c.   150 000   ▮▮▮▮5

Avec autant de pinot que de chardonnay, la Cuvée Royale de Joseph Perrier brille dans une robe or soutenu. Nez d'arômes tertiaires marqué par un pinot évolué. Bouche d'agrumes tendant vers le confit. Champagne de repas. (NM.)
↪ Champ. J. Perrier Fils et Cie, 69, av. de Paris, B.P. 31, 51000 Châlons-sur-Marne, tél. 26.68.29.51 r.-v.

PERRIER-JOUET Grand Brut*

n.c.   215 000   ▮▮▮▮5

L'air du champagne est cultivé chez Perrier-Jouet depuis 1811. Ce Grand Brut à la robe d'or claire est doté d'un nez fin et élégant. Après une attaque nette, il montre un bel équilibre acidité-dosage et une bonne persistance. (NM.)
↪ Champagne Perrier-Jouet, 28, av. de Champagne, B.P. 31, 51201 Epernay Cedex, tél. 26.55.20.53 r.-v.
↪ Seagram.

PERRIER-JOUET Belle Epoque 1982*

n.c.   478 371   ▮▮▮▮7

Aux cires de nombreux consommateurs, c'est la plus belle bouteille de champagne dessinée en 1902 par le génial Gallé. Elle contient 45% de blanc de blancs (chardonnay) des grands crus de Cramant et d'Avize et 55% de pinot noir meunier, dont des «grands noirs» d'Aÿ, de Mailly et Verzenay, des grands crus. Robe or pâle, cordon persistant... nez fin qui s'ouvre et bouche fruitée (fraise). Un 82 d'une extrême jeunesse. (NM.)
↪ Champagne Perrier-Jouet, 28, av. de Champagne B.P. 31, 51201 Epernay Cedex, tél. 26.55.20.53 r.-v.
↪ Seagram.

PERRIER-JOUET Brut 1982*

n.c.   419 371   ▮▮6

Perrier-Jouet assemble un tiers de chardonnay et deux tiers de pinots dans sa cuvée millésimée. En dépit de tous ces raisins noirs, la mélodie est claire, aérienne. Elle varie peu mais on l'écoute agréablement. Elle ne lasse pas. (NM.)
↪ Champagne Perrier-Jouet, 28, av. de Champagne, B.P. 31, 51201 Epernay Cedex, tél. 26.55.20.53 r.-v.

H. PETITJEAN Carte d'Or - Brut Réserve

n.c.   50 000   4

Teinte légèrement plombée, belle mousse, cordon tenace. Nez discret mais fin, bouche fruitée s'aligne par une pointe d'acidité et d'astringence comme un péché de jeunesse. (RM.)
↪ Champagne H. Petitjean et Cie, pl. Baracourt, Ambonnay, 51150 Tours-sur-Marne, tél. 26.57.01.26 t.l.j. 9h-12h 14h-18h; sur r.-v. week-end

H. PETITJEAN Carte d'Or - Crémant

n.c.   50 000   4

4/10ème de pinot noir, 4/10ème de chardonnay et 2/10èmes de pinot meunier, telle est la recette de ce brut réserve équilibré mais au caractère évolué. (NM.)
↪ Champagne H. Petitjean et Cie, pl. Baracourt, Ambonnay, 51150 Tours-sur-Marne, tél. 26.57.01.26 t.l.j. 9h-12h 14h-18h; sur r.-v. week-end

H. PETITJEAN Carte d'Or - Brut Tradition

n.c.   10 000   ▮▮5

Sa robe soutenue laisse augurer un vin évolué. Il l'est avec puissance et rondeur. Un surdosage le cache. (NM.)

Champagne

☛ Champagne H. Petitjean et Cie, pl. Barancourt, Ambonnay, 51150 Tours-sur-Marne, tél. 26.57.01.26 ☎ t.l.j. 9h-12h 14h-18h ; sur r.-v. le week-end

PIPER-HEIDSIECK Rare 1979 ★★★

○   n.c.   150 000   ☷ ↓ ∨ 7

Incroyablement frais ce 79, le plus jeune, le plus inaltérable de toute la Champagne. Et l'un des plus fins, l'un des plus distingués, l'un des plus élégants. Ne s'adresse qu'à ceux qui aiment Mozart et Watteau. (NM.)

☛ Champagne Piper-Heidsieck, 51, bd Henri-Vasnier, 51100 Reims, tél. 26.85.01.94 ☎ r.-v.

PIPER-HEIDSIECK 1982 ★★

○   n.c.   260 000   ☷ ↓ ∨ 7

Un blanc de noirs rosifié par adjonction de vin rouge champenois à la robe rose orangé clair dont le fruité framboisé est parfaitement mis en valeur par la finesse de bulles totalement intégrées au vin en bouche. (NM.)

☛ Champagne Piper-Heidsieck, 51, bd Henri-Vasnier, 51100 Reims, tél. 26.85.01.94 ☎ r.-v.

PIPER-HEIDSIECK Brut Extra 1982 ★★★

○   n.c.   450 000   ☷ ↓ ∨ 6

Trois parts de chardonnay pour deux parts de pinot noir dans cette robe d'or pâle continuellement zébrée de fines bulles. Un champagne qui marie les contraires : précision, netteté, droiture mais aussi ampleur et rondeur. Finale remarquable, dosage parfait, invisible. (NM.)

☛ Champagne Piper-Heidsieck, 51, bd Henri-Vasnier, 51100 Reims, tél. 26.85.01.94 ☎ r.-v.

PIPER-HEIDSIECK Brut Sauvage 1982 ★

○   n.c.   140 000   ☷ ↓ ∨ 7

Bouteille très foncée, étiquette sobre d'une grande élégance et champagne spécial puisque non dosé. La composition de la cuvée ressemble à celle du Brut Extra 82. Ce champagne démontre que l'équilibre ne repose pas obligatoirement par le dosage. A essayer absolument avec un repas d'extrême finesse. (NM.)

☛ Champagne Piper-Heidsieck, 51, bd Henri-Vasnier, 51100 Reims, tél. 26.85.01.94 ☎ r.-v.

POL-ROGER ★

○   n.c.   1 000 000   ☷ ↓ ∨ 5

Un bon « sans année » dans la tradition champenoise : bulles parfaites, cordon persistant, robe paille aux reflets verts. Le nez est fruité, nuancé d'agrumes et de miel, très frais, autant que sa bouche longue et équilibrée. (NM.)

☛ Champagne Pol-Roger SA, 1, rue H.-Lelarge, B.P. 199, 51206 Epernay Cedex, tél. 26.55.41.95 ☎ r.-v.

POL-ROGER 1982

○   n.c.   450 000   ☷ ↓ ∨ 6

Hors cotes et hors normes, le 82 Pol-Roger. Les Anglo-Saxons l'aimeront car les 60% de pinots noirs prélevés dans 18 crus, ont fait du chemin depuis 1982. Néanmoins, dosage perceptible. (NM.)

CHAMPAGNE
Pol Roger & Cⁱᵉ
Epernay
FRANCE
PRODUCE OF FRANCE
R.H. 3.536.312 ☐ 75cl
ROSÉ

☛ Champagne Pol-Roger SA, 1, rue H.-Lelarge, B.P. 199, 51206 Epernay Cedex, tél. 26.55.41.95 ☎ r.-v.

POL-ROGER 1982 ★★★

○   n.c.   80 000   ☷ ↓ ∨ 6

Un modèle d'entre les modèles, une recette archi-classique. 3/4 de pinot noir pour 1/4 de chardonnay et, un peu de Bouzy rouge pour la belle couleur pétale de rose ; beau nez au fruité fumé ; belle bouche suprême de finesse et de distinction. (NM.)

☛ Champagne Pol-Roger SA, 1, rue H.-Lelarge, B.P. 199, 51206 Epernay Cedex, tél. 26.55.41.95 ☎ r.-v.

POL-ROGER « PR » 1982 ★★

○   n.c.   50 000   ☷ ↓ ∨ 7

Une cuvée de prestige, logée dans une bouteille de forme champenoise « normale », parée d'une étiquette transparente. Blanc de blancs et blanc de noirs se marient à parts égales dans la cuvée « PR ». La fraîcheur du bouquet confirme l'or vert de la robe, et la bouche offre une gamme d'arômes nuancés de belle longueur. (NM.)

☛ Champagne Pol-Roger SA, 1, rue H.-Lelarge, B.P. 199, 51206 Epernay Cedex, tél. 26.55.41.95 ☎ r.-v.

POL-ROGER Chardonnay 1982 ★★

○   n.c.   80 000   ☷ ↓ ∨ 6

Chez Pol-Roger, le blanc de blancs (et pas que lui) est toujours exceptionnellement réussi. Cela s'explique puisque les grappes de chardonnay sont cueillies à Cramant, au Mesnil, à Oger, à Avize et Cuis : quatre grands crus, un 1ᵉʳ cru ! Vin parfait à l'œil, fin et floral au nez. Bouche dominée par l'élégance. (NM.)

☛ Champagne Pol-Roger SA, 1, rue H.-Lelarge, B.P. 199, 51206 Epernay Cedex, tél. 26.55.41.95 ☎ r.-v.

POMMERY Louise Pommery 1981 ★

○   n.c.   200 000   ☷ ↓ ∨ 7

Cette cuvée spéciale est dédiée à madame Louise Pommery, l'une des deux veuves les plus célèbres de Champagne. Ce millésimé 81 comprend environ deux tiers de chardonnay d'Avize et de Cramant grands crus et un tiers de pinot noir d'Ay, grand cru également. Sa robe or soutenu annonce un champagne solide et corpulent, caractères qui le destinent à l'accompagnement de plats savoureux. (NM.)

Champagne Pommery et Greno, 5, pl. du Gal-Gourand, 51053 Reims Cedex, tél. 26.05.05.01 ☖ r.-v.

POMMERY Louise Pommery 1982**

n.c.   20 000

Un rosé de caractère qui suscite beaucoup de commentaires. Le vin naît d'une légère macération d'Ay assemblé à des vins issus des vignobles Pommery d'Ay, Cramant et Avize. «Un vin qui en contient beaucoup», parfait à table. (NM.)

Champagne Pommery et Greno, 5, pl. du Gal-Gourand, 51053 Reims Cedex, tél. 26.05.05.01 ☖ r.-v.

POMMERY**

n.c.   200 000

Un rosé qui ne peut laisser indifférent, avec un caractère bien trempé dominé par un fruité exubérant de fruits rouges (framboise) et par une puissance ravageuse. Tout près du coup de cœur. (NM.)

Champagne Pommery et Greno, 5, pl. du Gal-Gourand, 51053 Reims Cedex, tél. 26.05.05.01 ☖ r.-v.

POMMERY**

n.c.   6 000 000

Deux petits tiers de pinot noir et de chardonnay complétés par le pinot meunier sont à l'origine d'une cuvée très bien décrite par les dégustateurs : «fin et léger au nez, riche, fruité, persistant en bouche. Une belle harmonie signe ce champagne de caractère». (NM.)

Champagne Pommery et Greno, 5, pl. du Gal-Gourand, 51053 Reims Cedex, tél. 26.05.05.01 ☖ r.-v.

R. RENAUDIN

n.c.   30 000

Quatre parts de pinot noir et une de chardonnay pour un rosé très clair au nez fruité chuchotant, fin mais démesurément souple. (NM.)

Champagne R. Renaudin, Dom. des Conardins, Moussy, 51200 Epernay, tél. 26.54.03.41 ☖ r.-v.

R. RENAUDIN Brut Réserve*

n.c.   6 000 000

Un «sans année» qui pourrait dater de 1983? Bel aspect or blanc strié de bulles très fines et bien renouvelées. Bouquet fumé, attaque souple, vin civilisé, presque trop. (NM.)

Champagne R. Renaudin, Dom. des Conardins, Moussy, 51200 Epernay, tél. 26.54.03.41 ☖ r.-v.

R. RENAUDIN Grande Réserve*

n.c.   50 000

Robe claire, très claire, or blanc, bouquet de pommes. Bien construit et rond, il est né de 50% de chardonnay et 50% de pinot noir et de pinot meunier. (NM.)

Champagne R. Renaudin, Dom. des Conardins, Moussy, 51200 Epernay, tél. 26.54.03.41 ☖ r.-v.

RUINART Dom Ruinart 1979*

n.c.

Un vieux millésime plein de jeunesse. Rosé soutenu fruité-pain d'épice à la bouche généreusement fruitée quoique virile. De la corpulence dans son apogée. Rosé de repas. (NM.)

Champagne Ruinart, 4, rue des Crayères, 51100 Reims, tél. 26.85.40.29 ☖ r.-v.

RUINART Dom Ruinart - Blanc de blancs 1981**

n.c.

La maison doyenne (fondée en 1729) propose depuis plusieurs années un blanc de blancs cuvée de prestige toujours millésimée, logée dans une bouteille spéciale de style ancien. Un vin spirituel, fin, légèrement fumé, à la bouche fruitée, fruits rouges, fraise des bois, destiné à l'apéritif et au début de repas. (NM.)

Champagne Ruinart, 4, rue des Crayères, 51100 Reims, tél. 26.85.40.29 ☖ r.-v.

RUINART «R» de Ruinart*

n.c.

Depuis 1729 on n'a pas perdu la main chez Ruinart, la plus ancienne maison de champagne. «R», un vin équilibré, aux flaveurs complexes et intéressantes. (NM.)

Champagne Ruinart, 4, rue des Crayères, 51100 Reims, tél. 26.85.40.29 ☖ r.-v.

RUINART «R» de Ruinart 1982***

n.c.

Du très beau travail, cette cuvée millésimée 82 de Ruinart. Une pluie de compliments : «robe paille et brillante, nez intéressant s'orientant vers un bouquet tertiaire, bouche équilibrée de style évolue pour Anglo-Saxons». (NM.)

LOUIS ROEDERER Brut Premier*

n.c.   1 500 000

Roederer, fondé en 1776, assemble deux tiers de pinot noir et un tiers de chardonnay, des vins récents et des vins de réserve conservés en foudres de chêne. Brut Premier à la belle robe d'or pâle, au nez puissant et boisé, offre une bouche jeune, équilibrée, brève. (NM.)

Champagne Louis Roederer, 21, bd Lundy, 51100 Reims, tél. 26.40.42.11 ☖ r.-v.

LOUIS ROEDERER Cristal 1982**

n.c.   500 000

Cette bouteille de Cristal Roederer est incolore, er souvenir d'un illustre client, le tsar Alexandre II, mais elle est toujours enveloppée d'un papier cellophane orangé pour la protéger de la lumière si néfaste au champagne. La cuvée se compose de pinot noir et de chardonnay en parts égales. Finesse, fruité, complexité, équilibre, richesse, harmonie, dosage sensible, telles sont les impressions exprimées par les dégustateurs à l'égard de ce très beau vin. (NM.)

Champagne Louis Roederer, 21, bd Lundy, 51100 Reims, tél. 26.40.42.11 ☖ r.-v.

de chardonnay à la robe saumon au nez fruité de fraise, framboise, d'amande et de miel. Bouche ronde, équilibrée. (MA.)

⮩ Sté Bauchet Frères, rue de la Crayère, Bisseuil, 51150 Tours-sur-Marne, tél. 26.58.92.12 ℤ r.-v.
⮩ Sté Clos Babot.

SAINT-NICAISE Prestige 1979* ☑5

○   n.c.   10 000

La cuvée de prestige de cette marque d'acheteur qui vend le champagne produit par une famille de récoltants manipulants. Un champagne issu de pinot noir et de chardonnay habillé d'or jaune à la jolie mousse qui se résorbe en un cordon tenace. Bouquet évolué, moelleux, bouche dans le même esprit, d'une étoffe un peu courte mais équilibrée. (MA.)

⮩ Sté Bauchet Frères, rue de la Crayère, Bisseuil, 51150 Tours-sur-Marne, tél. 26.58.92.12 ℤ r.-v.

SECONDE-PREVOTEAU Fleuron de France* ▮☑5

○   n.c.   n.c.

Beaucoup de pinot noir (85%) récolté dans la commune d'Ambonnay donne naissance à un vin or pâle parfaitement équilibré, destiné à l'apéritif. (NM.)

⮩ SA Champ. A. Secondé-Prévoteau, 2, rue du Château, Ambonnay, 51150 Tours-sur-Marne, tél. 26.57.01.59 ℤ r.-v.

SECONDE-PREVOTEAU Princesses de France* ▮☑5

○   n.c.   n.c.

Du pinot noir, du chardonnay et du vin rouge d'Ambonnay pour la teinte (et le goût). Un rosé de robe orangée abricot constellée de bulles très fines. Nez vineux et bouche très pleine. (NM.)

⮩ SA Champ. A. Secondé-Prévoteau, 2, rue du Château, Ambonnay, 51150 Tours-sur-Marne, tél. 26.57.01.59 ℤ r.-v.

SECONDE-PREVOTEAU Princesses de France* ☑5

○   n.c.   6 000

Autant de pinots noirs que de chardonnays dans ce «brut sans année» au nez puissant et fruité, à la bouche nerveuse, équilibrée. Un vin agréable. (NM.)

⮩ SA Champ. A. Secondé-Prévoteau, 2, rue du Château, Ambonnay, 51150 Tours-sur-Marne, tél. 26.57.01.59 ℤ r.-v.

JACQUES SELOSSE Blanc de blancs** ⦾☑4

○   n.c.   n.c.

L'un des rares blancs de blancs au caractère affirmé. Tous les dégustateurs ont repéré le boisé dû à l'élevage en fûts. «Arômes très riches, puissant et long, un grand vin réservé aux amateurs.» (RM.)

⮩ Champagne Jacques Selosse, rue Ernest-Valle, 51190 Avize, tél. 26.57.53.56 ℤ r.-v.
⮩ M. Anselme Selosse.

JACQUES SELOSSE Blanc de blancs 1982** ⦾☑5

○ Gd cru   n.c.   n.c.

Les dégustateurs ont été sensibles à la touche

RUINART «R» de Ruinart ☑6

○   n.c.   n.c.

Un rosé très doré, jaune orangé, qui a déjà parcouru un long chemin mais conserve un certain moelleux. Bien équilibré, puissant, long, il est parfait pour un palais anglo-saxon. (NM.)

⮩ Champagne Ruinart, 4, rue des Crayères, 51100 Reims, tél. 26.85.40.29 ℤ r.-v.

DE SAINT-GALL Cuvée Orpale 1981** ▮↓☑6

○   n.c.   n.c.

Union-Champagne vinifie parfaitement des vins de haute qualité pour de grandes maisons. Elle a créé sa propre marque de Saint-Gall qui propose cinq champagnes dont un haut de gamme toujours millésimé et toujours blanc de blancs : la Cuvée Orpale logée dans une bouteille spéciale. La robe or vert est particulièrement brillante, nez fin d'agrumes, touche citronnée que l'on retrouve en bouche. (CM.)

⮩ Union-Champagne, 7, rue Pasteur, B.P. 19, 51190 Avize, tél. 26.57.94.22 ℤ r.-v.

DE SAINT-MARCEAUX* ↓☑6

○   n.c.   n.c.

60% de pinot noir des grands crus d'Aÿ, Verzenay, Bouzy et Louvois, 25% de chardonnay d'Avize, de Chigny, etc., et 15% de vin rouge de Bouzy (grand cru). Faire le champagne et le laisser vieillir trois ans sur lattes (non dégorgé) : telle est la recette du Saint-Marceaux rosé au nez fumé de thé et de résine ; imposant en bouche. (NM.)

⮩ Grands Vins Chatellier, 2 et 4, av. du Gal-Giraud, 51055 Reims, tél. 26.85.05.77 ℤ r.-v. Rosé de repas fins.

DE SAINT-MARCEAUX Brut Extra Quality* ☑5

○   n.c.   n.c.

Il n'y a que 30% de chardonnay dans cette cuvée et pourtant on décèle sa présence au nez et en bouche. Un bon «brut sans année» classique un peu évolué, équilibré avec une longue finale florale. (NM.)

⮩ Grands Vins Chatellier, 2 et 4, av. du Gal-Giraud, 51055 Reims, tél. 26.85.05.77 ℤ r.-v.

SAINT-NICAISE Cuvée Brut Rosé* ☑5

○   35 ha   10 000

Société familiale créée en 1960 par trois frères qui ne vendent que leur récolte curieusement sous ce que l'on appelle une marque d'acheteur (seul MA de ce guide). Bon rosé de pinot noir et

boisée de ce vin. Cette vinification est l'œuvre d'un vigneron passionné. Elle ne s'adresse qu'aux amateurs avertis. Une bouteille remarquable, de grand caractère. (RM.)
→ Champagne Jacques Selosse, rue Ernest-Valle, 51190 Avize, tél. 26.57.53.56 ☎ r.-v.
→ M. Anselme Selosse.

TAITTINGER Brut 1982***

| | n.c. | 410 000 |

Un moment de bonheur pour les dégustateurs puisque ce champagne est mieux qu'excellent : il est intéressant. Passons sur son aspect naturellement irréprochable, sur son nez fin, subtil mais aussi paradoxalement rond, pour en arriver à sa bouche qui est en même temps fraîche et complexe, fine et charpentée, pleine et élégante. (NM.)
→ Champagne Taittinger, 9, pl. Saint-Nicaise, 51100 Reims, tél. 26.85.45.35 ☎ r.-v.

TAITTINGER Brut Réserve*

| | n.c. | 3 280 000 |

Le champagne le plus vendu de cette grande et ancienne maison rémoise. La mousse apaisée, demeure la belle teinte or de la robe. Deux tiers de pinot en un tiers de chardonnay s'expriment discrètement au nez et plus fortement dans une bouche pleine et longue. (NM.)
→ Champagne Taittinger, 9, pl. Saint-Nicaise, 51100 Reims, tél. 26.85.45.35 ☎ r.-v.

TARLANT Prestige 1983**

| | n.c. | 4 500 |

Une bonne cuvée spéciale d'or zébrée de bulles minuscules bien renouvelées pour former un cordon tenace et dont le bouquet discrètement floral (petites fleurs blanches) brille par sa finesse. En bouche, la rondeur ne nuit pas à la nervosité. (RM.)
→ MM. J.-M. et G. Tarlant, rue Principale, Oeuilly, 51200 Epernay, tél. 26.58.30.60 ☎ r.-v.

TARLANT*

| | n.c. | n.c. |

Tous les dégustateurs sont tombés d'accord : voilà un vrai champagne de repas. Or vert, son nez est fin malgré sa puissance. La bouche a peut-être un peu désorienté, «taillée dans la masse», écrit l'un de nos jurés, avec un goût de pain grillé plus classique. Un vin non typique mais de construction intéressante. (RM.)
→ MM. J.-M. et G. Tarlant, rue Principale, Oeuilly, 51200 Epernay, tél. 26.58.30.60 ☎ r.-v.

TARLANT 1982*

| | n.c. | 4 500 |

Une bouteille sans histoire d'un vin d'un excellent millésime. Belle robe pelure d'oignon très clair, nez fruité préfaçant une bouche droite, franche, directe. (RM.)
→ MM. J.-M. et G. Tarlant, rue Principale, Oeuilly, 51200 Epernay, tél. 26.58.30.60 ☎ r.-v.

DE VENOGE Cordon Bleu

| | n.c. | n.c. |

La «Targue» Cordon Bleu a été déposée en 1864! La cuvée se composait-elle comme aujourd'hui d'une petite moitié de pinot noir, d'un quart de chardonnay et d'un quart de pinot meunier? Equilibre, structure, fin. (NM.)
→ Champagne De Venoge, 30, av. de Champagne, 51200 Epernay, tél. 26.55.01.01 ☎ r.-v.

JACQUES SELOSSE
Brut 0% - Blanc de blancs

| | n.c. | |

Tous les champagnes signés Jacques Selosse ont du caractère. Ce jeune vigneron (en fait, il se nomme Anselme Selosse) recherche la difficulté : loger son vin dans du bois et s'interdire la facilité du dosage. Ce brut 0% blanc de blancs porte une robe paille soutenue. Son bouquet empyreumatique évoque un chemin de crête tracé avec finesse et précision. (RM.)
→ Champagne Jacques Selosse, rue Ernest-Valle, 51190 Avize, tél. 26.57.53.56 ☎ r.-v.

TAILLEVENT*

| | n.c. | n.c. |

70% de chardonnay et 30% de pinot noir composent cet assemblage de vin de 1985 (sans doute) équilibré, ample, curieusement faible en gaz carbonique. A servir à table. (NM.)
→ Taillevent Champagne SARL, Dom. des Conardins, Moussy, 51200 Epernay, tél. 26.54.03.41

TAILLEVENT*

| | n.c. | 30 000 |

Robe très claire, reflets gorge-de-pigeon, telle est la teinte de ce champagne élaboré avec 80% de pinot noir et 20% de chardonnay. Cette cuvée tique, foin coupé très sec, sans beaucoup de gaz carbonique. C'est un rosé fruité-vineux pour la table. (NM.)
→ Taillevent Champagne SARL, Dom. des Conardins, Moussy, 51200 Epernay, tél. 26.54.03.41

TAILLEVENT Grande Réserve 1983*

| 1er cru | n.c. | 10 000 |

C'est un blanc de blancs qui n'avoue pas son cépage puisque cette information ne figure pas sur les élégantes étiquettes apposées sur les bouteilles. Un bouquet de pain grillé, vineux pour un vin de chardonnay. (NM.)
→ Taillevent Champagne SARL, Dom. des Conardins, Moussy, 51200 Epernay, tél. 26.54.03.41

TAITTINGER Comtes
de Champagne - Blanc de blancs 1981***

| | n.c. | n.c. |

Coup de cœur ou pas, la qualité demeure. Un blanc de blancs remarquable. Un millésime (8) rare et intéressant. Dans une robe paille claire, il se montre très floral (avec une note de rose) et fin. L'attaque est franche, incisive. Finesse et nervosité. Un champagne très cher pour apéritif de haut luxe et début de repas. (NM.)
→ Champagne Taittinger, 9, pl. Saint-Nicaise, 51100 Reims, tél. 26.85.45.35 ☎ r.-v.

DE VENOGE
Champagne des Princes 1982**
○   n.c.   n.c.

Au XIXe s., Joseph de Venoge, lorsqu'il chassait, se faisait servir son champagne dans une carafe. Sa forme a inspiré le créateur de la très originale bouteille des Princes. Cette carafe-bouteille contient un blanc de blancs de grande classe, d'une extrême finesse qui, en dépit de son âge (1982), est à l'aube de sa jeunesse. (NM.)

↳ Champagne De Venoge, 30, av. de Champagne, 51200 Epernay, tél. 26.55.01.01 Ⓨ r.-v.

DE VENOGE Crémant***
○   n.c.   n.c.

Admirable bouteille plus œil-de-perdrix que réellement rosée. Cette teinte si pure se retrouve au nez et en bouche. Pas de vinosité, pas de lourdeur, encore moins de tanin. La nervosité d'un cheval de course, la pureté du cristal. Ni le dosage, réduit à presque rien, ni le gaz (c'est un crémant) ne masquent la perfection de ce vin. (NM.)

↳ Champagne De Venoge, 30, av. de Champagne, 51200 Epernay, tél. 26.55.01.01 Ⓨ r.-v.

DE VENOGE 1982***
○   n.c.   n.c.

Que de compliments : couleur champagne idéale, nez franc, droit, avec de la personnalité (cela est rare), bouche équilibrée avec de la mâche, de la charpente mais aussi de l'élégance. Peut-on demander plus ? (NM.)

↳ Champagne De Venoge, 30, av. de Champagne, 51200 Epernay, tél. 26.55.01.01 Ⓨ r.-v.

DE VENOGE 1982*
○   n.c.   n.c.

Les bulles scintillent dans cette pelure d'oignon saumonnée. Au nez une dominante florale épaulée par des arômes de fruits. Bouche nerveuse et gaie, ce qui ne saurait surprendre puisque la cuvée comprend 85% de chardonnay. (NM.)

↳ Champagne De Venoge, 30, av. de Champagne, 51200 Epernay, tél. 26.55.01.01 Ⓨ r.-v.

DE VENOGE
Blanc de blancs - Extra Quality**
○   n.c.   n.c.

Un vin chaleureusement noté par les dégustateurs : très belle robe or vert de chardonnay, nez floral de violettes et d'amandes grillées, attaque franche en bouche. (NM.)

↳ Champagne De Venoge, 30, av. de Champagne, 51200 Epernay, tél. 26.55.01.01 Ⓨ r.-v.

VERGNON Blanc de blancs*
○ Gd cru   5,23 ha   n.c.

Un blanc de blancs qui a son caractère. Il est discret au nez et puissant, presque trop, en bouche. Vin savoureux. (RM.)

↳ M. Jean-Louis Vergnon, 1, Grande Rue, Le Mesnil-sur-Oger, 51190 Avize, tél. 26.57.53.86 Ⓨ t.l.j. sf dim. 9h-12h 14h-18h ; sam. sur r.-v.

VERGNON Blanc de blancs 1983*
○ Gd cru   10 000   n.c.

Jean-Louis Vergnon a su tirer le meilleur parti du millésime 83, une bonne année qui ne fait pas oublier 82 et sur laquelle l'ombre des 85 se profile déjà. Son vin, d'une florale fraîcheur, possède trois qualités majeures : équilibre, longueur, élégance. (RM.)

↳ M. Jean-Louis Vergnon, 1, Grande Rue, Le Mesnil-sur-Oger, 51190 Avize, tél. 26.57.53.86 Ⓨ t.l.j. sf dim. 9h-12h 14h-18h ; sam. sur r.-v.

VERGNON
Grand Crémant - Blanc de blancs*
○ Gd cru   n.c.   n.c.

Crémant, blanc de blancs classique tout en finesse mais pas en puissance. A boire avant de passer à table. (RM.)

↳ M. Jean-Louis Vergnon, 1, Grande Rue, Le Mesnil-sur-Oger, 51190 Avize, tél. 26.57.53.86 Ⓨ t.l.j. sf dim. 9h-12h 14h-18h ; sam. sur r.-v.

ALAIN VESSELLE
○   8,60 ha   n.c.

Un blanc de noirs qui occupe le terrain. Plus massif qu'élégant, c'est un champagne de repas. (RM.)

↳ M. Alain Vesselle, 8, rue de Louvois, Bouzy 51150 Tours-sur-Marne, tél. 26.57.00.88 Ⓨ r.-v.

GEORGES VESSELLE 1982
○   n.c.   80 000

Le maire de Bouzy, pour son millésimé 82, a presque vinifié un blanc de noirs (90%). Robe d'or, or jaune, un nez fruité de pomme et de poire évoluée. Bouche monodique, finale rapide, touche d'amertume. Très indiqué à table. (RM.)

↳ M. Georges Vesselle, 16, rue des Postes, Bouzy, 51150 Tours-sur-Marne, tél. 26.57.00.15 Ⓨ r.-v.

GEORGES VESSELLE
Brut Rosé Spécial
○ Gd cru   17,50 ha   25 000

Un pinot noir et une touche de chardonnay pour ce rosé spécial, très spécial. Dans sa robe tuilée, il boite. (RM.)

↳ M. Georges Vesselle, 16, rue des Postes, Bouzy, 51150 Tours-sur-Marne, tél. 26.57.00.15 Ⓨ r.-v.

GEORGES VESSELLE
Cuvée Juline**

○ Gd cru   n.c.   10 000   [V 7]

Très «noir» puisque cette cuvée spéciale grand cru, puisque comportant neuf parts de pinot noir pour une part de chardonnay. La robe dorée présente des caractères évolués que l'on retrouve au nez : «vin mûr, fin, arômes empyreumatiques» et en bouche «bonne attaque puis fruits mûrs, presque confits, finale brève». (RM.)
➙ M. Georges Vesselle, 16, rue des Postes, Bouzy, 51150 Tours-sur-Marne, tél. 26.57.00.15 ☎ r.-v.

JEAN VESSELLE Bouzy

○   2 ha   7 000   [i 5]

Rosé de saignée, donc 100% pinot (noir) dont la teinte a été renforcée par l'adjonction de Bouzy rouge. Rose violet, touche vineuse herbacée puis florale. Nez empyreumatique, pain grillé, amandes séchées, pain d'épice, arômes que nous retrouvons dans une bouche souple. (RM.)
➙ M. Jean Vesselle, 2, pl.-J.-B.-Barnaut, B.P. 15, Bouzy, 51150 Tours-sur-Marne, tél. 26.57.01.55

VEUVE CLEMENCE
Blanc de blancs**

○   n.c.   8 000   [i 4]

Un très joli vin signé du pseudonyme Veuve Clémence, impeccablement présenté dans sa robe dorée. Nez empyreumatique, pain grillé, amandes séchées, pain d'épice, arômes que nous retrouvons dans une bouche souple. (RM.)
➙ Champagne Launois Père et Fils, 3, av. de la République, Le Mesnil-sur-Oger, 51190 Avize, tél. 26.57.50.15 ☎ r.-v.

VEUVE CLICQUOT-PONSARDIN
La Grande Dame 1983**

○   n.c.   n.c.   [V 7]

Une cuvée spéciale lancée en 1972 pour le bicentenaire de la maison Veuve Clicquot-Ponsardin. Elle est présentée dans une bouteille aux formes tourmentées. Robe or-orangé, nez de fruits rouges envahissants précédent une bouche puissante, charpentée pour accompagner un repas. (NM.)
➙ Veuve Clicquot-Ponsardin, pl. des Droits-de-l'Homme, 51100 Reims, tél. 26.40.25.42 ☎ t.l.j. sf dim. 9h-11h15 14h-17h15 ; f. nov. à fin mars

VEUVE CLICQUOT-PONSARDIN
1979*

○   n.c.   n.c.   [V 4]

Robe orangée évoluée, nez complexe sur fond musqué et bouche ronde, faite, généreuse, qu'il re faut plus attendre. (NM.)
➙ Veuve Clicquot-Ponsardin, pl. des Droits-de-l'Homme, 51100 Reims, tél. 26.40.25.42 ☎ t.l.j. sf dim. 9h-11h15 14h-17h15 ; f. nov. à fin mars

VEUVE CLICQUOT-PONSARDIN*

○   n.c.   6 000 000   [V 5]

Le vin le plus vendu par cette célèbre maison reimoise. Typé dans le goût Veuve Clicquot : affirmation du pinot noir dans sa rondeur et sa générosité. Champagne de repas. (NM.)

➙ Veuve Clicquot-Ponsardin, pl. des Droits-de-l'Homme, 51100 Reims, tél. 26.40.25.42 ☎ t.l.j. sf dim. 9h-11h15 14h-17h15 ; f. nov. à fin mars

MARCEL VEZIEN

○   9 ha   70 000   [iV 4]

Un champagne de repas marqué par une dominante de pinot noir : l'expression est bien fruitée, florale aussi. La nuance dorée de la robe séduit. (RM.)
➙ M. Marcel Vézien, Celles-sur-Ource, 10110 Bar-sur-Seine, tél. 25.38.50.22 ☎ r.-v.

WARIS ET CHENAYER
L'Etruscue*

○   n.c.   n.c.   [i 5]

Une cuvée spéciale logée dans une bouteille de formes assez particulières au nom antique d'Etrusque. Mousse et bulles fines animant une robe or pâle, bouche harmonieuse mais transparente, tout en légèreté, en souplesse et en délicatesse. Un aperitif de caractère féminin. (NM.)
➙ Waris et Chenayer, 1, rue Pasteur, 51190 Avize, tél. 26.57.56.88 ☎ r.-v.

WARIS ET CHENAYER
Blanc de blancs

○   n.c.   n.c.   [i 4]

Un blanc de blancs qui pousse peu aux commentaires. Ne pas en parler, le boire à l'apéritif car il est léger. (NM.)
➙ Waris et Chenayer, 1, rue Pasteur, 51190 Avize, tél. 26.57.56.88 ☎ r.-v.

Coteaux champenois

«Vins nature de Champagne», ils devinrent AOC en 1974 et prirent le nom de coteaux champenois. Tranquilles, ils sont rouges, plus rarement rosés ; on boira les blancs avec respect et curiosité historique, en songeant qu'ils sont la survivance de temps anciens, antérieurs à la naissance du champagne. Comme lui, ils peuvent naître de raisins noirs vinifiés en blanc (blanc de noirs), de raisins blancs (blanc de blancs), ou encore d'assemblages.

Le coteau champenois rouge le plus connu porte le nom de la célèbre commune de Bouzy (grand cru de pinot noir). Dans cette commune, on peut admirer l'un des deux vignobles les plus étranges au monde (l'autre est situé à Ay) : un vaste panneau indique «vieilles vignes françaises préphylloxériques» ; on ne les distinguerait pas des autres si elles n'étaient conduites «en foule», selon une

technique immémoriale abandonnée partout ailleurs. Tous les travaux sont exécutés artisanalement, à l'aide d'outils anciens. C'est la maison Bollinger qui entretient ce joyau destiné à l'élaboration du champagne le plus rare et le plus cher.

Les coteaux champenois se boivent jeunes, à 7-8° et avec les plats convenant aux vins très secs pour les blancs, à 9-10° et avec des mets légers (viandes blanches et... huîtres) pour les rouges, que l'on pourra, pour quelques années exceptionnelles, laisser vieillir. En rouge, les grands millésimes marchent sur les brisées des bourgogne: 1966, 1971, 1976.

EDMOND BARNAUT
Bouzy rouge 1982★★★★

Gd cru	n.c.	6 000

Robe grenat, jeune pour le millésime (1982), très pinot au nez avec de la finesse, bouche civilisée pure, plus fine que véritablement ample. Un vin de grande distinction. (RM.)

M. Robert Secondé-Cherier, 13, rue Pasteur, B.P. 19, Bouzy, 51150 Tours-sur-Marne, tél. 26.57.01.54 r.-v.

HERBERT BEAUFORT Bouzy 1983★★

n.c.	12 000

Une robe claire, peut-être trop claire, mais le vin pinote agréablement. Cerise, groseille, bon équilibre, l'ampleur n'est pas à l'appel. (RM.)

Champagne Herbert Beaufort, 32, rue de Tours, B.P. 7, Bouzy, 51150 Tours-sur-Marne, tél. 26.59.01.34 r.-v.

ALEXANDRE BONNET 1985★

4,75 ha	7 000

Une robe belle avec déjà quelques reflets tuilés alors qu'au nez, il bourguignonne. La bouche est agréable, facile et harmonieuse. (RM.)

SCE Bonnet Père et Fils, 138, rue du Gal-de-Gaulle, 10340 Les Riceys, tél. 25.29.30.93 r.-v.

LARMANDIER-BERNIER
Vertus rouge

1er cru	0,70 ha	3 000

Sa robe claire annonce un vin léger. Il l'est avec les défauts et les qualités que cela comporte: un nez tout en finesse et une bouche vive, presque nerveuse. (RM.)

Champagne Larmandier-Bernier, 43, rue du 28-Août, 51130 Vertus, tél. 26.52.13.24 r.-v.

LAURENT-PERRIER
Blanc de blancs chardonnay*

n.c.	n.c.

Le seul coteaux champenois blanc retenu dans ce Guide. Il est habillé d'une robe transparente, or blanc. Bouquet discret et fin, attaque douce, bouche élégante et simple. Pas ambitieux mais hautement civil. (NM.)

Champ. Laurent-Perrier et Cie, Dom. de Tours-sur-Marne, 51150 Tours-sur-Marne, tél. 26.58.91.22 r.-v.

LAURENT-PERRIER Pinot franc*

n.c.	n.c.

Belle robe claire et ombre de reflets tuilés. Nez qui pinote gentiment, préface à une bouche gouleyante, facile, agréable. (NM.)

Champ. Laurent-Perrier et Cie, Dom. de Tours-sur-Marne, 51150 Tours-sur-Marne, tél. 26.58.91.22 r.-v.

PALMER*

n.c.	n.c.

Robe jeune, foncée, voire très foncée. Le nez exubérant de pinot et fruits rouges est teinté de boisé. Bouche ronde très policée. (CM.)

Champagne Palmer et Cie, 67, rue Jacquart, 51100 Reims, tél. 26.07.35.07 r.-v.

SECONDE-PREVOTEAU
Ambonnay rouge - Livre d'Or★★★

2 ha	n.c.

Ce «coup de cœur» perpétuel est toujours aussi bon, aussi suave, aussi complexe mais le nombre des coups de cœur sélectionnés dans le Guide étant limité, celui-ci cède sa place, au nom de la diversité. Sa robe est profonde, nez et bouche témoignent d'une maturité équilibrée. (NM.)

SA Champ. A. Secondé-Prévoteau, 2, rue du Château, Ambonnay, 51150 Tours-sur-Marne, tél. 26.57.01.59 r.-v.

Rosé des riceys

Les trois villages des Riceys (Haut, Haute-Rive et Bas) sont situés à l'extrême sud de l'Aube, non loin de Bar-sur-Seine. Ce sont des villages anciens, certains vestiges datant du XIIe s. et la construction des trois églises

s'échelonnant du XIIIe au XVIe s. La commune des Riceys se flatte d'accueillir les trois appellations : champagne, coteaux champenois, et, bien sûr, rosé des riceys. Ce dernier est un vin tranquille, d'une grande rareté et d'une grande qualité, l'un des meilleurs rosés de France. C'est un vin historique, typé, de haute réputation, que buvait déjà Louis XIV : il aurait été apporté à Versailles par les spécialistes établissant les fondations du château, les « canats », originaires des Riceys.

Ce rosé est issu de la vinification par macération courte de pinot noir fin, dont le degré alcoolique naturel ne peut être inférieur à 10. Il faut interrompre la macération - « saigner la cuve » - à l'instant précis où apparaît le « goût des Riceys », qui, sinon, disparaît. Ne sont labellisés que les rosés marqués par ce goût spécial. Élevé en cuve, le rosé des riceys se boit jeune, à 8-9 °C ; élevé en pièces, il attendra entre trois et dix ans ; on le servira alors à 10-12 °C, pendant tout le repas. Jeune, il se boira à l'apéritif ou au début du repas. Les derniers millésimes remarquables : 1969, 1975, 1977, 1979, 1982.

ALEXANDRE BONNET 1985*

4,75 ha   7 000

La maison Alexandre Bonnet vinifie les trois appellations champenoises : champagne, coteaux champenois et rosé des riceys. Elle est même la plus grosse productrice de cette dernière appellation. Il est d'un rose très soutenu, un rose rouge. Son nez marie le pinot et le bouquet spécifique des riceys alors que la bouche est équilibrée avec nervosité. (RM.)
➨ SCE Bonnet Père et Fils, 138, rue du Gal-de-Gaulle, 10340 Les Riceys, tél. 25.29.30.93 ᵀ r.-v.

GALLIMARD PERE ET FILS 1985**

1 ha   3 000

Un rosé ni trop clair ni trop foncé, au nez épicé et fruité (thé, vanille, grenadine) très fin en bouche : attaque vive et nerveuse. Un rosé pour intellectuel. (RM.)
➨ Charry, Gallimard Père et Fils, 18, rue du Magny, 10340 Les Riceys, tél. 25.29.32.44 ᵀ t.l.j ; sf dim. 8h-12h 14h-18h.

PASCAL MOREL 1986*

2,75 ha   5 000

Un spécialiste du rosé des riceys qui ne produit que ce type de vin. Un rosé élevé en fûts, de dix-huit à vingt-deux mois, dont la robe est presque rouge claire teintée de reflets tuilés. Nez très intéressant, typé, complet, boisé puis bouche précise, nette, à l'acidité présente mais d'ampleur limitée. (RM.)
➨ M. Pascal Morel, 93, rue du Gal-de-Gaulle, 10340 Les Riceys, tél. 25.29.10.88 ᵀ r.-v.

LE JURA, LA SAVOIE ET LE BUGEY

Le Jura

Faisant le pendant de celui de la haute Bourgogne, de l'autre côté de la vallée de la Saône, ce vignoble occupe les pentes qui descendent du premier plateau des monts du Jura vers la plaine, selon une bande nord-sud traversant tout le département, depuis la région de Salins-les-Bains jusqu'à celle de Saint-Amour. Ces pentes, beaucoup plus dispersées et irrégulières que celles de la Côte-d'Or, se répartissent sous toutes les expositions, mais ce ne sont que les plus favorables qui portent des vignes, à une altitude se situant entre 250 et 500 mètres. Le vignoble couvre environ 1 400 ha, sur lesquels sont produits, en année moyenne, environ 42 000 hl.

Nettement continental, le climat voit ses caractères accusés par l'orientation générale en façade ouest et par les traits spécifiques du relief jurassien, notamment l'existence des «reculées»; les hivers sont très rudes et les étés très irréguliers, mais avec souvent beaucoup de journées chaudes. La vendange s'effectue pendant une période assez longue, se prolongeant parfois jusqu'à novembre en raison des différences de précocité qui existent entre les cépages. Les sols sont en majorité issus du trias et du lias, surtout dans la partie nord, ainsi que des calcaires qui les surmontent, surtout dans le sud du département. Les cépages locaux sont parfaitement adaptés à ces terrains argileux et sont capables de réaliser une remarquable qualité spécifique. Ils nécessitent toutefois un mode de conduite assez élevé au-dessus du sol, pour éloigner le raisin d'une humidité parfois néfaste à l'automne. C'est la taille dite «en courgées», longs bois arqués que l'on retrouve sur les sols semblables du Mâconnais. La culture de la vigne est ici très ancienne: elle remonte au moins à mille neuf cents ans si l'on en croit les textes de Pline; et il est sûr que le vignoble du Jura, qu'appréciait tout particulièrement Henri IV, était fort en vogue dès le Moyen Age.

Pleine de charme, la vieille cité d'Arbois si paisible est la capitale de ce vignoble; on y évoque le souvenir de Pasteur qui, après y avoir passé sa jeunesse, y revint souvent. C'est là, de la vigne à la maison familiale, qu'il mena ses travaux sur les fermentations, si précieux pour la science œnologique; ils devaient, entre autres, aboutir à la découverte de la «pasteurisation».

Des cépages locaux voisinent avec d'autres, issus de la Bourgogne.

Le poulsard (ou ploussard) est l'un d'entre eux, propre aux premières marches des monts du Jura; il n'a été cultivé, semble-t-il, que dans le Revermont, ensemble géographique incluant également le vignoble du Bugey, où il porte le nom de mêcle. C'est un très joli raisin à gros grains oblongs, délicieusement parfumé, à pellicule fine

peu colorée et contenant peu de tanin. C'est le cépage type des vins rosés, qui sont en fait vinifiés ici le plus souvent comme des rouges. Le trousseau, autre cépage local, est en revanche riche en couleur et en tanin, et c'est lui qui donne les vins rouges classiques très caractéristiques des appellations d'origine du Jura. Le pinot noir, venu de la Bourgogne, lui est souvent associé en petites proportions pour la vinification des vins rouges. Il a par ailleurs un avenir important pour la vinification de vins blancs de noirs destinés à des assemblages avec le blanc de blancs, pour élaborer des mousseux de qualité. Le chardonnay, comme en Bourgogne, réussit ici parfaitement sur les terres argileuses, où il apporte aux vins blancs son bouquet inégalable. Le savagnin, cépage blanc local, cultivé sur les marnes les plus ingrates, donne un vin qui, après cinq ou six ans d'élevage spécial dans des fûts en vidange, donne le magnifique vin jaune de très grande classe.

La région paraît spécialement favorable à l'obtention d'un type d'excellents mousseux de belle classe, issus, comme on l'a dit, d'un assemblage de blanc de noirs (pinot) et de blanc de blancs (chardonnay). Ces mousseux sont de grande qualité, depuis que les vignerons ont compris qu'il fallait les élaborer avec des raisins d'un niveau de maturité assurant la fraîcheur nécessaire.

Les vins blancs et rouges sont de style classique, mais, du fait semble-t-il d'une attraction par le vin jaune, on cherche à leur donner un caractère très évolué, presque oxydé. Il y a un demi-siècle, il existait même des vins rouges de plus de cent ans, mais on est maintenant revenu à des évolutions plus normales.

Le rosé, quant à lui, est en fait un vin rouge peu coloré et peu tannique, qui se rapproche souvent plus du rouge que du rosé des autres vignobles. De ce fait, il est apte à un certain vieillissement. Il ira très bien sur les mets assez légers, les vrais rouges surtout issus de trousseau étant réservés aux mets puissants. Le blanc a les usages habituels, viandes blanches et poissons ; s'il est vieux, il sera un bon partenaire du fromage de comté. Le vin jaune excelle sur le comté mais aussi sur le roquefort et sur certains plats difficiles à accorder aux vins tels le canard à l'orange ou les préparations en sauce américaine.

Quoi de neuf dans le Jura ?

Des conditions climatiques difficiles et une récolte tardive (vers le 8 octobre) : le millésime 87 est marqué dans le Jura par une grande irrégularité. Les rouges ont souvent une robe soutenue, de la fraîcheur. Ils parviennent très vite à maturité. Quant aux blancs, les mieux réussis sont flatteurs.

Ce millésime fera sans doute un excellent vin jaune. Mais il faudra bien évidemment l'attendre longtemps, six ans au moins. C'est en 1989 qu'on découvrira le vin jaune 83, historique. On n'a d'ailleurs pas fini de célébrer à Arbois l'anniversaire de la Révolution. N'est-ce pas ici que les vignerons déclarèrent en 1789 : « Désormais nous sommes tous chef ! »

Le vignoble jurassien s'attache de plus en plus à l'une de ses spécialités, le vin de paille. Il souhaite en outre le classement du macvin (jus de raisin et pour un tiers de l'alcool du Jura) parmi les produits protégés. Autre sujet en discussion : la création d'une interprofession, car il n'en existe pas encore ici. On s'intéresse enfin aux vins effervescents : les chardonnays traités par la méthode champenoise doivent-ils évoluer vers le crémant, ou s'orienter vers des marques ?

Stabilité de la surface plantée 1 450 ha qui ne peut guère grandir compte tenu de la réglementation. La production 87 apparaît moyenne 54 000 hl, inférieure à 86 (près de 77 000 hl) mais dans la ligne générale des années précédentes. Il s'agit de blancs pour 65 %.

Arbois

La plus connue des appellations d'origine du Jura s'applique à tous les types de vins produits sur treize communes de la région d'Arbois, soit environ 700 ha; la production est en moyenne de 25 000 hl. Il faut rappeler l'importance des marnes triasiques dans cette zone, et la qualité toute particulière des «rosés» de poulsard qui sont issus des sols correspondants.

FRUITIERE VINICOLE D'ARBOIS Poulsard 1985*

83 85

80 ha — 180 000

La teinte tuilée annonce, outre le millésime et le poulsard, un état d'évolution déjà avancé. Derrière un séduisant mélange de framboise d'amande grillée, la bouche est ronde, souple, abondante... un peu ostentatoire. Chaud, rien ne sert d'attendre.
➤ Fruitière Vinicole d'Arbois, 2, rue des Fossés, 39600 Arbois, tél. 84.66.11.67 ♈ ma. me. ve. sa. di. 8h-18h.

FRUITIERE VINICOLE D'ARBOIS Blanc de blancs - Brut 1983**

70 ha — 300 000

Les bulles sont fines et persistantes comme la couleur pâle aux reflets plutôt verts, et la bouche bien longue. L'odeur est élégante, assez intense. Un peu de vivacité lui permet d'exprimer le style de la région et du millésime.
➤ Fruitière Vinicole d'Arbois, 2, rue des Fossés, 39600 Arbois, tél. 84.66.11.67 ♈ ma. me. je. ve. sa. di. 8h-18h.

FRUITIERE VINICOLE D'ARBOIS Grande Sélection 1983**

76 83 85

30 ha — 80 000

Depuis 1906, les vignerons arboisiens apportent le fruit de leur vigne à la Fruitière. Ceux de 1983 étaient particulièrement bien mûrs et le distingué vinificateur a su tirer le maximum de qualité de la matière première. Arômes et longueur en bouche sont caractéristiques, mais le vieillissement est assuré, le succès sur le coq aux morilles aussi.
➤ Fruitière Vinicole d'Arbois, 2, rue des Fossés, 39600 Arbois, tél. 84.66.11.67 ♈ ma. me. ve. sa. di. 8h-18h.

FRUITIERE VINICOLE D'ARBOIS Trousseau 1985***

79 85

40 ha — 20 000

Une très belle présentation sérigraphiée. La couleur pourpre annonce les vins de grande classe dus au trousseau. Bouquet profond et riche, charpente, robustesse, équilibre, longévité assurée. Une réussite parfaite qui n'arrive qu'en année exceptionnelle. Des bouteilles à mettre en cave... derrière les fagots.
➤ Fruitière Vinicole d'Arbois, 2, rue des Fossés, 39600 Arbois, tél. 84.66.11.67 ♈ ma. me. je. ve. sa. di. 8h-18h.

LUCIEN AVIET Cuvée des Docteurs 1986**

1 ha — 5 000

Une belle couleur rosée assez foncée, d'agréables odeurs et arômes fruités avec une nuance de fraise. La vanille laisse supposer un élevage sous bois. Une petite dureté gage de vieillissement. Un vin qui peut sans nul doute être conseillé par les «docteurs».
➤ M. Lucien Aviet, Caveau de Bacchus, Montigny-lès-Arsures, 39600 Arbois, tél. 84.66.11.02 ♈ r.-v.

LUCIEN AVIET Cuvée des Géologues - Trousseau 1986**

76 79 81 82 83 84 85 86

1 ha — 4 000

Les géologues sont des hommes de terrain qui ont besoin de reconstituant au retour de leurs expéditions. Ils vont trouver toutes ces qualités dans la cuvée que leur dévoile Lucien Aviet. Un vin robuste, solide, un peu nerveux, apte à vieillir et dans lequel on perçoit une petite note vanillée et agréable.
➤ M. Lucien Aviet, Caveau de Bacchus, Montigny-lès-Arsures, 39600 Arbois, tél. 84.66.11.02 ♈ r.-v.

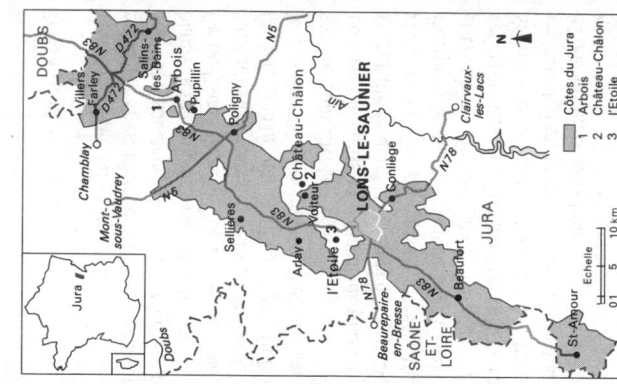

Le Jura

Côtes du Jura
1 Arbois
2 Château-Chalon
3 l'Etoile

510

PIERRE ET GEORGES BOUILLERET Pupillin 1986*

⚫ 79 82 83 85 86

□ 1.30 ha 6 000

Vignerons depuis le XVIIIe s., les Bouilleret vinifient en fûts les raisins tirés et égrappés à la main dans la vigne. Une tradition qui donne un très bon vin classique, rose orangé, agréable et finement boisé.

↪ MM. P. et G. Bouilleret, Pupillin, 39600 Arbois, tél. 84.66.20.05 ℐ t.l.j. 8h-20h.

JEAN-MARIE DOLE 1986**

(83) 85 86

□ 1 ha 5 000

Robe vive, rubis, odeurs fruitées et délicates, un peu de gaz carbonique; autant de caractères de fraîcheur qui s'estomperont au vieillissement pour laisser place à d'agréables arômes épicés. Un vin bien équilibré promis à un bel avenir.

↪ M. Jean-Marie Dole, Abbaye de Saint-Laurent, Montigny-ès-Arsures, 39600 Arbois, tél. 84.66.22.99 ℐ t.l.j. 9h-20h.

DOM. DE LA GRANGE GRILLARD 1986*

⑦ 78 79 81 82 83 84 85 86

□ 50 ha 280 000

Il est désormais classique que les sols argileux du domaine produisent de grands vins blancs. 86 sera moins prestigieux que 85, mais son acidité supérieure lui permettra un excellent vieillissement où les arômes de noix fraîche viendront s'épanouir.

ROGER LORNET Poulsard 1986*

□ 0.70 ha 3 000

Les arômes sont discrets dans ce vin déjà bien mordoré, assez complet. On pourra le boire, car sa maturité est presque atteinte.

↪ M. Roger Lornet, Montigny-lès-Arsures, 39600 Arbois, tél. 84.66.05.90 ℐ r.-v.

DANIEL DUGOIS 1986

82 85 86

□ 1.50 ha 5 000

Il mérite un peu de repos avant de réapparaître. Très typé, il souffre un peu des fatigues de la mise en bouteille.

↪ M. Daniel Dugois, Les Arsures, 39600 Arbois, tél. 84.66.03.41 ℐ r.-v.

DOM. DE LA CROIX D'ARGIS 1985*

76 78 79 80 82 (83) 84 85

□ 80 ha 300 000

Résultat d'un assemblage où dominent pinot noir et poulsard, le vin du domaine de la Croix d'Argis, fruité et solide, ne s'exprime que lentement. Il faudra aérer quelques heures avant de le servir. Rien ne presse.

↪ M. Henri Maire, Ch. Montfort, 39600 Arbois, tél. 84.66.12.34 ℐ t.l.j. 9h-12h 14h-18h.

DESIRE PETIT ET FILS Pupillin-Trousseau 1986*

73 75 76 77 (79) [81][82] [83][85] 86

□ 0.70 ha 5 000

Le trousseau ne s'exprime pas encore dans un bouquet fermé. Mais en bouche, une certaine souplesse appelle une consommation assez rapide avec des viandes en sauce.

↪ GAEC Désiré Petit et Fils, Pupillin, 39600 Arbois, tél. 84.66.01.20 ℐ r.-v.

DESIRE PETIT ET FILS Vin jaune-Pupillin 1981*

(64) 67 65 71 72 [73][75] 76 [78][79] 81

□ 1.40 ha 2 000

Là aussi, il faudra attendre. Des nuances vert-jaune, une stabilisation à parfaire. Cette bouteille ne livre pas le secret de ses arômes encore masqués. Un peu austère maintenant, mais avenir assuré.

HENRI MAIRE Cuvée des Grands Maîtres 1986*

(76) 78 79 82 [83][85][86]

■ n.c. n.c.

Des grands maîtres robustes, osseux et charpentés, telle est l'image que donne cette cuvée. Si on y ajoute des arômes de fruits rouges légèrement confits, on retrouve la dominante pinot noir sous climat jurassien.

↪ M. Henri Maire, Ch. Montfort, 39600 Arbois, tél. 84.66.12.34 ℐ t.l.j. 9h-12h 14h-18h.

JEAN-FRANCOIS NEVERS 1985*

[77][79] [82] [83][85]

■ 2 ha 9 000

De belles choses dans ce vin bien équilibré. Les saveurs acides et douces sont bien mariées. Un tanin velouté vient compléter cet équilibre. Des arômes fruités, où dominent ceux du poulsard le rendent agréable. Garde moyenne.

↪ M. Jean-François Nevers, 4, rue du Lycée, 39600 Arbois, tél. 84.66.01.73 ℐ r.-v.

OVERNOY-CRINQUAND Pupillin-Melon d'Arbois 1986**

69 71 72 73 75 76 [77][79] [81] [82] [83] 84 85 [86]

□ 0.80 ha 5 000

Ce petit viticulteur réussit tous les ans une jolie cuvée dans une vigne qui doit posséder à la fois du melon et du naturé. Le 86 est particulièrement caractéristique des vins jurassiens, avec d'agréables arômes de noix et de bonnes possibilités de conservation.

↪ M. Daniel Overnoy-Crinquand, Pupillin, 39600 Arbois, tél. 84.66.01.45 ℐ r.-v.

OVERNOY-CRINQUAND Pupillin-Poulsard 1986*

76 77 78 79 81 82 (83) [85][86]

□ 0.73 ha 5 000

La belle couleur rosée à reflets orangés est typique du poulsard. Assez puissant en bouche, agréable, il est à boire sur viande grillée.

↪ M. Daniel Overnoy-Crinquand, Pupillin, 39600 Arbois, tél. 84-66.01.45 ℐ r.-v.

➥ GAEC Désiré Petit et Fils, Pupillin, 39600 Arbois, tél. 84.66.01.20 ℐ r.-v.
➥ MM. Gérard et Marcel Petit.

DESIRE PETIT ET FILS
Poulsard-Pupillin 1986★★

⬜ 4 ha 20 000 ▯▮▯ ⬛ ↓ �V ⬛

(73) 76 (79) 81 82 83 (85) (86)

Ce rosé de pupillin est vinifié en rouge avec 10% de pinot. Sa couleur est belle et ses arômes sont caractéristiques du poulsard. Bien constitué et remarquable par sa persistance aromatique. Un vin fort agréable.

➥ GAEC Désiré Petit et Fils, Pupillin, 39600 Arbois, tél. 84.66.01.20 ℐ r.-v.

JACQUES PUFFENEY 1986★

⬜ 1,50 ha 6 000 ⬛ V ⬛

77 78 79 (80) 81 82 (83) 84 85 86

Dans ce vin de couleur or pâle se mêlent le caractère floral du chardonnay et les arômes caractéristiques (et parfois surprenants) du terroir arboisien. Equilibré, il évoluera bien.

➥ M. Jacques Puffeney, Saint-Laurent, Montigny-lès-Arsures, 39600 Arbois, tél. 84.66.10.89 ℐ r.-v.

JACQUES PUFFENEY
Les Bérangers-Trousseau 1986★

⬜ n.c. n.c. ⬛ V ⬛

(76) (78) 79 81 82 (83) 84 (85) 86

Ce vin de trousseau, cépage jurassien typique qui donne certaines années des produits de grande classe, ne s'exprime pas pleinement actuellement. Il faut le laisser vieillir un peu, en le surveillant toutefois. Très bel habillage.

➥ M. Jacques Puffeney, Saint-Laurent, Montigny-lès-Arsures, 39600 Arbois, tél. 84.66.10.89 ℐ r.-v.

ROLET PERE ET FILS Brut 1985★

○ 2 ha 8 000 ▯▮▯ ↓ ▮ V ⬛

Il n'est pas facile de présenter un vin mousseux rosé dans le Jura. Celui-ci s'en sort bien avec toutefois une couleur un peu soutenue qui annonce sa solidité. Peut-être un peu vineux, mais l'été, il peut accompagner le dîner.

➥ MM. Rolet Père et Fils, Montigny-lès-Arsures, 39600 Arbois, tél. 84.66.00.05 ℐ r.-v.

ROLET PERE ET FILS
Vin jaune 1981★★★

⬜ 8 ha 8 000 ⬛ ↓ V ⬛

71 72 73 (76) 78 79 81

L'association du cépage savagnin et d'une méthode de vieillissement que ne supporterait aucun autre vin (en fûts sans ouillage, ni soutirage, pendant six ans) permet, parfois, la production du prestigieux vin jaune dont la maison Rolet nous offre ici un très beau spécimen : robe brillante jaune sombre, bouquet de noix, pêche, puissance, rondeur, nervosité, équilibre... Ce vin de grande garde, parfois surprenant, enchantera tous les gourmets.

➥ MM. Rolet Père et Fils, Montigny-lès-Arsures, 39600 Arbois, tél. 84.66.00.05 ℐ r.-v.

ROLET PERE ET FILS
Tradition 1985★★★

⬜ 6 ha 12 000 ▯▮▯ ↓ V ⬛

83 (85) 86

La réputation de la maison Rolet n'est plus à faire : toute la famille perpétue avec sérieux le noble métier de vignerons. Le vin est parfait : aux odeurs et arômes traditionnels de noix se mêlent les fruits confits. L'équilibre en bouche est l'harmonie entre naturé ou savagnin et melon d'Arbois ou chardonnay permettront un vieillissement formidable et de grands moments de plaisir.

➥ MM. Rolet Père et Fils, Montigny-lès-Arsures, 39600 Arbois, tél. 84.66.00.05 ℐ r.-v.

ROLET PERE ET FILS Brut 1984★★

○ 6 ha 30 000 ▯▮▯ ↓ V ⬛

La bulle fine et persistante se dégage avec intensité dans ce joli vin jaune pâle à reflets verts. Les odeurs sont discrètes et un charpente assez marquée lui donne plutôt de la puissance et du caractère.

➥ MM. Rolet Père et Fils, Montigny-lès-Arsures, 39600 Arbois, tél. 84.66.00.05 ℐ r.-v.

ROLET PERE ET FILS
Trousseau 1986★★★

⬛ 6 ha 25 000 ▯▮▯ ↓ V ⬛

76 79 82 83 (85) 86

Comment décrire un vin qui ne recueille que des compliments du jury de dégustation? Arômes de mûre et de cerise, vin complet, possédant de grandes capacités de vieillissement, déjà ouvert et agréable sur gibiers.

➥ MM. Rolet Père et Fils, Montigny-lès-Arsures, 39600 Arbois, tél. 84.66.00.05 ℐ r.-v.

ROLET PERE ET FILS
Poulsard 1986★★★

⬜ 7 ha 20 000 ▯▮▯ ↓ V ⬛

(83) 85 86

Le vin de cette grande maison arboisienne a fait l'unanimité du jury de dégustation. La couleur d'un rosé profond, la richesse aromatique, l'équilibre entre tous les composants, la profondeur du caractère en font un vin déjà agréable et qui s'améliorera pendant cinq à dix ans.

➥ MM. Rolet Père et Fils, Montigny-lès-Arsures, 39600 Arbois, tél. 84.66.00.05 ℐ r.-v.

arbois
appellation contrôlée
1986
Rolet
e 75cl
rolet père vignerons
montigny-lès-arsures
montigny-lès-arsures

ROLET PERE ET FILS
Pinot 1986***

82 (83) 85 86 — 7 ha — n.c.

Le pinot est cultivé depuis longtemps dans le Jura, mais il est assez rare de le trouver vinifié seul. C'est donc une curiosité qui vaut le détour ici, qui s'exprime ici dans toute sa finesse, avec une touche boisée intéressante. Une jolie bouteille, comme beaucoup dans cette cave.
↪ MM. Rolet Père et Fils, Montigny-lès-Arsures, 39600 Arbois, tél. 84.66.00.05 ☎ r.-v.

DOM. DU SORBIEF
Pupillin 1985**

(76) (79) 82 (83) 85 (86) — 60 ha — 240 000

Jolie robe de vin d'Arbois issu en majorité du poulsard. C'est un rosé foncé à l'œil, mais œnologiquement un rouge. Arômes d'amande et de fruits secs. On peut déjà le boire.
↪ M. Henri Maire, Ch. Montfort, 39600 Arbois, tél. 84.66.12.34 ☎ t.l.j; 9h-12h 14h-18h.

ANDRE ET MIREILLE TISSOT
Vin jaune 1981**

(75) (76) (78) (79) 81 82 — 1,75 ha — 3 000

Mireille et André Tissot ne produisent du vin jaune que depuis 1975. Leur vin, d'une couleur jaune-vert, ne dévoile encore que partiellement les charmes de ses arômes caractéristiques de noix et de pomme. Il suffira d'un peu de patience avant de se régaler avec un coq au vin jaune, un foie gras ou un gibier.
↪ M. et Mme A. et M. Tissot, quartier Bernard, Montigny-lès-Arsures, 39600 Arbois, tél. 84.66.08.27 ☎ r.-v.

ANDRE ET MIREILLE TISSOT
1986***

76 77 (78) (79) 80 (81) (82) (83) 84 86 — 2 ha — 12 000

Toutes les qualités semblent rassemblées dans ce vin de poulsard pur. Il y a la finesse, le fruité, la richesse et la puissance. Le tout en parfait équilibre. Une matière première de bonne origine, bien traitée. Les réussites successives confirment cette bonne cave dans le clan des artistes.
↪ M. et Mme A. et M. Tissot, Montigny-lès-Arsures, 39600 Arbois, tél. 84.66.08.27 ☎ r.-v.

ANDRE ET MIREILLE TISSOT
Cuvée des Bérangers 1985***

74 75 (76) 78 (79) (80) (81) 82 (83) 85 — 3,50 ha — 18 000

Le poulsard ne représente que 40% de l'encépagement à l'origine de cette cuvée. Il est cependant dominant à la dégustation. La robe, le bouquet de fruits rouges où groseille et fraises se marient merveilleusement, les nuances de cuir et les tanins donnant la force et la charpente proviennent sûrement davantage du trousseau... et du millésime. Un bon mariage jurassien.
↪ M. et Mme A. et M. Tissot, quartier Bernard, Montigny-lès-Arsures, 39600 Arbois, tél. 84.66.08.27 ☎ r.-v.

JACQUES TISSOT
Vin de paille 1983***

64 (69) (75) (83) — n.c. — 2 000

Tout en finesse et élégance, ce vin doré, légèrement ambré, au bouquet de fruits secs, est d'un parfait équilibre. Rond, juste assez liquoreux pour offrir un moelleux de bon aloi, et longtemps c'est un remarquable produit de beaux raisins bien mûrs naturellement déshydratés pendant quatre mois selon l'ancestrale méthode du vin de paille.
↪ M. Jacques Tissot, 39, rue de Courcelles, 39600 Arbois, tél. 84.66.14.27 ☎ r.-v.

JACQUES TISSOT
Vin jaune 1981***

(69) 71 (72) 73 75 76 (78) (79) 81 — 3,50 ha — 4 000

Un « coup de cœur » pour ce 81 : une belle couleur jaune brillant, un nez typé, fin et complexe que complète une bouche ample et particulièrement persistante. Les arômes de noix et d'amandes nuancés de miel se complètent par une touche de noisette et de praliné. Une certaine nervosité garanti un très long et bel avenir. Il faudra savoir attendre la plénitude de l'expression des qualités de ce grand vin jaune avant de le savourer, chambré, avec un plat en crème ou un coq au vin jaune.
↪ M. Jacques Tissot, 39, rue de Courcelles, 39600 Arbois, tél. 84.66.14.27 ☎ r.-v.

Mis en bouteille par Jacques Tissot VIGNERON
1981
Vin Jaune d'Arbois
APPELLATION D'ORIGINE CONTROLEE
ARBOIS JURA FRANCE
62 cl

JACQUES TISSOT
1985**

(76) 78 75 (82) 83 (85) — 3,50 ha — 20 000

Ce millésime 85 a déjà évolué : sa couleur légèrement tuilée (c'est fréquent en terre jurassienne), es odeurs florales et, en bouche, un ensemble aromatique riche où domine la rose fanée, incitent à le consommer dès maintenant. Mais il tiendra quelques années encore.
↪ M. Jacques Tissot, 39, rue de Courcelles, 39600 Arbois, tél. 84.66.14.27 ☎ r.-v.

JACQUES TISSOT
1986**

(69) (78) 79 81 82 (83) (85) (86) — 4,50 ha — n.c.

Ce vin blanc élaboré à partir du seul cépage chardonnay a été vraisemblablement longtemps vieilli en fûts. Il a ainsi acquis un très grand équilibre. Fruité et puissant, il accompagnera à merveille tous les poissons.
↪ M. Jacques Tissot, 39, rue de Courcelles, 39600 Arbois, tél. 84.66.14.27 ☎ r.-v.

Château-châlon

Le plus prestigieux des vins du Jura, produit sur 30 ha, est exclusivement récolté dans un site remarquable sur les marnes noires du lias; les falaises au-dessus desquelles est établi le vieux village le surplombent. La production est limitée : environ, en moyenne, 600 hl. Il est à noter que, dans un souci de qualité, les producteurs eux-mêmes ont refusé l'agréage en AOC pour les récoltes de 1974 et 1980.

CH. D'ARLAY Vin jaune 1981**

□		6 ha	7 000

|71|73|75|76| 78|79| 81|

Le château d'Arlay, créé au XIIe s. par les princes d'Orange, possède une cave d'une dimension rare où vieillissent spécialement les vins jaunes. Le 81 offre puissance, finesse, persistance et une exceptionnelle complexité des arômes et des parfums où domine toutefois la noix verte. Promis à un bel avenir, ce vin de grande garde pourra longtemps accompagner tous les mets. Le comte de Laguiche le conseille même sur les cuisines japonaises et indiennes.

☛ Ch. d'Arlay, Arlay, 39140 Bletterans, tél. 84.85.04.22 Y r.-v.
☛ Comte Renaud de Laguiche.

CH. D'ARLAY Cuvée spéciale**

■		2 ha	8 000

Une robe douce avec une touche de pelure d'oignon : ce pur pinot assemblage de trois millésimes (60% de 82, 20% de 83 et 20% de 85), un peu anachronique dans le Jura, est très harmonieux. Un bon équilibre sur une charpente souple sert un arôme élégant. Tout en finesse, il emporte quand même avec lui tout le terroir jurassien !

☛ Ch. d'Arlay, Arlay, 39140 Bletterans, tél. 84.85.04.22 Y r.-v.
☛ Comte Renaud de Laguiche.

CH. D'ARLAY Corail 1985*

□		10 ha	20 000

|78| 82| 83|85|

Ce vin a fait l'objet d'une controverse de notre jury de dégustateurs. Pour certains, il est déjà vieux, pour d'autres au contraire, il représente le type même du côtes du jura rosé. Pour tous les goûts, donc !

☛ Ch. d'Arlay, Arlay, 39140 Bletterans, tél. 84.85.04.22 Y r.-v.
☛ Comte Renaud de Laguiche.

HENRI MAIRE
Vin Jaune - Réserve Catherine de Rye 1981**

□		n.c.	n.c.

|69| 73|76| 79| 81|

La maison Henri Maire, que l'on ne présente plus, s'affirme comme la plus grande réserve mondiale de vin jaune dont le château-chalon est le fleuron. Issu d'une sélection exemplaire et, par conséquent, d'une production très limitée ; ses arômes de noix, son ampleur et son extraordinaire persistance peuvent surprendre le néophyte, mais régaleront le connaisseur. Ce vin entre dans la préparation des filets de sole au château-chalon et peut être dégusté avec un lapin au vin jaune ou des écrevisses.

☛ M. Henri Maire, Ch. Montfort, 39600 Arbois, tél. 84.66.12.34 Y t.l.j. 9h-12h 14h-18h.

MARIUS PERRON
Vin Jaune - Vigne aux Dames 1981*

□		2,20 ha	1 200

|76| 81|

La majeure partie du vignoble de Château-chalon a gelé le matin de pâques 1981. La production s'en est trouvée encore plus limitée qu'à l'habitude. Cela n'a pas empêché Marius Perron de produire une fois de plus un vin d'une belle couleur jaune soutenue offrant les arômes particuliers et caractéristiques du vin jaune (noix sèche, pomme, etc...).

☛ M. Marius Perron, rue des Roches, 39210 Voiteur, tél. 84.85.20.83

LUC ET SYLVIE BOILLEY
Vin jaune 1981

□		0,60 ha	2 000

Un vin jaune d'initiation : il en a la couleur et l'acidité. Les noix ne sont pas tonitruantes. En fait, un vin jaune léger.

☛ M. Mme Luc et Sylvie Boilley, Chissey-sur-Loué, 39380 Mont-sous-Vaudrey, tél. 84.37.64.43 Y t.l.j. 9h-12h 14h-18h.

LUC ET SYLVIE BOILLEY
Savagnin 1984*

■		4 ha	5 000

Couleur jaune or soutenu et nez évolué. La bouche ferme, un peu dure et rectiligne est longue et typée. Ce vin a son âge.

☛ M. Mme Luc et Sylvie Boilley, Chissey-sur-Loué, 39380 Mont-sous-Vaudrey, tél. 84.37.64.43 Y t.l.j. 9h-12h 14h-18h.

LUC ET SYLVIE BOILLEY 1985**

■		2 ha	n.c.

Vermillon, fumé, amande grillée, café. La bouche est typée. Ni mou, ni gras, il est ferme et long.

Côtes du Jura

L'appellation englobe toute la zone du vignoble de vins fins, soit environ 14 000 ha, et comporte tous les types de vins.

514

JEAN BOURDY 1985*

73 76 79 ▪ 81 82 83 85

Ⓨ t.l.j; 9h-12h 14h-18h.

1,50 ha   10 000   ⑪ Ⓥ3

Des reflets orangés tuilés annoncent une évolution qui rend le côtes du jura prêt à consommer. Les tanins laissent encore l'espoir de le voir se prolonger.

➤ Caves Jean Bourdy, Arlay, 39140 Bletterans, tél. 84.85.03.70 T.l.j; 9h-12h 14h-19h; f. dim. mat.

➤ M. Christian Bourdy.

DANIEL CHALANDARD 1986*

(73) 76 82 83 85 86

0,60 ha   3 000   iⓋ3

Vin jeune, agréable, facile à boire, qui accompagnera les viandes grillées et les plats simples. Il n'est pas nécessaire de l'attendre.

➤ Caveau du Vieux Pressoir, Le Vernois, 3920 Voiteur, tél. 84.25.31.15 T.l.j; 9h-12h 14h-18h.

DANIEL CHALANDARD 1985*

72 73 75 76 79 82 83 85

3 ha   10 000   ⑪ Ⓥ3

Le Vernois mérite une visite. C'est une des toutes premières communes viticoles totalement remembrées il y a une vingtaine d'années, avec un réseau routier étudié. De nombreux jeunes viticulteurs ont ainsi pu s'épanouir. Le vin présenté exprime toute la qualité du terroir, dans une symphonie florale, fruitée, épicée où miel, vanille et noisette dominent. Nez, bouche, quel mariage, a noté un dégustateur. Équilibre parfait permettant un bon vieillissement.

➤ M. Daniel Chalandard.

Caveau du Vieux Pressoir, Le Vernois, 39210 Voiteur, tél. 84.25.31.15 T.l.j; 9h-12h 14h-18h.

CELLIER DES CHARTREUX DE VAUCLUSE Vin de paille 1985

71 75 76 78 79 81 82 83 84 85

n.c.   800   ⑪ Ⓥ5

Un vin de paille à la belle couleur ambrée. Les odeurs, arômes et harmonie sont très caractéristiques de cette production confidentielle mais combien réputée. Un peu de vivacité incite à attendre en a pas pour tout le monde, mais le lieu mérite une visite.

Pour l'acheter, il faut se hâter, il n'y en a pas pour tout le monde, mais le lieu mérite une visite.

➤ M.M. Pignier Père et Fils, 11, pl. Rouget-de-Lisle, Montaigu, 39570 Lons-le-Saunier, tél. 84.24.24.30 T.l.j; 9h-20h.

CHARLES CLAVELIN 1985**

79 82 (83) 85

1,20 ha   2 400   ⑪ Ⓥ3

Le chardonnay exprime ici la noix fraîche comme s'il voulait prendre la «jeune». C'est tout simplement le terroir jurassien qui s'exprime. Une bonne harmonie permettra une bonne conservation.

515

➤ M. Mme Luc et Sylvie Boilley, Chissey-sur-Loué, 39380 Mont-sous-Vaudrey, tél. 84.37.64.43 Ⓨ t.l.j; 9h-12h 14h-18h.

BERNARD CLERC 1986*

(82) 86

1,40 ha   8 000   ⑪ Ⓥ2

D'apparence paille doré, l'attrait de la couleur se confirme au nez avec un délicat mariage d'odeurs de fleurs champêtres et d'arômes de noix fraîche. L'association gamay blanc (ou chardonnay) et naturé (savagnin) accomplit son œuvre: caractère, plénitude et persistance aromatique.

➤ M. Bernard Clerc, rte de Recanoz, Mantry, 39230 Se..res, tél. 84.85.58.37 Ⓨ t.l.j; 8h-12h 14h-18h.

GABRIEL CLERC 1985* Brut

(82) 86

0,98 ha   4 500   Ⓥ2

Mousse fine, légère, persistante dans un jaune pâle à reflets verts. Une très belle bouteille aromatique et équilibrée, à la hauteur de la tradition de qualité des vins du Jura et de l'exploitation.

➤ M. Gabriel Clerc, Mantry, 39230 Sellières, tél. 84.85.59.98 Ⓨ r.-v.

GABRIEL CLERC 1986

82 85 86

1 ha   2 000   2

➤ M. Gabriel Clerc, Mantry, 39230 Sellières.

JEAN GANEVAT 1985*

82 85

21,50 ha   12 000   ⑪ Ⓥ3

90% de chardonnay, le reste en savagnin. La robe est d'une belle couleur dorée. Odeurs et arômes, moelleux, sont marqués d'une touche de noisette... un peu vif mais léger et agréable.

➤ M. Jean Ganevat, Rotalier, 39190 Beaufort, tél. 84.25.02.69

GRAND FRERES 1986*

78 79 81 82 83 (85) 86

1 ha   40 000   ⑪ Ⓥ3

Chaque millésime révèle son vigneron. Jean Ganevat a attendu longtemps, mais quelle entrée en fanfare! Issu du sud du vignoble jurassien, ce magnifique vin d'apparence jaune paille offre des arômes d'écats de fleurs séchées et de noix. Ce complexe se retrouve en bouche où le miel et l'amande viennent s'associer à la noix persistante. Très bon équilibre, grande plénitude. Avenir assuré.

Vin léger, élégant, agréable, bien représentatif. Mais il y a d'autres choses à voir chez ces jeunes viticulteurs pleins de talent.

➤ GAEC Grand Frères, rte de Frontenay, Passenans, 39230 Sellières, tél. 84.85.28.88 Ⓨ t.l.j; 9h-12h 14h-18h30.

GRAND FRERES 1986*

76 78 79 81 82 (83) 85 86

3 ha   15 000   ⑪ Ⓥ3

Tous les dégustateurs mettent en évidence le pinot, à croire que les 40% qui composent l'encépagement ce cette cuvée sont dominants, les deux

lents vins jurassiens avec les cépages locaux. Récemment plantés, ces terroirs montrent dans cette bouteille toutes leurs capacités : fruité, équilibre, charpente, persistance.

➥ GAEC Désiré Petit et Fils, Pupillin, 39600 Arbois, tél. 84.66.01.20 T r.-v.
➥ MM. Gérard et Marcel Petit.

JOSEPH REVERCHON ET FILS 1986* ◫ ▽ 3

● 0,75 ha 3 000
71 76 [78] [79] 81 [82] 83 85 [86]

Jolie robe rouge, intense et profonde. Charpenté, rustique et campagnard avec des odeurs de sous-bois. Pour amateur de vins corsés et de gibiers.

➥ GAEC Chantemerle, 4, rue du Clos, 39800 Poligny, tél. 84.37.16.78 T r.-v.
➥ MM. Joseph Reverchon et Fils.

JOSEPH REVERCHON ET FILS
Vin jaune 1981*

□ 0,70 ha 1 000
64 [69] 76 78 79 81

La famille Reverchon réserve au savagnin son terrain de prédilection : les marnes bleues très peu fertiles. Le vin jaune qui en est issu possède élégance et finesse. D'une superbe longueur en bouche, il devra être servi chambré, sur un coq, une truite et des morilles.

➥ GAEC Chantemerle, 4, rue du Clos, 39800 Poligny, tél. 84.37.16.78 T r.-v.
➥ MM. Joseph Reverchon et Fils.

ROLET PÈRE ET FILS
Poulsard 1986*

■ 2,50 ha 8 000
83 [85] 86

S'il ne s'exprime pas encore totalement, on le découvre derrière sa charpente de fruits rouges où domine le cassis. On peut être sûr qu'il vieillira bien.

➥ MM. Rolet Père et Fils, Montigny-lès-Arsures, 39600 Arbois, tél. 84.66.00.05 T r.-v.

ROLET PÈRE ET FILS 1985**

● 9 ha 30 000
79 82 83 [84] [85]

Une belle association d'odeurs et arômes de miel et de noix dans un or vif. Ce 85 présente du caractère et de l'équilibre. Un bon vin de garde, que l'on peut goûter et attendre.

➥ MM. Rolet Père et Fils, Montigny-lès-Arsures, 39600 Arbois, tél. 84.66.00.05 T r.-v.

DOM. DES VIGNETS 1985*

□ 1,50 ha 10 000

Ce vin ne se livre pas encore mais il a déjà tout le caractère d'un jura. C'est un vin carré et charpenté qu'il faudra laisser vieillir avant d'accompagner les fromages à pâte molle.

➥ MM. B. Rambaux et Fils. Dom. des Vignets, Grusse, 39190 Beaufort, tél. 84.25.02.94 T.l.j. sf dim. 8h-12h 14h-18h.

VIN FOU Brut***

○ n.c.

Un homard au vin fou ou un baba au vin fou ? Unique et, pourquoi pas, pour tout un repas...

---

autres (poulsard et trousseau) se partageant le solde ! L'assemblage est parfait, équilibre, bouquet, couleur, puissance, charpente. Une bouteille exceptionnelle !

➥ GAEC Grand Frères, rte de Frontenay, Passenans, 39230 Sellières, tél. 84.85.28.88 T.l.j. 9h-12h 14h-18h30.

CH. GRÉA Brut 1985*

○ 3 ha 12 000

Dans une agréable couleur jaune pâle à reflets verts, ce vin solide en bouche a du caractère. Il est à découvrir dans les caves voûtées (XVIIIe s.) du domaine.

➥ M. Pierre de Boissieu, Ch. Gréa, Rotalier, 39190 Beaufort, tél. 84.25.05.07 T.l.j. sf dim. 9h-12h 14h-19h.

CAVEAU DES JACOBINS 1986**

□ 15 ha 50 000
85 86

Le floral et le fruité où domine la poire s'associent délicatement pour notre plus grande joie dans un bel or pâle. Un bon équilibre, avec beaucoup de souplesse, incite à conseiller sa consommation maintenant.

➥ Caveau des Jacobins, rue du Collège, 39800 Poligny, tél. 84.37.14.58 T.l.j. 9h-12h 13h30-18h30 ; f. dim. a.-m.

CAVEAU DES JACOBINS 1986**

▽ 5 ha 10 000
[82] [85] 86

Il ne s'agit pas d'un vin de messe ! bien que vinifié et élevé dans l'ancienne église du XIIIe s. où s'est installée en 1907 cette petite fruitière. Ce 86, léger, fin, flatteur, très harmonieux et équilibré est à boire dès maintenant.

➥ Caveau des Jacobins, rue du Collège, 39800 Poligny, tél. 84.37.14.58 T.l.j. 9h-12h 13h30-18h30 ; f. dim. a.-m.

JEAN-CLAUDE PELTIER
Caveau du Terroir 1986*

□ 2,50 ha 8 000
83 85 [86]

Jaune pâle, brillant, évoquant d'agréables odeurs de miel, ce vin possède une bonne longueur et révèle un heureux mariage avec le bois.

➥ M. Jean-Claude Peltier, Ménétru-le-Vignoble, 39210 Voiteur, tél. 84.85.26.67 T.l.j. 8h-19h.

MARIUS PERRON 1985

□ 1,50 ha 7 000
[83] 85

Dans une couleur très jurassienne, ses arômes d'amande grillée sont très évolués. Souple et harmonieux il, est à boire maintenant.

➥ M. Marius Perron, rue des Roches, 39210 Voiteur, tél. 84.85.20.83

DESIRE PETIT ET FILS
Cuvée de Grozon 1986***

[79] 82 [83] 85 [86]

La commune de Grozon possède de magnifiques coteaux sur marnes du lias et du trias, parfaitement propices à la production d'excel-

fou ? La bulle est fine et élégante dans un jaune très pâle. Tout est en légère mais l'équilibre est bien là. Une vraie fête.

↳ M. Henri Maire, Ch. Montfort, 39600 Arbois, tél. 84.66.12.34 ℡ t.l.j; 9h-12h 14h-18h.

L'étoile

Le village doit son nom à des fossiles, segments de tiges d'encrines (échinodermes en forme de fleurs), petites étoiles à cinq branches. Son vignoble (64 ha) donne un peu moins de 2 000 hl de vins blancs, jaunes et mousseux.

MICHEL GENELETTI 1985*

83 84 [85]	1,25 ha	6 000

Une ou deux heures d'oxydation permettront à ce vin de mieux révéler son nez typique de chardonnay. Assez léger, il allie l'élégance à l'équilibre.

↳ M. Michel Geneletti, L'Etoile, 39570 Lons-le-Saunier, tél. 84.47.46.25 ℡ r.-v.

CH. L'ETOILE Vin jaune 1981*

67 71 72 (76) 79 81	3 ha	2 000

Il n'est plus nécessaire de vanter les qualités de la famille Vandelle. Vignerons de père en fils, ils ont su maintenir à ce petit vignoble une haute et ancienne réputation. Le vin jaune 81 est dans la lignée, un peu austère ; il faudra l'attendre.

↳ GAEC Ch. de L'Etoile, L'Etoile, 39570 Lons-le-Saun er, tél. 84.47.33.07 ℡ t.l.j; sf dim. 8h-12h 14h-19r.

↳ MM Vandelle et Fils.

CH. L'ETOILE 1986*

76 82 83 85 [86]	15 ha	40 000

Ce vin blanc très typé au nez puissant, curieusement développé pour un millésime si récent, offre une bonne persistance en bouche.

↳ GAEC Ch. de L'Etoile, L'Etoile, 39570 Lons-le-Saun, tél. 84.47.33.07 ℡ t.l.j; sf dim. 8h-12h 14h-19r.

↳ MM Vandelle et Fils.

DOM. DE MONTBOURGEAU 1986***

71 (76) [79] [81] [82] 83 [85] 86	4 ha	15 000

Le mariage de 85% de chardonnay et de 15% de savagnin donne naissance à un vin au nez intense, complexe et d'une grande finesse, où se mêlent les fleurs, la vanille, le miel et la noix. Le terroir a fortement imprégné ce vin de tous les arômes caractéristiques de L'Etoile. Puissant et fruité, il conserve une certaine nervosité qui lui garantit un très brillant avenir.

↳ M. Jean Gros, Dom. de Montbourgeau, L'Etoile, 39570 Lons-le-Saunier, tél. 84.47.32.96 ℡ r.-v.

La Savoie

Du lac Léman à la vallée de l'Isère, dans les deux départements de la Savoie et de la Haute-Savoie, le vignoble savoyard occupe les basses pentes favorables des Alpes. En constante extension (près de 1 500 ha), il forme une mosaïque complexe au gré des différentes vallées dans lesquelles il est établi en îlots plus ou moins importants. Cette diversité géographique se retrouve dans les variantes climatiques, accentuées par le relief ou tempérées par le voisinage des lacs Léman et du Bourget.

Vin de savoie et roussette de savoie sont les appellations régionales, utilisées dans toutes les zones, pour tous les types de vins ; elles peuvent être suivies de la mention d'un cru, mais ne s'appliquent alors qu'à des vins tranquilles, uniquement

blancs pour les roussettes. Les vins des secteurs de Crépy et Seyssel ont droit chacun à leur propre appellation.

Les cépages, du fait de la grande dispersion du vignoble, sont assez nombreux, mais, en réalité, un certain nombre n'existent qu'en très faible quantité : le pinot et le chardonnay, notamment. Quatre blancs et deux noirs sont les principaux, en même temps que ceux qui donnent des vins originaux spécifiques. Le gamay, importé du Beaujolais voisin après la crise phylloxérique, est celui des vins frais et légers à consommer dans l'année. La mondeuse, cépage local de qualité, donne des vins rouges bien charpentés ; c'était, avant le phylloxéra, le cépage le plus important de la Savoie, où il est souhaitable qu'il reprenne sa place, car ses vins sont de belle qualité et ont beaucoup de caractère. La jacquère est le cépage blanc le plus répandu ; elle donne des vins blancs frais et légers, à consommer jeunes. L'altesse est un cépage très fin typiquement savoyard, celui des vins blancs vendus sous le nom de roussette de savoie. La roussanne, enfin, portant le nom local de bergeron, donne également des vins blancs de haute qualité, spécialement à Chignin, avec le chignin-bergeron.

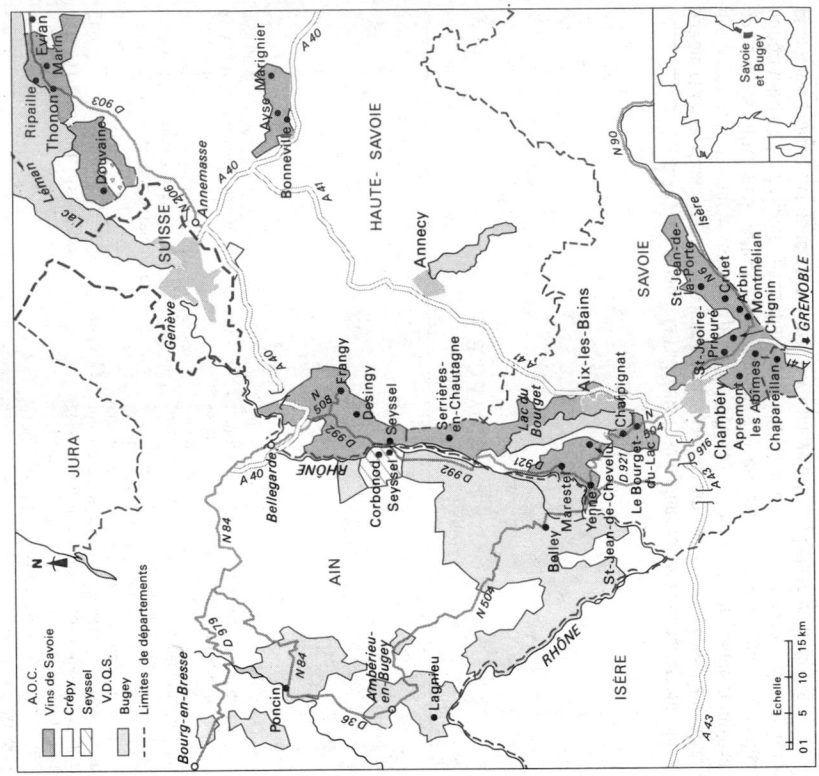

La Savoie

Quoi de neuf en Savoie?

Deux nouveaux crus font leur entrée dans la ronde des vins de Savoie: Marin sur les bords du Léman près de Thonon-les-Bains (chasselas blanc), Jongieux qui réunit à cette commune Billième, Lucey, Saint-Jean-de-Chevelu et Yenne (tous vins de Savoie). Les surfaces en production de l'ensemble du vignoble viennent d'augmenter, la récolte 87 de 104 000 hl. Ce millésime du vignoble sont stables 1 525 ha pour une passion. Les vendanges n'ont pas posé de gros problèmes. Si le gamay, assez léger, est à boire jeune, les mondeuses agréables et d'un support tannique, la jacquère, donnent un excellent blanc aux arômes de chèvrefeuille et de fruits de la passion. Les vendanges n'ont pas posé de gros problèmes.

Créé le 26 juin 1987 et avec Jacques Allion, président du syndicat du commerce de gros de Savoie et membre du comité de direction de l'Orvins à sa tête, installé à Chambéry, le comité interprofessionnel des vins de Savoie est maintenant en place pour stimuler l'expansion des produits de la région.

Crépy

rive du lac Léman, c'est le chasselas qui est planté dans le vignoble de Crépy (80 ha), dont il est le cépage unique. Il donne environ 6 000 hl de vin blanc léger, qui gagne à être conservé quelques années.

Comme sur toute la

De petites perles de gaz carbonique donnent un peu de vivacité à ce bon vin de chasselas qui agrémentera les filets de perche du lac. A l'apéritif en été aussi.

☎ SA Fichard, Chens-sur-Léman, 74140 Douvaine, tél. 50.94.04.02 ☎ r.-v.

□ FICHARD 1986

	9 ha	80 000	🍷1 🍷2

Vin de savoie

Le vignoble donnant droit à l'appellation vin de savoie est installé le plus souvent sur les anciennes moraines glaciaires ou sur les éboulis, ce qui, joint à la dispersion géographique, conduit à une diversité qui est souvent consacrée par l'adjonction du nom du cru local à celui de l'appellation régionale. Au bord du Léman, c'est, comme sur la rive suisse, le chasselas qui, à Marin, Ripaille, Marignan, donne des vins blancs légers, à boire jeunes, et que l'on élabore souvent

perlants. Les autres zones ont des cépages différents, et, selon la vocation des sols, produisent des vins blancs ou des vins rouges. On trouve ainsi, du nord au sud, Ayze, au bord de l'Arve, avec des vins pétillants ou mousseux, puis, au bord du lac du Bourget (et au sud de l'appellation Seyssel), la Chautagne, dont les vins ont un caractère très particulier, et Charpignat, au pied du mont du Chat. Au sud de Chambéry, les bords du mont Granier recèlent des vins blancs frais, comme l'apremont et le cru des-abymes, vignoble établi sur un effondrement qui, en 1248, fit des milliers de victimes. En face, Montermelot, envahi par l'urbanisation, a conservé assez de vignobles qui donnent des vins remarquables; ce petit vignoble est suivi de ceux de Saint-Jeoire-Prieuré, de l'autre côté de Challes-les-Eaux, puis de Chignin, dont le bergeron a une renommée parfaitement justifiée. En remontant l'Isère rive droite, les pentes sud-est sont occupées par les crus de Montmélian, Arbin, Cruet et Saint-Jean-de-la-Porte. Enfin, à l'extrême sud, à mi-chemin entre Chambéry et Grenoble, le vignoble de Sainte-Marie-d'Alloix annonce celui du Grésivaudan voisin, qui, lui, n'est plus classé savoyard, mais dauphinois.

Produits en faible quantité, mais avoisinant les 100 000 hl dans une région très touristique, les vins de savoie sont surtout consommés dans leur jeunesse, sur place, avec un marché

où la demande dépasse parfois l'offre. C'est là une excellente solution pour les vins de savoie blancs, qui vont bien sur les produits des lacs ou de la mer, et pour les rouges issus de gamay qui, très complaisants, s'accordent avec beaucoup de mets. Il est cependant dommage de consommer jeunes les vins rouges de mondeuse, qui ont besoin de plusieurs années pour s'épanouir et s'assouplir : ces bouteilles de haut niveau conviendront aux plats puissants, au gibier, à l'excellente tomme maigre de Savoie et au fameux reblochon.

CHAUTAGNE Le Chautagnard 1987*

n.c. 20 000

A parts égales gamay, pinot, mondeuse, ce 87 offre de belles nuances agréables à l'œil, des odeurs fines. L'approche gustative est intéressante : de la vinosité, une belle harmonie. Jolie bouteille de bonne tenue.

➤ Cave Coop. de Chautagne, Ruffieux, 73310 Chindrieux, tél. 79.54.27.12 ⟁ r-v. ma. me. je. ve. 14h-18h.

CHAUTAGNE Gamay 1987**

63 ha 250 000

Le gamay est rarement aussi agréable en Savoie, car pour ce cépage, le terroir calcaire n'est pas idéal. Cette cuvée est particulièrement réussie et le vin passera l'année sans problème.

➤ Cave Coop. de Chautagne, Ruffieux, 73310 Chindrieux, tél. 79.54.27.12 ⟁ ma. me. je. ve. 14h-18h.

CHAUTAGNE Pinot 1987

9 ha 60 000

Avec une note caractéristique de griotte, ce vin de pinot a été moins apprécié que celui de gamay. Sans doute était-il moins flatteur. Il pourrait se rattraper plus tard.

DUPASQUIER Pinot 1986**

1,50 ha n.c.

Cerises rouges, vanille, pruneau à l'armagnac, tels sont les arômes trouvés par les dégustateurs dans ce vin de pinot bien réussi. Il faut le boire dès maintenant pour profiter de sa richesse aromatique.

➤ M. Dupasquier, Aimavigne, Jongieux, 73170 Yenne, tél. 79.36.82.23 ⟁ r-v.

EDMOND JACQUIN ET FILS Gamay 1987**

4 ha 30 000

Une nuance violacée dans la robe et une très agréable odeur amylique. Bien équilibré, il se situe entre le vin de primeur et le vin de garde, avec une note de vinification à la beaujolaise. Belle réussite d'une cave qui mérite le détour.

Vin de Savoie
Appellation Vin de Savoie Contrôlée
BLANC
Ce vin de Savoie a été tiré sur lie fine et ce qui lui donne son perlant
11 % vol.
75 cl

➤ MM. Edmond Jacquin et Fils, GAEC Les Perrières, Jongieux-le-Haut, 73170 Yenne, tél. 79.36.82.35 ⟁ r-v.

EDMOND JACQUIN ET FILS Jacquère 1987**

3 ha 20 000

Un très joli parfum d'aubépine dans une robe ivoire : un vin d'un très bon équilibre et très bien vinifié. La bouche est fruitée avec une élégante pointe d'amande. Un 87 harmonieux, parfait à découvrir à l'apéritif mais aussi à associer à une friture de perchettes.

➤ MM. Edmond Jacquin et Fils, GAEC Les Perrières, Jongieux-le-Haut, 73170 Yenne, tél. 79.36.82.35 ⟁ r-v.

DOM. DE LA VIOLETTE Abymes 1987

4,50 ha 40 000

Bien dans le style du millésime 87, léger, agréable, qu'il faudra boire l'été, ou lors des soirées d'hiver sur la fondue savoyarde.

➤ M. Daniel Fustinoni, Dom. de la Violette, Les-Marches-en-Savoie, 73800 Montmélian, tél. 79.28.13.30 ⟁ t.l.j. sf dim. 8h-12h 14h-18h.

LES FILS RENE QUENARD Le Cellier des Tours - Pinot 1987*

0,50 ha 5 000

Vin très friand, où la frangipane vient se mêler aux fruits rouges un peu mûrs. Léger et tendre, il est à déguster dans l'année.

➤ Les Fils René Quenard, Les Tours, Chignin, 73800 Montmélian, tél. 79.28.01.15 ⟁ r-v.

LA CAVE DU PRIEURE Jonquieux-Gamay 1987

8 ha 8 000

Un rosé de gamay à nuance foncée, avec une forte odeur vineuse. Une curiosité en Savoie.

➤ MM. Raymond Barlet et Fils, La Cave du Prieuré, Jongieux, 73170 Yenne, tél. 79.36.82.22 ⟁ r-v.

ANDRE QUENARD ET FILS Coteaux de Tormery - Chignin-Jacquère 1987*

5,90 ha 500 000

La cave d'André Quenard est égale à elle-même. Des vins très bien vinifiés, qui expriment leur personnalité. Le jacquère donne à ce Chignin toute la vivacité ; Chignin donne au jacquère tout son caractère.

ANDRE QUENARD ET FILS
Coteaux de Tormery - Chignin-Mondeuse 1987*

1,85 ha   10 000   [V2]

Une couleur foncée à nuance violette caractéristique. Des odeurs et arômes de cassis mélangés à la vinosité de la mondeuse. Des tanins élégants permettront un vieillissement qu'il ne faut pas espérer plus de trois à cinq ans.

➛ MM. André Quénard et Fils, Tormery, Chignin, 73800 Montmélian, tél. 79.28.12.75
Y r.-v.

LES FILS RENE QUENARD 1987★★

1,50 ha   10 000   [i][2]

Un très joli vin issu du jacquère, habillé d'une très belle couleur aux nuances jaunes. Le cépage exprime pleinement sa richesse aromatique. Très équilibré, c'est le type même du vin de savoie à déguster sur un lavaret du lac du Bourget.

➛ Les Fils René Quénard, Les Tours, Chignin, 73800 Montmélian, tél. 79.28.01.15 Y r.-v.

LES FILS RENE QUENARD
Chignin-Gamay 1987

1 ha   8 000   [⦿][i][2]

Il fait curieusement penser aux fruits exotiques, mais il est friand, tendre. Ce n'est pas un génie, mais il tiendra la route cette année.

➛ Les Fils René Quénard, tél. 79.28.01.15 Y r.-v.*

LES FILS RENE QUENARD
Cuvée du Cellier des Tours - Brut 1986*

1 ha   5 000   [i][3]

Une bulle fine et persistante, des odeurs agréables où se mêlent le froment et le miel. Son dosage conduit à le conseiller en fin de repas.

➛ Les Fils René Quénard, Les Tours, Chignin, 73800 Montmélian, tél. 79.28.01.15 Y r.-v.

DOM. DE TERMONT Abymes 1987

7 ha   70 000   [ii][1]

Le jacquère ne s'exprime pas encore totalement, mais on perçoit des arômes légers. Le domaine est situé au pied du Mont Granier sur les éboulis argilo-calcaires.

➛ M. Dominique Allion, Dom. du Termont, Les Marches-en-Savoie, 73800 Montmélian, tél. 79.28.10.38 Y r.-v.

COTEAU DE TORMERY
Chignin-Bergeron, roussanne 1987*

4,06 ha   30 000   [↓][V][3]

100% roussanne. Une corbeille de fruits exotiques dans la bouteille! Fruits de la passion, litchies s'associent aux arômes de fermentations encore présents. Une harmonie en faveur de la douceur.

Roussette de savoie

Issue du seul cépage altesse pour les crus, ou associée au chardonnay et à la mondeuse blanche en dehors des crus, on trouve la roussette de savoie essentiellement à Frangy, le long de la rivière des Usses, à Monthou et à Marestel, au bord du lac du Bourget. L'usage qui veut que l'on serve jeunes les roussettes de ce cru est regrettable, puisque, bien épanouies avec l'âge, elles font merveille avec des préparations de poisson ou de viande blanche; ce sont elles qui accompagnent obligatoirement le beaufort local.

CAVE DE CHAUTAGNE 1987*

n.c.   20 000   [i][V2]

Ce vin a soulevé des discussions car il se présente dans sa jeunesse. Tout le monde a été d'accord pour lui décerner un coup de cœur, considérant comme représentatif et plein d'espoir d'évolution. Une exception à la règle Hachette où seules les 2 ou 3 étoiles peuvent être coup de cœur. Mais l'éditeur respecte le jeu de la commission!

➛ Cave Coop. de Chautagne, Ruffieux, 73310 Chindrieux, tél. 79.54.27.12 Y ma. me. je. ve. 14h-18h.

EDMOND JACQUIN ET FILS 1987*

1,80 ha   12 000   [i][V][1]

Intense par sa couleur, il exprime de jolis arômes. Un vin agréable, assez équilibré.

➛ MM. André Quénard et Fils, Tormery, Chignin, 73800 Montmélian, tél. 79.28.12.75
Y r.-v.

➛ MM. André Quénard et Fils, Tormery, Chignin, 73800 Montmélian, tél. 79.28.12.75
Y r.-v.

Seyssel

Seyssel

De même que dans l'appellation crépy, le plant est ici le chasselas, utilisé seul pour l'élaboration du seyssel tranquille, mais en association avec la molette et l'altesse dans les mousseux, commercialisés trois ans après leur prise de mousse. Ces cépages locaux donnent un bouquet et une finesse tout à fait spécifiques aux vins de Seyssel, où l'on reconnaît notamment la violette. L'aire d'appellation couvre environ 75 ha.

↳ MM. Edmond Jacquin et Fils,
GAEC Les Perrières, Jongieux-le-Haut,
73170 Yenne, tél. 79.36.82.35 **Y** r.-v.

VARICHON ET CLERC
Cuvée Privée - Royal Seyssel 1983*

○   50 ha   60 000   🔲🔳 ☑🔳

   Vin mousseux déjà évolué avec de belles odeurs d'iris et de truffe. Très typé, il est plutôt à boire tranquillement, ou au dessert.
↳ Varichon et Clerc SA, Les Séchallets,
01350 Seyssel, tél. 50.59.23.15 **Y** r.-v.

Le Bugey

Bugey VDQS

Dans le département de l'Ain, le vignoble du Bugey occupe les basses pentes des monts du Jura, dans l'extrême sud de Bourg-en-Bresse jusqu'à Ambérieu-en-Bugey, ainsi que celles qui, de Seyssel à Lagnieu, descendent sur la rive droite du Rhône. Autrefois important, il est aujourd'hui très réduit et dispersé.

   Il est établi le plus souvent sur des éboulis calcaires de pentes assez fortes. L'encépagement accuse la situation de carrefour de la région : en rouge, le poulsard jurassien y voisine avec la mondeuse savoyarde et les pinot et gamay de Bourgogne; de même en blanc, la jacquère et l'altesse sont en concurrence avec le chardonnay et l'aligoté, sans oublier la molette, seul cépage vraiment local, et la mondeuse blanche.

MAISON ANGELOT Chardonnay 1987*

🔲   3 ha   20 000   🔳🔲

   Comme dans toute la région Est, le chardonnay a eu du mal à bien mûrir en 1987. Il n'en a pas moins de finesse et une bonne aptitude au vieillissement. A servir en entrée sur charcuterie et poisson.
↳ GAEC Maison Angelot, Marignieu,
01300 Belley, tél. 79.81.05.78 **Y** r.-v.

MAISON EUGÈNE MONIN ET FILS Pinot 1987*

■ 86 1871   2 ha   12 000   🔳🔲 ☑🔳

   Si le nez est assez neutre, la bouche permet aux arômes du pinot de se développer avec finesse. Un vin chaleureux dans une belle robe sombre.

↣ Maison Eugène Monin et Fils, Vongnes, 01350 Cu:oz, tél. 79.87.92.33 ¶ r.-v.

MAISON EUGENE MONIN ET FILS Brut - Blanc de blancs 1986

○ 85 86   n.c.   80 000   ■ M 3

Il est vif et agréable, avec de jolies bulles persistantes. Le nez est brioché. Un bon apéritif.

↣ Maison Eugène Monin et Fils, Vongnes, 01350 Cu:oz, tél. 79.87.92.33 ¶ r.-v.

MAISON EUGENE MONIN ET FILS Chardonnay 1987**

□   3 ha   18 000   ■ ! M 2

Un abonné des coups de cœur pour un chardonnay, même lorsque ce millésime ne permet pas d'atteindre l'excellence. Belle couleur jaune clair, net et brillant. La framboise domine le bon équilibre. Plénitude et persistance aromatique et font un vin à rechercher.

↣ Maison Eugène Monin et Fils, Vongnes, 01350 Cu:oz, tél. 79.87.92.33 ¶ r.-v.

LE LANGUEDOC ET LE ROUSSILLON

Entre la bordure méridionale du Massif central et les régions orientales des Pyrénées, c'est une mosaïque de vignobles et une large palette de vins qui s'offrent à travers quatre départements côtiers : le Gard, l'Hérault, l'Aude, les Pyrénées-Orientales, grand cirque de collines en pentes parfois raides jusqu'à la mer, divisées en

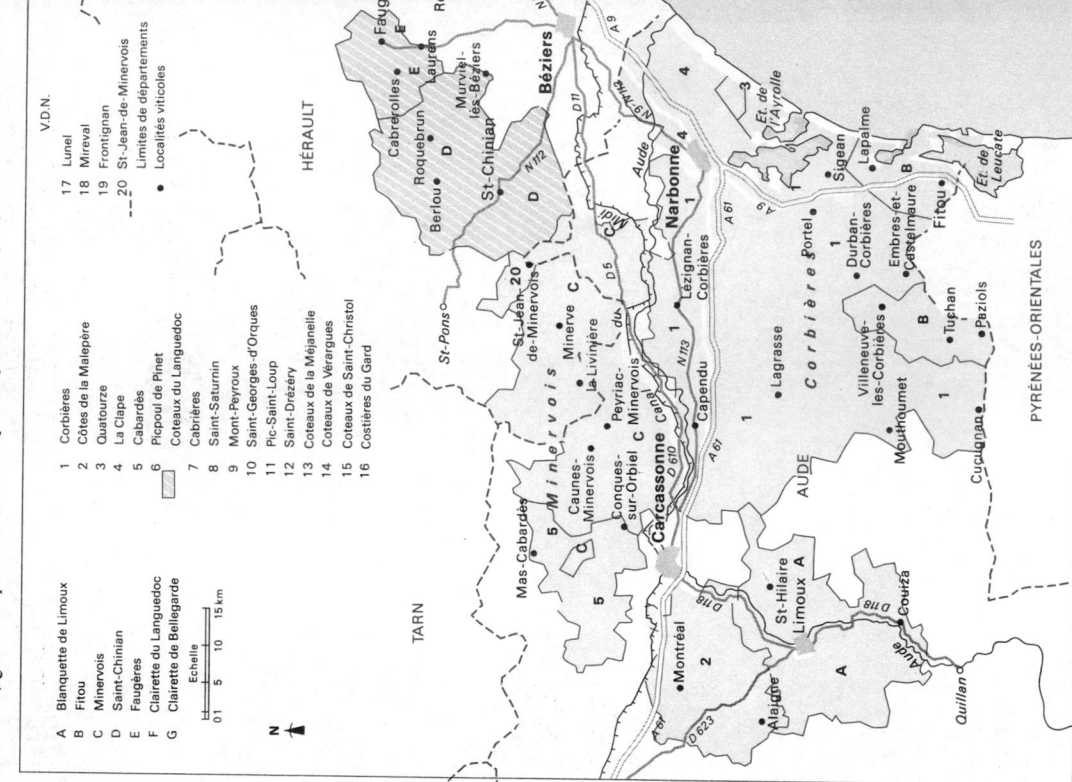

A Blanquette de Limoux
B Fitou
C Minervois
D Saint-Chinian
E Faugères
F Clairette du Languedoc
G Clairette de Bellegarde

Échelle
0 1   5   10   15 km

N

1 Corbières
2 Côtes de la Malepère
3 Quatourze
4 La Clape
5 Cabardès
6 Picpoul de Pinet
  Coteaux du Languedoc
7 Cabrières
8 Saint-Saturnin
9 Mont-Peyroux
10 Saint-Georges-d'Orques
11 Pic-Saint-Loup
12 Saint-Drézéry
13 Coteaux de la Méjanelle
14 Coteaux de Vérargues
15 Coteaux de Saint-Christol
16 Costières du Gard

V.D.N.

17 Lunel
18 Mireval
19 Frontignan
20 St-Jean-de-Minervois
— — Limites de départements
● Localités viticoles

HÉRAULT

TARN

AUDE

PYRÉNÉES-ORIENTALES

524

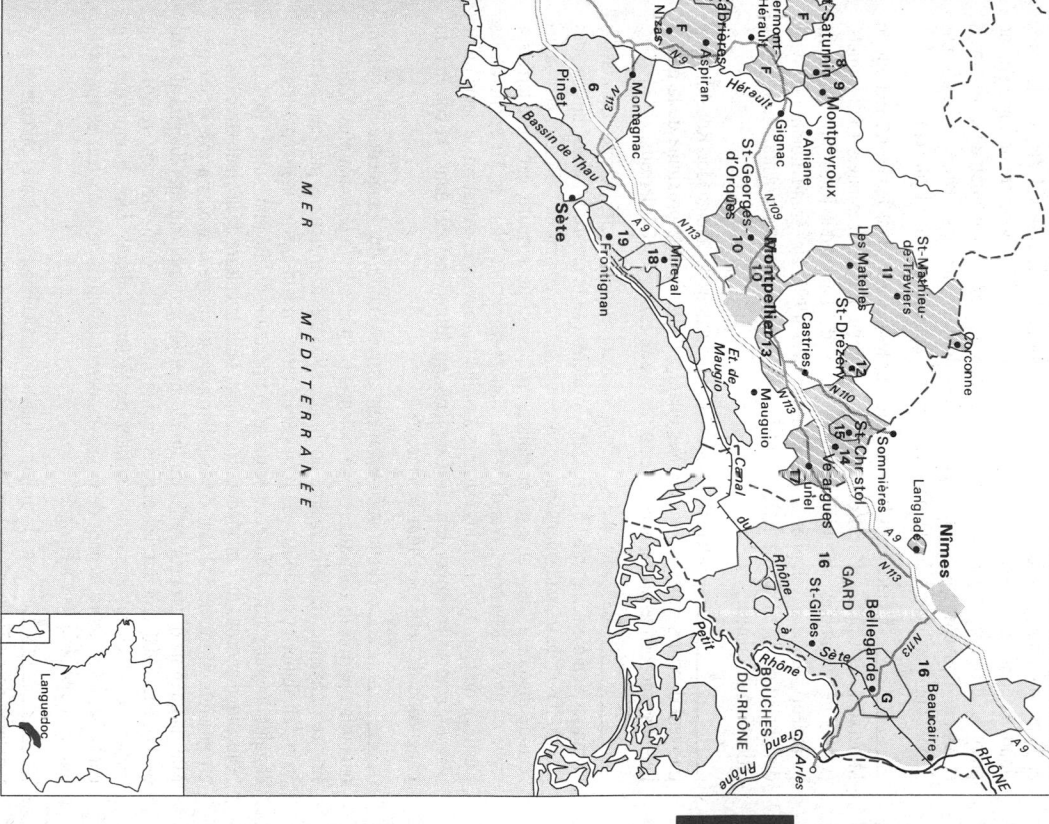

quatre zones successives : la plus haute, formée de régions montagneuses, notamment de terrains anciens du Massif central ; la seconde, régio des soubergues et des garrigues, la partie la plus ancienne du vignoble ; la troisième, la plaine alluviale assez bien abritée présentant quelques coteaux peu élevés (200 m) ; et le quatrième, zone littorale formée de plages basses et d'étangs dont les récents aménagements ont fait l'une des régions de vacances les plus dynamiques d'Europe. Ici encore c'est aux Grecs que l'on doit sans doute l'implantation de la vigne, dès le VIIIe s. av. J.-C., au voisinage des points de pénétration et d'échange. Avec les Romains, le vignoble se développa rapidement et concurrença même le vignoble romain, si bien qu'en l'an 92 l'empereur Domitien ordonna l'arrachage de la moitié des surfaces plantées ! La culture de la vigne resta alors une spécificité de la Narbonnaise pendant deux siècles. En 270, Probus redonna au vignoble du Languedoc-Roussillon un nouveau départ, en annulant les décrets de 92. Il se maintint sous les Wisigoths puis dépérit, lorsque les Sarrazins intervinrent dans la

région. Le début du IXe s. marque une renaissance du vignoble, dans laquelle l'Église joua un rôle important grâce à ses monastères et à ses abbayes. La vigne est alors placée surtout sur les coteaux, les terres de plaine étant réservées aux cultures vivrières.

Le commerce du vin se développa surtout aux XIVe et XVe s., de nouvelles technologies voyant le jour, tandis que les exploitations se multipliaient. Aux XVIe et XVIIe s. se développa aussi la fabrication des eaux-de-vie.

Aux XVIIe et XVIIIe s., l'essor économique de la région passe par la création du port de Sète, l'ouverture du canal des Deux Mers, la réfection de la voie romaine, le développement des manufactures de tissage de draps et de soieries, ce qui entraîna l'accroissement de la vigne. Facilitée par les nouvelles infrastructures de transport, l'exportation du vin et des eaux-de-vie est encouragée.

On assiste alors au développement d'un nouveau vignoble de plaine, et l'on voit apparaître dès cette période la notion de terroir viticole, où les vins liquoreux, obtenus souvent à l'époque par adjonction de miel, occupent déjà une grande place. La création du chemin de fer, entre les années 1850 et 1880, diminue les distances et assure l'ouverture de nouveaux marchés dont les besoins seront satisfaits par l'abondante production de vignobles reconstitués après la crise du phylloxéra.

Grâce à ses terroirs situés sur les coteaux, dans le Gard, l'Hérault, le Minervois, les Corbières, le Roussillon, un vignoble planté de cépages traditionnels, (voisin des vignobles qui avaient fait la gloire du Languedoc-Roussillon au siècle précédent), va se développer à partir des années 1950. Un grand nombre de vins deviennent alors VDQS et AOC, tandis que l'on constate une orientation vers une viticulture de qualité.

Les différentes zones de production du Languedoc-Roussillon se trouvent dans des situations très variées quant à l'altitude, à la proximité de la mer, à l'établissement en terrasses ou en coteaux, aux variétés de sols et de terroirs.

Les sols et les terroirs peuvent être ainsi des schistes de massifs primaires comme à Banyuls, Maury, en Corbières et Minervois, à Saint-Chinian; des grès du lias et du trias alternant souvent avec des marnes comme en Corbières et à Saint-Jean-de-Blaquière; des terrasses et cailloux roulés du quaternaire, excellent terroir à vigne comme à Rivesaltes, Val-d'Orbieu, Caunes-Minervois, dans la Méjanelle ou les Costières du Gard; des terrains calcaires à cailloutis souvent en situation de pente ou de plateau, comme en Roussillon, en Corbières, en Minervois; ou, dans les coteaux du Languedoc, des terrains d'alluvions récentes.

Le climat méditerranéen assure l'unité du Languedoc-Roussillon, climat fait parfois de contraintes et de violence. C'est en effet la région la plus chaude de France (moyenne annuelle voisine de 14°C, avec des températures pouvant dépasser 30°C en juillet et en août); les pluies sont rares, irrégulières et mal réparties. L'été connaît toujours une déficience hydrique importante du 15 mai au 15 août. Dans beaucoup d'endroits du Languedoc-Roussillon, seule la culture de la vigne et de l'olivier est possible. Il tombe 350 mm d'eau à Barcarès, le village le moins arrosé de France. Mais la quantité d'eau peut varier du simple au triple suivant l'endroit (400 mm au bord de la mer, 1 200 mm sur les massifs montagneux). Les vents viennent renforcer la sécheresse du climat lorsqu'ils soufflent de la terre (mistral, cers, tramontane); au contraire, les vents provenant de la mer modèrent les effets de la chaleur et apportent une humidité bénéfique à la vigne.

Le réseau hydrographique est particulièrement dense; on compte une vingtaine de rivières, souvent transformées en torrents après les orages, souvent à sec à

certaines périodes de sécheresse. Elles ont contribué à l'établissement du relief et des terroirs depuis la Vallée du Rhône jusqu'à la Têt, dans les Pyrénées-Orientales.

Sols et climat constituent un environnement très favorable à la vigne en Languedoc-Roussillon, ce qui explique que près de 40 % de la production nationale y soit localisée, dont annuellement environ 2 000 000 hl en AOC (13 % de la production française) et 2 000 000 hl en VDQS.

Les vins AOC se composent de 700 000 hl de vins doux naturels produits en majeure partie dans les Pyrénées-Orientales, le reste venant de l'Hérault (voir le chapitre les concernant); 80 000 hl de vins mousseux dans l'Aude; 1 200 000 hl de vins rouges et 55 000 hl de vins blancs. Les VDQS produits dans les quatre départements sont constitués à 95 % de vins rouges.

Dans le vignoble de vins de table, on constate depuis 1950 une évolution de l'encépagement: régression importante de l'aramon, cépage de vins de table légers planté au XIXe s., au profit des cépages traditionnels du Languedoc-Roussillon: carignan, cinsaut, grenache noir, syrah et mourvèdre; et l'implantation d'autres cépages plus aromatiques: cabernet-sauvignon, cabernet-franc, merlot.

Dans le vignoble de vins fins, les cépages rouges sont essentiellement le carignan, qui représente de 50 à 90 % de l'encépagement en raison de sa rusticité et apporte au vin structure, tenue et couleur; le cinsaut, qui est cultivé en terrain pauvre, et donne un vin souple présentant un fruité agréable; le grenache, cépage sensible à la coulure, qui donne au vin sa chaleur, participe au bouquet mais s'oxyde facilement lors du vieillissement; le mourvèdre, qui, par contre, vieillit bien et donne des vins corsés, colorés, riches en tanins, résistant à l'oxydation; le syrah, enfin, cépage de qualité, qui apporte ses tanins et un arôme se développant en vieillissant.

Les cépages blancs sont constitués essentiellement de grenache blanc, pour les vins tranquilles, le picpoul, le bourboulenc, le macabeu, la clairette donnant une certaine chaleur mais madérisant assez rapidement; et les vins mousseux des mauzac, chardonnay et chenin.

Quoi de neuf en Languedoc?

Un événement dans les coteaux-du-languedoc: la reconnaissance des AOC en blanc sur l'ensemble de l'aire d'appellation (4 février 1988). Limitée aux vins de Picpoul et La Clape (15 000 hl en tout), cette production était jusqu'à présent assez confidentielle. Elle va pouvoir désormais se développer, avec des vins issus de plusieurs cépages. Ce qui correspond à une forte demande des consommateurs «de bord de mer».

En revanche, le dossier d'extension de l'aire des coteaux-du-languedoc marque le pas, tant les souhaits sont nombreux: 121 communes actuellement, 277 communes candidates dans le Gard et l'Hérault. Il est évident que ces prétentions ne pourront pas aboutir, sauf dans une quarantaine de villages.

Automne 1988, le syndicat de l'interprofession s'est installé dans le magnifique domaine de Saporta. Cette grande famille est liée à l'histoire de Montpellier. L'un de ses membres y fonda l'Ecole de médecine. Le domaine se situe à la sortie sud de la ville, dans un site magnifique où est maintenant mise en valeur la promotion des vins et de la gastronomie. Même démarche, mais à Paris cette fois: la création récente rue de la Harpe dans le Quartier latin de la Maison des Vins du Languedoc.

Le millésime 87 n'est pas sans doute pas destiné à une longue garde. Assez bien équilibré, souple et aromatique, il plaira dans sa jeunesse. Une production de 466 000 hl, dont 100 000 hl en saint-chinian, 56 000 en faugères. Clairette du languedoc: 10 000 hl.

Le Languedoc

Blanquette de limoux

La blanquette de limoux est le seul cru de vin mousseux du Languedoc-Roussillon. Elle était appelée autrefois blanquette en Limouxin, quand les moines de l'abbaye Saint-Hilaire découvrirent que leur vin repartait en fermentation au début du printemps. Trois cépages sont utilisés pour son élaboration : le mauzac (80 % de la surface plantée); le chenin et le chardonnay, ces deux cépages étant introduits à la place de la clairette et apportant à la blanquette acidité et finesse aromatique.

Trois types de vins ont droit à l'appellation : un vin tranquille, le limoux, et deux vins mousseux : la blanquette de limoux et le vin de blanquette. Celui-ci est un vin mousseux élaboré suivant une méthode très ancienne.

La blanquette de limoux, elle, est élaborée suivant la méthode champenoise et se présente sous dosages brut, demi-sec ou doux. Il peut en être produit actuellement plus de huit millions de bouteilles par an.

AIMERY Blanc de blancs 1985*

○ n.c. 3 000 000 🔲2

Une technologie de pointe permet aux maîtres blanquetiers de vinifier dans le respect de la tradition 2 000 hectares de vignes. Une mousse fine et régulière agrémente une robe pâle à reflets verts. Les arômes sont floraux (fleurs sauvages, acacia) et fruités (fruits acides, pomme reinette). La bouche est en continuité avec le nez, l'acacia cède sa place aux saveurs de fruits mûrs. La finale est franche et nerveuse. Pour apéritif ou dessert à base de fruits secs.
↳ Coop. Aimery, av. du Mauzac, 11300 Limoux, tél. 68.31.14.59 🍷 r.-v.

ANTECH Brut**

○ n.c. 18 250 🔲↓🔲2

Une belle approche brillante avec des reflets verts et une effervescence légère et persistante incitent à la découverte. Un nez, puissant, une attaque de bouche souple et riche. Une harmonie entre la fleur du mauzac, le gras et le rôti du chardonnay. Très beau travail de sélection. Excellent vin d'apéritif ou compagnon de desserts subtils.
↳ MM. Georges et Roger Antech, Dom. de Flassian, 11300 Limoux, tél. 68.31.15.88 🍷 r.-v.

CH. D'ANTUGNAC
Grande Réserve du Château 1986**

○ n.c. 30 000 ↓🔲3

Dans les caves Ramirés à l'ancien prieuré d'Antugnac, la famille Ramirés élabore ce vin délicat à la robe légère et pâle rehaussée par un bullage à la fois discret, élégant et fin. Des arômes de fruits exotiques, ananas, mangue ; une charpente légère et fraîche. Fruité et nerveux en bouche, ce vin tout en finesse, d'une belle longueur, reflète ses origines de la haute vallée de l'Aude. À l'apéritif ou avec un dessert aux fruits, mais on l'appréciera également avec du saumon.
↳ M. Marc Ramirés, Ch. d'Antugnac, 11190 Antugnac, tél. 68.74.29.76 🍷 r.-v.

CH. D'ANTUGNAC
Cuvée de la Sente-Croux 1986*

🔲 8 ha 30 000 🔲↓🔲1

Dans ce haut lieu cathare, autour de l'église de Sainte-Croix (IXᵉ s.), le vignoble de mauzac s'étage jusqu'à 400 m d'altitude. Le vin qui en est issu allie à la fraîcheur de sa robe, des arômes aériens, fins et puissants de fruits acides : ananas, pomme verte. De l'altitude, il apporte la fraîcheur rehaussée par une bonne présence carbonique. Le mauzac se retrouve en finale avec des notes de miel de garrigue très appréciées sur des crustacés.
↳ M. Marc Ramirés, Ch. d'Antugnac, 11190 Antugnac, tél. 68.74.29.76 🍷 r.-v.

DIAPHANE
Réserve du Vigneron - Demi-Sec 1983**

○ n.c. n.c. 🔲↓🔲2

L'art du blanquetier ne s'arrête pas au brut, il est des demi-secs d'une grande finesse. Ce vin d'un vert doré à la robe légère, typique des mauzac : arômes délicats d'aubépine, de garrigue et de miel. Voluptueux en bouche. Tout le doigté est

528

Clairette du languedoc

Les vignes sont cultivées dans huit communes de la vallée moyenne de l'Hérault, et produisent 10 000 hl. Après vinification à basse température avec le minimum d'oxydation, on obtient un vin blanc généreux, d'une robe jaune soutenu. Il peut être sec, demi-sec ou moelleux. En vieillissant, il acquiert un goût de rancio qui plaît à certains consommateurs. Il s'allie bien à la bourride sétoise et à la baudroie à l'américaine.

DOM. D'AUBEPIERRE 1987* ▮▮▮ ●●● ***

○ 1 ha 5 000

Qu'est-ce qu'une remarquable clairette du languedoc? Un vin bien doré dont les arômes expriment des vendanges gorgées de soleil, la pomme, la noix, l'amande grillée. Un vin riche d'ampleur et moelleux, qui se niche en boule et ronronne dans notre bouche. Mais en existe-t-il? Oui, celui-ci.

↳ M. Guy Crébassol, Rte des Caves, Nizas, 34320 Roujan, tél. 67.25.15.15 ϒ r.-v.

CH. LA CONDAMINE BERTRAND 1987*

86 87

□ 15 ha 25 000

Nez de banane et de pomme verte sous une robe d'un jaune soutenu, une clairette typique. Ronde, bien structurée, elle ponctue la fin de bouche par une légère touche d'amertume qui en rehausse le charme et la personnalité.

↳ M. et Mme B. et M.-J. Jany, Ch. La Condamine-Bertrand, Lézignan-Lacébe, 34120 Fezenas, tél. 67.25.27.96 ϒ r.-v.

DOM. DES MONTMEZES 1987

86 87

□ 72,90 ha 125 000

Légère et court vêtue, elle allait à grands pas... Elle ne porte pas un pot à lait, c'est une bouteille dont l'équilibre est parfait. Son nez n'est pas très expansif, mais il comporte de plaisantes notes exotiques de banane. A servir avec un poisson grillé.

↳ Les Vignerons d'Aspiran, Aspiran, 34800 Clermont-l'Hérault, tél. 67.96.50.16 ϒ t.l.j; sf dim. 8h-12h 14h-18h; f. sam. de sept. à juin

CH. SAINT-ANDRE 1987

85 87

□ 6 ha 30 000

Cette clairette provient d'un beau rendez-vous de chasse du XVIIe s. Robe jaune pâle, arômes discrets mais agréables, on a bien envie de lui faire un petit bout de causette. En bouche, gnant ce coquilles Saint-Jacques, par exemple.

---

dans l'équilibre acide-gras. Il surprend même les inconditionnels du brut sur un dessert sucré.

↳ Coop. Aimery, av. du Mauzac, 11300 Limoux, tél. 68.31.14.59 ϒ r.-v.

GUINOT Cuvée Centenaire*

○ 20,40 ha 50 000

Tenue de mousse agréable dans une robe dorée. Arômes d'épices et de pain grillé. Gras et ample en attaque de bouche, à l'équilibre parfait. Les notes grillées d'une belle évolution traduisent tout l'art de la cuvée transmis depuis des générations dans cette entreprise familiale qui fournissait le tsar Nicolas II.

↳ Maison Guinot, chem. de Ronde, 11300 Limoux, tél. 68.31.01.33 ϒ lu. ma. me. je. ve. 9h-12h 14h-18h30.

Clairette de bellegarde

Reconnue AOC en 1949, la clairette de bellegarde est produite dans la partie sud-est des Costières du Gard, dans une petite région comprise entre Beaucaire et Saint-Gilles, et entre Arles et Nîmes, sur des sols rouges caillouteux. 6 000 hl de vin présentant un bouquet caractéristique y sont produits.

DOM. DE FOURN Carte Noire 1986* ▮▮▮ ●●● ***

○ 70 ha 400 000

La mousse fine et persistante agrémente une belle robe vert doré. Des senteurs florales rappellent l'aubépine et le genêt. La bouche est dominée par l'équilibre: gras et frais à la fois, floral et pain grillé avec une finale tout en finesse. C'est sur ces terres que les moines de l'abbaye de Saint-Hilaire cultivaient les vignes qui donnèrent la première blanquette.

↳ GFA Robert, Dom. de Fourn, Pieusse, 11300 Limoux, tél. 68.31.15.03 ϒ t.l.j; 9h-20h.

DOM. DE L'AMARINE 1987*

□ 4 ha 15 000

Il est clair, frais et floral au nez, ferme, léger et agréable en bouche. Une belle clairette de bellegarde.

↳ M. Nicolas Godebski, Dom. de L'Amarine, 30127 Bellegarde, tél. 66.01.11.15 ϒ t.l.j; sf dim. 10h-12h 14h30-18h30.

↝ M. Jean-Louis Randon, Ch. Saint-André, 34120 Pézenas, tél. 67.98.12.58 Ⴤ ma. me. je. ve. sa. 10h-12h 14h-18h ; f. 15 sept.-15 oct.

↝ Mme et M. M. et F. Lemarié, Ch. Aiguilloux, Thézan-des-Corbières, 11200 Lézignan-Corbières, tél. 68.43.32.71 Ⴤ t.l.j. 9h-12h 14h-18h.

Corbières

Les corbières, VDQS depuis 1951, sont passés AOC en 1985. L'appellation s'étend sur quatre-vingt-sept communes, pour une production de 500 000 hl (10 % de blanc, 90 % de rouge). Ce sont des vins généreux, puisqu'ils titrent entre 11° et 13° d'alcool. Ces vins sont élaborés à partir de vignobles comportant dans l'encépagement 85 % de carignan pour la récolte 1985, puis le pourcentage de ce cépage sera abaissé progressivement jusqu'à 60 % en 1990.

C'est une région typiquement viticole, et il n'y a guère d'autres possibilités de culture. L'influence méditerranéenne dominante, mais également une certaine influence océanique à l'ouest, le cloisonnement des sites par un relief accentué, l'extrême diversité des sols, plantés surtout de carignan, en font une région difficile à classer. Les corbières possèdent une confrérie vineuse, l'Illustre Cour des Seigneurs de Corbières, dont le siège est à Lézignan-Corbières.

D'AGUILAR 1982**

n.c.   35 000

Belle robe évoluée d'un âge certain, vieux velours ambré. Nez fin, élégant, bouqueté. L'équilibre parfait se développe avec harmonie ; une note de café sur la finale prouve un élevage sérieux. A réserver aux gibiers.

↝ Les Caves du Mont-Tauch, 11350 Tuchan, tél. 68.45.41.08 Ⴤ r.-v.

CH. AIGUILLOUX 1985***

4 ha   18 000

Un perdreau rouge au choix mérite un vin de cette ampleur. Son nez de garrigue aromatique (thym, romarin) se marie à merveille avec ce plat succulent. D'une très grande structure, chaleureux, généreux, et long en finale, il a devant lui beaucoup d'avenir mais offre déjà du plaisir.

CH. AIGUILLOUX 1987**

3 ha   16 000

Quel coup de maître pour ce coup d'essai ! Célèbre pour ces vins rouges, le château Aiguilloux a élaboré en 1987 un superbe rosé pâle, au nez très féminin. Il présente un magnifique équilibre et réjouira l'amateur tout au long du repas.

↝ Mme et M. M. et F. Lemarié, Ch. Aiguilloux, Thézan-des-Corbières, 11200 Lézignan-Corbières, tél. 68.43.32.71 Ⴤ t.l.j. 9h-12h 14h-18h.

CH. DE CARAGUILHES 1986*

69 ha   130 000

85186

Le château de Caraguilhes, qui appartenait en 1525 à Bernard de Montredon, est un magnifique domaine de 600 hectares sur lesquels Lionel et Michèle Faivre produisent une gamme de vins de haut niveau. Leur rouge 86, très fruité et gouleyant, élaboré suivant les traditions ancestrales, est agréable à boire pendant tout un repas.

↝ Sté du Ch. de Caraguilhes, Saint-Laurent-de-la-Cabrerisse 11220 Lagrasse, tél. 68.43.62.05 Ⴤ r.-v.

CH. DE CARAGUILHES 1987**

7,50 ha   25 000

Ce rosé de saignée, aux arômes de fleurs sauvages, présente une structure assez solide pour accompagner les charcuteries et les viandes blanches. Servi frais, il pourra accompagner tout un repas.

↝ Sté du Ch. de Caraguilhes, Saint-Laurent-de-la-Cabrerisse 11220 Lagrasse, tél. 68.43.62.05 Ⴤ r.-v.

CAVE DE CASTELMAURE 1987**

15 ha   30 000

Remarquable petit village au cœur des Corbières sauvages, protégé par la chapelle Saint-Félix. Les vignerons coopérateurs ont su donner le meilleur d'eux-mêmes pour élaborer ce vin de couleur vert pâle nuancé d'or, au nez fleuri fleur de printemps, équilibré et long. A boire jeune, sur la cassolette de coquilles Saint-Jacques.

ALAIN CASTEX
Cuvée Vieilles Vignes 1986*

| 4 ha | 13 000 |

Encore une belle réussite marquée par la sélection de très vieilles vignes aux cépages multiples. Ce produit est élégant, brillant avec un nez intense, aux arômes floraux (genêt, romarin). Il est très gouleyant et supporte d'être bu un peu frais. Mariage heureux avec les fromages.

M. Alain Castex, pl. de l'Église, Daveiean, 1330 Mouthoumet, tél. 68.70.03.28 T.l.j. 9h-12h 14h-19h.

ALAIN CASTEX Gris d'une Nuit 1987*

| 2 ha | 6 000 |

Très bonne continuité dans l'élaboration du rosé d'Alain Castex, toujours classé parmi les meilleurs. Les coteaux arides, les cépages adaptés, permettent à ce vigneron d'offrir un Gris d'une Nuit très floral, léger et fin, qui accompagnera le buffet campagnard.

M. Alain Castex, pl. de l'Église, Daveiean, 1330 Mouthoumet, tél. 68.70.03.28 T.l.j. 9h-12h 14h-19h.

CAVE DE CASTELMAURE
Cuvée Pompadour 1985**

| 25 ha | 30 000 |

Niché au fond d'un cirque, le petit village d'Embres-et-Castelmaure semble isolé du reste du monde. La Cuvée des Pompadour, anciens propriétaires du château, avec sa robe cerise mûre, son nez de fruits à l'alcool et bouquet tertiaire, se développe en rondeur avec une finale très agréable. Elle accompagne on ne peut mieux le civet de sanglier.

SCV Castelmaure, Embres-et-Castelmaure, 11360 Durban-Corbières, tél. 68.45.91.83 T lu. ma. me. je. ve. 8h-12h 14h-18h.

CAVE DE CASTELMAURE 1987***

| 15 ha | 30000 |

Les ruines du château semblent protéger le petit village où la solidarité des vignerons est vive. Ce rosé de saignée, à base de cinsault et de grenache gris, pâle, floral est légèrement nerveux mais long en bouche. Il accompagnera les grillades estivales et peut aussi être un très agréable vin de tonnelle.

SCV Castelmaure, Embres-et-Castelmaure, 11360 Durban-Corbières, tél. 68.45.91.83 T lu. ma. me. je. ve. 8h-12h 14h-18h.

ALAIN CASTEX Blanc de blancs 1987*

| 1 ha | 5 000 |

Alain Castex est l'un des jeunes vignerons des Hautes-Corbières. Son vin blanc très pâle, au nez exotique (ananas, pamplemousse), est suffisamment nerveux pour être bu en apéritif, mais aussi sur tous les poissons grillés. Admirable avec les rouges de la Méditerranée.

M. Alain Castex, pl. de l'Église, Daveiean, 1330 Mouthoumet, tél. 68.70.03.28 T.l.j. 9h-12h 14h-19h.

CH. ETANG DES COLOMBES
Cuvée du Bicentenaire 1986**

| 185186 | 60 000 |

Fleuron des produits du château, la Cuvée du Bicentenaire présente une grande complexité tant en bouche qu'au nez. Rouge foncé grenat, elle est puissante, florale avec des pointes marquées de cannelle. En bouche, des tanins encore jeunes mais prometteurs laissent imaginer un futur grand produit. À attendre encore et à élever jalousement.

M. Henri Gualco, Ch. l'Étang des Colombes, Cruscades, 11200 Lézignan-Corbières, tél. 68.27.00.03 T.r.-v.

CH. ETANG DES COLOMBES
Blanc de blancs 1987*

| n.c. | 30 600 |

Très belle robe pour ce blanc au nez puissant, mûr et floral. Son équilibre et son gras lui permettent d'accompagner à merveille les poissons en sauce. Admirable réussite de M. Gualco, ardent défenseur de l'appellation et vigneron très chaleureux. À ne pas manquer : son magnifique caveau = le chai d'élevage en barriques.

M. Henri Gualco, Ch. l'Étang des Colombes, Cruscades, 11200 Lézignan-Corbières, tél. 68.27.00.03 T.r.-v.

CH. ETANG DES COLOMBES
Gris des Colombes 1987*

| n.c. | 35 800 |

Quel merveilleux assemblage que la vinification des cépages cinsault, grenache et syrah, pour ce rosé à la fois fruité et très persistant. S'inscrivant à merveille dans la gamme des vins désormais célèbres du château de l'Étang des Colombes, il accompagnera les repas de vacances.

M. Henri Gualco, Ch. l'Étang des Colombes, Cruscades, 11200 Lézignan-Corbières, tél. 68.27.00.03 T.r.-v.

CHAINTREUIL**

| n.c. | 200 000 |

Une symphonie de fruits. Couleur framboise, nez compote de cerises sombres confites, bouche myrtilles et fruits rouges. Remarquable pour moins de 20 F.

Ets Nicolas, 253, av. du Gal-Leclerc, 94700 Maisons-Alfort, tél. 1.43.96.81.81.

ERIDAN 1987*

| n.c. | 20 000 |

Les vignerons d'Octaviana ont investi dans des équipements très performants et ils élaborent de magnifiques vins blancs au nez fin avec une pointe de fenouil et une jolie fraîcheur en bouche. Très prisé à l'apéritif, celui-ci peut accompagner les fruits de mer. Un caveau est en cours de réalisation avec un musée de la chasse régional.

SCA Les Vignerons d'Octaviana, Ornaisons, 1200 Lézignan-Corbières, tél. 68.27.09.75 T.l.j, 8h-12h 14h-18h ; f. sam. a.-m. dim.

CH. DU GRAND CAUMONT 1986*

30 ha   100 000

Le domaine remontant à l'époque romaine, acheté en 1906 par Louis Rigal fondateur du célèbre roquefort, a pris depuis une quinzaine d'années un essort certain grâce à un encépagement amélioré. Le vin, d'un rubis intense, est typé au nez par des arômes de fruits (mûres, cassis). Un bon équilibre, une charpente solide lui permettent de bien passer sur tous les plats typiques.

M. Louis Rigal, Ch. du Grand Caumont, 11200 Lézignan-Corbières, tél. 68.27.10.82 t.l.j. 9h-20h.

CH. DE LASTOURS
Cuvée Arnaud de Berre 1986***

8 ha   26 000

Ce centre d'aide par le travail anime toute une partie des Corbières maritimes avec sa piste d'essai pour le Paris-Dakar, ou ses concerts. A cela s'ajoute un vignoble très bien structuré. La cuvée Arnaud de Berre 86 est classique des corbières du littoral, avec un nez de fruits rouges et un côté garrigue (romarin). En bouche, des tanins de grande qualité, une finale longue et prometteuse, sont le signe d'un vin généreux et élégant.

Centre d'Aide par le Travail, Ch. de Lastours, 11490 Portel, tél. 68.48.29.17 t.l.j. lu. ma. me. je. ve. 9h-12h 14h-17h.

CH. DE LASTOURS
Cuvée Ermengarde 1986**

2 ha   5 000

Cuvée spéciale du château, qui présente une robe brillante légèrement tuilée. Le nez est intense, aromatique (poire, cacao); la bouche est puissante et harmonieuse. Ce vin, prêt à boire, accompagnera admirablement les petits gibiers (grives et alouettes) ainsi que les fromages.

Centre d'Aide par le Travail, Ch. de Lastours, 11490 Portel, tél. 68.48.29.17 t.l.j. lu. ma. me. je. ve. 9h-12h 14h-17h.

CH. LA VOULTE-GASPARETS
Cuvée Réservée 1986**

30 ha   80 000

De l'avenir, mais les tanins sont déjà bien fondus; avec en bouche des fruits à l'alcool (pruneaux). Il montre une structure élégante. A ne pas manquer : la visite du caveau et du chai d'élevage. Distribué par la maison Rouanet de Béziers.

M. Patrick Reverdy, Ch. La Voulte-Gasparets, Boutenac, 11200 Lézignan-Corbières, tél. 68.27.07.86 t.l.j. 8h-20h.

CH. LA VOULTE-GASPARETS 1987*

6 ha   20 000

Magnifiques vignobles que ceux du hameau de Gasparets. Traditionnellement classé parmi les meilleurs, le château La Voulte-Gasparets produit un rosé au nez très floral fleurs blanches, qui, servi très frais, accompagnera les grillades aux sarments.

M. Patrick Reverdy, Ch. La Voulte-Gasparets, Boutenac, 11200 Lézignan-Corbières, tél. 68.27.07.86 t.l.j. 8h-20h.

CH. LES OLLIEUX La Volière 1987**

3,50 ha   22 000

Abbaye cistercienne de femmes, le château Les Ollieux, situé sur la route des célèbres abbayes de Fontfroide et de Lagrasse, domine un magnifique vignolet. Françoise Surbezy-Cartier, admirable vigneronne, élabore ce rosé brillant aux arômes très fins et au parfait équilibre. Il accompagne toutes les charcuteries et aussi les poissons en sauce.

Mme Françoise Surbezy-Cartier, Ch. Les Ollieux. Montseret, 11200 Lézignan-Corbières, tél. 68.43.32.61 r.-v.

CH. LES PALAIS 1986**

80 ha   60 000

C'est un joli domaine, avec, sous les platanes, une fontaine rafraîchissante. Ce 86 a une belle robe rubis, un nez complexe où se dégagent des arômes de cacao, de café, précédant une bouche élégante. Les tanins très fondus laissent percevoir une pointe de cannelle. Ce vin d'une grande longueur est apprécié sur les viandes rouges.

GFA Les Palais, Saint-Laurent-de-la-Cabrerisse 11220 Lagrasse, tél. 68.44.01.63 t.l.j. 8h-12h 14h-19h.

M. de Volontat.

CH. LES PALAIS 1987**

1,65 ha   6 000

Apprécié pour ses vins rouges, le château des Palais élabore depuis quelques années de remarquables vins blancs. La robe de celui-ci brille d'un jaune clair ; le nez très racé aux arômes de fleurs blanches avec une pointe de fenouil précède la bouche tout en rondeur et en finesse avec un côté pêche et abricot. Il est parfait sur les poissons, mais aussi très agréable à boire à l'ombre des platanes qui bordent la chapelle du domaine.

GFA Les Palais, Saint-Laurent-de-la-Cabrerisse 11220 Lagrasse, tél. 68.44.01.63 t.l.j. 8h-12h 14h-19h.

M. de Volontat.

CH. DE NOUVELLES
Saint-Martin 1986**

4 ha   12 000

Qui passe en Corbières ne peut que s'arrêter au château de Nouvelles. Pionnier de l'appellation, M. Daurat-Fort fait découvrir toute une gamme de produits remarquables. Son corbières rouge, puissant, généreux, est le complément du sanglier fortement implanté dans les garrigues voisines.

M. Robert Daurat-Fort, Ch. de Nouvelles, 11350 Tuchan, tél. 68.45.40.03 r.-v.

CH. DU PARC 1986*

15 ha   60 000

Ce rouge à la robe soutenue présente un nez boisé légèrement épicé. Les tanins, encore rustiques, doivent s'affiner pour donner un produit

typiquement corbières, remarquable sur les viandes en sauce.

↳ M. Guy Panis, Ch. du Parc, Conilhac, 11200 Lézignan, tél. 68.77.18.33 ☎ r.-v.

CH. DE PECH-LATT
Montagne d'Alaric 1987**

□ | n.c. | 24 000 |

Ancienne propriété des moines de l'abbaye de Lagrasse, le château de Pech-Latt domine la vallée de l'Orbieu, dos des terrains argilo-calcaires, la vigne trouve son domaine. D'une robe pâle à reflets verts, le blanc de mazabeu présente un nez exotique (mangue) et floral (tilleul). Très équilibré, il accompagnera merveilleusement les poissons grillés.

↳ SC Ch. de Pech-Latt, Ribaute, 11220 Lagrasse, tél. 68.43.11.03 ☎ r.-v.

CH. DE PECH-LATT
Montagne d'Alaric 1986**

■ | n.c. | 80 000 |

Robe très soutenue rouge profond. Nez franc, pointe de fruits mûrs. Ce vin gras assez rustique présente une note boisée. Il a une très grande longueur; c'est un classique des corbières à boire sur les viandes rouges et le gibier. Charmante propriété dans un cadre sauvage typique de la région.

↳ SC Ch. de Pech-Latt, Ribaute, 11220 Lagrasse, tél. 68.43.11.03 ☎ r.-v.

CH. DE RIBAUTE
Cuvée Prestige 1986**

■ | 2 ha | 3 000 |

Ce vieux village des Corbières, aux vestiges du XIIe s., a une vocation viticole depuis bientôt soixante ans. Les vignerons réunis en cave coopérative élaborent des produits d'un haut niveau. Ce rouge rustique aux tanins nobles donnera une image très classique de l'appellation.

↳ CV de La Montagne d'Alaric, Ribaute, 11220 Lagrasse, tél. 68.43.11.09 ☎ lu. ma. me. je. ve. 8h-12h 14h-18h; sur r.-v. de juin à sept.

CH. SAINT-AURIOL
Montagne d'Alric 1986*

■ | n.c. | 80 000 |

Situé sur les coteaux qui dominent la vallée de l'Orbieu aux portes de Lagrasse, le château Saint-Auriol élève tous ses produits en barriques. D'une robe rubis, un nez fin type vanille. Le caractère légèrement boisé de ce 86 très gouleyant le rend agréable sur les plats traditionnels du Midi.

↳ M. Vialade Salvagnac, Ch. Saint-Auriol, 11220 Lagrasse, tél. 68.43.13.31 ☎ r.-v.

CH. SAINT-EUGENE 1986*

85 |86| | 10 ha | 60 000 |

Magnifique château entouré d'un parc qui produit un vin particulièrement typé par l'apport de mourvèdre. Une robe rubis, un nez élégant avec une pointe de café. Équilibré en bouche, il finit très long. Un classique des corbières qui accompagnera les viandes rouges et les fromages.

↳ GFA Ch. Saint-Eugène, Fontarèche, Canet-d'Aude, 11200 Lézignan-Corbières, tél. 68.27.10.01 ☎ r.-v.

DOM. DE VILLEMAJOU 1985**

■ | 45 ha | 120 000 |

Encore tannique, ce 85 a devant lui un bel avenir. De robe pourpre, il laisse apparaître des arômes de fruits à l'alcool avec une pointe d'originalité due à la présence de syrah. Il peut dès à présent accompagner les viandes rouges et le fromages, ou plus tard les gibiers.

↳ M. Georges Bertrand, Dom. de Villemajou, Saint-André-de-Roquelongue, 11200 Lézignan-Corbières, tél. 68.45.10.43 ☎ r.-v.

Costières du gard

25 000 ha de terrains ont été classés en AOC; 12 000 ha sont actuellement plantés dans ce périmètre. Les vins rouges, rosés ou blancs sont élaborés dans un vignoble établi sur les pentes ensoleillées de coteaux constitués de cailloux roulés, dans un quadrilatère délimité par Meynes, Vauvert, Saint-Gilles et Beaucaire, au sud-est de Nîmes, au nord de la Camargue. 100 000 hl de vin sont commercialisés sous le label de l'appellation costières du gard (5 % de blancs, 15 % de rosés, le reste en rouge), sur vingt-quatre communes. Les rosés s'associent aux charcuteries des Cévennes, les blancs se marient fort bien aux coquillages et aux poissons de Méditerranée, les rouges, chaleureux et corsés, préfèrent les viandes grillées. Une confrérie vineuse, l'Ordre de la Boisson de la Stricte Observance des Costières du Gard, a repris une tradition créée en 1703. Une route des Vins parcourt cette région au départ de Nîmes.

DOM DE BEAUBOIS 1986

■ | 20 ha | 20 000 |

Le domaine de Beaubois, propriété familiale depuis trois générations, se situe sur le versant sud des Costières sur une étendue de 50 hectares. Rouge Encé, 86 jouit d'une bonne structure en bouche. Il sait être ample et assez puissant sans être agressif.

↳ Mme Jacqueline Boyer Mouret, Dom. de Beaubois, 30640 Franquevaux, tél. 66.73.30.59 ☎ t.l.j. sf dim. 8h-12h 14h-19h.

Costières du gard

CH. DE BELLE-COSTE
Cuvée Saint-Marc 1986

■　30 ha　50 000

Il est fruité et chaud, dans sa belle robe grenat. Généreux aussi.

↪ M. Bertrand du Tremblay, Ch. de Belle-Coste, 30132 Caissargues, tél. 66.20.26.48 ☎ r.-v.

DOM. DES BRESSADES 1986**

■　15 ha　25 000

Roger Marés, propriétaire récoltant, maintient une tradition familiale qui remonte à Henri Marés : celui-ci avait découvert les propriétés du soufre pour lutter contre l'oïdium. 86 est d'un beau rouge profond. Le nez est puissant, à la fois complexe et élégant par ses arômes de vanille et de réglisse. Excellent équilibre en bouche, de l'ampleur, des tanins fondus et fins.

↪ M. Roger Marés, Dom. des Bressades, 30129 Manduel, tél. 66.01.11.78 ☎ r.-v.

CH. DE CAMPUGET Tradition 1987***

■　70 ha　120 000

Château du XVIe remanié au XVIIe s., anciennement inféodé au marquis de Nogaret. Un rare 87, rouge sombre avec des reflets violacés, au joli nez épicé, poivré, puissant. Un bon équilibre en bouche, charpenté, avec des tanins doux. Attendre 2 à 3 ans. Grande tradition par les terroirs et les cépages grenache et syrah, ce vin est tout à fait exceptionnel.

↪ SA du Ch. de Campuget, 30129 Manduel, tél. 66.20.15 ☎ r.-v.

CH. DE CAMPUGET 1987***

□　30 ha　100 000

C'est en 1888 que ce domaine, créé au XVIe s., a reçu sa première médaille. Jaune clair et brillant, le vin est, près d'un siècle plus tard, tout aussi remarquable. Très fin et élégant au nez avec des arômes de fleurs d'acacia, de fruits frais (pêche), il est frais et ample en bouche. L'ensemble est très harmonieux. Certainement le meilleur vin blanc de la région.

↪ SA du Ch. de Campuget, 30129 Manduel, tél. 66.20.15 ☎ r.-v.

CH. DE CAMPUGET 1987**

▨　30 ha　100 000

Un rosé couleur pivoine avec des reflets violacés, qui se montre puissant, riche au nez avec un caractère fruité et jeune. Rond, ample et très aromatique en bouche, il est agréable. Généreux aussi.

↪ SA du Ch. de Campuget, 30129 Manduel, tél. 66.20.15 ☎ r.-v.

VIGNERONS DES COSTIERES BEAUVOISIN 1987

■　12 ha　70 000

85 87

Robe soutenue avec des reflets violets. Ample et chaud en bouche, où les arômes fruités sont agréables. A boire.

↪ Cave Coop. Vign. de Beauvoisin, av. de la Gare, 30640 Beauvoisin, tél. 66.01.37.14 ☎ r.-v.

DOM. DU HAUT-PLATEAU
Cuvée des Gardians 1986**

■　11 ha　35 000

L'AOC costières-du-gard est encore jeunette : 1986. Au nord de la Camargue, elle produit des vins généreux et friands. Cette Cuvée des Gardians est l'œuvre d'un viticulteur de Manduel, Denis Fournier, issu d'une famille qui se consacre depuis longtemps à la vigne et au taureau. Les arômes sont pleins de vivacité, fruits rouges et violette. Entre ses mains, la tradition est sauve !

↪ M. Denis Fournier, Le Haut-Plateau, 30129 Manduel, tél. 66.20.31.78 ☎ r.-v.

DOM. DE L'AMARINE 1987**

□　5 ha　25 000

Fin et délicat, floral et fruité au nez, rond et frais en bouche avec un excellent équilibre : voilà un ensemble fluide et agréable. Avec cela très belle bouteille, le grenache blanc s'affirme comme un grand cépage dans la région.

↪ M. Nicolas Godebski, Dom. de L'Amarine, 30127 Bellegarde, tél. 66.01.11.19 ☎ t.l.j. sf dim. 10h-12h 14h30-18h30.

CH. DE LA TUILERIE
Carte Noire 1987*

■　4 ha　30 000

86 87

Une belle cuvée que ce 87 à la couleur sombre. Fruits rouges et poivre se retrouvent dans un bouquet puissant. Une parfaite structure et plus bonne charpente laissent une bouche agréable, fluide.

↪ SCA Ch. de La Tuilerie, rte de Saint-Gilles, 30000 Nîmes, tél. 66.70.07.52 ☎ t.l.j. sf dim. 8h-12h 14h-18h.

↪ Mme Chantal Comte.

LES CHEVALIERS DES ARENES 1987

▨　n.c.　40 000

Les fiefs des chevaliers, vassaux des vicomtes de Nîmes, s'étendaient aux XIIe et XIIIe s. autour de la ville de Nîmes. Ils défendaient la cité et plus particulièrement le château des Arènes ou vivaient 2 000 à 3 000 personnes. Rouge soutenu, au nez agréable fruité et jeune, structuré en bouche, ce vin se montre souple.

↪ SICA Vignerons des 7 Collines, Dom. de La Bastide, 30000 Nîmes, tél. 66.84.36.03

DOM. DE MOURIER 1986*

33,32 ha   80.000

85 |861|

Le domaine créé en 1830 est situé sur les terrasses graveleuses du sud de la commune de Nîmes. Il a été reconstitué il y a 20 ans. Beau rouge profond, riche et complexe, au nez de fruits rouges. Très belle constitution en bouche. Ample avec une légère acidité qui lui assure un bon avenir.
- GFA du Dom. de Mourier, chem. des Canaux, 30000 Nîmes, tél. 66.38.05.27 t.l.j. sf dim. 9h-18h30.
- M. André Camfrancq.

NICOLAS*

n.c.   100.000

85 |861|

Flacon empli à Castillon-du-Gard, non millé-simé mais contenant un vin de l'année 1987. Robe claire, moderne, nez nerveux frais de petits fruits rouges, nervosité que l'on ne retrouve pas en bouche. Un rosé de début de repas.
- Ets Nicolas, 253, av. du Gal-Leclerc, 94700 Maisons-Alfort, tél. 1.43.96.81.81.

CH. ROUBAUD 1986

35 ha   30.000

85 |861|

L'impide et brillant, ce vin est encore fermé au nez mais se développe progressivement en déga-geant des arômes de fruits rouges. Une bonne structure et un avenir certain.
- Mme Annie Moulinier, Ch. Roubaud, Gallician, 30600 Vauvert, tél. 66.73.30.64 t.l.j. sf dim. 8h-12h 14h-18h : f. jours fériés.

CH. DE ROZIER 1986*

25 ha   40.000

85| 86

Une bonne constitution, du caractère et un nez avec de discrets arômes de fruits cuits et d'épices. Agréable et plaisant.
- M. Louis de Belair, Ch. de Rozier, 30129 Manduel, tél. 66.01.11.87 r.-v.

LES VIGNERONS DE SAINT-GILLES

Cuvée du Vieux Choeur 1986

20 ha   20.000

La cave vinifie plus de 100 000 hl de v.n. Celui-ci, couleur grenat sombre, offre un nez discret de fruits mûrs et cuits. Capiteux et ample en bouche, il montre un bon équilibre.
- Les Vignerons de Saint-Gilles, quai du Canal, 30800 Saint-Gilles, tél. 66.87.30.97 r.-v.

DOM. SAINT-LOUIS-LA-PERDRIX

Cuvée Marianne 1985**

0,60 ha   7.000

C'est la duchesse d'Uzès, ancienne propriétaire du Mas, qui dut ajouter « La Perdrix » au nom du domaine. La cuvée Marianne est d'un beau rouge clair brillant. Au nez, on note des arômes de fruits cuits, de cuir sur un fond végétal. La bouche est ronde et généreuse.
- GFA Mme Lamour et ses Enfants, Dom. Saint-Louis-la-Perdrix, 30127 Bellegarde, tél. 66.01.11.27 t.l.j. sf dim. 10h-12h 14h-18h.
- Mme Lamour.

DOM. SAINTE-COLOMBE ET LES RAMEAUX 1987

n.c.   n.c.

Compte tenu du terroir exceptionnel, l'objectif est d'obtenir le meilleur vin rouge possible. La cuvée 87 est charpentée, tannique en bouche avec des arômes de fruits mûrs et de foin coupé.
- M.P. Guillon, Dom. Sainte-Colombe, 30800 Saint-Gilles, tél. 66.87.30.30 r.-v.

DOM. DU VIEUX RELAIS 1986

2 ha   18.000

Le cuveau est situé sur la voie Domitienne dans un ancien relais de poste datant de 1700. Rouge brun, le nez est ample et évolué. Très agréable et bien équilibré en bouche, il manque cependant un peu d'acidité. A boire dès maintenant.
- M. Pierre Bardin, Dom. du Vieux Relais, Redessan, 30129 Manduel, tél. 66.20.07.69 r.-v.

Coteaux du languedoc

Cent vingt com-munes dont cinq dans l'Aude et deux dans le Gard - le reste étant dans l'Hé-rault - constituent un ensemble de terroirs disséminés dans la zone des coteaux et des garrigues s'éten-dant de Narbonne à Nîmes. Ces terroirs spécialisés plus particulièrement dans le vin rouge et rosé produisent des AOC coteaux du languedoc, appellation géné-rale depuis 1985, à laquelle peuvent être ajoutées onze dénominations particulières en rouge et rosé : la Clape et Quatourze dans l'Aude, Cabrières, Montpeyroux, Saint-Saturnin, Pic-Saint-Loup, Saint-Georges-d'Orques, les coteaux de la Méja-nelle, Saint-Drézéry, Saint-Christol et les coteaux de Vérargues dans l'Hérault; ainsi que deux dénominations en blanc; la clape et picpoul de Pinet.

Toutes sont issues des vins renommés dans les siècles passés. Les coteaux du Languedoc produisent 315 000 hl de vins rouges et 20 000 hl de vins blancs.

Une confrérie vineuse a été créée pour les coteaux du Langue-doc, l'Ordre des Ambassadeurs des

LE LANGUEDOC

Coteaux du languedoc

coteaux du Languedoc, dont le siège est à Montpellier, à l'Hôtel montpelliérain des vins du Languedoc.

ABBAYE DE VALMAGNE 1986**

7 ha   n.c.

Propriété de la famille de Gaudart d'Allaines, l'abbaye de Valmagne d'Allaines n'est pas seulement un monument historique dont les parties les plus anciennes datent du XIIᵉ s. C'est aussi et depuis très longtemps un domaine viticole. Élevé en foudre de chêne dans l'église désaffectée, ce vin à la robe animale et équilibré, se montre digne de son nom et de son passé.
☞ M. de Gaudart d'Allaines, Abbaye de Valmagne, B.P. 1, 34140 Mèze, tél. 67.78.06.09 r.-v.

CH. DES ALBIERES 1986*

40 000

Avec un lièvre en civet ou chasseur, ce château des Albières 86 devrait contenter les plus difficiles. Le nez est plus animal que fleuri, les tanins présents mais bien affinés. Un rouge intense et une parfaite franchise.
☞ Cave Coteaux du Rieu-Berlou, av. des Vignerons, Berlou, 34360 Saint-Chinian, tél. 67.38.03.19 r.-v.

HUGUES DE BEAUVIGNAC 1987

Picpoul de Pinet

20 ha   120 000

A consommer très frais avec crustacés ou coquillages, à tenter peut-être avec une choucroute si l'on veut faire des infidélités à l'Alsace : un picpoul 100% qui ne manque pas d'intérêt. Produit par la cave coopérative de Pomérols, il est - comme on dit - «bien honnête».
☞ CC Les Costières de Pomérols, 34810 Pomérols, tél. 67.77.01.59 t.l.j. sf dim. 8h30-12h 14h-18h.

BERGERIE DE L'ARBOUS*

10 ha   80 000

Si ce rouge s'habille d'une robe légère, il offre une riche palette aromatique (fruitée, épicée) et il tient parfaitement sur ses deux jambes.
☞ M. Hugues Jean-Jean, Mas de Lunes, Aumelas, 34230 Paulhan, tél. 67.96.60.53 r.-v.

CH. DE CALAGE La Méjanelle 1986*

n.c.   300 000

Le rouge est mis... Couleur : sans peur et sans reproche. Arômes : bien typés, petits fruits rouges. En bouche : tout feu tout flamme, avec ce qu'il faut de rondeur et d'harmonie pour envelopper tout ça...
☞ SCEA Ch. de Calage, Les Garrigues, 34130 Saint-Avrés, tél. 67.29.59.12 r.-v.

CUVEE FULCRAN CABANON Cabrières 1987*

Créée en 1937, la cave coopérative des Coteaux de Cabrières a déjà une solide expérience à son actif. Sa cuvée Fulcran Cabanon 87 témoigne des efforts de ce vignoble : charmant, sans excès de zèle, voilà un vin (syrah à 75%, grenache pour le reste) qui plaît d'emblée. Parfum cassis et groseille agrémenté de réglisse.
☞ Coop. les Coteaux de Cabrières, Cabrières, 34800 Clermont-l'Hérault, tél. 67.96.07.05 t.l.j. sf dim. 8h-12h 14h-18h.

CUVEE LUDOVIC GAUJAL

Picpoul de Pinet 1986*

7,95 ha   50 000

Propriété familiale depuis 1743, ce domaine offre ici un beau picpoul 86. Son nez ? Tilleul et fruits exotiques. Un vin exprimant une vivacité énergique, sans pour autant négliger la rondeur de l'accueil.
☞ M. Claude Gaujal, B.P. 1, 34850 Pinet, tél. 67.77.02.12 r.-v.

CUVEE TRADITION La Clape 1986

4 ha   28 000

La cave coopérative La Clape à Armissan offre ce 86 bien rouge, au nez de réglisse, dans la bonne moyenne.
☞ Cave Coop. La Clape, Armissan, 11110 Coursan, tél. 68.45.31.40 lu. ma. me. je. 8h-12h 14h-18h.

CAVE DE LA CARIGNANO 1987*

28,62 ha   20 000

Un rouge de bonne compagnie, qui glisse bien sur la langue. Il est l'œuvre de la cave coopérative de Gabian fondée en 1936. Tout témoigne ici d'une vinification sérieuse : de la chair et du muscle, mais aussi du cœur.
☞ Cave Coop. La Carignano, 13, rte de Pouzolles, Gabian, 34320 Roujan, tél. 67.24.65.64 r.-v.

CH. DE LA DEVEZE Vérargues

100 ha   300 000

Une bouteille qui brille des feux de sa jeunesse. De caractère assez tendre, elle est destinée à une consommation assez rapide. Belle robe rubis, intense, et le charme d'un nez un peu fauve.
☞ M. Jean Chevallier, Ch. de La Devèze, Vérargues, 34400 Lunel, tél. 67.72.29.46 lu. ma. me. je. ve. 9h-12h 15h-17h.

CH. LANGLADE 1986*

85 86

7 ha   25 000

Créée en 1850, cette exploitation familiale possède une cave unique dans la région : foudre en chêne de Russie sous une voûte provençale qui double la toiture et assure un excellent équilibre thermique. Ce château Langlade 86 n'a pas une robe très profonde, mais une merveilleuse richesse aromatique et un bel équilibre en bouche. Toute le charme de la complexité...
☞ MM. Cadene Frères, Ch. Langlade, 30980 Langlade, tél. 66.21.04.76 ma. je. ve. sa. 9h-12h 17h30-19h30.

DOM. DE LANGLADE Prestige 1987*

| 9 ha | 30 000 | ▪ ♦ ⌾ 2 |

Grenache, syrah et mourvèdre (trois tiers), ce 87 offre un très joli parfum de violette. Sa persistance aromatique est excellente. Associée à une structure bien équilibrée, elle fait de ce vin un coteaux-du-languedoc dans la bonne moyenne.

↦ M. Henri Arnal, Dom. de Langlade, 30980 Langlade, tél. 66.81.31.37 ℡ t.l.j, 8h-12h 14h-17h.

CH. DE LA PAGEZE La Clape 1987*

| 8 ha | n.c. | ▪ ♦ ⌾ 2 |

«S'il est un lieu dans lequel je situerais la demeure de Contenius dont parle Sidoine Apollinaire, c'est bien un des vallons de La Clape, en face de la mer, à l'abri des vents, en plein soleil...» Nul doute que Contenius apprécierait ce rosé! Pâle, orné de reflets lilas, il garde une discrétion de bon aloi. La grâce, en somme. Un léger perlant en accentue la fraîcheur.

↦ M. Pierre Allemandet, Dom. de la Pagèze, 11560 Fleury d'Aude, tél. 68.33.60.34 ℡ t.l.j, 10h-12h 14h-20h ; f. 1er sept. au 30 juin

DOM. DE LA PIERRE PLANTEE 1986*

| 20 ha | 60 000 | ▪ ♦ ⌾ 1 |

Un 86 fin et léger, surtout grenache et cinsault. Récolte sur des sols argilo-calcaires balayés par le mistral, il est bien dans le style du pays. A boire dès à présent car sa constitution ne le destine pas à une longue garde.

↦ Cave Coop. de Saint-Drezery, Saint-Drezery, 34160 Castries, tél. 67.86.95.11 ℡ r.-v.

LE LUCIAN Saint-Saturnin 1985

| 12,50 ha | 50 000 | ▪ ♦ ⌾ 3 |

Le Lucian : c'est le nom de ce vin produit à Saint-Saturnin, hommage rendu à un certain Lucianus, gros fermier de la région à l'époque gallo-romaine. Sa tunique évoque la pourpre impériale. Il a du coffre et du souffle.

↦ Les Vins de Saint-Saturnin, 34150 Gignac, Cave Coopérative, Saint-Saturnin, tél. 67.96.61.52 ℡ t.l.j, sf dim. 8h-12h 14h-18h ; f. sam. 17h

LE SOUVERAIN Montpeyroux

| 10 ha | 55 000 | ▪ ♦ ⌾ 3 |

Discrètement boisé, ce vin de Montpeyroux est prêt à boire. Il parle davantage au cœur qu'à l'esprit : ses manières sont élégantes et son style assez fin.

↦ Cave coop. de Montpeyroux, rue Neuve, Montpeyroux, 34150 Gignac, tél. 67.96.61.08 ℡ t.l.j, 8h-12h 14h-19h.

CH. DE MARMORIERES La Clape 1986

| n.c. | 10 000 | ▪ ♦ ⌾ 2 |

Il n'est pas éblouissant, mais il tient bien son rang. Avec les solides qualités de son terroir. Jaune pâle, un 86 encore sur la réserve qui séduit surtout et, bouche, et n'est-ce pas là l'essentiel?

↦ M. le comte de Woillemont, Ch. de Marmorières, Vinassan, 11110 Coursan, tél. 68.45.32.70 ℡ r.-v.

DOM. MARTIN-PIERRAT Saint-Christol 1987*

| 3 ha | 11 000 | ▪ ♦ ⌾ 2 |

S'ils habitent les mêmes bâtiments très anciens au cœur du village de Saint-Christol, Gabriel Martin-Pierrat et son fils Serge vinifient séparément. Il s'agit ici d'un vin de Serge : un rosé de nuances sombres dont les arômes parlent de banane et de framboise. Acidité et moelleux s'équilibrent bien. Un léger perlant.

↦ M. Serge Martin-Pierrat, Dom. Martin-Pierrat, Saint-Christol, 34400 Lunel, tél. 67.86.01.15 ℡ r.-v.

MAS JULLIEN 1987*

| n.c. | 6 000 | ▪ ♦ ⌾ 2 |

La valeur n'attend pas le nombre des années : Olivier Jullien signe ici son premier millésime blanc. Œnologue diplômé, il n'a pas encore 25 ans. Heureuse réussite car cette bouteille a beaucoup de fruit et une fraîcheur délicieuse. Le domaine est situé au pied du plateau du Larzac, du côté de Saint-Guilhem-le-Désert.

↦ M. Olivier Jullien, Mas Jullien, Jonquières, 34150 Gignac, tél. 67.96.60.04 ℡ r.-v.

CH. MIRE L'ETANG La Clape - Blanc de blancs - Carte Noire 1987*

| 2 ha | 8 000 | ▪ ♦ ⌾ 2 |

A quelques kilomètres de la Méditerranée, le vignoble du château Mire l'Etang bénéficie d'un excellent microclimat. Ce blanc de blancs (100% bourboulenc) est très agréable : doré, fruité, plein de vivacité. Il peut vieillir sans problème 3 à 4 ans.

↦ GAEC de Mire l'Etang, Ch. Mire l'Etang, 11560 Fleury-d'Aude, tél. 68.33.62.84 ℡ t.l.j, 8h-12h 15h-18h.
↦ M. C. Lamayrac.

DOM. DE MONTREDON Picpoul de Pinet 1987*

| 11 ha | 36 000 | ▪ ♦ ⌾ 1 |

Si vous voulez découvrir «dans ses murs» le picpoul de Pinet, choisissez cette bouteille. Nez de pomme verte, bonne constitution générale. Une pointe de CO2 n'est pas ici pour déplaire. Avec quoi le servir? Et pourquoi pas des asperges?

↦ SCI Cantie, Dom. de Montredon, Castelnau-de-Guers, 34120 Pézenas, tél. 67.98.13.69 ℡ r.-v.

CH. MOUJAN La Clape 1985***

| n.c. | n.c. | ♦ ⌾ 2 |

Le château Moujan se situe dans le massif de La Clape sur la route qui conduit de Narbonne à la mer. Un paysage qu'embaument les genêts d'Espagne, la lavande et le romarin autour de vieilles bergeries ; sol maigre, mais vin généreux comme celui-ci. Un magnifique 85, fin et complexe, épicé, avec des notes de café grillé et de réglisse, équilibré et long, qui épanouit à merveille toutes les vertus de l'appellation. Le meilleur de tous!

Coteaux du languedoc

**SCE de la Clape, Ch. Moujan, 11000 Narbonne, tél. 68.65.24.71 ☎ t.l.j. 8h-12h15 14h-20h.

NICOLAS 1986

■ n.c. n.c. ■↓■1

Un coteaux qui s'oriente vers une astringence légèrement acidulée précédée d'un nez fruité très mûr.

**Ets Nicolas, 253, av. du Gal-Leclerc, 94700 Maisons-Alfort, tél. 1.43.96.81.81.

CH. PECH-CELEYRAN
La Clape 1986**

■ 45 ha n.c. ▮V2

Signé par le comte J. de Saint-Exupéry, ce 86 a quelque chose du Petit Prince. Dessine-moi un vin... Celui-ci est d'un beau rouge profond et il a un nez fin de renard, floral et balsamique. Tout est ici équilibre, structure, alors que se fondent les tanins sur fond de cyste et de thym.

**M. le comte de Saint-Exupéry, Ch. Pech-Celeyran, 11110 Salles-d'Aude, tél. 68.33.50.04 ☎ r.-v.

CAVE COOP. DE PINET
Picpoul de Pinet - Blanc de blancs 1987*

□ 1 000 000 ▮↓V1

Si sa robe est presque transparente, ce qui ne nuit pas à son charme, son nez bien marqué rappelle la pomme, les fruits secs. Tout cela vit longtemps en bouche, avec du gras, de la puissance. À boire avec coquillages ou poissons, à tenter avec une fondue savoyarde. Un million de bouteilles, et le prix est modique.

**Cave Coop. de Pinet, 1, av. de Picpoul, 34850 Pinet, tél. 67.77.07.63 ☎ t.l.j. 8h-12h 14h-18h.

PRINCE DE CONTY 1986*

■ 15 ha 15 000 ▮V2

Le Prince de Conty (avec un y) n'est évidemment pas celui de la Romanée. Il a néanmoins beaucoup d'attraits. Si la robe rubis n'est pas très intense, le nez est plein de distinction. Bel équilibre entre le corps et la grâce.

**Cave Coop. La Piscenoise, 34120 Pézenas, tél. 67.98.10.05 ☎ r.-v.

LES COTEAUX DU
RIEU-BERLOU Schisteil blanc 1987**

□ n.c. 30 000 ■↓■2

Créée en 1965, la cave coopérative du Rieu-Berlou a très bien réussi ce 87 grenache à 70% et carignan à 30% : long et moelleux, il exprime la fleur et le fruit. Robe parfaite. Impression excellente.

**Cave Coteaux du Rieu-Berlou, av. des Vignerons, Berlou, 34360 Saint-Chinian, tél. 67.38.03.19 ☎ r.-v.

DOM. DE RIVIERE LE HAUT
La Clape 1986**

□ 3,20 ha 26 000 ■↓V2

Produit sur quelque 3 hectares, un 86 bourboulenc (80%) et grenache (20%) qui bénéficie d'une robe jaune paille cousue main. Les notes de fruits secs et d'amande grillée dominent le chant des arômes. Au-delà du volume et du moelleux, on sent vraiment en bouche une présence chaleureuse et épanouie.

**Vins Segura, Dom. de Rivière-le-Haut, 11560 Fleury-d'Aude, tél. 68.33.61.33 ☎ t.l.j. 8h-19h.

CH. ROUQUETTE-SUR-MER
La Clape 1986**

□ 5 ha 19 000 ■↓V2

Sur la route bleue près de Narbonne-Plage, le château Rouquette-sur-Mer offre un blanc pur bourboulenc qui mérite l'attention. L'attaque est précise, la concentration très satisfaisante. Quelques notes grillées au sein des arômes élégants et fins.

**M. Jacques Boscary, Ch. Rouquette-sur-Mer, Narbonne, 11430 Gruissan, tél. 68.32.56.53 ☎ r.-v.

SAINT-JACQUES 1986*

■ 30 ha 60 000 ■↓V2

Le fleuron de la cave coopérative de Saint-Félix fondée il y a près de 50 ans résulte de l'heureux assemblage de quatre cépages et fait honneur aux coteaux-du-languedoc : robe bien colorée, nez riche en nuances légèrement boisées, beaucoup de séduction.

**Cave Coop. de Saint-Félix, Saint-Félix-de-Lodez, 34150 Gignac, tél. 67.96.60.61 ☎ r.-v.

DOM. DE VIRES La Clape - Prestige 1986

◨ 5 ha 80 000 ◨ V3

Produit dans les environs de Narbonne, ce 86 a du tempérament. Costaud et chaleureux, il est cependant bien élevé... en barriques de 225 litres. À boire dès à présent car ses arômes intenses expriment déjà la maturité : cuir et venaison.

**GFA du Dom. de Vires, rte de Narbonne-Plage, 11100 Narbonne, tél. 68.45.30.80 ☎ t.l.j. 8h-12h 14h-18h.

Faugères

Les vins de Faugères sont des vins AOC depuis 1982, comme les saint-chinian leurs voisins. La région de production, qui comporte sept communes situées au nord de Béziers et au sud de Bédarieux, produit de 40 à 50 000 hl de vin. Les vignobles sont plantés sur des coteaux à forte pente, d'altitude relativement élevée (250 m), dans les premiers contreforts schisteux peu fertiles des Cévennes. Le faugères est un vin bien coloré, pourpre, capiteux, à l'arôme de fruits rouges.

DOM. DU FRAISSE 1986*

■ 18 ha 100 000 ▮▣❶

82 **83** 84 85 |86|

Jacques Pons conseille ce 86 avec un gigot d'agneau, ou encore avec du gibier. D'un rouge à la limite du violet, un vin au nez puissant, animal, complexe. Il est solidement charpenté, mais ses poutres n'écrasent pas l'architecture intérieure qui reste harmonieuse.

⊶ M. Jacques Pons, rue du Chemin-de-Ronde, Autignac, 34480 Magalas, tél. 67.90.23.40 Y r.-v.

CH. DE GREZAN
Cuvée Arnaud Lubac 1986

■ 22 ha 30 000 ◖◗ ▣❷

|85| 86

Ce Château Grézan plonge ses racines très loin dans le passé. Il y avais là autrefois une villa romaine, et une commanderie de Templiers prit plus tard le relais. Grenache (60%), syrah et mourvèdre, un vin à la couleur profonde et au nez intense légèrement boisé. L'élégance l'emporte sur le corps.

⊶ Ch. de Grezan, Laurens, 34480 Magalas, tél. 67.90.28.03 Y t.l.j. 9h-12h 14h-20h.

⊶ M. Michel Lubac-Lanson.

DOM. DE LA GRANGE DES AIRES Sélection 1987

■ 12,40 ha 30 000 ▮▣❶

|86| |87|

Sa robe rouge brille d'un éclat si vif que le nez paraît presque discret. Fin et fruité, il laisse cependant une bonne impression, de même que l'harmonie générale. Produit sur une dizaine d'hectares, ce vin est issu de vieilles vignes (quarante-cinq ans).

⊶ M. et Mme Platelle, Lenthéric, Cabrerolles, 34480 Magalas, tél. 67.90.25.72 Y r.-v.

CH. LA LIQUIERE 1986**

■ 30 ha 110 000 ⫰▣❶

83 |(84)| 85 **|86|**

Charpenté et charnu, ce vin devrait accompagner à merveille une viande rouge en sauce, l'un de ces « plats canaille » qui rappellent le bon vieux temps. Net et bien fait, aux tanins affinés, il offre un excellent équilibre entre la puissance et la finesse.

⊶ M. B. et Mme C. Vidal, La Liquière, Cabrerolles, 34480 Magalas, tél. 67.90.29.20 Y t.l.j. 8h-12h 14h-18h.

CH. DE LAURENS 1985***

■ 18 ha n.c. ◖◗ ▣❸

|84| **|85|**

Des vignes de 25 ans sur un vignoble de 18 hectares, un sol schisteux et l'heureux ménage à trois des cépages grenache, syrah et carignan : l'enfant est divin ! Rubis profond, rond et gras, long et persistant. Toutes les fées se sont penchées sur son berceau. Aux arômes de fruits rouges et d'épices s'ajoutent ensuite des notes chaudes et pleines, cacao et pruneau.

⊶ Cave Coop. de Laurens, Laurens, 34480 Magalas, tél. 67.90.28.23 Y t.l.j. sf dim. 9h-12h 14h-18h.

1985
1985
Château de Laurens
FAUGÈRES Nº 93419
AOC
APPELLATION FAUGÈRES CONTROLÉE
75 cl e
MIS EN BOUTEILLE PAR
LES PRODUCTEURS RÉUNIS - 34480 LAURENS - FRANCE

DOM. RAYMOND ROQUE 1985

■ 20 ha 70 000 ▮◖◗ ▣❷

Raymond Roque fait découvrir un vin rouge cerise, aux accents poivrés, dans son caveau de dégustation aménagé dans les dépendances de l'ancien château du XIe s.. Assez fin et bien équilibré en bouche, un 85 plein de franchise.

⊶ Mr. Raymond Roque, Cabrerolles, 34430 Magalas, tél. 67.90.21.88 Y r.-v.

Fitou

L'appellation fitou, la plus ancienne appellation AOC rouge du Languedoc-Roussillon (1948), est située dans la zone méditerranéenne de l'aire des corbières; elle s'étend sur neuf communes qui ont également le droit de produire les vins doux naturels de Rivesaltes. La production est de 60 000 hl. C'est un vin qui compte au moins 12° d'alcool, conservé

en fût, neuf mois ou plus, d'une belle couleur rubis foncé.

➤ M. Robert Daurat-Fort, Ch. de Nouvelles, 11350 Tuchan, tél. 68.45.40.03 ℡ r.-v.

PAUL COLOMER 1985★★

7 ha   10 000

D'une belle couleur grenat, ce vin est agréable par ses senteurs de garrigues chaudes environnantes. Sa puissance aromatique est plaisante fondue autour de tanins doux. A associer avec du gibier et des viandes rouges.

➤ M. Paul Colomer, rue de l'Ormeau, 11350 Tuchan, tél. 68.45.46.34 ℡ t.l.j. 8h-12h 14h-20h.

CAVE COOP. DE LA PALME 1985★★
Cuvée Rabelais 1985★★

25 ha   10 000

Dédié à Rabelais, maître de la convivialité, ce vin s'offre sans réserve au dégustateur. Belle robe rougeoyante, nez sauvage mais charmeur et bouche avec du corps, du gras, de l'ampleur. A associer à des plats riches complets tels que salmis, daube, cassoulet, etc.

➤ Les Vignerons de La Palme, 11480 La Palme, tél. 68.48.15.17 ℡ t.l.j. 9h30-12h 14h30-17h30.

CAVE COOP DE LA PALME 1985★

n.c.   60 000

Robe légère, nez de fruits rouges d'où se dégagent la mûre et une pointe de thym. En bouche, de la finesse. Si la structure est légère pour un fitou, ce 85 est tout de même agréable. A associer à de la viande rouge grillée.

➤ Les Vignerons de La Palme, 11480 La Palme, tél. 68.48.15.17 ℡ t.l.j. 9h30-12h 14h30-17h30.

LES CAVES DE MONT-TAUCH 1985★★★

40 ha   200 000

Une très belle bouteille sérigraphiée. A l'intérieur, on découvre un vin à la robe légèrement tuilée, au nez développant des arômes de garrigues (romarin) et une bouche ronde, aux tanins bien fondus. A réserver sur le plat local qu'est le civet de sanglier ou tout autre viande forte (chevreuil par exemple).

➤ Les Caves du Mont-Tauch, 11350 Tuchan, tél. 68.45.41.08 ℡ r.-v.

CH. DE NOUVELLES 1986★★★

20 ha   80 000

Baptisé le pape du Fitou, ce producteur nous gratifie d'un vin exceptionnel digne de se trouver sur les plus grandes tables. Une robe grenat soutenu, brillante, un nez d'une complexité remarquable où l'on peut découvrir des fleurs sauvages, une pointe d'épice fondue dans un nuage aromatique fascinant. La bouche est solide, suave, promettant un grand vin dans les 10 ans à venir. A associer à des viandes rouges.

TERRE NATALE
Nec Pluribus Impar 1986★★

n.c.   100 000

La robe est rubis brillant, le nez épicé rappelant la badiane et l'iode de la mer toute proche. Corpulent, riche de bons tanins, ce Terre Natale naît à l'élégance. A marier avec le gibier et les viandes rouges.

➤ Cave Coop. de Fitou, RN 9, Les Cabanes, 11510 Fitou, tél. 68.45.71.41 ℡ t.l.j. 8h-12h 14h-19h.

CAVE DE VILLENEUVE CORBIERES 1983★★

n.c.   12 034

Couleur agréable peu soutenue très brillante; légèrement boisé au nez où l'on découvre des arômes de vanille et de pruneau macérés. En bouche, se dégagent des flaveurs de girofle; bons tanins; de la tenue et de l'élégance. A associer à des gibiers à poil ou des viandes grillées.

➤ Cave Pilote Prod. Villeneuve, 11360 Villeneuve-les-Corbières, tél. 68.45.91.59 ℡ t.l.j. sf dim. 8h15-12h 14h-18h.

Minervois

Le minervois, vin AOC, est produit sur soixante-et-une communes, dont quarante-cinq dans l'Aude et seize dans l'Hérault. Cette région plutôt calcaire, aux collines douces, au revers exposé au sud, protégée des vents froids par la Montagne Noire, produit un vin blanc et surtout deux types de vins rouges: l'un provenant de macération carbonique, et l'autre, vin de garde issu d'une macération plus longue. Ce vin accompagnera remarquablement le cassoulet ou le saupiquet.

Le vignoble du Minervois est sillonné de routes séduisantes : un itinéraire fléché constitue la route des Vins, bordée de nombreux caveaux de dégustation. Un site célèbre dans l'histoire du Languedoc (celui de l'antique cité de Minerve, où eut lieu un acte décisif de la tragédie cathare) aux nombreuses petites chapelles romanes et les églises intéressantes de Rieux et de Caune sont les atouts touristiques de la région. La confrérie locale, les Compagnons du Minervois, a son siège à Olonzac.

CH. LA GRAVE 1987***
86 |87| n.c.   n.c.

80% de macabeu sur sol graveleux. La robe est brillante, le nez aromatique rappelle l'amande grillée et la noix fraîche. L'attaque est bonne, l'équilibre parfait. Une bouteille très harmonieuse.
➤ M. Orosquette, Ch. La Grave, Badens, 11800 Trèbes, tél. 68.79.16.00 ℤ r.-v.

DOM. MARIS Carte Noire 1986***
82 83 |85| |86| 15 ha   50 000

Ici, l'héritage séculaire, c'est la vigne. C'est aussi un savoir-faire qui se retrouve d'année en année, confirmé une fois encore par les dégustateurs. D'une belle robe rubis, ce vin saisit par son arôme puissant de fruits rouges mêlés d'épices et son corps charnu, structuré, avec de bons tanins. Un vin complet.
➤ M. Jacques Maris, chem. de Perignoles, La Livinière, 34210 Olonzac, tél. 68.91.42.63 ℤ t.l.j; 8h-12h 14h-18h ; f. dim. a.-m.

DOM. MEYZONNIER
Cuvée du Vigneron 1986***
5 ha   40 000

Raymond Barre l'a, paraît-il, fort apprécié. Voilà qui ne surprendra pas de la part d'un amateur averti : ce 86 est d'un parfait équilibre. bien fondu, long, agréable.
➤ M. Jacques Meyzonnier, Pouzols-Minervois, 11120 Ginestas, tél. 68.46.13.88 ℤ r.-v.

DOM. DU PECH-D'ANDRE
Cuvée Jacques d'André 1986*
84| 85 |86| 15 ha   20 000

Situé dans une région du Minervois à l'abri de la pinède sur un terrain rocailleux, ce domaine produit un vin d'une très belle couleur rouge soutenu au nez de garrigue. Avec des notes vanillées et un fond de cannelle, il se montre d'un bon équilibre.
➤ M. Marc Rémaury, Dom. du Pech-d'André, Azillanet, 34210 Olonzac, tél. 68.91.22.66 ℤ t.-j. 8h-20h.

Domaine SAINTE-EULALIE
1987
MINERVOIS
Appellation Minervois Contrôlée
Mis en bouteille au domaine
75 cl 12% vol.
Produce of France
Propriétaire-récoltant M. BLANC 34210 LA LIVINIÈRE

PRIEURE DU CROS 1987**
10 ha   8 000

Le Minervois est une ravissante région touristique. Ce rosé n'est pas sans rappeler le marbre rose du petit trianon : rien d'étonnant puisque celui-ci vient des carrières de la région. Les arômes floraux sont caractéristiques des terroirs riches en manganèse. En bouche, bel équilibre tout en longueur. Accompagnera les charcuteries de la Montagne Noire et l'agneau du Causse.
➤ Cave Coop. La Vigneronne, 11160 Caunes-Minervois, tél. 68.78.00.98 ℤ t.l.j; sf dim. 8h-12h 14h-18h ; f. d'oct. à mai

DOM. SAINTE-EULALIE 1986*
83 |85| 36   r.c.   200 000

De t'eaux reflets violacés, un nez encore jeune finement boisé : un 86 chaleureux, bien constitué, à réserver sur une cuisine riche, tels salami, daube et cassoulet.
➤ M. Gérard Blanc, Dom. Sainte-Eulalie, La Livinière, 34210 Olonzac, tél. 68.91.44.32 ℤ r.-v.

DOM SAINTE-EULALIE 1987***
n.c.   10 000

Bril ant d'un jaune doré agréable, le très beau vin de ce domaine se distingue par des notes de fenouil, de fleurs jaunes et une note fruitée persistante. De l'ampleur, de la finesse, un bon équilibre et une finale harmonieuse. Tout à fait remarquable. A recommander sur du poisson en sauce blanche.
➤ M. Gérard Blanc, Dom. Sainte-Eulalie, La Liv nière, 342:0 Olonzac, tél. 68.91.44.32 ℤ r.-v.

TOUR SAINT-MARTIN 1986**
30 ha   50 000

Sombre et légèrement ambré, ce vin tout en finesse mêle les fruits rouges aux notes épicées de cannelle et de vanille. Remarquable pa: la qualité de ses tanins, il est recommandé sur canard ou oies de barbarie, servi à 17°.
➤ Ca»e Coop. Peyriac-Minervois, Peyriac-Minervois, 11160 Caunes-Minervois, tél. 68.78.11.20 ℤ r.-v.

TOUR SAINT-MARTIN 1987**

☐ | 2 ha | 15 000 | ↓Ⓥ①

86 |87|

Obtenu par macération pelliculaire, ce vin jaune pâle aux reflets verts se montre bien vif et exhale un fin parfum de poire fraîche et de fleurs blanches. Les terrines de poisson lui conviendront parfaitement.

➥ Cave Coop. Peyriac-Minervois, Peyriac-Minervois, 11160 Caunes-Minervois, tél. 68.78.11.20 ⟁ r.-v.

CH. VILLERAMBERT-JULIEN
Cuvée Tradition 1986**

■ | 10 ha | 40 000 | ↓▮Ⓥ②

85 |86|

Bastide languedocienne flanquée de tours rondes, entourée de vignes et de garrigues odorantes, ce domaine est depuis 1850 dans la famille Julien. Le vin qui en est issu se présente avec une belle couleur rubis soutenu, un nez de fruits mûrs et une bouche souple aux tanins dominants.

➥ M. Marcel Julien, Villerambert, 11160 Caunes-Minervois, tél. 68.78.00.01 ⟁ lu. sa. di. 9h-12h 14h-19h.

CH. VILLERAMBERT-MOUREAU
1986*

■ | 17 ha | 30 000 | ▮Ⓥ②

85 |86|

Terres riches en manganèse, anciennes carrières de marbre, jolie demeure... à croire l'étiquette ! Le 86 est d'un rouge profond, avec un bouquet agréable par ses notes de sous-bois. Bien équilibré, il montre une certaine souplesse et de l'ampleur.

➥ MM. Marceau Moureau et Fils, Ch. Villerambert, 11160 Caunes-Minervois, tél. 68.78.00.26 ⟁ t.l.j. sf dim. 8h30-12h 14h-18h30.

CLOS BAGATELLE
Cuvée Prestige 1986***

■ | 11,60 ha | 18 500 | ▥Ⓥ②

Intense et charnel, c'est le feu de la passion. Robe d'un rubis magnifique, mais faut-il en parler... Marie-Françoise Simon a réussi ici un exceptionnel saint-chinian au nez de coing et de figue sèche, enveloppé, élégant et d'une longueur infinie. Un mot à dire ? Bravo.

➥ Mme Marie-Françoise Simon, Clos Bagatelle, 34360 Saint-Chinian, tél. 67.93.61.63 ⟁ t.l.j. 8h-19h30.

BERLOU Prestige 1985**

■ | n.c. | 50 000 | ▥③

83 85|

Il y a souvent des reflets verts dans l'or d'un grand blanc. Notre jury a vu des reflets bleus dans l'or pourpre de cet excellent rouge. Le nez est puissant, complexe, presque sauvage, offrant des arômes de fourrés et d'armoire aux épices. Bonne structure en bouche et une rondeur carrée.

➥ Cave Coteaux du Rieu-Berlou, av. des Vignerons, Berlou, 34360 Saint-Chinian, tél. 67.38.03.19 ⟁ r.-v.

DOM. DES CALMETTE 1985

■ | 19,31 ha | 52 000 | ▥ ↓Ⓥ②

Le domaine des Calmette a été créé en 1840 par Jean Calmette et il est resté dans cette famille. Son 85 rouge est déjà évolué en bouche. Il a de la flamme. Arômes de petits fruits mûrs et touche doucement boisée.

➥ M. Calmette Gérard, Dom. des Calmette, 34460 Cazedarnes, tél. 67.38.02.37 ⟁ t.l.j. 9h-12h 13h30-17h.

CUVÉE DES CHEVALIERS 1985*

■ | 12 ha | 15 500 | ▥ ↓Ⓥ②

Cette Cuvée des Chevaliers rappelle le passé de ce domaine, ancienne commanderie de Templiers. Il a été planté depuis une vingtaine d'années des cépages de la région : grenache et carignan pour 40% chacun, cinsault et syrah. Joli vin cerise, chaud et charnu, voluptueux. Les Templiers avaient des mœurs beaucoup plus sévères !

➥ Mme Émilienne Lacugue, Dom. de Milhau-Lacugue, 34620 Puisserguier, tél. 67.30.75.38 ⟁ r.-v.

Saint-chinian

VDQS depuis 1945, le saint-chinian est devenu AOC en 1982; cette appellation couvre vingt communes et produit 83 000 hl de vins rouges et rosés. Dans l'Hérault, au nord de Narbonne, sur des coteaux s'élevant à 100 ou 200 m d'altitude, le vignoble est orienté vers la mer. Les sols sont constitués de schistes, surtout dans la partie nord, et de cailloutis calcaires, dans le sud. Le vin est réputé depuis très longtemps : on en parlait déjà en 1300. Une maison des Vins a été créée à Saint-Chinian même.

CUVEE VIRGINIE 1986***

2 ha — 5 000 — V3

Un très bon vin, complet et équilibré, qui devrait se plaire avec un tournedos à la moelle... Il s'agit d'un domaine vieux de cinq générations, qui a «repensé» sa façon de faire en 1976. Avec raison, à l'évidence! Syrah à 80% et grenache pour le reste, ce saint-chinian à la robe très foncée, aux parfums fruités et épicés figure parmi les meilleurs de la dégustation dans la région.
↳ M. Xavier Guiraud-Boyer, Dom. de Guiraud-Boyer, Causses-et-Veyran, 34490 Murviel-les-Béziers, tél. 67.62.44.73 Y r.-v.

DOM. DE FONSALADE 1986

17 ha — 80 000

Un rouge très tendre, fin, réservé et bien équilibré. Ce domaine appartient à la même famille depuis deux siècles. Devenu AOC en 1980, il bénéficie de bonnes conditions géologiques et climatiques. Les vignes sont jeunes encore et tout cela prendra du corps avec le temps.
↳ Loïc et Thérèse Maurel, Dom. de Fonsalade, Causses-et-Veyran, 34490 Murviel-les-Béziers, tél. 67.89.66.73 Y r.-v.

CAVE COOP. DE ROQUEBRUN

Prestige 1986*

20 ha — 10 000 — V2

La cave coopérative de Roquebrun propose ce très honnête 86. La robe n'est pas étincelante, mais le nez tout en finesse respire l'élégance. Notes boisées ou de vanille. On sent le vin bien constitué et chaleureux.
↳ Cave Coop. Vins de Roquebrun, av. des Orangers, Roquebrun, 34460 Cessenon, tél. 67.89.64.35 Y r.-v.

Côte de la malepère VDQS

framboise, il est à la fois volumineux et gouleyant.
↳ Cave Coop. Conques-sur-Orbiel, 11600 Conques-sur-Orbiel, tél. 68.77.12.90 Y r.-v.

CH. LA BASTIDE 1987***

22 ha — 5 000

Très riche avec ses odeurs de petits fruits rouges, tout particulièrement de cassis, le vin est gras, ample et harmonieux avec des tanins encore présents qui permettent un élevage. La vieille Bastide, dont les parties les plus anciennes datent du XIIe s., fut un poste de défense avancé des châteaux de Lastours, au cœur du Pays cathare. A conseiller avec cassoulet, gibier et viande rouge.
↳ Comte Amédée de Lorgeril, Ch. La Bastide, 11610 Pennautier, tél. 68.25.02.11 Y r.-v.

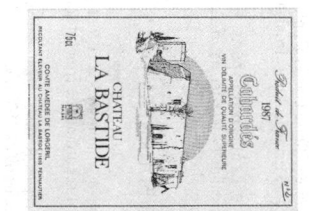

Cabardès VDQS

Les vins des Côtes de Cabardès et de l'Orbiel proviennent de terroirs situés au nord de Carcassonne et à l'ouest du Minervois. Le vignoble s'étend sur 2 200 ha et quatorze communes. Il produit 10 000 hl de vin rouge comportant au maximum 30 % de carignan. Ces vins sont assez différents des autres vins du Languedoc-Roussillon : produits dans la région la plus occidentale, ils subissent davantage l'influence océanique.

CAVE COOP. DE CONQUES-SUR-ORBIEL 1986***

15 ha — 6 600

85 | 86

60% de merlot dans ce joli vin à la robe rubis profond. Complexe par ses arômes où domine une note fruitée où l'on discerne notamment la

CH. RIVALS 1986***

12 ha — 30 000

L'heureux mariage des cépages merlot, cabernet-sauvignon et grenache donne à ce vin puissance et élégance. Très gras, rond avec des tanins fins, aux senteurs de fruits de la forêt, il accompagnera toutes les viandes.
↳ Charlotte Capdevila-Troncin, Ch. Rivals, Villemoustaussou, 11600 Conques-sur-Orbiel, tél. 68.25.30.96 Y r.-v.

CH. RIVALS 1987**

2,20 ha — 8 000

Joli rosé à la robe saumonée. Le grenache apporte un fruité aux notes de framboise. Ample et bien équilibré, ce rosé friand, plein de caractère, se mariera parfaitement avec les poissons et les viandes blanches.
↳ Charlotte Capdevila-Troncin, Ch. Rivals, Villemoustaussou, 11600 Conques-sur-Orbiel, tél. 68.25.30.96 Y r.-v.

Côte de la malepère VDQS

On produit 13 000 hl de ce VDQS sur trente-et-une communes de l'Aude, dans un terroir soumis à l'in-

Côte de la malepère VDQS

fluence océanique et situé au nord-ouest des Hauts-de-Corbières qui le protègent de l'influence méditerranéenne. Ces vins rouges ou rosés, corsés et fruités, comprennent non pas du carignan, mais, en plus du grenache et de la syrah, des cépages bordelais cabernet-sauvignon, cabernet-franc et merlot.

CH. DE FESTES 1986**
■   10 ha   70 000   ☷↓Ⓜ❶

Belle robe brillante, grenat, encore très jeune, nez fruité, élégant, avec une petite note de pain grillé : un vin équilibré, gras et ample, à recommander avec les grillades et les fromages à pâtes molles.
➤ Cave Coop. La Malepère, Arzens, 11290 Montréal-de-l'Aude, tél. 68.76.21.31 ⲩ lu. ma. me. je. ve. 8h-12h 14h-18h.

DOM. DE FOURNERY 1986**
■   20 ha   100 000   ☷↓Ⓜ❶

Vin ample et volumineux à la robe profonde, charmeur par ses arômes de fruits et son très bon équilibre.
➤ Cave du Razès, Routier, 11240 Belvèze-du-Razès, tél. 68.69.02.71 ⲩ r.-v.

DOM. DE MATIBAT 1985*
◧↓Ⓜ❷   1 ha   7 000

Joli vin à la robe soutenue, légèrement tuilée, qui annonce bien le bouquet aux notes boisées et de venaison. La dégustation est tout en élégance. Rond, avec des tanins très fondus, ce vin est à consommer. Parfait sur des viandes blanches ou des grillades.
➤ M. Henri Turetti, Dom. de Malibat, Saint-Martin-de-Villereglan, 11300 Limoux, tél. 68.31.15.52 ⲩ r.-v.

CH. DE ROBERT 1986***
■   17,56 ha   4 000

Harmonie, puissance et complexité dans une belle robe soutenue grenat. Les tanins très fins sont fondus et les arômes de petits fruits rouges de la forêt dominent. Ample et long, ce sera un merveilleux compagnon pour les viandes rouges.
➤ Sté Coteaux Dominicains, 11290 Montréal-d'Aude, tél. 68.76.20.47 ⲩ r.-v.

CH. DE ROUTIER 1987**
◿   4,71 ha   6 500   ☷↓Ⓜ❶

Un joli rosé à la robe rose tendre agrémentée de reflets violine. Puissant, élégant et bien équilibré avec des arômes de fruits frais, il est à consommer bien frais. A découvrir : le château des XVe et XVIe s. et son magnifique caveau de dégustation et d'élevage dans les caves voûtées.
➤ Mme Michèle Lezerat, Le Château, Routier, 11240 Belvèze-du-Razès, tél. 68.69.06.13 ⲩ t.l.j. 9h-12h 14h-18h.

Le Roussillon

L'implantation de la vigne en Roussillon date du VIIe s. avant notre ère, sous l'impulsion des marins grecs attirés par les richesses minières de la côte catalane; elle se développa au Moyen Age et les vins liquoreux de la région conurent de bonne heure une solide réputation; on les appelait alors les « vins d'Espagne ». Après l'invasion phylloxérique, la vigne a été replantée en abondance sur les coteaux du plus méridional des vignobles de France.

Amphithéâtre tourné vers la Méditerranée, le vignoble du Roussillon est bordé par trois massifs : les Corbières au nord, le Canigou à l'ouest, les Albères au sud qui font la frontière avec l'Espagne. La Têt, le Tech et l'Agly sont des fleuves qui ont modelé un relief de terrasses dont les sols caillouteux et lessivés sont propices aux vins de qualité, et particulièrement aux vins doux naturels (voir ce chapitre). On rencontre

également des sols d'origine différente avec des schistes, des arènes granitiques, ainsi que des collines détritiques du Pliocène.

Le vignoble du Roussillon bénéficie d'un climat particulièrement ensoleillé avec des températures clémentes en hiver, chaudes en été. La pluviométrie (350 à 600 mm) est mal répartie, et les pluies d'orages ne profitent guère à la vigne. Il s'ensuit une période estivale sèche, dont les reflets sont souvent accentués par la tramontane qui favorise la maturation des raisins.

La vigne est conduite en gobelet, avec une densité de 4 000 pieds. La culture reste traditionnelle, souvent peu mécanisée. L'équipement des caves se modernise avec la diversification des cépages et des techniques de vinification. Après de rigoureux contrôles de maturité, la vendange est transportée en comportes ou petites bennes sans être écrasée; une partie des raisins est traitée par macération carbonique. Les températures au cours de la vinification sont de mieux en mieux maîtrisées, afin de protéger la finesse des arômes : tradition et technicité se côtoient.

Quoi de neuf en Roussillon ?

Malgré les difficultés climatiques, le millésime 87 a produit d'heureuses surprises dans le Roussillon. Certes, il ne vaut ni le 86 ni surtout le 85, mais il est souvent très honnête et s'est bien commercialisé (+ 10 à 15%). En quantité, une récolte de 208 000 hl en côtes-du-roussillon et de 77 000 hl pour les villages. Nettement en dessous des volumes 82, 83, 84 où l'on atteignait 310 à 333 000 hl.

Rivesaltes et muscat-de-rivesaltes ont en 1987 beaucoup de tonus : la vivacité l'emporte sur la subtilité. Banyuls a souffert. Une demi-récolte a des résultats très variables. En côtes-du-roussillon, roussane et marsanne viennent soutenir le macabeu en blancs, tandis qu'on vient d'abaisser le pourcentage maximum de carignan (de 70 à 60%) : les vins les plus harmonieux sont maintenant produits avec un tiers de carignan, un tiers de grenache noir et un tiers d'aromatiques comme la syrah ou le mourvèdre.

Le Roussillon

A.O.C.

Côtes du Roussillon
Côtes du Roussillon-Villages
Collioure
Limites de départements

Échelle
0 1   5   10 km

N

PYRÉNÉES-ORIENTALES

AUDE

Corbières

MÉDITERRANÉE

MER

ESPAGNE

NARBONNE

Perpignan

Canigou

Albères

Caudiès-de-Fenouillèdes

St-Paul-de-Fenouillet

Prades

Sournia

Montalba-le-Château

Maury

Caramany

Latour-de-France

Montner

Estagel

Baixas

Tautavel

Vingrau

Rivesaltes

Opoul

Ét. de Leucate

Salses

Cabestany

Pollestres

Camélas

Millas

Terrats

Thuir

Trouillas

Passa

Banyuls-dels-Aspres

Vivès

Céret

le Boulou

Montesquieu

Sorède

Argelès-s-Mer

Collioure

Banyuls

Amélie-les-Bains

Prats-de-Mollo

Agly

Têt

Tech

D 117

N 116

D 619

D 612

D 115

D 612

D 618

N 114

N 113

A 9

Côtes du roussillon et côtes du roussillon villages

Du nouveau ? Les villages grandissent. Ils étaient 24, ils deviennent 27 en accueillant Aurignan, Montalba-le-Château et Pézilla-la-Rivière. Enfin, rapprochement en cours des deux organismes interprofessionnels (les côtes-du-roussillon et les vins doux naturels) pour donner naissance en 1989 à un interlocuteur unique pour l'ensemble des vins du Roussillon.

Côtes du roussillon et côtes du roussillon villages

Ces appellations sont issues des meilleurs terroirs de la région. Le vignoble, de 6 000 ha environ, produit 250 à 300 000 hl dans l'ensemble des appellations. Les côtes-du-roussillon-villages sont localisés dans la partie septentrionale du département des Pyrénées-Orientales; deux communes bénéficient de l'appellation avec le nom du village : Caramany et Latour-de-France. Terrasses de galets, arènes granitiques, schistes confèrent une richesse et une diversité qualitatives que les vignerons ont bien su mettre en valeur.

Les vins blancs sont produits à partir des cépages macabeu et malvoisie du Roussillon, vinifiés par pressurage direct. Ils sont de type vert, légers et nerveux, avec un arôme fin, floral (fleur de vigne). Ce sont des compagnons de choix pour les fruits de mer, les poissons et les crustacés.

Les vins rosés et les vins rouges sont obtenus à partir de plusieurs cépages : le carignan noir (70 % maximum), le grenache noir, le cladoner pelut, le cinsaut, comme cépages principaux, et la syrah, le mourvèdre et le macabeu (10 % maximum dans les vins rouges) comme cépages complémentaires; il faut obligatoirement deux cépages principaux et un cépage complémentaire. Tous ces cépages (sauf la syrah) sont conduits en taille courte à deux yeux. Souvent, une partie de la vendange est vinifiée en macération carbonique, surtout à partir du carignan qui donne, avec cette méthode de vinification, d'excellents résultats. Les vins rosés sont vinifiés obligatoirement par saignée.

Les vins rosés sont fruités, corsés et nerveux; les vins rouges sont fruités, épicés, avec une richesse alcoolique de 12° environ. Les côtes-du-roussillon-villages sont plus corsés et chauds, certains peuvent se boire jeunes, mais d'autres peuvent se garder plus longtemps et développer alors un bouquet intense et complexe. Leurs qualités organoleptiques bien personnalisées et diversifiées leur permettent de s'associer avec les mets les plus variés.

Côtes du roussillon

DOM. AMOUROUX 1985*

■ 25 ha 100 000 ■ V 2

10% de mourvèdre pour la longue garde, 70% de carignan et 20% de grenache. Une belle robe rubis, des arômes de petits fruits rouges dominant, un bon équilibre autour d'une charpente tannique bien constituée. Voilà un joli vin.

↳ M. Jean Amouroux, rue du Pla-del-Rey, Tresserre, 66300 Thuir, tél. 68.38.87.54 ☎ r.-v.

PIERRE D'ASPRES 1986**

■ 3 ha 10 000 ■ V 1

Bernard Marty est œnologue et il bénéficie des bons terroirs des coteaux de l'Aspres, déjà appréciés par les Grecs. La robe est profonde, de couleur grenat. Les arômes sont intenses, fins, évoquant les fruits rouges bien mûrs et relevés par des notes épicées. La solidité des tanins en fait un vin d'épanouissement futur.

↳ GIE Pierre d'Aspres, 36, av. Joffre, 66300 Thuir, tél. 68.53.42.62 ☎ t.l.j. 8h-12h 14h-19h.

↳ MM. Marty et Roger.

BAILLIE 1983**

■ 15 ha 60 000 ■ V 1

15% de cinsault, 35% de grenache, 50% de carignan pour un millésime qui a bien évolué,

...même si la nuance tuilée apparaît déjà dans le verre. Les arômes sont fins et nets : fruits confits, cuir et épices. Beaucoup d'ampleur avec des tanins très doux. Un très joli équilibre.

→ M. René Baille, av. de Passa, 66300 Tresserre, tél. 68.38.80.64 ℐ lu. ma. me. je. ve. 8h-12h30 14h-18h.

VIGNERONS DES COTEAUX DE BELESTA 1985**

120 ha 10 000

Un site archéologique néolithique qui passionne Mme Claustre. Ce 85 a déjà une robe teintée de brique et des arômes évolués de viande grillée et de musc. Les fruits mûrs s'expriment autour d'un équilibre élégant.

→ SCV Belesta, 66720 Belesta, tél. 68.84.51.70 ℐ lu. ma. me. je. ve. 8h-12h 14h-18h ; f. Sam. 10h-12h et 15h-17h

CH. DE BLANES 1985**

4.36 ha 26 000

Jean Rière, œnologue de la cave, a assemblé 45% de carignan, 30% de grenache et 25% de syrah. D'un rubis profond, la robe annonce un vin d'une solide charpente. Finesse des arômes de fruits rouges, d'épices et de vanille. Des tanins encore bien présents assurent un long avenir à ce vin.

→ SCV de Pézilla-la-Rivière, 66370 Pézilla-la-Rivière, tél. 68.92.00.09 ℐ L.l.j. sf dim. 8h30-13h 15h-19h ; f. sam. mat.

DOM. DE CANTERRANE 1982*

80 ha 350 000

Un des plus grands domaines du Roussillon, qui possède plusieurs millésimes en cave. Ce 82 brille d'une robe tuilée et possède un joli nez de fruits cuits et de sous-bois. Encore charpenté par sa trame de tanins, c'est un vin qui a sa place pour accompagner tout un repas.

→ M. Maurice Conte, Dom. de Canterrane, Trouillas, 66300 Thuir, tél. 68.53.47.24 ℐ r.-v.

CH. CAP DE FOUSTE 1984**

15 ha 30 000

Tout près de Perpignan et du lac de Villeneuve, le château Cap de Fouste est un haut lieu viticole. Ce 84 encore plein de jeunesse a des arômes de fruits frais et de notes d'épices. Il est rond et charnu à la fois ; on apprécie la finesse des tanins.

→ SCI Ch. de Cap de Fouste, 66200 Villeneuve-de-la-Raho, tél. 68.55.91.04 ℐ r.-v.

DOM. CAZES 1986***

40 ha 30 000

Le maréchal Joffre aurait apprécié ce vin élaboré sur son ancienne propriété. D'une robe rubis, brillante et transparente, il développe des arômes intenses et fins d'épices douces, de fruits mûrs et de viande grillée. Il est plein, charnu et bien équilibré avec une bonne persistance.

DOM. CAZES 1987*

→ MM. André et Bernard Cazes, 4, rue Francisco-Ferrer, 66600 Rivesaltes, tél. 68.64.08.26 ℐ r.-v.

DOM. CAZES 1987**

3 ha 20 000

Un vrai blanc sec du Roussillon : l'intensité aromatique est remarquable, à la fois florale et amylique. Très équilibré, il a tout pour plaire sur des crustacés.

→ MM. André et Bernard Cazes, 4, rue Francisco-Ferrer, 66600 Rivesaltes, tél. 68.64.08.26 ℐ r.-v.

DOM. CAZES 1987*

40 ha 40 000

La robe est tendre comme la cuisse de nymphe. Le bouquet complexe est à la fois floral et fruité, accompagné d'une lourde note banane et de quelques arômes de torréfaction. Ce vin est cependant excellent par sa fraîcheur et sa persistance.

→ MM. André et Bernard Cazes, 4, rue Francisco-Ferrer, 66600 Rivesaltes, tél. 68.64.08.26 ℐ r.-v.

CELLIER DES COMTES 1983*

n.c. 100 000

Issu d'un terroir de schistes, c'est un vin d'une robe rubis assez transparent. Au nez, des arômes plutôt fins, en bouche, des notes fruitées et épicées. Souple et rond grâce aux tanins devenus très fins. Très c'est un vin bien réussi. En bouche, l'équilibre est chaleureux.

→ Les Vignerons Catalans, rte de Thuir, B.P. 2035, 66011 Perpignan Cedex, tél. 68.55.04.51 ℐ r.-v.

CH. DE CORNEILLA 1985

36 ha 200 000

Le vignoble est dominé par un château du XIIIe s. où il vit depuis 1485 la famille d'Oriola. C'est un vin d'une robe rubis assez transparente avec des arômes de cerises mûres, déjà évolués. En bouche, l'équilibre est chaleureux.

→ GFA Jonquères d'Oriola, Ch. de Corneilla, Corneilla-del-Vercol, 66200 Elne, tél. 66.22.12.56 ℐ r.-v.

CUVÉE ERMITAGE DU CHÂTEAU 1985*

10 ha 40 000

Cette coopérative regroupe cinq cents adhérents et produit plus de 60 000 hl. La cuvée grenat bien sélectionné, aux arômes de mûres écrasées et d'épices douces, donne un vin très gras, charnu grâce à la finesse de ses tanins.

→ SCA V de Saint-André, 56, rue du Stade, 66690 Saint-André, tél. 68.89.03.03 ℐ r.-v.

DOM BRIAL 1984*

40 ha 200 000

Une jolie robe d'un rubis profond. Très marqué par les arômes de cerise au nez, avec des nuances épicées. L'équilibre gustatif est corsé et charpenté, lui assurant un bon avenir.

Côtes du roussillon

DOM. JAMMES 1985**

↝ SCV Les Vignerons de Baixas, 14, av. du Mal-Joffre, 66390 Baixas, tél. 68.64.22.37 ⵜ r.-v.

| 84 | 85 | ■ | | 10 ha | 10 000 | ⬚ ♦ ⬇ 2 |

5 % de maccabéo complètent l'assemblage traditionnel de grenache, carignan et syrah. La robe est superbe par sa couleur rubis, le bouquet à la fois épicé et vineux avec quelques notes de sous-bois d'automne. Le tanin est élégant, l'équilibre onctueux.

↝ M. Jean Jammes, Dom. Jammes, Saint-Jean-Lasseille, 66300 Thuir, tél. 68.21.64.94 ⵜ r.-v.

CH. DE JAU 1985**

↝ Diffusion des Dom. de Jau, 75, av. Julien-Panchot, 66000 Perpignan, tél. 68.64.68.64 ⵜ r.-v.

| 84 | 85 | ■ | | 50 ha | 270 000 | ⬚ ⬇ 2 |

Le château abrite une fondation ou sont exposées des toiles d'artistes contemporains. Le 85 a une robe d'un grenat profond et beaucoup d'arômes de sous-bois et de fruits cuits. Avec des tanins élégants, charnus, il accompagnera merveilleusement les grillades servies au restaurant du château.

↝ Diffusion des Dom. de Jau, 75, av. Julien-Panchot, 66000 Perpignan, tél. 68.64.68.64 ⵜ r.-v.
↝ MM. Bernard et Jean Dauré.

CH. DE JAU 1986*

↝ Diffusion des Dom. de Jau, 75, av. Julien-Panchot, 66000 Perpignan, tél. 68.64.68.64 ⵜ r.-v.

| ☐ | | 2,50 ha | 12 000 | ■ ⬇ 2 |

Une robe jaune d'or et des arômes intenses de miel et de cire d'abeille. Très gras et long, il peut accompagner plusieurs préparations gastronomiques ou de simples poissons grillés au four.

↝ Diffusion des Dom. de Jau, 75, av. Julien-Panchot, 66000 Perpignan, tél. 68.64.68.64 ⵜ r.-v.
↝ MM. Bernard et Jean Dauré.

JAUBERT ET NOURY 1987*

| ■ | | 8 ha | 15 000 | ■ ⬇ 1 |

Or pâle et reflets verts pour sa robe. Très fruité et fin, marqué par la fameuse malvoisie du Roussillon. En bouche, l'arôme est persistant et soutenu par une agréable fraîcheur.

↝ GIE Jaubert et Noury, rue des Artisans, Saint-Jean-Lasseille, 66300 Thuir, tél. 68.21.71.43 ⵜ r.-v.

VIGNERONS DE LANSAC SAINT-ARNAC 1985

| ■ | | 60,40 ha | 10 000 | ■ ⬇ 1 |

187 hectares en majorité sur arènes granitiques : les vins de la coopérative sont élaborés en semi-macération carbonique. Les arômes sont assez marqués par les petits fruits rouges qui se complètent en bouche par des notes réglisse. Les tanins assez fins dominent l'équilibre gustatif.

↝ CV de Lansac-Saint-Arnac, Lansac, 66720 Latour-de-France, tél. 68.29.04.33 ⵜ t.l.j. sf dim. 8h-12h 14h-18h.

VIGNERONS DE LANSAC SAINT-ARNAC 1987**

| ☐ | | 10 ha | 10 000 | ■ ⬇ 1 |

Un joli rosé très franc de couleur mais aussi remarquable par la finesse et l'intensité de ses arômes. Onctueux, il est très bien équilibré.

↝ CV de Lansac-Saint-Arnac, Lansac, 66720 Latour-de-France, tél. 68.29.04.33 ⵜ t.l.j. sf dim. 8h-12h 14h-18h.

DOM. DE LA ROURÈDE 1986**

| 85 | 86 | ■ | | 10 ha | 40 000 | ■ ⬇ 2 |

Un vin très agréable, brillant d'une robe cerise assez transparente, plutôt typé par les épices au nez ; les notes de fruits rouges apparaissent en bouche. Assez charpenté mais pouvant s'apprécier dès maintenant sur des viandes grillées.

↝ M. Jean-Luc Pujol, Dom. de La Rourède, Fourques, 66300 Thuir, tél. 68.38.84.44 ⵜ r.-v.

CH. L'ESPARROU 1985**

| 81 | 85 | ■ | | 12 ha | 60 000 | ■ ⬇ 2 |

Un château XIXᵉ aux portes de la plage de Canet sur des terrasses caillouteuses entre mer et étang. Une robe d'un rubis transparent, des arômes intenses et longs, une finesse des tanins, traduisent la qualité de ce vin remarquablement équilibré.

↝ SCE Ch. l'Esparrou, Canet-en-Roussillon, 66140 Canet-Plage, tél. 68.73.30.93 ⵜ t.l.j. sf dim. 9h-13h 14h-20h ; f. 18h en hiver, vac. scol. de Noël

↝ Rendu Frères et Sœurs.

MAS PALEGRY 1985

| ■ | | 5 ha | 25 000 | ■ ⬇ 2 |

Un musée d'aviation au milieu des vignes à côté de Perpignan. Le vin assez jeune est encore dominé par de solides tanins. Les arômes n'en sont pas absents : ils sont de fruits rouges cuits.

↝ M. Charles Noetinger, rte d'Elne, Mas Palégry, 66000 Perpignan, tél. 68.54.08.79 ⵜ r.-v.

MAS RANCOURE Cuvée Vincent 1985***

| ■ | | 9 ha | 50 000 | ■ ⬇ 2 |

Un vieux mas dans les Albères où les amateurs d'antiquités apprécient de merveilleuses pièces. Le 85 est encore d'un rubis brillant. Les arômes sont marqués par les fruits rouges et quelques épices. L'équilibre est parfait grâce à l'onctuosité et à la douceur des tanins. Beaucoup d'ampleur.

↝ Dr Pardineille, Mas Rancoure, Laroque-des-Albères, 66740 Saint-Genis-des-Fontaines, tél. 68.89.03.69 ⵜ t.l.j. 10h-12h 15h-18h.

DOM. DU MAS ROUS 1986***

| ☐ | | 4,15 ha | 5 000 | ■ ⬇ 2 |

Un très joli caveau de dégustation dans une bergerie sur les flancs des Albères. Ici, 90% de syrah et 10% de grenache. Sous une robe cerise mûre, se développent des arômes fins d'épices et de griottes cuites. Les tanins sont très doux et l'équilibre charnu donne envie de « mordre » dans ce vin.

☛ M. Joseph Pujol, Dom. du Mas Rous, Montesquieu, 66740 Saint-Génis-des-Fontaines, tél. 68.89.64.9] ▼ r.-v.

☛ GFA Mas del Ros.

PERE PIGNE 1983*

■   n.c.   n.c.   ⬛ ▮ 1

Un vin déjà mûr, une robe aux nuances tuilées se fondent dans la teinte rubis. Bouquet de vieux cuir et de musc, réglisse en bouche. L'équilibre est charpenté avec une bonne onctuosité.

☛ SA Limouzy, 15, av. de Grande-Bretagne, 66000 Perpignan, tél. 68.34.01.27 ▼ r.-v.

RASIGUERES 1987*

■   n.c.   120 000   ▾ 2

Bien vif dans sa robe, bien fruité dans son franc bouquet, c'est un vin chaleureux.

☛ Les Vignerons Catalans, rte de Thuir, B.P. 2035, 66011 Perpignan Cedex, tél. 68.35.04.51 ▼ r.-v.

DOM DE ROMBEAU
Cuvée Pierre de la Fabrègue 1986*

■   2,20 ha   5 000   ⬛ ▮ ▾ 2

Tout près de l'aéroport de Perpignan, le domaine de Rombeau s'étend sur 70 hectares et possède presque tous les cépages méditerranéens, offrant même quelques parcelles expérimentales à douze nouveaux cépages. Ce 86 est un assemblage traditionnel de carignan (40% avec des arômes à la fois fruités et évolués sur des notes vanillées apportées par le bois, c'est un vin assez corsé.

☛ SCV Les Vign. de Rivesaltes, rue de la Roussillonnaise, 66600 Rivesaltes, tél. 68.64.06.63 ▼ t.l.j. sf dim. 8h-12h 14h-18h.

DOM. SAINT-LUC 1985*

■   20 ha   10 000   ⬛ ▮ ▾ 1

Dominé par la chapelle Saint-Luc, le vignoble s'étend entre garrigue et champs d'oliviers. C'est un vin d'une couleur rubis profond avec des arômes de fruits rouges et d'épices fortes. En bouche, le goût de réglisse se fond sur une solide charpente tannique.

☛ M. Luc-Jérôme Talut, Dom. Saint-Luc, 66300 Passa, tél. 68.38.80.38 ▼ r.-v.

SAINT-VINCENT 1986*

■   129 ha   30 000   ⬛ ▮ ▾ 1

Une robe bien pourpre avec des arômes poivrés et nuancés de cassis. Le tanin au grain très fin assure cependant une solide charpente.

☛ Ccop. de Saint-Vincent, ancie nne rte de Maury, 66310 Estagel, tél. 68.29.00.94 ▼ lu. ma. me. je. ve. 8h-12h 14h-16h. r. du 24 déc. au 02 janv.

DOM. SARDA-MALET 1985***

■   3 ha   10 000   ⬛ ▮ ▾ 2

Le grenache domine très largement, mais 5% de mourvèdre viennent apporter sa tonalité à un vin qui est en début de maturité. Les fruits rouges laissent peu à peu place à des notes plus évoluées et complexes rappelant le cuir et la venaison. La charpente est finement boisée autour d'arômes de réglisse persistants.

☛ Dom. Sarda-Malet, 134, av. Victor-Dalbiez, 6600) Perpignan, tél. 68.54.59.95 ▼ r.-v.

VIGNERONS DE MONTALBA-LE-CHATEAU 1985***

■   4 ha   1900   ▾ 2

Après la visite du musée de la Vigne, on apprécie ce millésime 85 en plein épanouissement, élaboré par la cave coopérative et son œnologue Madeleine Fourquet. De couleur encore rubis, les arômes développent des notes fruits mûrs et de cerise. Douceur des tanins, élégance de l'équilibre, finesse des arômes en font un très grand vin.

☛ Les Vignerons de Montalba, Montalba-le-Château, 66130 Ille-sur-Têt, tél. 68.84.76.53 ▼ lu. ma. me. je. ve. 8h-12h 14h-17h.

MOULIN DE BREUIL 1985***

■   20 ha   25 000   ⬛ ▮ ▾ 2

Une robe plutôt cerise, des arômes intenses et curieux où dominent les fruits rouges et les épices orientales. Les fins tanins et une bonne onctuosité permettent aux arômes de bien se développer tout au long de la dégustation. Un vin tout à fait remarquable.

☛ Comte Albert de Massia, Moulin de Breuil, Montesquieu, 66740 Saint-Génis-des-Fontaines, tél. 68.89.61.01 ▼ t.l.j: sf dim. 9h-12h 14h-18h.

Côtes du roussillon-villages

DOM. SARDA-MALET 1986*

4 ha — 20 000

20% de malvoisie complètent le macabeu. Or pâle, ce 86 et à la fois gras et vert. Son bouquet intense et complexe mêle des notes de fenouil aux fleurs de garrigue.
➤ Dom. Sarda-Malet, 134, av. Victor-Dalbiez, 66000 Perpignan, tél. 68.54.59.95 r.-v.
➤ M. S.-M. Malet.

DOM. SARDA-MALET 1986*

4 ha — 25 000

Entre pelure d'oignon et rosé fanée, la robe annonce un rosé très particulier avec des arômes à la fois évolués et gardant encore quelques notes amyliques. En bouche beaucoup de gras qui lui permet de bien se présenter sur des accords gastronomiques.
➤ Dom. Sarda-Malet, 134, av. Victor-Dalbiez, 66000 Perpignan, tél. 68.54.59.95 r.-v.
➤ M. S.-M. Malet.

TAICHAC Salvat 1986**

6 ha — 20 000

85 86

Du haut du petit village de Saint-Martin, le vignoble domine tout le Roussillon. Ce 86 a encore une robe grenat et présente des arômes de fruits mûrs sur un fond vanille bien marqué par l'élevage dans le bois. Le tanin est encore solide mais déjà d'une grande finesse.
➤ MM. Salvat Père et Fils, Pont-Neuf, 66610 Villeneuve-la-Rivière, tél. 68.92.17.96 r.-v.

TAICHAC Salvat 1987**

15 ha — 30 000

100% macabeu offrent l'or pâle de la robe. Les arômes intenses et fins rappellent la fleur d'acacia. Sa fraîcheur est agréable. C'est le compagnon idéal des fruits de mer et crustacés.
➤ MM. Salvat Père et Fils, Pont-Neuf, 66610 Villeneuve-la-Rivière, tél. 68.92.17.96 r.-v.

TAICHAT 1987

n.c. — 100 000

Ce blanc de cépage macabeu est encore très pâle, nuancé de vert. Floral et fin ; sa nervosité le conseille pour les coquillages.
➤ Les Vignerons Catalans, rte de Thuir, B.P. 2035, 66011 Perpignan Cedex, tél. 68.85.04.51 r.-v.

TERRASSOUS 1985**

50 ha — 250 000

82 85

De couleur encore très jeune avec des arômes de cerise et de framboise qui persistent. Des tanins aux grains fins et une bonne vivacité le rendent parfaitement agréable.
➤ SCV Les Vignerons de Terrats, B.P. 32, Terrats, 66300 Thuir, tél. 68.53.02.50 t.l.j. sf dim. 8h-12h 14h-18h.

TERRASSOUS Blanc de blancs 1987*

30 ha — 10 000

Agréable, sa robe or pâle nuancée de vert. Agréables, les arômes de fenouil, agréable, sa fraîcheur.
➤ SCV Les Vignerons de Terrats, B.P. 32, Terrats, 66300 Thuir, tél. 68.53.02.50 t.l.j. sf dim. 8h-12h 14h-18h.

VIEUXPORT 1985**

n.c. — 50 000

83 85

Le vieux cloître du XVIe s., occupé par les dominicains, abrite une cave où le vin se sent bien. De couleur rubis cerise, ce 85 a des arômes de fruits cuits et fruits cuir qui se fondent sur des notes réglisse. Corsé, onctueux avec des tanins très fins, il séduit par son ampleur.
➤ Caves Vve Banyuls, 4, rte Nationale, 66190 Collioure, tél. 68.82.05.22 r.-v.

Côtes du roussillon-villages

SCV AGLYA 1986*

180 ha — 80 000

L'ancienne patrie d'Arago produit un côtes-du-roussillon-villages d'une couleur grenat avec des arômes chauds de fruits rouges bien mûrs. La sensation gustative est dominée par des tanins fins et une puissance capiteuse.
➤ SCAV Aglya, 66310 Estagel, tél. 68.29.00.45 r.-v.

SCV BELESTA DE LA FRONTIERE Cuvée du Dolmen 1984***

50 ha — 7 000

Ancienne frontière avec l'Espagne au temps où le Roussillon n'était pas encore rattaché à la France. Ce 84 a de jolis reflets tuilés annonçant un vin déjà bien évolué. Son bouquet intense de vieux cuir usagé est marqué de quelques notes de gibier sur un fond de réglisse. L'équilibre met en valeur la notion de volume avec une très grande persistance aromatique. Un merveilleux exemple d'une sélection de terroir de schistes.
➤ SCV Bélesta, 66720 Bélesta, tél. 68.84.51.70 lu. ma. me. ve. 8h-12h 14h-18h ; f. Sam. 10h-12h et 15h-17h.

FRANCIS BONZOMS Cuvée des Saintes 1986*

4 ha — 4 000

Plus marqué par les fruits mûrs au nez, chaleureux par les notes de réglisse en bouche, c'est un vin qui donne l'impression de volume et de robustesse.
➤ M. Francis Bonzoms, 2, pl. de la République, Tautavel, 66720 Latour-de-France, tél. 68.29.40.15 t.l.j. 9h-12h 16h-19h ; f. d'oct. à mars

CARAMANY 1987*

n.c. — 350 000

Un terroir de grès et de schistes traditionnellement mis en valeur par la macération carbonique. Ce 87 a à une robe rubis assez peu soutenue

LESQUERDE 1986**

84	85	86

120 ha | 100 000

Un vignoble d'arènes granitiques qui donne un vin à la couleur cerise mûre, aux arômes de fruits cuits et d'épices méridionales. La finesse des tanins en même temps que son côté charnu lui donnent beaucoup de charme.
→ SCV de Lesquerde, Lesquerde, 66220 Saint-Paul-de-Fenouillet, tél. 68.59.02.62 ▼ t.l.j, 8h-12h 14h-18h.

DOM. DU MAS CAMO 1985***

8 ha | 15 000

Le majestueux vignoble de Força Real domine la plaine du Roussillon. Le vin est d'une grande complexité aromatique avec des notes de fruits mûrs, rehaussées par les accents vanillés de l'élevage dans le chêne. La charpente est séduisante et donne une ampleur remarquable.
→ Les Vignerons Catalans, rte de Thuir, B.P. 2035, 66011 Perpignan Cedex, tél. 68.85.04.51 ▼ r.-v.
→ M. Eené-Jean Camo.

avec des arômes intenses de fruits rouges et de banane. Il est très rond et souple ; à boire assez frais pour apprécier son côté gouleyant.
→ Les Vignerons Catalans, rte de Thuir, B.P. 2035, 66011 Perpignan Cedex, tél. 68.85.04.51 ▼ r.-v.

SCV DE CASSAGNES 1986*

50 ha | 30 000

Une robe rubis cerise avec des arômes francs, de petits fruits rouges qui se développent en bouche avec quelques notes épicées. La qualité des tanins laisse une bonne persistance aromatique.
→ SCV Cellier des Capitelles, Cassagnes, 66720 Latour-de-France, tél. 68.84.51.93 ▼ t.l.j, sf dim. 8h-12h 14h-18h.

DOM. CAZES 1985***

40 ha | 80 000

Sur les anciennes terres du maréchal Joffre, la vigne produit aujourd'hui un côtes-du-roussillon villages d'une robe grenat avec un bouquet intense et complexe rappelant les fruits mûrs, l'iris, et en bouche les épices et la vanille. Très persistant autour d'un équilibre gustatif bien onctueux.
→ MM. André et Bernard Cazes, 4, rue Francisco-Ferrer, 66600 Rivesaltes, tél. 68.64.08.26 ▼ r.-v.

DOM BRIAL 1985***

15 ha | 90 000

Quel plaisir aurait eu dom Brial à déguster ce 85 avec une belle viande grillée ou le fameux fraginat de Baixas! Dans une robe encore rubis, il développe des arômes d'une grande finesse rappelant les fruits rouges bien mûrs avec des notes vanillées, au boisé fin, des tanins doux permettant une persistance aromatique intense.
→ SCV Les Vignerons de Baixas, 14, av. du Maréchal-Joffre, 66390 Baixas, tél. 68.64.22.37 ▼ r.-v.

SCV ESPIRA DE L'AGLY
Cuvée Prestige 1981

80	81

80 ha | 70 000

Une robe tuilée, reflet d'un vin déjà assagi par les ans. Un bouquet intense de fruits cuits et de pêche, un peu de cuir avec en bouche une dominante corsée.
→ SCV Espira de l'Agly, 39, rue Thiers, B.P. 1, Espira-de-l'Agly, 66600 Rivesaltes, tél. 68.64.17.54 ▼ t.l.j, sf dim. 8h-12h 15h-19h ; f. en hiver à 18h

CELLIER DE LA DONA 1985**

82	83	85

30 ha | 15 000

Après la visite du cellier fort accueillant, on peut apprécier ce vin à la robe tuilée, aux arômes expressifs de pain grillé et de fruits cuits. Autour de la charpente, il développe équilibre et ampleur.
→ SC Cellier de La Dona, 48, av. Dr-Torreilles, 66310 Estagel, tél. 68.54.67.78 ▼ r.-v.

Elevé en fûts de Chêne
Domaine du
Mas Camo
CÔTES DU ROUSSILLON VILLAGES
APPELLATION CÔTES DU ROUSSILLON VILLAGES CONTRÔLÉE
1985

SCV LES VIGNERONS DE MAURY 1984**

20 ha | 80 000

Du haut de la tour cathare de Quéribus, on admire le vignoble grandiose de Maury. Ce 84 a une robe nuancée de brique avec des fruits mûrs et quelques arômes de cacao. Autour d'une charpente tannique bien constituée, il est long comme on aime.
→ SCV Les Vignerons de Maury, 128, av. Jean-Jaurès, 66460 Maury, tél. 68.59.00.95 ▼ r.-v.

R. MOUNIE
Cuvée de l'Homme de Tautavel

n.c. | 15 000

Au pays de l'Homme de Tautavel, le vin sait vieillir sans prendre de rides. Ce 85 a déjà des notes évoluées de cuir et de gibier. Beaucoup de volume entourant une charpente tannique assez solide. A mettre à l'épreuve avec un civet de sanglier.
→ M.R. Mounié et ses Filles, Av. du Verdouble, Tautavel, 66720 Latour-de-France, tél. 68.29.12.31 ▼ r.-v.

Collioure

C'est une toute petite appellation : actuellement, une cinquantaine d'hectares produisent quelque 2 000 hl. Le terroir est le même que celui de l'appellation banyuls : les quatre communes de Collioure, Port-Vendres, Banyuls-sur-Mer et Cerbère.

L'encépagement est à base de grenache noir, carignan et mourvèdre, avec la syrah et le cinsaut comme cépages accessoires. Ce sont uniquement des vins rouges, qui sont élaborés en début de vendanges, avant la récolte des raisins pour le banyuls. La faiblesse des rendements est à l'origine de vins bien colorés, assez chauds, corsés, avec des arômes de fruits rouges bien mûrs.

PERE PIGNE 1985*

▪ | n.c. | n.c. | 🏠 1️⃣

Le Père Pigne est un vin fort connu depuis longtemps. Ce 85 est d'une robe légèrement tuilée avec un bouquet de fruits rouges gratinés. L'équilibre se fait autour d'une charpente boisée.
↳ SA Limouzy, 15, av. de Grande-Bretagne, 66000 Perpignan, tél. 68.34.01.27 ☎ r.-v.

CAVE DES VIGNERONS DE PLANEZES 1986*

83 84 |86| | 34,25 ha | 12 300 | 🏠 ⬇ Ⅴ 1️⃣

Un joli terroir de coteaux montagneux donne naissance à ce vin rubis cerise aux arômes élégants de fruits rouges et d'épices. La finesse des tanins donne un équilibre assez rond.
↳ Cave des Vignerons de Planèzes, Planèzes, 66720 Latour-de-France, tél. 68.29.11.52 ☎ t.l.j. sf dim. 8h-12h 14h-18h.

LE CELLIER SAINT-JACQUES 1986**

82 83 84 |85| |86| | 114,52 ha | 20 000 | 🏠 Ⅴ 2️⃣

Une couleur plutôt grenat pour une robe magnifique. Le bouquet est intense, fin et complexe avec à la fois des notes de fruits mûrs, de réglisse et de café. Ses tanins de grande qualité promettent longue vie à ce millésime.
↳ SCAV le Cellier St-Jacques, Grande Rue, Montner, 66720 Latour-de-France, tél. 68.29.11.91 ☎ r.-v.

MAITRE VIGNERONS DE TAUTAVEL 1985***

|81| |85| | 100 ha | 35 000 | 🏠 ⬇ Ⅴ 1️⃣

Un musée de la Préhistoire à côté d'un vignoble de prestige. Une robe entre pourpre et grenat, des arômes de fruits rouges bien mûrs rehaussés d'épices pour ce vin tout en puissance, en chair et en finesse, très long en bouche.
↳ Maîtres Vignerons de Tautavel,
24, rue de Vingrau, Tautavel, 66720 Latour-de-France, tél. 68.29.12.03 ☎ t.l.j. 8h-12h 14h-18h.

CH. DE VESPEILLES 1985

▪ | 3,73 ha | 10 000 | 🏠 ⬇ Ⅴ 2️⃣

Une robe pourpre pleine de jeunesse pour ce vin aux arômes de raisins mûrs. Assez gras et corsé grâce à des tanins frais.
↳ SCV Les Vign. de Rivesaltes,
rue de la Roussillonnaise, 66600 Rivesaltes, tél. 68.64.06.63 ☎ t.l.j. sf dim. 8h-12h 14h-18h.

CAVE DE VINGRAU 1982***

|82| |83| | 152 ha | 120 000 | 🏠 ⬇ Ⅴ 1️⃣

Dans un site grandiose au pied de falaises calcaires, ce vignoble produit un vin superbe par sa robe de rubis grenat, ses arômes d'épices douces et de fruits mûrs. En bouche, l'équilibre est charnu, et on est séduit par la persistance des arômes. Il accompagnera viandes et civets.
↳ Les Vignerons Catalans,
rte de Thuir, B.P. 2035, 66011 Perpignan Cedex, tél. 68.85.04.51 ☎ r.-v.

GUY DE BARLANDE 1986***

|85| |86| | n.c. | n.c. | 🏠 ⬇ 3️⃣

Puissance et finesse. Rubis cerise. Les arômes de fruits rouges bien mûrs sont épicés et poivrés autour d'une charpente chaleureuse où la douceur des tanins domine. Une véritable impression charnue séduit. Remarquable aussi pour sa longueur. L'étiquette a la douceur du ravissant port de Collioure.
↳ SICA des Vins du Roussillon, rte des Crêtes, 66650 Banyuls-sur-Mer, tél. 68.88.31.59

DOM. DE LA RECTORIE 1986

▪ | 4 ha | 8 000 | 🏠 ⬇ Ⅴ 3️⃣

La robe pourpre grenat annonce par sa profondeur un vin à la solide charpente. Les arômes de fruits rouges écrasés sont encore dominés par un tanin fin et boisé qui lui assure une longue garde.
↳ Dom. de La Rectorie, 54, av. du Puig-del-Mas, 66650 Banyuls-Sur-Mer, tél. 68.88.32.93 ☎ r.-v.
↳ Parcé Frères.

DOM. LA TOUR VIEILLE 1985**

◼ 2 ha 8 000 ⬛💧🍷 2

Le vignoble encercle une ancienne tour de guet dominant la mer. Ce 85 a déjà une robe légèrement dépouillée. Les arômes de fruits rouges sont fins et élégants, rehaussés de quelques notes de vieux cuir. Puissant et long.

↪ GIE Dom. La Tour Vieille, 3, av. du Mirador, 66190 Collioure, tél. 68.82.42.20 🍷 r.-v.

↪ M. Vincent Cantie.

SCV L'ETOILE 1986*

85 86

◼ n.c. 5 000 ⬛💧🍷 3

Créée en 1921, la coopérative a assemblé ici 68% de grenache et 32% de carignan. Les arômes sont francs autour d'une charpente bien équilibrée par la qualité des tanins. Un vin corsé, très typé fruits mûrs.

↪ SCV L'Etoile, 26, av. du Puig-del-Mas, 66650 Banyuls-sur-Mer, tél. 68.88.00.10 🍷 lu. ma. me. je. ve. 8h-12h 14h-18h.

DOM. DU MAS BLANC

Les Piloums 1986*

82 83 84 86

◼ 4 ha 10 000 ⬛💧🍷 3

Un collioure de garde élevé dans le chêne. La robe est encore jaune avec ses notes rubis, les arômes rappellent les petits fruits rouges sur un fond boisé. Une charpente solide lui permet de faire face à des préparations culinaires relevées.

↪ MV. Parcé et Fils, 9, av. du Gal-de-Gaulle, 66650 Banyuls-sur-Mer, tél. 68.88.32.12 🍷 r.-v.

LES CELLIERS DU TATE-VIN 1985**

83 85

◼ n.c. n.c. ⬛ 3

Un bien beau vin de négociant fait de 80% de carignan et à parts égales de grenache et de syrah. La robe cerise entoure des arômes de fruits mûrs légèrement cuits. Le tanin est fin. L'impression chaleureuse donne beaucoup de volumes qui permettent à ce vin de se marier avec une gastronomie assez riche.

↪ SA Limouzy, 15, av. de Grande-Bretagne, 66000 Perpignan, tél. 68.34.01.27 🍷 r.-v.

VIAL-MAGNERES 1986

◼ 0,50 ha 1 500 ⬛💧🍷 3

La belle couleur rubis est assez transparente. Un vin très fruité avec un tanin assez présent en bouche, bien enveloppé par l'équilibre corsé.

↪ Via.-Magnères, 14, rue Edouart-Herriot, 66650 Banyuls-sur-Mer, tél. 68.88.31.04 🍷 r.-v.

LA PROVENCE ET LA CORSE

La Provence

La Provence, pour tout un chacun, c'est un pays de vacances, où « il fait toujours soleil », et où les gens, à l'accent chantant, prennent le temps de vivre... Pour les vignerons, c'est aussi un pays de soleil, qui brille trois mille heures par an. Les

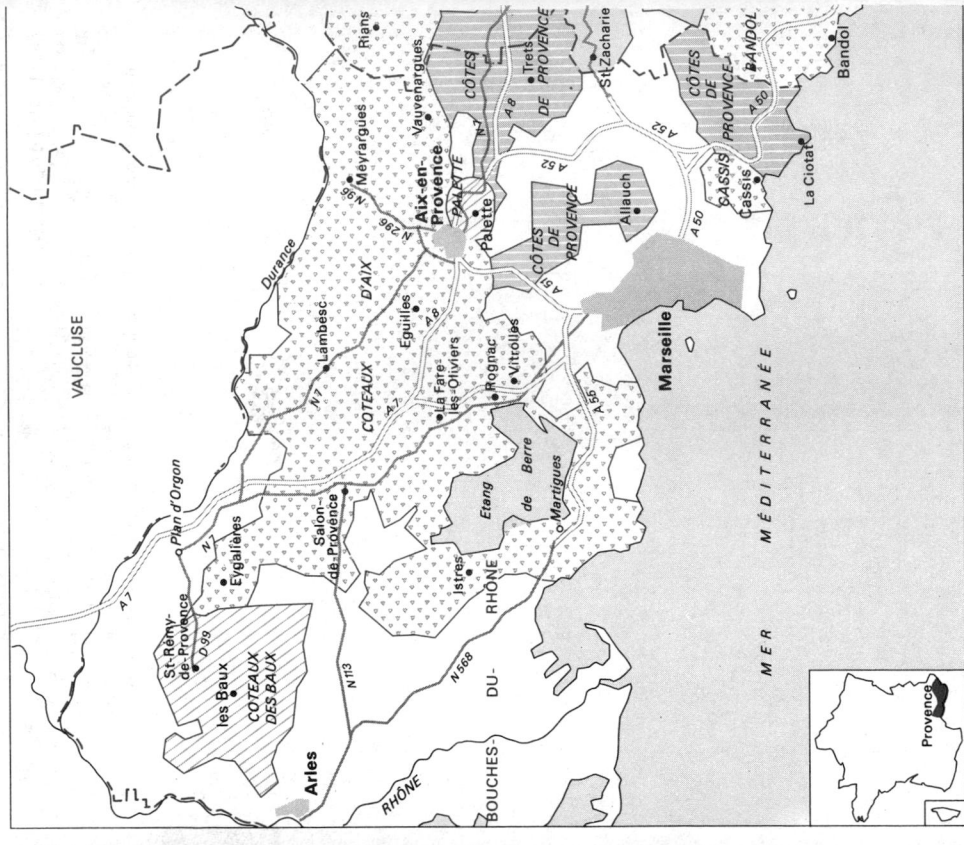

pluies y sont rares mais violentes, les vents fougueux et le relief tourmenté. Les Phocéens, débarqués à Marseille vers 600 av. J.-C., ne se sont pas étonnés d'y voir de la vigne, comme chez eux, et ont participé à sa diffusion. Plus tard les Romains puis les moines et les nobles, dont le roi-vigneron René d'Anjou, comte de Provence, les ont imités.

Éléonore de Provence, épouse d'Henri III, roi d'Angleterre, sut donner aux vins de Provence un grand renom. Tout comme sa belle-mère, Aliénor d'Aquitaine, l'avait fait pour les vins de Gascogne. Ils furent par la suite un peu oubliés du commerce international, faute de se trouver sur les grands axes de circulation. Ces dernières décennies, le développement du tourisme les a remis à l'honneur, et spécialement les vins rosés, vins joyeux s'il en fut, symbole de vacances estivales et dignes accompagnements des plat provençaux.

La structure du vignoble est souvent morcelée, ce qui explique que près de la moitié de la production soit élaborée en caves coopératives : il n'y en a pas moins de cent dans le département du Var. Mais les domaines, pour la plupart

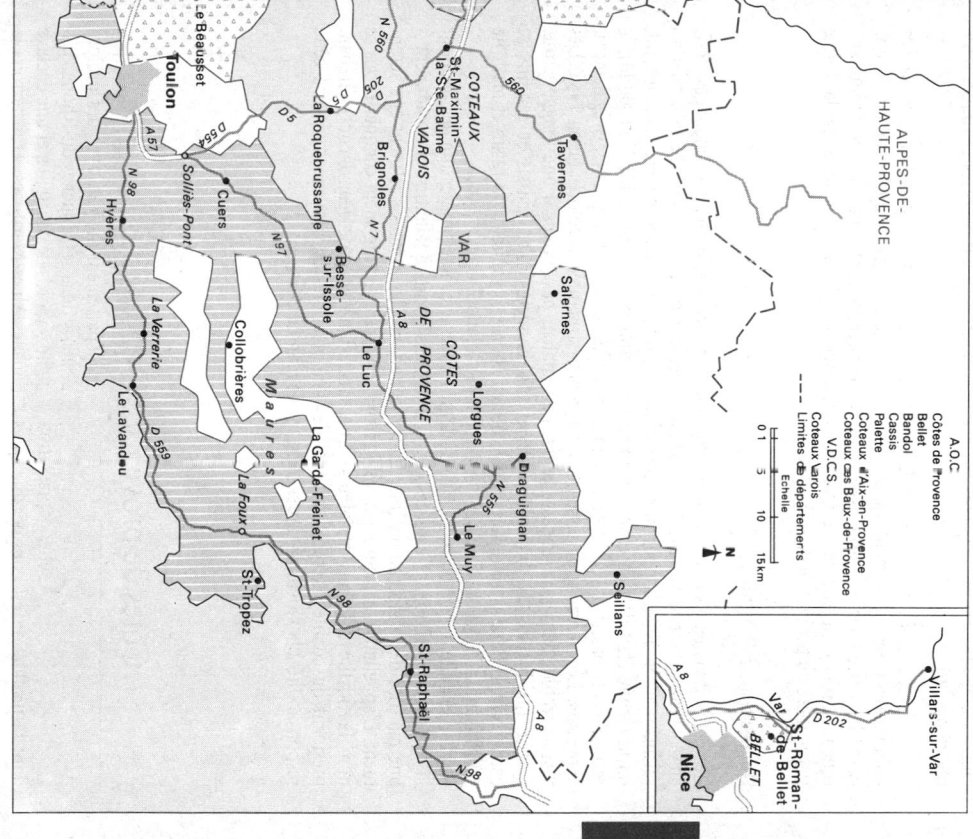

Côtes de provence

Cette appellation dont la production est considérable (près de 700 000 hl par an) occupe un bon tiers du département du Var, avec des prolongements dans les Bouches-du-Rhône, jusqu'aux abords de Marseille, et une enclave dans les Alpes-Maritimes. Trois terroirs la embouteilleurs, ont toujours leur importance, et leur présence active sur le marché et dans la promotion s'avère précieuse pour toute la région. La production annuelle atteint près de quatre millions d'hectolitres, dont sept à huit cent mille dans les sept appellations d'origine contrôlée. Pour le seul département du Var, le vin représente encore 45 % du produit agricole brut, pour 51 % de la surface.

Comme dans les autres vignobles méridionaux, les cépages sont très variés : il y en a jusqu'à treize admis dans l'appellation côtes-de-provence. Encore que les muscats, qui firent la gloire de bien des terroirs provençaux avant la crise phylloxérique, aient aujourd'hui disparu. Le vignoble est encore le plus souvent conduit en gobelet bas ; cependant, les formes palissées se font de plus en plus fréquentes. Vins rosés et vins blancs (ceux-ci plus rares, mais souvent surprenants) sont généralement bus jeunes ; et peut-être pourrait-on revoir cette habitude, si l'on trouvait des conditions de maturation en bouteilles moins sévères que celles de notre climat. Il en est de même pour beaucoup de rouges, lorsqu'ils sont légers. Mais les plus corsés, dans toutes les appellations, vieillissent fort bien : on connaît un bandol 1965 qui se tient encore bien droit !

Tout petit, le vignoble de Palette englobe, aux portes d'Aix, l'ancien clos du bon roi René. On signalera ici pour mémoire ses blancs, rosés et rouges (env. 600 hl par an).

Et puisqu'on parle encore provençal dans quelques domaines, sachez qu'un « avis » est un sarment, qu'une « tine » est une cuve, et qu'une « crotte » est une cave ! Peut-être vous dira-t-on aussi qu'un des cépages porte le nom de « pecoui-touar » (queue tordue) ou encore « ginou d'agasso » (genou de pie), à cause de la forme particulière du pédoncule de sa grappe...

Quoi de neuf en Provence ?

Les pluies diluviennes des 10 et 11 octobre ont contrarié une partie des vendanges 1987, en Côtes de Provence, surtout dans le Haut-Var et les Coteaux d'Aix où il a fallu trier les raisins pour éliminer la pourriture. Situation plus favorable, en revanche, sur le littoral, où la récolte était déjà en cave. Pour une production assez confortable (750 000 hl), le résultat n'est pas si mal. Les rosés sont plus fruités qu'en 1986, plus frais également, expressifs. Les rouges apparaissent un peu moins structurés et colorés qu'en 1985. Des vins agréables dans leur jeunesse et qui ne semblent pas promis à une longue garde. Quant aux blancs, ils sont généralement très honnêtes, bien réussis et certains se conserveront. Bandol a tiré son épingle du jeu : bon état sanitaire du raisin et maturité satisfaisante. C'est le succès 87 en rouges. Pour les blancs ? Cassis.

Le rosé se taille la part du lion en côtes-de-provence, avec une progression de 20% pour la campagne 1987-1988. Ce succès est dû à de réels efforts qualitatifs, et notamment à une maîtrise des températures lors des fermentations : les arômes s'affinent et s'accentuent. L'appellation demeure « une et indivisible », préférant sagement conquérir sous ce nom la fidélité des consommateurs. Une succession : celle de Jean-Jacques Bréban, président du comité interprofessionnel des vins de Côtes de Provence qui cède cette responsabilité à la viticulture après trois ans de mandat efficace.

caractérisent : le massif siliceux des Maures, au sud-est, bordé au nord par une bande de grès rouges allant de Toulon à Saint-Raphaël ; au-delà, l'importante masse de collines et de plateaux calcaires qui annonce les Alpes. On conçoit que les vins issus de nombreux cépages différents, en proportions variables, sur des sols et des expositions tout aussi divers, présentent, à côté d'une parenté due au soleil, des variantes qui font leur charme... Un charme que le Phocéen Prôtis goûtait sans doute déjà, 600 ans avant notre ère, lorsque Gyptis, fille du roi, lui offrit une coupe en aveu de son amour...

Sur les blancs tendres, mais sans mollesse, du littoral, les nourritures maritimes et très fraîches seront tout à leur place, tandis que ceux qui sont un peu plus au nord, apaiseront mieux les irritations des écrevisses à l'américaine et des fromages piquants. Les rosés, tendres ou nerveux, selon l'humeur et le goût, seront les meilleurs compagnons des fragrances puissantes de la soupe au pistou, de l'anchoïade, de l'aïoli, de la bouillabaisse, et aussi des poissons et des coquillages aux arômes iodés : rougets, oursins, violets. Enfin, dans les rouges, ceux qui sont tendres (à boire frais) conviennent aux gigots, aux rôtis, mais aussi aux pot-au-feu, et en particulier au pot-au-feu froid en salade. Quelques rouges corsés, puissants, généreux conviendront aux civets, aux daubes, aux bécasses ; et pour ceux qui ne sont pas ennemis d'harmonies insolites, rosé frais et champignons, rouge et crustacés en civet, blanc avec daube d'agneau (au vin blanc) procurent de bonnes surprises.

CH. BARBEYROLLES
Pétale de Rose 1987*

2,50 ha   14 000

Sans connaître l'étiquette, les dégustateurs ont parlé ce pétale de rose pour qualifier la couleur de cet élégant rosé. La discrétion de l'odorat ne se révèle qu'après quelques minutes, pour finir en tendresse dans la bouche.

☞ Mlle Régine Sumeire, Ch. Barbeyrolles, Gassin, 83990 Saint-Tropez, tél. 94.56.33.58 ▼ t.l.j. 9h-19h ; f. nov. à mars : sur r.-v. les sam. et dim.

CH. BARBEYROLLES 1986***

2 ha   5 000

Voilà vraiment un très beau rouge foncé, brillant, aux arômes de cacao et de café, déjà très acceptable mais qui devrait être conservé précieusement quelques années encore.

☞ Mlle Régine Sumeire, Ch. Barbeyrolles, Gassin, 83990 Saint-Tropez, tél. 94.56.33.58 ▼ t.l.j. 9h-19h ; f. nov. à mars : sur r.-v. les sam. et dim.

CH. BARON GEORGES 1987

12 ha   50 000

A a fois coteaux varois avec le château Saint-Estève, côtes-de-provence avec le Baron Georges, Antony Gassier se trouve au pied du massif Sainte-Victoire. Les dégustateurs ont préféré, cette année, le rosé puissant et long en bouche.

☞ Baron Georges Antony Gassier, Ch. Saint-Estève, 83119 Brue-Auriac, tél. 94.59.48.68 ▼ t.l.j. 8h30-12h 14h-18h.

DOM. BASTIDE DES BERTRANDS 1987***

30 ha   100 000

La Bastide, domaine récent au Cannet-des-Maures, offre un rouge surprenant de couleur carmin brillant et d'odeurs de cerises et de réglisse. Lorsqu'on le met en bouche, une gorgée le remplit, souple, charpentée. Un bien beau vin.

☞ SC du Dom. des Bertrands, Le Cannet-des-Maures, 83340 Le Luc-en-Provence, tél. 94.73.02.94 ▼ r.-v.
☞ M. Marozki.

CÔTES DE PROVENCE
Bastide des Bertrands
1986

DOM. DES ASPRAS 1987**

3 ha   20 000

Le domaine des Aspras offre un beau rouge brillant, à odeur de fruits rouges, charpenté, charnu, chaud avec une finale de guimauve.

☞ Mme Lisa Latz, Dom. des Aspras, 83570 Correns, tél. 94.59.59.70 ▼ r.-v.

DOM. DES ASPRAS 1987*

3 ha   20 000

Couleur moyenne, arômes discrets, très fins, de petits fruits comme la framboise. Souple sans manquer de nerfs, un joli vin entre des mains extra-méridionales.

DOM. BASTIDE DES BERTRANDS 1986**

30 ha   100 000

Vin rosé, très pâle mais très franc, aux odeurs de fleurs fraîches un peu mentholées, à la grande souplesse.
☞ SC du Dom. des Bertrands, Le Cannet-des-Maures, 83340 Le Luc-en-Provence, tél. 94.73.02.94 ☎ r.-v.
☞ M. Marotzki.

BOUQUET DE PROVENCE
Cuvée Royale 1987

n.c.   300 000

Une des plus anciennes maisons de négoce dans la région. Un beau blanc à la transparence appétissante, aux senteurs florales et de foins coupés. Bien équilibré en bouche. Très net.
☞ Ets Bernard Camp-Romain, 83550 Vidauban, tél. 94.73.00.13 ☎ t.l.j. 8h-12h 14h-18h ; f. seconde quinz. d'août

DOM. DE BRIGUE 1986**

5 ha   n.c.

Sa cave, située au pied de la fameuse tour hexagonale de Luc, offre un rosé 86 aux arômes subtils et long en bouche.
☞ M. Fernand Brun, 2, pl. Pasteur, 83340 Le Luc-en-Provence, tél. 94.60.74.38 ☎ t.l.j. sf dim. 8h30-12h 14h30-19h.

DOM. DU CARRUBIER 1987

2 ha   5 000

Le carrubier est un arbre méditerranéen qui a fait les délices des enfants par sa longue gousse de miellat sucré. Rien à voir avec ce vin rouge 87, visiblement passé dans le bois, qui met sa note de vanille à côté de la cerise.
☞ SC Dom. du Carrubier, 83250 La Londe-les-Maures, tél. 94.66.82.82

DOM. DU CARRUBIER
Cuvée Spéciale 1987*

20 ha   40 000

Ce rosé bien typique du terroir de La Londe, de couleur soutenue, offre des parfums de cerise, de pomme verte avec une touche animale. Il montre un bon équilibre entre fraîcheur et moelleux.
☞ SC Dom. du Carrubier, 83250 La Londe-les-Maures, tél. 94.66.82.82

DOM. CASTEL ROUBINE 1987

10 ha   45 000

Castel Roubine figure parmi les fondateurs du Syndicat des côtes-de-provence et a toujours honoré l'appellation. La commission a surtout remarqué ce blanc net un peu ambré pour son bon équilibre et sa bonne fin de dégustation.
☞ Dom. Castel Roubine, RD 562, B.P. 117, 83510 Lorgues, tél. 94.73.71.55
☞ M. Hallgren.

DOM. DES CLARETTES 1987**

1,50 ha   25 000

Dans la production du domaine des Clarettes, on a remarqué ce vin blanc jaune pâle, floral et fruité, très frais en bouche avec un peu de CO_2, bien représentatif des nouveaux blancs côtes-de-provence.
☞ Dom. des Clarettes, 83460 Les Arcs, tél. 94.73.34.33 ☎ r.-v.

DOM. DE CLASTRON 1987**

9 ha   30 000

La robe est soutenue, vive ; l'odeur de vanille et de réglisse, puissante, se confirme en bouche. C'est un excellent vin de garde qui ne demande qu'à évoluer.
☞ GFA du Dom. de Clastron, Dom. de Clastron, 83920 La Motte, tél. 94.70.24.57 ☎ t.l.j. sf dim. 8h-12h 13h-17h.

DOM. DE CLASTRON 1987*

10 ha   35 000

La robe rose et vive annonce un parfum fruité et net et une saveur en bouche équilibrée. Ce vin doit accompagner avec bonheur la cuisine provençale ou exotique.
☞ GFA du Dom. de Clastron, Dom. de Clastron, 83920 La Motte, tél. 94.70.24.57 ☎ t.l.j. sf dim. 8h-12h 13h-17h.

COMMANDERIE DE PEYRASSOL
Cuvée Eperon d'Or 1985**

10 ha   50 000

C'est une tradition à la Commanderie : il y a dans tous les bons millésimes une Cuvée Eperon d'Or. On peut supposer que cela ferait froncer les sourcils des chevaliers-moines auxquels il était interdit de briquer leur harnachement par humilité. Mais pour évoquer ce vin, c'est bien l'or qui convient. Encore adolescent, ce fringant chevalier s'assagira.
☞ SCEA Rigord, Commanderie de Peyrassol, Flassans-sur-Issole, 83340 Le Luc-en-Provence, tél. 94.69.71.02 ☎ t.l.j. 9h-12h 14h-17h30.

COMMANDERIE DE PEYRASSOL
Cuvée Marie-Estelle 1985**

3,12 ha   16 600

La Commanderie de Peyrassol a quelque fierté de ses cuvées ; parmi elles, la cuvée Marie-Estelle, choisie tous les ans pour être présentée à des gens pas trop pressés de la boire. C'est un rouge très franc, d'odeur puissante et boisée, encore très tannique, à placer dans un coin de cave à l'obscurité et à surveiller : il durera longtemps.
☞ SCEA Rigord, Commanderie de Peyrassol, Flassans-sur-Issole, 83340 Le Luc-en-Provence, tél. 94.69.71.02 ☎ t.l.j. 9h-12h 14h-17h30.

CH. LES CROSTES 1986*

14 ha   40 000

Une belle couleur rubis intense. Les parfums de fruits rouges s'épanouissent en bouche, accompagnés d'une pointe vanillée pas désagréable du tout. L'ensemble s'épanouira chaleureusement au fil des ans.
☞ Mme Anne-Marie Lesot, SC Vign. du Ch. Les Crostes, 83510 Lorgues, tél. 94.73.78.56 ☎ r.-v.

DOM. DE CUREBEASSE 1987**

2 ha   6 000

Ce blanc tout en nuance a l'élégance florale et fruitée des pays exotiques (pamplemousse,

DOM. DE CUREBEASSE 1987

5 ha — 35 000

Un beau rosé délicat et intense, plus avantageux au nez qu'en bouche.

↳ M. Jean Paquette, Dom. de Curebeasse, 83600 Fréjus, tél. 94.52.10.17 ⟨ r.-v.
↳ Mme Gilberte Paquette.

CH. FAREMBERT 1987*

n.c. — n.c.

Dans la gamme des propositions des Maîtres Vignerons, le jury a choisi la Cuvée Château Farembert pour sa belle robe, son nez de truffe très puissant et son ampleur en bouche laissant présager un bel avenir.

↳ Les Maîtres Vign. de St-Tropez, Dom. des Paris, Gassin, 83390 Saint-Tropez, tél. 94.56.32.04 ⟨ r.-v.

DOM. DES FERAUD
Blanc de blancs 1987*

4 ha — 25 000

Blanc présentant une belle robe à reflets verts, avec un nez floral printanier qui a des relents de foin coupé. L'harmonie s'épanouit en bouche. Un blanc représentatif de l'appellation.

↳ SCA Les Féraud, rte de la Garde-Freinet, 83550 Vidauban, tél. 94.73.03.12 ⟨ t.l.j. sf dim. 8h30-12h 14h-18h.

DOM. DES FERAUD 1987*

15 ha — n.c.

Cette année, on a remarqué ce joli rosé brillant, au nez délicat, complexe, élégant, aux arômes persistants dans un environnement souple.

↳ SCA Les Féraud, rte de la Garde-Freinet, 83550 Vidauban, tél. 94.73.03.12 ⟨ t.l.j. sf dim. 8h30-12h 14h-18h; f. sam. a.-m.

CH. FERRY-LACOMBE 1987*

19,50 ha — 80 000

Au piémont du Mont Aurélien, le château Ferry-Lacombe s'attache à une production de qualité. La cuvée 87 a toutes les caractéristiques du bon rosé de saignée.

↳ SCEA du Ch. Ferry-Lacombe, Ch. Ferry-Lacombe, 13530 Trets-en-Provence, tél. 42.29.33.69 ⟨ t.l.j; 8h-12h 14h-18h.

CH. FERRY-LACOMBE 1987***

9,50 ha — 50 000

Au pied du Mont Olympe, la surprise agréable est au rendez-vous avec ce vin aux reflets verts, dont les arômes floraux intenses sont tout à fait exceptionnels. En bouche, une bonne plénitude avec ce plus qui apporte le gras, le tout en harmonie parfaite. Un très beau vin.

↳ SCEA du Ch. Ferry-Lacombe, Ch. Ferry-Lacombe, 13530 Trets-en-Provence, tél. 42.29.33.69 ⟨ t.l.j; 8h-12h 14h-18h.

CH. DE GAIROIRD 1987*

n.c. — 3 000

Une belle robe à reflets verts et brillants. Un nez aromatique très fleuri, dont l'harmonie se poursuit en bouche. Un vin très agréable.

↳ M. Ph. Deydier de Pierrefeu, Ch. de Gairoird, 83390 Cuers, tél. 94.48.50.60 ⟨ t.l.j; 8h-19h; f. dim. en hiver

CH. DE GAIROIRD 1987

n.c. — 15 000

Le château de Gairoird, placé entre les Maures et les collines calcaires de la Provence maritime, offre ce rosé bien net.

↳ M. Ph. Deydier de Pierrefeu, Ch. de Gairoird, 83390 Cuers, tél. 94.48.50.60 ⟨ t.l.j; 8h-19h; f. dim. en hiver

DOM. DU GALOUPET 1987*

Cru clas. — 15 ha — 40 000

Au bout de son allée de beaux blancs en 87, regarde les marais salants et surveille ses vignes. Ce joli rouge intense au nez puissant, fruité et floral, onctueux et long en bouche, est plein d'avenir.

↳ S/A Dom du Galoupet, 83250 La Londe-les-Maures, tél. 94.66.40.07 ⟨ t.l.j; 8h-12h 13h-18h.

CH. DES GARCINIERES 1987*

2 ha — 3 200

Il s'est aussi élaboré de beaux blancs en 87. Celui-ci est transparent, marqué de tilleul et de cire, souple, harmonieux : bel échantillon.

↳ M.J. Valentin, Ch. des Garcinières, 83311 Cogolin, tél. 94.56.02.85 ⟨ t.l.j; 8h-12h 14h-18h.
↳ M. et Mme Valentin.

CH DES GARCINIERES 1987*

6 ha — 30 000

Aux portes de Saint-Tropez, le château des Garcinières, où M. Valentin et sa famille élaborent un vin rosé brillant, fruité, puissant, séduisant

- M. J. Valentin, Ch. des Garcinières, 83310 Cogolin, tél. 94.56.02.85 Y t.l.j. sf dim. 8h-12h 14h-18h.
- M. et Mme Valentin.

VIGNOBLE GASPERINI
Cuvée Provençale 1986*

■ 2 ha 15 000

Si la couleur est moyenne, limpide, les arômes d'amande grillée, de poivrons verts légers se retrouvent bien en bouche, légèrement persistants.

- MM. Guy et Alain Gasperini, 42, av. de la Libération, 83260 La Crau, tél. 94.66.70.01 Y lu. ma. me. je. ve. 8h-12h 14h-19h30.

VIGNOBLE GASPERINI
Cuvée Provençale 1987*

■ 2,50 ha 20 000

Les frères Gasperini sont des vignerons bien connus pour leur compétence. Ce rosé frais, harmonieux en bouche et puissant est à boire très frais pour faire apprécier ses qualités.

- MM. Guy et Alain Gasperini, 42, av. de la Libération, 83260 La Crau, tél. 94.66.70.01 Y lu. ma. me. je. ve. 8h-12h 14h-19h30.

DOM. GAVOTY
Cuvée Clarendon 1987**

■ 3,50 ha 20 000

Célébrant Bernard Gavoty qui signait Clarendon ses critiques musicales, voilà un rosé au nez complexe de pommes, de pêches. Quelle violence dans les parfums !

- M. Bernard Gavoty, Le Petit Campdumy, Flassans-sur-Issole, 83340 Le Luc-en-Provence, tél. 94.69.72.39 Y r.-v.

DOM. GAVOTY Cuvée Clarendon 1986***

□ 1,80 ha 10 000

Toujours avec la même élégance, voilà un joli blanc parfumé de chèvrefeuille, nerveux et souple à la fois.

- M. Pierre Gavoty, Le Grand Campdumy, Cabasse, 83340 Le Luc-en-Provence, tél. 94.69.72.39 Y r.-v.

LES MAITRES VIGN. DE GONFARON Sélection Terroir 1987

■ 2 ha 8 000

La coopérative de Gonfaron n'hésite pas à signaler sur sa façade la légende de l'âne qui vole. Ce vin rosé, qui sent les fruits confits, est à boire très frais.

- Les Maitres Vign. de Gonfaron, 83590 Gonfaron, tél. 94.78.30.02 Y t.l.j. 8h-12h 14h-18h.

CH. GRAND'BOISE 1987**

□ 3 ha 8 000

Une jolie bastide proche d'Aix-en-Provence. Belle apparence de ce blanc fleuri : après l'avoir avalé, on a envie d'en reprendre.

- M. Gruey, Ch. Grand'Boise, 13530 Trets-en-Provence, tél. 42.29.22.95 Y t.l.j. sf dim. 9h-12h 14h-17h30.

CH. GRAND'BOISE 1987**

■ 20 ha 20 000

Le château se fait remarquer aussi par un rosé au nez épicé (menthe, cajou).

- M. Gruey, Ch. Grand'Boise, 13530 Trets-en-Provence, tél. 42.29.22.95 Y t.l.j. sf dim. 9h-12h 14h-17h30.

DOM. DE GRAND PRE
Cuvée Spéciale 1987*

■ 5 ha 10 000

Dans une robe grenat, les parfums intenses de la macération carbonique accompagnent une saveur ample et chaleureuse. Peut-être une année de plus pour atteindre la plénitude mais c'est déjà bien bon.

- M. Emmanuel Planchut, Dom. de Grand Pré, Puget Ville, 83390 Cuers, tél. 94.48.32.16 Y r.-v.

DOM. DES HAUTS DE SAINT-JEAN 1987***

■ n.c.

Jaune pâle nuancé de vert, il offre au nez une palette de sensations brillantes et complexes (peau d'agrumes, poires, cire) qu'on retrouve largement en bouche avec beaucoup de souplesse. Remarquable par son équilibre.

- M. Henri-Richard Pawlowski, quartier Saint-Roch, 83460 Les Arcs, tél. 94.73.31.48 Y ma. me. je. ve. sa. di. 9h-12h 15h-18h30.

DOM. DU JAS D'ESCLANS 1987

■ Cru clas. 17 ha 60 000

Dans un fort beau paysage, le domaine maintient la tradition des crus classés côtes-de-provence avec ce rosé floral ne manquant pas de fraîcheur ni de vivacité.

- M. René Lorgues, Dom. du Jas d'Esclans, 83920 La Motte, tél. 94.70.27.86 Y t.l.j. sf dim. 8h-12h 14h-18h ; f. dim. et fêtes

DOM. DU JAS D'ESCLANS 1984***

■ 30 ha 70 000

Ce domaine a provoqué des discussions parmi les dégustateurs. Son rouge clair, légèrement tuilé et limpide, annonce en effet des arômes évolués : vanille, havane. On le retrouve, en bouche, très structuré, avec des arômes végétaux. Ce vin semble être à son apogée.

- M. René Lorgues, Dom. du Jas d'Esclans, 83920 La Motte, tél. 94.70.27.86 Y t.l.j. 8h-12h 14h-18h ; f. dim. et fêtes

VIGNOBLES KENNEL 1987*

■ 8 ha 25 000

L'Alsace vinicole implantée en Provence depuis plus d'un siècle a enfanté un rouge à la belle robe, au nez prometteur, tannique, corsé et harmonieux : un avenir certain.

- Vignobles Kennel, Dom. Saint-Pierre-les-Baux, 83450 Pierrefeu, tél. 94.28.20.39 Y t.l.j. sf dim. 8h-20h.

DOM. DE LA BASTIDE NEUVE 1985

■ n.c. 13 000

La petite syrah annoncée sur l'étiquette est assurément un bon cépage. Il est probable que le terroir est pur et pour quelque chose aussi dans la

finesse de l'arôme framboise et dans la charpente qui doit s'assagir tout en s'harmonisant avec la puissance en alcool.

→ M. René Brochier, La Bastide Neuve, 8330 Le Canne-des-Maures, tél. 94.60.73.30 Ⓣ t.l.j.; 9h-12h 14h-18h.

DOM. DE L'ABBAYE 1987*

6 ha   40 000

Le Thoronet est célèbre par son abbaye cistercienne. Non loin, ce domaine élabore ce rosé limpide, aux arômes de fleurs et de banane, à l'acidité faible, mais dont le moelleux est bien soutenu par le gaz carbonique.

→ M. Franc Petit, Dom. de l'Abbaye, Le Thoronet, 83340 Le Luc-en-Provence, tél. 94.73.87.36 Ⓣ t.l.j.; 9h-18h.

DOM. DE L'ABBAYE 1987**

4 ha   26 000

M. Petit a réussi en 1987 un rouge rubis limpide au nez puissant de fraises des bois. L'attaque est très fruitée, avec du gaz carbonique qui a contrarié une partie des dégustateurs mais qui protège en fait le produit et le maintient en bon équilibre. Il mêle arômes et fruits mûrs et note animale (fourrure).

→ M. Franc Petit, Dom. de l'Abbaye, Le Thoronet, 83340 Le Luc-en-Provence, tél. 94.73.87.36 Ⓣ t.l.j.; 9h-18h.

DOM. DE LA BERNARDE 1986***

3 ha   15 000

Belle robe, qui ne prévient pourtant pas de la forte intensité des parfums d'épices, de cannelle, ni des saveurs de cacao qui se dégagent harmonieusement. Un gourmand parmi les dégustateurs en voulait encore.

→ MM. Meulnart Père et Fils, Dom. de la Bernarde, 83340 Le Luc-en-Provence, tél. 94.60.71.31 Ⓣ r.-v.

DOM. DE LA BERNARDE 1986*

n.c.   40 000

Le domaine de La Bernarde sait aussi faire de très bons rosés. Il paraît que celui-ci est merveilleux pour accompagner l'explosion des parfums du caviar : nous n'avons pas essayé !

COOP. LA CARCOISE 1987*

n.c.   90 000

La coopérative de Carces offre un superbe rosé, vif et frais, aux senteurs de cerise et d'épices. Souple et gras d'abord, puis frais en final de dégustation.

→ Coop. La Carçoise, 66, Avenue Ferrandin, 83570 Carces, tél. 94.04.50.04 Ⓣ r.-v.

→ M. Denis Baccino.

DOM. DE LA CARONNE 1986**

10 ha   60 000

Une couleur pas très intense mais beaucoup de brillant : le cépage et la technologie sont présents. En bouche, une sensation de fraîcheur et d'équilibre avec une légère nuance d'ombellifères (persil, cerfeuil).

→ Don. de La Caronne, 83340 Le Luc-en-Provence, tél. 94.60.71.28 Ⓣ t.l.j.; sf dim. 9h-12h 14h-19h.

→ M. Denis Baccino.

DOM. DE LA CARONNE 1986*

15 ha   80 000

D'une façon assez exceptionnelle, ce rosé 86, qui a vu sa couleur se modifier, a gardé une netteté d'odeur (miel, tubéreuse) et une saveur très arrondie, persistante, qui contribue à faire de ce vin un produit original.

→ GFA Dom. La Caronne, 83340 Le Luc-en-Provence, tél. 94.60.71.28 Ⓣ t.l.j.; sf dim.

DOM. DE LA CRESSONNIERE 1987

4 ha   12 000

La Cressonnière évoque autre chose que les vignobles. Bien situées sur les coteaux, les vignes donnent... un rosé moins aqueux que le nom ne le laisse supposer.

→ GFA Dom. La Cressonnière, 83790 Pignans, tél. 94.48.85.80 Ⓣ t.l.j.; sf dim. 8h-12h 13h-18h.

DOM. DE LA CRESSONNIERE 1987**

1 ha   3 000

Un vin blanc cristallin aux beaux reflets verts, dont l'intensité florale se termine par une pointe acidulée pas désagréable du tout.

→ GFA Dom. La Cressonnière, 83790 Pignans, tél. 94.48.85.80 Ⓣ t.l.j.; sf dim. 8h-12h 13h-18h.

CH. LA GORDONNE 1987**

30 ha   188 000

Le vignoble est accroché aux coteaux schisteux du massif des Maures. L'assemblage de grenache, cabernet et carignan aboutit à un rouge soutenu en couleur, puissant, chaleureux, déjà bien agréable, mais assurément d'une bonne longévité.

→ Com. Viti. des Salins du Midi, 68, cours Gambetta, 34063 Montpellier Cedex, tél. 67.58.23.77 Ⓣ lu. ma. me. je. ve. 9h-11h30/14h-17h30.

DOM. DE L'ANGUEIROUN 1987

■ 🆚2   14 ha   n.c.

Tout près du Lavandou, un air de vacances qui se manifeste à l'évidence dans ce rosé discrètement parfumé d'épices et de fruits secs, de bonne dégustation.

↩ SC du Dom. de l'Angueiroun,
Dom. de l'Angueiroun, 83230 Bormes-Les-Mimosas, tél. 94.71.11.39 ⟙ t.l.j. sf dim. 8h-12h 14h-19h.

COOP. DE L'ARCOISE 1987*

■ 🆚1   n.c.   250 000

La coopérative de l'Arcoise, au cœur des côtes-de-provence qui y ont établi leur siège, démontre que les vins rosés sont vraiment chez eux ici. Franchise de la couleur et de l'odeur, bonne persistance dans les notes fruitées.

↩ Coop. Vini. de l'Arcoise,
quartiers des Laurons, 83460 Les Arcs-sur-Argens, tél. 94.73.30.29 ⟙ r.-v.

DOM. LA TOURRAQUE 1986***

■ 👆🆚2   1,20 ha   7 000

La couleur très foncée, nuance pourpre, est l'indice d'une bonne conservation. De puissantes odeurs de cassis et framboise que l'on retrouve en bouche avec beaucoup de présence et un très fort accent tannique qui a provoqué des discussions enflammées dans le jury. C'est en fait un vin de longue garde qui se valorisera chez l'amateur patient.

↩ M. Joseph Brun, Dom. de La Tourraque, 83350 Ramatuelle, tél. 94.79.25.95 ⟙ r.-v.

DOM. DE LA TOURRAQUE 1987

■ 👇🆚2   1,20 ha   7 000

Ne pas manquer d'apprécier, l'été, ce rosé de couleur assez intense, discrètement parfumé, mais net et fruité.

↩ M. Joseph Brun, Dom. de La Tourraque, 83350 Ramatuelle, tél. 94.79.25.95 ⟙ r.-v.

DOM. DE L'AUMERADE
Cuvée Sully 1987*

□ 🆚2   15 ha   100 000

La Cuvée Sully est traditionnellement remarquable ; elle a été louée pour sa robe jaune paille à reflets verts, ses parfums intenses à la fois floraux et fruités, confirmés en bouche avec équilibre et rondeur. Un beau blanc côtes-de-provence.

↩ M. Fabre, Dom. De l'Aumerade,
Pierrefeu, 83390 Cuers, tél. 94.28.20.31 ⟙ r.-v.

DOM. DES LAUNES 1985*

■ 🍾2   5 ha   25 000

L'odeur de framboise mêlée à d'autres fruits est manifeste. La mise en bouche révèle de la souplesse et de la longueur.

↩ M. Hans Jurgen Handt Mann,
Dom. des Launes, 83680 La Garde Freinet, tél. 94.60.01.95 ⟙ t.l.j. sf dim. 8h-12h 13h-18h.

CH. DE LEOUBE 1987**

■   n.c.   🍾🆚2

Cet authentique château à l'architecture un peu perturbée, mais aux beaux jardins à la fran-

DOM. DE LA JEANNETTE 1987**

■ 🍾👆🆚2   6 ha   20 000

La Jeannette sait aussi produire des rouges de qualité. La belle robe est profonde et limpide à reflets violets. On a très vite des arômes discrets mais certains de sous-bois et de fruits sur une structure tannique, chaleureuse et déjà souple, de bonne longueur avec confirmation des nuances olfactives. Bel avenir.

↩ MM. Moutte Frères,
Sté du Dom. de La Jeannette, les Borrels, 83400 Hyères, tél. 94.65.68.30 ⟙ r.-v.

DOM. DE LA JEANNETTE 1987

■ 🍾🆚2   6 ha   30 000

Un rosé particulier, pour ce vieil habitué du Guide Hachette qui fait toujours honneur aux rosés des côtes-de-provence.

↩ MM. Moutte Frères,
Sté du Dom. de La Jeannette, les Borrels, 83400 Hyères, tél. 94.65.68.30 ⟙ r.-v.

DOM. DE LA MALHERBE 1987***

□ 🍾🆚3   13 ha   n.c.

C'est devenu une tradition, La Malherbe fait l'unanimité des dégustateurs pour ce superbe blanc où tous les parfums possibles dans un vin blanc jeune se retrouvent et s'assemblent. La bouteille est noire parce que la lumière ne convient pas à ces belles fragrances et les détruirait petit à petit.

↩ Mme Mireille Ferrari, Dom. de La Malherbe, 83230 Bormes-les-Mimosas, tél. 94.64.80.11 ⟙ t.l.j. 8h-20h ; f. 18h en hiver

DOM. DE LA MALHERBE 1987**

□ 🍾🆚3   10 ha   60 000

Encore le même souci de perfection et la présentation en verres absolument noirs pour préserver la belle robe, les parfums de mandarine et la suavité. Tout cela donne un ensemble bien agréable.

↩ Mme Mireille Ferrari, Dom. de La Malherbe, 83230 Bormes-les-Mimosas, tél. 94.64.80.11 ⟙ t.l.j. 8h-20h ; f. 18h en hiver

DOM. DE LA NAVARRE 1987*

■   n.c.   🍾🆚2

La fondation La Navarre (œuvre de Saint-Bosco), dans un très beau chai, au fond d'une combe boisée, à côté d'un établissement d'enseignement réputé, produit de beaux vins, dont un rosé aux senteurs d'aubépine, franc, harmonieux, à la saveur de pêche très expressive.

↩ Fondation La Navarre, Dom. de La Navarre, 83260 La Crau, tél. 94.66.04.08 ⟙ r.-v.

DOM. DE LA NAVARRE 1987*

□   n.c.   🍾🆚2

La Navarre n'a rien de pyrénéen. Pourtant, ce vin blanc jaune paille, un peu moustillant, aux parfums de cire d'abeille et de tilleul, pourrait le laisser croire, si ce n'était sa tendreté, plus provençale que béarnaise. A boire bien frais.

↩ Fondation La Navarre, Dom. de La Navarre, 83260 La Crau, tél. 94.66.04.08 ⟙ r.-v.

DOM. DE LÉOUBE (suite)

...çaise, c'est aussi un cru du bord de mer qui vaut autant pour sa production que pour son paysage. En 87, or y a fait un beau rouge à la couleur intense, reflets mauves comme un cassis bien mûr. Ce cassis se retrouve en bouche avec ces arômes de fruits avec déjà de la souplesse. Devrait se perfectionner en cuve.

↪ SCAV dom. de Léoube Engelsen, Ch. de Léoube, 83230 Bormes-les-Mimosas, tél. 94.64.80.03 ⌁ t.l.j. 9h-12h 14h-19h.
↪ M. Engelsen Lebel.

DOM. LES FOUQUES 1987* — n.c. | 30 ha | 80 000 — [V2]

On a su faire en 87 ce rouge brillant parfumé à la guimauve et aux saveurs assez abruptes, mais riches et pleines de promesses.

↪ GFA Les Borrels, Dom. Les Fouques, 83400 Hyères, tél. 94.59.09.62 ⌁ t.l.j. sf dim. 8h-12h 13h-17h.

DOM. LES HAUTS DE SAINT-JEAN 1987*

A été remarqué pour son vin rouge et son vin blanc. Son rosé mérite aussi de la considération pour son odeur fine et pénétrante, pour son bouquet persistant.

↪ M. Henri-Richard Pawlowski, quartier Saint-Roch, 83460 Les Arcs, tél. 94.73.31.48 ⌁ ma. me. je. ve. sa. di. 9h-12h 15h-18h30.

DOM. DE L'ESPARRON 1987 — 3 ha | 15 000 — [V1]

Il offre un rouge nuancé de tuile, parfumé de réglisse que l'on retrouve en bouche.

↪ MM. Migliore et Fils, L'Esparron des Pallières, 83590 Gonfaron, tél. 94.78.32.23

DOM. DE L'ESPARRON 1987** — 3 ha | 15 000 — [V2]

Voilà bien un beau rosé, de couleur vive, d'odeur puissante, et très fruité, qui réjouit la bouche et les yeux.

↪ MM. Migliore et Fils, L'Esparron des Pallières, 83590 Gonfaron, tél. 94.78.32.23

L'ESTANDON Cuvée Rouge 1985* — n.c. | n.c. — [V2]

Les Etablissements Bagnis sont un des plus anciens négociants qui se sont consacré aux vins de la région. L'Estandon à Cuers ne s'intéresse qu'aux côtes-de-provence, mais de façon réussie, comme ce rouge de teinte foncée, dont l'odeur de pain grillé et la charpente solide mais sans rudesse ne déçevra pas.

↪ MM. J. Bagnis et Fils, L'Estandon, 83390 Cuers, tél. 94.48.55.20

L'ESTANDON 1987* — n.c. | n.c. — [V2]

Nous avons apprécié ce rosé à la robe élégante, aux arômes et aux saveurs conformes à la tradition, y compris la pointe de gaz carbonique qui en soutien la saveur.

↪ MM. J. Bagnis et Fils, L'Estandon, 83390 Cuers, tél. 94.48.55.20

DOM. DE L'ILE 1987* — n.c. | n.c. | 12 ha | 40 000 — [V2]

Un rosé d'une belle nuance capucine, au nez odorant de parfums de banane. En bouche, vif, agréable, moelleux. Un bel équilibre.

↪ M. Sébastien Le Ber, ferme du Brégançonnet, île de Porquerolles, 83400 Hyères, tél. 94.58.31.60
⌁ r.-v.

LES VIGNERONS DU LUC 1987* — n.c. | 15 ha | 3 000 — [V3]

A côté d'un rouge honorable et d'un rosé cité, l'attention du jury s'est portée sur ce blanc à reflets verts, aux odeurs printanières, où l'ugni blanc et la clairette ont été bien vinifiés pour donner ces arômes légers.

↪ Cave Coop Les Vignerons du Luc, rue de l'Ormeau, 83340 Le Luc-en-Provence, tél. 94.60.70.25
⌁ r.-v.

DOM. DE MARAVENNE 1987* — n.c. | n.c. — [V3]

Sur la rive droite d'une rivière le plus souvent à sec, un des plus anciens domaines des côtes-de-provence. Le rosé est d'un rose pâle, nuancé de capucine à l'odeur discrète de pommes et d'amandes d'une souplesse qui ne manque pas de fraîcheur.

↪ M. Jean-Louis Gourjon, rte de Valcros, 83250 La Londe-les-Maures, tél. 94.66.80.20
⌁ r.-v.

DOM. DE MARAVENNE 1986** — 3 ha | 12 000 — [V2]

Le rouge est rubis limpide ; il révèle au nez attentif des arômes de fruits secs, d'amande grillée et au palais de la souplesse, de la chair et une bonne persistance.

↪ M. Jean-Louis Gourjon, rte de Valcros, 83250 La Londe-les-Maures, tél. 94.66.80.20
⌁ r.-v.

DOM. DE MARCHANDISE 1987** — 10 ha | 60 000 — [V2]

Le domaine de Marchandise, sous un nom modeste et sous une étiquette remarquable de simplicité, produit un rosé fruité, friand, glissant et d'une si jolie couleur.

↪ GAEC Chauvier, Dom. de Marchandise, 83520 Roquebrune-sur-Argens, tél. 94.45.42.91
⌁ t.l.j. sf dim. 9h-18h.

DOM. DE MARCHANDISE 1986*** — 15 ha | 100 000 — [V2]

Un très beau vin vraiment. Rouge rubis aux odeurs de framboises, de citrons verts, d'agrumes. Elégant, long, souple, il sort de l'ordinaire.

↪ GAEC Chauvier, Dom. de Marchandise, 83521 Roquebrune-sur-Argens, tél. 94.45.42.91
⌁ t.l.j. sf dim. 9h-18h.

MAS DE CADENET 1987* — 30 ha | 50 000 — [V2]

Un rosé de bon aloi, élégant.

Côtes de provence

➤ M. Negrel, Mas de Cadenet, 13530 Trets-en-Provence, tél. 42.29.21.59 ⟨ t.l.j. sf dim. 8h-12h 14h-18h30.

MAS DE CADENET 1987*

□   5 ha   20 000   ⟨ ⟩ ⟨M⟩⟨2⟩

Blanc vert élégant, parfums subtils, fins et très fleuris, on retrouve cette complexité en bouche où elle persiste longtemps.
➤ M. Negrel, Mas de Cadenet, 13530 Trets-en-Provence, tél. 42.29.21.59 ⟨ t.l.j. sf dim. 8h-12h 14h-18h30.

DOM. DE MATOURNE 1986**

■   3 ha   8 000   ⟨ ⟩ ⟨M⟩⟨2⟩

Une belle unanimité pour ce rouge de robe franche, bouqueté, finement boisé, vanillé et harmonieux.
➤ GFA Dom. de Matourne, hameau de Matourne, 83780 Flayosc, tél. 94.70.35.45 ⟨ t.l.j. 9h-18h.

DOM. DE MATOURNE 1986*

☑   3 ha   8 000   ⟨M⟩⟨1⟩

Le domaine de Matourne, situé au hameau du même nom, est dirigé par des Helvètes amateurs de vins de France . Le rosé, brillant, très clair, a des odeurs de fruits et des saveurs d'amande. Persistant en bouche.
➤ GFA Dom. de Matourne, hameau de Matourne, 83780 Flayosc, tél. 94.70.35.45 ⟨ t.l.j. 9h-18h.

CH. MENTONE 1986*

□   3,50 ha   5 000   ⟨M⟩⟨3⟩

Ce blanc 86 a gardé sa limpidité et la jeunesse de sa robe à reflets verts, comme son fin parfum et son équilibre en bouche.
➤ Mme Perrot de Gasouet, Ch. de Mentone, Saint-Antonin-du-Var, 83510 Lorgues, tél. 94.04.42.00 ⟨ t.l.j. 9h-19h.

CH. MENTONE 1986*

■   n.c.   10 000   ⟨M⟩⟨2⟩

Le château Mentone s'est fait une spécialité de rouge tendre sans mièvrerie, à la belle robe et au bouquet fin. Son élégance en bouche lui permet de s'associer avec bien des cuisines.
➤ Mme Perrot de Gasouet, Ch. de Mentone, Saint-Antonin-du-Var, 83510 Lorgues, tél. 94.04.42.00 ⟨ t.l.j. 9h-19h.

CH. DE MENTONE 1986*

☑   n.c.   20 000   ⟨M⟩⟨2⟩

Château de Mentone s'enorgueillit de n'avoir eu que deux lignées de propriétaires en 450 ans, ainsi que de posséder une belle cave voûtée. Le rosé a été apprécié pour son fruité, sa souplesse.
➤ Mme Perrot de Gasouet, Ch. de Mentone, Saint-Antonin-du-Var, 83510 Lorgues, tél. 94.04.42.00 ⟨ t.l.j. 9h-19h.

CH. MINUTY 1986

■   n.c.   n.c.   ⟨M⟩⟨3⟩

Le château Minuty est bien connu des tables tropéziennes et d'ailleurs. Le rouge 86, prêt à boire, un peu tuilé, fruité et aromatique confirmera ses qualités à sa clientèle habituelle.
➤ Matton-Farnet, Ch. Minuty, Gassin, 83990 Saint-Tropez, tél. 94.56.12.09 ⟨ t.l.j. 9h-12h 14h-19h.

CLOS MIREILLE 1986**

□ Cru clas.   40 ha   160 000   ⟨ ⟩ ⟨ ⟩ ⟨M⟩⟨5⟩

Le très célèbre clos Mireille, pour son nouveau millésime, montre un blanc à la robe jaune aux reflets dorés, très élégant, floral comme d'habitude, très puissant.
➤ Dom. Ott et Frères, Clos Mireille, 83250 La Londe-les-Maures, tél. 94.66.80.26 ⟨ r.-v.

CH. MONTAUD 1987*

■   50 ha   300 000   ⟨ ⟩ ⟨M⟩⟨2⟩

Les pentes des Maures, qui dominent la vallée du Réal Collobrier, sont couvertes des vignes du château Montaud, important vignoble en superficie et en qualité. Le 87 a séduit : de couleur très foncée, avec des arômes intenses de fruits rouges qui persistent en bouche, il montre un fin équilibre des tanins.
➤ SCE Vignobles François Ravel, Ch. Montaud, Pierrefeux-du-Var, 83390 Cuers, tél. 94.28.20.30 ⟨ lu. ma. me. ve. 8h-12h 13h30-17h30.

NICOLAS
Cave des Vignerons de Collobrière

■   n.c.   n.c.   ⟨ ⟩ ⟨M⟩⟨1⟩

Un rosé rouge clair dont le nez évoque des fruits à peine mûrs, très frais en bouche. Non millésimé mais issu de la vendange 1987.
➤ Ets Nicolas, 253, av. du Gal-Leclerc, 94700 Maisons-Alfort, tél. 1.43.96.81.81.

DOM. DE PEISSONNEL 1986***

☑   n.c.   40 000   ⟨ ⟩ ⟨ ⟩ ⟨M⟩⟨2⟩

Pierre Lemaître s'attache à donner à sa production un niveau de qualité comparable à celui des domaines bordelais prestigieux qu'il affectionne. Il faudra donc attendre 4 ou 5 ans encore pour que ce rouge brillant, aux odeurs de cerise et de noix verte, arrondisse ces aspérités prometteuses d'une longévité heureuse et généreuse.
➤ M. Pierre Lemaître, Dom. de Peissonnel, 83550 Vidauban, tél. 94.73.02.96 ⟨ r.-v.

DOM. DES PLANES 1986**

■   3 ha   8 000   ⟨ ⟩ ⟨M⟩⟨3⟩

Un seul reproche à faire à ce beau vin rouge sombre, profond et limpide, discrètement et nettement parfumé de fruits rouges, à l'architecture complexe, nette, appétente et ample, qui devrait vieillir harmonieusement : l'étiquette privilégie le cépage par rapport au terroir. Ce dernier y est quand même pour quelque chose.
➤ Christophe et Ilsé Rieder, Dom. des Planes, 83520 Roquebrune-sur-Argens, tél. 94.82.90.03 ⟨ t.l.j. sf dim. 8h-12h 14h-18h.

DOM. DES POMPLES 1987**

☑   16,80 ha   60 000   ⟨ ⟩ ⟨M⟩⟨2⟩

Pomples, du légionnaire romain Pompilius qui y aurait planté un vignoble. Ce rosé à la robe délicate, aux arômes de garrigue et de fenouil, est bien équilibré en bouche, souple, soutenu par une pointe de gaz carbonique.

564

CH. REQUIER 1985*

8 ha — 50 000

Le château Requier est responsable d'une cuvée 85 à la belle robe légèrement tuilée et aux nuances odorantes fines de vanille et de grillé.

CH. REAL MARTIN 1985*

5 ha — 25 000

Le cristal de ce vin blanc réjouit l'œil et s'accorde bien avec l'odeur de fruits, l'élégance délicate et harmonieuse de l'impression gustative.

↪ M. Jacques Clotilde, Ch. Réal Martin, 83143 Le Val, tél. 94.86.40.90 Ⓣ t.l.j; 8h-12h 14h-19h.

CH. REAL MARTIN 1984*

6 ha — 40 000

Au château Réal Martin, M. Clotilde a mis plusieurs années pour restaurer son vignoble et est un habitué des récompenses. Ce vin rouge 84, de couleur tuilée, aux parfums évolués, paraît être prêt à la dégustation.

↪ M. Jacques Clotilde, Ch. Réal Martin, 83143 Le Val, tél. 94.86.40.90 Ⓣ t.l.j; 8h-12h 14h-19h.

CH. DE RASQUE 1987

4 ha — 20 000

Ce vin blanc de rolle se révèle odorant, brillant, fruité, et gras.

↪ SCEA Ch. de Rasque, rte de Draguignan, Taradeau, 83460 Les Arcs, tél. 94.52.01.01 Ⓣ r.-v.
↪ M. Gérard Biancone.

CH. DE RASQUE 1986*

10 ha — 20 000

Le domaine de Rasque est situé sur un terroir qui fut déjà reconnu apte à produire des vins de qualité par les légionnaires romains. En 86 est né au château du même nom, un joli vin parfumé de cassis et de bois, qui se manifeste en bouche par une belle structure tannique, solide, harmonieuse. Un vin droit et net, à conserver.

↪ SCEA Ch. de Rasque, rte de Draguignan, Taradeau, 83460 Les Arcs, tél. 94.52.01.01 Ⓣ r.-v.

CH. DE POURCIEUX 1987

3 ha — 20 000

Dans une belle teinte rubis, des parfums de cassis et de chocolat. Un peu abrupt mais il ne demande qu'à s'assouplir.

↪ M. Michel d'Espagnet, Ch. de Pourcieux, 83470 Pourcieux, tél. 94.59.78.90 Ⓣ r.-v.

CH. DE POURCIEUX 1987*

8 ha — 20 000

Le marquis d'Espagnet préside, au château de Pourcieux, à l'élaboration de ce beau rosé très fruité (fruits rouges), avec une nuance légèrement grillée que l'on retrouve en bouche, à la fois moelleux et frais. Un bon équilibre.

↪ M. Michel d'Espagnet, Ch. de Pourcieux, 83470 Pourcieux, tél. 94.59.78.90 Ⓣ r.-v.

↪ M. Jean Brissy, Dom. des Pomples, Cabasse, 83340 Le Luc-en-Provence, tél. 94.92.36.07 Ⓣ r.-v.

ELIE ROCHE Cuvée Alexandre 1986

n.c. — 50 000

En plein milieu d'un cru petit par la superficie mais grand par la réputation, les Établissements Elie Roche ont dans leur « palette » ce joli rouge un peu clair, distingué et équilibré.

↪ SA Elie Roche, Palette-Le-Tholonet, B.P. 2, Le Tholonet, 13612 Aix-en-Provence cedex 1, tél. 42.28.90.23 Ⓣ r.-v.

CH. LE ROUX 1987

30 ha — n.c.

Au pied des Maures, la vigne est plantée dans un sol de grès rouge qui donne au vin des notes bien particulières. Le château de Roux est un vin brillant, aux parfums peu marqués mais élégants et d'un très bon équilibre.

↪ Ch. de Roux, Cannet-des-Maures, 83340 Le Luc-en-Provence, tél. 94.60.73.10 Ⓣ t.l.j; 8h-20h.

DOM. SAINT-ANDRE DE FIGUIERE Cuvée des Princes 1987*

4 ha — 25 000

C'est un rosé fruité (fraise...). Très souple et brillant.

↪ GFA Saint-André-de-Figuière, quartier Saint-Honoré, 83250 La Londe-les-Maures, tél. 94.56.92.10 Ⓣ t.l.j; sf dim. 9h-12h 14h-18h.
↪ MM. A. et A-D. Connesson.

DOM. DE SAINT-BAILLON Cuvée du Roudaï 1986*

3,50 ha — 10 000

Un oppidum domine le vignoble installé sur argilo-calcaire très caillouteux. Une belle couleur et des parfums de fruits rouges et de réglisse caractérisent cette jolie cuvée bien charpentée et persistante qui pourra accompagner un civet de marcassin.

↪ M. Hervé Goudard, Dom. de Saint-Baillon, Flassans-sur-Issole, 83340 Le Luc-en-Provence, tél. 94.69.74.60 Ⓣ r.-v.

DOM. DE SAINT-BAILLON 1987*

10 ha — 400 000

La commune de Flassans se remarque par plusieurs de ses domaines dont celui de Saint-Baillon au rosé parfumé de fleurs, riche, équilibré, fin et léger.

↪ M. Hervé Goudard, Dom. de Saint-Baillon, Flassans-sur-Issole, 83340 Le Luc-en-Provence, tél. 94.69.74.60 Ⓣ r.-v.

DOM. SAINT-ESPRIT 1986*

n.c. — n.c.

Rouge sombre, parfum légèrement boisé, mais très solide et très présent en bouche : quelques petites années épanouiront cet ensemble un peu ferme mais aux charmes prometteurs.

↪ Cnocé-Spinelli, Dom. du Saint-Esprit, 8330 Draguignan, tél. 94.73.30.51 Ⓣ r.-v.

Les papilles confirment l'odorat en y ajoutant les caractéristiques de l'élevage en barrique.

↪ SCEA du Ch. Requier, La Plaine, Cabasse, 83340 Le Luc, tél. 94.80.22.01 Ⓣ t.l.j; 8h-18h.

DOM. SAINT-ESPRIT 1987 * *

■ n.c. n.c. ↓ V 2

Il procurera bien du plaisir dans sa présentation brillante et pâle avec des arômes de tilleul, d'acacia et de cire d'abeille. Son amplitude, son harmonie et sa tendresse soutiendront une température de consommation assez basse.

➤ Crocé-Spinelli, Dom. du Saint-Esprit, 83300 Draguignan, tél. 94.73.30.51 Y r.-v.

DOM. SAINT-JEAN 1987 *

□ 13 ha 60 000 ⬤ → V 2

On fait du vin à Saint-Jean depuis le XIIIᵉ s. Aujourd'hui on y voit encore l'un des mûriers importés de Chine par Sully. Ce domaine confirme, cette année, la qualité remarquable dans le millésime 86 où le terroir, le cépage, la technique ont contribué à parts égales à la réussite de ce joli rosé, parfumé et généreux.

➤ M. Jackie Leclerc, Dom. Saint-Jean, 83570 Carcès, tél. 94.59.55.89 Y r.-v.

DOM. SAINT-JEAN 1986 *

■ 4 ha 15 000 ⬤ → V 2

Le 86, d'un rubis assez clair, bien accordé à l'odeur de jeunes fruits rouges, est harmonieux.

➤ M. Jackie Leclerc, Dom. Saint-Jean, 83570 Carcès, tél. 94.59.55.89 Y r.-v.

DOM. DES HAUTS DE SAINT-JEAN 1987 * * *

□ n.c. n.c. ⬤ ↓ V 2

Voilà un blanc de bonne origine et correctement préparé : jaune pâle nuancé de vert, il offre au nez une palette de sensation brillante et complexe (peau d'agrumes, poires) qu'on retrouve largement en bouche avec beaucoup de souplesse et une grande persistance. Remarquable par son équilibre.

➤ M. Henri-Richard Pawlowski, quartier Saint-Roch, 83460 Les Arcs, tél. 94.73.31.48 Y ma. me. je. ve. sa. di. 9h-12h 15h-18h30.

CH. SAINT-MAUR 1987 *

▣ Cru clas. 8 ha n.c.

Ce rosé a été remarqué pour l'élégance de sa couleur et la finesse de ses parfums. En bouche, le moelleux est rehaussé par une bonne nervosité. Un final agréable.

➤ SA Ch. Saint-Maur, rte de Colobrières, 83310 Cogolin, tél. 94.54.63.12 Y r.-v.

CH. SAINT-MAUR 1986 *

■ 14 ha 93 000 ⬤ ↓ V 2

Ce millésime 86, d'un beau rouge écarlate, sent la cerise. A travers quelque rudesse, il ne demande qu'à s'assouplir ; il offre des impressions de vanille à développer.

➤ SA Ch. Saint-Maur, rte de Colobrières, 83310 Cogolin, tél. 94.54.63.12 Y r.-v.

CH. SAINT-MAUR 1987 *

□ 1,43 ha 9 733

De cette robe jaune clair s'élève un parfum léger et fleuri, puis une impression équilibrée,

harmonieuse et élégante, bien assortie avec les aspects visuels et olfactifs.

➤ SA Ch. Saint-Maur, rte de Colobrières, 83310 Cogolin, tél. 94.54.63.12 Y r.-v.

LES MAITRES VIGN. DE SAINT-TROPEZ Carte Noire 1987 *

■ 50 ha 300 000 ⬤ V 2

Quelques vignerons entêtés de la presqu'île de Saint-Tropez se sont groupés sous cette marque. Ils présentent un beau vin rosé nerveux et net, très harmonieux et très réussi.

➤ Les Maîtres Vign. de St-Tropez, Dom. des Paris, Gassin, 83990 Saint-Tropez, tél. 94.56.32.04 Y r.-v.

DOM. DE SAINTE-MARIE Cuvée de la Roche Blanche 1987 *

■ 15 ha 40 000

Déjà cité l'année dernière, le domaine de Sainte-Marie, au bord de la presqu'île de Saint-Tropez, a produit cette cuvée d'un rouge sombre, parfumée de fraises des bois, puissante, charpentée et harmonieuse.

➤ Dom. de Sainte-Marie SA, Dom. de Sainte-Marie, RN 98, 83230 Bormes-les-Mimosas, tél. 94.49.57.15 Y t.l.j. 9h-19h.

➤ M. Henri Vidal.

CH. DE SELLE 1986 *

□ 5 ha 20 000 ⬤ ↓ V 5

Le château de Selle est un des domaines célèbres des côtes-de-Provence. Ce rouge 86, un peu tuilé, plus marqué en bouche qu'en nez, est rond, puissant, charnu, avec beaucoup de persistance. Sans doute d'un grand avenir.

➤ Dom. Ott et Frères, Ch. de Selle, Taradeau, 83460 Les Arcs, tél. 94.68.86.86 Y r.-v.

CH. DE SELLE 1986

⬤ ↓ V 5

Jaune paille, ce vin confirme en bouche une odeur bien nette de fruits secs et d'amande dans un environnement de résine. Soyeux, il est soutenu par une pointe de gaz carbonique.

➤ Dom. Ott et Frères, Ch. de Selle, Taradeau, 83460 Les Arcs, tél. 94.68.86.86 Y r.-v.

CH. DE SELLE 1986 *

□ 30 ha 120 000 ⬤ ↓ V 5

Rosé très pâle nuancé d'abricot, parfumé d'amande, très riche en bouche. Il persiste longtemps et avec bonheur.

➤ Dom. Ott et Frères, Ch. de Selle, Taradeau, 83460 Les Arcs, tél. 94.68.86.86 Y r.-v.

DOM. DES TOURNELS 1986 * * *

■ n.c. n.c. ⬤ ↓ V 2

Voilà un bien beau rouge grenat foncé, brillant un peu violacé qui ne le restera pas. Avant d'atteindre les sommets auquel il est appelé, il offre de fortes odeurs végétales de sous-bois, d'une grande élégance. Les saveurs sont très

équilibrées, harmonieuses, malgré une forte charpente que le temps devrait arrondir encore.
↳ M. Laurent Bologna, Dom. des Tournels, 83350 Ramatuelle, tél. 94.79.80.54 ▼ t.l.j. 9h-12h 16h-19h.

DOM. DES TOURNELS 1937* n.c. n.c.
La brillante prestation du rouge ne doit pas cacher ce rosé de bonne qualité.
↳ M. Laurent Bologna, Dom. des Tournels, 83350 Ramatuelle, tél. 94.79.80.54 ▼ t.l.j. 9h-12h 16h-19h.

Cassis

Un creux de rochers, auquel l'on n'accède que par des cols relativement hauts depuis Marseille ou Toulon, abrite, au pied des plus hautes falaises de France, ses calanques, ses anchois, et certaine fontaine qui, selon les Cassidens, rendait leur ville plus remarquable que Paris... Mais aussi un vignoble que se disputaient déjà, au XIᵉ s., les puissantes abbayes, en demandant l'arbitrage du pape. Les vins sont rouges et rosés, mais surtout blancs. Mistral disait de ces derniers qu'ils sentaient le romarin, la bruyère et la myrte. Ne cherchez pas les grandes cuvées : elles sont bues au fur et à mesure, avec les bouillabaisses, les poissons grillés et les coquillages.

DOM. DU BAGNOL
Marquis de Fresques 1986* n.c. 20 000
La couleur dorée annonce un vin un peu évolué, dont le caractère plein se mêle d'amande et de noisette. Harmonieux en bouche, il confirme les impressions olfactives.
↳ Mme Claire Lefèvre, Dom. du Bagnol, 13260 Cassis, tél. 42.01.78.05 ▼ t.l.j. 9h-12h 14h-19h.

MAS DE BOUDARD 1987* 2 ha 5 000
Il n'y a pas que des vins blancs à Cassis. A preuve ce joli rouge 87, vineux, souple et ferme à la fois.
↳ M. Pierre Marchand, Clos Chantecler, 13260 Cassis, tél. 42.01.72.66 ▼ r.-v.

LA FERME BLANCHE 1986** n.c. 130 000
La Ferme Blanche à Cassis devait bien sûr se faire remarquer par un vin blanc au très beau nez et à la bouche très gourmande.
↳ M. François Paret, La Ferme Blanche, B.P. 57, 13260 Cassis, tél. 42.01.00.74 ▼ lu. ma. me. je. ve. 9h-12h 14h-17h30.

LA FERME BLANCHE 1986** n.c. 25 000
La teinte est un peu saumonée et l'odeur est celle de fruits mûrs. Une belle harmonie en bouche qui se poursuit avec un arrière-goût délicat.
↳ M. François Paret, La Ferme Blanche, B.P. 57, 13260 Cassis, tél. 42.01.00.74 ▼ lu. ma. me. je. ve. 9h-12h 14h-17h30.

CLOS SAINTE-MAGDELEINE 1986** n.c. 38 000
La robe se dore et prend des teintes de miel, comme l'odeur qui évoque la cire d'abeille et l'amande grillée. Moelleux, tendre, long en bouche, ce 86 paraît à son apogée.
↳ MM. Sack-Zafiropulo, clos Sainte-Magdeleine, 13260 Cassis, tél. 42.01.70.28 ▼ r.-v.
↳ GFA Zafiropulo.

Bellet

De rares privilégiés connaissent ce minuscule vignoble situé sur les hauteurs de Nice, dont la production est réduite, et presque introuvable ailleurs qu'à Nice. Elle est faite de blancs originaux et aromatiques, grâce au rolle, cépage de grande classe, et au chardonnay (qui se plaît à cette latitude quand il est exposé au nord et suffisamment haut); de rosés soyeux et frais; de rouges somptueux, auxquels deux cépages locaux, la fuella et le braquet, donnent une originalité certaine. Ils seront à leur juste place avec la riche cuisine niçoise si originale, la tourte de blettes, le tian de légumes, l'esto-

ficada, les tripes, sans oublier la soca, la pissaladière ou la poutine.

CH. DE CREMAT 1986***

|85||86| ▯ ↓ Ⅴ ③

| 12 ha | 24 000 |

Rarissimes vins que ceux de Bellet, minuscule terrain assailli par l'urbanisation niçoise. Quel beau vin rouge sombre qui remplit le nez de senteurs et la bouche d'un velours consistant, serré. On est sûr qu'il gardera sa forte souplesse très longtemps.

↱ Ch. Bagnis, Ch. de Crémat, 06200 Nice, tél. 93.37.80.30 ♈ r.-v. ; f. août.

CH. DE CREMAT 1987**

☐ ▮↓Ⅴ③

| 8 ha | 15 000 |

Confidentiel et introuvable, le vin de Bellet ! Quelques rares privilégiés, lors d'un séjour niçois, pourraient apprécier ce blanc 87, étincelant, chargé de parfums délicats (épices, fruits secs) et très souple en bouche.

↱ Ch. Bagnis, Ch. de Crémat, 06200 Nice, tél. 93.37.80.30 ♈ r.-v. ; f. août.

CH. DES BAUMELLES 1985*

▯ ↓ Ⅴ ③

| 5 ha | n.c. |

|84| |85|

Sur la route de Saint-Cyr à Bandol, le château des Baumelles dresse quatre tours rondes au milieu des vignes et des pins. On y trouve un rouge 85 aux senteurs de fruits mûrs et de vanille, bien équilibré, aux tanins qui commencent à s'assouplir. À boire à partir de maintenant et dans les 2 ans qui viennent.

↱ M. Thierry Grand, Ch. des Baumelles, 83270 Saint-Cyr-sur-Mer, tél. 94.26.46.59 ♈ t.l.j. sf dim. 9h-12h 15h-19h.

DOM. DE CAGUELOUP 1986***

▯ ↓ Ⅴ ③

| 15 ha | 30 000 |

|85| |86|

Saint-Cyr-sur-Mer, c'est la plage estivale, mais avec quelques très beaux vignobles. Celui du domaine de Cagueloup offre des vins superbes, et parmi eux ce rouge 86, sombre, aux parfums intenses et complexes (café, cacao) et à la saveur ample d'excellente persistance.

↱ GAEC Prébost, Dom. de Cagueloup, 83270 Saint-Cyr-sur-Mer, tél. 94.26.15.70 ♈ r.-v.

DOM. DE FREGATE 1986*

▯ ↓ Ⅴ ③

| 20 ha | 40 000 |

|79| |81| |82| |84| |85| 86

Rouge grenat foncé, odorant (fruit confit), encore abrupt en bouche. L'avenir donnera raison aux patients.

↱ Dom. de Frégate, rte de Bandol, 83270 Saint-Cyr-sur-Mer, tél. 94.26.17.02 ♈ t.l.j. sf dim. 9h-12h 15h-18h.

↱ Csse de La Fite-Cte de Pissy.

DOM. LAFRAN-VEYROLLES 1985**

▯ ↓ Ⅴ ③

| 3,50 ha | 16 500 |

|77| |78| |79| |80| 81 |82| |83| 84 |85|

La robe est très légèrement tuilée et bien brillante. On y sent la cannelle et les fruits rouges bien mûrs. Le palais se réjouit d'un heureux équilibre en ce début d'évolution qui va se poursuivre avec bonheur.

↱ Mme Claude Jouve-Férec, Dom. Lafran-Veyrolles, 83740 La Cadière-d'Azur, tél. 94.90.13.37 ♈ r.-v.

DOM. LAFRAN-VEYROLLES 1987**

▯ ▮↓ Ⅴ ③

| 2 ha | 10 000 |

C'est un vin original par son parfum élégant et intense, un peu épicé, bien charmu et plein, flatté par un peu de pétillement.

↱ Mme Claude Jouve-Férec, Dom. Lafran-Veyrolles, 83740 La Cadière-d'Azur, tél. 94.90.13.37 ♈ r.-v.

DOM. DE LA LAIDIERE 1986***

▯ ↓ Ⅴ ④

|78| |79| |80| 81 |82| |85| 86

Superbe vraiment, cette bouteille aux fragrances complexes, à la fois fruitée et charnelle, pleine de charme et de puissance. Futur grand seigneur.

Bandol

Noble vin, qui n'est d'ailleurs pas produit à Bandol même, mais sur les terrasses brûlées de soleil des villages alentour, le bandol est blanc, rosé ou surtout rouge, corsé et tannique grâce au mourvèdre, cépage qui le compose pour plus de la moitié. Vin généreux, compagnon idéal des venaisons et des viandes rouges, il apporte ses subtilités aromatiques faites de poivre, de cannelle, de vanille et de cerise noire. Il supporte fort bien un long vieillissement : 1983 devrait tenir plus de dix ans, comme le font les 1975, comme l'ont fait les 1965.

▸ GAEC Estienne, Dom. de La Laidière, Sainte-Anne-d'Evenos, 83330 Evenos, tél. 94.90.37.07
Ⴤ lu. ma. me. je. ve. 8h-18h.
▸ MM. Jules et Freddy Estienne.

DOM. DE LA LAIDIERE 1987 ★★★

8 ha | 40 000

C'est un feu d'artifice de fragrances florales et épicées. Pour la bouche, les dégustateurs n'ont su exprimer leur impression que par le mot «splendeur».
▸ GAEC Estienne, Dom. de La Laidière, Sainte-Anne-d'Evenos, 83330 Evenos, tél. 94.90.37.07
Ⴤ lu. ma. me. je. ve. 8h-18h.
▸ MM. Jules et Freddy Estienne.

DOM. DE LA LAIDIERE 1987★

2 ha | 10 000

Le jeune clair brillant annonce un nez très floral et aussi élégant que la nuance. Un peu de vivacité en bouche, qui fait contraste avec les congénères du millésime, satisfera les partisans de la fraîcheur.
▸ GAEC Estienne, Dom. de La Laidière, Sainte-Anne-d'Evenos, 83330 Evenos, tél. 94.90.37.07
Ⴤ lu. ma. me. je. ve. 8h-18h.
▸ MM. Jules et Freddy Estienne.

DOM. DE LA NOBLESSE 1986★★★

|82| |83| |84| |86|
5 ha | 27 000

Le domaine a appartenu à un certain sieur Noble. Mais c'est le vin qui apporte la noblesse à ce terroir. La profondeur des coloris, la puissance des odeurs élégantes, la plénitude roborative sont le gage de bien des satisfactions.
▸ M. Jean-Pierre Gaussen, Dom. de La Noblesse, 83740 La Cadière-d'Azur, tél. 94.98.75.54 Ⴤ t.l.j. 8h-12h 14h-20h.

LA ROQUE 1987

10 ha | 46 000

Il mérite bien d'être signalé, ce joli blanc 87, discret au nez mais qui finit si bien en bouche.
▸ Cave de La Roque, 83740 La Cadière-d'Azur, tél. 94.90.10.39 Ⴤ t.l.j. sf dim. 8h-12h 13h30-17h30.

LE GALANTIN 1985★

n.c. | 30 000

Résolument moderne la présentation, mais très fidèlement traditionnel le vin, grenat

569

brillant, que marquent en nez et en bouche, la framboise, le cassis puis la vanille. Nez se laisser impressionner par la rudesse. Enfermez-le quelques années dans votre cave, il se fera souple comme un gant.
▸ M. Pascal Achille, Dom. Le Galantin, Le Plan-du-Castellet, 83330 Le Beausset, tél. 94.98.75.94
Ⴤ t.-v.

DOM. DE L'HERMITAGE 1986★★

|82| |83||85| 86
n.c. | n.c.

Vignoble rénové au sommet de la colline du Beausset Vieux; il faut beaucoup de talent au vigneron pour compenser le handicap qualitatif des vignes encore jeunes. Ce talent est démontré par ce vin au nez puissant d'abord fruit et fleur puis un feu animal à la saveur bien équilibrée et persistante. Vin à suivre.
▸ Dom. de L'Hermitage, Le Rouve, B.P. 41, 83330 Le Beausset, tél. 94.98.71.31 Ⴤ t.l.j. sf dim. 8h-12h 14h-18h.; f. sam. a.-m.
▸ M. Gérard Duffort.

DOM. DE L'HERMITAGE 1987★★★

82
n.c. | n.c.

Étincelant et embaumé, puis très ample, se déployant en ondes souples. Du grand art de vigneron.
▸ Dom. de L'Hermitage, Le Rouve, B.P. 41, 83330 Le Beausset, tél. 94.98.71.31 Ⴤ t.l.j. sf dim. 8h-12h 14h-18h.; f. sam. a.-m.
▸ M. Gérard Duffort.

MAS DE LA ROUVIERE 1985★★

|79| 80 |81| |82| 83 |84| 85
15 ha | 60 000

Beaucoup de promesses dans ces parfums encore peu prononcés, dans une structure ferme et soupe à la fois, dans cette persistance aromatique de 5 à 6 secondes. A thésauriser.
▸ M. Pierre Bunan, Mas de La Rouvière, Le Castellet, 83330 Le Beausset, tél. 94.98.72.76
Ⴤ r.-v.

MAS DE LA ROUVIERE 1986★★★

5 ha | 30 000

Décidément très remarqué cette année, le Mas de La Rouvière. Ce blanc 86 a été repéré pour sa

couleur, ses odeurs de fleurs exotiques et sa finesse.

↝ M. Pierre Bunan, Mas de La Rouvière, Le Castellet, 83330 Le Beausset, tél. 94.98.72.76 ℡ r.-v.

MAS DE LA ROUVIERE 1987 ★ ★ ★

■ ▮ ▼ 🔳

10 ha	50 000

De très riches parfums dans une présentation très juvénile, et une intense saveur riche de toutes les fleurs, de tous les fruits qui s'épanouissent en bouche.

↝ M. Pierre Bunan, Mas de La Rouvière, Le Castellet, 83330 Le Beausset, tél. 94.98.72.76 ℡ r.-v.

MAZET DE CASSAN 1986 ★

▮ ▼ 🔳

6 ha	20 000

[85] 86

Rouge de teinte moyenne, aux parfums de girofle, d'épices, d'aromates. De structure légère, agréablement arrondi, très agréable à boire maintenant.

↝ Mme Monique Barthes Dray, chem. du Val-d'Arenc, Mazet de Cassan, 83330 Le Beausset, tél. 94.98.60.06 ℡ r.-v.

MAZET DE CASSAN 1987 ★

☐ ▼ 🔳

2 ha	8 000

Intéressant blanc brillant aux senteurs riches de poire et d'une fraîcheur rapide.

↝ Mme Monique Barthes Dray, chem. du Val-d'Arenc, Mazet de Cassan, 83330 Le Beausset, tél. 94.98.60.06 ℡ r.-v.

MOULIN DES COSTES 1986 ★ ★

■ ▮ ▼ 🔳

13 ha	60 000

76 [77] 78 [79] 80 81 83 84 [85] 86

Rouge grenat, obscur et brillant. Odeur de cuir, de sous-bois, de grillé. En bouche, avec amplitude et équilibre, les nuances poivrées propres à l'appellation, avec élégance, et longtemps...

↝ M. Paul Bunan, Moulin des Costes, 83740 La Cadière-d'Azur, tél. 94.98.72.76 ℡ r.-v.

MOULIN DES COSTES 1986 ★

☐ ▮ ▼ 🔳

5 ha	20 000

S'il fallait le définir en un mot, ce serait la franchise. Un peu discret peut-être, mais rigoureux. Il ne se livrera bien qu'au cours d'un repas. Mais n'est-il pas fait pour cela ?

↝ M. Paul Bunan, Moulin des Costes, 83740 La Cadière-d'Azur, tél. 94.98.72.76 ℡ r.-v.

CH. DE PIBARNON 1987 ★

☐ ▮ ▼ 🔳

4 ha	n.c.

L'élégant jaune paille à reflets émeraude recouvre un discret mélange d'odeurs juvéniles : acacia, poire, tilleul. La structure annonce une longévité prometteuse.

↝ Comte de Saint-Victor, Ch. de Pibarnon, 83740 La Cadière-d'Azur, tél. 94.90.12.73 ℡ t.l.j. sf dim. 8h-12h 14h-19h.

CH. DE PIBARNON 1985 ★ ★ ★

[82] 83 [84] [85]

L'alchimie de la vigne (mourvèdre, cinsault,

---

grenache), du sol et du soleil, est responsable, avec le concours d'un vigneron habile, de ce magnifique rouge couleur de bigarreau mûr, qui exhale le musc et toutes les épices d'Orient, à la saveur roborative et longue, qui ne demande qu'à s'épanouir.

↝ Comte de Saint-Victor, Ch. de Pibarnon, 83740 La Cadière-d'Azur, tél. 94.90.12.73 ℡ t.l.j. sf dim. 8h-12h 14h-19h.

CH. ROMASSAN 1982 ★

■ ▮ ▼ 🔳

2 ha	6 000

Il y a eu des avis divergents chez les dégustateurs : certains pensent qu'il convient ce poursuivre son vieillissement, d'autres qu'il faut en cueillir dès aujourd'hui les épices d'Orient, à la saveur roborative et longue, qui ne demande qu'à cueillir dès aujourd'hui les roses... Tous ont apprécié les senteurs de kirsch, la finesse du corps, l'amabilité de l'arrière-goût.

↝ Dom. Ott, 22, bd d'Aguillon, B.P. 2, 06601 Antibes Cedex, tél. 93.34.38.91 ℡ r.-v.

CH. SAINTE-ANNE 1987 ★ ★

☐

3 ha	10 000

Une allée monte entre les vignes vers le château où la cave est riche de ces vins suaves et splendides que sont les bandol. Encore une belle réussite du château Sainte-Anne : jaune d'or, léger, parfum exotique, fraîcheur bien enveloppée.

↝ M. F. Dutheil de la Rochère, Ch. Sainte-Anne, Sainte-Anne-d'Evenos, 83330 Le Beausset, tél. 94.90.35.40 ℡ t.l.j. sf dim. 8h-12h 14h-18h.

CH. SAINTE-ANNE 1987 ★ ★

■ ▮ ▼ 🔳

6 ha	25 000

Très très pâle, délicat au nez et en bouche, élégant, précieux et persistant. C'est un charmeur.

↝ M. F. Dutheil de la Rochère, Ch. Sainte-Anne, Sainte-Anne-d'Evenos, 83330 Le Beausset, tél. 94.90.35.40 ℡ t.l.j. sf dim. 8h-12h 14h-18h.

DOM. DES SALETTES 1986 ★ ★

■ ▮ ▼ 🔳

8,12 ha	40 000

78 [79] 80 [82] 83 [84] 85 86

Cet adolescent, vêtu de rouge sombre, parfumé d'épices et de cacao, promet de devenir un gentilhomme assagi, courtois, affable. Il est pour le moment en maturation : acheter aujourd'hui serait un bon moyen de s'enrichir.

↝ M. Jean-Pierre Boyer, Dom. des Salettes, 83740 La Cadière-d'Azur, tél. 94.90.06.06 ℡ t.l.j. sf dim. 8h-12h 14h-19h ; f. dim. sur r.-v.

DOM. DES SALETTES 1987 ★

☐ ▮ ▼ 🔳

0,90 ha	5 000

Comment expliquer ce parfum d'ananas ? Il n'y a d'ailleurs rien à expliquer : se contenter d'en jouir, ainsi que de la suave amplitude qu'il développe en bouche.

↝ M. Jean-Pierre Boyer, Dom. des Salettes, 83740 La Cadière-d'Azur, tél. 94.90.06.06 ℡ t.l.j. sf dim. 8h-12h 14h-19h ; f. dim. sur r.-v.

DOM. TEMPIER 1985 ★ ★ ★

■ ▮ ▼ 🔳 ⑧⑤

70 71 73 74 [75] 76 [77] [78] [79] [80] 81 82 83 ⑧⑤

Exceptionnelle année dans une appellation exceptionnelle : d'un rouge profond, sentant

570

CH. SIMONE 1984**

8 ha   35 000

Rouge grenat sombre, exceptionnelle robe pour le millésime, aux senteurs de noisette et de lait chaud, encore très ferme en bouche, mais au touquet persistant. Une très sérieuse option à prendre sur l'avenir.

M. René Rougier, Ch. Simone, 13590 Meyreuil, tél. 42.28.92.58 r.-v.

CH. SIMONE 1985**

7 ha   25 000

Un des très rares vins blancs évolués de la Provence : jaune d'or, joliment boisé en nez et en bouche, un charme fou.

M. René Rougier, Ch. Simone, 13590 Meyreuil, tél. 42.28.92.58 r.-v.

Coteaux d'aix

Réparti essentiellement sur le département des Bouches-du-Rhône, avec une extension orientale dans le Var, le vignoble des coteaux d'Aix se disperse des bois et les garrigues entre Durance et Méditerranée. Sur environ 3 000 ha, il couvre des coteaux abrités du mistral, sous un climat prédestiné. Après des crises techniques, économiques ou humaines, les vignerons se sont lancés dans un effort de qualité couronné récemment par le passage de VDQS en AOC. Le renouvellement progressif du vignoble s'est fait au profit des meilleurs cépages : dans les rouges, par exemple, syrah, mourvèdre ou cabernet se sont joints aux grenache - souvent dominant - et cinsaut, remplaçant le carignan pour donner sa charpente au vin. Les températures sont de mieux en mieux maîtrisées, et l'on voit souvent la pompe à chaleur chauffer bureaux et habitations tout en refroidissant la cave.

Issus en général de terrains argilo-calcaires, les vins rouges sont habituellement de bonne constitution, avec de la charpente et un bouquet fin de style animal si le mourvèdre domine, fruité et floral si c'est la syrah, sylvestre et balsamique si c'est le cabernet-sauvignon. Ils ont en commun un équilibre chaleureux et une évolution assez rapide; il vaut mieux les boire entre les deuxième et quatrième années, sur une variété de plats

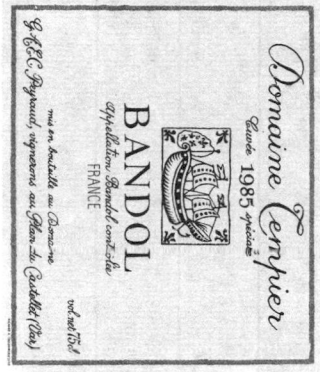

Domaine Tempier — cuvée 1985 spéciale — BANDOL — appellation Bandol contrôlée — G.A.E.C. Peyraud, vignerons aux Plan-du-Castellet (Var) — mis en bouteille au Domaine

d'abord la framboise et la myrtille, puis le cuir. Une ampleur remarquable en bouche sur des tanins fins. Très persistant.

GAEC Peyraud, Dom. Tempier, Le Plan-du-Castellet, 83330 Le Beausset, té. 94.98.70.21 r.-v.

GFA Templier.

CH. VANNIERES 1985*

76|78||79||82||83| 85   n.c.   50 000

Trois ans pour le vin rouge des Vannières, c'est encore bien jeune. Les épices et la résine qui le caractérisent sont bien présentes Mais il faudra attendre que la robustesse de sa charpente s'assouplisse pour profiter pleinement des promesses implicites.

M. Eric Boisseaux, Ch. Vannières, 83740 La Cadière-d'Azur, tél. 94.90.08.08 r.-v.

Palette

Tout petit vignoble, qui englobe l'ancien clos du bon roi René.

Blancs, rosés et rouges figurent chaque année dans le seul chai qui en produise régulièrement. Le plus souvent, et après une bonne maturation (car le rouge est de longue garde), on y retrouve une odeur de violette et de bois de pin.

CH. CREMADE 1987

2.20 ha   9 000

Un coup de chapeau pour saluer l'apparition d'un nouveau domaine à palette et ce joli rosé.

Mme. Antoinette Vidalin, Dom. de la Crémade, Le Tholonet, 13100 Aix-en-Provence, tél. 42.28.92.66 r.-v.

Coteaux d'aix

d'autant plus grande qu'ils sont plus jeunes.

Les rosés comportent souvent des cépages assez tanniques, vigoureux, ils vont bien sur des plats difficiles pour les blancs ou les rouges, comme l'aïoli, la bourride, la brandade de morue ou la poutargue. Peu abondants, les blancs sont frais et parfumés, agréables dans leur jeunesse.

aujourd'hui par Christian Double et sa femme. On trouve ici une alliance parfaite de traditions et de moyens modernes de vinification. Ce blanc en est la preuve. D'une couleur claire aux nuances vertes, il n'est ni subtil et délicat avec des arômes secondaires de réglisse. D'une bonne rondeur et d'un bon équilibre, il sera parfait pour accompagner des poissons fins en sauce.
- ◆ M. Christian Double, Ch. de Beaupré, 13760 Saint-Cannat, tél. 42.28.23.83 ☎ t.l.j. 8h-12h 14h-18h.
- ◆ M. le baron Double.

CH. BARBEBELLE
Cuvée Jas d'Amour 1986 *

■   20 ha   70 000   Ⓥ ②

Barbebelle est une des dernières grandes chasses de Provence. Ce domaine, au milieu duquel se dresse un très beau château, se doit de faire un vin rouge s'alliant parfaitement aux gibiers. D'une robe soutenue, celui-ci est équilibré et chaleureux. Ses premières nuances de vieillissement lui donnent une plénitude qui permet de le consommer dans l'année.
- ◆ M. Brice Herbeau, Ch. Barbebelle, 13840 Rognes, tél. 42.50.22.12 ☎ r.-v.

CH. BARBEBELLE
Cuvée Jas d'Amour 1987 * *

☐   10 ha   20 000   ⓘ Ⓜ ②

Entre le rosé et Barbebelle, c'est une longue histoire d'amour qui chaque année se renouvelle. Violet clair et lumineux, d'un nez subtil, le grenache donne sa pleine expression dans un vin présentant une fraîcheur et des arômes floraux remarquables. Il fait partie sans nul doute possible des grands rosés de Provence.
- ◆ M. Brice Herbeau, Ch. Barbebelle, 13840 Rognes, tél. 42.50.22.12 ☎ r.-v.

CH. DE BEAULIEU 1987 *

☐   40 ha   150 000   ⓘ↓ Ⓜ ①

Grenache, syrah, mourvèdre : ce vin, d'une robe très soutenue, est chaleureux, avec une bonne longueur. Très structuré et tannique, il demande un vieillissement qui le révélera d'ici 2 ou 3 ans. Pour gibiers et plats en sauce.
- ◆ GFA Ch. de Beaulieu, Ch. de Beaulieu, 13840 Rognes, tél. 42.50.24.07 ☎ r.-v.
- ◆ M. Touzet.

CH. DE BEAULIEU 1987

☐   100 ha   600 000   ↓ Ⓜ ①

Un des plus beaux châteaux de la région aixoise, entouré d'un vignoble de près de 300 hectares ; le rosé y est une tradition. D'une couleur très soutenue, ces rosés de saignée sont assez charpentés, d'un fruit puissant. A consommer sur les plats de l'été, grillades et salades.
- ◆ GFA Ch. de Beaulieu, Ch. de Beaulieu, 13840 Rognes, tél. 42.50.24.07 ☎ r.-v.
- ◆ M. Touzet.

CH. DE BEAUPRE 1987 * *

☐   2 ha   12 000   ⓘ↓ Ⓜ ③

Château datant de 1739, dont les vignes sont exploitées par la famille du baron Double,

CH. DE BEAUPRE 1987 *

☐   15 ha   15 000   ⓘ↓ Ⓜ ②

Très belle couleur rosé vif, très agréable à l'œil, voilà la première appréciation marquante de ce vin dont la finesse et l'équilibre sont remarquables. Il est frais et fruité, avec une légère pointe de gaz carbonique qui lui donne toute son expression et en fait un vin de toutes les grillades.
- ◆ M. Christian Double, Ch. de Beaupré, 13760 Saint-Cannat, tél. 42.28.23.83 ☎ t.l.j. 8h-12h 14h-18h.
- ◆ M. le baron Double.

CH. DE CALAVON Cuvée Spéciale 1987 *

■   n.c.   25 000   ⓘ↓ Ⓜ ②

L'ancien vignoble des princes d'Orange jouit d'un microclimat où le grenache a su imposer sa force. Cette Cuvée Spéciale est l'exemple même de la réussite d'un vin provençal : 80% de grenache, 20% de cabernet-sauvignon lui donnent une robe intense, un nez plaisant mais surtout un équilibre en bouche remarquable, une structure et des tanins qui lui permettront sans doute de vieillir plusieurs années.
- ◆ SA Elie Roche, Palette-Le-Tholonet, B.P. 2, Le Tholonet, 13612 Aix-en-Provence cedex 1, tél. 42.28.90.23 ☎ r.-v.
- ◆ Audibert Frères et Sœurs.

CH. DE CALAVON
Cuvée Classique 1987 * *

☐   n.c.   40 000   ⓘ↓ Ⓜ ②

Rose griotte aux nuances violines : si la robe est flatteuse, le nez séduit tout autant. Floral, il dégage des arômes précieux. Pour achever cette impression d'ensemble, on perçoit en bouche une charpente rare pour un rosé. Sa forte personnalité peut ne pas plaire à tous.
- ◆ SA Elie Roche, Palette-Le-Tholonet, B.P. 2, Le Tholonet, 13612 Aix-en-Provence cedex 1, tél. 42.28.90.23 ☎ r.-v.
- ◆ Audibert Frères et Sœurs.

CH. DE CALISSANNE
Cuvée Prestige 1986 *

☐   15 ha   50 000   ↓ Ⓜ ③

Situé sur les bords de l'étang de Berre, implanté au pied d'un oppidum romain du IVe s. av. J.-C., le château de Calissanne est une ancienne commanderie de l'ordre de Malte. La Cuvée Prestige 86, si elle n'atteint pas la qualité exceptionnelle des 83 et des 85, est cependant un vin très puissant. Son vieillissement permettra à la charpente de disparaître. Sa charpente et son gras lui donnent des airs de crozes-hermitage. Un vin à suivre.

SCMM Jean-Pierre Rozan, RN 7, B.P. 3, 13760 Saint-Cannat, tél. 42.28.22.44 ℡ r.-v.

CUVÉE CHANTEROCHE 1986**

n.c.   30 000

La maison Roche est une entreprise centenaire à qui aujourd'hui plus que jamais est attaché le mot qualité. Ce coteaux-d'aix, fruit de l'assemblage de différents producteurs, en est l'exemple même. Frais, aromatique, équilibré, puissant, il accompagnera parfaitement des viandes grillées ou rôties.

SA Elie Roche, Palette-Le-Tholonet, B.P. 2, Le Tholonet, 13612 Aix-en-Provence cedex 1, tél. 42.28.90.23 ℡ r.-v.

CH. DE FONSCOLOMBE Cuvée Spéciale 1987**

38 ha   325 000

Si l'architecture du château de Fonscolombe, qui est du XVIe s., en fait un des plus beaux de la Provence, ses vins sont loin de démériter. Ainsi, ce blanc d'une couleur pâle mais brillante, dont le nez est fin et fleuri. Il présente en bouche une fraîcheur qui en fait un vin charmeur et subtil. Il faut noter la qualité du résultat d'un assemblage de cépages aussi différents que la clairette, le grenache blanc et le sauvignon.

SCA des Dom. de Fonscolombe, 13610 Le Puy-Sainte-Réparade, tél. 42.61.89.62 ℡ r.-v.
M. le marquis de Saporta.

CH. DE FONSCOLOMBE Cuvée Spéciale 1987**

36 ha   320 000

Dans les coteaux-d'aix, le grenache est la base du rosé. Ce château de Fonscolombe en contient plus de 50%. D'une couleur framboise, il a un nez de fruits rouges et une dégustation très équilibrée dans son rapport alcool-acidité. Long et charpenté, il pourra accompagner des plats forts tels que l'aïoli ou la bouillabaisse.

SCA des Dom. de Fonscolombe, 13610 Le Puy-Sainte-Réparade, tél. 42.61.89.62 ℡ r.-v.
M. le marquis de Saporta.

CH. LA COSTE Cuvée Lisa 1984**

25 ha   180 000

Le château La Coste construit en 1682, achevé par Falladio, est une institution des Coteaux d'Aix-en-Provence. Ce rouge 84 est le type même d'un grand vin. Grenat sombre virant au brun, il offre un nez complexe, épanoui et très fondu. Son attaque en bouche est puissante avec des arômes secondaires très accomplis, riches et longs. Capable de vieillir, il accompagne parfaitement toutes les viandes en sauce.

GFA du Ch. La Coste, 13610 Le Puy-Sainte-Réparade, tél. 42.61.89.98 ℡ r.-v.
M. Bordonado.

CH. LA COSTE 1987**

10 ha   60 000

Pour Jean Bordonado, le blanc se doit d'être une réussite parfaite. Tous les moyens techniques sont mis en œuvre pour y parvenir. Ce vin est basé sur la clairette et l'ugni et le sauvignon lui apporte une note florale remarquable. Sa bouche est puissante avec une persistance aromatique...

CH. DE CALISSANNE Tradition 1986

40 ha   200 000

La Cuvée Tradition, destinée à une consommation rapide, sous une robe sombre aux reflets bruns, présente des arômes un peu crus de poivron vert et une bouche qui recèle déjà une pointe d'oxydation.

SCA de La Durançole, Ch. de Calissanne, RD 10, 13680 Lançon-de-Provence, tél. 90.42.63.03 ℡ r.-v.

CH. DE CALISSANNE Tradition 1987

5 ha   20 000

Dans une région très chaude, les bords de l'étang de Berre donnent des vins blancs intéressants mais très difficiles à maîtriser. Ce blanc très brillant est parfumé mais manque cependant d'une pointe d'acidité en bouche qui lui donnerait plus de fraîcheur.

SCA de La Durançole, Ch. de Calissanne, RD 10, 13680 Lançon-de-Provence, tél. 90.42.63.03 ℡ r.-v.

Commanderie de la Bargemone
Château d'Aix en Provence
APPELLATION D'ORIGINE CONTRÔLÉE
1987

COMMANDERIE DE LA BARGEMONE 1987***

20 ha   130 000

Un grand rosé, cela existe! D'une couleur soutenue, brillante, ce vin présente des arômes de fruits rouges puissants et persistants. Sa subtilité lui permet d'accompagner des plats aussi bien que les grillades, aïolis ou nombre de poissons. À servir frais mais pas glace. Par son harmonie, sa fraîcheur, il saura séduire le palais de ceux qui aiment les vins à forte personnalité.

SCMM Jean-Pierre Rozan, RN 7, B.P. 3, 13760 Saint-Cannat, tél. 42.28.22.44 ℡ r.-v.

COMMANDERIE DE LA BARGEMONE 1987

9 ha   50 000

Commanderie des Templiers du XIIIe s., ce domaine, repris il y a quinze ans par J.-P. Rozan, a su aujourd'hui s'imposer dans l'appellation. Son vin blanc, basé sur le grenache blanc, l'ugni et le sauvignon, a un nez très aromatique avec une certaine finesse en fin de bouche. Se boit très facilement à l'apéritif ou sur des coquillages.

intense. Il est harmonieux et élégant avec une typicité propre à son terroir. On aimera aussi sa robe jaune clair aux reflets légèrement rosés.

➳ GFA du Ch. La Coste, 13610 Le Puy-Sainte-Réparade, tél. 42.61.89.98 ▼ r.-v.

☞ M. Bordonado.

CH. LA COSTE Rosé d'une Nuit 1987**

25 ha   180 000

Rosé d'une nuit : ce terme trouve dans ce vin la plénitude de son expression. A base de grenache et de mourvèdre, vinifié en grande partie en saignée, il a un fruit discret mais présent permettant un bon équilibre avec l'alcool. Des arômes secondaires subtils lui donneront la possibilité d'accompagner facilement les grillades.

➳ GFA du Ch. La Coste, 13610 Le Puy-Sainte-Réparade, tél. 42.61.89.98 ▼ r.-v.

☞ M. Bordonado.

DOM. DE LA GRANDE SEOUVE 1986*

20 ha   100 000

Cabernet-sauvignon et grenache, ce rouge 86 au nez léger mais très fin possède une structure et un équilibre subtils. Epicé, il est aujourd'hui dans sa plénitude, il accompagnera à la perfection viandes rôties et grillades.

➳ SCA des Vign. La Grande Séouve, 13490 Jouques, tél. 42.67.60.87 ▼ t.l.j. sf dim. 8h-12h 14h-18h.

☞ GFA de La Grande Séouve.

DOM. DE LA GRANDE SEOUVE 1987**

15 ha   50 000

Situé à une altitude de 300 m, ce vignoble est un des plus tardifs de l'appellation, ce qui lui permet de faire des blancs et des rosés vifs. D'un nez agréable et franc, bien équilibré et aromatique, ce rosé 87 est d'une grande finesse soutenue par une pointe de gaz carbonique. Long en bouche, il mérite que l'on s'y arrête.

➳ SCA des Vign. La Grande Séouve, 13490 Jouques, tél. 42.67.60.87 ▼ t.l.j. sf dim. 8h-12h 14h-18h.

☞ GFA de la Grande Séouve.

CH. LA RABIOTTE 1987*

5 ha   5 000

Le château La Rabiotte a appartenu au marquis de Ravillaud, écuyer du Roy au XVIIIe s. La vigne a toujours été présente et c'est dans une cave rénovée que Dominique Bloch-Laroque produit ses coteaux-d'aix. Des nuances vertes donnent à ce blanc un aspect attrayant ; le bourboulenc et l'ugni lui procurent un nez remarquable, fin et intense. Sa fraîcheur et son fruit assurent une bonne fin de dégustation. En trois mots, un blanc de qualité.

➳ M. Yves Nedonsel, Ch. La Rabiotte, Aix-en-Provence, 13540 Puyricard, tél. 42.92.10.34 ▼ r.-v.

☞ M. Bloch-Laroque.

DOM. DE LAUZIERES Les Baux 1987

35 ha   25 000

Les rouges du domaine de Lauzières, exploitation familiale située au cœur des Alpilles, sont toujours très puissants. Ce millésime 87, tan-nique, pourra vieillir plusieurs années et accompagnera parfaitement des plats difficiles comme les gibiers.

➳ Les Filles de Joseph Boyer, Dom. de Lauzières, Le Destet, 13890 Mouriès, tél. 42.04.70.39 ▼ t.l.j. sf dim. 8h-12h 13h30-18h30.

MAS DE LA DAME Cuvée Gourmande 1986*

30 ha   122 000

La Cuvée Gourmande présente une robe grenat lumineux. Equilibrée, avec des arômes de réglisse, elle possède les caractéristiques d'un vin chaud, plein et structuré, qui accompagnera parfaitement les viandes rouges rôties.

➳ SF du Mas de la Dame, rte de Saint-Rémy, Les Baux-de-Provence, 13520 Maussane, tél. 90.54.32.24 ▼ r.-v.

☞ M. et Mme Jacques Chatin.

MAS DE LA DAME Réserve Spéciale 1985**

10 ha   5 000

La reine d'Angleterre apprécie les vins puissants du Mas de la Dame, qu'elle a eu l'occasion de déguster lors de son passage aux Baux-de-Provence. Puissant, ce rouge 85 vieilli en fût de chêne, l'est. Particulièrement son nez profond et très divers de fruits rouges à noyaux très mûrs fait ressortir une complexité où la vanille du bois n'est pas absente. En bouche, la cannelle et le caramel fin caractérisent un produit remarquable qui, par ses tanins, pourra vieillir de nombreuses années.

➳ SF du Mas de La Dame, rte de Saint-Rémy, Les Baux-de-Provence, 13520 Maussane, tél. 90.54.32.24 ▼ r.-v.

☞ M. et Mme Jacques Chatin.

CH. PIGOUDET 1987*

25 ha   150 000

Ancienne résidence d'été de l'archevêque d'Aix-en-Provence datant du XVIIIe s. Le terroir apporte une expression particulière à l'assemblage cabernet-sauvignon, syrah, grenache. Boisé, ce rouge présente de légères nuances de vieillissement qui en font un vin à consommer dans les 2 ans à venir.

➳ SCA Ch. Pigoudet, rte de Jouques, 83560 Rians, tél. 94.80.31.78 ▼ t.l.j. 9h-12h 14h-18h.

DOM. DE PONT-ROYAL Grande Cuvée 1986

n.c.   10 000

Le vin assurait déjà au XVIIIe s. la réputation de cet ancien relais de poste. Aujourd'hui, grenat sombre, avec un nez légèrement musqué, gras, plein et souple, ce rouge 86 est dans sa plénitude. Il trouvera sa pleine expression sur des plats de viande en sauce.

➳ Mme Sylvette Jauffret, Dom. de Pont-Royal, 13370 Mallemort, tél. 90.57.40.15 ▼ lu. ma. je. ve. sa. 9h-12h 14h-18h ; f. dim. a.-m.

☞ M. Jacques-Alfred Jauffret.

DOM. DE PONT-ROYAL
Grande Cuvée 1987**

n.c. — 23 733

Le domaine a retrouvé depuis deux ans une nouvelle jeunesse qui s'est matérialisée l'an dernier par à Cuvée du Festival d'Art Lyrique en rosé. Le rosé semble être sa couleur fétiche puisque ce millésime 87 confirme le précédent. D'un joli rose bonbon, son nez est fin et sa bouche fruitée, équilibrée et fraîche. Un vin prometteur qui prouve une fois encore les qualités du grenache.
→ Mme Sylvète Jauffret, Dom. de Pont-Royal, 13370 Mallemort, tél. 90.57.40.15 ♈ lu. ma. je. ve. sa. 9h-12h 14h-18h; f. dim. a.-m.
→ M. Jacques Alfred Jauffret.

CH. REVELETTE 1985**

n.c. — 4 ha — 23 000

Vignoble de longue tradition, autour d'un château du XVIIe s., animé aujourd'hui par un jeune Allemand passionné d'œnologie qui a su, en 4 ans, replacer ses vins dans le haut de gamme. Ce millésime, d'une robe soutenue et brillante, structuré, avec une pointe boisée, est d'une grande longueur. Il est à boire dans les 3 ans avec, par exemple, des viandes en sauce.
→ M. Peter Fischer, Ch. Revelette, 13490 Jouques, tél. 42.63.75.43 ♈ r.-v.
→ GFA Dom. de Revelette.

CH. SAINT-JEAN
Cuvée Margot 1986***

n.c. — 30 000

La reine Margot aurait certainement apprécié un tel vin. D'une robe sombre et profonde, il présente un nez épicé et subtil; il est gras, puissant en bouche; sa charpente lui donne une présence remarquable. Équilibré, ce vin est cependant à consommer dans les 5 ans à venir. Il accompagnera parfaitement des plats en sauce (daube provençale ou pieds-paquets) ou un fromage.
→ M. Charles Sardou, Ch. Vignerolles, Gignac-La-Nerthe, 13180 Marignane, tél. 42.88.55.15 ♈ r.-v.
→ SCA Ch. St-Jean-de-l'Hôpital.

CH. SAINT-JEAN-DE-L'HOPITAL
Vignob e Sardou 1987

n.c. — 100 000

Ce vignoble est un des plus méridionaux des Coteaux d'Aix-en-Provence, dans une région qui donne des vins rouges souples mais pleins. Ce château Saint-Jean-de-l'Hôpital légèrement agressif et tannique présente un bon équilibre. Vin à boire dans les 2 ans.
→ M. Charles Sardou, Ch. Vignerolles, Gignac-La-Nerthe, 13180 Marignane, tél. 42.88.55.15 ♈ r.-v.
→ Ch. Saint-Jean-de-l'Hôpital.

DOM. DE SAINT-JULIEN-LES-VIGNES 1986*

20 ha — 75 000

Basé sur le grenache et le cabernet-sauvignon, il exprime des arômes pommes-coing discrets et jeunes dans une robe grenat lumineux. C'est un vin souple, peu corsé mais équilibré. Fruité, il sera à consommer dans les 2 années qui viennent.
→ SCEA Du Mas Saint-Julien, 13540 Puyricard, tél. 42.52.10.02 ♈ 13h-19h

CH. DU SEUIL 1987**

4 ha — 25 000

Château du XIIIe s., au cœur de la campagne aixoise, dont le blanc et le rosé sont les enfants chéris. Un blanc vinifié à l'aide des meilleures technologies et composé de 40% de sauvignon et 60% d'ugni blanc. D'un nez très aromatique, fin et intense, il est long et présente un équilibre remarquable. Sa dégustation s'allie très bien avec les fruits de mer et les poissons grillés.
→ M. et Mme Carreau-Gaschereau, Ch. du Seuil, Puyricard, 13540 Aix-en-Provence, tél. 42.52.15.99 ♈ r.-v.

TERRES BLANCHES Les Baux 1987*

30 ha — 25 000

Noël Michelin a repris ce domaine il y a une dizaine d'années et s'est attaché à faire une culture qui soit la plus proche possible de la nature. Ce pari audacieux, aujourd'hui il l'a gagné, et l'on peut découvrir dans sa cave des vins re narquables. Ce rouge 87 est un peu jeune mais prometteur. Tannique, il vieillira facilement plusieurs années. A conserver, mais dans de bonnes conditions.
→ M. Noël Michelin, Terres Blanches, 13210 Saint-Rémy-de-Provence, tél. 90.95.93.14

CH. VIRANT 1987

n.c. — n.c.

1987 est l'année de la renaissance pour ce domaine dont la cave remonte à 1620 et qui fut longtemps laissé à l'abandon. Robert Cheylan a fait sa première vinification dans une cave qui allie la tradition et les technologies modernes. Son rouge, un peu jeune et tannique, présente cependant une robe intense et un nez discret mais fin. A garder 2 à 3 ans.
→ M. Robert Cheylan, Ch. Virant, 13680 Lançon-de-Provence, tél. 90.42.44.47 ♈ t.l.j. sf dim. 8h-12h 14h-18h30.

Coteaux varois VDQS

➤ J.-S. de Lanversin, Dom. du Deffends, 83470 Saint-Maximin-la-Ste-Beaune, tél. 94.78.03.91 ▼ t.l.j. 9h-18h.

CH. VIRANT 1987**
■ [symbols]   n.c.   n.c.   [symbols]

Coup d'essai mais coup de maître pour ce rosé qui vient d'être distingué comme Cuvée du Festival d'Art Lyrique d'Aix-en-Provence. D'une robe saumon foncé et d'un nez discret, il est d'une tenue en bouche remarquable, puissant et harmonieux, mais jouant plus sur la finesse que sur le fruit. Il s'accordera parfaitement avec une grillade ou même une bourride.
➤ M. Robert Cheylan, Ch. Virant, 13680 Lançon-de-Provence, tél. 90.42.44.47 ▼ t.l.j. sf dim. 8h-12h 14h-18h30.

Coteaux varois VDQS

T ous nouveaux venus dans le groupe des «Vins de qualité produits dans une région déterminée», les coteaux varois, sont produits au centre du département, autour de Brignoles.

Les vins rosés et rouges, à boire jeunes, sont friands, gais et tendres, à l'image de cette jolie petite ville provençale qui fut résidence d'été des comtes de Provence.

DOM. DES CHABERTS 1986*
■ [symbols]   n.c.   n.c.   [symbols]

La teinte pâle ne correspond pas tout à fait au type. Mais l'odeur est fine, franche, et le goût souple. Une réussite dans le millésime.
➤ SCI du Dom. des Chaberts, Garéoult, 83136 La Roquebrussanne, tél. 94.04.92.05 ▼ t.l.j. 8h-12h 14h-18h.

DOM. DES CHABERTS
Cuvée Spéciale 1986*
■ [symbols]   10 ha   n.c.   [symbols]

Cette Cuvée Spéciale est parfumée au pain grillé et à la cannelle. Elle offre en bouche un équilibre bien satisfaisant.
➤ SCI du Dom. des Chaberts, Garéoult, 83136 La Roquebrussanne, tél. 94.04.92.05 ▼ t.l.j. 8h-12h 14h-18h.

DOM. DU DEFFENDS
Clos de la Truffière 1985**
■ [symbols]   6 ha   16 000   [symbols]

Cabernet-sauvignon et syrah entre la Sainte-Victoire et la Sainte-Baume sur les contreforts pierreux des Monts Auréliens. Il y a des truffes dans les parages. Cette nuance olfactive n'apparaît pas (ou pas encore) dans ce rouge profond. Mais de la cannelle et du café. Puis, en bouche, une grande amplitude, une charpente solide, bien enveloppée. Il ne lui manque qu'un peu de persistance pour être un très grand vin. Mais c'est un séducteur.

DOM. D'ENGARDIN ET DE L'ESCARELLE 1987*
■ [symbols]   70 ha   25 000   [symbols]

C'est un vin complet, beau à voir, bon à sentir, un peu rude, mais qui sera bientôt assoupli. Il est né sur les pentes du Massif de la Loubye.
➤ M. Benjamin Gassier, Dom. d'Engardin et l'Escarelle La Celle, 83170 Brignoles, tél. 94.69.09.98 ▼ lu. ma. me. je. ve. 9h-12h 14h-17h : f. pendant les vendanges

DOM. DE L'ABBAYE DE ST-HILAIRE 1986**
■ [symbols]   15 ha   100 000   [symbols]

Rouge très brillant, fortement parfumé (poivron, fruit rouge), ample, charpenté et long, il est peut-être encore un peu austère. A laisser vieillir.
➤ Dom. Viti. des Salins du Midi, 68, cours Gambetta, 34063 Montpellier Cedex, tél. 67.58.23.77 ▼ lu. ma. me. je. ve. 9h-11h30 14h-17h30.

DOM. DU LOOU 1987*
■ [symbols]   5 ha   12 000   [symbols]

Des notes épicées et élégantes dans l'odeur de ce rosé un peu pâle et très chaud en bouche, à boire bien frais.
➤ SCEA Dominique di Placido, Dom. du Loou, 83136 La Roquebrussanne, tél. 94.86.94.97 ▼ r.-v.

DOM. DU LOOU 1985**
■ [symbols]   10 ha   15 000   [symbols]

Les Romains du 1er s. ont créé là une des toutes premières implantations vinicoles. Le millésime 85, en rouge sombre et brillant, se parfume de réglisse et de poivron et se boit avec les mêmes impressions, bien enrobés dans une chair tendre.
➤ SCEA Dominique di Placido, Dom. du Loou, 83136 La Roquebrussanne, tél. 94.86.94.97 ▼ r.-v.

CELLIER PROVENCAL
Carte Noire 1986*
■ [symbols]   50 ha   30 000   [symbols]

Un remarquable rouge des coteaux varois, fin et élégant (vanille légère et poivre), très complet, ample, charnu et gras.
➤ Le Cellier Provençal, bd Etienne-Gueil, Garéoult, 83136 La Roquebrussanne, tél. 94.04.92.09 ▼ r.-v.

DOM. DE RAMATUELLE 1987***

2.60 ha 15 000

Il a soulevé l'enthousiasme des dégustateurs, ce rosé clair aux senteurs de fruits exotiques et à longue succession de nuances fruitées en bouche qui se déroulent comme une pièce de soie chez un drapier.

♠ M. Bruno Latil, Dom. de Ramatuelle, 83170 Brignoles, tél. 94.69.10.61 r.-v.
♠ M. Antoine Hoirie Latil.

DOM. DE RAMATUELLE 1986*

1.60 ha 10 000

Rouge cerise clair, brillant, vanillé, léger, franc, équilibré. Il sera un compagnon agréable des menus de l'été.

♠ M. Bruno Latil, Dom. de Ramatuelle, 83170 Brignoles, tél. 94.69.10.61 r.-v.
♠ M. Antoine Hoirie Latil.

CAVE COOP. SAINT-ANDRE 1987**

n.c. 25 000

Très très joli rosé cerise clair. Mûre et groseille au nez, élégant, nerveux sans majeur, il mérite d'être apprécié.

♠ Cave Coop. Saint-André, Seillons-Source-d'Argens, 83470 Saint-Maximin-la-Sainte-Baume, tél. 94.78.02.91 r.-v.

DOM. SAINT-CYRIAQUE 1986*

2 ha 10 000

Ces parfums des îles (poivre, cannelle, vanille, safran) se sont donnés rendez-vous. Dans un corps très consistant, très harmonieux, on retrouve ces nuances accompagnées de réglisse. Un très bon vin.

♠ M. Claude Courtois, Dom. Saint-Cyriaque, 83143 Le Val, tél. 94.86.44.16 t.l.j, sf dim. 8h-20h.

CH. SAINT-ESTEVE 1985**

30 ha n.c.

La franchise de la couleur rouge s'accorde à celle de l'odeur (réglisse) qui se confirme en bouche dans un environnement solide et souple à la fois.

♠ Baron Georges Antony Gassier, Ch. Saint-Estève, 83119 Brue-Auriac, tél. 94.59.48.68 t.l.j, 8h30-12h 14h-18h.

DOM. SAIN-JEAN-DE-VILLECROZE 1987**

10 ha 50 000

Toute l'élégance du rosé bien fait : vivacité de la couleur, fringance des odeurs (poire williams, banane) souplesse sans mollesse, amabilité de l'arrière-goût.

♠ M. et Mme Hirsh, Dom. Saint-Jean-de-Villecroze, Villecroze, 83690 Salernes, tél. 94.70.63.07 r.-v.

DOM. SAINT-JEAN-DE-VILLECROZE 1986*

12 ha 20 000

Il y a encore de la framboise et de la cerise dans ce vin qui commence à se nuancer de vanille avec amplitude et une certaine fermeté en bouche.

♠ M. et Mme Hirsh, Dom. Saint-Jean-de-Villecroze, Villecroze, 83690 Salernes, tél. 94.71.63.07 r.-v.

La Corse

Une montagne dans la mer : la définition traditionnelle de la Corse est aussi pertinente en matière de vins que pour mettre en évidence ses attraits touristiques. La topographie est en effet très tourmentée dans toute l'île, et même ce que l'on appelle la plaine orientale - et qui sur le continent prendrait sans doute le nom de costière - est loin d'être dénuée de relief. Cette multiplication des pentes et des coteaux, inondés le plus souvent de soleil mais maintenus dans une relative humidité par l'influence maritime, les précipitations et le couvert végétal, explique que la vigne soit présente à peu près partout. Seule l'altitude en limite l'implantation : elle couvre plus de 18 000 ha, dont 2 400 pour les AOC.

Le relief et les modulations climatiques qu'il entraîne s'associent à trois grands types de sols pour caractériser la production vinicole, dont la majeure partie est constituée de vins de pays et de vins de table. Le plus répandu des sols est d'origine granitique ; c'est celui de la quasi-totalité du sud et de l'ouest de l'île. Au nord-est se rencontrent des sols de schistes et, entre ces deux zones, on trouve un petit secteur de sols calcaires.

Associés à des cépages importés, on trouve en Corse des cépages spécifiques d'une originalité certaine, en particulier le nielluccio, au caractère tannique dominant et qui excelle sur le calcaire. Le sciacarello, lui, quoique de type assez solide, présente plus de fruité et donne des vins que l'on apprécie davantage dans leur jeunesse. En blanc, le malvasia (vermentino ou malvoisie) est, semble-t-il, apte à donner les meilleurs vins méditerranéens.

En règle générale, on consommera les blancs et les rosés plutôt jeunes - surtout les rosés. Ils iront très bien sur tous les produits de la mer et avec les excellents fromages de chèvre du pays, ainsi qu'avec le broccio. Les rouges, eux, trouveront leur convenance, selon leur âge et la vigueur de leur tanin, avec les différentes préparations de viande et, bien sûr, avec tous les fromages de brebis.

Vouée à l'appellation patrimonio, la petite enclave de terrains calcaires qui, à partir du golfe de Saint-Florent, se développe vers l'est et surtout vers le sud, présente vraiment les caractères d'un cru bien homogène dans lequel l'encépagement, s'il est bien adapté, permet d'obtenir des vins de très haut niveau. Ce sont le nielluccio en rouge et le malvasia en blanc, qui devraient devenir, à échéance, les cépages uniques ; ils donnent déjà ici des produits très typés et d'excellente qualité, notamment des rouges somptueux et de bonne garde.

Quoi de neuf en Corse ?

Extrême sécheresse en Corse : des vins ensoleillés et d'un degré élevé. Très concentrés, ils n'ont pratiquement pas vu la pluie. Grande année pour les rouges à base de nielluccio et de sciacarello. Ils ont un tempérament de feu, du tanin et de la couleur. Le 87 sera un millésime de garde.

Vins de corse

Selon les régions et les différents cépages ajoutés aux variétés des sols apportent des tonalités diverses qui, dans la plupart des cas, justifient une indication spécifique de la sous-région dont le nom peut être associé à l'appellation. Ces vins peuvent en effet être produits partout, hormis dans l'aire des deux autres appellations. La majeure partie des 30 000 hl vinifiés chaque année est issue de la côte orientale, où les coopératives sont nombreuses.

domaines, les proportions respectives des différents cépages ajoutées aux variétés des sols apportent des tonalités diverses qui, dans la plupart des cas, justifient une indication spécifique de la sous-région dont le nom peut être associé à l'appellation. Ces vins peuvent en effet être produits partout, hormis dans l'aire des deux autres appellations. La majeure partie des 30 000 hl vinifiés chaque année est issue de la côte orientale, où les coopératives sont nombreuses.

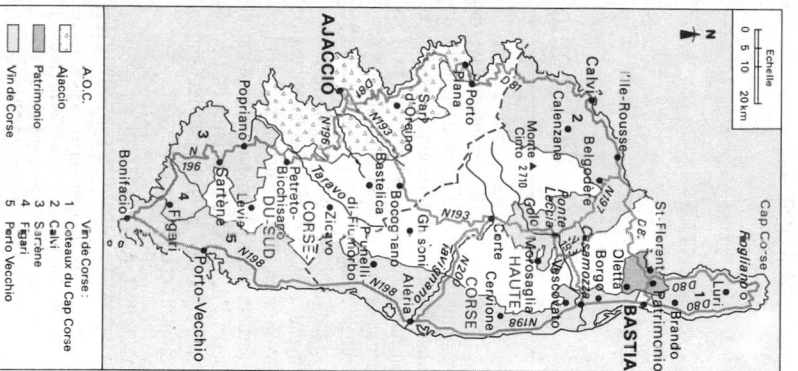

La Corse

Échelle
0 5 10 20km

A.O.C.
- Ajaccio
- Patrimonio
- Vin de Corse

Vin de Corse:
1. Coteaux du Cap Corse
2. Calvi
3. Sartène
4. Figari
5. Porto Vecchio

COUVENT D'ALZIPRATU Calvi

n.c.   n.c.   📷📶 ☑2

Il n'est pas de millésime et sa robe n'est ni jeune ni vieille. Il séduit par son arôme de bergamote goudronnée, alors que sa bouche est marquée par le bref Curieux mariage du moelleux et de l'astringence.

➤ M. Acquaviva, Dom. du Couvent d'Alzipratu, Zilia, 20214 Calenzana, tél. 95.60.09.84 ☎ r.-v.

CULOMBU Calvi 1986**

25 ha   100.000   📷📶 ☑2

Dans ce verre de rosé, plus exactement œil-de-perdrix, on découvre toutes les senteurs résineuses de la pinède au soleil. Portez-le à vos lèvres pour vous rafraîchir, une brise pleine de vivacité vous enchantera.

➤ M. Paul Suzzoni, chem. la Chapelle San Pedru, Lumio, 20260 Calvi, tél. 95.60.70.68 ☎ t.l.j, 8h-20h.

FIUMICICOLI 1985

10 ha   n.c.   📷📶 ☑2

Le brillant d'un grenat profond tout neuf annonce un nez parfumé empreint de structures vertes, mais la bouche est d'un vin réellement rouge, un rouge sudiste et violent.

➤ M. Félix Andreani, Marina 2, 20110 Propriano, tél. 95.76.14.08 ☎ t.l.j, 8h-12h - 4h-18h ; f. nov.-avril

DOM DE MUSOLEU

n.c.   19 000   📷📶 ☑2

Juste ce qu'il faut de teinte pour porter le titre de rosé mais beaucoup de finesse au nez. La bouche conjugue la robe et le nez, avec esprit et légèreté.

➤ M. Charles Morazzani, Dom. de Musoleu, Folelli 20213 Castellare-di-Casinca, tél. 95.35.80.12 ☎ t.l.j, sf dim. 8h-12h 15h-19h.

CLOS REGINU Calvi

20 ha   20 000   📷📶 ☑2

Sa robe est rosé mais son bouquet pulpeux fait songer aux fruits de couleur rouge, de même que sa bouche pleine et longue.

➤ M. J.-Raoust-Maestracci, Clos Reginu 20, 20225 Muro, tél. 95.61.72.11 ☎ lu. me. je. ve. sa. 8h-12h 16h-19h30.

DOM. DE SAN-MICHELE
Sartène 1984*

7,50 ha   n.c.   📷📶

Les années faisant-elles sa robe ? Belles surprises aromatiques : le nez allié avec distinction le boisé-fumé et le goudron. Se boit facilement car il n'est pas gras. Droit et de bonne longueur.

➤ M. S. Polidori de Rocca Serra 20100 Sartène, tél. 95.77.13.12 ☎ t.l.j, sf dim. 9h-12h 15h-19h ; f. d'oc. à avril

DOM DE SAN-MICHELE Sartène 1986

7,50 ha   n.c.   📷📶

Il y a un peu d'orange dans cette robe rosé, un peu de fruit dans le nez timide et un peu de mollesse dans l'attaque en bouche.

➤ M. S. Polidori de Rocca Serra, 20100 Sartène, tél. 95.77.13.12 ☎ t.l.j. sf dim. 9h-12h 15h-19h ; f. d'oct. à avril

DOM. DE TORRACCIA 1984*
Porto-Vecchio

■ 12 ha 80 000

La robe fait jeune, c'est une jupe d'été. Le nez, tout en finesse, évoque les petites baies, alors qu'en bouche, fermeté, densité et équilibre signent une vinification sans faille.
➤ M. Christian Imbert, Dom. de Torraccia, Lecci, 20137 Porto-Vecchio, tél. 95.71.43.50 ☎ t.l.j. sf dim. 8h-12h 14h-18h.

DOM. DE TORRACCIA 1987*
Porto-Vecchio

□ 5 ha 25 000

On lui trouve la fraîcheur des petits fruits au nez, alors qu'en bouche, il s'impose avec plus de violence que de finesse. Corpulence et longueur le destinent aux repas.
➤ M. Christian Imbert, Dom. de Torraccia, Lecci, 20137 Porto-Vecchio, tél. 95.71.43.50 ☎ t.l.j. sf dim. 8h-12h 14h-18h.

bouche construite, des tanins au service d'une belle rondeur.
➤ Comte de Poix, Dom. Péraldi, chem. du Stiletto, 20167 Mezzavia, tél. 95.22.37.30 ☎ t.l.j. sf dim. 8h-12h 14h-18h.

DOM. MARTINI 1985***

■ 18 ha 50 000

Il faut extirper un long bouchon pour libérer ce vin vêtu d'une robe très soutenue, légèrement brunie par les années, et humer un bouquet finement marqué par la bergamote et le goudron. Bouche construite sur fond de réglisse, d'une longueur remarquable.
➤ Dom. Martini, Le Pont de La Pierre, Ocana, 20117 Cauro, tél. 95.20.00.82 ☎ r.-v.
➤ M. Le Dentu.

Ajaccio

Les vignes de l'appellation ajaccio couvrent les collines dans un rayon de quelques dizaines de kilomètres autour de la capitale de la Corse du Sud et de son illustre golfe, sur des terrains en général granitiques, avec une dominante du cépage sciacarello. Les rouges, que l'on peut laisser vieillir, sont majoritaires au sein d'une production moyenne d'environ 7 000 hl.

COMTE PERALDI 1987*

□ n.c. n.c.

100% vermentino. L'attaque est douce mais le développement est harmonieux, le nez bien typé, épicé, la finale intéressante. A boire avec un poisson fin en sauce.
➤ Comte de Poix, Dom. Péraldi, chem. du Stiletto, 20167 Mezzavia, tél. 95.22.37.30 ☎ t.l.j. sf dim. 8h-12h 14h-18h.

COMTE PERALDI 1986**
Clos du Cardinal

■ 2 ha 6 000

Toute la mémoire du domaine est maintenant sur ordinateur. En effet, depuis cinq ans, chaque parcelle de vigne est analysée par un programme informatique qui permet un suivi minutieux. Ce n'est pas bien sûr pas la seule raison du succès de cette cuvée spéciale, belle expression du cépage rouge typique de la Corse, le sciacarello, qui entre pour 95% dans l'assemblage. Nez somptueux,

Patrimonio

La petite enclave de terrains calcaires qui, à partir du golfe de Saint-Florent, se développe vers l'est et surtout vers le sud, présente vraiment les caractères d'un cru bien homogène dans lequel l'encépagement, s'il est bien adapté, permet d'obtenir des vins de très haut niveau. Ce sont le niellucio en rouge et le malvasia en blanc qui devraient devenir, à échéance, les cépages uniques ; ils donnent déjà ici des produits très typés et d'excellente qualité, notamment des rouges somptueux et de bonne garde.

ANTOINE ARENA**

□ 3 ha 6 000

Il triomphe bien du climat sudiste, ce vin blanc au bouquet de résine, accrocheur. Il demeure frais et harmonieux en bouche.
➤ M. Antoine Aréna, 20253 Patrimonio, tél. 95.37.08.27 ☎ t.l.j. 7h-19h.

DOM. DE CATARELLI 1986*

■ 5 ha 25 000 ■M2

A le voir, on lui donne plus que son âge. A le humer, or comprend qu'il a fait chaud. A le boire, on goûte un fruité net qui prépare une agréable finale.

↰ M. Le Stunff Franchi, Dom. de Catarelli, Marine de Farinole, 20253 Patrimonio, tél. 95.37.02.84 ☎ r.-v.

DOM. DE CATARELLI

□ 1,50 ha 5 000 ■↓2

Toute la fraîcheur du fruit associée à une rondeur souple. Vinifié pour plaire.

↰ M. Le Stunff Franchi, Dom. de Catarelli, Marine de Farinole, 20253 Patrimonio, tél. 95.37.02.84 ☎ r.-v.

DOM. LECCIA 1986

□ 5 ha 15 000

Ce n'est pas un grand caractère : peu de dominantes au nez mais une bonne longueur en bouche, _a rondeur de l'alcool s'apprécie sur une touche d'amer.

↰ M. Yves Leccia, 20232 Poggio d'Oletta, tél. 95.35.03.22 ☎ t.l.j. sf dim. 8h-12h 14h- 8h.

DOM. LECCIA 1985*

■ 10 ha 25 000 ■↓M3

Sa robe est celle d'un grand couturier qui adore le grenat foncé en parfait accord avec un bouquet de goudron anisé. Il offre au palais une sensation originale de fruité moelleux, renforcée par une structure réglissée gouleyante.

↰ M. Yves Leccia, 20232 Poggio d'Oletta, tél. 95.39.03.22 ☎ t.l.j. sf dim. 8h-12h 14h-18h.

CLOS MARFISI Blanc de blancs 1986*

□ 3 ha 15 000 ■M3

Une olfaction parfumée que l'on pourrait croire discrètement boisée. Bouche construite. A boire à able.

↰ MM Marfisi Père et Fils, Clos Marfisi, 20253 Patrimonio, tél. 95.37.07.49 ☎ t.l.j. 8h-20h.

LE SUD-OUEST

Catégorie artificielle qui groupe sous la même bannière des vins aussi différents que l'irouléguy et le marcillac, l'ensemble des vins du Sud-Ouest rassemble ce que les Bordelais appelaient «les vins du haut Pays». Ces terroirs viticoles éparpillés entre Bergerac et Fronton, Cahors et Jurançon se sont toujours opposés à la puissance bordelaise. Jusqu'à l'apparition du rail, Bordeaux, forte de sa position géographique et des privilèges accordés par les Anglais puis par les rois de France, dictait en effet sa loi à ces vignobles «vassaux». Il faut cependant distinguer dans ce vaste ensemble les vins du Piémont pyrénéen, qui, au prix d'une navigation hasardeuse sur l'Adour, pouvaient atteindre librement le port de Bayonne. Quant aux cahors, gaillac, buzet, duras et autres fronton, ils n'avaient plus qu'à attendre que toute la récolte girondine soit vendue aux amateurs d'outre-Manche et aux négociants de Hollande, ou que leur vente comme vins «médecins» remonte quelque «claret» déficient... On peut comprendre que, dans ces conditions, leur renommée ait rarement dépassé leur voisinage immédiat.

Et pourtant, ces vignobles, parmi les plus anciens de France, sont le véritable musée ampélographique des cépages d'autrefois. Nulle part ailleurs on ne trouve une telle diversité de variétés. De tout temps, les Gascons ont voulu avoir leur vin et, quand on connaît leur individualisme forcené et leur goût du particularisme, on ne s'étonne pas de la découverte de ces terroirs épars et de leur forte personnalité. Les cépages manseng, tannat, négrette, malbec, duras, len-de-l'el (loin-de-l'œil), mauzac, fer

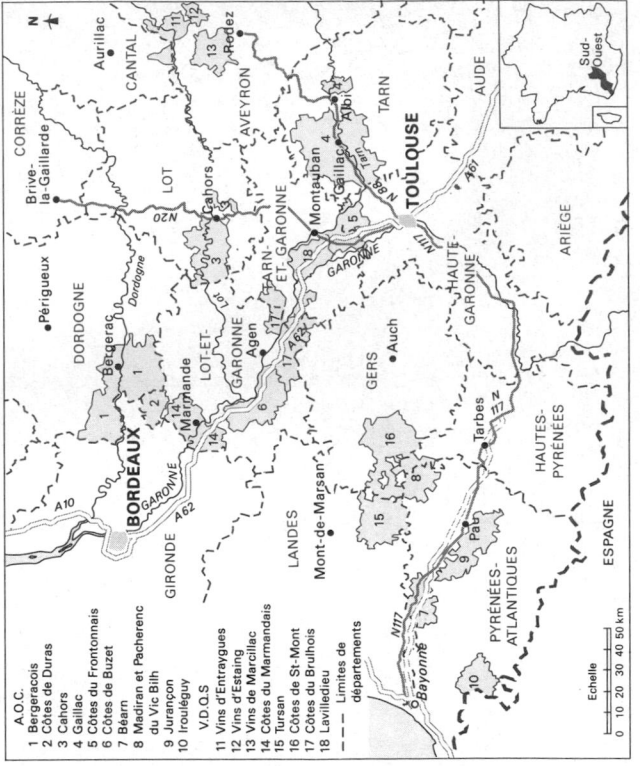

Le Sud-Ouest

A.O.C.
1 Bergeracois
2 Côtes de Duras
3 Cahors
4 Gaillac
5 Côtes du Frontonnais
6 Côtes de Buzet
7 Béarn
8 Madiran et Pacherenc du Vic Bilh
9 Jurançon
10 Irouléguy

V.D.Q.S
11 Vins d'Entraygues
12 Vins d'Estaing
13 Vins de Marcillac
14 Côtes du Marmandais
15 Tursan
16 Côtes de St-Mont
17 Côtes du Bruhlois
18 Lavilledieu

— — — Limites de départements

Echelle
0 10 20 30 40 50 km

servadou, folle noire, arrufiat ou barroque sont sortis de la nuit des temps viticoles et donnent à ces vins des accents d'authenticité et de sincérité inimitables. Ces vins « paysans », dans toute la noblesse du terme, sont de véritables vins de terroir; car ils font partie d'une production de polyculture et d'une gamme de produits fermiers avec lesquels ils forment des mariages naturels. Les cuisines locales trouvent dans les vins de « leur » pays une confraternité qui fait de ce Sud-Ouest l'une des régions privilégiées de la gastronomie de tradition.

Tous ces vignobles sont aujourd'hui en plein renouveau sous l'impulsion de la coopération ou de propriétaires passionnés. Un grand effort d'amélioration de la qualité, tant par les méthodes culturales ou la recherche de clones plus adaptés, que par les techniques de vinification, conduit peu à peu ces vins à l'un des meilleurs rapports qualité/prix de l'hexagone.

Quoi de neuf dans le Sud-Ouest ?

1987 a hésité entre le chaud et le froid, le soleil et la pluie, et le Sud-Ouest présentera cette année un visage aux multiples facettes, suivant la répartition très inégale des précipitations au moment des vendanges. Une floraison perturbée par les froidures du mois de juin avec coulure et millerandage sur es cépages sensibles, des chaleurs excessives d'août et septembre pour l'ensemble du territoire, certains terroirs ont échappé au déluge d'octobre, d'autres en ont beaucoup souffert. Bergerac, buzet, duras, marmandais, s'inscrivent dans le scénario aquitain, qui nous fera distinguer les merlots récoltés avant les orages des cabernets gonflés d'eau. En revanche, les vins du Piémont pyrénéen, jurançon, madiran, saint-mont, ont bénéficié d'un microclimat sec tout à fait favorable. Quant à la zone des cahors, gaillac et côtes du frontonnais, les différentes périodes de maturité des cépages leur ont permis d'échapper, ou non, aux pluies d'automne. Un millésime à juger, donc, cas par cas et vin par vin, le verre à la main.

Les vins blancs seront intermédiaires entre les 85 puissants et corsés et les 86 très aromatiques. Ils seront fins et équilibrés. Les vins rouges, eux, ne présentent pas d'unité de style. Les moelleux seront de grande qualité car la surmaturation s'est effectuée dans d'excellentes conditions. L'événement médiatique de l'année, c'est bien l'expérience de vieillissement en altitude (2100 mètres à Barèges dans les Hautes-Pyrénées) des vins de Château-Montus AOC madiran. La comparaison entre les barriques des cimes et celles restées en plaine risque d'être passionnante. Rendez-vous à la prochaine édition !

Cahors

D'origine gallo-romaine, le vignoble de Cahors est l'un des plus anciens de France. Jean XXII, pape d'Avignon, fit venir des vignerons quercynois pour cultiver le châteauneuf-du-pape, et François Ier planta à Fontainebleau un cépage caducrien; l'Église orthodoxe l'adopta comme vin de messe et la cour des tsars comme vin d'apparat. Pourtant, le vin de cahors revient de loin ! Totalement anéanti par les gelées de 1956, il était retombé à 1 % de sa surface antérieure. Reconstitué dans les méandres de la vallée du Lot avec des cépages nobles traditionnels, le principal étant le côt ou malbec, appelé localement auxerrois, complété par le tannat ou le merlot, qu'il mérite parmi les terres productrices de vins de qualité. On assiste d'ailleurs à des tentatives courageuses de reconstitution sur les causses, comme dans les temps anciens.

Les cahors sont puissants, robustes, hauts en couleur (le black wine des Anglais); ce sont incontestablement des vins de garde. Un cahors peut toutefois être bu jeune : il est alors charnu et aromatique avec un bon fruité, et doit

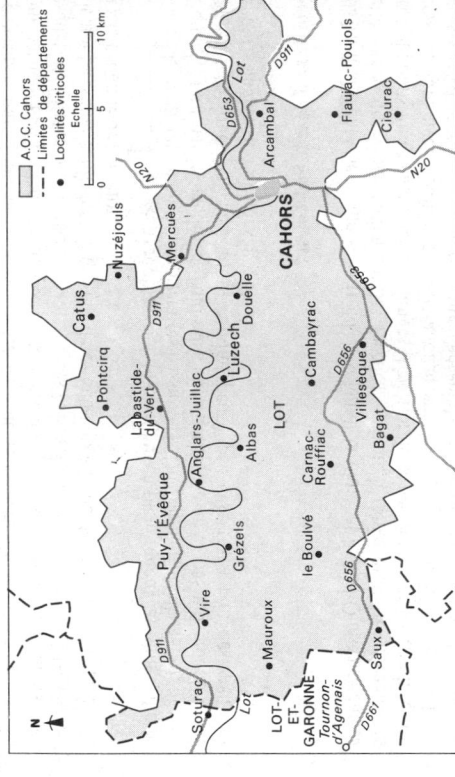

Cahors

être consommé légèrement rafraîchi, sur des grillades par exemple. Après deux ou trois années, où il devient fermé et austère, le cahors se reprend, pour donner toute son harmonie au bout d'un délai égal, avec des arômes de champignons et d'épices. Sa rondeur, son ampleur en bouche en font le compagnon idéal des truffes sous la cendre, cèpes, gibiers. Les différences de terroir et d'encépagement donneront des vins plus ou moins aptes au vieillissement, la tendance actuelle étant de produire des vins plus légers et rapidement consommables.

millésime, qui a toute les qualités pour vieillir 5 ou 6 ans.
☛ Les Côtes-d'Olt, Parnac, 46140 Luzech, tél. 65.30.71.86 ℡ r.-v.

DOM. CAMP-DEL-SALTRE 1986

■ 14 ha   30 000   ▼ 2

|85|86|

Un cahors représentatif du type léger qu'a engendré ce 86. Une robe rubis légère, des arômes de petits fruits rouges de type primeur, une bouche tout en souplesse avec des notes de pruneau et de la rondeur, bien enrobée et prête à boire. Accompagnera des à présent viandes rouges et gibiers à plumes.
☛ MM. Roland et Gérard Delbru, rte du Collège, 46220 Prayssac, tél. 65.22.42.40 ℡ r.-v.

CH. DU CAYROU D'ALBAS 1986 ***

■ 6,90 ha   50 000   🍴 ♨ ▼ 2

|83| 85 |86|

Un des nombreux domaines vinifiés à part, par la cave coopérative, et une réelle réussite pour ce 86. La robe est rubis profond. Les arômes riches et complexes mêlent fumé, violette et épices. Ample, l'équilibre entre le fruit et les notes boisées est remarquable, avec des notes torréfiées et des tanins fins et élégants. Un très beau 86, un cahors de longue garde.
☛ Les Côtes-d'Olt, Parnac, 46140 Luzech, tél. 65.30.71.86 ℡ r.-v.

CH. DE CHAMBERT 1986 **

■ 52 ha   300 000   🍴 ♨ ▼ 2

|82| 83 | 84|85| 86

Ancien vignoble réputé, reconstitué en 1973, le château Chambert est situé au cœur du Causse et produit des vins puissants qui ne manquent pas d'élégance. Le 86 avec sa robe profonde, ses arômes de cassis et de venaison, sa bouche pleine de chair bien soutenue par un boisé discret, sa longueur appréciable, est un vin bien équilibré et

CH. BOVILA 1986 *

■ 20 ha   120 000   🍴 ▼ 3

|76| 79 82 85 86

L'archétype du Cahors à l'ancienne. Culture traditionnelle, longues macérations, élevage sous bois : assurément des vins de longue garde difficiles à goûter dans leur prime jeunesse. Ce 86 a une robe encore pourpre, des arômes de vendange mûre, une bouche pleine de chair et de matière, avec de la mâche et des tanins qui demandent à évoluer. Promis à un bel avenir.
☛ M. Jean-Claude Valière, Ch. Bovila, Fargues, 46800 Montcuq, tél. 65.36.91.30 ℡ t.l.j. 10h-19h; f. de nov. à mai

CH. DE CAIX 1986 **

■ 11,50 ha   60 000   🍴 ♨ ▼ 3

|83| 85 |86|

Une très belle couleur éclatante, des arômes subtils où le fruit très mûr s'allie à la réglisse, tout en finesse et distinction. Puissant avec du corps, du gras et des tanins souples et mûrs. Déjà agréable à boire, voilà un cahors typique du

harmonieux. Peut se boire tout de suite mais gagnera en complexité à la garde.
↪ Ch. de Chambert, 46700 Floressas, tél. 55.86.90.06 ⟨v⟩ t.l.j. sf dim.
↪ M. Marc Delgoulet.

COMTE ANDRE DE MONPEZAT 1986**

(85) 86   n.c.   400 000   [icons]

Une belle robe intense avec des reflets typiques de l'auxerrois, de beaux arômes intenses de fruits rouges soulignés par une pointe vanillée, une bouche ample et corsée, une finale où les tanins sont encore présents et pleins d'avenir. Assurément un cahors de garde à oublier quelques années dans sa cave.
↪ Les Côtes-d'Olt, Parnac, 46140 Luzech, tél. 65.30.71.86 ⟨v⟩ r.-v.

DOM. DE DAULIAC 1986**

71 (75) 79 81 82 83 85 86   18.60 ha   10 000   [icons]

Une robe légère et limpide, des arômes puissants et variés, des arômes exotiques ; chaleureux, gras et fin, ce vin exprime tout son charme dès à présent et pourra être bu sur confits ou magrets de canard.
↪ Les Côtes-d'Olt, Parnac, 46140 Luzech, tél. 65.30.71.86 ⟨v⟩ r.-v.

DOM. DE FANTOU 1986*

83 84   85 86   9 ha   50 000   [icons]

Une couleur franche mais peu soutenue, des arômes typiques du cépage auxerrois, des notes légèrement boisées en bouche qui viennent souligner le gras et la rondeur d'un vin dont les tanins déjà enrobés augurent une consommation rapide. A boire dès maintenant sur viandes en sauce ou agneau rôti.
↪ M. Bernard Aldhuy, Dom. de Fantou, 46220 Prayssac, tél. 65.30.61.85 ⟨v⟩ t.l.j. sf dim. 9h-19h.

DOM. DE GAUDOU 1986*

17 78 79 80 81 82 83 84 85 86   19.88 ha   140 000   [icons]

Une propriété traditionnelle au cœur du vignoble et des vins réputés depuis plusieurs générations de vignerons. Le 86, plein d'avenir, sera un vin de garde.
↪ MM. Durou et Fils, Dom. de Gaudou, Vire-sur-Lot, 46700 Puy-l'Evêque, tél. 65.36.52.93 ⟨v⟩ t.l.j. sf dim. 8h-12h 14h-20h ; f. dim. sur r.-v.

DOM. DES GRAUZILS 1986**

78 81 82 83 84 85 86   22 ha   100 000   [icons]

Depuis 1880, quatre générations de vignerons se sont succédé sur ce vignoble situé dans une boucle du Lot. Le 86 présente une robe pourpre, des arômes de fruits mûrs et de réglisse, une bouche riche et charnue avec une grande force tannique qui demande quelques années de garde avant de s'arrondir. Un vin traditionnel et de caractère.

↪ MV. Ponié et Fils, Gamot, 46220 Prayssac, tél. 65.30.62.44 ⟨v⟩ lu. ma. me. je. ve. 8h-12h 14h-18h.

CH. DE HAUTE-SERRE 1986**

(78) 79 80 81 (82) (83) 84 (85) 86   62 ha   350 000   [icons]

Reconstitué sur le Causse au prix d'efforts gigantesques de défonçage de la pierraille, situé au plus haut point de l'appellation, le château de Haute-Serre fait partie de ces pionniers qui n'ont pas hésité à retrouver le vignoble original. Le vin du millésime 86 a une jolie robe vive, des arômes élégants de fruits et de sous-bois, une belle structure en bouche qui se révèle très typée, encore ferme. Il demande quelques années de garde avant d'exprimer toute sa complexité.
↪ M. Georges Vigouroux, Ch. de Haute-Serre, Cieurac, 46230 Lalbenque, tél. 65.38.70.30 ⟨v⟩ t.l.j. 8h-12L.

DOM. DES IFS 1986*

75 81 82 83 85 86   7.70 ha   10 000   [icons]

Beaucoup de rondeur dans ce vin à la belle robe vive et brillante. Avec ses arômes grillés et de fruits mûrs et sa bouche souple aux tanins fins et délicats, ce 86 est à boire dès à présent pour profiter du charme de sa jeunesse. Accompagnera rôtis et volailles au four.
↪ MM. Buri et Fils, GAEC de La Laurière, Pescadoires, 46220 Prayssac, tél. 65.22.44.53 ⟨v⟩ t.l.j. sf dim. 9h-12h 14h-18h.

DOM. DE LABARRADE 1986**

75 81 82 83 85 86   18.60 ha   110 000   [icons]

Une belle robe soutenue pour un vin du domaine de Labarrade vinifié à part par l'un de Pernac. Ses arômes sont encore discrets, sa bouche très tannique avec de la mâche et beaucoup de corps, des notes de fruits confits et une pointe sauvage. Cette bouteille pourrait bien se révéler d'un grand caractère après quelques années d'oubli dans un coin de cave.
↪ Les Côtes-d'Olt, Parnac, 46140 Luzech, tél. 65.30.71.86 ⟨v⟩ r.-v.

DOM. DE LA CAMINADE 1986**

71 72 73 74 80 83 85 86   26 ha   120 000   [icons]

Un vignoble très traditionnel au pied de l'anc en presbytère sur terrain siliceux et graveleux, qui donne un vin typé et de longue garde. Ce 85 a une belle robe foncée, un nez de fruit mûr puissant et persistant, des tanins encore un peu abrupts. Capiteux et long, c'est un vrai cahors de garde qu'il faudra avoir la patience d'attendre.
↪ GAEC L. Ressès, Dom. de La Caminade, Parnac, 46140 Luzech, tél. 65.30.73.05 ⟨v⟩ r.-v.

CH. LACAPELLE-CABANAC 1986**

(82) 83 84 85 86   8 ha   55 000   [icons]

Un vignoble de Causse sur sols caillouteux, 80% d'auxerrois : tous les éléments sont là pour faire un cahors de tradition. Le 86, s'il n'a pas les attraits du superbe 85 qui avait mérité un coup de

cœur dans notre édition précédente, a bien des qualités. Robe assez légère, arômes fruités, ampleur et gras en bouche avec de la souplesse. A boire sur confits et cassoulets.

↳ M. Alex Denjean, Ch. Lacapelle-Cabanac, 46700 Puy-l'Evêque, tél. 65.36.51.92 ℸ r.-v.

DOM. DE LA COUSTARELLE 1986*

75 78 [82] 83 [85] 86

Un 86 déjà évolué : la robe légère a des notes tuilées. Les arômes vanillés s'enrichissent d'une pointe d'acacia ; la matière est très présente avec une force boisée et des tanins déjà mûrs. A boire dès à présent sur viandes grillées ou volailles rôties.

↳ M. Michel Cassot, Dom. de La Coustarelle, 46220 Prayssac, tél. 65.22.40.10 ℸ t.l.j. sf dim. 9h-13h 14h-20h.

CLOS LA COUTALE 1986***

78 79 ⑧① [82] 83 [85] [86]

La première médaille du Clos La Coutale remonte à 1984. C'est dire que le domaine fait partie du peloton des grands cahors de tradition. Le 86 a une belle robe intense et profonde, des arômes de cuir, de sous-bois avec une pointe torréfiée. Fruité, il se révèle souple, coulant, avec des tanins soyeux. Tout en harmonie, déjà agréable à boire, il fera une très belle bouteille dans 8 ou 10 ans. Compagnon idéal des cèpes ou des plats à la truffe.

↳ MM. V. Bernède et Fils, Clos La Coutale, Vire-sur-Lot, 46700 Puy-l'Evêque, tél. 65.36.51.47 ℸ r.-v.

CH. LAGREZETTE 1986*

12,35 ha   63 000

[85] 86

Avec 80% d'auxerrois cultivé sur des sols graveleux, le château Lagrézette donne des vins fins et concentrés. Ce 86 a une robe à reflets pourpres. Les arômes sont fruités, puissants, avec des notes de mûre. Riche et tannique, il finit sur une impression de sécheresse qui doit disparaître au vieillissement. Une bouteille à attendre.

↳ Les Côtes-d'Olt, Parnac, 46140 Luzech, tél. 65.30.71.86 ℸ r.-v.

CH. LAMARTINE 1986*

20 ha   130 000

61 67 [70] [71] 72 75 78 79 81 [82] 83 84 85 86

Un microclimat particulier permet à ce domaine une avance de maturité : il tire son épingle du jeu des millésimes pluvieux. Le 86 a une robe déjà évoluée, des arômes vanillés avec de la violette et du fruit, une bouche où le bois neuf est bien fondu mais qui finit sur une pointe vive. Doit encore attendre avant d'accompagner cèpes et magrets.

↳ MM. Gayraud et Fils, Ch. Lamartine, Soturac, 46700 Puy-l'Evêque, tél. 65.36.54.14 ℸ r.-v.

DOM. DES LANDES 1986**

31,50 ha   200 000

75 81 82 [85] 86

Une robe profonde et brillante, des arômes frais de fruits rouges, de cannelle et d'épices, une bouche riche et ample avec des tanins puissants et une finale vive. Un vin de caractère qui demande quelques années de garde avant d'exprimer toute son originalité.

↳ SCEA de Ferrières, Dom. de Landiech, Touzac, 46700 Puy-l'Evêque, tél. 65.36.52.11

DOM. DE LANDIECH 1986*

18,33 ha   n.c.

[85] 86

Un vin au nez de vendange mûre, une robe très sombre, encore sur les tanins avec des accents de réglisse et de fruits cuits. Bien concentré, il est à attendre quelques années.

↳ Les Côtes-d'Olt, Parnac, 46140 Luzech, tél. 65.30.71.86 ℸ r.-v.

DOM. DE LA PINERAIE 1986***

15 ha   100 000

75 76 78 [79] 81 83 [85] [86]

Une robe rubis limpide et brillante, des arômes vanillés et épicés avec des accents de pruneau et de fruits très mûrs. Très flatteur en bouche, c'est un beau 86 où le bois de chêne se marie bien à la structure fine et élégante. Les tanins sont déjà mûrs et bien fondus. Les 10% de merlot amènent rondeur et charme, et l'auxerrois tout son caractère. Un beau cahors déjà agréable à boire mais qui évoluera très bien à la garde.

CLOS DE LAGARDE 1986**

10 ha   n.c.

Avec 95% d'auxerrois, le Clos de Lagarde fait partie des cahors de tradition, ce ne sera une surprise pour personne. Ce 86 est très séduisant avec son nez puissant et sa bouche tout en richesse, charpente et gras. Un vrai vin de terroir que l'on peut déjà apprécier sur la cuisine lotoise, cèpes et cabecous.

↳ M. Antoine Perez, Le Poujol, Fargues, 46800 Montcuq, tél. 65.36.93.04 ℸ r.-v.

♠ MM. Barc et Fils, Dom. de La Pineraie, Leygues, 46700 Puy-l'Évêque, tél 65.30.82.07
Ⴘ t.l.j, sf dim. 8h-12h 14h-20h.

CH. LA REYNE 1986*

75 76 77 78 79 **81 82 83 85** 86

7 ha	n.c.

Un vin bien représentatif du millésime 86 à Cahors. De la couleur, des arômes de groseille et de sous-bois, une bouche corsée, charnue avec de bons tanins. A boire dès à présent pour profiter de sa jeunesse flatteuse.
♠ M. Teyssèdre-Vidal, Ch. La Reyne, Leygues, 46700 Puy-l'Évêque, tél. 65.30.82.53 Ⴘ t.l.j, sf dim. 9h-12h 14h-18h.

DOM. LE PASSELYS 1986**

5,10 ha	16 000

Un joli vin bien représentatif du millésime avec sa robe brillante, ses arômes de fruits rouges et de vanille, sa bouche fruitée, ample, avec de la mâche et des tanins qui demandent à se fondre. Un bon avenir, à attendre 5 ou 6 ans.
♠ GAEC Juan-Garri, Douelle, 46140 Luzech, tél. 65.20.05.76 Ⴘ r.-v.
♠ J.-P. et T. Braudel.

DOM. DE LERET 1986**

83 |85| 86

23,50 ha	160 000

Décidément, la cave coopérative de Parnac s'est fait une spécialité de vinifications séparées. Le domaine de Leret a une robe déjà évoluée, des arômes très fruités de groseille avec une touche de genièvre. Souple et riche avec des tanins très mûrs, c'est un vin à boire dès à présent sur rôtis et grillaces de viandes rouges.
♠ Les Côtes-d'Olt, Parnac, 46140 Luzech, tél. 65.30.71.86 Ⴘ r.-v.

LES VIGNALS 1986*

83 |85| 86

9,61 ha	15 000

Avec sa robe légère et brillante, ses arômes de groseille et de cassis, sa bouche bien équilibrée tout en rondeur avec des notes épicées et des tanins aimables, ce vin aromatique et léger est bien représentatif du millésime. A boire dès à présent sur viandes grillées et charcuteries.
♠ M. Claude Demeaux, Le Roc, Touzac, 46700 Puy-l'Évêque, tél. 65.36.52.24 Ⴘ r.-v.

MIS EN BOUTEILLE A LA PROPRIÉTÉ
DOMAINE DE LA PINERAIE
1986
CAHORS
S.C.E.A. BURC et Fils, Bordeaux
LEYGUES, 46700 PUY-L'ÉVÊQUE, LOT
PRODUCE OF FRANCE
12%vol   75cl

MÉTAIRIE GRANDE DU THÉRON 1986*

|75| 78 |80| **82** |83| **85** 86

15 ha	80 000

A flanc de coteaux, au pied de bâtiments typiquement quercynois reconstruits après la Révolution, le vignoble de la Métairie Grande du Théron comprend 90% d'auxerrois. Ce 86 à une robe vive et limpide, des arômes encore sur leur réserve, une bouche jeune et harmonieuse avec une structure prometteuse. Ses tanins ne demandent qu'à s'arrondir. A attendre.
♠ Maison Barat-Sigaud, Métairie Grande du Théron, 46220 Prayssac, tél. 65.22.41.80 Ⴘ r.-v.

DOM. DE PAILLAS 1986**

|82| |83| 84 85 |86|

27 ha	200 000

Les vins du domaine de Paillas étonnent toujours par leur fruité intense et concentré et leur caractère très expressif. Ce 86 est dans le droit fil du style des lieux : robe profonde, arômes réglissés, complexes, avec de la framboise et du grillé. La bouche est riche, pleine de fruits et de chair. Un 86 de grand charme qui peut se boire pour sa jeunesse et son fruit primaire mais qui est promis à un bel avenir.
♠ SCEA de Saint-Robert, Floressas, 46700 Puy-l'Évêque, tél. 65.21.34.42 Ⴘ lu. ma. me. je. ve. 8h-12h 13h30-17h30.
♠ M. Lescombes.

CH. PECH-DE-JAMMES 1986*

|83| 85 86

9 ha	50 000

Planté dans un amphithéâtre caillouteux très bien exposé, le vignoble de Pech-de-Jammes produit des vendanges mûres et concentrées. Ce 86 à des accents de fruits mûrs et de vanille. Bien fondu avec des notes boisées élégantes, il offre une jolie finale. Il accompagnera à présent les plats à la truffe, les cèpes et le foie gras chaud.
♠ SCEA du Pech-de-Jammes, Flaujac-Poujols, 46090 Cahors, tél. 65.38.70.30 Ⴘ r.-v.
♠ M. Bernard Pons.

DOM. DU PEYRIE 1986**

13 ha	n.c.

Beaucoup de concentration dans la robe de ce joli vin. Au nez, c'est la violette qui domine, en bouche, les fruits cuits et la réglisse avec de l'équilibre et de la rondeur à l'attaque et des tanins mûrs en finale. Donne déjà bien des satisfactions mais pourrait constituer une agréable surprise au bout de 5 ou 6 ans de garde.
♠ GAEC du Dom. du Peyrié, Soturac, 46700 Puy-l'Évêque, tél. 65.36.57.15 Ⴘ r.-v.

DOM. DU PRADEL 1986**

14,30 ha	35 000

Ce 86 à la jolie robe brillante et aux arômes élégants où se mêlent le fruit et les épices est très riche, parfumé, légèrement boisé, avec de la matière et de la longueur. Une jolie bouteille qui peut s'apprécier dans sa jeunesse mais qui a tous les atouts nécessaires pour bien vieillir.

PRIEURE DE CENAC 1986**

■ 83 |85| 86

Sur un vieux vignoble du monastère des moines Picpus cultivé dans les années 1800, la famille Rigal a replanté 85% d'auxerrois et 15% de merlot. Le 86 est un vrai vin de coteau, avec une robe intense à reflets grenat, des arômes de cassis et de grillé, une bouche charpentée avec de la matière et de la mâche, une finale tannique qui augure une bonne garde. À attendre, donc, avec patience.
➤ SCEA Ch. Saint-Didier-Parnac, Parnac, 46140 Luzech, tél. 65.30.70.10 ▼ t.l.j, sf dim. 8h-12h 14h-18h.

DOM. DE QUATTRE 1986*

■ 18,47 ha 120 000
|83| |84| 85 86

Situé à l'extrémité sud de l'appellation, le domaine de Quattre occupe des terrains argilo-calcaires du Causse de Bagat. Ce 86 a une robe légère, des arômes de sous-bois élégants et complexes. Il se révèle souple et fondu en bouche; c'est un vin déjà agréable à boire sur magrets ou agneau rôti.
➤ SCEA de Quattre et Treilles, Dom. de Quattre, Bagat-en-Quercy, 46800 Montcuq, tél. 65.36.91.04 ▼ r.-v.

SAINT-DIDIER-PARNAC 1986**

■ 70 ha 460 000
|82| |83| 84 (85) 86

Au pied d'un château du XIIe s., avec ses caves voûtées, le vignoble de Saint-Didier (ancien évêque de Cahors) produit des vins très typés qui demandent une longue garde avant d'exprimer tout leur charme. Ce 86 ne déroge pas à la règle. Une couleur sombre, des arômes épicés avec des notes de pruneau, une bouche riche encore marquée par le bois, une charpente tannique encore très présente : un vin de garde à attendre absolument.
➤ SCEA Ch. Saint-Didier-Parnac, Parnac, 46140 Luzech, tél. 65.30.70.10 ▼ t.l.j. sf dim. 8h-12h 14h-18h.

DOM. DU SOULEILLOU 1986**

■ n.c. n.c.
|83| (85) |86|

Une robe soutenue, des arômes intenses de framboise et de violette. Un vin très vineux avec du gras et de la chair et une finale riche et puissante qui n'exclut pas une bonne finesse sur grillades et confits. Il fera aussi une belle bouteille de garde.
➤ M. Jean-Pierre Raynal, Dom. du Souleillou, Douelle, 46140 Luzech, tél. 65.20.01.88 ▼ r.-v.

CH. DE TRIGUEDINA 1986*
Prince Probus 1986*

|82| |83| (85) 86

La cuvée Prince Probus est un hommage à l'empereur romain qui fit replanter les vignes en Gaule. Issu de vieilles vignes et élevé en fût neuf, le 86 est extrêmement concentré. Sa robe est sombre, ses arômes vanillés et épicés mariés à un fruit intense. Très structuré et boisé, il montre des tanins encore durs. Cette bouteille est porteuse d'un bel avenir et exprimera sa race dans 8 ou 10 ans.
➤ GAEC Baldès et Fils, Clos Triguedina, 46700 Puy-l'Évêque, tél. 65.21.30.81 ▼ t.l.j. 9h-12h 14h-18h : f. w.-e. sur r.-v.

CH. DE TRIGUEDINA 1986***

■ 30 ha 200 000
(T) 75 76 |77| |78| 79 80 81 82 83 |85| 86

Une des propriétés les plus célèbres de la vallée du Lot, cultivée par la huitième génération de vignerons de la famille Baldès, le château Triguedina a très bien réussi ce 86. Une robe cerise, des arômes vanillés et fruités, beaucoup de gras et de matière en bouche avec de l'épaisseur et de la chair soutenue par des notes boisées. Beau vin déjà plein de caractère mais qui deviendra une belle bouteille dans 5 ou 6 ans. On pourra alors la déboucher sur gibiers en sauce ou fromages du Causse.
➤ GAEC Baldès et Fils, Clos Triguedina, 46700 Puy-l'Évêque, tél. 65.21.30.81 ▼ t.l.j. 9h-12h 14h-18h : f. w.-e. sur r.-v.

DOM. DU VERDOU 1986**

■ 10 ha 25 000
82 83 (85) 86

Le domaine de Verdou est situé sur sols de graves et produit des vins de longue garde. Le 86 ne fait pas exception. Avec sa couleur sombre, son nez fin encore discret, sa bouche tannique avec beaucoup de matière et de richesse, c'est une bouteille pleine de promesses qu'il serait dommage de déboucher trop tôt.
➤ M. Philippe Arnaudet, rue de l'Église, Douelle, 46140 Luzech, tél. 65.30.91.34 ▼ r.-v.

CH. VINCENS 1986**

■ n.c. 100 000
82 83 (85) |86|

Avec des arômes de groseille soutenus par une pointe vanillée, ce vin très aromatique présente une bouche où le fruit et le bois sont finement mariés. De la chair, une bonne structure tannique déjà bien fondue. Un bon représentant du millésime 86 que l'on peut boire dès à présent sur daube et salmis.
➤ Ch. de Vincens, GAEC de Foussal, 46140 Luzech, tél. 65.30.74.78 ▼ t.l.j. 8h-12h 14h-18h.
➤ MM. Michel et André Vincens.

Gaillac

Les origines du vignoble gaillacois remontent au 1er s. de notre ère. Au XIIIe s., Raymond VII, comte de Toulouse, prit à son endroit un des premiers décrets d'appellation contrô-

lée, et le poète occitan Auger Gaillard célébrait déjà le vin pétillant de Gaillac, bien avant l'invention du champagne. Le vignoble se divise entre les premières côtes, les hauts coteaux de la rive droite du Tarn, la plaine, la zone de Cunac et le pays Cordais.

Les coteaux calcaires se prêtent admirablement à la culture des cépages blancs traditionnels comme le mauzac, le len-de-l'el (loin-de-l'œil), l'ondenc, le sauvignon et la muscadelle. Les zones de graves sont réservées aux cépages rouges, duras, braucol, syrah, gamay, négrette, cabernet, jurançon, merlot, portugais bleu. La variété des cépages explique que le Gaillacois soit capable de fournir à peu près tous les types de vins.

Pour les blancs, on trouvera les vins secs et perlés, frais et aromatiques, et le vin moelleux des premières côtes, riche et suave. Ce sont ces vins, très typés par le mauzac, qui ont fait la renommée du gaillac. Le gaillac mousseux peut être élaboré soit par une méthode traditionnelle à partir du sucre naturel du raisin, soit par la méthode champenoise ; la première donne des vins plus fruités, avec du caractère. Les rosés de saignée sont légers et faciles à boire, les vins rouges dits de garde, typés et bouquetés. Le gastronomie gaillacoise s'accommode fort bien de la diversité de ces vins, qu'il s'agisse des poissons de rivière, des écrevisses, des daubes albigeoises ou des tourtes de pigeon.

DOM. DE BOSC LONG 1987
☐ 4 ha 10 000
Un vin original pour ce terroir, puisqu'il comprend 60% de muscadelle complétée par du len-de-l'el. Cet encépagement explique les caractéristiques organoleptiques du vin : il présente une robe pâle à reflets jaunes, des arômes de fruits mûrs, gelée de coing, compote de pommes et une bouche à l'attaque souple et ronde mais qui finit sur une verdeur un peu métallique. A boire sur des crustacés en sauce.
☞ M. Ludwig Willenborg, Dom. de Bosc Long, Cahuzac-sur-Vère, 81140 Castelnau-de-Montmirail, tél. 63.33.94.45 ☎ t.l.j., 8h-12h 14h-18h.

DOM. DES BOUSCAILLOUS 1986*
☐ 5 ha 20 000
78 79 90 81 82 |83| 84 85 86
Un encépagement très équilibré avec une dominante duras-braucol épaulé par le cabernet sauvignon : les vins du domaine des Bouscaillous font la balance entre structure et arômes. Le 86 n'échappe pas à la règle, même s'il est moins structuré que le 85. Une robe rouge foncée, arômes de fruits rouges et de cuir, une attaque

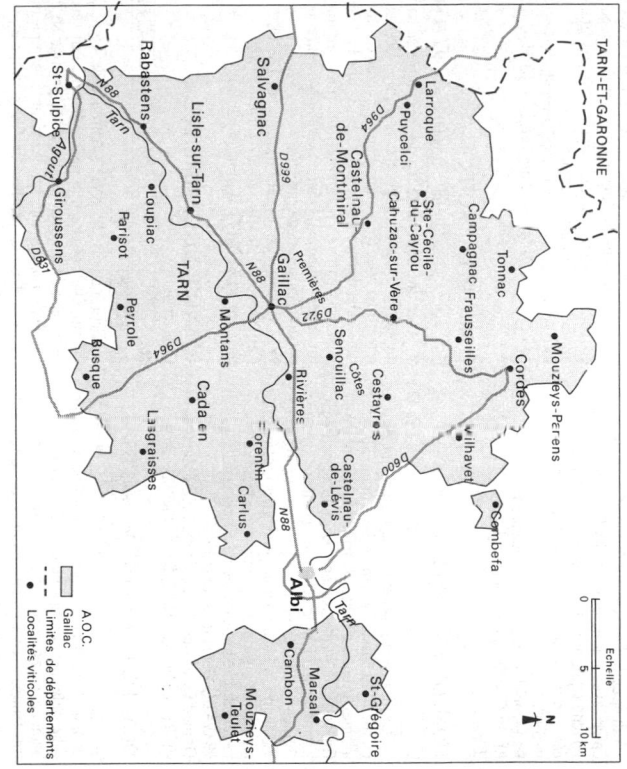

TARN-ET-GARONNE

TARN

St-Sulpice · Tarn · Giroussens · Rabastens · Salvagnac · Larroque · Puycelci · Castelnau-de-Montmiral · Lisle-sur-Tarn · Loupiac · Parisot · Peyrole · Busque · Lagraisses · Cadalen · Montans · Gaillac · Premières côtes · Cahuzac-sur-Vère · Ste-Cécile-du-Cayrou · Campagnac · Fraussailles · Tonnac · Cordes · Mouzieys-Pénens · Cestayres · Côtes · Senouillac · Rivières · Vilhavet · Castelnau-de-Lévis · Florentin · Carlus · Albi · Cambefa · Marssal · Cambon · Mouzieys-Teulat · St-Grégoire

Echelle 0 5 10 km

N

A.O.C.
Gaillac
Limites de départements
Localités viticoles

Gaillac

ronde avec de la chaleur et des notes épicées. Avec des tanins encore fermes, il demande 2 à 3 ans de garde avant d'exprimer son harmonie.
☛ M. Yvon Maurel, Les Bouscaillous, Montels, 81140 Castelnau-de-Montmiral, tél. 63.33.18.85
Y r.-v.

DOM. DES BOUSCAILLOUS 1987

□   4,30 ha   20 000   ▪ ↓ ☑ 2

Avec une dominante len-de-l'el complétée par du sauvignon, les vins secs du domaine des Bouscaillous sont toujours ronds, séveux et aptes à la garde. Le 87 est sur la réserve avec une robe dorée, un nez discret et peut persistant, une bouche fraîche qui n'exprime pas sa complexité. Un vin «jaloux» à revoir dans 1 ou 2 mois.
☛ M. Yvon Maurel, Les Bouscaillous, Montels, 81140 Castelnau-de-Montmiral, tél. 63.33.18.85
Y r.-v.

DOM. DES CASSAGNOLS 1986*

■   6,75 ha   30 000   ▪ ↓ ☑ 1

Ce petit domaine vinifié à part par la cave coopérative de Rabastens possède un encépagement très équilibré. Une robe grenat, un nez de jeunes fruits rouges avec des nuances de sous-bois, une attaque souple en bouche qui révèle des notes de cassis et de réglisse dans un bon équilibre. A boire dès à présent.
☛ Group. des Vign. de Rabastens, 33, rte d'Albi, 81800 Rabastens, tél. 63.33.73.80 Y t.l.j. 9h-12h 14h-19h.

DOM. JEAN CROS 1986

78 79 **80 81 82 83 84 85** 86

■   3,50 ha   25 000   ▪ ↓ ☑ 2

Jean Cros est un personnage du Gaillacois et ses vins ne laissent jamais indifférents. Elaboré à base essentiellement de duras, avec un peu de syrah et de braucol, le millésime 86 a des arômes épicés avec des notes de petits fruits rouges, une bouche équilibrée avec une finale un peu herbacée. Un vin à boire dès maintenant sur grillades et rôtis.
☛ Vignobles Jean Cros, Cahuzac-sur-Vère, 81140 Castelnau-de-Montmiral, tél. 63.33.92.62
Y r.-v.

DOM. D'ESCAUSSES Moelleux 1987**

■   0,50 ha   3 000   ▪ ↓ ☑ 2

Un beau vin moelleux de caractère que ce domaine d'Escausses 87. Une robe jaune paille, des arômes intenses d'abricot, fruits secs, avec de la finesse et de la persistance. La bouche conjugue harmonieusement fraîcheur et moelleux avec une rondeur aimable et un équilibre remarquable. Voilà un vin idéal pour accompagner un foie gras en terrine ou tout simplement pour être offert à l'apéritif. L'expression même du mauzac!
☛ GAEC Denis Balaran et Fils, Dom. d'Escausses, Sainte-Croix, 81150 Marssac-sur-Tarn, tél. 63.56.80.52 Y t.l.j. 9h-19h.

DOM. DE LABARTHE Moelleux 1987**

■   3 ha   17 000   ▪ ↓ ☑ 2

Issu de mauzac à 80%. Le millésime 87 a une robe pâle, des arômes délicats de fruits à chair blanche, de poire, de banane mûre, une bouche très fruitée avec des notes de miel, de la rondeur et une bonne persistance en finale. Bien équilibré, il a beaucoup de charme. A boire sur fromages persillés.
☛ GAEC Jean Albert et Fils, Dom. de Labarthe, Castanet, 81150 Marssac-sur-Tarn, tél. 63.56.80.14
Y r.-v.

DOM. DE LABARTHE 1987**

□   3 ha   13 500   ▪ ↓ ☑ 2

Avec les cépages traditionnels du Gaillacois, mauzac (25%) et len-de-l'el (75%), Jean Albert réussit des vins blancs secs typés et de caractère. Ce 87 a une robe pâle à reflets dorés, un nez de pomme mûre et de fruits exotiques. Persistant et complexe, une belle harmonie, tout en légèreté. La finale apporte une note de terroir très intéressante.
☛ GAEC Jean Albert et Fils, Dom. de Labarthe, Castanet, 81150 Marssac-sur-Tarn, tél. 63.56.80.14
Y r.-v.

LABASTIDE-DE-LEVIS 1987*

■   69 ha   n.c.   ▪ ↓ ☑ 1

Des apports sélectionnés, une bonne variété de terroirs, permettent à cette cave coopérative de privilégier la qualité. La robe pâle est très brillante, les arômes évoquent les fruits à chair blanche, pêche et pomme. Frais, équilibré, un vin franc à boire sur coquillages.
☛ Cave de Labastide-de-Lévis, Labastide-de-Lévis, 81150 Marssac-sur-Tarn, tél. 63.55.41.83
Y r.-v.

LABASTIDE-DE-LEVIS 1987**

■   14 ha   n.c.   ▪ ↓ ☑ 1

Une belle réussite que ce rosé 87 de la cave de Labastide-de-Lévis. Elaboré à base de syrah (60%) complétée par du duras (10%) et du gamay (30%), il séduit par sa robe assez foncée, son fruité aromatique très intense, son équilibre et sa rondeur en bouche. Voilà un vin rosé, vineux, un peu gras, qui fait honneur à son terroir.
☛ Cave de Labastide-de-Lévis, Labastide-de-Lévis, 81150 Marssac-sur-Tarn, tél. 63.55.41.83
Y r.-v.

DOM. DE LACROUX 1987*

□   0,10 ha   15 000   ▪ ↓ ☑ 1

Avec une dominante len-de-l'el complétée par du sauvignon, cultivé sur terrains argilo-calcaires, le vin blanc sec 87 du domaine de Lacroux a une robe pâle, des arômes fins et floraux, une bouche rehaussée par une pointe de CO_2, une certaine rondeur et une finale tout en vivacité. A boire sur poissons cuisinés ou crustacés.
☛ MM. Derrieux Père et Fils, Dom. de Lacroux, Cestayrols, 81150 Marssac-sur-Tarn, tél. 63.56.81.67 Y t.l.j. sf dim. 8h-12h 14h-18h.

MANOIR DE L'EMMEILLE
Cuvée prestige 1986***

78 79 |82| |83| |85| 86

■   5 ha   20 000   ▥ ↓ ☑ 3

L'Emmeillé possède une petite chapelle qui sert de caveau de dégustation. La cuvée prestige 86 a une belle robe grenat, un nez riche et complexe où se mêlent la vanille, les fruits mûrs et la

Petit manoir du XVIe s. entouré de vignes,

réglisse, une bouche harmonieuse où le boisé est bien fondu, tout en souplesse avec des tanins déjà évolués. Déjà bon à boire, élégant et équilibré A déguster sur de l'agneau rôti.

● M. Charles Poussou, Manoir de l'Enmeillé, Campagnac, 81140 Castelnau-de-Montmiral, tél. 63.33.12.80 ☎ t.l.j; sf dim. 8h-12h 14h-18h; f. 1er sem. de sept.

MAS D'AUREL Brut 1986**
○   1,70 ha   4 500   ▮↓V2

Une mousse abondante, des arômes floraux fins et légers, une bouche franche et ronde avec du mousseux méthode champenoise réussi avec du nerf et de la finesse. A boire à l'apéritif, bien sûr.
81170 Cordes, tél. 63.56.06.39 ☎ t.l.j; 8h-12h 14h-18h.

MAS D'AUREL 1986***
■   6 ha   34 000   ▮↓V2

Près de la cité médiévale de Cordes, le Mas d'Aurel occupe une position stratégique sur des coteaux argilo-calcaires. Les vins rouges sont axés sur le cépage duras épaulé par le braucol, le merlot et le cabernet sauvignon. Ce 86 est particulièrement réussi avec une robe sombre, des arômes de fruits confits, une bouche ronde et épicée. Gras et long, un vin d'avenir à déboucher dans 3 ou 4 ans sur daubes de canard ou confits d'oie.

● M. Albert Ribot, Mas d'Aurel, Donnazac, 81170 Cordes, tél. 63.56.06.39 ☎ t.l.j; 8h-12h 14h-18h.

MAS PIGNOU 1987*
□   6 ha   30 000   ▮↓V2

Le Mas Pignou est situé sur la première Côte de Gaillac, sur sols argilo-calcaires, et ses vins blancs sont issus de cépages mauzac et de len de l'el à parts égales. Le 87 à une robe pâle, des arômes puissants dominés par le musc et le buis du sauvignon, une bouche vive et fruitée avec une pointe de gaz en fin et une bonne persistance aromatique. Un bon vin à boire dès à présent.

● MM.J. et B. Auque, Mas Pignou, 81600 Gaillac, tél. 63.33.18.52 ☎ r.v.

DOM. DE MAZOU 1986**
85 86   ■   n.c.   50 000   ⬥V2

Sur un terroir graveleux et sableux de la rive droite du Tarn, les Boyals exploitent le domaine de Mazou depuis cinq générations. Ce 86, à base de syrah, duras, merlot et cabernet, a une robe assez claire, des arômes discrets de petits fruits rouges. La bouche bien structurée a du corps et de la charpente ainsi que des tanins déjà fondus. Un vin à boire dans 1 ou 2 ans sur viandes-côtes ou fromages de vache.

● MM. Boyals Père et Fils, Dom. de Mazou, 81310 Lisle-sur-Tarn, tél. 63.33.37.80 ☎ r.v.

DOM. DE MAZOU Moelleux 1986**
□   n.c.   n.c.   ↓3

Avec de très vieilles vignes de mauzac plantées sur sols calcaires, M. Boyals élabore des moelleux très aromatiques. Le 87 se distingue par des senteurs de poire, pomme mûre et fruits exotiques, pour une bouche très suave marquée par des notes d'ananas. Un vin typé, léger et délicat, à boire comme une friandise.

● MM. Boyals Père et Fils, Dom. de Mazou, 81310 Lisle-sur-Tarn, tél. 63.33.37.80 ☎ r.v.

DOM DU MOULIN
Cuvée sélectionnée 1987*
□   2 ha   35 000   ▮↓2

Un vin à 100% sauvignon cultivé sur des sols de graviers. La robe est pâle, les arômes pleins et persistants, l'attaque nette et fraîche. Un bon équilibre.

● MM. Hirissou Père et Fils, Brens, 81600 Gaillac, tél. 63.57.07.27 ☎ t.l.j; sf dim. 8h-12h 14h-18h.

DOM. DE MOUSSENS 1986*
■   1,40 ha   10 000   ▮↓V2

Les vins rouges de Gaillac se présentent sous deux aspects : des vins à boire jeunes, de type primeur et des vins de garde. Ce 86 appartient à la première catégorie avec une robe très brillante, des arômes fruités, une bouche souple et féminine, légère et goyaleyante.

● M. Alain Monestié, Dom. de Moussens, Cestayrols, 81150 Marssac-sur-Tarn, tél. 63.56.81.66 ☎ t.l.j; 8h-12h30 14h-20l.

DOM. DE PIALENTOU 1986*
81 82 83 85 86   ■   3 ha   15 000   ▮V2

Situé sur les premières terrasses graveleuses du Tarn, le domaine de Pialentou produit des vins rouges, avec une proportion équilibrée entre cabernet sauvignon, syrah et duras. Le 86 a une robe intense et brillante, des arômes de fruits très mûrs, une bouche concentrée, riche et chaleureuse avec une charpente tannique impressionnante et qui demande quelques années de vieillissement pour devenir aimable. Un vin à attendre et à revoir dans 5 ou 6 ans. Patience, la surprise risque d'être très bonne.

● M. Jean-Louis Ailloud, Dom. de Pialentou, Brens, 81600 Gaillac, tél. 63.57.17.99 ☎ t.l.j; 9h-12h 14h-18h.

CH. DE RHODES Brut 1986
○   1,80 ha   13 000   ↓V3

Spécialiste de l'élaboration de mousseux par méthode champenoise, le château de Rhodes présente un 86 à la mousse généreuse mais peu persistante, aux arômes discrets mais francs, à la bouche équilibrée, assez neutre. Un mousseux brut à base des entrées de poisson.

● M. René Assié, Ch. de Rhodes, 81600 Gaillac, tél. 63.57.06.02 ☎ t.l.j; 8h-12h30 14h-20h ; f. une sem. en fév. hors vac. scol.

DOM. RENE RIEUX 1986*
84 85 86   ■   1,50 ha   6 000   ▮V2

René Rieux, plus célèbre pour ses vins mousseux, n'en élabore pas moins des vins rouges très typés. Avec une dominante braucol, sur terrains argilo-calcaires, son millésime 86 a une robe brillante, des arômes fruités avec une pointe d'évolution, une bouche qui attaque en rondeur

et finit sur des tanins dominants. Ce vin a besoin de 2 à 3 années de garde avant de s'arrondir et trouver son harmonie.

▸ M. René Rieux, Boissel, 81600 Gaillac, tél. 63.57.06.07 t.l.j. sf dim. 8h-13h 13h30-20h ; f. dim. sur r.-v.

DOM. DE SALMES Demi-sec 1986*

○ n.c. n.c.

Avec ses sols calcaires, le domaine de Salmes se prête tout particulièrement à élaborer des vins mousseux de qualité. A base de len-de-l'el épaulé par le mauzac, le millésime 86 demi-sec a une belle mousse régulière, des arômes floraux très délicats, une bouche où liqueur et vivacité font bon ménage. Un bon mousseux suave.

▸ M. Jean-Paul Pezet, Salmès, Bernac, 81150 Marssac-sur-Tarn, tél. 63.55.42.53 r.-v.

CAVE DE TECOU Passion 1986***

■ 4 ha 20 000

La cave de Tecou rassemble des viticulteurs de la rive gauche du Tarn, sur terroirs graveleux particulièrement propices à élaborer des vins rouges de qualité. Le millésime 86, «passion», à base de merlot complété par du fer servadou, est une réussite exceptionnelle. Une robe sombre, des arômes complexes de prune, vanille, fruits confits, une bouche charnue où le boisé est très bien fondu. La structure tannique est bien enrobée. Déjà agréable à boire mais sûrement promis à un bel avenir.

▸ SCA cave de Tecou, Tecou, 81600 Gaillac, tél. 63.33.00.80 t.l.j. sf dim. 8h-12h 14h-18h ; f. dim. et jours fériés

DOM. CLEMENT TERMES 1986*

■ 11 ha 50 000

Les vins du domaine de Clément Termes sont issus d'un terroir graveleux et argilo-calcaire, avec les cépages merlot, syrah et cabernet sauvignon. Limpide avec des arômes fruités de type cassis, chaud et rond, c'est un vin facile à boire. Aromatique et souple, il accompagnera dès à présent magrets grillés et volailles rôties.

▸ MM. David Père et Fils, Les Fortis, 81310 Lisle-sur-Tarn, tél. 63.40.47.80 r.-v.

CH. DE TERRIDE 1986*

■ 19,59 ha n.c.

(82) 83 85 86

Sur un terroir qui se situe à l'ouest de l'appellation sur terrain graveleux, Paul-Henrich Bauser a choisi de planter du merlot et de la syrah. Ses vins se démarquent donc de la typicité «gaillac» plutôt axée sur duras et braucol. Ce 86 a des arômes épicés et poivrés, assez discrets, une bouche fine et souple avec un bon équilibre dans un style léger. Un vin très agréable à boire dès à présent sur viandes grillées et gigots rôtis.

▸ M. Paul-Henrich Bauser, Ch. de Terride, Puycelsi, 81140 Castelnau-de-Montmiral, tél. 63.33.11.38 r.-v.

DOM. DES TERRISSES Doux 1986***

○ 0,50 ha 40 000

Souhaitons que le terroir gaillacois offre longtemps des vins hauts en caractère comme ce mousseux doux, méthode gaillacoise, de la famille Cazottes. Une mousse légère et fugace, mais d'extraordinaires arômes typiques de pomme cuite, de poire william, avec des notes épicées et miellées. Le caractère rond et fruité en bouche se révèle suave. Un mousseux pour amateurs de vins à haute expression. A boire avec gourmandise.

▸ GAEC Cazottes et Fils, Saint-Laurent, 81600 Gaillac, tél. 63.57.16.80 r.-v.

DOM. DES TERRISSES Demi-sec 1986**

○ 0,75 ha 8 000

Les Cazottes et le domaine des Terrisses fournissent les mousseux de Gaillac les plus traditionnels. Elaboré par méthode gaillacoise, ils proviennent exclusivement de la fermentation des sucres naturels du raisin ; ce sont les témoins d'une antique tradition datant du temps où dom Pérignon n'était pas encore né ! Ce demi-sec à la robe jaune d'or, à la mousse légère, aux arômes intenses de poire et de pêche blanche, annonce une belle harmonie et du caractère. Belle typicité, à boire hors des repas.

▸ GAEC Cazottes et Fils, Saint-Laurent, 81600 Gaillac, tél. 63.57.16.80 r.-v.

JACQUES VAYSSETTE Vendanges tardives 1987**

□ 2 ha 5 000

Mauzac à muscadelle pour ce moelleux de vendanges surmûries, réellement issues de tris successifs. Jacques Vayssette soigne particulièrement la concentration de ce vin (5 000 bouteilles seulement sur 2 hectares!). Le 87 à une robe intense et dorée, des arômes de miel et d'églantine. Chaleureux avec des notes de fruits confits, c'est un vin plus liquoreux que moelleux, avec

une finale grasse et persistante. Le laisser vieillir quelques années pour qu'il développe son potentiel de complexité.
➤ M. Jacques Vayssette, Laborie, 81600 Gaillac, tél. 63.57.31.95 ℡ t.l.j, 8h-20h.

Côtes de buzet

Connu depuis le Moyen Age comme partie intégrante du haut pays bordelais, le vignoble de Buzet s'étageait entre Agen et Marmande. D'abord cultivé autour des abbayes de Fonclaire, Buzet et Saint-Vincent, il fut agrandi par les bourgeois d'Agen. Après la crise phylloxérique, le vignoble a été reconstitué grâce aux efforts de la coopérative des Producteurs Réunis. Il occupe aujourd'hui les terrasses et collines de la rive gauche de la Garonne. Les cépages sont typiquement bordelais : cabernet-franc, cabernet-sauvignon, merlot noir, sémillon et muscadelle pour les vins blancs.

Mais l'originalité et la qualité des vins de Buzet, viennent de leur vieillissement. Seule dans son genre, la coopérative fait passer tous ses vins sous bois. Elle possède plus de 3 000 barriques régulièrement renouvelées par sa propre tonnellerie. Et les méthodes traditionnelles à l'honneur dans les grands châteaux girondins sont ici appliquées à une production qui s'étage du vin classique corsé mais souple aux grandes cuvées, charnues, tanniques et de longue garde. La cave vinifie à part les vendanges issues de propriétés, comme les châteaux de Gueyze et du Bouchet, pendant que quelques propriétaires indépendants lui donnent la réplique avec succès. Les vins rouges de Buzet, classiques, s'accordent à merveille avec la gastronomie locale, magrets, confits, lapins aux pruneaux.

VIGNERONS REUNIS DES COTES-DE-BUZET Baron d'Ardeuil 1986**

81 (82) |83| 85 86   n.c.   1 000 000

La cave coopérative a dû, après un mauvais procès, débaptiser la cuvée Napoléon qui avait établi sa réputation. Voici donc la cuvée « Baron d'Ardeuil » qui reprend le flambeau. Toujours issu de sélections sévères et élevé en fûts de chêne, le 86 a une robe sombre, des arômes de fruits confits et de réglisse, une belle structure puissante et corsée, soutenue par des tanins encore très présents. Devrait bien évoluer dans 3 ou 4 ans pour accompagner rôtis et gibiers.
➤ Vig. Réunis des Côtes-de-Buzet, Buzet-sur-Baïse, 47160 Damazan, tél. 53.84.74.30 ℡ r.-v.

VIGNERONS REUNIS DES COTES-DE-BUZET 1986**

81 (82) |83| 85 86   n.c.   1 000 000

CH. DE GUEYZE 1986***

79 80 81 (82) |83| 84 85 86   25 ha   150 000

Sur un exceptionnel terroir de graves, le château de Gueyze et son vignoble créé voilà 16 ans sont en pleine maturité. Issus de sélections sévères, les vins, élaborés par la cave coopérative, expriment race et élégance. Le 86 possède des arômes intenses mariant le cassis et la vanille. Très doux, mûr et riche en bouche, avec beaucoup de chair, il constitue une belle bouteille à attendre 5 ou 6 ans avant d'accompagner la grande cuisine classique.
➤ Vig. Réunis des Côtes-de-Buzet, Buzet-sur-Baïse, 47160 Damazan, tél. 53.84.74.30 ℡ r.-v.

DOM. DU PECH 1986*

1985| 86   16 ha   60 000

De création récente (1978), le domaine du Pech produit des vins de bon niveau. Le 86, d'une belle robe intense, a des arômes de fruits cuits, de réglisse et de framboise. Il est rond, charnu avec des tanins bien constitués. Un vin qui peut bien vieillir.
➤ M. Daniel Tissot, Sainte-Colombe-en-Bruilhois, 47310 Laplume, tél. 53.67.84.20 ℡ r.v.

CH PIERRON 1986***

80 (82) 83 84 85 86   15 ha   110 000

Le château Pierron est une des valeurs sûres de l'appellation. Avec une dominante de merlot cultivé sur sols argilo-sableux, les vins sont toujours typiques et concentrés. Le 86 a une robe intense, des arômes vanillés, réglisse, avec des arômes

VIGNERONS REUNIS DES COTES-DE-BUZET Carte d'Or 1986**

81 (82) |83| 85 86   n.c.   1 000 000

Une bonne sélection de la cave coopérative de

Côtes du frontonnais

Vin des Toulousains, le fronton et son frère jumeau, le villaudric, proviennent d'un très ancien vignoble, autrefois propriété des chevaliers de l'ordre de Saint-Jean-de-Jérusalem. Lors du siège de Montauban, Louis XIII et Richelieu se livrèrent à force dégustations comparatives... Reconstitué grâce à la création des coopératives de Fronton et de Villaudric, l'encépagement a conservé la négrette, cépage original que l'on retrouve à Gaillac; lui sont associés le côt, le cabernet-franc et le cabernet-sauvignon, le fer, la syrah, le gamay, le cinsaut et le mauzac.

Le terroir occupe les trois terrasses du Tarn, avec des sols de boulbènes, graves ou rougets. Les vins rouges, à forte proportion de cabernet, gamay ou syrah, seront légers, fruités et aromatiques. Les vins les plus riches en négrette seront plus puissants, tanniques, avec un fort parfum de terroir. Ces côtes du frontonnais traditionnels seront bus sur les cassoulets et la saucisse toulousaine. Les vins rosés sont francs, vifs avec un agréable fruité.

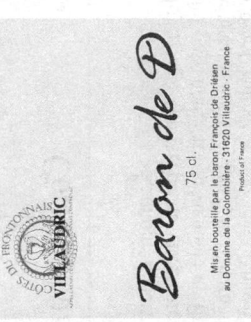

Baron de D
75 cl.

Mis en bouteille par le baron François de Driésen
au Domaine de la Colombière - 31620 Villaudric - France

Product of France

BARON DE D Villaudric 1987***

| | 2,50 ha | 17 000 |

Une très belle réussite que ce vin gris, c'est-à-dire issu de vendanges rouges (negrette, gamay, cabernet) pressées à cœur de grain et vinifiées comme un vin blanc. Une robe vieux rose, des arômes très expressifs où se mêlent la violette et les fruits exotiques, une bouche très fraîche avec des notes de groseille, équilibrée et ronde. Un vin plaisant à boire sur les buffets de l'été ou tout simplement à l'apéritif.

➤ Baron François de Driésen,
Dom. de La Colombière, Villaudric,
31620 Fronton, tél. 61.82.44.05 ☎ t.l.j. sf dim.
8h-12h 14h-18h : f. jours fériés

DOM. DE BAUDARE 1986**

| | 5,02 ha | 40 000 |

85 86

☎ r.-v.

Les vins de Claude Vigouroux se retrouvent toujours dans le peloton de tête des frontons réussis. Le millésime 86 ne déroge pas. Une robe vive et foncée, des arômes complexes où se mêlent le miel, le caramel de fruit, la cerise et les épices, une bouche riche et puissante avec des tanins charnus, un vin qui doit encore attendre 1 ou 2 ans avant d'accompagner daubes et civets.

➤ M. Claude Vigouroux, Dom. de Baudare,
82370 Labastide-Saint-Pierre, tél. 63.30.51.33

DOM. DE BAUDARE 1987**

| | 1 ha | 6 000 |

☎ r.-v.

Une jolie robe vive et fraîche, des arômes fins et fruités, une bouche ronde qui finit tout en vivacité, voilà un rosé facile à boire sur buffets froids et charcuteries.

➤ M. Claude Vigouroux, Dom. de Baudare,
82370 Labastide-Saint-Pierre, tél. 63.30.51.33

CH. BELLEVUE LA FORET 1987***

| | n.c. | 20 000 |

Le château Bellevue La Forêt nous a habitué à des rosés très réussis, originaux et de caractère. Le 87 tranche encore sur le reste de la production par sa robe très intense, ses arômes puissants de cassis et de fraise, avec une pointe sauvignonnée, sa bouche pleine et vineuse, sa rondeur et son équilibre. Un rosé très «vin», qui pourra accompagner tout un repas tant son corps et sa présence en bouche peuvent affronter les plats les plus corsés.

➤ SCEA du Ch. Bellevue La Forêt,
31620 Fronton, tél. 61.82.43.21 ☎ t.l.j. sf dim.
8h-12h 14h-18h.

➤ M. Patrick Germain.

pointe de menthe. Plein et charnu, il est à boire dans 4 ou 5 ans sur palombes et confits.

➤ GFA du Ch. Pierron, rte de Mezin,
47600 Nérac, tél. 53.65.05.52 ☎ lu. ma. me. je. ve.
9h-12h 14h-18h.

CH. BELLEVUE LA FORET 1986**

90 ha — n.c.

Rubis assez léger, un joli vin fruité, typé négrette, bien structuré. Dans la lignée des vins de Bellevue La Forêt dont le vignoble a été créé en 1973.

♦ SCEA du Ch. Bellevue La Forêt, 31620 Fronton, tél. 61.82.43.21 T.l.j. sf dim. 8h-12h 14h-18h.

CH. CAHUZAC 1987**

3 ha — 20 000

Le domaine de Cahuzac est aux mains de la famille Ferran depuis dix générations, c'est dire si la tradition viticole est solidement enracinée sur ce terroir de boulbènes et de graves. Le rosé 87 a une jolie robe intense, des arômes de groseille avec une pointe poivrée, une bouche fraîche et aromatique avec une bonne persistance. A boire sur charcuteries et grillades.

♦ GAEC de Cahuzac, Peyronnets, Fabas, 82170 Grisolles, tél. 63.64.10.18 T.r-v.
♦ MM. Ferran père et fils.

DOM. DE CALLORY 1986**

0,70 ha — 7 000

Une belle robe vive pour ce 86, de bons arômes où se mêlent les fruits rouges et une pointe de grillé, une bouche souple et harmonieuse qui finit sur des tanins ronds et généreux. Un vin à boire dès à présent sur grillades et rôtis.

♦ MM. F Montels et G. Perez, Dom. de Callory, 82370 Labastide-Saint-Pierre, tél. 63.64.07.58 T.l.j. 8h-12h 14h-18h.

DOM. DE COUTINEL 1986*

[85] 86

31 ha — n.c.

Situé au nord de l'appellation, le domaine de Coutinel se situe sur sols de boulbènes sablo-limoneuses. Le 86 à une robe rubis brillante, des arômes de fruits rouges puissants avec une note d'évolution, une bouche légère mais qui présente du gras et de la finesse. Un vin agréable.

♦ Mme Manoële Arbeau, Dom. de Coutinel, 82370 Labastide-Saint-Pierre, tél. 63.64.01.80 T.r-v.
♦ M. Pierre Arbeau.

CH. FERRAN 1987***

15,30 ha — n.c.

Un vin rosé très réussi : décidément, le millésime 87 se prête bien à ces vinifications. L'avenir dira si les vins rouges auront le même succès. Celui-ci est très aromatique avec un cortège de senteurs qui mêlent la banane, la framboise et le cassis ; il est équilibré en bouche, rond et persistant. C'est un vin de repas qui accompagnera des grillades au feu de bois comme des poissons en sauce.

♦ M. Jean-René Vidal, Dom. Ferran, rte de Toulouse, 31620 Fronton, tél. 61.82.40.63 T.l.j. sf dim. 8h-12h 14h-18h.

CH. FERRAN 1986**

15,30 ha — 50 000

Sur un beau terroir de boulbènes graveleuses, le château Ferran produit des vins typiques à la négrette cépage local, épaulée par des cépages aquitains. Le 86, avec sa robe grenat, ses arômes épicés, fruités avec une note de fumé, sa bouche charpenté et ample mais qui finit tout en souplesse, est un vin très représentatif de son terroir. Il accompagnera dès à présent cassoulets et magrets grillés.

♦ M. Jean-René Vidal, Dom. Ferran, rte de Toulouse, 31620 Fronton, tél. 61.82.40.63 T.l.j. sf dim. 8h-12h 14h-18h.

CH. FLOTIS 1986**

32 ha — 95 000

Une famille vigneronne alsacienne, venue planter ses racines aux portes de Toulouse, sur les meilleurs terroir de l'appellation. Les Kuntz ont privilégié l'originalité du cépage négrette dans leurs vins ce cépage. Le 86 à une robe rubis clair, des arômes fins de petits fruits rouges et d'épices, une bouche souple et bien équilibrée, aromatique et persistante. A boire rapidement sur rôtis et volailles au four.

♦ MM. Kuntz Père et Fils, Ch. Flotis, Castelnau-d'Estretefonds, 31620 Fronton, tél. 61.35.10.03 T.r-v.

CH. FLOTIS 1987**

13,50 ha — 10 000

Une robe pâle, rose bonbon, des arômes frais et fruités, une bouche qui développe de l'ampleur et de la finesse et qui finit sur de la rondeur. Voilà un rosé facile à boire sur charcuteries et grillade au feu de bois.

♦ MV. Kuntz Père et Fils, Ch. Flotis, Castelnau-d'Estretefonds, 31620 Fronton, tél. 61.35.10.03 T.r-v.

CAVE COOP. DE FRONTON

Croix-Gourdence 1986**

[82] 85 86

500 ha — 2 000 000

La cave coopérative de Fronton, célèbre par sa « Cuvée Olympique », vinifie cette cuvée spéciale avec les plus grands soins. Une robe soutenue, des arômes fins et fruités, une bouche bien structurée dans un style souple et gouleyant avec du caractère et des notes terroir. A boire dès à présent sur daubes et blanquettes.

♦ Cave Coop. de Fronton, B.P. 8, 31620 Fronton, tél. 61.82.41.27 T.r-v.

DOM. DE JOLIET 1986***

5 ha — 20 000

Sur sols de boulbènes et rouges des terrasses du Tarn, le domaine de Joliet produit des vins de caractère. Le 86 a une robe rubis, des arômes puissants de cassis, d'épices et de violette. Très bien équilibrée, la bouche est typée par le cépage négrette qui lui confère souplesse et ampleur. Un produit tout en nuances élégantes, une grande harmonie.

Côtes du brulhois VDQS

locaux tannat et clot. La majeure partie de la production est assurée par deux caves coopératives.

➤ M. François Daubert.
Dom. Joliet, rte de Grisolles 31620 Fronton.
tél. 61.82.46.02 ☎ r.-v.

CH. LA PALME 1986*

| ■ | 85 86 | 30 ha | 120 000 | ■↓M2 |

Reconstitution d'une vieille propriété qui comptait quelque 100 hectares au siècle dernier, le château La Palme produit des vins réputés. Le 86 a une robe légère, des arômes fins et évolués, une bouche souple et chaleureuse tout en rondeur. Représentatif de son terroir, il est à boire sur la cuisine régionale, cassoulets et saucisses de Toulouse...

CAVE DE RABASTENS Tradition 1986*

| ■ | 85 86 | n.c. | 60 000 | ■ |

La cave de Rabastens regroupe les adhérents du secteur de Villaudric dont la production tranche, de par son style, sa puissance et ses notes de terroir, avec le reste de l'appellation. Le 86 a une belle robe soutenue, un nez puissant de fruits rouges, une bouche qui attaque souple mais se développe sur des tanins encore fermes. Un vin jeune qui doit attendre un peu avant d'accompagner cassoulets et viandes en sauce.
➤ Group. des Vign. de Rabastens, 33, rte d'Albi, 81800 Rabastens, tél. 63.33.73.80 ☎ t.l.j. 9h-12h 14h-19h.

Côtes du brulhois VDQS

Passés de la catégorie des vins de pays à celle des VDQS en novembre 1984, ces vins sont produits de part et d'autre de la Garonne, autour de la petite ville de Layrac, dans les départements du Lot-et-Garonne et du Tarn-et-Garonne. Surtout rouges, ils sont issus des cépages bordelais et des cépages

A base de cépages merlot, cabernet et tannat cultivés sur sols de boulbènes et de graves de la rive gauche de la Garonne, les Côtes du Brulhois produisent des vins de caractère. Ce millésime 86 a une robe profonde, des arômes puissants de fruits rouges avec une note fumée, un bon équilibre en bouche avec des accents de venaison, du corps et du gras. Un vin idéal pour accompagner magrets et confits de canard.
➤ Coop. de Goulens en Brulhois, 47390 Layrac, tél. 53.87.01.65 ☎ t.l.j. sf dim. 8h-12h 14h-18h ; f. sam. a.-m.

CAVE COOP. DE GOULENS
Cuvée des anciens prieurés 1986*

| ■ | 37 ha | 150 000 | ■↑M2 |

Côtes du marmandais VDQS

Non loin des graves de l'Entre-Deux-Mers, des vins de Duras et de Buzet, les côtes du marmandais, vins de qualité supérieure, sont produits par les coopératives de Beaupuy et de Cocumont de part et d'autre de la Garonne. Les vins blancs, à base de sémillon, sauvignon, muscadelle et ugni blanc, sont secs, vifs et fruités. Les vins rouges, à base de cépages bordelais et d'abouriou, syrah, cot et gamay, sont bouquetés et d'une bonne souplesse. Le vignoble occupe actuellement 750 ha.

CAVE COOP. DE COCUMONT 1987*

| □ | 26,78 ha | 150 000 | ■V1 |

Située sur la rive gauche et sur sols limoneux, argilo-silceux, la cave de Cocumont produit des vins blancs secs à base de sauvignon et sémillon. Le 87 est particulièrement réussi avec sa robe pâle, son nez puissant très sauvignonné, sa bouche fruitée et souple qui présente une certaine ampleur. Un bon vin blanc pour huîtres et crustacés.
➤ Cave Coop. de Cocumont, La Vieille Eglise, Cocumont, 47250 Bouglon, tél. 53.94.50.21 ☎ r.-v.

DOM. DES GEAIS 1986**

| ■ | 83 85 86 | 6 ha | 36 000 | ■↓J2 |

Une belle bouteille que ce domaine des Geais 86. Avec sa robe grenat, ses arômes de prune mûre, son harmonie en bouche où gras et tanins

sont bien nuancés, c'est un vin complet à boire dès à présent sur confits d'oie ou volailles rôties.

➤ MM. Boissonneau Père et Fils, Ch. de La Vieille Tour, Saint-Michel-Lapujade, 33190 La Réole, tél. 56.61.72.14 r.-v.

CH. LA BASTIDE 1986*

83 |85| 86

17,50 ha — 150 000

Les vins de la propriété de J.-A. Lafitte sont vinifiés et mis en bouteille par la cave de Cocumont, et constituent le fleuron de sa production de vin rouge. Le 86 est coloré, aromatique, charpenté avec des tanins encore présents. Il demande quelques années de garde avant de se fondre. A attendre, donc.

➤ Cave Coop. de Cocumont, La Vieille Eglise, Cocumont, 47250 Bouglon, tél 53.94.50.21 r.-v.
➤ M. Jean-André Lafitte.

LE CLOITRE 1986**

84 |85| 86

300 ha — l 200 000

Sur les coteaux argilo-calcaires de la rive droite de la Garonne, la cave de Beaupuy élabore des vins rouges bien structurés à base de merlot et cabernet sauvignon personnalisés par l'apport de cépages locaux, comme l'abouriou ou le cot. Le 86 a une jolie robe cerise, un nez où domine le cassis, une bouche bien équilibrée avec une force tannique. Il demande 3 ou 4 ans de garde avant d'accompagner les classiques de la cuisine gasconne.

➤ SCV des Côtes du Marmandais, Beaupuy, 47200 Marmande, tél. 53.64.32.04 t.l.j. sf dim. 8h-12h 14h-18h ; f. sam. a.-m.

Entraygues, estaing, marcillac

Entourés par les causses de l'Aubrac, les monts du Cantal et le plateau du Lévezou, le vignoble de l'Aveyron serait plutôt à classer parmi ceux du Massif central. Marcillac, estaing, entraygues et fel sont de petites appellations très anciennes ; leur fondation par les moines de Conques remonte au IXe s.

NICOLAS 1987*

n.c. — 150 000

Pour moins de trois pièces de cinq francs ! grenat, ce nez très très fruité qui marie groseille, fraise et framboise, arômes restitués en bouche et soulignés d'une légère astringence.

➤ Éts Nicolas, 253, av. du Ga.-Leclerc, 94700 Maisons-Alfort, tél. 1.43.96.81.81
➤ Cave de Beaupuy.

Vin d'entraygues et du fel VDQS

Le marcillac est un vin rouge très rustique, élaboré à base de fer servadou ou mansoi : ses arômes très particuliers, végétaux et fruités, le font reconnaître entre tous. Les vins d'estaing se partagent entre rouges frais et parfumés (cassis, framboise), à base de fer et de gamay, et blancs très originaux, mélangés de chenin, de mauzac et de rousselou. Ils sont vifs et rocailleux, avec des parfums de terroir. Les vins blancs d'entraygues, cultivés sur d'étroites banquettes à flanc de coteaux abrupts, sont également issus de chenin et de mauzac, sur des sols schisteux ; ils sont frais et fruités à la fois. Ils font merveille sur les truites sauvages et le fromage de cantal doux. Les vins rouges de fel sont solides et terriens, et seront bus sur l'agneau des causses et la potée auvergnate.

Vin d'entraygues et du fel VDQS

FRANCOIS AVALLON 1986**

1 ha — n.c.

Les amateurs de bouteilles originales ne seront pas déçus : du chenin blanc, cultivé en terrasses au cœur de l'Aveyron sur des sols siliceux en gramiettes, on a là, réunis, tous les facteurs de la qualité. Le 86 a une robe dorée, des arômes de miel, ananas et pain d'épice, une bouche ronde et riche, puissante et colorée. Une belle personnalité qui fera merveille sur truites et écrevisses.

➤ M. François Avallon, Saint-Georges, 12140 Entraygues, tél. 65.48.61.65 t.l.j. 8h-12h15 13h15-19h30.

FRANCOIS AVALLON 1986*

2 ha — 10 000

Une robe grenat avec des notes de violette, des arômes puissants de fruits rouges très concentrés, une bouche qui attaque, souple et qui se révèle poivrée et chaleureuse, avec des tanins rustiques qui rappellent le poivre vert. Un vin solide et de caractère pour accompagner tripoux et potée auvergnate.

➤ M. François Avallon, Saint-Georges, 12140 Entraygues, tél. 65.48.61.65 t.l.j. 8h-2h15 13h15-19h30.

Vins de marcillac VDQS

fins de cabernet et une bonne structure en bouche.

PIERRE LACOMBE 1986***

83 84 (85) **86** | 1,80 ha | 4 000 |

Avec un microclimat favorable, les sols de rougier, un cépage de caractère (le mansois ou fer servadou), Pierre Lacombe produit un marcillac très expressif. Le 86 a une robe très sombre, encore violette, des arômes concentrés de cassis, de sous-bois et d'épices. Sa bouche, pleine de mâche et de matière, offre des notes poivrées et des tanins rustiques. Pour ceux qui recherchent des produits authentiques et typés. Amateurs de vins légers et commerciaux, s'abstenir!

M. Pierre Lacombe, av. de Rodez, 12330 Marcillac, tél. 65.71.80.05

CAVE DES VIGNERONS DU VALLON Cuvée réservée 1986**

85 **86** | 40 ha | 80 000 |

Une des plus petites coopératives de France élabore ce vin original et inimitable à base de cépage mansois. Elle regroupe une poignée de viticulteurs qui perpétuent la tradition de la viticulture aveyronnaise. Le 86 a une robe grenat assez sombre, des senteurs typiques du cépage, cassis et pointe animale, une bouche où le fruit domine, souligné par le poivre et les épices. Il finit sur une belle force tannique, rustique mais plaisante.

Cave des Vignerons de Vallon, Valady, 12330 Marcillac, tél. 65.72.70.21 t.l.j. sf dim. 19h-12h 14h-18h.

LES VIGNERONS DE BELLOCQ
Cuvée Henri de Navarre 1986**

| 3 ha | 19 000 |

La cuvée Henri de Navarre provient d'une sélection des meilleurs terroirs de la cave de Bellocq, avec 60% de tannat épaulé par cabernets franc et sauvignon. Le 86 a une robe rubis, des arômes épicés et de fruits cuits, une bouche qui débute en souplesse et finit avec une certaine force tannique. Il demande un peu de garde pour s'arrondir. A boire sur garbures et confits de canard.

Les Vignerons de Bellocq, Bellocq, 6270 Salies-de-Béarn, tél. 59.65.10.71 t.l.j. sf dim. 9h-12h 14h-18h.

LES VIGNERONS DE BELLOCQ
Aouti 1987*

| 50 ha | 400 000 |

Ce rosé 100% tannat est une des originalités de la cave de Bellocq. Avec sa robe saumon soutenue, ses arômes de fruits exotiques, son bel équilibre, son goût de fraise a du charme. C'est un rosé de caractère, vif et corsé, qui pourra accompagner tout un repas d'été.

Les Vignerons de Bellocq, Bellocq, 6270 Salies-de-Béarn, tél. 59.65.10.71 t.l.j. sf dim. 9h-12h 14h-18h.

Béarn

Les vins du Béarn peuvent être produits sur trois aires séparées. Les deux premières coïncident avec celles du jurançon et du madiran. La zone purement béarnaise comprend les communes qui entourent Orthez et Salies-de-Béarn. C'est le Béarn de Bellocq.

Reconstitué après la crise phylloxérique, le vignoble occupe les collines pré-pyrénéennes et les graves de la vallée du Gave. Les cépages rouges sont constitués par le tannat, les cabernet sauvignon et cabernet franc (bouchy), les anciens manseng noir, courbu rouge et fer servadou. Les vins sont corsés et généreux, et accompagnent garbure (soupe régionale) et palombe grillée. Les rosés de Béarn, les meilleurs produits de l'appellation, sont vifs et délicats, avec des arômes

Irouléguy

Derniers vestiges d'un grand vignoble basque dont on trouve trace dès le XI° s., l'irouléguy (le chacoli côté espagnol) témoigne de la volonté des vignerons de perpétuer une antique tradition. Le vignoble s'étage sur le Piémont, dans les communes de Saint-Étienne-de-Baïgorry, d'Irouléguy et d'Anhaux.

Les cépages d'autrefois ont à peu près disparu pour laisser place au cabernet sauvignon, au cabernet franc et au tannat pour les vins rouges, au courbu et aux gros et petit manseng pour les blancs. La presque totalité de la production est vinifiée par la coopérative d'Irouléguy, mais de nouveaux vignobles sont en train de voir le jour. Le vin rosé est vif, bouqueté et léger, avec une couleur cerise. Il accompagnera la piperade et la charcuterie. L'irouléguy rouge est un vin parfumé, parfois assez tannique, qui accompagnera les confits.

Jurançon et jurançon sec

Célèbre depuis qu'il servit au baptême de Henri IV, le jurançon est devenu le vin des cérémonies de la maison de France. Colette, à son tour, le remarque : « Je fus, adolescente, la rencontre d'un prince enflammé, impérieux, traître comme les grands séducteurs : le jurançon.» On trouve ici les premières notions d'appellation protégée, car il était interdit d'importer des vins étrangers, et même cès notions de cru et de classement, puisque toutes les parcelles étaient répertoriées suivant leur valeur par le parlement de Navarre. Comme les vins de Béarn, le jurançon, alors rouge ou blanc, était expédié jusqu'à Bayonne, au prix de navigations parfois hasardeuses sur les eaux du Gave. Très prisé des Hollandais et des Américains, le jurançon parvint à un vedettariat qui ne prit fin qu'avec le phylloxéra. La reconstitution fut effectuée avec les cépages et les méthodes anciennes, sous l'impulsion de la cave de Gan et de quelques propriétaires fidèles.

Ici plus qu'ailleurs, le millésime me revêt une importance primordiale, surtout pour les jurançon-moelleux qui demandent une surmaturation tardive par passerillage sur pied. Les cépages traditionnels, uniquement blancs, sont le gros et le petit manseng, et le courbu. Les vignes sont cultivées en hautains pour échapper aux gelées. Il n'est pas rare que les vendanges se prolongent jusqu'aux premières neiges.

Le jurançon sec est un blanc de blancs d'une belle robe claire à reflets verdâtres, très aromatique, avec des nuances miellées. Il accompagne les truites et saumons du Gave. Les jurançons moelleux ont une belle robe dorée, des arômes complexes de fruits exotiques, ananas et goyave, et d'épices, comme la muscade et la cannelle. Leur équilibre acide-liqueur en font des faire-valoir tout indiqués du foie gras. Ces vins peuvent vieillir très longtemps et donner de grands bouteilles, qui accompagneront un repas de l'apéritif au dessert en passant par les poissons en sauce et le fromage pur brebis de la vallée d'Ossau. Meilleurs millésimes : 1970, 1971, 1975, 1981, 1982, 1983, 1987.

CAVE COOP. D'IROULEGUY
Cuvée des Maîtres Vignerons 1986*

IV 2 — 35 ha — 150 000

La cave de Saint-Etienne-de-Baïgorry assure toute la production d'AOC irouléguy et distribue ses vins aux Basques du monde entier. Le 86 a une robe très foncée, des arômes de belle maturité, de fruits compotés, une bouche souple et chaleureuse avec des tanins mûrs et bien fondus. A boire dès à présent sur palombes rôties.

→ Cave Coop. d'Irouléguy, 64430 Saint-Etienne-de-Baïgorry, tél. 59.37.41.33 ☎ r.-v.

DOM. DE MIGNABERRY 1986**

IV 3 — 11,80 ha — 60 000

Les vins de ce domaine étaient servis sur les plus grandes tables à la fin du XIXe s. La cave a remis ce terroir en vinifiant son vin séparément. Le 86 a une robe sombre à reflets violets, des arômes de fruits rouges et touche de venaison. La bouche très structurée est ample et charnue avec des tanins fermes. L'an dernier, il séduisant pas son caractère primeur : il demande maintenant dans une phase d'attente ; il est maintenant encore 3 à 4 ans de garde avant d'accompagner gibiers en sauce.

→ Sté de viticulture Mignaberry, 64430 Saint-Etienne-de-Baïgorry, tél. 59.37.41.33 ☎ r.-v.

Jurançon

J. BOUSQUET 1986*

81 82 83 84 85 86 — 2,10 ha — 8 000

La propriété de M. Bousquet date de 1752. Avec 100% de petit manseng, ses vins sont d'une grande typicité. Robe dorée, arômes de fruits exotiques, bouche ronde et grasse bien soutenue par la vivacité propre à ce terroir, un vin de caractère. A consommer sur des foies gras et fromages de brebis.

→ M.... Bousquet, Saint-Faust, 64110 Jurançon, tél. 59.83.05.56 ☎ t.l.j, 9h30-12h 14h30-20h30.

DOM. BRU-BACHE 1986**

75 78 81 82 83 86 — 4 ha — 15 000

Dans une robe pâle dorée, les arômes puissants combinent fruits exotiques, rôtis et épices. L'harmonie est riche et ce vin présente une liqueur bien fondue. Encore trop jeune, il demande à vieillir quelques années.

DOM. CAUHAPE 1986***

5 ha — n.c.

81 82 83 84 85 86

Tout est intense : la couleur jaune d'or comme les arômes complexes où se marient vanille, épices, fruits exotiques, soulignés d'une pointe mentholée. Très puissant, avec une liqueur soutenue par sa vivacité bien fondue, ce millésime finit tout en douceur. Agréable, il promet aussi une longue garde.

↬ M. Georges Bru-Baché, rue Barada. 64360 Monein, tél. 59.21.36.34 r.-v.

DOM. GAILLOT 1986*

3,50 ha — 15 000

81 82 |85| |86|

Les vins du domaine Gaillot sont très typés et vieillissent très bien. Le 86 dans la lignée : une robe pâle et dorée, des arômes mûrs et rôtis relevés par une pointe citronnée, une bouche qui attaque en finesse et se développe harmonieusement avec une fraîcheur agréable. Déjà bon à boire, il devrait gagner en complexité après vieillissement.

↬ M. Henri Ramonteu, quartier Castet, 64360 Monein, tél. 59.21.33.02 r.-v.

CLOS GUIROUILH 1986**

8 ha — n.c.

75 80 82 83 84 |85| 86

Avec de très vieilles vignes et un terroir particulier, riche en calcaire, le Clos Guirouilh produit des jurançons traditionnels bien élaborés et qui vieillissent admirablement. Le 86 a une robe à reflets verts, des arômes frais avec des notes d'écorces d'oranges et de pamplemousses, une attaque vive bien mariée à une liqueur volumineuse. De bonne garde.

↬ M. Raymond Gaillot, 64360 Monein, tél. 59.21.31.69 r.-v.

CAVE DE JURANCON
Vendanges tardives 1986**

35 ha — n.c.

70 75 80 81 |82| |83| 86

Cette cuvée prestige de la cave de Gan n'atteint pas les sommets du millésime 85, mais présente bien des qualités : une robe jaune d'or, des arômes marqués par les agrumes et l'amande douce, une bouche puissante, ronde et grasse, avec de l'élégance bien représentative et une finale un peu courte, mais nette. Un vin qui doit encore vieillir.

↬ Cave des Prod. de Jurançon, 53, av. Henri-IV, 64290 Gan, tél. 59.21.57.03 t.l.j. sf dim. 8h-12h 14h-18h30.

CRU LAMOUROUX 1986**

6 ha — 15 000

75 |76| 78 79 81 82 |83| 84 |85| 86

Le cru Lamouroux est une des célébrités de l'appellation avec ses vins très traditionnels encore cachetés à la cire. Avec 80% de petit manseng, le 84 a une robe jaune dorée, des arômes très intenses, gras et iodés, une bouche ample avec des notes citronnées, du volume et une belle structure liquoreuse. Un vin promis à un bel avenir pour accompagner foie gras et fromages de la vallée de l'Ossau.

↬ M. R. Ziemek et J. Chigé, La Chapelle-de-Rousse, 64110 Jurançon, tél. 59.21.74.41 t.l.j. 9h-12h 14h-20h.

CLOS LAPEYRE 1986*

3 ha — 10 000

|85| |86|

Jean-Bernard Larrieu vient de reprendre la propriété familiale, toute en terrasses exposées plein sud, se prêtant aux vendanges tardives. Le millésime 86, élevé six mois en fûts de chêne, a une robe pâle, un nez très ouvert de fruits mûrs et de miel, une bouche bien équilibrée, tout en finesse avec des nuances boisées déjà fondues. Un beau moelleux d'apéritif qui gagnera en complexité à la garde.

↬ M. Jean-Bernard Larrieu, La Chapelle-de-Rousse, 64110 Jurançon, tél. 59.21.50.80 t.l.j. 10h-19h.

DOM. DE LARREDYA 1986**

1,50 ha — 6 000

81 83 |85| |86|

Sur un vignoble pentu bien exposé, avec de vieilles vignes et une forte proportion de petit manseng, les vins du domaine de Larredya surprennent par leur puissance. Le 86, avec sa robe dorée, ses arômes intenses et complexes, explose en bouche. Une attaque chaleureuse, du volume, du gras et une finale un peu cuite, caractéristique du millésime. Devrait bien vieillir.

↬ M. Jean-Marc Grussaute, chem. de Larredya, Chapelle-de-Rousse, 64110 Jurançon, tél. 59.21.74.42 t.l.j. 8h-12h 14h-18h.

CH. LES ASTOUS 1986*

4 ha — 10 000

Le domaine est vinifié séparément par la cave de Gan. Une belle robe, des arômes fins et délicats avec des notes amandées. La bouche dans un style léger est ronde et suave. A boire dès à présent en apéritif.

↬ Cave des Prod. de Jurançon, 53, av. Henri-IV, 64290 Gan, tél. 59.21.57.03 t.l.j. sf dim. 8h-12h 14h-18h30.

CLOS UROULAT 1986***

2 ha — 6 000

|82| |83| 84 |85| |86|

Avec son terroir exceptionnel et ses très vieilles vignes de petits mansengs, Charles Hours produit le vin le plus élégant de ce millésime. Dans une robe jaune d'or intense, les arômes d'une grande complexité mêlent harmonieusement boisé et fruits de la passion. La bouche est ronde, tout en dentelles aromatiques et sa finale longue et racée. Un beau vin équilibré déjà très agréable mais que l'on préférera garder quelques années en cave.

M. Charles Hours, Clos Uroulat, 64360 Monein, tél. 59.21.46.19 ☎ r.-v.

Jurançon sec

DOM. CAUHAPE 1987**

10 ha · 70 000 · n.c.

Henri Ramonteu pratique la macération pelliculaire avant fermentation, pour concentrer et développer les arômes des cépages mansengs. Le 87 a une robe dorée, des arômes fins, très typés par les fruits exotiques. Souple et volumineux en bouche, à la finale chaude et persistante.

M. Henri Ramonteu, quartier Castet, 64360 Monein, tél. 59.21.33.02 ☎ r.-v.

CAVE DE JURANCON

Grain Sauvage 1987***

40 ha · n.c.

La cave coopérative de Gan produit 60% des vins de l'appellation. Une politique de qualité et de sélection se retrouve dans la haute expression de ses vins. Le grain sauvage 87, avec sa robe paille, ses arômes de fruits exotiques intenses et élégants sa bouche souple et goulayante, est très réussi et appelle la gorgée suivante. Un vin «plaisir», mais aussi un vin de caractère, qui fait honneur à son terroir.

Cave des Prod. de Jurançon, 53, av. Henri-IV, 64290 Gan, tél. 59.21.57.03 ☎ t.l.j. sf dim. 8h-12h 14h-18h30.

DOM. BELLEGARDE 1987***

3 ha · 16 000 · n.c.

Encore un jeune viticulteur qui se lance dans la mise en bouteille avec un beau succès. Ce deuxième millésime a une une robe à reflets paille, des arômes floraux élégants avec des notes d'amande. Souple et rond, il finit tout en fraîcheur. Un vin bien équilibré, à boire sur poissons cuisinés, et qui présente une certaine aptitude à la garde.

M. Pascal Labasse.
Dom. Bellegarde, quartier Coos 64360 Monein, tél. 59.21.33.17 ☎ t.l.j. 8h-12h 14h-18h.

ETIENNE BRANA

Collection Royale 1987***

n.c. · n.c.

Etienne Brana vient de planter une vigne en terrasse à Iroulèguy. Il n'en délaisse pas pour autant Jurançon : ce 87 est issu d'une remarquable sélection de gros manseng. Jaune paille, fin et léger par son bouquet marqué de notes citronnées, c'est un vin très expressif, équilibré. Enlevé et friand.

M. Etienne Brana, 23, rue du 11-Novembre, 64220 Saint-Jean-Pied-de-Port, tél. 59.37.00.44 ☎ lu. ma. me. je. ve. 9h-12h 14h-18h ; f. janv.

DOM. BRU-BACHE 1987*

1 ha · 5 000 · n.c.

Très ancien, le domaine de Bru-Bache se signale par sa proportion élevée de petit manseng (100%). Le 87 sec et discret par sa couleur pâle à reflets verts autant que par ses jeunes arômes. Marqué en finale par des notes de terroir, il est à choisir pour le fromage de brebis.

M. Georges Bru-Baché, rue Barada, 64360 Monein, tél. 59.21.36.34 ☎ r.-v.

CLOS LAPEYRE 1987***

3 ha · 15 000 · n.c.

Un "vignoble tout en terrasses sur les coteaux de La Chapelle-de-Rousse. 87, dans un or pâle, exhale des arômes très fins de pêche blanche auxquels se mêlent quelques notes miellées. Frais, très fruité, il est tout en légèreté. Parfait pour truites ou saumons grillés.

M. Jean-Bernard Larrieu, La Chapelle-de-Rousse, 64110 Jurançon, tél. 59.21.50.80 ☎ t.l.j. 10h-19h.

DOM. DE LARREDYA 1987*

2 ha · 5 000 · n.c.

Sur un très beau vignoble en terrasses, les vignes du domaine de Larredya produisent des jurançons typiques comme ce 87 à la robe pâle à reflets verts, aux arômes puissants et à la bouche corsée et fruitée.

M. Jean-Marc Grussaute, chem. de Larredya, Chapelle-de-Rousse, 64110 Jurançon, tél. 59.21.74.42 ☎ t.l.j. 8h-12h 14h-18h.

CLOS UROULAT 1987**

2.50 ha · 12 000

Sur une petite propriété de grande notoriété,

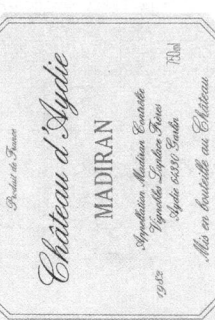

Charles Hours, ancien œnologue de la cave coopérative, élabore des vins d'une grande finesse. Son 87 a une robe dorée, des arômes intenses de poire william et de fruits exotiques. Souple et ample, il finit sur des notes amandées.
☛ M. Charles Hours, Clos Uroulat, 64360 Monein, tél. 59.21.46.19 ⊤ r.-v.

☛ GAEC Vignobles Laplace, Aydie, 64330 Garlin, tél. 59.04.03.96 ⊤ t.l.j. 8h-13h 14h-20h.

Madiran

D'origine gallo-romaine, le madiran fut pendant long-temps le vin des pèlerins de Saint-Jacques-de-Compostelle. La gastronomie du Gers et ses ambassadeurs dans la capitale représentent ce vin pyrénéen. Le cépage roi est le tannat, qui donne un vin âpre dans sa jeunesse, très coloré, avec des arômes primaires de framboise; il s'exprime après un long vieillissement. Lui sont associés cabernet sauvignon et cabernet franc, fer servadou (ou pinenc). Les vignes sont conduites en demi-hautain.

Les vins de Madiran sont des vins virils par excellence. On distinguera particulièrement les vins légers à plus forte proportion de cabernet, qui peuvent être bus jeunes pour que l'on profite de leur fruité et de leur souplesse. Ils accompagnent les confits d'oie et les magrets saignants de canard. Les madirans traditionnels, à forte proportion de tannat, supportent très bien le passage sous-bois et doivent attendre quelques années. Les vieux madirans sont sensuels, charnus et charpentés, avec des arômes de pain grillé, et s'allient avec les gibiers et les fromages de brebis des hautes vallées.

DOM. BARREJAT 1986*

■ 2 ha 130 000 ⬛⬛ ♦ ⊻ ▮1

83 85 86

Un caractère et une personnalité en grande partie dus au terroir graveleux et limoneux; ce 86 a une robe sombre, des arômes puissants à dominante framboise. Tannique, encore sévère, il demande quelques années de garde avant de s'harmoniser. A boire sur confits et gibiers rôtis.
☛ M. Maurice Capmartin, Dom. Barrejat, Maumusson, 32400 Riscle, tél. 62.69.74.92 ⊤ t.l.j. sf dim. 8h30-12h30 14h-18h ; f. dim. sur r.-v.

DOM. BERTHOUMIEU
Cuvée Tradition 1986**

■ 16 ha 120 000 ⬛⬛ ⊻ ▮2

[78] 79 80 81 [82] [83] 84 (85) [86]

Sur un terrain limono-graveleux bien exposé, le domaine Berthoumieu produit des vins issus de vieilles vignes à petits rendements. Le 86 possède des arômes de cassis et de cerise, une bouche chaleureuse, équilibrée avec des tanins assez ronds et de la chair. Il peut se boire dès à présent sur daubes et confits mais il gagnera en finesse au bout de 3 ou 4 ans.
☛ M. Louis Barré, Viella, 32400 Riscle, tél. 62.69.74.05 ⊤ t.l.j. sf dim. 8h-12h 14h-19h.

DOM. DES BORIES 1985**

■ 3 ha 15 000 ⬛ ⊻ ▮2

Une toute jeune propriété qui se signale déjà par ses vins de qualité. Le 85 a une robe cerise sombre, des arômes de sous-bois, d'épices et de poivre. Il est rond et souple en bouche, avec du gras, de la chair et un boisé discret bien fondu. La finale est chaleureuse et les tanins mûrs. A boire dès à présent sur salmis et viandes en sauces.
☛ M. Boyrie, Lasserre, 64350 Lembeye, tél. 59.68.78.04 ⊤ r.-v.

DOM. BRANA 1985*

■ 5,50 ha 20 000 ⬛ ⊻ ▮2

Un madiran très fruité, une robe cerise foncée. Les arômes intenses de fruits rouges très mûrs et de poivre, la bouche charnue et bien structurée, lui confèrent une agréable personnalité. A boire dès à présent.
☛ Mme. Rose Delle-Vedoue, Maumusson, 32400 Riscle, tél. 62.69.77.70

CH. D'AYDIE 1985***

■ 10 ha 53 000 ⬛⬛ ♦ ⊻ ▮3

82 [83] 84 (85)

Deuxième vignoble des Laplace, ce château aime la tradition : le tannat domine, élevé en fûts de chêne neuf. 85 a une robe profonde, des arômes complexes où se mêlent vanille, fruits cuits et épices. Plein et riche, harmonieux et subtil, il finit sur des tanins mûrs et bien fondus. Déjà agréable à boire, cette belle bouteille très équilibrée devrait bien vieillir.

DOM. DU CRAMPILH
Vieilles vignes 1985*

■ 4,50 ha — 21 000 — [icons] 3
79 81 **82 83** 84 85

Certaines vignes ont près de quatre-vingts ans. Très concentrés, ces vins qui en sont issus sont de longue garde. Le 85 est sombre, par sa couleur, réservé par ses arômes avec une jeune dominante de fruits rouges. Ample et charpenté, encore sévère, il promet une belle harmonie. Un produit de tradition à attendre avec patience.
↳ M. Alain Oulié, Aurions-Idernes, 64350 Lembeye, tél. 59.240.063 ▾ r.-v.

CAVE DE CROUSEILLES
Pot gourmand 1986

㉜ |85| 86
■ 30 ha — 100 000 — [icons] 1

La cave de Crouseilles a été un des artisans les plus efficaces de renouveau du Madiran et du Pacherenc. La cuvée «pot gourmand» 86 est tout en souplesse et en vinosité. Avec une robe rubis, des arômes discrets de petits fruits rouges et une bouche légère et sans âpreté, c'est un vin à boire dès à présent sur charcuteries et grillades de feu de bois.
↳ Cave de Crouseilles Madiran, Crouseilles, 64350 Lembeye, tél. 59.68.10.93 ▾ t.l.j. sf dim. 8h30-12h30 14h-18h30.

DOM. DE DIUSSE 1986*

81 |82 |83| 84 ㉟ 86
■ 4,50 ha — n.c. — [icons] 2

Le domaine de Diusse est géré par un centre d'Aide au Travail et ses vins sont bien représentatifs des madirans traditionnels. Le 86 a une robe sombre, aux arômes typés par le cabernet qui évoluent vers des notes anima les. La bouche se révèle concentrée et puissante avec une attaque grasse et une finale tannique. Quelques années de garde l'assoupliront sûrement. Servir sur palombes.
↳ CAT de Diusse, Dom. de Diusse, Diusse, 64330 Garlin, tél. 59.04.00.52 ▾ l.u. ma. me. je. ve. 8h30-12h 14h-17h ; f. Août

DOM. D'HECHAC 1985**

■ 9,80 ha — 30 000 — [icons] 2

Une résurrection pour cette ancienne propriété du marquis de Franchein dont les chais avaient disparu dans un incendie. Trente ans plus tard, la vigne a retrouvé sa place sur les coteaux de Soublecause. Le vin de 85 a une couleur cerise, des arômes légèrement épicés, une bouche souple et ronde qui finit sur des tanins mûrs et gras. Un bon vin à boire dès à présent sur viandes grillées ou charcuterie.
↳ M. Lucien Rémon, Dom. d'Héchac, Soublecause, 65700 Maubourguet, tél. 62.96.35.75 ▾ t.l.j. 8t-20h30.

LAFFITTE JEAN-MARC 1985**

68 77 78 79 80 |81|82|83| 84 85
■ 18 ha — 20 000 — [icons] 3

Depuis plusieurs générations, la famille Laffitte élève ses vins à la propriété. Cette cuvée spéciale 85, élevée en fûts de chêne neuf, est très représentative de la nouvelle école qui pointe l'oreille à Madiran... Une robe profonde, beaucoup ce fruit au nez avec du cassis, des fruits de la passion, des épices, une bouche pleine et moelleuse avec un boisé bien fondu. Un vin qui devrait développer sa complexité dans 5 ou 6 ans.
↳ M. Jean-Marc Laffitte, Maumusson, 32400 Riscle, tél. 62.69.74.58 ▾ t.l.j. 8h-13h 14h-19h30 ; f. jours fériés

DOM. DE LA MOTTE 1986*

■ 8 ha — 40 000 — [icons] 2
78 79 81 **82 83** 85 86

Avec sa belle robe rubis aux reflets sombres, ce domaine de La Motte 86 est un vin facile et d'abord aimable. Des arômes assez intenses de fruits rouges, une bouche qui attaque en souplesse et reste dans un style léger, voilà un vin à boire dès à présent pour profiter de son fruité.
↳ M. et Mme Michel Arrat, Dom. de La Motte, Lasserre, 64350 Lembeye, tél. 59.68.16.98 ▾ r.-v.

LAPLACE 1986**

■ 35 ha — 250 000 — [icons] 2
78 79 91 **82 83** 85 86

Trois générations de vignerons travaillent sur ce domaine l'un des plus célèbres de l'appellation. Ce vin «étiquette blanche» est fait dans le style fruité qui a fait le succès de la famille Laplace. Une robe sombre, des arômes de fruits rouges avec du gras et une finale en bouche avec très agréable à boire dès à présent sur confits ou magrets de canard.
↳ GAEC Vignobles Laplace, Aydie, 64330 Garlin, tél. 59.04.03.96 ▾ t.l.j. 8h-13h 14h-20h.

DOM. DE MAOURIES 1986**

■ 5 ha — 40 000 — [icons] 2
78 79 |81 82 83 84 |85|86

Un madiran très réussi dans un style plus léger que le 85 qui était, lui, un vin de longue garde. La robe profonde et brillante, un joli nez où dominant les épices, les fruits rouges mûrs et la poire. Une bouche charnue et charpentée mais sans agressivité, une finale où les tanins sont bien fondus. Voilà un vin déjà agréable à boire sur des viandes grillées ou des fromages à pâte molle.
↳ M. André Dufau Père et Fils, Dom. de Maouries, Labarthète, 32400 Riscle, tél. 62.59.63.84 ▾ t.l.j. 9h-12h 14h-18h.

CH. MONTUS Cuvée Prestige 1985***

|82| 83 |84| ㉟
■ 3 ha — 15 000 — [icons] 4

Dans son chai classé monument historique, Alain Brumont élabore des madirans de haut de gamme, élevés en fûts de chêne neuf. Cette cuvée prestige a très grande proportion de tannat a une robe profonde, des arômes complexes vanillés et épicés, une bouche ample, concentrée et puissante avec une grande force tannique encore sante avec une grande force tannique, une bouche du bois. Voila un vin exceptionnel de grand avenir de toute sa complexité. Surtout, ne pas se profiter actuellement. Patience.
↳ M. Alain Brumont, Dom. de Bouscassé, Maumasson, 32400 Riscle, tél. 62.69.74.67 ▾ t.l.j. sf dim. 8h-12h30 14h-19h.

Pacherenc du vic-bilh

Pacherenc du vic-bilh

Sur la même aire que le madiran, ce vin blanc est issu de cépages locaux (arrufiat, manseng, courbu) et bordelais (sauvignon, sémillon); cet ensemble apporte une palette aromatique d'une extrême richesse. Suivant la climatologie du millésime, les vins seront secs et parfumés ou moelleux et vifs. Leur finesse est alors remarquable; ils sont gras et puissants avec des arômes mariant l'amande, la noisette et les fruits exotiques. Ils feront d'excellents vins d'apéritif et, moelleux, seront parfaits sur le foie gras en terrine.

DOM. MOUREOU 1985 * * * ▪▪▼2

81 ⑧② 83 84 85

Une belle réussite que ce 85. Jean Ducournau fait partie de la génération montante du Madiranais et ses vins sont toujours dans le peloton de tête. Une robe grenat, des arômes discrètement boisés, vanillés et épicés, une bouche souple et complexe avec beaucoup de matière et des tanins mûrs en finale : un beau vin de garde à servir dans 4 ou 5 ans sur magrets, confits et viandes en sauce.

↘ M. Jean Ducournau, Maumusson, 32400 Riscle, tél. 62.69.74.51 ▼ t.l.j. sf dim. 8h-19h.

DOM. DE PIARRINE 1985 * * ▪▪▼3

8.80 ha   60 000

Avec son excellent terroir exposé plein sud et caillouteux, son équilibre tannat-cabernet, son élevage en fûts pendant 12 mois, le domaine de Piarrine produit des vins fort estimables. Rubis avec des arômes confits de fruits cuits, de réglisse et de vanille, il est souple et ample avec une finale bien fondue. Déjà agréable sur gibiers ou magrets rôtis, il gagnera sûrement à vieillir quelques années pour développer sa complexité.

↘ M. Jacques Achilli, Dom. de Piarrine, Cannet, 32400 Riscle, tél. 62.69.77.66 ▼ t.l.j. 8h-12h 14h-20h.

DOM. PICHARD 1985 * * ▪▪▼2

|75||76||78| 79 81 ⑧2 83 84 |85|

12 ha   80 000

Auguste Vigneau possède encore quelques vieux millésimes, il est parfait pour cela vénéré des amateurs de vieux madirans. Ce 85 ne déroge pas au style maison : il ne sera à son optimum que dans 8 ou 10 ans. Une robe rubis foncée, des arômes puissants où dominent la cannelle et le clou de girofle, une bouche épicée, charpentée avec du gras et de la longueur, des tanins typiques du terroir, un vin plein d'avenir.

↘ M. Auguste Vigneau, Dom. Pichard, Soublecause, 65700 Maubourguet, tél. 62.96.35.73 ▼ t.l.j. 8h-20h.

PRODUCTEURS DE PLAIMONT
Collection 1986 * * ▪▪▼3

81 |82||83| 85 86

La cave coopérative de Saint-Mont ne surprend plus par la haute qualité de sa gamme «Collection». Ses arômes, très complexes, marient la vanille, la menthe, la groseille. Le 86 présente un très bon équilibre entre vin et bois, avec de la matière, de l'ampleur et une finale où se fondent les notes boisées. Un bien beau vin qui gardera longtemps le caractère de son terroir.

↘ Union des Producteurs Plaimont, 32400 Saint-Mont, tél. 62.69.62.87 ▼ r.-v.

DOM. BARREJAT 1987 * * ↓▼1

2.25 ha   10 500

Une excellente surprise que ce pacherenc 87 de Maurice Capmartin, plus connu pour ses madirans traditionnels. Une robe pâle à reflets verts, des arômes fruités avec des notes de poire et de noisette. Nerveux et concentré, souple en finale, un vrai vin blanc du Sud-Ouest à boire sur poissons de rivière.

↘ M. Maurice Capmartin, Dom. Barréjat, Maumusson, 32400 Riscle, tél. 62.69.74.92 ▼ t.l.j. sf dim. 8h30-12h30 14h-18h ; f. dim. sur r.-v.

CAVE DE CROUZEILLES 1987 * * ▪↓▼1

8 ha   40 000

Les pacherencs de la cave de Crouzeilles sont de mieux en mieux vinifiés, dans un style moderne très plaisant. L'accent est mis ici sur la fraîcheur et les arômes. La bouche est vive, bien équilibrée, la finale nette et franche. Un bon vin pour fruits de mer et poissons grillés.

↘ Cave de Crouzeilles Madiran, Crouzeilles, 64350 Lembeye, tél. 59.68.10.93 ▼ t.l.j. sf dim. 8h30-12h30 14h-18h30.

LAPLACE Sec 1987 * * ▪▼2

⑧③ 85 86 |87|

5 ha   30 000

La famille Laplace se distingue toujours par ses pacherencs de caractère. Le millésime 87 est dans la droite lignée des 83 et 85 : une robe intense, des arômes fins et complexes avec des touches de vanille et de pêche blanche ; très fruité, avec un boisé discret, rond et chaleureux, il finit sur des notes amandées. Un vin blanc de garde qui peut vieillir quelques années, mais déjà agréable à boire sur des poissons en sauce.

↘ GAEC Vignobles Laplace, Aydie, 64330 Garlin, tél. 59.04.03.96 ▼ t.l.j. 8h-13h 14h-20h.

CH. MONTUS 1987 * * ▪▼3

3.50 ha   15 000

Voici le premier vin blanc du Château Montus, qui s'est distingué par ses élevages en bois

604

Pour tout savoir d'un vin, lisez les textes d'introduction des appellations et des régions : ils complètent les fiches des vins.

neuf dans l'appellation madiran Le pacherenc est bien vinifié en barrique, sa couleur or pâle, ses arômes marqués par les accents balsamiques. Souple et gras à l'attaque, c'est un vin dense et lourd qui doit absolument vieillir avant d'exprimer toute sa complexité. A revoir dans quelques années.

- M. Alain Brumont, Dom. de Bouscassé, Maumusson, 32400 Riscle, tél. 62.69.74.67 t.l.j. sf dim. 8h-12h30 14h-19h.

PRODUCTEURS DE PLAIMONT
Collection sec 1987*

	5 ha	40 000

86 87

Avec une belle palette de cépages locaux, la cave de Saint-Mont élabore des pacherencs racés. Le 87 sec à une robe jaune paille, des arômes fleuris, fins et élégants, une bouche fruitée soulignée par un peu de gaz qui vient en renforcer la fraîcheur. A boire sur crustacés et poissons en sauce.

- Union des Producteurs Plaimont, 32400 Saint-Mont, tél. 62.69.62.87 r.-v.

PRODUCTEURS DE PLAIMONT
Collection moelleux 1987**

	11 ha	80 000

(85) (86) 87

Les vins élaborés par l'Union Plaimont couvrent plusieurs appellations, dont pacherenc. Les moelleux sont élaborés en fûts de chêne qui leur apportent épices, corps et aptitude à la garde. Les 87 sont aromatiques avec des notes miellées et un boisé très discret. En bouche, ils sont tout en délicatesse, avec peu de sucre, l'accent étant mis sur le fruit et la finale légère. Un excellent vin d'apéritif.

- Union des Producteurs Plaimont, 32400 Saint-Mont, tél. 62.69.62.87 r.-v.

DOM. DE TESTON 1987*

	n.c.	n.c.

Jean-Marc Laffitte fait partie de la meute des jeunes loups qui font bouger l'appellation. Son pacherenc sec 87, à base de gros manseng, arrufiac et petit manseng fait penser à un jurançon sec par ses arômes de fruits exotiques et son équilibre. Un vin frais et léger pour l'apéritif (la pointe de gaz carbonique est assez plaisante) ou les coquillages.

- M. Jean-Marc Laffitte, 32400 Maumusson, tél. 62.69.74.58 r.-v.

Tursan VDQS

Autrefois vignoble d'Aliénor d'Aquitaine, le terroir de Tursan produit des vins de qualité supérieure rouges, rosés et blancs. Les plus intéressants sont les blancs, issus d'un cépage original, le baroque. Sec et nerveux, au parfum inimitable, le tursan blanc accompagne alose, pibale et poisson grillé. Signalons que Michel Guérard a planté « sa » vigne de tursan.

LES VIGNERONS DE TURSAN
Carte noire 1987*

	300 ha	n.c.

85 87

A base de tannat et cabernets, les vins de Tursan sont les survivants du grand vignoble de Chalosse des XVIIe et XVIIIe s. Le 87 a une robe cerise foncée, des arômes de petits fruits rouges vifs et épicés. La bouche est charnue et généreuse avec de la mâche et des tanins encore dans leur jeunesse. A boire dès l'an prochain sur confits ou viandes rôties.

- Les Vignerons du Tursan, 40320 Géaune, tél. 58.44.51.25 r.-v.

LES VIGNERONS DE TURSAN
Carte noire 1987*

	300 ha	n.c.

86 87

Le cépage baroque est la grande originalité des vins blancs de Tursan, que l'on ne retrouve nulle part ailleurs. Il produit des vins rustiques mais de haute expression. Le 87 a une robe pâle avec quelques perles, des arômes fleuris avec des notes de pêche blanche, une bouche fraîche bien équilibrée et harmonieuse. A boire sur saumons grillés ou truites des gaves.

- Les Vignerons du Tursan, 40320 Géaune, tél. 58.44.51.25 r.-v.

Côtes de saint-mont VDQS

Prolongement du vignoble de Madiran, les côtes-de-saint-mont sont la dernière née des appellations pyrénéennes en vins de qualité supérieure (1981). Le cépage rouge principal est encore ici le tannat, les cépages blancs se partageant entre la clairette, l'arrufiat, le courbu et les mansengs. L'essentiel de la production est assuré par l'union dynamique de caves coopératives Plaimont. Les vins rouges sont colorés et corsés, et deviennent vite ronds et plaisants. Ils seront bus sur grillades et garbure gasconne. Les rosés sont fins et estimables par leurs arômes fruités. Les blancs ont

des parfums de terroir et sont secs et nerveux.

PRODUCTEURS DE PLAIMONT
Collection 1986**

■ 300 ha 250 000

82 83 (85) 86

Un vin très expressif à base de 80% de tannat et un élevage en fûts de chêne neufs. Le 86 a une robe très sombre, des arômes puissants de fruits vanillés et épices. La bouche est ample et charnue avec des tanins déjà bien fondus, un boisé fin et discret. Un vin qui demande 3 ou 4 ans de garde avant d'exprimer toute sa complexité. Il accompagnera la cuisine du Sud-Ouest, magrets et salmis de palombe.

↳ Union des Producteurs Plaimont, 32400 Saint-Mont, tél. 62.69.62.87 ☎ r.-v.

PRODUCTEURS DE PLAIMONT
Tradition 1987*

□ 100 ha 120 000

85 86 87

À base de cépages locaux, arrufiac, gros et petit manseng, courbu, les vins blancs de Saint-Mont ont du caractère. Le 87 a une robe pâle, des arômes frais de fleurs blanches et de fruits exotiques, une bouche vive et franche, fruitée, et une finale nette. Plaisant, il accompagnera les fruits de mer.

↳ Union des Producteurs Plaimont, 32400 Saint-Mont, tél. 62.69.62.87 ☎ r.-v.

Les vins de la Dordogne

Suite naturelle du vignoble libournais, celui de Dordogne n'en est séparé que par une frontière administrative. Avec des cépages classiques girondins, le vignoble périgourdin est caractérisé par une production très diversifiée et un grand nombre d'appellations. Il s'épanouit en terrasses sur les rives de la Dordogne.

L'appellation régionale bergerac comprend des blancs, des rosés et des rouges. Les côtes de bergerac sont des vins blancs moelleux, au bouquet délicat, et des rouges charpentés et ronds, à boire sur volailles et viandes en sauce. L'appellation saussignac désigne d'excellents vins moelleux qui possèdent un équilibre idéal entre vivacité et sucre, vins d'apéritifs intermédiaires entre le bergerac et le monbazillac. Montravel, proche de Castillon, est le vignoble de Montaigne; la production s'y divise en montravel blanc sec, très typé par le sauvignon, et en côtes de montravel et haut-montravel, moelleux, élégants et racés, excellents vins de dessert. Le pécharmant est un vin rouge récolté sur les coteaux du Bergeracois, où des sols riches en fer lui donnent un goût de terroir très typé. Vin de garde, au bouquet fin et subtil, il accompagnera les classiques de la cuisine périgourdine. Le rosette est un blanc moelleux issu des mêmes cépages que les bordeaux et récolté dans une petite zone de la rive droite de la Dordogne autour de Bergerac.

Le monbazillac, lui, est l'un des vins liquoreux les plus célèbres. Connu depuis le XIVe s., son vignoble est exposé au nord sur des terrains argilo-calcaires. Le micro climat qui y règne est particulièrement favorable au développement contrôlé du botrytis, ou pourriture noble. Les vendanges sont effectuées en tries successives au fur et à mesure du «rôtissage» des baies. D'une belle couleur dorée, les monbazillacs ont des arômes de fleurs sauvages et de miel. Très longs en bouche, ils peuvent être bus à l'apéritif, sur le foie gras, le roquefort et les desserts à base de chocolat. Gras et puissants, ils deviennent en vieillissant de grands liquoreux au goût de «rôti».

Bergerac

CH. CALABRE 1986**

■ 10 ha 64 000

82] 83 (85) [86]

Ce vin de coteau possède une magnifique robe, nette et bien soutenue. Le nez encore un peu discret rappelle le cassis. Sa rondeur et sa générosité en font un vin d'excellente qualité qui pourra vieillir.

↳ SCEA Puy-Servain-Calabre, Port-Sainte-Foy-Ponchapt, 33220 Sainte-Foy-la-Grande, tél. 53.24.77.27 ☎ r.-v.

↳ M. Paul Hecquet.

Le Bergeracois

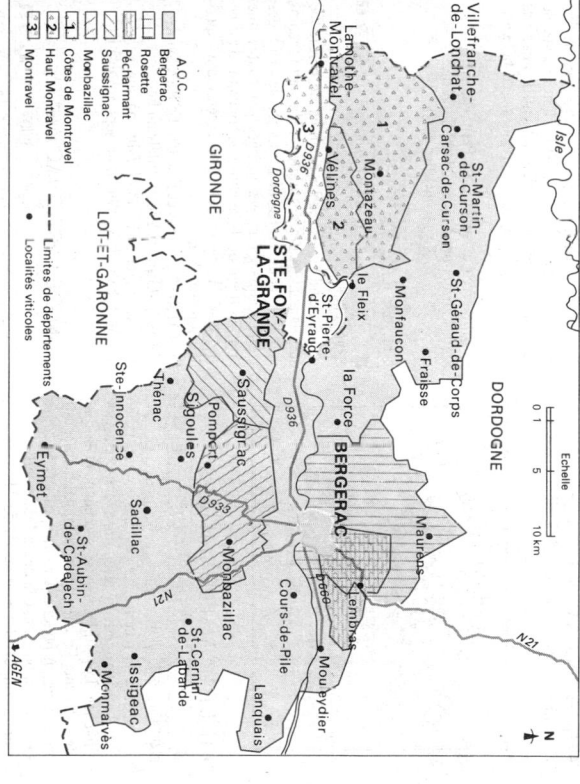

A.O.C.
Bergerac
Rosette
Pécharmant
Saussignac
Monbazillac
Côtes de Montravel
Haut Montravel
Montravel

3 | 2 | 1

--- Limites de départements
• Localités viticoles

Echelle
0 1 5 10 km

DOM. DES COMBERIES 1986

[85] [86]

15 ha — 5 000

La couleur est sombre et tire un peu sur le violet. L'odeur rappelle le poivron. Le vin est rond et semble rouler sous la langue, mais la fin de bouche est un peu courte malgré de jolis tanins.

→ M. Jean-Paul Lhomme, Les Comberies, Singleyrac, 24500 Eymet, tél. 53.58.80.19 t.l.j., 8h-19h.

DOM. CONSTANT 1986

[85] [86]

5,25 ha — 20 000*

Belle robe d'un rubis intense. A l'agitation, le nez développe des arômes très fondus. Le plus surprenant est sans doute l'alternance des sensations gustatives, tantôt rondes et souples, tantôt corsées et tanniques. Faut-il trouver là l'empreinte des vendangeurs ou plutôt celle du vinificateur qui n'égrappe pas sa vendange?

→ M. Jean-Louis Constant, Cassang, Lamonzie-Saint-Martin, 24130 La Force, tél 53.24.07.08 r.-v.

DOM. DE COUTANCIE 1986

[82] [85] 86

7 ha — 35 000

Cette exploitation située sur le coteau de Prigonrieux produit un bergerac rouge, dont la couleur évolue rapidement. Coulant avec peu de tanins, c'est un vin facile à boire, mais qui ne se conserva pas longtemps.

→ M. Jules Brichese, Dom. de Coutancie, Prigonrieux, 24130 La Force, tél. 53.58.01.85 t.l.j, 9h-12h 14h-16h.

DOM DU GOUYAT 1986***

83 84 [85] [86]

22 ha — 140 000

L'entreprise familiale ne cesse de s'agrandir avec la venue de la jeune sœur qui vient prêter main forte à ses frères, et avec l'acquisition de nouvelles vignes. L'élevage d'une petite partie de la production en barrique permet de révéler un vin aromatique plein de puissance et de caractère.

→ Dubard Frères et Sœur, Le Gouyat, Saint-Méard-le-Gurçon, 24610 Villefranche-de-Lonchapt, tél. 53.82.45.26 t.l.j, 8h-20h.

UVE LA DORDOGNE

Cuvée Monsieur de Bergerac 1986

n.c. — 100 000

«Monsieur de Bergerac» est une cuvée issue de plusieurs caves coopératives réunies au sein d'Unidor. Elle est donc très représentative des terroirs de Bergerac. Belle présentation, léger fruité, ton équilibré en bouche.

→ Unicor-Union des Caves Coop., rte de Mont-de-Maran, Saint-Laurent-des-Vignes, 24100 Eergerac, tél. 53.57.40.44 t.l.j, sf dim. 8h30-12h30 13h30-17h30.

CH. DE LA JAUBERTIE 1987***

82 83 84 85 86 [87]

12 ha — 75 000

Le château, magnifique demeure Henri IV, est encadré par les chais et par le vignoble d'une cinquantaine d'hectares. Les dégustateurs ont été conquis par la puissance et le caractère aromatique de ce rosé. Réduire le caractère des arômes à la seule note de cassis, c'est ne rien dire du vin. A déguste d'urgence.

Henry Ryman SA. Ch. de La Jaubertie, Colombier, 24560 Issigeac. tél. 53.58.32.11 ℐ r.-v.

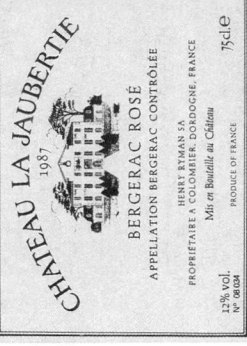

CH. DE LA MALLEVIEILLE 1986**

| 82 | 83 | 84 85 | 86 | | | 8,42 ha | 50 000 |

Ce vin a dû réconforter bien des voyageurs. La «Mallevieille» est en effet un ancien relais de diligence. Les millésimes se succèdent et la qualité s'affirme. Le vin est net, complet, bien équilibré et long en bouche. Un vin qui tient la route.
➥ M. Philippe Biau, Ch. de La Mallevieille, Monfaucon, 24130 La Force, tél. 53.24.64.66 ℐ t.l.j. 8h-20h.

LA PELISSIERE 1987

| | 230 ha | 100 000 |

Selon l'année, les rosés sont élaborés soit par pressurage direct, soit par saignée après quelques heures de macération. Ce pur cabernet sauvignon sera un agréable compagnon des grillades d'été.
➥ Cave de Sigoulès, Mescoules, 24240 Sigoulès, tél. 53.58.40.18 ℐ lu. ma. me. ve. 9h-12h 14h-17h.

CH. LA RAYRE 1986*

| | 4 ha | 18 000 |

Il semble cette année que l'agréable simplicité du «primeur», plusieurs fois cité dans des éditions anciennes, soit dépassée pour l'obtention d'un vin plus complet. La présentation est belle, le nez rappelle la framboise, et, en bouche, le vin est souple et harmonieux.
➥ M. Jean Revol, Ch. La Rayre, Colombier, 24560 Issigeac, tél. 53.58.32.17 ℐ t.l.j. 9h-12h 14h-18h.

CAVE COOP. LE FLEIX
Cuvée Générique 1986

| (82) | 83 | 85 86 | | 12 ha | 60 000 |

La cave coopérative du Fleix produit de nombreuses appellations. Parmi les bergeracs rouges commercialisés, la Cuvée Générique présente les caractères généraux des bergeracs qui sont fruités et complets. A noter la cuvée spéciale «Domaine de La Vaure» élevée en barrique.
➥ Cave Coop. du Fleix, Le Fleix, 24130 La Force, tél. 53.24.64.32 ℐ r.-v.

CLOS LE PETIT MARSALET 1986**

| | 2 ha | 5 000 |

Effort et tradition associés à un esprit de famille développe constituent les moteurs du Clos Le Petit Marsalet. Si la situation est privilégiée pour la maturité des raisins blancs en vue de l'élaboration de monbazillac, on vinifie aussi des vins rouges gras et charnus, comme ce bergerac 86.
➥ M. Pierre Cathal, Clos Le Petit Marsalet, Saint-Laurent-des-Vignes, 24100 Bergerac, tél. 53.57.53.36 ℐ t.l.j. 9h-12h 14h-18h.

CH. LE RAZ 1986**

| 83 | (85) | 86 | | | 15,51 ha | 120 000 |

Château Le Raz... un exemple de constance dans la qualité. Les dégustateurs Hachette recommandent pour la troisième année le fruit des vinifications appliquées menées par toutes une famille. Il y a quelque chose de touchant dans ce vin, au-delà même du fruité exceptionnel qu'il développe en bouche.
➥ MM. Barde Frères et Fils, Ch. Le Raz, Saint-Méard-de-Gurçon, 24610 Villefranche-de-Lonchat, tél. 53.82.48.41 ℐ lu. ma. me. ve. sa. 10h-12h30 14h30-19h ; f. mi-sept. jusqu'à fin oct.

DOM. DE LESTIGNAC 1986*

| | 5 ha | 15 000 |

Voilà un vin de contraste : les uns sont subjugués, les autres réservés car, si la qualité des arômes de type mûre sauvage fait l'unanimité, les tanins très affirmés surprennent. A boire sur du gibier.
➥ SCEA Ch. du Bru, Saint-Avit-Saint-Nazaire, 33220 Sainte-Foy-la-Grande, tél. 57.46.12.71 ℐ t.l.j. 9h-12h 14h-18h.
➥ M. Guy Duchant.

DOM. DE LIBARDE 1986*

| | 5 ha | 24 000 |

Voilà un joli vin, bel exemple d'un bergerac rouge de qualité, rond, fin et de bonne tenue. L'équilibre des cépages est caractéristique de l'expression du terroir : 40% de merlot, 30% cabernet sauvignon, 30% cabernet franc.
➥ M. Jean-Claude Banizette, Dom. de Libarde, Nastringues, 24230 Vélines, tél. 53.24.77.72 ℐ t.l.j. sf dim. 9h-12h 14h-19h.

CH. MAZIVERT 1986

| | 4,81 ha | n.c. |

Le château Mazivert est un ancien pavillon de chasse devenu propriété viticole en 1892. La bonne exposition du vignoble permet d'obtenir des vins agréables et équilibrés tel ce 86.
➥ UV de Port-Sainte-Foy, 78, rte de Bordeaux, Port-Sainte-Foy, 33220 Sainte-Foy-la-Grande, tél. 53.24.75.63 ℐ t.l.j. sf dim. 9h-12h 14h-18h.

CH. MAZURIE 1986*

| | 4,83 ha | 38 000 |

Le château Mazurie est né en 1852, sur les coteaux de Fougueyrolles. Initialement maître de forge, la famille «forge» aujourd'hui de jolis vins de couleur profonde avec des reflets orangés, et certains, à l'aveugle, leur trouvent des nuances légèrement fumées !...
➥ UV de Port-Sainte-Foy, 78, rte de Bordeaux, Port-Sainte-Foy, 33220 Sainte-Foy-la-Grande, tél. 53.24.75.63 ℐ t.l.j. sf dim. 9h-12h 14h-18h.

MOULIN DE BOISSE 1986 — 6,50 ha — 26 000

Il y a quelque temps déjà que les ailes du moulin ont cessé de faire de l'ombre sur les vignes de M. Molle, situées juste en contrebas. Ici, les vins sont légers comme l'air, et pleins de finesse. Ce sont des vins de rez plus que de bouche. En allant les goûter, ne pas manquer de rendre visite au verrier du village. Il fait aussi de belles choses.

M. Jean-Louis Molle, Moulin de Boisse, 24560 Issigeac, tél. 53.58.71.18 t.l.j. sf dim. 8h-12h 14h-19h.

DOM. DU SIORAC 1986* — 10 ha — 90 000

Ce bergerac 86 présenté par les Fils Landat est légèrement évolué en couleur, ce qui n'est pas sans contraster avec la structure en bouche, ferme et vineuse. Un heureux mariage à consommer.

GAEC du Dom. du Siorac, Saint-Aubin-de-Cadelech, 24500 Eymet, tél. 53.24.50.76 t.l.j. 9h-19h.

MV. André Landat et Fils.

CH. DE PANISSEAU 1986* — 17 ha — 120 000

83 | 85 | 86

Panisseau est un nom très réputé, à la fois par l'harmonie de l'architecture du château, et par la qualité de ses vins. Légèreté et rondeur font de ce bergerac 86 un exemple d'équilibre. Il sera rapidement prêt à boire.

GAEC Ch. de Panisseau, Thénac, 24240 Sigoulès, tél. 53.58.40.03 t.l.j. sf dim. 8h-12h 14h-18h.

M. Becker.

(82) CH. BELINGARD-CHAYNE 1987** — 30 ha — 200 000

83 | 85 | 86

Cette noble maison a tout pour surprendre et continuer à séduire : quatre générations se côtoient et pérennisent la tradition. Pour s'en convaincre, il faut goûter ce bergerac sec 87, parfaite harmonie des cépages, vivacité des arômes, charnu en bouche, ou goûter encore les côtes de bergerac rouge 86 plein de promesse.

Comte de Bosredon SCEA, Bélingard, Pomport, 24240 Sigoulès, tél. 53.58.28.03 t.r.v.

DOM. DE PERREAU 1986*** — 12 ha — 20 000

Déjà remarqué par son 85, le bergerac rouge 86 reste dans les mêmes sommets de la qualité. Le nez est élégant, boisé, avec des touches de vanille et de réglisse. En bouche, la puissance des tanins lui donne un avenir prometteur. Voilà un vin qui fait voyager et rêver. L'esprit de Montaigne a soufflé par là.

M. Jean-Yves Reynou, Dom. de Perreau, Saint-Michel-de-Montaigne, 24230 Velines, tél. 53.58.60.55 t.l.j. 8h-20h.

CH. COMBRILLAC 1987*** — 8 ha — 30 000

Ce 87 a fait vibrer l'âme des dégustateurs et le coup de cœur était tout près. « Couleur splendide, jaune pâle, nez très intense rappelant les fruits exotiques, fruits de la passion, ananas ; vin riche plein de structure, gras, long, un vin à croquer ! » Remarquable éloge pour le cépage sémillon présent à 85% au superbe château Combrillac. À boire absolument.

M. Jean Priou, Dom. de Combrillac, Prigonrieux, 24130 La Force, tél. 53.58.91.67 t.l.j. sf dim. 8h-3h 14h-19h ; f. du 8 au 20 Août

CH. DE PERROU 1986 — 50 ha — 200 000

M. Amoury de Madaillan est l'actuel propriétaire d'un magnifique domaine de 150 hectares, avec un château du XVIIe s., remarquablement placé sur le décrochement du coteau dominant la vallée de la Dordogne. Cette célèbre famille règne en ces lieux depuis 1523. On dit souvent que le vin est à l'image de l'homme qui le fait. Si vous aimez les vins de caractère... goûtez un château perrou 86, qu'il soit bergerac ou monbazillac. Celui-ci est corsé et puissant.

M. A. de Madaillan, Ch. de Perrou, Gageac-Rouillac, 24240 Sigoulès, tél. 53.57.92.81 t.r.v.

DOM. DE FRAYSSE 1987** — 3 ha — 15 000

L'accueil à la propriété est chaleureux. Un pur sauvignon 87 finement carbonique, avec un bon retour en bouche. Certains l'ont trouvé un peu trop monolithique. Pourquoi ne pas ajouter un peu de sémillon comme le veut la tradition ?

M. Marcel Muret, Dom. de Fraysse, 24500 Eymet, tél. 53.23.81.38 t.r.v.

PRIEUR DE LOUPCHAC 1986* — 10 ha — 60 000

84 | 85 | 86

Belle couleur soutenue, riche en arômes, notes de fruits confits et d'épices ; ce vin franc et harmonieux pourra être dégusté dans le cadre de visites ou lors d'un circuit gastronomique organisé par la cave.

CCV Villefranche et Minzac, 24610 Villefranche-de-Lonchat, tél. 53.80.77.37 t.l.j. ma. me. je. ve. sa. 8h-18h.

CH. GRINOU 1987** — 8,80 ha — 40 000

Odeur intense, où se conjuguent des notes caractéristiques du sauvignon et les arômes de fermentation. Frais, un peu trop linéaire malgré sa souplesse, c'est un vin tout en finesse.

M. Guy Cuisset, rte de Gageac, Monestier, 24240 Sigoulès, tél. 53.58.46.63 t.r.v.

CH. DE LA JAUBERTIE
Sauvignon 1987**

☐ ⬛ 12 ha 56 000

Ce joli vin est aussi pâle qu'il est intense dans ses arômes. Son attaque est souple et, comme un ami qui part trop vite, il est un peu court en bouche. Est-ce son origine pur sauvignon qui lui donne un petit goût étrange venu d'ailleurs ?

↝ Henry Ryman SA, Ch. de La Jaubertie, Colombier, 24560 Issigeac, tél. 53.58.32.11 ♈ r.-v.

LA PELISSIERE
Blanc de blancs - Sauvignon 1987

☐ ⬛ 55,65 ha n.c.

On a sûrement compris dans cette cave coopérative, qui est la première du département par le volume de sa production, que la qualité ne pourrait être obtenue que par une sélection rigoureuse de la vendange. Le vin est fin et fruité. On perçoit en bouche que c'est un pur sauvignon par son manque de rondeur.

↝ Cave de Sigoulès, Mescoules, 24240 Sigoulès, tél. 53.58.40.18 ♈ lu. ma. me. je. ve. 9h-12h 14h-17h.

CH. LA RAYRE 1987***

☐ ⬛ 8 ha 40 000

Dans la dernière édition, il était cité pour son rouge et recommandé pour son blanc. Cette fois-ci, les dégustateurs, unanimes, décernent un coup de cœur à ce Bergerac sec 87. L'intensité variétale des arômes, avec une nuance finement muscatée, supportée par une structure franche et longue, constitue une des expressions possibles de la perfection.

↝ M. Jean Revol, Ch. La Rayre, Colombier, 24560 Issigeac, tél. 53.58.32.17 ♈ t.l.j. 9h-12h 14h-18h.

CH. LE RAZ Sauvignon 1987***

☐ ⬛ 6,76 ha 60 000

Les deux frères Barde sont des passionnés de vins blancs. Le leitmotiv de leur réflexion est « comment intensifier et pérenniser les arômes ? ». Il faut goûter ce parfait équilibre de sauvignon et de sémillon, pour comprendre qu'ils ont en partie trouvé une réponse à leur question.

↝ MM. Barde Frères et Fils, Ch. Le Raz, Saint-Méard-de-Gurçon, 24610 Villefranche-de-Lonchat, tél. 53.82.48.41 ♈ lu. ma. me. ve. sa. 10h-12h30 14h30-19h ; f. mi-sept. jusqu'à fin oct.

CH. LES MIAUDOUX 1987*

☐ ⬛ 8,60 ha 60 000

M. Gérard Cuisset fait partie de la jeune génération de viticulteurs pour qui l'amour du métier enfante forcément la qualité. Ce bergerac sec 87 est un vivant exemple de cette juste conception. 60% de sémillon, 25% de sauvignon et 15% de muscadelle ; le vin a été jugé parfait dans ses équilibres, et d'une grande finesse.

↝ M. Gérard Cuisset, Les Miaudoux, 24240 Sigoulès, tél. 53.27.92.31 ♈ r.-v.
↝ M. Claude Martinet.

CH. MEYRAND LACOMBE 1987

☐ ⬛ 8 ha 20 000

Le château Meyrand Lacombe est une association de deux frères qui se sont réunis en 1972 pour reprendre l'exploitation familiale. Les sols, à dominante calcaire, semblent favoriser l'expression aromatique plutôt que la structure gustative. Ce sont des vins agréables à boire jeunes.

↝ MM. Pierre et Michel Lorenzon, Dom. du Meyrand, Cunèges, 24240 Sigoulès, tél. 53.58.46.32 ♈ r.-v.

CH. TOURMENTINE 1987**

☐ ⬛ 8,40 ha 60 000

Pour un premier essai, c'est un coup de maître. Ce nouveau viticulteur semble avoir compris l'essentiel pour faire un vin de haute qualité : récolter une vendange mûre et associer les trois cépages sauvignon, sémillon et muscadelle. Il est conseillé de déguster ce vin jeune.

↝ MM. J.-M. et A. Huré, Ch. Tourmentine, Monestier, 24240 Sigoulès, tél. 53.58.41.41 ♈ t.l.j. sf dim. 8h-12h 14h-18h.

Côtes de bergerac

DOM. DE CAPULLE 1986**

☐ ⬛ n.c. 50 000

83 85 [86]

Dans la dernière édition, on vous conseillait de boire sans façon le domaine de Capulle 85. C'est sans doute dans cette simplicité des relations que naissent les vraies amitiés ou les coups de cœur ! Ce côtes de bergerac 86 est d'une franchise parfaite et possède un caractère affirmé tout en faisant preuve de souplesse et de rondeur. Un vin bien élevé.

faite que l'on peut y produire des vins rouges puissants.

→ GAEC Dom. de Capulle, Thénac, 24240 Sigoulès, tél. 53.58.43.67 ☎ r.-v.
→ MM. Migot et Fils.

Domaine de Capulle
1985
Côtes de bergerac
APPELLATION CÔTES DE BERGERAC CONTRÔLÉE

LA GRAPPE DE GURÇON 1986

[83] [85] [86]

■ 5 ha   33 000   [V][2]

Édité en 1939, cette cave est située à la limite ouest de l'appellation bergerac. Les sols à dominante argilo-calcaire constituent un terroir privilégié pour l'expression des vins rouges, tel le vin de la Grappe de Gurçon, ferme et riche en tanins.

→ Cave-coop. La Grappe de Gurçon, 24610 Villefranche-de-Lonchat, tél. 53.80.78.84 ☎ lu. ma. me. je. ve. sa. di. 8h30-12h30 14h-18h ; f. dim. ap. r.-v.

CH. LA PLANTE 1986*

[81] [83] [85] 86

■ 5,62 ha   20 000   [V][2]

Le vignoble, situé sur un coteau argilo-siliceux avec des affleurements calcaires, est à l'extrémité ouest de l'appellation bergerac. Le sol à dominante d'un riche terroir. La couleur de ce vin est d'un rouge... à la force des tanins. Mûri en barriques, il parle un peu de la passion de celui qui l'a vinifié.

→ M. Jacques Mournaud, Ch. La Plante, Minzac, 24610 Villefranche-de-Lonchat, tél. 53.80.77.43 ☎ r.-v.

LA TOUR DE GRANGEMONT 1986**

[82] [83] [85] 86

■ 21 ha   50 000   [i][V][1]

Un côtes de bergerac dans la grande lignée de la production de qualité de Christian Lavergne. Ce vin a retenu l'attention des dégustateurs par la puissance de ses arômes et par sa très bonne structure qui en fait un vin de garde très prometteur.

→ M. Christian Lavergne, La Tour de Grangemont, Saint-Aubin-de-Lanquais, 24560 Issigeac, tél. 53.24.31.50 ☎ r.-v.

CH. THEULET 1986

[85] 86

■ 26 ha   110 000   [ⅲ][↓][V][2]

Cette importante exploitation de 65 hectares est la propriété de la famille Alard depuis quatre générations. Sa situation au bas du coteau sud de la vallée lui confère une maturité propre à une bonne maturité pour les cépages rouges et une excellente surmaturation indispensable pour l'élaboration de grands monbazillacs. Ce côtes de bergerac est fin et agréable.

→ SCEA Alard, Le Theulet, Monbazillac, 24240 Sigoulès, tél. 53.57.30.43 ☎ r.-v.

CH. COURT-LES-MUTS 1986***

[83] [84] [86]

■ 22 ha   115 000   [ⅲ][↓][V][3]

Coup de cœur pour le 83, ce côtes de bergerac 86 est signé en gros caractère par la même note boisée qui dessine d'élégantes nuances aromatiques sur une structure bien charpentée. Un joli vin qui gagnera à se fondre.

→ M. Pierre Sadoux, 24240 Razac-de-Saussignac, 24240 Sigoulès, tél. 53.27.92.17 ☎ lu. ma. me. je. ve. 9h-11h30 14h-17h30 ; f. sam. sur r.-v.

DOM. DU HAUT-BERNASSE 1986**

[82] ■ 85 86

■ 0,93 ha   8 000   [i][V][1]

Des méthodes de culture qui comprennent la récolte manuelle et l'élevage en fût (pour le monbazillac) les vins du domaine du Haut-Bernasse sont des vins réfléchis et conçus avec respect. Le résultat est excellent, puissant et charpenté et mérite, pour le découvrir, toute l'attention et un peu de patience, car il s'agit d'un vin de garde.

→ M. Jacques Blais, Dom. du Haut-Bernasse, Monbazillac, 24240 Sigoulès, tél. 53.58.36.22 ☎ r.-v.

CH. LA BORDERIE 1986***

[83] [84] [85] [86]

■ 15 ha   90 000   [ⅲ][↓][V][2]

Ce côtes de bergerac semble représenter le prototype de l'appellation. La couleur est d'un grenat soutenu. Les parfums sont bien évolués. Fin, rond, harmonieux, bref, un vin hautement recommandable.

→ Sté La Borderie, Ch. La Borderie, Monbazillac, 24240 Sigoulès, tél. 53.57.00.36 ☎ t.l.j. sf dim. 9h-12h 14h-18h30.

CH. LADESVIGNES 1986*

■ 24,77 ha   100 000

Située au cœur de l'appellation Monbazillac, cette ancienne propriété était surtout connue pour l'importance de sa production de Monbazillac. Avec ce côtes de bergerac 86, la preuve est

Sachez ranger votre cave : les blancs près du sol, les rouges au-dessus ; les vins de garde dans les rangées du fond, les bouteilles à boire en situation frontale. Et n'oubliez pas le livre de cave...

Côtes de bergerac moelleux

CH. DU BLOY 1986*

2 ha — 6 000

Ce vin moelleux est un exemple intéressant de ce coteau bergeracois appartenant à l'aire de Montravel. Il aurait pu s'appeler côtes de montravel.

MM. Guillermier Frères, Ch. du Bloy, 24230 Bonneville, tél. 53.27.50.29 t.l.j. 9h-12h 14h30-18h ; f. jours fériés

DOM. DU GRAND VIGNAL 1986*

2 ha — 5 000

Les sols argilo-calcaires sont souvent plus adaptés à la production de vins secs parfumés qu'à celle de vins moelleux. Ce domaine du Grand Vignal est un contre exemple à retenir où les 25% de muscadelle se marient délicatement à 75% de sémillon qui donnent au vin sa rondeur. Il y a fort à parier que dans quelques mois, le vin sera plus harmonieux et que, dégusté à l'aveugle, le classera dans les monbazillacs.

M. Jean-Pierre Roulet, Repenty, Monestier, 24240 Sigoulès, tél. 53.58.41.96 r.-v.

DOM. DE HAUTS PERROTS 1986**

|83| |86|

6 ha — 10 000

La couleur est d'un jaune très pâle. L'odeur fine rappelle la vendange rôtie et surmûrie avec des nuances de fruits secs. En bouche, l'attaque est souple et subtile, mais la fin est encore un peu désordonnée et sauvage. Il y a fort à parier que dans quelques mois, le vin sera plus harmonieux et sève. Son caractère nerveux fait de ce 83 un vin à garder.

M. Jean Moulinier, Dom. Les Hauts Perrots, Saint-Nexans, 24520 Mouleydier, tél. 53.24.34.06 t.l.j. 9h-12h 14h-18h.

Monbazillac

CH. BELINGARD 1983**

17 ha — 40 000

|77| |82| 83

Voilà un vin bien fait qui témoigne d'une noble origine et d'un bon terroir. De couleur jaune paille, il offre un bouquet fin mais encore discret. Il a surtout séduit par son harmonie et sa sève. Son caractère nerveux fait de ce 83 un vin à garder.

Comte de Bosredon SCEA, Bélingard, Pomport, 24240 Sigoulès, tél. 53.58.28.03 r.-v.

CH. GRAND CHEMIN BELINGARD 1985**

|82| |83| |85|

5,76 ha — 20 000

Parmi les grandes adresses de Monbazillac, il faut citer celle d'Albert Monbouché. On perçoit à la dégustation beaucoup de richesse et de complexité : note de rotie franche et ô combien traditionnelle dans ces vins de surmaturation.

M. Albert Monbouché, Bélingard, Pomport, 24240 Sigoulès, tél. 53.58.30.57 r.-v.

DOM. DU HAUT-MONTLONG 1985

7 ha — 15 000

80 83 85

Ce domaine, bien implanté sur le décrochement du coteau, produit généralement d'élégants monbazillacs. La finesse aromatique caractérise ce vin que l'on aimera boire bien frais à l'apéritif.

M. René Sergenton, Dom. du Haut-Montlong, Pomport, 24240 Sigoulès, tél. 53.58.81.60 lu. ma. me. je. ve. 9h-12h 14h-16h.

CH. LE FAGE 1983**

20 ha — 25 000

75 |78| 82 |83|

Ancienne marque hollandaise dont les vins partaient aux Pays-Bas voici plus de deux siècles, le château Fagé reste aujourd'hui une très belle propriété productrice de vins de caractère. La couleur jaune paille, le bouquet marqué par le caractère roti, l'harmonie en bouche... tout rappelle l'origine surmûrie des raisins.

M. François Gérardin, Le Fagé, Pomport, 24240 Sigoulès, tél. 53.58.32.55 r.-v.

Mme Francine Gérardin.

CH. LES OLIVOUX 1983

n.c. — 20 000

82 83

Belle demeure périgourdine située sur la commune de Pomport. Sélectionné dans l'édition précédente, ce 83 garde sa puissance en bouche sans pour autant acquérir de bouquet. Mais le temps fait acquérir bien des choses !

M. Jean-Jacques Dailliat, Les Olivoux, Pomport, 24240 Sigoulès, tél. 53.58.41.94 r.-v.

CH. MONBAZILLAC 1985

22 ha — 54 000

|76| 80 81 82 |85|

Le château, construit en pleine Renaissance, est pourtant d'aspect encore très médiéval. Il appartient à la cave coopérative de Monbazillac et se visite toute l'année. Un restaurant ouvert l'été est installé dans les dépendances. Le cadre, la gastronomie et les vins en font un lieu de passage obligé.

Cave Coop. de Monbazillac, Monbazillac, 24240 Sigoulès, tél. 53.57.06.38 t.l.j. 9h-12h 14h-17h.

CH. PEROUDIER 1985*

20 ha — 30 000

Tout en dégustant ce 85, dont le bouquet rappelle l'abricot confit et le pruneau cuit, remontons l'histoire des monbazillacs du château Péroudier. Anciennement marque hollandaise «Dalba Peroudier», ils furent réservés, à partir des guerres de Religion et jusqu'en 1914, à la vente aux Pays-Bas où la famille aurait créé une colonie huguenote. Mais rassurons-nous, aujourd'hui, on les trouve en France notamment au château.

CH. DE PERROU 1986*

♠ M. Charles Loisy, Ch. Peroudier, 24240 Monbazillac, tél. 53.58.30.04 ⊤ t.l.j., 9h-12h 13h-19h.

| | 12 ha | 30 000 | ▮▮2 |

Bien que la production de monbazillac du château de Perrou soit apparemment irrégulière, le 85 se présente très bien, avec du gras, un fin goût de miel et une certaine longueur en bouche.
♠ M. A. de Madaillan, Ch. de Perrou, Gageac-Rouillac, 24240 Sigoulès, tél. 53.57.92.81 ⊤ r.-v.

CH. DE SANXET 1985*

| (83) |85| | 7,52 ha | 18 000 | ▮▮2 |

Construite par les Anglais vers 1450, cette habitation appartint ensuite à la duchesse de Foix-Candale qui la légua à Elie de Sanxet au début du XVIIe s. La richesse des souvenirs historiques des lieux est à l'image de la richesse des vins produits aujourd'hui. Ce 85, d'un jaune léger, développe des notes florales qui prennent en bouche des nuances grillées.
♠ M. B. de Passemar et Boisseson, Ch. de Sanxet, Pomport, 24240 Sigoulès, tél. 53.58.37.46 ⊤ t.l.j., 9h-19h.

CH. DE THENOUX 1985

| 82 85 | 36 ha | 26 000 | ▮▮▮▮3 |

Le château de Thenoux est situé sur la commune de Colombier. De cet ancien site gallo-romain, on a une belle vue au sud, sur le versant du coteau dont la nature est argilo-calcaire. On veut croire que des cette époque reculée, on y faisait pousser la vigne, tant le vin qu'on y produit est bon.
♠ M. Pierre Carrère, Le Bourg, Monbazillac, 24240 Sigoulès, tél. 53.58.38.53 ⊤ r.-v.

CH. DU TREUIL-DE-NAILHAC 1981*

| |79||81| |82| |83| |85| | 5,50 ha | 18 000 | ▮▮▮▮3 |

Ce spécialiste des coups de cœur présente un monbazillac 81 plein de caractère, et signé par l'indispensable surmaturation des raisins induite par le développement de botrytis. Le vin dans son ensemble paraît assez évolué. La couleur est jaune foncé, le nez puissant et complexe.
♠ M. Vidal-Hurmic, Ch. Treuil-de-Nailhac, Monbazillac, 24240 Sigoulès, tél. 53.57.00.36
⊤ t.l.j. 9h-12h 14h-18h30.
♠ M. Armand Vidal.

VIEUX VIGNOBLE DU REPAIRE 1983***

| 76 79 80 |82| |83| | 5,18 ha | 10 000 | ▮▮▮3 |

Ce repaire du Haut-Theulet, déjà plusieurs fois recommandé, est bien connu, comme repaire de trésor où les pièces d'or ont gardé leur couleur mais pris la forme de bouteilles. Ce merveilleux monbazillac 83 offre un bouquet ample et évolué. En bouche, il est harmonieux et croquant.
♠ Mme Alberte Bardin, Repaire du Haut-Theulet, Monbazillac, 24240 Sigoulès, tél. 53.58.30.30 ⊤ r.-v.

DOM. DU HAUT-MONTBRUN 1987*

| | 1 ha | 4 000 | ▮▮▮1 |

Voilà un vin de caractère. Il est original de par son lieu de naissance : autour des ruines de l'ancienne ville de Montravel et de sa citadelle détruite sur les ordres de Louis XIII. Il est également original par la proportion élevée de muscadelle qui atteint 50% à égalité avec le sauvignon. C'est un vin délicat, à boire jeune.
♠ M. Philippe Poivey, Montravel, Montcaret, 24230 Vélines, tél. 53.58.66.93 ⊤ r.-v.

K. DE KREVEL 1987***

| | n.c. | 15 000 | ▮▮▮3 |

Un nom original pour un vin plus original encore, qui devient atypique en retrouvant les traditions séculaires de la fermentation en barriques neuves, et de la conservation sur lies. Le nez est complexe et souligné par la vanille du chêne. Charnu et long, ce millésime d'avenir séduira l'amateur averti.
♠ SCEA dom. de Krevel, Calabre, Port-Saint-Foy-Ponchapt, 33220 Sainte-Foy-la-Grange, tél. 53.24.77.27

DOM DE ROQUE-PEYRE 1987

| | 13 ha | 13 000 | ▮▮▮1 |

Cette exploitation familiale s'est agrandie en modifiant sa production de vins blancs moelleux, autrefois majoritaire pour une production de 60% de rouges, 30% de blancs secs et 10% de blancs moelleux. Le montravel 87 a le parfum flatteur mais fragile d'un vin à dominante de sauvignon. Cette belle réussite ne doit pas faire ignorer l'intérêt du sémillon qui donne au vin rondeur et structure. A noter l'élevage en barriques d'un petit lot de bergerac rouge.
♠ GAEC Roque-Peyre, Dom. de Roque-Peyre, Fougueyrolles, 33220 Sainte-Foy-la-Grande, tél. 53.24.78.17 ⊤ t.l.j. sf dim. 8h30-12h30 14h-19h ; f. dim. sur r.-v.

CAVE DE SAINT-VIVIEN ET BONNEVILLE 1987*

| 86 87 | 140 ha | 50 000 | ▮▮▮3 |

Créée en 1935, la cave coopérative est située au cœur du coteau rive droite de la Dordogne, à peu de distance des vignobles libournais. Printanier par ses arômes rappelant le fruit, le millésime 87 est automnal pas ses nuances de noisette. Bref, un excellent vin de toutes les saisons, mais à boire jeune. A goûter aussi : un bergerac rouge intéressant.
♠ Coop. St-Vivien et Bonneville, Saint-Vivien, 24230 Vélines, tél. 53.27.52.22 ⊤ r.-v.

Côtes de montravel

CH. LA CABANELLE 1985

□   n.c.   n.c.   ☐ ▮2

La commune de Port-Sainte-Foy-Ponchapt est connue pour la qualité de son terroir et pour son aptitude à produire tant des rouges de garde, que des blancs souples et charnus. Les vins du domaine de Golce illustrent assez bien la richesse de ce coteau de Montravel.

↳ M. Jean Bertrand, Dom. de Gorce, Ponchapt, 33220 Sainte-Foy-la-Grande, tél. 53.24.61.94 ♈ r.-v.

Haut-montravel

DOM. DE LIBARDE 1986**

□   10 ha   40 000   ▮↓▮ ▯ ▮2

Voilà un domaine où l'on croit aux valeurs de la tendresse et à celles des vins moelleux de Montravel. Monsieur Banizette, président de cette appellation, possède encore quelques très vieux millésimes vinifiés par son père. Le parfait équilibre de ce 86 vient en partie du respect de la tradition de l'encépagement : sauvignon 20%, muscadelle 20%, sémillon 60%. En somme, un vin très attachant.

↳ M. Jean-Claude Banizette, Dom. de Libarde, Nastringues, 24230 Vélines, tél. 53.24.77.72 ♈ t.l.j. sf dim. 9h-12h 14h-19h.

CH. CHAMPAREL 1985**

▮   6.66 ha   30 000   ▯ ↓▮ ▮3

|82| 83 |85|

L'exposition exceptionnelle de ce vignoble, au sommet du coteau de Pécharmant, et les soins jaloux prodigués aux vins par madame Bouché, aidée par la précision technique de son mari, sont à l'origine de la grande qualité de ce pécharmant. Le vin est ample, dense, et possède beaucoup de caractère. A laisser mûrir… si on a la patience d'attendre.

↳ M. et Mme Bouché, Pécharmant, 24100 Bergerac, tél. 53.57.34.76 ♈ r.-v.

DOM. DU HAUT-PÉCHARMANT
Cuvée veuve Roches 1986

▮   19 ha   140 000   ▯ ↓▮ ▮3

76 77 |78| 79 |80| 81 82 83 85 |86|

Cette « cuvée veuve Roches » rend hommage à celle qui a porté le domaine du Haut-Pécharmant au niveau atteint aujourd'hui. Ce vin, souvent long à se révéler, est constant dans sa qualité.

↳ M. Michel Roches, Peyrelevade, 24100 Bergerac, tél. 53.57.29.50 ♈ r.-v.

LA MÉTAIRIE 1985***

▮   2.33 ha   11 000   ▯ ↓▮ ▮3

|83| |84| |85|

Coup de cœur pour le 83 ; il s'en est sans doute fallu de peu pour qu'à l'aveugle le 85 obtienne la même distiction. Couleur rubis, légèrement orangée. Le bouquet est complexe, les arômes de cépages sont légèrement dominés par un boisé très fin, qui participe aussi à la qualité et à la longueur. Un grand pécharmant.

↳ SARL Dom. La Métairie, Pommier, Creyssensac & Pissot, 24380 Vergt, tél. 53.54.98.16 ♈ r.-v.

CH. LA RENAUDIE 1985*

▮   27 ha   150 000   ▮↓▮ ▮3

Un belle demeure entourée par un vignoble dont la production est vinifiée à la cave coopérative de Monbazillac. Puissance des arômes et souplesse des tanins font de ce 85 un vin élégant déjà prêt à boire.

↳ Cave Coop. de Monbazillac, Monbazillac, 24240 Sigoulès, tél. 53.57.06.38 ♈ t.l.j. 9h-12h 14h-17h.

↳ M. Olivier Quesnel.

CLOS LES COTES 1986*

▮   5.30 ha   20 000   ▯ ▮2

|85| 86

Voilà un vin intéressant qui porte les stigmates du pécharmant traditionnel. En effet, il est signé par un tanin puissant, ce qui fait dire aux dégustateurs et d'un commun accord : vin à attendre, en espérant qu'il s'affine.

↳ M. Colette Bourges, Les Côtes, 24100 Bergerac, tél. 53.57.59.89 ♈ r.-v.

↳ M. Guy Bourges.

DOM. POMAR 1986*

▮   5.20 ha   25 000   ▯ ▮2

Ce vin dont la couleur est déjà un peu évoluée présente un nez puissant qui, contrairement, à la couleur, possède des nuances très jeunes, rappe-

Pécharmant

DOM. DES BERTRANOUX 1986

▮   6 ha   47 000   ▯ ↓▮ ▮4

Ce vin de charme est une œuvre familiale, où tous les gestes sont mûrement réfléchis. Chaud, souple, rond. Il porte bien son nom : pécharmant.

↳ M. Guy Pécou, Dom. des Bertranoux, Creysse, 24100 Bergerac, tél. 53.57.28.62 ♈ r.-v.

DOM. BRISSEAU-BELLOC 1985

▮   3.45 ha   21 000   ▯ ▮2

|82| |83| |85|

Parmi les nombreux vins vinifiés par la cave coopérative de Bergerac, le domaine de Brisseau Belloc est un pécharmant constant dans sa qualité. Belle couleur, nez fin, vin bien charpenté. Un bon compagnon pour un civet de lièvre à la royale.

↳ Cave Coop. de Bergerac, 72, bd de l'Entrepôt, 24100 Bergerac, tel. 53.57.16.27 ♈ ma. me. je. ve. sa. 8h30-12h 14h-18h.

↳ Mlle Brisseau.

614

Vin préféré de la cour de François Ier, les côtes de duras sont le prolongement naturel du plateau de l'Entre-Deux-Mers. On raconte qu'après la révocation de l'édit de Nantes, les exilés huguenots gascons faisaient venir le vin de Duras jusqu'à leur retraite hollandaise, et qu'ils faisaient marquer d'une tulipe les rangs ce vigne qu'ils se réservaient.

Sur des coteaux découpés par la Dourdèze et ses affluents, avec des sols argilo-calcaires, les côtes de duras ont accueilli tout naturellement les cépages bordelais. En blanc, sémillon, sauvignon et muscadelle; en rouge, cabernet franc, cabernet sauvignon, merlot et malbec. On trouve également le chenin, l'ondenc et l'ugni blanc. La gloire de Duras, c'est bien le vin blanc: des moelleux suaves, mais surtout des blancs secs à base de sauvignon, qui sont de réelles réussites. Racés, nerveux, au bouquet spécifique, ils accompagnent à merveille fruits de mer et poissons de l'océan. Les vins rouges, souvent vinifiés en cépages séparés, sont charnus, ronds et d'une belle couleur. Quelques vins primeurs sont issus de macération carbonique.

Rosette

DOM. DES COURS 1986*

83 85| 86 — 6 ha — 20 000

Sur ces coteaux argilo-calcaire ou siliceux, les vins rouges sont à dominante merlot. Le 86 exprime bien les qualités de ce cépage : arômes fruités, souplesse et rondeur en bouche, finale très aromatique. Un vin à boire rapidement sur viandes rouges et charcuteries.
🖝 M. Régis Lusoli, Dom. des Cours, Sainte-Colombe, 47120 Duras, tél. 53.83.74.35 ♈ t.l.j. 9h-19h.

BERTICOT Sauvignon 1987**

n.c. — 200 000

Le cépage sauvignon trouve à Duras une expression originale. Le fruité, le volume et la longueur sont mis en valeur à la cave coopérative par des fermentations à basse température et un élevage moderne. Le 87 est très pâle, très aromatique, type sauvignon mais tout en finesse, souple et harmonieux en bouche avec de l'ampleur en finale.
🖝 Cave Coop. de Duras, 47120 Duras, tél. 53.83.71.12 ♈ r.-v.

CHATEAU DE TIREGAND
1986
PÉCHARMANT
APPELLATION PÉCHARMANT CONTROLEE
MÉDAILLE DE BRONZE AU CONCOURS GÉNÉRAL AGRICOLE DE PARIS
75cl

lant le raisin bien mûr; au loin, une discrète note vanillée. Un domaine à suivre.
🖝 SCEA Pomar-Lagarde, Saint-Christophe, 24100 Bergerac, tél. 53.57.71.62 ♈ r.-v.

CH. DE TIREGAND 1986***

78 |79| 80| 81| 82| 83| 84 85 |86| — 31 ha — 160 000

Il y a le château, élégante demeure du XVIIe s., qui domine la vallée. Il y a la noblesse de l'accueil de toute la famille de Saint-Exupéry. Il y a l'esprit de réflexion qui permet de trouver le juste compromis entre la technologie et la tradition. Le vin est riche, ample, élégamment boisé, déjà bon à boire et pourtant prometteur. Tout cela est sans doute à l'origine du coup de cœur qui lui est décerné. Mais allez donc savoir pourquoi on aime?...
🖝 SEA du Ch. de Tiregand, Creysse, 24100 Bergerac, tél. 53.23.21.08 ♈ t.l.j. sf dim. 8h-12h 14h-18h.
🖝 Comtesse F. de St-Exupéry.

DOM. DE COMBRILLAC Moelleux 1987*

2 ha — 8 000

Cette curiosité pour œnophile distingué, n'est pas, comme son nom pourrait le laisser croire, un vin rosé, mais un élégant vin blanc moelleux qui peut être tu à tout moment de la journée, à condition d'être servi toujours frais. Le 87 a une couleur frêle et pâle avec des arômes de muscade, un corps moelleux, souple et soyeux.
🖝 M. Jean Priou, Dom. de Combrillac, Prigonrieux, 24130 La Force, tél. 53.58.91.67 ♈ t.l.j. sf dim. 8h-13h 14h-19h; f. du 8 au 20 Août

Côtes de duras

DUC DE BERTICOT 1987*

(85) | 86| 87 | | □ | n.c. | 5 000 | ⫴ Ⓥ 🄼3

Une sélection des vins les plus charpentés a été vinifiée en barriques neuves à la manière des grands graves blancs. Le résultat, après le 86 qui s'était distingué l'an passé, est original et typique. De très beaux arômes vanillés, une bouche marquée par le bois, grasse et ample qui demande quelques années de garde pour se fondre. A attendre donc.

↬ Cave Coop. de Duras, 47120 Duras, tél. 53.83.71.12 ⟙ r.-v.

DUC DE BERTICOT 1985**

■ | □ | n.c. | 36 000 | ⫴ ↧ Ⓥ 🄼3

Depuis deux millésimes la cave coopérative élève une cuvée spéciale en barrique neuve, suivie par M. Rolland œnologue et propriétaire du château Le Bon Pasteur à Pomerol. Les résultats sont étonnants : ce vin est racé, les arômes épicés et vanillés. Un boisé présent devrait se fondre harmonieusement après quelques années de bouteilles. A attendre avec patience.

↬ Cave Coop. de Duras, 47120 Duras, tél. 53.83.71.12 ⟙ r.-v.

DOM. DE DURAND 1986*

■ | 76 78 81 82 83 (85) 86 | □ | 6 ha | 35 000 | 🖩 ↧ Ⓥ 🄼2

Le domaine de Durand, créé vers 1650, est un des plus anciens de l'appellation. Sur sols argileux et argilo-calcaire, c'est le merlot qui domine (60%) dans les rouges. Le millésime 86 a une robe cerise, des arômes puissants de fruits rouges, une bouche pleine et harmonieuse. Un vin à boire jeune.

↬ M. Jean Fonvielhe, Dom. de Durand, Saint-Jean-de-Duras, 47120 Duras, tél. 53.89.02.04 ⟙ r.-v.

DOM. DE FERRANT 1986**

■ | 82 83 85 86 | □ | 5 ha | n.c. | 🖩 ↧ Ⓥ 🄼2

C'est la cinquième génération de vignerons à exploiter ce domaine des coteaux du Dropt, sur sols limono-argileux. A dominante cabernet sauvignon, le millésime 86 a une robe rubis, des arômes de fruits très mûrs, un bon équilibre et une finale encore tannique qui ne demande qu'à se fondre. A attendre 3 ou 4 ans avant d'accompagner rôtis et gigots.

↬ M. Lucien Salesse, Esclottes, 47120 Duras, tél. 53.83.73.46 ⟙ r.-v.

DOM. DE FERRANT 1987**

□ | 83 84 85 86 87 | | 3,30 ha | 10 000 | 🖩 ↧ Ⓥ 🄼2

Une belle robe pâle et limpide, des arômes qui révèlent une finesse certaine, ce vin de cépage sauvignon est tout en souplesse et harmonie. Léger et facile, il laisse une impression de fraîcheur.

↬ M. Lucien Salesse, Esclottes, 47120 Duras, tél. 53.83.73.46 ⟙ r.-v.

CH. LAFON 1986*

■ | 81 |82| 83 85 86 | | 7 ha | 40 000 | Ⓥ 🄼2

Avec un très bon équilibre entre merlot et cabernet sauvignon cultivés sur sols argilo-calcaire, ce vin est classique, fruité, mais sa structure tannique lui imposera quelques années de garde avant d'accompagner des viandes en sauce et des gibiers. Un bon vin de terroir dont la qualité provient essentiellement de l'âge avancé des vignes du domaine.

↬ Mme Monica Buggin, au bourg, Loubes-Bernac, 47120 Duras, tél. 53.94.77.14 ⟙ r.-v.

DOM. LAS-BRUGUES-MAU-MICHAU 1987*

□ | | 3,40 ha | 8 000 | 🖩 ↧ Ⓥ 🄼1

Petite propriété familiale, ce domaine produit des vin de qualité. Le sauvignon 87 a une robe pâle à reflets verts, des arômes fins et discrets. Il est léger, équilibré et sa finale est aromatique. Typé par son cépage, il est à boire dans l'année.

↬ M. Michel Prévot, Mau-Michau, Monteton, 47120 Duras, tél. 53.20.24.51 ⟙ r.-v.

DOM. DE LAULAN 1987***

□ | 85 86 87 | | 5,50 ha | 35 000 | 🖩 ↧ Ⓥ 🄼2

Le terroir du domaine de Laulan, avec les sols argilo-calcaires du coteaux sud de la vallée du Dropt, est particulièrement favorable au sauvignon. Le vin de M. Geoffroy est typé, toujours reconnu dans une dégustation anonyme, tant le cépage exprime ici ses qualités. Le 87 est très aromatique, avec des notes pleines et mûres. Rond et très fruité, très typé mais sans excès. Une belle réussite à boire sur fruits de mer ou, pourquoi pas, sur des fromages de chèvre.

↬ M. Gilbert Geoffroy, Dom. de Laulan, 47120 Duras, tél. 53.83.73.69 ⟙ r.-v.

Unis par un fleuve que l'on a dit royal, et qui justifierait le qualificatif par sa seule majesté si les rois, en effet, n'avaient aimé résider sur ses rives, les divers pays de la vallée de la Loire sont baignés par une lumière unique, mariage subtil du ciel et de l'eau qui fait éclore ici le «jardin de la France». Et dans ce jardin, bien sûr, la vigne est présente. Des confins du Massif central jusqu'à l'estuaire, les vignobles ponctuent le paysage au long du fleuve et d'une dizaine de ses affluents, dans un vaste ensemble que l'on désignera sous le nom de «vallée de la Loire et Centre», plus étendu que ne l'est le Val de Loire au sens strict, sa partie centrale. C'est dire combien le tourisme est ici varié, culturel, gastronomique ou œnologique; et les routes qui suivent le fleuve sur les «levées», ou celles, un peu en retrait, qui traversent vignobles et forêts, sont les axes d'inoubliables découvertes.

Jardin de la France, résidence royale, terre des Arts et des Lettres, berceau de la Renaissance, la région est vouée à l'équilibre, à l'harmonie, à l'élégance. Tantôt étroite et sinueuse, rapide et bruyante, tantôt imposante et majestueuse, calme d'apparence, la Loire en est bien le facteur d'unité. mais il convient cependant d'être attentif aux différences, surtout lorsqu'il s'agit des vins.

Depuis Roanne ou Saint-Pourçain jusqu'à Nantes ou Saint-Nazaire, la vigne occupe les coteaux de bordure, bravant la nature des sols, les différences de climat et les traditions humaines. Sur près de 1 000 km, plus de 80 000 ha couverts de vignes produisent, avec de grandes variations, entre 2 500 000 et 3 500 000 hl. Les vins de cette vaste région ont pour point commun la nervosité, essentiellement due à la situation septentrionale de la plupart des productions

Vouloir désigner toutes ces productions sous un même vocable est un peu audacieux malgré tout, car bien qu'identifiés comme septentrionaux, certains vignobles sont situés à une latitude qui, dans la vallée du Rhône, subit l'influence climatique méditerranéenne. Mâcon est à la même latitude que Saint-Pourçain, et Roanne que Villefranche-sur-Saône. C'est donc le relief qui influe ici sur le climat pour limiter l'action des courants : le courant d'air atlantique s'engouffre d'ouest en est dans le couloir tracé par la Loire, puis s'estompe peu à peu au fur et à mesure qu'il rencontre les collines du Saumurois et de la Touraine.

Les vignobles formant de véritables entités sont donc ceux du Pays nantais, de l'Anjou et de la Touraine. Mais on y a joint ceux du haut Poitou, du Berry, des côtes d'Auvergne et roannaises : il faut bien les associer à une grande région, et c'est celle-ci la plus proche, aussi bien géographiquement que par les types de vins produits. Plus importants, ils pourraient cependant former à eux seuls une véritable entité. Il paraît donc nécessaire, sur un plan général, de définir quatre grands ensembles, les trois premiers cités, plus le Centre.

Dans le «véritable» Val de Loire, le Muscadet et une partie de l'Anjou reposent sur le Massif armoricain, constitué de schistes, grès, granits et d'autres roches sédimentaires ou éruptives de l'ère primaire. Les sols évolués sur ces formations sont très propices à la culture de la vigne, et les vins qu'y sont produits sont d'excellente qualité. Encore appelé Pays nantais, cette première entité, la plus à l'ouest du Val de Loire, présente un relief peu accentué, les roches dures du Massif armoricain étant entaillées à l'abrupt par de petites rivières. Les vallées escarpées ne permettent pas la formation de coteaux cultivables, et la vigne occupe les mamelons de plateau. Le climat

est océanique, assez uniforme sur l'année, l'influence maritime atténuant les variations saisonnières. Les hivers sont peu rigoureux et les étés chauds et souvent humides; l'ensoleillement est bon. Les gelées printanières viennent cependant parfois perturber la production. Le vignoble situé pour sa plus grande partie au sud de la Loire est le plus important entre Sèvre et Maine (80 %).

L'Anjou, pays de transition entre le Pays nantais et la Touraine, englobe administrativement le Saumurois; cette région viticole s'inscrit presque entièrement dans le département du Maine-et-Loire, mais géographiquement, le Saumurois devrait plutôt être rattaché à la Touraine avec laquelle il présente davantage de similitude, tant du point de vue des sols que du climat. Les formations sédimentaires du Bassin parisien viennent d'ailleurs recouvrir en transgression les formations primaires du Massif armoricain, de Brissac-Quincé à Doué-la-Fontaine. L'Anjou, se divise en plusieurs sous-régions : les coteaux de la Loire (prolongement du Pays nantais), en pente douce d'exposition nord, où la vigne occupe la bordure du plateau; les coteaux du Layon, schisteux et pentus; les coteaux de l'Aubance; et la zone de transition entre Anjou et Touraine, dans laquelle s'est développé le vignoble des rosés.

Le Saumurois, commencement de la Touraine, se caractérise essentiellement par la craie tuffeau sur laquelle poussent les vignes; au-dessous, les bouteilles rivalisent avec les champignons de Paris (30 % de la production nationale) pour occuper galeries et caves facilement creusées. Les collines un peu plus élevées arrêtent les vents d'ouest et favorisent l'installation d'un climat qui devient semi-océanique et semi-continental. En face du Saumurois, on trouve sur la rive droite de la Loire les vignobles de Saint-Nicolas-de-Bourgueil, sur le coteau turonien. Plus à l'est, après Tours, et sur le même coteau, le vignoble de Vouvray se partage avec Chinon - prolongement du Saumurois sur les coteaux de la Vienne - la réputation des vins de Touraine. Azay-le-Rideau, Montlouis, Amboise, Mesland et les coteaux du Cher complètent la panoplie des noms à retenir dans ce riche jardin de la France, où l'on ne sait plus si l'on doit se déplacer pour les vins, les châteaux ou les fromages de chèvre (sainte-maure, valençay); mais pourquoi pas pour tous à la fois? Les petits vignobles des coteaux du Loir, de

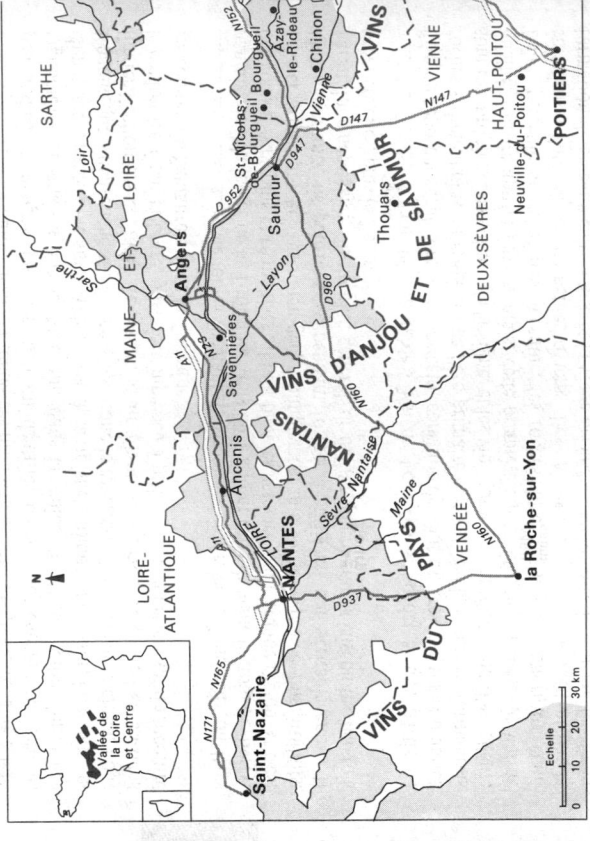

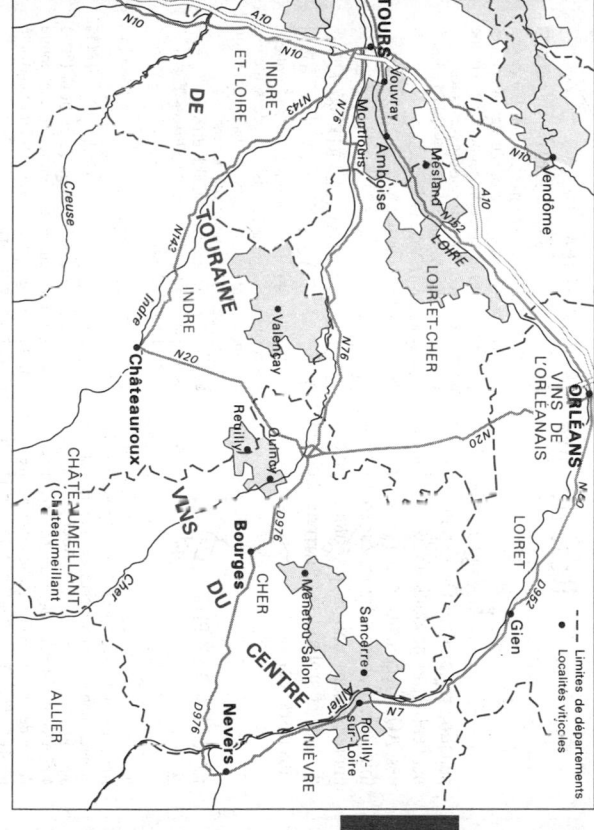

l'Orléanais, de Cheverny, de Valençay et des coteaux du Giennois peuvent être rattachés à la troisième entité naturelle que constitue la Touraine.

Les vignobles du Berry (ou du Centre) constituent une quatrième région, indépendante et différente des trois autres tant par les sols, essentiellement jurassiques, voisins du Chablisien pour Sancerre-Pouilly, que par le climat semi-continental, aux hivers froids et aux étés chauds. Pour la commodité de la présentation, nous rattachons Saint-Pourçain, les côtes roannaises et le Forez à cette quatrième unité, bien que leurs sols (Massif central primaire) et climats (semi-continental à continental) soient différents.

Si, pour aborder les domaines spécifiquement viticoles, on reprend la même progression géographique, le muscadet est caractérisé par un cépage unique produisant un vin «unique», blanc sec, cépage et vin portant le même nom. Le cépage folle blanche est également dans cette région à l'origine d'un autre vin blanc sec, de moindre classe, le gros-plant du Pays nantais. La région d'Ancenis, elle, est «colonisée» par le gamay noir. Comme les hommes du terroir, les vins blancs de cette région sont vifs, secs, robustes, gais...

Dans l'Anjou, en blanc, le cépage chenin ou pinot de la Loire est le principal; le chardonnay et le sauvignon y ont été récemment associés. Il est à l'origine des grands vins liquoreux ou moelleux, ainsi que, suivant l'évolution des goûts, d'excellents vins secs et mousseux. En rouge, le cépage le plus ancien est le grolleau noir. Il est traditionnellement à l'origine des rosés demi-secs et de bons vins rouges ordinaires. Cabernet-franc et cabernet-sauvignon, plus récemment implantés, sont à l'origine des vins rouges fins et corsés à bonne aptitude au vieillissement. Comme les hommes, les vins reflètent, ou contribuent à constituer la «douceur angevine»: à un fond vif dû à une acidité forte, vient souvent s'associer une saveur douce résultant de la présence de sucres restants. Le tout dans une production multiple, à la diversité un peu déroutante.

A l'ouest de la Touraine, le chenin en Saumurois, Vouvray et Montlouis ou dans les coteaux du Loir, et le cabernet-franc à Chinon, Bourgueil et Champigny, puis le grolleau à Azay-le-Rideau, sont les principaux cépages. Le gamay

noir en rouge et le sauvignon en blanc produisent, dans la région est, des vins légers, fruités et agréables. Citons enfin pour être complets le pineau d'Aunis des coteaux du Loir, à la nuance poivrée, et le gris meunier, dans l'Orléanais.

Dans le vignoble du Centre, le sauvignon (en blanc) est roi à Sancerre, Reuilly, Quincy et Menetou-Salon, ainsi qu'à Pouilly, où il est encore appelé blanc-fumé. Il partage là son terroir avec quelques vignobles vestiges de chasselas, donnant des vins blancs secs et nerveux. En rouge, on perçoit le voisinage de la Bourgogne, puisque à Sancerre et Menetou-Salon les vins sont produits à partir de pinot noir.

Pour être exhaustif, il convient d'ajouter quelques mots sur le vignoble du haut Poitou, réputé en blanc pour son sauvignon aux vins vifs et fruités, son chardonnay aux vins plus corsés, et, en rouge, pour ses vins légers et robustes issus des cépages gamay, pinot noir et cabernet. Sous un climat semi-océanique, le haut Poitou assure la transition entre Val de Loire et Bordelais. Entre Anjou et Poitou, la production du vignoble du Thouarsais (VDQS) est confidentielle. Quant au vignoble des Fiefs vendéens, tout nouveau terroir VDQS anciennement dénommé vin des Fiefs du Cardinal et implanté le long du littoral atlantique, ses vins les plus connus sont les vins rosés de Mareuil, issus de gamay noir et pinot noir; la curiosité de la région étant constituée par le vin de «ragoûtant» ou de «dégoûtant», issu du cépage négrette et difficile à trouver.

Il faut enfin, comme dans toutes les régions septentrionales, associer impérativement la notion de millésime à la production, car la constitution des vins, leur distinction, leur richesse aromatique sont étroitement liées aux caprices de la nature et en particulier aux conditions météorologiques de la maturation. L'importance des récoltes, elle, est associée aux climatologies du printemps (gelées printanières) et de l'été (floraison, alimentation), et influence également la qualité en interférant sur la maturation. Tous les millésimes ne sont donc pas semblables et consommables dans les mêmes délais : c'est peut-être cela qui fait la richesse des vins du Val de Loire !

Rosé de loire

Il s'agit de vins d'appellation régionale, AOC depuis 1974, qui peuvent être produits dans les limites des AOC régionales d'anjou, saumur et touraine. Cabernet-franc, cabernet-sauvignon, gamay noir à jus blanc, pineau d'Aunis et grolleau se retrouvent dans ces vins rosés secs.

EARL BAFFET-PILET 1987
0,40 ha   1 000   V1

Cabernet, grolleau et gamay sont assemblés harmonieusement pour donner un rosé vif et frais, coulant, avec une bonne présence des arômes nobles des cépages et une persistance agréable.

↳ EARL Baffet-Pilet, Dom. du Rocher, Saint-Aubin-de-Luigné, 49190 Rochefort-sur-Loire, tél. 41.78.33.36 t.l.j; 8h-19h ; f. 15 août-15 sept.

DOM. BEAUJEAU 1987
3 ha   10 000   V2

D'une robe accentuée par une courte macération, ce rosé à majorité grolleau développe des arômes d'épices et de pêche jaune. Une certaine puissance le destinera aux poissons en sauce.

↳ Dom. Beaujeau, rue Rabelais, 49380 Champ-sur-Layon, tél. 41.78.86.19 r.-v.
• M. Jacques Beaujeau.

MICHELE ETCHEGARAY-MALLARD 1987
3,20 ha   10 000   V2

L'union du cabernet-franc et du grolleau donne un vin rosé à la robe un peu soutenue, brillante, dont les senteurs de baies de raisin s'enrichissent d'une pointe de banane.

↳ Mme M. Etchegaray-Mallard, Brossay, 49700 Doué-la-Fontaine, tél. 41.59.10.04 r.-v.
• M. Jean Mallard.

DOM. GAUDARD 1987
0,70 ha   6 000   V2

Un important pourcentage de grolleau (70%) et de cabernet-sauvignon donne ici une pointe d'anis assez surprenante qui se prolonge en fruité épicé. Un rosé original.

♦ MM. Pierre et Janes Aguilas, La Brosse, Chaudefonds-sur-Layon, 49290 Chalonnes-sur-Loire, tél.41.78.10.68 ☎ t.l.j, sf dim. 8h-12h 14h-18h.

DOM. DE HAUTE PERCHE 1987*

2 ha — 5 000

Un rosé presque gris, très brillant, aux parfums fleurs de violette ! Le pourcentage important de grolleau en fait un vin original qui se mariera volontiers, à table, avec toutes les entrées.

♦ M. Christian Papin, Dom. de Haute Perche, Saint-Mélaine-sur-Aubance, 49320 Brissac-Quincé, tél.41.57.57.65 ☎ t.l.j, r.-v.

CLOS DE L'ABBAYE 1987***

1 ha — 5 000

Le jury unanime s'est enthousiasmé pour ce rosé exceptionnel, limpide, cristallin, type œil-de-perdrix, aux larmes abondantes, au nez intense de fruits évolués. Très présent, étoffé, il laisse un grand plaisir de sensations vineuses. Bravo au jeune vinificateur Jean-François Aupy.

♦ SCEA Henri Aupy et Fils, Clos de l'Abbaye, 49260 Le Puy-Notre-Dame, tél.41.52.26.71 ☎ r.-v.

7{d — Clos de l'Abbaye — Rosé de Loire — AUPY H. Propriétaire Viticulteur Le Puy-Notre-Dame (M & L) Tél. ±1 52 26 71 — APPELLATION ROSE DE LOIRE CONTROLEE — MIS EN BOUTEILLES AU DOMAINE

LES VIGNERONS DE LA NOELLE 1986

0,80 ha — 7 000

Limpide et brillant avec des nuances orangées, ce rosé sec embaume les fleurs séchées. Il est pleinement mûr, arrive au maximum d'évolution, mais il est très présent avec des bouquets agréables de cépages nobles.

♦ Les Vignerons de La Noëlle, B.P. 1C2, 44157 Ancenis cedex, tél.40.98.92.72 ☎ t.l.j sf dim. 8h-12h15 13h15-18h.

VICTOR LEBRETON 1987

n.c. — 3 000

La robe rose aux reflets orangés est limpide et séduisante, les arômes de banane se marient bien à ceux du cabernet frais, laissant en bouche un bon équilibre marqué par le fruit, mais aussi la puissance.

♦ M. Victor Lebreton, Dom. de Montgilet, Juigné-sur-Loire, 49130 Les-Ponts-de-Cé, tél.41.91.90.48 ☎ r.-v.

JOEL LHUMEAU 1987**

5 ha — 10 000

D'une jolie couleur saumonée, avec un nez à dominante épices et abricots, ce rosé nous réjouit d'un hédonisme visuel et olfactif. Sa bouche fruitée, malgré une certaine amertume, laisse une impression très plaisante.

♦ M. Joël Lhumeau, Brigné-sur-Layon, 49700 Doué-la-Fontaine, tél.41.59.30.51 ☎ r.-v.

CH. MONTBENAULT 1987*

n.c. — n.c.

Il est intéressant de goûter un bon rosé de loire dans ce château renommé pour ses excellents layons. Ce rosé, œil-de-perdrix, brillant, limpide et cristallin possède un nez intense de banane et de pêche jaune ; vif et fruité en bouche, il demeure très présent grâce à ses tanins nobles.

♦ M. Leduc, Ch. Montbenault, Faye-d'Anjou, 49380 Thouarcé, tél.41.78.31.14 ☎ r.-v.

CH. DE PASSAVANT 1987*

6 ha — 30 000

La forteresse de Foulques Nerra du XIe s. cerne encore de ses tours puissantes le château de Passavant renommé pour ses anjou. Ce rosé de loire est joliment attractif, frais et friand au nez, coulant et agréable en bouche. Vin de soif pour l'été, on le consomme aussi avec des entrées, charcuteries et poissons.

♦ SCEA Ch. de Passavant, Passavant-sur-Layon, 49560 Nueil-sur-Layon, tél.41.59.53.96 ☎ r.-v.
♦ MM. J David et P. Falloux.

DOM. DE SAINTE-ANNE 1987**

3,28 ha — 6 000

« La robe du rosé fait la moitié de son charme » dit-on. C'est vrai pour celui-ci, très brillant. Le nez est fortement racé, marqué par l'alcool mêlé aux fruits, avec une bonne suite en bouche et une légère amertume qui n'exclut pas la rondeur et le coulant. Un vrai rosé sec !

♦ GAEC Dom. de Sainte-Anne, 49320 Brissac-Quincé, tél.41.91.24.58 ☎ t.l.j, 9h-12h 14h-19h ; dim. et jours fériés sur r.-v.
♦ MM. Brault Père et Fils.

Crémant de loire

Ici, encore, l'appellation régionale peut s'appliquer à des vins effervescents produits dans les limites des appellations anjou, saumur et touraine. La méthode champenoise fait ici merveille, et la production de ces vins de fêtes ne fait que croître (plus de 30 000 hl). Les cépages sont nombreux : chenin ou pinot blanc de Loire, cabernet-sauvignon et cabernet-franc, pinot noir à jus blanc, chardonnay, etc. Si la plus grande part de la production est constituée de vins blancs, on trouve aussi quelques rosés.

Crémant de loire

ACKERMAN-LAURANCE
Cuvée Privée* ⓥ 🔢

○ n.c. 200 000 ⓥ 🔢

Une bulle discrète, élégante et réussie, un nez puissant et racé de chenin blanc, enfin une bouche équilibrée, dominée par la souplesse et la délicatesse. Toutes les qualités que l'on peut attendre de ce type de vin.

➡ MM. Ackerman-Laurance, Saint-Hilaire-Saint-Florent, 49400 Saumur, tél. 41.50.25.33 ☖ r.-v.

BERGER FRERES 1986* 🔢 ⓥ 🔢

○ 3 ha 15 000

Sa robe jaune brillante est décorée de bulles fines. A l'odorat dominent les arômes briochés de la deuxième fermentation. Il a une attaque vive puis il apparaît bien équilibré. C'est un crémant fin et agréable.

➡ MM. Berger Frères et Fils, Dom. des Liards, Saint-Martin-le-Beau, 37270 Montlouis-sur-Loire, tél. 47.50.67.36 ☖ r.-v.

GAEC BORE FRERES 1985** ⓥ 🔢

○ 2 ha 3 000

Ce brut est un bon assemblage de chenin, pinot noir et chardonnay, aux perles légères, aériennes, avec des nuances grises. Les arômes intenses de ces cépages, agrémentés de musc, se retrouvent en bouche avec de l'étoffe, de l'onctuosité, de la plénitude ; une très belle harmonie.

➡ GAEC Boré Frères, Dom. du Fresche, 49620 La Pommeraye, tél. 41.77.74.63 ☖ r.-v.

GILBERT CHARIER Brut 1984 ⓥ 🔢

○ 2 ha 5 000

Gilbert Charier a fait de cette commune oubliée du nord de la Vienne un sanctuaire d'excellents vins de Saumur. Son crémant de loire ne manque pas d'intérêt non plus : très belles bulles vives enchâssées dans des tons pâles, signe de vendanges mûres. Le fruité du chenin s'accompagne en bouche de fruits secs. Voilà un vin solide qui tiendra tout au long du repas.

➡ M. Gilbert Charier, La Tourette, 86120 Saix, tél. 49.22.94.59 ☖ r.-v.

GAEC DAHEUILLER 1986* 🔢 ⓥ 🔢

○ 3 ha 10 000

Il n'y a pas que du champigny à Varrains, les blancs sont aussi de tradition chez les Daheuiller et on aime à faire sauter les bouchons «à la saumuroise». Une perle fine, des arômes qui fleurent les bons cépages de la propriété, voilà de quoi réjouir la fidèle clientèle.

➡ GAEC Daheuiller, 28, rue du Ruau, Varrains, 49400 Saumur, tél. 41.52.90.94 ☖ r.-v.

FOURRIER ET FILS 1984* 🔢 ⓥ 🔢

○ 2 ha 10 000

Millésimé 84, ce crémant de loire de chenin et chardonnay est marqué de ses origines argilo-calcaires. Sa mousse fine et ses arômes fruités laissent une bouche agréablement fraîche. Destiné à toutes les entrées chaudes.

➡ SCA Fourrier et Fils, rue de la Chapelle, Distré, 49400 Saumur, tél. 41.50.21.96 ☖ r.-v.

GRATIEN-MEYER Brut

○ n.c. n.c. ⓥ 🔢

Une belle maison familiale au flanc de la falaise saumuroise dominant la Loire. Son crémant de loire fort plaisant est encore un peu jeune ; l'âge devrait accentuer la finesse de ses parfums.

➡ MM. Gratien et Meyer, rte de Montsoreau, 49401 Saumur Cedex, tél. 41.51.01.54 ☖ t.l.j. 9h-12h 14h-17h.

CLOS DE L'ABBAYE Brut 1984 🔢 ⓥ 🔢

○ n.c. 5 000

Un crémant de loire bien typique de la région, élaboré en majorité à partir du chenin blanc qui lui confère un nez puissant et sauvage. Un vin bien équilibré.

➡ SCEA Henri Aupy et Fils, Clos de l'Abbaye, 49260 Le Puy-Notre-Dame, tél. 41.52.26.71 ☖ r.-v.
➡ M. Jean-François Aupy.

DOM. DE LA BESNERIE 1986* 🔢 ⓥ 🔢

○ 2 ha 8 000

Il a une robe jaune clair, brillante, à nuances vertes comme la pomme qu'il exprime discrètement au nez. Son attaque est plaisante, sa charpente légère, agrémentée par de bons arômes de fruits. C'est un beau vin fin et gai.

➡ M. François Pironneau, rte de Mesland, Monteaux, 41150 Onzain, tél. 54.70.23.75 ☖ r.-v.

DOM. DE LA GABILLIERE 1986 🔢 ⬆🔢 ⓥ 2

○ 2 ha 10 000

Jaune clair à bulles fines et légères, il a un nez subtil et jeune. Souple, fruité, il est agréable, mais il ne faut pas l'attendre.

➡ Lycée Viticole d'Amboise, 13, rte de Bléré 37403 Amboise, tél. 27.30.48.58 ☖ r.-v.

LANGLOIS-CHATEAU 1985*** 🔢 ⬆🔢 ⓥ 🔢

○ 12 ha 120 000

Un coup de cœur unanime de notre jury pour ce crémant de loire assemblé de chenin, cabernet-franc et grolleau noir. Jean et Bernard Leroux ont réussi là une belle cuvée qui réjouit les narines : acacia, amande, coing persistent et laissent une bouche onctueuse et une longue plénitude.

➡ Langlois-Château, rue Léopold-Palustre, Saint-Hilaire-Saint-Florent, 49400 Saumur, tél. 41.50.28.14 ☖ r.-v.

LANGLOIS
CRÉMANT
APPELLATION SAUMUR CONTROLÉE
Langlois-Château
SAINT-HILAIRE-ST-FLORENT (M.&L.)
PRODUCE OF FRANCE
750ml

LES VIGNERONS DE LA NOELLE 1985

7 ha — 30 000

Joseph Pineau, président des œnologues du Val de Loire, assemble dans ce crémant de loire 90% de chenin et 10% de chardonnay. Les arômes de pomme et de tilleul sont agréables. Il plaira aux amateurs de vins blancs vifs et nerveux du Pays nantais.
● Les Vignerons de La Noëlle, B.P. 102, 44157 Ancenis cedex, tél. 40.98.92.72 ☎ t.l.j. sf dim. 8h-12h15 13h15-18h.

LES DOUCINIERES 1986*

2 ha — 15 000

Paille et brillant, il est égayé de bulles se rassemblant en une jolie collerette. On décèle au nez discret tout comme en bouche du fruit exotique et une pointe végétale. Avec une structure de crémant, il est fin et harmonieux.
● M. Vincent Girault, Clos Château Gaillard, Mesland, 41150 Onzain, tél. 54.70.27.14 ☎ t.l.j. sf dim. 8h-12h 14h-18h.

LYCEE VITICOLE MONTREUIL-BELLAY 1985**

0,30 ha — 2 000

Membre du Gie, club des écoles productrices de vins et alcools de France, le Lepa de Montreuil, avec ses jeunes vinificateurs, a réussi une très belle cuvée : noisette, pain grillé, arômes marqués de fruits, ce crémant de loire est frais et élégant. La présentation soignée est à la hauteur de la qualité.
● LEPA de Montreuil-Bellay, rte de Méron, 49260 Montreuil-Bellay, tél. 41.52.31.96 ☎ r.-v.

ROGER MENESTREAU 1985**

1 ha — 6 000

Il faut faire le détour chez les Menestreau pour saisir la France profonde viticole et visiter les caves troglodytiques où barriques, cuves, bouteilles ont remplacé les habitants du début du siècle. Ce brut est riche, équilibré, avec des arômes de pomme mûre, de la rondeur et de la souplesse.
● M. Roger Menestreau, Pouançay, 86120 Les Trois-Moutiers, tél. 49.22.93.62 ☎ r.-v.

CUVEE DES QUATRE SOMMELIERS 1982**

n.c. — n.c.

L'approche de la perfection pour cette Cuvée des Quatre Sommeliers. Ce pur chenin, fermentation malolactique faite, laisse apparaître sous un or pâle à reflets légèrement verts, une mousse fine et élégante, un nez attrayant où se succèdent les fruits secs, le foin coupé et des arômes floraux. La bouche est très bien équilibrée.
● Cave des Vignerons de Saumur, Saint-Cyr-en-Bourg, 49260 Montreuil-Bellay, tél. 41.51.61.09 ☎ r.-v.

DOM. DE SAINTE-ANNE 1985***

1 ha — 10 000

Notre jury a beaucoup apprécié ce brut de chenin pur à la mousse légère, aux arômes intenses et flatteurs de pomme et d'acacia. Plaisant, il possède une harmonie qui ne peut que s'affirmer.
● GAEC Dom. de Sainte-Anne, 49320 Brissac-Quince, tél. 41.9.24.58 ☎ t.l.j. 9h-12h 14h-19h ;
● MM. Brault Père et Fils.

Le Pays nantais

Ce sont des légions romaines qui amenèrent la vigne il y a deux mille ans en Pays nantais, carrefour de la Bretagne, de la Vendée, de la Loire et de l'Océan. Après un hiver terrible en 1709 où la mer gela le long des côtes, le vignoble fut complètement détruit, et reconstitué principalement par des plants du cépage melon de Bourgogne, qui prit le nom de muscadet.

L'aire de production des vins du Pays nantais occupe aujourd'hui 12 900 ha et s'étend géographiquement sur le département de la Loire-Atlantique, au sud de Nantes, capitale régionale. Les vignes sont plantées sur des coteaux ensoleillés qui sont exposés aux influences océaniques. Les sols plutôt légers et caillouteux se composent de terrains anciens entremêlés de roches éruptives. Le vignoble du Pays nantais produit trois vins d'appellation contrôlée : les muscadet, muscadet des coteaux de la loire et muscadet de sèvre-et-maine, ainsi que les VDQS gros-plant du Pays nantais, coteaux d'ancenis et fiefs vendéens.

Quoi de neuf en Pays nantais ?

Médiocre presque partout ailleurs, le millésime 87 a, au contraire, été spécialement réussi en Pays nantais ; il se caractérise par sa finesse aromatique, son élégance, sa souplesse, sa rondeur et son évolution précoce. Comme la précédente, cette récolte a été abondante : près de 770 000 hl de muscat et 270 000 de gros-plant.

Dans ce guide, la reproduction d'une étiquette signale un vin particulièrement recommandé, un « coup de cœur » de la Rédaction.

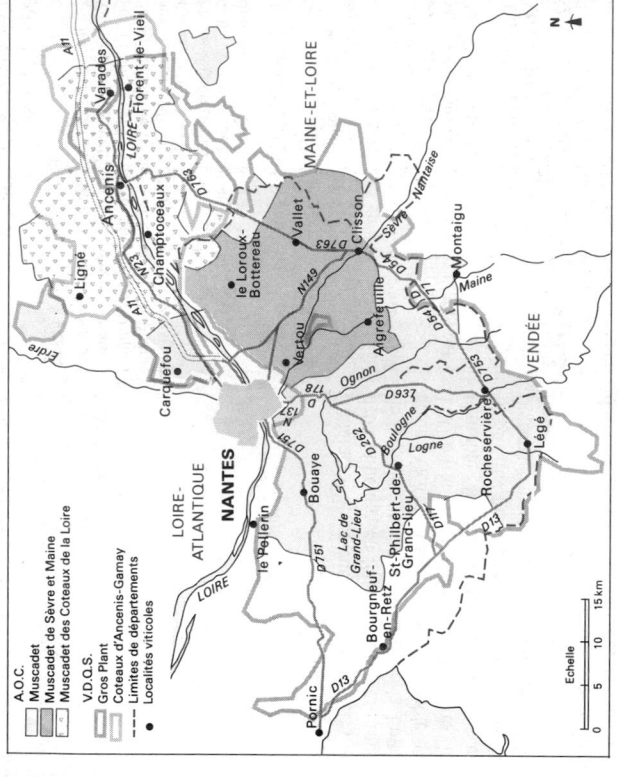

A.O.C.
Muscadet
Muscadet de Sèvre et Maine
Muscadet des Coteaux de la Loire
V.D.Q.S.
Gros Plant
Coteaux d'Ancenis-Gamay
Limites de départements
Localités viticoles

Echelle
0   5   10   15 km

Muscadet des coteaux de la loire, muscadet de sèvre-et-maine

Le muscadet est un vin blanc sec qui bénéficie de l'appellation d'origine contrôlée depuis 1936. Il est issu d'un cépage unique : le melon de Bourgogne ou muscadet. La superficie du vignoble est de 9 800 ha et la production moyenne de 450 000 hl par an. Trois appellations d'origine contrôlée sont distinguées suivant la situation géographique : le muscadet de sèvre-et-maine, qui représente à lui seul 85 % de la production ; le muscadet des coteaux de la loire (5 %) ; le muscadet (10 %).

La mise en bouteilles sur lie est une technique traditionnelle du Pays nantais, qui fait désormais l'objet d'une réglementation précise. Pour bénéficier de cette mention, les vins doivent n'avoir pas passé qu'un hiver en cuve ou en fût, et se trouver encore sur leur lie de vinification au moment de la mise en bouteilles. Ce procédé permet d'accentuer

Le pays nantais

la fraîcheur, la finesse et le bouquet des vins. Par nature, le muscadet est un vin blanc sec, mais sans verdeur, au bouquet épanoui. C'est le vin de toutes les heures. Son caractère en fait l'accompagnement idéal des poissons, des coquillages et des fruits de mer. Il constitue également un excellent apéritif. Il doit être servi frais, mais non glacé (8°-9°).

Muscadet des coteaux de la loire

DOM. DES GENAUDIERES 1987*

▮ ▮M▮2

☐   10 ha   70 000

Surplombant fièrement la rive droite de la Loire à proximité du site étrange des Folies-Siffait, le domaine des Genaudières produit un vin clair dont les arômes floraux s'enrichissent d'une note citronnée. Malgré une pointe d'amertume, il montre en bouche un volume et une finesse remarquables.

☛ M. A. Athimon, Dom. des Genaudières, Le Cellier, 44850 Ligné, tél. 40.25.40.27 ☗ r.-v.

LES VIGNERONS DE LA NOELLE 1987

72 ha | 10 000 |

Sur la rive droite du fleuve, Ancenis se situe au centre même de l'aire d'appellation contrôlée des coteaux de la Loire. Les Vignerons de La Noëlle offrent là un vin d'un bon assemblage, certes, mais dont la qualité ne s'attire aucun reproche et qui constitue un bon moyen de faire connaissance avec une appellation moins connue que le sèvre-et-maine.

➤ Les Vignerons de La Noëlle, B.P. 102, 44157 Ancenis cedex, tél. 40.98.92.72 ☎ t.l.j; sf dim. 8h-12h15 13h15-18h.

DOM. DE L'OUCHE-GUINIERE
Sur lie 1987*

10 ha | n.c. |

Cette ouche-là (une ouche est une parcelle de terre), au sol de schiste et d'argile, produit un vin à la belle robe légèrement colorée. Bien charpenté et long, il offre en bouche un bon équilibre général. C'est un exemple de muscadet traditionnel tout à fait représentatif.

➤ M. Joseph Toublanc, Le Pré-Haussé, Saint-Géréon, 44.50 Ancenis, tél. 40.83.17.50 ☎ t.l.j; sf dim. 8h-12h 14h-20h.

CH. D'AMOUR Sur lie 1987*

20 ha | 80 000 |

Ce château de fantaisie, dont les vignes s'accrochent au flanc d'une butte ensoleillée, sur la rive droite de la Maine, produit un vin à la belle couleur légèrement dorée. Aromatique avec une note boisée, long en bouche, il se révèle bien équilibré et rappelle le millésime précédent, également distingué par le Guide 88.

➤ MM. Brochard Frères, La Grenaudière, Maisdon-sur-Sèvre, 44690 La Haie-Fouassière, tél. 40.03.80.07 ☎ r.-v.

BARON NOURY Sur lie 1987**

7 ha | 12 500 |

Cette cuvée de prestige à la présentation inhabituelle mais d'une indiscutable élégance porte le nom d'un ancien propriétaire du domaine de Bel-Abord, nommé baron par Louis XVIII. A tous égards très typique de la mise en bouteille sur lie, ce vin fin et fruité, d'une excellente harmonie, méritait en effet d'être ainsi distingué.

➤ M. Jean-Joseph Douillard, La Fruitière, Château-Thébaud, 44690 La Haie-Fouassière, tél. 40.06.53.05 ☎ r.-v.
➤ M. Desclos le Peley.

DOM. A. BARRE Sur lie 1987

18 ha | 84 000 |

Importants négociants du Pays nantais, les Barré exploitent aussi une propriété familiale à

Muscadet de sèvre-et-maine

proximité de leurs vastes chais, sur la rive droite de la Sèvre (la commune de Gorges, cas exceptionnel dans la région, s'étend des deux côtés de la rivière). Elle produit un vin fringant, à la robe franche et au nez vif, d'une fraîcheur caractéristique.

➤ MM. Barré Frères, Beau-Soleil, Gorges, 44190 Clisson, tél. 40.06.90.70
➤ M. et Mme Barré.

DOM. DU BOIS BRULEY Sur lie 1987

9 ha | 54 000 |

Aux portes de Nantes, Basse-Goulaine est le berceau de la gastronomie nantaise (le fameux beurre blanc y a été inventé au début de ce siècle). L'accord des mets et des vins y était dès l'origine illustré par des productions comme celle de Bois Bruley, au nez agréablement aromatique et à la bonne attaque en bouche malgré une légère âpreté.

➤ MM. Bernard Chéreau et Fils, Le Bois Bruley, 44115 Basse-Goulaine, tél. 40.54.81.15 ☎ t.l.j; sf dim. 8h-18h30.

DOM. DU BOIS-JOLY Sur lie 1987**

11 ha | 72 000 |

A l'entrée du Pallet, ville natale d'Abélard, célèbre pour ses amours avec Héloïse, la vieille chapelle Saint-Michel a été transformée en un musée principalement consacré à la vigne et à ses traditions. Sous ce proche patronage, les sols métamorphiques du Bois-Joly produisent un vin au nez bien typé, aromatique et distingué, qu'on appréciera pour sa longueur.

➤ M. Herri Bouchaud, Dom. du Bois-Joly, Le Pallet, 4330 Vallet, tél. 40.80.40.83 ☎ t.l.j; sf dim. 9h-12h30 14h-19h; f. du 15 au 31 août

DOM. BONNETEAU GUESSELIN
Sur lie 1987

18 ha | 40 000 |

Aux portes de La Haie-Fouassière, un peu au-dessus ce l'immense biscuiterie ultra-moderne LU (le nom de la commune vient déjà d'une pâtisserie traditionnelle en forme d'étoile...), ce domaine exploité par une même famille depuis cinq générations produit un vin aux arômes de fruits exotiques, fin et long en bouche, d'une bonne harmonie générale.

➤ Dom. Bonneteau-Guesselin, La Juiverie, 44690 La Haie-Fouassière, tél. 40.54.80.38 ☎ r.-v.
➤ MM. M. et O. Bonneteau.

GUY BOSSARD Sur lie 1987**

11,50 ha | 85 000 |

A deux pas du château de Briacé et de son importante école d'agriculture, ce vigneron a opté depuis 1972 pour l'agriculture biologique, plutôt que par les méthodes médiévales qu'illustre son étiquette originale. Il produit un muscadet aux fins arômes, fruités, parfaitement équilibré et doté de beaucoup de caractère.

➤ M. Guy Bossard, La Bretonnière, Le Landreau 44430 Le Loroux-Bottereau, tél. 40.06.40.91 ☎ r.-v.

BOUQUET D'ARVOR Sur lie 1987*

n.c. | 120 000 |

Les ducs de Bretagne aimaient séjourner en

□   M. Michel Chiron, La Morandière, Mouzillon, 44330 Vallet, tél. 40.80.41.43 ☗ r.-v.

leur château de Clisson et le vignoble nantais tient souvent à se différencier du Val de Loire en rappelant son passé breton et son ouverture maritime. En témoigne le nom de ce vin aux jolis reflets verts, vif et puissant avec un caractère affirmé : un assemblage fort réussi.

☗ Gautier Audas, 7, rue du Château, Haute-Goulaine, 44115 Basse-Goulaine, tél. 40.54.56.22 ☗ r.-v.

ANDRE-MICHEL BREGEON
Sur lie 1987

□   6,70 ha   35 000   ☗☗ ☗ M 1

Non loin du grand centre scolaire d'Angreviers, dont la présence surprend dans un site perdu au bord de la Sèvre, ce viticulteur traditionnel produit un vin très clair aux agréables reflets verts. D'une grande finesse, il appellerait cependant un peu plus d'acidité.

☗ M. André-Michel Brégeon, Les Guisseaux, Gorges, 44190 Clisson, tél. 40.06.93.19 ☗ t.l.j. 10h-12h30 14h-19h.

CH. DE BRIACE
Sur lie 1987

□   7,50 ha   20 000   ☗☗ ☗ M 1

La grande école d'agriculture de Briacé fêtait ses trente ans en 1988. Dans la querelle des Anciens et des Modernes, son muscadet se situe clairement du côté de ces derniers ; les premiers, tout en reconnaissant sa richesse aromatique et sa souplesse, lui reprochent de s'écarter du type classique de l'appellation. Le vocabulaire de la dégustation s'est même enrichi d'un adjectif ad hoc : « technologique ».

☗ Ass. familiale de Briacé, École d'Agriculture, Le Landreau, 44430 Le Loroux-Bottereau, tél. 40.06.43.33 ☗ r.-v.

☗ Province de France SG.

CARDINAL RICHARD
Sur lie 1987***

□   n.c.   n.c.   ☗ V 3

Le nom du cardinal Richard, célèbre propriétaire du château du Cléray au Second Empire, est attribué chaque année à un vin de propriété considéré comme particulièrement réussi. Comme l'an dernier (il avait même obtenu un « coup de cœur » dans le Guide 88), la sélection est judicieuse. Sous une étiquette bien austère, voilà un vin superbe : tendre, long en bouche, très charpenté, il fait honneur aux traditions du vignoble nantais.

☗ MM. Sauvion et Fils, Ch. du Cléray, B.P. 3, 44330 Vallet, tél. 40.36.22.55 ☗ 8h-12h 14h-17h ; f. d'oct. à Pâques

DOM. CHIRON
Sur lie 1987**

□   14,40 ha   20 000   ☗☗ ☗ V 2

Sous une étiquette grise, bleue et or qui ne manque pas d'élégance, voici un vin dont la couleur très pâle et les beaux reflets annoncent d'emblée le caractère exceptionnel. Très fin, long en bouche, parfaitement équilibré, c'est un muscadet bien typé et plein d'élégance.

CH. DU COING DE SAINT-FIACRE
Sur lie 1987**

□   23 ha   150 000   ☗☗ ☗ M 3

L'actuel château du Coing a été bâti vers 1830 sur un site chargé d'histoire et de légendes, au confluent même de la Sèvre et de la Maine. Ses vastes et belles vignes plantées sur les rives de la Maine donnent un vin très limpide, dont le nez floral est typique de l'appellation. Frais et très fin, long en bouche, bien équilibré, voilà un muscadet plein de charme.

☗ Mme Véronique Chéreau, Ch. du Coing, Saint-Fiacre-sur-Maine, 44690 La Haie-Fouassière, tél. 40.54.81.15 ☗ t.l.j. sf dim. 8h-18h30.

COMTE LELOUP DE CHASSELOIR
Sur lie - Cuvée des Ceps Centenaires 1985***

□   5 ha   30 000   ☗☗ ☗ V B

Chasseloir est un domaine étonnant. Par son architecture, d'abord, avec son donjon de château médiéval, sa tour carrée de villa romaine, son souterrain, son cellier orné de figures rabelaisiennes. Par sa production ensuite : ce superbe vin montre une aptitude au vieillissement exceptionnelle pour un muscadet. Riche, équilibré, long en bouche, il a en outre conservé toute sa fraîcheur typique.

☗ Mme Edmonde Chéreau, Ch. de Chasseloir, B.P. 49, Saint-Fiacre-sur-Maine, 44690 La Haie-Fouassière, tél. 40.54.81.15 ☗ t.l.j. sf dim. 8h-18h30.

DÉCOUVERTE LA HOUSSAY
Sur lie 1987★★

n.c.	12 000	▨ V2

Les «Découvertes» de la maison Sauvion sont des vins de propriété dont on respecte les caractéristiques propres. On ne peut ici que s'en féliciter : ce vin provenant de la région de Vallet est d'une qualité irréprochable. De nez fin et fruité, il développe les arômes de bonbon anglais caractéristiques d'une fermentation à température contrôlée.

♠ MM. Sauvion et Fils, Ch. du Cléray, B.P. 3, 44330 Vallet, tél. 40.36.22.55 ☎ 8h-12h 14h-17h; f. d'oct. à Pâques
♠ M. Petiteau.

DÉCOUVERTE LA PENETRIE
Sur lie 1987★★

n.c.	n.c.	▨ V2

Présenté sous l'étiquette très sobre que la maison Sauvion réserve à ses «Découvertes», ce vin provenant de la rive droite de la Sèvre développe un nez intense, mélange aromatique de fleurs et de fruits exotiques. Souple et équilibré, il montre en bouche une excellente harmonie.

♠ MM. Sauvion et Fils, Ch. du Cléray, B.P. 3, 44330 Vallet, tél. 40.36.22.55 ☎ 8h-12h 14h-17h; f. d'oct. à Pâques

DOM. DES DORICES Cuvée Choisie 1986

29 ha	195 000	▨ V3

Cette ancienne et importante propriété appartint au début du siècle au marquis de Rochechouart qui y fit construire un «château» néo-normand. Le millésime 86 a été très moyen pour le muscadet, mais celui-ci, vinifié avec beaucoup de savoir-faire, tire honorablement son épingle du jeu.

♠ MM. L. Boullault et Fils, Dom. des Dorices, 44330 Vallet, tél. 40.33.95.30 ☎ lu. ma. me. je. ve. 9h-12h 15h-18h.

DOM. DES DORICES
Grande Garde 1985★

29 ha	25 000	▨ V2

Le muscadet, en principe, n'est pas un vin de garde. Cette grande propriété de la région de Vallet a pourtant mis au point une méthode de vinification -dont elle conserve le secret - qui lui permet de proposer ce vin souple et long aux arômes bien évolués. Parfait pour accompagner poissons nobles et viandes blanches, il devra tout de même être bu sans trop tarder.

♠ MM. L. Boullault et Fils, Dom. des Dorices, 44330 Vallet, tél. 40.33.95.30 ☎ lu. ma. me. je. ve. 9h-12h 15h-18h.

FIEF DE LA BRIE Sur lie 1987★

15 ha	105 000	▥▤ ♠ ▨ V2

A la limite de la commune de Gorges, juste à l'ouest du hameau de la Brie, aimable césordre de toits de tuiles et de vergers, une vaste et belle parcelle d'un seul tenant donne ce vin au nez bien net, frais et fruité. Une bonne attaque en bouche, avec une légère pointe d'acidité, et une finale équilibré en font un muscadet d'excellente venue.

♠ M. Auguste Bonhomme, rue de la Roche, Gorges, 44190 Clisson, tél. 40.06.91.61

DOM. DU FIEF MAUGEAIS Sur lie 1987

9,15 ha	35 000	▨ V1

Cette exploitation qui se développe depuis quelque années porte le nom d'une de ses parcelles, sur la rive gauche de la Sèvre. Elle propose un muscadet au nez puissant, avec de la rondeur en bouche, intéressant pour son caractère rustique.

♠ M. Robert Chéreau, Le Village Boucher, Monnières, 44690 La Haie-Fouassière, tél. 40.54.62.15 ☎ r.-v.

CH. DES GILLIERES Sur lie 1987

33 ha	220 000	▥▤ ♠ ▨ V1

Au bord de la route Nantes-Cholet, le «château» des Gillières s'offre à la vue au milieu d'un océan de vignes. Cet important domaine produit un beau muscadet au nez de terroir, que l'on souhaiterait peut-être plus élégant, mais dont on apprécie la puissance.

♠ M. Louis Nogue, Ch. des Gillières, 44690 La Haie-Fouassière, tél. 40.34.02.57 ☎ r.-v.

DOM. LE GOULAINE Sur lie 1987★★

4 ha	16 000	▥▤ ♠ ▨ V1

Sous une sobre étiquette évoquant les armes prestigieuses des Goulaine (léopards anglais et lys français, qui symbolisent la conciliation des deux royaumes réussie au château de Goulaine), ce vin au nez puissant offre finesse et plénitude, rehaussées par une touche d'acidité qui lui donne du nerf.

♠ Gautier Audas, 7, rue du Château, Haute-Goulaine, 44115 Basse-Goulaine, tél. 40.54.56.22
♠ Comte G. de Goulaine.

GRAND FIEF DE LA CORMERAIE Sur lie 1987

4,26 ha	26 400	▥▤ ♠ ▨ V3

La Cormeraie, à l'ordonnance assez rigide et d'aspect «féodal», est environnée de terrains métamorphiques qui conviennent bien au melon de Bourgogne. Ce vin produit par une grande famille de «vignerons est un peu court mais bien équilibré et de belle présentation.

♠ Mme Véronique Chéreau, Ch. du Coing, Saint-Fiacre-sur-Maine, 44690 La Haie-Fouassière, tél. 40.54.81.15 ☎ t.l.j. sf dim. 8h-18h30.

GRAND FIEF DU LIEVRE-MORT Sur lie 1987★★

9 ha	60 000	▥▤ ♠ ▨ V2

Le vignoble nantais aime les noms imagés d'ancienne origine : le Fief du Lièvre-Mort jouxte le Clos des Gras-Moutons. Son muscadet est des à présent remarquable pour son nez très fin, dont la belle aromatique évoque les fruits exotiques, avec une subtile note boisée. Bien équilibré et long, il sera de bonne conservation et devrait vite perdre son seul défaut de jeunesse, une attaque en bouche un peu vive.

➤ M. Roger Visonneau, rte du Port, La-Hautière, Saint-Fiacre, 44690 La Haie-Fouassière, tél. 40.36.97.27 ☎ t.l.j. sf dim.

DOM. DES GRANDS PRIMEAUX

Sur lie 1987

☐   13 ha   25 000   🔲 ↓ 🆅 🟦1

Cette exploitation installée au Pé-de-Sèvre, joli hameau situé sur la rive ensoleillée de la rivière, offre un vin aux arômes développés et complexes de fruits, de fleurs et de pain grillé, pas très typiques de l'appellation mais d'un indéniable agrément.

➤ MM. Henry Bedouet et Fils, Le Pé-de-Sèvre, Le Pallet, 44330 Vallet, tél. 40.80.40.81 ☎ t.l.j. sf dim. 9h-12h30 14h30-19h.

DOM. DE GRAS-MOUTONS

Sur lie 1986★★

☐   9,17 ha   75 000   🔲 ↓ 🆅 🟦2

Le «Clos» des Gras-Moutons, vaste étendue de vignes à l'est de Saint-Fiacre, est un des terroirs fameux du vignoble nantais. On dit qu'il relevait jadis d'une unique propriété de plus de 100 hectares, morcelée au fil des héritages. Riche et bien équilibré, ce vin parfaitement conservé est exceptionnel pour un 86.

➤ M. Jean Dabin, 8, place Marc-Elder, Saint-Fiacre, 44690 La Haie-Fouassière, tél. 40.54.81.01 ☎ t.l.j. 9h-12h30 14h-19h30 ; f. en été du sam. a.-m. au lun. matin

CH. GUERANDE Sur lie 1987★

☐   7 ha   29 000   🆅 🟦2

La propriété s'étend au flanc de l'imposante butte de la Roche, qui divise en deux les verdoyants marais de Goulaine ; la légende dit que le pont de Louans, qui la prolonge, a été construit par le diable. Elle produit un vin équilibré et fin, aux ramages boisés, fort agréable dès à présent.

➤ M. André Vinet, 10, rue du Progrès, 44330 Vallet, tél. 40.36.31.22 ☎ lu. ma. me. je. ve. 9h-12h 14h-17h ; f. août

➤ Les Vignerons de La Noëlle, B.P. 102, 44157 Ancenis cedex, tél. 40.98.92.72 ☎ t.l.j. sf dim. 8h-12h15 13h15-18h.

DOM. DES HAUTES NOELLES

Sur lie 1987

☐   120 ha   100 000   🔲 🆅 🟦1

Sur les coteaux parfois abrupts du Landreau, le domaine produit un vin au nez agréable, caractéristique de l'appellation et signé par la coopérative. Bien équilibré, soutenu par une pointe de verdeur, il met en valeur sa belle robe limpide. Élégante qui met en valeur d'une présentation élégante qui met en valeur sa belle robe limpide.

➤ M. Jean Luneau.

DOM. DES HAUTES-PERRIERES

Sur lie 1987★

☐   6 ha   40 000   🔲 🆅 🟦1

Si la claire étiquette de ce vin montre un navire au vent, le nom du domaine affiche plutôt une vocation terrestre (une perrière est une carrière). Son vin au nez typique quoique pas très intense est bien présent en bouche où il montre rondeur et finesse.

➤ Gautier Audas, 7, rue du Château, Haute-Goulaine, 44115 Basse-Goulaine, tél. 40.54.56.22 ☎ r.-v.

➤ M. Alexandre Gautier.

DOM. DE LA BATARDERIE

Sur lie 1987

☐   14 ha   n.c.   ↓ 🟦1

Si la Sèvre et la Maine sont les rivières les plus connues du vignoble nantais, il en est d'autres à découvrir. En particulier la Sanguèze, que domine La Batarderie. Celle-ci produit un vin à la belle couleur verte, plus riche en bouche qu'au nez qu'un équilibre très satisfaisant.

➤ M. Marcel Martin, La Sablette, Mouzillon, 44330 Vallet, tél. 40.33.94.84

➤ M. Jacques Chéneau.

DOM. DE LA BLANCHETIERE

Sur lie 1987

☐   15 ha   60 000   ↓ 🆅 🟦2

Ce muscadet au nez discret mais agréable se montre équilibré et très puissant. Quelques mois de bouteille devraient atténuer la petite verdeur qu'il révèle en fin de bouche.

➤ M. Serge Luneau, 8, rue de la Tannerie, 44330 Le Loroux-Bottereau, tél. 40.33.82.14 ☎

CH. DE LA BOTINIERE

Sur lie 1987★

☐   10 ha   70 000   🔲 🟦3

Siège d'une cour de basse justice au XVIe s., le domaine a gardé de cette époque quelques beaux vestiges. Quant au reste, c'est une exploitation moderne dont le vin au nez fin et floral s'annonce long, fruité et au total digne de son excellente origine.

➤ M. Jean Beauquin, Dom. de La Botinière, 44330 Vallet, tél. 40.33.95.32 ☎ lu. ma. me. je. ve. 8h30-17h.

CH. DE LA BOURDINIERE

Sur lie 1987★

☐   12 ha   60 000   🔲 🆅 🟦2

Superbe château historique au bord d'un vaste étang, La Bourdinière donne un vin très limpide d'excellente qualité. Un seul regret : il est moins long en bouche que ne le laisserait attendre son nez fin, aux arômes marqués, mais il est parfaitement apte à subir les quelques mois de garde au cours desquels se développeront toutes ses possibilités.

➤ M. Pierre Lieubeau, La Croix de La Bourdinière, Château-Thébaud, 44690 La Haie-Fouassière, tél. 40.06.54.81 ☎ r.-v.

CH. DE LA BRETESCHE

Sur lie 1987★★★

☐   16 ha   75 000   🔲 ↓ 🟦2

Avec ses vastes toits de tuiles ondulant au bord d'un vallon boisé, la ferme fortifiée de La Bretesche a belle allure. Son vin n'en a pas moins. D'emblée, sa belle robe et son nez élégant annoncent un muscadet de grande classe. Harmonieux et parfaitement équilibré dès à présent, très prometteur pour l'avenir, il fait honneur à la grande famille dont il porte le nom et les armes.

← MM. Barré Frères, Beau-Soleil, Gorges,
44190 Clisson, tél. 40.06.90.70

← Mme Renaud de la Bretesche.

← M. Loïc Riveron, Dom. de la Cour,
La Chapelle-Heulin, 44330 Vallet, tél. 40.06.71.73
Ⴘ r.-v.

DOM. DE LA FERRONNIERE

Sur lie *86*

2 ha	10 000	🍷🍷▼2

Tout près de La Haie-Fouassière au nom chargé de souvenirs rabelaisiens (les « fouaces », gâteaux en forme d'étoile, provoquèrent une escarmouche des guerres picrocholines), La Ferronnière produit un vin bien équilibré et de bonne tenue, peut-être pas très long en bouche mais agréable par sa souplesse.

← Dom. Bonneteau-Guesselin, La Juiverie,
44690 La Haie-Fouassière, tél. 40.54.80.38 Ⴘ r.-v.

← MM. M. et O. Bonneteau.

DOM. DE LA GAUTRONNIERE

Sur lie 1987

10,20 ha	40 000	🍷🍷▼2

Ce vin traditionnel (son étiquette reproduit d'ailleurs un bas-relief ancien) a un nez prononcé, fruité avec une légère note épicée. En bouche, son attaque est souple et sa finale équilibrée malgré une légère amertume.

← M. Alain Forget, La Gautronnière,
La Chapelle-Heulin, 44330 Vallet, tél. 40.06.75.84
Ⴘ t.l.j. sf dim. 9h-12h30 14h-19h.

DOM. DE LA GRANGE

Sur lie - Cuvée Prestige 1987

10 ha	60 000	🍷🍷▼2

Cet ancien et important domaine viticole est réputé pour l'excellente tenue de ses chais. Il offre ici un muscadet très limpide au nez fin et développé où domine la violette. Rond et souple, il mérite d'être bu sans tarder.

← MM. Pierre et Rémy Luneau,
Dom. de la Grange, Le Landreau, 44430
Le Loroux-Bottereau, tél. 40.06.43.90 Ⴘ r.-v.

DOM. DE LA GRANGE Sur lie 1987*

15 ha	70 000	🍷🍷▼2

Au-dessus des rives boisées de la Sanguèze, le domaine de La Grange produit un muscadet à la couleur soutenue mais très limpide et au nez puissant. Fruité, long en bouche, il montre un caractère de terroir original et plaisant. Il est possible de le laisser attendre quelques mois.

← M. Edmond et Dominique Hardy, La Grange,
Mouzillon, 44330 Vallet, tél. 40.33.93.60 Ⴘ t.l.j. sf
dim. 8h-12h30 14h-17h.

MOULIN DE LA GRAVELLE

Sur lie 1987

8,50 ha	51 000	🍷🍷🍷▼3

Les anciens moulins à vent abondent à travers le Pays nantais. Celui-ci se dresse tout droit au haut d'un coteau, solitaire et désolé, montrant les restes noircis de son imposante mécanique. Les vignes alentour donnent un vin à la belle couleur pâle, souple et très floral.

← M. Bernard Chéreau Père, La Gravelle,
Gorges, 44190 Clisson, tél. 40.54.81.15 Ⴘ t.l.j.
8h-18h30.

DOM. DE LA BRONIERE Sur lie 1987

19 ha	120 000	🍷🍷▼2

De nez peu intense mais aux arômes très développés où dominent les fruits exotiques, ce vin long en bouche montre une bonne harmonie d'ensemble, avec à la note acidulée qu'annonce une étiquette aux tons bleu vif et vert pomme.

← M. Pierre Bonnet, La Bronière, 4430 Vallet,
tél. 40.36.35.22 Ⴘ r.-v.

← M. Gilles Bonnet-Bondu.

CH. DE LA CANTRIE Sur lie 1987

14 ha	50 000	🍷🍷▼1

Détruit sous la Révolution à l'exception de la chapelle aujourd'hui transformée en cave, le château a été reconstruit en haut d'un beau parc incliné vers la Sèvre et le « port » de La Cantrie. Son vin produit sur un sol de gneiss développe des arômes discrets mais agréables.

← M. Laurent Bossis, 11, rue Beauregard, Saint-
Fiacre-sur-Maine, 44690 La Haie-Fouassière,
tél. 40.36.94.64 Ⴘ r.-v.

DOM. DE LA CHAMBAUDIERE

Sur lie 1987

8,50 ha	25 000	🍷🍷🍷▼2

Sur des coteaux baignés au sud-ouest par la Maine s'est perché le hameau de La Chambaudière, situé dans la partie la plus méridionale de l'aire d'appellation. Le domaine produit un vin aux arômes de fruits exotiques très développés et dont l'harmonie générale est très satisfaisante.

← M. Bruno Cormerais, La Chambaudière,
Saint-Lumine-de-Clisson, 44190 Clisson,
tél. 40.03.85.84 Ⴘ r.-v.

DOM. DE LA COUR Sur lie 1987

13 ha	15 000	🍷🍷🍷▼2

Sous une étiquette originale et pleine de charme reproduisant une aquarelle aux tons d'automne, voici un vin limpide, pas très long en bouche sans doute, mais fruité et équilibré, de très bonne qualité au total.

DOM. DE LA GUIPIERE Sur lie 1987

□   21 ha   80 000   ⬛ 🔽 1️⃣

On ne se fiera pas trop à l'étiquette montrant un «magasin» (cellier) traditionnel aux barriques sagement alignées : cet impressionnant domaine situé à mi-chemin de Vallet et de La Chapelle-Heulin met en œuvre des techniques modernes. Il produit un vin très aromatique et d'une rondeur marquée.
→ MM. Charpentier Père et Fils,
Dom. de La Guipière, 44330 Vallet,
tél. 40.36.23.30 ☎ t.l.j. sf dim. 8h-12h30 14h-20h.

DOM. DE LA HAUTE-POEZE
Sur lie 1987*

□   10 ha   48 000   ⬛ 🔽 1️⃣

En contrebas de La Haute-Poêze se forme la Goulaine, qui s'étale bientôt en un vaste marais aux subtiles nuances de vert, entre le vignoble et la Loire. De nez agréable, peu intense, ce vin offre une bonne attaque en bouche mais reste un peu court.
→ M. Pierre Mabit, Dom. de La Haute-Poêze,
Le Landreau, 44430 Le Loroux-Bottereau,
tél. 40.06.43.88 ☎ r.-v.

DOM. DE LA HAUTIERE
Sur lie 1987*

□   n.c.   75 000   ⬛ 🔽 2️⃣

Accroché au flanc des coteaux de Saint-Fiacre qui s'ingénient à retarder l'accouplement de la Sèvre et de la Maine, le hameau de La Hautière produit ce vin au caractère typique et harmonieux, quoique pas très nerveux, dont les arômes s'enrichissent d'une légère note boisée.
→ M. Gabriel Thébaud, Dom. La Hautière, Saint-Fiacre-sur-Maine, 44690 La Haie-Fouassière,
tél. 40.54.81.13 ☎ r.-v.

DOM. DE LA LOUVETRIE
Sur lie - Sélection Hermine d'Or 1987

□   8 ha   37 600   ⬛ 🔽 2️⃣

Produit sur le coteau du Breil, terroir réputé bordé au sud par une boucle de la Sèvre, ce muscadet légèrement coloré surprend par son nez intense et des arômes de fruits exotiques extrêmement développés. Vin intéressant et de bonne qualité sans aucun doute, il s'écarte toutefois du type classique de l'appellation.
→ MM. Pierre et Joseph Landron,
Dom. de La Louvetrie, Les Brandières, 44690 La Haie-Fouassière, tél. 40.54.83.27 ☎ t.l.j. 9h-12h 14h30-18h30.

DOM. DE LA LOUVETRIE
Sur lie - Cuvée Prestige 1987

□   4 ha   21 200   ⬛ 🔽 3️⃣

La Cuvée Prestige de La Louvetrie est issue exclusivement du fief du Breil, coteau schisteux incliné au sud-ouest vers une boucle de la Sèvre. De nez très floral, ce muscadet offre en bouche une excellente attaque mais se montre un peu court ; encore fermé, il devrait révéler ses qualités après quelques mois de bouteille.
→ MM. Pierre et Joseph Landron,
Dom. de La Louvetrie, Les Brandières, 44690 La Haie-Fouassière, tél. 40.54.83.27 ☎ t.l.j. 9h-12h 14h30-18h30.

CH. DE LA MERCREDIERE
Sur lie 1987

□   35 ha   200 000   ⬛ 🔽 2️⃣

Le nom du château date, paraît-il, de l'époque gallo-romaine : on célébrait chaque mercredi, sur ce beau site des bords de la Sèvre, le culte du dieu Mercure. La propriété produit un vin doré au nez fin. Sa faible acidité n'annonce pas une longue garde, mais peu importe au fond : bien fait dès à présent, il mérite d'être consommé sans tarder.
→ MM. Futeul Frères, Ch. de La Mercredière,
Le Pallet, 44330 Vallet, tél. 40.54.80.10 ☎ lu. ma. me. je. ve. 9h-12h 14h-18h.

DOM. DE LA MOMENIERE
Sur lie 1987

□   15 ha   70 000   ⬛ 🔽 2️⃣

Sur les sols silico-argileux des coteaux du Landreau, La Momenière produit un muscadet à la robe un peu jaune mais très claire et limpide, de nez intense et agréable. Un peu court en bouche, il est cependant bien équilibré.
→ GAEC Audouin Frères,
Dom. de La Momenière, Le Landreau, 44430 Le Loroux-Bottereau, tél. 40.06.43.04 ☎ r.-v.

DOM. DU LANDREAU-VILLAGE
Sur lie 1987*

□   11 ha   91 000   ⬛ 🔽 2️⃣

«Ego sum vitis, vos palmites», proclame, après saint Jean, l'étiquette de ce vin à la belle robe claire, issu d'une grande propriété de la région de Vallet. Harmonieux et vif avec des arômes floraux durant une bonne longueur, il inspire pourtant la gaieté plutôt que le recueillement.
→ GFA Dom. du Landreau-Village,
Le Landreau-Village, 44330 Vallet,
tél. 40.33.90.99 ☎ r.-v.
→ Mme Annick Drouet.

CH. LA NOE 1987

□   30 ha   125 000   ⬛ 🔽 2️⃣

Reconstruit en 1836 après les ravages de la Révolution, ce château de style palladien est l'une des plus étonnantes demeures du Pays nantais. Ce qui distingue son muscadet n'est pas tant sa qualité propre - il ne s'attire au demeurant aucun reproche - que le fait d'avoir été bu par nombre d'écrivains contemporains dont Julien Green et Julien Gracq, hôtes du comte de Malestroit, lui-même écrivain et chancelier de l'académie de Bretagne.
→ M. le comte de Malestroit, Ch. La Noë,
44330 Vallet, tél. 40.33.92.72 ☎ r.-v.

LES VIGNERONS DE LA NOELLE Sur lie 1987*

□   120 ha   900 000   ⬛ 🔽 1️⃣

La grande cave coopérative d'Ancenis, qui a pris une importance considérable depuis sa création en 1955, propose une gamme très complète de vins du Pays nantais (et même de petits «primeurs»). Le sèvre-et-maine surprend par sa couleur assez soutenue, mais se révèle fort agréable en raison de ses arômes, de sa souplesse et de sa rondeur.
→ Les Vignerons de La Noëlle, B.P. 102,
44157 Ancenis cedex, tél. 40.98.92.72 ☎ t.l.j. sf dim. 8h-12h15 13h15-18h.

LES VIGNERONS DE LA NOELLE 1987*   n.c.

Pour marquer la différence entre les vins de Bretagne et vins d'Anjou, cette grande cave des bords de Loire a doté sa gamme de muscadets d'une fière étiquette (un trois-mâts toutes voiles dehors, sabords levés qui est une batterie de canons). Ce 87, aux reflets vifs et aux arômes de fruits rouges, bien équilibré, montre une fraîcheur sans agressivité qui en fait un vin agréable en toutes circonstances.
♠ Les Vignerons de La Noëlle, B.P. 102, 44157 Ancenis cedex, tél. 40.98.92.72 ☎ t.l.j, sf dim. 8h-12h15 13h15-18h.

DOM. DE LA PINGOSSIERE
Sur lie 1987*   10,38 ha   70 000

Cette importante exploitation de la région ce Vallet offre un vin légèrement coloré mais au nez fruité et bien typé. Fringant, équilibré, c'est un muscadet d'excellente harmonie.
♠ M. Léon Moulin, Les Lilas, Mouzillon, 44330 Vallet, tél. 40.36.30.55 ☎ ma, me, je, ve. 9h-12h 15h-17h.

DOM. DE LA REBOURGERE
Sur lie 1987**   7,80 ha   30 000

Plantée entre Sèvre et Maine dans un beau paysage de vignes et de bois, le hameau de La Rebourgère est bien ancré dans son terroir. Ce domaine confirme l'excellente régularité de sa production avec un muscadet très soigné («technologique», regretteront les plus traditionalistes). Une attaque souple, des arômes intenses, une bonne structure, une excellente persistance en bouche annoncent un vin de bel avenir.
♠ M. Joseph Launais, La Rebourgère, Maisdon-sur-Sèvre, 44690 La Haie-Fouassière, tél. 40.54.61.32 ☎ r.-v.

DOM. DE LA ROCHERIE
Sur lie 1987   5 ha   33 000

Produit sur les premières pentes des coteaux du Landreau par une petite exploitation pratiquant des méthodes traditionnelles de labour et de cueillette, ce vin au nez vif offre plénitude et longueur.
♠ M. Daniel Gratas, Dom. de La Rocherie, Le Landreau, 44430 Le Loroux-Bottereau, tél. 40.06.41.55 ☎ r.-v.

CLOS DE LA SABLETTE
Sur lie 1987   22 ha   144 000

Ce grand domaine est situé à l'est du vignoble nantais, presque à la limite du département de Loire-Atlantique. Son vin limpide aux arômes très diversifiés et de bonne intensité serait très élégant s'il ne développait une pointe d'amertume en fin de bouche (défaut qui devrait d'ailleurs s'estomper assez vite).
♠ M. Marcel Martin, La Sablette, Mouzillon, 44330 Vallet, tél. 40.33.94.84

DOM. DE LA SENSIVE 1987***
Sur lie   8 ha   72 000

Haute-Goulaine, terroir chargé d'histoire en limite de l'agglomération nantaise, offre là un vin remarquable. Tôt vendangé et partiellement élevé en fût, il développe d'agréables arômes de rose et de lys. Long et d'une parfaite structure, il est manifestement l'oeuvre d'un grand professionnel.
♠ GFA Dom. de La Sensive, Dom. de La Sensive, Haute-Goulaine, 44115 Basse-Goulaine, tél. 40.33.90.99 ☎ r.-v.
♠ Mme Drouet-Bonhomme.

PRODUCE OF FRANCE

SUR LIE

Domaine de la Sensive

MUSCADET DE SÈVRE & MAINE

APPELLATION MUSCADET DE SÈVRE ET MAINE CONTRÔLÉE

LES HÉRITIERS X SAUTEJEAU, Propriétaire à HAUTE-GOULAINE

Mis en bouteilles par Drouet frères, Vallet, 44   75 cl

DOM. DE LA TOURLAUDIERE
Sur lie 1987**   16 ha   20 000

Exploité par une famille déjà installée sur ce terroir au début du XVIIIe s. (un acte de 1720 l'atteste), le domaine de La Tourlaudière produit un vin aux beaux reflets d'un vert pâle. Son nez expressif, puissant et bien typé, sa longueur, son harmonie, en font un muscadet d'excellente venue.
♠ GAEC Petiteau-Gaubert, La Tourlaudière, 44330 Vallet, tél. 40.36.24.86 ☎ r.-v.
♠ M. et Mme Claude Petiteau.

DOM. DE LA TOURMALINE
Sur lie 1987*   24 ha   100 000

La commune de Saint-Fiacre, dont le clocher byzantin constitue un point de repère au milieu de vignes serrées entre la Sèvre et la Maine, se consacre exclusivement au muscadet. Celui de La Tourmaline; au nez vif et subtilement boisé, se distingue par sa rondeur et sa plénitude, qui lui confèrent un caractère de terroir.
♠ MM. Gédais Frères, Le Coteau, Saint-Fiacre-sur-Maine, 44690 La Haie-Fouassière, tél. 40.54.81.23 ☎ r.-v.

DOM. DE L'AUBINERIE
Sur lie 1987   4,50 ha   15 000

Les parcelles du domaine de L'Aubinerie sont situées en divers points de la commune de Mouzillon. Son vin est ainsi un assemblage représentatif de ce terroir. Souple, avec une bonne attaque mais cependant un peu court en bouche, il développe des arômes floraux et constitue un bon muscadet classique.

DOM. DE LA VIEILLE CURE-ST-FIACRE Sur lie 1987

↓ ▽ 2

☐ 10 ha 66 000

☛ M. Jean-Marc Guérin, La Barillière, Mouzillon, 44330 Vallet, tél. 40.36.37.06 ☎ t.l.j. sf dim. 8h-12h 14h-18h ; f. août

Un peu à l'écart du bourg, solitaire et imposante, la vieille cure dresse ses hautes cheminées au-dessus des vignes. Son muscadet développe des arômes de fruits exotiques. Souple et d'une bonne longueur, il offre une harmonie d'ensemble satisfaisante.

☛ Dom. Baud, Le Port, Saint-Fiacre-sur-Maine, 44690 La Haie-Fouassière, tél. 40.33.98.42

JEAN-CLAUDE ET MICHEL LEBAS Sur lie 1987*

☐ 12 ha 40 000

Produit sur les terrains silico-argileux de la région de Vallet, ce vin à la couleur dorée relativement soutenue est nerveux, fin et bien fruité. Il souffre d'un excès d'acidité qui devrait s'atténuer avec le temps et mérite probablement quelques mois de garde pour se révéler pleinement.

☛ MM. J.-C. et M. Lebas, 38, rue de Bazoges, 44330 Vallet, tél. 40.33.98.69 ☎ r.-v.

DOM. DE L'ECU Sur lie - Cuvée Hermine d'Or 1986**

☐ n.c. 6 000

Inspiré peut-être par le voisinage de l'école de Briacé, le domaine a opté pour des méthodes tranchées : il pratique la culture biologique et la fermentation à très basse température. Avec succès : ce muscadet au nez puissant, vineux et long en bouche, s'est parfaitement conservé et montre même encore un soupçon d'agressivité de bon aloi.

☛ M. Guy Bossard, La Bretonnière, Le Landreau, 44430 Le Loroux-Bottereau, tél. 40.06.40.91 ☎ r.-v.

LE FIEF DU BREIL Sur lie 1987

↓ ▽ 2

☐ n.c. 17 000

Le fief du Breil, terroir réputé de La Haie-Fouassière, est un coteau au rude sol de schistes et d'argile. Il a donné là un vin limpide et brillant, au nez fin, complexe, avec des nuances florales et fruitées de bonne intensité. Souple en bouche, il est encore un peu fermé.

☛ M. Bruno Dubois, La Rairie, 44690 La Haie-Fouassière, tél. 40.36.93.84 ☎ r.-v.

LE MUSCADET DE BARRE Sur lie 1987*

☐ n.c. 50 000

Beaucoup de grands négociants du Pays nantais ont créé des marques de prestige qu'ils confèrent à des vins de propriété. La maison Barré a délibérément choisi une approche différente et fort intéressante : ce vin d'assemblage a été sélectionné pour représenter l'archétype du muscadet tel qu'elle le conçoit. Long, puissant et charpenté, il bénéficie en outre d'une présentation élégante.

☛ MM. Barré Frères, Beau-Soleil, Gorges, 44190 Clisson, tél. 40.06.90.70

CH. DE L'EPINAY Sur lie 1987**

☐ 6 ha 20 000

La propriété possède un vignoble peu étendu, bien regroupé autour du château, et qui donne un vin très charpenté, harmonieux. Joliment symbolisé par une étiquette aux lourdes grappes d'or, voici un muscadet traditionnel, d'une longueur et d'une amplitude remarquables, qui devrait bien résister à l'épreuve du temps.

☛ MM. Barré Frères, Beau-Soleil, Gorges, 44190 Clisson, tél. 40.06.90.70

DOM. LE ROSSIGNOL Sur lie 1987

↓ ▽ 2

☐ 7,50 ha 30 000

Le domaine, situé au centre de la région de production la plus réputée, près du hameau de La Bigotière, offre un vin au nez bien typé. Élégant en bouche, avec un peu de vivacité, il développe des arômes caractéristiques de la fermentation à température contrôlée, entre 18° et 20° C.

☛ M. Jérôme Batard, La Bigotière, Maisdon-sur-Sèvre, 44690 La Haie-Fouassière, tél. 40.06.62.61 ☎ r.-v.

LES MESNILS 1987

☐ n.c. 200 000

Le nom de ce vin, vieux mot français synonyme de «hameau», symbolise son origine : il s'agit d'une sélection provenant de petites propriétés de Sèvre-et-Maine. Cela donne un vin au caractère peu marqué sans doute (sa mise en bouteille classique lui donne moins de nerf qu'une mise sur lie), mais bien représentatif de l'appellation.

☛ MM. Barré Frères, Beau-Soleil, Gorges, 44190 Clisson, tél. 40.06.90.70

L'EXCEPTIONNEL Sur lie 1987

☐ n.c. 70 000

La marque de prestige de la maison Sautejeau a été attribuée cette année à un vin à la belle couleur pâle, de nez discret, équilibré et long. Sa présentation est particulièrement soignée, avec une étiquette qui reproduit une œuvre originale du peintre Gavens.

☛ M. Marcel Sautejeau, Dom. de L'Hyvernière, Le Pallet, 44330 Vallet, tél. 40.06.73.83 ☎ r.-v.

CH. DE L'OISELINIERE Sur lie 1986*

☐ 41 ha 200 000

Ravagés par les «colonnes infernales» pendant les guerres de Vendée, Clisson et ses environs furent reconstruits dans le style italien au début du XIXe s. L'Oiselinière est souvent cité en exemple comme l'un des plus beaux témoignages de cette mode. Son vin d'un beau vert tendre est bien équilibré et long en bouche.

☛ SC Aulanier, Ch. de l'Oiselinière, Gorges, 44190 Clisson, tél. 40.06.91.59 ☎ r.-v.

L'OISELINIERE DE LA RAMEE Sur lie 1987*

☐ 8,55 ha 25 000

Grande bâtisse d'architecture contestable, L'Oiselinière de La Ramée est surtout remarquable pour sa situation privilégiée, sur un coteau

Pays nantais

rocailleux orienté au sud et surplombant les rives verdoyantes de la Sèvre. Cet excellent terroir produit un vin au perlant agréable et d'une grande finesse.

◆ MM. Bernard Chéreau et Fils, La Ramée, 44120 Vertou, tél. 40.54.81.15 ☎ t.l.j.; 8h-18h30.

MARQUIS DE GOULAINE
Sur lie - Cuvée du Millénaire 1987

| | n.c. | 50 000 | ▦ 2 |

Le magnifique château de Goulaine, le plus occidental des châteaux de la Loire (ouvert au public de Pâques à la Toussaint), est depuis mille ans propriété de la famille dont il porte le nom. Sélectionnée par l'actuel marquis, onzième du nom, la Cuvée du Millénaire est principalement exportée. De nez fin et discret, bien équilibrée, elle représente un type de muscadet fort classique.

◆ M. le marquis de Goulaine, 44115 Haute-Goulaine, tél. 40.54.91.42 ☎ r.-v.

NICOLAS Sur lie 1987*

| | n.c. | | ♦ 2 |

Le plus populaire des vins blancs est bien représenté par cette bouteille or très pâle aux reflets verts; discrètement musqué, gentiment nerveux, il ne déborde pas d'imagination mais est conforme au type.

◆ Éts Nicolas, 253, av. du Gal-Leclerc, 94700 Maisons-Alfort, tél. 1.43.96.81.81.

CLOS DES ORFEUILLES
Sur lie 1987★★

| | 10 ha | 70 000 | ♦ 3 |

Issu d'un grand domaine qui a souvent joué un rôle pilote dans le Pays nantais, voici un vin «tout en dentelle». Clair et très limpide avec des reflets verts, il développe un nez d'une grande finesse. Ses arômes, son parfait équilibre lui confèrent une réelle élégance.

◆ GFA du Dom. de L'Hyvernière, La Guillemotrie, La Chapelle-Heulin, 44330 Vallet, tél. 40.06.73.83 ☎ r.-v.

DOM. DU PAS-BRETON Sur lie 1987*

| | 8 ha | 40 000 | ▮♦▣2 |

Sur la rive gauche de la Maine, dans la frange sud-ouest de l'aire d'appellation du sèvre-et-maine, le domaine du Pas-Breton offre un vin à la belle couleur paille avec une nuance verte, dont le nez agréable est caractéristique de l'appellation. S'il n'est pas très long en bouche, son caractère aromatique et sa fraîcheur lui confèrent cependant une excellente attaque.

◆ M. Pierre Lieubeau, La Croix de La Bourdinière, 44690 La Haie-Fouassière, tél. 40.06.54.81 ☎ r.-v.

PETITEAU-GAUBERT
Sur lie - Mise en bouteille de Pâques 1986

| | 16 ha | 15 000 | ▮♦▣2 |

À Pâques est mis en bouteille le muscadet qui s'épanouira pleinement après quelques mois d'attente. C'est le cas de celui-ci, au nez typique très développé, un peu maigre assurément mais

---

Gros-plant VDQS

agréable et révélateur d'une bonne technique de vinification.

◆ GAEC Petiteau-Gaubert, La Tourlaudière, 44330 Vallet, tél. 40.36.24.86 ☎ r.-v.

CH. PLESSIS-BREZOT
Sur lie 1987★★

| | 11 ha | 51 000 | ▮▮ 2 |

À l'abri derrière les marronniers d'un beau parc où pointe le clocher élancé de sa chapelle, Le Plessis-Brézot jouit d'une vaste perspective sur la vallée de la Sèvre. Son vin à la robe très brillante montre, après une attaque vive, une rondeur et une tendresse pleines de charme. La belle élégance de sa présentation mérite d'être signalée.

◆ MM. Earré Frères, Beau-Soleil, Gorges, 44190 Clisson, tél. 40.06.90.70
◆ Sté Plessis-Brezot.

PREMIÈRE Sur lie 1987★

| | 8 ha | 22.500 | ▮♦▣3 |

Surtout destinée à l'exportation, la Cuvée Première est sélectionnée chaque année dans la production de cette propriété de la rive gauche de la Maine. C'est un beau vin au nez expressif, très agréable par sa richesse et son parfait équilibre.

◆ M. Jean-Joseph Douillard, La Fruitière, Château-Thébaud, 44690 La Haie-Fouassière, tél. 40.06.52.05 ☎ r.-v.

DOM. DES REBOURGÈRES
Sur lie 1987★

| | 12 ha | 55 000 | ▮♦▣2 |

Proche du bourg de Monnières et de son église au double campanile tout à fait inhabituel en Bretagne, le hameau de La Rebourgère est situé au cœur même du sèvre-et-maine. Ce vin d'un vert très pâle, au nez fin et nerveux, montre une bonne harmonie d'ensemble.

◆ M. Jean Lebas, La Rebourgère, Maisdon-sur-Sèvre, 44690 La Haie-Fouassière, tél. 40.54.60.78 ☎ r.-v.

CLOS DES YONNIÈRES Sur lie 1987

| | 3 ha | n.c. | ▮♦▣1 |

Le Clos des Yonnières, au nord du bourg du Landreau, est l'une des parcelles du château de Racapé qui, si jadis l'un des grands noms du vignoble nantais. Récemment remis en valeur, il donne un vin à la robe vive, très perlant et au nez léger, il est cependant assez harmonieux. D'une structure encore un peu légère, il est cependant assez harmonieux.

◆ M. Michel Couillard, Dom. du Haut-Plantey, Le Landreau, 44430 Le Loroux-Bottereau, tél. 40.06.42.76 ☎ t.l.j.; 9h-12h 14h-18h.

Gros-plant VDQS

Le gros-plant du Pays nantais est un vin blanc sec, VDQS depuis 1954. Il est issu d'un cépage unique : la

Pays nantais

Gros-plant VDQS

folle blanche, d'origine charentaise, appelée ici gros-plant. La superficie du vignoble est de 2 800 ha, et la production moyenne de 160 000 hl par an. Comme le muscadet, le gros-plant peut être mis en bouteilles sur lie. Vin blanc sec, il convient parfaitement aux fruits de mer en général et aux coquillages en particulier ; il doit être servi lui aussi frais mais non glacé (8°-9°).

➤ M. André-Michel Brégeon, Les Guisseaux, Gorges, 44190 Clisson, tél. 40.06.93.19 ⚇ t.l.j. 10h-12h30 14h-19h.

HENRI BEDOUET 1987*
☐   0,60 ha   3 000   🍂▮Ⓜ▮

Produit sur une toute petite surface, ce gros-plant provient du site enchanteur du Pé-de-Sèvre, hameau accroché à un coteau ensoleillé dominant la rivière. De belle robe, il se révèle en bouche nerveux et bien typé.
➤ MM. Henry Bedouet et Fils, Le Pé-de-Sèvre, Le Pallet, 44330 Vallet, tél. 40.80.40.81 ⚇ t.l.j. sf dim. 9h-12h30 14h30-19h.

DOM. DU BOIS-BRULEY Sur lie 1987
☐   3 ha   18 000   🍂❿🍂Ⓜ❷

Bois-Bruley est situé sur la paroisse de Basse-Goulaine, haut lieu de la cuisine nantaise célèbre pour ses cuisses de grenouille et ses poissons de Loire au beurre blanc. Le domaine produit un gros-plant de nez intense et souple en bouche. Sans être parfaitement typique, c'est un vin fort agréable.
➤ MM. Bernard Chéreau et Fils, Le Bois Bruley, 44115 Basse-Goulaine, tél. 40.54.81.15 ⚇ t.l.j. sf dim. 8h-18h30.

GUY BOSSARD Sur lie 1987
☐   3,50 ha   15 000   🍂▮Ⓜ▮

Sous une étiquette des plus rustiques, reproduisant une scène de vendanges médiévale, voici un vin produit selon les méthodes de l'agriculture biologique (ce qui ne veut pas dire rétrogrades, loin de là). Un peu court mais bien typé, il est plus vendu à l'étranger qu'en France, chose peu ordinaire pour un gros-plant.
➤ M. Guy Bossard, La Bretonnière, Le Landreau, 44430 Le Loroux-Bottereau, tél. 40.06.40.91 ⚇ r.-v.

ANDRE-MICHEL BREGEON 1987***
☐   0,75 ha   4 000   🍂❿Ⓥ▮Ⓜ▮

Produit sur une toute petite superficie, ce vin qui charme tous les sens se distingue immédiatement par sa robe limpide et son nez fin aux arômes complexes. Il tient parfaitement ses promesses en bouche : souple et très présent, il révèle de l'ampleur et un parfait équilibre.

CH. DE BRIACE Sur lie 1987**
☐   3 ha   12 000   🍂▮Ⓜ▮

Bien que le château de Briacé abrite la grande école d'agriculture du vignoble nantais, ce vin n'est assurément pas un simple exercice scolaire : coup de cœur du Guide 88, il confirme cette année ses grandes qualités. Parfaitement typique avec ses arômes délicats, sa longueur en bouche et sa fraîcheur, il est agréable à tous points de vue.
➤ Ass. familiale de Briacé, Ecole d'Agriculture, Le Landreau, 44430 Le Loroux-Bottereau, tél. 40.06.43.33 ⚇ r.-v.
➤ Province de France SG.

DOM. DU BUTTAY Sur lie 1987
☐   2,50 ha   5 000   🍂▮Ⓜ▮

Au nord du pays de Retz, le domaine du Buttay s'étend sur une langue de terre étroitement délimitée par les eaux du lac de Grand-Lieu, de l'Acheneau et du Tenu. Il produit un vin très limpide et bien équilibré, pas très long en bouche mais intéressant par son caractère de terroir.
➤ M. Daniel Chénais, Dom. du Buttay, 44680 Saint-Mars-de-Coutais, tél. 40.31.52.45 ⚇ r.-v.

CLOS DU CHIRON 1987***
☐   4,80 ha   19 000   🍂▮Ⓜ▮

Cette importante exploitation d'entre Sèvre et Sanguèze est bien peu mise en valeur par son étiquette au look «années 60». Mais qu'importe le flacon ! les arômes subtils de ce vin admirable retiendront davantage l'attention. Frais, ample et parfaitement équilibré, il illustre à merveille les qualités classiques du gros-plant.
➤ M. Michel Chiron, La Morandière, Mouzillon, 44330 Vallet, tél. 40.80.41.43 ⚇ r.-v.

JACQUES GUINDON 1987**
☐   2 ha   13 000   🍂▮Ⓥ▮Ⓜ❷

Ce gros-plant, seul «nordiste» du Guide 89, provient de la rive droite de la Loire, en amont de Nantes. Un peu coloré, d'une très bonne limpidité, il se révèle tendre, rond et long en bouche. Au total, un vin fort plaisant et même charmeur.
➤ M. Jacques Guindon, La Couleuvrière, Saint-Géréon, 44150 Ancenis, tél. 40.83.18.96 ⚇ r.-v.

634

DOM. DE LA CHARPENTERIE
Sur lie 1987*

□ 3,50 ha 10 000 [icons]

Récolté de façon traditionnelle sur les coteaux parfois abrupts du Pé-Pucelle, aménagé en point de vue, mérite une visite), ce gros-plant à la belle robe se montre bien charpenté. Une légère pointe d'acidité accentue son caractère typé et son appréciable fraîcheur.

↪ M. André Huchon, Dom. de La Charpenterie, Le Landreau, 44430 Le Loroux-Bottereau, tél. 40.06.43.19 ℡ r.-v.

DOM. DE LA GRANGE Sur lie 1987**

□ 5 ha 30 000 [icons]

Cette exploitation aux terrains silico-argileux fréquents dans cette partie du vignoble nantais montre une belle régularité. Son gros-plant 87 ne présente aucun défaut. Complet et bien équilibré, c'est un vin de grand agrément.

↪ MM. Pierre et Rémy Luneau, Dom. de La Grange, Le Landreau, 44430 Le Loroux-Bottereau, tél. 40.06.43.90 ℡ r.-v.

DOM. DU LANDREAU-VILLAGE 1987

□ 3 ha 30 000 [icons]

Même si son étiquette s'orne d'une villageoise portant la coiffe du Pays nantais, ce vin relativement coloré développe trop discrètement les saveurs traditionnelles du gros-plant. En revanche, il ne manque pas de verdeur.

↪ GFA Dom. du Landreau-Village, Le Landreau-Village, 44430 Vallet, tél. 40.33.90.99 ℡ r.-v.
↪ Mme Annick Drouet.

DOM. DE LA ROCHERIE
Sur lie 1987*

□ 3 ha 15 000 [icons]

Si le nom de l'exploitation est trompeur (ses terrains sont plutôt sablonneux), son vin ne l'est pas. Produit selon des méthodes traditionnelles, il se révèle bien charpenté et plein de vivacité.

↪ M. Daniel Gratas, Dom. de La Rocherie, Le Landreau, 44430 Le Loroux-Bottereau, tél. 40.06.41.55 ℡ r.-v.

JEAN-CLAUDE ET MICHEL LEBAS Sur Lie 1987

□ 3 ha 15 000 [icons]

Hormis sa couleur un peu soutenue, ce vin produit par une exploitation familiale de longue tradition présente toutes les caractéristiques classiques du gros-plant. Les connaisseurs regretteront pourtant sa discrétion.

↪ MM. J.-C. et M. Lebas, 38, rue de Bazoges, 44330 Vallet, tél. 40.33.98.69 ℡ r.-v.

LES VIGNES DU MOULIN DE LA GUSTAIS Sur lie 1987

□ 1 ha 7 000 [icons]

Blotti dans un bouquet d'arbres au nord de la route de Saint-Fiacre à Clisson, le moulin de la Gustais est entouré de vignes qui donnent un gros-plant de belle présentation et bien typé quoique pas très long en bouche.

↪ M. Francis Viaud, La Févrie, Maisdon-sur-Sèvre, 44690 La Haie-Fouassière, tél. 40.54.81.17 ℡ r.-v.

CLOS DES ROSIERS Sur lie 1987*

□ 2 ha 10 000 [icons]

La nouvelle route Nantes-Cholet a tranché dans le fil du terroir entre Les Rosiers et Vallet. Mais les traditions ne se sont pas perdues, et cette exploitation produit un vin fort agréable qui serait parfaitement typique si l'on n'y discernait au nez quelque nuance étrangère. Laquelle, empressons-nous de le préciser, n'est nullement un défaut mais tout au plus une curiosité.

↪ M. Philippe Laure, Clos des Rosiers, 44330 Vallet, tél. 40.33.91.83 ℡ r.-v.

«Anciens fiefs du Cardina»: cette dénomination évoque le passé de ces vins, appréciés par Richelieu après avoir connu un renouveau au Moyen Âge, ici, comme bien souvent, à l'instigation des moines. La dénomination VDQS fut accordée en 1984, confirmant les efforts qualitatifs qui ne se relâchent pas sur les 380 ha complantés.

A partir de gamay, cabernet et pinot noir, la région de Mareuil produit des rosés et des rouges fins, bouquetés et fruités; les blancs sont encore confidentiels. Non loin de la mer, le vignoble de Brem, lui, donne des blancs secs à base de chenin et grolleau gris, mais aussi du rosé et du rouge. Aux environs de Fontenay-le-Comte, blancs secs (chenin, colombard, melon, sauvignon), rosés et rouges (gamay et cabernet) proviennent des régions de Pissotte et Vix. On boira ces vins jeunes, selon les alliances de mets et vins classiques.

XAVIER COIRIER
Rouge de Fissotte 1987*

■ n.c. 20 000 [icons]

Ce vin a la belle robe franche est un faux naïf: assemblage de gamay, de pinot noir et de cabernet, il est produit avec des méthodes élaborées par de vignerons très professionnels. Son nez fruité en partie masqué par une odeur végétale et sa pointe d'acidité incitent à le laisser attendre quelques mois pour l'apprécier au mieux de sa forme.

↪ M. Xavier Coirier, rue des Gélinières, Pissotte, 85200 Fontenay-le-Comte, tél. 51.69.40.98 ℡ r.-v.

XAVIER COIRIER
Blanc de Pissotte 1987*

□   6 ha   20 000

Ce terroir situé à la lisière de la belle forêt de Mervent qu'habite encore le souvenir de Mélusine, la femme-serpent, se doit de produire des vins de caractère. Ici, le chenin se renforce de melon et de chardonnay pour donner un vin au nez très parfumé, avec des arômes floraux intenses où domine le genêt.

↝ M. Xavier Coirier, rue des Gélinières, Pissotte, 85200 Fontenay-le-Comte, tél. 51.69.40.98 Y r.-v.

XAVIER COIRIER Rosé de Pissotte 1987

▣   6 ha   30 000

Sur les premiers contreforts du Massif Armoricain, Pissotte donne des vins sympathiques. Celui-ci obtint même un coup de cœur l'an dernier. Pour être moins réussi (on peut lui reprocher une pointe d'acidité), le 87, à la belle robe rose bien franche, reste un vin de bonne qualité.

↝ M. Xavier Coirier, rue des Gélinières, Pissotte, 85200 Fontenay-le-Comte, tél. 51.69.40.98 Y r.-v.

DOM. DE LA CHAIGNEE Vix 1987**

▣   9 ha   55 000

L'étymologie de Vix (vicus) trahit une origine gallo-romaine : dès cette époque avait dû être cultivé ici le cabernet issu de l'Aquitaine voisine. Cabernet franc et cabernet sauvignon dominent d'ailleurs largement dans ce beau vin d'un rouge intense. D'une grande richesse, il révèle des arômes vanillés relevés d'une note légèrement boisée.

↝ MM. Mercier Frères, Dom. de La Chaignée, 85770 Vix, tél. 51.00.65.14 Y t.l.j. sf dim. 10h-12h 14h-19h ; f. 15 sept. au 15 mars

DOM. DE LA CHAIGNEE Vix 1987*

□   7 ha   45 000

Ce vin limpide aux arômes floraux intenses et d'une bonne longueur est produit sur un sol de graves argileuses et de calcaire, aux portes mêmes de l'étonnant et secret marais Poitevin. La nature fait bien les choses puisqu'il sera l'accompagnement idéal des anguilles qu'on y pêche à profusion.

↝ MM. Mercier Frères, Dom. de La Chaignée, 85770 Vix, tél. 51.00.65.14 Y t.l.j. sf dim. 10h-12h 14h-19h ; f. 15 sept. au 15 mars

DOM. DE LA CHAIGNEE Vix 1987**

▣   4 ha   25 000

A en juger par l'étiquette de ce joli rosé, le temps s'est arrêté sur un terroir dont Rabelais, séjournant à l'abbaye de Maillezais, apprécia les vins. Il eût sans nul doute aimé celui-ci pour sa robe intense et ses arômes de terroir, où l'iode et le sel rappellent la proximité de l'Atlantique.

↝ MM. Mercier Frères, Dom. de La Chaignée, 85770 Vix, tél. 51.00.65.14 Y t.l.j. sf dim. 10h-12h 14h-19h ; f. 15 sept. au 15 mars

MICHEL PAUPION Rosé de Brem 1987

▣   8 ha   40 000

Brétignolles-sur-Mer est devenue une station balnéaire, mais ses vins, qu'appréciait le cardinal de Richelieu, témoignent toujours de son ancienne vocation. Celui-ci, aimable rosé clairet, allie pinot et cabernet. S'il manque un peu de longueur, il évoque bien la gaieté des vacances.

↝ M. Michel Paupion, 12, rue du Clocher, 85470 Brétignolles-sur-Mer, tél. 51.90.03.81 Y t.l.j. 9h-12h 14h-18h.

PIERRE RICHARD Rouge de Brem 1987

▣   2,50 ha   10 000

Récolté tout près des côtes de l'Atlantique, entre les plages de Saint-Jean-de-Monts et des Sables-d'Olonne, ce vin rouge aux reflets clairs est certes un peu discret, tant au nez qu'en bouche, mais il fera un agréable vin de vacances.

↝ M. Pierre Richard, 5, imp. Richelieu, Brem-sur-Mer, 85470 Brétignolles-sur-Mer, tél. 51.90.56.84 Y r.-v.

PIERRE RICHARD Blanc de Brem 1987*

□   2,50 ha   10 000

Peu connus de nos jours, les vins blancs de Brem appartiennent pourtant à une très vieille tradition viticole : réputés « tenir la marée », ils étaient jadis exportés jusqu'en Scandinavie. Celui-ci, à la robe jaune pâle avec un léger perlant qui lui donne de la fraîcheur, accompagnera bien les fruits de mer.

↝ M. Pierre Richard, 5, imp. Richelieu, Brem-sur-Mer, 85470 Brétignolles-sur-Mer, tél. 51.90.56.84 Y r.-v.

Coteaux d'ancenis VDQS

Les coteaux d'ancenis sont classés VDQS depuis 1954. On en produit quatre types, à partir de cépages purs : gamay (80 % de la production), cabernet, chenin et malvoisie. La superficie du vignoble est de 300 ha et la production moyenne de 10 000 hl par an. Le coteau d'ancenis-gamay a pour cépage le gamay noir à jus blanc ; c'est un vin léger, sec et fruité, rosé ou rouge suivant sa vinification. Il accompagne agréablement les hors-d'oeuvres, la charcuterie et les viandes. Il peut être bu légèrement frais ou à température ambiante.

DOM. DES GENAUDIERES
Gamay 1987*

▣   2,50 ha   13 500

Issu de vignes plantées sur les rives mêmes de la Loire, ce vin d'un beau rouge limpide, auquel s'associe parfaitement un nez intense de petits fruits rouges, offre une excellente attaque en bouche et des arômes persistants. Il peut être bu sans tarder même s'il montre encore un soupçon de verdeur en fin de bouche.

Anjou-Saumur

➤ M. Augustin Athimon, Dom. des Genaudières, Le Cellier, 44850 Ligné, tél. 40.25.40.27 ☷ r.-v.

JACQUES GUINDON Malvoisie 1986*

☐ 1,80 ha | 5 000 | ☷ ↓ V 2

Pour être anecdotique (produit sur une très petite surface, ce vin évoque en pays breton la douceur angevine), ce vin d'un jaune limpide n'en est pas moins remarquable. Son nez intense, ses arômes délicatement fruités lui confèrent un charme indéniable.

➤ M. Jacques Guindon, La Couleuverdière, Saint-Géréon, 44150 Ancenis, tél. 40.83.18.96 ☷ r.-v.

JACQUES GUINDON Cabernet 1987**

1 ha | 6 000 | ☷ ↓ V 2

Ce vin d'excellente qualité séduit au premier regard par sa belle couleur d'un rouge rubis soutenu, ourlée de reflets violacés. Long et bien équilibré, avec des arômes intenses mais qui s'expriment encore peu, il attendra avec profit les quelques mois qui lui permettront de s'ouvrir totalement.

➤ M. Jacques Guindon, La Couleuverdière, Saint-Géréon, 44150 Ancenis, tél. 40.83.18.96 ☷ r.-v.

LES VIGNERONS DE LA NOËLLE Gamay 1987*

45 ha | 300 000 | ☷ ↓ V 1

D'un rouge limpide, ce vin à la légère odeur de caramel révèle finesse et vivacité. Présenté sous une étiquette rappelant qu'Ancenis était l'une des forteresses qui défendaient jadis les portes de la Bretagne, il complète la gamme des vins du Pays nantais produits par le groupement des Vignerons de La Noëlle.

➤ Les Vignerons de La Noëlle, B.P. 102, 44157 Ancenis cedex, tél. 40.98.92.72 ☷ t.l.j. sf dim. 8h-12h15 13h15-18h.

Anjou-Saumur

A la limite septentrio-nale des zones de culture de la vigne, sous un climat atlantique, avec un relief peu accentué et de nombreux cours d'eau, les vignobles d'Anjou et de Saumur se déve-loppent sur le département du Maine-et-Loire, débordant un peu sur le nord de la Vienne et des Deux-Sèvres.

Les vignes ont de tout temps été cultivées sur les coteaux de la Loire, du Layon, de l'Aubance, du Loir, du Thouet... C'est à la fin du XIXe s. que les surfaces plantées sont les plus vastes. Le Dr Guyot, dans un rapport au ministre de l'Agriculture, cite alors 31 000 ha en Maine-et-Loire. Le phylloxéra anéantira le vignoble, comme partout. Les replanta-tions s'effectueront au début du XXe s. et se développeront un peu dans les années 1950-1960, pour régresser ensuite. Aujour-d'hui, ce vignoble couvre environ 20 000 ha, qui produisent de 400 000 à un million d'hectolitres selon les années.

Les sols complètent bien sûr très largement le climat pour façonner la typicité des vins de la région. C'est ainsi qu'il faut faire une nette diffé-rence entre ceux produits sur «l'Anjou bleu», constitué de schistes et autres roches primaires du Massif armoricain, et ceux produits sur «l'Anjou blanc», ou Saumurois, terrains sédimentaires du Bas-sin parisien dans lesquels domine la craie tuffeau. Les cours d'eau ont également joué un rôle important au niveau du com-merce : ne trouve-t-on pas encore aujour-d'hui trace de petits ports d'embarque-ment sur le Layon ? Les plantations sont à 4 500-5 000 pieds par hectare ; la taille, qui était plus particulièrement en gobelet et en éventail, a évolué en guyot.

La réputation de l'An-jou s'est faite sur les vins blancs et rosés moelleux, dont les coteaux du Layon sont les plus réputés. L'évolution conduit cependant désormais aux types demi-sec et sec, et à la production de vins rouges. Dans le Saumurois, ces derniers sont les plus réputés, ainsi que les vins mousseux qui ont connu une forte croissance, notamment avec les AOC saumur-mous-seux et crémant de Loire.

Quoi de neuf en Anjou-Saumur ?

Bienvenu à l'anjou-saumur ! Rouge uni-quement : cabernet-sauvignon et cabernet-franc, cette nouvelle appellation prend le relai de l'anjou rouge et en constituera désormais «le haut du panier». Son aire géographique s'étend sur 43 communes, celles de l'anjou rouge. Mais les règles sont strictes : agrément après l'épreuve du vieillissement et soins particuliers appor-tés à la vinification ainsi qu'à l'élevage. On en attend des rouges bien typés et de bonne garde.

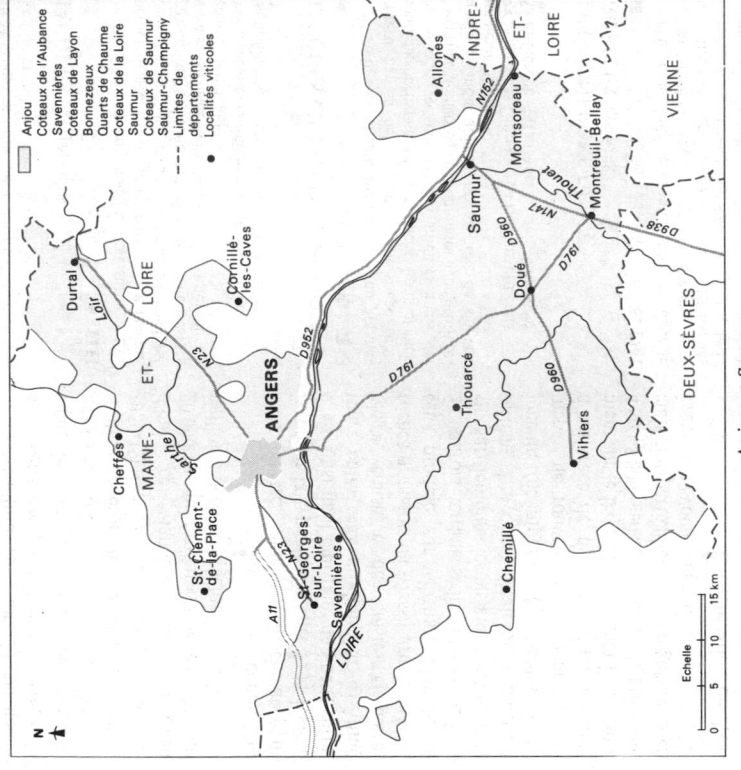

Anjou et Saumur

C onstituée d'un ensemble de près de 200 communes, l'aire géographique de cette appellation régionale englobe toutes les autres. On y trouve des vins blancs (60 000 hl) et des vins rouges et rosés (90 000 hl). Pour beaucoup, le vin d'Anjou est, avec raison, synonyme de vin blanc doux ou moelleux. Le cépage est le chenin, ou pinot de la Loire, mais l'évolution de la consommation vers des secs a conduit les producteurs à y associer chardonnay ou sauvignon, dans la limite maximum de 20 %. La production de vins rouges est en train de modifier l'image de la région : ce sont les cépages cabernet-franc et cabernet-sauvignon qui sont alors mis en œuvre.

D e très gros efforts qualitatifs viennent d'être couronnés par l'avènement d'une appellation « anjouvillages ». C'est dans l'Aubance et les

638

Le vignoble a perdu l'une de ses personnalités, Henri Aupy, président des crémants de Loire. Il avait joué un rôle déterminant dans les Côtes de Saumur et créé notamment la Maison des Vins de Saumur.
Autre dossier en cours : la restructuration des coteaux-du-layon, mais elle sera de longue haleine.
Quant aux 87, ils ont souvent été récoltés sous le parapluie comme partout ailleurs. Peu de pourriture cependant, et un raisin très sain. L'acidité est faible, les vins sont légers et agréables, à boire jeunes car ils n'ont pas l'armure de vins de garde. Les liquoreux ont peu connu le botrytis, mais leur richesse aromatique est parfois surprenante, sans excès d'alcool. Saumur a fort honnêtement tiré son épingle du déluge. Bref, un millésime sauvé des eaux, nullement historique mais pas déplaisant du tout dans ses premières années de jeunesse.

régions bordant le Layon et la Loire que l'on trouvera les meilleurs vins : belle robe rubis, arômes de fruits rouges, tanins permettant le vieillissement, sont leurs caractéristiques essentielles. Au vieillissement, ils évoluent vers des arômes plus sauvages leur conférant une aptitude à être servis, selon leur âge, sur les viandes rouges ou les gibiers.

ALAIN ARNAULT 1987*

7 ha — 20 000

Il est agréable de trouver encore des propriétés vinicoles enracinées dans le terroir. Celle-ci montre un pressoir à cales tout à fait unique. Le vin, lui, reflète la jeunesse, le floral du cabernet, pour laisser un bon équilibre.

M. Alain Arnault, Les Landes, Bouillé-Loretz, 79290 Chalonnes-sur-Loire, tél. 49.67.04.85 r.-v.

DOM. DE BABLUT Chenin blanc 1987*

2 ha — 8 000

Voilà un joli blanc brillant aux reflets dorés, plein d'arômes subtils de fruits angevins, pommes et poires. Léger mais frais.

MM. Daviau Frères, Dom. de Bablut, 49320 Brissac-Quincé, tél. 41.91.22.59, t.l.j. 9h-12h 14h-18h30.

DOM. BANCHEREAU 1987

2.20 ha — n.c.

Très novateurs, les Banchereau ont appliqué les techniques de la macération et de la conservation sous gaz inerte. Cela donne un 87 à la robe jaune, soutenue, déjà évoluée, qui s'exprime plus en fruits qu'en fleurs (pomme-agrumes). Il finit par une douce attaque en bouche qui monte très vite pour laisser une impression de légère astringence.

Dom. Banchereau Père et Fils, 62, rue du Canal-de-Monsieur, Saint-Aubin-de-Luigné, 49190 Rochefort-sur-Loire, tél. 41.78.33.24 r.-v.

DOM. BANCHEREAU 1987

10 ha — n.c.

Le cabernet-franc pur s'exprime différemment du sauvignon sur les schistes de Saint-Aubin : cet anjou aux reflets violacés grenat en est la démonstration. Il est à boire maintenant mais sa structure lui permet d'attendre. Pour bien l'apprécier, l'accompagner d'une excellente viande rouge rôtie ou grillée.

Dom. Banchereau Père et Fils, 62, rue du Canal-de-Monsieur, Saint-Aubin-de-Luigné, 49190 Rochefort-sur-Loire, tél. 41.78.33.24 r.-v.

BAUMARD Carte corail brut 1984**

2 ha — 10 000

Alternative raffinée et originale à tout autre vin qui pétille : original dans sa robe très pâle et brillante, aux bulles fines, dans ses arômes mar-

qués de cabernet qui se poursuivent en longues caudalies.

M. Jean Baumard, 8, rue de l'Abbaye, 49190 Rochefort-sur-Loire, tél. 41.78.70.03 r.-v.

DOM. BEAUJEAU 1987

20 ha — 30 000

Un joli vin brillant, charmant, aux nuances violettes, aux émanations créosotes, fleurs fanées, doué de tendresse enjôleuse. Bien typique du Val de Loire.

Dom. Beaujeau, rue Rabelais, 49380 Champ-sur-Layon, tél. 41.78.86.19 r.-v.

M. Jacques Beaujeau.

DOM. BEAUJEAU 1986*

12 ha — 40 000

18 heures de macération pelliculaire avant pressurage ont permis une bonne extraction des flavones colorants, puis 6 mois de fûts ont accentué la rose dorée et développé les arômes de miel et d'acacia. Les dégustateurs habitués au chenin trouveront ce vin trop mou en bouche ; il conviendra aux pays anglo-saxons.

Dom. Beaujeau, rue Rabelais, 49380 Champ-sur-Layon, tél. 41.78.86.19 r.-v.

M. Jacques Beaujeau.

DOM. DE BEILLANT 1986

10 ha — 15 000

Rustique, dans une robe rubis clair, il est vigoureux et destiné aux amateurs de vins tanniques et alcooleux.

M. Jacques Peltier, Dom. de Beillant, Passavant-sur-Layon, 49560 Nueil-sur-Layon, tél. 41.59.51.32 r.-v.

PASCAL CAILLEAU 1987**

5 ha — 25 000

Cette famille est à la pointe du progrès, tant par sa salle de réception au milieu du vignoble que pour les vinifications. Ce blanc (20% de chardonnay et 80% de chenin) a bien digéré la macération carbonique. Il est très floral avec une pointe citronnée qui en fera un bon compagnon des poissons en sauce.

M. Pascal Cailleau, Dom. Le Sauveroy, Saint-Lambert-du-Lattay, 49190 Rochefort-sur-Loire, tél. 41.78.30.59 t.l.j. sf dim. 8h-19h.

DOM. DES CHARBOTTIERES 1987*

3 ha — n.c.

Elles ont vingt-cinq ans, les vignes qui ont permis l'élaboration de ce vin jeune, encore végétal au nez, mais rond en bouche. Harmonieux et frais, il est agréable malgré une petite pointe d'alcool.

Dom. des Charbottières, Vauchrétien, 49320 Brissac-Quincé, tél. 41.91.22.87 r.-v.

MM. Fillon Frères.

DOM. DES CLOSSERONS 1987**

5.46 ha — n.c.

Un beau domaine de 40 hectares renommé pour ses leyons, qui réussit aussi les rouges de cabernet-franc sur sols argilo-schisteux. Ce dernier marque incontestablement le vin, mais le fruit est bien présent aussi et la finale est gou-

-leyante. C'est un très bon rouge à un prix raisonnable.

➤ GAEC J.-C. Leblanc et Fils,
Dom. des Closserons, Faye-d'Anjou,
49380 Thouarcé, tél. 41.54.30.78 ☎ r.-v.

DOM. DES CLOSSERONS 1987**

□   1,35 ha   n.c.

Ce chenin pur puise sa sève dans les schistes et les argiles. Il est l'expression même de l'anjou sec : robe jaune gris clair, brillante et limpide ; senteurs de pomme verte unies au doux miel. Esprit, fraîcheur, finesse, qui sauront s'amplifier.

➤ GAEC J.-C. Leblanc et Fils,
Dom. des Closserons, Faye-d'Anjou,
49380 Thouarcé, tél. 41.54.30.78 ☎ r.-v.

DOM. DES COTEAUX BLANCS
Coulée du Moulin 1987*

■   3 ha   10 000

Le cabernet-franc sur schistes donne ici un joli rouge grenat violacé, des arômes floraux légèrement alcooleux. Finalement ce sont une légèreté, une agréable sensation vineuse qui restent en bouche.

➤ M. François Picherit,
Dom. des Coteaux Blancs, 49290 Chalonnes-sur-Loire, tél. 41.78.16.83 ☎ r.-v.

CH. DU FRESNE 1987*

□   4 ha   30 000

Les coteaux mouvementés du Layon s'étalent au pied du château du Fresne. 4 hectares de chenin sont consacrés au blanc sec. Celui-ci diffuse des arômes frais de pomme. Malgré sa nervosité, l'attaque fait place à une certaine tendresse en fin de bouche. Conviendra aux poissons et viandes blanches.

➤ Ch. du Fresne, Le Fresne, Faye-d'Anjou, 49380 Thouarcé, tél. 41.54.30.88 ☎ t.l.j. 8h-12h 14h-19h.

MICHEL GÉRON 1987*

■   5 ha   15 000

Le sérieux de la maison est bien connu dans le Thouarsais. 87 surprend un peu par ses tons brique, mais les arômes sont puissants dans les dominantes fruits mûrs, réglisse, anis, qui se poursuivent en bouche. Agrément d'un vin fin, tendre, équilibré.

➤ M. Michel Géron, Brion-Près-Thouet, 79290 Argenton-l'Église, tél. 49.67.73.43 ☎ r.-v.

GROSSET-CHATEAU 1986**

■   6 ha   n.c.

Légèrement saumoné, ce 86 possède une bonne intensité olfactive, aux nuances fruits mûrs, griotte. Très développé, il possède de l'ampleur, du gras. Sa persistance laisse un très bon souvenir. Mais il semble mûr à point : profitons-en.

➤ M. Raymond Grosset-Château, 49, rue René-Gasnier, 49190 Rochefort-sur-Loire, tél. 41.78.70.80 ☎ r.-v.

HUBERT GUENEAU 1987*

■   10 ha   40 000

Issu d'une propriété de 23 hectares qui se distingue depuis quelques années dans les concours locaux, ce vin rouge, assemblage des deux cabernets, présente une belle robe cerise brillante, un bouquet de fruits rouges mélangés à une touche d'animalité. Il évolue bien en bouche en se dégageant des tanins : on peut l'acheter en vrac.

➤ M. Hubert Guéneau, Bourg, Trémont, 49310 Vihiers, tél. 41.59.45.21 ☎ r.-v.

DOM. DES HARDIERES 1986

■   6,12 ha   50 000

C'est un bon breton sans prétention, bien typé cabernet-franc, aux parfums floraux agrémentés de cassis. Une certaine rusticité des tanins en bouche invite à poursuivre son vieillissement.

➤ MM. Aubert Frères, Les Hardières, Saint-Lambert-du-Lattay, 49190 Rochefort-sur-Loire, tél. 41.78.30.83 ☎ r.-v.

DOM. DES HAUTS-PERRAYS 1987*

■   2 ha

Ici, l'on découvre la douceur du Layon juste avant son mariage avec la Loire. Séveux, cet anjou blanc (90% chenin, 10% chardonnay) légèrement «chenassant» est intéressant, avec un nez de pomme allié à une légère amertume en fin de bouche. Destiné aux poissons de Loire en sauce.

➤ GAEC Fardeau-Robin, Dom. des Hauts-Perrays, Chaudefonds-sur-Layon, 49290 Chalonnes-sur-Layon, tél. 41.78.04.38 ☎ t.l.j. 9h-19h.

LA CHAPELLE SAINT-ARNOUL
Cabernet 1986**

■   10 ha   5 000

Le village de Soussigné possède à Martigné-Briand de belles habitations troglodytiques devenues caveaux ou gîtes ruraux. Rubis, avec un nez de fruits rouges évolués voire confits, ce 86 plein de finesse est élégant et équilibré.

➤ M. Georges Poupard, Soussigné, 49540 Martigné-Briand, tél. 41.59.43.62 ☎ r.-v.

DOM. DE LA PIERRE BLANCHE 1987*

■   4 ha   4 500

La musique et le vin sont les deux passions de ces vignerons. Leur vin blanc est le résultat en partie d'une macération carbonique, qui a sans doute accentué la robe aux tons jaunes et le nez de raisins mûrs rappelant les moelleux de la propriété.

➤ GAEC Ogereau Fils, 44, rue de la Belle-Angevine, Saint-Lambert-du-Lattay, 49190 Rochefort-sur-Loire, tél. 41.78.30.53 ☎ r.-v.

DOM. DE LA PIERRE SAINT-MAURILLE 1987***

■   2 ha   11 000

Ce jeune rouge rubis aux reflets violets a beaucoup retenu notre attention. Les effluves de clafoutis aux cerises ou griottes sauvages, sa bouche très ample, structurée, déjà évoluée, son harmonie séductrice, donnent envie d'y revenir.

➤ M. Philippe Delesvaux, Ardenay, Chaudefonds-sur-Layon, 49290 Chalonnes-sur-Loire, tél. 41.78.18.71 ☎ r.-v.

DOM. DE LA PIERRE SAINT-MAURILLE 1987

☐ 1 ha 7 000 ⬛▮2

Une originalité que ce blanc sec issu de la dernière trie de raisins surmûris qui a donné ces reflets jaunes, ces arômes de fruits mûrs, la rondeur, la souplesse en bouche mais aussi la puissance avec des contrastes tendre-acide. A essayer impérativement sur une viande blanche. A
🍷 M. Philippe Delesvaux, Ardenay, Chaudefonds-sur-Layon, 49290 Chalonnes-sur-Loire, tél. 41.78.18.71 ▼ r.-v.

DOM. DE LA VIAUDIERE 1987

■ 12 ha 100 000 ⬛▮2

Le domaine de La Viaudière, bien isolé au milieu de ses vignes, appartient depuis le XVIe s. aux Gélineau. Le 87 demande a être travaillé, aéré. Les arômes fermentaires l'emportent et devront atteindre des stades ultérieurs. Ce vin bien fait mérite d'attendre pour être dégusté.
🍷 M. Olivier Gélineau, Dom. de La Viaudière, Champ-sur-Layon, 49380 Thouarcé, tél. 41.78.86.27 ▼ r.-v.

DOM. DE LA VICTOIRE 1986*

■ 15 ha 10 000 ⬛▮2

Les limites de l'Anjou dépassent les frontières des actuelles régions administratives et c'est tant mieux pour l'amateur de l'appellation. Le domaine de La Victoire, avec ses vignes poussant sur des graviers et schistes, produit un assemblage des deux cabernets, aux parfums réglissés, aux arômes épicés alliés à une rondeur et un moelleux fort sympathiques.
🍷 M. Jean-Paul Thoreau, Dom. de La Victoire, Cersay, 79290 Argenton-l'Église, tél. 49.96.80.73 ▼ r.-v.

DOM. LEDUC-FROUIN Cabernet 1987

■ 8 ha 15 000 ⬛▮2

Les reflets violets de la jeunesse s'ajoutent au rubis de la robe; les arômes puissants d'épices, de fruits secs rappellent les terres sèches silico-argileuses de la propriété; c'est finalement un amalgame d'eau-de-vie de prune, de macération de fruits rouges qui fleurissent la bouche; un produit original signé Alain Plichon.
🍷 Mme Georges Leduc, Dom. Leduc-Frouin, Soussigné, 49540 Martigné-Briand, tél. 41.59.52.83 ▼ r.-v.

LE GRAND CLOS 1987*

☐ 15 ha 20 000 ⬛▮2

Les nuances jaune-vert font penser au layon de la propriété, mais sont en réalité la conséquence d'une vendange très mûre, et d'un élevage sur lies. Le résultat? Excellents parfums de raisins mûrs, mais aussi beaucoup d'agrément en bouche, souplesse et équilibre.
🍷 M. Dominique Jaudeau, Ch. de La Roulerie, Saint-Aubin-de-Luigné, 49190 Rochefort-sur-Loire, tél. 41.78.33.02 ▼ t.l.j. sf dim. 8h-12h 14h-18h.

LE LOGIS DE PREVIL 1986*

☐ n.c. 3 000 ⬛▮2

Au creux du bocage poitevin, la ferme est

accolée au logis de Preuil. Fruité et floral, ce 86 est le reflet du bon breton traditionnel du Val de Loire, un peu sévère comme son environnement, mais tellement sympathique.
🍷 M. Claude Herpin, Le logis de Preuil, Bouillé-Saint-Paul, 79290 Argenton-l'Église, tél. 49.57.03.26 ▼ r.-v.

LES VAUGUERINS 1987

■ 2,07 ha 5 000 ⬛▮2

La robe est déjà évoluée avec des nuances orangées, et les arômes de sous-bois et de fougère accusent un flétrissement précoce. Il est flatteur, bien fondu, mais il faut le boire dès maintenant.
🍷 Mm. Pierre et Janes Aquilas, La Brosse, Chaudefonds-sur-Layon, 49290 Chalonnes-sur-Loire, tél. 41.78.10.68 ▼ t.l.j. sf dim. 8h-12h 14h-18h.

JOEL LHUMEAU 1987

■ 1 ha 1 500 ⬛▮1

Sur 35 hectares, Joël Lhumeau présente toute une palette d'anjou. Son blanc de chenin et chardonnay est intéressant par sa belle présentation, ses arômes puissamment fruités, sa bouche fleurie.
🍷 M. Joël Lhumeau, Brigné-sur-Layon, 49700 Doué-la-Fontaine, tél. 41.59.30.51 ▼ r.-v.

JOEL LHUMEAU 1987

■ 10 ha 20 000 ⬛▮1

Intense, puissant, on lui trouve un petit déséquilibre. Mais il n'est pas déplaisant, jeune, bien fruité, sur une grillade.
🍷 M. Joël Lhumeau, Brigné-sur-Layon, 49700 Doué-la-Fontaine, tél. 41.59.30.51 ▼ r.-v.

DOM. DES MAURIERES 1987

☐ 4 ha 8 000 ⬛▮1

Un pur chenin fruité aux parfums floraux. L'amertume est désaltérante et primesautière. Un vin léger.
🍷 M. Fernand Moron, Dom. des Maurières, Saint-Lambert-du-Lattay, 49190 Rochefort-sur-Loire, tél. 41.78.30.21 ▼ r.-v.

CH. MONTBENAULT 1987*

☐ 5 ha n.c. ⬛▮2

Ce blanc ne manque pas d'intérêt, par ses arômes marqués de chenin, sa franchise, sa longueur en bouche, ses nuances de tilleul. Si on va à Montbenault pour les layons, on y trouve aussi d'excellents anjou blancs secs.
🍷 M. Leduc, Ch. Montbenault, Faye-d'Anjou, 49380 Thouarcé, tél. 41.78.31.14 ▼ r.-v.

CH. MONTBENAULT 1987**

☐ 5 ha n.c. ⬛▮2

Il a de l'éducation et du savoir-vivre, avec de discrets arômes fins, un équilibre de bon aloi, et une superbe limpidité.
🍷 M. Leduc, Ch. Montbenault, Faye-d'Anjou, 49380 Thouarcé, tél. 41.78.31.14 ▼ r.-v.

CH. DE MONTGUERET 1987***

■ 13 ha 70 000 ⬛▮2

Saluons l'heureuse arrivée de propriétaires rénovateurs dans ce château de 50 hectares de

vignes qui domine la vallée du Haut-Layon et qui fait enfin parler de Nueil. Les arômes de ce beau rouge brillant sont à dominante florale, intenses et fins. La discrétion des tanins donne beaucoup de rondeur et de souplesse. Parfait, il accompagnera dès à présent des viandes rôties.

➤ Mme Dominique Lacheteau, Ch. de Montgueret, 49560 Nueil-sur-Layon, tél. 41.59.59.19 ☎ r.-v.

DOM. DU PETIT CLOCHER 1987★★

| | 4 ha | n.c. |

Les trois Denis père et fils, épaulés par leurs épouses, suivent sur leurs 44 hectares les technologies viti-vinicoles. Le résultat de la macération pelliculaire donne un joli blanc bien fruité, très représentatif de l'Anjou. Il fera merveille sur les charcuteries, les viandes blanches.

➤ GAEC du Petit Clocher, 3, rue du Layon, Cléré-sur-Layon, 49560 Nueil-sur-Layon, tél. 41.59.54.51 ☎ r.-v.

DOM. DU PETIT CLOCHER Cabernet 1987

| | 30 ha | n.c. |

La cave de la propriété jouxte la sacristie de la petite église de Cléré-sur-Layon. Issu de pur cabernet-franc, 87 est un vin équilibré, puissant et fort prometteur.

➤ GAEC du Petit Clocher, 3, rue du Layon, Cléré-sur-Layon, 49560 Nueil-sur-Layon, tél. 41.59.54.51 ☎ r.-v.

DOM. DE PIERRE-BISE 1987★★★

| | 3 ha | 20 000 |

Sur l'exploitation familiale, les vinifications se font par parcelle, pour respecter le terroir. Ici tout est brillant : la robe, le bouquet fruité (groseille mûre) et les arômes de bon aloi. Une grande harmonie pour un vin léger et frais à posséder dans sa cave.

➤ M. Claude Papin, Dom. de Pierre-Bise, Beaulieu-sur-Layon, 49190 Rochefort-sur-Loire, tél. 41.78.31.44 ☎ r.-v.

CH. DE PLAISANCE 1987

| | 5 ha | 5 000 |

L'une des plus belles vues sur le célèbre coteau des quarts de chaume. Ici, l'anjou blanc sec est nerveux dans une robe jaune à reflets verts. Un nez fruité de pomme associé à l'acidité sans surprise du chenin.

➤ M. Guy Rochais, Ch. de Plaisance, Chaume, 49190 Rochefort-sur-Loire, tél. 41.78.49.00 ☎ r.-v.

DOM. RICHOU 1987★

| | 5 ha | 30 000 |

Une robe brillante «à la limite du trop jaune», une attaque souple et franche, voire généreuse : ce bon vin harmonieux devrait affirmer sa personnalité.

➤ Dom. Richou, Chauvigné, Mozé-sur-Louet, 49190 Rochefort-sur-Loire, tél. 41.78.72.13 ☎ r.-v.

DOM. DU ROCHER 1987★

| | 2 ha | 10 000 |

Un chenin très typé, assez minéral, rappelant les savennières. Un classique qui tient la route!

➤ EARL Baffiet-Pilet, Dom. du Rocher, Saint-Aubin-de-Luigné, 49190 Rochefort-sur-Loire, tél. 41.78.33.36 ☎ t.l.j. 8h-19h ; f. 15 août-15 sept.

DOM. DES SABLONNETTES 1987★

| | 1 ha | n.c. |

Rablay-sur-Layon est un vrai village viticole de l'Anjou. Une robe intense, un parfum charnu et de fleurs, une bouche ronde suivie d'une fine pointe d'amertume relevée de tanins garants de sa bonne garde. Un 87 qui a besoin de se faire.

➤ M. Joël Menard, 60, Grande Rue, Rablay-sur-Layon, 49190 Rochefort-sur-Loire, tél. 41.78.40.49 ☎ r.-v.

DOM. DE SAINTE-ANNE 1987★

| | 3 ha | 15 000 |

Très brillant par la légère robe blanc-vert, ce 87 offre des nuances odorantes florales fort intéressantes mêlant pommes et poires. La dégustation confirme les arômes. A boire sans plus attendre.

➤ GAEC Dom. de Sainte-Anne, 49320 Brissac-Quincé, tél. 41.91.24.58 ☎ t.l.j. sf dim. 9h-12h 14h-19h ; dim. et jours fériés sur r.-v.
➤ MM. Brault Père et Fils.

DOM. DE SAINTE-ANNE 1986

| | 14,61 ha | 20 000 |

La propriété est facile à trouver sur la rocade de Brissac, elle recèle d'ailleurs toute une palette de vins. Celui-ci, rubis, cristallin, un peu végétal est le type du rouge frais qui s'épanouira pleinement sur un rôti. Il est possible de l'acheter en vrac.

➤ GAEC Dom. de Sainte-Anne, 49320 Brissac-Quincé, tél. 41.91.24.58 ☎ t.l.j. sf dim. 9h-12h 14h-19h ; dim. et jours fériés sur r.-v.
➤ MM. Brault Père et Fils.

DOM. DES SAULAIES 1987★

| | 6 400 |

Ce chenin 100%, aux reflets gris rose, apporte avec lui les odeurs d'ajonc de coteau broussailleux des Gois. S'il pique comme l'ajonc, il porte tout l'intérêt du terroir, du minéral, du schiste décomposé, avec la promesse d'une bonne évolution au vieillissement. Un vin original.

➤ M. Philippe Leblanc, Dom. des Saulaies, Faye-d'Anjou, 49380 Thouarcé, tél. 41.54.30.66 ☎ t.l.j. sf dim. 9h-12h 14h-19h30.

DOM. DES SAUNERETTES 1987★

| | 2,50 ha | 4 000 |

Grenat aux reflets violets de jeunesse, 87 reste un peu fermé ; ce n'est qu'après agitation que percent les arômes fruités. Marqué de tanins boisés, il devra attendre pour se révéler certaine dans quelques années.

➤ GAEC Denéchaux, Dom. des Saunerettes, Saint-Aubin-de-Luigné, 49190 Rochefort-sur-Loire, tél. 41.78.32.57 ☎ r.-v.

DOM. DU SAUVEROY 1987★★★

| | 7,50 ha | 55 000 |

La robe chante à l'œil et déjà enchante. Le bouquet se nuance de fumé, de cuir, de selle chaude : sa chaleur n'empêche pas la grande harmonie et la rondeur. Un beau corps habillé,

Anjou-Saumur

« digne de tenter le quinquagénaire que je suis ! », dixit l'un des membres du jury.

☛ M. Pascal Cailleau, Dom. Le Sauveroy, Saint-Lambert-du-Lattay, 49190 Rochefort-sur-Loire, tél. 41.78.30.59 ℡ t.l.j. sf dim. 8h-19h.

TRAHAN PERE ET FILS 1987*

□ 2 ha — 6 000

La famille Trahan a donnée à Cersay dans le nord des Deux-Sèvres, une renommée viticole avec des anjou de qualité. Ce blanc sauvignonné en fait partie, avec sa robe or-vert, ses arômes très frais, boisé. Nul doute qu'il s'affirmera sur les crustacés et poissons.

☛ GAEC Dom. du Trahan, rue Principale, Cersay, 79290 Argenton-l'Eglise, tél. 49.96.80.38 ℡ r.-v.

DOM. DES TROTTIERES 1987*

■ 2,50 ha — 15 000

Le plus grand domaine de l'Anjou, d'un seul « tenant » de 110 hectares de vignes et surmonté d'une tour qui surveille le bel ordonnancement des vignes et les coteaux du Layon. Son anjou rouge est brillant, le nez est frais, boisé, fumé, séduisant ; il est équilibré, d'une bonne rondeur, assez corsé pour se marier aux gibiers.

☛ SCEA Dom. des Trottières, Les Trottières, 49380 Thouarcé, tél. 41.54.14.10 ℡ t.l.j. sf dim. 8h-12h30 14h-19h.

Anjou-Villages

CH. MONTBENAULT 1987*

■ 1 ha — n.c.

Très marqué par les schistes, ce gamay franc et frais devient généreux en fin de bouche.

☛ M. Leduc, Ch. Montbenault, Faye-d'Anjou, 49380 Thouarcé, tél. 41.78.31.14 ℡ r.-v.

DOM. RICHOU 1987**

■ 5 ha — 30 000

Ce domaine à la pointe de la qualité a remporté l'année dernière le premier prix des primeurs en gamay. Si l'arôme de banane semble dominer, ici aussi les fruits rouges sont bien présents, enrichis de fruits exotiques tous fins. Un gamay très élégant.

☛ Dom. Richou, Chauvigné, Mozé-sur-Louet, 49190 Rochefort-sur-Loire, tél. 41.78.72.13 ℡ r.-v.

DOM. DES SABLONNETTES 1987

■ 0,80 ha — 14 000

La robe est assez foncée avec des nuances orangées, le nez est dominé par la torréfaction et les effluves animales qui estompent un peu le fruité, mais la première attaque en bouche est marquée par de bons tanins et une amertume noble qui donne de l'agrément.

☛ M. Joël Menard, 60, Grande Rue, Rablay-sur-Layon, 49190 Rochefort-sur-Loire, tél. 41.78.40.49 ℡ r.-v.

Anjou-Gamay

Vin en rouge produit à partir du cépage gamay noir. Sur les terrains les plus schisteux de la zone, bien vinifié, il peut constituer un excellent vin de carafe. Quelques exploitations se sont spécialisées dans ce type, qui n'a d'autre ambition que de plaire au cours de l'année de sa récolte. Sa production est de l'ordre de 10 000 hl.

DOM. DE BABLUT 1987**

■ 15 ha — 50 000

Les schistes de Brissac font merveille quand ils portent du gamay : brillant, clair, rouge soutenu aux senteurs franches, ce 87, rond, fruité, est le gamay comme on aimerait en boire plus souvent.

☛ MM. Daviau Frères, Dom. de Bablut, 49320 Brissac-Quincé, tél. 41.91.22.59 ℡ t.l.j. 9h-12h 14h-18h30.

DOM. DES COTEAUX BLANCS 1987

■ 1 ha — 5 000

Voici un gamay brillant, rubis, clair, discret au nez, avec un côté frais de bonbon acidulé. Ce vin reste plaisant en bouche, légèrement tannique, mais deviendra plus souple sur les charcuteries et les rôtis.

☛ M. François Picherit, Dom. des Coteaux Blancs, 49290 Chalonnes-sur-Loire, tél. 41.78.16.83 ℡ r.-v.

Anjou-Villages

DOM. BEAUJEAU 1985***

■ 10 ha — 30 000

Vin équilibré unissant moitié de cabernet-franc et sauvignon plantés depuis 10 ans sur schistes et graves. Formidable de rondeur, de volume, de complexité aromatique, d'intensité de robe, il est à déguster accompagné de viandes cuisinées.

☛ Dom. Beaujeau, rue Rabelais, 49380 Champ-sur-Layon, tél. 41.78.86.19 ℡ r.-v.

CH. DU BREUIL 1986*

■ 10 ha — 28 000

Les deux cabernets (franc 70% et sauvignon 30%) dans un assemblage réussi : un vin agréable, aux arômes marqués d'une teinte de vieillissement vanillée qui se révèle agréablement en bouche avec une bonne persistance où domine le « cuir » du raisin. Prêt à boire.

☛ SCE du Breuil, Le Breuil, Beaulieu-sur-Layon, 49190 Rochefort-sur-Loire, tél. 41.78.30.03 ℡ lu, ma, me, je, ve, 9h30-12h 14h30-17h30.

CH. DE BRISSAC 1986

■ 25 ha — 100 000

Les rouges de Brissac ont acquis leur renommée ces dernières années, le vignoble du château

☛ M. Morgat Robin.

prestigieux se doit d'en être le phare. Ce 86 est intéressant avec ses arômes de pins, de garrigue mêlés au cabernet mûr. Suffisamment souple pour être bu en l'état, il gagnera cependant à vieillir quelques années.
→ MM. Daviau Frères, Dom. de Bablut, 49320 Brissac-Quincé, tél. 41.91.22.59 Ⴒ t.l.j. 9h-12h 14h-18h30.
→ SCI Dom. du Ch. de Brissac.

CADY PERE ET FILS
Cabernet 1986**

3,50 ha   8 000

Issu de cabernet, il a gardé tous les arômes du raisin vendangé à pleine maturité ; les parfums sont puissants, enfêtants mais plaisants, toujours présents en bouche avec une note tannique. Avec l'âge, ce caractère s'assouplira. Parfait pour un repas de chasse.
→ GAEC Cady Père et Fils, Valette, Saint-Aubin-de-Luigné, 49190 Rochefort-sur-Loire, tél. 41.78.33.69 Ⴒ r.-v.

DOM. DES CHARBOTTIERES 1986*

7 ha   15 000

Sa couleur intense rouge cerise retient l'œil ; il s'agit d'un cabernet pur au nez suave mais discret. Agréable, équilibré, rond, avec de bons tanins, il mérite d'être attendu.
→ Dom. des Charbottières, Vauchrétien, 49320 Brissac-Quincé, tél. 41.91.22.87 Ⴒ r.-v.
→ MM. Fillion Frères.

DOM. DU CLOSEL 1987

2 ha   12 000

2 hectares seulement sur 35 sont consacrés aux cabernets sur terrain argilo-schisteux. L'extraction de la couleur donne un grenat brillant, un nez fumé, schisteux végétal, qui ne manque pas d'originalité. Il laisse une nervosité amère qu'il faudra atténuer par du vieillissement.
→ Mme Michèle Bazin de Jessey, Dom. du Closel, Les Vaults, 49170 Savennières, tél. 41.72.81.00 Ⴒ r.-v.

CLOS DE COULAINE 1986**

5 ha   25 000

A Savennières, le cabernet sur grès et schistes donne aussi des rouges très intéressants comme celui-ci, pourpre foncé, aux arômes de fruits rouges. Avec de la rondeur et une relative souplesse malgré les tanins, il ne semble pas à son apogée. Rendez-vous dans quelques années.
→ M. François Roussier, Clos de Coulaine, Savennières, 49170 Saint-Georges-sur-Loire, tél. 41.72.21.06 Ⴒ r.-v.

DOM. DU FRESCHE 1986**

1 ha   3 000

C'est le type d'un bon anjou-villages à la robe déjà évoluée rouge cerise, au nez fumé, grillé, mais racé. Agréable, il est parfaitement mûr avec en fin de bouche une bonne intensité alcooleuse, un excellent équilibre.
→ GAEC Boré Frères, Dom. du Fresche, 49620 La Pommeraye, tél. 41.77.74.63 Ⴒ r.-v.

DOM. DE HAUTE PERCHE 1986**

5 ha   22 000

« Un vin remarquable », écrit un juré, il est certes original, avec ses fragrances de fruits rouges mêlés au musc et au boisé. Son attaque est tout en souplesse et l'évolution en bouche fort plaisante sur fond de tanins nobles. Les Angevins connaissent la qualité de cette maison.
→ M. Christian Papin, Dom. de Haute Perche, Saint-Mélaine-sur-Aubance, 49320 Brissac-Quincé, tél. 41.57.75.65 Ⴒ r.-v.

DOM. DES HAUTS-PERRAYS 1986*

3 ha   10 000

Les deux cabernet-franc et sauvignon à parts égales pour ce villages. Les reflets ambrés marquent une certaine maturité qui se retrouve à l'olfaction. C'est effectivement un vin mûr. Souple, il faut le boire.
→ GAEC Fardeau-Robin, Dom. des Hauts-Perrays, Chaudefonds-sur-Layon, 49290 Chalonnes-sur-Loire, tél. 41.78.04.38 Ⴒ t.l.j. 9h-19h.

DOM. DE LA GONORDERIE 1986*

2 ha   4 000

Les deux cabernets se marient bien dans les sables argilo-calcaires de Brissac et donnent ici un rouge rubis intense aux arômes évolués à tendances herbacées, avec des tanins nobles bien présents accompagnés d'alcool.
→ GAEC Réveillère-Giraud, La Gonorderie, 49320 Brissac-Quincé, tél. 41.91.22.80 Ⴒ t.l.j. 8h-19h.

LE LOGIS DU PRIEURE 1986**

5 ha   8 000

On est vite saisi par le sérieux des vinifications quand on pénètre dans le Logis du Prieuré à l'ombre de l'église de Concourson. Le léger violet de la robe rubis, les jambes abondantes et tenaces annoncent la qualité. Les arômes fumés à nuances animales n'en sont pas moins fines. L'impression globale en bouche est généreuse, faite d'équilibre, de rondeur, d'harmonie. « Il sera sublime », écrit un dégustateur.
→ GAEC Jousset et Fils, Logis du Prieuré, Concourson-sur-Layon, 49700 Doué-la-Fontaine, tél. 41.59.11.66 Ⴒ r.-v.

JOEL LHUMEAU 1986**

3 ha   20 000

Les cabernet-franc et sauvignon s'expriment chacun pour moitié dans ce bel anjou-villages, auquel il faut ajouter un terroir particulier. C'est le vin qu'on attend avec plaisir sur table pour accompagner des mets de choix.
→ M. Joël Lhumeau, Brigné-sur-Layon, 49700 Doué-la-Fontaine, tél. 41.59.30.51 Ⴒ r.-v.

DOM. DES MAURIERES 1986

3 ha   7 000

Fruit des deux cabernets, ce breton de Saint-Lambert ne manque pas de caractère dans ses arômes de cassis-framboise, de mandarine. Très tannique, il devra s'arrondir en prenant de la bouteille si sa stucture le lui permet.

Anjou-Saumur

☛ M. Fernand Moron, Dom. des Maurières, Saint-Lambert-du-Lattay, 49190 Rochefort-sur-Loire, tél. 41.78.30.21 ☎ r.-v.

DOM. AUX MOINES 1986

| | 0,80 ha | 5 000 | ⬛ ☷↓V2 |

En 1842, le propriétaire de cette imposante gentilhommière reconstruite au XVIIIe s. implanta le premier cabernet-sauvignon en Anjou. Si le schiste décompose convient admirablement au chenin, les deux cabernets s'y plaisent aussi pour donner un 86 évolué, aux reflets orangés, aux arômes de vieillissement, très alcooleux en bouche.

☛ SCI de Laroche, La Roche-aux-Moines, Savennières, 49170 Saint-Georges-sur-Loire, tél. 41.72.21.33 ☎ r.-v.
☛ Dom. Aux Moines.

DOM. DE MONTGILET 1986***

| | | 5 500 | ⬛ V2 |

Une grande harmonie très agréable actuellement mais qui saura attendre 2 ans. Un rubis limpide fleurant la jeunesse bien née, fine, intelligente, bien charpentée.

☛ M. Victor Lebreton, Dom. de Montgilet, Juigné-sur-Loire, 49320 Les-Ponts-de-Cé, tél. 41.91.90.48 ☎ r.-v.

DOM. DES ROCHELLES 1986*

| | 5 ha | 10 000 | ⬛ ☷2 |

Le rubis sombre est opulent. Le cassis se mêle aux senteurs animales. L'attaque est sauvage. Vineux, persistant, il laisse une heureuse finale.

☛ J.-Y. H. Lebreton, Les Rochelles, Saint-Jean-des-Mauvrets, 49320 Brissac-Quincé, tél. 41.91.92.07 ☎ r.-v.

DOM. DE SAUVEROY 1986**

| | 2,50 ha | 8 000 | ⬛ ☷2 |

L'intensité rubis carmin est très flatteuse, ainsi que le joli nez de fruits rouges surmûris. La bouche est ronde, harmonieuse, enveloppée de tanins assouplis. Un anjou-villages bien structuré de haut de gamme que l'on déguste dans une belle salle panoramique qui reçoit des groupes au milieu du vignoble.

☛ M. Pascal Cailleau, Dom. Le Sauveroy, Saint-Lambert-du-Lattay, 49190 Rochefort-sur-Loire, tél. 41.78.30.59 ☎ t.l.j. sf dim. 8h-19h.

DOM BEAUJEAU 1987

| | 10 ha | 50 000 | ⬛ ☷V1 |

Un bon rosé de grolleau, aux nuances orangées, aux arômes bien fruités agrémentés d'épices. Il est côté d'une certaine puissance qui lui donnera ce l'agrément de l'apéritif aux entrées.

☛ Dom. Beaujeau, rue Rabelais, 49380 Champ-sur-Layon, tél. 41.78.86.19 ☎ r.-v.
☛ M. Jacques Beaujeau.

BOUVET Excellence 1986*

| | n.c. | 120 000 | ◯ ☷↓V3 |

Voici une belle parure rosé saumoné, des perles fines qui forment des chapelets ininterrompus, beaucoup de vivacité dans le fruité en bouche. Un vin qui fait rêver de saumon, de poisson de Loire ou du Thouet qui confluent ici devant ces caves légendaires de Saint-Hilaire, des grottes où s'installèrent les premiers moines de Saint-Florent dès le Xe s.

☛ SA Bouvet-Ladubay, 11, rue Ackerman, Saint-Hilaire-Saint-Florent, 49400 Saumur, tél. 41.50.11.12 ☎ lu. ma. me. je. ve. 8h-12h 14h-18h.

CH. DE LA DURANDIERE**

| | 1 ha | 10 000 | ◯ |

La famille Bodet vient d'acquérir ce château viticole, fief et seigneurie du XVIIe s. Ce rosé présente une belle robe saumonée, des perles fines et persistantes, un nez fruité de pommes et d'abricots très agréable. Guilleret, floral, il symbolise parfaitement la douceur angevine.

☛ M. Hubert Bodet, Ch. de La Durandière, 49260 Montreuil-Bellay, tél. 41.52.31.35 ☎ r.-v.

DOM. DU PETIT VAL Grolleau 1987

| | 3 ha | 5 000 | ◯ ☷V1 |

Vif désaltérant issu de vignes en pleine force, il s'annonce rosé pâle légèrement pastel. Le nez boisé à tendance herbacée caractérise le grolleau dont il est l'expression.

☛ M. Vincent Goisil, Dom. du Petit Val, Chavagnes-les-Eaux, 49380 Thouarcé, tél. 41.54.31.14 ☎ r.-v.

Cabernet d'anjou

appelés « rougets ». Il est de plus en plus vinifié en vin rouge léger, de table ou de pays.

Rosé d'anjou

250 000 hl selon les années, c'est la plus importante appellation d'Anjou par les volumes. Après un fort succès à l'exportation, ce vin demi-sec se commercialise difficilement aujourd'hui. Le grolleau, principal cépage, autrefois conduit en gobelet, produisait des vins rosés, légers,

Avec 150 000 à appellation d'excellents vins rosés demisecs, issus des cépages cabernet-franc et cabernet-sauvignon. A table, on les associe assez facilement, lorsqu'ils sont parfumés et servis frais, au melon en hors-d'oeuvre, ou à certains desserts pas trop sucrés. En vieillissant, ils prennent une

---

Cabernet d'anjou

On trouve dans cette appellation d'excellents vins rosés demisecs, issus des cépages cabernet-franc et cabernet-sauvignon. A table, on les associe assez facilement, lorsqu'ils sont parfumés et servis frais, au melon en hors-d'oeuvre, ou à certains desserts pas trop sucrés. En vieillissant, ils prennent une

nuance tuilée et peuvent être bus à l'apéritif. La production est de l'ordre de 100 000 à 150 000 hl. C'est sur les faluns de la région de Tigne et dans le Layon que ces vins sont les plus réputés.

DOM. DE BABLUT 1959***

45 ha — n.c.

Il naquit cabernet d'anjou en 1959, évolua tranquillement au rythme angevin, et est devenu aujourd'hui une pièce rare que l'œnophile se doit d'avoir dégusté. Vêtu d'une robe orangée, dorée, ambrée à la fois, il embaume par la puissance de ses nuances odorantes à base de fruits secs, d'abricot, de fruits macérés dans l'alcool, de miel et de noix. Quelle richesse ! Finesse, rondeur, harmonie et esprit. A ce stade, il faut parler d'œuvre d'art.

↳ MM. Daviau Frères, Dom. de Bablut, 49320 Brissac-Quincé, tél. 41.91.22.59 ☎ t.l.j. 9h-12h 14h-18h30.

↳ M. Jean-Pierre Daviau.

DOM. BEAUJEAU 1987*

10 ha — 20 000

On se sera pas étonné de trouver la qualité en visitant cette maison qui respire le sérieux des traditions viti-vinicoles. Ce cabernet rosé saumoné développe des accents de solidité, de charpente, et laisse une agréable finale en bouche.

↳ Dom. Beaujeau, rue Rabelais, 49380 Champ-sur-Layon, tél. 41.78.86.19 ☎ r.-v.

↳ M. Jacques Beaujeau.

CADY PERE ET FILS 1987*

5 ha — 5 000

Saumon clair, un nez très près du cabernet, ample et rond en bouche, ce rosé est un bon et beau moelleux au fruité persistant qui nous réjouira à l'apéritif ou sur les entrées chaudes.

↳ GAEC Cady Père et Fils, Valette, Saint-Aubin-de-Luigné, 49190 Rochefort-sur-Loire, tél. 41.78.33.69 ☎ r.-v.

DOM. DES CHARBOTTIERES 1987

2 ha — n.c.

Ce rosé, très cabernet, est net et franc avec les arômes fins du cépage, agrémenté d'une pointe herbacée. La suite est bonne, avec une vivacité caractéristique qui le placera sur une table avec les entrées.

↳ Dom. des Charbottières, Vauchrétien, 49320 Brissac-Quincé, tél. 41.91.22.87 ☎ r.-v.

↳ MM. Fillion Frères.

DOM. DES CLOSSERONS 1987*

5,07 ha — n.c.

Une belle robe rosé vif légèrement saumonée caractérise ce cabernet au nez de fruits rouges légèrement acidulé. Il séduit par une attaque ronde suivie d'arômes fruités (agrumes). Il se mariera finement avec une friture ou encore à l'apéritif avec des canapés à la tapenade.

↳ GAEC J.-C. Leblanc et Fils, Dom. des Closserons, Faye-d'Anjou, 49380 Thouarcé, tél. 41.54.30.78 ☎ r.-v.

DOM. GAUDARD 1987*

2,07 ha — 5 000

C'est un bon assemblage des deux cabernets, qui donne un vin bien équilibré, rose soutenu, brillant, aux parfums intenses, puissants. Le léger picotement de carbonique au nez n'est pas déplaisant, il finit en rondeur et souplesse.

↳ MM. Pierre et Janes Aguilas, La Brosse, Chaudefonds-sur-Layon, 49290 Chalonnes-sur-Loire, tél. 41.78.10.68 ☎ t.l.j. sf dim. 8h-12h 14h-18h.

VINCENT GOIZIL 1987*

— 6 000

Avec une jolie robe franche, orangée, ce cabernet présente une forte intensité aromatique dans les nuances cassis-framboise, agrumes frais. On trouve aussi la mandarine, mais surtout la vivacité du cépage. C'est un joli bouquet ! Un agréable vin qui donnera tout son effet sur un poisson à la béarnaise.

↳ M. Vincent Goizil, Dom. du Petit Val, Chavagnes-les-Eaux, 49380 Thouarcé, tél. 41.54.31.14 ☎ r.-v.

LES VIGNERONS DE LA NOELLE 1986

3,25 ha — 50 000

La coopérative d'Ancenis possède une branche vinicole, Les Vignerons de la Noëlle, qui présente ici un joli rosé cristallin très attractif aux parfums de tisane et de tilleul. Il ne manque pas de rondeur, d'équilibre, et s'épanouira parfaitement même sur les poissons en sauce comme le saumon au beurre blanc.

↳ Les Vignerons de La Noëlle, B.P. 102, 44157 Ancenis cedex, tél. 40.98.92.72 ☎ t.l.j. sf dim. 8h-12h15 13h15-18h.

LOGIS DU PRIEURE 1987***

— 10 000

C'est l'enthousiasme autour de ce cabernet. Une richesse aromatique hors du commun ! agrumes et fruits exotiques, une bonne structure qui remplit bien la bouche du début à la fin ; très ample, il laisse d'agréables sensations fruitées.

↳ Logis du Prieuré, Concourson, 49700 Doué-la-Fontaine, tél. 41.59.11.66 ☎ r.-v.

Propriétaire-Viticulteur
CABERNET D'ANJOU
APPELLATION CABERNET D'ANJOU CONTROLÉE
1987

DOM. DES MAUZIERES 1987

5 ha — 10 000

Sa couleur rose orangé-saumon et son nez

DOM. DE MIRLEAU 1987

0.85 ha — n.c.

légèrement mentholé puis floral sont les plus beaux atouts de ce cabernet qui, en bouche, s'avère vif, agréable, frais avec une légère amertume sur la fin. A boire en apéritif.

MM. Fernand Moron, Dom. des Maurières, Saint-Lambert-du-Lattay, 49190 Rochefort-sur-Loire, tél. 41.78.30.21 ♥ r.-v.

Pour accompagner un dîner d'été, un vin léger, souple, rafraîchissant par sa note acidulée et ses arômes fruités (framboise).

MM. Aubert Frères, Le Mirleau, La Varenne, 49270 Saint-Laurent-des-Autels, tél. 40.98.50.02
GFA du Val de Loire.

DOM. DU PETIT CLOCHER 1987***

3 ha — 20 000

Nos jurés ont beaucoup aimé les qualités de ce rosé de cabernet-franc et sauvignon, limpide, brillant comme une pierre précieuse, pour ses charmes extérieurs orangés brique, pour ses fragrances de fruits rouges et d'épices orientales, enveloppées en bouche dans une suavité de pêche et d'abricot. C'est un vin très agréable et harmonieux.

GAEC du Petit Clocher, 3, rue du Layon, Cléré-sur-Layon, 49560 Nueil-sur-Layon, tél. 41.59.54.51 ♥ r.-v.
MM. Denis Père et Fils.

GEORGES POUPARD
La Chapelle Saint-Arnoul 1987*

10 ha — n.c.

Les reflets vieux rose donnent un charme rétro à ce sympathique représentant des cabernets d'Anjou, dominé par les fruits rouges, cerises griottes. L'attaque est suave et finit en fraîcheur. Il sera agréable en après-midi ou au bar.

M. Georges Poupard, Soussigné, 49540 Martigné-Briand, tél. 41.59.43.62 ♥ r.-v.

DOM. DES TROTTIERES 1987

2 ha — 12 000

De la tour surplombant le chai, on domine le bel agencement des vignes qui donne vie à la vallée du Layon et où naît ce vin limpide rosé pâle fait de cabernet-franc et sauvignon : il est rond, riche de petits fruits rouges avec une finale légèrement épicée convenant fort bien pour un début de repas.

SCEA Dom. des Trottières, Les Trottières, 49380 Thouarcé, tél. 41.54.14.10 ♥ t.l.j. sf dim. 8h-12h30 14h-19h.
M. René Lamotte.

Coteaux de l'aubance

La petite rivière Aubance est bordée de coteaux de schistes portant de vieilles vignes de chenin, dont on tire un vin blanc moelleux qui s'amé-

liore en vieillissant. Mais dans ce secteur dynamique d'une dizaine de communes, le cabernet a progressivement remplacé le chenin pour donner de bons vins rouges mis en valeur par un concours annuel à Brissac-Quincé. La production est d'environ 1 000 hl.

DOM. DE BABLUT 1986*

2 ha — 9 000

Ce cadeau aux trésors propose aussi de jeunes aubance voués à un vieillement exceptionnel. Notons le très beau 71 qui embaume ses fruits exotiques. Ce 86 annonce un léger picotement, un côté alcool-miel, un caractère végétal noble, se retrouvera dans 20 ans sur les meilleures cartes de restaurant.

MM. Daviau Frères, Dom. de Bablut, 49320 Brissac-Quincé, tél. 41.91.22.59 ♥ t.l.j. 9h-12h 14h-18h30.
M. Jean-Pierre Daviau.

VICTOR LEBRETON 1986**

n.c. — 4 000

Le terrain schisteux donne ici un aubance très original, minéral, pierre-à-fusil, nerveux et tendre à la fois, dans sa douceur un peu amère avec cette longueur caractéristique des grands terroirs. Que d'atouts pour une longue vie !

M. Victor Lebreton, Dom. de Montgilet, Juigné-sur-loire, 49130 Les-Ponts-de-Cé, tél. 41.91.90.48 ♥ r.-v.

DOM. DES ROCHELLES 1986*

5 ha — 5 000

Obtenu par macération pelliculaire de 24 heures, ce vin élégant à la robe jaune paille discret est très intéressant et sera à suivre de longues années.

J.-Y. H. Lebreton, Les Rochelles, Saint-Jean-des-V-euvres, 49320 Brissac-Quincé, tél. 41.91.92.07 ♥ r.-v.

Anjou-coteaux de la loire

L'appellation est réservée aux vins blancs issus du pinot de la Loire. Les volumes sont confidentiels (1 500 hl) par rapport à l'aire de production : une douzaine de communes), uniquement sur les schistes et calcaires de Montjean. Lorsqu'ils sont très secs et qu'ils atteignent la surmaturité, ces vins se distinguent des coteaux du layon par une couleur plus verte. Ils sont généralement de type demi-sec. Dans cette région aussi, la reconversion du vignoble se fait peu à peu vers la production de vins rouges.

DOM. DU FRESCHE
Cuvée Vieille Sève 1986

84 85 86

3 ha · 5 000

Les vieilles vignes accrochées aux meilleurs coteaux s'épanouissent en ce vin très cristallin aux arômes délicatement fruités et boisés.

GAEC Boré Frères, Dom. du Fresche, 49620 La Pommeraye, tél. 41.77.74.63 r.-v.

ROULLIER PÈRE ET FILS
Chenin 1987***

2 ha · 10 000

Voici, à moins de 20 F, un nectar fruité d'ananas, de pommes et de coings, qui laisse en bouche une très belle harmonie et une persistance savoureuse.

GAEC Roullier Père et Fils, Le Pélican, 49620 La Pommeraye, tél. 41.39.05.71 r.-v.

Savennières

Ce sont des vins blancs de type sec, produits à partir du chenin, essentiellement sur la commune de Savennières. Les schistes et grès pourpres leur confèrent un caractère particulier, ce qui les a fait définir longtemps comme crus des coteaux de la Loire; mais ils méritent une place à part entière. Un peu plus homogène, cette appellation devrait s'affirmer et se développer; pleins de sève, un peu nerveux, ses vins vont à merveille sur les poissons cuisinés.

DOM. DES BAUMARD 1987***

2,30 ha · 15 000

Vendanges à la main, triés trois fois, égrappés, les raisins arrivent sans meurtrissure au pressoir, gage de qualité. Nez puissant de vanille, d'encens, de tilleul; en bouche, une amertume noble qui n'en finit pas de nous régaler. Bravo à Florent Baumard.

M. Florent Baumard, 41, Grande Rue, 49190 Rochefort-sur-Loire, tél. 41.78.70.03 lu. ma. me. je. ve. 10h-12h 14h-18h.

DOM. DU CLOSEL 1987*
Clos du Papillon 1987*

84 85 86

3 ha · 15 000

Le Clos du Papillon se découvre en grimpant un sentier pittoresque d'où on domine Savennières et la belle vallée de Loire. Elevé en fûts de bois, ce 87 n'est pas encore mûr, mais les pommes sont bien présentes : arômes intenses, fins, complexes, fleuris encore marqués par la verdeur de la jeunesse, ils s'épanouiront avec l'âge.

Mme Michèle Bazin de Jessey, Dom. du Closel, Les Vaults, 49170 Savennières, tél. 41.72.81.00 r.-v.

DOM. DU CLOSEL 1987**

10 ha · n.c.

Domaine typique des bords de Loire, le château des Vaults, à l'ombre de l'église du Xe s., a beaucoup de classe; le vin aussi, traditionnel, très typé, minéral, gréso-schisteux. Il a, certes, beaucoup de distinction, mais devra attendre pour acquérir sa plénitude.

Mme Michèle Bazin de Jessey, Dom. du Closel, Les Vaults, 49170 Savennières, tél. 41.72.81.00 r.-v.

CLOS DE COULAINE 1987*

3 ha · 7 000

83 84 85 (87)

Un vin étonnant issu de vignes élevées sur un terroir de schistes et de grès. Le végétal, le minéral se côtoient et sauront se lier avec harmonie. Tout cela est agréable.

M. François Roussier, Clos de Coulaine, Savennières, 49170 Saint-Georges-sur-Loire, tél. 41.72.21.06 r.-v.

CH. D'ÉPIRE 1986**

8 ha · 40 000

83 (84) 85 (86)

C'est de l'or gris dans un verre. Ce savennières embaume le tilleul marié au coing et au miel. Très ample, c'est un seigneur qui sait s'imposer avec force mais courtoisie.

Mme Litzow, Epire, Savennières, 49170 Saint-Georges-sur-Loire, tél. 41.77.16.23 t.l.j. sf dim. 10h-12h 14h-18h; f. dim. et jours fériés

SCEA Bizard-Litzow.

Savennières roche-aux-moines, savennières coulée-de-serrant

Il est difficile de séparer ces deux crus, qui ont reçu une codification particulière tant ils sont proches en caractères et en qualité. La coulée de Serrant, plus restreinte en surface (7 ha), est située de part et d'autre de la vallée du petit Serrant. La plus grande partie est en pente forte, d'exposition sud-ouest. Propriété en monopole de la famille Joly, cette appellation a atteint, tant par sa qualité que par son prix, la notoriété des grands crus de France. C'est après cinq ou dix ans que ses qualités s'épanouissent pleinement. La Roche-aux-Moines appartient à plusieurs propriétaires, et couvre

une surface de 33 ha qui n'est pas totalement plantée. La plus grande partie est située en versant sud sur la Loire. Moins homogène que son homologue, on y trouve des cuvées qui n'ont cependant rien à lui envier.

Savennières coulée-de-serrant

CLOS DE LA COULÉE DE SERRANT 1976***

L'ancien monastère et le château sont du XVIIe s., date à laquelle fut planté le vignoble. Cette bouteille fait partie des trésors convoités par le collectionneurs. L'or sublime irradie dans les verres, les arômes de vieillissement généreux, intenses, ont gardé la touche sauvage du chenin ; c'est le côté amande et noisette qui comine en bouche, laissant finalement une impression harmonieuse de noblesse. Une bouteille à ouvrir une heure à l'avance.
◆ SCEA A. Joly, Ch. de La Roche-aux-Moines, Savennières, 49170 Saint-Georges-sur-Loire, tél. 41.72.22.32 ☎ r.-v.

□	7 ha	30 000	

59 64 66 67 68 69 70 71 74 76 77 80 81 82 83 84 85

Savennières roche-aux-moines

CLOS DE LA BERGERIE 1982**

Le Clos de la Bergerie étale ses pampres devant les fenêtres de la belle et spacieuse demeure du XVIIIe s. de La Roche-aux-Moines, anciennement «Roche Vineuse», dominée par la Coulée de Serrant. Après aération, ce sec amande exhale discrètement les arômes nobles du terroir schisto-gréseux, qui s'ajoutent en bouche à une nervosité accrochante pour finir en amplitude, finesse et longueur.
◆ SCEA A. Joly, Ch. de La Roche-aux-Moines, Savennières, 49170 Saint-Georges-sur-Loire, tél. 41.72.22.32 ☎ r.-v.

□	3 ha	7 000	

CH. DE LA ROCHE-AUX-MOINES 1986*

Cultivé en biodynamie, sans désherbant, engrais chimique, ou pesticide, sur sous-sol schisteux relativement fertile, ce blanc aux arômes floraux intenses est loin d'être mûr. Il faut savoir attendre la maturité de ces vins traditionnels qui respirent la santé.
◆ SCEA A. Joly, Ch. de La Roche-aux-Moines, Savennières, 49170 Saint-Georges-sur-Loire, tél. 41.72.22.32 ☎ r.-v.

□	n.c.	8 000	

Coteaux du layon

Sur les coteaux des vingt-cinq communes qui bordent le Layon, de Nueil à Châlonnes, on produit des vins demi-secs, moelleux ou liquoreux. Le chenin est le seul cépage. Cette appellation devrait jouir d'une notoriété qui a malheureusement diminué au fil des années. Plusieurs villages sont réputés : le plus connu est celui de Chaume (Rochefort-sur-Loire), avec 1 500 hl produits sur 70 ha. Six autres noms peuvent être ajoutés à l'appellation : Rochefort-sur-Loire, Saint-Aubin-de-Luigné, Saint-Lambert-du-Lattay, Beaulieu-sur-Layon, Rablay-sur-Layon, Faye-d'Anjou. Vins subtils, or vert à Concourson, plus jaunes et plus puissants en aval, ils présentent des arômes de miel et d'acacia acquis lors de la surmaturation. Leur capacité de vieillissement est étonnante.

DOM. AUX MOINES 1985*

Sec mais sans acidité excessive, avec de la personnalité, ce savennières ne manque pas d'élégance : ses arômes de tilleul, sa longueur en fin de bouche le destineront pour le plaisir à l'apéritif, mais les vrais amateurs en feront une bouteille de collection.
◆ SCI de Laroche, La Roche-aux-Moines, Savennières, 49170 Saint-Georges-sur-Loire, tél. 41.72.21.33 ☎ r.-v.

□	4,50 ha	18 000	

DOM. BANCHEREAU
Saint-Aubin-de-Luigné 1986*

Les arômes de raisins mûrs s'expriment avec finesse dans ce joli vin éclatant, jaune doré, qui s'extériorise de façon équilibrée sans mettre en

85 86	7 ha	n.c.	

avant des caractères spécifiques ou originaux : à boire dès maintenant à l'apéritif compte tenu de sa liqueur.

➤ Dom. Banchereau Père et Fils, 62, rue du Canal-de-Monsieur, Saint-Aubin-de-Luigné, 49190 Rochefort-sur-Loire, tél. 41.78.33.24 ⏰ r.-v.

consommé, l'âge lui donnera certainement la tonalité harmonieuse de tant de ses grands aînés.

➤ SCE Ch. du Breuil, Le Breuil, Beaulieu-sur-Layon, 49190 Rochefort-sur-Loire, tél. 41.78.30.03 ⏰ lu. ma. me. je. ve. 9h30-12h 14h30-17h30.

CADY PERE ET FILS
Saint-Aubin 1985 **

	10 ha	15 000

82 83 84 85

Né sur un sol caillouteux, argilo-schisteux, à flanc d'un coteau dominant la Layon, ce 85 possède toute l'intensité, la puissance et le nerveux du millésime avec un nez racé, élégant, un fondu en bouche qui promet de belles impressions sapides dans quelques années.

➤ GAEC Cady Père et Fils, Valette, Saint-Aubin-de-Luigné, 49190 Rochefort-sur-Loire, tél. 41.78.33.69 ⏰ r.-v.

DOM. BANCHEREAU Chaume 1985 ***

	3 ha	10 000

55 59 73 78 85

Des grappes envahies par la pourriture noble, des vendanges triées manuellement. Aujourd'hui plein de grande tendresse, coulant, long en bouche, gorgé de soleil et de fruits mûrs, ce vin pourra accompagner le foie gras ou de succulentes volailles. Précieux, il mérite de vieillir.

➤ Dom. Banchereau Père et Fils, 62, rue du Canal-de-Monsieur, Saint-Aubin-de-Luigné, 49190 Rochefort-sur-Loire, tél. 41.78.33.24 ⏰ r.-v.

JEAN-PIERRE CHENE
Beaulieu 1975 ***

	11 ha	10 000

69 75 78 79 80 81 82 83 84 85 86

Le jaune paille ambré de l'âge est bien accusé, mais le rôti des vendanges tardives est encore odorant, amenant beaucoup de velouté, de rondeur. Un vin convivial, friand.

➤ M. Jean-Pierre Chéné, imp. des Jardins, Beaulieu-sur-Layon, 49190 Rochefort-sur-Loire, tél. 41.78.48.09 ⏰ r.-v.

DOM. BEAUJEAU 1985 *

	18 ha	30 000

76 82 (83) 85

Des vignes plantées il y a cinquante ans, une cueillette tardive, une macération pelliculaire : un vin jaune paille, mellifère autant que floral, fort rond en bouche, « biscuité » et friand en diable. La patience sera récompensée.

➤ Dom. Beaujeau, rue Rabelais, 49380 Champ-sur-Layon, tél. 41.78.86.19 ⏰ r.-v.
➤ M. Jacques Beaujeau.

DOM. DES CLOSSERONS
Faye-d'Anjou 1984 *

	n.c.	n.c.

Quatre générations de vignerons ont laissé leur empreinte au domaine des Closserons. Jean-Claude et ses fils présentent un 84 très sympathique aux nuances odorantes discrètes de raisins marqués de la typicité du schiste décomposé. La vivacité n'exclut pas une certaine onctuosité qui s'amplifiera avec l'âge.

➤ GAEC J.-C. Leblanc et Fils, Dom. des Closserons, Faye-d'Anjou, 49380 Thouarcé, tél. 41.54.30.78 ⏰ r.-v.

MICHEL BLOUIN Chaume 1987 *

	3 ha	4 500

Puissant, alcooleux mais fleuri de sucre et de soleil, ce layon respire la solidité propre au vieillissement. Une bouteille de collection.

➤ M. Michel Blouin, 53, rue du Canal-de-Monsieur, Saint-Aubin-de-Luigné, 49190 Rochefort-sur-Loire, tél. 41.78.33.53 ⏰ t.l.j. 9h30-12h 14h-18h.

MICHEL BLOUIN Saint-Aubin 1987 **

	2 ha	5 000

Encore timide, ce layon a de la peine à s'exprimer. S'il est encore fermé et discret, il exhale après agitation des notes florales et fruitées exotiques qui s'allient en bouche à une certaine verdeur malique, gage d'un heureux vieillissement.

➤ M. Michel Blouin, 53, rue du Canal-de-Monsieur, Saint-Aubin-de-Luigné, 49190 Rochefort-sur-Loire, tél. 41.78.33.53 ⏰ t.l.j. 9h30-12h 14h-18h.

DOM. DES COTEAUX BLANCS
Cuvée réservée 1987

	3 ha	10 000

Les nuances jaune foncé feraient penser à un vin jaune ou à un layon très évolué. Trop jeune et encore fermé, le vin reste harmonieux pour un apéritif.

➤ M. François Picherit, Dom. des Coteaux Blancs, 49290 Chalonnes-sur-Loire, tél. 41.78.16.83 ⏰ r.-v.

CH. DU BREUIL Beaulieu 1986 *

	10 ha	35 000

64 75 76 77 78 79 80 81 82 83 85 86

Le château recèle des millésimes étonnants, dont un 86 encore jeune, limpide, brillant, joliment paillé avec des arômes puissants de raisins bien mûrs ; si le mariage sucre-acidité n'est pas

CH. DE FESLES 1984 *

	n.c.	n.c.

Jolie bouteille d'un millésime difficile, plein, d'une jeunesse or citronné à l'œil et dont le bouquet étonne : tilleul, nougat et térébinthe. Bouche typée, à la fois nerveuse, citronnée sur fond de douceur.

↪ Ets Nicolas, 253, av. du Gal-Leclerc, 94700 Maisons-Alfort, tél. 1.43.96.81.81.

↪ Les Caves de la Loire, rte de Vauchrétien, 49320 Brissac, tél 41.91.22.71 ⵝ r.v.

CH. DU FRESNE Faye-d'Anjou 1987

10 ha 40 000 🍴 V2

Nous voulons signaler ce vin de garde à boire dans 20 ans. Sa constitution donnera à la longue un aperitif intéressant.

↪ Ch. du Fresne, Le Fresne, Faye-d'Anjou, 49380 Thouarcé, tél. 41.54.30.88 ⵝ t.l.j, 8h-12h 14h-19h.

GROSSET-CHATEAU Rochefort 1980

69 70 71 76 78 79 80 81 83 85

8 ha 10 000 🍴 V3

Miel et fleurs rehaussés par la senteur du terroir : voilà un chemin sur schiste de belle expression.

↪ M. Raymond Grosset-Château, 49, rue Reré-Gasnier, 49190 Rochefort-sur-Loire, tél. 41.78.70.80 ⵝ r.v.

DOM. DES HAUTS-PERRAYS
Crème de Tête 1982**

5 ha 5 000 🍴 V3

Les arômes de pomme très mûre se mêlent à ceux des raisins, tandis que s'amorcent les arômes de vieillissement à la dominante coing et miel. C'est un bon rayon de garde, équilibré et rond.

↪ GAEC Fardeau-Robin, Dom. des Hauts-Perrays, 49290 Chalonnes-sur-Loire, tél. 41.78.04.38 ⵝ t.l.j, 9h-19h.

DOM. DES HAUTS-PERRAYS 1986*

5 ha 5 000 🍴 V3

Depuis le chai moderne, le panorama superbe sur les méandres et les Coteaux du Layon met déjà le vin à la bouche. Les reflets gris-vert ce ce layon attirent l'attention. Les arômes discrets, plus floraux que fruités, sont masqués par le gaz carbonique, mais la dominante liquoreuse en bouche indique certainement un avenir intéressant pour une bonne maturité.

↪ GAEC Fardeau-Robin, Dom. des Hauts-Perrays, Chaudefonds-sur-Layon, 49290 Chalonnes-sur-Loire, tél. 41.78.04.38 ⵝ t.l.j, 9h-19h.

LES CAVES DE LA LOIRE
Beaulieu 1975***

69 74 (75) 76

20 ha 40 000 🍴 V3

Un vin exceptionnel, fait d'arômes de raisins mûrs mêlés à ceux de sous-bois, enrichis de senteurs de prune, d'abricot iées par un léger miel d'acacia. C'est le type même du vieux layon où la pointe d'amertume se mêle à la chaleur d'un rayon de soleil dans une symphonie d'accords parfaits. Il s'épanouit en bouche comme un bouquet de fleurs et fait «la queue de paon».

COTEAU DE LA MAGDELAINE 1977**

76 |77| 81 83

14 ha 15 000 🍴 V3

Le vignoble en terrasses alignées sur les courbes de niveau, orientées plein sud, est unique dans sa région. Ce 77 aux arômes exotiques et fruits confits, miellé en bouche, fera merveille sur un fromage et surtout un prix abordable.

↪ M. Alfred Bidet, 66, Grande Rue, Rablay-sur-Layon, 49190 Rochefort-sur-Loire, tél. 41.78.32.68 ⵝ r.v.

DOM. DE LA MOTTE 1973*

|73| ⑦ 77 |79| |80| |81| 82 83 |84| 85

5,60 ha 20 000 🍴 V6

Si 73 n'a pas laissé de souvenir impérissable, il faut réviser son jugement après avoir dégusté ce vin fort bien réussi, expression même du grand terroir où il naquit et du chenin dont il est la sève. Il est vendu seulement en magnum.

↪ M. André Sorin, 31, av. d'Angers, 49190 Rochefort-sur-Loire, tél. 41.78.71.13 ⵝ t.l.j, sf dim. 8h-12h 14h-18h ; f. début juil.

DOM. DE LA MOTTE Rochefort 1987*

69 73 74 75 |76| 77 |79| |80| |81| 82 83 |84| 85 87

5,60 ha 18 000 🍴 V2

Il faut oublier dans sa collection ce layon encore marqué par la douceur, mais plein de promesses avec ses arômes discrets de fruits mûrs (abricot, ananas) qui laissent un velouté agréable en bouche. Jean Bardet et Loïc Martin l'ont mis à leur carte.

↪ M. André Sorin, 31, av. d'Angers, 49190 Rochefort-sur-Loire, tél. 41.78.71.13 ⵝ t.l.j, sf dim. 8h-12h 14h-18h ; f. début juil.

DOM. DE LA PIERRE BLANCHE
Saint-Lambert 1986**

85 86

6 ha 7 000

Les fruits surmûris explosent au rez en parfums enivrants qui se retrouvent en bouche, nuancés d'ananas et d'abricot. Finesse, rondeur et harmonie reviennent sous la plume des dégustateurs. Très bon représentant des layon.

↪ GAEC Ogereau Fils, 44, rue de la Belle-Angevine, Saint-Lambert-du-Lattay, 49190 Rochefort-sur-Loire, tél. 41.78.30.53 ⵝ r.v.

DOM. DE LA PIERRE
SAINT-MAURILLE 1986
|84| 85| 86

□ 2 ha   5 000   ▮↓▽2

Un vin jaune clair, limpide, aux arômes floraux ; jeune, il est un peu vif et saura montrer toutes ses qualités après un long vieillissement.
➤ M. Philippe Delesvaux, Ardenay, Chaudefonds-sur-Layon, 49290 Chalonnes-sur-Loire, tél. 41.78.18.71 ♈ r.-v.

DOM. DE L'ARCHE 1985**

□ 4,25 ha   20 000   ▽3

47 ⑤⓪ 69|76|82|85|

Pascal Delfosse, premier sommelier de Belgique, a trouvé de vieux trésors dans cette maison qui possède encore de vieux millésimes. Le 85, encore jeune, marqué par l'intensité d'un nez exotique, permet de croquer du raisin mûr. Tout en gardant un côté nerveux de chenin et la puissance opulente du millésime, il est plaisant en l'état et rempli de promesses de vieillissement.
➤ MM. Émile Rouleau et Fils, Dom. De L'Arche, Concourson-sur-Layon, 49700 Doué-la-Fontaine, tél. 41.59.11.61 ♈ r.-v.

CH. DE LA ROULERIE
Les Aunis - Chaume 1986*

□ 7,50 ha   25 000   ▮↓▼▽3

83 |84| 85 86

La seigneurie de 1663 a fière allure. La tradition des tries s'y est toujours perpétuée et les Chaume de Dominique Jaudeau atteignent leur maturité après 20 ou 30 ans. Ce 86, marqué par le raisin grillé, a besoin de mûrir pour fusionner toutes ses richesses cachées.
➤ M. Dominique Jaudeau, Ch. De La Roulerie, Saint-Aubin-de-Luigné, 49190 Rochefort-sur-Loire, tél. 41.78.33.02 ♈ t.l.j. sf dim. 8h-12h 14h-18h.

DOM. DE LA SOUCHERIE
Chaume 1986**

□ 4 ha   10 000   ▮▽3

|85| 86

Issu de l'ancien vignoble de la marquise de Brissac, ce Chaume-là montre son terroir. C'est un vin étoffé, possédant un gras inimitable : il doit vieillir pour atteindre le parfait équilibre, l'amateur s'armera de patience gourmande.
➤ M. Pierre-Yves Tijou, Dom. de La Soucherie, Beaulieu-sur-Layon, 49190 Rochefort-sur-Loire, tél. 41.78.31.18 ♈ r.-v.

DOM. DE LA SOUCHERIE
Beaulieu - Vieilles Vignes 1986**

□ 4,45 ha   15 000   ▮▽3

|85| 86

Ce sont de très vieilles vignes de quatre-vingt-treize ans qui donnent le jour à ce vin superbe, jaune paille, brillant. Ses arômes flatteurs et déjà évolués de miel, de pain d'épice et sa rondeur sont agréables. Très élégant, il vieillira magnifiquement.
➤ M. Pierre-Yves Tijou, Dom. De La Soucherie, Beaulieu-sur-Layon, 49190 Rochefort-sur-Loire, tél. 41.78.31.18 ♈ r.-v.

DOM. LEDUC-FROUIN 1970*

□ 2,50 ha   6 000   ▮↓▽4

La nature enseigne la patience, le vin aussi. Né en 1970, celui-ci est encore prometteur. Jaune ambré aux subtiles senteurs racées voisines du miel et du pain d'épice, il exprime son terroir fait de schistes coiffés de silice et d'argile. Sa rondeur s'associe à la légère amertume végétale du chenin. Pour la collection de l'œnophile.
➤ Dom. Leduc-Frouin, Soussigné, 49540 Martigné-Briand, tél. 41.59.42.83 ♈ r.-v.
➤ Mme Georges Leduc.

JOEL LHUMEAU 1987

□ 1 ha   1 000   ▽1

Voici un honnête layon à petit prix, qui assumera bien le vieillissement : l'équilibre semble suffisant, la rondeur et la souplesse en bouche en feront un apéritif agréable dans quelques années.
➤ M. Joël Lhumeau, Brigné-sur-Layon, 49700 Doué-la-Fontaine, tél. 41.59.30.51 ♈ r.-v.

SYLVAIN MAINFRAY Beaulieu 1985**

□ n.c.   ▽▽3

76 81|82| 85|

Peut-on rêver plus belle demeure pour ces 85 que les caves saumuroises de Sylvain Mainfray qui s'enfoncent sous la falaise calcaire du château du roi René d'Anjou ? La robe jaune doré est séduisante ainsi que les arômes de fruits mûrs délicats et racés. L'équilibre apporte de délicieuses sensations.
➤ M. Sylvain Mainfray, 63-71, rue Jean-Jaurès, 49400 Saumur, tél. 41.51.31.31 ♈ r.-v.

DOM. DES MAURIERES
Saint-Lambert 1980**

□ 6 ha   12 000   ▮▽3

78 79|80|18|11|82| 83 |84| |85| 86

Il faut des vendanges d'orfèvre, une vinification d'artiste et un terroir fameux pour engendrer en 80 un layon d'une telle finesse. Si les souvenirs acides-amers du mauvais temps froid des vendanges ont laissé quelques séquelles, quelles merveilleuses sensations sapides, légères, fruitées, équilibrées ! Bon sang ne saurait mentir !
➤ M. Fernand Moron, 8, rue de Périnelle, Saint-Lambert-du-Lattay, 49190 Rochefort-sur-Loire, tél. 41.78.30.21 ♈ r.-v.

RAYMOND MENARD 1987*

□ n.c.   ▽2

Des vignes de quatre-vingts ans secrètent cette liqueur de vieil or qui demande à être aérée pour dégager les arômes de coing déjà très évolués. C'est finalement l'équilibre qui fait suite à une bonne persistance aromatique.
➤ M. Raymond Ménard, 15, rue Saint-Vincent, Rablay-sur-Layon, 49190 Rochefort-sur-Loire, tél. 41.78.32.91 ♈ r.-v.

DOM. DE MIHOUDY 1986***

□ 12 ha   35 000   ▮↓▽2

75 76 80|82| |83| |85| 86

C'est une famille un peu exceptionnelle qui présente ce layon. Elle a reçu près de mille personnes pendant les vendanges 87, ce qui n'a

pas empêché Jean-Paul de faire devant tous ces regards d'excellentes vinifications. Le 86 est tout en fruits exotiques, très coloré par une macération pelliculaire. Il sera dans quelques années la bouteille qu'on ouvre à l'apéritif pour honorer les connaisseurs.

➡ MM. Cochard et Fils, Dom. de Mihoudy, Aubigné, 49540 Martigné-Briand, tél. 41.59.45.52 ▼ r.-v.

CH. MONTBENAULT
Clos de la Herse 1986**

| 2 ha | n.c. | ▮▼▮3 |

Le Clos de la Herse sur sol argilo-siliceux porte cette vigne de chenin depuis quarante ans. Limpide, d'une grande richesse aromatique, onctueux et généreux, ce 86 est marqué d'une pointe de vivacité qui, avec le temps, devrait donner une très belle harmonie.

➡ M. Leduc, Ch. Montbenault, Faye-d'Anjou, 49380 Thouarcé, tél. 41.78.31.14 ▼ r.-v.

CH. MONTBENAULT
Faye-d'Anjou 1975***

(71) [75][76][82] **83 84 85** 86

| 5 ha | n.c. | ▮▼▮5 |

Voici un très beau représentant classique d'un layon qui n'est pas à la moitié de sa course ; robe accentuée de jaune paille, nez encore très floral où s'amorce l'évolution vers le coing et le miel. Rond, fruité en bouche, avec une once d'acidité et une touche d'amertume, il est prêt pour une longue vie.

➡ M. Leduc, Ch. Montbenault, Faye-d'Anjou, 49380 Thouarcé, tél. 41.78.31.14 ▼ r.-v.

CH. DE MONTGUERET 1987*

| 7 ha | 15 000 | ▮▼▮3 |

Les layon de grande année avaient tous du gaz carbonique, et cause de vieillissement. Souvenons-nous du 1911! Un effet d'oxygénation est nécessaire pour déguster ce 87 qui dégage la fraîcheur du raisin de chenin. Il sera parfait dans 10 ans.

➡ Mme Dominique Lacheteau, Ch. de Montgueret, 49560 Nueil-sur-Layon, tél. 41.59.59.19 ▼ r.-v.

MOULIN TOUCHAIS 1976***

| 30 ha | n.c. | ▮▼▮ |

(50) **69 71 76 79 85**

La patience est une vertu cultivée aux vignobles Touchais : ce coteaux-du-layon 76 le démontre une fois de plus. D'un jaune intense, or brillant, il offre des arômes aux nuances mellifères mêlées de pommes cuites flambées. C'est un vin exceptionnel comme il en vieillit bien d'autres (depuis plus de cent ans) dans cette cave méritant le détour.

➡ SCA Vignobles Touchais, 25, av. Gal-Leclerc, 49700 Doué-La-Fontaine, tél. 41.59.12.14 ▼ r.-v.

CLOS DES ORTINIERES
Beaulieu 1987

| 12 ha | 11 000 | ▮▼▮2 |

Légèrement teinté de rose, ce jeune layon est discret. Après un certain temps d'oxygénation, il révèle ses arômes miellés et tilleul qui laissent finalement une bonne impression.

➡ M. Jean-Pierre Chéné, imp. des Jardins, 49750 Beaulieu-sur-Layon, tél. 41.78.48.09 ▼ r.-v.

DOM. DE PIERRE BISE
Beaulieu 1987**

| 3 ha | 10 000 | ▮▼▮2 |

Si vous savez patienter quelques années, vous aurez une bouteille remplie d'arômes de fruits secs, d'une liqueur de raisin charnue, charpentée, solide, qui se terminera en parfums de rose, miel et banane. Un vrai plaisir.

➡ M. Claude Papin, Dom. de Pierre-Bise, Beaulieu-sur-Layon, 49190 Rochefort-sur-Loire, tél. 41.78.33.01 ▼ r.-v.

CH. DE PLAISANCE Chaume 1981**

| 12 ha | 20 000 | ▮▼▮4 |

Quel plaisant paysage viticole autour de ce château! C'est le layon préféré de Gérard Depardieu et il a bon goût ! 81 est d'une étonnante jeunesse, avec des arômes encore frais de raisins surmûris. On aimera son équilibre, sa longueur, son fendu, son amplitude ; une belle liqueur de raisin.

➡ M. Henri Rochais, Ch. de Plaisance, Chaume, 49190 Rochefort-sur-Loire, tél. 41.78.33.01 ▼ r.-v.

CLOS DU POIRIER BOURGEON
Faye-d'Anjou 1986*

| 2 ha | n.c. | ▮▼▮3 |

Le Clos du Poirier Bourgeon nourri depuis 25 ans les raisins de chenin : vin très jeune à la robe jaune ambre, aux senteurs florales mélangées de coing, liées par un miel puissant.

➡ M. Leduc, Ch. Montbenault, Faye-d'Anjou, 49380 Thouarcé, tél. 41.78.31.14 ▼ r.-v.

CH. DES ROCHETTES 1986**

[79][89] **83** [84] **85** [86]

| 7 ha | 20 000 | ▮▼▮3 |

C'est sans doute une macération de la baie qui a intensifié la robe jaune paille doré, faisant penser à un vin vieilli. Le fruité est celui de la jeunesse et l'agrément en bouche est de la souplesse, d'onctuosité, de gras, toutes caractéristiques d'un layon de qualité.

➡ M. Jean-Louis Douet, Ch. des Rochettes, Concourson-sur-Layon, 49700 Doué-la-Fontaine, tél. 41.59.11.51 ▼ r.-v.

DOM. DES SABLONNETTES 1987

[82][83] (85) **86** 87

| 1,30 ha | 6 000 | ▮▼▮1 |

Voici, à moins de 20 F, un très honnête layon qui n'a pas achevé sa course à la maturité ; si les accords acides-amers, alcool, sucre ne sont pas achevés, il paraît armé pour un bon vieillissement.

➡ M. Joël Menard, 60, Grande Rue, Rablay-sur-Layon, 49190 Rochefort-sur-Loire, tél. 41.78.40.49 ▼ r.-v.

DOM. DES SAULAIES
Faye-d'Anjou 1987***

☐ 3 ha 6 000 ⫶↓▼3

73 |75| 76 |79| 84 86 87

Plein de vie, dans ses nuances rosées brillantes, ses arômes originaux de banane flambée, dont l'équilibre, l'harmonie et la souplesse font dire à un juré, « un vin que j'aimerais acheter ».

☛ M. Philippe Leblanc, Dom. des Saulaies, Faye-d'Anjou, 49380 Thouarcé, tél. 41.54.30.66 ⵟ t.l.j. sf dim. 9h-12h 14h-19h30.

DOM. DES SAUMERETTES
Saint-Aubin 1986

☐ 2 ha 4 000 ▼1

73 74 77 78 80 81 82 83 |84| |85| 86

Le temps jouera certainement en faveur de ce jeune layon encore rustre, déjà floral, à la jolie couleur paille.

☛ GAEC Dehechaud, Dom. des Saumerettes, Saint-Aubin-de-Luigné, 49190 Rochefort-sur-Loire, tél. 41.78.32.57 ⵟ r.-v.

DOM. DE SAVONNIERES 1987

☐ 4,40 ha 5 000 ⫶⫶

Ce 87 nous a paru digne d'être signalé : le fruité de jeunesse est intense et flatteur, avec un soupçon de pêche de vignes. Moins de 20 F.

☛ MM. Percher Frères, Dom. de Savonnières, Les Verchers-sur-Layon, 49700 Doué-la-Fontaine, tél. 41.59.11.64 ⵟ r.-v.

BERNARD SECHET-CARRET 1986

☐ n.c. 4 000 ⫶↓▼2

80 82 83 84 |85| 86

Robe jaune pâle, limpide, annonciatrice d'un nez discret, floral, confirmé en bouche par une attaque juste moelleux : tout demeure en harmonie.

☛ M. Bernard Sechet-Carret, Maligné, 49540 Martigné, tél. 41.59.43.40 ⵟ r.-v.

CLOS DES VARENNES
Saint-Aubin 1986*

☐ 2,50 ha 7 000 ⫶↓▼2

Racé, il donne une bonne impression de surmaturation, mais sa puissance est un peu austère, nul doute que le vieillissement en fera une excellente bouteille.

☛ GAEC Cady Père et Fils, Valette, Saint-Aubin-de-Luigné, 49190 Rochefort-sur-Loire, tél. 41.78.33.69 ⵟ r.-v.

l'après-midi, entre amis. De nos jours, on apprécie plutôt ce grand cru à l'apéritif. Très parfumé, plein de sève, le bonnezeaux doit toutes ses qualités au terroir exceptionnel qu'il occupe : plein sud, sur trois petits coteaux de schistes abrupts au-dessus du village de Thouarcé (la Montagne, Beauregard et Fesles).

Sur 50 ha en production, le volume annuel varie de 700 à 1 200 hl. L'aire de production comprend 130 ha plantables. D'un bon rapport qualité/prix, c'est une valeur sûre !

CH. DE FESLES 1986*

☐ 12 ha n.c. ⫶⫶◖↓▼5

83 84 85 86

Les arômes fleuris de tilleul et d'acacia percent encore discrètement. Le miel et l'abricot laissent d'agréables sensations fruitées. Quelque 10 ans seront nécessaires pour sa maturité.

☛ M. Jacques Boivin, Ch. de Fesles, 49380 Thouarcé, tél. 41.54.14.32 ⵟ r.-v.

GODINEAU PERE ET FILS
Malabé 1986***

☐ 8 ha n.c. ◖▼3

Nous avons beaucoup aimé ce nectar « fils sacré du soleil » tendre, d'une étonnante et suave douceur, onctueux et gras, marqué de pêche et d'abricot, persistant et harmonieux, qu'on aimerait retrouver sur un foie gras.

☛ M. Godineau Père et Fils, La Douve, Faye-d'Anjou, 49380 Thouarcé, tél. 41.54.03.00 ⵟ t.l.j. 8h-12h30 14h-19h.

JEAN-CLAUDE LEBLANC ET FILS 1987*

☐ 1,69 ha 5 000 ⫶↓▼3

D'agréables nuances odorantes de type floral sont une excellente approche d'une bouche onctueuse où le mariage tendresse-acidité, très caractéristique des bonnezeaux, se réalisera d'ici quelques années.

☛ GAEC J.-C. Leblanc et Fils, Dom. des Closserons, Faye-d'Anjou, 49380 Thouarcé, tél. 41.54.30.78 ⵟ r.-v.

Quarts de chaume

Le seigneur se réservait le quart de la production : il gardait le meilleur, c'est-à-dire le vin produit sur le meilleur terroir. L'appellation, qui couvre 40 ha pour un volume de 600 à 800 hl, est située sur le mamelon d'une colline, plein

Bonnezeaux

C'est l'inimitable vin de dessert, disait le Dr Maisonneuve en 1925. A cette époque, les grands vins liquoreux étaient essentiellement consommés à ce moment du repas ou dans

sud, autour du village de Chaume, à Rochefort-sur-Loire.

Les vignes sont vieilles, en général ; cette conjonction de l'âge des vignes, de l'exposition et des aptitudes du chenin, conduit à des productions souvent faibles et de grande qualité. La récolte se fait par tries. Les vins sont du type moelleux, séveux et nerveux et ont une bonne aptitude au vieillissement.

DOM. DES BAUMARD 1987***

3.62 ha 12 000

Liquoreux et nerveux à la fois dans sa douceur un peu amère, il possède la race du nectar divin qui rend l'anjou fameux, comme le chantait Du Bellay. Équilibré et harmonieux, il prendra avec l'âge la robe dorée et les arômes de coing, de miel et de tilleul qui s'amorcent déjà.

→ M. Jean Baumard, 8, rue de l'Abbaye, 49190 Rochefort-sur-Loire, tél. 41.78.70.03 r.-v.

CH. DE BELLERIVE 1987***

10 ha 18 000

L'allègement des grappes a été nécessaire pour maintenir le petit rendement à 22 hl/ha et la concentration des sucres à la surmaturation. Jacques Lalanne pense aussi à la cryoextraction sélective, à l'essai dans les layons. Ce quarts-de-chaume 87 déjà suave et fruité allie sa vivacité, sa nervosité à une douce tendresse. Un long vieillissement lui apportera une très grande classe.

→ M. Jacques Lalanne, Ch. Bellerive, 49190 Rochefort-sur-Loire, tél. 41.78.33.66 r.-v.

Saumur

L'aire de production s'étend sur 36 communes. On y produit des vins blancs secs et nerveux (20 000 hl) et des vins rouges (15 000 hl) avec les mêmes cépages que dans les AOC Anjou. Leur aptitude au vieillissement est bonne.

Les vignobles s'étalent sur les coteaux de la Loire et du Thouet. Les vins blancs de Turquant et Brezé étaient autrefois les plus réputés ; les vins rouges de Puy-Notre-Dame, Montreuil-Bellay et Tourtenay, entre autres, ont acquis une bonne notoriété. Mais l'appellation est beaucoup plus connue avec ses vins mousseux qui représentent de 10 à 12 millions de cols et dont l'évolution qualitative mérite d'être soulignée. Les élabora-teurs, tous installés à Saumur, possèdent des caves creusées dans le tuffeau, qu'il faut visiter.

Nous citerons pour mémoire, et parce qu'ils ont acquis autrefois des lettres de noblesse, les coteaux de saumur, équivalent en Saumurois des coteaux du layon en Anjou. Chenin pur sur la craie tuffeau à fleur de sol, ils ne sont plus produits que lors des grands millésimes, surtout à Brezé.

ACKERMAN Cuvée Jean-Baptiste*

n.c. n.c.

Fondée en 1811 par un spécialiste de la méthode de dom Pérignon, la maison Ackerman est devenue la plus importante de Saumur et recèle dans ses immenses galeries souterraines des millions de bouteilles sur lattes. Cette cuvée Jean-Baptiste, discrète, à la mousse persistante, possède bien le type et la race des saumur d'origine.

→ MM. Ackerman-Laurance, Saint-Hilaire-Saint-Florent, 49400 Saumur, tél. 41.50.25.33 r.-v.

CLOS DE BOISMENARD 1987***

2.20 ha 15 000

Il est difficile de ne pas aimer ce vin séduisant par sa belle robe brillante aux reflets verts mais surtout par l'intensité de ses arômes floraux et fruités, avec ses notes de banane, de violette. C'est le grain de raisin en bouteille qui laisse une bouche fraîche et de longues caudalies. A boire pour le plaisir.

→ GAEC Clos de Boismenard, Tourtenay, 79100 Thouars, tél. 49.67.72.25 r.-v.
→ MM. Pichot et Fils.

CLOS DE BOISMENARD 1985**

1 ha 6 000

Les reflets jaunes marquent la maturité de ce chenin parfaitement réussi. Fruits secs, amande, pain grillé, biscuits, tous ces arômes se bousculent avec une très bonne suite en bouche. Un vin plaisant et friand.

→ GAEC Clos de Boismenard, Tourtenay, 79100 Thouars, tél. 49.67.72.25 r.-v.
→ MM. Pichot et Fils.

BOUVET Saphir - brut 1985***

n.c. 200 000

Patrice Monmousseau est fier de la cuvée Saphir qui, depuis quelques années a conquis une solide réputation. Tout est élégance dans cette cuvée 85, la perle fine, légère, les arômes de pomme mûre et de tilleul, l'agréable fraîcheur en bouche. Une très belle réussite.

→ SA Bouvet-Ladubay, 11, rue Ackerman, Saint-Hilaire-Saint-Florent, 49400 Saumur, tél. 41.50.11.12 lu. ma. me. je. ve. 8h-12h 14h-18h.

BOUVET Signature - brut 1986★★★
○   n.c.   n.c.   ▮↓▾▮3

La meilleure note pour ce millésime 86 qui a retenu l'attention du jury par son côté floral très flatteur, son équilibre, son harmonie. La belle présentation est à la hauteur du contenu. Exporté en grande partie, il sera un excellent ambassadeur des vins français en dehors de nos frontières.
▸SA Bouvet-Ladubay, 11, rue Ackerman, Saint-Hilaire-Saint-Florent, 49400 Saumur, tél. 41.50.11.12 Ⓣ lu. ma. me. je. ve. 8h-12h 14h-18h.

CH. DE CHAINTRES 1987★
▮   n.c.   n.c.   ▾▮2

Le blanc est une originalité dans ce temple du champigny. Et pourtant ce 87 ne manque pas de qualité; marqué par le tuffeau et la craie, il respire aussi la santé et la solidité du chenin, apte à vivre longtemps. Il pourra trouver sa place sur les fruits de mer et les poissons.
▸Dom. Vinicole de Chaintres, Ch. de Chaintres, Dampierre-sur-Loire, 49400 Saumur, tél. 41.52.90.54 Ⓣ r.-v.
▸M. Baron de Tigny.

GILBERT CHARIER 1987★
▮   7 ha   20 000   ▮10↓▾▮1

Un 87 déjà plaisant à boire, en lui laissant le temps de respirer après ouverture. Rond, équilibré, gouleyant, un type de breton traditionnel légèrement sauvignonné.
▸M. Gilbert Charier, La Tourette, 86120 Saix, tél. 49.22.94.59 Ⓣ r.-v.

DOM. DE CHAVANNES 1987
▮   7 ha   20 000   ▾▮1

Voici un vin de saumur blanc, sec, classique, jeune et limpide. Il laisse au palais une légère impression d'amande amère confirmant la fraîcheur découverte au nez.
▸M. Joseph Subileau, Dom. de Chavannes, Le Puy-Notre-Dame, 49260 Montreuil-Bellaye, tél. 41.52.25.75 Ⓣ r.-v.

GAEC DAHEUILLER 1987★
▮   5 ha   15 000   ▾▮2

On ne fait pas que du saumur-champigny à la maison. Les restaurateurs n'oublient pas d'emporter aussi ce blanc crayeux, floral et frais, très vif en bouche qu'ils savent présenter sur les crustacés, poissons de mer ou même à l'apéritif en blanc-cassis.
▸GAEC Daheuiller, 28, rue du Ruau, Varrains, 49400 Saumur, tél. 41.52.90.94 Ⓣ t.l.j. 8h-12h 14h-18h.

MICHELE ETCHEGARAY-MALLARD 1987★
▮   18 ha   100 000   ▾▮2

30% de sauvignon bien présent dans le bouquet aromatique de ce saumur marqué par son terroir. La robe est rubis foncé; très structuré, floral, c'est un vin agréable à boire jeune, «avec un boudin de brochet au beurre rouge», conseille un chevalier de Bellay.
▸Mme M. Etchegaray-Mallard, Brossay, 49700 Doué-la-Fontaine, tél. 41.59.10.04 Ⓣ r.-v.

FOURRIER ET FILS
Les Hautes Vignes 1986
▮   6 ha   6 000   ▮↓▾▮1

Étonnante cette robe jaune paille dorée pour un saumur sec de chenin sur calcaire blanc! Mais il possède des atouts intéressants, ne serait-ce que ce côté boisé de Bourgogne, cette rondeur, cette plénitude qui feront merveille sur les poissons.
▸SCA Fourrier et Fils, rue de la Chapelle, Distré, 49400 Saumur, tél. 41.50.21.96 Ⓣ r.-v.

GRATIEN & MEYER
Cuvée Flamme - brut★★
○   n.c.   n.c.   ▾▮3

Les caves du château de Beaulieu parcourent les cinq kilomètres de galeries creusées dans les anciennes carrières de pierre. Cette cuvée est riche de reflets d'or. Le nez de fruits secs rappelant l'amande est puissant. La structure, intéressante, laisse paraître une solide charpente.
▸MM. Gratien et Meyer, ch. de Beaulieu, rte de Montsoreau, 49401 Saumur Cedex, tél. 41.51.01.54 Ⓣ t.l.j. 9h-12h 14h-17h.

GRATIEN & MEYER Brut
○   n.c.   n.c.   ▾▮3

Un rosé grenadine de type fruit rouge, souple et rond, auquel le gaz carbonique donne de l'esprit et une légère amertume. On retrouve toutes les sensations fruitées et corsées que l'on recherche dans les cocktails.
▸MM. Gratien et Meyer, ch. de Beaulieu, rte de Montsoreau, 49401 Saumur Cedex, tél. 41.51.01.54 Ⓣ t.l.j. 9h-12h 14h-17h.

DOM. DES HAUTES VIGNES
Cuvée du Fief aux Moines 1986
▮   18 ha   50 000   ▾▮2

La robe pruneau brûlé annonce le vieillissement et la maturité; le boisé à l'olfaction, mais aussi la framboise et la fraise, puis le grillé en bouche accompagnent les tanins nerveux. Ce vin s'épanouira pleinement sur toute viande rouge et fromages tendres.
▸SCA Fourrier et Fils, rue de la Chapelle, Distré, 49400 Saumur, tél. 41.50.21.96 Ⓣ r.-v.

DOM. DES HAUTS DE SANZIERS 1986★★
▮   15 ha   60 000   ▾▮1

Une année de plus confirme ce beau vin, puissant, paré d'une robe rubis intense. Les arômes ont bien évolué, les nuances odorantes sont qualifiées d'épicées, de «viandées» avec un côté réglissé. Charnu, avec une réelle plénitude, il s'installe et dure de longues caudalies.
▸SCEA A. Tessier et Fils, Dom. les Hauts de Sanziers, Le Puy-Notre-Dame, 49260 Montreuil-Bellay, tél. 41.52.26.75 Ⓣ t.l.j. sf dim. 9h-12h 14h-19h.

CLOS DE L'ABBAYE 1985★
▮   17 ha   n.c.   ▮↓▾▮2

Le clos est réputé pour ses rouges vinifiés dans les caves qui serpentent sous les vignes. Ce 85, rubis foncé, garde les arômes primaires des fruits

mûrs qui s'intensifient après aération. L'attaque est vive, les tanins déjà vieillis laissent le souvenir d'un bon vin souple et agréable.

↝ SCEA Henri Aupy et Fils, Clos de l'Abbaye, 49260 Le Puy-Notre-Dame, tél. 41.52.26.71 ℣ r.-v.

CLOS DE L'ABBAYE 1987*

10 ha — 10 000

Ce chenin presque pur ressemble bien à son géniteur : il est jeune, vif, plein de caractère. L'œil se satisfait d'une brillance à reflets verts ; les arômes floraux sont plaisants.

↝ SCEA Henri Aupy et Fils, Clos de l'Abbaye, 49260 Le Puy-Notre-Dame, tél. 41.52.26.71 ℣ r.-v.

CH. DE LA DURANDIÈRE 1985***

10 ha — 50 000

Ce brut a beaucoup plu à notre jury et fait honneur au château de La Durandière, nouvelle propriété de Hubert Bodet. Il a un aspect brillant, un nez puissant, très fin, évolué, noisette et amande, une bouche de forte intensité qui laisse un excellent souvenir.

↝ M. Hubert Bodet, Ch. de La Durandière, 49260 Montreuil-Bellay, tél. 41.52.31.36 ℣ r.-v.

↝ M. René-Noël Legrand, 13, rue des Rogelins, Varrains, 49400 Saumur, tél. 41.52.94.11 ℣ r.-v.

CH. LE PERDRIAU 1987*

3 ha — n.c.

Des vignes de 90 ans ne peuvent donner que de la qualité à défaut de rendement. Le côté carbonique de ce blanc lui donne beaucoup de fraîcheur et soutient les parfums floraux délicats, très développés. Ils suivent bien en bouche où dominent la puissance, mais aussi la structure, l'équilibre. Un bon apéritif.

↝ M. Marcel Biguet, Dom. du Moulin, Le Puy-Notre-Dame, 49260 Montreuil-Bellay, tél. 41.52.26.68 ℣ r.-v.

↝ M. Jean-René Delcaire.

DENIS LUCAZEAU 1987

5 ha — 40 000

Les cabernets bordent la belle propriété à la Mansart où, depuis cinq générations, les Lucazeau élèvent leurs vins. Une robe juste dans la note, ces parfums très composés et floraux, une saveur fruitée se terminant par une note plus épicée.

↝ M. Denis Lucazeau, Messemé, Le Vaudelnay, 49260 Montreuil-Bellay, tél. 41.52.20.12 ℣ r.-v.

DENIS LUCAZEAU 1987***

5 ha — 30 000

Tous les jurés ont montré cette année leur enthousiasme pour cette belle réussite. La macération pelliculaire intelligemment maîtrisée n'est-elle pas une typicité retrouvée ? Les arômes sont d'une rare finesse, la bouche friande. Un vin marquant qui fait honneur au Vaudelnay.

↝ M. Denis Lucazeau, Messemé, Le Vaudelnay, 49260 Montreuil-Bellay, tél. 41.52.20.12 ℣ r.-v.

LANGLOIS-CHATEAU 1987

n.c. — n.c.

La maison a dû abandonner le nom de château de Saint-Florent qui avait notre coup de cœur l'an dernier. Ce blanc, en effet, est assemblé à un autre domaine, au Coudray-Macouard. Il est encore jeune et fermé avec un terroir accusé, des parfums de coteaux calcaires, une bonne longueur en bouche.

↝ Langlois-Château, rue Léopold-Palustre, Saint-Hilaire-Saint-Florent, 49400 Saumur, tél. 41.50.28.14 ℣ r.-v.

LANGLOIS-CHATEAU Crémant 1985*

20 ha — 200 000

C'est un brut d'une belle structure, agréable, racé, fruité, aux arômes fins d'amandes grillées, doté d'un bon équilibre. Élégant, un beau représentant ces saumur.

↝ Langlois-Château, rue Léopold-Palustre, Saint-Hilaire-Saint-Florent, 49400 Saumur, tél. 41.50.28.14 ℣ r.-v.

LANGLOIS-CHATEAU Crémant Rosé 1985*

5 ha — 50 000

Saumoné, brillant, ce rosé ne manque pas d'attraits, ses arômes viandés retiennent l'attention ; c'est un bon représentant des cépages traditionnels et du pétillement caractéristique des rosés de saumur : belle mousse persistante, distinguée. Il aura sa place à l'apéritif au dessert.

↝ Langlois-Château, rue Léopold-Palustre, Saint-Hilaire-Saint-Florent, 49400 Saumur, tél. 41.50.28.14 ℣ r.-v.

RENE-NOEL LEGRAND 1987***

1 ha — 5 000

On ne résiste pas au charme de ce blanc, tout en arômes exotiques, agréable, harmonieux, fruité ; tous les jurés voudraient l'avoir dans leur cave. Pour le garder ? Que non ! il est si bon maintenant.

ROGER MENESTREAU 1987

2 ha 10 000

C'est avec le sourire que Roger Menestreau accueille à Pouançay. Le vigneron et le fruit de son travail sont francs, sains, directs, limpides, discrets, enracinés dans cette terre argilo-calcaire si propice au chenin. À noter l'originalité de ce produit qui au nez s'avère plus poire que pomme. Le producteur sait allier techniques anciennes (récolte par tris) et innovations (macération pelliculaire).

M. Roger Menestreau, Pouançay, 86120 Les Trois-Moutiers, tél. 49.22.93.62 r.-v.

ROGER MENESTREAU 1987

0,75 ha 5 000

C'est dans la cave de Pouançay, autour de la grande cheminée où grille l'entrecôte, que l'on peut apprécier ce rouge d'un rubis profond aux arômes de fruits rouges mêlés, très alcooleux, mais qui se révélera parfaitement sur la viande au feu de sarments.

M. Roger Menestreau, Pouançay, 86120 Les Trois-Moutiers, tél. 49.22.93.62 r.-v.

LYCEE AGRICOLE DE MONTREUIL-BELLAY 1987**

1 ha 5 000

Le lycée agricole et viticole atteint sa majorité et le démontre aisément avec ce joli vin. Une robe jaune gris, brillante, à reflets clairs. Fruité et floral, le chenin pur éclate en suaves parfums de pomme, prémice d'un vin rosé. Ce vin résume les plus belles étapes de la vigne : la fleur prometteuse, le fruit gorgé de sucre du soleil de la belle saison. À découvrir pour comprendre son berceau.

LEPA de Montreuil-Bellay, rte de Méron, 49260 Montreuil-Bellay, tél. 41.52.31.96 r.-v.

LYCEE AGRICOLE DE MONTREUIL-BELLAY 1986*

4,80 ha 30 000

Le lycée travaille étroitement avec l'INRA et possède 7,80 hectares de vignes pour la formation des jeunes viticulteurs. Également producteur au sein d'un «Club des Lycées Agricoles», il commercialise ce joli vin à la robe grenat. Les arômes de fruits mûrs et de liqueur de fraise sont très fins en même temps qu'intenses. Sa plénitude, sa rondeur et sa souplesse en font une bouteille plaisante.

LEPA de Montreuil-Bellay, rte de Méron, 49260 Montreuil-Bellay, tél. 41.52.31.96 r.-v.

CH. DE MONTREUIL-BELLAY 1987*

2 ha 10 000

C'est près de la cuisine à foyer central du XIIe s. entourée des souterrains voûtés de la barbacane, des douves et remparts fortifiés et des élégantes constructions Renaissance, que l'on est invité à goûter le vin du château. Il est à la hauteur du cadre, brillant avec une pointe de gris, floral et frais, nerveux. Il évoquera la lumineuse beauté d'un site unique en Val de Loire.

Mme De Thuy, Ch. de Montreuil-Bellay, 49260 Montreuil-Bellay, tél. 41.52.33.06 r.-v.

CH. DE MONTREUIL-BELLAY 1985*

8 ha 40 000

Le «vin du château» s'est imposé ces dernières années ; ce 85 s'est maintenant joliment épanoui. Grenat, il a de bons arômes fondus de fruits mûrs et de liqueur de cassis agrémentés de sous-bois et d'écorces. Le raisin est encore très présent en bouche, dominant les arômes vanillés de vieillissement qui s'amorcent.

Mme De Thuy, Ch. de Montreuil-Bellay, 49260 Montreuil-Bellay, tél. 41.52.33.06 r.-v.

DOM. DU MOULIN 1986

15 ha 12 000

On tient à vendanger à la main dans ce beau site viticole de 40 hectares, autour de ce moulin restauré qui reçoit tous les ans des étudiants en beaux-arts des USA. Ce rouge garde le nez persistant du cabernet-sauvignon, une bonne attaque, de l'ampleur et un côté capiteux qui laisse le souvenir d'un vin solide.

M. Marcel Biguet, Dom. du Moulin, Le Puy-Notre-Dame, 49260 Montreuil-Bellay, tél. 41.52.26.68 r.-v.

DOM. DU MOULIN DE L'HORIZON 1986

8 ha 30 000

L'accueil est bien sympathique dans cette cave et ce village typique du Saumurois de calcaire turonien, qu'on retrouve dans le vin en odeurs de tuf mêlé de mycélium. Il plaira à ceux qui cherchent des sensations originales et fortes dans des vins typés très près du terroir.

Dom. du Moulin de l'Horizon, 49260 Le-Puy-Notre-Dame, tél. 41.52.26.85 r.-v.

MM. Charles et Jacky Clée.

DOM. DE NERLEUX 1985*

6 ha 20 000

80% de chenin et 20% de chardonnay : la finesse du dernier pour compenser l'amertume du premier. Le nez est intéressant : d'abord jeune et frais, il évolue vers le pain grillé. Le chenin se montre plus présent en bouche. Un saumur bien typique.

SCA Dom. de Nerleux, 4, rue de La Paleine, Saint-Cyr-en-Bourg, 49260 Montreuil-Bellay, tél. 41.51.61.04 r.-v.

MM. Robert Neau et Fils.

PERCHER FRERES Demi-Sec 1985*

1,80 ha 8 000

Le demi-sec est une spécialité de la maison. L'arrière-saison ensoleillée de 85 a laissé son empreinte dans les reflets dorés, l'intensité de l'olfaction de raisins très mûrs et la douceur harmonieuse très angevine.

MM. Percher Frères, Dom. de Savonnières, Les Verchers-sur-Layon, 49700 Doué-la-Fontaine, tél. 41.59.11.64 r.-v.

PERCHER FRERES Brut 1985

3,20 ha 20 000

La sévérité du chenin domine en bouche, mais donne un vin frais, désaltérant, à boire lentement à l'apéritif.

DOM. SAINT-LAURENT 1987*

5 ha — 30 000

Ce vin limpide, brillant et... très jaune rappelle la pierre de tuffeau qui cerne son berceau avec un parfum de pomme cuite allié à une bonne rondeur. On aimerait plus de caractère, mais il est agréable.

♠ Dom. Bertaud Père et Fils, 30, Porte Nouvelle, 49260 Montreuil-Bellay, tél. 41.52.32.28 ▼ t.l.j, sf dim. 9h-12h30 14h30-18h30.

♠ MM. Percher Frères, Dom. de Savonnières, Les Verchers-sur-Layon, 49700 Doué-la-Fonta ne, tél. 41.59.11.64 ▼ r.-v.

CAVE DES VIGNERONS DE SAUMUR 1986***

185 ha — n.c.

Les sept dégustateurs du jury ont été enthousiasmés par ce saumur «digne d'intérêt», «modèle d'appellation»... Sans doute pour les beaux fruits bien exprimés, la remarquable continuité en bouche, l'équilibre des tanins, la pointe de cabernet-sauvignon très agréable en fin de dégustation, qui en font un vin très plaisant, déjà très harmonieux.

♠ Cave des Vignerons de Saumur, Saint-Cyr-en-Bourg, 49260 Montreuil-Bellay, tél. 41.51.61.09 ▼ r.-v.

CAVE DES VIGNERONS DE SAUMUR Brut 1985

200 ha — n.c.

Les vendanges manuelles sont une des doctrines de la propriété. Il est agréable de trouver de telles maisons traditionnelles, mais aussi un vin original, doré, racé, un peu végétal, nerveux et vif à souhait.

JOSEPH SUBILEAU 1986*

7 ha — n.c.

Floral au nez, fruité en bouche ; sa rondeur est masquée par un soupçon d'amertume très caractéristique du chenin. La mousse est vive.

♠ Cave des Vignerons de Saumur, Saint-Cyr-en-Bourg, 49260 Montreuil-Bellay, tél. 41.51.61.09

♠ M. Joseph Subileau, Dom. de Chavannes, Le Puy-Notre-Dame, 49260 Montreuil-Bellaye, tél. 41.52.25.75 ▼ r.-v.

MICHEL SUIRE Réserve du Vigneron 1986

1 ha — 5 000

Vif et légèrement mordant, il n'en est pas moins floral. Peut-être un peu souple, mais bien vineux. Pour l'apéritif, bien sûr.

♠ M. Michel Suire, Pouant, Berrie, 86120 Les Trois-Moutiers, tél. 49.22.92.61 ▼ r.-v.

A. TESSIER ET FILS 1987*

16 ha — 50 000

Alphonse et Dominique Tessier, tout en s'appuyant sur une longue tradition viticole, n'en sont pas moins en contact avec l'œnologie moderne ; leurs vins blancs sont toujours comme celui-ci, d'un fruité intense, aux arômes de jeunesse à dominantes banane et pomme ; la fraîcheur carbonique n'est pas pour déplaire.

♠ SCEA A. Tessier et Fils, Dom. les Hauts de Sanziers, Le Puy-Notre-Dame, 49260 Montreuil-Bellay, tél. 41.52.26.75 ▼ t.l.j, sf dim. 9h-12h 14h-19h.

DOM. DES TRAHAN Brut 1985*

10 ha — 5 000

Un_ robe or pâle délicate et brillante striée d'une mousse fine et discrète. Le nez est subtil, floral. Une bulle fine tapisse le palais - laissant place rapidement à une souplesse hors du commun pour un brut. Une belle réussite de Guy Trahar !

♠ GAEC Dom. des Trahan, rue Principale, Cersay 79290 Argenton-l'Église, tél. 49.96.80.38 ▼ r.-v.

ROGER VACHER-BREMARD 1987

1,50 ha — n.c.

Le _aune paille de la robe indique une légère madérisation qui se détecte au nez et qui annonce un vin déjà mûr. Ses goûts prononcés de champignons sont très courants dans les vins de type à Turquant : c'est une signature !

♠ M. Roger Vacher-Brémard, rue des Déportés, Turquant, 49730 Montsoreau, tél. 41.38.11.21 ▼ r.-v.

ROGER VACHER-BREMARD 1985

2,50 ha — n.c.

Turquant, à 7 km de Saumur, a toujours été renommé pour ses vins blancs, mais aussi pour ses maisons de tuffeau blanc, chapeautées d'ardoises et plantées sur un sol tr_ué de caves comme celle de Roger Vacher. Son brut est plein de fruits avec, en fin de bouche, l'amertume typique des chenins sur calcaire.

♠ M. Roger Vacher-Brémard, rue des Déportés, Turquant, 49730 Montsoreau, tél. 41.38.11.21 ▼ r.-v.

DOM. DU VAL BRUN Chenin Blanc 1986*

5 ha — 25 000

Il ferait penser à un moelleux avec sa robe paillée et son nez de fruits mûrs. C'est pourtant un sec, plein de tendresse, qui reste nerveux et vif avec une bonne fin de bouche.

♠ GAEC J.-P. et E. Charruau, 74, rue Val-Brun, Parnay, 49730 Montsoreau, tél. 41.38.11.85 ▼ r.-v.

CH. DE VILLENEUVE 1987*

□ 5 ha 35 000

Typé, équilibré, à l'image du château de Villeneuve qui, près du clocher en pierres de Souzay, regarde le joli vignoble de la Côte de Saumur. Ce blanc, né sur le calcaire, en face, est rafraîchi par une légère bulle de carbonique, une touche citronnée qui lui donnent un ton plaisant, bien agréable.

→ SCA Chevallier, Ch. de Villeneuve, Souzay-Champigny, 49400 Saumur, tél. 41.51.14.04 t.l.j. sf dim. 8h-12h 14h-19h.

CLOS CRISTAL 1987

10 ha 65 000

Depuis 1929, le «Clos du Père Christal», berceau du saumur-champigny qu'aimait à déguster Clemenceau, est propriété des Hospices de Saumur. Ce 87 à la robe chaude, veloutée, légèrement violacée surprend par sa grande puissance, son attaque fougueuse et chaude ; c'est un vin à retenir car il a du corps et de la persistance, lui permettant de joliment évoluer.

→ Hospices de Saumur, 27, rue Seigneur, 49403 Saumur, tél. 41.53.25.00 r.-v.

CLOS DES CORDELIERS 1987**

13 ha 15 000

82 83 84 (85) 87|

Julien, dans son Anthologie des Vignobles mondiaux, affirmait déjà en 1828 que le Clos des Cordeliers produisait le meilleur rouge de l'Anjou. On ne peut qu'aimer ce 87 à la belle robe rubis, aux reflets violacés de la jeunesse, marqués par les tanins nobles. C'est un vin harmonieux très étoffé, qui gagnera encore à attendre.

→ MM. Ratron Frères, Clos des Cordeliers, Souzay-Champigny, 49400 Saumur, tél. 41.52.95.48 r.-v.

DOM. FILLIATREAU 1987***

30 ha 150 000

83 84 (85) 86 87

Une élection à l'unanimité, Paul Filliatreau n'est pas sans raison l'un des vignerons préférés des sommeliers. Ce 87 offre, dans une robe vive, un bouquet très intense légèrement fumé, très élégant. Avec beaucoup de continuité en bouche, après une attaque fruitée, il se montre souple, rond, très persistant. Un superbe saumur-champigny.

→ M. Paul Filliatreau, Chaintres, Dampierre-sur-Loire, 49400 Saumur, tél. 41.52.90.84 r.-v.

DOM. DU HUREAU 1987**

10 ha 50 000

Sphérique, distingué, racé, avec une touche de tanins en fin de bouche mais bien fondue, ce beau champigny classique respire la bonne santé de ses frères. Mériterait-il de passer en fût pour affiner encore le côté herbacé-tannique? Le producteur, président des saumur-champigny, se pose la question pour certains millésimes.

→ MM. Georges et Philippe Vatan, Le Hureau, Dampierre, 49400 Saumur, tél. 41.50.27.36 r.-v.

Saumur-champigny

En circulant dans les villages aux rues étroites du Saumurois, vous descendrez au paradis dans les caves de tuffeau qui abritent de nombreuses vieilles bouteilles. Si l'expansion de ce vignoble est récente, les vins rouges de Champigny sont connus depuis plusieurs siècles. Produits sur neuf communes, à partir du cabernet-franc ou breton, ils sont légers, fruités, gouleyants. La production est de l'ordre de 30 000 à 35 000 hl. La cave des vignerons de Saint-Cyr-en-Bourg n'est pas étrangère au développement du vignoble.

DOM. DU BOURG NEUF 1987*

10 ha 50 000

83 85 86 87

Si ce 87 n'est pas encore mûr, il possède incontestablement, des atouts intéressants : une belle robe cerise, légèrement violacée, des arômes de cabernets peu exprimés, une structure installée, des tanins encore un peu riches qui ont besoin d'assouplissement. C'est un vin qu'il faut attendre encore.

→ M. Christian Joseph, 31, rue du Bourg-Neuf, Varrains, 49400 Saumur, tél. 41.52.94.43

CH. DE CHAINTRES 1987

17 ha n.c.

|83| |85| 86 87

Les 17 hectares de cabernet-franc, ceinturant l'ancien prieuré des oratoriens du XVIIe s., donnent un vin digne d'être élevé dans les foudres de chêne qui peuplent les immenses caves du domaine. Ce vin est un classique qui mériterait des soins attentifs lors de son vieillissement pour s'exprimer davantage, sa structure le permet. Patience donc.

→ Dom. Vinicole de Chaintre, Ch. de Chaintres, Dampierre-sur-Loire, 49400 Saumur, tél. 41.52.90.54 r.-v.

→ M. le baron Gaël de Tigny.

LAVIGNE PÈRE ET FILS 1987***

82 86 87   3 ha   20 00)

Gilbert Lavigne s'est installé dans la qualité et les médailles. Le 87 a été jugé très fin, dans ses arômes fruités, mais c'est en bouche qu'il étonne le plus, par sa densité presque envahissante avec des notes grillées de fruits cuits. C'est un vin de grande promesse!

➥ MM. Lavigne Père et Fils, 15, rue des Rogelins, Varrains, 49400 Saumur, tél. 41.52.92.57 ℡ r.-v.

RENÉ-NOEL LEGRAND 1987

86 87   11 ha   60 00)

Encore fermé mais végétal, goudronné, pain grillé mélangé aux fruits mûrs, son champigny annonce une richesse à venir. L'équilibre, la charpente, les beaux tanins réglissés, la persistance confirment la plénitude d'un champigny qui doit bien vieillir.

➥ M. René-Noel Legrand, 13, rue des Rogelins, Varrains, 49400 Saumur, tél. 41.52.94.11 ℡ r.-v.

CLOS LIZIERES 1987*

5.83 ha   5 00)

Ce vigneron gagne à être connu, son champigny aussi. Ce dernier, aux reflets violacés de la jeunesse, se laisse découvrir doucement au nez, peu tannique en bouche, il gagnerait peut-être à vieillir un peu, fruité, les tanins souple; et longs responsables de l'harmonieuse charpente de ce vin, prêt à vieillir pour mieux séduire.

➥ SCA Dom. de Nerleux, 4, rue de La Paleine, Saint-Cyr-en-Bourg, 49260 Montreuil-Bellay, tél. 41.51.61.04 ℡ r.-v.

DOM. DE NERLEUX 1987*

24 ha   50 00)

Robert et Régis Neau élèvent leur production dans les caves calcaires dominée, par de superbes bâtiments du XVIIe s. Ce saumur-champigny est prometteur. Sa robe est attractive : rouge cerise brillant. Les senteurs lourdes rappellent le chocolat.

➥ MM. Robert et Régis Neau.

CLOS DES PALMIERS 1986

4.50 ha   13 50)

Le Clos des Palmiers porte une jolie vigne de cabernet-franc mère de ce saumur-champigny, élevé en fûts. La robe est attractive : rouge cerise à la limpidité atténuée. On l'aurait préféré moins lat.

➥ M. Claude Manceau, 72, Grand'Rue, Varrains, 49400 Saumur, tél. 41.52.92.32 ℡ r.-v.

DOM. DES ROCHES NEUVES 1987*

83 84 85 86 87   10 ha   12 00)

Les 10 hectares du domaine sont en cabernet-franc, toujours destiné à un champigny de qualité: il eut notre coup de cœur pour le millésime 83. Ce 87 n'est pas encore à maturité, mais la

bouche est remplie de beaux tanins ronds et donne une impression d'équilibre harmonieux très prometteur.

➥ M. Denis Duveau, 56, bd Saint-Vincent, Varrains, 49400 Saumur, tél. 41.52.94.02 ℡ r.-v.

DOM DU RUAULT 1987**

85 87   n.c.   n.c.

Une vigne en pleine force de l'âge, une tradition vigneronne plus que séculaire, une attention de tout instant et un élevage en fûts sont responsables de cet excellent saumur-champigny. La robe sombre, intense et «chaude», demeure à l'égal d'un nez puissant où se mêlent réglisse, venaison, fruits rouges et menthe poivrée. On les retrouvent associés aux tanins dans une bouche pleine et ronde.

➥ M. Noël Millon, 29, rue du Ruault, Varrains, 49400 Saumur, tél. 41.52.93.80 ℡ t.l.j. 9h-12h 14h-19h.

CAVE DES VIGNERONS DE SAUMUR 1987

83 86 87   200 ha   n.c.

Une jolie robe rubis foncé, un fruité mêlé à l'alcool expressif. Si l'attaque est un peu sèche et les tanins très présents, il pourra s'épanouir sur des viandes rouges et des rôtis : le 87 gagnera à vieillir d'autant plus qu'il ne se vend qu'en magnum.

➥ Cave des Vignerons de Saumur, Saint-Cyr-en-Bourg, 49260 Montreuil-Bellay, tél. 41.51.61.09 ℡ r.-v.

CH. DE TARGÉ 1987*

83 84 85 86 87   20 ha   130 000

Ancienne résidence de chasse qui fut lieu de repos de Gambetta et Jules Ferry, le château de Targé a retrouvé sa réelle dimension viticole avec Edgar Pisani et son fils Edouard. Le 87 à tous les atouts pour devenir un très bon vin : structure, tanins, puissance et typicité. Laissons-lui le temps de tenir ses promesses.

➥ M. Edouard Pisani-Ferry, Parnay, 49730 Montsoreau, tél. 41.38.11.50 ℡ t.l.j. 9h-12?-30 14h-19h ; sam. sur r.-v.

DOM. DU VAL BRUN 1986

81 83 84 85 86   15 ha   90 000

Il est beau, paré de rubis foncé ; il fleure la framboise et le cassis. Il se rangera dans la lignée des grands que la famille Charreau sait produire. Pour cela, attendons que sa structure dense, étoffée, évolue. Quelle belle vie sur la Loire, en gravissant le coteau menant au domaine du Val Brun.

➥ GAEC J.-P. et E. Charruau, 74, rue Val-Brun, Parnay, 49730 Montsoreau, tél. 41.38.11.85 ℡ r.-v.

DOM. DES VARINELLES 1986**

82 83 85 86   4 ha   25 000

Presque toujours dans le peloton de tête des meilleurs champigny, la maison Daheuiller pré-

sente une cuvée 86 puissante, particulièrement fruitée, rappelant le croquant du raisin. Elle a de bons atouts de vieillissement et d'évolution. On la propose pour un mariage original avec un saumon au beurre de champigny.

↳ GAEC Daheuiller, 28, rue du Ruau, Varrains, 49400 Saumur, tél. 41.52.90.94 ⌥ r.-v.

CH. DE VILLENEUVE 1987*

83 85 |86| |87|

■ 20 ha 150 000

Le vignoble et le château s'harmonisent à l'ombre du clocher XVe s. et de l'église romane, sur la côte de Souzay et Dampierre. Ce champigny assez original explose en arômes puissants, sauvignonnés. La bouche est agréable, tapissée de beaux tanins. Il laisse une impression de puissance vineuse.

↳ SCA Chevallier, Ch. de Villeneuve, Souzay-Champigny, 49400 Saumur, tél. 41.51.14.04 ⌥ t.l.j. sf dim. 8h-12h 14h-19h.

La Touraine

Les intéressantes collections du Musée des Vins de Touraine à Tours témoignent du passé de la civilisation de la vigne et du vin dans la région; et il n'est pas indifférent que les récits légendaires de la vie de saint Martin, évêque de Tours vers 380, émaillent la Légende dorée d'allusions viticoles ou vineuses... A Bourgueil, l'abbaye et son célèbre clos abritaient le «breton», ou cabernet-franc, dès les environs de l'an Mil, et, si l'on voulait poursuivre, la figure de Rabelais arriverait bientôt pour marquer de faconde et de bien-vivre une histoire prestigieuse. Une histoire qui revit au long des itinéraires touristiques, de Mesland à Bourgueil sur la rive droite (par Vouvray, Tours, Luynes, Langeais), de Chaumont à Chinon sur la rive gauche (par Amboise et Chenonceaux, la vallée du Cher, Saché, Azay-le-Rideau, la forêt de Chinon).

Célèbre il y a donc fort longtemps, le vignoble tourangeau atteignit sa plus grande extension à la fin du XIXe s.; sa superficie (environ 10 000 ha) demeure actuellement inférieure à celle d'avant la crise phylloxérique; il se répartit essentiellement sur les départements de l'Indre-et-Loire et du Loir-et-Cher, empiétant au nord dans la Sarthe. Des dégustations de vins anciens, des années 1921, 1893, 1874 ou même 1858, par exemple, à Vouvray, Bourgueil ou Chinon, laissent apparaître des caractères assez proches de ceux des vins actuels: ceci montre que, malgré l'évolution des pratiques culturales et œnologiques, le «style» des vins de Touraine reste le même; sans doute parce que chacune des appellations n'est élaborée qu'à partir d'un seul cépage. Le climat joue aussi son rôle: le jeu des influences atlantique et continentale ressort dans l'expression des vins, les coteaux du Loir formant écran aux vents du nord. En outre, la succession du nord au sud de vallées orientées est-ouest, vallée du Loir, de la Loire, du Cher, de l'Indre, de la Vienne, de la Creuse, multiplie les coteaux de tuffeau favorables à la vigne, sous un climat tout en nuances, et en entretenant une saine humidité. Dans les sols des vallées, l'argile se mêle au calcaire et au sable, avec parfois des silex; au bord de la Loire et de la Vienne, des graviers s'y ajoutent.

Ces différents caractères du «jardin de la France» se retrouvent donc dans les vins: à chaque vallée correspond une appellation, dont les vins s'individualisent chaque année grâce aux variations climatiques; et l'association du millésime aux données du cru est indispensable.

En 1976, année chaude et sèche, les vins étaient riches, pleins, avec une longue promesse de vie. En 1984, année de floraison tardive, de climat plus maussade, les vins blancs étaient plus secs, les rouges plus légers, et ils atteignent aujourd'hui un optimum d'expression. Ainsi est-il possible d'établir une échelle de générosité des vins, tendance globale des dernières années classées comme suit: 1959, 1976, 1985, 1964, 1982, 1961, 1970, 1969, 1981, 1986, 1983. Mais classement à moduler, bien sûr, entre les rouges tanniques de Chinon ou Bourgueil (plus souples quand ils sont des «bas», plus charpentés quand ils sont issus des coteaux) ou ceux plus légers, et largement diffusés en primeur, de l'appellation touraine (gamay); entre les rosés plus ou moins secs selon l'ensoleillement, tout comme les blancs d'Azay-le-Rideau ou Amboise, ou ceux de Vouvray et Montlouis dont la

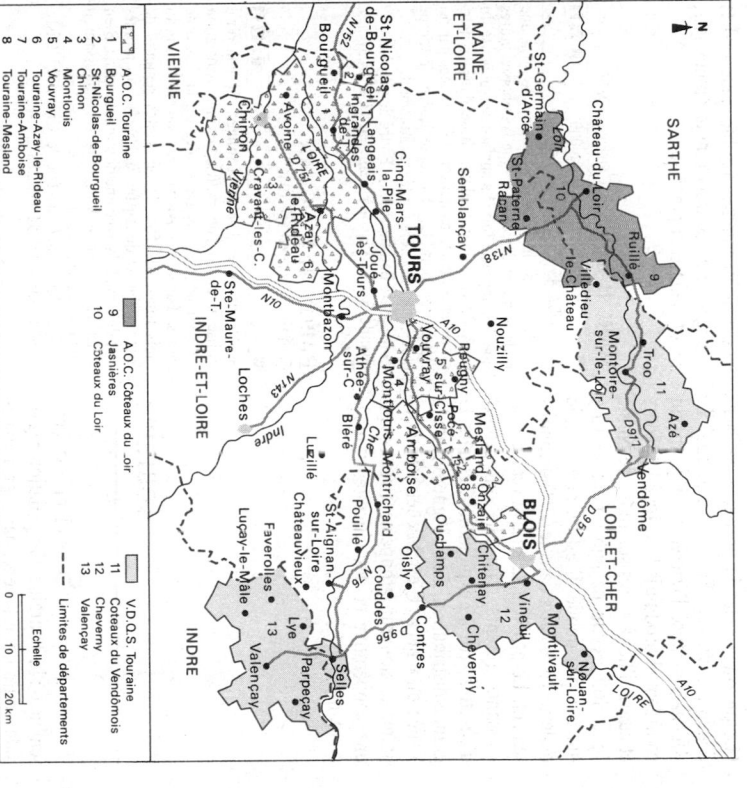

A.O.C. Touraine
1 Bourgueil
2 St-Nicolas-de-Bourgueil
3 Chinon
4 Montlouis
5 Vouvray
6 Touraine-Azay-le-Rideau
7 Touraine-Amboise
8 Touraine-Mesland

9 A.O.C. Coteaux du Loir
10 Jasnières

V.D.Q.S. Touraine
11 Coteaux du Vendômois
12 Cheverny
13 Valençay
--- Limites des départements

Echelle
0   10   20 km

La Touraine

Quoi de neuf en Touraine ?

Souples et tendres, les rouges et blancs 87 de Touraine ont le nez long et fruité. Si les rouges sont généralement bien réussis (chinon, bourgueil) et seront appréciés dans un délai de 3 à 4 ans, les blancs apparaissent plus inégaux (vouvray, montlouis); vendanges humides qui ont nécessité un tri sévère. En quantité, 550 000 hl alors que le record pour cette région s'élève à 600 000 hl.

On observe une évolution sensible du vignoble d'appellation touraine (4 200 ha). L'encépagement change nettement, avec une progression du sauvignon dans les blancs, comme en Sancerrois, et des assemblages de plus en plus fréquents en rouges. Le gamay s'allie au cabernet et au côt pour donner des vins ayant plus de corps et de persistance en bouche. C'est ce qu'on appelle le touraine «Tradition», Président du comité interprofessionnel des vins de Touraine et maire de Vouvray,

production va à des secs aux moelleux en passant par les vins effervescents. Les techniques d'élaboration des vins ont leur importance. Si les caves de tuffeau permettent un excellent vieillissement à une température constante d'environ 12°C, les vinifications en blanc se font à basse température; les fermentations durent quelquefois plusieurs semaines, voire plusieurs mois pour les vins moelleux. Les rouges légers, de type touraine primeur, sont issus de cuvaisons au contraire assez courtes; en revanche, à Bourgueil et Chinon, les cuvaisons sont longues: deux à quatre semaines. Si les rouges font leur fermentation malolactique, les blancs et les rosés doivent au contraire leur fraîcheur à la présence de l'acide malique. Globalement, la production, qui approche en moyenne durant les bonnes années les 500 000 hl, est commercialisée à 60% par le négoce. Les ventes directes représentent 25% et les coopératives 15%.

Touraine

S'étendant sur l'ensemble de la Touraine, l'appellation régionale touraine est cependant principalement localisée entre les vallées de la Loire et de l'Indre, de part et d'autre de celle du Cher. De sable et d'argile, les sols comportent parfois des secteurs où le calcaire est présent; ils sont plantés surtout de gamay noir pour les vins rouges, accompagné selon les terrains de cépages plus tanniques, comme le cabernet et le côt. La production annuelle est en moyenne de 150 000 hl de vins légers et fruités, surtout en primeurs, issus du gamay noir uniquement. A base de deux ou trois cépages, les rouges ont une bonne tenue en bouteille. Nés des cépages sauvignon, chenin blanc (ou pinot de la Loire) les blancs « nature » sont secs (de 100 à 180 000 hl selon les années). Une partie de la production des blancs est vinifiée en mousseux ou pétillants. Enfin, quelques milliers d'hectolitres de rosés secs ou demi-secs, friands et fruités, sont élaborés à partir des cépages rouges.

Aux portes de Tours, il faut noter le renouveau d'un vignoble historique donnant des rosés secs, d'appellation touraine, mais anciennement et à nouveau dénommé « noble joué ». Les cépages sont les trois pinots : pinot gris, pinot meunier et pinot noir.

Gaston Huet a été élu président de l'académie des Vins de France. Le journal *Le Monde* a relancé l'intérêt porté à un vin confidentiel produit jadis à Joué-lès-Tours et aujourd'hui à Evres-sur-Indre, le Noble Joué. Joli « coup de pub » pour ce rosé quelque peu oublié. Il est du dernier chic de le servir à Paris dans le 7ème arrondissement. Le problème... en trouver ! Enfin, naissance récente d'un Gie qui promet d'être très actif à l'exploitation, et dans la grande distribution, Les « Vignerons de la Vallée du Cher ». C'est Michel Sébéo qui anime ce nouveau groupement réunissant une coopérative et des viticulteurs indépendants.

MARC BADILLER Cabernet 1986*

78 | 81 | 82 | 85 | 86   3 ha   6 000

Représentant du terroir à Azay, ce 86 a une belle teinte et des arômes type framboises mûres que l'on apprécie fort. La surface perruchouse du sol a dû être pour quelque chose dans la naissance de ses parfums qui ont été affirmés par un élevage en bois. La charpente légère s'estompe derrière le caractère fruité très attachant.

M. Marc Badiller, 29, Le Bourg de Cheillé, Cheillé, 37190 Azay-le-rideau, tél. 47.45.24.37 r.-v.

BARONNIE D'AIGNAN
Touraine d'assemblage 1986*

n.c.   n.c.

Depuis une dizaine d'années, la confrérie réalise pour chaque millésime une association très réussie des cépages nobles de la Touraine dans sa Baronnie d'Aignan. Son 86 est d'un beau rubis foncé. Il offre de puissantes senteurs de fruits rouges et de truffe. En bouche, ses arômes sont déjà évolués avec une dominante cassis. Bien structuré, puissant et long, déjà très intéressant, il peut être laissé à mûrir.

Conf. des Vign. Oisly-Thésée, Cidex 112, Oisly, 41700 Contres, tél. 54.79.52.88 r.-v.

DOM. DU BAS GUERET
Clos des Chezeaux - Gamay 1987**

22 ha   160 000

Le domaine du Bas Guéret sur la rive gauche du Cher à Mareuil constitué d'argile à silex est planté en gamay. Le 87, dans une belle robe rubis, exprime des arômes de framboise puissants. Il est frais, rond, long, et donne une impression de grande finesse. Un gamay très élégant.

M. Jacky Preys, Le Bois Pontois, Meusnes, 41130 Selles-sur-Cher, tél. 54.71.00.34 r.-v.

JEAN-MARIE BEAUFRETON 1986*

1,30 ha   8 000

Le vignoble de M. Beaufreton se trouve sur des argiles à silex de la rive droite de la Loire entre Tours et le Bourgueillois. Il maintient avec bonheur la tradition de ce secteur ligérien autrefois très viticole. L'assemblage 86 associe la vivacité du gamay noir à la charpente des deux cabernets (franc et sauvignon). Au nez, on retrouve des arômes de cerise et d'épices. C'est un vin équilibré et harmonieux.

M. Jean-Maurice Beaufreton, 18, le Grand-Verger, 37230 Luynes, tél. 47.55.64.13 r.-v.

JACQUES BONNIGAL
Demi-sec 1985***

1 ha   10 000

Vin d'argilo-calcaire, il associe à égalité deux cépages. Le gamay lui donne un côté gouleyant et le grolleau de la finesse. Il est rose vif, sa mousse

les fruits rouges, fraise et framboise, apparaissent avec une distinction affirmée. Vin très harmonieux, il s'épanouit pleinement en cours de dégustation.

♦ M. Jacques Bonnigal, 6, rue d'Enfer, Limeray, 37530 Amboise, tél. 47.30.11.02 ☎ l.tj. 8h-20h.

SERGE BONNIGAL Brut 1985***

Vin de terroir léger, il a une belle mousse formée de fines bulles. Son nez est sympathique et, en bouche, il confirme sa finesse aromatique. Avec sa belle longueur, il affirme une excellente structure. Un vin de plaisir.

♦ M. Serge Bonnigal, 17, rue d'Enfer, 37530 Limeray, tél. 47.30.04.77 ☎ r.-v.

YVES BOUTON Sauvignon 1987*

1.30 ha 10 000

Sauvignon d'un beau jaune-vert, il est discret au nez, un peu vanillé. Très équilibré en bouche.

♦ M. Yves Bouton, Le Bourg, 41700 Couddes, tél. 54.71.32.45

PAUL BUISSE Touraine Tradition 1986***

n.c. 20 000

La maison Buisse donne avec ce Tradition 86 un bon exemple de ce qu'il est possible de réaliser quand on a acquis le tour de main nécessaire pour associer des cépages rouges de la Touraine et pour élever dans des caves de tuffeau. La robe de ce 86 est rubis soutenue ; il a un nez évolué et très expressif où se rencontrent la cerise et la truffe. Plein et généreux, il a une bonne charpente et évoluera vers une harmonie optimale.

♦ M. Paul Buisse, 69, rue de Vierzon, 41400 Montrichard, tél. 54.32.00.01 ☎ lu. ma. me. je. ve. 8h-12h 14h-18h.

CH. DE CHENONCEAU 1986**

2 ha 15 000

Le vignoble a des origines au moins aussi anciennes que celles du château. Le pineau de la Loire est ici tout à fait à sa place sur les argilocalcaires des coteaux bien exposés de la rive droite du Cher. La robe est jaune pâle, brillante, le nez tout à fait flatteur. En bouche, il s'épanouit avec de l'intensité et de la longueur ; on retrouve le «grain» du cépage. Fin et gai, tout indiqué pour accompagner les poissons.

♦ Chenonceaux Expansion SA, Ch. de Chenonceau, Chenonceaux, 37150 Bléré, tél. 47.23.90.07 ☎ r.-v.

DOM DES CORBILLIÈRES Tradition 1985***

5 ha 5 000

Si l'étiquette de cette bouteille est un peu triste, le vin ne l'est assurément pas. Rond et bien charpenté, avec des arômes épicés sans doute

apportes par le côl, il est plaisant et devrait se montrer parfaitement apte au vieillissement.

♦ M. Maurice Barbou, Dom. des Corbillières, Oisly, 41700 Contres, tél. 54.79.52.75 ☎ r.-v.

DOM DES CORBILLIÈRES 1987***

11 ha 70 000

Au domaine des Corbillières, on connaît particulièrement bien le sauvignon depuis le grand-père Fabel, promoteur de ce cépage dans la région. Les terroirs du domaine sont sableux en surface. Le cru 87, très caractéristique du cépage, est intense et fin. En bouche, il est rond, bien équilibré, généreux et tout à fait agréable.

♦ M. Maurice Barbou, Dom. des Corbillières, Oisly, 41700 Contres, tél. 54.79.52.75 ☎ r.-v.

11,5 % vol.
Maurice BARBOU
Viticulteur, OISLY (Loir-et-Cher)
DOMAINE DES CORBILLIÈRES
TOURAINE
APPELLATION TOURAINE CONTROLÉE
SAUVIGNON 1987
Mise en bouteilles à la Propriété
SERVIR FRAIS MAIS NON GLACÉ
Bouteille No 38640
750 ml

CRISTAL BUISSE Sauvignon 1987*

n.c. 200 000

Le Cristal Buisse est obtenu par une sélection des récoltes de sauvignon des bons vignerons tourangeaux. Discret, il se révèle très fin en bouche avec une bonne persistance aromatique. C'est un touraine plaisant qui a l'amabilité des sites qui l'ont vu naître.

♦ M. Paul Buisse, 69, rue de Vierzon, 41400 Montrichard, tél. 54.32.00.01 ☎ lu. ma. me. je. ve. 8h-12h 14h-18h.

JACQUES DELAUNAY Sauvignon 1987**

4 ha 35 000

Les vignes sont sur des argiles à silex. Bien limpide avec une perle de gaz carbonique, ce 87 exhale une odeur très typée avec une forte intensité. Souple, rond et fin, il a une intéressante personnalité très caractéristique du cépage et du terroir.

♦ M. Jacques Delaunay, Dom. des Sablons, Pouillé, 41110 Saint-Aignan, tél. 54.71.44.25 ☎ r.-v.

JEAN-MICHEL DESROCHES 1987*

1 ha 8 000

Il a une robe jaune-vert limpide et à l'odorat il s'exprime dans les nuances florales. D'un bon équilibre en bouche, il est long, fin et aromatique.

♦ M. Jean-Michel Desroches, Les Rairbaudières, Saint-Georges-sur-Cher, 41400 Montrichard, tél. 54.32.33.13 ☎ r.-v.

CLAUDE DUGUET Gamay 1987*

■   5 ha   n.c.   🍷 ▮ 3

Une robe rubis ornée de reflets couleur de cerises mûres, un nez puissant et jaune, une bouche fraîche, ronde, qui se prolonge joliment en un arôme floral un peu jacinthe. Il est harmonieux et élégant, agréable dès maintenant.

⌐ M. Claude Duguet, 5, imp. des Varennes, Thésée, 41140 Noyers-sur-Cher, tél. 54.71.48.43 Ⳋ lu. ma. me. je. ve. 9h-12h 14h-18h.

DUPUY PERE ET FILS
Noble-Joué 1987***

▯   n.c.   10 000   🍷 ▮ 1

Rosé à nuance œil-de-perdrix, il a une forte intensité aromatique et se signale par son élégance. Frais, rond, généreux et bien structuré, de bonne longueur, son harmonie générale lui promet un bel avenir. Il a fait l'unanimité du jury.

⌐ M. Dupuy Père et Fils, Le Vau, 37320 Esvres-sur-Indre, tél. 47.26.44.46

PIERRE FRISSANT Demi-sec 1985**

○   n.c.   n.c.   🍷 ▮ 2

On note, avec ses jolies bulles fines, sa finesse à l'odorat et son très bon équilibre. Harmonieux et fin, c'est un demi-sec tout à fait réussi.

⌐ M. Pierre Frissant, 4, chem. Neuf, Mosnes, 37530 Amboise, tél. 47.57.23.18 Ⳋ r.-v.

XAVIER FRISSANT 1987*

○   0,40 ha   5 000   🍷🍷 🍷 ▮ 1

Jaune-vert, il a une bonne intensité aromatique au nez et en bouche. Il est bien structuré, rond et agréable.

⌐ M. Xavier Frissant, 4, chem. Neuf, Mosnes, 37530 Amboise, tél. 47.57.23.18 Ⳋ r.-v.

GERARD GABILLET
Les Caves de La Ramée - Côt 1986***

○   1,30 ha   4 000   🍷🍷 🍷 ▮ 1

Le côt est un cépage qui se trouve depuis fort longtemps implanté sur les premières côtes du Cher. Les coteaux argilo-calcaires aux sols peu profonds sur craie turonienne lui permettent de produire un raisin apte à l'obtention d'un vin particulièrement intéressant. Celui-ci, habillé d'une belle robe foncée, offre un nez puissant de griotte. Long, plein et étoffé, il est très typé avec

une grande persistance aromatique. C'est un très beau vin auquel on peut promettre un bel avenir.

⌐ M. Gérard Gabillet, 31, rue des Charmoises, Thésée, 41140 Noyers-sur-Cher, tél. 54.71.45.02 Ⳋ r.-v.

BERNARD GIBAULT Gamay 1987**

■   2 ha   15 000   🍷🍷 🍷

Dans une belle robe foncée, il offre des senteurs de violette alors qu'en bouche on trouve plutôt le cassis. Il exprime de la vivacité tout en étant généreux, étoffé et doté d'une bonne charpente. Très bien équilibré, on peut l'attendre.

⌐ M. Bernard Gibault, Les Martinières, 41140 Noyers-sur-Cher, tél. 54.75.36.52 Ⳋ l.l.j. 9h-20h.

CHRISTIAN ET ANNIE GIRARD
Sauvignon 1987*

▯   4 ha   20 500   🍷 ▮ 2

Les sols siliceux sur lesquels est implanté le sauvignon confèrent au vin une belle teinte jaune-vert et un nez sympathique assez floral. En bouche, on note un équilibre harmonieux.

⌐ Christian et Annie Girard, Fages, Thenay, 41400 Montrichard, tél. 54.32.50.67 Ⳋ r.-v.

GIRAULT PERE ET FILS 1987*

▯   3,50 ha   10 000   🍷🍷 🍷 ▮ 2

Sur les terrains silico-argileux de Grand Mont, le sauvignon est bien à sa place. Ce 87 a une robe jaune limpide, un nez discret et franc. Il est bien équilibré et plaisant.

⌐ GAEC Girault Père et Fils, Le Grand Mont, 41140 Noyers-sur-Cher, tél. 54.75.18.63 Ⳋ r.-v.

ROLAND GREFFE Brut 1986***

○   🍷 ▮ 2

La maison Greffe maîtrise parfaitement la prise de mousse et le séjour sur lattes de ses cuvées. Celle-ci a donné un vin «moustillant». De belle couleur, avec un nez très fumé et tout à fait type touraine. Bien équilibré, remarquable par sa fraîcheur et sa finesse, ce vin est représentatif de l'AOC.

DOM. DE LA CHARMOISE
Gamay 1987**

| | 32 ha | 300 000 | ♣ M □ 2 |

Le vignoble situé sur une butte témoin d'argiles à silex aux confins de la Touraine, en lisière du Blésois et de la Sologne, a été implanté il y a une vingtaine d'années. La maturation carbonique bien suivie donne ici la quintessence des arômes du cépage dont les fruits sont récoltés à la main dans un domaine viticole qui lui est particulièrement favorable. Un vin très sympathique.

♦ M. Henry Marionnet, Dom. de la Charmoise, Soings-en-Sologne, 41230 Mur-de-Sologne, tél. 54.98.70.73 Ⴔ r.-v.

CLOS DE LA DOREE 1987**

| | 5 ha | 30 000 | ♣ M □ 2 |

Le Clos de La Dorée maîtrise bien l'assemblage des trois cépages du Noble Joué et leur vinification. 87 apparaît rosé ambré, avec une bonne persistance aromatique. C'est un vin plein d'harmonie.

♦ GAEC Clos de La Dorée, Le Vau, 37320 Esvres-sur-Indre, tél. 47.26.44.45 Ⴔ t.l.j. 8h-20h.

♦ M. Rousseau.

DOM. DE LA GARRELIERE 1987***

| | 10 ha | 45 000 | ♣ M □ 2 |

Le domaine de La Garrelière, à l'extrémité sud-ouest de la Touraine, appartenait au duc de Richelieu. Très agréable à l'œil, ce 87 a une bonne intensité aromatique légèrement muscatée. Il est frais, plein, long et élégant. C'est un beau vin très harmonieux.

♦ M. François Plouzeau, La Garrelière, Razines, 37120 Richelieu, tél. 47.95.62.84 Ⴔ r.-v.

DOM. DE LA RENAUDIE 1986*

| | 2 ha | 7 000 | ♣ i M □ 2 |

Mûris sur les argiles à silex de la rive gauche du Cher, les raisins du cabernet ont donné ce sympathique 86 à la robe rubis et au nez assez intense et agréable. En bouche, il est fruité, étoffé, et ne manque pas de longueur.

♦ GAEC Jacques et Bruno Denis, La Méchinière, Mareuil-sur-Cher, 41110 Saint-Aignan, tél. 54.75.18.72 Ⴔ r.-v.

DOM. DE LA RENAUDIE
Sauvignon 1987***

| | 2,50 ha | 13 000 | ♣ i M □ 2 |

Nous avons, avec ce sauvignon de la rive gauche du Cher, une bonne expression de la rive minérale de ce terroir. Sa robe est belle, son nez agréable. Il a une bonne présence en bouche, de l'équilibre et de la charpente. De bonne tenue, il peut évoluer d'une manière intéressante. Excellent.

♦ M. Roland Greffe, 35, rue Neuve, Vernou-sur-Brenne, 37210 Vouvray, tél. 47.52.12.24 Ⴔ r.-v.

♦ GAEC Jacques et Bruno Denis, La Méchinière, Mareuil-sur-Cher, 41110 Saint-Aignan tél. 54.75.18.72 Ⴔ r.-v.

DOM. DE LA ROCHETTE 1987*

| | 10 ha | 75 000 | ♣ i M □ |

François Leclair, petit-fils de vigneron, a installé le sauvignon dans les terrains de la commune les mieux adaptés. Au nez, il a un caractère floral, fleur de verveine avec une nuance de fumé. En bouche, on l'apprécie pour sa fraîcheur, sa légèreté, sa gaieté.

♦ M. François Leclair, La Rochette, Pouillé, 41110 Saint-Aignan, tél. 54.71.44.02 Ⴔ r.-v.

LECLAIR PERE ET FILS
Sauvignon 1987**

| | 5 ha | 20 000 | ♣ i M □ |

Angé, commune de la rive gauche du Cher, compte des terrains particulièrement favorables à l'expression équilibrée du sauvignon. Assez intense et très fin, bien structuré, ce 87 est typé et agréable.

♦ GAEC Leclair Père et Fils, La Follière, Angé, 41400 Montrichard, tél. 54.32.09.72 Ⴔ r.-v.

LE CLOS NEUF DES ARCHAMBAULTS
Cabernet-Vieille Vigne 1986***

| 82 83 84 85 86 | 0,50 ha | 3 000 | ♧ ♣ i M □ 2 |

Ce Clos qui appartient à la même famille depuis plusieurs siècles convient particulièrement au cabernet-franc. Sur la rive droite de la Vienne, la vigne est située sur une pente calcaire. Le vin élevé en bois a une robe somptueuse rubis foncé ; son bouquet est marqué de framboise et de truffe. Il est plein, rond, bien équilibré. Sa solide charpente lui promet un bel avenir.

♦ M. Jean-François Dehelly, Les Archambaults, 37800 Sainte-Maure-de-Touraine, tél. 47.65.48.70 Ⴔ r.-v.

LES PIRETTES
Touraine Tradition 1986**

| | 15 ha | 15 000 | ♣ i M □ 2 |

Cette cuvée Tradition 86 vient de la trilogie : gamay côt, cabernet, cultivés sur terrains perruchoux des coteaux du Cher, dans la région de Bléré. La robe est de couleur rubis soutenu ; le nez assez intense est du type cerise. Ce type se retrouve en bouche avec en plus une touche de

vanille. Structuré et harmonieux, il est bien représentatif de l'appellation.
SICA Cellier du Beaujardin.
32, av. du 11-Novembre, 37150 Bléré, tél. 47.57.91.04 r.-v.
Cave Coop. Bléré Athée.

JOEL LOUET Cabernet 1986*

1,50 ha   6 000

Cabernet d'argilo-calcaire, il a une robe pourpre, majestueuse. On note au nez de sympathiques arômes qui demandent encore un peu de maturation pour bien s'épanouir. Un vin harmonieux et élégant.
M. Joël Louet, Les Sablons, Saint-Romain, 41140 Noyers-sur-Cher, tél. 54.71.72.83 t.l.j. 8h-12h 14h-18h.

BERNARD MABILLE Demi-sec 1982*

n.c.

Ce vignoble de la vallée de Vaugondry planté sur argilo-calcaire associe dans ce rosé une belle guirlande de quatre cépages tourangeaux très complémentaires. Le grolleau très dominant en pourcentage apporte sa finesse dans les bulles et dans le bouquet, le gamay de la vivacité, le côt de la couleur et du corps, le pineau d'Aunis une nuance épicée. D'un beau rose vif, il révèle au nez du floral et du fruité et en bouche une nuance poivrée. Il est harmonieux, ample et flatteur au palais.
M. Bernard Mabille, Vaugondry, Vernou-sur-Brenne, 37210 Vouvray, tél. 47.52.10.94 r.-v.

JACKY MANDARD J.-M. 1986***

1 ha   8 000

Venu des Premières Côtes de la rive gauche du Cher, ce cabernet apparaît rubis, légèrement tuilé. Avec un bouquet dominé par le cassis et un grand végétal, il se montre souple, long et étoffé. Particulièrement harmonieux et plaisant, il exprime le savoir-faire d'une famille établie sur la propriété depuis 1870.
M. Jacky Mandard, Bagneux, Mareuil-sur-Cher, 41110 Saint-Aignan, tél. 54.75.09.53 r.-v.

ERIC MARKEVICINTE Cuvée du Coussin d'Amour 1986*

1,10 ha   3 000

A base de pinot noir, il a une belle couleur rubis et un nez assez typique du cépage. Bien équilibré, il laisse une bonne impression en bouche.
M. Eric Markevicinte, La Bonsinière, 41140 Thésée-la-Romaine, tél. 51.32.76.17 r.-v.

JACKY MARTEAU Brut 1985**

n.c.

Sa mousse constituée de bulles fines tient longtemps, sa robe est belle et son nez agréable. Le plaisir aromatique se prolonge en bouche, c'est un vin que l'on voudrait retenir.
M. Jacky Marteau, La Tesnière, Pouillé, 41110 Saint-Aignan, tél. 54.71.50.00 r.-v.

JACKY MARTEAU 1986*

2,50 ha   20 000

Venant de coteaux argilo-siliceux, ce cabernet 86 est beau en couleur, aromatique avec intensité et bien dans le type du cépage. Souple, étoffé, puissant, il est surtout remarqué par la personnalité de son bouquet.
M. Jacky Marteau, La Tesnière, Pouillé, 41110 Saint-Aignan, tél. 54.71.50.00 r.-v.

DOM. CHRISTIAN MAUDUIT Gamay 1987*

4 ha   40 000

Sur les sols silico-argileux de la rive gauche, on a obtenu ce 87 paré de rubis brillant. Son nez est discret. Il est frais, fruité et plaisant.
M. Christian Mauduit, La Méchinière, Mareuil-sur-Cher, 41110 Saint-Aignan, tél. 54.75.15.80 t.l.j. sf dim. 8h-12h 14h-19h.

ROBERT MESLIAND Sauvignon 1987*

1 ha   5 000

Vin de Limeray issu de terrains sableux en surface, il a une couleur jaune paille. Un peu fumé au nez, il est nerveux, très sec, aux arômes subtils. Il convient très bien aux fruits de mer.
M. Robert Mesliand, 15 bis, rue d'Enfer, Limeray, 37530 Amboise, tél. 47.30.11.15 r.-v.

ROBERT MESLIAND Brut 1986**

1,50 ha   8 000

Composé de chenin dénommé pineau de la Loire en Touraine, il a bien le caractère solide du cépage. Il apparaît avec une mousse généreuse et un nez plaisant. On le note aromatique en bouche, il a le profil classique du terroir : on y retrouve la longueur.
M. Robert Mesliand, 15 bis, rue d'Enfer, Limeray, 37530 Amboise, tél. 47.30.11.15 r.-v.

DOROTHEE ET THIERRY MICHAUD Cabernet 1986***

3 ha   n.c.

Planté sur des terres légères et riches en graviers, le cabernet trouve ici un sol qui lui permet de donner toute sa mesure. C'est ce qu'il fait avec ce vin, bien présenté, agréable par son bouquet, long et bien typé.
M. et Mme T. et D. Michaud, Les Martinières, 41140 Noyers-sur-Cher, tél. 54.32.47.23 r.-v.

MARC MICHAUD 1987

0,60 ha   2 500

Né sur les pentes caillouteuses de la rive droite du Cher, ce rosé saumoné se présente avec une odeur sympathique. Il est souple et long en bouche.
M. Marc Michaud, Les Martinières, 41140 Noyers-sur-Cher, tél. 54.75.08.85 r.-v.

THIERRY MICHAUD 1987*

2 ha   10 000

Dorothée et Thierry Michaud ont bien maîtrisé la vinification de ce touraine qui exprime les caractéristiques du cépage avec ses nuances vertes et sa typicité aromatique. Tout en finesse, c'est un vin très élégant.
M. et Mme T. et D. Michaud, Les Martinières, 41140 Noyers-sur-Cher, tél. 54.32.47.23 r.-v.

J.-M. MONMOUSSEAU Brut**
n.c.   400 000

Une maison plus que centenaire, célèbre au Québec. Vin vif, léger, aux arômes de pomme, au nez brioché, destiné à l'apéritif ou aux heures joyeuses.
➤ M. J.-M. Monmousseau, 71, rue de Vierzon, B.P. 25, 41400 Montrichard, tél. 54.32.07.04 ℡ t.l.j; 9h-12h 14h-18h.

JEAN NAU Brut**
0.10 ha   2 000

Sa mousse est fine et élégante sur une couleur franche à nuances orangées. Très floral, il a dans ses parfums de nuances printanières mais on trouve aussi du fruit dans son bouquet. En bouche, il est plus complexe avec certaines touches poivrées. Il est souple, bien équilibré, long et harmonieux, tout en finesse.
➤ M. Jean Nau, La Perrée, Ingrandes-de-Touraine, 37140 Bourgueil, tél. 47.96.98.59 ℡ t.l.j; sf dim. 8h-12h 14h-19h; dim. sur r.-v.

NICOLAS Sauvignon 1987*
n.c.   r.c.

Toujours très bon, ce sauvignon de Touraine mis en bouteille à Saint-Romain-du-Cher. Il évite l'écueil végétal sur lequel bute si souvent le sauvignon. Robe très pâle, nez résineux, attaque vive, acidité fraîche presque verte. Franc et net.
➤ Ets Nicolas, 253, av. du Gal-Leclerc, 94700 Maisons-Alfort, tél. 1.43.36.81.81.

DOM. OCTAVIE Sauvignon 1987**
4.50 ha   40 000

Depuis 1885, la famille Barbeillon a pratiqué le métier de vigneron. Patricia, œnologue, confirme ses talents de vinificateur. Le 87 est un vin floral, ample, très fin et égayé par une finale agréable. Destiné aux asperges à la solognote.
➤ M. Jean-Claude Barbeillon, Dom. Octavie, Marcé, Oisly 41700 Contres, tél. 54.79.54.57 ℡ t.l.j; 8h30-12h30 14h-19h30.

DOM. OCTAVIE Tradition 1985***
3 ha   15 000

Produit sur le sol léger de la commune d'Oisly, ce très beau vin a tiré de son terroir la finesse de ses arômes (épices et vanillés). Mais il possède aussi un solide corps dont la charpente entend se porter garante de son vieillissement.
➤ Dom. Octavie, Marcé, Oisly, 41700 Contres, tél. 54.79.54.57 ℡ t.l.j; 8h30-12h30 14h-19h30.

VIGNERONS DE OISLY ET THESEE Sauvignon - Cuvée Prestige 1987**
100 ha   n.c.

La confrérie des vignerons de Oisly maîtrise depuis fort longtemps la technique des assemblages de raisins de différents terroirs argilo-siliceux ou argilo-calcaires et leur vinification. Elle présente ici un vin de belle couleur jaune-vert, aux arômes très fins à caractère floral. En bouche, apparaît le fruit. Long, élégant, il est très harmonieux dans son style.
➤ Conf. des Vign. Oisly-Thésée, Cidex 112, Oisly, 41700 Contres, tél. 54.79.52.88 ℡ r.-v.

RENE PAUMIER 1987*
8 ha   50 000

Joli vin, discret. Souple et bien aromatique, il est gouleyant.
➤ M. René Paumier, Galerne Chateauvieux, 41110 Saint-Aignan-sur-Cher, tél. 54.75..9.31

MAURICE PERCEREAU Sauvignon 1987*
1 ha   3 000

Sur les argilo-siliceux de Limeray, on a planté du sauvignon, généralement au nord de la zone de Première Côte privilégiée pour le chenin. Ce 87 a un nez typé un peu végétal ; en bouche, il exprime bien son terroir. Il est plein en bouche avec assez de fraîcheur pour manifester le caractère primesautier du cépage.
➤ M. Maurice Percereau, 85, rue de Blois, Limeray, 37530 Amboise, tél. 47.30.11.40 ℡ r.-v.

DOM. DES PERRETS Pineau de Loire 1987*
2 ha   5 000

En remontant le Cher sur la rive gauche, le pineau de la Loire s'était fortement implanté au Saint-Georges-sur-Cher. Venant de vieilles vignes établies sur des sols perruchoux, élevé en fût, ce cépage donne ici une expression très intéressante. Un peu discret à l'odorat, il a la mâche très caractéristique du chenin. Il est vif, sec, assez léger, parfait pour les fruits de mer.
➤ M. Bruno Bouges, Dom. des Perrets, La Chaise, Saint-Georges-sur-Cher, 41400 Montrichard, tél. 54.75.02.95 ℡ r.-v.

CH. DU PERRON 1987
3.80 ha   n.c.

Un vieux logis de Touraine en son vignoble en limite de Richelieu. Celui-ci produit un 87, né d'un mariage heureux de deux cépages traditionnels de Touraine réservés à la production du rosé, le gro leau et le pineau d'Aunis. Sa robe est rose vif, son nez agréable, il est plaisant et harmonieux.
➤ M. André Blanchard, Ch. du Perron, Lémeré, 37120 Richelieu, tél. 47.95.71.04 ℡ t.l.j; sf dim. 8h30--2h30 13h30-18h ; f. jours fériés

CH. DU PETIT THOUARS Cabernet 1986**
12 ha   40 000

Groseille, café, caramel : la bouche est équilibrée à nerveuse. Un bon 86. Pas gras mais long.
➤ M. Yves du Petit-Thouars, Ch. du Petit Thouars, Saint-Germain-sur-Vienne, 37500 Chinon, tél. 47.95.96.40 ℡ r.-v.

RENE PINON ET FILS 1986**
2.50 ha   10 000

Vin d'argile à silex, il est doté d'une belle couleur rubis et d'arômes très plaisants de fruits rouges. Il est vif, étoffé et charpenté, au total, harmonieux. Il doit évoluer très favorablement pour le plus grand plaisir des connaisseurs.
➤ GAEC René Pinon et Fils, L'Ormeau, Saint-Julien-de-Chédon, 41400 Montrichard, tél. 54.32.03.69 ℡ r.-v.

ROLAND PLOU ET FILS
Sauvignon 1987**

1,65 ha — 14 000

Le vignoble cultivé en exploitation familiale depuis le XVIe s. comporte une partie en sauvignon sur argilo-calcaire. Le microclimat, influencé par la proximité de la Loire, détermine des vins bien pourvus en glycérol. Le millésime 87 est discret au nez mais ses arômes sont persistants en bouche et il a beaucoup d'élégance.

MM. Roland Plou et Fils, 11, rue d'Artigny, Chargé, 37530 Amboise, tél. 47.57.05.47 r.-v.

DOM. DU PRE BARON
Sauvignon 1987**

6 ha — 40 000

On se retrouve ici dans le berceau du sauvignon, sur des terrains argilo-siliceux et sous un microclimat tourangeau à nuance continentale. Le cépage se présente avec sa robe typique et son odeur caractéristique avec une bonne intensité. En bouche, il est rond et ses arômes sont puissants. Un vin élégant et agréable.

M. Guy Mardon, Pré Baron, Oisly, 41700 Contres, tél. 54.79.52.87 t.l.j. 8h-12h 14h-19h.

PRINCE PONIATOWSKI Brut*

2 ha — 10 000

Elaboré à partir d'un vin de base issu du seul cabernet-franc, c'est un rosé œil-de-perdrix pâle aux bulles fines et vives. Au nez, il présente des arômes briochés complexes. On remarque sa finesse et son harmonie.

Prince Poniatowski, Le Clos Baudoin, 37210 Vouvray, tél. 47.52.71.02 r.-v.

DOM. DES QUATRE-VENTS
Brut 1985**

2,50 ha — 8 000

Cette troisième génération de vignerons ne s'est mise à la vente en bouteilles que depuis 10 ans. Elle a réussi avec cet heureux assemblage de chenin, de chardonnay et de pinot noir une excellente cuvée égayée de bulles fines. Son nez est élégant et bien équilibré. C'est un beau vin, complet, auquel le chenin maintient la fraîcheur caractéristique de l'appellation.

M. Claude Marteau et Fils, La Rouerie, Thenay, 41400 Montrichard, tél. 54.32.50.51 r.-v.

DOM. DES ROCHES Tradition 1986*

3 ha — 15 000

En Première Côte de Seigy, Bernard Ardois cultive les trois cépages rouges traditionnels et maîtrise bien leur vinification de manière à réaliser une heureuse association. Ses arômes de fruits rouges type cerise et guigne se révèlent persistants. Avec sa bonne attaque, sa puissance et sa rondeur, c'est un beau vin qui peut vieillir.

M. Bernard Ardois, Roches, Seigy, 41110 Saint-Aignan, tél. 54.75.14.23 r.-v.

VIGNERONS DES COTEAUX ROMANAIS Sauvignon 1987*

28 ha — 20 000

Les vignerons des Coteaux Romanais ont leurs vignes à la fois sur des terrains sableux et calcaires, les premiers apportant le parfum, les seconds de la rondeur. Vinifié avec soin, ce vin se présente avec une belle couleur, un nez agréable et typé. Il est léger et plaisant.

Vignerons des Coteaux Romanais, Le Bourg, Saint-Romain-sur-Cher, 41140 Noyers-sur-Cher, tél. 54.71.70.74 r.-v.

JEAN-JACQUES SARD
Noble-Joué 1987*

1,10 ha — 3 500

Assemblage classique du Noble-Joué, à dominante meunier, associé au pinot gris, malvoisie de Touraine et un petit pourcentage de pinot noir, c'est un beau vin rose ambré brillant. De riches senteurs de raisin annoncent une bouche étoffée et fine.

M. Jean-Jacques Sard, La Chambrière, 37320 Esvres, tél. 47.26.42.89 r.-v.

DOM. SAUVETE ET FILS
Sauvignon 1987*

2 ha — 4 000

Il est issu de terrains dénommés «grenouilles» à Monthou-sur-Cher, ce qui veut dire très chargés en cailloux dans le parler tourangeau. Il est jaune paille, agréable à l'odorat, souple et équilibré.

GAEC Sauvète Père et Fils, La Bocagerie, Monthou-sur-Cher, 41400 Montrichard, tél. 54.71.48.68 t.l.j. 8h-19h.

HUBERT SINSON Tradition 1986*

10 ha — 30 000

Vin d'argile à silex produit dans la partie est des Coteaux du Cher. Classé en appellation touraine, ce Tradition 86 est doté d'une belle couleur foncée. A l'odorat, il est évolué mais on apprécie son bon équilibre et on peut présager son plein épanouissement après quelque temps de garde.

M. Hubert Sinson, Le Muza, Meusnes, 41130 Selles-sur-Cher, tél. 54.71.00.26 r.-v.

Touraine-amboise

De part et d'autre du château des XVe et XVIe s., non loin du manoir du Clos-Lucé où vécut et mourut Léonard de Vinci, le vignoble de l'appellation touraine-amboise (150 ha) produit surtout des vins rouges (8 000 hl environ) à partir du gamay et accessoirement du côt et du cabernet. Ce sont des vins pleins, avec des tanins légers; lorsque côt et cabernet dominent, les vins ont une bonne aptitude au vieillissement. Les mêmes cépages donnent des rosés secs et tendres, fruités et bien typés (1 000 hl). Secs à demi-secs

selon les années, avec une bonne aptitude au vieillissement, ce sont 3 000 hl de vins blancs qui sont produits.

JACQUES BONNIGAL
Cuvée François 1er 1986**

4 ha 10 000

Assemblage triangulaire classique de la cuvée François 1er; il est doté d'une belle couleur et son bouquet est riche. Souple, rond et charpenté, il est harmonieux et agréable dès maintenant.

M. Jacques Bonnigal, 6, rue d'Enfer, Limeray, 37530 Amboise, tél. 47.30.11.02 t.l.j.; 8h-20h.

PASCAL BONNIGAL 1987**
(85) 1871

2 ha 8 000

Issu des Premières Côtes de la rive droite de la Loire, il est brillant, jaune clair, et révèle de riches arômes de miel. Bien équilibré, frais, rond et généreux, il est extrêmement plaisant.

M. Pascal Bonnigal, 17, rue d'Enfer, 37530 Limeray, tél. 47.30.11.02 t.l.j, 8h-20h.

CATROUX 1986**

1 ha 4 000

La robe est d'un beau rubis profond, il présente une bonne intensité aromatique (musc et léger poivron). C'est un vin harmonieux et généreux qui ne demande qu'à s'épanouir.

Mme Florent Catroux, 27 Fourchette, Pocé-sur-Cisse 37530 Amboise, tél. 47.57.26.96 t.l.j.

ANDRE COLIN 1986**

3 ha 5 000

Rubis brillant, riche et très élégant, il montre une pointe de musc. D'abord vif en bouche, il s'épanouit avec amplitude. Fin et harmonieux. C'est un vin tout en distinction et gai.

M. André Colin, 5, rue Alphonse-Daudet, Chargé, 37530 Amboise, tél. 47.57.04.68 t.l.j; sf dim. 9h-12h 14h-18h; f. Sept. et oct.

THIERRY DENAY Moelleux 1987*

4 ha n.c.

Il est doté d'arômes jeunes prometteurs pour l'avenir; on note en bouche une pointe de miel caractéristique de raisins bien mûrs. Bien équilibré et très rond, c'est un beau moelleux de touraine-amboise.

M. Thierry Denay, 16, quai des Violettes, 37400 Amboise, tél. 47.57.29.54 r.-v.

HUBERT DENAY
Cuvée François 1er 1986**

1 ha 5 000

Il est très profond à pourpre, il a une odeur riche de fruits très mûrs (pruneau). Avec les cépages nobles de l'appellation, il associe fruit, plénitude et charpente qui lui permettront une heureuse évolution.

M. Hubert Denay, Le Breuil 37400 Amboise, tél. 47.57.11.53 r.-v.

DOM. DUTERTRE 1987*

n.c. 10 000

Récolté en Première Côte sur terrain argilo-siliceux, ce 87, en belle robe dorée, offre un bouquet de fruits mûrs. Vif, bien structuré, il s'épanouit avec une touche minérale. Il a le grain de pin au de la Loire caractéristique des bons terroirs de Limeray.

MM. Dutertre Père et Fils, 20, rue d'Enfer, pl. du Terre Limeray, 37530 Amboise, tél. 47.30.10.69 t.l.j, 8h-19h; sur r.-v. le dim.

DOM DE LA GABILLIERE 198.***

4 ha 8 000

Issu de sols pernicheux, il se présente dans une belle robe jaune-vert. Son nez de pomme fine est puissant, caractéristique de l'appellation. Fruité, rond, plein et généreux, frais sans agressivité, c'est un très beau vin parfaitement élégant. De plus sa charpente est prometteuse.

Dom. de la Gabillière, 13, rue de Bléré, 37403 Amboise, tél. 47.30.48.58 r.-v.
Lycée Viticole d'Amboise.

ROBERT MESLIAND 1986***

1 ha n.c.

D'un beau rubis aux arômes agréables qui devraient encore s'épanouir, il est souple et élégant. L'association du gamay et du côt est particulièrement réussie, elle lui confère en un équilibre harmonieux. Fruité, il ne manque pas de longueur; c'est un vin très agréable.

M. Robert Mesliand, 15 bis, rue d'Enfer, Limeray, 37530 Amboise, tél. 47.30.11.15 r.-v.

CATHERINE MOREAU 1987*

2 ha 8 000

Sur des terrains argilo-siliceux de Cangey, le gamay est particulièrement bien à sa place. Vinifié avec soin par Catherine Moreau, héritière de quatre générations de vignerons, ce vin est né dans l'ancienne église du hameau de Fleuray aménagée en cave depuis 1850. Il est d'un beau rubis, ses arômes riches encore fermés demandent un peu de temps pour s'épanouir. Vif et agréable, il est à attendre.

Mme Catherine Moreau, Fleuray, Cangey, 37530 Amboise, tél. 47.30.09.93 r.-v.

YVES MOREAU 1987*

1 ha 5 000

D'un très beau rose vif, ce 87 a été obtenu à partir du gamay noir à jus blanc. Son nez est discret mais on apprécie son équilibre et sa longueur.

M. Yves Moreau, Fleuray, Cangey, 37530 Amboise, tél. 47.30.09.93 r.-v.

DOMINIQUE PERCEREAU 1987*

3 ha 5 000

Il est à base de gamay et sa robe vive couleur griotte s'associe à une couleur jeune de fruits rouges. Souple et harmonieux, il a une bonne charpente et pourra évoluer avantageusement.

M. Dominique Percereau, 85, rue de Blois, 37530 Amboise, tél. 47.30.11.40 r.-v.

DOMINIQUE PERCEREAU 1987*

□ 1 ha 3 000 V 1

(85) 87

Jaune clair, il exprime des arômes primaires de raisins mûrs. Frais, long et d'une agréable rondeur, c'est un vin riche qui évoque les beaux coteaux de la rive droite. Il est apte à une intéressante évolution qui permettra de le présenter avec un foie gras.

M. Dominique Percereau, 85, rue de Blois, Limeray, 37530 Amboise, tél. 47.30.11.40 r.-v.

Touraine-azay-le-rideau

Sur 50 ha répartis sur les deux rives de l'Indre, les vins ont ici l'élégance du château qui se reflète dans la rivière et dont ils ont pris le nom. Les blancs dominent (1 500 hl); secs à tendres, particulièrement fins, ils vieillissent bien; ils sont issus du cépage chenin blanc (ou pinot de la Loire). Le cépage grolleau donne des rosés secs et très friands (1 000 hl).

MARC BADILLER 1987*

◪ 1,95 ha 5 000 V 2

Vieilles vignes sur perruches donnent un beau rosé. Il a une odeur florale de jacinthe et pivoine. Vif et assez étoffé, il reflète bien le type de l'AOC.

M. Marc Badiller, 29, Le Bourg de Cheillé, Cheillé, 37190 Azay-Le-rideau, tél. 47.45.24.37

r.-v.

ROBERT DENIS 1987*

◪ 1,50 ha 7 000 V 2

La production de l'appellation est ici le fruit d'une longue tradition de vignerons d'origine très tourangelle. Ce rosé est clair, un peu ambré, et a un bouquet complexe. Il est plein, plaisant.

M. Robert Denis, La Chapelle-Saint-Blaise, Cheillé, 37190 Azay-le-Rideau, tél. 47.45.46.57

r.-v.

ROBERT DENIS 1987***

□ 2,60 ha 13 000 V 2

83 84 (85) **86** **87**

Il nous vient d'une vieille vigne de la rive gauche de l'Indre. Jaune clair, il est fin et assez complexe : on retrouve le jasmin, la pomme verte et les senteurs de sous-bois. Généreux et long, harmonieux, il se place tout à fait au sommet de l'appellation.

M. Robert Denis, La Chapelle-Saint-Blaise, Cheillé, 37190 Azay-le-Rideau, tél. 47.45.46.57

r.-v.

GALLAIS PERE ET FILS 1987**

◪ 2 ha 5 000 V 1

Sur les sols argilo-calcaires de Vallère, le grolleau est dans son terroir de prédilection. Corsé avec 20% de côt, il donne un rosé d'une belle couleur vive. Ses odeurs sont florales dans un registre pivoine ; il est bien constitué, frais et plein. C'est un vin harmonieux bien représentatif de l'appellation.

GAEC Gallais Père et Fils, Le Hay, Vallères, 37190 Azay-le-Rideau, tél. 47.45.45.32

r.-v.

GASTON PAVY 1987*

□ 1,97 ha 12 000 V 2

(85) **86** 87

Il est issu de terrains argilo-siliceux perrucheux. Limpide, il est à la fois floral (aubépine) et fruité (pomme verte). C'est un vin assez tendre, harmonieux et gai.

M. Gaston Pavy, La Basse Chevrière, Saché, 37190 Azay-le-Rideau, tél. 47.26.87.14

r.-v.

GASTON PAVY 1987**

◪ 0,32 ha n.c. V 2

A Saché, le grolleau est planté dans les terrains argilo-siliceux, les argilo-calcaires étant réservés au chenin. Le microclimat de ce terroir bien exposé et à une certaine distance de la Loire imprime aussi sa marque aux deux autres cépages associés : le côt et une petite proportion de cabernet. Le résultat est un rosé nuance saumon qui exprime des arômes de fleurs et de fruits rouges avec une touche minérale de pierre-à-fusil. Il est frais et plaisant avec une bonne longueur.

M. Gaston Pavy, La Basse Chevrière, Saché, 37190 Azay-le-Rideau, tél. 47.26.87.14

r.-v.

PIBALEAU PERE ET FILS 1987**

◪ 1,40 ha 3 000 V 1

Issu de terrains argilo-siliceux, il est essentiellement à base de grolleau avec un soupçon de gamay et de cabernet-franc. On note une couleur rose vif et un nez floral très ouvert. Il est souple, plein et rond.

GAEC Pibaleau Père et Fils, Luré, 37190 Azay-le-Rideau, tél. 47.45.41.41 t.l.j. sf dim. 8h-12h30/14h-19h.

PIERRE RIVRY 1987*

□ 2 ha 10 000 V 1

86 87

D'un beau jaune-vert, il a un nez discret de fruit, de sous-bois et une touche minérale de pierre-à-fusil. Vif et long, avec de la rondeur et de la générosité, c'est un vin harmonieux et de bonne garde.

M. Pierre Rivry, 10, rue Villandry, Lignières-de-Touraine, 37130 Langeais, tél. 47.96.72.38

r.-v.

PIERRE RIVRY 1987*

◪ n.c. n.c. V 1

Rosé léger à nuance saumon, il a des odeurs de

pivoine et de fruits rouges. C'est un vin frais, harmonieux et gai.
➥ M. Pierre Rivry, 10, rue Villandry, Lignières-de-Touraine, 37130 Langeais, tél. 47.96.72.38 Y r.-v.

TOULME PERE ET FILS 1987**

	3 ha	8 000

Une touche de verveine, une pincée de pomme, une note de coing... Avec une bonne charpente, une belle vivacité devient: rondeur. Il est parfaitement issu de son terroir et on pourra l'attendre.
➥ GAEC Toulme Père et Fils, 37130 Lignières-de-Touraine, tél. 47.96.72.36 Y t.l.j; 8h-19h.

TOULME PERE ET FILS 1987

	n.c.	5 000

Léger, brillant, il est floral et fruité, souple et typé, pas déplaisant du tout. En un mot : tendre.
➥ GAEC Toulme Père et Fils, 37130 Lignières-de-Touraine, tél. 47.96.72.36 Y t.l.j; 8h-19h.

Touraine-mesland

Sur la rive droite de la Loire, au nord de Chaumont et à l'extrémité orientale de la Touraine, l'aire d'appellation couvre 250 ha. La production de vins rouges est abondante (10 000 hl); issus du gamay pur ou en assemblage avec du cabernet et du côt, ils sont bien structurés et typés. Comme les rosés (1 000 hl), les blancs (1 300 hl; cépages habituels) sont secs.

PHILIPPE BROSSILLON 1987**

	6 ha	30 000

Il a de belles jambes, des arômes de cerise et un très bon équilibre. C'est un rosé sympathique qui est tout indiqué pour accompagner un repas champêtre.
➥ M. Philippe Brossillon, Dom. de Lusqueneau, Mesland, 4150 Onzain, tél. 54.70.28.23 Y t.l.j; 8h-20h.

DOM. DU CHEMIN DE RABELAIS Tradition 1986

85 86	n.c.	10 000

Obtenu par association des trois cépages rouges traditionnels de touraine-mesland, ce 86 a une belle couleur vive et un nez discret mais gracieux. Il est souple et fruité.

Touraine-mesland

Les vignes assez âgées sont portées par des sables continentaux du tertiaire. La sélection ancienne de gamays à petits grains trouve là des éléments granitiques qui permettent sa meilleure expression. La vinification a su associer une macération classique courte à une macération carbonique très partielle. Ce vin a une très belle couleur rubis, un nez gracieux de fruits rouges mûrs à point, très sain. Souple et rond, il est fin, fruité et très séduisant.
➥ M. Vincent Girault, Clos Château Gaillard, Mesland, 41150 Onzain, tél. 54.70.27.14 Y t.l.j; sf dim. 8h-12h 14h-18h.

CH. GAILLARD 1987**

85 86 87	8 ha	45 000

➥ M. José Chollet, 23, chem. de Rabelais, 41150 Onzain, tél. 54.20.79.50 Y r.-v.

CLOS DE LA MORANDIERE 1986*

	8 ha	n.c.

Né au cœur du terroir, le Clos de la Morandière 86 a une couleur très seyante et un sympathique arôme vireux. Vif et long, agréable, il doit encore s'épanouir.
➥ Don Girault-Artois Vignerons, 7, qua des Violettes, 37400 Amboise, tél. 47.57.07.71 Y lu, ma, me, je, ve, 8h-12h 14h-18h; sur r.-v. sam. et dim.

YVES MOREAU 1987*

86 87	3,50 ha	8 000

Venant d'argilo-silicieux très favorables au gamay, et vinifié en macération carbonique, ce touraine-mesland exprime bien le cépage et l'appellation. Il a une belle intensité aromatique et un caractère fruits rouges. Frais et rond, c'est un vin particulièrement aimable.
➥ M. Yves Moreau, Fleuray, Cangey, 37530 Amboise, tél. 47.30.09.93 Y r.-v.

FRANCOIS PIRONNEAU 1986*

86 87	8 ha	20 000

Ce vigneron de la troisième génération, installé au domaine de La Besnerie, profite bien de l'expérience de ses aînés. A base de gamay et de cabernet, ce touraine-mesland 86 est paré d'une belle 'obe et a de belles jambes. Intense et bien typé, il a une bonne charpente et mérite qu'on lui porte de l'intérêt.
➥ M. François Pironneau, rte de Mesland, Monteaux, 41150 Onzain, tél. 54.70.23.75 Y r.-v.

BRUNO REDIGUERE 1987***

85 86 87	0,60 ha	4 000

Rosé d'argilo-calcaire, il a une belle robe saumonée, des arômes soutenus de fruits rouges. Bien équilibré, long, très fruité avec une nuance poivrée en bouche. Elu à l'unanimité! Il est remarquable par sa très grande finesse.

➥ M. Bruno Rédiguère, 77, rue de Meuves, 41150 Onzain, tél. 54.20.72.87 ▼ r.-v.

PHILIPPE SOUCIOU 1986***

81 82 84 (85) 86

1,30 ha   5 000

Vin d'argilo-calcaire, il est d'un beau rubis soutenu. On apprécie de sympathiques arômes de cerise. La présence de cabernet à côté du gamay l'enrichit d'une solide charpente. Intéressant, il doit évoluer harmonieusement.
➥ M. Philippe Souciou, 39, rue d'Asnière, 41150 Onzain, tél. 54.20.81.86 ▼ r.-v.

VIEUX TERROIR 1986***

2 ha   10 000

Vin d'association triangulaire comprenant du gamay, du cabernet et du côt, il a une robe rubis intense et un nez agréable. Né sur argile à silex, il est bien équilibré avec une attaque vive et une solide charpente. Puissant et harmonieux, c'est un vin qui a de l'avenir.
➥ M. Jean-Louis Darde, 10, rue de l'Egalité, 41150 Onzain, tél. 54.20.72.91 ▼ r.-v.

ralement leurs vins individuellement dans leur propre cave.

MAISON AUDEBERT ET FILS 1986**

3 ha   20 000

Voici un vin vif, gai et bien typé. La robe est d'un joli rosé assez léger, le nez tout à la fois fin et intense se retrouve en arômes de bouche avec une bonne persistance.
➥ Maison Audebert et Fils, av. Jean-Causeret, 37140 Bourgueil, tél. 47.97.70.06 ▼ r.-v.

MARCEL AUDEBERT 1986*

Caves Saint-Martin

10 ha   40 000

73 75 76 79 81 (82) 83 (85) 86

Elevé dans de belles caves au cœur du tuffeau de Touraine, ce vin exprime son élégance par des parfums de framboise. Toujours présents en bouche, ceux-ci se mêlent harmonieusement avec une solide charpente tannique qui s'arrondira avec l'âge.
➥ M. Marcel Audebert, Les Caves Saint-Martin, Restigné, 37140 Bourgueil, tél. 47.97.31.31 ▼ r.-v.

JEAN-YVES BILLET 1986**

Cuvée Domaine

11 ha   50 000

74 76 78 79 (80) 81 (82) (83) 84 (85) 86

Héritier du savoir-faire de cinq générations de viticulteurs, ce bourgueil 86 se présente avec un arôme tout à la fois puissant, épicé et fin. Plein et rond en bouche, c'est un vin élégant et gai, dont la solide charpente garantit une bonne évolution.
➥ M. Jean-Yves Billet, Le Bourg, pl. des Tilleuls, Restigné, 37140 Bourgueil, tél. 47.97.32.87 ▼ r.-v.

PAUL BUISSE 1986*

Sélection de sommeliers du Val de Loire

n.c.   25 000

12° C... c'est la température qui règne été comme hiver dans les caves de Paul Buisse. Dans les conditions de vieillissement idéales, le millésime 86 confirme sa bonne maturation. L'arôme vanillé s'affirme dans une bouche de bonne longueur. Un vin généreux et équilibré.
➥ M. Paul Buisse, 69, rte de Vierzon, 41400 Montrichard, tél. 54.32.00.01 ▼ lu. ma. me. je. ve. 8h-12h 14h-18h.

CASLOT-GALBRUN 1986**

Clos De La Gaucherie

2,50 ha   11 000

Griotte nuancée de vanille et d'épices : nous sommes en présence d'un vin jeune bien représentatif de l'appellation et du millésime. Plénitude, couleur et vivacité se marient au sein des arômes qui enveloppent une bonne structure. Un joli bourgueil très expressif.
➥ M. Robert Caslot-Galbrun, Dom. Hubert, La Hurolaie, Benais, 37140 Bourgueil, tél. 47.97.30.59 ▼ r.-v.

PIERRE CASLOT 1986***

Cuvée des Busardières

2 ha   12 000

Une jolie robe ambre foncé et une gamme

Bourgueil

A partir du cépage cabernet-franc ou breton, 45 000 hl de vins rouges très caractérisés sont produits sur les 1 200 ha de l'aire d'appellation contrôlée bourgueil, à l'ouest de la Touraine et aux frontières de l'Anjou, sur la rive droite de la Loire. Racés, aux tanins élégants plus ou moins marqués selon les terrains (coteaux ou terrasses) et les sols (calcaire et argile ou graviers), ils ont une très bonne aptitude au vieillissement, après une cuvaison longue. Leur évolution en cave peut durer plusieurs dizaines d'années pour les meilleurs millésimes (1947 ou 1964, par exemple). Quelques centaines d'hectolitres sont vinifiés en rosés secs. Il est à noter que les viticulteurs élèvent géné-

674

aromatique de fruits rouges confèrent toute sa distinction à ce vin rond et équilibré. La longueur de ses tannins fins et un peu poivrés doit lui permettre de s'épanouir davantage. Ce pourrait être encore, en l'an 2000, un bon témoin du millésime.
➤ M. Pierre Caslot, Dom. de La Chevalerie, Restigné, 37140 Bourgueil, tél. 47.97.37.18 ➤ r.-v.

DOM. DES CHESNAIES 1986**

(76) 81 82 83 [85] [86]   3,56 ha   15 000

D'une distinction toute ligérienne, ce bourgueil s'annonce par un nez très fin de griotte à surmaturité. En bouche, il est généreux et fruité, riche en tannins bien fondus, avec une agréable nuance de vanille.
➤ MM. Lamé, Delille et Boucard, Ingrandes-de-Touraine, 37140 Bourgueil, tél. 47.96.98.54
➤ r.-v.
➤ GFA Dom. des Chesnaies.

JEAN-FRANÇOIS DEMONT 1986*

83 84 [85] 86   10 ha   n.c.

Sables, graviers et tuffeau constituent les sols sur lesquels naît ce vin intéressant par sa finesse. Sa senteur de violette est assez fugace, tandis qu'au goût apparaît la fraise mûre.
➤ M. Jean-François Demont, Les Mailloches, Restigné, 37140 Bourgueil, tél. 47.97.33.10 ➤ r.-v.

PIERRE-JACQUES DRUET
Cuvée Réservée 1986*

10 ha   n.c.

Issu de vieilles vignes et élevé en fûts, ce 86 présente des arômes quelque peu discrets où perce une nuance vanillée, mais ses tannins laissent présager une belle évolution et des parfums mieux accomplis si on prend soin de le décanter avant de le servir.
➤ M. Pierre-Jacques Druet, Le Pied Fourrier, B.P. 1, Benais, 37140 Bourgueil, tél. 47.97.37.34 ➤ r.-v.

DOM. DES GALLUCHES 1986**

84 85 86   10 ha   30 000

La robe est brillante. Récolté sur graviers, voici un 86 bien vif et charpenté qui laisse au palais une nuance poivrée. C'est un vin spirituel qui s'exprimera pleinement avec les années.
➤ M. Jean Gambier, Dom. des Galluches, 37140 Bourgueil, tél. 47.97.72.45 ➤ r.-v.

CLOS DE L'ABBAYE 1986*

82 83 84 [85] 86   6,85 ha   38 000

Ce sont les moines eux-mêmes qui plantèrent le vignoble au Moyen Âge. La robe de ce 86 est d'un joli rubis soutenu, le nez ne manque pas de finesse, mais demeure un peu fermé. L'originalité de ce Clos célèbre s'exprimera pleinement avec le temps, car il est très riche en tannin et bien structuré.
➤ SCEA de La Dîme, av. Le Joueux, 37140 Bourgueil, tél. 47.97.76.30 ➤ t.l.j. sf dim. 14h30-19h.

DOM. DE LA BUTTE 1986**

[83] 84 [85] 86   7,50 ha   10 000

On est en droit de prédire un bel avenir à ce bourgueil puissant et bien charpenté dont les tannins se fondent avec harmonie. Issu de terrains argilo-calcaires, il a déjà révélé sa générosité originelle dans une robe pourpre aux reflets grenat. Souple et rond, il laisse en bouche une persistance de mûre.
➤ M. Gilbert Griffon, Dom. de La Butte, 37140 Bourgueil, tél. 47.97.81.30 ➤ r.-v.

DOM. DE LA LANDE
Cuvée Prestige 1986**

75 (76) 78 79 82 83 84 [85] [86]   2 ha   10 000

Marc Delaunay est sans conteste l'une des figures de la viticulture tourangelle. Adossé au coteau de Bourgueil, son domaine est exposé plein sud. Ce 86 se présente dans une belle robe pourpre, les parfums ajoutent à l'intensité des fruits rouges une note de pruneau. Cette palette harmonieuse se confirme en bouche, accompagnée d'une belle charpente et d'une générosité, signes d'une macération longue et bien maîtrisée.
➤ M. Marc Delaunay, La Lande, 37140 Bourgueil, tél. 47.97.80.73 ➤ r.-v.

GÉRARD LEFIEF 1986*

81 [82] [83] [85] 86   8,30 ha   20 000

Élégance et harmonie sont des traits caractéristiques de l'appellation bourgueil. On les retrouve ici dans ce vin à dominante épicée, que la rondeur et la souplesse rendent dès maintenant bien plaisant.
➤ M. Gérard Lefief, rue Basse, Restigné, 37140 Bourgueil, tél. 47.97.32.77 ➤ r.-v.

VIGNOBLE LES MARQUISES 1986*

81 [82] [83] [85] 86   2 ha   12 000

Le nez assez discret évoque la groseille avec une pointe d'épices. Au palais, le tannin dominant atteste une origine sur terrain calcaire. Il est préférable d'attendre ce vin bien structuré.
➤ M. Jean-Claude Audebert, Clos du Signoret, 37140 Bourgueil, tél. 47.97.24.41 ➤ r.-v.

YVES MESLET-THOUET 1986*

81 [82] [83] 85 86   3 ha   10 000

Récolté sur les sables de terrasses anciennes, ce vin se présente dans une belle robe rubis. Discret au nez de prime abord, il bretonne plaisamment quand on l'aère. Goûleyant, équilibré et assez long, ce bourgueil est bien représentatif du millésime.
➤ M. Yves Meslet-Thouet, Les Geleries, 37140 Bourgueil, tél. 47.97.80.30 ➤ t.l.j. sf dim. 9h-20h.

DOM. REGIS MUREAU
La Gaucherie 1986***

(85) 85   2 ha   7 000

Voici une étape « coup de cœur » sur la route des vins de bourgueil, voici un vin généreux et

d'une superbe harmonie : depuis le pourpre soutenu de sa robe jusqu'à sa forte et belle présence en bouche, où le goût de framboise s'aiguise d'une touche de poivre. Un vin puissant, velouté et très long.

→ M. Régis Mureau, La Gaucherie, Ingrandes-de-Touraine, 37140 Bourgueil, tél. 47.96.97.60 Ⅰ t.l.j. 9h-12h 14h-18h ; f. 2ème quinz. de juil.

BERTRAND NAU 1986*
4,50 ha — 2 500

Avec les rillons de Touraine, ce rosé floral à la robe claire se marie très bien. Senteur de rose au nez, plaisant en bouche, il est vif et fort sympathique.

→ M. Bertrand Nau, Ingrandes-de-Touraine, 37140 Bourgueil, tél. 47.96.98.57 Ⅰ t.l.j. sf dim. 8h-19h ; f. 10 au 20 oct.

JEAN NAU 1986*
81 82 83 84 |85| |86| — 3,50 ha — 20 000

Ingrandes appartient à l'histoire viticole de la Touraine, puisque c'est là que Charles VII vint choisir le vin servi lors de son mariage avec Anne de Bretagne à Langeais. Le vignoble des Nau, sur terroir graveleux et argilo-calcaire, produit un bourgueil rubis soutenu, très intéressant par son bouquet de fruits rouges. Vif en bouche, il montre sa structure généreuse qui lui permettra de mieux s'exprimer dans quelque temps.

→ M. Jean Nau, La Perrée, Ingrandes-de-Touraine, 37140 Bourgueil, tél. 47.96.98.59 Ⅰ t.l.j. sf dim. 8h-12h 14h-19h ; dim. sur r.-v.

DOM. DES OUCHES 1986**
(76) |81| |82| |83| 85 |86| — 6 ha — 30 000

Voici un beau vin, bien rond, harmonieux et distingué. Né sur des terrains argilo-siliceux, il a grandi en fûts. Sa robe est légère et son nez de fruits rouges et girofle se distingue par sa finesse. En bouche, ces arômes complexes enrobent une bonne structure tannique.

→ M. Paul Gambier, Ingrandes-de-Touraine, 37140 Bourgueil, tél. 47.96.98.77 Ⅰ r.-v.

DOM. DES PERRIERES 1986*
9 ha — 20 000

Vignerons depuis plus de deux cents ans, les Delanoue ont forgé avec leur clientèle une grande chaîne de l'amitié qui fait que du Canada au Tibet, le bourgueil scintille dans les verres de

---

sa belle couleur rubis. Le 86 évolue quant aux arômes entre la framboise et la mûre, et le tanin prend le dessus sur le fruité quand le vin est en bouche. A garder.

→ M. Guy Delanoue, Les Perrières, 37140 Bourgueil, tél. 47.97.82.29 Ⅰ t.l.j. 8h-20h.

DOM. DU PRESSOIR-FLANIERE 1986**
82 83 (85) |86| — 4 ha — 20 000

Issu d'un sol argilo-calcaire, ce bourgueil à la belle robe rubis est très typé. Il bretonne dans le registre des fruits rouges arrivés à bonne maturité. De la fraîcheur, du corps et de la longueur : un très joli vin dont l'équilibre est bien représentatif de l'AOC.

→ MM. Raphaël et Gérard Galteau, Dom. du Pressoir-Flanière, Ingrandes-de-Touraine, 37140 Bourgueil, tél. 47.96.98.95 Ⅰ t.l.j. 9h-12h 14h-18h ; f. Oct. pdt les vendanges

DOM. THOUET-BOSSEAU 1986**
85 |86| — 5 ha — 12 000

Elevé en bois, ce beau bourgueil 86 a devant lui une évolution intéressante. La robe est pourpre, le nez flatteur un peu poivré avec des arômes de framboise et de bruyère. Le canard aux poires se marie fort bien avec ce vin puissant et charpenté.

→ M. Jean-Baptiste Thouet, L'Humelaye, 37140 Bourgueil, tél. 47.97.73.51 Ⅰ r.-v.

DOM. DES VIENAIS 1986**
|85| |86| — 4 ha — 20 000

Issu d'un sol argilo-calcaire, ce 86 se présente sous une belle robe rubis foncé et vive qu'accompagne une grande intensité odorante. Complexe, il associe framboise et poivron avec une légère note poivrée en fin de bouche. Voici un vin harmonieux et plaisant, souple, où tout est plénitude.

→ M. Gérard Poupineau, Le Bourg, Benais, 37140 Bourgueil, tél. 47.97.35.19 Ⅰ r.-v.

Chinon

Dans le triangle formé par le confluent de la Vienne et de la Loire, autour de la vieille cité médiévale qui lui a donné son nom et son coeur, au pays de Gargantua et de Pantagruel, l'AOC chinon (1 500 ha) bénéficie de coteaux à l'exposition sud très favorable. Le cabernet-franc dit breton y donne en moyenne 55 000 hl de beaux vins rouges, qui produisent quelques centaines d'hec-

tolitres de rosé sec), qui égalent en qualité les bourgueil : race, élégance des tanins, longue garde, certaines années exception-nelles peuvent dépasser plusieurs décen-nies! Confidentiel mais très original, le chinon blanc (250 hl) est un vin plutôt sec, mais pouvant devenir tendre selon les années.

PHILIPPE ALLIET 1986*

3,72 ha — 15 000
(76) 78 79 80 81 82 83 84 85 86

Ce vin de graviers s'exprime par une domi-nante poivrée, avec une nuance florale. Charnu et charpenté ; on retrouve en bouche le cassis et le poivre vert. Ses tanins encore agressifs deman-dent un temps de maturation.
- M. Philippe Alliet, L'Ouche-Mondé, Cravant-les-Coteaux, 37500 Chinon, tél. 47.93.17.62 r.-v.

DOM. DU COLOMBIER 1986*

11 ha — 45 000

Issus de terrains en plateau argilo-calcaire et argilo-siliceux, les vins de ce domaine ont un bouquet intense, épicé, marqué d'une touche de poivron. Encore fermé, ce 86, bien charpenté, puissant, déjà harmonieux, demande à mûrir en bouteille.
- M. Yves Loiseau, Dom. du Colombier, Beaumont-en-Véron, 37420 Avoine, tél. 47.58.43.07 r.-v.

GUY COTON 1986*

11 ha — 100 000

Associant les sables des terrasses de la Vienne et les pentes argilo-calcaires, il se présente avec une robe rubis léger. Au nez, il est plaisant : pruneau et épices. En bouche, il a des nuances végétales « queue de cassis » et vanillées avec une bonne persistance aromatique. A la fois vif, étoffé et long, c'est un vin plaisant.
- M. Guy Coton, La Perrière, Crouzilles, 37220 L'Ile Bouchard, tél. 47.53.55.10 r.-v.

DOM. RENE COULY
Clos de l'Echo 1986*

18 ha — 140 000
75 76 78 79 80 81 82 83 84 85 86

Face au château de Chinon et bénéficiant d'une remarquable exposition, ce domaine aurait appartenu aux parents de Rabelais. Le millésime est une bonne expression ces terrains argilo-calcaires mais aussi des vins élevés en bois. Rubis brillant, il se signale par ses arômes complexes (fruits rouges, poivrons et épices). Puissant et bien tannique, il a l'étoffe d'un vin de garde.
- SCA Couly-Dutheil Père et Fils, 12, rue Diderot, 37500 Chinon, tél. 47.93.05.84 r.-v.

RENE GOURON ET FILS 1986*

18 ha — 50 000
(76) 78 79 81 82 83 85 86

De couleur pourpre, il a un nez assez discret de fruits rouges types groseille, nuance cassis. En bouche, il évoque le pruneau et la marque de son passage en fûts. Il a de la rondeur et des tanins fins s'associent à une certaine vivacité. Un vin harmonieux et gai.
- MM. René Gouron et Fils, La Croix-de-Bois, Cravant-les-Coteaux, 37500 Chinon, tél. 47.93.15.33 r.-v.

DOM. FRANCIS HAERTY 1986*

2 ha — 5 000

Récolté sur des sables et graviers de la rive droite de la Vienne près de son confluent avec la Loire, ce 86 rubis foncé a une odeur assez intense de vanille et de cassis. Son fini se retrouve en bouche avec un peu de réglisse. Étoffé par de bons tanins en finale, c'est un vin harmonieux bien typé.
- M. Francis Haerty, 2, rue des Pêcheurs, Bertignolles, Savigny-en-Véron, 37420 Avoine, tél. 47.58.42.74 r.-v.

CH. DE LA BONNELIERE 1986**

5 ha — n.c.

Joie gentilhommière tourangelle, le château produit un vin élégant au nez assez intense caractéristique du breton né sur sols argilo-cal-caires : exprimant d'abord une note de violette, il pourrait par une touche animale. Onctueux, ample et charpenté, il devrait trouver sa pleine expression après avoir mûri quelques années.
- MM. Plouzeau et Fils, Ch. de La Bonnelière, 37500 Chinon, tél. 47.93.16.34 r.-v.

CLCS DE LA CROIX-MARIE 1986***

3 ha — 20 000
85 86

Breton sur argilo-calcaire, il se présente rouge pourpre. Ses arômes complexes comprennent du poivron, des épices et de la truffe. Souple, géné-reux et très long, c'est un vin de garde très harmonieux et de grande élégance.
- M. André Barc, La Croix-Marie, Rivière, 37500 Chinon, tél. 47.93.02.24 r.-v.

DOM. DE LA NOBLAIE 1986*

1 ha — 3 000
1831 84 1851 86

Le vignoble du domaine de La Noblaie, sur coteaux calcaires, est un de ceux qui ont vocation pour produire du chinon blanc. Avec sa robe jaune pâle, il s'annonce fin. Vif, plein, char-pente, bien typé pineau de la Loire, il a une plaisante note aromatique épicée.
- M. Manzagol-Billard, Le Vau Breton, la Noblaie, Ligré, 37500 Chinon, tél. 47.93.10.96 r.-v.

DOM. DE LA PERRIERE
Vieilles Vignes 1986**

2,50 ha — 10 000
82 83 85 86

On retrouve l'origine du domaine de La

Perrière dans un acte vieux de trois cents ans. Ce 86, d'un beau rubis soutenu, est remarquable par son caractère aromatique de fruits rouges des bois. Souple et bien équilibré, avec ses tanins bien fondus, il est très long. C'est un vin harmonieux, plein de finesse. Il fera d'excellentes bouteilles d'ici quelques années.

↝ M. Jean Baudry, Dom. de La Perrière, Cravant-les-Coteaux, 37500 Chinon, tél. 47.93.15.99 ▼ r.-v.

VIGNOBLE DE LA POELERIE 1986 ★ ★ ⬛ ▾ 🗹 2

5 ha	20 000

Le vignoble de La Poêlerie, sur sables et graviers, offre un 86 rubis soutenu ; cassis et framboise au nez, il est, en bouche, d'attaque harmonieuse. Sa finale tannique lui confère une belle longueur. Il est bien dans son type et sera de bonne garde.

↝ M. Guy Caillé, Le Grand Marais, Panzoult, 37220 L'Ile-Bouchard, tél. 47.58.53.16 ▼ t.l.j. 11h-12h 14h-18h.

DOM. DE LA
ROCHE-HONNEUR 1986 ★ ⬛ ▾ 🗹 2

13 ha	50 000

76 77 |78| 79 80 81 |82| |83| |84| 85 86

Le domaine de La Roche-Honneur comprend des terrains variés et une très belle cave. Son 86 a une belle couleur rubis et des arômes de fruits rouges et de vanille. Il est puissant, tannique, et la marque de son passage en bois devrait s'harmoniser avec son caractère fruité original en vieillissant.

↝ MM. Yves et Stéphane Mureau, La Berthelonnière, 30, rue de Candes, Savigny-en-Véron, 37420 Avoine, tél. 47.58.42.10 ▼ r.-v.

DOM. DE LA TOUR 1986 ★ ⬛ ▾ 🗹 3

11 ha	30 000

|78| |79| |82| 83 |84| 85 86

Le vignoble est établi sur le point culminant de Beaumont-en-Véron. Ces vieilles vignes sur terrain argilo-siliceux ont donné en 86 un vin rubis dont le bouquet discret mais fin est dans la gamme des fruits rouges, alors qu'en bouche, il a des nuances épicées. Il est assez long et agréable.

↝ M. Guy Jamet, La rue Chambert, Beaumont-en-Véron, 37420 Avoine, tél. 47.58.47.61 ▼ r.-v.

LE LOGIS DE LA
BOUCHARDIERE 1986 ★ ★ ★ ⬛ ▾ 🗹 2

9 ha	30 000

73 74 76 76 78 81 |82| 83 84 |85| |86|

Une parfaite unanimité : 5 sur 5 pour ce millésime brillant, rubis soutenu, à forte intensité aromatique. De la violette à l'épicé, en passant par le fruit cuit, on découvre une remarquable complexité. Souple, plein et très long, il ne manque pas de finesse. Harmonieux, il a la structure tannique et la générosité qui font les grandes bouteilles.

↝ MM. Serge et Bruno Sourdais, Le Logis de La Bouchardière, Cravant-les-Coteaux, 37500 Chinon, tél. 47.93.04.27 ▼ r.-v.

LEPA DE CHINON 1986 ★ ★ ⬛ → ▾ 🗹 2

19 ha	60 000

Ce jeune vignoble implanté sur les terroirs variés de la butte des Fontenils constitue une intéressante collection de chinon et permet une expérimentation allant jusqu'à la dégustation comparative des vins. Avec une belle robe rubis et des arômes de fruits rouges et de cassis, 86 évoque la vanille et la poire. Bien charpenté, il s'épanouira d'ici quelques années.

↝ Centre viti-vinicole de Chinon, Les Fontenils, 37500 Chinon, tél. 47.93.36.89 ▼ r.-v.
↝ Lycée Agricole Tours-Fondettes.

LES GREZEAUX 1986 ★ ★ ⬛ ▾ 🗹 2

2,50 ha	15 000

76 |79| 81 |82| 83 85 |86|

Les vignes des Grézeaux sont établies sur graviers et sols sablo-argileux. Elles ont donné un 86 de couleur pourpre aux senteurs fines et complexes un peu poivrées évoquant à la fois la violette, le cassis et le bois. Au palais, on le découvre fruité, avec une note de réglisse, charnu et bien équilibré. C'est un beau vin très prometteur.

↝ M. Bernard Baudry, Coteau de Sonnay, Cravant-les-Coteaux, 37500 Chinon, tél. 47.93.15.79 ▼ r.-v.

MANOIR
DE LA BELLONNIERE 1986 ★ ⬛ ▾ 🗹 2

4 ha	30 000

Le manoir de La Bellonnière est au centre d'un beau vignoble de 20 hectares. Ce 86 est d'une belle couleur rubis pourpre soutenu. Ses odeurs assez intenses évoquent successivement la cerise mûre, la framboise et le noyau en finale. Il donne au palais encore de bons arômes avec une dominante framboise et mûre. Rond et ample, avec des tanins assez discrets, il est déjà très sympathique.

↝ MM. Yves et Patrice Moreau, La Bellonnière, Cravant-les-Coteaux, 37500 Chinon, tél. 47.93.16.61 ▼ r.-v.

CLOS DU MARTINET 1986 ★ ⬛ ▾ 🗹 2

3 ha	18 000

85 86

Le Clos du Martinet se trouve dans les argilo-calcaires typiques de Beaumont-en-Véron. Son 86,

CLOS DE NEUILLY 1986*

3 ha	17 000	⬛ ⬛ V2

pourpre, intense, situe d'abord ses arômes nettement dans la gamme des fruits rouges : framboise, cassis, cerise. La vanille apparaît après agitation et on trouve de l'épicé en bouche. Il est bien charpenté, ses tanins ont besoin de s'affirmer et son optimum est à attendre.

↳ M. Paul Guertin, Le Carroi Ragueneau, Beaumont-en-Véron, 37420 Avoine, tél. 47.58.43.20 ☎ r.-v.

CLOS DE NEUILLY 1986*

Constitué de vieilles vignes sur graviers profonds, le Clos de Neuilly, dont les raisins ont été récoltés et vinifiés avec soin est bien type 86. De couleur soutenue, il est charpenté et long, ses arômes de fruits rouges doivent s'épanouir avec les années ; c'est un vin harmonieux déjà séduisant.

↳ M. Gérard Spelty, Le Bourg, Cravant-les-Coteaux, 37500 Chinon, tél. 47.93.08.38 ☎ r.-v.

MARCEL PAIN 1986*

9 ha	30 000	⬛ ⬛ V2

Rubis par sa robe et cerise par ses arômes, ce vin né dans les graviers est plaisant, étoffé, et ne manque pas de tanins. Encore un peu fermé, il gagnera à vieillir.

↳ M. Marcel Pain, Chezelet, Panzoult, 37220 L'Ile-Bouchard, tél. 47.93.08.15 ☎ r.-v.

PHILIPPE PAIN 1986

5 ha	15 000	⬛ ⬛ V2

Rubis à nuance jaune, il s'exprime fortement en odeurs de fruits rouges cerise et cassis. Souple, plein, fruité, il est harmonieux et gai. Agréable dès maintenant, il a le type de son terroir argilo-siliceux et exprime la jeunesse du vignoble.

↳ M. Philippe Pain, La Commanderie, Panzoult, 37220 L'Ile Bouchard, tél. 47.93.39.32 ☎ r.-v.

CLOS DU PARC DE SAINT-LOUANS 1986*

10 ha	50 000	⬛ ⬛ V3

Le Clos du Parc offre un 86 dans sa tradition, souple avec une solide charpente. Bien étoffé, à évocation aromatique bien typique de l'appellation, il est harmonieux et doit améliorer son expression dans l'avenir.

↳ M. Louis Farou, Saint-Louans, 37500 Chinon, tél. 47.93.07.14 ☎ r.-v.

PIERRE PRIEUR 1986**

6 ha	12 000	⬛ ⬛ V2

Le breton sur sables et graviers exprime généralement les fruits rouges. C'est le cas pour ce 86 de couleur rubis, légèrement vanillé en bouche. Il est frais et long, gai et harmonieux. C'est un beau vin jeune qui devrait s'arrondir en vieillissant.

↳ M. Pierre Prieur, Bertignolles, 1, rue des Mariniers, Savigny-en-Véron, 37420 Avoine, tél. 47.58.45.08 ☎ r.-v.

Coteaux du loir

Un petit vignoble de la Sarthe sur les coteaux de la vallée du Loir, et une production intéressante avec près de 1 000 hl d'un rouge léger et fruité (pineau d'Aunis, cabernet, gamay ou cot), de 250 hl de blanc sec (chenin ou pineau blanc de la Loire) ou encore de 200 hl de rosé.

Coteaux du loir

JEAN-MAURICE RAFFAULT 1986**

35 ha	200 000	⬛ ⬛ V3
85 86		

Paré d'une robe rubis foncé, il exhale des arômes tertiaires de pruneau et de vanille. Il est souple, rond et puissant. La bonne longueur tannique lui permettra de parfaire son harmonie en vieillissant.

↳ M. Jean-Maurice Raffault, La Croix, Savigny-en-Véron, 37420 Avoine, tél. 47.58.42.50 ☎ r.-v.

DOM DU RONCEE
Clos des Marronniers 1986**

1,55 ha	10 000	⬛ ⬛ V2

Le Clos des Marronniers, constitué de graves, repose sur un sous-sol de graves plus fines et d'argiles, a donné en 86 un vin paré d'une belle robe rubis soutenu. Ses arômes de fruits rouges sont affirmés avec une nuance végétale. Aromatique, charpenté et long, il est harmonieux et a de l'avenir.

↳ SCEA Donabella, Dom. du Roncée, Panzoult, 37220 L'Ile-Bouchard, tél. 47.58.53.01 ☎ r.-v.

ODETTE ROUET 1986**

12 ha	2 000	⬛ V2

Vin de sables et de vignes assez jeunes, il est brillant mais un peu pâle. Fruité et fin, il a le framboise au poivron. Souple, long et gouleyant, c'est un beau vin élégant, très agréable dès maintenant qui doit être à son optimum.

↳ Mme Odette Rouet, Chezelet, Cravant-les-Coteaux, 37500 Chinon, tél. 47.93.19.41 ☎ r.-v.

PIERRE SOURDAIS
Réserve Stanislas 1986*

75 78 79 80 81 82 83 84 85 86

3 ha	14 000	⬛ ⬛ V2

La Réserve Stanislas est issue de vieilles vignes. Ce 86 flatte l'œil d'un beau rubis brillant, il a un nez discret de griotte et d'épices. Sa structure est assez légère mais il est bien équilibré et agréable.

↳ M. Pierre Sourdais, Le Moulin à Tan, Cravant-les-Coteaux, 37500 Chinon, tél. 47.93.31.13 ☎ r.-v.

Touraine

ROGER CRONIER 1986**

1 ha   5 000

Harmonieux et très typé, ce vin possède incontestablement du caractère, avec une heureuse alliance d'arômes fruités et épicés, un côté frais et gouleyant.
→ M. Roger Cronier, Le Bourg, Marçon, 72340 La Chartre-sur-le-Loir, tél. 43.44.13.20 Y r.-v.

ROGER CRONIER 1987**

5,80 ha   6 000

Sa robe est jaune clair, légèrement ambrée. Au nez, on trouve particulièrement des fruits confits. En bouche, on le trouve particulièrement intéressant, long, puissant, avec une évocation aromatique complexe de pomme reinette, de fruits ou d'épices. Il est frais, tendre, et peut accompagner les entrées et les volailles de la gastronomie locale.
→ M. Roger Cronier, Le Bourg, Marçon, 72340 La Chartre-sur-le-Loir, tél. 43.44.13.20 Y r.-v.

ANDRE FRESNEAU 1987*

2 ha   6 000

Beau vin jaune clair, très odorant, il évoque la prairie au printemps. En bouche apparaissent des fruits, poire, pomme verte et amande. Vif, charpenté et plein, il est gouleyant.
→ M. André Fresneau, La Potence, Marçon, 72340 La Chartre-sur-le-Loir, tél. 43.44.13.70 Y r.-v.

FRANCOIS FRESNEAU 1987**

1,50 ha   6 000

Tout est cerise : la robe, le nez (griotte), la bouche. Mais apparaissent aussi des nuances florales du type pivoine et d'autres minérales. En fin de dégustation on note du poivron. On apprécie la belle charpente de ce 87, son ampleur et se persistance aromatique. Il doit bien accompagner le gibier à plumes.
→ M. François Fresneau, La Potence, Marçon, 72340 La Chartre-sur-le-Loir, tél. 43.44.13.70 Y r.-v.

minéral caractéristique de jasnières, bien persistant. Sec, vif, étoffé et long, il ne manque pas de gaieté et son évolution est prometteuse.
→ M. Martial Boutard, La Varenne, Lhomme, 72340 La Chartre-sur-le-Loir, tél. 43.44.43.63 Y r.-v.

FRANCOIS FRESNEAU 1987***

1 ha   6 000

De couleur jaune paille, il présente une forte intensité aromatique primaire de fleurs (violette) et de fruits (poire et coing). Vif, tendu et long, il est aussi puissant : sa belle charpente est enrobée d'arômes très plaisants, coing frais, noisette, vanille. Très harmonieux, il ne peut que séduire les connaisseurs qui sauront apprécier les merveilleuses expressions du chenin cultivé dans les sites prédestinés des jasnières.
→ M. François Fresneau, La Potence, Marçon, 72340 La Chartre-sur-le-Loir, tél. 43.44.13.70 Y r.-v.

JOEL GIGOU 1987*

3 ha   18 000

Beau vin à la robe jaune-vert, aux bonnes odeurs de fruits avec une nuance minérale, il a de la pomme mûre et de la vanille en bouche. Vif, bien sec, mais plein et long. C'est un vin harmonieux qui a un bon équilibre et doit mûrir agréablement en affirmant sa forte personnalité.
→ M. Joël Gigou, 4, rue des Caves, 72340 La Chartre-sur-le-Loir, tél. 43.44.48.72 Y r.-v.

JEAN-BAPTISTE PINON 1987*

4,50 ha   12 000

Brillant, il révèle des senteurs de fleurs des champs et de pierre-à-fusil. Ce dernier caractère se retrouve en bouche avec une évocation de pomme verte et de coing. Plein et étoffé, il ne manque pas de puissance et de longueur.
→ M. Jean-Baptiste Pinon, Cave des Tuffières, Lhomme, 72340 La Chartre-sur-le-Loir, tél. 54.85.30.56 Y r.-v.

Saint-nicolas-de-bourgueil

Plus légers que les vins de Saint-Nicolas-de-Bourgueil répondent aux mêmes caractéristiques d'encépagement, de vinification et de conservation; on en produit environ 25 000 hl sur 500 ha; s'ils peuvent être commercialisés sous l'appellation bourgueil, la réciproque n'est pas possible.

Jasnières

C'est le pineau blanc, dominant sur ces 10 ha de la rive droite du Loir, qui a fait la réputation de ce vin blanc très fin, presque confidentiel avec ses 500 hl de production moyenne. Une rareté à découvrir.

MARTIAL BOUTARD 1987**

4 ha   10 000

Jaune paille, il a un nez agréable de fleurs et de fruits. En bouche, on trouve en plus un côté

DOM. DU BOURG

Cuvée des Graviers 1986*

2,50 ha   13 000

77 78 79 81 82 83 84 85 86l

Venu de terrains siliceux, c'est un joli vin aux

arômes de groseille et aux tanins bien fondus. Assez court mais harmonieux, dans le type saint-nicolas léger.
♦ M. Jean-Paul Mabileau, pl. de la Mairie, Saint-Nicolas-de-Bourgueil, 37140 Bourgueil, tél. 47.97.82.02 ℾ t.l.j, sf dim. 9h-12h 14h-18h.

JEAN BRUNEAU-DUPUY 1986*

■ 2 ha — 12 000

Sa couleur est soutenue mais son nez est un peu fermé. Il s'exprime mieux en bouche avec à la fois de la vivacité et de la plénitude. Sa vivacité le rend déjà plaisant et sa maturation devrait gommer une légère impression de chaleur en fin de bouche. Il fera un beau vin
♦ M. Jean Bruneau-Dupuy, La Martellière, Saint-Nicolas-de-Bourgueil, tél. 47.97.75.81 ℾ r.-v.

CLOSERIE BELLAMY 1986*

■ 4,23 ha — 8 000

Il est toujours émouvant de déguster la première récolte d'un jeune producteur. Michel Bellamy marque son premier essai avec un vin d'un beau rubis aux arômes discrets mais fins, rappelant la pivoine. On peut l'apprécier dès maintenant ou attendre grâce à une bonne longueur tannique.
♦ M. Michel Bellamy, L'Epaisse, Saint-Nicolas-de-Bourgueil, 37140 Bourgueil, tél 47.97.93.25

DOM. DU FONDIS 1986*

■ n.c. — n.c.

Vin de graviers, il est rubis limpide et évoque la cerise. Frais, léger, il est dès maintenant agréable dans le type saint-nicolas.
♦ M. Jean-Jacques Jamet, Le Fondis, Saint-Nicolas-de-Bourgueil, 37140 Bourgueil, tél. 47.97.78.58 ℾ lu. sa. 9h-12h 14h-19h.

GERARD GODEFROY 1986*

(76) 83 85 [86]

■ 2,73 ha — 10 000

Il reste discret en arômes alors que son tanin est bien présent. Il doit pouvoir trouver son harmonie d'ici quelques années.
♦ M. Gérard Godefroy, La Taille, Saint-Nicolas-de-Bourgueil, 37140 Bourgueil, tél. 47.97.77.43

DOM. DE LA CAILLARDIERE 1986**

(76) 78 79 [81][82][83][85][86]

■ 13 ha — 20 000

Elaboré à la fois à partir d'une technologie moderne de thermorégulation et d'un élevage traditionnel en bois, ce 86 se présente avec une couleur soutenue et un arôme agréable de fruit rouge nuancé de pruneau à l'eau-de-vie. Très tannique, c'est le type d'un vin de graviers à attendre quelques années.
♦ M. James Morisseau, La Caillardière, Saint-Nicolas-de-Bourgueil, 37140 Bourgueil, tél. 47.97.75.40 ℾ r.-v.

DOM. DE LA COTELLERAIE-VALLEE 1986***

■ 2 ha — n.c.

Le 86 apparaît avec une robe rubis brillant et une forte intensité odorante de type cassis. Vif, étoffé, très long en bouche, il est légèrement marqué par son passage dans le bois et exprime une forte personnalité.
♦ M. Claude Vallée, La Cotelleraie, Saint-Nicolas-de-Bourgueil, 37140 Bourgueil, tél. 47.97.55.53 ℾ t.l.j; 8h-20h; dim. ouv. de 8h à 12h

DOM. DE LA COUDRAY 1986*

Vieilles Vignes 1986

74[7E] 76[77] [78][79 80 81] (82) 83 84 85 86

■ 1,50 ha — 10 000

Ce vin de couleur soutenue a été élaboré à partir d'une vieille vigne implantée sur argilo-siliceux. Il se révèle dans le registre des fruits rouges. Vif, tannique, il faut l'attendre.
♦ M. Yannick Amirault, La Coudray, 37140 Bourgueil, tél. 47.97.78.07 ℾ r.-v.

VIGNOBLE DE LA JARNOTERIE 1986*

(76)[78] 79 80 81 82 83 84 85 86

■ 13 ha — 30 000

Ce vin de sables sur tuffeau se pare d'un rubis brillant et traduit par son évocation de fruits rouges, groseille et framboise, la marque des sables superficiels. En bouche, on retrouve une charpente très solide caractéristique du tuffeau. Il mûrira dans de vastes caves creusées dans ce même calcaire et y trouvera les conditions d'un plein épanouissement.
♦ M. Jean-Claude Mabileau, La Jarnoterie, Saint-Nicolas-de-Bourgueil, 37140 Bourgueil, tél. 47.97.49 ℾ r.-v.

PASCAL LORIEUX 1986

85[86]

■ 3,40 ha — 14 000

Ce jeune vigneron qui a produit sa deuxième récolte en 86 a réussi un gentil vin rubis à odeur flora le de pivoine. Il est vif avec des tanins un peu agressifs qui devraient s'arrondir si on sait l'attendre.
♦ M. Pascal Lorieux, La Contrie, Saint-Nicolas-de-Bourgueil, 37140 Bourgueil, tél. 47.97.77.64

NICOLAS 1987*

■ n.c. — n.c.

Un vin mis en bouteilles à Saint-Romain-sur-Cher, de bonne teinte vermillon, typé au fruité fin, plein sans grande rondeur. De la mâche, homogène, finale sympathique.
♦ Ets Nicolas, 253, av. du Gal-Leclerc, 94700 Maisons-Alfort, tél. 1.43.96.81.81.

GUY PONTONNIER 1986**

■ 3 ha — 12 000

L'élégance qui est l'un des traits de l'appellation se retrouve ici associée à une bonne structure, gage d'un bel avenir. Les arômes de fruits rouges et de poivron vert se confirment en bouche avec une nuance de pruneau.

Touraine

→ M. Guy Pontonnier, Dom. de l'Epaisse, Saint-Nicolas-de-Bourgueil, 37140 Bourgueil, tél. 47.97.84.69 ☑ r.-v.

CHRISTIAN PROVIN 1986*

■ 2,50 ha   n.c.   ⬛ [V][2]

Les vignes sont sur colluvions argilo-calcaires : elles offrent un 86 d'un rubis intense aux arômes très fins de fruits rouges. Souple, plein et long, c'est un saint-nicolas de garde.
→ M. Christian Provin, L'Epaisse, Saint-Nicolas-de-Bourgueil, tél. 47.97.85.14 ☑ r.-v.

JOEL TALUAU Vieilles Vignes 1986***

■ 3 ha   20 000   ⬛ [V][3]

|73| 75 |76| |78| |79| |82| 83 84 85 |86|

Issu de vieilles vignes sur argilo-calcaires ce 86 se drape dans une robe rubis brillant et offre de riches arômes de fruits rouges où domine le cassis. Une très belle charpente lui permettra de bien mûrir. Très harmonieux, il se distingue par son élégance qui en fait un saint-nicolas de haut de gamme.
→ Joël et Clarisse Taluau, Chevrette, Saint-Nicolas-de-Bourgueil, 37140 Bourgueil, tél. 47.97.78.79 ☑ r.-v.

St-Nicolas de Bourgueil
Appellation St-Nicolas-de-Bourgueil Contrôlée
VIEILLES VIGNES
75cle
Mis en bouteille à la propriété à "Chevrette" - Tél. 47 97 78 79
37140 Saint-Nicolas-de-Bourgueil
PRODUCT OF FRANCE
Joël et Clarisse TALUAU, vignerons à "Chevrette", Tél. 47 97 78 79
37140 Saint-Nicolas-de-Bourgueil

DOM. DES VALLETTES 1986

■ 8,20 ha   25 000   ⬛ [V][2]

85 |86|

Récolté sur des graviers typiques de saint-nicolas, il se présente avec une couleur rubis léger. Ses arômes d'intensité moyenne au nez apparaissent légèrement vanillés en bouche. Sa bonne harmonie structurelle doit lui permettre une évolution favorable.
→ M. Francis Jamet, Les Vallettes, Saint-Nicolas-de-Bourgueil 37140 Bourgueil, tél. 41.52.05.99 ☑ r.-v.

CLOS DU VIGNEAU 1986*

■ 20 ha   50 000   ⬛ [V][2]

76 |78| 81 82 (85) |86|

Ce 86 est issu de terrains graveleux et élaboré dans la tradition d'une très ancienne famille de vignerons établis depuis 1840. Il se présente avec une robe rubis et d'agréables arômes de fleurs et de fruits rouges qui se prolongent avec une bonne longueur en bouche. Il associe une attaque franche à de la rondeur. Bien charpenté, il est très typique de l'AOC.
→ GAEC Clos du Vigneau, Clos du Vigneau, Saint-Nicolas-de-Bourgueil, 37140 Bourgueil, tél. 47.97.75.10 ☑ r.-v.
→ MM. Anselme et Marc Jamet.

Montlouis

La Loire au nord, la forêt d'Amboise à l'est et les confins de Tours à l'ouest, limitent l'aire d'appellation (300 ha). Sur des sols argilo-calcaires plantés de chenin blanc (ou pinot de la Loire), sont produits des vins blancs vifs et pleins de finesse (13 000 hl), secs ou doux, tranquilles, pétillants ou mousseux. Comme à Vouvray, ils gagnent à évoluer longuement en bouteille dans les caves de tuffeau.

BERGER FRERES ET FILS Demi-sec 1986**

|81| 85 |86|

■ 5 ha   10 000   ⬛ [V][2]

D'un beau jaune à nuances dorées, brillant, il offre avec ampleur des arômes d'acacia, de coing et de miel. Par une association judicieuse d'origines siliceuses et calcaires, on a réussi, au domaine des Liards, un demi-sec 86 très harmonieux. Il est long et rond, il a aussi le gras de la pourriture noble. C'est un beau demi-sec, typique du millésime et qui sera de bonne garde.
→ MM. Berger Frères et Fils, Dom. des Liards, Saint-Martin-le-Beau, 37270 Montlouis-sur-Loire, tél. 47.50.67.36 ☑ r.-v.

FRANCOIS CHIDAINE 1986*

n.c.   n.c.   ⬛ [V][2]

Brillant, jaune doré, clair, il se signale par de bons arômes assez intenses. Frais et long, c'est un vin jeune et gai.
→ M. François Chidaine, 2, Grande rue, Husseau, 37270 Montlouis-sur-Loire, tél. 47.50.83.72 ☑ r.-v.

DELETANG ET FILS 1986*

2 ha   7000   ⬛ [V][3]

Doté d'une belle robe, il réjouit l'odorat par des odeurs de fruits très agréables. Il est rond et plein, typique des terrains argilo-calcaires dont il est issu. Un vin bien harmonieux.
→ M. Deletang et Fils, 19, rue d'Amboise, Saint-Martin-le-Beau, 37270 Montlouis-sur-Loire, tél. 47.50.67.25 ☑ t.l.j. sf dim. 10h-12h 15h-18h.

DELETANG ET FILS Brut 1986**

n.c.   25 000   ⬛ [V][3]

Pétillant, jaune doré, clair, mousse assez fine et persistante, il a un nez bien développé qui va du floral aubépine au fruit, pomme et coing. Vin d'argilo-calcaire, il est ferme et fin, très équilibré, avec une évocation fruits secs et amande au

palais. Très harmonieux, plaisant et vineux, il est bien représentatif de l'appellation.

🕮 M. Delétang et Fils, 19, rue d'Amboise, Saint-Martin-le-Beau, 3270 Montlouis-sur-Loire, tél. 47.50.67.25 ℡ t.l.j. sf dim. 10h-12h 15h-18h.

MARCEL GALLIOT Demi-sec 1986**

□   1 ha   6 000   81 82 86

Issu de vieilles vignes sur perruches et terrains siliceux, ce demi-sec est paré d'une belle robe. Rond et fin, il développe un intéressant arôme de coing. Il a de l'étoffe et devrait bien vieillir.

🕮 M. Marcel Galliot, rue du Vieux-Four Cangé, Saint-Martin-le-Beau, 3270 Montlouis-sur-Loire, tél. 47.50.61.55

JEAN GUESTAULT 1986*

□   5 ha   20 000

Brillant, agréable au nez, il a des arômes en bouche qui indiquent une évolution assez importante avant la mise en bouteilles. C'est un vin harmonieux, qu'il n'est pas nécessaire d'attendre.

🕮 M. Jean Guestault, Fombêche, Saint-Martin-le-Beau, 3270 Montlouis-sur-Loire.

JEAN-FRANÇOIS GUESTAULT 1986

□   1 ha   2 000

Sa robe est jaune pâle un peu mate, sa bouche signale son élevage en fûts. C'est un vin agréable qu'il faut déguster maintenant.

🕮 M. Jean-François Guestault, 3, rue de Battereau, Saint-Martin-le-Beau, 3270 Montlouis-sur-Loire.

JEAN-FRANÇOIS GUESTAULT 1986*

○   1 ha   3 000

Venant de vignes âgées sur sols pierreux, c'est un vin de caractère. Après avoir noté une mousse fine et persistante et sa belle robe brillante jaune pâle, on découvre des arômes de coing et de fruits exotiques. Un vin intéressant que l'on déguste mieux après quelques minutes d'aération.

🕮 M. Jean-François Guestault, 3, rue de Battereau, Saint-Martin-le-Beau, 3270 Montlouis-sur-Loire, tél. 47.50.26.72 ℡ r.-v.

ALAIN JOULIN Vendanges Tardives 1986**

□   1 ha   3 000

De l'œil à la fin de bouche, ce vin récolté sur sols argilo-calcaires ne dément pas sa belle harmonie. Il a des arômes développés de pomme mûre que l'on retrouve avec agrément en bouche où ils s'enveloppent une belle charpente. C'est un vin équilibré et long qui peut vieillir.

🕮 M. Alain Joulin, 2, rue Traversière, Saint-Martin-le-Beau, 3270 Montlouis-sur-Loire, tél. 47.50.28.49 ℡ r.-v.

DOM. DE LA BIGARRIÈRE Brut 1985*

○   1 ha   5 000

Effervescent à bulles fines se groupant en un mince cordon assez persistant, il exhale des arômes complexes allant de la girofle à la vanille et au coing. Il a une attaque vive et se révèle agréable.

🕮 M. Claude Boureau, 1, rue de la Résistance, Saint-Martin-le-Beau, 3270 Montlouis-sur-Loire, tél. 47.50.61.39 ℡ r.-v.

DOM. DE LA BIGARRIÈRE 1986

81 82 84 85 86   n.c.   5 000

A'cacia et aubépine, nuances d'amande, ses arômes sont séduisants. Issu de vieilles vignes en terrain argileux, c'est un bon demi-sec, plaisant, dont le profil est assez condensé.

🕮 M. Claude Boureau, 1, rue de la Résistance, Saint-Martin-le-Beau, 3270 Montlouis-sur-Loire, tél. 47.50.61.39 ℡ r.-v.

MAURICE LELARGE 1986

79 81 82 85 86   5 ha   30 000

Jaune pâle, il exprime des arômes intéressants à caractères floraux où, après aération, l'on retrouve l'acacia et le fruit exotique. Il a la fermeté d'un vin issu de sols perrucheux (silex), bien équilibré.

🕮 M. Maurice Lelarge, Les Feuilleteries, Saint-Martin-le-Beau, 3270 Montlouis-sur-Loire, tél. 47.50.61.31 ℡ ve. sa. 8h30-12h 14h-18h.

CLAUDE LEVASSEUR Brut 1985**

78 80 81 82 83 85 86   8 000

Vinifié avec soin en bois après une récolte manuelle et des tris, cet effervescent brut qui nous «vient de «perruches» (silex) montre une très bonne typicité du terroir. Belle robe brillante avec des bulles persistantes, nez très délicat, floral et brioché, révélant un séjour réussi sur lattes. Souple, remarquablement équilibré avec une persistance aromatique évoquant la pêche de vigne, c'est un montlouis particulièrement sympathique.

🕮 M. Claude Levasseur, 38, rue des Bouvineries, Husseau, 3270 Montlouis-sur-Loire, tél. 47.50.84.53 ℡ r.-v.

MÉTHODE CHAMPENOISE
Montlouis
BRUT
Appellation Contrôlée
PRODUCT OF FRANCE
CLAUDE LEVASSEUR, PROPRIÉTAIRE-RÉCOLTANT, HUSSEAU, 37270 MONTLOUIS TÉL. 47 50 84 53
75cl.e

ROGER MARNE 1986

80 83 85 86   2 ha   5 000

Sa robe jaune doré est ornée de bulles fines assez discrètes; son arôme est intense dans le registre de fruits confits, son attaque est gommée par la liqueur d'expédition; on retrouve en bouche de l'amande grillée. Il a déjà un caractère évolué.

🕮 M. Roger Marné, 18, rue de Chapitre, Labarre, 3270 Montlouis-sur-Loire, tél. 47.50.83.27 ℡ r.-v.

Touraine

JEAN-PIERRE TROUVE 1986*

2 ha — 3 000

66 67 68 |69| |70| 71 74 |76| 86

Il est né sur des terrains variés. Une robe brillante, un nez de vendanges fraîches et une bonne charpente. Encore un peu agressif : on appréciera plus tard sa longueur.
M. Jean-Pierre Trouvé, 1, rue de la Gare, Saint-Martin-le-Beau, 37270 Montlouis-sur-Loire, tél. 47.50.63.62

Vouvray

Un long vieillissement en cave et en bouteille révèle toutes les qualités des vouvray, blancs très racés nés au nord de la Loire, sur un terroir de 18 000 ha qu'écorne au nord l'autoroute A10 et que traverse la Brenne. Le cépage des blancs de Touraine, chenin blanc (ou pinot de la Loire), donne ici des vins tranquilles de haut niveau (50 000 hl), colorés, très racés, secs ou moelleux selon les années, et des vins mousseux ou pétillants (40 000 hl), très vineux. Les deux types sont parfaitement aptes à une longue garde, même si l'on boit parfois les vins effervescents assez jeunes. Poissons, fromages (de chèvre) iront bien avec les uns, plats fins ou desserts légers avec les seconds, qui feront aussi d'excellents apéritifs.

AIGLE D'OR 1984*

17 ha — 90 000

Sa robe est jaune paille et ses bulles fines et lentes se rassemblent en une mince collerette. Son nez subtil évoque fleurs et fruits. Vif, équilibré, harmonieux. La fin de dégustation de cet «aigle d'or» nous entraîne vers les cimes.
Prince Poniatowski, Le Clos Baudoin, Vallée de Nouis, 37210 Vouvray, tél. 47.52.71.02 r.-v.

DANIEL ALLIAS Moelleux 1986***

2 ha — 10 000

Il faut visiter les caves de Daniel Allias qui sait si bien défendre les couleurs de son appellation dans le monde. Sa production personnelle est tout à fait à la hauteur pour ce 86 jaune paille au nez complexe où se mêlent acacia, pain grillé et fruits exotiques; ces arômes, d'une grande finesse, se complètent en bouche d'une nuance de coing et de miel qui participent à l'onctuosité d'un vin rond et équilibré. La charpente est un gage, chez quelques années, d'un bel optimum qualitatif.
M. Daniel Allias, Clos du Petit-Mont, 37210 Vouvray, tél. 47.52.74.95 r.-v.

JEAN-CLAUDE AUBERT Sec 1986**

2 ha — 10 000

82 83 |85| 86

Vert doré, il développe des arômes de fruits frais, pomme, coing et fruits exotiques. Il est généreux, onctueux et ne manque pas de longueur. Une belle harmonie le rend agréable dès maintenant.
M. Jean-Claude Aubert, 10, rue de la Vallée-Coquette, 37210 Vouvray, tél. 47.52.71.03 t.l.j. 8h-19h.

JEAN-CLAUDE AUBERT
Cuvée réservée**

2 ha — 8 000

Venant d'argilo-calcaires, il est vinifié et élaboré avec le savoir-faire peaufiné par quatre générations de vignerons. Sa robe a une belle couleur à reflets verts, ses bulles fines et légères se regroupent en un joli cordon. A l'odorat, on trouve une discrète expression de fruits frais. Avec une bonne richesse aromatique, il est souple, élégant et gai.
M. Jean-Claude Aubert, 10, rue de la Vallée-Coquette, 37210 Vouvray, tél. 47.52.71.03 t.l.j. 8h-19h.

FRANÇOIS BENOIT Sec 1986**

8 ha — 2 000

Avec sa robe jaune doré et son odeur de pomme reinette, il paraît avoir une personnalité marquée, tout autant par sa nuance végétale et caramel en bouche. Souple et généreux, il est plaisant et ne manque pas d'originalité.
M. François Benoît, Dom. des Raisins Dorés, L'Étoile, Vernou-sur-Brenne, 37210 Vouvray, tél. 47.52.00.54 r.-v.

JEAN BOISTARD Demi-sec 1986**

0,50 ha — 2 000

Limpide, légèrement ambré, il présente des arômes caractéristiques du millésime : pomme et coing. Léger, gouleyant, onctueux, il est harmonieux.
M. Jean Boistard, 216, rue Neuve, Vernou-sur-Brenne, 37210 Vouvray, tél. 47.52.18.73 r.-v.

BERNARD BONGARS Demi-sec 1986*

n.c. — 10 000

64 70 |71| 73 (76) 79 |83| 85 86

Il est jaune pâle avec des reflets verts. Son nez rassemble des notes florales et fruitées (pomme et fruits exotiques) avec une évocation végétale. Il est d'une très belle élégance.
M. Bernard Bongars, Coteau de Venise, Noizay, 37210 Vouvray, tél. 47.52.11.64 r.-v.

JEAN BOURILLON-DORLEANS
Brut*

3 ha — 20 000

Un cordon de bulles fines dans une belle robe dorée : le raisin est mûr et le nez le retrouve dans une évocation de pomme de pin. Des arômes très fins, très harmonieux, un vin bien fait pour l'apéritif.

↝ M. Frédéric Bourillon-Dorléans, Rochecorbon, 37210 Vouvray, tél. 47.52.50.45
Y r.-v.

JEAN-CLAUDE CATHELINEAU
Demi-sec 1986*

☐ 81 82 **83** 84 **85** 86

| 2,50 ha | 2 000 |

Depuis six générations, les Cathelineau élèvent sur sols argilo-siliceux. Ce chenin en porte la marque, bien structuré. Son nez est expressif et sa bouche fruitée est harmonieuse.

↝ M. Jean-Charles Cathelinau, Devants de la Vallée du Vau, Chancay, 37210 Vouvray, tél. 47.52.20.61

DIDIER CHAMPALOU
Moelleux 1986***

☐

| 1 ha | n.c. |

Catherine et Didier Champalou ont créé récemment cette exploitation qu'ils agrandissent chaque année. Ils ont réussi un coup de maître avec ce superbe vouvray issu de chenin trié. Il offre toute la complexité aromatique des grands moelleux, du pain grillé avec évocation de fruits exotiques, d'une grande finesse, mais parfaitement développée. Charpenté, long, harmonieux, c'est l'onctuosité faite vin. Sa rareté en fait aussi l'un des trésors de Vouvray.

↝ M. Didier Champalou, Vallée Chartier, 37210 Vouvray, tél. 47.52.64.49 Y t.l.j. 9h-18h.

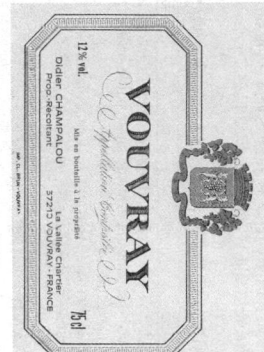

GILLES CHAMPION
Moelleux 1986*

☐

| 11 ha | 2 000 |

Vin de couleur jaune vert au bouquet très fin de pomme et fruits exotiques, il est souple et long. En bouche, il a de bon arômes de coing et une charpente qui demande à s'arrondir en vieillissant.

↝ M. Gilles Champion, Vallée de Cousse, 37210 Vouvray, tél. 47.52.02.38 Y

BERNARD COURSON Sec 1986*

☐

| n.c. | 5 000 |

Jaune clair, brillant, il se signale par des arômes frais et très intéressants de pomme et de coing. Rond, long, très équilibré, c'est un beau vin d'argilo-calcaire, très harmonieux. Il est élégant et prometteur.

↝ M. Bernard Courson, Les Patys, 37210 Vouvray, tél. 47.52.73.74 Y r.-v.

CUVEE DE LA BICHE Brut**

○

| 11 ha | 10 000 |

Un vin gai, agréable maintenant : ses bulles fines forment un cordon persistant. Son nez jeune est de pomme reinette que l'on retrouve, très mûre, en bouche. Un bel équilibre, rondeur et plénitude.

↝ M. Christophe Pichot, 25, rue de la Bonne-Dame, 37210 Vouvray, tél. 47.52.62.55 Y r.-v.

MAISON DARRAGON Pétillant*

○

| 5 ha | 15 000 |

Jaune clair et bulles fines : il se signale par un nez agréable et une vinosité bien relevée. Un vouvray typique et bien équilibré.

↝ Maison Darragon, Sanzelle, 37210 Vouvray, tél. 47.52.74.49 Y r.-v.

MICHEL DENIAU Sec 1986*

○

| 2 ha | 6 000 |

De teinte claire, sa robe est agrémentée de bulles fines qui dominent un mince cordon. Il apparaît d'abord vif et nerveux puis on apprécie son amplitude et sa longueur. Il est jeune et peut s'arrondir si on l'attend.

↝ M. Michel Deniau, 27, rue des Loquets, Parçay-Meslay, 37210 Vouvray, tél. 47.51.53.24 Y r.-v.

JEAN-MICHEL FORTINEAU
Demi-sec 1986*

☐ **83** **85** 86

| 1 ha | 3 000 |

Sur les hauteurs de Vouvray, Jean-Michel Fortineau assure la continuité de La Blottière. 86 est d'accord dans ses arômes de pomme verte, citronnelle et fruits exotiques. C'est un vin léger, frais et sympathique.

↝ M. Jean-Michel Fortineau, La Blottière, 37210 Vouvray, tél. 47.52.74.24 Y r.-v.

REGIS FORTINEAU 1986*

○

| n.c. | 2 000 |

Sa robe est de teinte claire à nuances vertes, ses bulles sont fines, son cordon fugace. Il exhale une bonne odeur de pomme verte que l'on retrouve en bouche. Il est vif, fruité et bien type.

↝ M. Régis Fortineau, 37210 Vouvray, tél. 47.52.65.62 Y r.-v.

BERNARD FOUQUET 1986*

☐

| 1,50 ha | 5 000 |

Jaune clair et limpide, il révèle des arômes fins de golden. Trouvé d'abord frais, on le note ensuite long, persistant et puissant.

↝ M. Bernard Fouquet, Les Aubuisières, 32, rue Gambetta, 37210 Vouvray, tél. 47.52.61.55 Y lu. me. je. ve. sa. 8h-12h 14h-19h.

J.-P. ET CHRISTINE FRESLIER 1986*

☐

| 4 ha | n.c. |

Vin jaune doré ; son nez évoque à la fois le fruit et le minéral, pomme verte et pierre à fusil. Jaune clair et limpide, il est vif avec une tendance végétale. Il est harmonieux dans son type, et sa maturation en cave devrait lui donner de l'étoffe.

J.-P. ET CHRISTINE FRESLIER Demi-sec 1986***

○ 4 ha n.c.

« Il doit avoir déjà de la bouteille » écrit le dégustateur : oui, mais quelle bouteille ! Les bulles sont peut-être rares, mais elles sont fines dans un jaune doré qui annonce l'intensité des arômes de pain grillé et de brioche. Équilibré, rond et plein, il est harmonieux tout au long d'une dégustation plaisante. Très agréable en apéritif.

↪ M. et Mme Freslier, La Caillerie, 90-92, rue Vallée-Coquette, 37210 Vouvray, tél. 47.52.76.61 t.l.j. sf dim. 8h30-12h 13h30-19h30.

CH. GAUDRELLE Demi-sec 1986*

|85| |86|

D'un jaune clair très brillant, il ne manque pas de finesse aromatique, floral et fruité avec une touche minérale. Long et élégant, il a de la rondeur. C'est un vin harmonieux.

↪ M. Armand Monmousseau, Ch. La Gaudrelle, 37210 Vouvray, tél. 47.52.70.25 r.-v.

HENRI GAUDRON-CARRE 1986***

○ n.c. 6 000

Légèrement doré et brillant, riche d'odeurs intenses d'acacia et de pomme mûre, c'est un vin équilibré, rond et long. Fruité, il évoque une récolte de raisins bien à point. Il a la solidité des vouvray produits sur argile à silex et celle du 86. Il représente bien l'appellation dont il a l'harmonie et la finesse.

↪ M. Henri Gaudron-Carré, 90, rue Neuve, Vernou-sur-Brenne, 37210 Vouvray, tél. 47.52.12.17 r.-v.

HENRI GAUDRON-CARRE Blanc de blancs - Brut

○ n.c. 40 000

Doré à nuance verte ; ses bulles sont fines et vives, sa couronne se maintient. Bien fruité, un peu banane en bouche, il est ample, assez dosé ; souple, il ne manque pas d'harmonie.

↪ M. Henri Gaudron-Carré, 90, rue Neuve, Vernou-sur-Brenne, 37210 Vouvray, tél. 47.52.12.17 r.-v.

LIONEL GAUTHIER-LHOMME Sec 1986*

|81| 82 83 |85| 86

Il exhale des arômes de fruits cuits et de coing. Souple et long, c'est un vin harmonieux.

↪ M. Lionel Gauthier-Lhomme, Melotin, Reugny, 37380 Monnaie, tél. 47.52.96.41 r.-v.

LIONEL GAUTHIER-LHOMME Brut 1986*

○ 1,50 ha 10 000

Doté d'une belle robe jaune doré ornée de bulles fines et régulières qui dessinent un cordon discret, il offre des arômes floraux et fruités. Il a une attaque plaisante, son équilibre et sa longueur laissent une impression harmonieuse.

↪ M. Lionel Gauthier-Lhomme, Melotin, Reugny, 37380 Monnaie, tél. 47.52.96.41 r.-v.

BENOIT GAUTIER Clos du Château-Chevrier 1986**

|85| |86|

○ 1 ha 3 000

Récolté par tris et élevé en fût de chêne, ce joli meilleur jaune offre d'intéressants arômes bien évolués ou pointe une nuance de fruits exotiques. Souple, rond, bien charpenté, il saura vieillir.

↪ M. Benoît Gautier, La Racauderie, Parçay-Meslay, 37210 Vouvray, tél. 47.51.30.47 t.l.j. 8h-13h 14h-21h.

ROLAND GREFFE Blanc de blancs - Brut 1986**

○ n.c. 50 000

La maison Greffe est tout à fait intégrée au terroir vouvrillon. La sélection des vins de base et une deuxième fermentation en bouteille suivie minutieusement sont à l'origine de ce « moustillant » très réussi. Sa robe jaune doré aux reflets verts est parée de bulles légères et d'une couronne persistante. A l'odorat, on le trouve intense, complexe, fruité poire avec une note poivrée. Souple, rond, il a une remarquable rémanence aromatique. Harmonieux, très personnalisé, il n'incite pas à la sobriété !

↪ M. Roland Greffe, 35, rue Neuve, Vernou-sur-Brenne, 37210 Vouvray, tél. 47.52.12.24 r.-v.

BERNARD HERIVAULT Demi-sec 1986*

○ n.c.

Un vin bien sympathique évoquant l'acacia, le sous-bois, dans une couleur jaune paille brillante. Un 86 équilibré, rond, harmonieux.

↪ M. Bernard Hérivault, La Croix Blanche, Reugny, 37380 Monnaie, tél. 47.52.91.85 r.-v.

DANIEL JARRY Sec 1986*

82 83 |85| 86

○ n.c. 20 000

Ce 86 jaune pâle a une odeur sympathique de coing nuancée de citron. Les arômes sont plus discrets en bouche, mais il reste plaisant et harmonieux : caractéristique des Premières Côtes.

↪ M. Daniel Jarry, 99, rue de la Vallée-Coquette, 37210 Vouvray, tél. 47.52.78.75 r.-v.

DOM. DE LA BLOTTIERE Brut 1986***

○ 1 ha 5 000

Élaboré selon la méthode traditionnelle, ce vouvray a séduit tous les jurés. Dans un ensemble jaune clair nuancé de vert, les bulles très vives et très fines se regroupent en une jolie couronne. D'une grande élégance dans ses arômes, il est fin et floral. Certes, il est souple, mais il a du corps et une vinosité harmonieuse. Le plus beau représentant effervescent de l'appellation.

☛ M. Jean-Michel Fortineau, La Blottière, 37210 Vouvray, tél. 47.52.74.24 ☎ r.-v.

PIERRE LOTHION Blanc de blancs 1986

○   3 ha   10 000

Pâle, il a une belle mousse à bulles fines. A la fois pomme verte et amande grillée. Souple et rond, généreux en fin de bouche, il est évolué et à consommer maintenant.

☛ M. Pierre Lothion, 37, rue Gambetta, 37210 Vouvray, tél. 47.52.71.24 ☎ r.-v.

BERNARD MABILLE Brut*

○   2 ha   10 000

Jaune doré brillant, sa mousse est légère et son cordon persistant. Floral par son bouquet de giroflée, fruité par ses arômes de pomme, vif, il a une bonne rémanence aromatique et de la longueur.

☛ M. Bernard Mabille, Vaugondy, Vernou-sur-Brenne, 37210 Vouvray, tél. 47.52.10.94 ☎ r.-v.

BERNARD MABILLE Demi-sec 1986**

○   6 ha   12 000

Vin d'argilo-calcaire, il enchante l'œil. On lui découvre des arômes évolués et sympathiques de pain grillé au nez et de fruits exotiques en bouche. Il est fruité, souple, onctueux. Sa bonne charpente lui promet une évolution intéressante.

☛ M. Bernard Mabille, Vaugondy, Vernou-sur-Brenne, 37210 Vouvray, tél. 47.52.10.94 ☎ r.-v.

CLAUDE METIVIER 1986*

○   8,90 ha   2 000

Harmonieux et sympathique par sa robe jaune paille et son fruité, c'est un bon vouvray qui se maintiendra jeune dans sa cave de tuffeau.

☛ Mme Claude Métivier, 51, rue Neuve, Vernou-sur-Brenne, 37210 Vouvray, tél. 47.52.01.95 ☎ r.-v.

MAISON MIRAULT Demi-sec 1986*

○   n.c.   6 000

De l'acacia au nez, du coing, des fruits exotiques, l'amande grillée en bouche. Rond, plein et charpenté, il est harmonieux mais peut attendre.

☛ Maison Mirault, 15, av. Brûlé, 37210 Vouvray, tél. 47.52.71.62 ☎ t.l.j. sf dim. 9h-11h30 14h-15h30 et dim. sur r.-v.

LE PEU DE LA MORIETTE

Demi-sec 1986*

□   11 ha   10 000

A la propriété, on peut encore voir un pressoir du XVIe s. Le vin aussi se présente joliment. Jeune et complet, il est floral, fruité, végétal. Encore un peu fermé en arômes, mais long et souple, bien étoffé, il peut s'épanouir en vieillissant.

☛ M. Jean-Claude Pichot, 32, rue de la Bonne-Dame, 37210 Vouvray, tél. 47.52.72.45 ☎ t.l.j. 8h-12h 14h-18h.

JEAN-PIERRE LAISEMENT

Pétillant 1986**

○   6 ha   20 000

Une méthode traditionnelle permet d'élaborer dans les caves de tuffeau ce beau vin. Il a une belle robe jaune doré et des bulles fines. On apprécie ses odeurs intenses typiques des pétillants de vouvray où l'on retrouve le coing et la brioche. En bouche, il confirme sa bonne expression aromatique du terroir avec une note d'amande. Plaisant, jouissant d'un bel équilibre, rond et charpenté, il a bien l'harmonie souhaitée.

☛ M. Jean-Pierre Laisement, 22, rue La Vallée-Coquette, 37210 Vouvray, tél. 47.52.94.53 ☎ r.-v.

DENISE LEFEVRE Brut 1986**

○   n.c.   6 000

La robe dorée à reflets verts est égayée de bulles fines assez lentes au nez. Il est fruité pomme. En bouche apparaissent des fruits exotiques assez persistants. C'est un vin harmonieux et sympathique.

☛ Mme Denise Lefèvre, La Navire, 8, rue Voltaire, Reugny, 37380 Monnaie, tél.

LE MONT Demi-sec 1986*

(59)|61|64|69|71|82|83|85|86|

□   7 ha   16 000

Issu d'une Première Côte argilo-calcaire et d'une vigne de quarante ans, ce vin récolté et vinifié suivant la tradition est paré d'une belle robe jaune doré. Il a un bon nez à dominante noisette en bouche. Son austérité en fin de dégustation est typique du millésime et gage d'une forte personnalité après maturation en cave. Ce « Mont » est équilibré et élégant.

☛ SA Huet, Dom. du Haut-Lieu, 37210 Vouvray, tél. 47.52.78.87 ☎ t.l.j. sf dim. 9h-12h 14h-18h; f. dim. et fêtes

LE MOULIN D'ANGIBAULT

Demi-sec 1986

|82|83|85|86|

□   5 ha   3 000

Pâle et brillant, il se signale par une odeur puissante de pomme mûre et de fruits exotiques (litchis). Il évoque le coing avec une nuance minérale de pierre-à-fusil. Long, bien équilibré, harmonieux et fin, c'est un beau demi-sec.

Touraine

Cheverny VDQS

Entre Loire et Sologne, les vins de qualité supérieure de ce vignoble ont été promus VDQS en 1973. Sur 200 ha qui remontent sur la rive gauche du fleuve jusqu'aux portes de l'Orléanais, les cépages sont nombreux, des variétés locales complétant les «classiques»; ils donnent des vins à boire jeunes. Les rouges (8 000 hl; gamay, cabernet, pinot noir) sont légers et fruités; les rosés (1 000 hl; gamay, pineau d'Aunis, pinot gris) secs; les blancs (8 000 hl; sauvignon, chenin, chardonnay, romorantin), secs et légers.

CLAUDE PINON Brut*

○ 2 ha 10 000 III ☑3

Sa présentation en robe jaune à reflets verts est égayée d'une mousse à bulles fines et légères. Puissant et floral, avec une note de girofle, il est vif, plein, persistant.

☛ M. Claude Pinon, Vallée de la Cousse, Vernou-sur-Brenne, 37210 Vouvray, tél. 47.52.12.57
⚲ r.-v.

JEAN-CLAUDE POUSSIN
Pétillant*

○ 8,50 ha 10 000 IIII ☑2

Jaune paille agrémenté de bulles fines et rapides; son nez est complexe avec une note citronnelle. Discret, c'est un pétillant léger et sympathique.

☛ M. Jean-Claude Poussin, La Babauderie, Reigny, 37380 Monnaie, tél. 47.52.91.32 ⚲ t.l.j. 9h-12h 14h-18h.

ROBERT VAUSSOURD Demi-sec 1986*

☐ 1 ha 1 800 ☑2

Vin jaune vert brillant où l'on trouve une agréable odeur florale et de noisette verte. Bien équilibré, il se signale par des arômes sympathiques de fruits exotiques.

☛ M. Robert Vaussourd, Le Pas de la Degaudière, Noizay, 37210 Vouvray, tél. 47.52.02.87 ⚲ r.-v.

VIGNEAU-CHEVREAU Demi-sec 1986*

☐ 14 ha 40 000 ☑2

74 75 76 78 79 81 82 83 85 86

Né sur argilo-siliceux et élevé dans le tuffeau d'une petite vallée, ce demi-sec à la robe jaune paille offre une odeur discrète et fine de fruits exotiques et de confiture de pommes. Vif et puissant, il gagnera à vieillir.

☛ MM. Vigneau-Chevreau, 4, rue du Clos-Baglin, Chançay, 37210 Vouvray, tél. 47.52.93.22 ⚲ r.-v.

CLAUDE VILLAIN Demi-sec 1986***

☐ 14 ha ☑2

Brillant et subtil. Tout dénote l'élégance de ce très beau 86 : odeurs de fleurs et de pain grillé, rondeur, charpente et arômes généreux où paraissent les fruits exotiques (ananas). D'une parfaite harmonie, il devrait avoir une longue et heureuse maturation en cave.

☛ M. Claude Villain, rue Saint-Georges, Rochecorbon, 37210 Vouvray, tél. 47.52.50.72 ⚲ t.l.j. sf dim. 9h-12h 14h-18h.

Cheverny VDQS

GILBERT BRAZEAU Cabernet 1987**

☐ 0,20 ha 2 000 ☐↓

Rubis clair, avec un bouquet intense de raisins en macération (avec une nuance végétale), et avec un palais où l'on trouve des arômes de fruits rouges. C'est un vin souple, charpenté, long et tout à fait harmonieux.

☛ M. Gilbert Brazeau, L'Épinière, Cormeray, 41120 Les Montils, tél. 54.44.20.46 ⚲ r.-v.

MICHEL CADOUX Gamay 1987*

☐ 5 ha 18 000 ☐↓↘

Une belle couleur rubis, un nez sympathique, et, en bouche, il confirme ses bons arômes : c'est un vin léger mais rond, harmonieux dans son type.

☛ M. Michel Cadoux, Le Portail, Cheverny, 41700 Contres; tél. 54.79.91.25 ⚲ r.-v.

FRANCOIS CAZIN Sauvignon 1987**

☐ 1 ha 5 000 ☐↓↘

Il est de couleur jaune vert; à l'odorat, on apprécie des arômes fins et floraux. On lui trouve de la rondeur et la fraîcheur qui convient au cépage. Belle harmonie.

☛ M. François Cazin, Le Petit Chambord, Cheverny, 41700 Contres, tél. 54.79.93.75 ⚲ r.-v.

MICHEL CONTOUR 1986**

☐ 1,80 ha n.c. ☐↓

Il a une belle robe et un nez puissant et plaisant. Le gamay est corsé par le pinot noir qui lui apporte de la longueur. L'équilibre réalisé est harmonieux ; on a ainsi obtenu un type intéressant qui exprime bien l'appellation.

☛ M. Michel Contour, 7, La Boissière, Celletttes, 41120 Les Montils, tél. 54.70.43.07 ⚲ t.l.j. sf dim. 8h-20h.

JEAN-MICHEL COURTIOUX
Sauvignon 1987**

☐ 12 ha 20 000 ☐↓

Paré d'une belle robe jaune à reflets verts, il a

688

des parfums intenses et fins très caractéristiques du cépage que l'on retrouve au palais, frais et fin. D'une grande plénitude, c'est un vin très représentatif du sauvignon récolté dans l'aire de l'appellation cheverny.

→ M. Jean-Michel Courtioux, Juchepie, Saint-Claude-de-Diray, 41350 Vineuil, tél. 54.20.57.36 ▼ r.-v.

ANDRE COUTOUX Pinot Noir 1985**

0,55 ha — 2 500

Le vignoble est sur terrains calcaires qui conviennent tout à fait au pinot noir, cépage par ailleurs bien adapté au climat de la région. Ce 87 a une belle couleur et un très bon nez. En bouche, on retrouve des arômes du cépage, sa rondeur, sa bonne structure, sa finesse. C'est un très beau vin qui s'exprime dès maintenant.

→ M. André Coutoux, Closerie des Murs, Seur, 41120 Les Montils, tél. 54.44.04.58 ▼ r.-v.

DOM. DE GAUCHER Pineau de Loire 1986**

n.c. — n.c.

Ce 86 vinifié avec le seul pineau de la Loire est un type assez particulier de l'appellation cheverny. Ce cépage est traditionnellement implanté dans la partie sud de la Loire, comme à Fougères-sur-Bièvre. De couleur jaune paille, il a un nez assez fin. En bouche, il donne une bonne impression, ses arômes sont fins et subtils. Il est assez tendre et harmonieux dans son type.

→ MM. Roger Samin et Fils, Dom. de Gaucher, 41120 Fougères-sur-Bièvre, tél. 54.20.26.52 ▼ r.-v.

GENDRIER Romorantin 1987*

4,50 ha — n.c.

Vin brillant, jaune clair à caractère floral (acacia, seringa) et de pomme verte. Il est souple avec une bonne rondeur, fin et plaisant.

→ GAEC Gendrier, Les Huards, Cour-Cheverny, 41700 Contres, tél. 54.79.97.90 ▼ r.-v.

GIVIERGE 1986*

4 ha — 12 000

Ce 86 a bien évolué. L'union des deux cépages gamay et pinot noir s'est renforcée. La robe est belle, le nez très fin. Il est bien équilibré, long en bouche, et donne une impression d'harmonie tout à fait remarquable. Son profil apparaît très proche de l'idéal recherché pour l'appellation en rouge.

→ GAEC Givierge et Fils, Clos de L'Aumonière, Cour-Cheverny, 41700 Contres, tél. 54.79.98.17 ▼ t.l.j; 8h-12h 14h-18h.

PATRICE HAHUSSEAU 1986*

2 ha — 2 000

Le millésime 86 né de l'union gamay et pinot noir est bien réussi. La robe est belle, le nez agréable. C'est un vin plaisant.

→ M. Patrice Hahusseau, 38, rue de la Chaumette, Muides-sur-Loire, 41500 Mer, tél. 54.87.58.65 ▼ r.-v.

FRANCIS HUGUET Romorantin 1987**

1 ha — 3 000

Ce Romorantin 87, récolté sur la rive gauche

de la Loire, est brillant et de couleur jaune doré assez soutenu. Le nez est floral et épicé, il en bouche et frais, plein, charpenté avec de la rondeur. Élégant et racé, il porte la marque de son terroir.

→ M. Francis Huguet, 12, rue de la Francheterie, Saint-Claude-de-Diray, 41350 Vineuil, tél. 54.20.57.36 ▼ r.-v.

GAEC DE LA ROCHE Sauvignon 1987*

8 ha — 10 000

De belle couleur jaune vert, il exprime des odeurs florales et primitives qui évoquent le raisin. Frais et plein, avec une certaine longueur, c'est un vin joyeux.

→ GAEC de La Roche, La Roche, Sambin, 41120 Les Montils, tél. 54.20.28.26 ▼ r.-v.

GILBERT OURY 1987**

2,80 ha — 4 000

Cette association gamay-cabernet du millésime 87 se révèle très positive. C'est un vin d'une belle couleur, au nez sympathique. Très bien équilibré, et remarqué par sa longueur.

→ M. Gilbert Oury, La Gardette, Fougères-sur-Bièvre, 41120 Les Montils, tél. 54.20.28.60 ▼ r.-v.

JEAN PUZELAT Chardonnay 1987**

2,20 ha — 12 000

Ce cheverny 87 à base de chardonnay est issu de vignes situées entre la Loire et la Bièvre sur argile à silex. Dénommé autrefois auvernat blanc, le chardonnay y donne un vin d'un caractère confirmé. D'une belle teinte brillante, il a un nez confirmé. En bouche, on trouve une évocation aromatique de pomme cuite. Bien équilibré et long, il est plaisant et peut encore mûrir.

→ M. Jean Puzelat, 6, rte de Seur, 41120 Les Montils, tél. 54.44.05.16 ▼ r.-v.

JACQUES ROBERT 1986*

4 ha — 30 000

Associant le gamay et le pinot noir implanté dans le secteur du VDQS cheverny, sur la rive gauche de la Loire, on obtient là un vin très intéressant. D'une belle couleur, il a un nez puissant. En bouche, il est bien équilibré, à la fois rond et long.

→ M. Jacques Robert, 2, rue de l'Aubergeon, Saint-Claude, 41350 Vineuil, tél. 54.20.65.11 ▼ r.-v.

DOM. DU SALVARD Cuvée du Domaine 1987*

5 ha — 15 000

Ce vin pour lequel on a sélectionné des raisins de cabernet, gamay et côt, a une belle robe et se signale par des odeurs agréables. Il est corsé et bénéficie d'un bon équilibre ; sa charpente lui permettra une évolution intéressante.

→ M. Gilbert Delaille, Dom. du Salvard, 4112C Fougères-sur-Bièvre, tél. 54.20.28.21 ▼ t.l.j; 9h-12h 14h-20h.

MARCEL SAUGER Chardonnay 1987*

1 ha — 2 500

Issu du cépage chardonnay, ce 87 à une belle robe et des arômes agréables, floraux avec une

Touraine

nuance citronnelle et boisée. Il est bien équilibré et plaisant.
☛ M. Marcel Sauger, Les Touches, Fresnes, 41700 Contres, tél. 54.79.58.45 ☥ r.-v.

GAEC TESSIER Romorantin 1987*
1,30 ha — 5 000

Il a une belle robe jaune à reflets verts. Son nez, agréable et fin, exprime l'aubépine, le seringa et la pomme reinette, voire le coing. En bouche, il est fruité, vif, long, et ne manque pas de rondeur. C'est un vin harmonieux, bien typé et élégant qui a assez de tempérament pour bien évoluer avec l'âge.
☛ GAEC Tessier Père et Fils, La rue Colin, Cheverny, 41700 Contres, tél. 54.44.23.82 ☥ ma. me. je. ve. sa. 9h-12h 14h-19h ; le dim. sur r.-v.
☛ MM. Roger et Philippe Tessier.

CHEVERNY
VIN DÉLIMITÉ DE QUALITÉ SUPÉRIEURE
ROMORANTIN
MISE EN BOUTEILLES À LA PROPRIÉTÉ
GAEC TESSIER PÈRE ET FILS VITICULTEURS
RUE COLIN - CHEVERNY - LOIR-ET-CHER
PRODUIT DE FRANCE
75 cl

CHRISTIAN TESSIER Gamay 1987*
2 ha — 20 000

Il a une couleur légère et vive, son nez est de qualité. En bouche, il est fruité, fin, équilibré avec une bonne longueur. Il a le caractère du cépage et du millésime.
☛ M. Christian Tessier, Dom. de La Désoucherie, Cour-Cheverny, 41700 Contres, tél. 54.79.90.08 ☥ r.-v.

DANIEL THEVENOT 1986*
2 ha — 4 000

Fruit de mariage gamay-pinot noir, dans un vignoble situé rive gauche de la Loire à proximité du fleuve. Le 86 est paré d'une belle robe et donne de l'agrément à l'odorat. Il a une bonne charpente avec une nuance astringente.
☛ M. Daniel Thévenot, 4, rue du Moulin-Vent, Candé-sur-Beuvron, 41120 Les Montils, tél. 54.79.44.24 ☥ r.-v.

Coteaux du vendômois VDQS

Touraine, qui produisent sur 60 ha des vins rosés (pineau d'Aunis), rouges et blancs, légers et secs de qualité supérieure.

CHEVAIS Chenin blanc 1987**
0,50 ha — 800

Jaune paille, il est beau ; on apprécie à l'odorat de la fleur et de l'aubépine. En bouche, il a aussi de bons arômes fins, frais et étoffés. Très harmonieux, il représente bien l'appellation.
☛ GAEC Chevais Frères, Les Portes, Montoire-sur-le-Loir, 41800 Houssay, tél. 54.85.30.34 ☥ r.-v.

GERARD DERRE 1987*
1 ha — 1 000

Vin à la robe jaune paille, au nez subtil qui se révèle très agréable. En bouche, il est souple et harmonieux.
☛ M. Gérard Derré, Les Morines, Houssay, 41800 Montoire-sur-le-Loir, tél. 54.77.18.36 ☥ r.-v.

JEAN-NOEL LEMORE
Gris de Pineau d'Aunis 1987**
1,27 ha — 17 000

Gris nuance œil-de-perdrix, il correspond bien à ce que l'on recherche en coteaux-du-vendômois. À l'odorat, il est plaisant et à la dégustation on apprécie sa souplesse et sa finesse. Il est typé et gouleyant à souhait.
☛ M. Jean-Noël Lemore, Le Bourg, Houssay, 41800 Montoire-sur-le-Loir, tél. 54.85.06.28 ☥ r.-v.

JEAN MARTELLIERE 1987**
2 ha — 3 000

Il est d'un beau rubis foncé et riche d'arômes de fruits rouges (fraise et cassis). Il a une bonne charpente et de la longueur. C'est un vin généreux, très harmonieux, qui exprime bien le terroir.
☛ M. Jean Martellière, Fosse, 41800 Montoire-sur-le-Loir, tél. 54.85.16.91 ☥ r.-v.

GAEC MINIER 1987*
1,05 ha — 8 500

Vin pâle à reflets verts, il s'affirme aussi aromatique au nez qu'au palais, avec beaucoup de souplesse et de longueur. On a réalisé là une association très réussie du chenin et du chardonnay, qui convient particulièrement bien au terroir.
☛ GAEC Minier, Les Monts, Lunay, 41360 Savigny-sur-Braye, tél. 54.72.02.36 ☥ r.-v.

GERARD NEILZ 1986*
n.c. — 3 000

Gris orangé, il a un nez typé évolué. Assez long, souple, il est agréable mais il ne faut pas l'attendre.
☛ M. Gérard Neilz, Vauvacon, Mazangé, 41100 Vendôme, tél. 54.72.00.10 ☥ r.-v.

CLAUDE NORGUET 1987**
1,50 ha — 4 500

Paré d'une belle robe rubis, ce 87, bien

Coteaux du vendômois VDQS

On retrouve ici, de part et d'autre de la vallée en amont des vignobles des coteaux-du-loir et du jasnières, les cépages les plus répandus en

Le Poitou

structuré, offre des arômes de groseille et de cassis. On note de la souplesse, de la plénitude, de la longueur. Il est harmonieux et séduisant.
☞ M. Claude Norguet, Berger, 41100 Thoré-la-Rochette, tél. 54.77.12.52 ℡ r.-v.

CLAUDE NORGUET 1987**

□   1,20 ha   4 500

Il se présente avec un sympathique bouquet jasmin et citron, et un bon arôme fruité et puissant en bouche. Frais, rond, il ne manque pas de longueur ni d'élégance. C'est un vin harmonieux.
☞ M. Claude Norguet, Berger, 41100 Thoré-la-Rochette, tél. 54.77.12.52 ℡ r.-v.

COOP. DE VILLIERS 1987**

n.c.   10 000

Ce rosé 87 a une belle robe œil-de-perdrix, un nez odorant, agréable, et un côté poivré en bouche. Harmonieux et sympathique, il exprime bien l'appellation.
☞ Cave de Villiers-sur-Loir 60, av. du Petit-Thouars, Villiers-sur-Loir 41100 Vendôme, tél. 54.72.90.69 ℡ r.-v.

Valençay VDQS

Le Poitou

Un vignoble au sud-est de la Touraine, déjà situé dans le département de l'Indre et proche de ceux du Centre. Sur une vingtaine d'hectares se répartissent gamay, cabernet, pinot noir et côt pour les rouges, légers et fruités, et pour les rosés, plus secs ; et arbois, sauvignon, chardonnay pour les blancs, secs et assez pleins. Tous ces vins de qualité supérieure sont à boire jeunes.

JACKY AUGIS 1986*

■   5,30 ha   350 000

Rubis clair, il offre un nez d'une bonne intensité évoquant le sous-bois. Il a de la fraîcheur et s'exprime très bien.
☞ M. Jacky Augis, Le Musa, Meusnes, 41130 Selles-sur-Cher, tél. 54.71.01.89 ℡ t.l.j. 9h-12h 14h-19h ; f. dim. a.-m.

JEAN LE METAYER 1986*

■   n.c.   10 000

Une belle teinte rubis soutenu précède un bouquet où apparaissent des arômes secondaires intenses. Assez vif, il est doté d'une charpente. Il a des évocations «tabac» qu'il sera intéressant de voir évoluer au cours de sa garde.
☞ M. Jean Le Metayer, La Garenne, 36600 Valençay, tél. 54.00.27.60 ℡ r.-v.

Haut-poitou VDQS

Le Poitou

Le Dr Guyot rapporte, en 1865, que le vignoble de la Vienne représente 33 560 ha. De nos jours, outre le vignoble du nord du département rattaché au Saumurois, le seul intérêt porté à la vigne se situe autour des cantons de Neuville et Mirebeau! Marigny-Brizay est la commune la plus riche en viticulteurs indépendants ; les autres se sont regroupés pour former la cave de Neuville-de-Poitou, qui vinifie 90 % des 30 000 hl du VDQS vin du haut-poitou, dont elle a été à l'origine.

Haut-poitou VDQS

JACKY PREYS Sauvignon 1987**

□   n.c.   20 000

Sauvignon d'argiles à silex, il est d'un beau jaune-vert limpide. Ses arômes élégants s'expriment mieux quand on l'aère ; il est très fruité, plein, rond et très harmonieux. Ce vin représente bien l'appellation et le cépage.
☞ M. Jacky Preys, Le Bois Pontois, Meusnes, 41130 Selles-sur-Cher, tél. 54.71.00.34 ℡ r.-v.

HUBERT SINSON
Maison Blanche - Côt 1986**

■   3 ha   10 000

De couleur ambre, il a de belles jambes qui annoncent sa rondeur. C'est un très beau vin, au nez complexe, puissant, long, plein et charnu, qui exprime de beaux arômes de fruits rouges. Il est harmonieux et a beaucoup de personnalité.
☞ M. Hubert Sinson, Le Muza, Meusnes, 41130 Selles-sur-Cher, tél. 54.71.00.26 ℡ r.-v.

ROBERT VAILLANT Cabernet 1987**

0,40 ha   2 600

Vin d'argile à silex des coteaux de la vallée du Moreau sur la rive gauche du Cher, il a une robe rubis ⊃, des odeurs de sous-bois et poivron vert, des arômes vanillés et framboisés. Plein, long, bien équilibré. C'est un beau vin agréable des maintenant.
☞ M. Robert Vaillant, Les Moreaux, Lye, 36600 Valençay, tél. 54.41.04.35 ℡ r.-v.

Les sols du plateau du Neuvillois, évolués sur calcaires durs et craie de Marigny ainsi que sur marnes, sont propices aux différents cépages de l'appellation; le plus connu d'entre eux est le sauvignon (blanc). Bénéficiant d'une assistance parfaite, les vins du haut-poitou, légers et parfumés, sont connus dans de nombreux pays étrangers et dans toute la grande restauration française.

DIANE DE POITIERS
Blanc de blancs 1986*

45 ha   300 000

Né sur les «groies», calcaire tendre du Haut-Poitou, ce chardonnay réjouit par sa clarté et ses bulles fines, ainsi que par la finesse odorante de cépage et de bon pain chaud.

Cave Coop. du Haut-Poitou, 32, rue A. Plault, 86170 Neuville-de-Poitou, tél. 49.51.21.65 r.-v.

DIANE DE POITIERS Brut 1986*

25 ha   150 000

La fraîcheur du fruit rouge se mêle aux nuances mentholées. Très agréable, léger, rafraîchissant, il a tout naturellement sa place à l'apéritif.

Cave Coop. du Haut-Poitou, 32, rue A. Plault, 86170 Neuville-de-Poitou, tél. 49.51.21.65 r.-v.

CAVE COOP. DU HAUT-POITOU
Chardonnay 1987*

73 ha   500 000

On le sirote, paraît-il, dans les bars de Manhattan. C'est une fête de clarté. Marqué par les fruits exotiques, il laisse cependant des traces d'acidité et d'amertume qui n'enlèvent rien à sa grande distinction.

Cave Coop. du Haut-Poitou, 32, rue A. Plault, 86170 Neuville-de-Poitou, tél. 49.51.21.65 r.-v.

CAVE COOP. DU HAUT-POITOU
Sauvignon 1987*

205 ha   1 000 000

Le cépage sauvignon est incontestablement le plus typique du terroir du Haut-Poitou. Le 87 est particulièrement engageant, joliment brillant. Il allie dans ses arômes la tendresse à la fraîcheur, le genêt à la menthe, et explose en parfums délicats.

Cave Coop. du Haut-Poitou, 32, rue A. Plault, 86170 Neuville-de-Poitou, tél. 49.51.21.65 r.-v.

CAVE COOP. DU HAUT-POITOU
Gamay 1987*

300 ha   1 500 000

Un rubis d'une limpidité parfaite qui reflète le vin frais par excellence! Un fruité, tenace, nuancé d'herbes sauvages et d'épices orientales. Ce gamay, tendre et souple en bouche, accompagnera joyeusement tout un repas.

Cave Coop. du Haut-Poitou, 32, rue A. Plault, 86170 Neuville-de-Poitou, tél. 49.51.21.65 r.-v.

CAVE COOP. DU HAUT-POITOU
Cabernet 1986*

15 ha   75 000

Une belle réussite tant pour la robe délicate, vive et gaie, que les parfums charmants de cépage nuancés de cuir et d'animal, avec un soupçon de boisé! Ce cabernet est tout fleuri, tendre, agréable. Il supportera bien les canetons du Poitou.

Cave Coop. du Haut-Poitou, 32, rue A. Plault, 86170 Neuville-de-Poitou, tél. 49.51.21.65 r.-v.

CAVE COOP. DU HAUT-POITOU
Cabernet rosé 1987*

24 ha   140 000

Dans les garden parties de Tokyo, c'est ce cabernet rosé du Haut-Poitou, que les hôtesses versent comme un précieux breuvage; il mérite cet honneur, par la fraîcheur de sa robe grenadine, ses arômes de kir de cassis et de bonbon, et sa légèreté. Il plaira à tous les palais.

Cave Coop. du Haut-Poitou, 32, rue A. Plault, 86170 Neuville-de-Poitou, tél. 49.51.21.65 r.-v.

MANOIR DE LAVAUGAYOT
Cabernet 1987

3,05 ha   20 000

Il est plaisant, couleur agréable, nez fruité et végétal. C'est un vin sympathique, léger, qu'avec plaisir on peut partager.

M. Robert Champalou, Lavauguyot, Marigny-Brizay, 86380 Vendeuvre-du-Poitou, tél. 49.52.09.73

MANOIR DE LAVAUGUYOT
Sauvignon 1987*

1,58 ha   9 500

Terre de passage, brassage des cultures : le Haut-Poitou s'exprime par le biais de ce joli vin, issu de cinq nobles cépages, se nourrissant sur sol argilo-siliceux à fond calcaire. Bourru et rustique, il a besoin d'être aéré pour gagner ainsi de la douceur.

M. Robert Champalou, Lavauguyot, Marigny-Brizay, 86380 Vendeuvre-du-Poitou, tél. 49.52.09.73

Les vignobles du Centre

Des côtes du Forez à l'Orléanais, les principaux secteurs viticoles du Centre occupent les endroits les mieux exposés des coteaux ou plateaux modelés au cours des âges géologiques par la Loire et ses affluents, l'Allier et le Cher. Ceux qui, sur les côtes d'Auvergne, à Saint-Pourçain partiellement ou à Châteaumeillant, sont implantés sur les flancs

est et nord du Massif central, restent cependant ouverts sur le bassin de la Loire.

Siliceux ou calcaires, les sols toujours bien situés et exposés, les sols viticoles de ces régions portent également en commun un nombre restreint de cépages d'où ressortent surtout le gamay pour les vins rouges et rosés, et le sauvignon pour les vins blancs. Quelques spécialités émergent çà et là : tressallier à Saint-Pourçain et chasselas à Pouilly-sur-Loire pour les blancs ; pinot noir à Sancerre, Menetou-Salon et Reuilly pour les rouges et rosés, avec encore le délicat pinot gris dans ce dernier vignoble ; et enfin le meunier qui, près d'Orléans, fournit l'original «gris meunier». Somme toute, un encépagement sélectif.

Tous les vins obtenus dans ces terroirs et avec ces cépages ont en commun légèreté, fraîcheur et fruité, qui les rendent particulièrement attrayants, agréables et digestes. Et combien en harmonie avec les spécialités gastronomiques de la cuisine régionale! Qu'ils soient d'Auvergne, du Bourbonnais, du Nivernais, du Berry ou de l'Orléanais, pays fréquemment verts et calmes, aux horizons larges, aux paysages variés, les vignerons savent faire apprécier des vins méritants, issus de vignobles souvent familiaux et artisanaux.

Châteaumeillant VDQS

Le gamay retrouve ici les terroirs qu'il affectionne, dans un site très anciennement viticole et dont l'histoire est retracée par un musée intéressant.

La réputation de Châteaumeillant s'est établie grâce à son célèbre «gris», vin issu du pressurage immédiat des raisins de gamay et présentant un grain, une fraîcheur et un fruité remarquables. Les rouges (à boire jeunes et frais), produits de sols d'origine éruptive, rappellent un grand frère célèbre et allient légèreté, bouquet et gouleyant. 4 500 hl de VDQS sont, en moyenne,

693

produits chaque année sur une centaine d'hectares, la cave coopérative assurant la majeure partie de la production.

CAVE DES VINS DE CHÂTEAUMEILLANT 1987

25 ha   150 000

Le type même du châteaumeillant traditionnel, mais cette fois sous une teinte groseille claire très vive pour un gris. L'armoise très nette frappe le nez et tourne au chrysanthème. Il est gazeux, l'amande sèche et reste un peu rustique. Il évoque de ...

↪ Cave Vins de Châteaumeillant, rte de Culan, B.P. 15, 18370 Châteaumeillant, tél. 48.61.33.55 ☎ t.l.j. sf dim. 8h-12h 13h30-18h30.

DOM. DU FEUILLAT 1987*

7 ha   35 000

Le vin apparaît rubis assez plein. Dans l'odeur, il y a de la matricaire un peu exacerbée et du bigarreau rouge discret. On ressent du tanin mesuré sur la langue, dans un contexte vineux.

↪ M. Maurice Lanoix, Beaumerie, 18370 Châteaumeillant, tél. 48.61.33.89 ☎ r.-v.

DOM. DU FEUILLAT 1987**

2.50 ha   15 000

De la continuité dans l'élaboration de cet agréable rosé gris saumoné. Des fruits mûrs dans l'odeur : de la pêche jaune et de l'abricot mesurés. L'absorption révèle du corps, du fond et un fruité de cerise griotte discrète.

↪ M. Maurice Lanoix, Dom. du Feuillat, Beaumerie, 18370 Châteaumeillant, tél. 48.61.33.89 ☎ r.-v.

DOM. DES TANNERIES 1987*

5 ha   20 000

On se rapproche cette fois du «gris» typique avec un rose moyen légèrement saumoné. On y sent le la pomme très mûre et même du coing avec une finale légèrement herbacée. Il est assez plein et rond en bouche et quelque peu armoisé.

↪ SCEA Raffinat et Fils, rue des Tanneries, 18370 Châteaumeillant, tél. 48.61.35.16 ☎ r.-v.

DOM. DES TANNERIES 1987

5 ha   20 000

La teinte apparaît rubis plein. L'odeur un peu lactique révèle de l'armoise très verte et de la cerise griotte. Il prend l'intérieur des joues avec une certaine astringence ; une évocation de goudron végétal et de bois ancien est également perceptible. Ce vin doit quelque peu vieillir sous verre.

↪ SCEA Raffinat et Fils, rue des Tanneries, 18370 Châteaumeillant, tél. 48.61.35.16 ☎ r.-v.

Côtes d'auvergne VDQS

Qu'ils soient issus de vignobles des puys, en Limagne, ou des vignobles des monts (dômes) en bordure orientale du Massif central, les bons vins d'Auvergne proviennent tous du gamay, très anciennement cultivé. Ils ont droit à la dénomination VDQS depuis 1977, et naissent d'environ 500 ha de vignes donnant 21 000 hl de vin par an. Ces rosés malicieux parfois nommés «blancs» et ces rouges agréables (les 2/3 de la production) sont particulièrement agréables à déguster sur les fameuses charcuteries locales, ou les plats régionaux réputés. Dans les crus, ils peuvent prendre un caractère, une ampleur, une personnalité surprenants.

MICHEL BELLARD Châteaugay 1987**

1,30 ha   8 000

Ce vin évoque le joli village de Châteaugay encore bien viticole et judicieusement situé. La robe en est rubis grenat; l'odeur, bien marquée, se réfère à un ensemble de fruits rouges où domine une prune élégante. Rond, enveloppé, le goût évoque le bigarreau mûr dans un bon ensemble sans doute mûri dans des fûts anciens.
M. Michel Bellard, 8, rue de la Côte Blatin, 63450 Romagnat, tél. 73.62.66.69

CAVE DES COTEAUX Corent 1987

15 ha   75 000

Ce gris de gamay du pied des monts d'Auvergne prend une teinte pelure d'oignon doré. Son nez rappelle quelque peu le caramel au lait. Souple sur la langue, il conserve une saveur lactique.
Cave des Coteaux, rte d'Issoire, 63960 Veyre-Monton, tél. 73.69.60.11 r.-v.

CAVE DES COTEAUX 1987*

50 ha   160 000

Rubis moyen dans son apparence, ce vin sent une armoise un peu aérée et un anis marqué. Cette dernière note se retrouve sur la langue dans un contexte plaisant un peu graphité.
Cave des Coteaux, rte d'Issoire, 63960 Veyre-Monton, tél. 73.69.60.11 r.-v.

CAVE DES COTEAUX 1987

50 ha   100 000

Il y a de la pelure d'oignon dans la robe de ce gris classique qui exprime au nez une légère armoise vanillée, du caramel et de la jeune fleur de sureau. Assez nerveux en bouche, on y saisit de la cerise griotte.
Cave des Coteaux, rte d'Issoire, 63960 Veyre-Monton, tél. 73.69.60.11 r.-v.

RAYMOND ROMEUF 1987**

1,50 ha   8 000

Pourquoi Vercingétorix, sur son oppidum de Gergovie qui surplombe les vignobles d'Orcet, n'aurait-il pas préféré ce vin à la fade cervoise? Ce gris-rosé très tendre possède en effet tout pour plaire : un net parfum d'abricot à point, de la plénitude, de la vivacité dans le goût qui rappelle l'orange sanguine et le citron vert.
M. Raymond Romeuf, 3, rue du Couvent, Orcet, 63670 Le Cendre, tél. 73.84.92.10 r.-v.

RAYMOND ROMEUF 1987

1,50 ha   8 000

Le produit présente une teinte rubis couvert et sent, dans une évocation déjà méridionale, de l'armoise affirmée et du laurier en sauce. Une bonne structure qui emplit bien la bouche permet de retrouver en civet pressenti au nez.
M. Raymond Romeuf, 3, rue du Couvent, Orcet, 63670 Le Cendre, tél. 73.84.92.10 r.-v.

DOM. DE SOUS-TOURNOEL 1987

3 ha   10 000

Ce vin récolté sous les imposantes ruines du château de Tournoël possède une couleur rubis grenat. Sous une réduction perceptible percent des odeurs de thym et de laurier. La bouche révèle un tanin mesuré et du bois sec dans un bon fond.
MM. Jean Gaudet et Fils, Dom. de Sous-Tournoël, 63530 Volvic, tél. 73.33.52.12 r.-v.

Côtes du forez VDQS

C'est à une somme d'efforts intelligents et tenaces que l'on doit le maintien d'un beau et bon vignoble (150 ha) sur une vingtaine de communes autour de Boën-sur-Lignon (Loire).

La quasi-totalité d'excellents rosés et rouges, secs et vifs, à base de gamay exclusivement, provient d'une belle cave coopérative qui s'est agrandie récemment dans le seul but de développer la qualité. On consomme jeunes ces VDQS.

LES VIGNERONS FOREZIENS Cuvée Prestige 1987*

13 ha   80 000

Un rubis accusé transparaît dans la robe. Une franche odeur de tripe fraîche, de lièvre, jointe à celle de l'armoise fournit le bouquet. Des tanins accusés mais mesurés et frais emplissent la bouche, puis s'y développent de l'encens et du papier d'Arménie. De la finesse, mais un manque de fond provisoire qui devrait lui revenir.

694

LES VIGNERONS FOREZIENS
Sec 1987*
▲

Un joli rosé saumoné gris brodé d'un discret cordon ce mousse. Le nez y trouve une légère banane et de la pêche blanche un tantinet poivrée. Le goût frais, sec, rond, rappelle aussi l'herbe et le tabac verts.

8 ha — 60 000

⚘ Les Vignerons Foréziens, Le Pont Rompu, Trelins, 42130 Boën-sur-Lignon, tél. 77.24.00.12
Υ r.-v.

LES VIGNERONS FOREZIENS
Cuvée Robert Sabatier 1986**
■

Un peu de recul et les réelles qualités transparaissent : du rubis moyen dans la teinte ; de l'encens, du poivre, du romarin évoquant le gibier dans des effluves très éloquentes ; du rond, du plein, de l'équilibre dans un contexte poire au vin vanillée et des tanins encore solides en bouche. Des satisfactions présentes et encore de l'avenir.

3,50 ha — 22 000

⚘ Les Vignerons Foréziens, Le Pont Rompu, Trelins, 42130 Boën-sur-Lignon, tél. 77.24.00.12
Υ r.-v.

LES VIGNERONS FOREZIENS
Cuvée Tradition 1987*
■

Dans les vignobles du Forez, le Midi fait déjà quelques incursions. Sur des terrains d'origine éruptive, le gamay produit des vins rubis moyen fleurant le tabac vert, le bois de cèdre, la marinade et la fourrure de lièvre. Dans un contexte souple et tendre, le goût trouve un tanin légèrement vert sur lequel perce le poivre de l'armoise. Un peu de bouteille lui donnera probablement l'ampleur qui lui manque.

28 ha — 250 000

⚘ Les Vignerons Foréziens, Le Pont Rompu, Trelins, 42130 Boën-sur-Lignon, tél. 77.24.00.12
Υ r.-v.

LES VIGNERONS FOREZIENS
Primeur**
■

Une partie de la récolte est vinifiée en primeur et fournit un produit pourtant bien coloré : rubis très couvert. Il y a de l'armoise, de la banane et de la fourrure sauvage dans l'odeur. On perçoit ensuite des tanins légers, fins et discrets, puis de la banane, de la cerise au sirop et du poivre. Un réel plaisir à éprouver de maintenant.

n.c. — n.c.

⚘ Les Vignerons Foréziens, Le Pont Rompu, Trelins, 42130 Boën-sur-Lignon, tél. 77.24.00.12
Υ r.-v.

Au restaurant, il est conseillé de choisir un « petit » vin sur un menu préétabli, et de composer son menu à partir d'un grand vin ; mais en accordant les niveaux respectifs de qualité des mets et des vins.

Coteaux du giennois VDQS

Sur les coteaux de Loire réputés depuis longtemps, tant en Nièvre qu'en Loiret, s'étendent des sols siliceux ou calcaires. Trois cépages traditionnels, le gamay, le pinot et le sauvignon, y donnent près de 4 000 hl de VDQS légers et fruités, peu tanniques, authentique expression d'un terroir original. On pourra les boire jusqu'à cinq ans d'âge, sur toutes les viandes.

JOSEPH BALLAND-CHAPUIS 1987
▲

D'un rose vif légèrement saumoné, ce vin sent le cuir chromé, la rose très épanouie et la cerise au sirop. Frais, assez tendre sur le palais, il garde cependant une certaine tenue et évoque bien l'arôme-se vert classique du gamay.

2,50 ha — 10 000

⚘ M. Joseph Balland-Chapuis, Les Loups, 45420 Bonny-sur-Loire, tél. 38.31.55.12 Υ r.-v.

JOSEPH BALLAND-CHAPUIS 1987*
■

Un bon exemple des vins de Loire de la région ! Du rubis plein dans la robe ; de la cerise griotte, de la pêche au sirop, de la rose en fin de soirée dans l'odeur ; un tanin bien intégré, de la framboise et de la cerise à l'eau-de-vie en bouche. Il finit peut-être un peu vite.

1,50 ha — 8 000

⚘ M. Joseph Balland-Chapuis, Les Loups, 45420 Bonny-sur-Loire, tél. 38.31.55.12 Υ r.-v.

JOSEPH BALLAND-CHAPUIS 1987**
□

Les alluvions anciennes de la Loire sur soubassement calcaire conviennent au sauvignon qui fournit ici un vin or pâle évoquant la marmelade d'orange et la liqueur de cassis. La présence en bouche, d'abord un peu ferme, s'épanouit en fleur de souci, mais assez légèrement en finale.

2,50 ha — 12 000

⚘ M. Joseph Balland-Chapuis, Les Loups, 45420 Bonny-sur-Loire, tél. 38.31.55.12 Υ r.-v.

STATION VITICOLE INRA 1986***
■

Du gamay traditionnel allié à un peu de pinot reprenant ici des droits anciens fournit un vin rubis plein fleurant une marinade discrète de thym et de serpolet mêlés à de la griotte mûre. La bouche saisit des impressions fraîches, vives, évoquant l'armoise, la réglisse, et finissant bien.

2,50 ha — 20 000

⚘ Station Viticole INRA, Cours, 58201 Cosne-Cours-sur-Loire, tél. 86.28.17.30 Υ r.-v.

STATION VITICOLE INRA 1987**
□

Voici un sauvignon classique des bords de Loire sous son aspect or pâle légèrement bruni. Il

2 ha — 10 000

présente des odeurs d'orange mûre et de banane, de bois d'acacia vert avec de la tubéreuse en fond. Le goût en est frais, sans agressivité avec une légère amertume de bon aloi qui ne marque pas l'écorce d'orange persistante dans un fruité qui dure et s'épanouit bien.
▶ Station Viticole INRA, Cours, 58201 Cosne-Cours-sur-Loire, tél. 86.28.17.30 ▼ r.-v.

JEAN POUPAT ET FILS 1987

4 ha 25 000

Il y a du grenat très couvert et des reflets violacés dans la teinte. Du bigarreau très mûr, du laurier, du graphite sont sensibles au nez. Le goût est fait de marc de raisin frais, de marinade et s'achève sur un tanin vif.
▶ MM. Jean Poupat et Fils, 47, rue Georges-Clemenceau, 45500 Gien, tél. 38.67.03.54 ▼ r.-v.

JEAN POUPAT ET FILS 1987*

1,50 ha 12 000

L'apparence est rose bonbon vif et l'odeur simple réunit de la fleur de matricaire et de la banane. Ferme et frais sur la langue, il évoque un léger citron vert et du fenouil. Une structure rustique mais plaisante.
▶ MM. Jean Poupat et Fils, 47, rue Georges-Clemenceau, 45500 Gien, tél. 38.67.03.54 ▼ r.-v.

JEAN POUPAT ET FILS
Ousson 1986**

1,50 ha 8 000

Il ne faut pas oublier que Gien demeure le berceau et le parrain de l'appellation. Ce vin typique se présente rubis légèrement ambré. Il sent la cerise marasquin et la prune très mûre. Il attaque bien la bouche avec un bon tanin et l'on retrouve cerise et prune caramélisées. Le produit fait une bonne fin.
▶ MM. Jean Poupat et Fils, 47, rue Georges-Clemenceau, 45500 Gien, tél. 38.67.03.54 ▼ r.-v.

Saint-pourçain VDQS

Le paisible et plantureux Bourbonnais, qui a tant fourni à la France royale, possède aussi, sur dix-neuf communes, un beau vignoble, au sud-ouest de Moulins (500 ha; 23 000 hl).

Sur les coteaux et les plateaux calcaires ou graveleux bordant la charmante Sioule, ou proche d'elle, c'est surtout le gamay qui fournit des VDQS rosés et des rouges francs, fruités et désaltérants à souhait. Les blancs originaux, très marqués par le tressallier et qui prennent remarquablement la mousse », sont également à signaler.

DOM. DE BELLEVUE 1987*

2 ha 15 000

Voilà un rosé ambré dont l'odeur évoque la marmelade de rhubarbe et le caramel. Le goût assez plein, ferme, rappelle la quetsche cuite et la cerise à l'eau-de-vie.
▶ GAEC Pétillat, Bellevue, Meillard, 03500 Saint-Pourçain-sur-Sioule, tél. 70.42.05.56 ▼ r.-v.

DOM. DE BELLEVUE 1987**

3 ha 20 000

Le résultat de l'alliance entre un terrain d'origine granitique et le cépage gamay : une robe rubis plein et un peu de gaz ; un nez présent alliant des odeurs de venaison, de rose, d'armoise, le tout un peu graphité : de la fraîcheur, de la souplesse et un fruité banane sur la langue.
▶ GAEC Pétillat, Bellevue, Meillard, 03500 Saint-Pourçain-sur-Sioule, tél. 70.42.05.56 ▼ r.-v.

DOM. DE BELLEVUE
Cuvée Spéciale 1986***

2,50 ha 8 000

Deux différences cette fois : le cépage pinot et le millésime 86. Une apparence rubis plein, des effluves végétaux encore frais et de confiture de prune chaude! Plein, ce vin emplit bien la bouche avec un tanin agréable et une référence très fraise des bois. Une jolie bouteille.
▶ GAEC Pétillat, Bellevue, Meillard, 03500 Saint-Pourçain-sur-Sioule, tél. 70.42.05.56 ▼ r.-v.

GUY ET SERGE NEBOUT 1987*

2 ha 12 000

C'est de l'or légèrement bruni qu'évoque la teinte tandis que l'odeur participe de la banane très mûre et d'un soupçon de caramel. Le vin est plein, rond, un peu chaud, et il livre un fruité type amande grillée et une légère amertume poivrée en fin de bouche.
▶ MM. Guy et Serge Nebout, rte de Montluçon, 03500 Saint-Pourçain-sur-Sioule, tél. 70.45.31.70 ▼ r.-v.

GUY ET SERGE NEBOUT 1987

5,50 ha 38 000

Vin d'aspect rubis couvert et d'odeur légèrement réduite, phosphorée, évoquant le poil de lapin. Le goût ample, plein, souple est encore peu ouvert mais sa constitution permet d'espérer dans un avenir proche.
▶ MM. Guy et Serge Nebout, rte de Montluçon, 03500 Saint-Pourçain-sur-Sioule, tél. 70.45.31.70 ▼ r.-v.

GUY ET SERGE NEBOUT 1987

1 ha 7 000

Ce vin de gamay se présente rose-gris légèrement saumoné. Le nez y rencontre une odeur de marmelade de prunes et, vif sur la langue, on lui retrouve ce goût de fruit cuit légèrement caramélisé. Il peut plaire dans sa rusticité.
▶ MM. Guy et Serge Nebout, rte de Montluçon, 03500 Saint-Pourçain-sur-Sioule, tél. 70.45.31.70 ▼ r.-v.

JEAN ET FRANCOIS RAY 1987*

■ 6,50 ha 60 000 ▮i▮V▮2▮

La teinte se révèle rubis plein, brillant, banane et d'une légère venaison. Un tanin présent mais intégré, une petite verdeur et une note amylique composent le goût un peu court.
↪ MM. Jean et François Ray, Venteuil, Saulcet, 03500 Saint-Pourçain-sur-Sioule, tél. 70.45.35.46 ⊤ r.-v.

JEAN ET FRANCOIS RAY 1987**

□ 2 ha 12 000 ▮i▮V▮2▮

L'apparence se fait or franc à reflets verts. L'odeur réunit de melon et du citron, tous les deux verts. La bouche ressent fermeté et vivacité sur une évocation écorces d'agrumes non mûrs. Bien dans le type saint-pourçain blanc.
↪ MM. Jean et François Ray, Venteuil, Saulcet, 03500 Saint-Pourçain-sur-Sioule, tél. 70.45.35.46 ⊤ r.-v.

UNION VIGNERONS DE SAINT-POURCAIN Réserve Spéciale 1987

□ 190 ha 1 500 000 ▮i▮V▮2▮

Celui-ci apparaît comme un vin très traditionnel qui entre une forte proportion de Tressallier. Sa couleur est or plein. Son odeur de melon mûr et de caramel semble légèrement iodée. Souple, plutôt mou, il évoque de nouveau la marée. Nous sommes plutôt loin du littoral.
↪ Union Vign. de Saint-Pourçain, 03500 Saint-Pourçain-sur-Sioule, tél. 70.45.52.62 ⊤ t.l.j. sf dim. 8h-12h 14h-18h.

Côtes roannaises VDQS

Des sols d'origine éruptive face au levant, au sud et au sud-ouest, sur les pentes d'une vallée creusée par une Loire encore adolescente : voilà un milieu naturel qui appelle aussi le gamay.

Vingt-quatre communes (80 ha) situées de part et d'autre du fleuve produisent d'excellents rouges et de frais rosés, plus rares. Des vignerons particuliers soignent attentivement leur vinification (4000 hl en tout) ; ils obtiennent des VDQS originaux et de caractère, auxquels s'intéressent même les plus prestigieux de la région. On en évoque les traditions au musée forézien d'Ambierle.

ALAIN DEMON Réserve 1986*

■ 2,20 ha 12 000 ▮i▮V▮2▮

La teinte apparaît grenat très couvert. Il y a de l'herbe verte, de la fleur d'iris et du goudron végétal résiné dans l'odeur. Le goût évoque une nette marinade avec thym macéré, mais il finit un peu court.
↪ M. Alain Demon, La Perrière, 42820 Ambierle, tél. 77.65.65.49 ⊤ r.-v.

Côtes roannaises VDQS

PIERRE GAUME 1986***

■ 2,50 ha 10 000 ▮i▮V▮2▮

Voilà ce que peuvent produire les argiles sur granit locales : un beau vin grenat couvert, d'odeur très florale faite d'aubépine cerisée, d'un goût très mesuré malgré ses tanins encore nets et rappelant une vanille de pâtisserie. Beaucoup d'harmonie. Bravo, Monsieur le Président !
↪ M. Pierre Gaume, Les Millets, Lentigny, 42155 Fouilly-les-Nonains, tél. 77.63.14.29 ⊤ r.-v.

DOM. DE LA PAROISSE 1987**

■● 4 ha 12 000 ▮V▮1▮

Ces terres de la haute vallée de la Loire conviennent bien au gamay qui fournit ici un vin grenat, sentant un graphite qui disparaît vite, le souci, le cassis macéré et un romarin discret. En bouche, l'attaque est bonne, un fruité de baies rouges surmûries et de bois de cèdre s'établit. Il bouteille un peu amylique. Un peu de la dégustation.
↪ M. Cl. Robert Chaucesse, 121, rue des Alloués, 42370 Renaison, tél. 77.64.26.10 ⊤ r.-v.

DOM. DU PAVILLON 1987*

■● 3 ha 18 000 ▮i▮V▮2▮

La robe apparaît rubis plein et c'est une odeur de marc de raisin frais qui saisit le nez suivie d'une évocation armoise et d'un léger boisé avec une note amylique. Souple et élégant sur la langue avec des tanins bien intégrés, son fruité est cependant marqué par une pointe lactique. L'armoise reste pourtant assez bonne.
↪ M. Maurice Lutz, Dom. du Pavillon, 42820 Ambierle, tél. 77.65.64.35 ⊤ t.l.j. 9h-12h 14h-18h

DOM. DU PAVILLON 1987*

● 2 ha 9 000 ◗▮V▮1▮

Soutenu dans sa robe, le vin apparaît rose bonbon vif. Provient-il de saignée ou de macération courte ? Quoi qu'il en soit, il sent l'armoise verte d'stinguée, la groseille et la citronnelle. Ferme mais sans excès, il présente du corps et évoque encore le végétal vert. Puissant, il masque le reste de son fruité. Faut-il attendre ? Sans doute peut-on lui faire confiance étant le rosé des Frères Troisgros.
↪ M. Maurice Lutz, Dom. du Pavillon, 42820 Ambierle, tél. 77.65.64.35 ⊤ t.l.j. 9h-12h 14h-18h

ROBERT PLASSE Cuvée Normale 1987*

■ 1 ha 5 000 ▮i▮V▮1▮

Grenat net dans l'apparence, il livre de la banane et de l'ananas dans son odeur légèrement graphitée. Le tanin prend le palais sans trop mais il est sec, quelque peu du papier, et encore fermé. Il faut sans doute attendre.
↪ M. Robert Plasse, Bel Air, Saint-André-d'Apchon, 42370 Renaison, tél. 77.65.81.47 ⊤ r.-v.

ROBERT PLASSE
Coteaux du Bouthéran 1987***

1 ha　5 000

Des reflets orangés transparaissent dans le grenat assez couvert de la teinte tandis que son odeur rappelle une marinade de volaille élégante jointe à une herbe verte et finit en encens. Il est bien en bouche, avec son tanin ferme mais très fin et il fait la queue dans une longue réminiscence de papier d'Arménie.
↦M. Robert Plasse, Bel Air, Saint-André-d'Apchon, 42370 Renaison, tél. 77.65.81.47 ⟙ r.-v.

ROBERT SEROL 1987*

2,50 ha　20 000

Un vin facile et plaisant à regarder dans son rubis assez couvert, à humer dans sa banane mûre et son soupçon de marinade, à boire enfin avec sa bonne structure, son tanin mesuré et son fruité de banane qui tourne vers l'ananas.
↦M. Robert Sérol, Les Estinaudes, 42370 Renaison, tél. 77.64.44.04 ⟙ r.-v.

Vins de l'orléanais VDQS

Parmi les «vins fran-çois», ceux d'Orléans eurent leur heure de gloire, à l'époque médiévale. Sur d'aimables plateaux (100 ha), de part et d'autre du grand fleuve, des vignerons maintiennent la tradition et font en sorte que parmi jardins, pépinières et vergers renommés, la vigne ne soit pas absente.

C'est surtout avec le gris-meunier qu'ils restent originaux; il donne un rosé de couleur soutenue, frais, au bouquet de groseille et cassis. Il faut le boire sur perdreaux et faisans rôtis, sur les pâtés de gibier de la Sologne voisine et sur les fromages cendrés du Gâtinais. Que d'harmonie gustative! La production en rouge est cependant plus abondante; les blancs restent confidentiels, dans une production globale d'environ 4 000 hl de VDQS.

ARNOLD JAVOY ET FILS
Pinot noir 1987

0,47 ha　3 000

La couleur est rubis léger nettement ambré. L'odeur phosphorée, herbacée tend vers la matricaire, la venaison, la cerise verte mâchée. Le goût est plein mais un peu agressif, le fruit apparaît fraise verte et queue de cerise.

ARNOLD JAVOY ET FILS
Auvernat blanc 1987

1 ha　3 800

Un or très pâle vert transparaît dans la robe et le nez saisit de la banane verte. Dans un goût vif ressort de l'écorce de pamplemousse.
↦MM. Arnold Javoy et Fils, GAEC Valoir, Mézières-lez-Cléry, 45370 Cléry-Saint-André, tél. 38.45.61.91 ⟙ r.-v.

LES VIGNERONS DE LA GRAND'MAISON Gris Meunier 1987**

30 ha　40 000

Encore un bon vin de gris meunier : du rubis plein assez couvert dans la teinte ; du bigarreau mûr, de la rose très épanouie puis du goudron végétal dans l'odeur. Bien en bouche avec du tanin sans excès, il exprime de la fraise mûre et une réminiscence de chêne.
↦Cave Coop. de Mareau aux Prés, 550, rte des Muids, Mareau-aux-Prés, 45370 Cléry-Saint-André, tél. 38.45.61.08 ⟙ r.-v.

LES VIGNERONS DE LA GRAND'MAISON Cabernet 1985**

30 ha　30 000

Vin de la dernière très bonne année, grenat couvert, sentant le poivron vert et le marasquin. Le tanin est encore solide en bouche dans une sensation de café brûlé. Sa puissance annonce encore un certain avenir mais il semble avoir atteint une apogée gustative.
↦Cave Coop. de Mareau aux Prés, 550, rte des Muids, Mareau-aux-Prés, 45370 Cléry-Saint-André, tél. 38.45.61.08 ⟙ r.-v.

JACKY LEGROUX Gris meunier 1987*

1,10 ha　5 000

Du rubis plein dans la teinte ; une odeur de fumée, de fourrure de lièvre, et herbacée de queue de cerise ; de la fumée encore, du grillé, l'odeur revient en bouche, du tanin mesuré mais peu de fruit.
↦M. Jacky Legroux, 315 et 321, rue des Muids, Mareau-aux-Prés, 45370 Cléry-Saint-André, tél. 38.45.60.31 ⟙ r.-v.

JACKY LEGROUX Cabernet 1987

1,10 ha　6 000

Une teinte grenat couvert ; une odeur de narcisse vert et de fumée de bois ; un goût de charbon de bois et de goudron végétal bien intégrés mais assez simplets.
↦M. Jacky Legroux, 315 et 321, rue des Muids, Mareau-aux-Prés, 45370 Cléry-Saint-André, tél. 38.45.60.31 ⟙ r.-v.

JACKY LEGROUX Auvernat blanc 1987*

1,20 ha　4 000

Ce chardonnay est couleur or franc à reflets verts et son odeur tient de la banane, du citron mûr et du pamplemousse. Le goût assez vif et franc affirme l'ananas avec une finale pointue.
↦M. Jacky Legroux, 315 et 321, rue des Muids, Mareau-aux-Prés, 45370 Cléry-Saint-André, tél. 38.45.60.31 ⟙ r.-v.

CLOS SAINT-FIACRE
Gris meunier 1987***

2,74 ha   10 000

Ce résultat dans un millésime somme toute moyen confirme la bonne adaptation du gris meunier traditionnel à la région : du rubis couvert dans la teinte ; du bigarreau rouge et de la fourrure dans l'odeur encore incomplètement développée ; du tanin sans excès dans le goût avec de la cerise confirmée et une pointe d'encens en finale. Un peu d'attente lui conviendra parfaitement.
- GAEC Clos Saint-Fiacre, 560, rue de Saint-Fiacre, Mareau-aux-Prés, 45370 Cléry-Saint-André, tél. 38.45.61.55 ⊤ r.-v.
- MM. Roger Montigny et Fils.

CLOS SAINT-FIACRE
Auvernat blanc 1987

1,91 ha   8 500

L'auvernat blanc en Orléanais c'est le chardonnay. Il y donne un vin or pâle vert légèrement gazeux. Le nez herbacé rappelle la banane et en bouche, il apparaît vif.
- GAEC Clos Saint-Fiacre, 560, rue de Saint-Fiacre, Mareau-aux-Prés, 45370 Cléry-Saint-André, tél. 38.45.61.55 ⊤ r.-v.
- MM. Roger Montigny et Fils.

CLOS SAINT-FIACRE
Gris meunier 1987*

2,74 ha   n.c.

Robe rose léger saumoné, odeur de banane. Le goût vert évoque la griotte et le citron non mûrs.
- GAEC Clos Saint-Fiacre, 560, rue de Saint-Fiacre, Mareau-aux-Prés, 45370 Cléry-Saint-André, tél. 38.45.61.55 ⊤ r.-v.
- MM. Roger Montigny et Fils.

CLOS SAINT-FIACRE
Cabernet 1987**

1,37 ha   7 000

Ce n'est sans doute pas un vin du cépage le plus typique et le plus recommandé de l'Orléanais, mais ici sous une teinte rubis et grenat couverts, il a fourni un vin santant le poivron vert et la prunelle classique dont le goût rond, ferme, sans aspérités confirme une prunelle mûre.
- GAEC Clos Saint-Fiacre, 560, rue de Saint-Fiacre, Mareau-aux-Prés, 45370 Cléry-Saint-André, tél. 38.45.61.55 ⊤ r.-v.
- MM. Roger Montigny et Fils.

CLOS SAINT-FIACRE 1987

1,37 ha   2 000

La robe est rose-gris légèrement saumoné ; l'odeur participe du poivron vert très près du poireau avec une note banane ; le goût âpre, poivré se rapproche du piment rouge. Peut-être y-a-t-il une clientèle pour ce genre de vin.
- GAEC Clos Saint-Fiacre, 560, rue de Saint-Fiacre, Mareau-aux-Prés, 45370 Cléry-Saint-André, tél. 38.45.61.55 ⊤ r.-v.
- MM. Roger Montigny et Fils.

CLOS SAINT-FIACRE
Auvernat noir 1987

1,28 ha   4 000

Apparence rubis plein et odeur végétale herbacée de feuille de cassis et de fenouil. Le produit est bien en bouche d'abord puis apparaissent des tanins verts très prenants et une cerise discrète en finale. Un peu de temps devrait le bonifier.
- GAEC Clos Saint-Fiacre, 560, rue de Saint-Fiacre, Mareau-aux-Prés, 45370 Cléry-Saint-André, tél. 38.45.61.55 ⊤ r.-v.
- MM. Roger Montigny et Fils.

Menetou-salon

Menetou-Salon doit son origine viticole à la proximité de la métropole médiévale qu'était Bourges ; Jacques Cœur y eut des vignes. A l'encontre de nombreux vignobles jadis célèbres, la région est demeurée viticole, et c'est un vignoble de qualité (env. 500 ha).

Sur ses coteaux bien adaptés, Menetou-Salon partage sols favorables et cépages nobles avec son prestigieux voisin Sancerre : sauvignon blanc et pinot noir. D'où ces vins blancs frais, épicés, ces rosés délicats et fruités, ces rouges harmonieux et bouquetés, à boire jeune, fierté du Berry viticole, accompagnant à ravir une cuisine classique mais savoureuse (apéritifs, entrées chaudes pour les blancs ; poissons, lapin, charcuteries pour les rouges ; servir frais). La production avoisine en moyenne 4 000 hl par an.

CLOS DES BLANCHAIS 1987*

2 ha   10 000

Un sélection des productions du domaine, qui se présente or franc à reflets verts et nez discret mais agréable évoque la tubéreuse et le citron mûr. Rond, ferme et nerveux en bouche dans un contexte d'agrumes où domine le pamplemousse, son avenir s'affirme plus prometteur.
- SCA du Dom. Henry Pellé, pl. de l'Eglise, Morogues, 18220 Les Aix-d'Angillon, tél. 48.64.42.48 ⊤ r.-v.

GAEC DES BRANGERS 1987

5 ha   30 000

Robe rubis léger, odeur ténue, vineuse, de cerise et de violette discrète. La bouche est souple, ronde, harmonieuse avec une certaine présence de tanins, mais actuellement peu fruitée.

GAEC DES BRANGERS 1987 ★★★

☐   5 ha   35 000   ▮ ▼ 2

Menetou-salon se développe peu à peu et fait surtout quelques efforts concrétisés comme ici avec ce blanc or pâle franc, bien net d'odeur : pulpe d'orange mûre et vanille. Le goût apparaît souple, rond, fondu et ample confirmant un fruité d'agrumes. Il tiendra quelque temps.

➤ MM. G. Chavet et Fils, GAEC Des Brangers, 18510 Menetou-Salon, tél. 48.64.80.87 ℡ t.l.j. 7h30-12h 13h30-19h.

DOM. DE CHATENOY 1987 ★★

☐   13 ha   90 000   ▮ ▲ ▼ 2

La teinte est or-vert pâle et le nez bien marqué rappelle le buis, la fleur de genêt et la menthe. Sur la langue on le sent rond, souple : il évoque de l'orange confite et du fenouil. Un assez bon ensemble bien lié.

➤ SCEA Bernard Clément et Fils, Dom. de Châtenoy, 18510 Menetou-Salon, tél. 48.64.80.25 ℡ r.-v.

DOM. DE CHATENOY 1986 ★★

▮   8 ha   20 000   ◀▮ ▲ ▼ 3

83 84 |85| 86

De la couleur dans ce vin qui allie le rubis très couvert au grenat ! Il sent d'abord un chêne neuf agréable puis révèle une référence d'entrailles animales pour finir sur un bigarreau rouge très mûr. En bouche, il est ample, mais la note exclusive de chêne sec domine le tout et fait craindre que le produit conserve cette expression. Cela pose le problème du passage en bois qui réclame expérience et doigté.

➤ SCEA Bernard Clément et Fils, Dom. de Châtenoy, 18510 Menetou-Salon, tél. 48.64.80.25 ℡ r.-v.

DOM. HENRY PELLE 1987

▮   8 ha   50 000   ▮ ▲ ▼ 3

L'apparence prend la nuance rubis plein et le nez moyen rappelle la cerise et le ventre de lièvre. Chaud, plein, avec un tanin équilibré, le goût actuel demande sans doute du recul pour épanouir du fruité.

➤ SCEA du Dom. Henry Pellé, pl. de l'Eglise, Morogues, 18220 Les Aix-d'Angillon, tél. 48.64.42.48 ℡ r.-v.
➤ MM. Henry et Eric Pellé.

DOM. HENRY PELLE 1987 ★

☐   10 ha   67 000   ▮ ▲ ▼ 3

Une apparence or franc ; des odeurs discrètes, végétales de type réglisse mais un peu fugaces ; un goût assez nerveux. Un fruité d'écorce d'orange sèche. L'ensemble actuellement un peu court pourrait bénéficier d'un séjour sous verre.

➤ SCEA du Dom. Henry Pellé, pl. de l'Eglise, Morogues, 18220 Les Aix-d'Angillon, tél. 48.64.42.48 ℡ r.-v.
➤ MM. Henry et Eric Pellé.

DOM. JEAN TEILLER ET FILS 1987

☐   5 ha   25 000   ▮ ▲ ▼ 2

Ce vin présente toutes les caractéristiques d'un produit issu de terres argileuses. Son aspect est or ambré. Son odeur très discrète rappelle une légère tubéreuse et la fleur de narcisse à peine épanouie. Rond et solide en bouche, il apparaît un peu âpre et évoque le genêt.

➤ Dom. Jean Teiller et Fils, 13, rte de la Gare, 18510 Menetou-Salon, tél. 48.64.80.71 ℡ t.l.j. sf dim. 8h-20h.

DOM. JEAN TEILLER ET FILS 1987 ★

☐   5,50 ha   32 000   ▮ ▼ 2

Une belle couleur rubis plein pour un pinot, cépage réputé pour ne pas fournir des matières colorantes suffisamment régulières, et une odeur légère quelque peu minérale rappelant le noyau de cerise. Assez tannique et frais à la dégustation, son fruité évoque le bois de cèdre. La personnalité de ce vin ne s'exprime pas encore totalement.

➤ Dom. Jean Teiller et Fils, 13, rte de la Gare, 18510 Menetou-Salon, tél. 48.64.80.71 ℡ t.l.j. sf dim. 8h-20h.

AOC Pouilly-fumé et pouilly-sur-loire

Oeuvre de moines, et qui plus est des bénédictins, voilà l'heureux vignoble des vins blancs secs de Pouilly-sur-Loire ! Le fleuve royal s'y heurte à un promontoire calcaire qui le rejette vers le nord-ouest, mais dont le sol, moins calcaire cependant qu'à Sancerre, sert de support privilégié au vignoble magnifiquement exposé sud, sud-est sur environ 420 ha. C'est là que l'on retrouve les vignes de chasselas et de sauvignon «blanc-fumé», qui aura bientôt entièrement supplanté le premier, pourtant historiquement lié à Pouilly et producteur d'un vin tendre, léger, digeste, non dénué de charme lorsqu'il est cultivé sur sols siliceux (env. 4 000 hl). Rendons cependant au blanc-fumé l'hommage qui lui revient, traducteur fidèle qu'il est des qualités enfouies en terres calcaires : une fraîcheur qui n'exclut pas une certaine fermeté, un assortiment d'arômes spécifiques du cépage, affinés par le milieu de culture et les conditions de fermentation du moût (18 000 hl par an).

Ici encore la vigne s'intègre harmonieusement à de merveilleux paysages de Loire où le charme des lieux-dits (les Cornets, les Loges, le calvaire de Saint-Andelain...) fait présentir la qualité des vins. Fromages secs et fruits de mer leur conviendront, mais ils seront séduisants aussi en apéritif, servis bien frais.

Pouilly fumé

FRANCIS BLANCHET 987
3 ha 12 000

La bouteille renferme un vin de teinte or léger à reflets verts, d'odeur accentuée de banane verte évoquant le bonbon anglais confirmé par le goût dans un contexte assez ample.

M. Francis Blanchet, Le Bouchot, 58150 Pouilly-sur-Loire, tél. 86.39.12.04 t.l.j. sf dim. 8h-12h 14h-18h.

CLOS DES CHAILLOUX 1987**
6 ha 30 000

Un produit classique de jeune viticulteur soucieux de progrès et d'évolution : une teinte or très pâle, des références olfactives variées particulièrement du cassis fruit mûr, de la fleur de sureau, de l'iris, de la bergamote ; de la enue, du plein, de l'équilibre sur la langue avec une réminiscence tubéreuse affirmée. Un bon résultat d'ensemble.

Didier Dagueneau, Saint-Andelain, 58150 Pouilly-sur-Loire, tél. 86.39.15.62 r.-v.

DOM. DES CHAILLOUX 1987*
5 ha 45 000

Nous retrouvons ici encore un type de vin de terrains argilo-siliceux. Un bel or-vert plein sou-

ligne l'apparence tandis que les odeurs appartiennent à la catégorie végétal vert et jaune. Cette dernière sensation se retrouve en bouche dans une bonne structure. Son avenir paraît assuré.

M. Jean-Claude Chatelain, Les Berthiers, Saint-Andelain, 58150 Pouilly-sur-Loire, tél. 86.39.17.46 r.-v.

JEAN-PIERRE CHAMOUX 1987*
6,50 ha 35 000

L' franc soutenu de la robe annonce des odeurs riches à base d'agrumes verts, citron et orange, suivies d'un soupçon de menthe et de souci. La bouche apparaît vive, verte, solide, et révèle des goûts végétaux et fruités verts type acacia écorce. Ce trop plein de vivacité devrait passer sous verre. Le résultat sera alors tout à fait bien pour l'ensemble.

M. Jean-Pierre Chamoux, 2, pl. de la République, 58150 Pouilly-sur-Loire, tél. 86.39.15.58 r.-v.

AGNÈS ET FABIEN COLIN 1987
5 ha 15 000

Un vin de vieilles vignes chez un jeune viticulteur : de l'or légèrement ambré dans la robe ; ce la banane verte et de la matricaire dans l'odeur, avec une certaine fermeté, une référence tanaisie et une pointe caramel dans le goût.

Agnès et Fabien Colin, La Tuilerie, 58150 Pouilly-sur-Loire, tél. 86.39.00.91 r.-v.

DOM PATRICK COULBOIS 1987*
6 ha 30 000

Ce vin paraît typiquement silex se présente sous une belle teinte or-vert plein. Ses odeurs, très végétales, évoquent aussi la fleur de sureau jaune et le souci avec une touche de résine. Vif et ferme, il allie du tabac brun à la rote acacia fendu en sols siliceux.

M. Patrick Coulbois, Les Berthiers, Saint-Andelain, 58150 Pouilly-sur-Loire, tél. 86.39.15.69 r.-v.

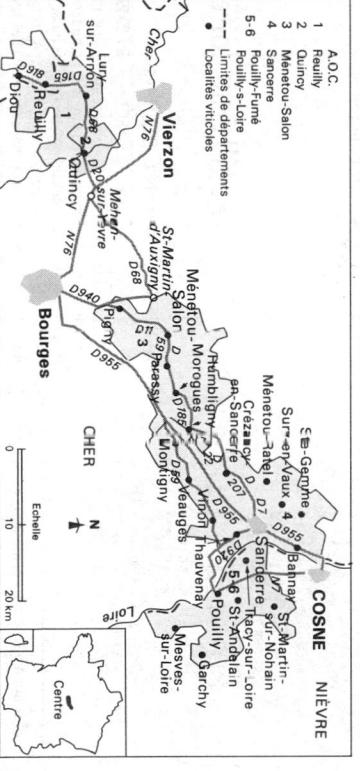

A.O.C.
1 Reuilly
2 Quincy
3 Menetou-Salon
4 Sancerre
5-6 Pouilly-Fumé
 Pouilly-s-Loire
--- Limites de départements
 Localités viticoles

83 84 |85| 86 87

Sancerre et Pouilly

DIDIER DAGUENEAU
Vieilles Vignes 1987* *

☐ 3 ha 10 000 ▦◑↓Ⅴ🄱

Le résultat d'un des essais quasi permanents de Didier Dagueneau se présente sous une robe or léger et l'odorat décèle son mode de vinification par des références résine et moka torréfié. Cela ne l'empêche pas d'apparaître souple, rond et tendre en bouche dans une harmonie de citron vert et de chêne vanillé dominant. L'expérience vaut d'être poursuivie.

➛ Didier Dagueneau, Saint-Andelain,
58150 Pouilly-sur-Loire, tél. 86.39.15.62 ⵏ r.-v.

PAUL FIGEAT 1987*

86 |87| ☐ 8 ha 40 000 ▦Ⅴ🄱

L'apparence du vin reste typique de celle de l'appellation : un bel or-vert franc. L'odeur est vive, florale, rappelant l'iris et le narcisse et une légère citronnelle. Le goût apparaît accentué quant la figue fraîche. La dégustation finit bien en ses impressions durent.

➛ M. Paul Figeat, Les Loges, 58150 Pouilly-sur-Loire, tél. 86.39.12.65 ⵏ r.-v.

LA RENARDIERE 1987*

☐ 2 ha 25 000 ▦↓Ⅴ🄱

Une bouffée de jeunesse est offerte avec ce vin. De la robe or pâle un peu vert au nez très banane et écorce d'orange fraîche jusqu'au goût coulant, léger, référence banane, non dénué de fermeté et de fond.

➛ M. Bouchié-Chatellier, La Renardière, Saint-Andelain, 58150 Pouilly-sur-Loire, tél. 86.39.14.01

DOM. MASSON-BLONDELET
Les Bascoins 1987* * *

83 84 |85| 86 |87| ☐ 3 ha 25 000 ▦↓Ⅴ🄱

Une nouvelle réussite chez ce jeune viticulteur : un ensemble équilibré, harmonieux, complet, de la robe or plein, à l'odeur de banane et de souci épanoui surmontée d'orange mûre, au goût rond, plein, évoquant la réglisse. Ce vin provient de marnes calcaires.

➛ M. Jean-Michel Masson, 1, rue de Paris,
58150 Pouilly-sur-Loire, tél. 86.39.00.34 ⵏ r.-v.

DOM. MASSON-BLONDELET
Les Angelots 1987*

83 84 |85| 86 |87| ☐ 4 ha 32 000 ▦↓Ⅴ🄱

Sans être au niveau de celui de l'an dernier, ce vin lui fait cependant une bonne suite. Il cède à l'œil une teinte or paille et l'on y décèle un parfum de rose au déclin du jour et une note animale qui disparaît à l'air. En fin, de la plénitude, de la fermeté, de la vivacité sans trop, avec un rappel écorce d'orange sèche sur la langue.

➛ M. Jean-Michel Masson, 1, rue de Paris,
58150 Pouilly-sur-Loire, tél. 86.39.00.34 ⵏ r.-v.

ROGER PABIOT
Coteaux des Girames 1987* * *

☐ 9 ha 70 000 ▦↓Ⅴ🄱

Un produit très complet de marnes argilocalcaires, or franc, riche au nez dans ses évocations banane, feuille de cassis et anis. Il offre ensuite en bouche de la fermeté, de la puissance, de la rondeur, révélant du citron, de la tubéreuse, du narcisse. Une bouteille déjà prête !

➛ GAEC Roger Pabiot et ses Fils,
13, rue de Pouilly, Tracy-sur-Loire 58150 Pouilly-Loire, tél. 86.26.18.41 ⵏ r.-v.

CAVES DE POUILLY-SUR-LOIRE
Vieilles Vignes 1987* *

☐ 12 ha 150 000 ▦↓🄱

Voilà une heureuse sélection de cette coopérative sérieuse et compétente : de l'or pâle légèrement ambré dans la robe, de la passiflore, du citron et de l'orange mûrs dans l'odeur, du fenouil, un peu absinthe dans un goût plein, ferme, harmonieux mais chaud.

➛ Caves de Pouilly-sur-Loire,
Les Moulins à Vent, 58150 Pouilly-sur-Loire, tél. 86.39.10.99 ⵏ r.-v.

DOM. GUY SAGET Les Loges 1987

|82| ☐ 84 85 86 87 n.c. n.c. ▦Ⅴ🄱

Aurions-nous affaire à un vin de prématuration pelliculaire ? La teinte apparaît or plein avec un gaz très fin. L'odorat y perçoit de la cire, de la résine, du végétal froissé, un léger caramel tandis qu'au goût ferme, légèrement astringent pour un blanc, passe une impression cuir tanné. L'ensemble paraît déjà évolué.

➛ Dom. Guy Saget, 58150 Pouilly-sur-Loire, tél. 86.39.16.37 ⵏ r.-v.

Pouilly-sur-loire

AGNES ET FABIEN COLIN 1987

☐ 0,50 ha 3 000 ▦↓Ⅴ②

Ce jeune vigneron venu récemment à la viticulture ne cède pas totalement à la «modernité» du blanc-fumé et élabore encore ce chasselas or pâle légèrement gazeux. Il conserve toujours son odeur de thé qui masque ses véritables qualités olfactives et gustatives mais dont on

702

perçoit, e fond, la fraîcheur et a fermeté. Un peu de bouteille devrait lui faire grand bien.
☛ Agnès et Fabien Colin, La Tuilerie, 58150 Pouilly-sur-Loire, tél. 86.39.00.91 ℤ r.-v.

PAUL FIGEAT Chasselas 1987**

| 1 ha | 5 000 | | ℤ |

Le chasselas qui faisait jadis le fond du vignoble de Pouilly et sur lequel s'était établie la renommée de ce cru, ne sera bientôt plus qu'un souvenir: Empressons-nous donc d'apprécier les derniers vins tels que celui-ci, or-vert dans sa robe, abricot et noisette verte dans son odeur marquée, très frais, assez rond en bouche et qui, après une légère note amylique, restitue à nouveau le goût de noisette verte encore un peu laiteuse.
☛ M. Paul Figeat, Les Loges, 58150 Pouilly-sur-Loire, tél. 86.39.12.65 ℤ r.-v.

Quincy

C'est sur les bords du Cher, non loin de Bourges et près de Mehun-sur-Yèvre, lieux riches en souvenirs historiques du XVIᵉ s., que les vignobles de Quincy et de Brinay développent une centaine d'hectares de vignes sur des plateaux recouverts de sable et graviers anciens.

Le seul cépage sauvignon blanc fournit les vins de Quincy (env. 3 500 hl) qui, parmi ceux de même origine, présentent une grande légèreté, une certaine finesse et de la distinction dans le type frais et fruité.

Si, comme l'écrivait le Dr Guyot au siècle dernier, le cépage domine le cru, Quincy apporte aussi la démonstration que, dans une même région, la même variété peut s'exprimer en vins différents selon la nature des sols; et c'est tant mieux pour l'amateur, qui trouvera ici l'un des plus élégants vins de Loire, allant sur les poissons et fruits de mer aussi bien que sur les fromages de chèvre.

MARDON FRERES 1987**

| 9 ha | 60 000 | | ℤ |

Les efforts de viticulteurs encore jeunes mais surtout dynamiques trouvent ici un résultat encourageant. Vin or plein à reflets verts caractérise la teinte. Vif, plaisant dans son odeur qui participe du citron vert, du poivre et de la tubéreuse, il est frais, ample, harmonieux en

Reuilly

A Reuilly, en Berry, se trouve l'un des fleurons des vignobles: discret par son étendue (30 ha) et sa production (1 200 hl) mais grand par les vins qu'il propose. Par ses coteaux accentués et bien ensoleillés, ses sols remarquables, Reuilly était prédestiné à la plantation de la vigne et à la production d'excellents vins.

L'appellation recouvre les vignes de sept communes de l'Indre et du Cher, dans une région charmante traversée par les vertes vallées du Cher, de l'Arnon et du Théols.

Le sauvignon blanc produit l'essentiel des vins de Reuilly dans la gamme des blancs secs et fruités, qui prennent ici une ampleur et un terroir remarquables. Le pinot gris fournit localement un rosé de pressoir tendre, délicat, distingué à souhait, mais qui risque de disparaître bientôt, supplanté par le pinot noir dont on tire également des excellents rosés, plus colorés, frais et gouleyants, mais surtout des rouges pleins, enveloppés, toujours légers, au fruité affirmé,

bouché, et confirme des agrumes verts, dans un contexte un peu sec.
☛ MM. Mardon Frères, rte de Reuilly, Quincy, 18120 Lury-sur-Arnon, tél. 54.79.52.87 ℤ r.-v.

MEJNIER-LAPHA Vin Noble 1987 ℤ

| 5 ha | n.c. |

Le verre rend une apparence or pâle légèrement ambré. Moyen dans son intensité, le nez reste néanmoins prenant, avec des évocations d'asperge et de fenouil. Rond, plein, un peu vert, avec du fond cependant, il est caramel en fin de bouche.
☛ M. Gérard Meunier-Lapha, Quincy, 18120 Lury-sur-Arnon, tél. 48.51.31.16 ℤ r.-v.

RAYMOND PIPET 1987*

| 4 ha | 25 000 | | ℤ |

La robe apparaît or ambré et le nez, bien marqué, saisit des odeurs de cuir, de caramel puis de matricaire et de buis marqués des sables et graviers de Quincy. Un peu acidulé, mais ferme sur la langue, le fruité rappelle le coing très mûr.
☛ M. Raymond Pipet, Au Bourg, Quincy, 18120 Lury-sur-Arnon, tél. 48.51.31.17

complexe séduisant de violette et de framboise.

très joli nez intense révèle de l'abricot, de la banane et de l'ananas très fins et très amalgamés. Le goût plein, riche, encore un peu ferme, livre de la pêche jaune et de l'amande. Beaucoup de promesses sur un bref avenir proche !
→ M. Guy Malbête, Le Bois Saint-Denis, 36260 Reuilly, tél. 54.49.25.09 ⊤ r.-v.

HENRI BEURDIN Sauvignon 1987*

□ 86 [87]   6 ha   25 000

De l'or-vert franc dans la robe ; du narcisse un peu foncé et du citron mûr dans l'odeur ; un mélange d'agrumes à point dans un goût franc mais un peu sec en finale.
→ M. Henri Beurdin, Le Carroir, Preuilly, 18120 Lury-sur-Arnon, tél. 48.51.30.78 ⊤ r.-v.

CLAUDE LAFOND 1987

■   2 ha   12 000

Du rubis léger quelque peu ambré dans la teinte ; du cuir neuf donne une odeur discrète ; des tanins mesurés, une référence bigarreau mûr en bouche avec une finale légèrement graphitée. Là encore, peu de réserve mais des espoirs en plantations récentes.
→ M. Claude Lafond, Le Bois Saint-Denis, 36260 Reuilly, tél. 54.49.22.17 ⊤ r.-v.

CLAUDE LAFOND 1987*

□ 86 87   3 ha   20 000

L'apparence encore juvénile prend des tons or-vert et le nez net évoque la pomme mûre, le calvados même. En bouche, plein, rond, son fruité mêle le miel à la banane à point. Chez le président du syndicat, les stocks sont réduits mais de jeunes vignes produiront bientôt.
→ M. Claude Lafond, Le Bois Saint-Denis, 36260 Reuilly, tél. 54.49.22.17 ⊤ r.-v.

GUY MALBETE Pinot noir 1987*

■ 85 [86] 87   1,25 ha   7 000

De légers reflets orangés transparaissent dans la teinte rubis de ce vin et de la cerise quelque peu kirsch se révèle à l'odeur. Une bonne bouche équilibrée maintient la même note aromatique de type marasquin liée à un discret papier d'Arménie.
→ M. Guy Malbête, Le Bois Saint-Denis, 36260 Reuilly, tél. 54.49.25.09 ⊤ r.-v.

GUY MALBETE Sauvignon 1987

□ 82 83 84 [85] 86 87   3 ha   10 000

La robe participe de l'or très ambré et dans une odeur assez marquée on retrouve de la cire et du végétal froissé. Le goût plein, ferme, avec une pointe d'amertume, se réfère au raisin sec avec une touche rhum.
→ M. Guy Malbête, Le Bois Saint-Denis, 36260 Reuilly, tél. 54.49.25.09 ⊤ r.-v.

GUY MALBETE Pinot Gris 1987***

□ 86 [87]   2 ha   8 000

Un cépage bien adapté, spécialité que les vignerons de Reuilly ont intérêt à conserver. Il se présente ici sous un aspect gris rose saumoné. Son

DIDIER MARTIN Pinot Gris 1987

□   1 ha   6 000

La teinte du vin est typique du cépage : rose saumoné gris. L'odeur assez marquée évoque la matricaire et le chrysanthème avec un certain boisé ancien confirmé en bouche dans un contexte sec, mûr, avec une pointe caramel.
→ M. Didier Martin, 30, rte d'Issoudun, 36260 Reuilly, tél. 54.49.20.77 ⊤ t.l.j. 8h-12h 14h-19h ; f. dim. a.-m.

DIDIER MARTIN Sauvignon 1987

□   2 ha   10 000

Sous son aspect or franc, le vin livre nettement au nez des odeurs de fleur de tilleul séchée et de résine, tandis que dans le goût rond, mesuré, l'on retrouve des évocations bois de pin scié. La dégustation finit assez bien.
→ M. Didier Martin, 30, rte d'Issoudun, 36260 Reuilly, tél. 54.49.20.77 ⊤ t.l.j. 8h-12h 14h-19h ; f. dim. a.-m.

SORBE PERE ET FILS 1987**

□ 86 87   3,50 ha   7 000

La couleur or-vert pâle est déjà engageante. Des agrumes frais et à point, orange, citron, retiennent le nez avec une pointe de menthe verte dans un ensemble riche. L'or retrouve les agrumes discrets dans le goût vif, rond, ferme. L'ensemble apparaît plaisant.
→ M. Sorbe Père et Fils, rte de Cerbois, Preuilly, 18120 Lury-sur-Arnon, tél. 48.51.30.07 ⊤ t.l.j. sf dim. 9h-19h.

SORBE PERE ET FILS 1987

□   2,50 ha   2 000

La robe rose assez vif annonce un vin de pinot noir ou l'odeur de simple banane domine. Souple, mou sur la langue, c'est encore là le bonbon anglais qui marque.
→ MM. Sorbe Père et Fils, rte de Cerbois, Preuilly, 18120 Lury-sur-Arnon, tél. 48.51.30.07 ⊤ t.l.j. sf dim. 9h-19h.

Sancerre

Sancerre, c'est avant tout un site, un lieu prédestiné dominant fièrement une Loire superbe. Sur onze communes, c'est un magnifique réseau de collines parfaitement bien orientées, exposées et protégées, et dont les sols calcaires ou siliceux conviennent à la vigne et contribuent à la qualité des vins : environ 1 400 ha sont plantés.

Deux cépages règnent à Sancerre : le sauvignon blanc et le pinot noir, deux raisins éminemment nobles, capables de traduire l'esprit du milieu et du terroir, d'exprimer au mieux les dons des sols qui s'épanouissent dans des blancs (les plus nombreux, env. 45 000 hl par an) frais, jeunes, fruités, dans des rosés (3 500 hl) tendres et subtils, dans des rouges (6 500 hl env.) légers, parfumés, enveloppés.

Mais Sancerre, c'est avant tout un milieu humain particulièrement attachant, celui des vignerons fiers de leur terroir, de leur travail, donc de leurs vins. Il n'est pas facile, en effet, de produire un grand vin avec le sauvignon, cépage de deuxième époque de maturité, non loin de la limite nord de la culture de la vigne, à des altitudes de 200 à 300 m qui influencent encore le climat local, et sur des sols qui comptent parmi les plus pentus de notre pays, d'autant plus que les fermentations se déroulent dans une conjoncture délicate de fin de saison tardive ! Le vigneron d'ici le sait, mais, loin d'en tirer vanité, il ne s'en fait que plus humble : la très grande majorité des vins de Sancerre est encore produite par des vignerons-artisans qui ajoutent toujours un peu d'eux-mêmes à l'action naturelle du milieu.

On appréciera particulièrement le sancerre blanc sur les fromages de chèvre secs, comme l'illustre « crottin » de Chavignol, village lui-même producteur de vin, mais aussi sur les poissons ou les entrées chaudes peu épicées ; les rouges iront sur les volailles et les préparations locales de viandes.

JACQUES AUCHERE Clos du Désert 1987

□ 86 87   2,50 ha   20 000   V 2

L'apparence est or pâle-vert, le nez assez marqué paille sèche avec une pointe amylique et vert actuellement. Le goût léger apparaît un peu vert actuellement.

M. Jacques Auchère, Le Bois-de-l'Abbaye Bué, 8300 Sancerre, tél. 48.54.06.61 r.-v.

JACQUES AUCHERE Pinot rouge 1987

■ 86 87   1 ha   3 500   V 3

L'apparence est rubis grenat assez couvert. L'odeur bien vineuse, assez fruitée, révèle encore du marc frais avec de la cerise mûre et un très léger musc. En bouche, des tanins très mais ronds, de la charpente, de la chaleur et toujours du ra sin ferment. Le vin cependant paraît déjà présenter une certaine évolution.

M. Jacques Auchère, Le Bois-de-l'Abbaye Bué, 18300 Sancerre, tél. 48.54.06.61 r.-v.

BAILLY-REVERDY Pinot rosé 1987*

[83] [84] [85] [86] [87]   1 ha   6 000   V 3

La teinte ambre rosé très léger est celle du gris classique. L'odeur trouve des sensations nettes et vives évoquant des fruits d'automne, pêche et abricot mêlés de vanille et d'un peu d'anis. Frais, ferme, équilibré, délicatement boisé, il ne livre pas ses arômes.

GAEC Bailly-Reverdy et Fils, La Croix-Saint-Laurant, Bué, 18300 Sancerre, tél. 48.54.18.38 r.-v.

BAILLY-REVERDY
Dom. de la Mercy-Dieu 1987

[83] 84 85 86 [87]   8 ha   40 000   V 3

Or soutenu à l'œil ; marqué, végétal, narcisse vert, un peu réglisse et poivré au nez ; assez agréable, ferme, citron vert et souci discret en bouche. Malgré une rupture gustative nette, il laisse une bonne impression. Devrait durer en s'amé iorant.

GAEC Bailly-Reverdy et Fils, La Croix-Saint-Laurant, Bué, 18300 Sancerre, tél. 48.54.18.38 r.-v.

SYLVAIN BAILLY ET FILS
Clos la Chêne Marchand 1987*

[82] 84 [85] [86] 87   2 ha   12 000   V 3

Un or léger à reflets verts caractérise l'apparence tandis que le nez discret évoque la résine, la menthe, la pomme mûre et la banane verte. Franc tendre en bouche, il rappelle le bois vert et de nouveau la banane avec une finale un peu pointue.

MM. Sylvain Bailly et Fils, Les Celliers Croix-St-Urein, Bué, 18300 Sancerre, tél. 48.54.06.32 t.l.j. 10h-12h 14h-17h.

705

SYLVAIN BAILLY ET FILS
Cuvée Croix Saint-Ursin 1987

86 87 | □ 2 ha 16 000 [icons]

Une cuvée jaune-vert qui livre des odeurs fines mais ténues, végétales où perce une discrète tubéreuse, et laisse une impression légère de pêche verte au nez mince et courte.
➤ MM. Sylvain Bailly et Fils, Les Celliers Croix-St-Ursin, Bué, 18300 Sancerre, tél. 48.54.06.32 ☗ t.l.j. 10h-12h 14h-17h.

DOM. JOSEPH BALLAND-CHAPUIS 1987**

86 87 | △ 2,65 ha 18 000

Une robe rubis moyen ; des odeurs mesurées d'où émerge le bigarreau mûr ; un goût ample, souple, des tanins nets mais fins, de la vinosité et du raisin sec! L'ensemble, peut-être un peu chaud, apparaît assez équilibré, plaisant, long.
➤ Dom. Joseph Balland-Chapuis, La Croix-Saint-Laurent, Bué, 18300 Sancerre, tél. 48.54.06.67 ☗ r.-v.

DOM. JOSEPH BALLAND-CHAPUIS
Clos Le Chêne Marchand 1987*

(75) 82 83 86 87 | △ 1 ha 7 000

Sous sa robe or-vert franc, ce vin livre au nez une odeur puissante, riche du type écorce d'orange, banane mûre et menthe poivrée. Le goût en est flatteur mais mesuré, et il confirme le nez avec une pointe d'oxydation en arrière-bouche.
➤ Dom. Joseph Balland-Chapuis, La Croix-Saint-Laurent, Bué, 18300 Sancerre, tél. 48.54.06.67 ☗ r.-v.

DOM. JOSEPH BALLAND-CHAPUIS 1987

(75) 82 83 85 86 87 | △ 1 ha 7 000

La robe rose bonbon paraît un peu vive. Il y a du raisin frais, de la fraise verte, une nuance lactique dans les odeurs. En bouche, il est chaud, fermé par un tanin léger, mais un peu neutre.
➤ Dom. Joseph Balland-Chapuis, La Croix-Saint-Laurent, Bué, 18300 Sancerre, tél. 48.54.06.67 ☗ r.-v.

CLOS DES BOUFFANTS 1987

□ 9 ha 50 000

Nouveaux venus dans le Guide mais descendants d'une très vieille famille de Verdigny, Roger Neveu et ses fils, bien connus localement pour leur efforts en matière de modernisation et de commercialisation, présentent un vin or pâle à reflets verts. Le nez exprime, très nets, pomme, banane, citron vert et narcisse en début de floraison. S'il manque de maturité, il devrait mieux s'affirmer ce 87 avec le très agréable 86 aux arômes complexes, noté 1 étoile!
➤ SCEA Roger Neveu et Fils, Verdigny, 18300 Sancerre, tél. 48.79.40.34 ☗ t.l.j. 8h-12h 14h-18h.

DOM. HENRI BOURGEOIS
Grande Réserve 1987**

86 87 | □ 18 ha 120 000

Ce produit représente l'une des meilleures cuvées de la maison. D'apparence or-vert pâle, il possède des odeurs bien marquées et de type exotique : banane, orange et ananas, impressions que l'on retrouve sur la langue dans un contexte très expressif, ferme et vif. Un peu de bouteille lui donnera la longueur qui devrait en faire un vin complet.
➤ Dom. Henri Bourgeois, Chavignol, 18300 Sancerre, tél. 48.54.21.67 ☗ r.-v.

DOM. HENRI BOURGEOIS
Côtes des Monts Damnés 1987*

86 87 | □ 2 ha 16 000

Ce lieu-dit escarpé où la terre est rare, voit ses pentes revenir à la viticulture. Le vin qui est évoqué ici provient de la cuve et reste très gazeux à travers son or pâle. Il sent légèrement la banane et la bergamote. En bouche, il apparît pointu et évoque pomme et citron verts. La bonne fin de dégustation laisse présager un bon avenir.
➤ Dom. Henri Bourgeois, Chavignol, 18300 Sancerre, tél. 48.54.21.67 ☗ r.-v.

DOM. HENRI BOURGEOIS
La Bourgeoise - Pinot rouge 1986

85 86 | ☑4 1,15 ha 8 000

La teinte est rubis ambré. Les odeurs parviennent agréablement aux narines mêlant la cerise mûre à la fraise, le tout surmonté par la vanille d'un vieillissement sous chêne. Des tanins un peu trop appuyés et des saveurs très minérales. Y a-t-il un trop peu de séjour sous bois ?
➤ Dom. Henri Bourgeois, Chavignol, 18300 Sancerre, tél. 48.54.21.67 ☗ r.-v.

ROGER CHAMPAULT
Dom. du Colombier 1987*

□ 6,47 ha 60 000

Ce vin or franc dans l'aspect révèle au nez de la fraîcheur et de la plénitude dans un contexte banane, tubéreuse et matricaire, avec du raisin confit que l'on retrouve en bouche allié à du poivre et de l'anis. Un bon équilibre un peu rompu par une finale sèche qui indiquerait une mise récente et qui devrait s'atténuer.
➤ M. Roger Champault, Champtin, Crézancy-en-Sancerre, 18300 Sancerre, tél. 48.79.00.03 ☗ r.-v.

LE CLOS DE CHAUDENAY
Vieilles Vignes 1986**

□ 0,20 ha 2 000

Une apparence or ambré plein ; une bonne odeur végétale rappelant le miel et la fleur d'orange ; une bouche agréable développant un bon fruité, mais un peu brève. Un vin de deux ans encore très agréable!

GITTON PERE ET FILS
Les Montachins 1987***

76 82 (85) 86 |87| — 3 ha — 20 000

C'est là l'une des valeurs sûres d'une cave renommée! La robe est or soutenu à reflets verts; l'olfaction permet de trouver de l'orange mûre et de l'angélique confite alors que la dégustation

DOM. DAULNY 1987*

76 82 (85) 86 |87| — 1 ha — 10 000

La couleur apparaît rubis moyen mêlé d'un léger topaze, le nez décèle une odeur de mûre puis une nuance élégante de fourrure animale. Les tanins sont bien marqués en bouche mais ils restent ronds. Un fruit de myrtille et un léger graphite demeurent perceptibles. L'ensemble apparaît cohérent et devrait gagner avec un peu de bouteille. A suivre.

↝ Dom. Etienne Daulny, Chaudenay, Verdigny, 18300 Sancerre, tél. 48.79.33.96 ☎ r.-v.

DOM. DAULNY 1987***

83 |85| (86) |87| — 4 ha — 40 000

Poursuivant dans la voie de la connaissance et du sérieux, le domaine Daulny réalise une belle cuvée avec la dernière récolte : de l'or pâle, du brillant et de la limpidité dans la robe ; de la tubéreuse, des fruits confits, bergamote et citron mûr, dans une odeur pleine ; de l'ampleur, du rond, de la vanille, de l'amande pâtissière, du citron, mûre et fenouil en bouche. Quelle éloquence, quelle distinction!

↝ Dom. Etienne Daulny, Chaudenay, Verdigny, 18300 Sancerre, tél. 48.79.33.96 ☎ r.-v.

COMTE THIBAULT
Cuvée Prestige 1986***

3,50 ha — 20 000

Un vin bien conservé qui se présente or plein, légèrement ambré et dont l'odeur rappelle une délicate liqueur d'orange vanillée et poivrée. Dans le goût riche et plein, on retrouve de l'orange confite et de la menthe poivrée. Une belle harmonie.

↝ Dom. Joseph Balland-Chapuis, La Croix-Saint-Laurent, Bué, 18300 Sancerre, tél. 48.54.06.67 ☎ r.-v.

DOM. DU COLOMBIER 1985*

2 ha — 10 000

Les sancerre rouges restent très demandés et celui-ci apparaît comme l'un des rares vins du millésime 85 encore offert sur le marché. Sa teinte est d'un beau rubis plein. Il sent avec mesure la cerise, le tabac vert et le café grillé. Il y a déjà plein, de la rondeur, une certaine vinosité, de l'harmonie dans le goût dans lequel se retrouve de l'encens. Il manque peut-être un peu de fond mais comme bien des 85, est-il vraiment prêt ?

↝ SCEA Roger Neveu et Fils, Verdigny, 18300 Sancerre, tél. 48.79.40.34 ☎ t.l.j. 8h-12h 14h-18h.

empli la bouche et évoque la matricaire et le narcisse en début de floraison. Ferme, le vin se révèle très harmonieux.

↝ MM. Gitton Père et Fils, Ménétréol-sous-Sancerre, 18300 Sancerre, tél. 48.54.38.84 ☎ r.-v.

GITTON PERE ET FILS
Les Belles Dames 1987

83 |85| (86) 87 — 7 ha — 50 000

D'une teinte or soutenu, il sent nettement la matricaire qui tourmenait même au ?oireau. Il apparaît assez plein sur la langue, un peu chaud avec une pointe d'amertume. Les analogies gustatives restent dans le type minéral : léger graphite et goudron. Il faut attendre ce vin encore trop jeune pour s'exprimer pleinement.

↝ MM. Gitton Père et Fils, Ménétréol-sous-Sancerre, 18300 Sancerre, tél. 48.54.38.84 ☎ r.-v.

GITTON PERE ET FILS
Les Herses 1986

1,10 ha — 6 000

Le vin se présente or bruni et sent la cire, la résine et l'écorce d'orange sèche. Sur la langue, il est assez plein et on y retrouve un goût de liqueur d'orange et un peu lactique. Le produit accuse un peu son âge.

↝ MM. Gitton Père et Fils, Ménétréol-sous-Sancerre, 18300 Sancerre, tél. 48.54.38.84 ☎ r.-v.

GITTON PERE ET FILS
Les C?is 1987**

0,75 ha — 5 000

Une nouvelle réussite du domaine Gitton parmi des productions de terrains authentiques et toujours séparés. De l'or franc dans la robe ; un nez prononcé liant l'anis et le fenouil ; une bouche nette, pleine, ronde où domine toujours l'anis qui tourne à la réglisse. Une bonne harmonie d'ensemble classe favorablement ce vin qui devrait encore évoluer dans le bon sens.

↝ MM. Gitton Père et Fils, Ménétréol-sous-Sancerre, 18300 Sancerre, tél. 48.54.38.84 ☎ r.-v.

DOM. LA MOUSSIERE 1987***

83 84 85 86 87 — 3 ha — 15 000

La Moussière 87 succède bien à son aînée : de l'or pâle et un peu de gaz dans l'aspect ; de la banane, de la fleur de tilleul, de l'aubépine et du poivre dans l'odeur ; de la fermeté, du plein, de l'angélique et de la confiserie fine dans le goût bien fondu. Une jolie bouteille harmonieuse!

↝ M. Alphonse Mellot, 3, rue Porte-César, 18300 Sancerre, tél. 48.54.07.41 ☎ r.-v.

CLOS LA PERRIERE 1987*

86 87 — 15 ha — 130 000

Le produit de fond de La Perrière se présente or pâle soutenu. Son odeur nette de narcisse est accompagnée d'une très légère réduction. Plein, ferme rond et chaud en bouche, on y trouve une pointe de pomme mûre et un rappel tubéreux.

↝ M. Pierre Archambault, Caves La Perrière, Verdigny, 18300 Sancerre, tél. 48.54.16.93 ☎ t.l.j. 14h30-19h ; f. 1er oct. au 15 avril

CLOS LA PERRIERE Carte d'Or 1986*

□   1 ha   20 000

L'un des lieux les plus fréquentés du Sancerrois présente une aimable cuvée de l'an passé, assez limpide et brillante. Resté relativement jeune, végétal, il évoque le thym un peu macéré. La bouche ne suit pas tout à fait. Un peu courte quoique peu évoluée, on y retrouve une analogie cire propre aux vins de deux ans et plus.
➤ M. Pierre Archambault, Caves La Perrière, Verdigny, 18300 Sancerre, tél. 48.54.16.93 ☎ t.l.j. 14h30-19h ; f. 1er oct. au 15 avril

DOM. LAPORTE Clos la Comtesse 1987*

□   0,25 ha   2 500

La Comtesse se situe à Chavignol et ce lieu-dit rappelle l'épouse des seigneurs de Sancerre. L'un des vins qui en provient possède une robe or pâle et il sent discrètement la tubéreuse et le narcisse. Plus affirmé en bouche, il apparaît très frais, amylique et écorce d'orange.
➤ Dom. Laporte, Cave de la Cresle, Saint-Satur, 18300 Sancerre, tél. 48.54.04.07 ☎ r.-v.

DOM. DE LA POUSSIE 1987

86 87   □   10,50 ha   100 000

Le vin de base du domaine apparaît or pâle franc. Son odeur nette rappelle la réglisse et l'anis mêlés. En bouche, il est plein, chaud, avec une pointe d'amertume, gage de durée. Ses arômes végétaux sont dominés par la pomme très mûre et son léger tanin donne une note cuir neuf très discrète.
➤ SCIV du Clos de La Poussie, Bué, 18300 Sancerre, tél. 48.54.20.14 ☎ t.l.j. 9h-12h 14h-18h ; f. août
➤ M. Cordier.

DOM. DE LA POUSSIE 1987***

85 86 |87| □   3 ha   25 000

Du rose saumoné légèrement ambré dans la teinte. Un nez plaisant très pêche et abricot mûrs à la limite du fruit confit. Sur la langue, le vin est rond, tendre, rond, vineux mais nettement caramel.
➤ SCIV du Clos de La Poussie, Bué, 18300 Sancerre, tél. 48.54.20.14 ☎ t.l.j. 9h-12h 14h-18h ; f. août
➤ M. Cordier.

DOM. DE LA POUSSIE 1987***

|85| 86 |87| □   6,70 ha   55 000

Le verre laisse transparaître un beau rubis net et livre au nez des odeurs fraîches très prunes rouges, légèrement pimentées. Long en bouche, le vin, tendre, rond, sous ses tanins souples, cèle la cerise mûre et un peu de violette. Ensemble bien harmonieux.
➤ SCIV du Clos de La Poussie, Bué, 18300 Sancerre, tél. 48.54.20.14 ☎ t.l.j. 9h-12h 14h-18h ; f. août
➤ M. Cordier.

DOM. HENRY PELLE Clos de La Croix au Garde 1987*

86 87   □   4 ha   25 000

La vigne prend de l'âge et le produit s'affirme : De l'or pâle net dans l'apparence, du souci et du citron dans l'odeur bien marquée, un peu d'ampleur, de souplesse, de gras dans un goût encore très juvénile.
➤ SCEA du Dom. Henry Pellé, pl. de l'Eglise, Morogues, 18220 Les Aix-d'Angillon, tél. 48.64.42.48 ☎ r.-v.
➤ MM. Henry et Eric Pellé.

BERNARD REVERDY ET FILS 1987**

85 86 |87| □   8 ha   50 000

Un joli vin dans sa robe or franc, légèrement gazeux, qui présente des odeurs nettes mais complexes associant l'ananas, l'orange et la tubéreuse, et qui sont confirmées en bouche dans un contexte ferme et agréable.
➤ MM. Bernard Reverdy et Fils, Chaudoux, Verdigny, 18300 Sancerre, tél. 48.79.34.76 ☎ r.-v.

BERNARD REVERDY ET FILS Les Vignes Saint-Père 1987**

□   2 ha   10 000

Le millésime a encore permis à ces viticulteurs de réussir leur rosé saumoné type dans sa teinte légère. Des odeurs de banane, d'ananas, de poire Williams flattent les narines tandis que de la fraîcheur, de la plénitude, une certaine fermeté se retrouvent en bouche dans un contexte qui correspond parfaitement à l'olfaction.
➤ MM. Bernard Reverdy et Fils, Chaudoux, Verdigny, 18300 Sancerre, tél. 48.79.34.76 ☎ r.-v.

BERNARD REVERDY ET FILS 1986*

□   2 ha   7 000

L'œil saisit un rubis bien couvert, le nez perçoit des odeurs vives de groseille et cassis mûrs avec un musc léger. Au goût, les impressions demeurent fermes mais mesurées dans un contexte de cerise mûre un tantinet graphite. Dommage qu'il finisse un peu vite !
➤ MM. Bernard Reverdy et Fils, Chaudoux, Verdigny, 18300 Sancerre, tél. 48.79.34.76 ☎ r.-v.

DOM. DU ROCHOY 1987*

□   8,30 ha   80 000

Apparence or-vert pâle : l'odorat perçoit dans ce vin des analogies très végétales de type bois d'acacia vert et asperge suivis d'un soupçon de cassis et d'anis. Un peu mordant en bouche, le fruit participe de la banane et de la pomme vertes. Actuellement, le produit manque de fond mais c'est un exemple des vins de « cailloux ».
➤ Dom. Laporte, Cave de la Cresle, Saint-Satur, 18300 Sancerre, tél. 48.54.04.07 ☎ r.-v.

DOM. DE SAINT-PIERRE 1986***

□   1,50 ha   n.c.

Ce joli vin se caractérise par sa robe rubis couvert, ses odeurs marquées de cerise et de prune très mûres et un soupçon de laurier, son goût rond, plein, long, nettement framboise avec

Centre

de la vanille de chêne très bien intégrée. Une bouteille très intéressante, plaisante à souhait.

➡ MM. Pierre Prieur et Fils, Dom. de Saint-Pierre, Verdigny, 18300 Sancerre, tél. 48.79.31.70 ☎ t.l.j. sf dim. 9h-12h 14h-18h.

DOM. DE SAINT-PIERRE 1987

☐   7 ha   40 000   🍴 🌿 ▼ ③

85 86 87

De robe or franc net, ce vin révèle un nez assez marqué évoquant la pomme très mûre. Plein, rond, chaud en bouche, il apparaît végétal de type matricaire avec un net rappel de calvados original dans les sancerre.

➡ MM. Pierre Prieur et Fils, Dom. de Saint-Pierre, Verdigny, 18300 Sancerre, tél. 48.79.31.70 ☎ t.l.j. sf dim. 9h-12h 14h-18h.

DOM. DES VILLOTS

Clos de La Reine Blanche 1987★★★

☐   6 ha   40 000   🍴 🌿 ▼ ③

86 (87)

Une nouvelle preuve de la valeur constante de ce domaine et de la capacité de ses propriétaires : le Clos de la Reine Blanche 87. Or pâle à l'œil,

Sancerre

légèrement gazeux, limpide et brillant, ce vin offre à l'odorat des évocations riches de pêche et d'abricot et de miel légèrement fumé. Plein et épanoui, il fait la roue en bouche livrant des arômes de miel sainfoin et bruyère très distingués. Une bien belle illustration du sancerre!

➡ SCEA Jean Reverdy et Fils, Verdigny, 18300 Sancerre, tél. 48.79.31.48 ☎ r.-v.

709

LE CENTRE

LA VALLÉE DU RHONE

Viril et fougueux, le Rhône file vers le Midi, vers le soleil. Sur ses rives, au long de pays qu'il unit plus qu'il ne les divise, s'étendent des vignobles parmi les plus anciens de France, ici prestigieux, plus loin méconnus. La vallée du Rhône est, en production de vins fins, la seconde région viticole de l'Hexagone après le Bordelais ; en qualité aussi, elle peut rivaliser sans honte, certains de ses crus suscitant l'intérêt des connaisseurs autant que quelques-uns des bordeaux ou des bourgogne les plus réputés.

Longtemps, pourtant, le côtes-du-rhône fut mésestimé : gentil vin de comptoir un peu populaire, il n'apparaissait que trop rarement aux tables élégantes. « Vin d'une nuit » qu'une si brève cuvaison rendait léger, fruité et peu tannique, il voisinait avec le beaujolais dans les « bouchons » lyonnais ; mais les vrais amateurs appréciaient pourtant les grands crus, et goûtaient un hermitage avec tout le respect dû aux plus grandes bouteilles. Aujourd'hui, grâce aux efforts de 12 000 vignerons et de leurs organismes professionnels pour une constante amélioration de la qualité, l'image des côtes-du-rhône s'est redressée. S'ils continuent à couler allègrement sur les meilleures tables, et, tandis que leur diversité fait leur richesse, ils ont regagné désormais le succès que l'histoire, déjà, leur avait accordé.

Peu de vignobles sont en effet capables de se prévaloir d'un passé aussi glorieux que ceux-ci, et de Vienne jusqu'à Avignon, il n'est pas un village qui ne puisse retracer quelques pages, parmi les plus glorieuses, de l'histoire de France. On revendique en outre aux abords de Vienne l'un des plus anciens vignobles du pays, développé par les Romains après avoir été créé par des Phocéens « montés » depuis Marseille. Vers le IVe s. avant notre ère, des vignobles étaient attestés dans les secteurs des actuels hermitage et côte-rôtie, tandis que ceux de la région de Die apparaissaient dès le début de l'ère chrétienne. Les templiers, au XIIe s., ont planté les premières vignes de Châteauneuf-du-Pape, œuvre poursuivie par le pape Jean XXII deux siècles plus tard. Les vins de la « Côte du Rhône gardoise » connurent une grande vogue, quant à eux, aux XVIIe s. et XVIIIe s.

Aujourd'hui, dans le secteur méridional, sur la rive gauche du fleuve, le château médiéval de Suze-la-Rousse s'est reconverti au service du vin : l'université du Vin y siège et y organise stages, formation professionnelle et manifestations diverses. Enfin, pour découvrir l'ensemble de la région, ses paysages et ses innombrables souvenirs historiques, tout en appréciant la dégustation de ses vins, le comité interprofessionnel a matérialisé une « route des Vins », en créant neuf itinéraires balisés par le peintre Georges Mathieu.

Tout au long de la vallée, les vins sont produits sur les deux rives, certains distinguant cependant les vins de la rive droite, plus lourds et capiteux, de ceux de la rive gauche, plus légers. Mais on distingue plus généralement deux grands secteurs nettement différenciés : ceux des côtes-du-rhône septentrionales, au nord de Valence, et des côtes-du-rhône méridionales, au sud de Montélimar, séparés par une zone d'environ cinquante kilomètres d'où la vigne est absente.

Il ne faut pas oublier non plus les appellations situées en bordure du secteur méridional, qui, si elles sont moins connues du grand public, produisent des vins originaux et de qualité. Ce sont les coteaux-du-tricastin au nord, les côtes-du-ventoux et le VDQS côtes-du-lubéron à l'est, le VDQS côtes-du-vivarais au nord-ouest. Il existe trois autres appellations que leur situation géographique éloigne davantage de la vallée proprement dite : la clairette de die et le châtillon-en-diois, dans la vallée de la Drôme,

La vallée du Rhône (partie septentrionale)

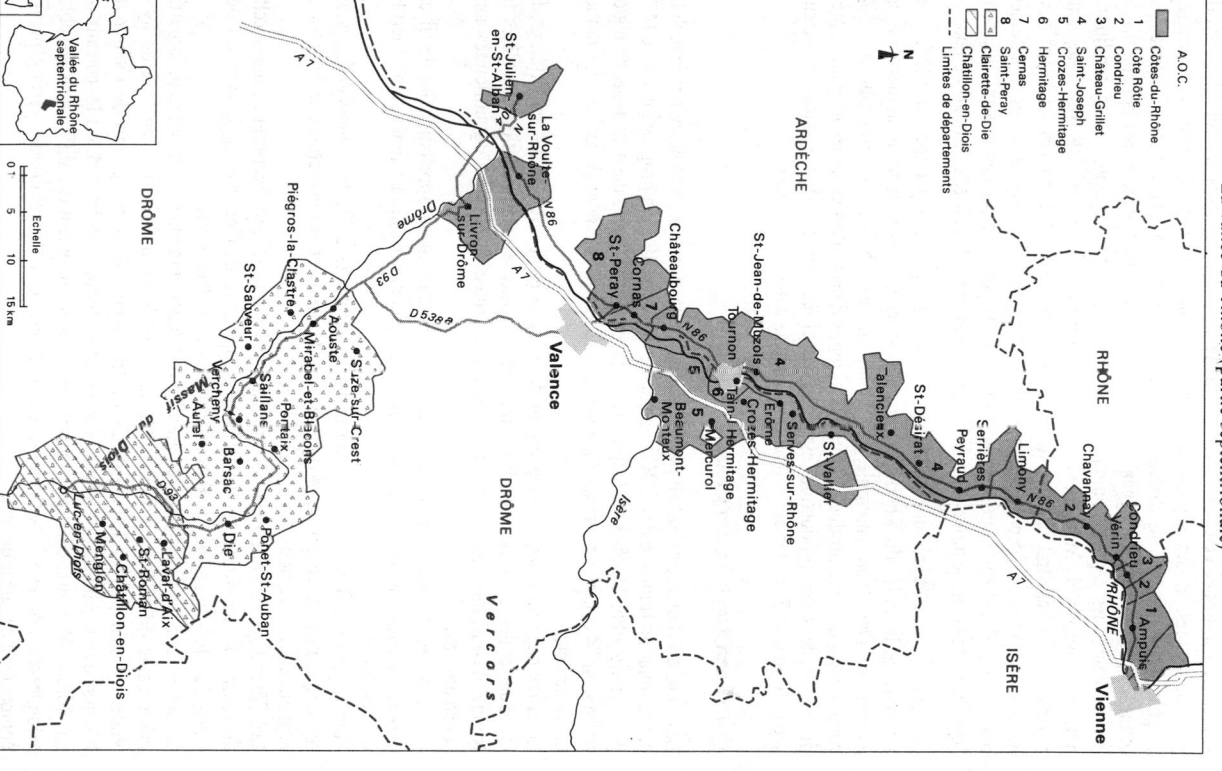

A.O.C.

1 Côtes-du-Rhône
2 Côte Rôtie
3 Condrieu
4 Château-Grillet
5 Saint-Joseph
6 Crozes-Hermitage
7 Hermitage
8 Cornas
Saint-Peray
Clairette-de-Die
Châtillon-en-Diois
Limites de départements

Vallée du Rhône septentrionale

Echelle
0 5 10 15 km

en bordure du Vercors, et le VDQS coteaux-de-pierrevert, produit dans le département des Alpes-de-Haute-Provence. Il convient enfin de citer les deux appellations de vins doux naturels du Vaucluse : muscat de Beaumes-de-Venise et rasteau (voir le chapitre consacré aux vins doux naturels).

Selon les variations de sol et de climat, il est encore possible de repérer trois sous-ensembles dans cette vaste région de la vallée du Rhône : au nord de Valence, le climat est tempéré à influence continentale, les sols sont granitiques ou schisteux, disposés en coteaux à très forte pente. Les vins sont issus du seul cépage syrah pour les rouges, et des cépages marsanne et roussanne pour les blancs ; le cépage viognier est à l'origine du château-grillet et du condrieu. Dans le Diois, le climat est influencé par le relief montagneux, et les sols calcaires sont constitués par des éboulis de bas de pente ; les cépages clairette et muscat se sont bien adaptés à ces conditions naturelles. Au sud de Montélimar, le climat est méditerranéen, les sols très variés sont répartis sur un substrat calcaire (terrasses à galets roulés, sols rouges argilo-sableux, molasses et sables). Le cépage principal est alors le grenache, mais les excès climatiques obligent les viticulteurs à utiliser plusieurs cépages pour obtenir des vins parfaitement équilibrés : la syrah, le mourvèdre, le cinsaut, le carignan, la clairette, le bourboulenc.

Après une nette diminution des superficies plantées au XIXᵉ s., le vignoble de la vallée du Rhône s'est à nouveau étendu, et il demeure aujourd'hui en expansion. Dans son ensemble, il s'étend sur 63 975 ha, couvrant plus de 160 communes, pour une production de trois millions d'hectolitres en année moyenne ; près de 50 % de cette production est commercialisée par le négoce dans le secteur septentrional, et 70 % par des coopératives dans la zone méridionale.

Quoi de neuf dans la Vallée du Rhône ?

Les côtes-du-rhône semblent en période conquérante, aucun marché ne leur résiste. Si la consommation française des AOC a augmenté de 4 % en 1987, la progression est de 14 % pour ce vignoble. Celui-ci développe avec vigueur ses villages : des vins issus de règles strictes sur 74 communes, dont 17 peuvent porter leur propre nom (Vinsobres, Cairanne, Chusclan, etc.).

Le tastevinage du Clos de Vougeot fait décidément école... Après le Chanteflûtage, le Gramage et l'on en passe, voici le Goutillonnage. Réservé aux appellations des Côtes du Rhône, il constituera désormais une sélection présentée sous le label «goutillonné» aux consommateurs.

Plusieurs appellations villages souhaitent leur promotion en appellation locale (il en existe 13 actuellement). Vacqueyras, Vinsobres, Laudun, Rasteau estiment ainsi mériter le rang des crus.

Pour la première fois, les 13 et 14 novembre 1987, plus de 2 500 viticulteurs de la région se sont réunis en congrès à Avignon, afin de préparer les évolutions techniques et économiques du vignoble.

Les Côtes du Rhône ont perdu au printemps 1988 l'une de leurs figures historiques, celle de Joseph Rivier, fondateur de la Cave Coopérative de Chusclan et du syndicat des Côtes du Rhône aux côtés du Baron Leroy, il y a un demi-siècle.

Le millésime 87 a dû affronter de grandes difficultés climatiques, surtout dans la partie méridionale des Côtes du Rhône. On attendait le mistral : il fit comme Grouchy à Waterloo, manquant à l'appel. Seuls les très impitoyables ont permis de réaliser de bonnes cuvées. Situation plus favorable dès qu'on monte vers le nord, sur les coteaux ou en altitude. Ventoux, côte-rôtie, hermitages rouges présentent des différences sensibles selon les terroirs : le rôle de l'œnologue a été déterminant. Chaptalisation assez générale, compte tenu des aléas du temps.

L'appellation régionale côtes-du-rhône, définie par décret en 1937, s'étend sur six départements : Gard, Ardèche, Drôme, Vaucluse, Loire et Rhône. Produits sur 40 800 ha situés en quasi-totalité dans la partie méridionale, ces vins représentent une production de 2 100 000 hl.

Grâce aux variations des micro-climats, à la diversité des sols et des cépages, ces vignobles produisent des vins qui pourront réjouir tous les palais : vins rouges de garde, riches, tanniques et généreux, à servir sur la viande rouge, produits dans les zones les plus chaudes et sur des sols de diluvium alpin (Domazan, Estezargues, Courthezon, Orange...) ; vins rouges plus légers, fruités et plus nerveux, nés sur des sols eux-mêmes plus légers (Puymeras, Nyons, Sabran, Bourg-Saint-Andéol...) ; vins « primeurs », enfin, fruités et gouleyants, à boire très jeunes, à partir du 15 novembre, sur les viandes blanches ou la charcuterie, et qui connaissent un succès sans cesse grandissant.

La chaleur et la sécheresse estivale prédisposent les vins blancs et les vins rosés à une structure caractérisée par une grande richesse alcoolique et une faible acidité. Les progrès technologiques permettent d'extraire le maximum d'arômes et d'obtenir des vins frais et délicats dont la demande augmente continuellement. On les servira respectivement sur les poissons de mer, et sur les salades ou la charcuterie.

Côtes du rhône

♠ Vignerons Ardéchois, 07120 Ruoms,
tél. 75.93.50.55 ▼ r.-v.

BARONNIE DE SABRAN 1986*

150 ha	100 000	

L'œnologue Pierre Pappalardo a finement ciselé cet assemblage savant de grenache, cinsault, syrah et carignan qui évoque le nom de la Baronnie de Sabran. Ces 100 000 bouteilles attendent de bonnes grillades.
♠ Cave des Quatre Chemins,
Le Serre de Bernon, 30290 Laudun,
tél. 66.82.00.22 ▼ r.-v.

BARONNIE DE SABRAN 1987*

20 ha	60 000	

L'alliance des fruits rouges et des odeurs du sous-bois : la fraîcheur va de pair avec l'équilibre général. Une touche de personnalité. Bref, les vignerons de la Cave des Quatre Chemins ne font pas fausse route.
♠ Cave des Quatre Chemins,
Le Serre de Bernon, 30290 Laudun,
tél. 66.82.00.22 ▼ r.-v.

DOM. DE BEAURENARD 1986

82 83 85 86	45 ha	320 000

Ur côtes-du-rhône classique sans surprise. Des parfums assez fugaces, suivis par une bouche où dominent les côtés fruits mûrs et confits.
♠ MM. Paul Coulon et Fils,
Dom. de Beaurenard, 84230 Châteauneuf-du-Pape, tél. 90.83.71.79 ▼ t.l.j; 8h-12h

DOM. DE BEAURENARD 1987

2 ha	15 000	

Or, peut visiter ici le musée du Vigneron. Et apprécier ce rosé légèrement fruité, prêt à consommer avec une entrée de charcuterie. Grenache pour 80%, cinsault pour le reste. Il ne s'agit pas d'un vin qui incite à philosopher :longtemps, il se laisse boire sans se compliquer la vie.
♠ MM. Paul Coulon et Fils,
Dom. de Beaurenard, 84230 Châteauneuf-du-Pape, tél. 90.83.71.79 ▼ t.l.j; 8h-12h

JEAN-PAUL BENOIT 1986

82 84 85 86	10,30 ha	48 000

Ancienne propriété du comte d'Huste et du Saint-Empire, ce domaine de 10 hectares s'étend sur un sol caillouteux. Le rouge est assez léger, bien équilibré, mais il lui manque un peu de puissance. A consommer avec de la charcuterie ou une viande blanche.
♠ M. Jean-Paul Benoit, quartier de la Chapelle, 84470 Châteauneuf-de-Gadagne, tél. 90.22.29.76 ▼ r.-v.

JEAN-PAUL BENOIT 1987

n.c.	20 000	

En débouchant cette bouteille, on croit regarder le Ventoux et le Lubéron, le soir au coucher du soleil : ses reflets orangés n'annoncent pourtant pas le crépuscule d'un vin dans sa belle jeunesse. Destiné à une assiette de charcuterie.

VIGNERONS ARDECHOIS
Cellier du Pont-d'Arc 1986*

210 ha	560 000	

Un petit côtes-du-rhône d'une couleur légère, gaie, brillante, un nez agréable, du fruit (fraise, framboise) à boire frais l'été. Il doit être bon avec une charcuterie du coin.
♠ Vignerons Ardéchois, 07120 Ruoms,
tél. 75.93.50.55 ▼ r.-v.

VIGNERONS ARDECHOIS 1987*

n.c.	20 000	

Rose vif et bonbon anglais, un rosé friand et frais qui ne demande qu'à être bu.

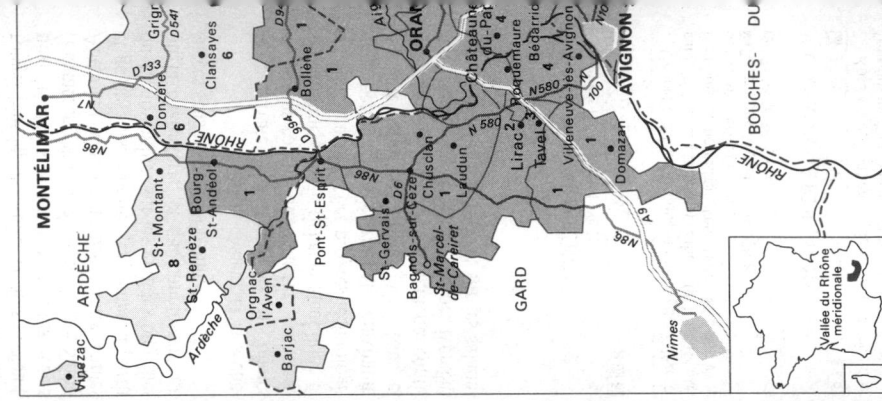

♦ M. Jean-Paul Benoît, quartier de la Chapelle. 84470 Châteauneuf-de-Gadagne, tél. 90.22.29.76 ☎ r.-v.

MICHEL BERNARD 1985
■ n.c. ⬛↓▼2

Un groupement de viticulteurs vinifiant en caves particulières. Jeune et dynamique, il présente un 85 qui parvient maintenant à son optimum et qu'il ne faudra pas garder trop longtemps.

♦ Dom. Michel Bernard, rte de Sérignan, 84100 Orange, tél. 90.34.35.17 ☎ r.-v.

DOM. BERTHET-RAYNE 1986**
■ 3,70 ha 5 000 ⬛↓▼2

82 83 84 85 86

Légèrement mordoré, il est déjà bien mûri pour un 86. Il est recommandé de le consommer dès maintenant, il doit accompagner des viandes rouges et des fromages à pâtes cuites.

♦ M. Christian Berthet-Rayne, rte de Roquemaure, 84350 Courthézon, tél. 90.70.74.14 ☎ t.l.j. sf dim. 8h-18h ; f. 15 au 31 juil.

CH. DU BOIS DE LA GARDE 1986*
■ 60 ha 265 000 ▼1

82 83 84 85 86

Ce vin a une bonne structure originale en bouche, mais il lui manque des arômes pour obtenir une belle bouteille.

♦ Mme Catherine Barrot, 1, av. du Baron-Le-Roy, 84230 Châteauneuf-du-Pape, tél. 90.83.73.10 ☎ t.l.j. 8h-12h 13h-19h ; f. fév.

CAVE COOP. DE BOURG-SAINT-ANDEOL 1987**
□ n.c. 18 000

Les terrains un peu froids des côtes-du-rhône permettent aux vignerons ardéchois d'offrir, avec tous les soins qu'ils ont su lui apporter, un vin blanc aux arômes floraux d'une grande finesse et d'une bonne qualité. La fraîcheur et l'équilibre en bouche ne font que confirmer le reste.

♦ Cave Coop. de Bourg-St-Andéol, 07700 Bourg-Saint-Andéol, tél. 75.93.50.55 ☎ r.-v.

BREZEME 1985**
■ 2 ha 13 000 ⬛↓▼3

Elevés en fûts de chêne durant 18 mois à 2 ans, destinés à une conservation d'au moins 18 mois en bouteille, les côtes-du-rhône de Jean-Marie Lombard sont remarquables. Le cœur balance entre côtes septentrionales et côtes méridionales. A noter : 100% syrah, ce qui constitue une intéressante curiosité.

♦ M. Jean-Marie Lombard, quartier Piquet, 26250 Livron-sur-Drôme, tél. 75.61.64.90 ☎ r.-v.

DOM. BRUN-HUPAYS 1985*
■ 15 ha n.c. ⬛↓▼1

83 85

Vin fin, léger, présentant une bonne attaque en bouche avec des saveurs de fruits cuits et de cuir, mais avec une finale un peu marquée. A boire.

♦ M. Paul Brun de Premorel, Dom. Brun-Hupays, Les Grès, 84430 Mondragon, tél. 90.40.82.95 ☎ t.l.j. 8h-19h.

DOM. DU CABANON 1986*
■ 10 ha 30 000 ▼1

82 83 84 85 86

Un vin de macération d'une couleur soutenue pour une bonne table entre amis, c'est frais, léger, à boire rapidement.

♦ M. Yves Payan, 5, pl. de la Fontaine, Saze, 30650 Rochefort-du-Gard, tél. 90.31.70.74 ☎ t.l.j. sf dim. 9h-12h 14h-18h ; f. jours fériés

CARBONEL 1986*
■ 20 ha 100 000 ⬛↓▼2

Planté en 1880 par Joanny Dupond sur l'emplacement de l'ancienne forêt domaniale du comtat Venaissin, Carbonel s'étend sur 125 hectares d'un seul tenant. L'entomologiste Jean-Henri Fabre était un voisin et un ami. Les sols en terrasses très caillouteux donnent un vin aux arômes de sous-bois et de myrtille. Bonne persis-

tance en bouche. Parfait avec une viande en sauce.

↷ SCE Dom. de la Renjardière, 84830 Sérignan, tél. 90.70.00.10 ☎ t.l.j. 8h-19h.

DOM. DE CASTELAS 1985***
20 ha   120 000   ■ 3

Quel beau vin! il garde toute sa fraîcheur. Puissant, très équilibré, il développe des arômes de truffes et groseilles. Il vieillira encore. Les Bourguignons seront étonnés.

↷ M. Pierre André, Ch. de Corton-André, Aloxe-Corton, 21420 Savigny-lès-Beaune, tél. 80.26.44.25 ☎ t.l.j. 10h-18h.

CHARTREUSE DE BONPAS
Blanc de blancs de clairette 1987*
□   n.c.   3 300   ■ ⬤ ▼ 2

Il ne faut pas oublier de visiter la chapelle romane du XIIe s. et les jardins à la française, avant de déguster ce vin blanc, frais, rond et assez gras. Vous êtes déjà à la porte des vacances.

CHARTREUSE DE BONPAS 1986
15 ha   70 000   ■ ⬤ ▼ 2

Couvent fortifié par le pape Jean XXII, la chartreuse surplombe la Durance. 86 se présente en robe légère. Son nez de coing se combine à un arôme un peu marqué.

↷ MM. Casalis et Olphe-Galliard, La Chartreuse de Bonpas, 84510 Caumont-sur-Durance, tél. 90.23.09.59 ☎ t.l.j. 9h-12h 14h-18h.

↷ MM. Casalis et Olphe-Galliard, La Chartreuse de Bonpas, 84510 Caumont-sur-Durance, tél. 90.23.09.59 ☎ t.l.j. 9h-12h 14h-18h.

DOM. DE CHEVALET 1985**
7 ha   35 000   ■ ⬤ ▼ 2

L'association Delas-Deutz est un succès. D'un âge déjà respectable pour son appellation, ce vin résiste étonnamment jeune et cache sous une robe brillante des arômes de cuir et une bonne structure tannique.

↷ MM. Delas Frères, L'Olivet, Tournon, 07300 Saint-Jean-de-Muzols, tél. 75.08.60.30

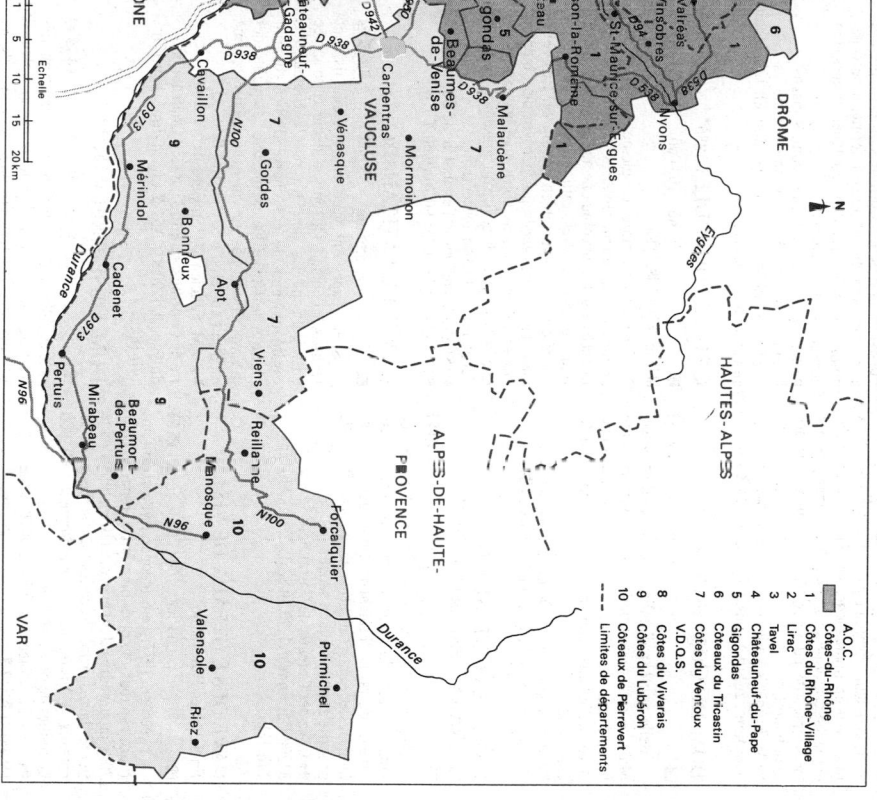

La vallée du Rhône (partie méridionale)

A.O.C.
1 Côtes-du-Rhône
2 Côtes du Rhône-Village
3 Lirac
4 Tavel
5 Châteauneuf-du-Pape
6 Gigondas
7 Côteaux du Tricastin
8 Côtes du Ventoux
V.D.Q.S.
8 Côtes du Vivarais
9 Côtes du Lubron
10 Côteaux de Pierrevert
--- Limites de départements

DOM. DES COCCINELLES 1986*

■   n.c.   5 000   ↨ ✓ ②

83 85 I86I

Ici, on refuse tout progrès technique en phytopharmacie : culture et vinification répondent à l'étiquette biologique. Le vin est solide et de bonne facture. Il pourra encore durer dans le temps.

➥ M. René Fabre, Dom. des Coccinelles, 30390 Domazan, tél. 66.57.03.07 ☎ t.l.j. 8h-12h 14h-20h.

DOM. DU CORIANCON 1986**

■   20 ha   25 000   ↨ ✓ ②

I83I 84 85 86

Joli rouge cerise soutenu aux arômes élégants de petits fruits rouges accompagné d'une bouche de violette. Ce vin plein de jeunesse demande à être «oublié» 3 ou 4 ans afin d'affirmer sa fermeté. Doit faire une bonne bouteille.

➥ M. François Vallot, Dom. du Coriancon, Vinsobres, 26110 Nyons, tél. 75.26.03.24 ☎ r.-v.

DOM. DU CORIANCON 1987

□   3 ha   10 000   ↨ ✓ ②

La couleur surprend peut-être par ses reflets rosés tout en nuance dans ce blanc, où le cépage grenache gris domine. La bouche est marquée par les arômes de pommes. A boire bien frais dès maintenant.

➥ M. François Vallot, Dom. du Coriancon, Vinsobres, 26110 Nyons, tél. 75.26.03.24 ☎ r.-v.

DOM. DU CORIANCON 1987**

■   5 ha   10 000   ↨ ✓ ②

Belle couleur d'ambre, très pâle, distinguée. Mais ce rosé cache bien son jeu : vin de haute technologie, ses arômes sont toutefois amyliques. A conseiller aux tempéraments passionnés, qu'il comblera.

➥ Cave des Coteaux de Cairanne, 84290 Cairanne, tél. 90.30.82.05 ☎ t.l.j. 8h-12h 14h-18h.

CAVE DES COTEAUX DE CAIRANNE Blanc de blancs 1987*

■   34 ha   40 000   ↨ ✓ ②

High tech ? Il y a un peu de ça... A travers ce vin, on perçoit la maîtrise technologique de cette cave de Cairanne. Fraîcheur et bouquet montrent qu'il reste aussi un brin de poésie. Bouteille promise à un poisson en sauce.

➥ Cave des Coteaux de Cairanne, 84290 Cairanne, tél. 90.30.82.05 ☎ t.l.j. 8h-12h 14h-18h.

CAVE DES COTEAUX DE VISAN Enclave des Papes 1986*

■   n.c.   200 000   ↨ ✓ ②

Créée en 1937, cette coopérative produit un rouge capiteux et corsé, bien fait. Grenache pour 70%, mourvèdre (20%) et syrah (10%), tel est ici le tiercé dans l'ordre. Récoltés sur 34 hectares de coteaux à Visan, les raisins donnent 200 000 bouteilles de ce vin généreux.

➥ Cave Les Coteaux de Visan, 84820 Visan, tél. 90.41.91.12 ☎ r.-v.

CAVE DES COTEAUX DE VISAN 1987

■   17 ha   100 000   ↨ ✓ ■

La gaieté mise en bouteille : c'est le vin que propose sa cave coopérative Les Coteaux à Visan. Un blanc fin, chatoyant, chaleureux, produit sur 17 hectares de vignes dont certaines ont fêté leurs cinquante ans. Grenache pour 50%.

➥ Cave Les Coteaux de Visan, 84820 Visan, tél. 90.41.91.12 ☎ r.-v.

CH. DE COURAC 1986***

I83I I86I   20 ha   30 000   ↨ ✓ ■

Ce viticulteur amateur d'art accomplit de réels efforts pour parvenir à une qualité sûre et suivie. Bien typé syrah, rouge encore jeune (86), à la bouche chargée d'épices et de truffe. Il a la noblesse de son château.

➥ M. André Roux, Ch. de Courac, Tresques, 30330 Connaux, tél. 66.82.01.03 ☎ r.-v.

CORINNE COUTURIER 1986**

■   1 ha   3 000   ⬤ ✓ ③

«Ce n'est plus du vin, c'est du concentré!» écrit l'un de nos jurés sur sa fiche de dégustation. Pur syrah, un vin que Corinne Couturier produit à très petit rendement. Encore fermé, il ne s'épanouira vraiment que dans quelques années. On aura plaisir à l'attendre.

➥ Mme Corinne Couturier, Dom. Rabasse-Charavin, Cairanne, 84290 Sainte-Cécile-les-Vignes, tél. 90.30.70.05 ☎ t.l.j. sf dim. 8h-12h 14h-18h ; f. dim. et jours fériés.

CRU DE COUDOULET 1986**

I81I 82 I83I 84 I85I I86I   30 ha   100 000   ⬤ ✓ ③

Une robe sombre et pleine annonce des arômes où dominent diverses épices avec une nuance de gelée de coing due au cépage grenache. Issu de terrains très caillouteux et chaud, il possède une structure bien équilibrée, très complète, charnue et généreuse. Un vin de gibiers à laisser s'exprimer dans votre cave pendant quelques mois. Non filtré, il peut présenter un léger dépôt ajoutant à son authenticité.

➥ SF des Vignobles P. Perrin, Ch. de Beaucastel, 84350 Courthézon, tél. 90.70.70.60 ☎ r.-v.

CUVEE DU VATICAN 1986*

■   5,65 ha   38 000   ↨ ✓ ②

Si les papes ont vécu en Avignon, ils sont repartis... Félicien Diffonty a dédié cette cuvée au... Vatican ! La robe n'a pas la couleur des cardinaux, mais le nez chargé d'épices devrait plaire à la Curie. De même que la qualité des tanins. N'est-ce pas un vin «théologal», comme on disait autrefois à Savigny-lès-Beaune.

➥ MM. Félicien Diffonty et Fils, rte de Courthezon, B.P. 33, 84230 Châteauneuf-du-Pape, tél. 90.83.70.51 ☎ t.l.j. sf dim. 8h30-12h 14h-18h.

DOM. DUSEIGNEUR 1987**

■   8 ha   50 000   ↨ ✓ ②

Ces sols rouges, fortement caillouteux, plantés ici mi-grenache mi-syrah, ont été mis en valeur il y a dix ans. Il aurait été bien dommage de les

laisser en friches ! En effet, ce côtes-du-rhône rouge bien représentatif de l'appellation a beaucoup de joie au cœur.
➙ Dom. Duseigneur, rue de Saint-Victor, Saint-Laurent-des-Arbres, 30126 Tavel, tél. 66.50.02.57 ⊤ r.-v.
➙ M. Jean Duseigneur.

ESTEVE 1986*

18 ha — n.c. — ⊤ V 1

Joli rouge aux arômes de petits fruits très agréable. Bien équilibré, léger, plein de gaîté, c'est un vin de fête. À boire.
➙ Cave Estève, La Baume-de-Transit, 26790 Suze-la-Rousse, tél. 75.98.11.02 ⊤ r.-v.

DOM. ESTOURNEL 1987*

1 ha — 1 000 — ⊤ V 2

Très vif et très franc, ce vin doit accompagner les poissons. Il a du nez et un bon moelleux.
➙ M. Rémy Estournel, Dom. Estournel, Saint-Victor-à-Coste, 30290 Laudun, tél. 66.50.01.73 ⊤ r.-v.

DOM. ESTOURNEL Laudun 1987

1 ha — 2 000 — ⊤ V 2

Dans le vieux village de Saint-Victor, cette cave située sous le «castellas» (château) produit un bon blanc issu de clairette pure. Acide certes, mais souple et conforme à l'appellation, c'est un Laudun en pleine ascension. Un homard à l'américaine ne le jugera pas indigne de sa compagnie.
➙ M. Rémy Estournel, Dom. Estournel, Saint-Victor-la-Coste, 30290 Laudun, tél. 66.50.01.73 ⊤ r.-v.

CH. DE GALLIFFET 1986**

85 86

10 ha — 5 000 — ⊕ ⊤ V 3

Le grand maître de la commanderie des Côtes du Rhône a ajouté à sa couronne le château de Galliffet. La robe est digne de l'intronisation, le nez est épicé, très original, avec une nuance vanille. Charnu, long et bien équilibré, malgré une dominante boisée qui devrait se fondre ; il faut le laisser vieillir 1 à 2 ans en cave.
➙ M. Max Aubert, Dom. de La Présidente, 84290 Sainte-Cécile-les-Vignes, tél. 90.30.80.34 ⊤ t.l.j. sf dim. 9h-12h 14h-18h.

CH. DU GRAND MOULAS 1986**

82 83 [84] 85 86

20 ha — 120 000 — ⊤ V 2

Créé en 1970 sur des coteaux caillouteux, arides et bien ensoleillés, ce jeune vignoble est un adepte de la macération semi-carbonique traditionnelle dans des cuves modernes. 86, très épicé

DOM. DE GRAND CYPRES 1986*

81 83 [84] 85 86

7 ha — 40 000 — ⊕ ↓ V 2

Rouge carmin et cerises mûres. Encore très jeune, mais déjà très agréable par ses arômes, ce millésime connaîtra, comme son aîné le 85, une très borne évolution.
➙ M. Gérard Lindeperg, 470, av. du Mal-Foch, 84100 Orange, tél. 90.34.01.82 ⊤ t.l.j. sf dim. 8h-12h 14h-17h.

avec ses notes de poivre et vanille, offre une bonne structure. Il est parfaitement prêt.
➙ M. Ryckwaert, Ch. du Grand Moulas, 8455) Mornas, tél. 90.37.00.13 ⊤ r.-v.

DOM. DU GRAND-RELAIS 1986

— n.c. — 6 000 — ⊤ V 2

Un viticulteur consciencieux, qui ne produit pas le rosé lorsqu'il juge sa vendange insuffisante. Son 86 conviendra à des brochettes, ou encore à un saumon grillé. Sa fraîcheur est en effet très agréable.
➙ M. Daniel Peissier, pl. de la Poste, 26110 Mirabel-aux-Baronnies, tél. 75.27.14.80 ⊤ r.-v.

DOM. DU GRAND-RELAIS 1986

[(83)] [84] 85 [86]

Cet artisan-vigneron élève en fûts, à l'abri d'un ancien relais postal, un vin rouge très puissant aux senteurs confirmées de fruits très mûrs et presque cuits. En bouche, très typé, il est de caractère.
➙ M. Daniel Peissier, pl. de la Poste, 26110 Mirabel-aux-Baronnies, tél. 75.27.14.80 ⊤ r.-z.

DOM. DU GRAND VAUCROZE 1986**

11 ha — 60 000 — ⊤ V 1

Fabrice Mousset peut être fier de ce 86, riche d'avenir et méritant la plus haute place du podium. Très beau vin, qui sent la truffe et les épices sous sa robe rubis. Ne pas le boire trop tôt, ce serait une misère. Laissez-le plutôt atteindre sa plénitude dans quelques années.
➙ M. Fabrice Mousset, Les Fines Roches, 84230 Châteauneuf-du-Pape, tél. 90.83.70.30 ⊤ t.l.j., 8h-18h.

DOM. DES HAUTS DE SAINT-PIERRE 1987

82 [84] 85 87

2 ha — n.c. — ⊤ V 1

Ce producteur élabore une syrah pure encore sauvage d'une très belle couleur sombre ; il faudrait attendre son évolution.
➙ SCP André Gras et Fils, Dom. de Saint-Chetin, 84600 Valréas, tél. 90.35.06.68 ⊤ r.-v.

DOM. LA BASTIDE SAINT-VINCENT 1987*

82 83 [84] 85 87

7 ha — 15 000 — ⊤ V 2

Un vin vraiment agréable, jeune, fruité, très puissant et très long pour tout un repas, facile à boire.
➙ M. Guy Daniel, Dom. La Bastide Saint-Vincent 84150 Violes, tél. 90.70.94.13 ⊤ t.l.j. 8h-19h ; f. 15 sept. au 15 oct.

DOM. LA BASTIDE SAINT-VINCENT 1987

7 ha — 3 000 — ⊤ V 1

Un vin à boire, car il ne dispose pas d'un véritable potentiel de vieillissement. Sa fraîcheur

attendrit toutefois le jugement, et il est si peu cher qu'on ne lui demandera pas l'impossible.
↳ M. Guy Daniel, Dom. La Bastide Saint-Vincent, 84150 Violès, tél. 90.70.94.13 Y t.l.j. 8h-19h ; f. 15 sept. au 15 oct.

DOM. DE LA BERTHÈTE 1986*

32 ha   170 000

Joli à regarder, agréable à humer avec sa note cerise, facile à boire.
↳ M. Jean Cohendy, Dom. de La Berthète, 84850 Camaret-sur-Aigues, tél. 90.37.22.41 Y t.l.j. sf dim. 9h-12h 14h-18h.

DOM. DE LA BERTHÈTE 1987**

5 ha   30 000

Domaine familial depuis quatre générations, La Berthète est réputé pour la production de ses vins blancs. Les cépages clairette et grenache apportent gras et rondeur, ainsi que les arômes de fruits. Le bourboulenc, quant à lui, confère l'acidité, l'équilibre et la complexité aromatique. Excellent à l'apéritif avant un repas de qualité, il peut aussi accompagner les poissons et certains fromages.
↳ M. Jean Cohendy, Dom. de La Berthète, 84850 Camaret-sur-Aigues, tél. 90.37.22.41 Y t.l.j. sf dim. 9h-12h 14h-18h.

DOM. DE LA BERTHÈTE 1987**

86 87   3 ha   18 000

Voilà ce qu'on appelle un «vin de soif». On peut le boire à tout moment ! Très floral et voluptueux, il provient d'un domaine qui compte par ses habitués plusieurs lauréats du concours du meilleur sommelier de France : Roger Borgeot, Danielle Carré-Cartal, Maryse Allarousse... Il est vrai que Thierry Cohendy a un BTS d'enologie du lycée viticole de Beaune.
↳ M. Jean Cohendy, Dom. de La Berthète, 84850 Camaret-sur-Aigues, tél. 90.37.22.41 Y t.l.j. sf dim. 9h-12h 14h-18h.

DOM. LA CHARTREUSE VALBONNE 1986***

4,60 ha   29 000

Fondée en 1203, cette magnifique chartreuse est aujourd'hui un centre médical. Les pères chartreux avaient implanté dix sept hectares de vignes sur les coteaux qui surplombent le monastère. Abandonné à leur départ en 1901, ce vignoble est en cours de reconstitution. Les chartreux peuvent être tranquilles : leurs successeurs sont bien inspirés.
↳ ASVMT, Dom. La Chartreuse Valbonne, Saint-Paulet-de-Caisson, 30130 Pont-Saint-Esprit, tél. 66.82.79.32 Y r.-v.

DOM. DE LA FERME SAINT-MARTIN 1987*

1,10 ha   3 500

Une jolie robe légère, un nez de genêt par ses 40% de clairette, une bouche fraîche, une heureuse nature.
↳ M. Guy Jullien, Dom. de La Ferme Saint-Martin Suzette, 84190 Beaumes-de-Venise, tél. 90.62.96.40 Y r.-v.

LA FIOLE DU CHEVALIER D'ELBÈNE Seguret 1986*

n.c.   n.c.

En 1650, le chevalier d'Elbène acheta un domaine dans les collines de Séguret. Il était issu d'une famille florentine dont un membre négocia le mariage d'Henri IV et de Marie de Médicis : ses fioles n'étaient peut-être pas toujours très catholiques... Le vin qui est aujourd'hui dédié à sa mémoire rassurera tous les amateurs de séguret : charme, franchise, un rien d'agressivité temporaire et des arômes qui se développeront avec le temps.
↳ SCEA La Courançonne, Ch. La Courançonne, Violès, 84150 Jonquières, tél. 90.70.92.16 Y t.l.j. 9h-12h 14h-16h.

LA FIOLE DU CHEVALIER D'ELBÈNE Séguret 1987

n.c.   20 000

Le soleil est-il caché dans cette bouteille ? On pourrait presque le croire tant elle exprime de chaleur méridionale. Rien d'excessif cependant. À l'apéritif, ou avec poissons, coquillages...
↳ SCEA La Courançonne, Ch. La Courançonne, Violès, 84150 Jonquières, tél. 90.70.92.16 Y t.l.j. 9h-12h 14h-16h.

DOM. LA GARRIGUE 1986***

83 84 85 86   20 ha   15 000

Dans une région où les côtes-du-rhône sont puissants, celui-ci ne dément pas cette affirmation. Un nez très grenache aux fruits mûrs très rouges. Ce vin se garde en bouche pour apprécier sa chaleur. Une belle bouteille.
↳ GAEC Albert Bernard et Fils, Dom. de La Garrigue, 84190 Vacqueyras, tél. 90.65.84.60 Y t.l.j. 8h-19h.

LA GLOIRE DE SAINT-ANDRÉ 1987**

1 ha   6 000

Cette propriété élabore deux blancs. Celui-ci, tout à la gloire de Saint-André, est à base de viognier (50%) et de roussanne, complété par du grenache blanc qui lui apporte chaleur et gras. Le nez révèle une touche d'abricot avec une pointe épicée qui persiste au palais.
↳ SCP André Gras et Fils, Dom. de Saint-Chetin, 84600 Valréas, tél. 90.35.06.68 Y r.-v.

DOM. DE LA GRAND'RIBE 1986*

83 84 85 86   8,50 ha   47 000

La Grand'Ribe fut l'un des premiers vignobles greffés après la crise du phylloxéra et certains ceps sont centenaires. Ce 86, dans une robe légère, est bien goulayant et fruité. Il aimera la blanquette à l'ancienne.
↳ M. Abel Sahuc, Dom. de La Grand'Ribe, 84290 Sainte-Cécile-les-Vignes, tél. 90.30.83.75 Y t.l.j. 10h-12h 14h30-19h.

DOM. DE LA GRAND'RIBE 1987

1 ha   6 500

Pure grenache, couleur très vive avec reflets jaune, nez puissant et floral. Fermé en bouche, il

DOM. DE LA GRAND'RIBE 1987**

6 ha — 18 000

Pierre Troisgros, Caroline Cellier et Jean Poiret ont déjà rendu visite à ce viticulteur pointilleux, amoureux de ses vignes. Les senteurs sont florales, fines et fraîches. L'acidité bien fondue de ce rosé le rend très plaisant. Buvez-le comme cela chez les Sahuc, en apéritif avec une cuiller à café de sirop de pêche ou d'abricot.

M. Abel Sahuc, Dom. de La Grand'Ribe, 84290 Sainte-Cécile-les-Vignes, tél. 90.30.83.75 t.l.j. 10h-12h 14h30-19h.

DOM. DE LA GRANGETTE SAINT-JOSEPH 1986

79 81 83 85 86

25 ha — 80 000

Vigoureuse, riche en alcool, voilà une bouteille destinée aux viandes fortement relevées et aux fromages expansifs. Pas trop de subtilité, mais un bon caractère.

Mme Monique Tramier, Dom. Saint-Joseph, Violes, 84150 Jonquières, tél. 90.70.92.12 r.-v.

DOM. DE LA JANASSE 1987

12 ha — 5 000

Rosé issu par saignées, ce côtes-du-rhône exprime arômes et fruité. Le cinsault l'emporte ici, et ce n'est pas fréquent (50%), puis grenache (45%) et carignan (5%). Robe cerise, parfum groseille, une bouteille légère qui doit être bue rapidement.

M. Aimé Sabon, 27, chem. du Moulin, 84350 Courthezon, tél. 90.70.86.29 r.-v.

DOM. DE LA JANASSE 1986*

12 ha — 30 000

Un 86 prêt à boire, légèrement boisé, 75% grenache. Une douzaine d'hectares sur des sables et des cailloux : il ne vaut évidemment pas le 78, mais son nez agréable et sa fermeté en bouche permettent de le conseiller sans risque de se tromper.

M. Aimé Sabon, 27, chem. du Moulin, 84350 Courthezon, tél. 90.70.86.29 r.-v.

DOM. DE LA JASSE 1986**

6 ha — n.c.

Côtes-du-rhône classique, typé grenache (60%), tannique et long en bouche. Dit «biologique», ce vin de Daniel Combe, ni collé ni filtré, devrait supporter un vieillissement de quelques années qui lui apportera plus de saveur. Mais il est déjà très bien.

M. Daniel Combe, Vignoble de la Jasse, Violes, 84150 Jonquières, tél. 90.70.93.47 r.-v.

DOM. DE L'AMEILLAUD 1986***

28,47 ha — n.c.

Cette propriété familiale créée au début du XIXe s., située sur l'excellent terroir de Cairanne, produit un vin riche et complet qui mérite ses trois étoiles. Epices, fruits, tanins, rien ne fait défait. Le grain est fin et il vieillira bien. Quant au prix, il est modique pour une bouteille aussi réussie.

SCEA des Dom. Rieu-Herail, Dom. de L'Ameillaud, Cairanne, 84290 Sainte-Cécile-les-Vignes, tél. 90.30.82.02 r.-v.

GAFF Ch. Cairanne.

---

ne reflète pas cette sensation première. Mais il est à boire.

M. Abel Sahuc, Dom. de La Grand'Ribe, 84290 Sainte-Cécile-les-Vignes, tél. 90.30.83.75 t.l.j. 10h-12h 14h30-19h.

DOM. DE LA MORDOREE 1936**

17 ha — 10 000

Une cave très accueillante à l'entrée de Tavel, une belle gamme de vins de la région... Celui-ci, tout en rondeur, fruité, équilibré, est moins puissant que le 85, mais il offre une gentillesse débordante. Il incite à la fête.

SCA du Dom. de La Mordorée, rue Mireille, 30126 Tavel, tél. 66.50.00.75 t.l.j. 8h-12h 14h-18h30.

Famille Delorme.

DOM. DE LA PRESIDENTE 1986**

82 83 84 85 86

60 ha — 50 000

Des reflets encore très adolescents annoncent une telle dégustation. En effet, le fruit emplit le palais en rondeur, fruité, et le gras déroule le tapis rouge sur la langue. Max Aubert conseille ce vin avec un gigot ou un fromage à pâte pressée. Faisons-lui confiance : ne préside-t-il pas l'université du vin à Suze-a-Rousse?

M. Max Aubert, Dom. de La Présidente, 84290 Sainte-Cécile-les-Vignes, tél. 90.30.80.34 t.l.j. sf dim. 9h-12h 14h-18h.

DOM. DE LA PRESIDENTE 1987

6 ha — 30 000

Un rosé nuance saumon, nettement grenache (80% et le reste en cinsault) qui peut accompagner la bouillabaisse. Sa chaleur fera bon ménage avec le feu de la cuisine marseillaise.

M. Max Aubert, Dom. de La Présidente, 84290 Sainte-Cécile-les-Vignes, tél. 90.30.80.34 t.l.j. sf dim. 9h-12h 14h-18h.

DOM. DE LA PRESIDENTE Cuvée Simon Alexandre 1986*

10 ha — 10 000

Léger et court vêtu (ceci pour la robe), ce vin rappelle le souvenir de Lucrèce, épouse d'Alexandre de Galliffet, président au parlement de Provence qui convertit en vignoble les terres de son domaine. Celui-ci appartient aujourd'hui à Max Aubert, grand maître de la commanderie des Côtes du Rhône. La bouteille, bien jolie d'ailleurs, est agréable et bien boisée.

M. Max Aubert, Dom. de La Présidente, 84290 Sainte-Cécile-les-Vignes, tél. 90.30.80.34 t.l.j. sf dim. 9h-12h 14h-18h.

DOM. DE LA PREVOSSE 1986

14 ha — n.c.

Un rouge grenache à 80% et cinsault à 20%, qui peut accompagner le gibier ou le fromage. Léger collage, filtration légère, c'est un vin «presque biologique».

GAEC Davin Père et Fils, Dom. de La Prévosse, 84600 Valréas, tél. 90.35.05.87 t.l.j. 8h-12h 14h-19h.

DOM. DE LA PREVOSSE*
Valréas 1986*

85 |86| 6 ha   n.c.

Le domaine de La Prévosse est probablement le plus ancien de toute l'Enclave des Papes. On le signale dès 1584. La famille Davin l'exploite depuis cinq générations. Son valréas à la robe grenat très foncée offre les parfums d'une table de chasse. Structuré, il déborde de vitalité et de mâche. Raffiné, Non. Chasseur ? Oui.
➤ GAEC Davin Père et Fils, Dom. de La Prévosse, 84600 Valréas, tél. 90.35.05.87 ♈ t.l.j. 8h-12h 14h-19h.

DOM. DE LA REINE PEDAUQUE*
Les Rigaudes 1986*

|81| 83 84 |85| 86   n.c.   75 000

Brillant, rouge vif, ce 86 n'a nullement perdu sa fraîcheur et il est bien équilibré, tout prêt à boire. Appartenant à une famille d'Aloxe-Corton célèbre en Bourgogne vitivinicole (La Reine Pédauque), Marie-Pierre Liogier d'Ardhuy met en valeur ce domaine des Côtes du Rhône avec beaucoup de bonheur.
➤ Caves de La Reine Pédauque, B.P. 10, Aloxe-Corton, 21420 Savigny-lès-Beaune, tél. 80.26.40.00 ♈ r.-v.
➤ M. Gabriel Liogier d'Ardhuy.

CAVES DE LA REINE PEDAUQUE Les Rigaudes 1986*

□   5 ha   24 000

Les Rigaudes en blanc valent les Rigaudes en rouge. Un vin or vif, aux arômes de genêt, déjà évolué, et qu'il faut boire dès à présent.
➤ Caves de La Reine Pédauque, B.P. 10, Aloxe-Corton, 21420 Savigny-lès-Beaune, tél. 80.26.40.00 ♈ r.-v.
➤ M. Gabriel Liogier d'Ardhuy.

DOM. DE LA REMEJEANNE 1986*

|82| |83| |84| |85| 86   10 ha   30 000

Vignes anciennes (grenache) ou plus jeunes (syrah) : c'est l'équilibre harmonieux que François Klein a atteint. Ingénieur agricole installé en 1961, il a été le premier vigneron de Sabran à faire «de la bouteille». Un 86 qui n'a rien perdu de sa jeunesse.
➤ M. François Klein, Dom. de La Réméjeanne, Cadignac-Sabran, 30200 Bagnols-sur-Cèze, tél. 66.89.69.95 ♈ t.l.j. 8h-12h 14h-19h.

DOM. DE LA RENJARDIERE 1987*

□   6 ha   30 000

An domaine de la Renjardière, on le boit avec des crudités en anchoïade. Mi-grenache mi-cinsault, un nez de bonbon anglais, d'une présentation impeccable, il séduira par sa simplicité.
➤ SCE Dom. de La Renjardière, 84830 Sérignan, tél. 90.70.00.10 ♈ t.l.j. 8h-19h.

LA REVISCOULADO Cuvée Louis 1986**

84 85 86   10 ha   40 000

Petit-fils du fameux coureur automobile, Jean Trintignant pilote son tracteur à Châteauneuf-du-Pape. Avec prudence ! Ce 86 rouge ne fait pas d'excès de vitesse : il faut encore patienter 2 à 3 ans avant de le boire. Mais alors, vous m'en direz des nouvelles...
➤ SCEA Jean-Trintignant, 11, rte d'Avignon, 84230 Châteauneuf-du-Pape, tél. 90.83.70.95 ♈ r.-v.

LA REVISCOULADO Cuvée Louis 1987**

□   0,50 ha   n.c.

Fifty-fifty, roussane et grenache blanc. Bel assemblage sur un demi-hectare. Cela donne un excellent blanc, chaleureux, très fin, abricot. Une viande blanche épicée, façon antillaise, lui conviendrait à merveille.
➤ SCEA Jean-Trintignant, 11, rte d'Avignon, 84230 Châteauneuf-du-Pape, tél. 90.83.70.95 ♈ r.-v.

LA REVISCOULADO Cuvée Louis 1987

|86| 87   0,50 ha   n.c.

Curieux, ce rosé si végétal au nez ! Feuille de vigne et fougère, il y a de plus mauvais mariages... Aussi singulier que cela puisse paraître, tout cela réapparaît en bouche. Puissant comme un bolide de compétition.
➤ SCEA Jean-Trintignant, 11, rte d'Avignon, 84230 Châteauneuf-du-Pape, tél. 90.83.70.95 ♈ r.-v.

DOM. LA SOUMADE 1986***

|85| |86| 10 ha   40 000

Toute la chaleur du terroir de Rasteau pour ce 86 qui manque d'un souffle le coup de cœur, mais qui reçoit sans peine ses trois galons. Grenache à 80%, sur des vignes de 30 ans. La Soumade est un nom à retenir en Côtes du Rhône.
➤ M. André Roméro, Dom. de La Soumade, Rasteau, 84110 Vaison-la-Romaine, tél. 90.46.11.26 ♈ t.l.j. 8h30-12h 14h-20h.

CAVE DES VIGNERONS DE LAUDUN 1986

84 85 86   350 ha   40 000

Typique du Gard, un vin joyeux, facile à boire et sans problème. Bouche épicée et réglisse, il est encore marqué par des arômes de jeunesse. Appréciez la finesse du grain de tanin ! Cette coopérative fondée en 1925 compte parmi ses visiteurs l'ancien premier ministre Laurent Fabius.
➤ Cave des Vignerons de Laudun, rte de l'Ardoise, 30290 Laudun, tél. 66.79.49.97 ♈ r.-v.

CAVE DES VIGNERONS DE LAUDUN 1987*

□   30 ha   100 000

C'est dans cette région des Côtes du Rhône que la production de vin blanc est la plus importante. La présence de sol siliceux n'y est pas étrangère. Il en découle un blanc à robe jaune clair aux senteurs de fleurs à dominantes de genêt. Sa bonne tenue acide le fera particulièrement apprécier sur des coquillages.

Côtes du rhône

♥ Cave des Vignerons de Laudun, rte de l'Ardoise, 30290 Laudun, tél. 66.79.49.97 ▼ r.-v.

DOM. LE CHATEAU 1986*

| | 8,62 ha | 40 000 | |

Un rouge qui tire son carmin et qui s'exprime avec franchise. Produit sur terrain argilo-calcaire et safré (des vignes d'une quarantaine d'années), il vient de Cairanne, et c'est tout dire.

♥ GAFF Le Château, Cairanne, 84290 Sainte-Cécile-les-Vignes, tél. 90.30.82.02 ▼ r.-v.

L'ENCLAVE DES PAPES 1983**

| 83 85 | n.c. | 150 000 | |

Si l'Enclave des Papes date du XIVe s. (elle fut achetée en 1317 sous le pontificat de Jean XXII), l'union des vignerons qui porte ce nom tient à l'union des vignerons qui aiment ce terroir en particulier : un canton du Vaucluse enclavé dans la Drôme. Deux grandes caves et dix-sept domaines contribuent à créer un vin original, souple et long. Ce 83 confirme l'aptitude de ces terroirs à produire des vins de garde. Il est aromatique et aujourd'hui tout prêt à boire avec des charcuteries ou un fromage de chèvre.

♥ Cellier de l'Enclave des Papes, B.P. 51, 84600 Valréas, tél. 90.41.91.42 ▼ t.l.j, 8h30-12h 15h-18h30.

L'ENCLAVE DES PAPES Valréas 1986

| 83 [86] | n.c. | 100 000 | |

L'union des vignerons de l'Enclave des Papes ne peut que produire des vins rouges à la pourpre cardinalice ; dont acte. Riches, évidemment, un peu trop peut-être.

♥ Cellier de l'Enclave des Papes, B.P. 51, 84600 Valréas, tél. 90.41.91.42 ▼ t.l.j, 8h30-12h 15h-18h30.

LES CHARMILLES

| | n.c. | 120 000 | |

Cette cuvée est sélectionnée par une maison de négoce de Châteauneuf-du-Pape, à l'intention de ceux (et celles) qui aiment les vins frais et vite bus. La bouteille répond à cet objectif.

♥ M. Laurent-Charles Brotte, 84230 Châteauneuf-du-Pape, tél. 90.83.70.07 ▼ t.l.j, 9h-12h 14h-18h.

LES CLAPAS DE BRISSAN 1986

| | 5,60 ha | 15 000 | |

Ce terroir du bord de l'Ardèche tire son nom des tas de cailloux accumulés au cours des siècles pour faciliter le travail du sol : les clapas de Brissan (on dit les murgers en Bourgogne). Cultivant la vigne depuis plusieurs générations, la famille Saladin donne ici un vin vraiment rouge, au caractère grenache prononcé (75%), chaud et puissant. À boire avec un gibier... si possible.

♥ M. Paul Saladin, La Riaille, Saint-Marcel-d'Ardèche, 07700 Bourg-Saint-Andéol, tél. 75.98.85.05 ▼ r.-v.

DOM. DE L'ESPIGOUETTE Plan-de-Dieu 1986*

| | 3 ha | 10 000 | |

Le Plan de Dieu... Peut on rêver plus beau nom ? C'est ici que Bernard Latour, en rentrant du service militaire, a acheté 4 hectares en 1978. Son 86 est fort, tannique, rustique, très fruit mûr. Il n'est pas moins apprécié par un ami du domaine, le champion du monde de patinage artist que Brian Orser. Dominante grenache (80%). L'âge bonifiera ce vin.

♥ M. Bernard Latour, Dom. de L'Espigouette, Violès, 84150 Jonquières, tél. 90.70.92.55 ▼ r.-v.

DOM. DE L'ESPIGOUETTE 1986*

| 82 [85] 86 | 4 ha | 10 000 | |

Depuis deux générations, le domaine de l'Espigouette (famille Latour) pratique la monoculture de la vigne. Cette spécialisation marquée ici à un rouge très typé de la région : rond et costaud, fruit rouge et sans doute de bonne garde. Son prix est raisonnable, ce qui ajoute au plaisir qu'il procure.

♥ M. Edmond Latour, Dom. de L'Espigouette, Violès, 84150 Jonquières, tél. 90.70.92.55 ▼ r.-v.

LES QUATRE CHEMINS Laudun 1987*

| | 10 ha | 50 000 | |

Foral sur toute la ligne. Un joli vin assez flatteur. Technologique, comme on dit ? Sans doute. Mais si réussi qu'Olivier de Serres, protecteur éclairé des vins de la région, n'y aurait rien trouvé à redire. Le Serre de Bernon, caveau de dégustation de cette coopérative, se trouve sur la route nationale 86 entre Bagnols-sur-Cèze et Connaux.

♥ Cave des Quatre Chemins, Le Serre de Bernon, 30290 Laudun, tél. 65.82.00.22 ▼ r.-v.

LES TROIS CLOCHERS 1986**

| | n.c. | 50 000 | |

Les trois clochers qui figurent sur l'étiquette carillonnent pour saluer ce 86 en pleine forme. Son bouquet et sa structure tannique correspondent bien à ce qu'on attend de l'appellation.

♥ MM. François Père et Fils, rte de Sérignan, Uchaux, 84100 Orange, tél. 05.19.19.44 ▼ t.l.j, sf dim. 9h-12h 14h-18h ; f. sam. a.-m.

CAVE DES VINS DE CRU DE LIRAC 1986

| | n.c. | 100 000 | |

Un 86 réussi, sans plus. Il est vrai qu'il reste un peu fermé, un peu dur : conservé en ou deux encore, il s'arrondira et prendra son caractère de croisière.

♥ Caves des Vins de Cru de Lirac, Saint-Laurent-des-Arbres, 30126 Tavel, tél. 66.50.01.02 ▼ t.l.j, 9h-12h 14h-18h45.

CAVE DES VINS DE CRU DE LIRAC 1987*

| | n.c. | 8 000 | |

Doré, très clair, touche d'aubépine, il aurait tout pour plaire si sa fin de bouche n'était pas

LA VALLEE DU RHONE

aussi gentiment agressive. «C'est quand même une jolie bouteille», estime notre jury...

Caves des Vins de Cru de Lirac, Saint-Laurent-des-Arbres, 30126 Tavel, tél. 66.50.01.02 t.l.j. 9h-12h 14h-18h45.

CAVE DES VINS DE CRU DE LIRAC 1987*

60 000

Un rosé à la robe assez discrète, aux arômes floraux et d'une finesse agréable. Il laisse la bouche nette et fraîche. Sympathique avec une grillade.

Caves des Vins de Cru de Lirac, Saint-Laurent-des-Arbres, 30126 Tavel, tél. 66.50.01.02 t.l.j. 9h-12h 14h-18h45.

MANOIR DE FIGON 1986***

17 ha 50 000

84 86

Le manoir de Figon présente, outre des meubles anciens et des tableaux, ce vin très élégant, féminin de corps et d'âme, sensible et discrètement sensuel. Pour un tête-à-tête amoureux, si l'on choisit les côtes-du-rhône comme témoin de cette intimité. Doit-on s'étonner que cette bouteille soit produite par une femme?

Mme Michèle Roux, Manoir de Figon, 30290 Laudun, tél. 66.82.01.03 r.-v.

DOM. MARTIN-DE-GRANGENEUVE 1986**

20 ha n.c.

80 82 83 85 86

Inutile d'y ajouter du cassis pour faire un rouge-cassis : ce petit fruit est ici omniprésent. Fond vanillé du plus bel effet, tonalité boisée, un vin d'artiste. Sa dureté (les 86 sont ainsi) s'atténuera avec le temps.

Hélène et François Martin, Dom. Martin de Grangeneuve, 84150 Jonquières, tél. 90.70.62.62 t.l.j. sf dim. 8h-12h 15h-19h.

CH. DE MONTMIRAIL
Cuvée Saint-Gabriel 1987**

n.c. 10 000

Clairette (60%) et bourboulenc (40%), qui va l'emporter? Au nez, le second des deux cépages. Arômes de pain grillé, très marqués. Une pointe d'acidité en fin de bouche. Ce domaine occupe l'emplacement ancien d'une station thermale. Si vous avez envie de changer de cure...

SCEV Archimbaud et Bouteiller, Ch. de Montmirail, B.P. 12, Vacqueyras, 84190 Beaumes-de-Venise, tél. 90.65.86.72 t.l.j. sf dim. 8h-12h 13h30-19h.

CH. DE MONTPLAISIR 1986

n.c. n.c.

83 85 86

Trois merlettes de sable membrées et becquées d'or ornent le blason de la famille de Merles qui possède le château de Montplaisir. Une belle propriété liée à l'histoire de Valréas, dont le domaine viticole est à 90% grenache pour ce vin.

GAEC Henri Davin et Fils, Dom. de La Prévosse, 84600 Valréas, tél. 90.35.05.87 r.-v.

DOM. DE MONT-REDON 1986*

96 ha 340 000

85 86

Très célèbre surtout pour ses châteauneuf-du-pape, le domaine produit également des côtes-du-rhône aux arômes légers et friands que nous recommanderons sur des viandes blanches.

MM. Abeille et Fabre, Ch. de Mont-Redon, 84230 Châteauneuf-du-Pape, tél. 90.83.72.75 r.-v.

DOM. DU MOULIN 1986*

10 ha 30 000

82 83 85 86

Créé à la veille de la deuxième guerre mondiale, le domaine du Moulin produit sur des vignes de 30 ans, argilo-calcaire, ce rouge corsé, cerise-framboise. La syrah lui confère une certaine classe. Malheureusement, la bouche sèche un peu. Sans doute ce 86 est-il encore un peu jeune. Laissons-le vieillir et se bonifier.

M. Denis Vinson, Dom. du Moulin, Vinsobres, 26110 Nyons, tél. 75.27.65.59 t.l.j. 8h-12h 14h-20h.

DOM. DU MOULIN 1987*

2 ha 10 000

Plutôt que de parler de robe, il faudrait évoquer un tendre déshabillé, tant ce vin est clair et limpide. La clairette domine l'encépagement (60%), ce qui donne des arômes très côtes-du-rhône, légèrement acidulés. Et pas désagréables du tout! Un vin sec et vif.

M. Denis Vinson, Dom. du Moulin, Vinsobres, 26110 Nyons, tél. 75.27.65.59 t.l.j. 8h-12h 14h-20h.

DOM. DU MOULIN 1987**

3 ha 10 000

86 87

Le domaine du Moulin en est à la troisième génération. A Vinsobres, au sud de la Drôme, les larges terrasses abritées du mistral donnent de bons vins. Ce rosé par exemple, très typique des Côtes du Rhône par son harmonieux mélange de fleurs et de fruits. Parfait pour une grillade-party.

M. Denis Vinson, Dom. du Moulin, Vinsobres, 26110 Nyons, tél. 75.27.65.59 t.l.j. 8h-12h 14h-20h.

DOM. MOULIN DU POURPRE 1986**

40 000

82 83 84 85 86

Cassis et myrtille semblent s'être donné rendez-vous dans une bouteille bien faite et bien pleine. Comme pour la plupart des 86, il faut attendre l'épanouissement complet de ce vin encore réservé. Dici 2 à 3 ans, il sera parfait. Le Pourpré est le ruisseau qui arrose la propriété.

M. Francis Simon, Dom. Moulin du Pourpré, Sabran, 30200 Bagnols-sur-Cèze, tél. 66.89.73.98 r.-v.

DOM. MOULIN DU POURPRE 1987

1,60 ha 10 000

Si vous songez à préparer des moules marinières ou un poisson trapu comme le maquereau ou le thon, pensez à cette bouteille. Son nez de

pomme et d'amande, sa forte constitution et sa bonne acidité en font en effet un vin destiné à des cuisines marines très relevées.

→ M. Francis Simon, Dom. Moulin du Pourpré, Sabran, 30200 Bagnols-sur-Cèze, tél. 66.89.73.98 ▼ r.-v.

UNION DES PROD. DE NYONS 1986

(78) 83 84 86 — 500 ha — 24 000

Cette coopérative à quatre bras à l'ouvrage : elle exploite aussi un moulin à huile et une conserverie d'olives. Huile et olives de Nyons ont droit à une appellation d'origine : comme ce vin essentiellement grenache qui bénéficie d'une bonne structure. Au cas où vous ne sauriez pas quoi boire un plat de charcuterie...

→ Coop. du Nyonsais, pl. Olivier de Serres, B.P. 26110 Nyons, tél. 75.26.03.44 ▼ t.l.j. 8h30-12h 14h-18h.

UNION DES PROD. DE NYONS 1987 **

□ — 30 ha — 8 000

La région est réputée pour ses vins vifs et fruités. En voici un bon exemple : la gaieté mise en bouteille. Ce millésime ainsi vinifié n'est pas destiné à s'éterniser en cave...

→ Coop. du Nyonsais, pl. Olivier de Serres, B.P. 26110 Nyons, tél. 75.26.03.44 ▼ t.l.j. 8h30-12h 14h-18h.

DOM. DE PALESTOR 1986 **

|85||86| — 10 ha — 20 000

Beaucoup de tonus sous ses arômes de fruits : issu des coopérateurs de Nyons, ce rosé honorable et pas cher du tout se boira aisément avec des grillades ou des viandes blanches.

→ M. Pierry Chastan, Dom. Palestor, La Fagotière, 84100 Orange, tél. 90.34.51.81 ▼ t.l.j. sf dim. 8h-12h 14h-19h.

CH. DU PRIEURE 1986

|82||84||85||86| — 30 ha — 200 000

Des vignes de trente-cinq ans donnent ici un vin d'un rouge profond, au nez de petits fruits rouges. L'assemblage des cépages est particulièrement heureux. Cette propriété a été créée par les jésuites au XIXᵉ s. et a eu une vocation religieuse jusqu'au début de ce siècle, d'où son nom de prieuré Saint-Joseph.

→ M. Guy Mousset, Le Prieuré Saint-Joseph, 84700 Sorgues, tél. 90.39.57.46

CH. DU PRIEURE 1987 **

5 ha — 10 000

Pour un coup d'essai, c'est un coup de maître : c'est la première bouteille de rosé produite par Guy Mousset au Prieuré Saint-Joseph. Si les arômes restent discrets, l'élégance n'appelle que des compliments.

→ M. Guy Mousset, Le Prieuré Saint-Joseph, 84700 Sorgues, tél. 90.39.57.46

PRIEURE SAINT-JULIEN 1986 *

400 ha — 2 500 000

Un rouge bien dans l'appellation et dans le millésime. Couleur pleine d'attraits, fondu des tanins, arômes de coing et de prunelle, il est bien honnête. Vous pourrez sans difficulté en enrichir votre cave : du haut de cette coopérative, 2 500 000 bouteilles vous attendent.

→ Cave des Vignerons de Chusclan, Chusclan, 30200 Bagnols-sur-Cèze, tél. 66.90.11.03 ▼ r.-v.

CELLIER DES PRINCES 1986 *

85 86 — n.c. — 180 000

Rouge flatteur, qui suggère un sous-bois plein de bruyère. Si la structure est bonne, la bouche est un peu chaude : une pointe d'alcool en trop. Très nettement grenache (75%).

→ Le Cellier des Princes, RN 7, B.P. 17, 84350 Courthezon, tél. 90.70.21.44 ▼ r.-v.

CELLIER DES PRINCES 1987 *

□ — n.c. — n.c.

Avec un nom tel que Cellier des Princes, on met chapeau bas. Ce qui est peut-être excessif devant cette bouteille néanmoins honorable : clairette (20%) lui offre un bon parfum floral, la grenache (70%) un palais très frais.

→ Le Cellier des Princes, RN 7, B.P. 17, 84350 Courthezon, tél. 90.70.21.44 ▼ r.-v.

CAVE DES VIGNERONS DE RASTEAU 1986 *

85 85 — 75 ha — 500 000

La charpente est de bonnes poutres, la chaleur digne de tous les rayons du soleil : voilà un Rasteau issu de la coopérative du pays créée en 1925. Le vignoble plonge ses racines loin dans le temps et respecte de sages rendements.

→ Cave des Vignerons de Rasteau, Rasteau, 84110 Vaison-la-Romaine, tél. 90.46.10.43 ▼ t.l.j. 8h-12h 14h-18h.

CAVE DES VIGNERONS DE RASTEAU 1987 *

□ — 12 ha — 80 000

Plus connu pour ses rouges, Rasteau s'exprime tout aussi bien en blanc. Il s'agit de vignobles des coteaux, sur des sols argilo-calcaires recouverts de galets roulés. Agréables nuances florales sous une vivacité pleine de tempérament.

→ Cave des Vignerons de Rasteau, Rasteau, 84110 Vaison-la-Romaine, tél. 90.46.10.43 ▼ t.l.j. 8h-12h 14h-18h.

CAVE DES VIGNERONS DE RASTEAU 1987

■ n.c. 90 000

Un rosé à la robe très foncée, à dominante grenache (65%), avec des arômes lourds comme un vin d'une nuit. Cette cave a été créée en 1925 sur un terroir qui se consacre à la vigne depuis de longs siècles.
➤ Cave des Vignerons de Rasteau, Rasteau, 84110 Vaison-la-Romaine, tél. 90.46.10.43 ♈ t.l.j. 8h-12h 14h-18h.

DOM. RICHAUD 1986*

■ 3 ha 15 000

Jeune vigneron, Marcel Richaud ne manque pas d'enthousiasme. Sur de très vieilles vignes (certains pieds ont 70 ans) qui occupent des terrasses argilo-calcaires, il produit un vin nettement grenache (80%). La finesse du parfum compense toutefois l'impression alcoolique.
➤ M. Marcel Richaud, rte de Rasteau, Cairanne, 84290 Sainte-Cécile-les-Vignes, tél. 90.30.85.25 ♈ t.l.j. 8h-20h ; f. d'avr. à déc.

DOM. RICHAUD 1987***

□ 0,45 ha 2 500

L'aubépine se mêle ici au tilleul pour embaumer ce vin floral, gras en bouche et particulièrement gouleyant. Le blanc de Marcel Richaud est issu de grenache blanc (30%), de marsanne (30%) et de roussanne (40%). Parfait et subtil équilibre pour ces quarante-cinq ares plantés il y a dix ans.
➤ M. Marcel Richaud, rte de Rasteau, Cairanne, 84290 Sainte-Cécile-les-Vignes, tél. 90.30.85.25 ♈ t.l.j. 8h-20h ; f. d'avr. à déc.

DOM. DU ROURE 1986*

□ 2,50 ha 12 600

Il a l'œil espagnol, rouge sombre. Le nez fin et long, celui de Cyrano. Un peu vert, évidemment : c'est un 86 qui doit demeurer en cave quelque temps. Si vous visitez les gorges de l'Ardèche, l'Aven d'Orgnac, faites le détour par cette propriété située à Saint-Marcel-d'Ardèche. Accueil sympathique.
➤ M. Yves Terrasse, Dom. du Roure, Saint-Marcel-d'Ardèche, 07700 Bourg-saint-Andéol, tél. 75.04.67.67 ♈ t.l.j. 8h-12h 14h-19h.

SAIGNEE DE QUEYRAN 1987

■ n.c. 30 000

Rosé foncé, légèrement orangé, un vin dont l'attaque est sans défaut. Sa lame n'est pas très longue mais elle est fine et perçante. Les arômes sont très fruités. Une idée pour la cuisinière : des aubergines farcies.
➤ Cave des Coteaux de Cairanne, 84290 Cairanne, tél. 90.30.82.05 ♈ t.l.j. 8h-12h 14h-18h.

DOM. SAINT-ALBAN 1986

■ 13 ha 10 000

Richerenches, ville des templiers, est aussi la capitale de la truffe. Ce domaine doit son nom à la chapelle Saint-Alban, située à deux pas. On retrouve la chaleur de 1986 dans ce vin effectivement plein de chaleur.
➤ M. Christian Allegre, Dom. de Saint-Alban, 84600 Richerenches, tél. 90.35.52.33 ♈ r.-v.

DOM. SAINT-APOLLINAIRE 1985

■ n.c. 20 000

Un vin curieux, intéressant, avec une pointe mentholée. Trois tiers égaux : grenache, syrah, cinsault, alors que souvent le premier des trois cépages est légèrement prédominant.
➤ SCA Daumas, Dom. Saint-Apollinaire, 84110 Puymeras, tél. 90.46.41.09 ♈ r.-v.

DOM. SAINT-APOLLINAIRE

Blanc de blancs - Viognier 1986

□ 1,50 ha 5 000

Le viognier est aujourd'hui le cépage à la mode dans les Côtes du Rhône. Cette bouteille de 86, produite selon les principes « biologiques », a des arômes de mangue, de fruits de la passion. Elle conviendra à un saumon. Ne pas trop attendre, car le vin approche de son optimum.
➤ SCA Daumas, Dom. Saint-Apollinaire, 84110 Puymeras, tél. 90.46.41.09 ♈ r.-v.

DOM. SAINT-CLAUDE 1986*

■ 84 85 86 15 ha 80 000

Sur les sables qui recouvrent les coteaux et les terrasses du Rhône, cette vigne de quinze ans donne un vin à la structure légère et tendre, bien parfumée. Bon équilibre des trois cépages. Excellente bouteille d'ouverture, avant un grand cru à qui elle fera honnête et loyale escorte.
➤ M. Claude Charasse, Dom. Saint-Claude, Le Païs, 84110 Vaison-la-Romaine, tél. 90.36.23.68 ♈ r.-v.

DOM. SAINT-CLAUDE 1987*

■ 3 ha 10 000

Créée par son grand-père en 1850, la propriété de Claude Charasse est exploitée depuis 1955 par le couple de viticulteurs. La clairette entre pour 70% dans ce blanc vinifié avec soin, offrant sa fraîcheur d'un geste très élégant. Parmi les bons blancs des Côtes du Rhône.
➤ M. Claude Charasse, Dom. Saint-Claude, Le Païs, 84110 Vaison-la-Romaine, tél. 90.36.23.68 ♈ r.-v.

DOM. SAINT-CLAUDE 1987**

■ 5 ha 8 000

La finesse et le charme de ce vin légèrement saumoné proviennent notamment du terroir sablonneux. Mais aussi du doigté de Claude Charasse, petit-fils du fondateur de ce domaine. On l'appréciera avec une volaille ou une sauce béchamelle.
➤ M. Claude Charasse, Dom. Saint-Claude, Le Païs, 84110 Vaison-la-Romaine, tél. 90.36.23.68 ♈ r.-v.

CH. SAINT-ESTEVE 1985***

■ 10 ha 52 000

Avec un palmarès de cent vingt médailles décrochées dans les grands concours vinicoles, le saint-estève a l'habitude des lauriers. Ils sont tout à fait mérités. Voici par exemple un 85 très fruité. Remarquable harmonie entre l'acidité, l'alcool et

CH. DE SAINT-GEORGES 1986*

25 ha | 100 000

Le vignoble en terrasses de cailloux roulés produit ce vin structuré, plein et puissant, où les arômes d'épices à nuances animales dominent. Il faut peut-être attendre encore 1 ou 2 ans pour découvrir ce millésime.

♦ M. André Vignal, Ch. de Saint-Georges, Vénéjan, 30200 Bagnols-sur-Cèze, tél. 66.79.23.14 ℡ r.-v.

|82| |83| |84| |85| |86|

SALAVERT 1986*

n.c. | 500 000

Un bon côtes-du-rhône, à un prix compétitif. 86 est franc et toujours jeune. Arômes caractéristiques de gelée de coing et de fruits mûrs. À boire « entre amis », comme l'on dit.

♦ Vins Fins Salavert, av. de la Gare, 07700 Bourg-Saint-Andéol, tél. 75.54.77.22 ℡ lu. ma. je. ve. 8h-12h 13h30-17h30 ; f. fin déc., une sem. en août.

DOM. SANTA-DUC 1985**

6 ha | 10 000

Confirmant notre sélection de l'an dernier, le jury « parfaitement apprécié le Santa Duc 85. Bien structuré, il montre de fins tanins qui lui permettent d'envisager l'avenir.

♦ G⚬EC Edmond Gras et Fils, Dom. Santa-Duc, 84190 Gigondas, tél. 90.65.84.49 ℡ t.l.j. 8h-20h.

CAVES PHILIPPE SAYN 1985***

n.c. | n.c.

Négociant ? Oui certes, mais avant tout vinificateur et éleveur : le mérite de cette belle cuvée revient à Philippe Sayn. Ce vin rouge présente en effet une somme aromatique aussi riche que variée qui, accompagnée par l'équilibre et souplesse en bouche, en fait une grande bouteille.

♦ Caves Philippe Sayn, 2, av. Gal-de-Gaulle, 84600 Valréas, tél. 90.35.00.30 ℡ r.-v.

DOM. DE TOUT-VENT 1986**

n.c. | 120 000

Langue vie à ce vin chaleureux, chaud, qui a de la mâche et qui exprime bien les qualités du Mid.. Des arômes très intenses. Bref, c'est du

84 |86|

---

le gras. Souplesse et longueur en bouche font plus que force ni que rage...

♦ MM. Gérard Français et Fils, rte de Sérignan, Uchaux, 84100 Orange, tél. 05.19.19.44 ℡ lu. ma. me. je. ve. 9h-12h 14h-18h.

CH. SAINT-ESTEVE Cuvée Friande 1986**

5 ha | 26 000

Cette « cuvée friande » est destinée à des plats d'une certaine finesse. Mi-cinsault mi-grenache, elle est du genre charmeur. Plus que le corps, la tendresse retient l'attention.

♦ MM. Gérard Français et Fils, rte de Sérignan, Uchaux, 84100 Orange, tél. 05.19.19.44 ℡ lu. ma. me. je. ve. 9h-12h 14h-18h.

|82| |83| |84| |85| |86|

CH. SAINT-ESTEVE Tradition 1986**

30 ha | 160 000

Situé entre Uchaux et Sérignan, le château Saint-Estève ouvre sur une belle terrasse qui domine le vignoble. La perspective rappelle un jardin à la française et témoigne d'un véritable amour du paysage. Ce 86 rouge évoque bien le sens des traditions. Grenache évidemment, avec une fin de bouche assez chaude. Presque un peu trop. Mais quel gras ! Et quel équilibre !

♦ MM. Français Père et Fils, rte de Sérignan, Uchaux, 84100 Orange, tél. 05.19.19.44 ℡ t.l.j. sf dim. 9h-12h 14h-18h ; f. sam. a.-m.

CH. SAINT-ESTEVE Blanc de blancs 1987**

4 ha | 25 000

CH. SAINT-ESTEVE Viognier 1987**

1 ha | 3 000

Propriétaire du domaine depuis 1809, cette famille a réussi habituellement ce blanc roussanne, clairette et grenache. Le 87 est du type fleuri, légèrement tilleul, avec une réelle personnalité. L'équilibre général témoigne de la qualité de la vinification.

♦ MM. Gérard Français et Fils, rte de Sérignan, Uchaux, 84100 Orange, tél. 05.19.19.44 ℡ lu. ma. me. je. ve. 9h-12h 14h-18h.

83 84 85 86 87

CH. SAINT-ESTEVE 1987**

7,50 ha | 40 000

Vous aurez sans doute bien du mal à vous procurer l'une de ces 3 000 précieuses bouteilles 100% viognier, ce qui les rend très intéressantes. C'est un vin destiné aux amateurs éclairés, aux collectionneurs : ses arômes évoquent les fruits de la passion, ce qui est également assez rare. Vaut son prix, un peu élevé.

♦ MM. Gérard Français et Fils, rte de Sérignan, Uchaux, 84100 Orange, tél. 05.19.19.44 ℡ lu. ma. me. je. ve. 9h-12h 14h-18h.

83 84 85 86 87

Un rosé très fruité, solidement bâti et d'une agréable longueur. Les vignes se situent sur des coteaux caillouteux et sablonneux.

♦ MM. Gérard Français et Fils, rte de Sérignan, Uchaux, 84100 Orange, tél. 05.19.19.44 ℡ lu. ma. me. je. ve. 9h-12h 14h-18h.

soleil en bouteille, du feu qui brûle. Mais avec une délicatesse qui évite tout excès.
M. Jacques Mousset, Les Fines Roches, 84230 Châteauneuf-du-Pape, tél. 90.83.70.30 r.-v.

DOM. DE TOUT-VENT 1987

20 ha 12 000

C'est au caveau des Fines Roches que l'on trouve ce côtes-du-rhône. Pas mal pour un 87 saumoné aux reflets orangés, floral et frais, il s'exprime en bouche à la manière de la brise : tout en douceur.
M. Jacques Mousset, Les Fines Roches, 84230 Châteauneuf-du-Pape, tél. 90.83.70.30 r.-v.

DOM. DU VAL DES ROIS
Cuvée des Rois 1986 *

4,50 ha 25 000

Sept générations ont précédé Romain Bouchard dans ce vignoble très ancien. Un rouge aux senteurs de fruits... rouges, remarquable par sa finesse. Cuvée des Rois ? Le viticulteur vise haut, mais il est à la hauteur de ses ambitions.
M. Romain Bouchard, Dom. du Val des Rois, 84600 Valréas, tél. 90.35.04.35 r.-v.

CH. DES VALLONNIERES 1986 *

40 ha 150 000

On ne peut pas être plus rouge... Ce 86 encore fermé début 88 offre une fermeté qui rassure pleinement. Bon équilibre : 50% de grenache, 20% de syrah, 15% de mourvèdre et autant de cépages divers. Cela donne un vin qui présente beaucoup de nuances et qui doit fort bien vieillir.
GAEC Lançon Père et Fils, Dom. de La Solitude, 84230 Châteauneuf-du-Pape, tél. 90.83.71.45 t.l.j. 8h-20h.

DOM. DU VENEUR 1986 **

8,50 ha 6 000

85 86

Jeune viticulteur très actif dans les milieux agricoles de la région, Alain Jaune ne néglige cependant pas ses vignes et son vin. Un 86 à 80% grenache, le reste en syrah et cinsault, récolté tout près de l'appellation châteauneuf-du-pape. Il en est à tous égards très voisin.
M. Alain Jaume, Dom. du Grand Veneur, 84100 Orange, tél. 90.34.68.70 t.l.j. 8h-20h.

DOM. DE VERQUIERE 1986 **

10 ha 60 000

|85| |86|

Une vieille maison provençale du XVIe s., c'est le domaine de Verquière, ses arbres séculaires et ses traditions. Jolie robe foncée pour ce côtes-du-rhône 86 à l'arôme très puissant, aux tanins marqués : 70% grenache. Ce vin est produit sur des terrasses quaternaires à galets roulés. Vignes de 25 ans.
MM. Chamfort Frères, Dom. de Verquière, Sablet, 84110 Vaison-la-Romaine, tél. 90.46.90.11 t.l.j. 8h-12h 14h-19h.

DOM. DU VIEUX CHENE ***
Cuvée des Capucines 1986 ***

6 ha 35 000

82 |83| |84| |85| 86

Le charme du grenier et du fruité quand se mêlent délicieusement des arômes d'épices, de cuir, de fruits très mûrs... Voilà une bouteille riche de caractère, d'une tonalité très personnelle. Elle doit encore vieillir de 3 à 5 ans pour parfaire ses profondes qualités.
GAEC J.-C. et D. Bouche, rue Buisseron, 84850 Camaret, tél. 90.37.25.07 t.l.j. sf dim. 8h-12h 14h-18h.

DOM. DU VIEUX CHENE
Cuvée de La Haie aux Grives 1986 ***

7 ha 40 000

82 |83| |84| |85| |86|

Également trois étoiles pour leur rouge Cuvée des Capucines et leur rosé, Jean-Claude et Dominique Bouche s'offrent le luxe du coup de cœur en rouge. Allez donc faire mieux ! L'étiquette est aussi élégante que le vin. Rondeur, chaleur, fruité, délicatesse, rien ne lui manque en vérité. Faute de merles, prenez des grives pour accompagner divinement ce merveilleux «Vieux Chêne» largement grenache (85%) et un peu syrah (15%).
GAEC J.-C. et D. Bouche, rue Buisseron, 84850 Camaret, tél. 90.37.25.07 t.l.j. sf dim. 8h-12h 14h-18h.

Côtes du Rhône
APPELLATION CÔTES DU RHÔNE CONTRÔLÉE
Domaine du Vieux Chêne
Mis en bouteille dans le domaine
G. et E. Jean-Claude e Dominique Bouche
Propriétaire-Récoltant à Camaret Vaucluse France
75 cl

DOM. DU VIEUX CHENE 1987 ***

1 ha 6 000

Un hectare seulement, 6 000 bouteilles et tous les éloges du jury : frais, riche, équilibré, il porte avec honneur le nom des frères Jean-Claude et Dominique Bouche. Un très beau succès pour cette famille que passionne le vin bien fait.
GAEC J.-C. et D. Bouche, rue Buisseron, 84850 Camaret, tél. 90.37.25.07 t.l.j. sf dim. 8h-12h 14h-18h.

VIEUX MANOIR DU FRIGOULAS
Clos du Sauzet 1987 **

4 ha 25 000

Treize générations de vignerons, pas moins, se sont succédé ici pour offrir aujourd'hui un blanc légèrement floral, bien dans le type de ce producteur et un commerce facile. À l'apéritif ou avec un poisson.

Côtes du rhône villages

À l'intérieur de l'aire des côtes-du-rhône, quelques communes ont acquis une notoriété certaine grâce à des terrains (2 800 ha) qui produisent des vins dont la typicité et les qualités sont unanimement reconnues et appréciées (145 000 hl). Les conditions de production de ces vins sont soumises à des critères plus sévères de délimitation, d'encépagement, de rendement et de degré alcoolique, donnant lieu à des appellations «villages». Les dix-sept appellations «côtes-du-rhône-villages» ou «côtes-du-rhône» suivie du nom de la commune, sont les suivantes : Rochegude, Rousset-les-Vignes, Saint-Pantaléon-les-Vignes, Saint-Maurice-sur-Aygues, Vinsobres, Chusclan, Laudun, Saint-Gervais, Cairanne, Beaumes-de-Venise, Rasteau,

---

→ GAEC Alain Robert et Fils, Vieux Manoir du Frigoulas, Saint-Alexandre, 30130 Pont-Saint-Esprit, tél. 66.39.18.71 T t.l.j, sf dim. 9h-12h 14h-19h.

74 78 80 **83 84 85**

VIEUX MANOIR DU FRIGOULAS
Cuvée Réservée 1985**

16 ha — 100 000

Élaboré à l'ombre des remparts de Saint-Alexandre, ce côtes-du-rhône diffère sensiblement de la grande cuvée du même domaine. De couleur vive, avec un nez de fruits rouges, il est bien équilibré mais sa souplesse le rend d'ores et déjà prêt-à-boire. Il témoigne en tout cas de la passion du vin que partagent M. Robert et son fils.

→ GAEC Alain Robert et Fils, Vieux Manoir du Frigoulas, Saint-Alexandre, 30130 Pont-Saint-Esprit, tél 66.39.18.71 T t.l.j. sf dim. 9h-12h 14h-19h.

VIEUX MANOIR DU FRIGOULAS
Grande Cuvée 1986*

82 83 **84 85** 86 — 10 ha — 65 000

Parmi les différents vins présentés cette année par la famille Robert, celui-ci a particulièrement retenu l'attention du jury. Il est vinifié en grains entiers, ses arômes se révèlent peu à peu en grains bonne structure lui permettra d'atteindre 6 à 8 ans d'âge. Il sera apprécié avec une viande rouge.

→ GAEC Alain Robert et Fils, Vieux Manoir du Frigoulas, Saint-Esprit, tél. 66.39.18.71 T t.l.j. sf dim. 9h-12h 14h-19h.

DOM. BRUSSET
Cairanne - Coteaux de Travers 1986*

20 ha — 50 000

Déjà rond comme un verre ballon, riche de belles harmonies, un vin à boire tout de suite ou à conserver un peu. Il exprime d'agréables arômes de framboise. Il a l'accent du Midi, simple et cordial. Le domaine Brusset s'étend sur Cairanne, mais aussi sur Gigondas, les Hauts de Montmirail.

→ M. Daniel Brusset, Cairanne, 84290 Sainte-les-Vignes, tél. 90.30.82.16 T t.l.j, 8h-12h 14h-19h ; f. 4 au 20 janv.

DOM. DU CORIANCON
Vinsobres 1986**

1 ha — 2 000

«Vinsobres» est le nom d'un village proche de

LAURENT-CHARLES BROTTE
Vacqueyras 1986

85 86 — n.c. — 10 000 — V2

Négociant et vinificateur, Laurent-Charles Brotte à Châteauneuf-du-Pape achète des raisins pour composer ses cuvées. Il a choisi Vacqueyras pour ses 86. Cela donne un vin d'une finesse acceptable, vendu à un prix très raisonnable.

→ M. Laurent-Charles Brotte, 84230 Châteauneuf-du-Pape, tél. 90.83.70.07 T t.l.j, 9h-12h 14h-18h.

Côtes du rhône villages

Roaix, Sablet, Séguret, Vacqueyras, Visan, Valréas. Ces vins ont une richesse aromatique et une structure qui leur permettent un bon vieillissement. Les rouges, de loin les plus nombreux, conviendront aux volailles et viandes en sauce.

DOM. D'AERIA Cairanne 1983

14 ha — 3 000

Une famille qui cultive la vigne sur une ancienne villa romaine : le domaine d'Aéria. Sur les bâtiments entassés sous les galets des terrasses de l'Aigues, les cépages (75% grenache, syrah et mourvèdre pour le reste) produisent un vin puissant et chaleureux. Ce 83 respire le chêne et fait bien son âge.

→ SCEA Dom. d'Aeria, L'Oratoire, Cairanne, 84290 Sainte-Cécile-les-Vignes, tél 90.30.82.01 T t.l.j., 8h-12h 15h-20h.
→ Mme Jullian et M. Roland.

ROMAIN BOUCHARD Valréas
-Cuvée de la Huitième Génération 1986*

2,50 ha — 13 000

Romain Bouchard... Ce nom nous indique quelque chose. En effet ! Une des plus anciennes dynasties viti-vinicoles de Bourgogne. Romain Bouchard appartient à cette famille. Il a acquis et rénové un domaine qui fut au XIVe s. la propriété des papes. L'agressivité de ce rouge n'est guère apostolique, mais elle s'atténuera au vieillissement. Quant à ses vertus, elles sont cardinales.

→ M. Romain Bouchard, Dom. du Val des Rois, 84600 Valréas, tél. 90.35.04.35 T r.-v.

Côtes du rhône villages

Nyons. François Vallot poursuit ici l'œuvre de ses pères. Son 86 garde beaucoup de jeunesse au cœur avec ses arômes de fruits rouges. Il n'a pas oublié l'empreinte du fût. Ses tanins encore durs assureront son épanouissement dans 4 à 5 ans.

➤ M. François Vallot, Dom. du Coriançon, Vinsobres, 26110 Nyons, tél. 75.26.03.24 ☎ r.-v.

CAVE DES COTEAUX DE CAIRANNE
Cairanne - Grande Réserve 1986★★

85 86 ■ n.c. 100 000 🍷🔻Ⓥ②

La jolie robe comporte déjà quelques reflets orangés. Le parfum exprime des accords confits, fruits rouges au terme du mûrissement. Si l'âge marque déjà cette bouteille, l'impression en bouche est très différente, souple et agréable. La coopérative produit cent mille bouteilles de ce cairanne « grande réserve ».

➤ Cave des Coteaux de Cairanne, 84290 Cairanne, tél. 90.30.82.05 ☎ t.l.j. 8h-12h 14h-18h.

CAVE DES COTEAUX DE SAINT-MAURICE Cuvée prestige Marquis de La Charce 1986★

■ 10 ha 20 000 🍷🔻Ⓥ③

On rencontre parfois le style bonbon anglais dans les Côtes du Rhône : ce n'est pas déplaisant du tout. C'est le goût de celui-ci. Rouge vif, nuance aromatique de fruits jeunes. Son astringence surprend un peu. Il est comme ça !

➤ Cave Gds Vins de Saint-Maurice, Saint-Maurice-sur-Eygues, 26110 Nyons, tél. 75.27.63.44 ☎ r.-v.

DOM. DES COTEAUX DES TRAVERS Rasteau 1986★★

■ 10 ha 5 000 🍷🔻Ⓥ②

Recommandé aux amateurs de vins athlétiques et charnus, un côtes-du-rhône villages qui devrait faire merveille avec un plat en sauce relevée. Ses tanins montrent encore les dents : le plus sage est d'acheter cette bouteille d'excellent rapport qualité-prix et de la garder 4 ou 5 ans en cave. Elle sera alors en tout point magnifique.

➤ GAEC Robert Charavin et Fils, Dom. des Coteaux des Travers, Rasteau, 84110 Vaison-la-Romaine, tél. 90.46.13.69 ☎ r.-v.

CORINNE COUTURIER
Cairanne - Cuvée d'Estevenas 1986★★★

81 83 ⑧⑤ ⑧⑥ ■ 2 ha n.c. 🍷🔻Ⓥ③

Ah ! Bonheur quand tu nous tiens... Celui-ci comble les fosses nasales d'un tapis de fruits rouges et offre au palais une sorte de chaleur veloutée si rare qu'elle n'appartient même pas à la langue française. Un grand moment de dégustation. « Le » producteur est une femme, Corinne Couturier.

➤ Mme Corinne Couturier, Dom. Rabasse-Charavin, Cairanne, 84290 Sainte-Cécile-les-Vignes, tél. 90.30.70.05 ☎ t.l.j. sf dim. 8h-12h 14h-18h : f. dim. et jours fériés.

CUVÉE ANTIQUE Cairanne 1986★

■ n.c. 30 000 🍷🔻Ⓥ③

Ce 86 nettement grenache (60%), tonique et vigoureux, porte le nom de « cuvée antique ». Il s'apparente à Hercule. La Cave des Coteaux de Cairanne fêtera en 1989 son soixantième anniversaire. Regroupant 85% des viticulteurs du pays, elle accorde un soin vigilant à la vinification.

➤ Cave des Coteaux de Cairanne, 84290 Cairanne, tél. 90.30.82.05 ☎ t.l.j. 8h-12h 14h-18h.

CUVÉE DES SEIGNEURS DE LAURIS Vacqueyras 1984★★★

■ 20 ha n.c. 🍷🔻Ⓥ③

Ce vin a la particule : il provient en effet d'un vignoble ayant appartenu à Joseph-François de Castellane de Lauris, qui l'a donné en bail perpétuel à un aïeul de la famille Arnoux en 1717. Il possède tous ses quartiers de noblesse : vif de couleur, nez de fruits mûrs, légèrement boisé, structuré, gras et long. Aristocrate jusqu'au bout !

➤ MM. Arnoux et Fils, B.P. 8, 84190 Vacqueyras, tél. 90.65.84.18 ☎ t.l.j. sf dim. 8h-12h 14h-18h.

CELLIER DES DAUPHINS
Carte Noire 1986

■ 650 ha 1 000 000 🍷🔻Ⓥ②

Rond et souple, légèrement poivré, un côtes-du-rhônes villages né de 650 hectares de vignes ! Difficile synthèse, on l'imagine. Les œnologues Danièle Biau et Alain Bayonne ont assez bien réussi dans cette entreprise. Le grenache apporte le corps (70%), le syrah l'intensité aromatique

728

DOM. ESTOURNEL Laudun 1986

	1 ha	6 000	

85 86

Rouge carmin, boisé, très mûr, un vin qui est à boire dès maintenant. Le domaine Estournel est ancien il conserve précieusement une cuve de 1664. Son caveau se trouve à Alès, capitale des Cévennes.

♦ M. Rémy Estournel, Dom. Estournel, Saint-Victor-la-Coste, 30290 Laudun, tél. 90.35.13.63 ☎ r.-v.

FERME LA VERRIERE Valréas 1985**

	3 ha	16 000	

Rosati est un nom qui porte le soleil en lui. Rien d'étonnant si c'est celu d'une très vieille famille de viticulteurs de Valréas, à La Verrière. Son côtes-du-rhône villages 85 appelle la truffe avec ses fruits rouges très mûrs. Ne le buvons cependant pas trop vite, car il a de l'avenir.

♦ M. Pierre Rosati, rte du Pègue, 84600 Valréas, tél. 90.35.13.63 ☎ t.l.j; 8h-20h.

CH. DU GRAND MOULAS 1986*

	7 ha	20 000	

84 85 86

Macération demi-carbonique dans des cuves modernes : un vin chaud en couleur, assez complète et qui doit bien vieillir. En bouche, simplicité légèrement poivrée, un peu court cependant. Ce vignoble a été créé il y a seize ans après débroisement de coteaux argilo-calcaires très pentus, plein sud, au-dessus du château d'Uchaux : 60% de syrah et 40% de grenache. Une matière première pleine de promesses aromatiques.

♦ M. Ryckwaert, Ch. du Grand Moulas, 84550 Mornas, tél. 90.37.00.13 ☎ r.-v.

GRAND VIN DU CAMP ROMAIN Laudun 1984*

		n.c.	

Destiné à des viandes corsées, ce Laudun 84 plaira aux amateurs de vins d'âge et d'expérience. Ses arômes de réglisse et de truffe tiennent bien la distance. Une coopérative dont il faut saluer avec sympathie les efforts dans le sens de la qualité.

♦ Cave des Vignerons de Laudun, rte de l'Ardoise, 30290 Laudun (tél. 66.79.49.97 ☎ r.-v.

DOM. LA BASTIDE SAINT-VINCENT Vacqueyras 1986**

	5 ha	4 500	

Une robe rouge clair, un nez sauvage, nuance cuir. Ces flaveurs animales se retrouvent en bouche, avec une chaleur fauve. Un vin plein de caractère ne manquant cependant ni de structure ni de fruit.

♦ M. Guy Daniel, Dom. La Bastide Saint-Vincent 84150 Violès, tél. 90.7.C.94.13 ☎ t.l.j; 8h-19h; f. 15 sept. au 15 oct.

(25%) et le cinsaut la finesse (5%). Convenable pour un million de bouteilles.

♦ Union Vig. de Côtes-du-Rhône, Cellier des Dauphins, B.P. 16 Tulette, 26790 Suze-la-Rousse, tél. 75.98.34.34 ☎ t.l.j, 10h-12h 14h30-18h.

DOM. DE LA FERME SAINT-MARTIN 1986**

76 (77) 79 81 82 83 84 85 86

	10 ha	32 000	

Élégant, tout en finesse, il ne masque pas ses arômes de fruits rouges et d'épices. D'un bel équilibre, il est prêt à boire avec un civet.

♦ M. Guy Jullien, Dom. de la Ferme Saint-Mart n Suzette, 84190 Beaumes-de-Venise, tél. 90.62.96.40 ☎ r.-v.

LA FONT DE PAPIER Vacqueyras 1986**

85 86

		n.c.	n.c.

Un joli rouge de bonne intensité, affirmant sa tonalité de fruits mûrs. Ce millésime 86 n'était pas si facile. Celui-ci est bien équilibré et reste d'une valeur au-dessus de la moyenne.

♦ M. Fernand Chastan, Clos du Joncas, Gigondas, 84190 Beaumes-de-Venise, tél. 9C.65.86.86 ☎ t.l.j; sf dim. 8h-12h 14h-18h; f. dim. et jours fériés

DOM. LA FOURMONE Vacqueyras 1986**

84 85 86

	11 ha	20 000	

La Fourmone perpétue une belle tradition depuis 1852 près des Dentelles de Montmirail. Les caves ont creusé le roc il y a des générations. Mais on peut toujours penser à un gigot d'agneau des monts de Vaucluse pour ce vin à la robe concentrée et au nez sauvage, qui ne demande qu'à s'épanouir. Il a la bouche riche et complexe. Une très belle bouteille à déboucher à l'avance.

♦ GAEC Roger Combe et Fils, rte de Bollène, Vacqueyras, 84190 Beaumes-de-Venise, tél. 9C.65.86.05 ☎ r.-v.

DOM. LA GARANCIERE Séguret 1986**

		n.c.	n.c.

Rouge sombre aux reflets orangés, un séguret au nez animal, sauvage et puissant, qui fait penser à un troupeau de sangliers. La souplesse ne lui manque pas, ni le gras ni la longueur. Bref, c'est une « nature », à prendre telle qu'elle s'offre à vous.

♦ M. Fernand Chastan, Clos du Joncas, Gigondas, 84190 Beaumes-de-Venise, tél. 90.65.86.86 ☎ t.l.j; sf dim. 8h-12h 14h-18h; f. dim et jours fériés

DOM. LA GARRIGUE Vacqueyras 1986**

82 83 84 85 86

		n.c.	75 000

Une garrigue aux sols pleins de cailloux, une vieille tradition familiale, du courage à en revendre : cela donne un rouge superbe, bien équilibré, riche et puissant. Un 86 qu'il faut savoir attendre quelques années. Mais oui, c'est ainsi. A noter : ni filtration ni collage.

♦ GAEC A. Bernard et Fils, Dom. La Garrigue, Vacqueyras, 84190 Beaumes-de-Venise, tél. 9C.65.84.60 ☎ r.-v.

DOM. LA GARRIGUE Vacqueyras 1987

| ■ | n.c. | n.c. | ▮🍷↓▾🆅3 |

Vin rosé de belle robe saumonée avec des arômes à caractère végétal de feuilles de vignes et genêt. Beaucoup de gras en bouche.

🔗 GAEC A. Bernard et Fils, Dom. La Garrigue, Vacqueyras, 84190 Beaumes-de-Venise, tél. 90.65.84.60 ▾ r.-v.

DOM. DE LA GRANGE-NEUVE
Rasteau 1986

| ⑦⑧ | 79 80 8⑪ 82 83 84 85 86 | 5 ha | 12 000 | ▮🍷↓▾🆅2 |

Ce domaine à flanc de coteau sur la route d'Orange à Vaison-la-Romaine produit un rouge qui emplit le nez d'écorce de noix et la bouche de champignons. Il est à boire. La famille Bressy-Masson exploite 40 hectares de vignes caillouteuses et ensoleillées.

🔗 Mme Marie-France Masson, rte d'Orange, Rasteau, 84110 Vaison-la-Romaine, tél. 90.46.10.45 ▾ t.l.j. 8h-12h 14h-18h.

DOM. DE L'AMEILLAUD
Cairanne 1986*

| ■ | | 3,50 ha | 20 000 | ▮🍷↓▾🆅2 |

Brillant, encore jeune, un cairanne au goût de réglisse et de fruits rouges. Un joli équilibre, qui n'atteint pas cependant la qualité du 85.

🔗 SCEA des Dom. Rieu-Herail, Dom. de L'Ameillaud, Cairanne, 84290 Sainte-Cécile-les-Vignes, tél. 90.30.82.02 ▾ r.-v.

DOM. DE LA PRESIDENTE
Cairanne 1986*

| 78 79 82 | 83 8⑧4 85 186⑪ | 30 ha | 40 000 | ▮🍷↓▾🆅2 |

C'est le fils du grand maître de la Confrérie des Côtes du Rhône qui dirige maintenant la vinification de ce magnifique domaine dont le vignoble a vu le jour au XVIIIe s. « Plaisir oblige » est la devise de la maison, qui perpétue avec fidélité l'amour du vin et celui de la région tout entière. Ce 86 est tendre, tout en finesse, délicat. Longueur de vie assurée, mais il peut s'apprécier dès à présent tant il est harmonieux.

🔗 M. Max Aubert, Dom. de La Présidente, 84290 Sainte-Cécile-les-Vignes, tél. 90.30.80.34 ▾ t.l.j. sf dim. 9h-12h 14h-18h.

DOM. DE LA RENJARDE 1987***

| ■ | | 20 ha | 100 000 | ▮🍷↓▾🆅2 |

| 18⑤ 87 | | | | |

Le jury a dégusté un 85, un 86 et un 87 : celui-ci vient en tête, malgré la difficulté du millésime. Dense et prometteur, il bénéficie des arômes flatteurs du cépage syrah. Remarquablement équilibré, il fera un vin parfait dans quelques années.

🔗 SA Dom. de La Renjarde, 84830 Sérignan-du-Comtat, tél. 90.83.70.11 ▾ r.-v.
🔗 MM. David et Foillard.

DOM. DE LA SOUMADE
Rasteau 1986***

| 18⑵ ⑧③ | 18⑤ 86 | 4 ha | 20 000 | ▮🍷↓▾🆅2 |

Coup de cœur amplement mérité pour ce vin

dont le rapport qualité-prix est exemplaire. On reste émerveillé par sa plénitude, sa beauté, sa complexité. Tous les cépages sont présents dans une remarquable harmonie, le grenache n'écrasant pas les autres et les laissant s'exprimer. Avec du gibier, ou seul, pour le plaisir des arômes.

🔗 M. André Roméro, Dom. de La Soumade, Rasteau, 84110 Vaison-la-Romaine, tél. 90.46.11.26 ▾ t.l.j. 8h30-12h 14h-20h.

CAVE DES VIGNERONS DE LAUDUN 1986**

| ■ | | 150 ha | 40 000 | ▮🍷↓▾🆅2 |

| 85 86 | | | | |

Caveau de dégustation et musée du vin agrémentent la visite de cette coopérative dont l'œnologue est Philippe Martin. Produit sur des terrasses argilo-calcaires où abondent les galets rouges, ce vin (50% de grenache) possède une vraie distinction. Structure souple et ronde, richesse des arômes, il offre ainsi une agréable légèreté dans sa vinification.

🔗 Cave des Vignerons de Laudun, rte de l'Ardoise, 30290 Laudun, tél. 66.79.49,97 ▾ r.-v.

DOM. LE CLOS DES CAZAUX
Vacqueyras - Cuvée Saint-Roch 1986***

| ■ | | 4 ha | 24 000 | ▮🍷↓▾🆅2 |

Ces jeunes viticulteurs sont issus d'une famille de vignerons : ils connaissent la chanson. Leur vacqueras 86 bien équilibré est riche en sensations fortes qui vont de la truffe aux épices. Le coup de cœur? Attendons l'an prochain. « Une médaille, cela se mérite, dit-on au pays, et quand on la mérite, il faut encore l'attendre ! »

🔗 MM. Archimbaud et Vache, Dom. Clos des Cazaux, Vacqueyras, 84190 Beaumes-de-Venise, tél. 90.65.85.83 ▾ r.-v.

DOM. LE SANG DES CAILLOUX
Vacqueyras 1986**

| ■ | | 15 ha | 20 000 | ▮🍷↓▾🆅2 |

| 85 86 | | | | |

Galets roulés et terrains argilo-siliceux produisent ici un côtes-du-rhône qui mérite bien son nom de « sang de caillou ». Il demande à vieillir : ampleur et puissance lui en offrent les moyens. Quant aux arômes, ils sont déjà riches. Il faudra cependant attendre qu'il arrive à maturité.

🔗 SCEA Dom. Le Sang des Cailloux, rte de Vacqueyras, 84260 Sarrians, tél. 90.65.88.64 ▾ r.-v.
🔗 Jean Ricard et Serge Ferigoule.

DOM. DE LINDAS Chusclan 1986**
1851/861 · 3 ha · 13 000 · ↓V3

Il raconte ses vignes en français ou en provençal. Quel bonheur de l'entendre! Mais il a aussi les pieds sur terre (ou la syrah apporte une note épicée) quand il s'agit de mettre au monde et d'élever ce vin souple et fruité qui fait honneur aux côtes-du-rhône villages.
→ M. Jean-Claude Chinieu, rte de Pont Saint-Esprit, 30200 Bagnols-sur-Cèze, tél. 66.89.88.83 ☎ t.l.j. 8h-12h 13h30-19h.

L'OUSTAU DE LEQUES Vacqueyras 1985*
9 ha · n.c. · ⊞V2

Rouge sombre, crépuscule, un vin nettement boisé qui doit sa finesse au fût. Son impression mitigée aussi, car le chêne ab-orbe un peu des qualités indénables de rondeur et de souplesse.
→ Dom. Michel Bernard, rte de Sérignan, 84100 Orange, tél. 90.34.35.17 ☎ r.-v.

CH. DE MONTMIRAIL Vacqueyras - Cuvée de L'Ermite 1986
1 ha · 5 000 · ⊞V2

Des reflets bruns habillent déjà cette robe pourpre. Arômes très mûrs, café et presque chocolat. Nuance sèche en fin de bouche. C'est un vacqueyras 86, mi-grenache, mi-syrah, né pour accompagner la viande rôtie, peut-être en sauce... Cette ancienne station thermale s'est fort bien convertie.
→ SCEV Archimbaud et Bouteiller, Ch. de Montmirail, B.P. 12, Vacqueyras, 84190 Beaumes-de-Venise, tél. 90.65.86.72 ☎ t.l.j. sf dim. 8h-12h 13h30-19h.

DOM. DU MOULIN Vinsobres 1985*
5 ha · 4 000 · ⊞↓V2

Encore entrouvert, un peu dur, mais bien fait. Le mieux est d'attendre son épanouissement. Sa richesse et ses tanins et son équilibre général permettent de croire en on avenir.
→ M. Denis Vinson, Dom. du Moulin, Vinsobres, 26110 Nyons, tél. 75.27.65.59 ☎ t.l.j. 8h-12h 14h-20h.

UNION DES PRODUCTEURS DE NYONS 1986
50 ha · 18 000 · ⊞V2

Toujours le tiercé grenache (75%), syrah (15%), cinsaut (8%), avec une touche de mourvèdre (2%). Un vin à boire sur des grillades préparées sans façon. Cette coopérative offre ici une bouteille sans grand éclat mais que l'on ne regrettera pas. Dans des secteurs tardifs, le vir offre en général des arômes de fruits rouges très prononcés.
→ Coop. du Nyonsais, pl. Olivier de Serres, B.P. 9, 26110 Nyons, tél. 75.26.03.44 ☎ t.l.j. 8h30-12h 14h-18h.

PERE ANSELME Maresal 1986
n.c. · 200 000 · ⊞V2

Depuis 1932, cette maison se consacre aux côtes-du-rhône, et particulièrement aux villages depuis 1986. I s'agit ici d'un produit classique, bien représentatif de la région où le cépage grenache a trouvé son terrain de prédilection.
→ Pè-e Anselme, 84230 Châteauneuf-du-Pape, tél. 90.83.70.07 ☎ t.l.j. 9h-12h 14h-18h.

PERE ANSELME Saint-Gervais 1986*
n.c. · 15 000 · ⊞V2

Vanille et café sont ses arômes. En y mêlant quelques petits fruits noirs... La robe est bien rouge, la tournure joviale et le bonheur communicatif. Un vin convenablement fait, bon à boire dès maintenant.
→ Pè-e Anselme, 84230 Châteauneuf-du-Pape, tél. 90.83.70.07 ☎ t.l.j. 9h-12h 14h-18h.

DOM. RABASSE CHARAVIN Rasteau 1986***
85 86 · 5 ha · 100 000 · ⊞↓V2

Un Rasteau à fort pourcentage de mourvèdre, ce qu le rend très intéressant. L'âge moyen des vigne approche le demi-siècle. Un vir qui a bon nez de fruits rouges bien mûrs et bonne bouche bien tannique, mais qui faut faire patienter 5 ans ou qui célébrera le marché européen de 1992. Tous ses talents s'épanouiront alors : si vous y pensez encore, accompagnez-d'un canard.
→ Mme Corinne Couturier, Dom. Rabasse-Charavin, Cairanne, 84290 Sainte-Cécile-les-Vignes, tél. 90.30.70.05 ☎ t.l.j. sf dim. 8h-12h 14h-18h; f. dim. et jours fériés.

CAVE DES VIGNERONS DE RASTEAU* Rasteau 1986
84 85 861 · 160 ha · 500 000 · ⊞V2

Une bonne bouteille, jeune et au tempérament agressif. La cave des Vignerons de Rasteau a été créée en 1925. Elle vinifie un vignoble (de quelque 700 hectares dont 160 pour ce villages) à dominante grenache (65%). Sa générosité incite à oublier l'excès de tempérament de l'adolescence.
→ Cave des Vignerons de Rasteau, Rasteau, 84110 Vaison-la-Romaine, tél. 90.46.10.43 ☎ t.l.j. 8h-12h 14h-18h.

DOM. RICHAUD Cairanne 1985
6 ha · 5 000 · ⊞V2

Un cairanne ensoleillé, rouge vif et brillant, caractéristique du terroir et du grenache. Son millés me incite à le boire dès à présent.
→ M. Marcel Richaud, rte de Rasteau, Cairanne, 84290 Sainte-Cécile-les-Vignes, tél. 90.30.85.25 ☎ t.l.j. 8h-20h; f. d'avr. à déc.

CH. DES ROQUES Vacqueyras 1986
32 ha · 40 000 · ⊞↓V2

Réputée pour ses bons vins, cette jolie propriété se situe entre Sarrians et Vacqueyras. Un soldat Cornélius y dédia autrefois un ex-voto au dieu Mars. Sa tunique devait être du rouge aux beaux reflets sombres de ce vin martial et net.
→ M. Edouard Dusser, Ch. des Roques, B.P. 9, Vacqueyras, 84190 Beaumes-de-Venise, tél. 90.65.85.16 ☎ r.-v.

CH. SAINT-ESTEVE 1986*

■ 4 ha 11 000 ▪♦▾2

83 |84| 86

Appartenant à cette famille depuis 1809, le domaine du Château Saint-Estève se trouve sur des coteaux caillouteux et sablonneux. Grenache pour 70%, le reste en syrah et cinsaut. Apprécié par de grands restaurants, ce vin a de la chaleur ainsi qu'une pointe de réglisse. A boire maintenant.

➤ MM. Gérard Français et Fils, rte de Sérignan, Uchaux, 84100 Orange, tél. 05.19.19.44 ℐ lu. ma. me. je. ve. 9h-12h 14h-18h.

CAVE DE SAINT-HILAIRE D'OZILHAN 1985*

■ 38 ha n.c. ▪♦▾2

Si le fameux Pont du Gard a justifié sa présence pour le transport de l'eau, ses voisins préfèrent le vin. Ce joli rouge aux senteurs de fruit rouge et bien équilibré est fait de 60% de grenache et 40% de syrah.

➤ Coop. Saint-Hilaire d'Ozilhan, Saint-Hilaire-d'Ozilhan, 30210 Remoulins, tél. 66.37.16.47 ℐ ma. me. je. ve. sa. 9h-12h 14h-18h.

CH. SAINTE-ANNE Saint-Maurice 1986**

■ 6 ha 15 000 ▪♦▾3

Soixante-quinze vignerons en 1939 à la naissance de la coopérative, cent quatre-vingt aujourd'hui, la cave des Coteaux des Grands Vins à Saint-Maurice-sur-Eygues propose ce côtes-du-rhône 86 fin et bouqueté. Charles Aznavour figure parmi les visiteurs de la cave.

➤ Cave Gds Vins de Saint-Maurice, Saint-Maurice-sur-Eugues, 26110 Nyons, tél. 75.27.63.44 ℐ r.-v.

DOM. SAINTE-ANNE Cuvée Notre-Dame des Cellettes 1986***

▾3

79 |81| |82| |83| (84) |85| 86

Rouge dans le type syrah et d'esprit traditionnel. Sa puissance opulente délivre une profusion de fruits rouges à laquelle on ne reste pas insensible.

➤ GAEC Dom. Sainte-Anne, Les Cellettes, Saint-Gervais, 30200 Bagnols-sur-Cèze, tél. 66.82.77.41 ℐ t.l.j. sf dim. 9h-11h 14h-19h.

➤ MM. Steinmaier et Fils.

DOM. SAINTE-ANNE Saint-Gervais 1986***

■ 10 ha 12 000 ▪♦▾3

85 86

Un vin de très haute expression bien dans la lignée des coups de cœur des années précédentes. Robe de velours, nez marqué par le mourvèdre, où se retrouvent le cuir et les épices. La bouche est tout en nuances, et quelle longueur !

➤ GAEC Dom. Sainte-Anne, Les Cellettes, Saint-Gervais, 30200 Bagnols-sur-Cèze, tél. 66.82.77.41 ℐ t.l.j. sf dim. 9h-11h 14h-19h.

➤ MM. Guy Steinmaier et Fils.

DOM. SAINTE-ANNE 1987**

□ 1 ha 5 000 ▪♦▾2

Un blanc aux parfums floraux dont la finesse n'est nullement estompée par une utile pointe d'acidité. Le gras n'enlève rien à la fraîcheur. Ne serait-ce pas la définition de l'équilibre ? Le domaine est bien connu pour sa haute technicité.

➤ GAEC Dom. Sainte-Anne, Les Cellettes, Saint-Gervais, 30200 Bagnols-sur-Cèze, tél. 66.82.77.41 ℐ t.l.j. sf dim. 9h-11h 14h-19h.

➤ MM. Guy Steinmaier et fils.

SEIGNEURIE DE GICON Chusclan 1986*

■ 100 ha 450 000 ▪♦▾2

Un bon côtes-du-rhône villages produit par la coopérative de Chusclan dans le Gard. Chaud et épicé, légèrement tannique, un vin assez robuste mais qui n'oublie pas d'offrir une pointe de douceur.

➤ Cave des Vignerons de Chusclan, Chusclan, 30200 Bagnols-sur-Cèze, tél. 66.90.11.03 ℐ r.-v.

DOM. DU TERME Sablet 1985*

■ 2 ha 5 000 ●●♦▾2

Cette propriété est dans la famille depuis 1918. Un caveau de dégustation a été ouvert en 1987 sur la place de Gigondas. Voilà un rouge original, très agréable pour un 85 : fruits cuits ou en compote inspirent ses arômes cerise, framboise et coing. Et de la vigueur !

➤ M. Rolland Gaudin, Dom. du Terme, Gigondas, 84190 Beaumes-de-Venise, tél. 90.65.86.75 ℐ t.l.j. 8h-12h 14h-19h.

CH. DU TRIGNON Rasteau 1986***

▪▾3

5 ha 20 000

«Quel vin !» dit le jury. Faut-il vraiment en dire plus ? Sa robe rouge foncé traduit un tempérament entier qu'on retrouve dans les arômes poivrés, très typés mourvèdre (50% et 50% de grenache) : cela se sent. D'où une grande générosité, alliée à la souplesse du millésime. Un 86 charpenté, à conserver soigneusement. Et longtemps !

➤ MM. Charles Roux et Fils, Ch. du Trignon, Gigondas, 84190 Beaumes-de-Venise, tél. 90.46.90.27 ℐ r.-v.

DOM. DU VIEUX CHENE 1986*

●● ♦▾2

1,50 ha 6 000

|84| |85| 86

Millésime difficile... Pourtant voilà un vin honorable, marqué par un nez animal qui lui confère une certaine rusticité de bon aloi. Vignes de 20 ans, grenache pour 80%, syrah pour 15% et cinsaut pour le reste. On peut attendre un peu pour le boire.

➤ GAEC J.-C. et D. Bouche, rue Buisseron, 84850 Camaret, tél. 90.37.25.07 ℐ t.l.j. sf dim. 8h-12h 14h-18h.

DOM. DU VIEUX CHENE 1987*

□ 1,50 ha 6 000 ▪♦▾2

Sur la route des côtes-du-rhône, une halte s'impose chez Jean-Claude et Dominique Bouche. Vous y dégusterez ce blanc délicieusement noi-

sette, convenablement vinifié, ainsi qu'une large gamme de vins de la région.

➜ GAEC J.-C. et D. Bouche, rue Buisseron, 84850 Camaret, tél. 90.37.25.07 ♈ t.l.j. sf dim. 8h-12h 14h-18h.

VIEUX MANOIR DU FRIGOULAS
Cuvée Saint-Vincent 1986*

| 78 80 82 83 1841 ⑧ 86 | 14 ha | 84 000 | ■ ♈ ☑ 2 |

Le vieux manoir du Frigoulas s'interdit le recours au désherbant et à l'engrais chimique. Sols argilo-calcaires, plantés pour 45% en grenache. Le 86 aux arômes de pâte de coing ne manque pas de gras. Harmonieux, il semble destiné à une viande rouge.

➜ GAEC Alain Robert et Fils, Vieux Manoir du Frigoulas, Saint-Alexandre, 30130 Pont-Saint-Esprit, tél. 66.39.18.71 ♈ t.l.j. sf dim. 9h-12h 14h-19h.

VIEUX MANOIR DU FRIGOULAS
Cuvée Saint-Alexandre 1987*

| □ | 2 ha | 10 000 | ■ ♈ ☑ 2 |

Treize générations de vignerons de père en fils. Un grand domaine qui s'étend sur 50 hectares. Deux seulement sont dédiés à ce blanc miel et tilleul gentiment dorloté par la famille Robert.

➜ GAEC Alain Robert et Fils, Vieux Manoir du Frigoulas, Saint-Alexandre, 30130 Pont-Saint-Esprit, tél. 66.39.18.71 ♈ t.l.j. sf dim. 9h-12h 14h-19h.

avec une touche de violette. D'une bonne structure, tannique et très long en bouche, il a indéniablement sa place au sommet de la gamme des côtes-du-rhône, et s'allie parfaitement aux mets convenant aux grands vins rouges.

Côte rôtie

MICHEL BERNARD 1983

| n.c. | n.c. | ■ ☑ 4 |

L'origine du cépage syrah serait syrienne et les premières plantations, romaines. On trouve ici le style le plus parfumé de l'appellation, sous une robe assez légère. Produit dans un groupement de viticulteurs vinifiant en caves particulières.

➜ Dcm. Michel Bernard, rue de Sérignan, 84100 Orange, tél. 90.34.35.17 ♈ r.-v.

DOM. DE BOISSEYT
Côte Blonde 1986**

| 78 79 1811 82 84 85 86 | 0.80 ha | 2 000 | ■ ♈ ☑ 5 |

Les bons restaurants lyonnais viennent s'approvisionner ici en côte-rôtie. La vigne a été plantée en 1940, sur moins d'un hectare de syrah «à baguette» (85%) et de viognier. Corsé et fauve, à garder en cave. Très belle bouteille que l'on pourra apprécier dans 2 ou 3 ans, notamment sur un gibier.

➜ MM. de Boissey-Chol, RN 86, Chavanay, 42410 Pélussin, tél. 74.87.23.45 ♈ ma. me. je. ve. sa. di. 9h-12h 14h-18h ; f. 1ère quinz. de sept.

SEIGNEUR DE MAUGIRON 1986**

| 82 84 86 | 1.18 ha | 35 000 | ■ ♈ ☑ 5 |

La douceur des tanins nuance délicatement ce vin superbe et généreux. A laisser mûrir en cave. Le goût en dans 3 ans, pour voir.

➜ MM. Delas Frères, L'Olivet, Tournon, 07300 Saint-Jean-de-Muzols, tél. 75.08.60.30

➜ SA Deutz et Geldermann.

Situé à Vienne, sur la rive droite du fleuve, c'est le plus ancien vignoble des Côtes du Rhône ; il s'étend sur 106 ha de production, répartis sur les communes d'Ampuis, Saint-Cyr-sur-Rhône et Tupins-Sémons. La vigne est cultivée sur des coteaux très abrupts, presque vertigineux. Et si l'on peut distinguer la côte Blonde et la côte Brune, c'est en souvenir d'un certain noble Maugiron, qui aurait, par testament, partagé ses terres entre ses deux filles, l'une blonde, l'autre brune...

Le sol est le plus schisteux de la région ; les vins sont uniquement des rouges, obtenus à partir du cépage syrah, mais aussi du viognier, dans une proportion maximum de 20 %. Les vins de la côte Blonde sont les plus corsés, ceux de la côte Rôtie (4 600 hl par an) est vin d'un rouge profond, au bouquet délicat, fin, à dominante de framboise et d'épices,

L. DE VALLOUIT 1986***

| 76 78 80 81 1823 85 86 | 10 ha | 50 000 | ■ ♈ ☑ 5 |

Côte-rôtie : par quoi ? Par le soleil, bien sûr. Et si l'on met ses rayons en bouteille, on obtient ce vin rouge crépusculaire, velouté comme le soir, ferme et glorieux. Il a ce côté animal, fréquent dans l'appellation.

➜ M. L. de Vallouit, 24, av. Désiré-Valette, 26240 Saint-Vallier, tél. 75.23.10.11 ♈ r.-v.

DOM. J. VIDAL-FLEURY 1986**

| 83 1841 85 86 | 8 ha | 10 000 | ■ ♈ ☑ 5 |

Au premier coup de nez, complexe, très animal. On voit tout de suite la charpente Magnifique ! C'est la maison la plus ancienne et la plus importante dans les côtes Brune et Blonde à côte rôtie. 86 fera à terme une très belle bouteille.

➜ M. J. Vidal-Fleury, B.P. 12, Ampuis, 69420 Condrieu, tél. 74.56.10.18 ♈ r.-v.

➜ M. Marcel Guigal.

Condrieu

Château-grillet

Condrieu

Le vignoble est situé à onze kilomètres au sud de Vienne, sur la rive droite du Rhône; seuls les vins provenant uniquement du cépage viognier peuvent bénéficier de l'appellation. L'aire d'appellation est répartie sur sept communes, sa superficie n'étant que de 16 ha pour environ 400 hl. Ces caractéristiques contribuent à donner au condrieu une image de vin très rare. Blanc, il est riche en alcool, gras, souple, mais avec de la fraîcheur, très parfumé, à l'arôme floral où dominent l'abricot et la violette. Un vin exceptionnel, unique et inoubliable, à boire jeune sur toutes les préparations à base de poisson mais pouvant se développer ou en vieillissant.

Château-grillet

Cas presque unique dans la viticulture française, cette appellation n'est produite que sur un seul domaine! Avec ses 2,5 ha, c'est l'une des plus petites appellations d'origine contrôlée! Le vignoble est implanté sur des terrasses granitiques bien exposées, abritées du vent, isolées dans un cirque dominant la vallée du Rhône. Ce terroir bien particulier apporte toute son originalité au vin (90 hl), un vin blanc issu, tout comme le condrieu, du cépage viognier. Riche en alcool, gras et faible en acidité, très parfumé d'une finesse étonnante, il se boit jeune, mais acquiert en vieillissant une classe et des arômes qui en font un vin d'une qualité exceptionnelle, idéal sur le poisson.

CH. GRILLET 1985***

□	3 ha	12 000

84| (85)| ⬛ ↓ Ⓥ 🄶

Les bons auteurs situent ce vignoble parmi les cinq meilleurs blancs de France à l'égal d'Yquem, montrachet, château-chalon et coulée de serrant. La «quinte royale» de Curnonski. Ce 85 semble discret, puis il engage la conversation avec cœur et esprit. Eblouissant de puissance et d'onctuosité, riche d'une multitude d'arômes enchevêtrés (pêche très mûre, vanille, tilleul, nuance du fumé). Longueur exceptionnelle. Mais oui, la perfection est parfois de ce monde (on ne le trouvera plus à la propriété).

☛ M. Neyret-Gachet, Ch. Grillet, Vérin, 42410 Pelussin, tél. 74.59.51.56

YVES CUILLERON 1986

□	2,50 ha	6 500

83| 84| 85| (86)| ⬛ ↓ Ⓥ 🅂

Miel et cire d'abeille, il est pourtant assez vif. Ce vin convient au foie gras et même au roquefort bien que le fromage soit toujours difficile à marier à un vin. Cette vieille propriété familiale ne cultive que 7 hectares de vignes, dont deux et demi pour ce vin. Elle est dans la bonne tradition.
☛ M. Yves Cuilleron, Les Prairies, Chavanay, 42410 Pelussin, tél. 74.87.02.37 Ⓨ r.-v.

DELAS FRERES 1987***

□	3 ha	10 000

86| 87| ⬛ ↓ Ⓥ 🄶

Limitrophe de côte-rôtie, condrieu offre un bouquet séduisant, abricot et violette. On l'apprécie dans ce vin très viognier, racé, authentique, promis à un gigot à l'ail ou à un gratin de queues d'écrevisses. Cette maison réputée a été rachetée en 1977 par le Champagne Deutz. Les chais de Tournon ont été transférés à Saint-Jean-de-Muzols.
☛ MM. Delas Frères, L'Olivet, Tournon, 07300 Saint-Jean-de-Muzols, tél. 75.08.60.30

PHILIPPE FAURY 1986*

□	0,10 ha	400

85| (86)| ⬛ Ⓥ 🅂

Longueur et richesse font de ce condrieu 86 un vin qui se conservera sans peine 2 à 3 ans. Microproduction: quatre cents bouteilles produites sur dix ares. Mais elles méritent le détour. Cher? Sans doute, mais rare. Et ce qui est rare est...
☛ M. Philippe Faury, La Ribaudy, Chavanay, 42410 Pélussin, tél. 74.87.26.00 Ⓨ r.-v.

Saint-joseph

Sur la rive droite du Rhône, dans le département de l'Ardèche, l'appellation saint-joseph s'étend sur vingt-trois communes (298 ha). Les coteaux sont constitués de pentes granitiques rudes, qui offrent de belles vues sur les Alpes, le mont Pilat et les gorges du Doux. Rouges, les saint-joseph sont élégants, fins, relativement légers et tendres, avec des arômes subtils de framboise, de poivre et de cassis, qui se révéleront sur les volailles grillées ou certains fromages. Les vins blancs rappellent ceux de l'hermi-

tage; ils sont gras avec un parfum délicat de fleurs, de fruits et de miel. Il est conseillé de les boire assez jeunes.

MICHEL BERNARD 1986*

n.c. n.c.

Ici encore, aubépine et chèvrefeuille marient agréablement leurs arômes pour offrir un vin d'une fraîcheur délicieuse. Pas le moindre déséquilibre. Un petit moment de bonheur.
↬ Dom. Michel Bernard, rte de Sérignan, 84100 Orange, tél. 90.34.35.17 ⊤ r.-v.

MICHEL BERNARD 1985

n.c. 3 ha 6 000

Franc de goût, fruits rouges, tannique, il reçoit la mention «très honorable» d'un jury de thèse. Couronne un travail sérieux.
↬ Dom. Michel Bernard, rte de Sérignan, 84100 Orange, tél. 90.34.35.17 ⊤ r.-v.

DE BOISSEYT 1986*

n.c. 3 ha 6 000

Rouge profond et carmin, un vin produit par une exploitation «de père en fils» depuis 1797. Ni collage ni filtrage, élevage en fût de chêne, vente au compte-gouttes: cette famille reste fidèle à ses habitudes et à son indépendance d'esprit. Les tanins de ce vin assurent sa bonne conservation.
↬ MM. de Boisseyt-Chol et Fils, RN 86, Chavanay, 42410 Pélussin, tél. 74.87.23.45 ⊤ ma. me. je. ve. sa. di. 9h-12h 14h-18h; f. du 1er au 15 sept.

LAURENT-CHARLES BROTTE

Marandy 1986**

n.c. 50 000

Quelques accents de vanille au beau milieu d'un sous-bois de fougères: c'est exactement ce qu'on respire en dégustant ce beau vin rouge sang, vif, impatient d'être bu. À servir assez frais pour apaiser un peu sa sève très riche.
↬ M. Laurent-Charles Brotte, 84230 Châteauneuf-du-Pape, tél. 90.83.70.07 ⊤ t.l.j. 9h-12h 14h-18h.

PIERRE COURSODON 1986*

(78) 80 81 83 85 86

7 ha 42 000

Vin encore très juvénile, aux reflets violacés et à la personnalité demeurant secrète. Poivre au nez et café en bouche. Le laisser vieillir.
↬ M. Pierre Coursodon, pl. du Marché, Mauves, 07300 Tournon, tél. 75.08.29.27 ⊤ r.-v.

PIERRE COURSODON 1987**

1 ha 6 000

Un 87 que l'on placerait plutôt dans la gamme des 86 en raison de sa rondeur, de son goût de miel, de son nez très évolué. Joli vin au demi-rant, marsanne à 100%. Vin de coteau en «chalet», petite terrasse soutenue par des murs en pierres sèches. Mauves est l'une des communes «historiques» de l'appellation saint-joseph, selon le décret de 1956.
↬ M. Pierre Coursodon, pl. du Marché, Mauves, 07300 Tournon, tél. 75.08.29.27 ⊤ r.-v.

YVES CUILLERON 1985**

71 73 78 81 82 83 84 85

4 ha 22 000

Rappellant la framboise sauvage, le saint-joseph rouge est vraiment l'une des grandes bouteilles de la vallée du Rhône. Tendre et parfumé, il s'accorde bien à des plats raffinés. C'est le cas de cette bouteille bien ronde et bien longue.
↬ M. Yves Cuilleron, Les Prairies, Chavanay, 42410 Pélussin, tél. 74.87.02.37 ⊤ r.-v.

PHILIPPE FAURY 1986**

79 80 82 83 84 85 86

2 ha 9 000

Le cépage syrah sur ces terrains escarpés et granitiques offre un vin stylé, fin, dont on recherche la compagnie et presque la conversation. Pour un prix très raisonnable, une bouteille élégante aux tanins parfaitement fondus.
↬ M. Philippe Faury, La Ribaudy, Chavanay, 42410 Pélussin, tél. 74.87.26.00 ⊤ r.-v.

PIERRE GONON Les Oliviers 1986*

81 83 84 85 86

0.80 ha 2 800

Nuance chèvrefeuille, un vin agréable, léger, dépourvu de complications inutiles. Un peu de roussanne (20%) sur un fond de marsanne (80%). Produit sur moins d'un hectare et desiné à une truite.
↬ M. Pierre Gonon, rue des Launays, Mauves, 07300 Tournon, tél. 75.08.07.95 ⊤ r.-v.

BERNARD GRIPA 1986**

(78) 82 (83) 84 (85) 86

3 ha 15 000

Nez de mûre et bouche tannique, un grand beau saint-joseph couleur de paradis. Sa structure est complète. Il garde beaucoup de fruit. Parmi les meilleurs de l'appellation et du millésime.
↬ M. Bernard Gripa, RN 86, Mauves, 07300 Tournon, tél. 75.08.14.96 ⊤ r.-v.

BERNARD GRIPA 1986***

81 82 85 86

1,50 ha 8 000

Bernard Gripa, c'est la qualité reconnue chaque année. Ce saint-joseph mérite bien son auréole. Arômes de cire d'abeille et de fleurs printanières, il fait son chemin depuis les vendanges 86 pour vous combler de bonheur. Prix attractif.
↬ M. Bernard Gripa, RN 86, Mauves, 07300 Tournon, tél. 75.08.14.96 ⊤ r.-v.

JEAN-LOUIS GRIPPAT 1986***

80 81 82 83 (85) (86)

2,50 ha 12 000

Le meilleur goût du vin est celui du raisin... Il emplit ici la bouche d'un charme savoureux et croquant. Avec une touche de menthe, délicate et fraîche. Éblouissante syrah, bouteille parfaite.

Jean-Louis Grippat affirme une maîtrise accomplie de son métier.
➥ M. Jean-Louis Grippat, La Sauva, 07300 Tournon-sur-Rhône, tél. 75.08.15.51 ⟡ r.v.

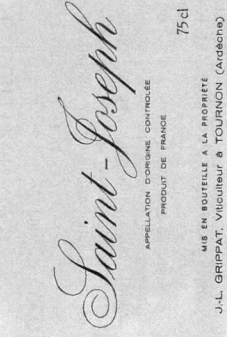

Saint-Joseph
APPELLATION D'ORIGINE CONTROLÉE
PRODUIT DE FRANCE
75 cl
MIS EN BOUTEILLE À LA PROPRIÉTÉ
J.-L. GRIPPAT, Viticulteur à TOURNON (Ardèche)

JEAN-LOUIS GRIPPAT 1987***

| 1 ha | 7 000 |

81 83 84 [85] 87

Quand on s'appelle saint-joseph, on sait ce que signifie le petit Jésus en culotte de velours. Celui-là ? Il n'en est pas loin, tendre, gentil, placé sous le regard de Dieu. Laissez-le vieillir, bien sûr, il fera des miracles...
➥ M. Jean-Louis Grippat, La Sauva, 07300 Tournon-sur-Rhône, tél. 75.08.15.51 ⟡ r.v.

CLOS DE L'ARBALESTRIER 1985*

| 3.70 ha | 10 000 |

80 81 [82][83] 84 [85]

Puissant, presque dévastateur tant il possède de tempérament. Et c'est un 85 qui gardera sans doute en caractère. Il faut donc composer avec lui, en recherchant une viande corsée, du gibier relevé pour l'accompagner.
➥ M. Émile Florentin, av. Saint-Joseph, Mauves, 07300 Tournon, tél. 75.08.12.11 ⟡ r.v.

CAVES DE LA REINE PÉDAUQUE La Batie 1985**

| n.c. | n.c. |

Un 85 qui n'a rien perdu de ses arômes de raisin et qui laisse derrière lui un sillage de sensations heureuses.
➥ Caves de La Reine Pédauque, B.P. 10, Aloxe-Corton, 21420 Savigny-les-Beaune, tél. 80.26.40.00 ⟡ r.v.
➥ M. Gabriel Lioger d'Ardhuy.

UPVF DE TAIN L'HERMITAGE 1986***

| 50 ha | n.c. |

82 83 84 85 86

Le saint-joseph rouge est très tannique, 100% syrah, framboise et violette. Celui-ci (86) est plutôt vanille et violette, avec un mélange raffiné de saveurs épicées qui équilibrent sa nature. Presque parfait.
➥ UPVF de Tain-L'Hermitage, 22, rte de Larnage, B.P. 3, 26600 Tain-L'Hermitage, tél. 75.08.20.87 ⟡ r.v.

MAISON THOMAS-BASSOT 1984**

| n.c. | n.c. |

Une bien belle bouteille, de la dentelle. Des parfums épicés. A boire tout de suite ou à conserver. Le prix est toutefois élevé.
➥ Maison Thomas-Bassot, 5, quai Dumorey, 21700 Nuits-Saint-Georges, tél. 80.62.31.21 ⟡ r.v.

HENRI TROLLAT 1986

| 0.60 ha | 3 000 |

Marsanne typique, jaune clair, déjà évolué. Un vin agréable, à boire maintenant, sur les poissons cuisinés.
➥ M. Raymont Trollat, quartier Aubert, Saint-Jean-de-Muzols, 07300 Tournon, tél. 75.08.27.17 ⟡ r.v.

L. DE VALLOUIT 1986**

| 0.87 ha | 4 000 |

82 83 84 85 86

Brillant et limpide, un vin qui chante les fleurs et les fruits avec en plus des arômes de vanille et de cannelle. Dominante ? La grappe de raisin, et n'est-ce pas le plus beau rapprochement à faire quand on déguste un bon cru à l'équilibre presque parfait.
➥ M. L. de Vallouit, 24, av. Désiré-Valette, 26240 Saint-Vallier, tél. 75.23.10.11 ⟡ r.v.

Cette appellation, couvrant des terrains moins difficiles à cultiver que ceux de l'hermitage, s'étend sur onze communes environnant Tain-l'Hermitage. La superficie de production est de 822 ha pour 43 000 hl de production moyenne. C'est donc l'appellation la plus importante en volume de la région des côtes du Rhône septentrionales. Les sols, plus riches que ceux de l'hermitage, donnent des vins moins puissants, fruités et à boire jeunes. Rouges, ils sont assez souples et aromatiques; blancs, ils sont secs et frais, légers en couleur, à l'arôme floral, et comme les hermitage blanc, iront parfaitement sur les poissons d'eau douce.

DOM. MICHEL BERNARD 1985**

| n.c. | n.c. |

Nez de violette sous une belle robe pourpre, c'est un rouge classique, bien représentatif de l'appellation. Il a du corps, du nerf et du caractère.
➥ Dom. Michel Bernard, rte de Sérignan, 84100 Orange, tél. 90.34.35.17 ⟡ r.v.

LIONEL J. BRUCK 1987***

| n.c. | n.c. |

Le négoce bourguignon s'est toujours intéressé à ces crus des Côtes du Rhône. En vertu d'un

secondaires légèrement évolués marquent le point de non-retour.

↪ Dom. Fayolle, GAEC Les Gamets Gervans, 26600 Tain-l'Hermitage, tél. 75.03.33.74 ☎ lu. ma. me. je. ve. 8h-12h 13h30-18h ; f. sam. et dim. sur r.-v.

DOM. FAYOLLE FILS
Les blancs 1986*

n.c.   1,50 ha   8 000

Un 86 qui ne révèle pas encore toutes ses qualités. Evolution probable : dans le bon sens. Le miel tempère aimablement son acidité. Cela devrait offrir un bon fondu dans quelques temps.

↪ Dom. Fayolle, GAEC Les Gamets, Gervans, 26600 Tain-l'Hermitage, tél. 75.03.33.74 ☎ lu. ma. me. je. ve. 8h-12h 13h30-18h ; f. sam. et dim. sur r.-v.

PAUL JABOULET AINE
Mule Blanche 1987*

78 79 80 82 83 84 85 86 87

8 ha   36 000

V.l, presque turbulent en bouche, un vin qui s'appelle « Mule blanche » : s'agit-il de la Mule du Pape ? Aucun féroce coup de pied à redouter. Ses arômes de tilleul et de miel expriment au contraire la douceur et l'aménité. A attendre un peu, sans crainte.

↪ SA Paul Jaboulet Aîné, Les Jalets, RN 7, La Roche-de-Glun, 26600 Tain-l'Hermitage, tél. 75.84.68.93 ☎ r.-v.

CAVES DE LA REINE PÉDAUQUE Champ de la Dame 1986**

78 81 82 83 84 85 86

3,50 ha   2 000

La Reine Pédauque à Aloxe-Corton s'attache depuis longtemps aux meilleurs vins des Côtes du Rhône. Marqué par la syrah, celui-ci joue le fruit et préfère le bonheur immédiat aux joies éternelles. A saisir comme il se présente à vous.

↪ Caves de la Reine Pédauque, B.P. 10, Aloxe-Corton, 21420 Savigny-lès-Beaune, tél. 80.25.40.00 ☎ r.-v.
↪ M. Gabriel Liogier d'Ardhuy.

« droit de poursuite », ou en raison d'une certaine parenté avec la Côte d'Or ? Peu importe : celui-ci (groupe Jean-Claude Boisset à Nuits-Saint-Georges) propose une bouteille magnifique qui sent la truffe, et rayonne.

↪ M. Lionel Bruck SA, 6, quai Dumorey, 21700 Nuits-Saint-Georges, tél. 80.61.07.24 ☎ r.-v.

CAVE DES CLAIRMONTS
Vignes Vieilles 1986***

82 85 86 87

n.c.   95 000

Syrah à 100%, vignes d'un quart de siècle, un vin à la couleur affirmée. Ses arômes sont frais, typiquement violette, sa bouche charnue (café et truffe), ample.

↪ Caves des Clairmonts, Vignes Vieilles, Beaumont-Monteux, 26600 Tain-l'Hermitage, tél. 75.84.61.91 ☎ t.l.j. sf dim. 8h-12h 14h-18h.

CAVE DES CLAIRMONTS 1987*

n.c.   5,87 ha   20 000

Délicats, secs et corsés, les blancs de crozes-hermitage ont bonne réputation. Déjà doré, celui-ci donne l'impression de respirer un buisson d'aubépine. Le gras ne lui fait pas défaut. Cette cave a été créée en 1972 par trois familles amies dont les vignes se complètent bien.

↪ Caves des Clairmonts, Vignes Vieilles, Beaumont-Monteux, 26600 Tain-l'Hermitage, tél. 75.84.61.91 ☎ t.l.j. sf dim. 8h-12h 14h-18h.

DELAS 1986***

n.c.   160 000

Un grand seigneur, vraiment ! Et comme il en existe 160 000 bouteilles, on peut espérer en recevoir l'aumône. De la couleur, des arômes, du corps, de la structure, de la longueur... bouqueté et complexe. L'un des membres de notre jury écrit sur sa fiche de dégustation : « Quel dommage de ne pas le boire ! » Sur un canard aux navets ou des pognes de Romans. Coup de cœur, évidemment.

↪ MM. Delas Frères, L'Olivet, Tournon, 07300 Saint-Jean-de-Muzols, tél. 75.08.60.30
↪ SA. Deutz et Geldermann.

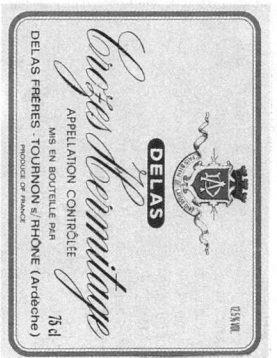

DOM. FAYOLLE FILS
Les Pontaix 1985*

3 ha   5 000

Ce 85 garde une couleur très franche. Un bouquet de violette semble avoir fleuri dans sa bouteille. A boire maintenant, car ses arômes

---

PIERRE PONNELLE 1984

n.c.   650 ha   700 000

Jaune soutenu, un 84 que l'on considère avec intérêt. Il a acquis un nez cire d'abeille, acacia, qui n'est pas déplaisant du tout. Cela ne vaut pas le 85, mais on peut tout de même en faire un bon usage !

↪ M. Pierre Ponnelle, 5, rue du Moulin, 21700 Nuits-Saint-Georges, tél. 80.61.22.41 ☎ r.-v.

UPVF DE TAIN-L'HERMITAGE 1986**

82 83 84 85 86

650 ha   700 000

Joli v.n, tout en élégance et en complexité, exprimant la truffe, le poivre vert et bien d'autres bonheurs encore. Excellent rapport qualité-prix, qui ne gâte rien. Une cave coopérative très sérieuse, même si Blachon a dessiné une affiche très drôle pour son cinquantenaire en 1983.

L'appellation couvre 125 ha et produit 4 700 hl. Le massif de Tain est constitué à l'ouest d'arènes granitiques, terrain idéal pour la production de vins rouges (les Bessards, le Méal, les Greffeux). Dans les parties est et sud-est, se trouvent les zones ayant vocation à produire des vins blancs (les Rocoules, les Murets).

L'hermitage rouge est un très grand vin tannique, très aromatique, qui demande un vieillissement de cinq à dix ans, voire même vingt ans, avant de développer un bouquet d'une richesse et d'une qualité rares. C'est donc un grand vin de garde, que l'on servira entre 16 et 18°, sur le gibier ou les viandes rouges goûteuses. L'hermitage blanc (cépage roussanne et, surtout, marsanne) est un vin très fin, peu acide, souple, gras et très parfumé; il peut être apprécié dès la première année, mais atteindra son plein épanouissement après un vieillissement de cinq à dix ans. Mais les grandes années, peuvent supporter des durées de vieillissement de trente ou quarante ans...

UPVF DE TAIN-L'HERMITAGE 1986

60 ha   80 000

82 83 85 86

Bien que riche en alcool, ce vin de marsanne est plaisant, assez floral dans une robe dorée.
UPVF de Tain-L'Hermitage, 22, rte de Larnage, B.P. 3, 26600 Tain-L'Hermitage, tél. 75.08.20.87 r.-v.

DOM. DE THALABERT 1986*

40 ha   150 000

78 82 84 85 86

Sombre et puissant, tant par sa couleur que par ses arômes lourds de cacao et de confiture de fruits mûrs. Chaleureux aussi. Pour amateur averti.
SA Paul Jaboulet Aîné, Les Jalets, RN 7, La Roche-de-Glun, 26600 Tain-l'Hermitage, tél. 75.84.68.93 r.-v.

L. DE VALLOUIT 1986**

4 ha   20 000

78 80 81 82 |83| |85| |86|

L.-F. de Vallouit possède plusieurs exploitations dans différentes appellations. Personnage sympathique et chaleureux, il propose ici un crozes-hermitage campagnard et hobereau, costaud, prêt à boire sur une viande rouge dans 2 à 3 ans.
M. L. de Vallouit, 24, av. Désiré-Valette, 26240 Saint-Vallier, tél. 75.23.10.11 r.-v.

L. DE VALLOUIT 1987**

1 ha   6 500

78 80 81 82 84 |85| 86 |87|

Jaune pâle et floral (aubépine et chèvrefeuille emmêlés), marqué par le séjour en fût, un vin dont la longueur permet d'espérer le sage et harmonieux vieillissement.
M. L. de Vallouit, 24, av. Désiré-Valette, 26240 Saint-Vallier, tél. 75.23.10.11 r.-v.

M. CHAPOUTIER 1986*

n.c.   10 000

Blanc brillant, il suggère tout d'abord la noix fraîche puis offre une agréable symphonie florale et une finale de miel. Honnête et savoureux.
M. Max Chapoutier, 18, av. Dr-Paul-Durand, 26600 Tain-l'Hermitage, tél. 75.08.28.65 r.-v.

DELAS FRERES
Cuvée Marquise de La Tourette 1986***

84 |86| 7 ha   30 000

Une ballotine de canard pourrait très bien donner la réplique à cet hermitage 86, à la robe de velours fraise-cassis, dont la douceur protège le fruit. Cette excellente impression se poursuit tout au long de la dégustation.
MM. Delas Frères, Tournon, 07300 Saint-Jean-de-Muzols, tél. 75.08.60.30
SA Deutz et Geldermann.

DELAS FRERES
Cuvée Marquise de La Tourette 1986**

85|86| 2 ha   25 000

Un vin de garde, millésimé 86. Il a perdu ses arômes de jeunesse et n'a pas encore acquis le bouquet de l'âge mûr; sa structure apparaît riche et bien complète. Cette exploitation a été achetée en 1977 par le Champagne Deutz. Chais à Saint-Jean-de-Pujols. A boire avec une poularde en gelée ou un turbot.

738

Hermitage

Le coteau de l'Hermitage, très bien exposé au sud, est situé au nord-est de Tain-l'Hermitage. La culture de la vigne y remonte au IVe s. av. J.-C., mais on attribue l'origine du nom de l'appellation au chevalier Gaspard de Stérimberg, qui, revenant de la croisade contre les Albigeois en 1224, décida de se retirer du monde. Il édifia un ermitage, défricha et planta la vigne.

→ MM. Delas Frères, L'Olivet, Tournon, 07300 Saint-Jean-de-Muzols, tél. 75.08.60.30.
→ SA Deutz et Gelderman.

Cornas

En face de Valence, l'appellation (53 ha, 2 000 hl) s'étend sur la seule commune de Cornas. Les sols, en pen ce assez forte, sont composés d'arènes granitiques maintenues en place par les travaux culturaux. Le cornas est un vin rouge viril, charpenté, qu'il faut faire vieillir au moins trois années (mais il peut attendre parfois beaucoup plus) afin qu'il puisse exprimer ses arômes fruités et épicés, sur viandes rouges et gibiers.

JEAN-LOUIS GRIPPAT 1987**

☐ 85 87 1,20 ha 6 000 [icons]

Une belle robe au service d'un nez très expressif. Vanille et encore écorce d'orange qui comblera les plus exigeants. Gras et longueur, rien n'y manque. Il suffit d'être patient, car l'hermitage blanc vit vieux.
→ M. Jean-Louis Grippat, La Sauva, 07300 Tournon-sur-Rhône, tél. 75.08.15.51 ℤ r.-v.

PAUL JABOULET AINÉ
Chevalier de Sterimberg 1987***

☐ 76 78 79 81/82/83/85/86 87 8 ha 30 000 [icons]

Très franc de goût et peau de pamplemousse, miel et tilleul en bouche. Un brin de vieillissement le bonifiera encore et il frôlera alors le coup de cœur. L'étiquette montre le chevalier de Sterimberg, auteur de la chapelle qui donna à ce vin le nom d'hermitage au XVIe s.
→ SA Paul Jaboulet Aîné, Les Jalets, RN 7, La Roche-de-Glun, 26600 Tain-l'Hermitage, tél. 75.84.68.93 ℤ r.-v.

UPVF DE TAIN-L'HERMITAGE 1936*

■ 31 ha 60 000 [icons]

Le doyen de tous les vignobles de la vallée de Rhône, avec celui de côte-rôtie. Petite production, un bon tanin de soutien, nez de violette, charnu est à laisser vieillir. Paul Bocuse vient parfois se désaltérer à la cave de Tain-l'Hermitage. Cépage unique : syrah.
→ UPVF de Tain-l'Hermitage, 22, rue de Larnage, B.P. 3, 26600 Tain-l'Hermitage, tél. 75.08.20.87 ℤ r.-v.

MICHEL BERNARD 1985

n.c. n.c. [icons]

Présentation impeccable. Un cornas classique, très ferme et tannique, peu «décoré» et qui ne fleurira vraiment qu'au bout de cinq ans. Alors, là découvrirez sans doute ce fameux parfum de fruits à noyau et d'épices, tandis qu'il s'assoupira un peu.
→ Dom. Michel Bernard, rue de Sérignan, 84100 Orange, tél. 90.34.35.17 ℤ r.-v.

DELAS Chante-Perdrix 1986*

182/84 86 1 ha 50 000 [icons]

Daube ou civet ? Selon votre goût. Voilà en tout cas un vin qui leur convient. Nez animal et saveurs joyeuses qui se prolongent bien en bouche. Sa structure assure son vieillissement.
→ MM. Delas Frères, L'Olivet, Tournon, 07300 Saint-Jean-de-Muzols, tél. 75.08.60.30.
→ SA Deutz et Gelderman.

UPVF DE TAIN-L'HERMITAGE 1986*

☐ 31 ha n.c. [icons]

Fondée en 1933, la coopérative compte Gérard Depardieu parmi ses bons amis. Ce 86, pourtant, ne nous fait pas de cinéma : frais et floral, il sera parfait avec un fromage de chèvre. Marsanne à 100%.
→ UPVF de Tain-l'Hermitage, 22, rue de Larnage, B.P. 3, 26600 Tain-l'Hermitage, tél. 75.08.20.87 ℤ r.-v.

DUMIEN-SERRETTE 1986*

■ 1,30 ha n.c. [icons]

Pour un fromage à pâte forte ou un plat de gibier : ce vin très végétal, produit sur sol granitique par des vignes de soixante ans, est d'un rouge soutenu. Un «beau vin noir», dit-on parfois du cornas, viril et de très longue garde.
→ M. Dumien-Serrette, rue du Ruisseau, Cornas, 07130 Saint-Peray, tél. 75.40.41.91 ℤ t.l.j. 9h-12h 14h-18h.

L. DE VALLOUIT 1987

☐ 0,30 ha n.c. [icons]
71 76 78 79 80 81/83 86 87

Déjà doré, un peu de pommade au nez, c'est un muscadin, un danseur qui montre sa souplesse. Et du gras, avec ça...
→ M. L. de Vallouit, 24, av. Désiré-Valette, 26240 Saint-Vallier, tél. 75.23.10.11 ℤ r.-v.

MARCEL JUGE 1986***

■ 78/79/80/81 82/83 84 85 86 2,70 ha 7 000 [icons]

Marcel Juge a laissé à un jury le soin d'apprécier son cornas. Il a eu raison : trois étoiles et coup de cœur, des compliments à ne plus savoir qu'en faire ! Une explosion d'arômes en forme de feu d'artifice, toutes les qualités d'un grand vin de garde. Bref, jugez-le vous-même.

Saint-péray

Situé face à Valence, le vignoble de Saint-Péray (35 ha, 2 300 hl) est dominé par les ruines du château de Crussol. Un micro climat relativement plus froid et des sols plus riches que dans le reste de la région sont favorables à la production de vins plus acides, secs et moins riches en alcool, remarquablement blanc adaptés à l'élaboration de blanc de blancs par la méthode champenoise ; c'est d'ailleurs la principale production de l'appellation, et l'un des meilleurs vins effervescents de France.

GAEC DU BIGUET 1986
2,50 ha — 13 000

Bien typé et marsanne, ce saint-péray paraît être né pour offrir ses parfums à un poisson de rivière. Joli vin vif, acacia et violette, vendu «à la bouteille» depuis 1980.
→ GAEC du Biguet,, Cave Thiers et Fils, Biguet, 07130 Touland, tél. 75.40.49.44 t.l.j. sf dim. 9h-12h 14h-17h.

JEAN-FRANCOIS CHABOUD 1986*
7,50 ha — 10 000

Cette appellation peu connue située sous les ruines du château de Crussol mérite d'être examinée d'un peu plus près car ce vin blanc est très original, doré, plein de nerf, aux arômes discrets, mais persistants. Il en est un bon exemple. Marsanne ou roussanne, selon votre goût. Notre jury a donné une légère pointe d'avance au second des deux cépages.
→ M. Jean-François Chaboud, 21, rue Ferdinand-Malet, 07130 Saint-Péray, tél. 75.40.31.63 r.-v.

JEAN-FRANCOIS CHABOUD
7,50 ha — 30 000

Saint-Péray se situe au pied du rocher de Crussol. Le nom du village est une déformation de «Saint-Pierre». La reine Victoria aimait ce vin et Wagner y aurait trempé sa plume pour composer Parsifal... On se trouve ici en face d'une bouteille effervescente, nuance aubépine : elle pique un peu, et on préférerait moins de nervosité.
→ M. Jean-François Chaboud, 21, rue Ferdinand-Malet, 07130 Saint-Péray, tél. 75.40.31.63 r.-v.

DARONA PERE ET FILS 1986
2 ha — 6 000

85 86

Vif et franc de couleur, ce vin ne manque ni de gras ni de rondeur. Il est produit par un viticulteur bien enraciné dans le pays.
→ GAEC Darona Père et Fils, Les Faures, 07130 Saint-Péray, tél. 75.40.34.11 t.l.j. 8h-12h 14h-20h.

BERNARD GRIPA 1986**
0,85 ha — 5 000

85 86

Légèrement jaune, 90% marsanne et 10% roussanne, c'est un vin au nez d'abricot qui donne raison à Wagner et Baudelaire : tous deux l'aimaient, dit-on. Il est produit sur moins d'un hectare.
→ M. Bernard Gripa, RN 86, Mauves, 07300 Tournon, tél. 75.08.14.96 r.-v.

UPVF DE TAIN-L'HERMITAGE 1986*
20 ha — n.c.

La cave de Tain-l'Hermitage est le plus important producteur de saint-péray, avec 20 hectares (marsanne exclusivement). Fondée en 1933, elle compte parmi ses amis Gérard Depardieu et le dessinateur Blachon. Un vin pas trop alcoolique et pas trop acide, amande et pain grillé. Très agréable.

740

→ M. Marcel Juge, pl. de la Salle-des-Fêtes, Cornas, 07130 Saint-Péray, tél. 75.40.36.68 r.-v.

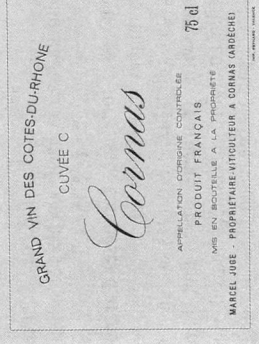

GRAND VIN DES COTES-DU-RHONE

CUVÉE C

Cornas

APPELLATION D'ORIGINE CONTRÔLÉE
PRODUIT FRANÇAIS

75 cl

MIS EN BOUTEILLE A LA PROPRIÉTÉ

MARCEL JUGE - PROPRIÉTAIRE-VITICULTEUR A CORNAS (ARDÈCHE)

UPVF DE TAIN L'HERMITAGE 1986*
10 ha — n.c.

Olivier de Serres mentionne déjà les vins de Cornas au XVIe s. La cave de Tain-l'Hermitage créée en 1933 vinifie 10 hectares sur cette appellation. Ce 86 est toujours jeune en couleur, vanille et truffe, bien équilibré. Il est déjà très agréable.
→ UPVF de Tain-l'Hermitage, 22, rue de Larnage, B.P. 3, 26600 Tain-L'Hermitage, tél. 75.08.20.87 r.-v.

L. DE VALLOUIT 1986*
n.c. — 5 000

70 71 72 74 76 78 79 82 83 85 86

Encore dur et agressif, rien d'étonnant à cela. Les cornas sont ainsi. Ne comptez pas sur eux pour vous faire la révérence avant quelques années. Avec le temps, ils s'affinent et s'affirment d'excellents compagnons de table.
→ M. L. de Vallouit, 24, av. Désiré-Valette, 26240 Saint-Vallier, tél. 75.23.10.11 r.-v.

↝ UPVF de Tain-L'Hermitage,
22, rue de Larnage, B.P. 3, 26600 Tain-
L'Hermitage, tél. 75.08.20.87 ☎ r.-v.

Gigondas

Au pied des étonnantes Dentelles de Montmirail, le célèbre vignoble de Gigondas est constitué d'une série de coteaux et de vallonnements. La vocation viticole de l'endroit est très ancienne, mais son réel développement date du XIVe s. (vignobles du Colombier et des Bosquets), sous l'impulsion d'Eugène Raspail. D'abord côtes-du-rhône, puis, en 1966, côtes-du-rhône-villages, Gigondas obtient ses lettres de noblesse en tant qu'appellation spécifique, couvrant 1 080 ha, en 1971.

Les caractéristiques du sol et son climat font que les vins de Gigondas (35 000 hl) sont, dans une très grande proportion, des vins rouges à très forte teneur en alcool, puissants, charpentés et bien équilibrés, tout en présentant une finesse aromatique où se mêlent réglisse, épices et fruits à noyaux. Bien adaptés au gibier, ils mûrissent lentement et peuvent garder leurs qualités pendant de nombreuses années. Il existe également quelques vins rosés, puissants et capiteux.

PIERRE AMADIEU 1986*

120 ha   350 000

76 (78) 79 80 81 82 85 86

Robe rouge tirant sur le noir, nez peu expansif, si puissant qu'il en est presque rugueux. Il ne s'agit pas de défauts, rentera dans l'ordre. Tout cela, avec le temps, rentera dans l'ordre. Sa bouche possède une structure bien traditionnelle.
↝ M. Pierre Amadieu, Gigondas, 84190 Beaumes-de-Venise, tél. 90.82.48.74 ☎ r.-v.

DOM. DES CARBONNIÈRES 1985**

9 ha   n.c.

76 (78) 79 80 81 82 85 86

Un gigondas de tonalité légère, encore que l'alcool soit bien à sa place. Il a du souffle (petits fruits, épices, souplesse, longueur) et du cœur, un peu de poésie, du style, de la gentillesse. Pour ceux qui s'attachent aux nuances.
↝ Dom. Michel Bernard, rte de Sérignan, 84100 Orange, tél. 90.34.35.17 ☎ r.-v.

CUVÉE DE LA TOUR SARRAZINE 1986***

12 ha   20 000

85 86

Un 86 qui développera encore ses arômes et sa longueur. Il est déjà remarquable, très grenache (75%). Épicé et fruité, long, il apparaît comme l'image même du gigondas à la fois ferme et sensible. Le tanin bien présent garantit une longue garde. Dix ans au moins!
↝ MM. Archimbaud et Vache, Dom. Clos des Cazaux, Vacqueyras, 84190 Beaumes-de-Venise, tél. 90.65.85.83 ☎ r.-v.

DCM. DU GOUR DE CHAULE 1986*

10 ha   10 000

85 86

Il en est des vins comme des meubles : il y a un style rustique, très apprécié, simple et de bon aloi, fidèle à l'esprit du terroir ; comme celui-ci.
↝ SCEA Beaumet-Bonfils, Dom. du Gour de Chaulé, Gigondas, 84190 Beaumes-de-Venise, tél. 90.65.85.62 ☎ t.l.j., 9h-12h30 13h30-19h30.

CHARLES GRUBER 1986

n.c.   n.c.

85 86

Un gigondas qui respire le terroir et le soleil. Il n'est pas snob. Et s'il est «monté» jusqu'à Nuits-Saint-Georges, c'est bien le bout du monde! Un 86 à boire maintenant.
↝ M. Charles Gruber, rue du Moulin, 21700 Nuits-Saint-Georges, tél. 80.61.07.24 ☎ lu.-ma. me. je. ve. 8h-12h 14h-18h ; f. août et dern ère sem. de déc.

CLOS DU JONCAS 1986*

n.c.   n.c.

76 78 80 82 83 84 85 86

Une vigne nichée dans le «Clos» que forment naturellement les coteaux sur les terrains argileux de l'aire de Gigondas. Ce viticulteur a accompli de sensibles progrès depuis une dizaine d'années pour élever la qualité de l'appellation. On le constate ici avec un vin plein de bonhomie rustique où domine le grenache.
↝ M. Fernand Chastan, Clos du Joncas, Gigondas, 84190 Beaumes-de-Venise, tél. 90.65.86.87 ☎ t.l.j. sf dim. 8h-12h 14h-18h ; f. dim. et jours fériés

LA BASTIDE SAINT-VINCENT 1986

7 ha   9 000

(76) 79 80 81 82 85 86

V n produit sur les coteaux très pentus des céléb es Dentelles de Montmirail. Sa couleur francte et limpide annonce un bouquet agréable. La souplesse met en valeur une structure bien posée.
↝ M. Guy Daniel, Dom. La Bastide Saint-Vincent 84150 Violès, tél. 90.70.94.13 ☎ t.l.j. 8h-19h ; f. 15 sept. au 15 oct.

DOM. DE LA DAYSSE 1986*

18 ha   75 000

84 85 86

Ce domaine figure parmi les plus anciens de

Gigondas. On y cultiva la vigne et l'olivier pendant des siècles. Le gel de 1956 détruisit les plantations d'oliviers. La Daysse consacre désormais ses 18 hectares à la vigne. Excellent rouge, encore jeune, avec des nuances fruits rouges et café. Il demande à vieillir pour arrondir ses formes.
M. Jacques Meffre, Gigondas, 84190 Beaumes-de-Venise, tél. 90.65.86.09

DOM. LA GARRIGUE 1986**

■ n.c. n.c. 3

Quand on le hume, on a l'impression de laisser courir son nez sur la fourrure d'un lièvre. Beau rouge animal, caressant, vigoureux, encore un peu astringent mais montrant déjà sa rondeur. Ne pas le boire tout de suite.
GAEC A. Bernard et Fils, Dom. La Garrigue, Vacqueyras, 84190 Beaumes-de-Venise, tél. 90.65.84.60 r.-v.

LES HAUTS DE MONTMIRAIL 1986**

■ 7,50 ha 12 000 4

Une bouteille qui n'a pas encore atteint son optimum. L'élevage en fût de chêne laisse au nez ce qu'il est convenu d'appeler une pointe de vanille. Un boisé que l'on retrouve en bouche. L'ensemble est homogène. Il faut l'attendre encore pour l'apprécier totalement.
M. Daniel Brusset, Cairanne, 84290 Sainte-Cécile-les-Vignes, tél. 90.30.82.16 t.l.j. 8h-12h 14h-19h ; f. 4 au 20 janv.

L'OUSTEAU FAUQUET
Cru du Petit Montmirail 1986***

■ 9 ha 30 000 3

78 79 80 |**81**| |**82**| **84** |**85**| **86**

Ah ! ce vin de velours... Doux et subtil, charnu et robuste. Essayez-le avec un cuissot de chevreuil au gigondas... Et, si possible, achetez-le sur place car la beauté des lieux et l'accueil des propriétaires valent, avec la qualité du vin, le déplacement. Rappelons notre coup de cœur pour le 85.
GAEC Roger Combe et Fils, rte de Bollène, Vacqueyras, 84190 Beaumes-de-Venise, tél. 90.65.86.05 r.-v.

CH. DE MONTMIRAIL
Cuvée de Beauchamp 1986**

■ 30 ha 50 000 3

|(78)| **79** 80 **81** |**82**| **83** |**85**| |**86**|

Forte structure tannique, arômes de fruits et robe écarlate : la cuvée de Beauchamp est un gigondas de très bonne tenue, destinée à prendre de la bouteille avant d'être servie avec une cuisine un peu relevée, du gibier par exemple. Réussite appréciable dans un millésime réputé moyen.
SCEV Archimbaud et Bouteiller, Ch. de Montmirail, B.P. 12, Vacqueyras, 84190 Beaumes-de-Venise, tél. 90.65.86.72 t.l.j. sf dim. 8h-12h 13h30-19h.

DOM. DU PESQUIER 1986*

■ 15 ha 30 000 3

75 **76** 77 **78** 79 |**80**| **81** |82| **83** 84 **85** 86

La renommée du Pesquier est vivace dans les Côtes du Rhône. Cet ancien vignoble des princes d'Orange (1556) produit aujourd'hui un rouge plein de chair, tonique et tannique, aux parfums de fruits mûrs. Le 86 est encore vif. Laissons-le s'assagir un peu.
MM. R. Boutière et Fils, Dom. du Pesquier, Gigondas, 84190 Beaumes-de-Venise, tél. 90.65.86.16 r.-v.

CH. RASPAIL 1986**

■ 18 ha n.c. 3

83 85 |**86**|

A nous la République ! La famille Meffre a acheté en 1979 le château Raspail, œuvre d'Eugène Raspail en 1866, lui-même petit-neveu de François-Vincent Raspail. Eugène Raspail donna une grande impulsion aux vins de Gigondas. Ses successeurs dans la propriété produisent un rouge dans la tradition, puissant et riche. Sérieux, en un mot.
M. Gabriel Meffre, Ch. Raspail, Gigondas, 84190 Beaumes-de-Venise, tél. 90.65.86.09

DOM. DU TERME 1985**

■ 11 ha 30 000 3

|84| **85**

Dans un caveau tout neuf ouvert depuis peu sur la place de Gigondas, près d'une galerie d'art inaugurée au pintemps 88, Roland Gaudin propose un vin qui s'habille de sombre et qui n'est pas avare de corps pour vieillir harmonieusement.
M. Roland Gaudin, Dom. du Terme, Gigondas, 84190 Beaumes-de-Venise, tél. 90.65.86.75 t.l.j. 8h-12h 14h-19h.

CH. DU TRIGNON 1986***

■ 10 ha 35 000 3

Bouquet de fleurs ? Corbeille de fruits ? Disons les deux, face à ce vin complet et complexe. Les vignes sont assemblées en trois tiers : mourvèdre, grenache et syrah. Est-ce cela qui offre tant d'harmonie, souplesse et élégance à cette bouteille d'exception ?
MM. Charles Roux et Fils, Ch. du Trignon, Gigondas, 84190 Beaumes-de-Venise, tél. 90.46.90.27 r.-v.

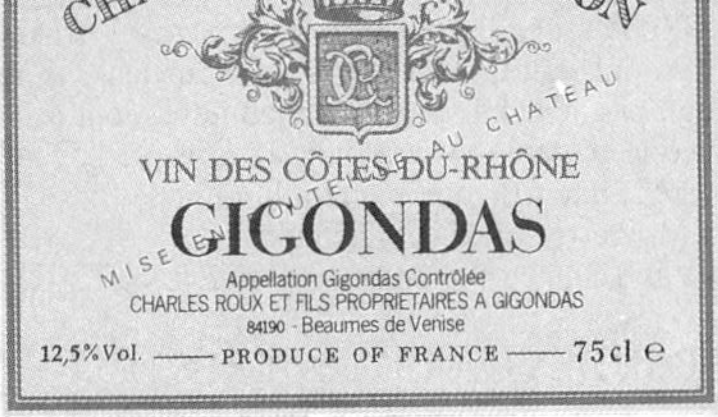
CHATEAU DU TRIGNON
MISE EN BOUTEILLE AU CHATEAU
VIN DES CÔTES-DU-RHÔNE
GIGONDAS
Appellation Gigondas Contrôlée
CHARLES ROUX ET FILS PROPRIETAIRES A GIGONDAS
84190 - Beaumes de Venise
12,5% Vol. PRODUCE OF FRANCE 75cl e

Mieux vaut ne pas transporter des vins de qualité au cœur de l'été ou de l'hiver ; il faut les préserver des températures extrêmes.

Le territoire de production de l'appellation, la première à avoir défini légalement ses conditions de production, en 1931, s'étend sur la quasi-totalité de la commune qui lui a donné son nom et sur certains terrains de même nature des communes limitrophes d'Orange, Courthézon, Bédarrides, Sorgues (3 050 ha). Ce vignoble se situe sur la rive gauche du Rhône, à une quinzaine de kilomètres au nord d'Avignon. Son originalité provient de son sol, formé de vastes terrasses de hauteurs différentes, recouvertes d'argile rouge mêlée à de nombreux cailloux roulés. Les cépages sont très divers, avec prédominance du grenache, de la syrah, du mourvèdre, du cinsaut.

Les châteauneuf-du-pape ont toujours une couleur très intense. Ils seront mieux appréciés après un vieillissement qui varie en fonction des millésimes. Amples, corsés et charpentés, ce sont des vins au bouquet puissant et complexe, qui accompagnent avec succès les viandes rouges, le gibier et les fromages à pâte fermentée. Les blancs, produits en petite quantité, savent cacher leur puissance par leur saveur et la finesse de leur arôme. La production globale avoisine les 104 000 hl.

DOM. PAUL AUTARD 1986*

80 |82| |83| 85 86   n.c.   12 000

Puissance grenache, tempérament animal. Ce vin fauve a du caractère, de la noblesse et du feu dans le corps.

→ GAEC Hoirie Paul Autard.
Dom. Paul Autard, 84350 Courthézon, tél. 90.70.73.15 т t.l.j. sf dim. 9h-12h 15h-19h.

CH. DE BEAUCASTEL 1986**

80| 81| 82 |83| 84 |85| 86   70 ha   200 000

Pierre de Beaucastel préféra devenir catholique après la révocation de l'édit de Nantes. Il était un peu comme Henri IV, pensant que Courthézon valait bien une messe. Ce domaine comporte les 13 cépages de l'appellation. Oui! Un vrai musée. Goûtez ce vin extraordinaire sur une selle de chevreuil.

→ SF des Vignobles P. Perrin, Ch. de Beaucastel, 84350 Courthézon, tél. 90.70.60 т r.-v.

HENRI BOIRON Cuvée Vigneronne 1986

81|82| |83| 84 85 86   n.c.   n.c.

Cette cuvée vigneronne est typique grenache (90%), puissante, aimable, chargée de tout l'ensoleillement du terroir.

→ M. Henri Boiron, rte de Bédarrides, 84230 Châteauneuf-du-Pape, tél. 90.83.73.37 т r.-v.

DOM. DE BEAURENARD 1986*

85 86   30 ha   120 000

«Pour être vigneron, dit Paul Coulon, il faut savoir payer de sa personne, avoir le goût du travail lent et bien fait, le goût de la terre.» Belle profession de foi, qui annonce un vin plein de soleil, dominante grenache (70%) et bien dans l'esprit du pays.

→ MM. Paul Coulon et Fils.
Dom. de Beaurenard, 84230 Châteauneuf-du-Pape, tél. 90.83.71.79 т t.l.j. 8h-12h 13h30-17h30.

DOM. DE BEAURENARD 1987**

85 86 87   1 ha   2 400

Vin très typé clairette (80%), bien fait et délivrant des arômes flatteurs de til eul et genêt. Gras et onctueux, il exprime une réelle distinction et devrait enthousiasmer un poisson.

→ MM. Paul Coulon et Fils.
Dom. de Beaurenard, 84230 Châteauneuf-du-Pape, tél. 90.83.71.79 т t.l.j. 8h-12h.

CLOS DE BEAUVENIR 1987*

84| 85 86 87   6 ha   20 000

Ses arômes sont éthérés, avec une douce pointe abricot. A la limite de l'oxydation, mais une chaleur communicative qui emporte la conviction. On peut sans doute lui faire confiance.

→ SCA Ch. La Nerthe, rte de Sorgues, 84230 Châteauneuf-du-Pape, tél. 90.83.70.11 т r.-v.

DOM. BERTHET-RAYNE 1986*

78 81 82 |83||84| 85 86   4 ha   5 000

Tout à fait ce qu'on attend d'un châteauneuf-du-pape rouge, épicé, expansif, affirmant ses tanins capiteux et ne dissimulant pas son alcool. Il est jovial sous les platanes, et il vous racontera tant d'histoires que vous finirez par le croire.

→ M. Christian Berthet-Rayne, rte de Roquemaure, 84350 Courthézon, tél. 90.70.74.14 т t.l.j. sf dim. 8h-18h; f. 15 au 31 juil.

DOM. DE CABRIERES 1987**

86 87   n.c.   12 000

Riche assez légère, pour journées ensoleillées. Pas d'explosion olfactive, mais une bienheureuse douceur en bouche qui se prolonge longtemps. A tenter comme vin d'apéritif ou sur une entrée.

Parmi les meilleures réussites en châteauneuf-du-pape blanc pour ce millésime.
➥ SCEA du Dom. de Cabrières, rte d'Orange, 84230 Châteauneuf-du-Pape, tél. 90.83.73.58
Ⓨ t.l.j. sf dim. 9h-12h 14h-19h ; f. 2ème quinz. d'août, vac. de Noël
➥ Louis Arnaud et ses Enfants.

ELISABETH CHAMBELLAN 1986   ⬛⬤ ↓Ⓜ④

80 81 |82| |83| 84   85 |86| 5 ha   23 000

La cuvée célèbre la mémoire d'Elisabeth Chambellan et son mariage avec Louis Boisson en 1652. Leurs descendants ont l'esprit de famille : beau vin syrah qui fleure bon la mûre, chaud et enveloppé, il s'exprime avec franchise.
➥ M. Jean-Pierre Boisson, rte de Courthezon, 84230 Châteauneuf-du-Pape, tél. 90.83.71.44
Ⓨ r.-v.

M. CHAPOUTIER 1986   ⬛⬤ ↓Ⓜ⑥

85 86   n.c.   10 000

Cette famille produit plusieurs appellations de la Vallée du Rhône, dont ce châteauneuf-du-pape aux arômes de fruits cuits que l'on appréciera sur une viande rouge. Domaine créé en 1808.
➥ M. Max Chapoutier, 18, av. Dr-Paul-Durand, 26600 Tain-l'Hermitage, tél. 75.08.28.65 Ⓨ r.-v.

DOM. DU CLOS DU ROI 1986**   ⬛⬤ ↓Ⓜ④

82 84 |85| 86   21 ha   100 000

Le châteauneuf-du-pape naît de galets et cailloux que l'on trouve furieusement par le Rhône au cours du quaternaire ancien. Ils captent la chaleur et la restituent la nuit aux ceps luxuriants. A l'évidence, c'est ce qui s'est passé ici. Beau vin à dominante grenache, dont la puissance n'écrase pas la sensibilité. On aimerait le revoir dans 3 à 4 ans. Un vin bien né.
➥ M. Guy Mousset, Le Prieuré Saint-Joseph, 84700 Sorgues, tél. 90.39.57.46

CUVÉE DU VATICAN 1986*   ⬛⬤ ↓Ⓜ⑤

|78| 79 |80| |81| |82| 83 84 85 86   17 ha   65 000

Ce vignoble de 17 hectares n'est pas d'un seul tenant. Ses parcelles sur sables et galets forment une harmonie heureuse qui s'épanouit dans cette Cuvée du Vatican qui ne confesse pas encore ses secrets et qu'il faudra attendre.
➥ MM. Félicien Diffonty et Fils, rte de Courthezon, B.P. 33, 84230 Châteauneuf-du-Pape, tél. 90.83.70.51 Ⓨ t.l.j. sf dim. 8h30-12h 14h-18h.

CH. DES FINES ROCHES 1987*   ↓Ⓜ⑤

2,60 ha   16 000

Sa rondeur le rend immédiatement familier et aimable. L'acidité est bien contenue. Rien de tel pour accompagner un fromage de chèvre sec de la Drôme.
➥ Mme Catherine Barrot, l, av. du Baron-Le-Roy, 84230 Châteauneuf-du-Pape, tél. 90.83.73.10 Ⓨ t.l.j. 8h-12h 13h-19h ; f. fév.

CH. DES FINES ROCHES 1986*   ⬛⬤ Ⓜ④

79 80 |81| |83| (84) 85 |86| 38 ha   160 000

Le château des Fines Roches se situe sur la première terrasse de l'appellation, en direction de Sorgues-Avignon. Il a appartenu jadis à M. Folco de Baroncelli qui en avait fait un haut lieu de la culture provençale. Ce 86 rouge, légèrement orangé, exprime un vif arôme de café. Café brûlant, comme tout bon café.
➥ Mme Catherine Barrot, l, av. du Baron-Le-Roy, 84230 Châteauneuf-du-Pape, tél. 90.83.73.10 Ⓨ t.l.j. 8h-12h 13h-19h ; f. fév.

DOM. FONT-DE-MICHELLE 1986***   ⬤ ↓Ⓜ④

27 ha   100 000

Equilibré, élégant et vigoureux, un vin proche du coup de cœur. 70% grenache, le reste syrah, cinsault et mourvèdre. Fine nuance de vanille sur un fond épicé. Remarquable par sa complexité, fruits mûrs et truffe, il sort vraiment de l'ordinaire.
➥ MM. Jean et Michel Gonnet, Dom. Font-de-Michelle, 84370 Bédarrides, tél. 90.33.00.22
Ⓨ r.-v.

85 86

DOM. FONT-DE-MICHELLE 1987   ⬛↓Ⓜ⑤

3 ha   5 000

Sec, très charpenté, un blanc produit à partir de 48% de grenache. D'où sa typicité bien marquée. Ce domaine est né du remembrement de 170 parcelles sur 30 hectares. Il doit son nom à la source «Fontaine de Michelle» située au creux d'un vallon. Vinification très attentive et respectueuse des traditions.
➥ MM. Jean et Michel Gonnet, Dom. Font-de-Michelle, 84370 Bédarrides, tél. 90.33.00.22
Ⓨ r.-v.

☐

DOM. DU GRAND VENEUR 1987   ⬛↓Ⓜ③

2,50 ha   10 000

La clairette (50%) apporte ici une belle et intéressante nuance florale. Du grain et du gras en bouche. Encore jeune, ce 87 doit s'affirmer avant d'affronter un poisson.
➥ M. Alain Jaume, Dom. du Grand Veneur, 84100 Orange, tél. 90.34.68.70 Ⓨ t.l.j. 8h-20h.

☐

DOM. DU GRAND VENEUR 1986***   ⬛⬤ ↓Ⓜ③

10 ha   40 000

Joli vin grenat foncé, au nez original et puissant. Il mérite bien ses trois étoiles, tant il est structuré, complet, riche. A l'image du nom du domaine : le Grand Veneur. Chasse à courre, à grand galop, plutôt qu'aimable promenade à la billebaude.
➥ M. Alain Jaume, Dom. du Grand Veneur, 84100 Orange, tél. 90.34.68.70 Ⓨ t.l.j. 8h-20h.

|78| 79 80 |81| |82| 83 84 85 |86|

LA FAGOTIERE 1986*   ⬛⬤ ↓Ⓜ③

17 ha   10 000

Du haut de cette bouteille, quatre générations vous contemplent ! L'encépagement judicieux (surtout grenache, mais large palette) et le savoir-

|82| |86|

faire offrent un vin puissant et chaleureux. Riche en un mot.

↝ v. Aimé Sabon, 27, chem. du Moulin, 84350 Courthezon, tél. 90.70.86.29 ▼ r.-v.

■ LA FIOLE 1986

| | n.c. | 100 000 | ▦▦▾3 |

La bouteille est originale. Créée en 1952 pour les cuvées Père Anselme de Châteauneuf-du-Pape, elle est ornée, bien sûr, des clés entrelacées. À l'intérieur, un v.n encore jeune aux tanins légèrement agressifs, tonalité fruitée. Il s'assouplira.

↝ Père Anselme, 84230 Châteauneuf-du-Pape, tél. 90.83.70.07 ▼ t.l.j, sf dim. 8h-12h 14h-19h.

■ CH. DE LA FONT DU LOUP 1986*

| | n.c. | n.c. | ▾3 |

Jeune viticulteur plein d'ardeur et de cœur, Charles Mélia produit un rouge bien en chair, charpenté et généreux. Sa belle étiquette dorée témoigne d'un souci de plaire qui n'est pas désagréable du tout.

↝ M. Charles Mélia, La Font du Loup, 84350 Courthezon, tél. 90.33.06.34 ▼ r.-v.

□ CH. DE LA FONT DU LOUP 1987*

| 85 87 | n.c. | n.c. | ▾3 |

Le millésime est responsable de la vivacité d'un vin dégusté encore jeune. Sa robe ne suscite aucune critique. Son nez est agréablement complexe. L'équilibre sans problème.

↝ M. Charles Mélia, La Font du Loup, 84350 Courthezon, tél. 90.33.06.34 ▼ r.-v.

■ 84 85 86 DOM. DE LA FONT DU ROI 1986*

| | 24 ha | n.c. | ▾4 |

L'armoire aux épices : poivre et cannelle à tout le moins, réglisse aussi. Le tanin soutient l'équilibre en bouche d'un v.n qui s'exprime longuement. Ce domaine est situé à l'est de Châteauneuf-du-Pape.

↝ M. Jacques Mousset, Les Fines Roches, 84230 Châteauneuf-du-Pape, tél. 90.83.70.30 ▼ r.-v.

■ 84 85 86 DOM. DE LA JANASSE 1987*

| | 1.10 ha | 3 000 | ▦▦↓▾4 |

Sur un terroir de qualité et avec un encépagement harmonieux comportant 20% de roussanne, un blanc parfaitement représentatif de l'appellation et de l'année. Une partie de ce vin a été élevée en barrique pendant quelques mois. Plénitude et rondeur sont au rendez-vous.

↝ M. Aimé Sabon, 27, chem. du Moulin, 84350 Courthezon, tél. 90.70.86.29 ▼ r.-v.

■ 77 (78) (79) 80 81 (82) 83 85 (86) DOM. DE LA JANASSE 1986*

| | 8 ha | 20 000 | ▦▦↓▾3 |

Tiré du foudre pour notre dégustation, nettement un grenache (85%), encore marqué par le bois. Il a de la rondeur et de la longueur, un charme affectueux et beaucoup de présence.

83 8- (86) CH. LA NERTHE 1986***

| ■ | n.c. | 82 000 | ▦↓▾4 |

Le château La Nerthe tient lieu de coutumière référence dans l'histoire des vignobles et vins fins de France. Ce grand vin est à la fois puissant, fin, élégant et charnu. Les arômes expriment le mariage parfait des familles fruits, bois et épices. Une consistance, une épaisseur et une qualité de tanins lui permettent de bien vieillir. Pour qui sait à tendre !...

↝ S-A Ch. La Nerthe, rte de Sorgues, 84230 Châteauneuf-du-Pape, tél. 90.83.70.11 ▼ r.-v.

CH. LA NERTHE Cuvée des Cadettes 1986**

| ■ | 8 ha | 12 000 | ▦↓▾4 |

Un v.n cuvée exceptionnelle de richesse et de finesse. Le vieillissement en fûts de chêne de l'Allier achève la fusion synergique ces arômes où dominent la vanille, les épices, les fruits rouges. Un vin à oublier en cave. Les tanins et grains très fins sont un gage de bonne évolution. Le prix est un peu élevé mais c'est un bon placement.

↝ SCA Ch. La Nerthe, rte de Sorgues, 84230 Châteauneuf-du-Pape, tél. 90.83.70.11 ▼ r.-v.

■ DOM. DE LA PINEDE 1986

| | 10 ha | 350 000 | ▦↓▾3 |

Il a un style rustique, un peu bourru, mais rien de fruité. Nez de pruneau, original et agréable. Netter en grenache (70%).

↝ M. Georges-Pierre Coulon, SCEA La Pinède, 84230 Châteauneuf-du-Pape, tél. 90.83.71.50 ▼ r.-v.

■ 80 81 (82) (83) 84 85 86 LA REVISCOULADO 1986*

| | 30 ha | 100 000 | ▦▾4 |

En propriété de 45 hectares, largement plantée en vieilles vignes dans ses meilleurs climats. C'est le cas ici et on découvre ainsi un solide rouge 86 aux parfums de sous-bois et d'humus, tannique et chaud. Le fondu viendra avec le vieillissement.

↝ SCEA Jean-Trintignant, 11, rte d'Avignon, 84230 Châteauneuf-du-Pape, tél. 90.83.70.95 ▼ r.-v.

LA REVISCOULADO 1987*

■ ▯▮▼▮4

□ 3 ha 15 000

85 86 87

Cinq cépages entrent dans la composition de ce vin, dont 5 % de picpoul. Les reconnaîtrez-vous ? Blanc très pâle, il a cette pointe d'amertume en fin de bouche qu'on retrouve presque toujours ici. Qualité estimable.

➥ SCEA Jean-Trintignant, 11, rte d'Avignon, 84230 Châteauneuf-du-Pape, tél. 90.83.70.95 ▾ r.-v.

DOM. DE LA ROQUETTE 1985*

■ ▯▮▼▮3

n.c. 120 000

Rouge profond comme un vitrail de cathédrale, animal et chaud, un vin 75% grenache qui enflamme la bouche puis l'âme et le corps. Ne pas trop se hâter d'ouvrir cette bouteille qui a encore besoin de dormir en cave pour maîtriser certaines de ses ardeurs de jeunesse.

➥ SCEA La Roquette, 2, av. Louis Pasteur, 84230 Châteauneuf-du-Pape, tél. 90.83.71.25 ▾ r.-v.
➥ MM. Brunier Frères.

DOM. DE LA SERRIERE 1983

■ ▯▮▯▼▮4

n.c. n.c.

A boire avec un civet ; ce 83 déjà vénérable exprime des arômes de café et de cacao. Bonne impression fruitée en bouche.

➥ Dom. Michel Bernard, rte de Sérignan, 84100 Orange, tél. 90.34.35.17 ▾ r.-v.

DOM. DE LA SERRIERE 1987*

■ ▮▼▮4

n.c. 80 000

77 78 79 80 82 83 84 85 86

Un millésime difficile, un châteauneuf blanc très marqué clairette, une bonne longueur en bouche. on ne pouvait guère faire mieux, mais le prix est tout de même un peu élevé.

➥ Dom. Michel Bernard, rte de Sérignan, 84100 Orange, tél. 90.34.35.17 ▾ r.-v.

DOM. DE LA SOLITUDE 1986**

■ ▯▮▼▮3

30 ha 80 000

77 78 79 80 82 83 84 85 86

Les propriétaires du domaine de La Solitude descendent de la célèbre famille romaine Barberini venue s'installer au XVIIe s. en Avignon, et qui donna à l'église le pape Urbain VIII. Autant dire que ce vin rouge porte à merveille la robe de cardinal. On y respire des arômes d'ermite : du cuir, des baies sauvages, de la truffe et des épices. Une bouteille qui saura vieillir mais qui sait aussi déjà plaire.

➥ GAEC Lançon Père et Fils, Dom. de La Solitude, 84230 Châteauneuf-du-Pape, tél. 90.83.71.45 ▾ t.l.j. 8h-20h.

DOM. MATHIEU 1987

□ 1 ha 60 000

Le charme des genêts emplit cette bouteille. Vin produit sur 1 hectare et issu d'une très ancienne famille vigneronne dont le cep généalogique plonge ses racines jusqu'en 1600. Manque d'un peu de moelleux, mais ne déçoit pas.

➥ M. Charles Mathieu, rte de Courthezon, B.P. 32, 84230 Châteauneuf-du-Pape, tél. 90.83.72.09 ▾ r.-v.

DOM. MATHIEU 1986

■ 15 ha 40 000

85 86 87

Un vin charnu, souple, aux tanins fondus. Les arômes sont dominés par la «patte» du cépage grenache : coing, épice. Un ensemble harmonieux.

➥ M. Charles Mathieu, rte de Courthezon, B.P. 32, 84230 Châteauneuf-du-Pape, tél. 90.83.72.09 ▾ r.-v.

DOM. DE MONPERTUIS 1987*

□ ▮▼▮3

83 84 85 86 87

Or et reflets verts, c'est un cousin des chardonnays de Bourgogne. Sur ce point seulement, car il a plutôt l'accent chantant. Le domaine de Monpertuis s'étend sur 22 hectares et 33 parcelles offrant toutes un blanc majeure de l'appellation. Il y a ici un fort pourcentage de vieilles et même de très vieilles vignes.

➥ M. Paul Jeune, 7, av. Saint-Joseph, 84230 Châteauneuf-du-Pape, tél. 90.83.73.87 ▾ t.l.j. sf dim. 9h-12h 14h-18h30 ; f. hiver sur r.-v.

DOM. DE MONPERTUIS 1986

■ ▯▮▼▮4

78 79 80 81 82 83 84 85 86

La dégustation commence par des impressions mêlées de fruits rouges et de gelée de coing. Puis, en bon ordre, viennent les tanins, encore un peu asséchés par le bois. Enfin, des saveurs de réglisse et de cacao. Tout cela va s'harmoniser avec l'âge.

➥ M. Paul Jeune, 7, av. Saint-Joseph, 84230 Châteauneuf-du-Pape, tél. 90.83.73.87 ▾ t.l.j. sf dim. 9h-12h 14h-18h30 ; f. hiver sur r.-v.

CH. DE MONT-REDON 1986

■ ▼▮4

80 ha 400 000

78 81 82 83 85 86

Rouge sombre, nez de cacao, un peu sec en fin de bouche, il ne manque cependant pas de souplesse. Ce qui conduit à signaler ici sa présence, de même que son goût de fruit exprimé sans détours.

➥ MM. Abeille et Fabre, Ch. de Mont-Redon, 84230 Châteauneuf-du-Pape, tél. 90.83.72.75 ▾ r.-v.

CH. DE MONT-REDON 1987

□ 20 ha 70 000

86 87

Vin très végétal, qui dissimule bien sa richesse en alcool sous la palette de ses parfums. Honnête, sans plus.

➥ MM. Abeille et Fabre, Ch. de Mont-Redon, 84230 Châteauneuf-du-Pape, tél. 90.83.72.75 ▾ r.-v.

DOM. FABRICE MOUSSET 1986*

■ ▮▼▮4

□ 2 ha 10 000

Encore rude : ses tanins ne sont pas fondus. Sa forte constitution permet d'espérer un vieillissement satisfaisant. Ses arômes sont déjà fins et élégants. Sa franchise incite à lui faire confiance.

➥ M. Fabrice Mousset, Les Fines Roches, 84230 Châteauneuf-du-Pape, tél. 90.83.70.30 ▾ t.l.j. 8h-18h.

DOM. DE NALYS 1987***

15 ha — 35 000

Le domaine de Nalys intéresse Alain Chapel, Lasserre, le Grand Véfour, Olympe, la Marée et beaucoup d'autres. Ce 87 blanc mérite qu'on s'attarde un peu auprès de lui : le bourboulenc (40%) fait songer au pain grillé, grenache et clairette offrant chaleur et corps. Fruits de mer, bouillabaisse, les idées ne manquent pas pour lui faire escorte.

Dom. de Nalys, rte de Courthezon, 84230 Châteauneuf-du-Pape, tél. 90.83.72.52
r.-v.

DOM. DE NALYS 1986*

37 ha — n.c.

Ce domaine créé en 1778 appartient maintenant à Groupama, les assurances mutuelles agricoles. Un rouge fin, souple, qui doit être agréable avec du gibier ou à défaut une viande bien saignante. Assurance tout risque.

Dom. de Nalys, rte de Courthezon, 84230 Châteauneuf-du-Pape, tél. 90.83.72.52
r.-v.

CLOS DES PAPES 1987**

2 ha — 15 000

Clos des Papes : il fallait y penser! Cette famille, justement, y a pensé en 1903, en opérant ce génial dépôt de marque. Le vin ne fait pas injure au nom : arômes de pêche et d'abricot, robe jaune pâle, un bon gras en bouche. Le fromage de chèvre ne devrait pas s'en plaindre.

M. Paul Avril, Clos des Papes, 84230 Châteauneuf-du-Pape, tél 90.83.70.13
r.-v.

CLOS DES PAPES 1986*

30 ha — 100 000

Homonyme d'un viticulteur de la côte chalonnaise, Paul Avril des Côtes du Rhône offre ce 86 très tendre, léger, sans la moindre trace de violence ou de dureté. Un tempérament original en châteauneuf-du-pape.

M. Paul Avril, Clos des Papes, 84230 Châteauneuf-du-Pape, tél 90.83.70.13
r.-v.

DOM. DU PERE CABOCHE 1986*

5 ha — 66 000

79 80 81 82 83 84 85 86

Un 86 pas très loquace, mais qui laisse entrevoir de bonnes qualités gustatives. Poivre, cannelle, truffe, on peut déjà se faire une idée de son évolution qui devrait se faire très satisfaisante.

M. Jean-Pierre Boisson, rte de Courthezon, 84230 Châteauneuf-du-Pape, tél. 90.83.71.44
r.-v.

DOM. DU PERE CABOCHE 1987*

5,31 ha — 22 666

85 86 87

Pourquoi une cuvée Père Caboche ? On appelait ainsi le grand-père de Jean-Pierre Boisson. Vigneron et maréchal ferrant, il avait reçu le nom du clou carré utilisé pour ferrer les chevaux. Voilà pour l'étiquette. Quant au vin, il respire le tilleul, l'aubépine. Malgré son nom, il est plus rond que carré.

M. Jean-Pierre Boisson, rte de Courthezon, 84230 Châteauneuf-du-Pape, tél. 90.83.71.44
r.-v.

RESERVE DES PAPES 1986

n.c. — 100 000

Le sanglier fait, paraît-il, merveille avec ce vin. Admettons : il est sauvage au nez et si complexe en bouche qu'on s'y perd comme dans un sous-bois profond. Ne soyons pas trop impatients : il doit vieillir encore pour se civiliser pleinement.

Vins Fins Salavert, av. de la Gare, 07700 Bourg-Saint-Andéol, tél. 75.54.77.22 lu.-ma, me, je, ve, 8h-12h 13h30-17h30 ; f. fin déc., une sem. en août

DOM. ROGER SABON 1986

14 ha — 40 000

Traditionnel, c'est-à-dire puissant, solide, épicé, mûr. Les tanins, notamment ceux portés par le vieillissement en fûts, sont très présents. Cette bouteille honorable sera agréable avec une viande en sauce ou une grillade.

GAEC Roger Sabon et Fils, av. Impériale, B.P. 57, 84230 Châteauneuf-du-Pape, tél. 90.83.71.72 r.-v.

DOM. ROGER SABON 1987

2 ha — 7 000

C'est la clairette qui vient en tête dans l'encépagement, suivie de la grenache, du bourboulenc et de la roussanne. Blanc d'une pâleur marmoréenne, il exprime un accent de gravité qui peut paraître amer mais qui est dans le style de l'appellation.

GAEC Roger Sabon et Fils, av. Impériale, B.P. 57, 84230 Châteauneuf-du-Pape, tél. 90.83.71.72 r.-v.

CLOS SAINT-MICHEL 1986

16 ha — 75 000

82 84 85 86

Un sol assez léger fait de gravier, des vignes de 25 ans dans le bon âge, une dominante grenache donnent à ce vin beaucoup de grenache finesse ne donnent à ce vin beaucoup de grenache finesse ne paraît pas vraiment au caractère habituel des châteauneuf-du-pape, mais il est permis d'aimer la tendresse...

M. Guy Mousset, Le Prieuré Saint-Joseph, 84700 Sorgues, tél. 90.39.57.46

RAYMOND USSEGLIO 1986**

10 ha — 30 000

80 81 83 84 85 86

80% grenache, ce 86 est un peu exotique (épices), plein, long, franc. Une réussite conforme à la réputation de ce viticulteur. Le nez est accueillant, fin, riche, élégant. Tout ici est bienveillant.

M. Raymond Usseglio, rte de Courthezon, 84230 Châteauneuf-du-Pape, tél. 90.83.71.85
r.-v.

Dès le XVIe s., Lirac produisait des vins de qualité que les magistrats de Roquemaure authentifiaient en apposant sur les fûts, au fer rouge, les lettres « C d R ». Nous y trouvons le même climat et le même terroir, qu'à Tavel, au nord, sur une aire répartie entre Lirac, Saint-Laurent-des-Arbres, Saint-Geniès-de-Comolas et Roquemaure. C'est le seul cru méridional produisant trois sortes de vins : les rosés et les blancs, tout de grâce et de parfums, qui se marient agréablement avec les fruits de la Méditerranée toute proche et se boivent jeunes et frais ; les rouges, qui sont puissants, au goût de terroir prononcé, généreux, et qui accompagnent parfaitement les viandes rouges.

RAYMOND USSEGLIO
Blanc de blancs 1987 ★ ★ ▮ ▮ ☖ ▣ 4

▢ 10 ha 3 000

Autre style (45% de clairette, autant de bourboulenc et 10% de grenache). Cela donne un châteauneuf-du-pape blanc à la robe très claire, aux parfums délicats et dont la personnalité s'épanouit en bouche. Bon, sinon très bon.
↳ M. Raymond Usseglio, rte de Courthezon, 84230 Châteauneuf-du-Pape, tél. 90.83.71.85 ☈ r.-v.

CH. DE VAUDIEU 1987 ★
▢ 10 ha 10 000 ▮▮▯ ▣ 3

La robe émerveille du premier coup d'œil. Fréquente ici, l'amertume est bien contrebalancée par l'onctuosité. Relative discrétion des arômes. A son avantage, la bouche en queue de paon, ce qui est assez rare parmi les 87. Le château de Vaudieu a été édifié au XVIIIe s. par le chevalier de Guérin, lieutenant-général de l'amirauté de Marseille. Ce domaine appartient depuis 1955 à la famille Mefrre.
↳ SCA des Vignobles de Vaudieu,
Ch. de Vaudieu, 84230 Châteauneuf-du-Pape, tél. 90.65.86.09

CH. DE VAUDIEU 1986 ★
■ 60 ha 260 000 ▮▮▯ ▣ 3

Appelé jadis Val Dieu, le château de Vaudieu produit ce vin rouge brillant, au nez de fraise. L'ampleur ne nuit pas à la finesse. Un 86 qui peut être du bel avenir dès à présent.
↳ SCA des Vignobles de Vaudieu,
Ch. de Vaudieu, 84230 Châteauneuf-du-Pape, tél. 90.65.86.09

DOM. DU VIEUX TELEGRAPHE 1987 ★ ★
▢ 3,38 ha 14 000 ▮▮ ☖ ▣ 4

Connus au XIVe s., les blancs avaient presque disparu à Châteauneuf-du-Pape. Ils sont en pleine renaissance depuis une trentaine d'années, offrant des vins à la silhouette bien dessinée mais rarement massive, aux épaules larges et élégantes. C'est le cas de celui-ci, amande amère et abricot. Une chute un peu abrupte.
↳ GAEC Henri Brunier, 3, rte de Châteauneuf-du-Pape 84370 Bédarrides, tél. 90.33.00.31 ☈ r.-v.

DOM. DU VIEUX TELEGRAPHE 1986 ★
■ 40 ha 200 000 ▮▮▯ ☖ 4

Cette propriété appartient depuis 1900 à la famille Brunier. On trouve ses vins chez Fauchon, Taillevent, Léon de Lyon, à l'Oustau de Beaumanière, etc. Celui-ci est nettement syrah, riche de parfum animal. Rouge brillant. Capiteux et chaud, il a un tempérament du Midi.
↳ GAEC Henri Brunier, 3, rte de Châteauneuf-du-Pape 84370 Bédarrides, tél. 90.33.00.31 ☈ r.-v.

CH. DE BOUCHASSY 1986 ★ ★
■ 6 ha 20 000

79 81 82 84 85 86

Ancienne propriété du premier consul... de la ville de Roquemaure, le château de Bouchassy porte le nom de cet important personnage. La famille Degoul l'a acquis en 1973 et cultive ici 32 hectares de vignes. Vente à la bouteille depuis 1980. Le lirac rouge a bien assimilé le soleil de la Provence. Il le rend au centuple.
↳ MM. Degoul Robert et Fils, Ch. de Bouchassy, 30150 Roquemaure, tél. 66.82.82.49 ☈ t.l.j. sf dim. 8h-12h 14h-19h.

CH. DE BOUCHASSY 1987 ★ ★
▢ 1 ha 4 000

Grenache et clairette à 40% l'un et l'autre, 20% de bourboulenc, un hectare de très beau lirac blanc, floral en diable (aubépine et jasmin). Il faudra une charcuterie assez fine pour l'apprécier selon ses mérites, ou encore un poisson. Les blancs de lirac ne sont pas indignes des rouges.
↳ MM. Degoul Robert et Fils, Ch. de Bouchassy, 30150 Roquemaure, tél. 66.82.82.49 ☈ t.l.j. sf dim. 8h-12h 14h-19h.

CH. DE BOUCHASSY 1987 ★
▢ 3 ha 10 000 ▮▮ ☖ ▣

Ces sols graveleux et sableux donnent un rosé assez corsé, plus puissant que fin, qui conviendra aux volailles et viandes blanches. Bonne harmonie des cépages grenache, cinsault et mourvèdre.
↳ MM. Degoul Robert et Fils, Ch. de Bouchassy, 30150 Roquemaure, tél. 66.82.82.49 ☈ t.l.j. sf dim. 8h-12h 14h-19h.

DOM. CANTEGRIL-VERDA 1986
■ 16 ha 50 000 ▮▮ ☖ ▣

Terrasses sableuses et galets roulés, 60% grenache, le reste syrah et cinsault en équilibre, et voici un lirac chargé d'arômes de coing légère-

748

DOM. CANTEGRIL-VERDA 1987

...ment mentholés, gouleyant à souhait et bon à boire.

♦ M. André Verda, Dom. Cantegril-Verda, 30150 Roquemaure, tél. 66.82.82.59 ℡ r.-v.

DOM. CANTEGRIL-VERDA 1987**

□   1 ha   1 300

Quiches et tourtes devraient s'accommoder parfaitement de ce rosé mi-grenache mi-cinsault qui a beaucoup de charme. La noblesse d'Avignon venait ici apprécier les douceurs du jour. Nul doute que le vin y avait sa part.

♦ M. André Verda, Dom. Cantegril-Verda, 30150 Roquemaure, tél. 66.82.82.59 ℡ r.-v.

♦ GFA Dom. de Cantegril.

DOM. CANTEGRIL-VERDA 1987*

□   1 ha   n.c.

Un nez qui vagabonde à travers champs, parmi les herbes et les buissons. Une bouche qui chante une bien jolie chanson. Un lirac classique, résumant les qualités de ce vignoble gardois de la rive droite du Rhône.

♦ M. André Verda, Dom. Cantegril-Verda, 30150 Roquemaure, tél. 66.82.82.59 ℡ r.-v.

♦ GFA Dom. de Cantegril.

DOM. DE CASTEL OUALOU 1986

82 (83) 84 85 86

■   25 ha   n.c.

Vin encore fermé, produit sur des terrasses à argile rouge et à galets roulés : 50% de syrah, 40% de grenache et 10% de divers. Beaucoup de mâche. On peut le conseiller dès à présent avec une daube macérée.

↬ Mme Marie Pons-Murte, Dom. de Castel Oualou, 30150 Roquemaure, tél. 66.82.82.64 ℡ t.l.j, sf dim. 8h-12h 14h-15h45.

DOM. CASTEL OUALOU 1987

□   2 ha   n.c.

Roquemaure est l'une des quatre communes produisant l'appellation Lirac. Ce fut jadis le pays de «la Côte du Rhône». Ce domaine fondé en 1961 témoigne de l'intérêt de la reconstitution du vignoble. Nez de pomme et bouche acidulée, un vin pour coquillages.

↬ Mme Marie Pons-Murte, Dom. de Castel Oualou, 30150 Roquemaure, tél. 66.82.82.64 ℡ t.l.j, sf dim. 8h-12h 14h-15h5.

DOM. DE CASTEL OUALOU 1987

■   10 ha   n.c.

Tirant sur la cerise, la couleur du vin est vive. Du gras en bouche. L'important pourcentage de cinsault (60%) confère la finesse.

↬ Mme Marie Pons-Murte, Dom. de Castel Oualou, 30150 Roquemaure, tél. 66.82.82.64 ℡ t.l.j, sf dim. 8h-12h 14h-15h.

DOM. DES CAUSSES ET SAINT-EYNES 1986*

185/86

■   10 ha   45 000

Le domaine des Causses et Saint-Eynes est né en 1963 d'un important remembrement sur 30 hectares («cosses» signifie peaux de mouton, en souvenir d'un troupeau décimé jadis par les loups»). Spécialisé dans l'appellation lirac, il produit des vins de belle présentation. Un 86 encore frais dans ses arômes de fruits rouges, prêt à boire.

♦ Dom. des Causses-Saint-Eynes, Saint-Laurent-des-Arbres, 30126 Tavel, tél. 66.82.86.76 ℡ r.-v.

♦ M. Assémat.

DOM. DES CAUSSES ET SAINT-EYNES 1987

□   3 ha   12 000

On l'imagine très bien sur un gratin de poireaux, une soupe de pommes de terre. Trois tiers clairette, bourboulenc et picpoul. Le nez paraît posé sur un buisson d'aubépine. Très sec et bien acide.

♦ Dom. des Causses, Saint-Eynes, Saint-Laurent-des-Arbres, 30126 Tavel, tél. 66.82.86.76 ℡ r.-v.

♦ M. Assémat.

CH. DE CLARY 1986*

□   n.c.   10 000

Très harmonieux, le château de Clary, bien qu'élaboré par un bourguignon, se montre très méditerranéen. Puissamment aromatique (fruits cuits et vanille : marque d'un bon élevage en bois, avec une pointe de réglisse). Il devrait être excellent pour commencer l'année... 1990.

♦ Cères Seguin-Manuel, rue Paul-Maldant, 21420 Savigny-lès-Beaune, tél. 80.21.50.42 ℡ t.l.j, 8h-12h 14h-18h ; f. août

♦ Dom. du Ch. de Lirac.

DOM. DUSEIGNEUR 1987**

80 81 82 (83) 85 87

■   6 ha   30 000

Le domaine Duseigneur offre souvent des vins à consommer assez jeunes. Ce 87 s'inscrit dans cette ligne. Fidèle à l'appellation, il exprime des beaux arômes de fruits rouges et tient bien en bouche. On a eu raison de remplacer ici la forêt par la vigne, en 1968.

♦ Dom. Duseigneur, rte de Saint-Victor, Saint-Laurent-des-Arbres, 30126 Tavel, tél. 66.50.02.57 ℡ r.-v.

DOM. DES GARRIGUES Réserve syrah 1986*

84 185/86

■   10 ha   56 000

Le domaine des Garrigues longe la RN 580. Sur une vingtaine d'hectares, Jean-Claude Assémat produit plusieurs variétés. Ici la Réserve syrah, qui domine ce cépage et qui est destinée à la garde. Rond, moelleux, puissant avec une charmante nuance de violette. Ce millésime don...

DOM. DES GARRIGUES Réserve 1987*

■   6 ha   n.c.

Issu de cinq cépages, avec des pointes de picpoul, carignan et syrah, ce rosé est obtenu par saignées. Le 87 est plus mandarine que cassis, avec une petite note d'amertume. Une idée pour accompagner les sardines grillées sur barbecue.

♦ M. Jean-Claude Assémat, Dom. des Garrigues, 30150 Roquemaure, tél. 66.82.65.52 ℡ r.-v.

DOM. J.-P. LAFOND 1986*

nera avec le vieillissement une très bonne bouteille.

➤ M. Jean-Claude Assémat, Dom. des Garrigues, 30150 Roquemaure, tél. 66.82.65.52 ⟁ r.-v.

82 83 84 [85] 86 — 5 ha — 15 000

Un encépagement de bonne tenue, la garrigue caillouteuse, la maîtrise d'un vigneron expérimenté permettent de comprendre pourquoi ce lirac 86 séduit rapidement. Rouge cerise, il possède à la fois la jeunesse et l'avenir. A attendre un peu.

➤ M. Jean-Pierre Lafond, rte des Vignobles, 30126 Tavel, tél. 66.50.24.59 ⟁ r.-v.

DOM. DE LA MORDOREE 1986***

3 ha — 15 000

La robe promet beaucoup. N'hésitez pas à avancer le nez, dominé par des parfums cacao et réglisse, fruits épanouis. Et la bouche, évidemment : tanins à grains très fins sur fond de velours et arômes où s'exprime toute la classe du cépage mourvèdre. De quoi consoler la famille Delorme qui perdit à la Révolution sa particule et ses 400 hectares de vigne...

➤ SCEA du Dom. de La Mordorée, rue Mireille, 30126 Tavel, tél. 66.50.00.75 ⟁ t.l.j. 8h-12h 14h-18h30.

➤ Famille Delorme.

LES QUEYRADES 1986***

4,46 ha — 24 000

Oh! voilà du sérieux. Un lirac comme on les aime, élégant, plein de fruit, au nez de violette. L'équilibre est parfait, les arômes complexes, la longueur séduisante. Le domaine André Méjan produit surtout du tavel, mais son lirac cajolé avec amour touche à la perfection. Comment résister à l'envie de lui décerner un coup de cœur?

➤ SCEA Méjan-Taulier, Pl. Président-Le-Roy, 30126 Tavel, tél. 66.50.04.02 ⟁ r.-v.

CAVE DES VINS DE CRU DE LIRAC Cuvée Jean XXII 1986*

[85][86]

Cette cuvée Jean XXII rappelle que le pape d'Avignon fortifia l'église de Saint-Laurent-des-Arbres. Le mouvèdre et le grenache, donnent ici un vin corsé et épicé. Ne pas attendre le carême pour le boire car il appelle une viande rouge et généreuse ; il vaut mieux cependant le laisser vieillir un peu.

➤ Caves des Vins de Cru de Lirac, Saint-Laurent-des-Arbres, 30126 Tavel, tél. 66.50.01.02 ⟁ t.l.j. 9h-12h 14h-18h45.

CAVE DES VINS DE CRU DE LIRAC Cuvée Monseigneur de La Rovère 1986

[85][86] — n.c. — 100 000

Sans doute lointain parent du général incarné superbement à l'écran par Vittorio de Sica, Mgr della Rovere fut archevêque d'Avignon puis pape, à Rome cette fois. Le vin qui lui est dédié n'est sans doute pas à la hauteur des fresques de la chapelle Sixtine, mais Jules II aurait pu le choisir. Plaisant, bien structuré et à pointe de syrah (20%).

➤ Caves des Vins de Cru de Lirac, Saint-Laurent-des-Arbres, 30126 Tavel, tél. 66.50.01.02 ⟁ t.l.j. 9h-12h 14h-18h45.

CAVE DES VINS DU CRU DE LIRAC 1986

n.c. — 100 000

Le quart de la production de lirac est issu de la cave coopérative de Saint-Laurent-des-Arbres. Environ 100 000 bouteilles, et des possibilités d'extension intéressantes. Ce vin est marqué par une richesse tannique assez élevée et un goût de fruits mûrs.

➤ Caves des Vins de Cru de Lirac, Saint-Laurent-des-Arbres, 30126 Tavel, tél. 66.50.01.02 ⟁ t.l.j. 9h-12h 14h-18h45.

CAVE DES VINS DE CRU DE LIRAC 1987

n.c. — 8 000

Destiné aux crustacés et aux poissons en sauce, voici un vin blanc, frais et d'une bonne finesse.

➤ Caves des Vins de Cru de Lirac, Saint-Laurent-des-Arbres, 30126 Tavel, tél. 66.50.01.02 ⟁ t.l.j. 9h-12h 14h-18h45.

DOM. MABY 1987**

7 ha — 40 000

Un très vaste domaine à Tavel où la famille Maby fait, comme on dit, «de bien belles choses». Ce lirac par exemple, vinifié avec soin. Un bouquet de fleurs, du miel, des abricots : on a toutes ces idées en tête lors de la dégustation. Encore jeune, mais la valeur n'attend pas toujours le nombre des années.

➤ GAEC du Dom. Maby, 30126 Tavel, tél. 66.50.03.40 ⟁ r.-v.

DOM. ROGER SABON ET FILS 1986*

85 86 — 7 ha — 20 000

Ancienne famille castelpapale, les Sabon possèdent depuis quelques années un domaine en AOC lirac. Leur 86 rouge mérite de vieillir en

cave jusqu'à la décennie 90. Vigoureux et nulle-ment avare de ses dons, il prendra ainsi de la bouteille pour plaire tout à fait.

↪ GAEC Roger Sabon et Fils, av. Impériale, B.P. 57, 84230 Châteauneuf-du-Pape, tél. 90.83.71.72 ☎ r.-v.

CH. SAINT-ROCH
Cuvée ancienne Viguerie 1986*

■ 24 ha — 15 000

851 86

Situé à Roquemaure, le domaine du château Saint-Roch couvre des coteaux pleins de cailloux, hâlés par le soleil. Cette cuvée spéciale rappelle l'existence de l'ancienne viguerie royale : deux ans de vieillissement en bouteille lui donnent une force mesurée qu'on apprécie dans ce cru.

↪ MM. Antoine Verda et Fils, Ch. Saint-Roch, 30150 Rocquemaure, tél. 66.82.82.59 ☎ r.-v.

CH. SAINT-ROCH 1987*

□ 8 ha — 24 000

Cet ancien domaine viticole, remis en culture après la période phylloxérique par la famille Verda, est une des étiquettes les plus connues du lirac. Ce blanc aux arômes de verdure se présente en bouche avec un équilibre où la vivacité dépasse légèrement le gras pourtant bien présent.

↪ MM. Antoine Verda et Fils, Ch. Saint-Roch, 30150 Rocquemaure, tél. 66.82.82.59 ☎ r.-v.

CH. SAINT-ROCH 1987*

■ 8 ha — 30 000

On pense naturellement à la cuisine enso-leillée pour servir ce rosé. Saumoné, il exprime toute la fraîcheur de son jeune âge. Toute sa richesse aussi.

↪ M. Jean-Jacques Verda, Ch. Saint-Roch, 30150 Roquemaure, tél. 66.50.12.59 ☎ r.-v.
↪ Antoine Verda et Fils.

Tavel

C onsidéré par beau-coup comme le meilleur rosé de France, ce grand vin des Côtes du Rhône provient d'un vignoble situé dans le département du Gard, sur la rive droite du fleuve. Sur des sols de sable, alluvions argileuses ou cailloux roulés, c'est la seule appellation rhodanienne à ne produire que du rosé, sur le territoire de Tavel et sur quelques parcelles de la commune de Roquemaure, soit 863 ha; la production est de 36 000 hl. Le tavel est un vin généreux, au bouquet floral puis fruité, qui accompagnera les poissons en sauce, la charcuterie et les viandes blanches.

CH. D'AQUERIA 1987**

■ 48 ha — 300 000

Cette très ancienne propriété au château du XVIIIe s. offre un tavel 87 à la robe saumon, aux senteurs de fruits rouges à la parfaite fraîcheur. Appréciée dans la région pour son sérieux et sa constance, une signature qui est en général syno-nyme de qualité élevée.

↪ SCEA Jean Olivier, Ch. d'Aqueria, 30126 Tavel, tél. 66.50.04.56 ☎ r.-v.

CANTO-PERDRIX 1987*

■ 30 ha — 100 000

Les six cépages sont bien là, avec des petites poin es de clairette et de bourboulenc. Produit sur des galets roulés et lauzes, ce tavel est l'un des meilleurs, sous une belle robe limpide et brillante, riche de reflets cerises orangés. Le gras domine pour composer une remarquable palette d'arômes variés dont la puissance est très 87.

↪ SCEA Méjan-Taulier, Pl. President-Le-Roy, 30126 Tavel, tél. 66.50.04.02 ☎ r.-v.
↪ M. Méjan.

DOM. DE CORNE-LOUP 1987*

■ 20 ha — 100 000

Créé en 1966, ce domaine s'étend sur des terrains argilo-calcaires. Par un choix judicieux de cépages, ses vignes donnent un joli rosé aux arômes bien frais de petits fruits rouges, notam-ment de cerise et groseille.

↪ M. Jacques Lafond, pl. du Seigneur, 30126 Tavel, tél. 66.50.34.37 ☎ r.-v.

DOM. J.-P. LAFOND Roc-Epine 1987*

■ 30 ha — 120 000

Jo ie palette d'arômes, composée par les tou-ches de grenache (50%), cinsault (15%), syrah (10%) carignan (10%) et autres. Tout est ici en nuances fines, discrètes, avec une certaine ver-deur typique du lirac rouge, du millésime. Le domaine produit aussi du lirac rouge et blanc. La cave se trouve à la sortie de Tavel en direct om d'Uzès.

↪ M. Jean-Pierre Lafond, rte des Vignobles, 30126 Tavel, tél. 66.50.24.59 ☎ r.-v.

DOM. DE LA MORDOREE 1987***

■ 7 ha — 20 000

Une bien jolie entrée dans le Guide Hachette : les bâtiments sont le signe d'importants investis-sements que le vin justifie pleinement. Très souten u dans sa robe, il a suscité l'enthousiasme de no re jury par sa plénitude et sa longueur, rares pour ce millésime difficile. Tout à fait remarquable.

DOM. DE TOURTOUIL 1987*

10 ha   35 000

Grenache pour 60%, cinsault, mourvèdre, syrah, carignan... et autres. Tous se mettent en quatre pour créer ce vin d'un rose sensible et délicat, au nez de cerise. Longueur et fruité en bouche, c'est un 87 à boire dès à présent avec une viande blanche ou un poisson.
➥ M. Edouard Lefèvre, Dom. de Tourtouil, 30126 Tavel, tél. 66.50.05.68 r.-v.

DOM. DU VIEUX-MOULIN 1986**

48 ha   25 000

Un 86 tout prêt, produit sur des terrains sableux argilo-calcaires. Grenache pour moitié, il est charmeur, bien vinifié et d'un contact chaleureux.
➥ GAEC les Fils de G. Roudil, rue des Lavandières, 30126 Tavel, tél. 66.50.07.79 lu. ma. me. je. ve. 8h-12h 14h-18h.

Vin mousseux, la clairette de die est l'un des vins les plus anciennement connus au monde. Le vignoble occupe les versants de la moyenne vallée de la Drôme, entre Luc-en-Diois et Aouste-sur-Sye. On produit ce vin effervescent à partir des cépages clairette et muscat, selon deux procédés différents : la méthode traditionnelle, où la fermentation se termine naturellement en bouteille, méthode très originale qui conserve le maximum d'arôme du cépage muscat, dont la proportion est au minimum de 50 % ; la méthode champenoise, où la fermentation secondaire en bouteille est obtenue par addition d'une liqueur de tirage au vin de base sec. La clairette est l'élément dominant dans cette méthode (75 % au minimum). La production globale est de 55 000 hl sur 1 000 ha.

CUVEE CYBELE
Méthode Dioise Traditionnelle 1986**

n.c.   n.c.   n.c.

La coopérative produit deux clairette de die. Notre préférence va à la méthode traditionnelle, élaborée en bouteille. Celle, justement, de la Cuvée Cybèle. Essayez donc de préparer un sorbet avec ce vin, vous m'en direz des nouvelles !
➥ Coop. de La Clairette de Die, 26150 Die, tél. 75.22.02.22 t.l.j. 8h-12h 13h30-18h30.

➥ MM. Delorme, Dom. de La Mordorée, 30126 Tavel, tél. 66.50.00.75 t.l.j. 8h-12h 14h-16h30.

DOM. MABY La Forcadière 1987**

40 ha   250 000

Riche pour un 87 et d'une agréable jeunesse, voilà un rosé de bonne tenue qui comblera beaucoup d'amateurs. Le mieux sera sans doute de profiter dès maintenant de ses excellentes intentions.
➥ GAEC du Dom. Maby, 30126 Tavel, tél. 66.50.03.40 r.-v.

PRIEURE DE MONTEZARGUES 1987***

30 ha   125 000

Il est né le divin enfant ! Le Prieuré de Montézargues est un habitué des coups de cœur, et cette bouteille en est tout près. Couleur un peu trop orangée cependant. Ne vous y arrêtez pas, car la bouche devient un paysage, merveilleux d'équilibre et de douceur. Le rosé n'est pas seulement « un vin de vacances » : celui-ci donne en tout cas envie de voyager avec lui.
➥ GAFF Prieuré de Montézargues, 30126 Tavel, tél. 66.50.04.48 r.-v.

SEIGNEUR DE VAUCROSE 1985

30 ha   100 000

Si l'on cherche un vin capable d'accompagner une tarte aux pommes ou aux pruneaux, on convoquera ce Seigneur de Vaucrose sans tambours ni trompettes. Belles bouteilles sérigraphiées. Le caveau de dégustation reconstitue en pierre de Tavel une salle féodale avec rosace, arcades en tiers-point. Du haut de la tour, vue magnifique sur le vignoble. Quant au vin, il est riche d'arômes de fruits à l'eau-de-vie.
➥ SCA Levèque, Seigneur de Vaucrose, 30126 Tavel, tél. 66.50.04.37 r.-v.

LES VIGNERONS DE TAVEL 1986*

400 ha   1 000 000

La robe rose se pare de nuances grises et orangées. Le climat méditerranéen contribue à forger la structure généreuse qui enveloppe les arômes de petits fruits confits, avec une touche noisette. Un 86 bien typique de l'appellation.
➥ Les Vignerons de Tavel, B.P. 3, 30126 Tavel, tél. 66.50.03.57 t.l.j. 9h-12h 14h30-18h.

PIERRE SALABELLE*

n.c.　n.c.　V2

La mousse est légère, agréable. Les parfums de muscat dominent, légèrement nuancés par de la pomme verte et une note florale. Servir très frais à l'apéritif ou sur un dessert.

M. Pierre Salabelle, Barsac, 26150 Die, tél. 75.21.72.21 T.l.j., sf dim. 9h-12h 14h-18h.

JEAN-CLAUDE VINCENT
Carte Or - Tradition*

4 ha　23 000　V3

Héritier de traditions familiales, Jean-Claude Vincent présente un vin mousseux de méthode traditionnelle issue du cépage muscat avec une pointe de clairette (2%). La mousse est à la fois légère et douce, onctueuse. En bouche, les arômes de muscat flattent le palais. Très agréable, une belle bouteille pour accompagner vos desserts.

M. Jean-Claude Vincent, Dom. de Magord, Barsac, 26150 Die, tél. 75.21.71.43 T r.v.

Coteaux du tricastin

Cette appellation couvre 2 000 ha répartis sur vingt-deux communes de la rive gauche du Rhône, à partir de La Baume-de-Transit au sud, en passant par Saint-Paul-Trois-Châteaux, jusqu'aux Granges-Gontardes, au nord. Les terrains d'alluvions anciennes très caillouteuses et les coteaux sableux, situés à la limite du climat méditerranéen, donnent des vins rouges élégants, vifs et fins, ainsi que quelques rosés (100 000 hl).

VIGNERONS ARDECHOIS
Cellier du Pont d'Arc 1986*

53 ha　165 000　V1

Un vin qui doit se conserver assez bien en raison de sa forte constitution dépourvue de tout déséquilibre. Arômes poivrés et une fin de bouche harmonieuse.

Vignerons Ardéchois, 07120 Ruoms, tél. 75.93.50.55 T r.v.

DOM. DU BOIS NOIR 986*

84 85 86　　19 ha　40 000　V2

Situé dans la moyenne vallée du Rhône, le domaine du Bois Noir réussit d'excellents coteaux-du-tricastin produits sur Solérieux, Baume et Montségur. Des rouges très coulants, finement fruités, ensoleillés. Celui-ci porte le sceau du grenache, avec une agréable structure et une bonne longueur en bouche qui rappelle la présence sûre et discrète de la syrah. Jean-Pierre Estève est un vigneron consciencieux.

M. Jean-Pierre Estève, Dom. du Bois Noir, Baume-de-Transit, 26790 Suze-la-Rousse, tél. 75.98.11.02

DOM. BOUR Cuvée Anniversaire 1986**

n.c.　n.c.　V3

Médaille d'or à Orange, cette Cuvée Anniversaire porte une robe sombre d'une grande distinction. Le nez a de la vigueur, la bouche de l'ampleur. Moitié grenache et moitié syrah avec un léger avantage pour le premier des deux cépages. Belle bouteille.

Otile et Henri Bour, Dom. de Grangeneuve, Roussas, 26230 Grignan, tél. 75.98.50.22 T r.v.

DOM. DE GRANGENEUVE 1987

n.c.　n.c.　V2

En 87 prêt à la consommation, rouge vif et joliment fruité. Le type même du vin gouleyant, habile réunion de quatre cépages. Ne laissera pas un souvenir immortel, mais ne suscitera aucune déception.

Otile et Henri Bour, Dom. de Grangeneuve, Roussas, 26230 Grignan, tél. 75.98.50.22 T r.v.

DOM. DE GRANGENEUVE 1986

82 83 85 86　　n.c.　V2

Un rosé orangé bien dans le type tricastin. Plus frais et moins capiteux que les rosés produits alentour, mais avec une parenté. Le nez est discret et la souplesse en bouche parfaitement heureuse.

Otile et Henri Bour, Dom. de Grangeneuve, Roussas, 26230 Grignan, tél. 75.98.50.22 T r.v.

CAVES DE LA REINE PEDAUQUE Montabret 1986

n.c.　n.c.　+3

La Reine Pédauque est fidèle aux coteaux-du-tricastin : une appellation de la vallée du Rhône qu'elle suit avec soin. Cette bouteille 86 légère en couleur plaira grâce à son arôme «bouquet de violette» et à son goût de fruit mûr en bouche. A boire dès à présent.

Caves de La Reine Pédauque, B.P. 10, Aloxe-Corton, 21420 Savigny-lès-Beaune, tél. 80.26.40.00 T r.v.

DOM. DU SERRE ROUGE 1986

83 84 85 86　　25 ha　40 000　V2

Le vignoble des Coteaux du Tricastin a été classé AOC en 1973 pour vingt-deux communes. Les rouges produits sur les terrasses argilo-calcaires de l'ouest offrent généralement une puissance expressive assez complexe. Celui-ci fera merveille sur une omelette de truffes du Tricastin : à dominante grenache, il a un beau nez de violette. Un 86 à boire maintenant.

M.M. Jean Brachet et Fils, Dom. du Serre Rouge, Valaurie, 26230 Grignan, tél. 75.98.50.11 T.l.j.; 9h-12h 14h-19h; f. dim. ouv. à partir de 10h.

Côtes du ventoux

À la base du massif calcaire du Ventoux, «le géant du Vaucluse» (1912 m), des sédiments tertiaires portent ce vignoble qui couvre cinquante-et-une communes (6 400 ha), entre Vaison-la-Romaine au nord et Apt au sud. Les vins produits sont essentiellement des rouges et rosés. Le climat, plus froid que celui des Côtes du Rhône, entraîne une maturité plus tardive. Les vins rouges sont de moindre degré alcoolique mais frais et élégants dans leur jeunesse; ils sont cependant plus charpentés dans les communes situées le plus à l'ouest (Caromb, Bédoin, Mormoiron). Les vins rosés sont agréables et demandent à être bus jeunes. La production totale atteint en moyenne 240 000 hl.

DOM. AYMARD 1987
86 87   3 ha   10 000

Encore jeune, ce ventoux a une couleur attrayante par ses nuances. Discrétion des arômes exprimant délicatement la framboise. Présence ici du carignan (15%), se mêlant au grenache (60%) et au cinsault (25%). Agréable.
➤ Dom. Aymard, Serres, 84200 Carpentras, tél. 90.63.35.32 t.l.j. sf dim. 10h-12h 15h-18h.

DOM. AYMARD 1986**
85 86   5,50 ha   12 000

Dominante grenache (60%) avec carignan, syrah et cinsault : ce vin semble chanter. Belle bouteille, pleine de charme et de chaleur. A noter encore : ses arômes de cuir ou de gibier sauvage.
➤ Dom. Aymard, Serres, 84200 Carpentras, tél. 90.63.35.32 t.l.j. sf dim. 10h-12h 15h-18h.

DOM. DE CHAMP-LONG
Blanc de blancs 1987*
86 87   0,74 ha   4 500

Blanc de blancs (70% de clairette, 30% de grenache blanc) sur des terrains sableux, très fruités. L'acidité ne lui fait pas défaut, et c'est très bien. Ce 87 dont le prix est minuscule et la qualité très agréable, fera merveille avec des coquillages. Il pourra être bon assez jeune.
➤ MM. Gely et Fils, Dom. de Champ-Long, Entrechaux, 84340 Malaucene, tél. 90.46.01.58 t.l.j. 9h-12h 14h-19h.

DOM. CHAMP-LONG
Cuvée spéciale 1986*
3 ha   17 500

On disait autrefois «bouteille loyale et marchande». Celle-ci répond tout à fait à cette formule : chaleur et bonne structure.
➤ MM. Gely et Fils, Dom. de Champ-Long, Entrechaux, 84340 Malaucene, tél. 90.46.01.58 t.l.j. 9h-12h 14h-19h.

CH. CRILLON 1986**
50 ha   120 000

Beau vin rouge sombre, nez épicé, délicat, fin. Souple en bouche avec une bonne persistance. Le vin est agréable. Il peut être bu maintenant, mais il peut aussi vieillir.
➤ SCA Vignerons du Mont-Ventoux, quartier de La Salle, 84410 Bedoin, tél. 90.65.60.03 t.l.j. 8h-12h 14h-18h.

LA COURTOISE 1986*
n.c.   140 000

Un ventoux comme on les aime, bien fruité et persistant sans défaut.
➤ Coop. Intercom. La Courtoise, 84, pl. Didier 84210 Pernes-les-Fontaines, tél. 90.66.01.15 r.-v.

LA COURTOISE 1987**
n.c.   30 000

Un rosé qui jette de l'éclat et qui emplit les narines par ses parfums floraux et fruités. Une bouche persistante et parfumée qui vous régale le cœur en plein été.
➤ Coop. Intercom. La Courtoise, 84, pl. Didier 84210 Pernes-les-Fontaines, tél. 90.66.01.15 r.-v.

LA MONTAGNE ROUGE 1986
n.c.   25 000

Située à l'entrée des gorges de la Nesque, cette cave coopérative fondée en 1929 n'en finit pas de couvrir le tour d'Espagne avec son sociétaire Eric Caritoux. Mais le vin n'est pas seulement affaire de guidon. Carmin, puissant, vieilli en foudre, il peut encore s'ouvrir.
➤ La Montagne Rouge, Villes-sur-Auzon, 84570 Mormoiron, tél. 90.61.82.08 r.-v.

LA MONTAGNE ROUGE 1987
n.c.   60 000

Cette «Montagne Rouge», en revanche, n'est pas difficile du tout à escalader. Vin agréable mais d'un plaisir un peu fugace.
➤ La Montagne Rouge, Villes-sur-Auzon, 84570 Mormoiron, tél. 90.61.82.08 r.-v.

DOM. DE LA VERRIERE 1986*
81 82 83 85 86   2,20 ha   n.c.

Ancienne propriété du roi René de Provence qui y installa au XVe s. des verriers transalpins, La Verrière honore maintenant le verre d'une autre façon. Ce domaine a été racheté en 1969 par ses propriétaires actuels. Belle couleur rouge apportée par la syrah, arômes de violette : on pense à une daube provençale. N'hésitez pas à la faire chambrer un peu (18° C environ).
➤ MM. Bernard Maubert et Fils, Dom. de La Verrière, Goult, 84220 Gordes, tél. 90.72.20.88 t.l.j. sf dim. 8h-12h 14h-19h.

DOM. DE LA VERRIERE 1987

□ 0.50 ha 3 000 [icons]

86 87

Un ventoux blanc nerveux, sec et de bonne tenue. A consommer frais, le matin, avec quelques coquillages ou au bord d'un zinc.

↝ MM. Bernard Maubert et Fils, Dom. de La Verrière, Goult, 84220 Gordes, tél. 90.72.20.88 ℡ t.l.j. sf dim. 8h-12h 14h-19h.

DOM. DE LA VERRIERE 1987

86 87 0.75 ha 4 000

Jolie robe cerise habillant un vin à l'arôme de bonbon anglais et offrant en bouche un équilibre sans défaut. Il mériterait presque une étoile... A boire toutefois dans l'année car il ne s'agit probablement pas d'un vin de garde. Rafraîchir ce vin aux alentours de 10° C : c'est un rosé.

↝ MM. Bernard Maubert et Fils, Dom. de La Verrière, Goult, 84220 Gordes, tél. 90.72.20.88 ℡ t.l.j. sf dim. 14h-19h.

LES RECLAUZES 1987

n.c. n.c.

Maison bourguignonne, La Reine Pédauque a mis l'un de ses pieds en Côtes du Ventoux où ses attaches dans la propriété sont solides. Ce 87 est un millésime difficile. Et pourtant, la bouteille se signale par son caractère, son charme. Elle est honnête.

↝ Caves de La Reine Pédauque, B.P. 10, Aloxe-Corton, 21420 Savigny-lès-Beaune, tél. 80.26.40.00 ℡ r.-v.
↝ M. Gabriel Liogier d'Ardhuy.

LES ROCHES BLANCHES 1986***

300 ha 600 000

Un ventoux beau et grand comme le Mont Ventoux! Avec des parfums floraux, des nuances épicées et vanillées. Bravo à cette coopérative fondée en 1929 et à son œnologue Rémi Andrillat. Haute qualité et petit prix : comment résister à ce coup de cœur, d'autant qu'on aura pas trop de difficultés à se procurer quelques-unes des 600 bouteilles.

↝ Cave Les Roches Blanches, 84570 Mormoiron, tél. 90.61.80.07 ℡ t.l.j. sf dim. 8h-12h 14h-18h.

CAVE DE LUMIERES

Cuvée Prestige 1986***

n.c. 50 000

85 (86)

La coopérative a accompli d'énormes efforts dans le sens de la qualité, grâce à une équipe jeune et enthousiaste. Cette cuvée a séduit le jury qui 'a trouvé «pleine de lumière, charpentée, harmonieuse». Excellent rapport qualité-prix. Conseillée avec une brochette d'agneau ou un civet d'oie.

↝ Cave de Lumières, Goult, 84220 Gordes, tél. 90.72.20.04 ℡ t.l.j. sf dim. 9h-12h 15h-19h.

CAVE DE LUMIERES Tradition 1987*

n.c. 25 000

Aucune agressivité dans ce vin bien rond, gras en fin de bouche. Il plaît autant au nez qu'en bouche. Dominante grenache, évidemment, avec syrah (pour un quart) et cinsault. Le prix est harmonieux, et on ne peut tout de même pas l'oublier. Comment le boire ? Avec une salade aux lardons ou aux foies...

↝ Cave de Lumières, Goult, 84220 Gordes, tél. 90.72.20.04 ℡ t.l.j. sf dim. 15h-19h.

SCA LES VIGNERONS DU MONT-VENTOUX Blanc de blancs 1987*

12 ha 30 000

Ce vin fait honneur à une appellation qui produit peu de blanc. Il possède un nez très marqué clairette et une fraîcheur en bouche qui lui permet d'être servi à l'apéritif ou sur des poissons.

↝ SCA Vignerons du Mont-Ventoux, quartier de La Salle, 84410 Bedoin, tél. 90.65.60.03 ℡ t.l.j. 8h-12h 14h-18h.

CAVE SAINT-MARC 1986

510 ha 250 000

La cave Saint-Marc a toujours élaboré des vins charpentés, chauds, généreux. Cette bouteille ne déperclit pas. Rouge sombre, puissant, le millésime est malheureusement déséquilibré par un excès d'alcool.

↝ Cave Saint-Marc, 84330 Caromb, tél. 90.62.40.24 ℡ t.l.j. 8h-12h 14h-18h.

LES VINS DE SYLLA

Impression du Ventoux 1986*

(85) 36 20 ha 50 000

80% grenache et 20% syrah, on ne tombe pas ici de Charybde en ... Sylla. Une vinification traditionnelle et l'élevage en foudre donnent à cette cuvée de la vivacité ainsi qu'une réelle présence. Tout cela est jeune et peut encore vieillir avec profit.

↝ Cave des Vins de Sylla, quartier Lançon, 84410 Apt, tél. 90.74.05.39 ℡ ma. me. je. ve. sa. 8h45-12h 14h30-18h30 ; f. jui. pour la cave

Côtes du lubéron

Nouvelle élue, l'appellation côtes-du-lubéron devient AOC par décret du 26 février 1988. Après plusieurs années d'enquête, l'INAO reconnaît les efforts qualificatifs réalisés par les vignerons de cette appellation. Parallèlement, la délimitation parcellaire a été revue afin de mieux déterminer les terroirs de l'aire de production. Les conditions de production, et notamment l'encépagement, sont plus strictes. Déjà, les vins de la récolte 1987 peuvent, sous certaines conditions, bénéficier de l'appellation d'origine contrôlée.

Le vignoble des 36 communes que compte cette appellation s'étend sur les versants nord et sud du massif calcaire du Lubéron et produit en moyenne 120 000 hl. L'appellation produit de bons vins rouges marqués par un encépagement de qualité (grenache, syrah) et un terroir original. Le climat, plus frais qu'en Vallée du Rhône, et les vendanges plus tardives, expliquent la part importante des vins blancs (10 à 15 %) ainsi que leur qualité, reconnue et recherchée.

CH. DE CLAPIER 1986*

☐ 25 ha 20 000 ⅱ▯ ▼▮1

Du XVIe s. au XVIIIe s., ce vignoble a appartenu aux marquis de Mirabeau. L'un d'entre eux fut surnommé Mirabeau-Tonneau. Quant à l'ardent révolutionnaire, il était aussi bon vivant et galant homme ! Bref, ce rosé équilibré et frais a de qui tenir.
☛ M. Marien Montagne, Ch. de Clapier, Mirabeau, 84120 Pertuis, tél. 90.77.01.03 ☎ r.-v.

CH. DE CLAPIER 1987*

☐ n.c. 20 000 ▮1

Roussanne, ugni blanc et clairette donnent un blanc sec très doré, aux arômes harmonieux et qui mérite bien son fauteuil au club des AOC.
☛ M. Marien Montagne, Ch. de Clapier, Mirabeau, 84120 Pertuis, tél. 90.77.01.03 ☎ r.-v.

CH. FORBIN DE JANSON 1986*

☐ 4 ha 11 000 ▮2

Les arômes de pain grillé dominent. La structure en bouche est marquée par le gras du cépage grenache blanc, qu'accompagne la vivacité de l'ugni blanc.

CH. FORBIN DE JANSON 1986**

▮ 8,50 ha 26 000 ⅱ▯ ▮2

Construit au XVIIe s., le château Forbin de Janson fut victime des guerres de Religion en Provence. Autour de cette bouteille, catholiques et protestants se réconcilieront sans peine : grenache (70%) et syrah (30%), elle offre des arômes épicés et pâte de coing en accord avec l'encépagement. Du velours en bouche. La mise en bouteille au domaine date de 1986 : c'est donc une étiquette à découvrir.
☛ SCEA Rossignol-Ripert, Les Jardinettes, 84530 Villelaure, tél. 90.09.88.93 ☎ r.-v.

CH. LA CANORGUE 1986**

84 **85** |86| ▮ 11 ha 50 000 ⅱ▯ ▼▮3

Jean-Pierre Margan est un vigneron consciencieux, qui évite toute erreur de parcours. Charnu et intense, à dominante syrah (60%), son rouge 86 a séduit notre jury, qui en a apprécié notamment l'impeccable structure. À servir avec une selle d'agneau ou un perdreau rôti...
☛ M. Jean-Pierre Margan, Ch. La Canorgue, 84480 Bonnieux, tél. 90.75.81.01 ☎ t.l.j. sf dim. 9h-12h 14h-18h.

CH. LA CANORGUE 1987*

☐ 3 ha 14 000 ⅱ▯ ▼▮3

84 **85** 86 87

Ce blanc 87 des côtes-du-lubéron signé Jean-Pierre Margan, issu d'ugni blanc et de bourboulenc, bien réussi, devrait faire merveille avec une lotte en papillotte. Le rendement est prudent, les qualités présentes au rendez-vous.
☛ M. Jean-Pierre Margan, Ch. La Canorgue, 84480 Bonnieux, tél. 90.75.81.01 ☎ t.l.j. sf dim. 9h-12h 14h-18h.

CH. LA CANORGUE 1987**

▮ 2 ha 13 000 ⅰ↟▼▮3

84 **⑧⑤** 86 87

Il est évident que ce rosé (grenache à 80%) brûle d'impatience et trépigne dans la bouteille. Servez-le vite avec une ratatouille provençale. Il a du fruit, de la fraîcheur et de l'élégance. Et c'est déjà beaucoup !
☛ M. Jean-Pierre Margan, Ch. La Canorgue, 84480 Bonnieux, tél. 90.75.81.01 ☎ t.l.j. sf dim. 9h-12h 14h-18h.

DOM. DE LA CAVALE 1987

▮ 4 ha 24 000 ⅰ↟▼▮2

L'association des familles Dubrule et Delarozière a permis de réaliser une cave unique pour vinifier les raisins de leurs domaines. Très marqué par l'ugni blanc, ce 87 laisse entrevoir un nez aussi fin qu'agréable. Friand, il présente une pointe de nervosité en fin de bouche. Fringant ? Bien sûr. Quand on s'appelle «domaine de La Cavale»...
☛ M. Paul Dubrule, Dom. de La Cavale, 84160 Cadenet, tél. 90.77.22.96 ☎ r.-v.

CH. LA SABLE 1987*

▮ 8 ha 20 000 ⅰ↟▼▮2

Léger et court vêtu, un rouge qui met bien en valeur ses parfums de fruits confits et de petits

CH. LA SABLE 1987**

4 ha — 20 000

Moitié grenache blanc et moitié clairette, un blanc 87 à la robe tendre et ensoleillée, au corps leureuse et distinguée.

➜ SCEA de La Sable, rte de Lourmarin, 84160 Cucuron, tél. 90.77.22.95 ▼ r.-v.

fruits cuits. Tout est honnête en ce flacon : il convient cependant de lui laisser le temps d'exprimer toute sa personnalité, qu'on devine chaleureuse et distinguée.

➜ SCEA de La Sable, rte de Lourmarin, 84160 Cucuron, tél. 90.77.22.95 ▼ r.-v.

CH. DE L'ISOLETTE 1986***

80 81 82 83 84 85 86

20 ha — 100 000

Un homme, un terroir, un encépagement et du travail, beaucoup de travail. Le cadeau est la : cette bouteille 86 est superbe. La robe séduit déjà par sa classe, les arômes sont complexes et surtout équilibrés entre le fruit, les épices, la vanille (due à un bois de qualité merveilleusement fondu). Les tannins donnent à la structure la force du chêne dans un gant de velours.

➜ M. Luc Pinatel, Ch. de L'Isolette, 84400 Apt, tél. 90.74.16.70 ▼ t.l.j, sf dim. 8h-11h30 14h-17h30 ; f. entre Noël et jour de l'an

ALC. 12,5% Vol.

Mise en bouteille au Château

Château de l'Isolette

LUC PINATEL - PROPRIÉTAIRE-RÉCOLTANT - APT (Vse)

APPELLATION CÔTES DU LUBÉRON CONTRÔLÉE

CÔTES DU LUBÉRON

75 cl

CH. DE L'ISOLETTE 1987**

8 ha — 35 000

Luc Pinatel est un habitué du podium en Lubéron avec son château de l'Isolette, entre Bonnieux et Apt. Son 87 blanc aux arômes épicés à d'aimables rondeurs et une jolie fin de bouche au goût de pain grillé. Une générosité de fleur sauvage. Un vin équilibré, élégant aussi.

➜ M. Luc Pinatel, Ch. de l'Isolette, 84400 Apt, tél. 90.74.16.70 ▼ t.l.j, sf dim. 8h-11h30 14h-17h30 ; f. entre Noël et jour de l'an

CELLIER DE MARRENON
Grande Toque 1985***

250 ha — n.c.

Produit sur 250 hectares (des éboulis d'éclats calca res), grenache aux trois quarts et syrah pour le reste, un 85 éblouissant qui permet de trinquer à la nouvelle AOC : il exprime à la fois la force et la finesse. Ses tannins ont beaucoup de subtilité et sa complexité est passionnante. Belle réussite du Cellier de Marrenon, union de coopérative très sérieuse.

➜ Cellier de Marrenon, quartier Notre-Dame, 84240 La Tour-d'Aigues, tél. 90.77.40.65 ▼ r.-v.

CELLIER DE MARRENON 1987

500 ha — n.c.

Une bonne constitution, un équilibre satisfaisant entre l'acidité et le gras, voilà une bouteille bien typique de l'appellation. Arômes floraux, avec des tonalités de pêche et d'abricot. La coopérative regroupe 500 hectares de sols bruns calcaires sur molasses sableuses, ugni blanc à 90%.

➜ Cellier de Marrenon, quartier Notre-Dame, 84240 La Tour-d'Aigues, tél. 90.77.40.65 ▼ r.-v.

CELLIER DE MARRENON 1987*

n.c. — n.c.

La couleur a quelques nuances orangées appréciées par certains consommateurs. Le nez est franc. Les arômes de fruits sur fond végétal. Cette bouteille est bien équilibrée et plaira si on la débouche maintenant. Viande ou fromage, à votre goût.

➜ Cellier de Marrenon, quartier Notre-Dame, 84240 La Tour-d'Aigues, tél. 90.77.40.65 ▼ r.-v.

CELLIER DE MARRENON 1986

82 33 85 86

n.c. — n.c.

Agréable, rouge cerise, avec un certain charme, des senteurs de petits fruits sur fond végétal. Cette bouteille est bien équilibrée et corsée. Ce vin remplit bien la bouche en caressant la papille. Le grenache qui compose par moitié l'encépagement explique le velours de la charpente.

➜ Cellier de Marrenon, quartier Notre-Dame, 84240 La Tour-d'Aigues, tél. 90.77.40.65 ▼ r.-v.

DOM. DE MAYOL 1986*

12 ha — 20 000

Beau rouge : la syrah (60%) lui apporte une pointe épicée qui devrait bien convenir à du gibier en sauce. La robe affirme nettement sa couleur rubis, et ses arômes ont tout ce qu'il faut : finesse et complexité. Le domaine de Mayol à Apt fait partie des exploitations sérieuses de ce vignoble en pleine ascension.

➜ M. Bernard Viguier, Dom. de Mayol, 84400 Apt, tél. 90.74.12.80 ▼ r.-v.

DOM. DE MAYOL 1987**

3 ha — n.c.

Un rosé à boire très frais, 2 à 3 ans après sa naissance. Sa robe est gaie, reflets cerise ; son nez de petits fruits.La fermeté n'exclut pas la joie de vivre. A tenter avec une salade aux crabes ou des moules, par exemple.

➜ M. Luc Pinatel, Ch. de l'Isolette, 84400 Apt, tél. 90.74.16.70 ▼ t.l.j, sf dim. 8h-11h30 14h-17h30 ; f. entre Noël et jour de l'an

Bernard Viguier conseille avec raison de servir ce vin avec une cuisine assez relevée. Bien représenté du Lubéron, un rosé (syrah à 40%) plein de charme avec une pointe épicée. Joli bouquet et belle harmonie : il ne manque pas de nerf, tout en sachant se montrer flatteur. Il a surtout du

relief. Ce n'est vraiment pas un rosé passe-partout.
➤ M. Bernard Viguier, Dom. de Mayol, 84400 Apt. tél. 90.74.12.80 ☎ r.-v.

CH. DE MILLE 1985*

|82| |85| 20 ha 100 000 ◗ 3

Henri Bosco voyait dans ce vin «le pommard de la Provence». C'est un rouge opulent et corsé, animal. Tonalité boisée assez nette : le passage de ce 85 dans les magnifiques foudres de chêne du domaine. Ces bouteilles vieillissent bien. Les 82, par exemple, sont actuellement superbes.
➤ M. Conrad Pinatel, Ch. de Mille, 84400 Apt, tél. 90.74.11.94 ☎ r.-v.

CH. DE MILLE 1987*

|85| |86| |87| 10 ha n.c. ■ M3

Assemblage de quatre cépages, le blanc de blancs château de Mille a été dégusté ici dans sa prime jeunesse. Très frais, marqué par des arômes d'enfance, il exprimait alors un peu de verte. Nul doute qu'il se fera, perdant un peu de sa verdeur pour acquérir les vertus de la maturité.
➤ M. Conrad Pinatel, Ch. de Mille, 84400 Apt, tél. 90.74.11.94 ☎ r.-v.

CH. DE MILLE 1987*

|85| |86| |87| 10 ha n.c. ■ M2

Demeure estivale du pape Clément V d'Avignon, le château de Mille s'accroche au roc. Comme le faisaient déjà ses ancêtres, Conrad Pinatel y cultive la vigne. Son rosé a des reflets presque dorés et des arômes de fruits bien mûrs. Sa vivacité en fait un vin prêt à boire.
➤ M. Conrad Pinatel, Ch. de Mille, 84400 Apt, tél. 90.74.11.94 ☎ r.-v.

CLOS MURABEAU 1986*

|84| |85| |86| 15 ha 60 000 ■ ◗ M2

Une très belle propriété, chaude et lumineuse comme le paysage. Encore vif, ce 86 aux senteurs de fruits dispose de quelques années pour affirmer sa plénitude et il constitue l'une des réussites de l'appellation.
➤ SA Clos Mirabeau, Mirabeau, 84120 Pertuis, tél. 90.77.00.26 ☎ r.-v.
➤ M. Jean-Claude Lattés.

CLOS MURABEAU 1987*

|86| |87| 1,50 ha n.c. ■ M2

L'ugni blanc convient bien au terroir du Lubéron, offrant aux arômes une riche concentration et s'exprimant par une finesse vigoureuse.
➤ SA Clos Mirabeau, Mirabeau, 84120 Pertuis, tél. 90.77.00.26 ☎ r.-v.
➤ M. Jean-Claude Lattés.

CLOS MURABEAU 1987**

|85| |86| |87| n.c. 20 000 ■ ◗ 2

Malgré les aléas climatiques de 87, Claude Dumont, maître de chai, a édité, tirant le meilleur parti de sa matière première, un rosé souple, agréable, aux reflets orangés, qui se laisse boire comme se lit un best-seller.
➤ SA Clos Mirabeau, Mirabeau, 84120 Pertuis, tél. 90.77.00.26 ☎ r.-v.
➤ M. Jean-Claude Lattés.

LES VINS DE SYLLA 1986*

|85| 10 ha 25 000 ◗ ↓ M2

Ce vin honore la mémoire du général romain Sylla qui guerroya entre Ventoux et Lubéron. Sans doute doit-il à cet illustre parrainage sa robe rouge flamboyante et ses qualités impériales : structuré et souple à la fois, avec de bons tanins, il laisse un bon souvenir. Une coopérative très dynamique, jeune et moderne.
➤ Cave des Vins de Sylla, quartier Lançon, 84400 Apt, tél. 90.74.05.39 ☎ ma. me. ve. sa. 8h45-12h 14h30-18h30 : f. juil. pour la cave

CH. VAL-JOANIS 1986**

|82| |83| |85| |86| 60 ha 395 000 ↓ M2

Edmonde Charles-Roux, Pierre Troisgros, Joël Robuchon ont rendu visite à la famille Chancel au Val-Jaonis. Ce rouge 86 exhale des parfums de sous-bois et de feuillages. Encore un peu rude en bouche, il nécessite quelques années de garde. Ensuite ? Magret de canard, daube ou gibier.
➤ Famille Chancel, Ch. Val-Joanis, 84120 Pertuis, tél. 90.79.20.77 ☎ r.-v.

CH. VAL-JOANIS 1987*

18 ha 143 200 ↓ M2

Laissez-le s'épanouir dans le verre, avant de le marier à une terrine de poisson. Ugni blanc à 80%, grenache blanc pour le reste, ce vin offre des arômes floraux, de la structure et du gras, de la vivacité en fin de bouche pour ne pas s'endormir. L'apprécier dans sa jeunesse.
➤ Famille Chancel, Ch. Val-Joanis, 84120 Pertuis, tél. 90.79.20.77 ☎ r.-v.

CH. VAL-JOANIS 1987**

5,60 ha 44 800 ■ M2

Val-Joanis arbore fièrement depuis 1730 les armoiries de Jean Joanis, secrétaire du roi Louis II de Naples. Jean-Louis Chancel, son propriétaire aujourd'hui, a reconstitué ici un magnifique vignoble : un terroir argilo-calcaire bien exposé et un encépagement judicieux. A l'image de la renaissance des côtes-du-luberon, un rosé parfaitement réussi, complexe et bien épanoui.
➤ Famille Chancel, Ch. Val-Joanis, 84120 Pertuis, tél. 90.79.20.77 ☎ r.-v.

Côtes du vivarais VDQS

Ce VDQS, à la limite nord-ouest des côtes du Rhône méridionales, chevauche les départements de l'Ardèche et du Gard, sur 739 ha. Les communes d'Orgnac (célèbre par son aven),

Saint-Remèze et Saint-Montan peuvent ajouter leur nom à celui de l'appellation. Les vins, produits sur des terrains calcaires, sont essentiellement des rouges et des rosés, caractérisés par leur fraîcheur, et à boire jeunes (36 000 hl env.).

VIGNERONS ARDECHOIS
Cellier du Pont d'Arc 1986

n.c.

Rouge grenat, presque violet, ce côtes-du-vivarais présente une pointe d'astringence. Bon équilibre en bouche et des senteurs animales qui font plonger à sa suite dans d'épais fourrés. Il lui manque un rien de longueur pour décrocher une étoile.
→ Vignerons Ardéchois, 07120 Ruoms, tél. 75.93.50.55 ℡ r-v.

VIGNERONS ARDECHOIS 1987

40 ha 220 000

Rosé vif comportant des reflets oranges, un vin qui donne l'impression de croquer une pomme verte avec son nez. Vif, aimable et fruité. Assez acide en finale. Pour ceux qui aiment les vins qui agacent un peu les gencives.
→ Vignerons Ardéchois, 07120 Ruoms, tél. 75.93.50.55 ℡ r-v.

DOM. GALLETY 1986*

7 ha n.c.

Rouge comme la vigne en automne avec des reflets violets, exprimant avec force ses arômes de fruit et de marc, une bien jolie carte postale des Côtes du Vivarais. Grenache à 70%, avec un peu de cinsault et une pointe de syrah. Produit à Saint-Montan, l'un des meilleurs villages de l'appellation.
→ Dom. Gallety, La Montagne, Saint-Montan, 07220 Viviers, tél. 75.52.63.18 ℡ t.l.j. sf dim 8h-12h 14h-18h.

DOM. GALLETY 1987

n.c.

Bien typé clairette, un vin qui a de beaux reflets jaunes. Son arôme de pomme offre un plaisir simple et direct.
→ Dom. Gallety, La Montagne, Saint-Montan, 07220 Viviers, tél. 75.52.63.18 ℡ t.l.j. sf dim. 8h-12h 14h-18h.

UNION DES PRODUCTEURS D'ORGNAC 1986**

200 ha 200 000

Cette bouteille mi-syrah mi-grenache entraîne dans des profondeurs presque aussi magiques que celles de l'Aven d'Orgnac tout proche. Couleur soutenue, arômes puissants et poivrés. Cela est rude comme le pays, mais ne demande qu'à s'attendrir devant un agneau ou un mouton.
→ Union des producteurs d'Orgnac, Orgnac, 07150 Vallon-Pont-d'Arc, tél. 75.38.60.08 ℡ t.l.j. sf dim. 8h-12h 14h-18h ; f. 25 sept. au 15 oct.

UNION DES PRODUCTEURS D'ORGNAC 1987*

50 ha 50 000

Après une grande journée d'excursion dans les gorges de l'Ardèche, on peut aller se reposer au caveau de l'Union des Producteurs à Orgnac (pays du fameux aven). On y dégustera ce vin pétale de rose, frais, bien réussi. Un bon souvenir de vacances!
→ Union des producteurs d'Orgnac, Orgnac, 07150 Vallon-Pont-d'Arc, tél. 75.38.60.08 ℡ t.l.j. sf dim 8h-12h 14h-18h ; f. 25 sept. au 15 oct.

PROD. REUNIS DE SAINT-REMEZE-GRAS 1986*

85 85l 150 ha 50 000

Créée en 1957, la coopérative des producteurs réunis Les Chais du Vivarais, à Saint-Remèze, propose cet honnête rosé 86 aux trois quarts grenache et un quart de syrah. La bouche apprécie son goût bien rond et bien fruité. Une excellente structure.
→ Prod. réun. Saint-Remèze-Gras, Les Chais du Vivarais, Saint-Remèze, 07710 Bourg-Saint-Andéol, tél. 75.04.08.56 ℡ r-v.

PROD. REUNIS DE SAINT-REMEZE-GRAS 1987

10 ha 8 000

Or très pâle, ce blanc aux senteurs paillées est produit sur 10 hectares, exclusivement marsanne. Il doit s'harmoniser avec une truite aux amandes. Prix modique, comme la plupart des côtes-du-vivarais.
→ Prod. réun. Saint-Remèze-Gras, Les Chais du Vivarais, Saint-Remèze, 07710 Bourg-Saint-Andéol, tél. 75.04.08.56 ℡ r-v.

PROD. REUNIS DE SAINT-REMEZE-GRAS 1987

86 37 70 ha 30 000

Les villages d'Orgnac, de Saint-Montan et de Saint-Remèze peuvent individualiser leur vin sous forme de cru. Agréable rosé à caractère végétal et petits fruits, onctueux, il accompagnera un plat de charcuteries ardéchoises. Ce groupement de viticulteurs a été créée en 1957.
→ Prod. réun. Saint-Remèze-Gras, Les Chais du Vivarais, Saint-Remèze, 07700 Bourg-Saint-Andéol, tél. 75.04.08.56 ℡ r-v.

DOM. DE VIGIER 1986*

4 ha n.c.

Sous une robe rouge grenat très foncé, un vin 100% syrah qui ne recule pas d'un pied. Dur, ferme en tout cas. Le domaine de Vigier est l'un des plus anciens de la région. Le portail indique la date de 1789 : bon anniversaire!
→ François et Jacqueline Dupré, Dom. de Vigier, Lagorce, 07150 Vallon-Pont-d'Arc, tél. 75.88.01.18 ℡ r-v.

Coteaux du pierrevert VDQS

Dans le département des Alpes-de-Haute-Provence, la majeure partie des vignes se trouve sur les versants de la rive droite de la Durance (Corbières, Sainte-Tulle, Pierrevert, Manosque...), couvrant environ 400 ha. Les conditions climatiques, déjà rigoureuses, cantonnent la culture de la vigne dans une dizaine de communes sur les quarante-deux que compte légalement l'aire d'appellation. Les vins rouges, rosés et blancs (18 000 hl), d'assez faible degré alcoolique et d'une bonne nervosité, sont appréciés par ceux qui visitent et traversent cette région touristique.

DOM. DE REGUSSE 1986**

■   n.c.   150 000   🛏✦Ⓜ📶

Avant de devenir des « vins de touriste », les vins de Pierrevert furent les vins des bergers montant au printemps dans les alpages. Ils ont du nerf et du caractère, le pied montagnard. Celui-ci (mi-syrah mi-grenache) en offre un bon exemple, simple et direct, tout en franchise. Et pas cher du tout.

👉 M. Claude Dieudonné, Dom. de Régusse, 04860 Pierrevert, tél. 92.72.30.44 ☎ t.l.j. 8h-12h15 13h30-19h15.

De tout temps, les vignerons du Roussillon ont élaboré des vins liquoreux de haute renommée. Au XIIIe s., Arnau de Vilanova découvrit le mariage miraculeux de la « liqueur de raisin et de son eau-de-vie » : c'est le principe du mutage qui, appliqué en pleine fermentation, sur des vins rouges ou blancs, arrête celle-ci en préservant ainsi une certaine quantité de sucre.

Les AOC des vins doux naturels se répartissent dans la France méridionale : Pyrénées-Orientales, Aude, Hérault, Vaucluse, jamais bien loin de la Méditerranée. Les cépages utilisés sont les grenaches (blanc, gris, noir), le macabéo, la malvoisie du Roussillon, dite tourbat, le muscat à petits grains et le muscat d'Alexandrie. La taille courte est obligatoire.

Les rendements sont faibles, et les raisins doivent à la récolte avoir une richesse en sucre de 252 g minimum par litre de moût. La libération à la récolte se fait après un certain temps d'élevage, variable selon les appellations. L'agrément des vins est obtenu après un contrôle analytique; ils doivent présenter un taux d'alcool acquis de 15 à 18°, une richesse en sucre de 45 g minimum à plus de 100 g pour les muscats, et un taux d'alcool total (alcool acquis plus alcool en puissance) de 21,5° minimum. Ils ne sont commercialisés qu'après un à trois ans de vieillissement. Certains, vieillis sous bois de manière traditionnelle, c'est-à-dire dans des fûts dont le niveau est constamment maintenu par adjonction de vins plus jeunes, ont droit au qualificatif de « rancio ».

Banyuls

Voici un terroir exceptionnel, comme il en existe peu dans le monde viticole : à l'extrémité orientale des Pyrénées, avec des coteaux en pente abrupte sur la méditerranée. Seules les quatre communes de Collioure, Port-Vendres, Banyuls-sur-Mer et Cerbère bénéficient de l'appellation. Le vignoble (2 000 ha environ) s'accroche le long des terrasses installées sur des schistes dont le substrat rocheux est, sinon apparent, tout au plus recouvert d'une mince couche de terre. Le sol est donc pauvre, souvent acide, ne permettant que des cépages très rustiques, comme le grenache, avec des rendements extrêmement faibles, souvent moins d'une vingtaine d'hectolitres à l'hectare : la production de banyuls oscille selon les années entre 30 et 40 000 hl.

En revanche, l'ensoleillement optimisé par la culture en terrasses (culture difficile où le vigneron entretient manuellement les terrasses, en protégeant la terre qui ne demande qu'à être ravinée par le moindre orage) et le microclimat qui bénéficie de la proximité de la Méditerranée sont sans doute la cause de la noblesse des raisins gorgés de sucres et d'éléments aromatiques.

L'encépagement est à base de grenache; ce sont surtout de vieilles vignes qui composent le terroir. La vinification se fait par macération des grappes; le mutage intervient parfois sur le raisin, permettant ainsi une large macération de plus d'une dizaine de jours; c'est la pratique de la macération sous alcool, ou mutage sur grains.

L'élevage joue un rôle essentiel. En général, il tend à favoriser une évolution oxydative du produit, dans le bois (foudres, demi-muids) ou en bonbonnes exposées au soleil sur les toits des caves. Les différentes cuvées ainsi élevées sont assemblées avec le plus grand soin par le maître de chai pour créer les nombreux types que nous connaissons. Dans certains cas, l'élevage cherche à préserver au contraire tout le fruit du vin jeune en empêchant toute oxydation; on obtient alors des produits différents aux caractéristiques organoleptiques bien précises : ce sont les rimages. Il est à noter que pour l'appellation grand cru, l'élevage sous bois est obligatoire pendant trente mois.

Les vins sont de couleurs rubis à acajou, avec un bouquet de raisins secs, de fruits cuits, d'amandes grillées, de café, d'eau-de-vie de pruneaux. Les rimages gardent des arômes de fruits rouges, cerise et kirsch. Les banyuls se dégustent à une température de 12 °C à 17 °C selon leur âge; on les boit à l'apéritif, au dessert (certains banyuls sont les

seuls vins à pouvoir accompagner un dessert au chocolat), avec le café et un cigare, mais également sur le foie gras, un canard aux cerises ou au figues, et certains fromages.

ROBERT DOUTRES Rimage 1985 ★★★ 🍷 🔥 ▼ ❸

■   6 ha   15 000

Le vignoble entoure la petite crique de Paulilles au pied du Cap Bear. Une robe rubis, des arômes très intenses de fruits rouges grâce à une mise en bouteille précoce. Très bonne sensation gustative, grâce à l'équilibre entre les tanins très doux et la puissance liquoreuse. Très persistant en fin de bouche.

➤ Diffusion des Dom. de Jau, 75, av. Julien-Panchot, 66000 Perpignan, tél. 68.64.68.64 ▼ r.-v.
➤ MM. Bernard et Jean Daure.

VIGNOBLE DE LA CASA BLANCA 1984 ★★

■   7 ha   6 000

C'est un banyuls très puissant, avec une robe acajou et un bouquet de torréfaction rappelant le cacao et le café. Notons une sensation de vieux bois très marquée.

➤ M. Alain Soufflet-Baille, Mas de la Casa-Blanca. 66650 Banyuls-sur-Mer, tél. 68.88.09.30
▼ r.-t.

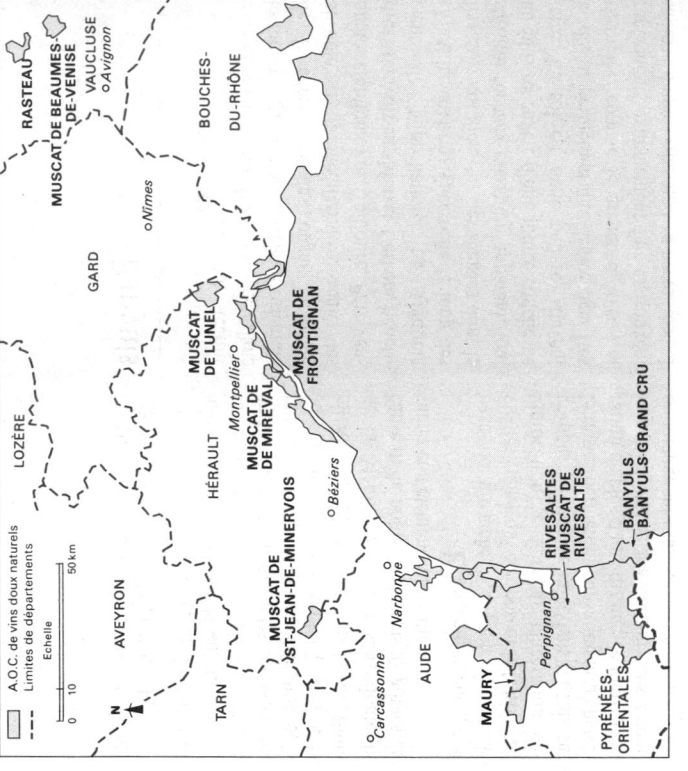

Les vins doux naturels

DOM. DE LA RECTORIE
Cuvée Petra Campadieu 1985**

■ 3 ha   6 000   ▦▮▼ 4

Une robe rubis cerise assez soutenue, des arômes intenses de fruits rouges bien mûrs avec une note de cerise confite assez marquée et déjà quelques accents de réglisse. Cette cuvée est bien équilibrée par ses tanins d'un grain très fin et très doux.

➥ Dom. de La Rectorie, 54, av. du Puig-Del-Mas, 66650 Banyuls-sur-Mer, tél. 68.88.32.93 ℡ r.-v.

➥ Campadieu Petra.

DOM. LA TOUR VIEILLE
Cuvée des Prud'hommes**

■ 1 ha   3 000   ▦▮▼ 4

Une robe tuilée très caractéristique avec des arômes de fruits cuits et de pruneaux donne l'impression d'une grande finesse. En bouche, on retrouve les fruits confits autour d'un judicieux équilibre liquoreux.

➥ GIE Dom. La Tour Vieille, 3, av. du Mirador, 66190 Collioure, tél. 68.82.42.20 ℡ r.-v.

➥ M. Vincent Cantié.

L'ETOILE Grande réserve 1975**

■ n.c.   4 000   ▦▮▼ 5

Un grand banyuls classique aux reflets tuilés et au bouquet de fruits cuits, de pruneaux allant vers quelques accents de torréfaction. Assez doux, long et gras en bouche.

➥ SCV L'Etoile, 26, av. du Puig-del-Mas, 66650 Banyuls-sur-Mer, tél. 68.88.00.10 ℡ lu. ma. me. je. ve. 8h-12h 14h-18h.

L'ETOILE Rimage 1986**

■ n.c.   10 000   ▦▮▼ 5

Légèrement tuilée, la robe garde toute la vivacité de sa jeunesse. Les arômes de fruits cuits sont très marqués par une dominante cerise. En bouche, l'équilibre favorise le gras, la sensation onctueuse et une finale persistante des arômes.

➥ SCV L'Etoile, 26, av. du Puig-del-Mas, 66650 Banyuls-sur-Mer, tél. 68.88.00.10 ℡ lu. ma. me. je. ve. 8h-12h 14h-18h.

DOM. DU MAS BLANC Rimage 1986**

■ 3 ha   5 000   ▦▮▼ 4

Une robe très grenat pour ce rimage mis en bouteille assez tôt. Les arômes sont intenses et onctueux avec une dominante de griottes. En bouche, la charpente est encore solide et permet d'augurer une très longue garde.

➥ M.M. Parcé et Fils, 9, av. cu Gal-de-Gaulle, 66650 Banyuls-sur-Mer, tél. 68.88.32.12 ℡ r.-v.

TEMPLERS Hors d'Age*

■ n.c.   n.c.   ▦▮▼ 4

La robe fait penser aux couleurs de schistes brûlés au soleil. Les arômes sont intenses et évoquent la torréfaction et le pruneau. On apprécie l'équilibre onctueux avec une pointe de miel de garrigue en fin de dégustation.

➥ SICA des Vins du Roussillon, rte des Crêtes, 66650 Banyuls-sur-Mer, tél. 68.88.31.59

CELLIER DES TEMPLIERS
Rimage 1985***

■ 10 ha   27 774   ▮▼ 5

Un banyuls d'une grande sève avec sa robe rubis particulièrement brillante. Les arômes sont très intenses, complexes et fins rappelant les griottes confites, le cassis et les épices douces. En bouche, c'est un vin d'une exceptionnelle amplitude par son onctuosité, la douceur des tanins et la puissance des arômes.

➥ Cellier des Templiers, rte du Mas-Reig, 66650 Banyuls-sur-Mer, tél. 68.88.31.59 ℡ t.l.j. 9h-12h30/14h-19h.

VIAL-MAGNERES Vintage 1986*

■ 1,50 ha   4 000   ▮▼ 3

...a couleur rubis profond assure toute la jeunesse de ce banyuls aux arômes de fruits rouges et de griottes cuites. Le bon équilibre en bouche est dominé par une forte vinosité.

➥ Vial-Magnères, 14, rue Edouard Herriot, 66650 Banyuls-sur-Mer, tél. 68.88.31.04 ℡ r.-v.

Rivesaltes

Quantitativement, c'est la plus importante des appellations des vins doux naturels (20 000 ha; 40 000 hl). Son terroir se situe en Roussillon et sur une toute petite partie des Corbières, sur des sols pauvres, secs, chauds, favorisant une excellente maturation. Quatre cépages sont autorisés : grenache, macabéo, malvoisie et muscat. La vinification se fait en général en blanc, mais aussi, avec une macération, pour des grenaches noirs, afin d'avoir le maximum de couleur et de tanin.

L'élevage des rivesaltes est fondamental pour la détermination de la qualité. En cuve ou dans le bois,

tique de pruneaux, légèrement dominée par le bois. Ce vin se montre assez onctueux.

➥ Maîtres Vignerons de Cascastel, Cascastel-Corbières, 11360 Durban, tél. 68.45.91.74 ☎ t.l.j. sf dim. 8h-12h 14h-18h.

CASTELL REAL 1976 **

■ 30 ha	5 000

Une robe d'un joli tuilé, avec un bouquet intense et complexe, qui plonge dans l'univers des fruits cuits, des arômes de cacao et de café. Persistance et élégance lui confèrent une grande classe.

➥ SCV Corneilla-de-la-Rivière, 66550 Corneilla-de-la-Rivière, tél. 68.57.38.93 ☎ r.-v.

DOM. CAZES Vintage 1986 **

■ 40 ha	20 000

Un vintage mis assez tôt en bouteille, qui garde ainsi une robe d'un rubis cerise très brillant. Au nez, des arômes très fins rappellent la cerise et d'autres fruits rouges. Beaucoup d'élégance autour d'une charpente encore assez solide assure une longue garde à cette bouteille.

➥ MM. André et Bernard Cazes, 4, rue Francisco-Ferrer, 66600 Rivesaltes, tél. 68.64.08.26 ☎ r.-v.

CH. DE CORNEILLA **

■ 7 ha	12 000

Le magnifique château médiéval surplombe le petit village de Corneilla. Ce rivesaltes a une couleur rubis tuilé, avec des notes de fruits rouges surmûris. L'équilibre gustatif est agréable grâce à la finesse des tanins et à la bonne impression liquoreuse.

➥ GFA Jonquères d'Oriola, Ch. de Corneilla, Corneilla-del-Vercol, 66200 Elne, tél. 66.22.12.56 ☎ r.-v.

CUVEE AIME CAZES
Très vieux 1963 ***

□ 10 ha	20 000

Quand l'ambre rappelle l'or, la robe devient sublime dans ses nuances vertes attestant le grand âge du vin. Les arômes puissants de miel se mêlent à l'orange confite, la fleur d'amandier et le rancio noble. Onctueux et gras en bouche, il n'en finit pas de séduire.

➥ MM. André et Bernard Cazes, 4, rue Francisco-Ferrer, 66600 Rivesaltes, tél. 68.64.08.26 ☎ r.-v.

DOM BRIAL Hors d'Age 1969 ***

■ 5 ha	5 000

Un superbe vieux rivesaltes, ambré, élevé pendant longtemps pour favoriser les arômes intenses et complexes de miel, de fruits secs et de torréfaction. Puissance et finesse lui permettent de s'associer avec des foies gras, comme devait l'apprécier Dom Brial, célèbre gastronome.

Les couleurs varient de

ils développent des bouquets bien différents. Il existe une possibilité de déclassement avec l'appellation «grand roussillon».

l'ambre au tuilé. Le bouquet rappelle la torréfaction, les fruits secs et le rancio dans les cas les plus évolués. Les rivesaltes rouges ont, dans leur phase de jeunesse, des arômes de fruits rouges : cerise, cassis, mûre. A boire à l'apéritif ou au dessert, à une température de 11° à 15°, selon leur âge.

BONZOMS *

■ n.c.	5 000

Une robe rubis cerise pour ce rivesaltes encore plein de jeunesse avec des arômes de griottes légèrement évolués. Lié et gras à la fois ; l'équilibre gustatif est harmonieux.

➥ M. Francis Bonzoms, 2, pl. de la République, Tautavel, 66720 Latour-de-France, tél. 68.29.40.15 ☎ t.l.j. 9h-12h 16h-19h ; f. d'oct. à mars

DOM. BOUDAU Vieux Rivesaltes **

■ 25 ha	60 000

Une belle robe tuilée aux reflets rubis encore présents ; des parfums de fruits cuits bien dominants avec une pointe de chocolat et beaucoup d'onctuosité en bouche mettent en valeur une bonne persistance aromatique.

➥ Mme Anne-Marie Boudau, 6, rue Marceau, 66600 Rivesaltes, tél. 68.64.06.07 ☎ lu. ma. me. je. ve. 8h-12h 14h-18h.

BOURRET Grenache vieux *

□ 12 ha	3 000

Un vieux rivesaltes à la robe ambre foncé avec quelques nuances vertes. Des fruits secs complètent la note de rancio. Assez long en bouche.

➥ M. Serge Bourret, rue de Perpignan, 66300 Tresserre, tél. 68.38.82.69 ☎ r.-v.

DOM. DE CANTERRANE
10 ans d'Age

■ 20 ha	20 000

Un vin de dessert avec ses arômes de fruits cuits et de pruneaux, autour d'un équilibre liquoreux harmonieux.

➥ M. Maurice Conte, Dom. de Canterrane, Trouillas, 66300 Thuir, tél. 68.53.47.24 ☎ r.-v.

LES MAITRES VIGNERONS DE CASCASTEL Rancio *

■ 122,38 ha	8 000

L'œil est attiré par la couleur topaze brûlé de la robe qui annonce une grande intensité aroma-

↪ SCV Les Vignerons de Baixas, 14, av. du Maréchal Joffre, 66390 Baixas, tél. 68.64.22.37 ℡ r.-v.

MAS DE LA GARRIGUE Vieux 1959**

36 ha — 100 000

De couleur acajou profond, ce rivesaltes a un bouquet aussi intense que complexe, rappelant l'enveloppe de noix, le café et le pruneau. Une charpente encore solide l'habille, avec une impression liquoreuse et corsée.

↪ M. Marcel Vila, 17, av. du Gal-de-Gaulle, 66240 Saint-Estève, tél. 68.92.06.56

MAS RANCOURE 1982

4 ha — 10 000

Une robe nuancée par l'élevage avec ses reflets fortement tuilés, un nez de fruits cuits et de pruneaux, une bouche souple et corsée à la fois caractérisent ce 82 produit par un ancien mas accolé à la chaîne des Albères.

↪ Cr Pardineille, Mas Rancoure, Laroque-des-Albères, 66740 Saint-Genis-des-Fontaines, tél. 68.89.03.69 ℡ t.l.j; 10h-12h 15h-18h.

NOETINGER Hors d'Âge**

2 ha — 2 000

Le cellier est tout proche du célèbre musée d'aviation créé par Charles Noetinger, ancien pilote de chasse devenu vigneron. Si vieux dans une robe acajou, cet « hors d'âge » séduit par des arômes intenses de pruneaux, figues et raisins et son exceptionnelle persistance.

↪ M. Charles Noetinger, rte d'Elne, Mas Palgery, 66000 Perpignan, tél. 68.54.08.79 ℡ r.-v.

CH. DE NOUVELLES Royal 1975**

13 ha — 1 600

Le château du XIIe s. est une véritable oasis au milieu des Corbières. Le grenache donne ici un vin de grande garde, à la robe tuilée acajou, aux arômes riches et intenses de fruits cuits et de figues sèches. Un parfait équilibre liquoreux avec une persistance aromatique très longue.

↪ M. Robert Daurat-Fort, Ch. de Nouvelles, 11350 Tuchan, tél. 68.45.40.03 ℡ r.-v.

PÈRE PUIG Grenache noir tuilé*

7 ha — 15 000

C'est un type de vin doux naturel assez particulier, avec une robe rubis et des arômes évolués rappelant quelques notes de mûres. L'équilibre en bouche est rond et liquoreux à la foie.

↪ M. Joseph Puig, bd des Albères, 66530 Claira, tél. 68.28.08.65 ℡ r.-v.

SCV PEZILLA Grenache noir*

23 ha — 15 000

Un rivesaltes plein de jeunesse avec sa robe

DONA Vieux*

25 ha — 50 000

Un vieux rivesaltes tuilé, au bouquet de fruits cuits et de pruneaux séchés. Encore bien charpenté en bouche, c'est un vin bien équilibré avec des tanins très doux.

↪ SC Cellier de La Dona, 48, av. Dr-Torreilles, 66310 Estagel, tél. 68.54.67.78 ℡ r.-v.

DOM. JAMMES Vintage 1985**

10 ha — 5 000

La robe évoque la cerise bien mûre. On retrouve d'ailleurs cette analogie au nez et en bouche, avec des arômes intenses et francs. Onctueux et liquoreux, c'est un vin qui s'harmonise parfaitement avec des desserts aux fruits rouges.

↪ M. Jean Jammes, Dom. Jammes, Saint-Jean-Lasselle, 66300 Thuir, tél. 68 21.64.94 ℡ r.-v.

CAVE COOP. DE LA PALME*

192 ha — 20 000

Quelques reflets tuilés brillent dans cette robe rubis. Au nez, des arômes de fruits rouges, des épices douces et une pointe de cacao en bouche où domine la sensation d'onctuosité.

↪ Les Vignerons de La Palme, 11480 La Palme, tél. 68.48.15.17 ℡ t.l.j; 9h30-19h30; f. dim., lun. et les midis en hiver

LAPORTE Ambré vieux 1978*

8 ha — 7 000

Le vignoble s'étend sur le site historique de Ruscino tout près de Perpignan. Un vieux rivesaltes ambré domine par les arômes de fruits secs. En bouche, l'équilibre se fait entre le corsé et le liquoreux.

↪ M. Raymond Laporte, Ch. Roussillon, 66000 Perpignan, tél. 68.54.42.47 ℡ r.-v.

CH. L'ESPARROU Ambré vieux**

25 ha — 11 000

Le célèbre château où séjourna Dufy domine majestueusement la station balnéaire de Canet, les étangs et la Méditerranée. Ce rivesaltes aux reflets ambrés est d'une très grande finesse aromatique rappelant la noisette, l'amande séchée, la figue et le miel des garrigues. Bonne harmonie liquoreuse.

↪ SCE Ch. l'Esparrou, Canet-en-Roussillon, 66140 Canet-Plage, tél. 68.73.30.93 ℡ t.l.j; sf dim. 9h-1?h 14h-20h; f. 18h00 en hiver, congés scol. de Noël

↪ R.ndu Frères et Soeurs.

rubis, ses arômes de cerises bien mûres et une bonne onctuosité.
→ SCV de Pézilla-la-Rivière, 66370 Pézilla-la-Rivière, tél. 68.92.00.09 ⊥ t.l.j. sf dim. 8h30-13h 15h-19h ; f. sam. mat.

CAVE PLANEZES Grenache*

■ 37.57 ha 4 800 ⊟↓▼ 2

Dans une robe légèrement tuilée, s'expriment de fins arômes de fruits cuits ; ses tanins élégants affirment un bon équilibre.
→ Cave des Vignerons de Planèzes, Planèzes, 66720 Latour-de-France, tél. 68.29.11.52 ⊥ t.l.j. sf dim. 8h-12h 14h-18h.

ROC DEL AMOR**

■ n.c. 5 000 ⊟↓▼ 2

La robe est d'un grenat très profond et le vin a des arômes de cerises et de mûres. Une pointe de cassis apparaît en bouche sur cette solide charpente tannique merveilleusement enveloppée par un équilibre onctueux et liquoreux.
→ M. R. Mounié et ses Filles, Av. du Verdouble, Tatauvel, 66720 Latour-de-France, tél. 68.29.12.31 ⊥ r.-v.

DOM. DE ROMBEAU*

■ 4 ha 5 000 ⊟↓▼ 2

Un domaine fort accueillant aux portes de Rivesaltes, où le dynamisme de la famille de la Fabrègue a su tirer tout le fruit et toute la sève de nobles grenaches noirs vinifiés par saignée. Un rivesaltes d'une robe rose vif, très typé groseille et grenadine et agréablement nerveux en bouche. A boire très frais.
→ SCV Les Vign. de Rivesaltes, rue de la Roussillonnaise, 66600 Rivesaltes, tél. 68.64.06.63 ⊥ t.l.j. sf dim. 8h-12h 14h-18h.

CAVE SAINT-ANDRE Vintage 1985***

■ 15 ha 40 000 ▼ 3

Un très grand rivesaltes d'une robe grenat particulièrement soutenue. Au nez, c'est une véritable corbeille de fruits rouges où dominent la cerise, le cassis et la mûre écrasée. Aussi généreux en bouche qu'au nez, c'est un vin qui séduit par son onctuosité et son interminable persistance aromatique.
→ SCAV de Saint-André, 56, rue du Stade, 66690 Saint-André, tél. 68.89.03.03 ⊥ r.-v.

DOM. SAINT-LUC***

■ 12 ha 5 000 ▼ 3

Au cœur d'un pittoresque paysage de vignes, garrigues et oliviers, le domaine Saint-Luc produit un rivesaltes d'une très grande classe. La robe tuilée enveloppe des arômes intenses et complexes de fruits mûrs et d'oranges confites, avec quelques touches de cacao. La sensation gustative est dominée par la persistance et l'onctuosité. Un grand vin.

→ M. Luc-Jérôme Talut, Dom. Saint-Luc, 66300 Passa, tél. 68.38.80.38 ⊥ r.-v.

DOM. DE SAINTE-BARBE 1985*

■ 2.50 ha 3 000 ⊟↓▼ 3

La robe se pare déjà de reflets tuilés. Au nez domine une impression de finesse, en bouche des arômes de fruits rouges bien mûris au soleil ainsi que d'autres fruits à noyau, se développant considérablement. Bonne harmonie entre la puissance liquoreuse et la solidité de sa charpente.
→ M. Robert Tricoire, Chem. de Sainte-Barbe, 66000 Perpignan, tél. 68.63.29.23 ⊥ t.l.j. sf dim. 9h-19h.

DOM. SARDA-MALET
Vingt ans d'Age**

□ 8 ha 8 000 ⊟↓▼ 5

C'est le véritable rancio traditionnel avec des nuances vertes dans la robe ambrée, des arômes enveloppés de noix, et, en bouche, des notes de réglisse très prononcées. Puissant et infiniment persistant, il est le compagnon idéal des fromages bleus.
→ Dom. Sarda-Malet, 134, av. Victor-Dalbiez, 66000 Perpignan, tél. 68.54.59.95 ⊥ r.-v.

DOM. TARDIEU 8 ans d'Age**

■ 10 ha 20 000 ▼ 3

De vieux ceps de grenache au pied de la forteresse de Salses donnent ce vin de couleur acajou aux arômes de fruits cuits et de pruneaux avec une pointe de cacao en bouche. Particulièrement long, il accompagnera merveilleusement un melon en début de repas.
→ MM. J. et A. Tardieu, imp. des Vergers, Salses, 66600 Rivesaltes, tél. 68.38.61.56 ⊥ r.-v.

LES CELLIERS DU TATE-VIN**

■ n.c. n.c. ⊞ 3

Un vieux rivesaltes habillé d'une robe tuilée, aux arômes de fruits cuits et de pruneaux, bien équilibré en bouche, sélectionné par les Celliers du Tate-Vin, la boutique des œnophiles perpignanais.
→ SA Limouzy, 15, av. de Grande-Bretagne, 66000 Perpignan, tél. 68.34.01.27 ⊥ r.-v.

LES MAITRES VIGNERONS DE TAUTAVEL 1974**

150 ha — 10 000

Tout proche, le musée de la Préhistoire. Couleur acajou de ce rivesaltes aux arômes puissants de cacao et de pruneaux confits. L'impression liquoreuse se mêle à la charpente tannique pour donner une onctuosité d'ensemble remarquable.

↪ Maîtres Vignerons de Tautavel, 24, rte de Vingrau, Tautavel, 66720 Latour-de-France, tél. 68.29.12.03 T.l.j; 8h-12h 14h-18h.

TERRASSOUS Vieux***

50 ha — 10 000

La patine de l'ambre se mêle aux reflets du vieil or satiné. Un nez de vrai rancio avec la noblesse de fruits secs, de figues et d'écorces de noix sur un feu de torréfaction. En bouche, onctuosité et persistance autour d'une noix de miel. Fromages bleus, gourmandises et fois gras se disputent sa présence.

↪ SCV Les Vignerons de Terrats, B.P. 32, Terrats, 66300 Thuir, tél. 68.53.02.50 T.l.j; sf dim. 8h-12h 14h-18h.

TORRE DEL FAR 1986***

150 ha — 20 000

La tour Del Far veille sur le vignoble de Tautavel. Le rivesaltes, mis en bouteille assez tôt, protège ainsi toute la jeunesse de ses arômes de fruits rouges avec des notes de griottes et de cassis bien marquées. La robe de couleur grenat enveloppe une charpente aux tanins très fins. Beaucoup de persistance en fin de bouche.

↪ Maîtres Vignerons de Tautavel, 24, rte de Vingrau, Tautavel, 66720 Latour-de-France, tél. 68.29.12.03 T.l.j; 8h-12h 14h-18h.

SCV TROUILLAS

Elevé en fûts de chêne*

120 ha — 30 000

Une teinte ambrée aux nuances vertes atteste l'âge respectable de ce vin. Les arômes de rancio sont nuancés par des notes boisées. Assez gras en bouche, il laisse sur une impression de miel.

↪ Cave Coop. de Trouillas, 1, av. du Mas Deus, Trouillas, 66300 Thuir, tél. 68.53.47.08 T.l.j; dim. 8h-12h 14h-18h.

VILLA PASSANT 4 ars d'Age**

50 ha — 8 000

C'est un rivesaltes d'une couleur acajou tuilé, très aromatique avec des notes de confiture, de fruits rouges et de pruneaux. Sa charpente donne une solide impression de chair, grâce à un judicieux équilibre entre des tanins très firs et une forte impression liquoreuse.

↪ Cave de Paziols, Paziols, 11350 Tuchan, tél. 68.45.40.56 T.l.j; 8h-12h 14h-18h.

Maury

Le terroir (2 000 ha) recouvre la commune de Maury, au nord de l'Agly, et une partie des communes limitrophes. Ce sont des collines escarpées couvertes de schistes aptiens plus ou moins décomposés, où l'on ne produit que 40 000 hl, uniquement à partir du grenache noir. La vinification se fait souvent par de longues macérations et l'élevage permet d'affiner des cuvées remarquables.

Grenat lorsqu'ils sont jeunes, les vins prennent par la suite une teinte acajou. D'abord très aromatique, à base de petits fruits rouges, le bouquet des vins plus évolués rappelle le cacao, les fruits cuits et le café. Ils sont appréciés à l'apéritif et au dessert, et peuvent également se prêter à des accompagnements sur des mets à base d'épices et de sucre.

CAVE JEAN-LOUIS LAFAGE

Prestige 1977**

0.45 ha — 1 200

Ici, le grenache est cultivé sur des coteaux de schistes. Le vin qui en est issu possède une belle robe acajou et un nez de rancio, de pruneaux et de torréfaction. La bonne persistance en bouche est due à un équilibre onctueux.

↪ M. Jean-Louis Lafage, 13, rue Dr-Frédéric-Pougault, 66460 Maury, tél. 68.59.12.66 T. r.-v.

MAS AMIEL 15 ans d'Age**

30 ha — 30 000

Au pied du château de Quéribus, le Mas Amiel possède un parc d'élevage de vins au soleil unique au monde. Ce mode de vieillissement confère une couleur topaze brûlée et des arômes très intenses de café, de torréfaction et de fruits secs. En bouche, la note de rancio apparaît sur un équilibre ample et puissant avec une très forte persistance des arômes.

↪ SC Charles Dupuy, Dom. du Mas Amiel, 66460 Maury, tél. 68.29.01.02 T. r.-v.

LES VIGNERONS DE MAURY

Cuvée Chabert de Barbera 1974***

2 ha — 5 000

Une superbe robe tuilée autour d'un nez intense, fin et complexe, rappelant le café, le pruneau et quelques fruits confits. En bouche, on retrouve l'onctuosité du miel et la puissance du cacao autour d'une charpente charnue et liquoreusement soutenue. Très, très long.

↪ SCV Les Vignerons de Maury, 128, av. Jean-Jaurès, 66460 Maury, tél. 68.59.00.95 T. r.-v.

LES VIGNERONS DE MAURY
Six ans d'Âge**

180 ha — 400 000

Entre jeunesse et âge mûr, ce maury possède à la fois le brillant du rubis et l'accent tuilé dû aux années. Bonne intensité aromatique de fruits mûrs, légèrement cuits, avec une pointe de cacao. Un équilibre gras et charnu lui confère une sensation gustative séduisante.

→ SCV Les Vignerons de Maury, 128, av. Jean-Jaurès, 66460 Maury, tél. 68.59.00.95 ☎ r.-v.

Muscat de rivesaltes

Sur l'ensemble du terroir des rivesaltes, maury et banyuls, le vigneron peut élaborer du muscat de rivesaltes, lorsque l'encépagement est complanté de 100 % de cépages muscats. La superficie de ce vignoble représente environ 5 000 ha, produisant 100 000 hl. Les deux cépages autorisés sont le muscat à petits grains et le muscat d'Alexandrie. Le premier, souvent appelé muscat blanc ou muscat de Rivesaltes, est précoce et se plaît dans des terrains relativement frais et si possible calcaires. Le second, appelé aussi muscat romain, est plus tardif et très résistant à la sécheresse.

La vinification s'opère soit par pressurage direct, soit avec une macération plus ou moins longue. La conservation se fait obligatoirement en milieu réducteur, pour éviter l'oxydation des arômes primaires.

Les vins sont liquoreux, avec 100 g minimum de sucre par litre. Ils sont à boire jeunes, à une température de 9 °C à 10 °C. Ils accompagnent parfaitement les desserts, tartes au citron, aux pommes ou aux fraises, sorbets, glaces, fruits, touron, pâtes d'amandes... ainsi que le roquefort.

DOM. AMOUROUX***

10 ha — 10 000

Une véritable éruption de parfums évoque les raisins frais, les fleurs de citron et une pointe de senteur de rose. La robe d'or pâle enveloppe un corps liquoreusement charnu. Très long en bouche.

→ M. Jean Amouroux, rue du Pla-del-Rey, Tresserre, 66300 Thuir, tél. 68.38.87.54 ☎ r.-v.

APHRODIS*

230 ha — 350 000

Un nom plein de sensualité pour ce muscat d'une robe or patiné, ou tuilé au nez avec des arômes de fruits exotiques et de miel de garrigue. Bon équilibre liquoreux.

→ SICA Vins du Roussillon, rue des Crêtes, 66650 Banyuls-sur-Mer, tél. 68.88.31.59
→ Cellier du Rivesaltais.

BAILLIE*

7,49 ha — 3 000

Des arômes très orientaux de raisins secs et de citrons confits font de ce vin, à l'aspect doré, un excellent compagnon des desserts les plus sucrés. À boire impérativement très frais.

→ M. René Baillie, av. de Passa, 66300 Tresserre, tél. 68.38.80.64 ☎ lu. ma. me. je. ve. 8h-12h30/14h-18h.

BONZOMS**

3 ha — 2 000

Beaucoup d'élégance dans ce muscat à la robe d'or pâle, aux arômes de raisins frais et de citron. L'équilibre est agréable, liquoreux sans excès avec une très grande persistance.

→ M. Francis Bonzoms, 2, pl. de la République, Tautavel, 66720 Latour-de-France, tél. 68.29.40.15 ☎ t.l.j. 9h-12h 16h-19h ; f. 8 oct. à mars

DOM. BOUDAU*

23 ha — 60 000

L'or de la robe brille dans le verre. Au nez, les arômes sont intenses et aériens. Les notes de raisins secs et de citron sont présentes tout au long de la dégustation. Harmonieusement liquoreux.

→ Mme Anne-Marie Boudau, 6, rue Marceau, 66000 Rivesaltes, tél. 68.64.06.07 ☎ lu. ma. me. je. ve. 8h-12h 14h-18h.

DOM. DE CANTERRANE**
Réserve *

17 ha — 50 000

Un des plus importants domaines du Roussillon. Ce muscat est brillant par sa robe d'or, fin par ses arômes de fleurs et de fruits frais, puissant par son onctuosité liquoreuse. On peut l'apprécier sur place avec du roquefort ou des gourmandises.

→ M. Maurice Conte, Dom. de Canterrane, Trouillas, 66300 Thuir, tél. 68.53.47.24 ☎ r.-v.

CAP DE FOUSTE*

6 ha — 15 000

Le château de Cap de Fouste est un haut lieu de la viticulture du Roussillon, tout près de Perpignan. Ce muscat a une robe or ambré et des arômes très particuliers de miel et de cire d'abeille. Il montre un bon équilibre.

→ SCI Ch. de Cap de Fouste, 66200 Villeneuve-la-Raho, tél. 68.55.91.04 ☎ r.-v.

LES MAITRES VIGNERONS DE CASCASTEL 1987**

37,79 ha — 25 800

Un terroir particulièrement propice aux muscats qui arrivent à maturité avec de belles grappes dorées. Une robe vieil or, des arômes intenses de raisins surmûris et de miel, avec, en bouche, un

Muscat de rivesaltes

soupçon de tilleul et surtout un équilibre somptueusement liquoreux.
→ Maîtres Vignerons de Cascastel, Cascastel-Corbières, 11360 Durban, tél. 68.45.91.74 t.l.j, sf dim. 8h-12h 14h-18h.

DOM. CAZES 1986***

25 ha   80 000

Magnifique muscat produit à côté de l'ancienne propriété du maréchal Joffre. Une robe d'or pâle, des arômes intenses, fins et complexes, rappellent les fleurs de citron, la rose et certains fruits exotiques. D'un bon équilibre parfaitement suave, il est interminable en bouche.
→ MM. André et Bernard Cazes, 4, rue Francisco-Ferrer, 66600 Rivesaltes, tél. 68.64.08.26 t.r.-v.

DOM. JAMMES*

5 ha   3 000

...olie robe d'or pâle et arômes de raisins fraîchement pressurés. Très long en bouche avec des notes de miel finement muscatées. Bon équilibre gustatif entre le corsé et l'onctuosité liquoreux.
→ M. Jean Jammes, Dom. Jammes, Saint-Jean-Lasseille, 66300 Thuir, tél. 68.21.64.94 t.r.-v.

CH DE JAU 1986*

9 ha   37 000

Le château de Jau est bien connu pour sa fondation artistique. On peut également admirer ce vignoble de pionniers au creux de la vallée de l'Agly. La puissance des arômes de raisins surmûris, la corpulence de l'équilibre gustatif permettent un heureux mariage avec le roquefort ou les desserts servis au grill du château.
→ Diffusion des Dom. de Jau, 75, av. Julien-Panchot, 66000 Perpignan, tél. 68.64.68.64 t.r.-v.
→ M.M. Bernard et Jean Dauré.

LES VIGNERONS DE LA PALME

50 ha   15 000

Cité par Rabelais, ce muscat provient d'un vignoble dominant, du haut de ses garrigues, les plages de Port-Leucate et de Port-Barcarès. Légèrement ambré, c'est un vin bien typé par des arômes muscatés et assez chaud en bouche.
→ Les Vignerons de La Palme, 11480 La Palme, tél. 68.48.15.17 t.l.j ; 9h30-19h30 ; f. dim., lun. et les midis en hiver

LA PORTE*

11 ha   10 000

De vieilles souches de muscats sur le site archéologique de Ruscino en plein sur la via Doritiia, tout près de Perpignan. Une robe d'or pâle, un nez très fin plutôt floral ; c'est un vin d'élégance, pouvant se servir à l'apéritif ou sur quelques préparations gastronomiques.
→ M. Raymond Laporte, Ch. Roussillon, 66000 Perpignan, tél. 68.54.42.47 t.r.-v.

DOM. DE LA ROUREDE**

4 ha   10 000

Beaucoup de finesse et de complexité au nez, avec des arômes de verveine et de raisins bien mûrs. L'équilibre en bouche est harmonieusemen liquoreux, avec beaucoup d'onctuosité et une belle persistance des arômes.
→ M. Jean-Luc Pujol, Dom. de La Rourède, Fourques, 66300 Thuir, tél. 68.38.84.44 t.r.-v.

LA ROUSSILLONNAISE**

194 ha   100 000

La cave de Rivesaltes est située au cœur même du vignoble du muscat de rivesaltes. Une robe d'or, des arômes fins et une onctuosité harmonieuse en bouche.
→ SCV Les Vign. de Rivesaltes, 66600 Rivesaltes, rue ce la Roussillonnaise, tél. 68.64.06.63 t.l.j sf dim. 8h-12h 14h-18h.

LA SERRE**

25 ha   25 000

La robe a des reflets d'or soutenu, les arômes

DOM BRIAL 1986*

45 ha   70 000

Dom Brial, fin gastronome, a certainement du encourager la production de tels muscats, à la couleur vieil or, au nez fin et oriental ; l'équilibre fortement liquoreux n'empêche pas une persistance aromatique agréable.
→ SCV Les Vignerons de Baixas, 14, av. du Mal-Joffre, 66390 Baixas, tél. 68.64.22.37 t.r.-v.

COOP. VINICOLE ESPIRA DE L'AGLY*

123 ha   40 000

L'œil est attiré par la couleur or ambré de la robe. Au nez, raisins secs et figues confites. Bonne harmonie entre les arômes et la charpente liquoreusement enrobée.
→ SCV Espira de l'Agly, 66600 Rivesaltes, 39, rue Thiers, B.P. 1, tél. 68.64.17.54 t.l.j, sf dim. 8h-12h 15h-19h ; f. en hiver à 18h00

GALERA*

50,60 ha   6 600

Au cœur des forteresses cathares, ce vignoble donne un muscat avec une robe jaune paille et une intensité aromatique plus marquée en bouche qui au nez. Bonne finale qui lui permet d'accompagner toutes les gourmandises.
→ Les Caves du Mont-Tauch, 11350 Tuchan, tél. 68.45.41.08 t.r.-v.

sont fins et intenses, à la fois floraux et fruités ; un équilibre harmonieux où la notion de gras domine, précédé par une fin de bouche persistante et séduisante.
➤ Cave de Paziols, Paziols, 11350 Tuchan, tél. 68.45.40.56 ♈ t.l.j. 8h-12h 14h-18h.

MAS CANCLAUX***

12,50 ha   10 000

Un vin superbe par sa robe brillante d'or. Des arômes très fins aux nuances de fleurs, de citron, de menthe poivrée et de mangue. En bouche, l'équilibre est d'une onctuosité parfaite avec une pointe de nervosité lui permettant d'envisager d'heureuses épousailles avec une gastronomie adéquate.
➤ M. Jean Radondy, 6, rue Victor-Hugo, Cases de Pène, 66600 Rivesaltes, tél. 68.64.11.81 ♈ t.l.j. 9h-12h 14h-19h.

MAS PRADAL**

32 ha   100 000

Un muscat avec une belle robe d'or ambré et des arômes intenses de raisins surmûris. En bouche, on ressent un vin déjà bien mûri avec un bon équilibre entre la charpente et le moelleux.
➤ SCA Coll-Escluse, 58, rue Pépinières-Robin, 66000 Perpignan, tél. 68.85.33.42 ♈ r.-v.

DOM. DU MAS ROUS*

5,31 ha   10 000

Au pied des Albères, le caveau domine le vignoble de vieilles souches de muscat. La robe est légèrement dorée ; les arômes de fleurs et de raisins, au nez, s'accentuent en bouche. Beaucoup de fraîcheur dans l'équilibre liquoreux.
➤ M. Joseph Pujol, Dom. du Mas Rous, Montesquieu, 66740 Saint-Genis-des-Fontaines, tél. 68.89.64.91 ♈ r.-v.
➤ GFA Mas-del-Ros.

CH. DE NOUVELLES 1986*

7 ha   12 000

Le vignoble s'étend autour d'un château du XIIe s., véritable oasis de fraîcheur dans ce site écrasé de soleil. Une robe d'or pâle, un nez fin et floral rappelant la rose ; l'équilibre en bouche est assez gras. Il accompagnera parfaitement le foie gras ou un soufflé au roquefort.
➤ M. Robert Daurat-Fort, Ch. de Nouvelles, 11350 Tuchan, tél. 68.45.40.03 ♈ r.-v.

SCV PEZILLA

101.21 ha   20 000

C'est un vignoble de terrasses, couvert de cailloux roulés. Le vin a une robe vieil or avec des arômes très intenses de raisins de corinthe et de cire. Très liquoreux en bouche.
➤ SCV de Pézilla-la-Rivière, 66370 Pézilla-la-Rivière, tél. 68.92.00.09 ♈ t.l.j. sf dim. 8h30-13h 15h-19h ; f. sam. mat.

PLANERES**

3,30 ha   7 000

Un très joli muscat avec une robe d'or particulièrement brillante. Un nez intense et aérien marqué par les raisins bien mûris et une note de tilleul. Plus mielleux en bouche, l'équilibre est agréablement liquoreux avec quelques accents de raisins secs.
➤ GAEC A. Parcé, 2, rue Jules-Verne, 66670 Bages, tél. 68.21.80.45 ♈ t.l.j. 9h-12h30 15h-20h.

PRESTIGE AGLYA

50 ha   15 000

Une des plus vieilles caves du département des Pyrénées-Orientales à Estagel, patrie d'Arago. La robe d'or est légèrement patinée et les arômes de raisins frais dominent. En bouche, le corsé est compensé par l'équilibre liquoreux.
➤ SCAV Aglya, 66310 Estagel, tél. 68.29.00.45 ♈ r.-v.

DOM. TARDIEU**

20 ha   50 000

Le vignoble s'étend au pied de la forteresse de Salses qui garde l'entrée du Roussillon. Une robe d'or clair, des arômes intenses à la fois floraux et finement végétaux ; en bouche, on découvre des notes de raisins surmûris autour d'un équilibre onctueusement liquoreux. Très persistant.
➤ MM. J. et A. Tardieu, imp. des Vergers, Salses, 66600 Rivesaltes, tél. 68.38.61.56 ♈ r.-v.

TERRASSOUS**

40 ha   10 000

Un muscat fin et élégant vêtu d'une robe d'or peu soutenue. Au nez quelques arômes floraux, mais aussi de miel de garrigue. Harmonieusement liquoreux en bouche ; la persistance de ses arômes lui permet de s'associer avec les desserts les plus doux.
➤ SCV Les Vignerons de Terrats, B.P. 32, Terrats, 66300 Thuir, tél. 68.53.02.50 ♈ t.l.j. sf dim. 8h-12h 14h-18h.

Muscat de frontignan

En ce qui concerne l'appellation frontignan, il faut noter qu'elle autorise l'élaboration de vins de liqueur, avec mutage sur le moût avant fermentation, ce qui donne des produits

beaucoup plus riches en sucre (185 g environ). Dans certains cas, un élevage des muscats dans de vieux foudres provoque une légère oxydation donnant au vin un goût particulier de raisins secs.

fleur, des dentelles de Montmirail. Le vin, dans une magnifique robe d'or, exprime des arômes intenses de raisins frais, légèrement citronnés, et quelques notes de pêche. Il donne une agréable sensation, à la fois liquoreuse et nerveuse, avec une bonne persistance.
♦ Cave Vign. de Beaumes-de-Venise, tél. 90.62.94.45 ☎ t.l.j. sf dim. 8h30-12h 14h-18h.

DOM. DE DURBAN***

14 ha 40 000

Au pied du Mont Ventoux et des Dentelles de Montmirail, ce vignoble produit un muscat tout à fait remarquable; une robe d'or pur, des arômes intenses et magnifiques à la fois floraux et citronnés, toute la liqueur du raisin en bouche autour d'un équilibre savoureux. Très persistant.
♦ M.M. Leydier et fils, Dom. de Durban, 84190 Beaumes-de-Venise, tél. 90.62.94.26 ☎ r.-v.

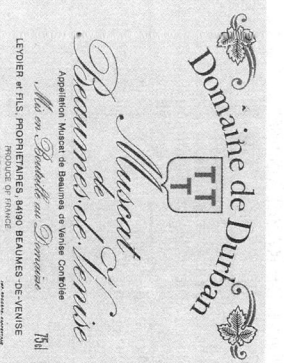

CMF FRONTIGNAN
Cuvée du Président*

n.c. 100 000

Un muscat d'une robe d'or particulièrement brillante. Ses arômes développés rappellent les raisins secs et le miel. Très liquoreux: on le propose pour accompagner certains plats épicés tout autant qu'une salade de fruits.
♦ CMF de Muscat de Frontignan, 14, av. du Muscat, B.P. 136, 34112 Frontignan Cedex, tél. 67.48.12.26 ☎ lu. ma. me. je. ve. 8h30-11h30 14h-17h; f. janv. et fev.

CH. DE LA PEYRADE 1986**

25 ha 100 000

Entre la Méditerranée et l'étang de Thau, un splendide château à l'image de ce muscat. Robe d'or, nez très aérien et intense de vendange bien mûrie, quelques notes de fruits et de la passion. Une impression d'orange confite se dessine en bouche autour d'un équilibre judicieusement liquoreux.
♦ MM. Yves Pastourel et Fils, Ch. de La Peyrade, 34110 Frontignan, tél. 67.48.61.19 ☎ lu. ma. me. je. ve. 9h-18h.

Muscat de beaumes-de-venise

Au nord de Carpentras, sous les impressionnantes Dentelles de Montmirail, le paysage doit son aspect à des calcaires grisâtres et des marnes rouges. Une partie des sols est formée de sables, marnes et grès, une autre de terrains tourmentés avec des failles datant du trias et du jurassique. Ici encore, le seul cépage est le muscat à petits grains; mais dans certaines parcelles, une mutation donne des raisins roses ou rouges. Les vins doivent avoir au moins 110 g de sucre par litre de moût; ils sont aromatiques, fruités et fins, et conviennent parfaitement à l'apéritif ou sur certains fromages.

CAVE VIGN. DE BEAUMES-DE-VENISE***

n.c. 1 000 000

Chanté par Mistral, le village s'accroche aux

Muscat de lunel

Situé autour de Lunel, le terroir se caractérise par des terres rouges à cailloutis qui s'étendent sur des nappes alluviales, paysage classique de cailloux roulés sur des terres d'argile rouge avec une localisation du vignoble sur les sommets des coteaux. Ici encore, le seul le muscat à petits grains est utilisé; les vins doivent avoir au minimum 125 g de sucre.

CAVE COOP. MUSCAT DE LUNEL**

n.c. 800 000

Le muscat préféré de Napoléon à Sainte-Hélène a une robe d'or bien patiné avec des arômes très intenses de raisins secs et une note de citron confit. Très liquoreux et onctueux, il laisse une agréable et persistante impression muscatée.
♦ Cave Coop. Muscat de Lunel, Vérargues, 34400 Lunel, tél. 67.86.00.09 ☎ r.-v.

Muscat de mireval

Ce vignoble s'étend entre Sète et Montpellier, sur le versant sud du massif de la Gardiole, et est limité par l'étang de Vic. Les sols sont d'origine jurassique et se présentent sous forme d'alluvions anciennes de cailloux roulés, avec une dominante calcaire. Le cépage est uniquement le muscat à petits grains.

Le mutage est effectué assez tôt, car les vins doivent avoir un minimum de 125 g de sucre; ils sont moelleux, fruités et liquoreux.

CAVE DE RABELAIS 1986*

155 ha   300 000

Derrière une robe légèrement dorée, s'exprime une forte intensité aromatique rappelant le miel de garrigue et les raisins surmûris. Assez onctueux en bouche, il persiste agréablement.
➥ Cave de Rabelais, 112, rte Nationale, 34840 Mireval, tél. 67.78.15.79 ☎ lu. ma. me. je. ve. 8h-12h 14h-18h ; f. mars

Saint-jean de minervois

C'est un vignoble perché à 200 m d'altitude qui donne ce muscat, et dont les parcelles s'imbriquent dans un paysage classique de garrigues. Il s'ensuit une récolte tardive, près de trois semaines environ après les autres appellations de muscat. Quelques vignes se trouvent sur des terrains primaires schisteux, mais la majorité est implantée sur des sols calcaires où apparaît parfois la coloration rouge de l'argile. Là encore, seul le muscat à petits grains est autorisé; les vins obtenus doivent avoir un minimum de 125 g de sucre. Ils sont très aromatiques, avec beaucoup de finesse et des notes florales très caractéristiques.

DOM. DE BARROUBIO 1986**

12 ha   20 000

Un nez très puissant et fin, fruité et évolué à la fois, rappelant la mandarine confite. La robe d'or soutenu renferme un nectare somptueusement liquoreux.
➥ M. Raymond Miquel, Dom. de Barroubio, Saint-Jean-de-Minervois, 34360 Saint-Chinian, tél. 67.38.14.06 ☎ t.l.j. sf dim. 8h30-20h.
➥ M.-T. et Jean Miquel.

Rasteau

Tout à fait au nord du département du Vaucluse, ce vignoble s'étale sur deux formations distinctes : sols de sables, marnes et galets au nord; terrasses d'alluvions anciennes du Rhône (quaternaire), avec des galets roulés, au sud. Partout le cépage utilisé est le grenache (noir, blanc ou gris).

DOM. LA SOUMADE

2 ha   3 000

De couleur ambre foncé, c'est un vin plutôt corsé où domine l'impression de sucre brûlé et de vieux marc.
➥ M. André Roméro, Dom. de La Soumade, Rasteau, 84110 Vaison-la-Romaine, tél. 90.46.11.26 ☎ t.l.j. 8h30-12h 14h-20h.

L'appellation contrôlée «vin de liqueur» ne s'applique en fait qu'au pineau des charentes à l'exception très rare de quelques frontignan. Il est produit dans la région de Cognac qui est celle, bien sûr, de l'alcool qui porte le même nom. Cette région est située au nord de l'Aquitaine et forme un vaste plan incliné d'est en ouest, d'une altitude maximum de 180 m et qui s'abaisse progressivement vers l'océan Atlantique. Le relief peu accentué est formé d'ondulations régulières dont l'importance diminue à l'approche de la mer. Le climat, de type océanique, est marqué par un ensoleillement remarquable, avec de faibles écarts de température qui favorisent une lente mais bonne maturation des raisins.

Pineau des charentes

Le vignoble, traversé par la Charente, est implanté sur des coteaux au sol essentiellement calcaire; il couvre une superficie de plus de 80 000 ha dont la destination principale est la production de la «liqueur des dieux», le cognac, qui va être «l'esprit» du pineau des charentes: ce vin de liqueur est en effet le résultat du mélange des moûts des raisins charentais avec du cognac.

Selon la légende, c'est par hasard qu'au XVIe s. un vigneron un peu distrait commit l'erreur de remplir de moût de raisin une barrique qui contenait encore du cognac. Constatant que ce fût ne fermentait pas, il l'abandonna au fond du chai. Quelques années plus tard, alors qu'il s'apprêtait à vider la barrique, il découvrit un liquide limpide, délicat, à la saveur douce et fruitée: ainsi était né le pineau des charentes. Le recours à cet assemblage se répandit dans le vignoble et il se poursuit aujourd'hui encore, de la même façon artisanale à chaque vendange. Restée locale pendant longtemps, sa renommée s'étendit peu à peu à toute la France puis au-delà de nos frontières.

Les moûts de raisins proviennent essentiellement, pour le pineau des charentes blanc, des cépages ugni blanc, colombard, montils et sémillon, et, pour le pineau des charentes rosé, des cépages rouges cabernet-franc, cabernet-sauvignon et merlot. Les ceps doivent être conduits en taille courte et cul-vés sans engrais azotés, pour produire moins de 50 hl par hectare et permettre ainsi une bonne maturité des raisins, qui devront donner un moût dépassant les 10° en puissance.

L'assemblage des moûts avec le cognac, le mutage, se fait avec du cognac rassis vieilli en fûts de chêne, et en quantité telle que le degré alcoolique du mélange soit compris entre 16° et 22°. Le pineau des charentes devra lui-même être vieilli en fûts de chêne pendant au minimum une année; il sera ensuite soumis à une commission de dégustation et ne pourra être vendu qu'après agréage.

Le pineau des charentes ne peut sortir de la région que mis en bouteilles, et chaque bouteille doit porter le timbre ou la vignette de garantie du syndicat des producteurs. Comme en matière de cognac, il n'est pas d'usage d'indiquer le millésime. Par contre, un qualificatif d'âge est souvent indiqué. Le

Pineau des charentes

Le terme « vieux pineau » est réservé au pineau des charentes de plus de cinq ans. Ce dernier est logé en petites barriques dont la qualité de vieillissement a été reconnue par la commission de dégustation.

Les pineau des charentes ont généralement un degré alcoolique, compris entre 17° et 18° (il est indiqué sur l'étiquette), et une teneur en sucre non fermenté de 125 à 150 grammes; les rosés sont par essence généralement plus doux et plus fruités que les blancs, plus nerveux et plus secs.

Si on prend la moyenne des dix dernières années, la production annuelle dépasse 75 000 hl, dont les deux tiers sont représentés par du blanc. L'année 1982 a été le record de la production, avec 120 000 hl.

Nectar de miel et de feu, au bouquet enchanteur, dont la merveilleuse douceur dissimule une certaine traîtrise, le pineau des charentes peut être consommé jeune (à partir de deux ans) : il donne alors tous ses arômes de fruits, encore plus abondants dans le rosé. Avec l'âge, il prend des parfums de rancio très caractéristiques qui en font une merveille. Par tradition, il se consomme à l'apéritif ou au dessert; cependant de nombreux gastronomes ont noté que sa rondeur accompagne remarquablement bien le foie gras et le roquefort, que son moelleux intensifie le goût et la douceur de certains fruits, principalement le melon (charentais) et les fraises. Il est utilisé également en cuisine pour la confection de plats régionaux (mouclades), et il donne une saveur délicieuse aux viandes blanches en sauce.

ANTOINE*** 3 ha n.c. ◑▣

Image même de la « douce France », non seulement par l'illustration courtoise de l'étiquette à la Walt-Disney, cet excellent pineau d'une couleur légère, possède beaucoup d'onctuosité, un parfum de raisins bien mûrs et une harmonie parfaite.

☛M. Gérard Antoine, Les Annereaux, Saint-Sulpice-de-Cognac, 16370 Cherves-Richemont, tél. 45.83.85 ☎ r.-v.

BARON** 10 ha 50 000 ◮▣

L'ancien pavillon de chasse au porche du

XVIe s., domine une grande partie du vignoble des Borderies. Mais ce n'est pas que la beauté du site caractéristique de la Saintonge qui doit seule vous attirer. Dans ses chais, on entoure de soins méticuleux l'un des plus beaux pineaux : d'une belle couleur rosée, onctueux et délicat, il présente encore des arômes de merlot rouge mêlés avec la finesse d'un excellent cognac de Borderies qui lui donne un parfait équilibre, et un goût bien personnel.

☛M. Michel Baron, Logis du Coudret, 16370 Cherves-Richemont, tél. 45.83.24.72 ☎ lu. ma. me. je. ve. 9h-12h 14h-18h30.

JEAN-CLAUDE BARRON* n.c. 2 000 ◮▣

Voici un propriétaire qui met beaucoup d'amour à faire et à développer son bon pineau rosé bien fruité.

☛M. Jean-Claude Barron, Le Bois, Saint-Martial-sur-Né, 17520 Archiac, tél. 46.49.50.85 ☎ r.-v.

CH. DE BEAULON Rubis** 40 ha 50 000 ◳

Le château de Beaulon abrite dans son parc une résurgence, « Les Fontaines bleues », qui n'est pas la seule source d'intérêt touristique, son pineau rosé très coloré, bien fruité et équilibré étant lui aussi une élégante curiosité.

☛M. Christian Thomas, Ch. de Beaulon, Saint-Dizant-du-Gua, 17240 Saint-Genis-de-Saintonge, tél. 46.49.96.13 ☎ r.-v.

BERNARD BEGUET 10 ha 17 000 ◮▣

La devise de Bernard Beguet, « saveur et loyauté » ne sera pas mise en défaut par ce pineau bien coloré, d'un parfum de fruits rouges et au goût onctueux.

☛M. Bernard Beguet, Le Poiron, Chenac-Saint-Seurin-d'Uzet, 17120 Cozes, tél. 46.90.64.84 ☎ t.l.j. sf dim. 8h-18h.

HENRI BETIZEAU* 6 ha 15 000 ◑↓◮▣

Voilà, pour le traditionnel lapin au pineau et aux pruneaux, un joli pineau d'une belle couleur, bien fruité et moelleux.

☛M. Henri Betizeau, La Paillerie, Sablonceaux, 17600 Saujon, tél. 46.94.70.19 ☎ r.-v.

JACQUES BRARD-BLANCHARD*

20 ha — n.c.

Jacques et Dany Blanchard, depuis 1972, cultivent leur vigne biologiquement. Mais ils conservent la grande tradition du « bouilleur de cru » et de l'assemblage pour ce pineau très fruité, particulier, mais d'une bonne finesse.
↳ M. Jacques Brard-Blanchard, chem. de Routreau, Boutiers-Saint-Trojan, 16100 Cognac, tél. 45.32.19.58 ▼ t.l.j. sf dim. 9h-12h 14h-17h ; f. 15 août-1er sept.

DOMINIQUE CHAINIER**

4 ha — 15000

Dominique Chainier offre non seulement des séjours gourmets à la table d'hôtes de sa ferme, mais aussi un excellent, produit très harmonieux, d'une belle onctuosité.
↳ M. Dominique Chainier, La Barde Fagnouse, Arthenac, 17520 Archiac, tél. 46.49.12.85 ▼ r.-v.

GIRARD DE DIDONNE

135 ha — 80000

Le château de Didonne fut de 1930 à 1960 le siège d'une importante ferme modèle. Aujourd'hui propriété des vignerons coopérateurs au cœur d'un superbe parc arboricole regroupant plus de cinquante essences, on visite le musée agricole tout autant que les chais où est proposé ce pineau de marque, d'un parfait équilibre entre son fruité et son...
↳ SCA Ch. de Didonne, Semussac, 17120 Cozes, tél. 46.05.05.91 ▼ ma. me. je. ve. sa. di. 9h-12h 14h-18h.

FRANCOIS 1er***

4 ha — 2000

Ce vieux pineau d'une bonne dizaine d'années offre un bouquet somptueux et une exquise harmonie apportée par le cépage colombard.
↳ M. Philippe Rivière, 16120 Châteauneuf, Angeac-Charente, tél. 45.97.02.66 ▼ t.l.j. sf dim. 8h30-11h30/14h-19h30.

JULES GAUTRET Extra-Vieux**

n.c. — n.c.

Ce vieux pineau d'une très belle couleur offre un goût de miel mêlé de feu mais très équilibré.
Un très joli vin d'apéritif.
↳ Unicognac, rte de Cognac, 17500 Jonzac, tél. 46.48.10.99 ▼ lu. ma. me. je. ve. 8h-12h 14h-17h.

ILRHEA

100 ha — 150000

Bien reconnaissable à sa haute tour blanche, la coopérative élabore un pineau bien typique, assez fruité avec un léger parfum de terroir propre à l'île de Ré.
↳ Cave coop. de l'Île de Ré, 17580 Le Bois-Plage-en-Ré, tél. 46.09.23.09 ▼ lu. ma. me. je. ve. 9h-12h 14h30-18h30.

DOM. DE LA CHAUVILLIERE*

20 ha — n.c.

Ce domaine propose un produit à l'arôme bien typ que du cépage dominant avec une bonne finesse.
↳ SCA Dom. de La Chauvillière, Sablonceaux, 17600 Saujon, tél. 46.94.70.17 ▼ r.-v.
↳ MM. R. Hauselmann et Fils.

REMI LANDIER ET FILS

Le chai des pères*

n.c. — n.c.

Ce sont les moines de l'Abbaye de Bassac qui exploitèrent dès le XIIe s. les vignes des coteaux de Cors et qui donnèrent ainsi un nom à ce paisible, bon et fin produit qui a subi un excellent vieillissement.
↳ MM. Rémi Landier et Fils, Dom. du Carrefour Foussignac, 16200 Jarnac, tél. 45.81.14.52 ▼ t.l.j. sf dim. 9h-11h 14h-17h.

LOGIS DE LA MONTAGNE*

1.50 ha — n.c.

Depuis quatre générations les Bonnin distillent leur cognac et élaborent leur pineau, produit bien typique et bien équilibré.
↳ Logis de la montagne, Challignac, 16300 Barbezieux, tél. 45.78.52.71 ▼ t.l.j. sf dim.

M-L Marnier-Lapostolle*

n.c. — n.c.

Elaboré dans les chais du château de Bourg, ce pineau élégant, moelleux, d'une bonne plénitude est propriété de cette excellente maison qui participe activement au développement commercial du pineau des Charentes.
↳ Sté prod. Marnier-Lapostolle, Bourg-Charente, 16200 Jarnac, tél. 45.81.30.22 ▼ r.-v.

GERARD PAUTIER*

2.32 ha — 15000

Un pineau d'une belle coloration avec des arômes de fruits rouges et beaucoup de finesse. Sans oublier que Gérard Pautier propose des recettes du terroir où l'on découvre un intéressant sorbet au pineau rosé.
↳ M. Gérard Pautier, Veillard, Bourg-Charente, 16200 Jarnac, tél. 45.81.30.15 ▼ r.-v.

ROBERT POUILLOUX

14 ha — n.c.

Fruité et harmonieux, voilà un bon pineau, élégant et d'une grande plénitude.
↳ M. Robert Pouilloux, Peugrignoux, Pérignac, 17800 Pons, tél. 46.96.41.41 ▼ t.l.j. sf dim. 9h-12h 14h-16h.

PAUL RUMEAU ET FILS*

3.50 ha — 10000

Alfred de Vigny a passé de longues années dans son manoir charentais du Maine-Giraud et devenu Champagne-Vigny « où la liqueur de feu mûrit au grand soleil...» Non loin est né ce bon pineau, équilibré et d'une grande finesse.
↳ M. Paul Rumeau et Fils, Dom. les Quillets, Champagne-Vigny, 16250 Blanzac, tél. 45.64.02.92 ▼ t.l.j. sf dim. 10h-12h 15h-19h.

VILLARD*

☐　　n.c.　　7 000　　🔲↕✅3️⃣

Créée en 1905, la marque Villard propose un bon assemblage qui donne un excellent pineau bien typique de l'appellation.

☛ Villard et Cie, 32, rue de Boston, 16100 Cognac, tél. 45.32.07.45
☛ MM. Bache-Gabrielsen.

LES VINS DE PAYS

Si l'expression «vins de pays» est employée depuis 1930, ce n'est que récemment qu'elle est devenue familière pour désigner officiellement certains «vins de table portant l'indication géographique du secteur ou de la région d'où ils proviennent». C'est en effet par des décrets de 1979 qu'une réglementation spécifique a déterminé leurs conditions particulières de production, recommandant notamment l'utilisation de certains cépages et fixant des rendements plafond. Des normes analytiques, telles la teneur en alcool, l'acidité volatile ou les dosages de certains additifs autorisés, ont été établies, permettant de contrôler et de garantir au consommateur un niveau de qualité qui place les vins de pays parmi les meilleurs vins de table français. Comme les vins d'appellations, les vins de pays sont d'ailleurs soumis à des dégustations d'agrément après chaque récolte; mais, alors que les vins d'AOC sont placés sous la tutelle de l'INAO, c'est l'Office interprofessionnel des vins (ONIVINS) qui assure celle des vins de pays. Avec les organismes professionnels (syndicats de défense des vins de pays), l'ONIVINS participe en outre à leur promotion, tant en France que sur les marchés extérieurs, où ils ont pu conquérir une place relativement importante.

Il existe trois catégories de vins de pays, selon l'extension de la zone géographique dans laquelle ils sont produits et qui portent leur dénomination. Les premiers sont désignés sous le nom du département de production, à l'exclusion bien sûr des départements dont le nom est aussi celui d'une AOC (Jura, Savoie ou Corse). Les seconds sont désignés par le nom d'une zone plus vaste ou plus restreinte que le département (dénomination sous-régionale ou locale); les troisièmes sont dits «régionaux»; issus de trois zones regroupant plusieurs départements, ils sont assujettis à des règles particulières, l'assemblage étant notamment autorisé pour garantir une qualité constante au sein d'une production abondante. Il s'agit du vin de pays du Jardin de la France (Val de Loire), du vin de pays du Comté tolosan, et du vin de pays d'Oc.

La production moyenne de l'ensemble des vins de pays, dont une grande partie est vinifiée par des coopératives, et qui se situait ces dernières années autour de cinq millions d'hectolitres, a légèrement dépassé les six millions en 1983. La plus grande part (85 %) est issue des vignobles du Midi. Vins simples mais de caractère, ils n'ont d'autre prétention que d'accompagner agréablement les repas quotidiens, ou de participer, dans les étapes des voyages, à la découverte des régions dont ils sont issus, accompagnant les mets selon les usages habituels de leurs types. L'ensemble des zones de production est présenté ci-dessous selon le découpage régional de la législation spécifique des dénominations de vins de pays, qui ne correspond pas à celui des régions viticoles d'AOC ou VDQS.

La vallée de la Loire

Du point de vue des vins de pays, la région regroupe les départements de la Loire-Atlantique, la Vendée, le Maine-et-Loire, les Deux-Sèvres, la Vienne, l'Indre-et-Loire, l'Indre, le Cher, le Loir-et-Cher et le Loiret, ainsi que la Sarthe et la Nièvre. Les dix premiers constituent le «jardin de la France», dénomination régionale des vins de pays (60 % de la production), et chacun des douze, une dénomination départementale (25 %). Quant aux vins de pays à dénomination sous-régionale ou locale (15 %), ce sont ici les vins de pays des coteaux du Cher et de l'Arnon (au sud de Vierzon, dans la région de Quincy et Reuilly), des

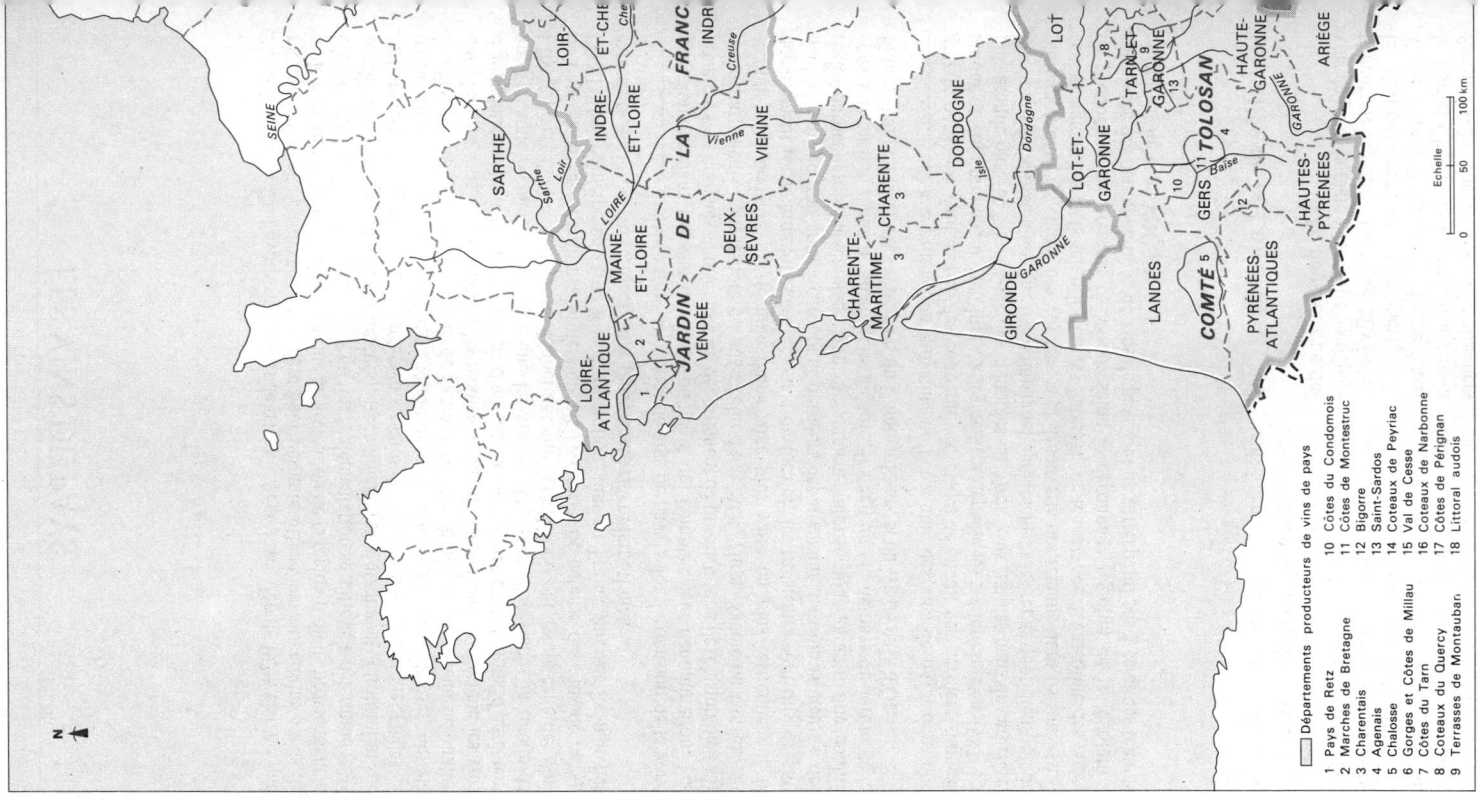

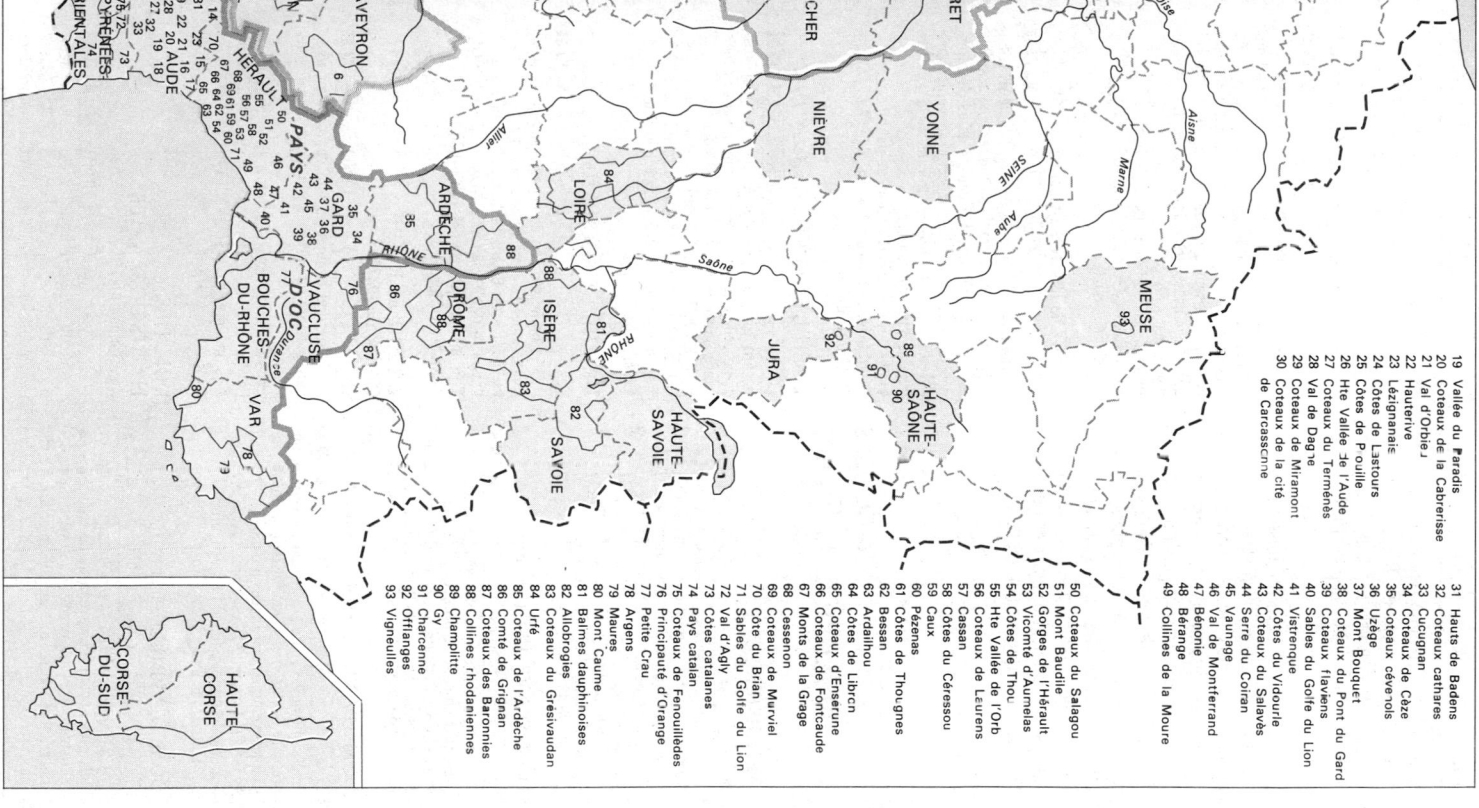

LES VINS DE PAYS

19 Vallée du Paradis
20 Coteaux de la Cabrerisse
21 Val d'Orbieu
22 Hauterive
23 Lézignanais
24 Côtes de Lastours
25 Côtes de Pouille
26 Hte Vallée de l'Aude
27 Coteaux du Termenès
28 Val de Dagne
29 Coteaux de Miramont
30 Coteaux de la cité
de Carcassonne

31 Hauts de Badens
32 Coteaux cathares
33 Val d'Orbieu
34 Cucugnan
35 Coteaux de Cèze
36 Coteaux cévenols
37 Uzège
38 Mont Bouquet
39 Coteaux du Pont du Gard
40 Coteaux flaviens
41 Sables du Golfe du Lion
42 Vistrenque
43 Côtes du Vidourle
44 Coteaux du Salavès
45 Serre du Coiran
46 Vaunage
47 Val de Montferrand
48 Bérange
49 Collines de la Moure

50 Coteaux du Salagou
51 Mont Baudile
52 Gorges de l'Hérault
53 Vicomté d'Aumelas
54 Côtes de Thau
55 Hte Vallée de l'Orb
56 Coteaux de Laurens
57 Cassan
58 Côtes du Céressou
59 Caux
60 Pézenas
61 Côtes de Thongues
62 Ardailhou
63 Bessan
64 Côtes de Libron
65 Coteaux d'Enserune
66 Coteaux de Fontcaude
67 Monts de la Grage
68 Cessenon
69 Coteaux de Murviel
70 Côte du Brian
71 Sables du Golfe du Lion
72 Val d'Agly
73 Côtes catalanes
74 Pays catalan
75 Coteaux de Fenouillèdes
76 Principauté d'Orange
77 Petite Crau
78 Maures
79 Argens
80 Mont Caume
81 Baimes dauphinoises
82 Allobrogies
83 Coteaux du Grésivaudan
84 Urfé
85 Coteaux de l'Ardèche
86 Comté de Grignan
87 Coteaux des Baronnies
88 Collines rhodaniennes
89 Champlitte
90 Gy
91 Charcenne
92 Offlanges
93 Vigneulles

La vallée de la Loire

Marches de Bretagne (vignoble de Sèvre-et-Maine), du pays de Retz, au sud de l'estuaire de la Loire. Les vins de pays des Fiefs vendéens sont, depuis 1984, classés en VDQS.

En progression, la production varie entre 300 et 400 000 hl, dont la moitié en vins rouges « primeurs » ou fruités, à consommer le plus souvent jeunes. Les blancs sont généralement secs et fruités, fins s'ils sont issus du chardonnay ou du pinot gris. Le pinot d'Aunis relève les rosés des vallées du Loir et du Cher d'une nuance poivrée. La plupart sont issus d'un seul des cépages usuels de la région, indiqué sur l'étiquette.

Jardin de la France

☛ GAEC Biotteau Frères, Dom. d'Avrillé, Saint-Jean-des-Mauvrets, 49320 Brissac-Quincé, tél. 41.91.22.46 ☂ t.l.j. sf dim. 8h-12h 14h-19h.

DOM. DE BABLUT Sauvignon blanc 1987*

☐ 7 ha 30 000   ▦ ▮ ▯

Les parfums sauvages, violents, intenses sont bien à leur place sur ce sauvignon très floral qui ne manquera pas de réjouir les amateurs de crustacés, mais qui aura aussi sa place sur les poissons. Faisons confiance à Martine Le Quéré qui sait dans son restaurant marier les vins du domaine.
☛ MM. Daviau Frères, Dom. de Bablut, 49320 Brissac-Quincé, tél. 41.91.22.59 ☂ t.l.j. 9h-12h 14h-18h30.

DOM. DE BABLUT Chardonnay 1987**

☐ 4 ha 15 000   ▦ ▮ ▯

Meuniers et vignerons depuis 1546, les Daviau sont ancrés dans la tradition tout en épousant les techniques modernes. Les raisins de ce chardonnay ont bien digéré leur macération pelliculaire qui a accentué les arômes floraux et la rondeur typique d'un bon cépage.
☛ MM. Daviau Frères, Dom. de Bablut, 49320 Brissac-Quincé, tél. 41.91.22.59 ☂ t.l.j. 9h-12h 14h-18h30.

BREUIL ET ROCHE Gris fumé 1987**

☐ 4 ha 18 000   ▦ ▮ ▯

Un grolleau gris donne cette couleur œil-de-perdrix, élégante. C'est un vin très sec et bien fruité, qui accompagnera les charcuteries.
☛ SCE Ch. du Breuil, Le Breuil, Beaulieu-sur-Layon, 49190 Rochefort-sur-Loire, tél. 41.78.30.03 ☂ lu. ma. me. je. ve. 9h30-12h 14h30-17h30.
☛ M. Marc Morgat.

BREUIL ET ROCHE Sauvignon 1987***

☐ 3 ha 6 000   ▦ ▮ ▯

Vin blanc issu de cépage sauvignon, typé, aromatique, fin et vif en bouche.
☛ SCE Ch. du Breuil, Le Breuil, Beaulieu-sur-Layon, 49190 Rochefort-sur-Loire, tél. 41.78.30.03 ☂ lu. ma. me. je. ve. 9h30-12h 14h30-17h30.
☛ M. Marc Morgat.

BREUIL ET ROCHE Chardonnay 1987**

☐ 4 ha 10 000   ▦ ▮ ▯

Il est rond comme un bon chardonnay, avec tout le fruité qu'on en attend. Pour les poissons de rivière.
☛ SCE Ch. du Breuil, Le Breuil, Beaulieu-sur-Layon, 49190 Rochefort-sur-Loire, tél. 41.78.30.03 ☂ lu. ma. me. je. ve. 9h30-12h 14h30-17h30.
☛ M. Marc Morgat.

DOM. DES HAUTS DE SANZIERS Chardonnay 1987**

☐ 7,80 ha 70 000   ▮ ▯

Viticulteurs de père en fils depuis plus de deux siècles, ils possèdent une belle cave dans le roc. Ce vin blanc sec, issu de chardonnay, présente beaucoup de rondeur et de longueur en bouche.

Vin de pays du Jardin de la France

ARDOISIER 1985   ▮ 3

● n.c. n.c.   ▯

Ce rouge mousseux est original. Les arômes de fruits rouges, cassis, griotte, sont sympathiques. Il laisse cependant une bouche capiteuse. Il faut réserver ce type de vin au nom très angevin à ses inconditionnels.
☛ M. Victor Lebreton, Dom. de Montgilet, Juigné-sur-Loire, 49130 Les-Ponts-de-Cé, tél. 41.91.90.48 ☂ r.-v.

DOM. D'AVRILLE Chardonnay 1987**

☐ 2,50 ha 25 000   ▦ ▮ ▯

Ce vin blanc issu de cépage chardonnay, présente beaucoup de rondeur et de gras.
☛ GAEC Biotteau Frères, Dom. d'Avrillé, Saint-Jean-des-Mauvrets, 49320 Brissac-Quincé, tél. 41.91.22.46 ☂ t.l.j. sf dim. 8h-12h 14h-19h.

DOM. D'AVRILLE Sauvignon 1987**

☐ 4,90 ha 52 500   ▦ ▮ ▯

Vin blanc sec, issu de cépage sauvignon, qui présente des arômes caractéristiques, une bonne souplesse et une persistance en bouche.
☛ GAEC Biotteau Frères, Dom. d'Avrillé, Saint-Jean-des-Mauvrets, 49320 Brissac-Quincé, tél. 41.91.22.46 ☂ t.l.j. sf dim. 8h-12h 14h-19h.

DOM. D'AVRILLE Pinot 1987***

☐ 5 ha 50 000   ▦ ▮ ▯

Château du XVIII° s., entourant un corps de logis plus ancien. Le caveau de dégustation sous le château, est tenu par le grand-père, l'une des plus grandes figures du vignoble angevin. Ce vin blanc sec, souple et fruité, à une pointe de nervosité au palais.

DOM. DES TREIZE VENTS
Gamay 1987**

| 6 ha | 70 000 | |

Tout le fruité et toute la légèreté du gamay se retrouvent dans ce joli vin de pays des 13 vents.

MM. Freuchet Père et Fils, Dom. des Treize Vents, La Chevrolière, 44310 Saint-Philbert-de-Grand-Lieu, tel. 40.31.30.42 t.l.j; sf dim. 9h-12h 14h-19h.

GAEC REVEILLERE-GIRAUD
Cépage chardonnay 1987*

| 0,56 ha | 1 000 | |

Un bon chardonnay sans prétention, qui ne manque pas de finesse, d'équilibre. Il enchantera certes les amateurs de poissons mais se dégustera aussi à l'apéritif en toutes occasions, étant donné sa souplesse.

GAEC Réveillère-Giraud, La Gonorderie, 49320 Brissac-Quincé, tél. 41.91.22.80 t.l.j, 8h-19h.

LES CAVES DE LA LOIRE
Chardonnay 1987**

| 4 ha | 20 300 | |

Cette coopérative est la plus importante du Val de Loire. Elle possède des installations très modernes et quatre chais de réception et vinification (Tigné, Brissac, Thouarcé et Beaulieu). Son chardonnay a les saveurs et les couleurs des jardins de Loire.

Les Caves de La Loire, rte de Vauchrétien, 49320 Brissac, tél. 41.91.22.71 lu. ma. me. je. ve. 8h-12h30 14h-17h30.

LES CAVES DE LA LOIRE
Groslot 1986**

| n.c. | 150 000 | |

La coopérative exporte près de 40% ce sa production vers les pays de la communauté européenne, mais aussi l'Amérique du Nord ou le Japon. Le groslot 86, bien fruité, se montre souple et goûleyant.

Les Caves de La Loire, rte ce Vauchrétien, 49320 Brissac, tél. 41.91.22.71 lu. ma. me. je. ve. 8h-12h30 14h-17h30.

DOM. DES HAUTS DE SANZIERS
Pinot blanc 1987**

| 2,40 ha | 12 500 | |

Ce vin blanc sec issu de cépage pinot, présente un caractère fruité et souple. A servir frais sur les fruits de mer.

SCEA A. Tessier et Fils, Dom. les Hauts de Sanziers, Le Puy-Notre-Dame, 49260 Montreuil-Bellay, tél. 4 .52.26.75 t.l.j; sf dim. 9h-12h 14h-19h.

SCEA A. Tessier et Fils, Dom. les Hauts de Sanziers, Le Puy-Notre-Dame, 49260 Montreuil-Bellay, tél. 41.52.26.75 t.l.j; sf dim. 9h-12h 14h-19h.

Vin de pays de Retz

DOM. DES HERBAUGES Gamay 1987**

| 4 ha | 7 000 | |

Vin rouge très léger, très typique du cépage gamay.

MM. Pierre et Luc Choblet, Dom. des Herbauges, Les Herbauges, 44830 Bouaye, tél. 40.65.44.92 t.l.j; sf dim. 9h-12h 14h-18h30.

DOM. DES TREIZE VENTS
Grolleau 1987***

| 4 ha | 35 000 | |

Vin rosé très agréable, fruité, souple, bien caractéristique du cépage grolleau.

MM. Freuchet Père et Fils, Dom. des Treize Vents, La Chevrolière, 44310 Saint-Philbert-de-Grand-Lieu, tél. 40.31.30.42 t.l.j; sf dim. 9h-12h 14h-19h.

Vin de pays de Loire-Atlantique

DOM. DE LA MERCREDIERE 1987***

| 5 ha | 25 000 | |

Ce vin blanc issu de cépage melon présente toutes les qualités d'un grand vin : fruité, équilibré, longueur en bouche. La colline située sur ce domaine convient très bien à la culture de la vigne elle fut plantée dès l'époque des Romains qui cé ébraient sur le site le dieu Mercure.

MM. Futeul Frères, Ch. de La Mercredière, Le Palet, 44330 Vallet, tél. 40.54.80.10 lu. ma. me. je ve. 9h-12h 14h-18h.

Aquitaine et Charentes

Entourant largement le Bordelais, c'est la région formée par les départements de Charente et Charente-Maritime, Gironde, Landes, Dordogne et Lot-et-Garonne. La production y atteint 60 000 hl, avec une majorité de vins rouges souples et parfumés dans le secteur aquitain, issus des cépages bordelais que complètent quelques cépages locaux plus rustiques (tannat, abouriou, bouchalès, fer). Charentes et Dordogne donnent surtout des vins de pays blancs, légers et fins (ugni blanc, colombard), ronds (sémillon, en assemblage avec d'autres cépages) ou corsés (baroque). Charentais et Agenais sont les dénominations sous-régionales, les côtes-du-Brulhois étant désormais VDQS; Dordogne, Gironde et Landes constituent les dénominations départementales.

Vin de pays Charentais

JEAN-CLAUDE BENASSY 1987**

☐ 📥 ☑ 2 — 1 ha — 10 000

Il entre 60% de cabernet-sauvignon dans ce rosé sec, long en bouche prêt à boire.
➤ M. Jean-Claude Benassy, Poncereau-de-Haut, Epargnes, 17120 Cozes, tél. 46.90.73.63 ☎ t.l.j. sf dim. 8h30-12h30 14h30-19h30.

BLANC MARINE 1987*

☐ ☑ 2 — 1 ha — 5 700

«Blanc Marine», un joli porte drapeau pour ces vins de bord de mer, frais, au nez fin, de très bonne harmonie.
➤ M. Jean Aubineau, La Coudraie, Malaville, 16120 Châteauneuf, tél. 45.97.08.30 ☎ r.-v.

JACQUES BRARD-BLANCHARD 1987**

☐ ☑ 2 — 1,20 ha — 5 000

Vin puissant à base de merlot prêt à boire mais pouvant attendre. Il accompagnera agréablement les viandes et les fromages. Le vignoble est cultivé en «agriculture biologique» depuis 1972.
➤ M. Jacques Brard-Blanchard, Chem. de Routreau, Boutiers-Saint-Trojan, 16100 Cognac, tél. 45.32.19.58 ☎ t.l.j. sf dim. 9h-12h 14h-18h.

DOM. DE LA BATTUE 1987**

☐ ☑ 2 — 5 ha — 35 000

Au cœur de la petite Champagne d'Archiac, on distille surtout pour le cognac. Une partie du vignoble permet d'élaborer ce 100% ugni blanc aux arômes fins, frais, très souple en bouche. Accompagnera les produits de la mer, les viandes blanches et les fromages.
➤ M. Bernard Deborde, La Battue, Arthenac, 17520 Archiac, tél. 46.49.14.44 ☎ r.-v.
➤ GFA de La Battue.

DOM. DE LA CHAUVILLIERE Chardonnay 1987**

☐ 📥 ☑ 2 — 4 ha — 3 000

Floral, plein et puissant voilà un vin élégant apte à accompagner les poissons fins et les cuisines de la mer. Il s'agit d'une nouvelle production mise en place sur cette propriété, produisant depuis de nombreuses années des vins de pays charentais blancs.
➤ MM. Hauselmann et Fils, Dom. de La Chauvillière, Sablonneux, 17600 Saujon, tél. 46.94.70.17 ☎ r.-v.

LE TAILLANT 1987*

☐ ☑ 2 — 5 ha — 20 000

100% cabernet sauvignon, ce rosé souple a un fruité discret et une bonne longueur en bouche.
➤ M. Bruno Arrivé, Dom. du Taillant, Virollet, 17260 Gémozac, tél. 46.94.21.39 ☎ t.l.j. sf dim. 9h-12h 14h-18h.

LE TOUT-BLANC 1987*

☐ 📥 ☑ 2 — 7,50 ha — 15 000

Vin ayant un nez discret, vif en bouche, agréable à consommer avec les produits de la mer. Proche de Cognac, la propriété est située sur la voie romaine qui menait à Saintes.
➤ M. Philippe Deblaise, Les Petits-Pâteurs, 17260 Gémozac, tél. 46.94.60.19 ☎ t.l.j. sf dim. 9h-20h.

PATRICK MALLINGER 1987**

☐ 📥 ☑ 2 — 3 ha — 30 000

50% merlot, 50% cabernet, un rosé très rond, gouleyant, prêt à boire. Il accompagnera bien tous les repas de l'été.
➤ M. Patrick Mallinger, Les Panneliers, Moulidars, 16290 Hiersac, tél. 45.96.91.45 ☎ r.-v.

MARQUIS DE DIDONNE Colombard 1987**

☐ 📥 ☑ 2 — 13,80 ha — 56 000

Vin complexe très équilibré au nez fleuri, fruité et long en bouche. Il accompagnera tous les produits de la mer.
➤ SCA Cozes-Saujon, Ch. de Didonne, 17120 Sémussac, tél. 46.05.05.91 ☎ ma. me. je. ve. sa. di. 9h-12h 14h-18h.

ROSE DES DUNES 1987*

☐ 📥 ☑ 2 — n.c. — 100 000

Cabernet franc et merlot pour ce rosé des dunes de l'Ile de Ré. Bien équilibré, relativement sec, il se marie bien avec la cuisine estivale.
➤ Cave coop. de l'Ile de Ré, 17580 Le Bois-Plage-en-Ré, tél. 46.09.23.09 ☎ lu. ma. me. je. ve. 9h-12h 14h30-18h30 ; f. sam. a.-m. l'été

SORNIN Gamay 1987**

14 ha — 80 000 — [symbols] V 2

Ce vin léger est prêt à boire, il accompagnera avantageusement les grillades sur barbecue. D'autre part, la coopérative produit aussi des vins rouges à base de cépages cabernet et merlot.
➤ Cave Coop. de Saint-Sornin, Saint-Sornin, 16220 Montbron, tél. 45.23.92.22 ma. me. je. ve. sa. 8h-12h 14h-18h.

THALASSA 1987**

30 ha — 40 000 — [symbols] V 2

Bien sûr c'est le skipper du catamaran « Charente-Maritime » qui parraine ce Thalassa 87, 80% ugni blanc, 20% colombard. Les parfums sont agréables, la bouche persistante.
➤ SICA Vini, Charente-Maritime, allée des Marronniers, 17520 Archiac, tél. 46.49.17.43 r.-v.

Vin de pays de l'Agenais

COOP. DE GOULENS EN BRULHOIS 1987*

85.42 ha — 300 000 — [symbols] V 2

Créée en 1957, la coopérative a une capacité de logement de 4500 hl et regroupe près de 85 hectares de vignes. Elle produit des vins fort honorables.
➤ Coop. de Goulens en Brulhois, 47390 Layrac, tél. 53.87.01.65 t.l.j. sf dim. 8h-12h 14h-18h; f. sam. a.-m.

Vin de pays des terroirs Landais

COTEAUX DE CHALOSSE Cuvée du Vigneron 1987

50 ha — 100 000 — [symbols] V

Il est franc et brillant, chaud et fruité. Une petite majeure au palais inciterait-elle à l'attendre ?
➤ Cave Coop. La Haute-Chalosse, av. René Bats, 40250 Mugron, tél. 58.97.70.75 r.-v.

COTEAUX DE CHALOSSE Cuvée du Vigneron 1987*

50 ha — 100 000 — [symbols] V

Un rosé typé, chaud et vineux avec un nez de framboise. Il est solide et chaleureux.
➤ Cave Coop. La Haute-Chalosse, av. René Bats, 40250 Mugron, tél. 58.97.70.75 r.-v.

1987
VIN DE PAYS DE TERROIRS LANDAIS
MIS EN BOUTEILLE AU DOMAINE

DOM. DE PAGUY 1986*

2.50 ha — 5 000 — [symbols] V

Fin et discret dans une robe légèrement teintée de vert, il montre une bouche fraîchement fruitée avec un peu de sucre résiduel surprenant pour un 86.
➤ M. Albert Darzacq, Dom. de Paguy, Betbezer-d'Armagnac, 40240 Labastide-d'Armagnac, tél. 58.44.81.57 r.-v.

DOM. DE PAGUY 1987*

2.20 ha — n.c. — [symbols] V

Franc et brillant, marqué de fruits rouges et de rôti sur murri, sa bouche a un petit côté féminin. A boire dans les 2 ans.
➤ M. Albert Darzacq, Dom. de Paguy, Betbezer-d'Armagnac, 40240 Labastide-d'Armagnac, tél. 58.44.81.57 r.-v.

DOM. DE TASTET Coteaux de Chalosse 1987*

1.20 ha — 4 000 — [symbols] V

On aime la couleur au domaine. Le rouge est

DOM. DE LABAIGT Coteaux de Chalosse 1987*

1 ha — 3 000 — [symbols] V

Léger et fin, bien typé avec une bouche fruitée et poivrée terminant sur une note fraîche.
➤ M. Dominique Lanot, Dom. de Labaigt, Mouscardes, 40290 Habas, tél. 58.98.02.42 t.l.j. sf dim. 9h-12h 14h-19h.

DOM. DE LABAIGT Coteaux de Chalosse 1986

1 ha — 3 000 — [symbols] V

Un vin classique, peut-être peu parfumé, mais bien dans la note du cépage barroque.
➤ M. Dominique Lanot, Dom. de Labaigt, Mouscardes, 40290 Habas, tél. 58.98.02.42 t.l.j. sf dim. 9h-12h 14h-19h.

DOM. DE LABALLE 1987**

12 ha — 40 000 — [symbols] V

Une pointe vert acide dans la couleur, un nez frais fruité, long et fin : ce vin chante en bouche, vif e. agréable, sans trop de longueur et invite a le regoûter.
➤ M. Noël Laudet, Dom. de Laballe, Parleboscq, 40310 Gabarret, tél. 58.44.33.39 r.-v.

Pays de la Garonne

lui aussi franc et brillant, avec un nez fin de cassis mûr. Rond, fruité et chaleureux, il est agréable à boire.
➤ M. Jean-Claude Romain, Dom. de Tastet, 40350 Pouillon, tél. 58.98.28.27 ☎ t.l.j. sf dim. 8h-12h 14h-20h.

DOM. DE TASTET
Coteaux de Chalosse 1987*

□ 1,50 ha 14 000

Une couleur soutenue marquée par l'excès de maturation, tout comme le lourd bouquet. Mais il plaira aux amateurs de vins chauds et gras, ronds, chargés en glycérol.
➤ M. Jean-Claude Romain, Dom. de Tastet, 40350 Pouillon, tél. 58.98.28.27 ☎ t.l.j. sf dim. 8h-12h 14h-20h.

DOM. DE TASTET
Coteaux de Chalosse 1986***

▢ 1 ha 4 000

Une longue lignée de vignerons élabore ce joli rosé, vif en couleur mais fin et léger au nez. Rond et harmonieux en bouche, il a tout le fruité du carbernet.
➤ M. Jean-Claude Romain, Dom. de Tastet, 40350 Pouillon, tél. 58.98.28.27 ☎ t.l.j. sf dim. 8h-12h 14h-20h.

Côtes du Tarn

tés); Saint-Sardos (rive gauche de la Garonne); les coteaux et terrasses de Montauban (rouges légers); les côtes de Gascogne, comprenant les côtes du Condomois et les côtes de Montestruc, Gers, (zone de production de l'Armagnac; majorité de blancs); la Bigorre. Haute-Garonne, Tarn-et-Garonne et Pyrénées-Atlantiques sont les trois dénominations départementales.

L'ensemble de la région, d'une extrême variété, produit environ 200 000 hl de rouges et rosés, avec quelques blancs dans le Gers, le Tarn et le Béarn. La diversité des sols et des climats, des rivages atlantiques au sud du Massif central, allié à une gamme particulièrement étendue de cépages, incite à l'élaboration d'un vin d'assemblage de caractère constant, ce que s'efforce d'être depuis 1982 le vin de pays du Comté tolosan, homologué après une seconde dégustation d'agrément; mais sa production est encore réduite : 20 000 hl dans un ensemble produisant environ dix fois plus.

Pays de la Garonne

Avec Toulouse en son cœur, cette région regroupe dans la dénomination «pays du Comté tolosan» les départements de l'Ariège, l'Aveyron, la Haute-Garonne, le Gers, les Landes, le Lot, le Lot-et-Garonne, les Pyrénées-Atlantiques et les Hautes-Pyrénées, le Tarn et le Tarn-et-Garonne. Les dénominations sous-régionales ou locales sont les côtes du Tarn; les gorges et côtes de Millau (rouges primeurs); les coteaux de Glanes (Haut-Quercy, au nord du Lot; rouges pouvant vieillir); les coteaux du Quercy (sud de Cahors; rouges charpen-

Vin de pays des côtes du Tarn

NICOLAS**

n.c. 300 000

Un 87 qui n'avoue pas son âge puisqu'il ne porte pas de millésime. Style primeur réussi, ni creux ni écœurant. Joli nez grenadine facile. Attaque nette, fruité simple légèrement poivré. Excellent dans sa catégorie.
➤ Ets Nicolas, 253, av. du Gal-Leclerc, 94700 Maisons-Alfort, tél. 1.43.96.81.81.

Vin de pays des coteaux du Quercy

F. CARLES ET FILS 1986

■ 8 ha 20 000

Représentatif des vins issus de longue macération, telle qu'elle est traditionnellement pratiquée dans cette région. Il en résulte un vin corsé et tannique.

DOM. DE LA COMBARADE 1987*

■   6 ha   25 000   [icons]

Légèrement herbacé et tannique, ce vin de qualité doit vieillir un peu pour atteindre sa plénitude. Très typé.

↳ Xavier et Laurence Dieuzaide, Dom. de La Combarade, 46170 Castelnau-Montratier, tél. 65.21.95.95 ♈ t.l.j, 9h-19h.

DOM. DE LA COMBARADE
La Rapiete 1986**

■   6 ha   10 000   [icons]

Parmi les vins de côteaux du Quercy, il représente plutôt la «nouvelle vogue», issu de vinification soigneusement contrôlée.

↳ Xavier et Laurence Dieuzaide, Dom. de La Combarade, 46170 Castelnau-Montratier, tél. 65.21.95.95 ♈ t.l.j, 9h-19h.

VIGNERONS DU QUERCY
Carte Blanche 1986

■   2,50 ha   20 000   [icons]

Cette jeune cave coopérative, au cœur du vignoble quercynois, mérite d'être citée. Elle assure à elle seule un tiers de la production. Située au bord même de la RN 20 à la hauteur de Montpezat, on peut y faire une halte à l'ombre des chênes qui l'entourent et déguster quelques produits du terroir arrosés de ce vin de pays.

↳ Vignerons du Quercy, RN 20, 82270 Montpezat-de-Quercy, tél. 63.02.03.50 ♈ t.l.j, 9h-19h ; f. le midi en hiver

VIGNERONS DU QUERCY
Carte Noire 1986*

■   2,50 ha   20 000   [icons]

Sélection des meilleures vinifications de la cave, il est souple et rond, fin et aromatique.

↳ Vignerons du Quercy, RN 20, 82270 Montpezat-de-Quercy, tél. 63.02.03.50 ♈ t.l.j, 9h-19h ; f. le midi en hiver

Vin de pays de Saint-Sardos

CAVE COOP. DE SAINT-SARDOS 1987*

■   1/3 syrah, 1/3 tannat, 1/3 cabernet.   n.c.   130 000   [icons]

Agréable en particulier au nez. Un vin solide pour cassoulet et confits.

↳ Cave Coop. de Saint-Sardos, Saint-Sardos, 82600 Verdun-sur-Garonne, tél. 63.02.52.44 ♈ r.-v.

↳ MM. Fernand Carles et Fils, A Mazuc, Puylaroque, 82240 Septfonds, tél. 63.64.90.91 ♈ t.l.j, 8h-12h 14h-18h.

Vin de pays des côteaux et terrasses de Montauban

DOM. DE MONTELS 1987*

■   16,50 ha   20 000   [icons]

Moins charpenté que le 86, le servir dès maintenant sur des grillades.

↳ Mme Aline Romain, Dom. des Montels, 82350 Albias, tél. 63.31.02.82 ♈ r.-v.

Vin de pays des côtes de Gascogne

LES DOM. GRASSA 1987**

□   n.c.   500 000   [icons]

Peut-être un peu vert, ce qui le fait apprécier avec les fruits de mer. Aussi aromatique au nez qu'en bouche. Qualité suivie de ces vins selon les années.

↳ Les Domaines Grassa, Saint-Amand, 32800 Eauze, tél. 62.09.87.82 ♈ r.-v.

DOM. DE MATHALIN 1987

■   4,30 ha   25 000   [icons]

Il est à boire, ce 87, malgré son boisé bien présent. Il ne faut pas attendre qu'il soit fatigué pour l'apprécier à sa table quotidienne.

↳ M Olivier Galabert, Ch. de Pardailhan, Beaucaire, 32410 Castera-Verduzan, tél. 62.68.15.43 ♈ r.-v.

PRODUCTEURS DE PLAIMONT
Colombard 1987**

□   n.c.   1 500 000   [icons]

Très représentatif du colombard, ce jeune pour avoir toutes ses qualités aromatiques.

↳ Union des Producteurs de Plaimont, 32400 Saint-Mont, tél. 62.69.62.87 ♈ r.-v.

PLAIMONT
CÉPAGE COLOMBARD
Vin de Pays Côtes de Gascogne
1987

Vin de pays des Pyrénées-Atlantiques

Languedoc et Roussillon

PRODUCTEURS DE PLAIMONT 1987**

n.c. 1 000 000

Très bon vin de pays, souvent typé cabernet. De la couleur, du nez et très agréable en bouche. ☛ Union des Producteurs de Plaimont, 32400 Saint-Mont, tél. 62.69.62.87 r.-v.

DOM. DU TARIQUET 1987**

45 ha 450 000

Quasiment un «perlé» mais déjà riche en parfums; ceux-ci sont mis en valeur par la présence de gaz carbonique. A boire légèrement frais. ☛ MM. Pierre Grassa et Fils, Ch. du Tariquet, 32800 Eauze, tél. 62.09.87.82 r.-v.

Vin de pays de la Haute-Garonne

DOM. DE RIBONNET Chardonnay 1985***

2 ha 10 000

Une rareté en gironde: le chardonnay. Il faut une dérogation pour avoir un droit de plantation. Le vin qui en est issu est très aromatique. A consommer avec les poissons cuisinés (en sauce). Également très agréable en apéritif. ☛ SARL Dom. de Ribonnet, Beaumont-sur-Lèze, 31190 Auterive, tél. 61.08.71.02 r.-v.

DOM. DE RIBONNET Merlot 1987**

2 ha 11 000

Clément Ader, pionnier et père de l'aviation, fut propriétaire de ce domaine au début du siècle. Il développa le vignoble et n'avait pas honte de ce joli merlot tout en rondeur et équilibre, très typé. ☛ SARL Dom. de Ribonnet, Beaumont-sur-Lèze, 31190 Auterive, tél. 61.08.71.02 r.-v.

DOM. DE RIBONNET Syrah 1987**

1 ha 7 000

Issu de vinification de syrah, il a une très jolie couleur brillante et montre autant de richesse au nez qu'en bouche. ☛ SARL Dom. de Ribonnet, Beaumont-sur-Lèze, 31190 Auterive, tél. 61.08.71.02 r.-v.

CAVE DE CROUSEILLES Vin de fleur 1987*

n.c. 700 000

Bien qu'ayant du corps, ce vin est plutôt typé primeur d'où son nom «Vin de Fleur». Doit être bon après les vendanges, comme vin nouveau. ☛ Cave de Crouseilles Madiran, Crouseilles, 64350 Lembeye, tél. 59.68.10.93 r.-v.

LE MONTAGNARD 1987*

n.c. n.c.

Les producteurs de cette cave élaborent de bons jurançons en AOC. Ils font aussi ce «Montagnard» bien pyrénéen en vin de pays. Issu de gros manseng, frais et bien typé. ☛ Cave des Prod. de Jurançon, 53, av. Henri-IV, 64290 Gan, tél. 59.21.57.03 8h-18h30; f. dim. et midi en hiver

LE MONTAGNARD 1987

20 000

Le vin cabernet franc et tannat, a une jolie robe mais manque un peu de caractère. ☛ Cave des Prod. de Jurançon, 53, av. Henri-IV, 64290 Gan, tél. 59.21.57.03 8h-18h30; f. dim. et midi en hiver

Languedoc et Roussillon

Avec environ quatre millions d'hectolitres, la région - par ailleurs première productrice de vin de table en France - fournit 70 % des vins de pays, surtout dans les départements de l'Aude, du Gard, de l'Hérault, des Pyrénées-Orientales (les quatre dénominations départementales), mais aussi dans l'Ardèche, avec des extensions dans les Vaucluse, les Bouches-du-Rhône et le Var; cet ensemble constituant la dénomination régionale «vins de pays d'Oc» (80 à 100 000 hl dont 75 % de rouges et 20 % de rosés). Obtenus par vinification séparée de vendanges sélectionnées, les vins de pays du Languedoc et du Roussillon sont issus de cépages divers: carignan surtout, pour les rouges et rosés, avec le grenache, le cinsaut, enrichis de plus en plus souvent par le merlot, le cabernet-sauvignon ou la syrah, qui leur donnent plus de puissance; la clairette, le grenache blanc, le macabeu,

L'ugni blanc et le carignan blanc pour les blancs. Souvent sont proposés des vins de cépages uniques, mentionnés dans leur nom, et nombreux sont les vins primeurs. Les vins de pays d'Oc doivent en outre faire l'objet d'un second agrément pour avoir droit à cette dénomination.

Dans ce très vaste ensemble, allant de la Catalogne et des Cévennes à la frontière espagnole, les vins de pays à dénomination sous-régionale ou locale sont très nombreux; la carte du début de ce chapitre permet de les situer. Dans tout l'ensemble régional, les groupements coopératifs jouent un rôle essentiel.

Vin de pays d'Oc

BARON D'ORCEL 1985**
n.c.   n.c.
Un vin de bonne tenue dans une robe rouge cerise, le nez est fin et velouté aux arômes de fruits secs, la bouche harmonieuse et élégante.
→ SICA du Taurou, 10, bd de Verdun, 34500 Béziers, tél. 67.28.42.94 ☎ r.-v.

DOM. DE L'ENGARRAN 1987*
n.c.   n.c.
Belle robe ambrée; nez fruité de pomme. Agréable en bouche.
→ GFA de L'Engarran, Dom. de L'Engarran, 34430 Lavérune, tél. 67.42.35.95 ☎ r.-v.

NICOLAS Merlot
n.c.   150 000
Robe profonde très belle mais légèrement végétale. Suivi d'une bouche sérieuse et quelque peu amère. A boire avec un plat de haut goût.
→ Éts Nicolas, 253, av. du Gal-Leclerc, 94700 Maisons-Alfort, tél. 1.43.96.81.81.

NICOLAS Cabernet-sauvignon*
n.c.   200 000
Le roi des cépages bordelais dans le midi. La couleur est à l'appel, un nez de fruits attendus, bouche légèrement astringente. Un bon équilibre bref.
→ Éts Nicolas, 253, av. du Gal-Leclerc, 94700 Maisons-Alfort, tél. 1.43.96.81.81.

O. D'ORMESSON 1987
4 ha   23 000
Beau vin blanc au nez discret et à la bouche agréable. A boire très frais.
→ Dom. d'Ormesson, Ch. de Lézignan, 34 50 Lézignan-la-Cebe, tél. 67.98.23.80 ☎ t.l.j. 9h-12h 14h-18h.
→ Jérôme d'Ormesson.

Vin de pays des coteaux de Peyriac

DOM. DES FANS 1987***
4 ha   15 000
D'une belle couleur rosée, ce vin est caractérisé par un nez puissant aux arômes fruités et divers. Pleine et bien équilibrée, la bouche est soutenue par une fine perle.
→ M. Jacques Maris, chem. de Parignoles, La Livinière, 34210 Olonzac, tél. 68.91.42.63 ☎ t. j. 8h-12h 14h-18h; f. dim. a.-m.

DCM. DES FANS 1986***
15 ha   25 000
70% de carignan. Riche et bien charpentée sa bouche est parfaitement équilibrée.
→ M. Jacques Maris, chem. de Parignoles, La Livinière, 34210 Olonzac, tél. 68.91.42.63 ☎ t.l.j. 8h-12h 14h-18h; f. dim. a.-m.

DOM. DES FANS 1987*
2,50 ha   10 000
Tout macabeu, il a le nez fin aromatique un peu violent en bouche. Il plaira aux amateurs de vins alcooleux.
→ M. Jacques Maris, chem. de Parignoles, La Livinière, 34210 Olonzac, tél. 68.91.42.63 ☎ t.l.j. 8h-12h 14h-18h; f. dim. a.-m.

DCM. SAINT-HILAIRE Cabernet-sauvignon 1985*
12,50 ha   40 000
La robe est tuilée, le nez aromatique rappelant les herbes sèches, bouche charpentée typique du cépage.
→ M. Hardy, Dom. Saint-Hilaire, 34540 Montagnac, tél. 67.24.00.08 ☎ r.-v.

Vin de pays de l'Uzège

DOM. DE GOURNIER Ugn Blanc 1987*
3 ha   12 000
Bon vin blanc aux arômes développés et fins, fruité persistant en bouche, pour les poissons.
→ SCEA Maurice Barnouin, Dom. de Gournier, Sainte-Anastasie, 30190 Saint-Chaptes, tél. 66.83.30.91 ☎ r.-v.

Languedoc et Roussillon

Coteaux du pont du Gard

Vin de pays des Sables du golfe du Lion

DOM. DE GOURNIER 1987★★★

■   20 ha 120 000   🖶 ↓ ▮ 🛒

Superbe couleur, nez fin, puissant, aromatique, chaud et bien charpenté en bouche. Une bouteille apte au vieillissement qui assouplira les tanins et développera le bouquet.

➥ SCEA Maurice Barnouin, Dom. de Gournier, Sainte-Anastasie, 30190 Saint-Chaptes, tél. 66.83.30.91 ⊤ r.-v.

DOM. DE GOURNIER 1987★★★

▲   4 ha 16 000   🖶 ↓ ▮ 🛒

Consistant et persistant en bouche. Un rosé de bonne tenue.

➥ SCEA Maurice Barnouin, Dom. de Gournier, Sainte-Anastasie, 30190 Saint-Chaptes, tél. 66.83.30.91 ⊤ r.-v.

Vin de pays des coteaux du pont du Gard

UCV DES COTEAUX DU PONT-DU-GARD 1987★

▲   n.c. 150 000   🖶 ↓ ▮ 🛒

Rubis, aromatique avec des notes de violette, il est rond et très souple en bouche.

➥ Union Coteaux du Pont-du-Gard, Vers-Pont-du-Gard, 30210 Remoulins, tél. 66.22.80.35 ⊤ t.l.j. sf dim. 8h-12h 14h-18h.

Dom. de Villeroy - Cuvée Gastronomie 1987★★

□   n.c. 70 000   🖶 ↓ ▮ 🛒

Belle robe aux reflets dorés, nez complexe, agréable, généreux en bouche, relevée par le caractère sur lie.

➥ Dom. Viti. des Salins-du-Midi, 68, cours Gambetta, 34063 Montpellier Cedex, tél. 67.58.23.77 ⊤ lu. ma. me. je. ve. 9h-11h30 14h-17h30.

LISTEL
Dom. de Jarras - rosé première goutte 1987★

□   n.c. 50 000   🖶 ↓ ▮ 🛒

Belle robe rose chair, nez aromatique, bouche charnue. Un joli rosé à déguster dans le joli décor de Lurçat.

➥ Dom. Viti. des Salins-du-Midi, 68, cours Gambetta, 34063 Montpellier Cedex, tél. 67.58.23.77 ⊤ lu. ma. me. je. ve. 9h-11h30 14h-17h30.

LISTEL
Dom. du Bosquet «Rouge rubis» 1986★★

▲   163 ha 90 000   🖶 ↓ ▮ 🛒

Grenat riche et complexe aux parfums nuancés de vanille, ample et boisé il peut convenir parfaitement aux viandes en sauce.

➥ Dom. Viti. des Salins-du-Midi, 68, cours Gambetta, 34063 Montpellier Cedex, tél. 67.58.23.77 ⊤ lu. ma. me. je. ve. 9h-11h30 14h-17h30.

LISTEL
Dom. de Jarras - grenache gris de gris 1987★★

▲   65 ha 100 000   🖶 ↓ ▮ 🛒

Belle robe rose saumon, nez discret, ample, fruité et caractère certain en bouche.

➥ Dom. Viti. des Salins-du-Midi, 68, cours Gambetta, 34063 Montpellier Cedex, tél. 67.58.23.77 ⊤ lu. ma. me. je. ve. 9h-11h30 14h-17h30.

LISTEL
Dom. de Jarras - gris de gris 1987★★★

▲   n.c. 930 000   🖶 ↓ ▮ 🛒

Une très belle belle robe rose ambré, un nez fin et discret. Bien structuré, rond, fruité et persistant, un vrai gris tout-à-fait caractéristique.

➥ Dom. Viti. des Salins-du-Midi, 68, cours Gambetta, 34063 Montpellier Cedex, tél. 67.58.23.77 ⊤ lu. ma. me. je. ve. 9h-11h30 14h-17h30.

LISTEL
Dom. Bosquet-Canet - cabernet-sauvignon 1985★★★

■   32 ha 70 000   🖶 ↓ ▮ 🛒

Une très belle robe pourpre, veloutée. Un nez puissant, complexe aux arômes épicés vanille, et une bouche bien structurée, ample. Très bonne

---

Sachez ranger votre cave : les blancs près du sol, les rouges au-dessus ; les vins de garde dans les rangées du fond, les bouteilles à boire en situation frontale. Et n'oubliez pas le livre de cave...

Trouver un producteur, un négociant ou une coopérative ? Consultez l'index en fin de volume.

788

persistance. Un très beau vin à boire et à conserver.

➥ Dom. Viti. des Salins-du-Midi,
68, cours Gambetta, 34063 Montpellier Cedex,
tél. 67.58.23.77 ⏰ lu. ma. me. je. ve. 9h-11h30
14h-17h30.

□
LISTEL
Dom. Villeroy-Castellas - Sauvignon 1987***

41 ha	200 000	

Or aux reflets verts, nez finement aromatique et élégant, typique du cépage. Un vin complet et avec une bouche nerveuse.

➥ Dom. Viti. des Salins-du-Midi,
68, cours Gambetta, 34063 Montpellier Cedex,
tél. 67.58.23.77 ⏰ lu. ma. me. je. ve. 9h-11h30
14h-17h30.

□
LISTEL
Dom. Villeroy-Castellas - Chardonnay 1987**

4.28 ha	10 000	

Très clair, fin, discret et délicat. Bonne nervosité en bouche.

➥ Dom. Viti. des Salins-du-Midi,
68, cours Gambetta, 34063 Montpellier Cedex,
tél. 67.58.23.77 ⏰ lu. ma. me. je. ve. 9h-11h30.

produit un vin à la belle robe pourpre, au nez fin, bouqueté, harmonieux. À boire dès maintenant.

➥ MM. F. Durand et Fils, Dom. Le Pian,
Mo■lézan, 30350 Ledignan, tél. 66.77.81.25
⏰ lu. ma. me. je. ve. 8h-12h 13h30-17h30.

■
DCM. LE PIAN 1985**

12,50 ha	n.c.	

Un puissant nez aromatique et une longue bouche fruitée, soutenue par une pointe perlée. Un rosé à boire.

➥ MM. F. Durand et Fils, Dom. Le Pian,
Moulézan, 30350 Ledignan, tél. 66.77.81.25
⏰ lu. ma. me. je. ve. 8h-12h 13h30-17h30.

Vin de pays des coteaux de Bessilles

■
DOM. SAINT-MARTIN DE LA GARRIGUE Cuvée tradition 1987**

2 ha	16 000	

Vin issu de la réunion des trois cépages classiques du midi : carignan, cinsau·lt, grenache. Ce vin est fruité, aromatique, nerveux et vif avec une légère amertume en fin de bouche.

➥ MM. Henry Père et Fils,
Dom. St-Martin de La Garrigue,
34530 Montagnac, tél. 67.24.00.40 ⏰ r.-v.

Vin de pays du Gard

□
DOM. DE LA BARBEN**

n.c.	n.c.	

Très belle robe rouge cerise. Alliant la rondeur du grenache et la saveur de la syrah, un vin harmonieux, agréable à boire.

➥ MM. Brunel Frères, Dom. de La Barben,
30000 Nîmes, tél. 66.81.10.52 ⏰ t.l.j. 8h-12h 14h-19h.

□
DOM. DE LA BARBEN*

n.c.	n.c.	

La robe est brillante, le nez fin et subtil, la bouche délicate. À boire sans souci.

➥ MM. Brunel Frères, Dom. de La Barben,
30000 Nîmes, tél. 66.81.10.52 ⏰ t.l.j. 8h-12h 14h-19h.

■
DOM. LE PIAN 1985**

15.50 ha	90 000	

Maintenant consacré aux vignes, le domaine

Vin de pays des coteaux de Fontcaude

■
DOM. DE MAIRAN 1986***

3 ha	3 000	

Élevé en fûts de chêne, ce vin présente une harmonie remarquable entre les différents éléments. Robe grenat, nez aux arômes riches et puissants, corps et équilibre en bouche.

Vin de pays des coteaux d'Ensérune

□
DOM. DE GUERY
Sélection Tastavy**

n.c.	n.c.	

Le nez est fin en même temps que riche. La bouche est ronde et très harmonieuse. À boire.

➥ M. J.-C. Tastavy, Dom. de Guery,
34310 Capestang, tél. 67.93.30.47 ⏰ r.-v.

Languedoc et Roussillon

Coteaux de Murviel

cette réserve à la robe tuilée, au nez bouqueté, aux arômes alliant le miel, les épices et la vanille dans une bouche très charpentée.
➥ M. Guy Bénin, Dom. de Ravanès, Thézan-les-Béziers, 34490 Murviel, tél. 67.36.00.02 ☎ r.-v.

Vin de pays du Val de Montferrand

DOM. PUECH 1987*
■ ■☑❶
n.c. 15 000

Beau vin au nez floral, à la bouche légère, agréable, fruitée et gouleyante. A boire.
➥ Christine et Jean-Louis Puech, 25, rue du Four, 34980 Saint-Clément-la-Rivière, tél. 67.84.12.31 ☎ ma. me. je. ve. sa. di. 8h-12h 14h-18h.

DOM. PUECH 1987**
■ ■☑❶
n.c. 5 000

Rose tendre, il révèle des arômes variés et délicats. Frais, fruité et élégant, il est long en bouche.
➥ Christine et Jean-Louis Puech, 25, rue du Four, 34980 Saint-Clément-la-Rivière, tél. 67.84.12.31 ☎ ma. me. je. ve. sa. di. 8h-12h 14h-18h.

Vin de pays du Bérange

DOM. DE FONTMAGNE*
■ ↓ ■☑❶
n.c. n.c.

Un site historique avec ses 300 platanes. Le vin d'une belle couleur rose tendre possède un nez fin et discret, une bouche élégante.
➥ SCEA du Bérange, Ch. de Fontmagne, 34160 Castries, tél. 67.70.14.00 ☎ sa. 9h-12h 15h-19h ; f. le mat. en sem.

Vin de pays des collines de la Moure

FABREGOU Blanc de blancs 1987
☐ ■☑❶
n.c. 750 000

Un blanc de blancs à la robe limpide, à servir très frais. Il est léger et équilibré.
➥ UC des Collines de La Moure, av. A.-Bouat, B.P. 9, Bouzigues, 34140 Mèze, tél. 67.78.30.40 ☎ r.-v.

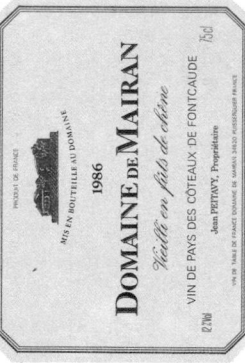

➥ M. Jean Peitavy, Dom. de Mairan, 34620 Puisserguier, tél. 67.93.74.20 ☎ t.l.j, 9h-18h.

Vin de pays des coteaux de Murviel

DOM. DE MALLEMORT 1985***
■ ↓ ■☑❶
7 ha 60 000

Elevé dans des foudres de chêne, ce vin a une très belle robe rouge grenat, un nez puissant aux arômes de petits fruits rouges. Bonne charpente et longue puissance en bouche.
➥ GFA du dom. de Mallemort, 34620 Puisserguier, tél. 67.93.74.20 ☎ t.l.j, 9h-18h.
➥ M. Jean Peitavy.

DOM. GUY PEYRE 1987**
■ ■☑❷
13 ha 53 000

La robe est belle, le nez typé, puissant, aromatique, bien charpenté et boisé en bouche, il mérite un vieillissement de deux ans maximum.
➥ MM. Guy et Peyre, Ch. Coujan, 34490 Murviel, tél. 67.37.50.00 ☎ t.l.j, 9h-12h 15h-19h.

DOM. DE RAVANES Merlot 1985*
■ ■☑❶
8 ha 60 000

Un joli merlot grenat au nez complexe et animal. Bien charpenté et ferme en bouche, il est à boire.
➥ M. Guy Bénin, Dom. de Ravanès, Thézan-les-Béziers, 34490 Murviel, tél. 67.36.00.02 ☎ r.-v.

DOM. DE RAVANES Cabernet-sauvignon 1985**
■ ■☑❷
6 ha 45 000

Le nez rappelle les fruits secs. Après une bonne attaque en bouche, les tanins s'affirment, insuffisamment fondus dans l'ensemble. Il faut l'attendre.
➥ M. Guy Bénin, Dom. de Ravanès, Thézan-les-Béziers, 34490 Murviel, tél. 67.36.00.02 ☎ r.-v.

DOM. DE RAVANES Réserve du Comte Raynard 1985*
■ ■☑❷
12 ha 85 000

Toute une riche histoire sur ce domaine de l'ère paléochrétienne aux cathares. Plus paisible,

FABREGOU 1987
■   n.c.   1 250 000   ■▾1

Un vin léger, tout cerise, rond et agréable.
↳ UC des Collines de La Moure, av. A.-Bouat, B.P. 9, Bouzigues, 34140 Mèze, tél. 67.78.30.40 ▾ r.-v.

DOM. DE TERRE MEGERE
Merlot 1987*
■   4 ha   15 000   ■↓▾1

Aromatique quoique encore un peu fermé, bien charpenté, ce vin saura sûrement vieillir.
↳ M. Michel Moreau, Dom. de Terre Mégère, rue du Temple, 34660 Cournonsec, tél. 67.85.02.04 ▾ r.-v.

DOM. DE VALMAGNE
Cuvée Cardinale 1986**
■   30 ha   n.c.   ■▾2

L'abbaye du XIIe s., a toujours explicite la vigne et les propriétaires élèvent désormais les vins dans l'église désaffectée ! Cette cuvée à la belle robe rubis, est bouquetée, élégante et charpentée, avec des arômes parfaitement fondus, elle est à boire.
↳ M. de Gaudart d'Allaines, Abbaye de Valmagne, B.P. 1, 34140 Mèze, tél. 67.78.06.09 ▾ r.-v.

Vin de pays de Caux

DOM. DE SALLELES 1986*
■   17 ha   35 000   ■▾2

Produit par le même producteur que celui du château de Nizas du XVIe s. Un vin à la robe tuilée, au bouquet complexe, épicé, discret, qui est à boire.
↳ SCEA du Ch. de Nizas, Nizas, 34320 Roujan, tél. 67.25.15.27 ▾ r.-v.
↳ M. Bernard Gaujal.

Vin de pays des côtes de Thongue

BARON DE COUSSERGUES 1986*
■   30 ha   40 000   ■▾2

Ancienne seigneurie royale, le domaine, créé au XVe s., recouvre 180 hectares. Vieilli en barriques neuves, ce vin est velouté. Sa bouche est nerveuse et boisée. Encore jeune.
↳ GAF de Coussergues, Ch. de Coussergues, Montblanc, 34290 Servian, tél. 67.77.42.40 ▾ t.l.j. 8h-12h 14h-19h.
↳ MM. A. et P. de Bertier.

DCM. DESHENRYS
Cabernet-sauvignon 1987***
■   6 ha   10 000   ■↓▾1

Beau cabernet-sauvignon à la robe soutenue, arômes puissants et riches, belle charpente et longueur en bouche.
↳ M. Bouchard, Dom. Deshenrys, Aignan-du-Vent, 34290 Servian, tél. 67.24.91.67 ▾ ve. 8h-12h.

DCM. DESHENRYS Merlot 1987***
■   6 ha   10 000   ■▾2

Le vin est tout à fait typique du cépage merlot don il est issu à 100% mais par sa belle robe rouge grerat que par ses arômes de fruits rouges, sa bouche bien équilibrée et harmonieuse.
↳ M. Bouchard, Dom. Deshenrys, Aignan-du-Vent, 34290 Servian, tél. 67.24.91.67 ▾ ve. 8h-12h.

DOM. DESHENRYS 1987
□   n.c.   8 000   ■▾2

Couleur ambrée, nez discret, plein en bouche.
↳ M. Bouchard, Dom. Deshenrys, Aignan-du-Vent, 34290 Servian, tél. 67.24.91.67 ▾ ve. 8h-12h.

DOM. DESHENRYS Sauvignon 1987*
□   4 ha   15 000   ■▾2

Un vrai sauvignon aux arômes fruités, typés. Souple en bouche, mériterait un peu plus de nerfs.
↳ M. Bouchard, Dom. Deshenrys, Aligan-du-Vent, 34290 Servian, tél. 67.24.91.67 ▾ ve. 8h-12h.

DOM. DU PRIEURE D'AMILHAC
Sauvignon blanc - chardonnay 1986
□   12 ha   50 000   ■▾2

Sauvignon blanc et chardonnay à parts égales ? La robe est brillante, avec des reflets verts, le nez encore un peu fermé. Bouche fine et nerveuse.
↳ M.M. Régis et Max Cazottes, Prieuré d'Amilhac, 34290 Servian, tél. 67.39.10.51 ▾ t.l.j. sf dim. 8h-12h 14h-19h ; f. pendant les fêtes

DOM. DU PRIEURE D'AMILHAC
Cabernet-sauvignon 1986**
□   18 ha   40 000   ■↓▾1

Un pressoir en bois du XVIIe s., à voir, et un vin à la robe rose clair, brillante, assez fin, fruité. La bouche est ample, bien équilibrée, persistante.
↳ M.M. Régis et Max Cazottes, Prieuré d'Amilhac, 34290 Servian, tél 67.39.10.51 ▾ t.l.j. sf dim 8h-12h 14h-19h ; f. pendant les fêtes

TEISSERENC Cuvée de l'Arjolle 1986**
■   22 ha   150 000   ■▾2

Belle robe rouge rubis, nez fin, puissant, épicé. Bouche pleine, structurée. Nécessite d'un certain vieillissement.
↳ MM. P. et L.-M Teisserenc, Pouzolles, 3448 Magalas, tél. 67.24.69.72 ▾ t.l.j. 8h-20h.

Languedoc et Roussillon

TEISSERENC Muscat 1987 ***

1 ha — 3 000

Très belle robe, nez muscaté intense, équilibré en bouche. Un muscat sec, pouvant constituer un excellent apéritif ou vin de dessert. On trouve aussi un très honorable sauvignon à la propriété.
→ MM. P. et L.-M. Teisserenc, Pouzolles, 34480 Magalas, tél. 67.24.69.72 ☎ t.l.j. 8h-20h.

Vin de pays des côtes de Thau

HUGUES DE BEAUVIGNAC 1987 *

18 ha — 35 000

Un rosé de saignée à la très belle robe couleur chair, issu de syrah. Riche d'un bouquet fruité bien développé et jouissant d'un parfait équilibre, est long en bouche, prêt à la consommation.
→ CC Les Costières de Pomérols, 34810 Pomérols, tél. 67.77.01.59 ☎ t.l.j. sf dim. 8h30-12h 14h-18h.

Vin de pays de l'Hérault

DOM. DU BOSC Cinsault-syrah 1986 *

15 ha — 120 000

Pour un lapin rôti aux herbes de Provence : la robe est légère, le nez fin, fruité aux parfums de fraises. Gouleyant, il est agréable.
→ M. Pierre Bésinet, Dom. du Bosc, 34450 Vias, tél. 67.21.73.58 ☎ r.-v.

DOM. DU BOSC 1987 **

15 ha — 100 000

Très belle robe rose clair, nez aromatique de petites baies sauvages, frais et équilibré en bouche.
→ M. Pierre Bésinet, Dom. du Bosc, 34450 Vias, tél. 67.21.73.58 ☎ r.-v.

DOM. DU BOSC Marsanne 1987 ***

4 ha — 30 000

Un bouquet très floral, riche ; une bouche fraîche et persistante, un vin issu de marsanne tout en fraîcheur.
→ M. Pierre Bésinet, Dom. du Bosc, 34450 Vias, tél. 67.21.73.58 ☎ r.-v.

DOM. DU BOSC Merlot 1986 **

6 ha — 18 000

Riche, aromatique et charpenté, un vin équilibré aux parfums de réglisse persistants.
→ M. Pierre Bésinet, Dom. du Bosc, 34450 Vias, tél. 67.21.73.58 ☎ r.-v.

Côtes de Thau

DOM. DE CAZALS-VIEL Sauvignon 1987

3 ha — 20 000

Les romains puis les moines cultivèrent les sols, élevant vignes et vin. Actuellement, le sauvignon, d'une belle couleur, présente un nez discret, équilibré et se montre agréable en bouche.
→ M. Henri Miquel, Dom. de Cazals-Viel, 34460 Cassenon, tél. 67.89.63.15 ☎ r.-v.

DOM. DE FONTMARIE 1985 **

n.c. — n.c.

Un vin bouqueté aux parfums d'épices, de réglisse, de baies sauvages. La bouche est charnue, harmonieuse et très persistante. Vin complet à boire.
→ M. Janin-Fériaud, Dom. de Fontmarie, 34160 Castries, tél. 67.70.12.40 ☎ t.l.j. 9h-20h.

DOM. GRANGE ROUGE Cabernet-sauvignon 1985 ***

3,50 ha — 35 000

Très beau vin de cabernet-sauvignon à la robe vive et soutenue. Fruité, typé et puissant.
→ GAF de La Grange Rouge, 34300 Agde, tél. 67.94.21.76 ☎ r.-v.
→ MM. André et Robert Pourthié.

DOM. GRANGE ROUGE Chardonnay 1987 **

2,50 ha — 20 000

Brillant comme un bon chardonnay, il offre un nez puissant de fleur d'acacia et une bouche généreuse.
→ GAF de La Grange Rouge, 34300 Agde, tél. 67.94.21.76 ☎ r.-v.
→ MM. André et Robert Pourthié.

DOM. GRANGE ROUGE Merlot 1986 **

6 ha — 40 000

Belle robe d'un rouge grenat, nez puissant, musqué, épicé aux arômes de sous-bois. Généreux et parfaitement équilibré en bouche, persistant, c'est un vin parfait dans son type. A suivre.
→ GAF de La Grange Rouge, 34300 Agde, tél. 67.94.21.76 ☎ r.-v.
→ MM. André et Robert Pourthié.

DOM. DE GRANOUPIAC Merlot 1986 **

1,86 ha — 14 500

Tout merlot, mais quelle couleur ! Le nez encore un peu fermé mais prometteur, la bouche bien charpentée et tannique. Vin qui mérite un certain vieillissement.
→ M. Claude Flavard, Dom. St-Pierre-de-Granoupiac, Saint-André-de-Sangoins, 34150 Gignac, tél. 67.57.58.28 ☎ r.-v.

DOM. DE GRANOUPIAC 1986

4 ha — 10 000

Issu de saignée après macération pelliculaire, ce rosé à la robe claire se montre plein, aromatique (framboise). Nerveux en bouche.
→ M. Claude Flavard, Dom. St-Pierre-de-Granoupiac, Saint-André-de-Sangoins, 34150 Gignac, tél. 67.57.58.28 ☎ r.-v.

DOM. DE LA FADEZE Syrah 1987**

■ i↓V2 ③ — 2 ha — 10 000

La syrah a été mieux notée que le carignan et le merlot, tous deux par ailleurs fort intéressants. Si le merlot peut attendre, cette syrah peut être déjà appréciée tant par sa belle robe rouge aux reflets violets que par son nez fin et prometteur et sa bouche équilibrée, ronde, agréable aux parfums de réglisse.

→ GAEC de La Fadèze, Dom. de La Fadèze, 34340 Marseillan, tél. 67.77.26.42 Y t.l.j. sf dim. 8h-12h 14h-18h.
→ MM. Georges et Guy Lentéric.

DOM. DE LA FADEZE Terret 1987**

□ i↓V2 ③ — 13 ha — 60000

Ce vin de Terret est surprenant par son nez floral et sa bouche ronde et fraîche.

→ GAEC de La Fadèze, Dom. de La Fadèze, 34340 Marseillan, tél. 67.77.26.42 Y t.l.j. sf dim. 8h-12h 14h-18h.
→ MM. Georges et Guy Lentéric.

DOM. DE LA FADEZE

Grenache 1987**★

■ i↓V2 ③ — 6 ha — 35 000

Une très belle robe rose clair, un nez aromatique développé. Frais et nerveux en bouche, il est soutenu par une perle fine.

→ GAEC de La Fadèze, Dom. de La Fadèze, 34340 Marseillan, tél. 67.77.26 42 Y t.l.j. sf dim. 8h-12h 14h-18h.
→ MM. Georges et Guy Lentéric.

DOM. DE MAIRAN 1987**

■ i↓V2 ③ — 3 ha — 25 000

Très belle robe aux reflets verts, nez fin aromatique, souple, bouche persistante relevée par une fine perle.

→ M. Jean Peitavy, Dom. de Mairan, 34620 Puisserguier, tél. 67.93.74.20 Y t.l.j. 9h-18h.

DOM. DE MAIRAN 1987**

■ i↓V1 ③ — 10 ha — 50 000

Belle robe rose saumon ; nez fin et fruité, nerveux en bouche. Vin rosé classique, très agréable.

→ M. Jean Peitavy, Dom. de Mairan, 34620 Puisserguier, tél. 67.93.74.20 Y t.l.j. 9h-18h.

MAS DE DAUMAS-GASSAC 1987****

■ i↓V1 ③ — 17 ha — 5 000

Très belle robe aux reflets d'or. Nez puissant aux arômes complexes de noix de muscade et de bourgeons de pin. La bouche est aromatique, pleine, nerveuse, aux nuances de bois et d'épices très persistantes. Vin exceptionnel par son originalité et sa qualité.

→ Mme V. Guibert de la Vaissère, Mas Daumas-Gassac, Aniane, 34150 Gignac, tél. 67.57.71.28

MAS DE DAUMAS-GASSAC 1986****

■ i↓V1 ③ — 17 ha — 80 000

Le plus cher des vins de pays mais l'un des plus grands succès : sombre et puissant, riche et complexe, il montre une très bonne charpente.

Rondeur, équilibre et plénitude se retrouvent dans ce vin exceptionnel de grande garde.

→ Mme V. Guibert de la Vaissère, Mas Daumas-Gassac, Aniane, 34150 Gignac, tél. 67.57.71.28
Y r.-v.

DOM. D'ORMESSON Gris de gris 1987

■ i↓V2 ① — 32 ha — n.c.

Ancienne demeure de la duchesse de Montmorency, le château fut construit en 1640. Les caves voûtées abritent les vins de la famille d'Ormesson. Le gris de gris, agréable et léger, est à boire très frais.

→ Comte Jérôme d'Ormesson, Ch. de Lézignan, Lézignan, 34120 Pézenas, tél. 67.98.23.80 Y t.l.j. 9h-12h 14h-19h.

DOM. DE PREIGNES LE VIEUX

Merlot 1986**

■ i↓V1 ③ — 3 ha — 19 000

Vin à la robe rubis. Fin et rond aux arômes de fruits secs, il pourra accompagner le petit gibier. Tannique et bien charpenté.

→ M. Robert Vic, Dom. de Preignes Le Vieux, 34450 Vias, tél. 67.76.38.89 Y t.l.j. sf dim. 8h-12h 14h-18h ; f. jours fériés

DOM. SAINT-MARTIN DE LA GARRIGUE Cuvée réservée 1984

■ i↓V1 ③ — 4 ha — 20000

Assemblage de merlot et de cabernet-sauvignon. À la robe rouge soutenu, au nez bouqueté. Tann que et bien charpenté.

→ MM. Henry Père et Fils, Dom. St-Martin de La Garrigue, 34530 Montagnac, tél. 6..24.00.40 Y r.-v.

DOM. DE SAINT-VICTOR

Picpoul 1987*

□ i↓V2 ③ — 2 ha — 20000

Un beau vin blanc au nez délicat ; fin et nerveux en bouche.

→ M. Jean Pourthié, Dom. de Saint-Victor, 34340 Marseillan, tél. 67.77.35.02 Y r.-v.

DOM. DE SAINT-VICTOR

Clairette 1987*

□ i↓V2 ③ — 1 ha — 10000

Belle robe brillante, nez agréable, fruité ; bouche généreuse. À boire.

→ M. Jean Pourthié, Dom. de Saint-Victor, 34340 Marseillan, tél. 67.77.35.02 Y r.-v.

DOM. DE SAINT-VICTOR
Terret 1987

☐   10 ha   95 000

Il est léger, de bonne technologie, typique du cépage.

☛ M. Jean Pourthié, Dom. de Saint-Victor, 34340 Marseillan, tél. 67.77.35.02 ▼ r.-v.

Vin de pays Catalan

CAZES Muscat - moelleux 1987***

☐   25 ha   20 000

Robe jaune élégante ; nez aux arômes développés (eau-de-vie, poire), équilibré et harmonieux en bouche. Convient parfaitement en apéritif et comme vin de dessert.

☛ MM. André et Bernard Cazes, 4, rue Francisco-Ferrer, 66600 Rivesaltes, tél. 68.64.08.26 ▼ r.-v.

DOM. CAZES Muscat 1986***

☐   25 ha   20 000

Un muscat tout à fait séduisant : très belle robe or, nez aux arômes puissants de citronnelle et de fruit de la passion, bouche agréable de grain de muscat croqué ! Excellent.

☛ MM. André et Bernard Cazes, 4, rue Francisco-Ferrer, 66600 Rivesaltes, tél. 68.64.08.26 ▼ r.-v.

MAS CHICHET Cabernet 1985***

■   14 ha   82 000

Issu des cépages cabernet, ce vin est au sommet de son expression : couleur bois acajou soutenue et vive, nez complexe de sous-bois et truffe, harmonieux et puissant en bouche. Tanins bien fondus.

☛ M. Jacques Chichet, Mas Chichet, 66200 Elne, tél. 68.22.16.78 ▼ t.l.j. sf dim. 8h-12h 14h-18h.

DOM. CAZES Le Canon du Maréchal 1987**

☐   10 ha   20 000

Ce vin est le résultat d'une alliance entre une parfaite technologie et un choix de cépage de qualité. Il accompagnera les fruits de mer.

☛ MM. André et Bernard Cazes, 4, rue Francisco-Ferrer, 66600 Rivesaltes, tél. 68.64.08.26 ▼ r.-v.

PERE PUIG
Cuvée du Mas Sainte-Anne - merlot 1987*

☐   5 ha   5 000

Rosé d'une belle robe ambrée, bouqueté. Agréable et léger il est à boire jeune et frais.

☛ M. Joseph Puig, bd des Albères, 66530 Claira, tél. 68.28.08.65 ▼ r.-v.

PERE PUIG
Cuvée du Mas Sainte-Anne - merlot 1985**

☐   10 ha   20 000

Belle couleur légère, vive et fraîche pour ce vin issu de merlot au caractère primeur, aromatique, frais et léger en bouche.

☛ M. Joseph Puig, bd des Albères, 66530 Claira, tél. 68.28.08.65 ▼ r.-v.

PERE PUIG
Cuvée du Mas Sainte-Anne 1987*

☐   7 ha   5 000

Blanc d'une belle couleur brillante, nez fin et subtil aux arômes délicats. Bonne attaque mais vif en bouche.

☛ M. Joseph Puig, bd des Albères, 66530 Claira, tél. 68.28.08.65 ▼ r.-v.

Vin de pays
des Pyrénées-Orientales

MAS CHICHET 1987***

■   20 ha   32 000

Belle couleur rose saumon, nez fin et harmonieux, bouche équilibrée et très bonne persistance.

☛ M. Jacques Chichet, Mas Chichet, 66200 Elne, tél. 68.22.16.78 ▼ sf dim. 8h-12h 14h-18h.

MAS CHICHET 1986*

■   20 ha   75 000

Vin agréable, souple et léger à boire, qui n'atteint pas les sommets du cabernet de pays catalan du même producteur.

☛ M. Jacques Chichet, Mas Chichet, 66200 Elne, tél. 68.22.16.78 ▼ t.l.j. sf dim. 8h-12h 14h-18h.

Vin de pays
des Côtes catalanes

DOM. CAZES
Le Canon du Maréchal 1987*

■   30 ha   80 000

Très belle robe aux reflets violets, nez riche, puissant aromatique à dominante de petits fruits. Tendre, fondu, gouleyant en bouche, il ne faut pas s'en priver.

☛ MM. André et Bernard Cazes, 4, rue Francisco-Ferrer, 66600 Rivesaltes, tél. 68.64.08.26 ▼ r.-v.

Provence, basse vallée du Rhône et Corse

Vin de pays de la principauté d'Orange

Majorité de vins rouges dans cette vaste zone, constituant 70 % des 700 000 hl produits dans les départements de la région administrative Provence-Alpes-Côte-d'Azur. Les rosés (25 %) sont surtout issus du Var, et les blancs, de Vaucluse et du nord des Bouches-du-Rhône. On retrouve dans ces régions la diversité des cépages méridionaux, mais rarement utilisés seuls; selon des proportions variables et en fonction des conditions climatiques et pédologiques, ils sont associés entre eux ou, de plus en plus, avec des cépages plus originaux, d'ancienne tradition locale ou, au contraire, d'origine extérieure: counoise et roussanne du Var, par exemple, pour les premières; cabernet-sauvignon ou merlot, cépages bordelais pour les secondes, avec la syrah venue de la vallée du Rhône. Les dénominations départementales s'appliquent au Vaucluse, aux Bouches-du-Rhône, au Var, aux Alpes-de-Haute-Provence et aux Alpes-Maritimes; les dénominations sous-régionales ou locales sont six: principauté d'Orange, Petite Crau (S.-E. d'Avignon), Mont Caume (à l'O. de Toulon), Argens (entre Brignoles et Draguignan, dans le Var), Maures, et Ile de Beauté (Corse).

DOM. DE L'AMANDINE 1987**
6,80 ha   70 000

Les vins de pays de la famille Verdeau, connaissent un franc succès à l'exportation. Leurs qualités principales, une grande souplesse et une finesse certaine. Tout cela forme un ensemble agréable. A boire dans l'année.

↳ M. Jean-Pierre Verdeau, Dom. de L'Amandine, Séguret, 84110 Vaison-la-Romaine, tél. 90.46.12.39 ☎ r.-v.

DOM. DE LA SOUMADE
Cabernet-sauvignon 1987***
1,60 ha   7 000

Une bonne rondeur, une grande amplitude en bouche pour un cabernet de l'année, issu de vignes jeunes, et tout juste tiré du fût. Un vin à retenir: ses qualités ne peuvent que s'accentuer.

↳ M. André Roméro, Dom. de La Soumade, Rastau, 84110 Vaison-la-Romaine, tél. 90.46.11.26 ☎ t.l.j; 8h-12h 14h-20h.

COOP. DE SERIGNAN-DU-COMTAT 1987*
n.c.   50 000

Sérignan est un beau village à proximité d'Orange; un de ses plus illustres habitants fut l'entomologiste J.-Henri Fabre (1823-1915). La cuvée 87 de la cave coopérative a une robe moins soutenue que les années précédentes mais demeurent le fruité et la souplesse.

↳ Cave des Coteaux du Rhône, Sérignan-du-Comtat, 84100 Orange, tél. 90.70.04.22 ☎ r.-v.

Vin de pays de Petite Crau

CUVÉE DES AMOURS 1986***
n.c.   500 000

Les vignerons de Noves ont baptisé leur vin «Cuvée des Amours» pour perpétuer le souvenir de Laure de Noves qui rencontra Pétrarque à la cour papale en Avignon. D'un excellent rapport quali.é/prix, d'une couleur soutenue, un vin chaud qui se termine en bouche avec une bonne rondeur.

↳ Cave Coop. Vinicole de Noves, 13550 Noves, tél. 90.94.01.30 ☎ r.-v.

Vin de pays de l'Ile de Beauté

DOM. DE GIOIELLI
2 ha   10 000

Il faudrait être aveugle pour ignorer son rose soutenu. On est sensible à sa rondeur végétale et à son fruité fugitif.

↳ M. Michel Angeli, Dom. de Gioielli, 20248 Macinaggio, tél. 95.35.42.05 ☎ t.l.j; 8h-19h.

795

Vin de pays des Maures

DOM. D'ASTROS
Cabernet-sauvignon 1985**

4 ha   3 000

Le haut de gamme des vins de pays du domaine d'Astros, vieilli en barrique, exalte des arômes complexes et vanillés. Tout en rondeur en bouche, il justifie son prix.
→ M. Bernard Maurel, Ch. d'Astros, 83550 Vidauban, tél. 94.73.00.25 ⊤ r.-v.

CAVES DES MAURES ET DE L'ESTEREL 1987*

n.c.   400 000

Un assemblage de bonne tenue pour l'année : la couleur est franche. Un vin plaisant, proposé par les 25 caves coopératives de l'Union des Caves des Maures et de l'Estérel, qui s'étend de Saint-Raphaël à Lagarde.
→ UC des Maures et de l'Esterel, rte de Taradeau, 83460 Les Arcs, tél. 94.67.46.97 ⊤ r.-v.

DOM. F. RAVEL
Cabernet-sauvignon 1987***

80 ha   600 000

Un rouge cabernet-sauvignon, produit au cœur du massif des Maures. Une robe très colorée, un vin tannique, long en bouche, et d'une bonne structure. Trop jeune lors de sa dégustation, il a un bel avenir. A garder !
→ SCE Vignobles François Ravel, 83390 Cuers, Pierrefeux-du-Var, tél. 94.28.20.30 ⊤ lu. ma. me. je. ve. 8h-12h 13h30-17h30.

fruité, simple et honnête. Le vin idéal pour tous les jours.
→ M. Claude Maurizot, Dom. des Roure, 84850 Travaillan, tél. 90.37.20.51 ⊤ r.-v.

DOM. DU VIEUX CHENE 1987**

10 ha   80 000

Une cuvée où entre 75% de grenache. Une vinification en macération carbonique bien conduite, donne ce vin tout en souplesse, aux arômes de cerises mûres.
→ MM. J.-C. et D. Bouche, rue Buisseron, 84850 Camaret, tél. 90.37.25.07 ⊤ t.l.j. sf dim. 8h-12h 14h-18h.

DOM. DU VIEUX CHENE 1987***

1,50 ha   13 000

En plus du vin rouge, déjà cité, le jury a tenu à distinguer ce blanc qui a séduit par son caractère gras, avec des arômes subtils de fruits tropicaux. Idéal pour les sauces. Ne pas servir trop frais pour l'apprécier pleinement.
→ MM. J.-C. et D. Bouche, rue Buisseron, 84850 Camaret, tél. 90.37.25.07 ⊤ t.l.j. sf dim. 8h-12h 14h-18h.

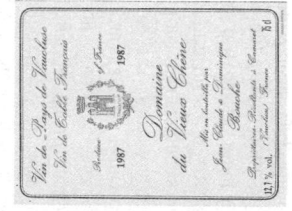

Vin de pays de Vaucluse

VIGNOBLES J.-L. CHANCEL 1987***

3,33 ha   41 500

Val Joanis, un succès en Lubéron, dont toute la presse française et étrangère s'est fait l'écho. Son vin de pays 87 a la robe d'un rouge intense, un nez légèrement poivré, et une note de guignolet en arrière bouche.
→ Famille Chancel, Dom. Val-Joanis, 84120 Pertuis, tél. 90.79.20.77 ⊤ r.-v.

DOM. DE GRANGE-BLANCHE 1986

5 ha   n.c.

Un vin qui s'est fait rapidement et qui paraît déjà plus vieux que son âge. Néanmoins assez souple et impatient de vous plaire.
→ M. Jacques Mousset, Les Fines Roches, 84230 Châteauneuf-du-Pape, tél. 90.83.70.30 ⊤ r.-v.

CLAUDE MAURIZOT 1987

10 ha   7 500

M. Maurizot produit à Travaillan ce vin de pays de Vaucluse à la couleur franche, assez

Vin de pays des Bouches-du-Rhône

DOM. DE BOULLERY 1987**

10 ha   110 000

Parmi la gamme de vins du domaine de Boullery, le jury a été séduit par ce vin blanc, à la robe brillante, produit d'une bonne vinification qui lui fait exprimer une grande finesse et des arômes légers de sureau et d'acacia.
→ SCA des Dom. de Fonscolombe, 13610 Le Puy-Sainte-Réparade, tél. 42.61.89.62 ⊤ r.-v.

CUVEE DU RELAIS DE POSTE 1987*

10 ha   20 000

Un rouge classique, du carignan, une pointe de cinsault pour la souplesse. Un vin agréable qui invite à une petite halte au vieux Relais de Poste,

dans son magnifique caveau créé dans le cadre des anciennes écuries.
➥ Mme Sylvette Jauffret, Dom. de Pont-Royal, 13370 Mallemort, tél. 90.57.40.15 ▼ lu, ma, je, ve, sa, di, 9h-12h 14h-19h; f. dim. a-m.

■
DOM. DE LA BEAUMETANE 1987**

n.c.   50 000

1987, première vinification et premier succès. Ce vin du domaine de la Beaumetane, situé à flancs de coteaux, est bien équilibré dans tous ses composants. Il laisse un souvenir agréable.
➥ M. Robert Cheylan, Ch. Virant, 13680 Lançon-de-Provence, tél. 90.42.44.47 ▼ t.l.j, sf dim. 8h-12h 14h-18h30.

■
DOM. DE LA DURANCOLE 1986*

30 ha   20 000

Des prestiges archéologiques attestent de l'occupation romaine de ce domaine aux limites inchangées depuis le XIe s. Ce 86, couleur pourpre, est un peu court en bouche mais on trouve des arômes de cerises mûres et de guignolet avec une note anisée. N'attendez-pas pour le boire.
➥ SCA de La Durançole, Ch. de Calissanne, RD 10, 13680 Lançon-de-Provence, tél. 90.42.63.03 ▼ r.-v.

■
DOM. DE LUNARD 1986***

22 ha   10 000

Produit dans les collines dominant l'étang de Berre, la présence du mourvèdre, une longue macération et un vieillissement en fût, donnent à ce vin de couleur pourpre avec une très bonne structure et une persistance aromatique marquée.
➥ M. Michel François, Dom. de Lunard, 13140 Miramas, tél. 90.50.09.14 ▼ ma, me, je, ve, sa, 9h-12h 15h-19h.

■
MAS BARACAN 1986**

45 ha   90 000

Un vin rouge produit sur le terrain cailouteux de la Haute Crau. Le pourcentage important de grenache lui donne une bonne souplesse. Les arômes sont légers, à dominante de fruits rouges. L'ensemble est agréable pour un vin de deux ans. Le reste chaud en bouche et d'une bonne souplesse.
➥ M. Jean Morand, Mas Baracan Coste Basse, Pont-de-Crau, 13200 Arles, tél. 90.96.40.05 ▼ t.l.j, sf dim, 8h-12h 14h-18h.
➥ GFA Mas Baracan.

■
MAS DE LONGCHAMP

24 ha   100 000

Trois générations de vignerons amoureux de leur travail proposent ce vin rouge, d'une belle couleur soutenue. Le nez est un peu faible. L'ensemble est agréable pour un vin de deux ans.
➥ SCIEV Benoît Frères, Mas de Longchamp, 13210 Saint-Rémy-de-Provence, tél. 90.95.15.06 ▼ t.l.j, sf dim, 9h30-12h 14h30-18h; f. sam. a-m.

■
MAS DE REY Caladoc 1986***

6 ha   50 000

Avant de visiter la Camargue, le Mas de Rey est une étape obligée pour découvrir non seulement le mas provençal avec sa chapelle renaissance mais aussi son vin de pays, à base de cépage caladoc. Son rouge a une bonne structure tannique, et des arômes riches et typés de fruits mûrs (figues, pruneaux) accompagnés d'une note poivrée et vanillée. Un vin original à découvrir.
➥ M. M. Mazzoleni, rte de St-Gilles, Mas de Rey, 13200 Arles, tél. 90.96.11.84 ▼ r.-v.

□
MAS DE REY
Cuvée Prestige Van Gogh 1987***

3 ha   10 000

Le dynamisme de la famille Mazzoleni a été récompensé par les deux seules médailles d'or des Bouches du Rhône au concours général agricole 88, dont cette cuvée Prestige Van Gogh, en l'honneur du centenaire arlésien du peintre. Un vin blanc tout en rondeur et finesse, présentant un caractère floral d'acacia.
➥ M. M. Mazzoleni, rte de St-Gilles, Mas de Rey, 13200 Arles, tél. 90.96.11.84 ▼ r.-v.

■
DOM. DE MOLIERES
Cuvée Grande Pièce 1986***

30 ha   30 000

Au cœur de La Crau, le domaine de Molières produit en plein en gamme cette cuvée Grande Pièce, d'une belle couleur pourpre, et la conservation en fût de chêne, donne un mariage heureux d'arômes boisés et vanillés. Le choix des cépages, bien structurée. Sté du Mas de la Vigne, Dom. de Molières, 13140 Miramas, tél. 90.58.05.05 ▼ t.l.j, sf dim 9h- 2h 14h-18h.

1986
DOMAINE DE MOLIERES
CUVÉE GRAND-PIECE
VIN DE PAYS
DES BOUCHES-DU-RHONE

LES VIGN. DE ROQUEFORT-LA-BEDOULE
Blanc de blancs 1987***

10 ha   50 000

Aux portes de Marseille, la coopérative de Roquefort-la-Bédoule produit ce vin de pays à base de cépage Vermentino (ou rolle), très bien vinifié, chaud et long en bouche, avec des arômes de fruits blancs (poire).
➥ Vign. de Roquefort-la-Bédoule, 1, bd F.-Mistral, 13830 Roquefort-la-Bédoule, tél. «.73.22.80 ▼ r.-v.

Vin de pays du Var

DOM. DE FONTAINEBLEAU 1986*

□ 6 ha 3 800 ▯▮▮

Un blanc d'ugni blanc, bien vinifié, tout en finesse et en fraîcheur comme les fontaines du domaine du XVIIIᵉ s., d'où il est produit.

➤ Famille Serra, Dom. de Fontainebleau, 83143 Le Val, tél. 94.59.59.09 ☎ lu. me. sa. 9h-12h 13h-19h.

DOM. DU LOOU 1987**

▮ 16 ha 45 000 ▯▮▮

Un rosé de grenache et cinsault riche en alcool, mais où la fraîcheur demeure avec de discrets arômes fruités.

➤ SCEA Dominique di Placido, Dom. du Loou, 83136 La Roquebrussanne, tél. 94.86.94.97 ☎ r.-v.

DOM. DU LOOU 1987***

▮ 17 ha 45 000 ▯▮▮

Sur la route de Toulon, le domaine du Loou produit un rouge d'une très bonne tenue malgré son jeune âge. Il est à la fois souple et corsé, avec un nez complexe où dominent des arômes chauds et épicés (poivron). Un vin de garde.

➤ SCEA Dominique di Placido, Dom. du Loou, 83136 La Roquebrussanne, tél. 94.86.94.97 ☎ r.-v.

DOM. REQUIER 1987*

▮ 8 ha 50 000 ▮2

Propriété en grande expansion où de grands investissements ont été réalisés depuis deux ans. Un rouge agréable à base de cabernet et de grenache. Tonique en fin de bouche, il devrait développer ses arômes qui sont encore fermés. Notons les chais de vieillissement du XVᵉ s.

➤ SCEA du Ch. Requier, La Plaine, Cabasse, 83340 Le Luc, tél. 94.80.22.01 ☎ t.l.j. 8h-18h.

DOM. SAINT-JEAN DE VILLECROZE Syrah 1987**

▮ 16 ha 16 000 ▯▮▮

Le domaine Saint-Jean créé en 1973, vinifie en cépage pur le cabernet-sauvignon et syrah. Le rouge de syrah dégusté, s'il est encore un peu fermé au nez, laisse percevoir une bonne finesse. A voir, la cave moderne construite dans la colline.

➤ M. et Mme Hirsh, Dom. de Saint-Jean, Villecroze, 83690 Salernes, tél. 94.70.63.07 ☎ r.-v.

Vin de pays des Alpes-de-Haute-Provence

DOM. DE REGUSSE Pinot noir 1986*

▮ 15 ha 57 000 ▯▮▮

Du pinot noir dans les Alpes de Haute-Provence? Eh bien! oui. Claude Dieudonné a tenté ici l'expérience de ce cépage bourguignon. Depuis 1980, il plante du gamay, du chardonnay, de l'aligoté, du cabernet sauvignon... Ce pinot noir ne possède pas une architecture de cathédrale, mais il offre un nez agréable, puissant et persistant. Très original, en tout cas. A offrir à vos amis si vous voulez étonner.

➤ M. Claude Dieudonné, Dom. de Régusse, 04860 Pierrevert, tél. 92.72.30.44 ☎ t.l.j. 8h-12h15 13h30-19h15.

Alpes et pays rhodaniens

De l'Auvergne aux Alpes, de part et d'autre de la vallée du Rhône, la région regroupe les départements du Puy-de-Dôme, de la Loire, du Rhône, de l'Ain, de l'Isère, la Haute-Savoie et la Savoie, la Drôme, la Haute-Loire et l'Ardèche. C'est dire que la diversité y est grande, celle des types de vins répondant à la variété des cépages et des conditions naturelles. Les cépages bourguignons (pinot, gamay, chardonnay) et ceux du Midi (grenache, cinsaut, clairette, etc.) y retrouvent ceux des côtes-du-rhône, tandis que se développe également l'usage des cépages bordelais! En rouge, les cépages locaux sont bien sûr la syrah, mais aussi la mondeuse (Savoie), au bouquet original, ou l'étraire-de-la-dui, curiosité de la vallée de l'Isère. En blanc, la marsanne est parfois associée à la roussane; la molette est cultivée dans l'Ain, la jacquère en Savoie et le chasselas, ou fendant, en Haute-Savoie. Dans une production de 200 000 hl, où Ardèche et Drôme contribuent largement à la primauté des rouges, la tendance est à l'élaboration de vins de cépages purs.

Ain, Drôme, Ardèche et Puy-de-Dôme sont les quatre dénominations départementales. Huit dénominations sous-régionales ou locales se répartissent dans l'ensemble de la région : vin de pays d'Allobrogie (Savoie et Ain, 5 000 hl à forte majorité de blancs); coteaux du Grésivaudan (moyenne vallée de l'Isère, 4 500 hl); Balmes Dauphinoises (Isère, 1 500 hl); coteaux des Baronnies (S.-E. de la Drôme, rouges, 20 000 hl); Comté de Grignan (rouges, 20 000 hl); collines rhodaniennes (15 000 hl, majorité de rouges); coteaux de l'Ardèche

Alpes et pays rhodaniens

(140 000 hl, surtout rouges) ; pays d'Urfé
(Forez et Roannais, 1 500 hl de gamay).

Vin de pays d'Allobrogie

☐ DOM. DE VILLY Chasselas 1987* ■ i ✱ M 1

10 ha	40 000

Dans son domaine de Villy, la famille Dumont a repris une tradition viticole fort ancienne qui avait été abandonnée au cours des siècles. À base de chasselas, ce vin élégant à reflets dorés est souple et parfumé. A servir frais avec de nombreuses spécialités régionales.

↝ MM. Claude Dumont et Fils,
Dom. du Ch. de Villy, Contamine-sur-Arve,
74130 Bonneville, tél. 50.03.62.00 ⚓ r.-v.

Vin de pays des coteaux des Baronnies

UNION DES PRODUCTEURS DU
NYONSAIS 1987* ■ i ✱ M 1

200 ha	18 000

Bien parfumé, simple et gras en bouche, à boire frais et assez vite, un joli petit vin sans prétention ni défaut. Pas cher du tout. La Cave des Baronnies a été créée en 1980.

↝ Coop. du Nyonsais, pl. Olivier-de-Serres,
B.P. 9, 26110 Nyons, tél. 75.26.03.44 ⚓ t.l.j.
8h30-12h 14h-18h.

Vin de pays des Collines rhodaniennes

LE SAVARIN 1987* ■ i ✱ M 2

0,50 ha	2 000

Sans prétention rivaliser avec les grands crus produits sur cette exploitation (Condrieu, Saint-Joseph), la cuvée présentée est légère, souple et plaisante.

↝ M. Philippe Faury, La Ribaudy,
Chavanay, 42410 Pélussin, tél. 74.87.26.00 ⚓ r.-v.

CAVE DE TAIN-L'HERMITAGE
Syrah* ■ i ✱ M 1

60 ha	280 000

Le vin présenté possède une belle couleur rubis soutenu, le nez est assez bien développé avec des arômes de cassis. Il manque cependant un peu d'ampleur et de typicité en bouche.

VIGNERONS ARDECHOIS
Cabernet 1985* ■ i ✱ M 1

50 ha	40 000

Sous une robe sombre, cet assemblage de cabernet-sauvignon et de merlot présente un nez plaisant et développé. De bonne constitution, puissant et complet, il peut encore se conserver plusieurs années.

Coteaux de l'Ardèche

↝ Cave de Tain-l'Hermitage,
Union des Propriétaires, 26600 Tain-
L'Hermitage, tél. 75.08.20.87 ⚓ r.-v.

Vin de pays des coteaux de l'Ardèche

VIGNERONS ARDECHOIS
Dom. du Pradel 1987** ■ i ✱ M 1

7 ha	42 600

Avec sa robe soutenue, ce vin fruité, ample, équilibré et persistant accompagnera agréablement viandes rouges et fromages.

↝ Vignerons Ardéchois, 07120 Ruoms,
tél. 75.93.50.55 ⚓ r.-v.

☐ VIGNERONS ARDECHOIS
Chardonnay 1987**

n.c.	n.c.

Une vinification soignée permet d'élaborer ce vin bien aromatique caractéristique de son cépage. Puissant, gras, de bonne longueur, il présente toutefois une fin de bouche un peu lourde.

↝ Vignerons Ardéchois, 07120 Ruoms,
tél. 75.93.50.55 ⚓ r.-v.

VIGNERONS ARDECHOIS
Les Quatres Sommeliers 1986*** ■ i ✱ M 2

n.c.	400 000

D'une belle couleur rouge sombre, ce vin élégant séduira par sa richesse aromatique, sa structure et son remarquable équilibre en bouche.

↝ Vignerons Ardéchois, 07120 Ruoms,
tél. 75.93.50.55 ⚓ r.-v.

Alpes et pays rhodaniens

➤ Vignerons Ardéchois, 07120 Ruoms, tél. 75.93.50.55 Ⓨ r.-v.

DOM. DE BOURNET Syrah 1986*

6 ha   30 000

Dans cette ancienne exploitation rénovée avec son mas central du XVIIᵉ s., le vin est élevé en foudres de chêne dans une belle cave voûtée où se côtoient quelques bons vins de cépages. Parmi ceux-ci, celui issu du cépage syrah présente une jolie robe grenat, un nez de violette et une bouche à dominante tannique.

➤ Vignerons Ardéchois, 07120 Ruoms, tél. 75.93.50.55 Ⓨ r.-v.

DOM. DE BOURNET Merlot 1986**

3 ha   20 000

Elevé en fûts de chêne, ce vin issu de cépage merlot est d'une teinte rouge sombre. Souple, généreux et plaisant, il est prêt à boire.

➤ Vignerons Ardéchois, 07120 Ruoms, tél. 75.93.50.55 Ⓨ r.-v.

UNION DES CAVES CEVENNE ARDECHOISE Gamay 1987*

50 ha   100 000

Produit sur les arènes granitiques de la Cévenne ardéchoise, ce vin léger et souple, aux arômes subtils et agréables, manque toutefois cette année un peu d'ampleur. A consommer jeune et frais.

➤ Union des Caves Cévenne Ardéchoise, RN 102, Saint-Didier-sous-Aubenas, 07200 Aubenas, tél. 75.93.67.94 Ⓨ r.-v.

UNION DES CAVES CEVENNE ARDECHOISE Cabernet-sauvignon 1987**

90 ha   100 000

Sous une robe brillante et soutenue, ce vin bien équilibré, fruité et complet, accompagne avec bonheur les viandes rouges ou les civets. Il est cependant encore un peu jeune pour exprimer toutes ses qualités.

➤ Union des Caves Cévenne Ardéchoise, RN 102, Saint-Didier-sous-Aubenas, 07200 Aubenas, tél. 75.93.67.94 Ⓨ r.-v.

UNION DES CAVES CEVENNE ARDECHOISE Syrah 1987**

n.c.   75 000

Elaboré à partir de la syrah, cépage traditionnel des grandes appellations de la moyenne Vallée du Rhône, ce vin d'un rouge grenat soutenu, au nez fin et agréable, de bonne constitution, équilibré, finissant bien en bouche est à consommer dès à présent.

➤ Union des Caves Cévenne Ardéchoise, RN 102, Saint-Didier-sous-Aubenas, 07200 Aubenas, tél. 75.93.67.94 Ⓨ r.-v.

DOM. DU COLOMBIER 1986*

10 ha   80 000

Implanté à l'entrée des gorges de l'Ardèche, ce domaine est exploité de père en fils depuis six générations. Ce vin couleur soutenue, au nez évolué, est le résultat d'un assemblage de cépages grenache, syrah et cinsault.

➤ MM. Philippe et Alain Walbaum, Dom. du Colombier, 07150 Vallon-Pont-d'Arc, tél. 75.88.01.70 Ⓨ r.-v.

DOM. DU COLOMBIER 1987*

10 ha   70 000

Ce vin bien coloré présente un nez agréable, une bouche de bonne longueur où dominent des arômes de framboise.

➤ MM. Philippe et Alain Walbaum, Dom. du Colombier, 07150 Vallon-Pont-d'Arc, tél. 75.88.01.70 Ⓨ r.-v.

MAS D'INTRAS Grenache 1986*

1,75 ha   13 000

Pline l'Ancien appréciait déjà les vins capiteux de Valvignères «vallis vinaria», le val de la vigne, où la nature du terrain et l'ensoleillement privilégié de cette région, apportent au produit de la vigne toutes les qualités d'un grand vin. Issu du cépage grenache, ce vin charpenté, corsé et fin, s'harmonise bien avec les viandes rouges et la charcuterie ardéchoise.

➤ M. Alphonse Robert, Intras, Valvignères, 07400 Le Teil, tél. 75.52.75.36 Ⓨ r.-v.

MAS D'INTRAS Merlot - Syrah 1985**

2,75 ha   13 000

Cet assemblage solide de cépage merlot (70%) et syrah (30%), donne une belle robe rouge sombre, un nez complexe encore un peu fermé, une bouche puissante à dominante tannique. Un ensemble qui demande à s'épanouir avec l'âge.

➤ M. Alphonse Robert, Intras, Valvignères, 07400 Le Teil, tél. 75.52.75.36 Ⓨ r.-v.

DOM. DE VIGIER Chardonnay 1987**

1,30 ha   n.c.

Produit par le domaine de Vigier dont les racines plongent loin dans le passé viti-vinicole de la région, un intéressant chardonnay des Coteaux de l'Ardèche qui semble destiné à un fromage de chèvre. Gras et fumé, il a besoin de fraîcheur pour être pleinement apprécié.

➤ Francis et Jacqueline Dupré, Dom. de Vigier, Lagorce, 07150 Vallon-Pont-d'Arc, tél. 75.88.01.18 Ⓨ r.-v.

Vin de pays d'Urfé

LES VIGNERONS FOREZIENS Gamay 1987

8 ha   20 000

Dans cette région qui inspira jadis Honoré d'Urfé, le célèbre auteur de «L'Astrée», se niche au pied des monts du Forez, la coopérative de Trelins. Outre ses côtes du Forez, elle élabore un vin de pays frais, léger, à couleur de cerise qui est à consommer jeune.

➤ Les Vignerons Foréziens, Le Pont Rompu, Trelins, 42130 Boën-sur-Lignon, tél. 77.24.00.12 Ⓨ r.-v.

Régions de l'Est

O n trouvera ici des vins originaux, fort modestes, vestiges de vignobles décimés par le phylloxéra mais qui eurent leur heure de gloire, bénéficiant du voisinage prestigieux de la Champagne ou de la Bourgogne. Ce sont d'ailleurs les cépages de ces régions que l'on retrouve ici, avec ceux de l'Alsace ou du Jura, vinifiés le plus souvent individuellement; les vins ont donc alors le caractère de leur cépage : chardonnay, pinot noir, gamay ou pinot gris (pour les rosés). Dans les assemblages, on leur associe parfois l'auxerrois.

Vin de pays de Franche-Comté

Vin de pays de la Meuse, de la Franche-Comté, de la Meuse ou de l'Yonne, ils sont tous le plus souvent fins, légers, agréables, frais et bouquetés; en augmentation, surtout pour les vins blancs, la production n'est encore que de 3 000 hl.

GROUPEMENT VITICOLE CHANITOIS
Cuvée des Houes d'Or 1987*

□ 4,18 ha 25 000

L'association chardonnay-auxerrois donne ce vin pâle, structuré, avec des arômes discrets qui devraient s'épanouir après quelques mois d'élevage.
- Groupement Viticole Chanitois, rte de Champlitte-la-Ville, 70600 Champlitte, tél. 84.67.65.09 r.-v.

GROUPEMENT VITICOLE CHANITOIS
Coteaux de Champlitte 1987*

✓ 11 ha 35 000

Le pinot noir excelle dans les vins rosés, avec des arômes très fins de petits fruits (la groseille est très nette), avec une touche acidulée qui tranche avec l'équilibre en bouche : souple, long, très homogène.
- Groupement Viticole Chanitois, rte de Champlitte-la-Ville, 70600 Champlitte, tél. 84.67.65.09 r.-v.

GROUPEMENT VITICOLE CHANITOIS
Cuvée des Compars de Chanitte**

○ 2 ha 10 000

Élaboré par la méthode champenoise sur le modèle des crémants, ce vin effervescent tout en délicatesse est un complément de gamme indispensable et bien réussi.
- Groupement Viticole Chanitois, rte de Champlitte-la-Ville, 70600 Champlitte, tél. 84.67.65.09 r.-v.

GUILLAUME PÈRE ET FILS
Chardonnay 1986*

□ 5,50 ha 25 000

L'association de vins élevés en cuve et d'autres en fûts (pièces bourguignonnes) confère une couleur soutenue et des arômes évolués sur une structure solide, acidulée, rustique, mais avec un bon prolongement apte à un vieillissement modéré.
- MM. Guillaume Père et Fils, Charcenne, 70700 Gy, tél. 84.32.80.55 r.-v.

GUILLAUME PÈRE ET FILS
Pinot noir 1986**

■ 3 ha 13 000

Le pinot noir est un cépage capricieux dont les produits sont très marqués par le terroir, le millésime et le vinificateur. Le 86 à la belle robe cerise présente des arômes très fins et bien typés qui perdent au vieillissement le fruité de la jeunesse pour s'enrichir dans les notes animales.
- MM. Guillaume Père et Fils, Charcenne, 70700 Gy, tél. 84.32.80.55 r.-v.

GUILLAUME PÈRE ET FILS
Gamay 1985*

■ 5,50 ha 7 000

Vin fié de façon traditionnelle, le gamay donne un produit très différent d'un beaujolais, mais qui n'est pas sans intérêt, avec une couleur brillante, un nez fermé d'herbes sèches, et un bon équilibre en bouche où ressortent également les impressions herbacées dans le sens noble du terme, sans amertume.
- MM. Guillaume Père et Fils, Charcenne, 70700 Gy, tél. 84.32.80.55 r.-v.

Vin de pays de la Meuse

PHILIPPE ANTOINE 1987*

□ 1 ha 6 000

Vin blanc sec dont l'intérêt réside dans la finesse et la complexité des arômes de fleurs et de fruits discrets. Sa vivacité naît des conditions de culture, mais s'avère bien associée à la rondeur.
- Évelyne et Philippe Antoine, 2, rue de l'Église, Saint-Maurice-sous-les-Côtes, 55210 Vigneulles-les-Hattonchâtel, tél. 29.89.38.31 r.-v.

PIERSON-BLANPIED Pinot noir 1987*

■ 2,40 ha 15 000

Les arômes délicats de petits fruits (groseille) sont typiques du pinot noir cultivé en zone septentrionale. Le millésime apparaît peu intense en couleur, mais très fin, long et équilibré en bouche. À boire rapidement.

➤ GAEC des Vig. Pierson Blanpied, Billy-sous-les-Côtes, 55210 Vigneulles-les-Hattonchâtel, tél. 29.89.37.43 ▼ r.-v.

PIERSON-BLANPIED Auxerrois 1987*

☐   3 ha   15 000   ▮M▮▮1▮

Dans son terroir d'origine, l'auxerrois affirme la finesse et la délicatesse de ses arômes, mêlant le fruit de la pomme ou de la pêche aux fleurs de sureau ou tilleul. Assez vif, mais structuré et long, ce vin est à découvrir dans le Parc National de Lorraine.

➤ GAEC des Vig. Pierson Blanpied, Billy-sous-les-Côtes, 55210 Vigneulles-les-Hattonchâtel, tél. 29.89.37.43 ▼ r.-v.

ACERBE Se dit d'un vin rendu âpre et vert par un fort excès de tanin et d'acidité. Défaut très grave.

ACESCENCE Maladie provoquée par des micro-organismes et donnant un vin piqué.

ACIDITÉ Présente sans excès, l'acidité contribue à l'équilibre du vin, en lui apportant fraîcheur et nervosité. Mais lorsqu'elle est très forte, elle devient un défaut, en lui donnant un caractère mordant et vert. En revanche, si elle est insuffisante, le vin est mou.

AGRESSIF Se dit d'un vin montrant trop de force et attaquant désagréablement les muqueuses.

AIGREUR Caractère acide élevé, assorti d'une odeur particulière rappelant celle du vinaigre.

AIMABLE Vin dont tous les aspects sont agréables et pas trop marqués.

ALCOOL Composant le plus important du vin après l'eau, l'alcool éthylique lui apporte son caractère chaleureux. Mais s'il domine trop, le vin devient brûlant.

ALIGOTÉ Cépage blanc de Bourgogne donnant le «bourgogne aligoté», vin de carafe à boire jeune.

ALTESSE Cépage blanc donnant des «roussettes de Savoie» d'une grande finesse.

AMBRE En vieillissant longuement, ou en s'oxydant prématurément, les vins blancs prennent parfois une teinte proche de celle de l'ambre.

AMERTUME Normale pour certains vins rouges jeunes et riches en tanin, l'amertume est dans les autres cas un défaut dû à une maladie bactérienne.

AMPLE Se dit d'un vin harmonieux donnant l'impression d'occuper pleinement et longuement la bouche.

AMPÉLOGRAPHIE Science étudiant les cépages.

ANALYSE SENSORIELLE Nom technique de la dégustation.

ANIMAL Qualifie l'ensemble des odeurs du règne animal: musc, venaison, cuir... surtout fréquentes dans les vins rouges vieux.

A.O.C. (Appellation d'Origine Contrôlée) Système réglementaire garantissant l'authenticité d'un vin issu d'un terroir donné. Les grands vins proviennent de régions d'A.O.C.

APRETÉ Sensation rude, un peu râpeuse, provoquée par un fort excès de tanin.

ARAMON Cépage noir du Midi méditerranéen, très en faveur après la crise phylloxérique, mais en recul aujourd'hui.

ARBOIS Cépage blanc ordinaire de Touraine (sans aucun rapport avec le vin du même nom récolté dans le Jura).

AROME Dans le langage technique de la dégustation, arôme devrait être réservé aux sensations olfactives perçues en bouche. Mais le mot désigne aussi fréquemment les odeurs en général.

ARRUFIAC Cépage blanc assez fin, participant à l'élaboration de certains vins béarnais.

ASSEMBLAGE Mélange de plusieurs vins pour obtenir un lot unique. Faisant appel à des vins de même origine, l'assemblage est très différent du coupage, ayant, lui, une connotation péjorative.

ASTRINGENCE Caractère un peu âpre et rude, souvent présent dans de jeunes vins rouges riches en tanin et ayant besoin de s'arrondir.

AUXERROIS Cépage lorrain donnant l'alsace-pinot ou alsace-klevner; nom donné aussi au malbec, à Cahors.

BALSAMIQUE Qualificatif d'odeurs venues de la parfumerie et comprenant, entre autres, la vanille, l'encens, la résine et le benjoin.

BAN DES VENDANGES Date autorisant le début des vendanges; souvent occasion de fêtes.

BAROQUE Cépage blanc du Béarn (pacherenc du Vic-Bilh), donnant un vin de garde.

BARRIQUE Fût bordelais de 225 litres, ayant servi à déterminer le «tonneau» (unité de mesure correspondant à quatre barriques).

BLANC FUMÉ Nom donné au sauvignon à Pouilly-sur-Loire, d'où l'appellation «pouilly-fumé» (à ne pas confondre avec les pouilly-sur-loire et les pouilly-fuissé de Bourgogne).

BOTRYTIS Nom d'un champignon entraînant la pourriture des raisins. Généralement très néfaste, il peut sous certaines conditions climatiques produire une concentration des raisins qui est à la base de l'élaboration des vins blancs liquoreux.

BOUCHE Terme désignant l'ensemble des caractères perçus dans la bouche.

BOUQUET Caractères odorants se perce-

vant au nez lorsque l'on flaire le vin dans le verre, puis dans la bouche sous le nom d'arôme.

BOURBE Voir débourbage.

BOURBOULENC Cépage blanc de qualité de la région méditerranéenne.

BRETON Nom donné au cabernet-franc en Val de Loire.

BRILLANT Se dit d'une couleur très limpide dont les reflets brillent fortement à la lumière.

BRÛLÉ Qualificatif, parfois équivoque, d'odeurs diverses, allant du caramel au bois brûlé.

BRUT On appelle bruts des vins effervescents comportant très peu de sucre (juste assez pour tempérer l'acidité du vin); «brut zéro» correspond à l'absence totale de sucre.

CABERNET-FRANC Cépage noir associé au cabernet-sauvignon et au merlot dans le Bordelais, et produisant certains vins du Val-de-Loire. Il produit un vin de garde d'une bonne finesse.

CABERNET-SAUVIGNON Cépage noir noble, dominant en Médoc et dans les Graves, mais présent aussi dans d'autres régions et donnant des vins de longue garde.

CAPITEUX Caractère d'un vin très riche en alcool, jusqu'à en être fatiguant.

CARAFE On appelle «vins de carafe» les vins qui se boivent jeunes et qu'autrefois l'on tirait directement au tonneau. Par exemple le muscadet ou le beaujolais.

CARIGNAN Cépage noir du vignoble méditerranéen donnant des vins très charpentés.

CASSE Accident (oxydation ou réduction) provoquant une perte de limpidité du vin.

CAUDALIE Unité de mesure de la durée de persistance en bouche des arômes après la dégustation.

CÉPAGE Nom de la variété, en matière de vignes.

CÉSAR Cépage très tanique, utilisé en petite proportion à Irancy et donnant un caractère particulier aux vins de pinot noir (appelé aussi romain).

CHAI Bâtiment situé au-dessus du sol et destiné aux vins (synonyme de cellier) dans les régions où l'on ne creuse pas de caves.

CHAIR Caractéristique d'un vin donnant dans la bouche une impression de plénitude et de densité, sans aspérité.

CHALEUREUX Se dit d'un vin procurant, notamment par sa richesse alcoolique, une impression de chaleur.

CHAPTALISATION Addition de sucre dans la vendange, contrôlée par la loi, afin d'obtenir un bon équilibre du vin par augmentation de la richesse en alcool lorsque celle-ci est trop faible.

CHARDONNAY Cépage bourguignon blanc de qualité, cultivé également dans d'autres régions, en particulier en Champagne et en Franche-Comté. Il donne du vin fin et d'une bonne aptitude au vieillissement.

CHARNU Se dit d'un vin ayant de la chair (voir ce mot).

CHARPENTE Bonne constitution d'un vin avec une prédominance tanique ouvrant de bonnes possibilités de vieillissement.

CHARTREUSE Dans le Bordelais, petit château du XVIIIe siècle ou du début du XIXe.

CHASSELAS Cépage blanc cultivé surtout comme raisin de table, mais également utilisé en vinification dans quelques régions.

CHÂTEAU Terme souvent utilisé pour désigner des exploitations vinicoles, même si parfois elles ne comportent pas de véritable château.

CHENIN Cépage blanc très répandu en Val-de-Loire, donnant des vins équilibrés et fins.

CINSAUT (ou cinsault) Cépage noir du vignoble méditerranéen donnant des vins très fruités.

CLAIRET Vin rouge léger et fruité, ou vin rosé produit en Bordelais et en Bourgogne.

CLAIRETTE Cépage blanc du vignoble méditerranéen donnant des vins assez fins.

CLARET Nom donné par les Anglais au vin rouge de Bordeaux.

CLAVELIN Bouteille de forme particulière et d'une contenance de 60 cl, réservée aux vins du Jura.

CLIMAT Nom de lieu-dit cadastral dans le vignoble bourguignon.

CLONE Ensemble des pieds de vigne issus d'un pied unique par multiplication (bouturage ou greffage).

CLOS Très usité dans certaines régions pour désigner les vignes entourées de murs (Clos de Vougeot), ce terme a pris souvent un usage beaucoup plus large, désignant parfois les exploitations elles-mêmes.

COLLAGE Opération de clarification réalisée avec un produit (blanc d'œuf, colle de poisson) se coagulant dans le vin en entraînant dans sa chute les particules restées en suspension.

COLOMBARD Cépage blanc du Sud-Ouest de la France, donnant des vins assez communs.

CORDON Mode de conduite des vignes palissées.

CORPS Caractère d'un vin alliant une bonne constitution (charpente et chair) à de la chaleur.

CORSÉ Se dit d'un vin ayant du corps.

CÔT Nom donné au cépage malbec dans certaines régions.

COULANT Un vin coulant (ou gouleyant) est un vin souple et agréable, «glissant» bien dans la bouche.

COULURE Transformation de la fleur en fruit due à une mauvaise fécondation, pouvant s'expliquer par des raisons diverses (climatiques, physiologiques, etc.).

COURBU Cépage blanc du Béarn et du Pays Basque.

COURGÉE Nom de la branche à fruits laissée

804

...sés à la taille et qui est ensuite arquée le long du palissage dans le Jura, (en Mâconnais, elle porte le nom de queue).

COURT Se dit d'un vin laissant peu de trace en bouche après la dégustation (on dit aussi «court en bouche»).

CRÉMANT Champagne, ou vin effervescent de «petite mousse», c'est-à-dire comportant moins de gaz carbonique en solution.

CRU Terme dont le sens varie selon les régions, mais contenant partout l'idée d'identification d'un vin à un lieu défini de production.

CRUOVER (Marque commerciale) Appareil permettant de conserver le vin en bouteille entamée sous gaz inerte (azote) pour le servir au verre.

CUVAISON Période pendant laquelle, après la vendange en rouge, les matières solides restent en contact avec le jus en fermentation dans la cuve. Sa longueur determine la coloration et la force tannique du vin.

DÉBOURBAGE Clarification du jus de raisin non fermenté, séparé de la bourbe.

DÉBOURREMENT Ouverture des bourgeons et apparition des premières feuilles de la vigne.

DÉCANTER Transvaser un vin de sa bouteille dans une carafe, pour lui permettre de se réquilibrer ou d'abandonner son dépôt.

DÉCLASSEMENT Suppression du droit à l'appellation d'origine d'un vin; celui-ci est alors commercialisé comme «vin de table».

DÉCUVAGE Séparation du vin de goutte et du marc après fermentation (on dit aussi écoulage).

DÉGORGEMENT Dans la méthode champenoise, élimination du dépôt de levures formé lors de la seconde fermentation en bouteille.

DEGRÉ ALCOOLIQUE Richesse du vin en alcool exprimée en degré (correspondant au pourcentage de volume d'alcool contenu dans le vin).

DÉPÔT Particules solides contenues dans le vin, notamment dans les vins vieux (où il est enlevé avant dégustation par la décantation; voir décanter).

DOSAGE Apport de sucre sous forme de «liqueur de tirage» à un vin champagnisé, après le dégorgement.

DOUX Terme s'appliquant à des vins sucrés.

DUR Le vin dur est caractérisé par un excès d'astringence et d'acidité, mais pouvant parfois s'atténuer avec le temps.

DURAS Cépage noir produit surtout à Gaillac.

DURIF Cépage noir du Dauphiné.

ÉCHELLE DES CRUS Système complexe de classement des communes de Champagne en fonction de la valeur des raisins qu'y sont produits. Dans d'autres régions, situation hiérarchique des productions classées par des autorités diverses.

ÉCOULAGE voir décuvage.

EFFERVESCENT Se dit d'un vin dégageant des bulles de gaz.

ÉGRAPPAGE Séparation des grains de raisin de la rafle.

ÉLEVAGE Ensemble des opérations destinées à préparer les vins au vieillissement jusqu'à la mise en bouteille.

EMPYREUMATIQUE Qualificatif d'une série d'odeurs rappelant le brûlé, le cuit ou la fumée.

ENVELOPPÉ Se dit d'un vin riche en alcool, mais dans lequel le moelleux domine.

ÉPAIS Se dit d'un vin très coloré, donnant en bouche une impression de lourdeur et d'épaisseur.

ÉPANOUI Qualificatif d'un vin équilibré qui a acquis toutes ses qualités de bouquet.

ÉQUILIBRÉ Désigne un vin dans lequel l'acidité et le moelleux (ainsi que le tannin pour les rouges) s'équilibrent bien mutuellement.

ÉTAMPAGE Marquage des bouchons, des barriques ou des caisses à l'aide d'un fer.

ÉVENTÉ Se dit d'un vin ayant perdu tout ou partie de son bouquet à la suite d'une oxydation.

FATIGUÉ Terme s'appliquant à un vin ayant perdu provisoirement ses qualités (par exemple après un transport) et nécessitant un repos pour les recouver.

FÉMININ Caractérise les vins offrant une certaine tendreté et de la légèreté.

FER Cépage noir donnant des vins de garde.

FERMÉ S'applique à un vin de qualité encore jeune et n'ayant pas acquis un bouquet très prononcé, et qui nécessite donc d'être attendu pour être dégusté.

FERMENTATION Processus permettant au jus de devenir du vin, grâce à l'action de levures transformant le sucre en alcool.

FERMENTATION MALOLACTIQUE Transfo mation de l'acide malique en acide lactique et gaz carbonique, dont l'effet est de rendre le vin moins acide.

FILLETTE Petite bouteille de 35 cl, utilisée dans le Val-de-Loire.

FILTRATION Clarification du vin à l'aide de filtres.

FINESSE Qualité d'un vin délicat et élégant.

FLEUR Maladie du vin se traduisant par un voile blanchâtre et un goût d'évent.

FOLLE BLANCHE Cépage blanc donnant un vin très vif (gros plant).

FONDU Désigne un vin, notamment un vin vieux, dans lequel les différents caractères se mêlent harmonieusement entre eux pour former un ensemble bien homogène.

FOUDRE Tonneau de grande capacité (200 à 300 hectolitres).

FOULAGE Opération consistant à faire éclater la peau des grains de raisin.

FOXÉ Désigne l'odeur, entre celle du renard et celle de la punaise, que dégage le vin produit à partir de certains cépages hybrides.

FRAIS Se dit d'un vin légèrement acide, mais sans excès, qui procure une sensation de fraîcheur.

FRANC Désigne l'ensemble d'un vin, ou l'un de ses aspects (couleur, bouquet, goût...) sans défaut ni ambiguïté.

FRIAND Qualificatif d'un vin à la fois frais et fruité.

FUMÉ Qualificatif d'odeur proche de celle des aliments fumés, caractéristique, entre autres, du cépage sauvignon ; d'où le nom de blanc fumé (voir ce mot).

FUMET Synonyme ancien de bouquet, mais plus utilisé pour les vins.

GAMAY Cépage noir assez répandu dans de nombreuses régions, unique en Beaujolais, et donnant un vin très fruité.

GARDE (vin de) Désigne un vin montrant une bonne aptitude au vieillissement.

GÉNÉREUX Caractère d'un vin riche en alcool, mais sans être fatiguant, à la différence d'un vin capiteux.

GÉNÉRIQUE Terme pouvant avoir plusieurs acceptions, mais désignant souvent un vin de marque par opposition à un vin de cru ou de château ; par abus, employé parfois pour désigner les appellations régionales (par exemple « bordeaux », « bourgogne »...)

GEWURZTRAMINER Cépage alsacien rose, très aromatique.

GLISSANT Synonyme de coulant.

GLYCÉROL Tri-alcool légèrement sucré, issu de la fermentation du jus de raisin, qui donne au vin son onctuosité.

GOULEYANT Voir coulant.

GOUTTE (vin de) Dans la vinification en rouge, vin issu directement de la cuve au décuvage.

GRAS Synonyme d'onctueux (voir ce mot).

GRAVELLE Terme désignant le dépôt de cristaux de tartre dans les vins blancs en bouteille.

GRAVES Sol composé de cailloux roulés et de graviers, très favorable à la production de vins de qualité que l'on trouve notamment en Médoc et dans les Graves.

GREFFAGE Méthode employée depuis la crise phylloxérique, consistant à fixer sur un porte greffe résistant au phylloxéra un greffon d'origine locale.

GRENACHE Cépage noir cultivé dans certaines régions du Midi, comme Banyuls ou Châteauneuf-du-Pape. Donne un vin parfumé et très chaleureux.

GRIS (vin) Vin obtenu en vinifiant en blanc des raisins rouges.

GROLLEAU Cépage noir du Val-de-Loire.

GROS PLANT Nom donné au cépage folle blanche dans la région de Nantes.

HARMONIEUX Se dit d'un vin présentant des rapports heureux entre ses différents caractères, allant au-delà du simple équilibre.

HAUTAIN (en) Taille de la vigne en hauteur.

HERBACÉ Désigne des odeurs ou arômes rappelant l'herbe, (ce terme a souvent une connotation plutôt péjorative).

HYBRIDES Terme désignant les cépages obtenus à partir de deux espèces de vignes différentes.

I.N.A.O. Institut National de l'Appellation d'Origine ; établissement public chargé de déterminer et de contrôler les conditions de production des vins d'AOC.

I.T.V. Institut Technique de la Vigne et du Vin ; organisme technique professionnel de recherche et d'expérimentation sur la vigne et le vin.

JACQUÈRE Cépage blanc, produit en Savoie et dans le Dauphiné, donnant un bon vin à boire assez rapidement.

JAMBES Synonyme de larmes (voir ce mot).

JÉROBOAM Grande bouteille contenant l'équivalent de quatre bouteilles.

JEUNE Qualificatif très relatif pouvant désigner un vin de l'année déjà à son optimum, aussi bien qu'un vin ayant passé sa première année mais n'ayant pas encore développé toutes ses qualités.

JURANÇON Blanc, cépage peu répandu présent encore en Charente ; noir, cépage accessoire du Sud-Ouest au vin assez commun.

LACTIQUE (acide) Acide obtenu par la fermentation malolactique.

LARMES Traces laissées par le vin les parois du verre lorsque on l'agite ou l'incline.

LÉGER Se dit d'un vin peu coloré et peu corsé, mais équilibré et agréable. En général, à boire assez rapidement.

LEVURES Champignons microscopiques unicellulaires provoquant la fermentation alcoolique.

LIMPIDE Se dit d'un vin de couleur claire et brillante ne contenant pas de matières en suspension.

LIQUOREUX Vins blancs riches en sucre, obtenus à partir de raisins sur lesquels s'est développée la pourriture noble, et se distinguant entre autres par un bouquet spécifique.

LONG Se dit d'un vin dont les arômes laissent en bouche une impression plaisante et persistante après la dégustation. On dit aussi : d'une bonne longueur.

LOURD Se dit d'un vin excessivement épais.

MACABEU Cépage blanc du Roussillon donnant un vin agréable en jeunesse.

MACÉRATION Contact du moût avec les parties solides du raisin pendant la cuvaison.

MACÉRATION CARBONIQUE Mode de vinification utilisé surtout pour la production de certains vins de primeur.

MÂCHE Terme s'appliquant à un vin possédant à la fois épaisseur et volume et qui, par image, donne l'impression qu'il pourrait être mâché.

MADÉRISÉ Se dit d'un vin blanc qui, en vieillissant, prend une couleur ambrée et un goût rappelant d'une certaine façon celui du madère.

MAGNUM Bouteille correspondant à deux bouteilles ordinaires.

MALBEC Nom donné en Bordelais au cépage côt.

MALIQUE (acide) Acide présent à l'état naturel dans beaucoup de vins et, qui se transforme en acide lactique par la fermentation malolactique.

MANSENG Gros manseng et petit manseng sont les deux cépages blancs de base du jurançon.

MARC Matières solides restant après le pressurage.

MARSANNE Cépage blanc surtout cultivé dans la région de l'hermitage.

MATHUSALEM Autre nom pour la bouteille impériale.

MATURATION Transformation subie par le raisin quand il s'enrichit en sucre et perd une partie de son acidité pour arriver à maturité.

MAUZAC Cépage blanc cultivé notamment dans le Midi toulousain et le Languedoc, donnant un vin fin mais de faible garde.

MELON Nom d'un cépage de Côte-d'Or qui a pris le nom de muscadet en pays nantais.

MERLOT, Cépage noir dominant dans le Libournais (Pomerol, Saint-Émilion), et associé aux autres cépages dans l'ensemble du Bordelais.

MÉTHODE CHAMPENOISE Technique d'élaboration des vins effervescents comprenant une prise de mousse en bouteille, conforme à la méthode d'élaboration du champagne.

MEUNIER Cépage noir se caractérisant par un feuillage velu plus rustique que le pinot dont il est issu.

MILDIOU Maladie provoquée par un champignon parasite qui attaque les organes verts de la vigne.

MILLÉSIME Année de récolte d'un vin.

MISTELLE Moût de raisin frais, riche en sucre, dont la fermentation a été arrêtée par l'adjonction d'alcool.

MOELLEUX Qualificatif s'appliquant généralement à des vins blancs doux se situant entre les secs et les liquoreux proprement dits. Se dit aussi, à la dégustation, d'un vin à la fois gras et peu acide.

MONDEUSE Cépage noir de Savoie et du Dauphiné donnant un vin de garde de grande qualité.

MOURVÈDRE Cépage noir de Provence donnant des vins fins de grande garde.

MOUSSEUX Vins effervescents rentrant dans les catégories des vins de table et des V.Q.P.R.D.

MOÛT Désigne le liquide sucré extrait du raisin.

MUSCADELLE Cépage blanc du Bordelais associé au sémillon et au sauvignon.

MUSCADET Cépage blanc cultivé en Loire-Atlantique, qui donne un vin de carafe très frais.

MUSCAT Terme désignant l'ensemble des cépages dont les raisins ont la qualité aromatique musquée. Désigne également les vins obtenus avec ces cépages.

MUSQUÉE Se dit d'une odeur rappelant celle du musc.

MUTAGE Opération consistant à arrêter la fermentation alcoolique du moût.

NABUCHODONOSOR Bouteille géante équivalant à 20 bouteilles ordinaires.

NÉGOCE Terme employé pour désigner le commerce des vins et les professions s'y rapportant. Est employé parfois par opposition à «viticulture».

NÉGOCIANT-ÉLEVEUR Dans les grandes régions d'appellations, négociant ne se contentant pas d'acheter et de revendre les vins, mais, à partir de vins très jeunes, réalisant toutes les opérations et conservations jusqu'à la mise en bouteille.

NÉGOCIANT-MANIPULANT Terme champenois désignant le négociant qui achète des vendanges pour élaborer lui-même un vin de champagne.

NÉGRETTE Cépage noir donnant un vin riche, coloré et peu acide.

NERVEUX Se dit d'un vin marquant le palais par des caractères bien accusés et une pointe d'acidité, mais sans excès.

NET Se dit d'un vin franc, aux caractères bien définis.

NIELLUCIO Cépage noir planté en Corse, qui donne des vins de garde de haute qualité (en particulier à Patrimonio).

NOUVEAU Se dit d'un vin des dernières vendanges.

ODEUR Perçues directement par le nez, à la différence des arômes de bouche, les odeurs du vin peuvent être d'une grande variété, rappelant aussi bien les fruits ou les fleurs que la venaison.

ŒIL Synonyme de bourgeon.

ŒNOLOGIE Science étudiant le vin.

OÏDIUM Maladie de la vigne provoquée par un petit champignon et qui se traduit par une teinte grise et un dessèchement des raisins; se traite par le soufre.

O.I.V. Office International de la Vigne et du Vin; organisme intergouvernemental étudiant les

questions techniques, scientifiques ou économiques soulevées par la culture de la vigne et la production du vin.

ONCTUEUX Qualificatif d'un vin se montrant en bouche agréablement moelleux, gras.

O.N.I.VINS Office National Interprofessionnel des Vins; organisme ayant pris la suite de l'O.N.I.V.I.T. dans sa mission d'orientation et de régularisation du marché du vin.

ORGANOLEPTIQUE Désigne des qualités ou propriétés perçues par les sens lors de la dégustation, comme la couleur, l'odeur ou le goût.

OUILLAGE Opération consistant à rajouter régulièrement du vin dans chaque barrique pour les maintenir pleines et éviter le contact du vin avec l'air.

OXYDATION Résultat de l'action de l'oxygène de l'air sur le vin. Excessive, elle se traduit par une modification de la couleur (pelure d'oignon pour les rouges) et du bouquet.

PARFUM Synonyme d'odeur, avec, en plus, une connotation laudative.

PASSERILLAGE Dessèchement du raisin à l'air s'accompagnant d'un enrichissement en sucre.

PASTEURISATION Technique de stérilisation par la chaleur mise au point par Pasteur.

PERLANT Se dit d'un vin dégageant de petites bulles de gaz carbonique.

PERSISTANCE Phénomène se traduisant par la perception de certains caractères du vin (saveur, arômes...) après que celui-ci ait été avalé. Une bonne persistance est un signe positif.

PÉTILLANT Désigne un vin dont la mousse est moins forte que celle des vins mousseux.

PETIT VERDOT L'un des cépages accompagnant parfois en Bordelais les cabernets et le merlot.

PHYLLOXERA Puceron qui, entre 1860 et 1880, ravagea le vignoble français, en provoquant la mort des racines par sa piqure.

PIÈCE Nom du tonneau de Bourgogne (228 ou 216 litres).

PIERRE À FUSIL Se dit du goût d'un vin dont l'arôme évoque l'odeur du silex venant de produire des étincelles.

PINEAU D'AUNIS Cépage noir cultivé dans certaines régions de la vallée de la Loire, et donnant un vin peu coloré.

PINOT Cépage noir, cultivé notamment en Bourgogne, qui donne des vins assez peu colorés de longue garde. Cultivé aussi en Champagne où il est vinifié en blanc.

PIQUÉ Qualificatif d'un vin atteint d'acescence, maladie se traduisant par une odeur aigre prononcée.

PIQÛRE (piqûre acétique) Synonyme d'acescence.

PLEIN Se dit d'un vin ayant les qualités demandées à un bon vin, et qui donne en bouche une sensation de plénitude.

POULSARD Cépage noir, utilisé notamment dans le Jura, donnant des vins peu colorés mais très fins.

POURRITURE NOBLE Nom donné à l'action du botrytis cinerea dans les régions où elle permet de réaliser des vins blancs liquoreux.

PRESSE (vin de) Dans la vinification en rouge, vin tiré des marcs par pressurage après le décuvage.

PRESSURAGE Opération consistant à presser le marc de raisin pour en extraire le jus ou le vin.

PRIMEUR (vin de) Vin élaboré pour être bu très jeune.

PRIMEUR (achat en) Achat fait peu après la récolte et avant que le vin soit consommable.

PRISE DE MOUSSE Nom donné à la deuxième fermentation alcoolique que subissent les vins mousseux.

PUISSANCE Caractère d'un vin qui est à la fois plein, corsé, généreux et d'un riche bouquet.

RAFLE Terme désignant dans la grappe le petit branchage supportant les grains de raisin et qui, lors d'une vendange non éraflée, apporte une certaine astringence au vin.

RANCIO Caractère particulier pris par certains vins doux naturels au cours de leur vieillissement.

RÂPEUX Se dit d'un vin très astringent, donnant l'impression de racler le palais.

RATAFIA Vin de liqueur élaboré par mélange de marc et de jus de raisin en Champagne et en Bourgogne.

REBÈCHE (vin de) Vin issu des dernières presses, qui ne participera pas à l'élaboration de cuvées destinées à la champagnisation.

RÉCOLTANT-MANIPULANT En Champagne, viticulteur élaborant lui-même son champagne.

REMUAGE Dans la méthode champenoise, opération visant à amener les dépôts contre le bouchon par le mouvement imprimé aux bouteilles placées sur des pupitres.

RICHE Qualificatif d'un vin coloré, généreux, puissant et en même temps équilibré.

RIESLING Cépage blanc, cultivé en Alsace, donnant des vins d'une grande distinction.

ROBE Terme employé souvent pour désigner la couleur d'un vin en son aspect extérieur.

ROGNAGE Action de couper le bout des rameaux de vigne en fin de végétation.

ROLLE Cépage blanc de Provence et du Pays niçois donnant des vins très fins.

ROMORANTIN Cépage blanc assez ordinaire cultivé dans quelques secteurs de la vallée de la Loire.

ROND Se dit d'un vin dont la souplesse, le moelleux et la chair donnent en bouche une agréable impression de rondeur.

RÔTI Caractère spécifique donné par la pourriture noble aux vins liquoreux, qui se traduit par un goût et des arômes de confit.

ROUSSANE Cépage blanc, cultivé dans la Drôme, donnant un vin de garde très fin.

SACY Cépage blanc, cultivé dans l'Yonne et l'Allier, donnant un vin très frais et sec.

SAIGNÉE (rosé de) Vin rosé tiré d'une cuve de raisin noir au bout d'un court temps de macération.

SAINT-PIERRE Cépage blanc donnant un vin acide que l'on trouve dans l'Allier.

SALMANAZAR Bouteille géante contenant l'équivalent de 12 bouteilles ordinaires.

SARMENT Rameau de vigne de l'année.

SAUVIGNON Cépage blanc, cultivé dans de nombreuses régions, donnant un vin fin et de bonne garde dont l'une des caractéristiques est son arôme de fumé, très particulier.

SAVAGNIN Cépage jurassien donnant le célèbre vin jaune et dont des variétés roses existent en Alsace (klevner et gewurztraminer).

SAVEUR Sensation (sucrée, salée, acide ou amère) produite sur la langue par un aliment.

SCIACARELLO Cépage noir, cultivé en Corse, produisant un vin charnu et fruité.

SEC Pour les vins tranquilles, caractère dépourvu de saveur sucrée (moins de 49 g par litre); dans l'échelle de douceur des vins effervescents, caractère peu sucré (moins de 35 g).

SÉMILLON Cépage blanc noble, cultivé notamment en Gironde et donnant entre autres les grands vins liquoreux.

SOYEUX Qualificatif d'un vin souple, coulant, moelleux et velouté, avec une nuance d'harmonie et d'élégance.

SOLIDE Se dit d'un vin bien constitué, possédant notamment une bonne charpente.

SOUPLE Se dit d'un vin coulant, dans lequel le moelleux l'emporte sur l'astringence.

SOUTIRAGE Opération consistant à transvaser un vin d'un fût dans un autre pour en séparer la lie.

STABILISATION Ensemble des traitements destinés à la bonne conservation des vins.

STRUCTURE Désigne à la fois la charpente et la constitution d'ensemble d'un vin.

SULFATAGE Traitement, jadis pratiqué à l'aide de sulfate de cuivre, appliqué à la vigne pour prévenir les maladies cryptogamiques.

SULFITAGE Introduction de solution sulfureuse dans un moût ou dans un vin pour le protéger d'accidents ou maladies, ou pour sélectionner les ferments.

SYLVANER Cépage blanc alsacien produisant en général un vin type de carafe.

SYRAH Cépage noir planté notamment dans la vallée du Rhône et en Languedoc-Roussillon.

TAILLE Coupe des sarments pour régulariser et équilibrer la croissance de la vigne afin de contrôler la productivité.

TANNAT Produit dans les Pyrénées-Atlantiques, ce cépage noir donne des vins très charpentés, mais fins et de bonne garde.

TANIN Substance se trouvant dans le raisin, et qui apporte au vin sa capacité de longue conservation et certaines de ses propriétés gustatives.

TANNIQUE Caractère d'un vin laissant apparaître une note d'astringence due à sa richesse en tanin.

TASTEVINAGE Label accordé par la confrérie des Chevaliers du Tastevin à certains vins bourguignons.

TERROIR Territoire s'individualisant par certaines caractéristiques physiques déterminantes pour son vin.

THERMORÉGULATION Technique permettant de contrôler et de maîtriser la température des cuves pendant la fermentation.

TIRAGE Synonyme de soutirage.

TOKAY Nom donné en Alsace au pinot gris.

TRANQUILLE (vin) Désigne un vin non effervescent.

TRESSALLIER Autre nom du cépage sacy.

TUILÉ Caractère des vins rouges qui, en vieillissant, prennent une teinte rouge-jaune.

UGNI-BLANC Cépage blanc, cultivé dans le Midi (et en Charente sous le nom de saint-émilion), donnant un vin assez acide et de faible garde.

V.D.L. Vin de liqueur; vin doux ne répondant pas aux normes réglementaires des VDN, ou vin obtenu par mélange de vin et d'alcool (Pineau des Charentes).

V.D.N. Vin doux naturel; vin issu de muscat, grenache, macabéo et malvoisie, et correspondant à des conditions strictes de production, de richesse et d'élaboration.

V.D.P. Vin de pays; vin appartenant au groupe des vins de table, mais dont on peut mentionner sur l'étiquette la région géographique d'origine.

V.D.Q.S. Vin délimité de qualité supérieure; vin de qualité produit dans une région et selon une réglementation précises.

VÉGÉTAL Se dit du bouquet ou des arômes d'un vin (principalement jeune) rappelant l'herbe ou la végétation.

VENAISON S'applique au bouquet d'un vin rappelant l'odeur de grand gibier.

VERMENTINO Cépage blanc connu sous le nom de rolle à Nice et en Provence et sous celui de malvoisie en Corse.

VERT Se dit d'un vin trop acide.

VIEUX Terme pouvant avoir plusieurs acceptions, mais désignant en général un vin ayant plusieurs années d'âge et ayant vieilli en bouteille après avoir séjourné en tonneau.

VIF Se dit d'un vin frais et léger, avec une

petite dominante acide mais sans excès, et agréable.

VILLAGE Terme employé dans certaines régions pour individualiser un secteur particulier au sein d'une appellation plus large (Beaujolais, Côtes-du-Rhône).

VINEUX Se dit d'un vin possédant une certaine richesse alcoolique et présentant de façon nette les caractéristiques distinguant le vin des autres boissons alcoolisées.

VINIFICATION Méthode et ensemble des techniques d'élaboration du vin.

VIOGNIER Cépage blanc, cultivé dans la vallée du Rhône, donnant un vin fin de haute qualité.

VIRIL Se dit d'un vin à la fois charpenté, corsé et puissant.

VOLUME Caractéristique d'un vin donnant l'impression de bien remplir la bouche.

V.Q.P.R.D. Vin de qualité produit dans une région déterminée. Se distingue des vins de table, dans le langage réglementaire de la Communauté Économique Européenne, et regroupe, en France, les AOC et VDQS.

TABLE DES CARTES

INDEX DES APPELLATIONS

INDEX DES COMMUNES

815

Montblanc, 791
Monteaux, 622 673
Montels, 589
Montesquieu, 548 549 770
Monteton, 616
Monthélie, 417 428 429 430 434 434 453
Monthou-sur-Cher, 670
Montigny-les-Buxy, 461 510 511 512 513 516
Montner, 552
Montoire-sur-le-Loir, 690
Montpellier 561 576 788 789
Montpeyroux, 537
Montpezat-de-Quercy 785
Montréal-d'Aude 544
Montreuil-Bellay 623 645 657 658 659
Montrichard 665 669 674
Montussan, 200 201
Morey-Saint-Denis, 387 389 390 391 393
Morizes, 189 266
Mornas 717
Moroges, 359 369
Moroges, 699 700 708
Moses, 666
Mouilla, 201 230
Moukézan, 789
Mouldars, 782
Moulis-en-Médoc, 304 317
Moulon, 187 197 203 204 206 209 266
Mouscardes, 783
Moussy, 501 503
Mouzillon, 626 628 629 631
Mozé-sur-Louet, 642 643
Mugron 783
Muides-sur-Loire, 689
Muro 579
Murviel 790
Nantoux, 367 425
Narbonne 537 538
Nastringues, 608
Naujan-et-Postiac, 189 192 196 265 267
Néac, 234 235 236 237 252 261
Nérigean, 266
Neuffons, 188 195 206
Neuville-de-Poitou 692
Neuville-sur-Seine, 486
Nery-sur-Seille, 515
Nice 568
Niedermorschwihr, 119
Nizas, 529 791
Nodoz, 218 220
Noizay, 684 688
Nothalten, 91 99 106
Noves 795
Noyers-sur-Cher 666 668
Nueil-sur-Layon 653
Nuits-Saint-Georges 350 351 365 368 375 384 387 388 391 393 395 396 397 398 399 401 402 403 404 405 408 412 414 415 416 418 419 420 423 426 428 429 431 433 442 443 446 448 449 450 451 453 454 456 457 458 459 460 461 462 464 465 468 469 471 736 737 741
Nyons 723 799
Obermorschwihr, 112
Oberaï 94 99 103 113 134 135
Ocana, 580
Odenas, 153 154 157
Oeuilly, 503
Oger, 483
Oiry, 492
Oisly, 665 669 670
Omet, 195 272 328 332
Onzain 673 674
Orchwiller 94 95 96 98 101 110 112 113 126
Orschwiller, 92 97 101 102 105 109 110 111 115 127 135

Panzoult, 678 679
Parçay-Meslay, 685 686
Parempuyre, 182 191 193 198 204 218 238 239 249 251 270 300 304 306 312 320 322 323 333 334 335
Paris-l'Hôpital, 367
Parleboscq, 783
Parnac, 584 585 586 588
Parnay, 659 661
Parsac-Montagne, 261
Passa 549
Passavant-sur-Layon, 621 639
Passenans, 515
Patrimonio 580 581
Pauillac 183 188 195 196 209 239 293 318 319 320 321 323 332 333
Paziols, 767 769
Pellegrue 192 198 206 207 208
Pérignac, 775
Pernand-Vergelesses, 368 412 413 414
Pernes-les-Fontaines 754
Péronne, 352 462 464
Perpignan 547 548 549 550 551 552 553 762 765 766 769 770
Pertuis 758 796
Pescalofres, 472
Pessac 277 279 317
Pessac-sur-Dordogne 199
Petit-Palais, 194 199 208
Peyriac-Minervois, 541 542
Pézenas 529 538
Pézilla-la-Rivière 547 765 770
Pfaffenheim, 91 99 103 106 130 135
Pierreclos 463
Pierrefeu-du-Var, 560 562 564 796
Pierrevert 760
Pignans 561
Pinet 536 538
Pisootte, 636
Planèzes, 552 766
Plassac, 214 217
Pocé-sur-Cisse 671
Podensac 287
Poggio d'Oletta 581
Poligny 516
Pomerol, 228 229 230 231 232 233 234 235 256
Pomérols 536 792
Pommard 349 356 360 421 422 423 424 425 426 427 436 447
Pommier, Creyssensac & Pissot, 614
Pomport, 609 611 612
Poncy, 357 458 459 460
Ponchapt, 614
Pontanevaux, 151 153 156 157 160 167 169 358 465 468
Pont-de-Crau, 797
Portel 532
Portets 204 282 283 284 285 286 287 288 309
Port-Sainte-Foy-Ponchapt, 606 608 613
Pouancay, 623 658
Pouillé, 665 667 668
Pouillon 783 784
Pouilly-Fuissé, 467
Pouilly-sur-Loire, 701 702 703
Pourcieux 565
Pouzolles, 791 792
Pouzols-Minervois, 541
Prayssac 584 585 586
Préby, 345 354 373 379
Preignac, 193 282 289 331 334 335 336
Premeaux-Prissey, 347 367 401 402 407
Preuilly, 704
Prignac-Médoc, 293
Prigonrieux, 607
Prissé, 462 466 472
Propriano 579
Puget Ville, 560
Puisseguin, 790
Puisseguin, 258 259 260 262
Puisserguier 542 789 793
Pujols-sur-Dordogne, 195 206

Poligny-Montrachet, 350 356 434 437 438 440
Papillin, 511 512 516
Paycelsi, 592
Peylaroque, 784
Puy-l'Évêque 588
Puymeras 724
Puynormand, 196
Puyricard 575
Queyrac, 293
Quincié-en-Beaujolais, 149 150 152 154 156 157 159 166 167 172 173 347 352 354 359 360 463 464 471 472
Quincy, 703
Quinsac 269 273
Rabastens 590
Rablay-sur-Layon, 642 643 651 652 653
Ramatuelle 562 566 567
Rasteau, 720 723 724 730 731 772 795
Ratzenthal, 112
Rauzan 185 193 203 263 265
Razac-de-Saussignac, 611
Razines, 667
Redessan, 535
Reguié-Durette, 148 150 151 152 159 166
Reichsfeld, 99 135
Reims 479 481 482 484 485 491 493 495 496 497 498 500 501 502 503 505 506
Remigny, 352 357
Renaison 698
Restigné, 674 675
Reugny, 686 687 688
Reuilly 704
Rians 574
Ribaute, 533
Ribeauvillé 99 100 124 135
Richerenches, 724
Rilly-la-Montagne 489
Rimons, 187 194 204 266
Riquewihr 102 105 115 130
Rivesaltes 547 549 551 552 764 766 768 769 790
Rivière, 677
Roaillan, 286 288
Rochecorbon, 684 688
Rochefort-sur-Loire 639 640 648 651 655
Rocquemaure 751
Rodern, 106
Rognes 572
Romagnat 694
Romagne, 185 190 192 210 265
Romanèche-Thorins, 145 148 149 154 159 161 166 168 169 464
Roquebrun, 543
Roquebrune-sur-Argens, 563 564
Roquefort-la-Bédoule 797
Roquemaure 748 749 751
Rorschwihr, 92 107 117
Rotalier, 516
Rouffach 102 131 132
Roussas, 753
Routier, 544
Ruch, 190 210 264
Ruffieux, 520
Rully, 349 356 358 369 370 371 420 450 451 452 453 456 458 459
Ruoms 713 753 759 799 800
Russilly, 458
Sablet, 726
Sablonceaux, 774
Sablonneux, 782
Sabran, 722
Sache, 672
Sadirac, 203 204
Saillans, 224 225 226 227 228
Sain-Bel, 147 173
Saint-Aignan, 197 226 227 236 669
Saint-Alexandre, 726 727 733
Saint-Amour-Bellevue, 164 170 171
Saint-Andelain, 701 702
Saint-André-de-Cubzac 183 184 187 191 194 203 207 240 297 301 315 533 547 697 698 766 792

Champagne Montaudon 497
M. Pascal Montaut 215 216
M. Jean de Monteil 248
MM. F. Monteils et G. Perez 595
GAEC de Monternin 463
M. Charles de Montéquinto 199 208
GAFF Prieure de Montézargues 752
Baron Stanislas de Montfort 256
SCE Dom. Monthélie Douhairet 431
M. Hubert de Montille 426 428
SC du Ch. Montlabert 254
Dom. de Montmain 365
Cave coop. de Montpeyroux 537
LEPA de Montreuil-Bellay 623 658
Les Caves du Mont-Tauch 530 540 769
SCA Vignerons du Mont-Ventoux 754 755
M. **Morain** et Mme Veuve Morain 356
M. Jean Morand 797
M. Charles Morazzani 579
Mme Catherine Moreau 671
M. Jean Moreau 791
M. Michel Moreau 791
MM. **Michel** et Francis Moreau 232 379 382 678
M. Philibert Moreau 146
M. Yves Moreau 671 673
M. Pascal Morel 507
Dom. Marc Morey et Fils 443
Caveau de Morgon 166
Maison Morin 351 443 448
M. Guy Morin 225
M. Michel Morin 351
M. James Morisseau 681
M. Gilbert Morsand 465
M. Fernand Moron 641 646 652
M. Albert Morot 422
M. Bernard Morot-Gaudry 448
MM. Mortet et Fils 351 387
M. Sylvain Mosnier 375 379
Mme. Janine Mothes 227
M. Armand Moueix 245
M. Christian Moueix 231
Ets Jean-Pierre Moueix 206 223 226 229 231 249 253
Héritiers Marcel Moueix 234 252
M. Léon Moulin 631
GAEC du Moulin Borgne 213
Dom. du Moulin de l'Horizon 658
SC du Ch. Moulin du Cadet 254
SC Dom. de Moulinet 232 236
Mme Annie Moulinier 535
M. Jean Moulinier 612
M. R. Mounié et ses Filles 551 766
MM. R. Moureau et I. Desveaux 240
MM. Marceau Moureau et Fils 542
GFA du Dom. de Mourier 535
M. Jacques Mourraud 611
M. Fabrice Mouresse 362
M. Guy Mousset 723 744 747
M. Jacques Mousset 725 726 745 796
MM. Moutard Père et Fils 497
SARL Moutard-Diligent 487
M. Jean Moutardier 497
M. Gérard Mouton 459
MM. Moutte Frères 562
M. Daniel Mouty 199 208 238 257
M. Jean-Pierre Mugneret 365 397 399 404
M. Guy Mugnier 349 420 450 452 456
M. Jacques-Frédéric Mugnier 394 395
GAEC F. et R. Muhlberger 99 119
M. François-Robert Mulberger 135
GAEC Muller-Koeberlé 116
MM. G.-H. Mumm et Cie 497
M. Bernard Munier 351
Muré 131 132
M. Régis Mureau 675
MM. Yves et Stéphane Mureau 678
M. Marcel Murer 609
Cave Coop. Muscat de Lunel 771
M. Maurice Musset 256
M. Hubert Mussotte 335
Dom. **Mussy** 422

M. Lucien **Muzard** 448
M. Philippe Naddef 364
MM. Naigeon-Chauveau et Fils 164 169 399
Dom. de Nalys 747
SC des Nantelles 351
MM. Roger et Alain Narjoux 351
M. Bertrand Nau M. Jean Nau 669 676
M. Henri Naudin-Ferrand 357 360 365 368 408 409
MM. Guy et Serge Nebout 696
M. Yves Nedonsel 574
MM. F. Neel et J. Perriquet 271
M. Negrel 563 564
M. Gérard Neilz 690
SCEV Comtes de Neipperg 242
SC du Ch. Nenin 232
SCA Dom. de Nerleux 658 661
MM. A.-J.-C. et J. Nesme 154 156
M. Gérard Neumeyer 113 116 120
M. Jean-François Nevers 511
SCEA Roger Neveu et Fils 706 707
M. Neyret-Gachet 734
MM. Christian et Philippe Neys 273
Ets **Nicolas** 151 169 185 188 230 297 389 394 448 469 531 535 538 564 597 633 650 669 681 784 787
M. Pierre-Marie Ninot 453
SCEA du Ch. de Nizas 791
SCE Charles Noëllat 399 404
M. Achille Noël-Vincourt 222
M. Charles Noetinger 548 765
M. Louis Nogue 627
Champagne Nominé-Renard 498
M. Jean-Pierre Nony 247
M. Léon Nony 235
M. Claude Norguet 690 691
M. Claude Nouveau 368 448 450
Cave Coop. Vinicole de Noves 795
Dom. André Nudant et Fils 412 417 419 420
Coop. du Nyonsais 723 731 799
Cave Vinicole d'Obernai 113
SCA Les Vignerons d'Octaviana 531
GAEC Ogereau Père et Fils 640 651
Conf. des Vign. Oisly-Thésée 664 669
GFA Ch. d'Ollivier 280
SCA Jean Olivier 751
M. Henri Ondet 242
M. Charles Orban 498
Union des producteurs d'**Organac** 759
Comte Jérome d'Ormesson 793
Dom. d'Ormesson 787
M. Orosquette 541
Ch. d'Orschwihr 113 126
Dom. Ostertag 99
Dom. Ott 570
Dom. Ott et Frères 564 566
Champagne Oudinot 498
M. Alain Oudié 603
M. Gilbert Oury 689
M. Daniel Overnoy-Crinquand 511
GAEC Roger Pabiot et ses Fils 702
M. Charles-Eric Pasquiers 266
Champagne Bruno Paillard 498
M. Bernard Paille 205
M. Marcel Pain 679
M. Philippe Pain 679
M. et Mme Paitel 187
SCI Ch. Palmer 314 498 506
M. Guy Panis 532
GAEC Ch. de Panisseau 609
Champagne Pannier 499
Ch. Pape Clément 280
M. Christian Papin 621 644
M. Claude Papin 642 653
Maison François Paquet 146 150 164
M. Michel Paquet 613
M. Jean Paquette 558 559
MM. Parcé et Fils 553 763
GAEC A. Parcé 770
Dr Pardinelle 548 765

M. François **Paret** 567
MM. Parigot Père et Fils 368 426
Maison Parigot et Richard 368 371
M. Philippe Parinaud 207
SCEA Parize et Fils 459
M. Pasquier-Desvignes 155 162 164 399 426 450
SCEA Ch. de Passavant 621
M. B. de Passemar et Boisseson 587
M. Alain Passot 160
M. Georges Passot 160
MM. René et Bernard Passot 150 166
MM. Yves Pastourel et Fils 771
SC Ch. Patache d'Aux 297
SC du Ch. Patarabet 239
M. Guy Patissier 171
Alain et Christiane Patriarche 351
M. Jacques Pauly 333
M. René Paunier 669
M. Michel Paupion 636
M. Gérard Pautier 775
M. Alain Pautré 375
M. **Pauty** 295
M. René Pauvif 216
M. Jean-Marc Pavelot 419
GFA Ch. Pavie-Macquin 255
M. Gaston Pavy 672
M. Henri-Richard Pawlowski 560 563 566
M. Yves Payan 714
Cave de Paziols 767 769
SCEA du Pech-de-Jammes 614
SC de Pech-Latt 533
M. Guy Pécou 614
M. Georges Pédeboscq 183
M. Jean Pelany 789 793
M. Pelegrin 303
M. Daniel Pelissier 717
SCEA du Dom. Henry Pellé 699 700 708
M. Michel Pellé 186
M. André Pelletier 164
M. Henri Pelletier 357 459
M. Jacques Peltier 639
M. Jean-Claude Peltier 516
M. Serge Penaud 214
M. Dominique Percereau 671 672
M. Maurice Percereau 669
MM. Percher Frères 654 658
Père Anselme 731 745
M. Antoine Perez 586
M. Florian Perier 254
M. Jacques Perrachon 164
M. Pierre Perrachon 168
M. Hubert Perraud 151 162
Cave Beaujolaise du Perréon 150
M. Gérard Perrier 151
Champ. J. Perrier Fils et Cie 499
Champagne Perrier-Jouet 499
SF des Vignobles P. Perrin 716 743
M. Antony Perrin 275 276 279
M. Guy Perrin 293
M. Jacques Perromat 281
M. Pierre Perromat 203 332
M. Jean-Philippe Perron 152
M. Marius Perron 514 516
Mme Perrot de Gasonet 564
M. Pierre Pessonnier 219
M. Rolland Pestoury 271
GAEC Petillat 696
M. Franc Petit 561
GAEC Désiré Petit et Fils 511 512 516
GAEC du Petit Clocher 642 647
GAEC Petiteau-Gaubert 631 633
Champagne H. Petitjean et Cie 499
M. Yves du Petit-Thouars 669
SC du Ch. Pétrus 233
SC du Ch. du Peyrat 272
GAEC Peyraud 570
SC du Ch. Peyreau 253 255
MM. Guy et Luc Peyre 790
Cave Coop. Peyriac-Minervois 541 542
GAEC du Dom. du Peyrié 587
M. Peyrondet 190
M. Pierre Peyronie 318
M. Jean-Pierre Peyvergès 202

INDEX DES VINS

INDEX DES VINS

P. MISSEREY Pommard 426
P. MISSEREY Givry 459
P. MISSEREY Bourgogne hautes-côtes de nuits 365
P. MISSEREY Nuits-saint-georges 403
P. MISSEREY Côtes de nuits-villages 408
P. MISSEREY Côte de beaune-villages 450
P. MISSEREY Rully 453
M-J. Pineau des charentes 775
FRÉDÉRIC MOCHEL Alsace grand cru altenberg de bergbieten 118
MOET-ET-CHANDON Champagne 496
MOILLARD Bourgogne hautes-côtes de beaune 368
MOILLARD Gevrey-chambertin 387
MOILLARD Morey-saint-denis 391
MOILLARD Pommard 426
MOILLARD Mercurey 457
DOM. THOMAS-MOILLARD Clos de vougeot 396
DOM. THOMAS-MOILLARD Nuits-saint-georges 404
DOM. THOMAS-MOILLARD Beaune 423
CLAUDINE MOINE-CHAMPY Gevrey-chambertin 387
DOM. AUX MOINES Anjou-villages 645
DOM. AUX MOINES Savennières roche-aux-moines 649
DOM. DE MOLIÈRES Vin de pay des Bouches-du-Rhône 797
CH. MOMBOUSQUET Saint-émilion grand cru 254
MOMMESSIN Saint-amour 171
MOMMESSIN Bourgogne 351
MOMMESSIN Chablis premier cru 379
MOMMESSIN Gevrey-chambertin 387
MOMMESSIN Côtes de nuits-villages 408
MOMMESSIN Santenay 448
MOMMESSIN Mercurey 457
CLOS DU MONASTÈRE DE BROUSSEY Premières côtes de bordeaux 271
CH. MONBADILLAC Monbazillac 612
CH. MONBRISON Margaux 314
DOM. MONCEAU-BOCH Volnay 428
BERNARD MONDANGE Bourgogne aligoté 356
BERNARD MONDANGE Bourgogne hautes-côtes de nuits 365
DOM. MONGEARD-MUGNERET Echezeaux 397
DOM. MONGEARD-MUGNERET Vosne-romanée 399
CH. MONGRAVEY Margaux 314
MAISON EUGENE MONIN ET FILS Bugey VDQS 522 523
J.-M. MONMOUSSEAU Touraine 669
DOM. DE MONPERTUIS Châteauneuf-du-pape 746
DOM. MONROZIER Fleurie 162
CLOS MONTAGNE Premières côtes de bordeaux 271
CH. MONTAIGUILLON Montagne saint-emilion 261
VIGNERONS DE MONTALBA-LE-CHATEAU Côtes du roussillon 549
CH. MONTALIVET Graves 287
CH. MONTAUD Côtes de provence 564
MONTAUDON Champagne 497
CH. MONTBENAULT Rosé de loire 621
CH. MONTBENAULT Anjou 641
CH. MONTBENAULT Anjou-gamay 643
CH. MONTBENAULT Coteaux du layon 653
DOM. DE MONTBOURGEAU L'étoile 517
DOM. DE MONTELS V.d.p. des cts et terrasses de Montauban 785
DOM. DE MONTERRAIN Mâcon supérieur 463
CH. MONTFOLLET Premières côtes de blaye 217
DOM. DE MONTGILET Anjou-villages 645
CH. MONTGRAND MILON Pauillac 320
CH. DE MONTGUERET Anjou 641
CH. DE MONTGUERET Coteaux du layon 653
CH. DE MONTHELIE Monthelie 431
DOM. DE MONTHELIE DOUHAIRET Monthelie 431

CH. DU MONTHIL Médoc 297
HUBERT DE MONTILLE Pommard 426
HUBERT DE MONTILLE Volnay 428
CH. MONTJOUAN Premières côtes de bordeaux 272
CH. MONTLABERT Saint-émilion grand cru 254
DOM. DE MONTMAIN Bourgogne hautes-côtes de nuits 365
DOM. DES MONTMEZES Clairette du languedoc 529
CH. DE MONTMIRAIL Côtes du rhône 722
CH. DE MONTMIRAIL Côtes du rhône-villages 731
CH. DE MONTMIRAIL Gigondas 742
CH. DE MONTPLAISIR Côtes du rhône 722
DOM. DE MONTREDON Coteaux du languedoc 537
CH. DE MONT-REDON Côtes du rhône 722
DOM. DE MONTREUIL-BELLAY Saumur 658
CH. DE MONTREUIL-BELLAY Saumur 658
DOM. MONTROSE Madiran 603
CH. MONTUS Pacherenc du vic-bilh 604
CH. MONTUS Madiran 603
SCA LES VIGNERONS DU MONTVENT Côtes du ventoux 755
DOM. MOREAU ET FILS Chablis premier cru 379
DOM. MOREAU Chablis grand cru 382
CATHERINE MOREAU Touraine-amboise 671
JEAN MOREAU Bourgogne 351
PHILBERT MOREAU Beaujolais 146
PHILBERT MOREAU Mercurey 457
YVES MOREAU Touraine-amboise 671
YVES MOREAU Touraine-mesland 673
PASCAL MOREL Rosé des riceys 507
DOM. MOREY PÈRE ET FILS Chassagne-montrachet 443
CAVEAU DE MORGON Morgon 166
CH. MORILLON Bordeaux 188
CH. MORILLON Bordeaux sec 195
CH. MORILLON Bordeaux supérieur 206
MORIN Bourgogne 351
MORIN Santenay 448
MORIN PÈRE ET FILS Chassagne-montrachet 443
MICHEL MORIN Bourgogne 351
GILBERT MORNAND Mâcon-villages 465
ALBERT MOROT Beaune 422
BERNARD MOROT-GAUDRY Santenay 448
MORTET ET FILS Bourgogne 351
MORTET ET FILS Gevrey-chambertin 387
SYLVAIN MOSNIER Chablis 375
SYLVAIN MOSNIER Chablis premier cru 379
DOM. DE MOUCHAC Bordeaux supérieur 206
CH. MOUGNEAUX Bordeaux sec 195
CH. MOUGNEAUX Bordeaux supérieur 206
CH. MOUJAN Coteaux du languedoc 537
DOM. DU MOULIN Bordeaux côtes de francs 211
DOM. DU MOULIN Gaillac 591
DOM. DU MOULIN Saumur 658
DOM. DU MOULIN Côtes du rhône-villages 731
DOM. DU MOULIN Côtes du rhône 722
CH. MOULIN A VENT Moulis-en-médoc 317
DOM. DU MOULIN Côtes du rhône 722
CH. MOULIN BELLEGRAVE Saint-émilion grand cru 254
DOM. DU MOULIN BLANC Beaujolais 146
DOM. DU MOULIN Côtes du rhône 722
CH. MOULIN-D'ARVIGNY Haut-médoc 305
CH. MOULIN DE BEL-AIR Médoc 297
MOULIN DE BOISSE Bergerac 609

CH. MOULIN DE FERREGRAVE Médoc 297
CH. MOULIN DE GASSIOT Bordeaux 188
DOM. DU MOULIN DE LA BELLUE Bordeaux supérieur 206
CH. MOULIN DE LAUNAY Entre-deux-mers 266
CH. DE MOULIN DE LABORDE Listrac-médoc 309
LES VIGNES DU MOULIN DE LA GUSTAIS Gros-plant VDQS 635
DOM. DU MOULIN DE L'HORIZON Saumur 658
CH. MOULIN DE RAYMOND Bordeaux 188
MOULIN DES COSTES Bandol 570
CH. MOULIN DES GRAVES Côtes de bourg 220
CH. MOULIN DE BREUIL Côtes du roussillon 549
CH. MOULIN DU CADET Saint-émilion grand cru 254
DOM. DU MOULIN DU POURPRE Côtes du rhône 722
CH. MOULINET Pomerol 232
CH. MOULIN HAUT-VILLARS Fronsac 227
CH. MOULIN HAUT-LAROQUE Fronsac 227
CH. DU MOULIN MEYNEY Bordeaux 188
CH. DU MOULIN-MEYNEY Fronsac 227
CH. MOULIN NEUF Loupiac 328
MOULIN PEY-LABRIE Canon-fronsac 224
CH. MOULIN DE REYNAUD Fronsac 227
CH. DU MOULIN ROUGE Haut-médoc 305
CH. MOULIN DES TONNELLES Fronsac 227
MOULIN TOUCHAIS Coteaux du layon 653
CH. DU MOULIN VIEUX Côtes de bourg 220
R. MOUNIE Côtes du roussillon-villages 551
DOM. DE MOURIER Costières du gard 535
DOM. DE MOUSSENS Gaillac 591
DOM. FABRICE MOUSSET Châteauneuf-du-pape 746
MOUTARD PÈRE ET FILS Champagne 497
JEAN MOUTARDIER Champagne 497
CH. MOUTON BARONNE PHILIPPE Pauillac 320
MOUTON CADET Bordeaux 188
MOUTON-CADET Bordeaux sec 195
GERARD MOUTON Givry 459
CH. MOUTON ROTHSCHILD Pauillac 320
GÉRARD MUGNERET Nuits-saint-georges 404
GÉRARD MUGNERET Vosne-romanée 399
JEAN-PIERRE MUGNERET Bourgogne hautes-côtes de nuits 365
JEAN-PIERRE MUGNERET Echezeaux 397
JEAN-PIERRE MUGNERET Vosne-romanée 399
JEAN-PIERRE MUGNERET Nuits-saint-georges 404
JACQUES-FRÉDÉRIC MUGNIER Chambolle-musigny 394
JACQUES-FRÉDÉRIC MUGNIER Musigny 394
FRANÇOIS ET ROBERT MUHLBER-GER Alsace riesling 99
FRANÇOIS ET ROBERT MUHLBER-GER Alsace grand cru altenberg de wolxheim 135
FRANÇOIS/ROBERT MULBERGER Crémant d'Alsace 135
MULBERGER Alsace pinot noir 116
MULLER-KOEBERLE Alsace riesling 99
MUMM Champagne 497
BERNARD MÜNIER Bourgogne 351
CLOS MURABEAU Côtes du lubéron 758
DOM. REGIS MUREAU Bourgueil 675
CAVE COOP. MUSCAT DE LUNEL Muscat de lunel 771
DOM. DE MUSOLEU Vins de corse 579
DOM. MUSSY Beaune 422
LUCIEN MUZARD Santenay 448
PHILIPPE NADDEF Marsannay 364

855

INDEX DES VINS

NOTES PERSONNELLES

NOTES PERSONNELLES

NOTES PERSONNELLES

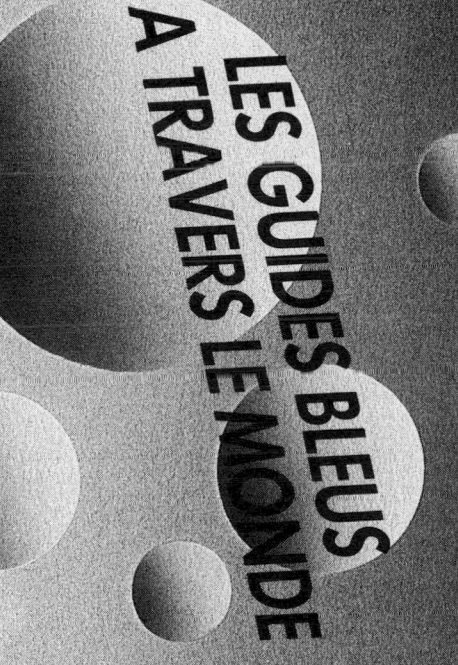

Achevé d'imprimer en septembre 1988
sur Téropaque des papeteries Enso
Collection n° 27 – Edition n° 01 – 24/1343/3
N° d'impression 176/19441
Dépôt légal n° 0637-10-1988
Imprimé en France
par Maulde et Renou Aisne

ISBN 2.01.014085.0